Machado de Assis
Obra completa

Biblioteca
Luso-brasileira
Série Brasileira

**Machado de Assis
Obra completa em
quatro volumes**

VOLUME 1
Fortuna crítica
Romance

VOLUME 2
Conto

VOLUME 3
Conto
Poesia
Teatro
Miscelânea
Correspondência

VOLUME 4
Crônica
Bibliografia

Machado de Assis aos 54 anos, aproximadamente. Foto sem identificação de autoria e sem data, publicada na revista *O Álbum*, c. 1893. Reproduzida na *Revista do Livro*, publicada pelo Ministério da Educação e Cultura, no Rio de Janeiro, em setembro de 1958, em edição comemorativa do cinquentenário da morte de Machado de Assis.

MACHADO
Obra

DE ASSIS
completa

VOLUME 2
Conto

Organização editorial
ALUIZIO LEITE
ANA LIMA CECILIO
HELOISA JAHN
RODRIGO LACERDA

Editora
Nova
Aguilar

DE ASSIS
obra completa

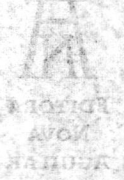

EDITORA
NOVA
AGUILAR

Sumário

Conto

- 12 **Contos fluminenses**
- 140 **Histórias da meia-noite**
- 228 **Papéis avulsos**
- 334 **Histórias sem data**
- 432 **Várias histórias**
- 522 **Páginas recolhidas**
- 618 **Relíquias de casa velha**
- 722 **Contos avulsos I**

C O N

Contos fluminenses

Histórias da meia-noite

Papéis avulsos

Histórias sem data

Várias histórias

Páginas recolhidas

Relíquias de casa velha

Contos avulsos I

Contos

Contos fluminenses foi publicado pela primeira vez em 1870, por B. L. Garnier, Livreiro-Editor, no Rio de Janeiro.

Miss Dollar

Luís Soares

A mulher de preto

fluminenses

O segredo de Augusta

Confissões de uma viúva moça

Linha reta e linha curva

Frei Simão

Miss Dollar

I

Era conveniente ao romance que o leitor ficasse muito tempo sem saber quem era Miss Dollar. Mas por outro lado, sem a apresentação de Miss Dollar, seria o autor obrigado a longas digressões, que encheriam o papel sem adiantar a ação. Não há hesitação possível: vou apresentar-lhes Miss Dollar.

Se o leitor é rapaz e dado ao gênio melancólico, imagina que Miss Dollar é uma inglesa pálida e delgada, escassa de carnes e de sangue, abrindo à flor do rosto dois grandes olhos azuis e sacudindo ao vento umas longas tranças louras. A moça em questão deve ser vaporosa e ideal como uma criação de Shakespeare; deve ser o contraste do rosbife britânico, com que se alimenta a liberdade do Reino Unido. Uma tal Miss Dollar deve ter o poeta Tennyson de cor e ler Lamartine no original; se souber o português deve deliciar-se com a leitura dos sonetos de Camões ou os *Cantos* de Gonçalves Dias. O chá e o leite devem ser a alimentação de semelhante criatura, adicionando-se-lhe alguns confeitos e biscoitos para acudir às urgências do estômago. A sua fala deve ser um murmúrio de harpa eólia; o seu amor um desmaio, a sua vida uma contemplação, a sua morte um suspiro.

A figura é poética, mas não é a da heroína do romance.

Suponhamos que o leitor não é dado a estes devaneios e melancolias; nesse caso imagina uma Miss Dollar totalmente diferente da outra. Desta vez será uma robusta americana, vertendo sangue pelas faces, formas arredondadas, olhos vivos e ardentes, mulher feita, refeita e perfeita. Amiga da boa mesa e do bom copo, esta Miss Dollar preferirá um quarto de carneiro a uma página de Longfellow, coisa naturalíssima quando o estômago reclama, e nunca chegará a compreender a poesia do pôr do sol. Será uma boa mãe de família segundo a doutrina de alguns padres-mestres da civilização, isto é, fecunda e ignorante.

Já não será do mesmo sentir o leitor que tiver passado a segunda mocidade e vir diante de si uma velhice sem recurso. Para esse, a Miss Dollar verdadeiramente digna de ser contada em algumas páginas, seria uma boa inglesa de cinquenta anos, dotada com algumas mil libras esterlinas, e que, aportando ao Brasil em procura de assunto para escrever um romance, realizasse um romance verdadeiro, casando com o leitor aludido. Uma tal Miss Dollar seria incompleta se não tivesse óculos verdes e um grande cacho de cabelo grisalho em cada fonte. Luvas de renda branca e chapéu de linho em forma de cuia seriam a última demão deste magnífico tipo de ultramar.

Mais esperto que os outros, acode um leitor dizendo que a heroína do romance não é nem foi inglesa, mas brasileira dos quatro costados, e que o nome de Miss Dollar quer dizer simplesmente que a rapariga é rica.

A descoberta seria excelente, se fosse exata; infelizmente nem esta nem as outras são exatas. A Miss Dollar do romance não é a menina romântica, nem a mulher robusta, nem a velha literata, nem a brasileira rica. Falha desta vez a proverbial perspicácia dos leitores; Miss Dollar é uma cadelinha galga.

Para algumas pessoas a qualidade da heroína fará perder o interesse do romance. Erro manifesto. Miss Dollar, apesar de não ser mais que uma cadelinha galga, teve as honras de ver o seu nome nos papéis públicos, antes de entrar para este livro. O *Jornal do Commercio* e o *Correio Mercantil* publicaram nas colunas dos anúncios as seguintes linhas reverberantes de promessa:

> Desencaminhou-se uma cadelinha galga, na noite de ontem, 30. Acode ao nome de Miss Dollar. Quem a achou e quiser levar à rua de Matacavalos n°..., receberá duzentos mil-réis de recompensa. Miss Dollar tem uma coleira ao pescoço fechada por um cadeado em que se leem as seguintes palavras: *De tout mon coeur.*

Todas as pessoas que sentiam necessidade urgente de duzentos mil-réis, e tiveram a felicidade de ler aquele anúncio, andaram nesse dia com extremo cuidado nas ruas do Rio de Janeiro, a ver se davam com a fugitiva Miss Dollar. Galgo que aparecesse ao longe era perseguido com tenacidade até verificar-se que não era o animal procurado. Mas toda esta caçada dos duzentos mil-réis era completamente inútil, visto que, no dia em que apareceu o anúncio, já Miss Dollar estava aboletada na casa de um sujeito morador nos Cajueiros que fazia coleção de cães.

II

Quais as razões que induziram o dr. Mendonça a fazer coleção de cães, é coisa que ninguém podia dizer; uns queriam que fosse simplesmente paixão por esse símbolo da fidelidade ou do servilismo; outros pensavam antes que, cheio de profundo desgosto pelos homens, Mendonça achou que era de boa guerra adorar os cães.

Fossem quais fossem as razões, o certo é que ninguém possuía mais bonita e variada coleção do que ele. Tinha-os de todas as raças, tamanhos e cores. Cuidava deles como se fossem seus filhos; se algum lhe morria ficava melancólico. Quase se pode dizer que, no espírito de Mendonça, o cão pesava tanto como o amor, segundo uma expressão célebre: tirai do mundo o cão, e o mundo será um ermo.

O leitor superficial conclui daqui que o nosso Mendonça era um homem excêntrico. Não era. Mendonça era um homem como os outros; gostava de cães como outros gostam de flores. Os cães eram as suas rosas e violetas; cultivava-os com o mesmíssimo esmero. De flores gostava também; mas gostava delas nas plantas em que nasciam: cortar um jasmim ou prender um canário parecia-lhe idêntico atentado.

Era o dr. Mendonça homem de seus trinta e quatro anos, bem apessoado, maneiras francas e distintas. Tinha-se formado em medicina e tratou algum tempo de doentes; a clínica estava já adiantada quando sobreveio uma epidemia na capital; o dr. Mendonça inventou um elixir contra a doença; e tão excelente era o elixir, que o autor ganhou um bom par de contos de réis. Agora exerce a medicina como amador. Tinha quanto bastava para si e a família. A família compunha-se dos animais citados acima.

Na memorável noite em que se desencaminhou Miss Dollar, voltava Mendonça para casa quando teve a ventura de encontrar a fugitiva no Rocio. A cadelinha entrou a acompanhá-lo, e ele, notando que era animal sem dono visível, levou-a consigo para os Cajueiros.

Apenas entrou em casa examinou cuidadosamente a cadelinha. Miss Dollar era realmente um mimo; tinha as formas delgadas e graciosas da sua fidalga raça; os olhos castanhos e aveludados pareciam exprimir a mais completa felicidade deste mundo, tão alegres e serenos eram. Mendonça contemplou-a e examinou minuciosamente. Leu o dístico do cadeado que fechava a coleira, e convenceu-se finalmente de que a cadelinha era animal de grande estimação da parte de quem quer que fosse dono dela.

— Se não aparecer o dono, fica comigo — disse ele entregando Miss Dollar ao moleque encarregado dos cães.

Tratou o moleque de dar comida a Miss Dollar, enquanto Mendonça planeava um bom futuro à nova hóspede, cuja família devia perpetuar-se na casa.

O plano de Mendonça durou o que duram os sonhos: o espaço de uma noite. No dia seguinte, lendo os jornais, viu o anúncio transcrito acima, prometendo duzentos mil-réis a quem entregasse a cadelinha fugitiva. A sua paixão pelos cães deu-lhe a medida da dor que devia sofrer o dono ou dona de Miss Dollar, visto que chegava a oferecer duzentos mil-réis de gratificação a quem apresentasse a galga. Consequentemente resolveu restituí-la, com bastante mágoa do coração. Chegou a hesitar por alguns instantes; mas afinal venceram os sentimentos de probidade e compaixão, que eram o apanágio daquela alma. E, como se lhe custasse despedir-se do animal, ainda recente na casa, dispôs-se a levá-lo ele mesmo, e para esse fim preparou-se. Almoçou, e depois de averiguar bem se Miss Dollar havia feito a mesma operação, saíram ambos de casa com direção a Matacavalos.

Naquele tempo ainda o barão do Amazonas não tinha salvo a independência das repúblicas platinas mediante a vitória de Riachuelo, nome com que depois a Câmara Municipal crismou a rua de Matacavalos. Vigorava, portanto, o nome tradicional da rua, que não queria dizer coisa nenhuma de jeito.

A casa que tinha o número indicado no anúncio era de bonita aparência e indicava certa abastança nos haveres de quem lá morasse. Antes mesmo que Mendonça batesse palmas no corredor, já Miss Dollar, reconhecendo os pátrios lares, começava a pular de contente e a soltar uns sons alegres e guturais que, se houvesse entre os cães literatura, deviam ser um hino de ação de graças.

Veio um moleque saber quem estava; Mendonça disse que vinha restituir a galga fugitiva. Expansão do rosto do moleque, que correu a anunciar a boa nova. Miss Dollar, aproveitando uma fresta, precipitou-se pelas escadas acima. Dispunha-se Mendonça a descer, pois estava cumprida a sua tarefa, quando o moleque voltou dizendo-lhe que subisse e entrasse para a sala.

Na sala não havia ninguém. Algumas pessoas, que têm salas elegantemente dispostas, costumam deixar tempo de serem estas admiradas pelas visitas, antes de as virem cumprimentar. É possível que esse fosse o costume dos donos daquela casa, mas desta vez não se cuidou em semelhante coisa, porque mal o médico entrou pela porta do corredor surgiu de outra interior uma velha com Miss Dollar nos braços e a alegria no rosto.

— Queira ter a bondade de sentar-se — disse ela designando uma cadeira à Mendonça.

— A minha demora é pequena — disse o médico sentando-se. — Vim trazer-lhe a cadelinha que está comigo desde ontem...

— Não imagina que desassossego causou cá em casa a ausência de Miss Dollar...

— Imagino, minha senhora; eu também sou apreciador de cães, se me faltasse um sentiria profundamente. A sua Miss Dollar...

— Perdão! — interrompeu a velha — minha não; Miss Dollar não é minha, é de minha sobrinha.

— Ah!...

— Ela aí vem.

Mendonça levantou-se justamente quando entrava na sala a sobrinha em questão. Era uma moça que representava vinte e oito anos, no pleno desenvolvimento da sua beleza, uma dessas mulheres que anunciam velhice tardia e imponente. O vestido de seda escura dava singular realce à cor imensamente branca da sua pele. Era roçagante o vestido, o que lhe aumentava a majestade do porte e da estatura. O corpinho do vestido cobria-lhe todo o colo; mas adivinhava-se por baixo da seda um belo tronco de mármore modelado por escultor divino. Os cabelos castanhos e naturalmente ondeados estavam penteados com essa simplicidade caseira, que é a melhor de todas as modas conhecidas; ornavam-lhe graciosamente a fronte como uma coroa doada pela natureza. A extrema brancura da pele não tinha o menor tom cor-de-rosa que lhe fizesse harmonia e contraste. A boca era pequena, e tinha uma certa expressão imperiosa. Mas a grande distinção daquele rosto, aquilo que mais prendia os olhos, eram os olhos; imaginem duas esmeraldas nadando em leite.

Mendonça nunca vira olhos verdes em toda a sua vida; disseram-lhe que existiam olhos verdes, e ele sabia de cor uns versos célebres de Gonçalves Dias; mas até então os tais olhos eram para ele a mesma coisa que a fênix dos antigos. Um dia, conversando com uns amigos a propósito disto, afirmava que se alguma vez encontrasse um par de olhos verdes fugiria deles com terror.

— Por quê? — perguntou-lhe um dos circunstantes admirado.

— A cor verde é a cor do mar — respondeu Mendonça —; evito as tempestades de um; evitarei as tempestades dos outros.

Eu deixo ao critério do leitor esta singularidade de Mendonça, que de mais a mais é *preciosa*, no sentido de Molière.

III

Mendonça cumprimentou respeitosamente a recém-chegada, e esta, com um gesto, convidou-o a sentar-se outra vez.

— Agradeço-lhe infinitamente o ter-me restituído este pobre animal, que me merece grande estima — disse Margarida sentando-se.

— E eu dou graças a Deus por tê-lo achado; podia ter caído em mãos que o não restituíssem.

Margarida fez um gesto a Miss Dollar, e a cadelinha, saltando do regaço da velha, foi ter com Margarida; levantou as patas dianteiras e pôs-lhas sobre os joelhos; Margarida e Miss Dollar trocaram um longo olhar de afeto. Durante esse tempo uma das mãos da moça brincava com uma das orelhas da galga, e dava assim lugar a que Mendonça admirasse os seus belíssimos dedos armados com unhas agudíssimas.

Mas, conquanto Mendonça tivesse sumo prazer em estar ali, reparou que era esquisita e humilhante a sua demora. Parecia estar esperando a gratificação. Para escapar a essa interpretação desairosa, sacrificou o prazer da conversa e a contemplação da moça; levantou-se dizendo:

— A minha missão está cumprida...

— Mas... — interrompeu a velha.

Mendonça compreendeu a ameaça da interrupção da velha.

— A alegria — disse ele — que restituí a esta casa é a maior recompensa que eu podia ambicionar. Agora peço-lhes licença...

As duas senhoras compreenderam a intenção de Mendonça; a moça pagou-lhe a cortesia com um sorriso; e a velha, reunindo no pulso quantas forças ainda lhe restavam pelo corpo todo, apertou com amizade a mão do rapaz.

Mendonça saiu impressionado pela interessante Margarida. Notava-lhe principalmente, além da beleza, que era de primeira água, certa severidade triste no olhar e nos modos. Se aquilo era caráter da moça, dava-se bem com a índole de médico; se era resultado de algum episódio da vida, era uma página do romance que devia ser decifrada por olhos hábeis. A falar verdade, o único defeito que Mendonça lhe achou foi a cor dos olhos, não porque a cor fosse feia, mas porque ele tinha prevenção contra os olhos verdes. A prevenção, cumpre dizê-lo, era mais literária que outra coisa; Mendonça apegava-se à frase que uma vez proferira, e foi acima citada, e a frase é que lhe produziu a prevenção. Não mo acusem de chofre; Mendonça era homem inteligente, instruído e dotado de bom senso; tinha, além disso, grande tendência para as afeições românticas; mas apesar disso lá tinha calcanhar o nosso Aquiles. Era homem como os outros, outros Aquiles andam por aí que são da cabeça aos pés um imenso calcanhar. O ponto vulnerável de Mendonça era esse; o amor de uma frase era capaz de violentar-lhe afetos; sacrificava uma situação a um período arredondado.

Referindo a um amigo o episódio da galga e a entrevista com Margarida, Mendonça disse que poderia vir a gostar dela se não tivesse olhos verdes. O amigo riu com certo ar de sarcasmo.

— Mas, doutor — disse-lhe ele —, não compreendo essa prevenção; eu ouço até dizer que os olhos verdes são de ordinário núncios de boa alma. Além de que, a cor dos olhos não vale nada, a questão é a expressão deles. Podem ser azuis como o céu e pérfidos como o mar.

A observação deste amigo anônimo tinha a vantagem de ser tão poética como a de Mendonça. Por isso abalou profundamente o ânimo do médico. Não ficou este como o asno de Buridan entre a selha d'água e a quarta de cevada; o asno hesitaria, Mendonça não hesitou. Acudiu-lhe de pronto a lição do casuísta Sánchez, e das duas opiniões tomou a que lhe pareceu provável.

Algum leitor grave achará pueril esta circunstância dos olhos verdes e esta controvérsia sobre a qualidade provável deles. Provará com isso que tem pouca prática do mundo. Os almanaques pitorescos citam até a saciedade mil excentricidades e senões dos grandes varões que a humanidade admira, já por instruídos nas letras, já por valentes nas armas; e nem por isso deixamos de admirar esses mesmos varões. Não queira o leitor abrir uma exceção só para encaixar nela o nosso doutor. Aceitamo-lo com os seus ridículos; quem os não tem? O ridículo é uma espécie de lastro da alma quando ela entra no mar da vida; algumas fazem toda a navegação sem outra espécie de carregamento.

Para compensar essas fraquezas, já disse que Mendonça tinha qualidades não vulgares. Adotando a opinião que lhe pareceu mais provável, que foi a do amigo, Mendonça disse consigo que nas mãos de Margarida estava talvez a chave do seu futuro. Ideou nesse sentido um plano de felicidade; uma casa num ermo, olhando para o mar ao lado do ocidente, a fim de poder assistir ao espetáculo do pôr do sol. Margarida e ele, unidos pelo amor e pela Igreja, beberiam ali, gota a gota, a taça inteira da celeste felicidade. O sonho de Mendonça continha outras particularidades que seria ocioso mencionar aqui. Mendonça pensou nisto alguns dias; chegou a passar algumas vezes por Matacavalos; mas tão infeliz que nunca viu Margarida nem a tia; afinal desistiu da empresa e voltou aos cães.

A coleção de cães era uma verdadeira galeria de homens ilustres. O mais estimado deles chamava-se *Diógenes*; havia um galgo que acudia ao nome de *César*; um cão d'água que se chamava *Nélson*; *Cornélia* chamava-se uma cadelinha rateira, e *Calígula* um enorme cão de fila, vera-efígie do grande monstro que a sociedade romana produziu. Quando se achava entre toda essa gente, ilustre por diferentes títulos, dizia Mendonça que entrava na história; era assim que se esquecia do resto do mundo.

IV

Achava-se Mendonça uma vez à porta do Carceller, onde acabava de tomar sorvete em companhia de um indivíduo, amigo dele, quando viu passar um carro, e dentro do carro duas senhoras que lhe pareceram as senhoras de Matacavalos. Mendonça fez um movimento de espanto que não escapou ao amigo.

— Que foi? — perguntou-lhe este.
— Nada; pareceu-me conhecer aquelas senhoras. Viste-as, Andrade?
— Não.

O carro entrara na rua do Ouvidor; os dois subiram pela mesma rua. Logo acima da rua da Quitanda, parara o carro à porta de uma loja, e as senhoras apearam-se e entraram. Mendonça não as viu sair; mas viu o carro e suspeitou que fosse o mesmo. Apressou o passo sem dizer nada a Andrade, que fez o mesmo, movido por essa natural curiosidade que sente um homem quando percebe algum segredo oculto.

Poucos instantes depois estavam à porta da loja; Mendonça verificou que eram as duas senhoras de Matacavalos. Entrou afoito, com ar de quem ia comprar alguma coisa, e aproximou-se das senhoras. A primeira que o conheceu foi a tia. Mendonça cumprimentou-as respeitosamente. Elas receberam o cumprimento com afabilidade. Ao pé de Margarida estava Miss Dollar, que, por esse admirável faro que a natureza concedeu aos cães e aos cortesãos da fortuna, deu dois saltos de alegria apenas viu Mendonça, chegando a tocar-lhe o estômago com as patas dianteiras.

— Parece que Miss Dollar ficou com boas recordações suas — disse d. Antônia (assim se chamava a tia de Margarida).
— Creio que sim — respondeu Mendonça brincando com a galga e olhando para Margarida.

Justamente nesse momento entrou Andrade.
— Só agora as reconheci — disse ele dirigindo-se às senhoras.

Andrade apertou a mão das duas senhoras, ou antes apertou a mão de d. Antônia e os dedos de Margarida.

Mendonça não contava com este incidente, e alegrou-se com ele por ter à mão o meio de tornar íntimas as relações superficiais que tinha com a família.

— Seria bom — disse ele a Andrade — que me apresentasses a estas senhoras.

— Pois não as conheces? — perguntou Andrade estupefato.

— Conhece-nos sem nos conhecer — respondeu sorrindo a velha tia —; por ora quem o apresentou foi Miss Dollar.

Antônia referiu a Andrade a perda e o achado da cadelinha.

— Pois, nesse caso — respondeu Andrade —, apresento-o já.

Feita a apresentação oficial, o caixeiro trouxe a Margarida os objetos que ela havia comprado, e as duas senhoras despediram-se dos rapazes pedindo-lhes que as fossem ver.

Não citei nenhuma palavra de Margarida no diálogo acima transcrito, porque, a falar verdade, a moça só proferiu duas palavras a cada um dos rapazes.

— Passe bem — disse-lhes ela dando as pontas dos dedos e saindo para entrar no carro.

Ficando sós, saíram também os dois rapazes e seguiram pela rua do Ouvidor acima, ambos calados. Mendonça pensava em Margarida; Andrade pensava nos meios de entrar na confidência de Mendonça. A vaidade tem mil formas de manifestar-se como o fabuloso Proteu. A vaidade de Andrade era ser confidente dos outros; parecia-lhe assim obter da confiança aquilo que só alcançava da indiscrição. Não lhe foi difícil apanhar o segredo de Mendonça; antes de chegar à esquina da rua dos Ourives já Andrade sabia de tudo.

— Compreendes agora — disse Mendonça — que eu preciso ir à casa dela; tenho necessidade de vê-la; quero ver se consigo...

Mendonça estacou.

— Acaba! — disse Andrade — se consegues ser amado. Por que não? Mas desde já te digo que não será fácil.

— Por quê?

— Margarida tem rejeitado cinco casamentos.

— Naturalmente não amava os pretendentes — disse Mendonça com o ar de um geômetra que acha uma solução.

— Amava apaixonadamente o primeiro — respondeu Andrade — e não era indiferente ao último.

— Houve naturalmente intriga.

— Também não. Admiras-te? É o que me acontece. É uma rapariga esquisita. Se te achas com força de ser o Colombo daquele mundo, lança-te ao mar com a armada; mas toma cuidado com a revolta das paixões, que são os ferozes marujos destas navegações de descoberta.

Entusiasmado com esta alusão histórica debaixo da forma de alegoria, Andrade olhou para Mendonça, que, desta vez entregue ao pensamento da moça, não atendeu à frase do amigo. Andrade contentou-se com o seu próprio sufrágio, e sorriu com o mesmo ar de satisfação que deve ter um poeta quando escreve o último verso de um poema.

V

Dias depois, Andrade e Mendonça foram à casa de Margarida, e lá passaram meia hora em conversa cerimoniosa. As visitas repetiram-se; eram porém mais frequentes da parte de Mendonça que de Andrade. D. Antônia mostrou-se mais familiar que Margarida; só depois de algum tempo Margarida desceu do Olimpo do silêncio em que habitualmente se encerrara.

Era difícil deixar de o fazer. Mendonça, conquanto não fosse dado à convivência das salas, era um cavalheiro próprio para entreter senhoras que pareciam mortalmente aborrecidas. O médico sabia piano e tocava agradavelmente; a sua conversa era animada; sabia esses mil nadas que entretêm geralmente as senhoras quando elas não gostam ou não podem entrar no terreno elevado da arte, da história e da filosofia. Não foi difícil ao rapaz estabelecer intimidade com a família.

Posteriormente às primeiras visitas, soube Mendonça, por via de Andrade, que Margarida era viúva. Mendonça não reprimiu um gesto de espanto.

— Mas tu falaste de um modo que parecias tratar de uma solteira — disse ele ao amigo.

— É verdade que não me expliquei bem; os casamentos recusados foram todos propostos depois da viuvez.

— Há que tempo está viúva?

— Há três anos.

— Tudo se explica — disse Mendonça depois de algum silêncio —; quer ficar fiel à sepultura; é uma Artemisa do século.

Andrade era cético a respeito de Artemisas; sorriu à observação do amigo, e, como este insistisse, replicou:

— Mas se eu já te disse que ela amava apaixonadamente o primeiro pretendente e não era indiferente ao último.

— Então, não compreendo.

— Nem eu.

Mendonça desde esse momento tratou de cortejar assiduamente a viúva; Margarida recebeu os primeiros olhares de Mendonça com um ar de tão supremo desdém, que o rapaz esteve quase a abandonar a empresa; mas, a viúva, ao mesmo tempo que parecia recusar amor, não lhe recusava estima, e tratava-o com a maior meiguice deste mundo sempre que ele a olhava como toda a gente.

Amor repelido é amor multiplicado. Cada repulsa de Margarida aumentava a paixão de Mendonça. Nem já lhe mereciam atenção feroz *Calígula*, nem o elegante *Júlio César*. Os dois escravos de Mendonça começaram a notar a profunda diferença que havia entre os hábitos de hoje e os de outro tempo. Supuseram logo que alguma coisa o preocupava. Convenceram-se disso quando Mendonça, entrando uma vez em casa, deu com a ponta do botim no focinho de *Cornélia*, na ocasião em que esta interessante cadelinha, mãe de dois *Gracos* rateiros, festejava a chegada do doutor.

Andrade não foi insensível aos sofrimentos do amigo e procurou consolá-lo. Toda a consolação nestes casos é tão desejada quanto inútil; Mendonça ouvia as palavras de Andrade e confiava-lhe todas as suas penas. Andrade lembrou a Mendonça um excelente meio de fazer cessar a paixão: era ausentar-se da casa. A isto respondeu Mendonça citando La Rochefoucauld:

A ausência diminui as paixões medíocres e aumenta as grandes, como o vento apaga as velas e atiça as fogueiras.

A citação teve o mérito de tapar a boca de Andrade, que acreditava tanto na constância como nas Artemisas, mas que não queria contrariar a autoridade do moralista, nem a resolução de Mendonça.

VI

Correram assim três meses. A corte de Mendonça não adiantava um passo; mas a viúva nunca deixou de ser amável com ele. Era isto o que principalmente retinha o médico aos pés da insensível viúva; não o abandonava a esperança de vencê-la.

Algum leitor conspícuo desejaria antes que Mendonça não fosse tão assíduo na casa de uma senhora exposta às calúnias do mundo. Pensou nisso o médico e consolou a consciência com a presença de um indivíduo, até aqui não nomeado por motivo de sua nulidade, e que era nada menos que o filho da sra. d. Antônia e a menina dos seus olhos. Chamava-se Jorge esse rapaz, que gastava duzentos mil-réis por mês, sem os ganhar, graças à longanimidade da mãe. Frequentava as casas dos cabeleireiros, onde gastava mais tempo que uma romana da decadência às mãos das suas servas latinas. Não perdia representação de importância no Alcazar; montava bons cavalos, e enriquecia com despesas extraordinárias as algibeiras de algumas damas célebres e de vários parasitas obscuros. Calçava luvas da letra E e botas número 36, duas qualidades que lançava à cara de todos os seus amigos que não desciam do número 40 e da letra H. A presença deste gentil pimpolho, achava Mendonça que salvava a situação. Mendonça queria dar esta satisfação ao mundo, isto é, à opinião dos ociosos da cidade. Mas bastaria isso para tapar a boca aos ociosos?

Margarida parecia indiferente às interpretações do mundo como à assiduidade do rapaz. Seria ela tão indiferente a tudo mais neste mundo? Não; amava a mãe, tinha um capricho por Miss Dollar, gostava de boa música, e lia romances. Vestia-se bem, sem ser rigorista em matéria de moda; não valsava; quando muito dançava alguma quadrilha nos saraus a que era convidada. Não falava muito, mas exprimia-se bem. Tinha o gesto gracioso e animado, mas sem pretensão nem faceirice.

Quando Mendonça aparecia lá, Margarida recebia-o com visível contentamento. O médico iludia-se sempre, apesar de já acostumado a essas manifestações. Com efeito, Margarida gostava imenso da presença do rapaz, mas não parecia dar-lhe uma importância que lisonjeasse o coração dele. Gostava de o ver como se gosta de ver um dia bonito, sem morrer de amores pelo sol.

Não era possível sofrer por muito tempo a posição em que se achava o médico. Uma noite, por um esforço de que antes disso se não julgaria capaz, Mendonça dirigiu a Margarida esta pergunta indiscreta:

— Foi feliz com seu marido?

Margarida franziu a testa com espanto e cravou os olhos nos do médico, que pareciam continuar mudamente a pergunta.

— Fui — disse ela no fim de alguns instantes.

Mendonça não disse palavra; não contava com aquela resposta. Confiava demais na intimidade que reinava entre ambos; e queria descobrir por algum modo a causa da insensibilidade da viúva. Falhou o cálculo; Margarida tornou-se séria durante algum tempo; a chegada de d. Antônia salvou uma situação esquerda para Mendonça. Pouco depois Margarida voltava às boas, e a conversa tornou-se animada e íntima como sempre. A chegada de Jorge levou a animação da conversa a proporções maiores; d. Antônia, com olhos e ouvidos de mãe, achava que o filho era o rapaz mais engraçado deste mundo; mas a verdade é que não havia em toda a cristandade espírito mais frívolo. A mãe ria-se de tudo quanto o filho dizia; o filho enchia, só ele, a conversa, referindo anedotas e reproduzindo ditos e sestros do Alcazar. Mendonça via todas essas feições do rapaz, e aturava-o com resignação evangélica.

A entrada de Jorge, animando a conversa, acelerou as horas; às dez retirou-se o médico, acompanhado pelo filho de d. Antônia, que ia cear. Mendonça recusou o convite que Jorge lhe fez, e despediu-se dele na rua do Conde, esquina da do Lavradio.

Nessa mesma noite resolveu Mendonça dar um golpe decisivo; resolveu escrever uma carta a Margarida. Era temerário para quem conhecesse o caráter da viúva; mas, com os precedentes já mencionados, era loucura. Entretanto, não hesitou o médico em empregar a carta, confiando que no papel diria as coisas de muito melhor maneira que de boca. A carta foi escrita com febril impaciência; no dia seguinte, logo depois de almoçar, Mendonça meteu a carta dentro de um volume de George Sand, mandou-o pelo moleque a Margarida.

A viúva rompeu a capa de papel que embrulhava o volume, e pôs o livro sobre a mesa da sala; meia hora depois voltou e pegou no livro para ler. Apenas o abriu, caiu-lhe a carta aos pés. Abriu-a e leu o seguinte:

> Qualquer que seja a causa da sua esquivança, respeito-a, não me insurjo contra ela. Mas, se não me é dado insurgir-me, não me será lícito queixar-me? Há de ter compreendido o meu amor, do mesmo modo que tenho compreendido a sua indiferença; mas, por maior que seja essa indiferença está longe de ombrear com o amor profundo e imperioso que se apossou de meu coração quando eu mais longe me cuidava destas paixões dos primeiros anos. Não lhe contarei as insônias e as lágrimas, as esperanças e os desencantos, páginas tristes deste livro que o destino põe nas mãos do homem para que duas almas o leiam. É-lhe indiferente isso.
>
> Não ouso interrogá-la sobre a esquivança que tem mostrado em relação a mim; mas por que motivo se estende essa esquivança a tantos mais? Na idade das paixões férvidas, ornada pelo céu com uma beleza rara, por que motivo quer esconder-se ao mundo e defraudar a natureza e o coração de seus incontestáveis direitos? Perdoe-me a audácia da pergunta; acho-me diante de um enigma que o meu coração desejaria decifrar. Penso às vezes que alguma grande dor a atormenta, e quisera ser o médico do seu coração; ambicionava, confesso, restaurar-lhe alguma ilusão perdida. Parece que não há ofensa nesta ambição.
>
> Se, porém, essa esquivança denota simplesmente um sentimento de orgulho legítimo, perdoe-me se ousei escrever-lhe quando seus olhos expressamente mo proibiram. Rasgue a carta que não pode valer-lhe uma recordação, nem representar uma arma.

A carta era toda de reflexão; a frase fria e medida não exprimia o fogo do sentimento. Não terá, porém, escapado ao leitor a sinceridade e a simplicidade com que Mendonça pedia uma explicação que Margarida provavelmente não podia dar.

Quando Mendonça disse a Andrade haver escrito a Margarida, o amigo do médico entrou a rir despregadamente.

— Fiz mal? — perguntou Mendonça.

— Estragaste tudo. Os outros pretendentes começaram também por carta; foi justamente a certidão de óbito do amor.

— Paciência, se acontecer o mesmo — disse Mendonça levantando os ombros com aparente indiferença —; mas eu desejava que não estivesses sempre a falar nos pretendentes; eu não sou pretendente no sentido desses.

— Não querias casar com ela?

— Sem dúvida, se fosse possível — respondeu Mendonça.

— Pois era justamente o que os outros queriam; casar-te-ias e entrarias na mansa posse dos bens que lhe couberam em partilha e que sobem a muito mais de cem contos. Meu rico, se falo em pretendentes não é por te ofender, porque um dos quatro pretendentes despedidos fui eu.

— Tu?

— É verdade; mas descansa, não fui o primeiro, nem ao menos o último.

— Escreveste?

— Como os outros; como eles, não obtive resposta; isto é, obtive uma: devolveu-me a carta. Portanto, já que lhe escreveste, espera o resto; verás se o que te digo é ou não exato. Estás perdido, Mendonça; fizeste muito mal.

Andrade tinha esta feição característica de não omitir nenhuma das cores sombrias de uma situação, com o pretexto de que aos amigos se deve a verdade. Desenhado o quadro, despediu-se de Mendonça, e foi adiante.

Mendonça foi para casa, onde passou a noite em claro.

VII

Enganara-se Andrade; a viúva respondeu à carta do médico. A carta dela limitou-se a isto:

> Perdoo-lhe tudo; não lhe perdoarei se me escrever outra vez. A minha esquivança não tem nenhuma causa; é questão de temperamento.

O sentido da carta era ainda mais lacônico do que a expressão. Mendonça leu-a muitas vezes, a ver se a completava; mas foi trabalho perdido. Uma coisa concluiu ele logo; era que havia coisa oculta que arredava Margarida do casamento; depois concluiu outra, era que Margarida ainda lhe perdoaria segunda carta se lha escrevesse.

A primeira vez que Mendonça foi a Matacavalos achou-se embaraçado sobre a maneira por que falaria a Margarida; a viúva tirou-o do embaraço, tratando-o como se nada houvesse entre ambos. Mendonça não teve ocasião de aludir às cartas por causa da presença de d. Antônia, mas estimou isso mesmo, porque não sabia o que lhe diria caso viessem a ficar sós os dois.

Dias depois, Mendonça escreveu segunda carta à viúva e mandou-lha pelo mesmo canal da outra. A carta foi-lhe devolvida sem resposta. Mendonça arrependeu-se de ter abusado da ordem da moça, e resolveu, de uma vez por todas, não voltar à casa de Matacavalos. Nem tinha ânimo de lá aparecer, nem julgava conveniente estar junto de uma pessoa a quem amava sem esperança.

Ao cabo de um mês não tinha perdido uma partícula sequer do sentimento que nutria pela viúva. Amava-a com o mesmíssimo ardor. A ausência, como ele pensara, aumentou-lhe o amor, como o vento ateia um incêndio. Debalde lia ou buscava distrair-se na vida agitada do Rio de Janeiro; entrou a escrever um estudo sobre a teoria do ouvido, mas a pena escapava-se-lhe para o coração, e saiu o escrito com uma mistura de nervos e sentimentos. Estava então na sua maior nomeada o *romance* de Renan sobre a vida de Jesus; Mendonça encheu o gabinete com todos os folhetos publicados de parte a parte, e entrou a estudar profundamente o misterioso drama da Judeia. Fez quanto pôde para absorver o espírito e esquecer a esquiva Margarida; era-lhe impossível.

Um dia de manhã apareceu-lhe em casa o filho de d. Antônia; traziam-no dois motivos: perguntar-lhe por que não ia a Matacavalos, e mostrar-lhe umas calças novas. Mendonça aprovou as calças, e desculpou como pôde a ausência, dizendo que andava atarefado. Jorge não era alma que compreendesse a verdade escondida por baixo de uma palavra indiferente; vendo Mendonça mergulhado no meio de uma chusma de livros e folhetos, perguntou-lhe se estava estudando para ser deputado. Jorge cuidava que se estudava para ser deputado!

— Não — respondeu Mendonça.

— É verdade que a prima também lá anda com livros, e não creio que pretenda ir à Câmara.

— Ah! sua prima?

— Não imagina; não faz outra coisa. Fecha-se no quarto, e passa os dias inteiros a ler.

Informado por Jorge, Mendonça supôs que Margarida era nada menos que uma mulher de letras, alguma modesta poetisa, que esquecia o amor dos homens nos braços das musas. A suposição era gratuita e filha mesmo de um espírito cego pelo amor como o de Mendonça. Há várias razões para ler muito sem ter comércio com as musas.

— Note que a prima nunca leu tanto; agora é que lhe deu para isso — disse Jorge tirando da charuteira um magnífico havana do valor de três tostões, e oferecendo outro a Mendonça. — Fume isto — continuou ele —, fume e diga-me se há ninguém como o Bernardo para ter charutos bons.

Gastos os charutos, Jorge despediu-se do médico levando a promessa de que este iria à casa de d. Antônia o mais cedo que pudesse.

No fim de quinze dias Mendonça voltou a Matacavalos.

Encontrou na sala Andrade e d. Antônia, que o receberam com aleluias. Mendonça parecia com efeito ressurgir de um túmulo; tinha emagrecido e empalidecido. A melancolia dava-lhe ao rosto maior expressão de abatimento. Alegou trabalhos extraordinários, e entrou a conversar alegremente como dantes. Mas essa alegria, como se compreende, era toda forçada. No fim de um quarto de hora a tristeza apossou-se-lhe outra vez do rosto. Durante esse tempo, Margarida não apareceu na sala; Mendonça, que até então não perguntara por ela, não sei por que razão, vendo que ela não aparecia, perguntou se estava doente. D. Antônia respondeu-lhe que Margarida estava um pouco incomodada.

O incômodo de Margarida durou uns três dias; era uma simples dor de cabeça, que o primo atribuiu à aturada leitura.

No fim de alguns dias mais, d. Antônia foi surpreendida com uma lembrança de Margarida; a viúva queria ir viver na roça algum tempo.

— Aborrece-te a cidade? — perguntou a boa velha.

— Alguma coisa — respondeu Margarida —; queria ir viver uns dois meses na roça.

D. Antônia não podia recusar nada à sobrinha; concordou em ir para a roça; e começaram os preparativos. Mendonça soube da mudança no Rocio, andando a passear de noite; disse-lho Jorge na ocasião de ir para o Alcazar. Para o rapaz era uma fortuna aquela mudança, porque suprimia-lhe a única obrigação que ainda tinha neste mundo, que era a de ir jantar com a mãe.

Não achou Mendonça nada que admirar na resolução; as resoluções de Margarida começavam a parecer-lhe simplicidades.

Quando voltou para casa encontrou um bilhete de d. Antônia concebido nestes termos:

> Temos de ir para fora alguns meses; espero que não nos deixe sem despedir-se de nós. A partida é sábado; e eu quero incumbi-lo de uma coisa.

Mendonça tomou chá, e dispôs-se a dormir. Não pôde. Quis ler; estava incapaz disso. Era cedo; saiu. Insensivelmente dirigiu os passos para Matacavalos. A casa de d. Antônia estava fechada e silenciosa; evidentemente estavam já dormindo. Mendonça passou adiante, e parou junto da grade do jardim adjacente à casa. De fora podia ver a janela do quarto de Margarida, pouco elevada, e dando para o jardim. Havia luz dentro; naturalmente Margarida estava acordada. Mendonça deu mais alguns passos; a porta do jardim estava aberta. Mendonça sentiu pulsar-lhe o coração com força desconhecida. Surgiu-lhe no espírito uma suspeita. Não há coração confiante que não tenha desfalecimentos destes; além de que, seria errada a suspeita? Mendonça, entretanto, não tinha nenhum direito à viúva; fora repelido categoricamente. Se havia algum dever da parte dele era a retirada e o silêncio.

Mendonça quis conservar-se no limite que lhe estava marcado; a porta aberta do jardim podia ser esquecimento da parte dos fâmulos. O médico refletiu bem que aquilo tudo era fortuito, e fazendo um esforço afastou-se do lugar. Adiante parou e refletiu; havia um demônio que o impelia por aquela porta dentro. Mendonça voltou, e entrou com precaução.

Apenas dera alguns passos surgiu-lhe em frente Miss Dollar latindo; parece que a galga saíra de casa sem ser pressentida; Mendonça amimou-a e a cadelinha parece que reconheceu o médico, porque trocou os latidos em festas. Na parede do quarto de Margarida desenhou-se uma sombra de mulher; era a viúva que chegava à janela para ver a causa do ruído. Mendonça coseu-se como pôde com uns arbustos que ficavam junto da grade; não vendo ninguém, Margarida voltou para dentro.

Passados alguns minutos, Mendonça saiu do lugar em que se achava e dirigiu-se para o lado da janela da viúva. Acompanhava-o Miss Dollar. Do jardim não podia olhar, ainda que fosse mais alto, para o aposento da moça. A cadelinha apenas chegou àquele ponto, subiu ligeira uma escada de pedra que comunicava o jardim com a casa; a porta do quarto de Margarida ficava justamente no corredor que se seguia à escada; a porta estava aberta. O rapaz imitou a cadelinha; subiu os seis degraus de pedra vagarosamente; quando pôs o pé no último ouviu Miss Dollar pulando no quarto e vindo latir à porta, como que avisando a Margarida de que se aproximava um estranho.

Mendonça deu mais um passo. Mas nesse momento atravessou o jardim um escravo que acudia ao latido da cadelinha; o escravo examinou o jardim, e não vendo ninguém retirou-se. Margarida foi à janela e perguntou o que era; o escravo explicou-lhe e tranquilizou-a dizendo que não havia ninguém.

Justamente quando ela saía da janela aparecia à porta a figura de Mendonça. Margarida estremeceu por um abalo nervoso; ficou mais pálida do que era; depois, concentrando nos olhos toda a soma de indignação que pode conter um coração, perguntou-lhe com voz trêmula:

— Que quer aqui?

Foi nesse momento, e só então, que Mendonça reconheceu toda a baixeza do seu procedimento, ou para falar mais acertadamente, toda a alucinação do seu espírito. Pareceu-lhe ver em Margarida a figura da sua consciência, a exprobrar-lhe tamanha indignidade. O pobre rapaz não procurou desculpar-se; a sua resposta foi singela e verdadeira.

— Sei que cometi um ato infame — disse ele —; não tinha razão para isso; estava louco; agora conheço a extensão do mal. Não lhe peço que me desculpe, dona Margarida; não mereço perdão; mereço desprezo; adeus!

— Compreendo, senhor — disse Margarida —; quer obrigar-me pela força do descrédito quando me não pode obrigar pelo coração. Não é de cavalheiro.

— Oh! isso... juro-lhe que não foi tal o meu pensamento...

Margarida caiu numa cadeira parecendo chorar. Mendonça deu um passo para entrar, visto que até então não saíra da porta; Margarida levantou os olhos cobertos de lágrimas, e com um gesto imperioso mostrou-lhe que saísse.

Mendonça obedeceu; nem um nem outro dormiram nessa noite. Ambos curvavam-se ao peso da vergonha: mas, por honra de Mendonça, a dele era maior que a dela; e a dor de uma não ombreava com o remorso de outro.

VIII
No dia seguinte estava Mendonça em casa fumando charutos sobre charutos, recurso das grandes ocasiões, quando parou à porta dele um carro, apeando-se pouco depois a mãe de Jorge. A visita pareceu de mau agouro ao médico. Mas apenas a velha entrou, dissipou-lhe o receio.

— Creio — disse d. Antônia — que a minha idade permite visitar um homem solteiro.

Mendonça procurou sorrir ouvindo este gracejo; mas não pôde. Convidou a boa senhora a sentar-se, e sentou-se ele também esperando que ela lhe explicasse a causa da visita.

— Escrevi-lhe ontem — disse ela — para que fosse ver-me hoje; preferi vir cá, receando que por qualquer motivo não fosse a Matacavalos.

— Queria então incumbir-me?

— De coisa nenhuma — respondeu a velha sorrindo —; incumbir disse-lhe eu, como diria qualquer outra coisa indiferente; quero informá-lo.

— Ah! de quê?

— Sabe quem ficou hoje de cama?

— Dona Margarida?

— É verdade; amanheceu um pouco doente; diz que passou a noite mal. Eu creio que sei a razão — acrescentou d. Antônia rindo maliciosamente para Mendonça.

— Qual será então a razão? — perguntou o médico.

— Pois não percebe?

— Não.

— Margarida ama-o.

Mendonça levantou-se da cadeira como por uma mola. A declaração da tia da viúva era tão inesperada que o rapaz cuidou estar sonhando.

— Ama-o — repetiu d. Antônia.

— Não creio — respondeu Mendonça depois de algum silêncio —; há de ser engano seu.

— Engano! — disse a velha.

D. Antônia contou a Mendonça que, curiosa por saber a causa das vigílias de Margarida, descobrira no quarto dela um *diário de impressões*, escrito por ela, à imitação de não sei quantas heroínas de romances; aí lera a verdade que lhe acabava de dizer.

— Mas se me ama — observou Mendonça sentindo entrar-lhe na alma um mundo de esperança —, se me ama, por que recusa o meu coração?

— O *diário* explica isso mesmo; eu lhe digo. Margarida foi infeliz no casamento; o marido teve unicamente em vista gozar da riqueza dela; Margarida adquiriu a certeza de que nunca será amada por si, mas pelos cabedais que possui; atribui o seu amor à cobiça. Está convencido?

Mendonça começou a protestar.

— É inútil — disse d. Antônia —, eu creio na sinceridade do seu afeto; já de há muito percebi isso mesmo; mas como convencer um coração desconfiado?

— Não sei.

— Nem eu — disse a velha —, mas para isso é que eu vim cá; peço-lhe que veja se pode fazer com que a minha Margarida torne a ser feliz, se lhe influi a crença no amor que lhe tem.

— Acho que é impossível...

Mendonça lembrou-se de contar a d. Antônia a cena da véspera; mas arrependeu-se a tempo.

D. Antônia saiu pouco depois.

A situação de Mendonça, ao passo que se tornara mais clara, estava mais difícil que dantes. Era possível tentar alguma coisa antes da cena do quarto; mas depois, achava Mendonça impossível conseguir nada.

A doença de Margarida durou dois dias, no fim dos quais levantou-se a viúva um pouco abatida, e a primeira coisa que fez foi escrever a Mendonça pedindo-lhe que fosse lá a casa.

Mendonça admirou-se bastante do convite, e obedeceu de pronto.

— Depois do que se deu há três dias — disse-lhe Margarida —, compreende o senhor que eu não posso ficar debaixo da ação da maledicência... Diz que me ama; pois bem, o nosso casamento é inevitável.

Inevitável! amargou esta palavra ao médico, que aliás não podia recusar uma reparação. Lembrava-se ao mesmo tempo que era amado; e conquanto a ideia lhe sorrisse ao espírito, outra vinha dissipar esse instantâneo prazer, e era a suspeita que Margarida nutria a seu respeito.

— Estou às suas ordens — respondeu ele.

Admirou-se d. Antônia da presteza do casamento quando Margarida lho anunciou nesse mesmo dia. Supôs que fosse milagre do rapaz. Pelo tempo adiante reparou que os noivos tinham cara mais de enterro que de casamento. Interrogou a sobrinha a esse respeito; obteve uma resposta evasiva.

Foi modesta e reservada a cerimônia do casamento. Andrade serviu de padrinho, d. Antônia de madrinha; Jorge falou no Alcazar a um padre, seu amigo, para celebrar o ato.

D. Antônia quis que os noivos ficassem residindo em casa com ela. Quando Mendonça se achou a sós com Margarida, disse-lhe:

— Casei-me para salvar-lhe a reputação; não quero obrigar pela fatalidade das coisas um coração que me não pertence. Ter-me-á por seu amigo; até amanhã.

Saiu Mendonça depois deste *speech*, deixando Margarida suspensa entre o conceito que fazia dele e a impressão das suas palavras agora. Não havia posição mais singular do que a destes noivos separados por uma quimera. O mais belo dia da vida tornava-se para eles um dia de desgraça e de solidão; a formalidade do casamento foi simplesmente o prelúdio do mais completo divórcio. Menos ceticismo da parte de Margarida, mais cavalheirismo da parte do rapaz, teriam poupado o desenlace sombrio da comédia do coração. Vale mais imaginar que descrever as torturas daquela primeira noite de noivado.

Mas aquilo que o espírito do homem não vence, há de vencê-lo o tempo, a quem cabe final razão. O tempo convenceu Margarida de que a sua suspeita era gratuita; e, coincidindo com ele o coração, veio a tornar-se efetivo o casamento apenas celebrado.

Andrade ignorou estas coisas; cada vez que encontrava Mendonça chamava-lhe Colombo do amor; tinha Andrade a mania de todo o sujeito a quem as ideias ocorrem trimestralmente; apenas pilhada alguma de jeito repetia-a até a saciedade.

Os dois esposos são ainda noivos e prometem sê-lo até a morte. Andrade meteu-se na diplomacia e promete ser um dos luzeiros da nossa representação internacional. Jorge continua a ser um bom pândego; d. Antônia prepara-se para despedir-se do mundo.

Quanto a Miss Dollar, causa indireta de todos estes acontecimentos, saindo um dia à rua foi pisada por um carro; faleceu pouco depois. Margarida não pôde reter algumas lágrimas pela nobre cadelinha; foi o corpo enterrado na chácara, à sombra de uma laranjeira; cobre a sepultura uma lápida com esta simples inscrição:

A MISS DOLLAR.

Publicado originalmente em Contos fluminenses *(1870).*

Luís Soares

I

Trocar o dia pela noite, dizia Luís Soares, é restaurar o império da natureza corrigindo a obra da sociedade. O calor do sol está dizendo aos homens que vão descansar e dormir, ao passo que a frescura relativa da noite é a verdadeira estação em que se deve viver. Livre em todas as minhas ações, não quero sujeitar-me à lei absurda que a sociedade me impõe: velarei de noite, dormirei de dia.

Contrariamente a vários ministérios, Soares cumpria este programa com um escrúpulo digno de uma grande consciência. A aurora para ele era o crepúsculo, o crepúsculo era a aurora. Dormia doze horas consecutivas, durante o dia, quer dizer das seis da manhã às seis da tarde. Almoçava às sete e jantava às duas da madrugada. Não ceava. A sua ceia limitava-se a uma xícara de chocolate que o criado lhe dava às cinco horas da manhã quando ele entrava para casa. Soares engolia o chocolate, fumava dois charutos, fazia alguns trocadilhos com o criado, lia uma página de algum romance, e deitava-se.

Não lia jornais. Achava que um jornal era a coisa mais inútil deste mundo, depois da Câmara dos Deputados, das obras dos poetas, e das missas. Não quer isto dizer que Soares fosse ateu em religião, política e poesia. Não. Soares era apenas indiferente. Olhava para todas as grandes coisas com a mesma cara com que via uma mulher feia. Podia vir a ser um grande perverso; até então era apenas uma grande inutilidade.

Graças a uma boa fortuna que lhe deixara o pai, Soares podia gozar a vida que levava, esquivando-se a todo o gênero de trabalho e entregue somente aos instintos da sua natureza e aos caprichos do seu coração. Coração é talvez demais. Era duvidoso que Soares o tivesse. Ele mesmo o dizia. Quando alguma dama lhe pedia que ele a amasse, Soares respondia:

— Minha rica pequena, eu nasci com a grande vantagem de não ter coisa nenhuma dentro do peito nem dentro da cabeça. Isso que chamam juízo e sentimento são para mim verdadeiros mistérios. Não os compreendo porque os não sinto.

Soares acrescentava que a fortuna suplantara a natureza deitando-lhe no berço em que nasceu uma boa soma de contos de réis. Mas esquecia que a fortuna, apesar de generosa, é exigente, e quer da parte dos seus afilhados algum esforço próprio. A fortuna não é Danaide. Quando vê que um tonel esgota a água que se lhe põe dentro vai levar os seus cântaros a outra parte. Soares não pensava nisto. Cuidava que os seus bens eram renascentes como as cabeças da hidra antiga. Gastava às mãos largas; e os contos de réis, tão dificilmente acumulados por seu pai, escapavam-se-lhes das mãos como pássaros sequiosos por gozarem do ar livre.

Achou-se, portanto, pobre quando menos o esperava. Um dia de manhã, quer dizer, às ave-marias, os olhos de Soares viram escritas as palavras fatídicas do festim babilônico. Era uma carta que o criado lhe entregara dizendo que o banqueiro de Soares a havia deixado à meia-noite. O criado falava como o amo vivia: ao meio-dia chamava meia-noite.

— Já te disse — respondeu Soares — que eu só recebo cartas dos meus amigos, ou então...

— De alguma rapariga, bem sei. É por isso que lhe não tenho dado as cartas que o banqueiro tem trazido, há um mês. Hoje, porém, o homem disse que era indispensável que lhe eu desse esta.

Soares sentou-se na cama, e perguntou ao criado meio alegre e meio zangado:
— Então tu és criado dele ou meu?
— Meu amo, o banqueiro disse que se trata de um grande perigo.
— Que perigo?
— Não sei.
— Deixa ver a carta.

O criado entregou-lhe a carta.

Soares abriu-a e leu-a duas vezes. Dizia a carta que o rapaz não possuía mais que seis contos de réis. Para Soares seis contos de réis eram menos que seis vinténs.

Pela primeira vez na sua vida Soares sentiu uma grande comoção. A ideia de não ter dinheiro nunca lhe havia acudido ao espírito; não imaginava que um dia se achasse na posição de qualquer outro homem que precisava de trabalhar.

Almoçou sem vontade e saiu. Foi ao Alcazar. Os amigos acharam-no triste; perguntaram-lhe se era alguma mágoa de amor. Soares respondeu que estava doente. As Laís da localidade acharam que era de bom gosto ficarem tristes também. A consternação foi geral.

Um dos seus amigos, José Pires, propôs um passeio a Botafogo para distrair as melancolias de Soares. O rapaz aceitou. Mas o passeio a Botafogo era tão comum que não podia distraí-lo. Lembraram-se de ir ao Corcovado, ideia que foi aceita e executada imediatamente.

Mas que há que possa distrair um rapaz nas condições de Soares? A viagem ao Corcovado apenas lhe produziu uma grande fadiga, aliás útil, porque, na volta, dormiu o rapaz a sono solto.

Quando acordou mandou dizer ao Pires que viesse falar-lhe imediatamente. Daí a uma hora parava um carro à porta: era o Pires que chegava, mas acompanhado de uma rapariga morena que respondia ao nome de Vitória. Entraram os dois pela sala de Soares com a franqueza e o estrépito naturais entre pessoas de família.

— Não está doente? — perguntou Vitória ao dono da casa.
— Não — respondeu este —; mas por que veio você?
— É boa! — disse José Pires — veio porque é a minha xícara inseparável... Querias falar-me em particular?
— Queria.
— Pois falemos aí em qualquer canto; Vitória fica na sala vendo os álbuns.
— Nada — interrompeu a moça —; nesse caso vou-me embora. É melhor; só imponho uma condição: é que ambos hão de ir depois lá para casa; temos ceata.
— Valeu! — disse Pires.

Vitória saiu; os dois rapazes ficaram sós.

Pires era o tipo do bisbilhoteiro e leviano. Em lhe cheirando novidade preparava-se para instruir-se de tudo. Lisonjeava-o a confiança de Soares, e adivinhava que o rapaz ia comunicar-lhe alguma coisa importante. Para isso assumiu um ar condigno com a situação. Sentou-se comodamente em uma cadeira de braços; pôs o castão da bengala na boca e começou o ataque com estas palavras:
— Estamos sós; que me queres?

Soares confiou-lhe tudo; leu-lhe a carta do banqueiro; mostrou-lhe em toda a nudez a sua miséria. Disse-lhe que naquela situação não via solução possível, e confessou ingenuamente que a ideia do suicídio o havia alimentado durante longas horas.

— Um suicídio! — exclamou Pires — estás doido.

— Doido! — respondeu Soares — entretanto não vejo outra saída neste beco. Demais, é apenas meio suicídio, porque a pobreza já é meia morte.

— Convenho que a pobreza não é coisa agradável, e até acho...

Pires interrompeu-se; uma ideia súbita atravessara-lhe o espírito: a ideia de que Soares acabasse a conferência por pedir-lhe dinheiro. Pires tinha um preceito na sua vida: era não emprestar dinheiro aos amigos. Não se empresta sangue, dizia ele.

Soares não reparou na frase cortada do amigo, e disse:

— Viver pobre depois de ter sido rico... é impossível.

— Nesse caso que me queres tu? — perguntou Pires, a quem pareceu que era bom atacar o touro de frente.

— Um conselho.

— Inútil conselho, pois que já tens uma ideia fixa.

— Talvez. Entretanto confesso que não se deixa a vida com facilidade, e má ou boa, sempre custa morrer. Por outro lado, ostentar a minha miséria diante das pessoas que me viram rico é uma humilhação que eu não aceito. Que farias tu no meu lugar?

— Homem — respondeu Pires —, há muitos meios...

— Venha um.

— Primeiro meio. Vai para Nova York e procura uma fortuna.

— Não me convém; nesse caso fico no Rio de Janeiro.

— Segundo meio. Arranja um casamento rico.

— É bom de dizer. Onde está esse casamento?

— Procura. Não tens uma prima que gosta de ti?

— Creio que já não gosta; e demais não é rica; tem apenas trinta contos; despesa de um ano.

— É um bom princípio de vida.

— Nada; outro meio.

— Terceiro meio, e o melhor. Vai à casa de teu tio, angaria-lhe a estima, dize que estás arrependido da vida passada, aceita um emprego, enfim vê se te constituis seu herdeiro universal.

Soares não respondeu; a ideia pareceu-lhe boa.

— Aposto que te agrada o terceiro meio? — perguntou Pires rindo.

— Não é mau. Aceito; e bem sei que é difícil e demorado; mas eu não tenho muitos à escolha.

— Ainda bem — disse Pires levantando-se. — Agora o que se quer é algum juízo. Há de custar-te o sacrifício, mas lembra-te que é o meio único de teres dentro de pouco tempo uma fortuna. Teu tio é um homem achacado de moléstias; qualquer dia bate a bota. Aproveita o tempo. E agora vamos à ceia da Vitória.

— Não vou — disse Soares —; quero acostumar-me desde já a viver vida nova.

— Bem; adeus.

— Olha; confiei-te isto a ti só; guarda-me segredo.

— Sou um túmulo — respondeu Pires descendo a escada.

Mas no dia seguinte já os rapazes e raparigas sabiam que Soares ia fazer-se anacoreta... por não ter dinheiro nenhum. O próprio Soares reconheceu isto no rosto dos amigos. Todos pareciam dizer-lhe: É pena! que pândego vamos nós perder!

Pires nunca mais o visitou.

II

O tio de Soares chamava-se o major Luís da Cunha Vilela, e era com efeito um homem já velho e adoentado. Contudo não se podia dizer que morreria cedo. O major Vilela observava um rigoroso regime que lhe ia entretendo a vida. Tinha uns bons sessenta anos. Era um velho alegre e severo ao mesmo tempo. Gostava de rir, mas era implacável com os maus costumes. Constitucional por necessidade, era no fundo de sua alma absolutista. Chorava pela sociedade antiga; criticava constantemente a nova. Enfim foi o último homem que abandonou a cabeleira de rabicho.

Vivia o major Vilela em Catumbi acompanhado de sua sobrinha Adelaide, e mais uma velha parenta. A sua vida era patriarcal. Importando-se pouco ou nada com o que ia por fora, o major entregava-se todo ao cuidado de sua casa, aonde poucos amigos e algumas famílias da vizinhança o iam ver, e passar as noites com ele. O major conservava sempre a mesma alegria, ainda nas ocasiões em que o reumatismo o prostrava. Os reumáticos dificilmente acreditarão nisto; mas eu posso afirmar que era verdade.

Foi num dia de manhã, felizmente um dia em que o major não sentia o menor achaque, e ria e brincava com as duas parentas, que Soares apareceu em Catumbi à porta do tio.

Quando o major recebeu o cartão com o nome do sobrinho, supôs que era alguma caçoada. Podia contar com todos em casa, menos o sobrinho. Fazia já dois anos que o não via, e entre a última e a penúltima vez tinha mediado ano e meio. Mas o moleque disse-lhe tão seriamente que o nhonhô Luís estava na sala de espera, que o velho acabou por acreditar.

— Que te parece, Adelaide?

A moça não respondeu.

O velho foi à sala de visitas.

Soares tinha pensado no meio de aparecer ao tio. Ajoelhar-se era dramático demais; cair-lhe nos braços exigia certo impulso íntimo que ele não tinha; além de que, Soares vexava-se de ter ou fingir uma comoção. Lembrou-se de começar uma conversação alheia ao fim que o levava lá, e acabar por confessar-se disposto a arrepiar carreira. Mas este meio tinha o inconveniente de fazer preceder a reconciliação por um sermão, que o rapaz dispensava. Ainda não se resolvera a aceitar um dos muitos meios que lhe vieram à ideia, quando o major apareceu à porta da sala.

O major parou à porta sem dizer palavra e lançou sobre o sobrinho um olhar severo e interrogador.

Soares hesitou um instante; mas como a situação podia prolongar-se sem benefício seu, o rapaz seguiu um movimento natural: foi ao tio e estendeu-lhe a mão.

— Meu tio — disse ele —, não precisa dizer mais nada; o seu olhar diz-me tudo. Fui pecador e arrependo-me. Aqui estou.

O major estendeu-lhe a mão, que o rapaz beijou com o respeito de que era suscetível.

Depois encaminhou-se para uma cadeira e sentou-se; o rapaz ficou de pé.

— Se o teu arrependimento é sincero, abro-te a minha porta e o meu coração. Se não é sincero podes ir embora; há muito tempo que não frequento a casa da ópera: não gosto de comediantes.

Soares protestou que era sincero. Disse que fora dissipado e doido, mas que aos trinta anos era justo ter juízo. Reconhecia agora que o tio sempre tivera razão. Supôs ao princípio que eram simples rabugices de velho, e mais nada; mas não era natural esta leviandade num rapaz educado no vício? Felizmente corrigia-se a tempo. O que ele agora queria era entrar em bom viver, e começava por aceitar um emprego público que o obrigasse a trabalhar e fazer-se sério. Tratava-se de ganhar uma posição.

Ouvindo o discurso de que fiz o extrato acima, o major procurava adivinhar o fundo do pensamento de Soares. Seria ele sincero? O velho concluiu que o sobrinho falava com a alma nas mãos. A sua ilusão chegou ao ponto de ver-lhe uma lágrima nos olhos, lágrima que não apareceu, nem mesmo fingida.

Quando Soares acabou, o major estendeu-lhe a mão e apertou a que o rapaz lhe estendeu também.

— Creio, Luís. Ainda bem que te arrependeste a tempo. Isso que vivias não era vida nem morte; a vida é mais digna e a morte mais tranquila do que a existência que malbarataste. Entras agora em casa como um filho pródigo. Terás o melhor lugar à mesa. Esta família é a mesma família.

O major continuou por este tom; Soares ouviu a pé quedo o discurso do tio. Dizia consigo que era a amostra da pena que ia sofrer, e um grande desconto dos seus pecados.

O major acabou levando o rapaz para dentro, onde os esperava o almoço.

Na sala de jantar estavam Adelaide e a velha parenta. A sra. Antônia de Moura Vilela recebeu Soares com grandes exclamações que envergonharam sinceramente o rapaz. Quanto a Adelaide, apenas o cumprimentou sem olhar para ele; Soares retribuiu o cumprimento.

O major reparou na frieza; mas parece que sabia alguma coisa, porque apenas deu uma risadinha amarela, coisa que lhe era peculiar.

Sentaram-se à mesa, e o almoço correu entre as pilhérias do major, as recriminações da sra. Antônia, as explicações do rapaz e o silêncio de Adelaide. Quando o almoço acabou, o major disse ao sobrinho que fumasse, concessão enorme que o rapaz a custo aceitou. As duas senhoras saíram; ficaram os dois à mesa.

— Estás então disposto a trabalhar?

— Estou, meu tio.

— Bem; vou ver se te arranjo um emprego. Que emprego preferes?

— O que quiser, meu tio, contanto que eu trabalhe.

— Bem. Levarás amanhã uma carta minha a um dos ministros. Deus queira que possas obter o emprego sem dificuldade. Quero ver-te trabalhador e sério; quero ver-te homem. As dissipações não produzem nada, a não ser dívidas e desgostos... Tens dívidas?

— Nenhuma — respondeu Soares.

Soares mentia. Tinha uma dívida de alfaiate, relativamente pequena; queria pagá-la sem que o tio soubesse.

No dia seguinte o major escreveu a carta prometida, que o sobrinho levou ao ministro; e tão feliz foi, que daí a um mês estava empregado em uma secretaria com um bom ordenado.

Cumpre fazer justiça ao rapaz. O sacrifício que fez de transformar os seus hábitos de vida foi enorme, e a julgá-lo pelos seus antecedentes, ninguém o julgara capaz de tal. Mas o desejo de perpetuar uma vida de dissipação pode explicar a mudança e o sacrifício. Aquilo na existência de Soares não passava de um parêntese mais ou menos extenso. Almejava por fechá-lo e continuar o período como havia começado, isto é, vivendo com Aspásia e pagodeando com Alcibíades.

O tio não desconfiava de nada; mas temia que o rapaz fosse novamente tentado à fuga, ou porque o seduzisse a lembrança das dissipações antigas, ou porque o aborrecesse a monotonia e a fadiga do trabalho. Com o fim de impedir o desastre, lembrou-se de inspirar-lhe a ambição política. Pensava o major que a política seria um remédio decisivo para aquele doente, como se não fosse conhecido que os louros de Lovelace e os de Turgot andam muita vez na mesma cabeça.

Soares não desanimou o major. Disse que era natural acabar a sua existência na política, e chegou a dizer que algumas vezes sonhara com uma cadeira no parlamento.

— Pois eu verei se te posso arranjar isto — respondeu o tio. — O que é preciso é que estudes a ciência da política, a história do nosso parlamento e do nosso governo; e principalmente é preciso que continues a ser o que és hoje: um rapaz sério.

Se bem o dizia o major, melhor o fazia Soares, que desde então meteu-se com os livros e lia com afinco as discussões das Câmaras.

Soares não morava com o tio, mas passava lá todo o tempo que lhe sobrava do trabalho, e voltava para casa depois do chá, que era patriarcal, e bem diferente das ceatas do antigo tempo.

Não afirmo que entre as duas fases da existência de Luís Soares não houvesse algum elo de união, e que o emigrante das terras de Gnido não fizesse de quando em quando alguma excursão à pátria. Em todo o caso essas excursões eram tão secretas que ninguém sabia delas, nem talvez os habitantes das referidas terras, com exceção dos poucos escolhidos para receberem o expatriado. O caso era singular, porque naquele país não se reconhece o cidadão naturalizado estrangeiro, ao contrário da Inglaterra, que não dá aos súditos da rainha o direito de escolherem outra pátria.

Soares encontrava-se de quando em quando com Pires. O confidente do convertido manifestava a sua amizade antiga oferecendo-lhe um charuto de Havana e contando-lhe algumas boas fortunas havidas nas campanhas do amor, em que o alarve supunha ser consumado general.

Havia já cinco meses que o sobrinho do major Vilela se achava empregado, e ainda os chefes da repartição não tinham tido um só motivo de queixa contra ele. A dedicação era digna de melhor causa. Exteriormente via-se em Luís Soares um monge; raspando-se um pouco achava-se o diabo.

Ora, o diabo viu de longe uma conquista...

III

A prima Adelaide tinha vinte e quatro anos, e a sua beleza, no pleno desenvolvimento da sua mocidade, tinha em si o condão de fazer morrer de amores. Era alta e bem proporcionada; tinha uma cabeça modelada pelo tipo antigo; a testa era espaçosa e alta, os olhos rasgados e negros, o nariz levemente aquilino. Quem a contemplava durante alguns momentos sentia que ela tinha todas as energias, a das paixões e a da vontade.

Há de lembrar-se o leitor do frio cumprimento trocado entre Adelaide e seu primo; também se há de lembrar que Soares disse ao amigo Pires ter sido amado por sua prima. Ligam-se estas duas coisas. A frieza de Adelaide resultava de uma lembrança que era dolorosa para a moça; Adelaide amara o primo, não com um simples amor de primos, que em geral resulta da convivência e não de uma súbita atração. Amara-o com todo o vigor e calor de sua alma; mas já então o rapaz iniciava os seus passos em outras regiões e ficou indiferente aos afetos da moça. Um amigo que sabia do segredo perguntou-lhe um dia por que razão não se casava com Adelaide, ao que o rapaz respondeu friamente:

— Quem tem a minha fortuna não se casa; mas se se casa é sempre com quem tenha mais. Os bens de Adelaide são a quinta parte dos meus; para ela é negócio da China; para mim é um mau negócio.

O amigo que ouvira esta resposta não deixou de dar uma prova da sua afeição ao rapaz, indo contar tudo à moça. O golpe foi tremendo, não tanto pela certeza que lhe dava de não ser amada, como pela circunstância de nem ao menos ficar-lhe o direito de estima. A confissão de Soares era um corpo de delito. O confidente oficioso esperava talvez colher os despojos da derrota; mas Adelaide, tão depressa ouviu a delação, como desprezou o delator.

O incidente não passou disto.

Quando Soares voltou à casa do tio, a moça achou-se em dolorosa situação; era obrigada a conviver com um homem ao qual nem podia dar apreço. Pela sua parte, o rapaz também se achava acanhado, não porque lhe doessem as palavras que dissera um dia, mas por causa do tio que ignorava tudo. Não ignorava; o moço é que o supunha. O major soube da paixão de Adelaide e soube também da repulsa que tivera no coração do rapaz. Talvez não soubesse das palavras textuais repetidas à moça pelo amigo de Soares; mas se não conhecia o texto, conhecia o espírito; sabia que, pelo motivo de ser amado, o rapaz entrara a aborrecer a prima, e que esta, vendo-se repelida, entrara a aborrecer o rapaz. O major supôs até durante algum tempo que a ausência de Soares tinha por motivo a presença da moça em casa.

Adelaide era filha de um irmão do major, homem muito rico e igualmente excêntrico, que morrera havia dez anos deixando a moça entregue aos cuidados do irmão. Como o pai de Adelaide fizera muitas viagens, parece que gastou nelas a maior parte da sua fortuna. Quando morreu apenas coube a Adelaide, filha única, cerca de trinta contos, que o tio conservou intatos para serem o dote da pupila.

Soares houve-se como pôde na singular situação em que se achava. Não conversava com a prima; apenas trocava com ela as palavras estritamente necessárias para não chamar a atenção do tio. A moça fazia o mesmo.

Mas quem pode ter mão ao coração? A prima de Luís Soares sentiu que pouco a pouco lhe ia renascendo o antigo afeto. Procurou combatê-lo sinceramente; mas não se impede o crescimento de uma planta senão arrancando-lhe as raízes. As raízes existiam ainda. Apesar dos esforços da moça o amor veio pouco a pouco invadindo o lugar do ódio, e se até então o suplício era grande, agora era enorme. Travara-se uma luta entre o orgulho e o amor. A moça sofreu consigo; não articulou uma palavra.

Luís Soares reparava que quando os seus dedos tocavam os da prima, esta experimentava uma grande emoção: corava e empalidecia. Era um grande navegador aquele rapaz nos mares do amor; conhecia-lhe a calma e a tempestade. Convenceu-se de que a prima o amava outra vez. A descoberta não o alegrou; pelo contrário, foi-lhe motivo de grande irritação. Receava que o tio, descobrindo o sentimento da sobrinha, propusesse o casamento ao rapaz; e recusá-lo não seria comprometer no futuro a esperada herança? A herança sem o casamento era o ideal do moço. "Dar-me asas, pensava ele, atando-me os pés, é o mesmo que condenar-me à prisão. É o destino do papagaio doméstico; não aspiro a tê-lo."

Realizaram-se as previsões do rapaz. O major descobriu a causa da tristeza da moça e resolveu pôr termo àquela situação propondo ao sobrinho o casamento.

Soares não podia recusar abertamente sem comprometer o edifício da sua fortuna.

— Este casamento — disse-lhe o tio — é complemento da minha felicidade. De um só lance reúno duas pessoas que tanto estimo, e morro tranquilo sem levar nenhum pesar para o outro mundo. Estou que aceitarás.

— Aceito, meu tio; mas observo que o casamento assenta no amor, e eu não amo minha prima.

— Bem; hás de amá-la; casa-te primeiro...

— Não desejo expô-la a uma desilusão.

— Qual desilusão! — disse o major sorrindo. — Gosto de ouvir-te falar essa linguagem poética, mas casamento não é poesia. É verdade que é bom que duas pessoas antes de se casarem se tenham já alguma estima mútua. Isso creio que tens. Lá fogos ardentes, meu rico sobrinho, são coisas que ficam bem em verso, e mesmo em prosa; mas na vida, que não é prosa nem verso, o casamento apenas exige certa conformidade de gênio, de educação e de estima.

— Meu tio sabe que eu não me recuso a uma ordem sua.

— Ordem, não! Não te ordeno, proponho. Dizes que não amas tua prima; pois bem, faze por isso, e daqui a algum tempo casem-se que me darão gosto. O que eu quero é que seja cedo, porque não estou longe de dar à casca.

O rapaz disse que sim. Adiou a dificuldade não podendo resolvê-la. O major ficou satisfeito com o arranjo e consolou a sobrinha com a promessa de que podia casar-se um dia com o primo. Era a primeira vez que o velho tocava em semelhante assunto, e Adelaide não dissimulou o seu espanto, espanto que lisonjeou profundamente a perspicácia do major.

— Ah! tu pensas — disse ele — que eu por ser velho já perdi os olhos do coração? Vejo tudo, Adelaide; vejo aquilo mesmo que se quer esconder.

A moça não pôde reter algumas lágrimas, e como o velho a consolasse dando-lhe esperanças, ela respondeu abanando a cabeça:

— Esperanças, nenhuma!

— Descansa em mim! — disse o major.

Conquanto a dedicação do tio fosse toda espontânea e filha do amor que votava à sobrinha, esta compreendeu que semelhante intervenção podia fazer supor ao primo que ela esmolava os afetos do seu coração.

Aqui falou o orgulho da mulher, que preferia o sofrimento à humilhação. Quando ela expôs estas objeções ao tio, o major sorriu-se afavelmente e procurou acalmar a suscetibilidade da moça.

Passaram-se alguns dias sem mais incidente; o rapaz estava no gozo da dilação que lhe dera o tio. Adelaide readquiriu o seu ar frio e indiferente. Soares compreendia o motivo, e àquela manifestação do orgulho respondia com um sorriso. Duas vezes notou Adelaide essa expressão de desdém da parte do primo. Que mais precisava para reconhecer que o rapaz sentia por ela a mesma indiferença de outro tempo! Acrescia que sempre que os dois se encontravam sós, Soares era o primeiro que se afastava dela. Era o mesmo homem.

— Não me ama, não me amará nunca! — dizia a moça consigo.

IV

Um dia de manhã o major Vilela recebeu a seguinte carta:

> Meu valente major. — Cheguei da Bahia hoje mesmo, e lá irei de tarde para ver-te e abraçar-te. Prepara um jantar. Creio que não me hás de receber como qualquer indivíduo. Não esqueças o vatapá. — Teu amigo, ANSELMO.

— Bravo! — disse o major. — Temos cá o Anselmo; prima Antônia, mande fazer um bom vatapá.

O Anselmo que chegara da Bahia chamava-se Anselmo Barroso de Vasconcelos. Era um fazendeiro rico, e veterano da independência. Com os seus setenta e oito anos ainda se mostrava rijo e capaz de grandes feitos. Tinha sido íntimo amigo do pai de Adelaide, que o apresentou ao major, vindo a ficar amigo deste depois que o outro morrera. Anselmo acompanhou o amigo até os seus últimos instantes; e chorou a perda como se fora seu próprio irmão. As lágrimas cimentaram a amizade entre ele e o major.

De tarde apareceu Anselmo galhofeiro e vivo como se começasse para ele uma nova mocidade. Abraçou a todos; deu um beijo em Adelaide, a quem felicitou pelo desenvolvimento das suas graças.

— Não se ria de mim — disse-lhe ele —, eu fui o maior amigo de seu pai. Pobre amigo! morreu nos meus braços.

Soares, que sofria com a monotonia da vida que levava em casa do tio, alegrou-se com a presença do galhofeiro ancião, que era um verdadeiro fogo de artifício. Anselmo é que pareceu não simpatizar com o sobrinho do major. Quando o major ouviu isto, disse:

— Sinto muito, porque Soares é um rapaz sério.

— Creio que é sério demais. Rapaz que não ri...

Não sei que incidente interrompeu a frase do fazendeiro. Depois do jantar Anselmo disse ao major:

— Quantos são amanhã?

— Quinze.

— De que mês?

— É boa! de dezembro.

— Bem; amanhã quinze de dezembro preciso ter uma conferência contigo e os teus parentes. Se o vapor se demora um dia em caminho pregava-me uma boa peça.

No dia seguinte verificou-se a conferência pedida por Anselmo. Estavam presentes o major, Soares, Adelaide e d. Antônia, únicos parentes do finado.

— Faz hoje dez anos que faleceu o pai desta menina — disse Anselmo apontando para Adelaide. — Como sabem, o doutor Bento Varela foi o meu melhor amigo, e eu tenho consciência de haver correspondido à sua afeição até os últimos instantes. Sabem que ele era um gênio excêntrico; toda a sua vida foi uma grande originalidade. Ideava vinte projetos, qual mais grandioso, qual mais impossível, sem chegar ao cabo de nenhum, porque o seu espírito criador tão depressa compunha uma coisa como entrava a planear outra.

— É verdade — interrompeu o major.

— O Bento morreu nos meus braços, e como derradeira prova da sua amizade confiou-me um papel com a declaração de que eu só o abrisse em presença dos seus parentes dez anos depois de sua morte. No caso de eu morrer os meus herdeiros assumiriam essa obrigação; em falta deles, o major, a senhora dona Adelaide, enfim qualquer pessoa que por laço de sangue estivesse ligada a ele. Enfim, se ninguém houvesse na classe mencionada, ficava incumbido um tabelião. Tudo isto havia eu declarado em testamento, que vou reformar. O papel a que me refiro, tenho aqui no bolso.

Houve um movimento de curiosidade.

Anselmo tirou do bolso uma carta fechada com lacre preto.

— É este — disse ele. — Está intato. Não conheço o texto; mas posso mais ou menos saber o que está dentro por circunstâncias que vou referir.

Redobrou a atenção geral.

— Antes de morrer — continuou Anselmo —, o meu querido amigo entregou-me uma parte da sua fortuna, quero dizer a maior parte, porque a menina recebeu apenas trinta contos. Eu recebi dele trezentos contos, que guardei até hoje intatos, e que devo restituir segundo as indicações desta carta.

A um movimento de espanto em todos seguiu-se um movimento de ansiedade. Qual seria a vontade misteriosa do pai de Adelaide? D. Antônia lembrou-se que em rapariga fora namorada do defunto, por um momento lisonjeou-se com a ideia de que o velho maníaco se houvesse lembrado dela às portas da morte.

— Nisto reconheço eu o mano Bento — disse o major tomando uma pitada —; era o homem dos mistérios, das surpresas e das ideias extravagantes, seja dito sem agravo aos seus pecados, se é que os teve...

Anselmo tinha aberto a carta. Todos prestaram ouvidos. O veterano leu o seguinte:

> Meu bom e estimadíssimo Anselmo.
>
> Quero que me prestes o último favor. Tens contigo a maior parte da minha fortuna, e eu diria a melhor se tivesse de aludir à minha querida filha Adelaide. Guarda esses trezentos contos até daqui a dez anos, e ao terminar o prazo, lê esta carta diante dos meus

parentes.

Se nessa época a minha filha Adelaide for viva e casada entrega-lhe a fortuna. Se não estiver casada, entrega-lha também, mas com uma condição: é que se case com o sobrinho Luís Soares, filho de minha irmã Luísa; quero-lhe muito, e apesar de ser rico, desejo que entre na posse da fortuna com minha filha. No caso em que esta se recuse a esta condição, fica tu com a fortuna toda.

Quando Anselmo acabou de ler esta carta seguiu-se um silêncio de surpresa geral, de que partilhava o próprio veterano, alheio até então ao conteúdo da carta.

Soares tinha os olhos em Adelaide; esta tinha-os no chão. Como o silêncio se prolongasse, Anselmo resolveu rompê-lo.

— Ignorava, como todos — disse ele —, o que esta carta contém; felizmente chega ela a tempo de se realizar a última vontade do meu finado amigo.

— Sem dúvida nenhuma — disse o major.

Ouvindo isto, a moça levantou insensivelmente os olhos para o primo, e os dela encontraram-se com os dele. Os dele transbordavam de contentamento e ternura; a moça fitou-os durante alguns instantes. Um sorriso, já não zombeteiro, passou pelos lábios do rapaz. A moça sorriu com tamanho desdém às zumbaias de um cortesão.

Anselmo levantou-se.

— Agora que estão cientes disto — disse ele aos dois primos —, espero que resolvam, e como o resultado não pode ser duvidoso, desde já os felicito. Entretanto, hão de dar-me licença, que tenho de ir a outras partes.

Com a saída de Anselmo dispersara-se a reunião. Adelaide foi para o seu quarto com a velha parenta. O tio e o sobrinho ficaram na sala.

— Luís — disse o primeiro —, és o homem mais feliz do mundo.

— Parece-lhe, meu tio? — disse o moço procurando disfarçar a sua alegria.

— És. Tens uma moça que te ama loucamente. De repente cai-lhe nas mãos uma fortuna inesperada; e essa fortuna só pode havê-la com a condição de se casar contigo. Até os mortos trabalham a teu favor.

— Afirmo-lhe, meu tio, que a fortuna não pesa nada nestes casos, se eu assentar em casar com a prima será por outro motivo.

— Bem sei que a riqueza não é essencial; não é. Mas enfim vale alguma coisa. É melhor ter trezentos contos que trinta; sempre é mais uma cifra. Contudo não te aconselho que te cases com ela se não tiveres alguma afeição. Nota que eu não me refiro a essas paixões de que me falaste. Casar mal, apesar da riqueza, é sempre casar mal.

— Estou convencido disto, meu tio. Por isso ainda não dei a minha resposta, nem dou por ora. Se eu vier a afeiçoar-me à prima estou pronto a entrar na posse dessa inesperada riqueza.

Como o leitor terá adivinhado, a resolução do casamento estava assentada no espírito de Soares. Em vez de esperar a morte do tio, parecia-lhe melhor entrar desde logo na posse de um excelente pecúlio, o que se lhe afigurava tanto mais fácil, quanto que era a voz do túmulo que o impunha.

Soares contava também com a profunda veneração de Adelaide por seu pai. Isto, ligado ao amor que a rapariga sentia por ele, devia produzir o desejado efeito.

Nessa noite o rapaz dormiu pouco. Sonhou com o Oriente. Pintou-lhe a imaginação um harém recendente das melhores essências da Arábia, forrado o chão com tapetes da Pérsia; sobre moles divãs ostentavam-se as mais perfeitas belezas do mundo. Uma circassiana dançava no meio do salão ao som de um pandeiro de marfim. Mas um furioso eunuco, precipitando-se na sala com o iatagã desembainhado, enterrou-o todo no peito de Soares, que acordou com o pesadelo, e não pôde mais conciliar o sono.

Levantou-se mais cedo e foi passear até chegar a hora do almoço e da repartição.

V

O plano de Luís Soares estava feito.

Tratava-se de abater as armas pouco a pouco, simulando-se vencido diante da influência de Adelaide. A circunstância da riqueza tornava necessária toda a discrição. A transição devia ser lenta. Cumpria ser diplomata.

Os leitores terão visto que, apesar de certa argúcia da parte de Soares, não tinha ele a perfeita compreensão das coisas, e por outro lado o seu caráter era indeciso e vário.

Hesitara em casar com Adelaide quando o tio lhe falou nisso, quando era certo que viria a obter mais tarde a fortuna do major. Dizia então que não tinha vocação de papagaio. A situação agora era a mesma; aceitava uma fortuna mediante uma prisão. É verdade que se esta resolução era contrária à primeira, podia ter por causa o cansaço que lhe ia produzindo a vida que levava. Além de que, desta vez, a riqueza não se fazia esperar; era entregue logo depois do consórcio.

— Trezentos contos — pensava o rapaz —, é quanto basta para eu ser mais do que fui. O que não hão de dizer os outros!

Antevendo uma felicidade que era certa para ele, Soares começou o assédio da praça, aliás praça rendida.

Já o rapaz procurava os olhos da prima, já os encontrava, já lhes pedia aquilo que recusara até então, o amor da moça. Quando, à mesa, as suas mãos se encontravam, Soares tinha cuidado de demorar o contato, e se a moça retirava a sua mão, o rapaz nem por isso desanimava. Quando se encontrava a sós com ela, não fugia como outrora, antes lhe dirigia alguma palavra, a que Adelaide respondia com fria polidez.

— Quer vender o peixe caro — pensava Soares.

Uma vez atreveu-se a mais. Adelaide tocava piano quando ele entrou sem que ela o visse. Quando a moça acabou, Soares estava por trás dela.

— Que lindo! — disse o rapaz. — Deixe-me beijar-lhe essas mãos inspiradas.

A moça olhou séria para ele, pegou no lenço que pusera sobre o piano, e saiu sem dizer palavra.

Esta cena mostrou a Soares toda a dificuldade da empresa; mas o rapaz confiava em si, não porque se reconhecesse capaz de grandes energias, mas por espécie de esperança na sua boa estrela.

— É difícil subir a corrente — disse ele —, mas sobe-se. Não se fazem Alexandres na conquista de praças desarmadas.

Contudo, as desilusões iam-se sucedendo, e o rapaz, se o não alentasse a ideia da riqueza, teria abatido as armas.

Um dia lembrou-se de escrever-lhe uma carta. Lembrou-se de que era difícil expor-lhe de viva voz tudo quanto sentia; mas que uma carta, por muito ódio que ela lhe tivesse, sempre seria lida.

Adelaide devolveu a carta pelo moleque da casa que lha havia entregue.

A segunda carta teve a mesma sorte. Quando mandou a terceira, o moleque não a quis receber.

Luís Soares teve um instante de desengano. Indiferente à moça, já começava a odiá-la; se casasse com ela era provável que a tratasse como inimigo mortal.

A situação tornava-se ridícula para ele; ou antes, já o era há muito, mas Soares só então o compreendeu. Para escapar ao ridículo, resolveu dar um golpe final, mas grande. Aproveitou a primeira ocasião que pôde, e fez uma declaração positiva à moça, cheia de súplicas, de suspiros, talvez de lágrimas. Confessou os seus erros; reconheceu que não a havia compreendido; mas arrependera-se e confessava tudo. A influência dela acabara por abatê-lo.

— Abatê-lo! — disse ela. — Não compreendo. A que influência alude?

— Bem sabe; à influência da sua beleza, do seu amor... Não suponha que lhe estou mentindo. Sinto-me hoje tão apaixonado que era capaz de cometer um crime!

— Um crime?

— Não é crime o suicídio? De que me serviria a vida sem o seu amor? Vamos, fale!

A moça olhou para ele durante alguns instantes sem dizer palavra. O rapaz ajoelhou-se.

— Ou seja a morte, ou seja a felicidade — disse ele —, quero recebê-la de joelhos.

Adelaide sorriu e soltou lentamente estas palavras:

— Trezentos contos! É muito dinheiro para comprar um miserável.

E deu-lhe as costas.

Soares ficou petrificado. Durante alguns minutos conservou-se na mesma posição, com os olhos fitos na moça que se afastava lentamente. O rapaz dobrava-se ao peso da humilhação. Não previra tão cruel desforra da parte de Adelaide. Nem uma palavra de ódio, nem um indício de raiva; apenas um calmo desdém, um desprezo tranquilo e soberano. Soares sofrera muito quando perdeu a fortuna; mas agora que o seu orgulho foi humilhado, a sua dor foi infinitamente maior.

Pobre rapaz!

A moça foi para dentro. Parece que contava com aquela cena; porque entrando em casa, foi logo procurar o tio, e declarou-lhe que, apesar de quanto venerava a memória do pai, não podia obedecer-lhe, desistia do casamento.

— Mas não o amas tu? — perguntou-lhe o major.

— Amei-o.

— Amas a outro?

— Não.

— Então explica-te.

Adelaide expôs francamente o procedimento de Soares desde que ali entrara, a mudança que fizera, a sua ambição, a cena do jardim. O major ouviu atentamente a moça, procurou desculpar o sobrinho, mas no fundo ele acreditava que Soares era um mau-caráter.

Este, depois que pôde refrear a sua cólera, entrou em casa e foi despedir-se do tio até o dia seguinte.

Pretextou que tinha um negócio urgente.

VI

Adelaide contou miudamente ao amigo de seu pai os sucessos que a obrigavam a não preencher a condição da carta póstuma confiada a Anselmo. Em consequência desta recusa, a fortuna devia ficar com Anselmo; a moça contentava-se com o que tinha.

Não se deu Anselmo por vencido, e antes de aceitar a recusa foi ver se sondava o espírito de Luís Soares.

Quando o sobrinho do major viu entrar por casa o fazendeiro suspeitou que alguma coisa houvesse a respeito do casamento. Anselmo era perspicaz; de modo que, apesar da aparência de vítima com que Soares lhe aparecera, compreendeu ele que Adelaide tinha razão.

Assim pois tudo estava acabado. Anselmo dispôs-se a partir para a Bahia, e assim o declarou à família do major.

Nas vésperas de partir achavam-se todos juntos na sala de visitas, quando Anselmo soltou estas palavras:

— Major, está ficando melhor e forte; eu creio que uma viagem à Europa lhe fará bem. Esta moça também gostará de ver a Europa, e creio que a senhora dona Antônia, apesar da idade, lá quererá ir. Pela minha parte sacrifico a Bahia e vou também. Aprovam o conselho?

— Homem — disse o major —, é preciso pensar...

— Qual pensar! Se pensarem não embarcarão. Que diz a menina?

— Eu obedeço ao tio — respondeu Adelaide.

— Além de que — disse Anselmo —, agora que dona Adelaide está de posse de uma grande fortuna, há de querer apreciar o que há de bonito nos países estrangeiros a fim de poder melhor avaliar o que há no nosso...

— Sim — disse o major —; mas você fala de grande fortuna...

— Trezentos contos.

— São seus.

— Meus! Então sou algum ratoneiro? Que me importa a mim a fantasia de um generoso amigo? O dinheiro é desta menina, sua legítima herdeira, e não meu, que aliás tenho bastante.

— Isto é bonito, Anselmo!

— Mas o que não seria se não fosse isto?

A viagem à Europa ficou assentada.

Luís Soares ouviu a conversa toda sem dizer palavra; mas a ideia de que talvez pudesse ir com o tio sorriu-lhe ao espírito. No dia seguinte teve um desengano cruel. Disse-lhe o major que, antes de partir, o deixaria recomendado ao ministro.

Soares procurou ainda ver se alcançava seguir com a família. Era simples cobiça na fortuna do tio, desejo de ver novas terras, ou impulso de vingança contra a prima? Era tudo isso, talvez.

À última hora foi-se a derradeira esperança. A família partiu sem ele.

Abandonado, pobre, tendo por única perspectiva o trabalho diário, sem esperanças no futuro, e além do mais, humilhado e ferido em seu amor-próprio, Soares tomou a triste resolução dos covardes.

Um dia de noite o criado ouviu no quarto dele um tiro; correu, achou um cadáver.

Pires soube na rua da notícia, e correu à casa de Vitória, que encontrou no toucador.

— Sabes de uma coisa? — perguntou ele.
— Não. Que é?
— O Soares matou-se.
— Quando?
— Neste momento.
— Coitado! É sério?
— É sério. Vais sair?
— Vou ao Alcazar.
— Canta-se hoje *Barbe-Bleue*, não é?
— É.
— Pois eu também vou.

E entrou a cantarolar a canção de *Barbe-Bleue*.

Luís Soares não teve outra oração fúnebre dos seus amigos mais íntimos.

Jornal das Famílias, *janeiro de 1869*; J. J.

A mulher de preto

I

A primeira vez que o dr. Estêvão Soares falou ao deputado Meneses foi no teatro Lírico no tempo da memorável luta entre *lagruístas* e *chartonistas*. Um amigo comum os apresentou ao outro. No fim da noite separaram-se oferecendo cada um deles os seus serviços e trocando os respectivos cartões de visita.

Só dois meses depois encontraram-se outra vez.

Estêvão Soares teve de ir à casa de um ministro de Estado para saber de uns papéis relativos a um parente da província, e aí encontrou o deputado Meneses, que acabava de ter uma conferência política.

Houve sincero prazer em ambos encontrando-se pela segunda vez; Meneses arrancou de Estêvão a promessa de que iria à casa dele daí a poucos dias.

O ministro depressa despachou o jovem médico.

Chegando ao corredor, Estêvão foi surpreendido com uma tremenda bátega d'água, que nesse momento caía, e começava a alagar a rua.

O rapaz olhou a um e outro lado a ver se passava algum veículo vazio, mas procurou inutilmente; todos que passavam iam ocupados.

Apenas à porta estava um cupê vazio à espera de alguém, que o rapaz supôs ser o deputado.

Daí a alguns minutos desce com efeito o representante da nação, e admirou-se de ver o médico ainda à porta.

— Que quer? — disse-lhe Estêvão. — A chuva impediu-me de sair; aqui fiquei a ver se passa um tílburi.

— É natural que não passe, e nesse caso ofereço-lhe um lugar no meu cupê. Venha.

— Perdão; mas é um incômodo...

— Ora, incômodo! é um prazer. Vou deixá-lo em casa. Onde mora?

— Rua da Misericórdia número...

— Bem, suba.

Estêvão hesitou um pouco; mas não podia deixar de subir sem ofender o digno homem que de tão boa vontade lhe fazia um obséquio.

Subiram.

Mas em vez de mandar o cocheiro para a rua da Misericórdia, o deputado gritou:

— João, para casa!

E entrou.

Estêvão olhou para ele admirado.

— Já sei — disse-lhe Meneses —; admira-se de ver que faltei à minha palavra; mas eu desejo apenas que fique conhecendo a minha casa a fim de lá voltar quanto antes.

O cupê rolava já pela rua fora debaixo de uma chuva torrencial. Meneses foi o primeiro que rompeu o silêncio de alguns minutos, dizendo ao jovem amigo:

— Espero que o romance da nossa amizade não termine no primeiro capítulo.

Estêvão, que já reparara nas maneiras solícitas do deputado, ficou inteiramente pasmado quando lhe ouviu falar no romance da amizade. A razão era simples. O amigo que os havia apresentado no teatro Lírico disse no dia seguinte:

— Meneses é um misantropo, e um cético; não crê em nada, nem estima ninguém. Na política como na sociedade faz um papel puramente negativo.

Esta era a impressão com que Estêvão, apesar da simpatia que o arrastava, falou a segunda vez a Meneses, e admirava-se de tudo, das maneiras, das palavras, e do tom de afeto que elas pareciam revelar.

À linguagem do deputado o jovem médico respondeu com igual franqueza.

— Por que acabaremos no primeiro capítulo? — perguntou ele. — Um amigo não é coisa que se despreze, acolhe-se como um presente dos deuses.

— Dos deuses! — disse Meneses rindo. — Já vejo que é pagão.

— Alguma coisa, é verdade; mas no bom sentido — respondeu Estêvão rindo também. — Minha vida assemelha-se um pouco à de Ulisses...

— Tem ao menos uma Ítaca, sua pátria, e uma Penélope, sua esposa.

— Nem uma nem outra.

— Então entender-nos-emos.

Dizendo isto o deputado voltou a cara para o outro lado, vendo a chuva que caía na vidraça da portinhola.

Decorreram dois ou três minutos, durante os quais Estêvão teve tempo de contemplar a seu gosto o companheiro de viagem. Meneses voltou-se e entrou em novo assunto.

Quando o cupê entrou na rua do Lavradio, Meneses disse ao médico:

— Moro nesta rua; estamos perto de casa. Promete-me que há de vir ver-me algumas vezes?

— Amanhã mesmo.

— Bem. Como vai a sua clínica?

— Apenas começo — disse Estêvão —; trabalho pouco; mas espero fazer alguma coisa.

— O seu companheiro, na noite em que mo apresentou, disse-me que o senhor é moço de muito merecimento.

— Tenho vontade de fazer alguma coisa.

Daí a dez minutos parava o cupê à porta de uma casa da rua do Lavradio.

Apearam-se os dois e subiram.

Meneses mostrou a Estêvão o seu gabinete de trabalho, onde havia duas longas estantes de livros.

— É a minha família — disse o deputado mostrando os livros. — História, filosofia, poesia... e alguns livros de política. Aqui estudo e trabalho. Quando cá vier é aqui que o hei de receber.

Estêvão prometeu voltar no dia seguinte, e desceu para entrar no cupê que esperava por ele, e que o levou à rua da Misericórdia. Entrando em casa Estêvão dizia consigo:

— Onde está a misantropia daquele homem? As maneiras de misantropo são mais rudes do que as dele; salvo se ele, mais feliz do que Diógenes, achou em mim o homem que procurava.

II

Estêvão era o tipo do rapaz sério. Tinha talento, ambição e vontade de saber, três armas poderosas nas mãos de um homem que tenha consciência de si. Desde os dezesseis anos a sua vida foi um estudo constante, aturado e profundo. Destinado ao curso médico, Estêvão entrou na academia um pouco forçado; não queria desobedecer ao pai. A sua vocação era toda para as matemáticas. Que importa? disse ele ao saber da resolução paterna; estudarei a medicina e a matemática. Com efeito teve tempo para uma e outra coisa; teve tempo ainda para estudar a literatura, e as principais obras da Antiguidade e contemporâneas eram-lhe tão familiares como os tratados de operações e de higiene.

Para estudar tanto, foi-lhe preciso sacrificar uma parte da saúde. Estêvão aos vinte e quatro anos adquirira uma magreza, que não era a dos dezesseis; tinha a tez pálida e a cabeça pendia-lhe um pouco para a frente pelo longo hábito da leitura. Mas esses vestígios de uma longa aplicação intelectual não lhe alteraram a regularidade e harmonia das feições, nem os olhos perderam nos livros o brilho e a expressão. Era além disso naturalmente elegante, não digo enfeitado, que é coisa diferente: era elegante nas maneiras, na atitude, no sorriso, no trajo, tudo mesclado de uma certa severidade que era o cunho do seu caráter. Podia-se notar-lhe muitas infrações ao código da moda; ninguém poderia dizer que ele faltasse nunca às boas regras do *gentleman*.

Perdera os pais aos vinte anos, mas ficara-lhe bastante juízo para continuar sozinho a viagem do mundo. O estudo serviu-lhe de refúgio e bordão. Não sabia nada do que era o amor. Ocupara-se tanto com a cabeça que esquecera-se de que tinha um coração dentro do peito. Não se infira daqui que Estêvão fosse puramente um positivista. Pelo contrário, a alma dele possuía ainda em toda a plenitude da graça e da força as duas asas que a natureza lhe dera. Não raras vezes rompia ela do cárcere da carne para ir correr os espaços do céu, em busca de não sei que ideal mal definido, obscuro, incerto. Quando voltava desses êxtases, Estêvão curava-se deles enterrando-se nos volumes à cata de uma verdade científica. Newton era-lhe o antídoto de Goethe.

Além disso, Estêvão tinha ideias singulares. Havia um padre, amigo dele, rapaz de trinta anos, da escola de Fénelon, que entrava com Telêmaco na ilha de Calipso. Ora, o padre dizia muitas vezes a Estêvão que só uma coisa lhe faltava para ser completo: era casar-se.

— Quando você tiver — dizia-lhe — uma mulher amada e amante ao pé de si, será um homem feliz e completo. Dividirá então o tempo entre as duas coisas mais elevadas que a natureza deu ao homem, a inteligência e o coração. Nesse dia quero eu mesmo casá-lo...

— Padre Luís — respondia Estêvão —, faça-me então o serviço completo: traga-me a mulher e a bênção.

O padre sorria-se ao ouvir a resposta do médico, e como o sorriso parecia a Estêvão uma nova pergunta, o médico continuava:

— Se encontrar uma mulher tão completa como eu exijo, afirmo-lhe que me casarei. Dirá que as obras humanas são imperfeitas, e eu não contestarei, padre Luís; mas nesse caso deixe-me caminhar só com as minhas imperfeições.

Daqui engendrava-se sempre uma discussão, que se animava e crescia até o ponto em que Estêvão concluía por este modo:

— Padre Luís, uma menina que deixa as bonecas para ir decorar mecanicamente alguns livros mal escolhidos; que interrompe uma lição para ouvir contar uma cena de namoro; que em matéria de arte só conhece os figurinos parisienses; que deixa as calças para entrar no baile, e que antes de suspirar por um homem, examina-lhe a correção da gravata, e o apertado do botim; padre Luís, esta menina pode vir a ser um esplêndido ornamento de salão e até uma fecunda mãe de família, mas nunca será uma mulher.

Esta sentença de Estêvão tinha o defeito de certas regras absolutas. Por isso, o padre dizia-lhe sempre:

— Tem você razão; mas eu não lhe digo que case com a regra; procure a exceção que há de encontrar e leve-a ao altar, onde eu estarei para os unir.

Tais eram os sentimentos de Estêvão em relação ao amor e à mulher. A natureza dera-lhe em parte esses sentimentos; mas em parte adquiriu-os ele nos livros. Exigia a perfeição intelectual e moral de uma Heloísa; e partia da exceção para estabelecer uma regra. Era intolerante para os erros veniais. Não os reconhecia como tais. Não há erro venial, dizia ele, em matéria de costumes e de amor.

Contribuíra para esta rigidez de ânimo o espetáculo da própria família de Estêvão. Até os vinte anos foi ele testemunha do que era a santidade do amor mantido pela virtude doméstica. Sua mãe, que morrera com trinta e oito anos, amou o marido até os últimos dias, e poucos meses lhe sobreviveu. Estêvão soube que fora ardente e entusiástico o amor de seus pais, na estação do noivado, durante a manhã conjugal: conheceu-o assim por tradição; mas na tarde conjugal a que ele assistiu viu o amor calmo, solícito e confiante, cheio de dedicação e respeito, praticado como um culto; sem recriminações nem pesares, e tão profundo como no primeiro dia. Os pais de Estêvão morreram amados e felizes na tranquila serenidade do dever.

No ânimo de Estêvão, o amor que funda a família devia ser aquilo ou não seria nada. Era justiça; mas a intolerância de Estêvão começava na convicção que ele tinha de que com a dele morrera a última família, e fora com ela a derradeira tradição do amor. Que era preciso para derrubar todo este sistema, ainda que momentâneo? Uma coisa pequeníssima: um sorriso e dois olhos.

Mas como esses dois olhos não apareciam, Estêvão entregava-se na maior parte do tempo aos seus estudos científicos, empregando as horas vagas em algumas distrações que o não prendiam por muito tempo.

Morava só; tinha um escravo, da mesma idade que ele, e cria da casa do pai, mais irmão do que escravo, na dedicação e no afeto. Recebia alguns amigos, a quem visitava de quando em quando, entre os quais incluímos o jovem padre Luís, a quem Estêvão chamava — Platão de sotaina.

Naturalmente bom e afetuoso, generoso e cavalheiresco, sem ódios nem rancores, entusiasta por todas as coisas boas e verdadeiras, tal era o dr. Estêvão Soares, aos vinte e quatro anos de idade.

Do seu retrato físico já dissemos alguma coisa. Bastará acrescentar que tinha uma bela cabeça, coberta de bastos cabelos castanhos, dois olhos da mesma cor, vivos e observadores; a palidez do rosto fazia realçar o bigode naturalmente encaracolado. Era alto e tinha mãos admiráveis.

III

Estêvão Soares visitou Meneses no dia seguinte.

O deputado esperava-o, e recebeu-o como se fosse um amigo velho. Estêvão marcara a hora da visita, que impossibilitava a presença de Meneses na Câmara; mas o deputado importou-se pouco com isso: não foi à Câmara. Mas teve a delicadeza de o não dizer a Estêvão.

Meneses estava no gabinete quando o criado anunciou-lhe a chegada do médico. Foi recebê-lo à porta.

— Pontual como um rei — disse-lhe alegremente.

— Era dever. Lembro-lhe que não me esqueci.

— E agradeço-lho.

Sentaram-se os dois.

— Agradeço-lho porque eu receava sobretudo que me houvesse compreendido mal; e que os impulsos da minha simpatia não merecessem da sua parte nenhuma consideração...

Estêvão ia protestar.

— Perdão — continuou Meneses —, bem vejo que me enganei, e é por isso que lhe agradeço. Eu não sou rapaz; tenho quarenta e sete anos; e para a sua idade as relações de um homem como eu já não têm valor.

— A velhice, quando é respeitável, deve ser respeitada; e amada, quando é amável. Mas vossa excelência não é velho; tem os cabelos apenas grisalhos: pode-se dizer que está na segunda mocidade.

— Parece-lhe isso...

— Parece e é.

— Seja como for — disse Meneses —, a verdade é que podemos ser amigos. Quantos anos tem?

— Vinte e quatro.

— Olhe lá; podia ser meu filho. Tem seus pais vivos?

— Morreram há quatro anos.

— Lembra-me haver dito que era solteiro...

— É verdade.

— De maneira que os seus cuidados são todos para a ciência?

— É a minha esposa.

— Sim, a sua esposa intelectual; mas essa não basta a um homem como o senhor... Enfim, isso é com o tempo; está ainda moço.

Durante este diálogo, Estêvão contemplava e observava Meneses, em cujo rosto batia a claridade que entrava por uma das janelas. Era uma cabeça severa, cheia de cabelos já grisalhos, que lhe caíam em gracioso desalinho. Tinha os olhos negros e um pouco amortecidos; adivinhava-se porém que deviam ter sido vivos e ardentes. As suíças também grisalhas eram como as de lorde Palmerston, segundo dizem as gravuras. Não tinha rugas de velhice; tinha uma ruga na testa, entre as sobrancelhas, indício de concentração de espírito, e não vestígio do tempo. A testa era alta, o queixo e as maçãs do rosto um pouco salientes. Adivinhava-se que devia ter sido formoso no tempo da primeira mocidade; e antevia-se já uma velhice imponente e augusta. Sorria de quando em quando; e o sorriso, embora aquele rosto não fosse de um ancião, produzia uma impressão singular; parecia um raio de lua no meio de uma velha ruína. É que o sorriso era amável, mas não era alegre.

Todo aquele conjunto impressionava e atraía; Estêvão sentia-se cada vez mais arrastado para aquele homem, que o procurava, e lhe estendia a mão.

A conversa continuou no tom afetuoso com que começara; a primeira entrevista da amizade é o oposto da primeira entrevista do amor; nesta a mudez é a grande eloquência; naquela inspira-se e ganha-se a confiança pela exposição franca dos sentimentos e das ideias.

Não se falou de política. Estêvão aludiu de passagem às funções de Meneses; mas foi um verdadeiro incidente a que o deputado não prestou atenção.

No fim de uma hora, Estêvão levantou-se para sair; tinha de ir ver um doente.

— O motivo é sagrado; senão retinha-o.

— Mas eu voltarei outras vezes.

— Sem dúvida alguma, e eu irei vê-lo algumas vezes. Se no fim de quinze dias não se aborrecer... Olhe, venha de tarde; janta algumas vezes comigo; depois da Câmara estou completamente livre.

Estêvão saiu prometendo tudo.

Voltou lá, com efeito, e jantou duas vezes com o deputado, que também visitou Estêvão em casa; foram ao teatro juntos; relacionaram-se intimamente com as famílias conhecidas. No fim de um mês eram dois amigos velhos. Tinham observado reciprocamente o caráter e os sentimentos. Meneses gostava de ver a seriedade do médico e o seu bom senso; estimava-o com as suas intolerâncias, aplaudindo-lhe a generosa ambição que o dominava. Pela sua parte o médico via em Meneses um homem que sabia ligar a austeridade dos anos à amabilidade de cavalheiro, modesto nas suas maneiras, instruído, sentimental. Da misantropia anunciada não encontrou vestígios. É verdade que em algumas ocasiões Meneses parecia mais disposto a ouvir do que a falar; e então o olhar tornava-se-lhe sombrio e parado, como se em vez de ver os objetos exteriores, estivesse contemplando a sua própria consciência. Mas eram rápidos esses momentos, e Meneses voltava logo aos seus modos habituais.

— Não é um misantropo — pensava então Estêvão —; mas este homem tem um drama dentro de si.

A observação de Estêvão adquiriu certo caráter de verossimilhança quando uma noite em que se achavam no teatro Lírico, Estêvão chamou a atenção de Meneses para uma mulher vestida de preto que se achava em um camarote da primeira ordem.

— Não conheço aquela mulher — disse Estêvão. — Sabe quem é?

Meneses olhou para o camarote indicado, contemplou a mulher por alguns instantes e respondeu:

— Não conheço.

A conversa ficou aí; mas o médico reparou que a mulher duas vezes olhou para Meneses, e este duas vezes para ela, encontrando-se os olhos de ambos.

No fim do espetáculo, os dois amigos dirigiram-se pelo corredor do lado em que estivera a mulher de preto. Estêvão teve apenas nova curiosidade, a curiosidade *de artista:* quis vê-la *de perto.* Mas a porta do camarote estava fechada. Teria já saído ou não? Era impossível sabê-lo. Meneses passou sem olhar. Ao chegarem ao patamar da escada que dá para o lado da rua dos Ciganos, pararam os dois porque havia grande afluência de gente. Daí a pouco ouviu-se passo apressado; Meneses voltou o rosto; e dando o braço a Estêvão desceu imediatamente, apesar da dificuldade.

Estêvão compreendeu, mas nada viu.

Pela sua parte, Meneses não deu sinal algum.

Apenas se desembaraçaram da multidão, o deputado encetou uma alegre conversa com o médico.

— Que efeito lhe faz — perguntou ele — quando passa no meio de tantas damas elegantes, aquela confusão de sedas e de perfumes?

Estêvão respondeu distraidamente, e Meneses continuou a conversa no mesmo estilo; daí a cinco minutos a aventura do teatro tinha-se-lhe varrido da memória.

IV

Um dia Estêvão Soares foi convidado para um baile em casa de um velho amigo de seu pai.

A sociedade era luzida e numerosa; Estêvão, embora vivesse muito arredado, achou ali grande número de conhecidos. Não dançou; viu, conversou, riu um pouco e saiu.

Mas ao entrar levava o coração livre; ao sair trouxe nele uma flecha, para falar a linguagem dos poetas da Arcádia; era a flecha do amor.

Do amor? A falar a verdade não se pode dar este nome ao sentimento experimentado por Estêvão; não era ainda amor, mas bem pode ser que viesse a sê-lo. Por enquanto era um sentimento de fascinação doce e branda; uma mulher que lá estava produzira nele a impressão que as fadas produziam nos príncipes errantes ou nas princesas perseguidas, segundo nos rezam os contos das velhas.

A mulher em questão não era uma virgem; era uma viúva de trinta e quatro anos, bela como o dia, graciosa e terna. Estêvão via-a pela primeira vez; pelo menos não se lembrava daquelas feições. Conversou com ela durante meia hora, e tão encantado ficou com as maneiras, a voz, a beleza de Madalena, que ao chegar a casa não pôde dormir.

Como verdadeiro médico que era, sentia em si os sintomas dessa hipertrofia do coração que se chama amor e procurou combater a enfermidade nascente. Leu algumas páginas de matemática, isto é, percorreu-as com os olhos; porque apenas começava a ler o espírito alheava do livro onde apenas ficavam os olhos: o espírito ia ter com a viúva.

O cansaço foi mais feliz que Euclides: sobre a madrugada Estêvão Soares adormeceu.

Mas sonhou com a viúva.

Sonhou que a apertava em seus braços, que a cobria de beijos, que era seu esposo perante a Igreja e perante a sociedade.

Quando acordou e lembrou-se do sonho, Estêvão sorriu.

— Casar-me! — disse ele. — Era o que me faltava. Como poderia eu ser feliz com o espírito receoso e ambicioso que a natureza me deu? Acabemos com isto; nunca mais verei aquela mulher... e boa noite.

Começou a vestir-se.

Trouxeram-lhe o almoço; Estêvão comeu rapidamente, porque era tarde, e saiu para ir ver alguns doentes.

Mas ao passar pela rua do Conde lembrou-se que Madalena lhe dissera morar ali; mas aonde? A viúva disse-lhe o número; o médico porém estava tão embebido em ouvi-la falar que não o decorou.

Queria e não queria; protestava esquecê-la, e contudo daria o que se lhe pedisse para saber o número da casa naquele momento.

Como ninguém podia dizer-lhe, o rapaz tomou o partido de ir-se embora.

No dia seguinte, porém, teve o cuidado de passar duas vezes pela rua do Conde a ver se descobria a encantadora viúva. Não descobriu nada; mas quando ia tomar um tílburi e voltar para casa encontrou o amigo de seu pai em cuja casa encontrara Madalena.

Estêvão já tinha pensado nele; mas imediatamente tirou dali o pensamento, porque ir perguntar-lhe onde morava a viúva era uma coisa que podia traí-lo.

Estêvão já empregava o verbo *trair*.

O homem em questão, depois de cumprimentar ao médico, e trocar com ele algumas palavras, disse-lhe que ia à casa de Madalena, e despediu-se.

Estêvão estremeceu de satisfação.

Acompanhou de longe o amigo e viu-o entrar em uma casa.

— É ali — pensou ele.

E afastou-se rapidamente.

Quando entrou em casa achou uma carta para ele; a letra, que lhe era desconhecida, estava traçada com elegância e cuidado: a carta recendia de sândalo.

O médico rompeu o lacre.

A carta dizia assim:

> Amanhã toma-se chá em minha casa. Se quiser vir passar algumas horas conosco dar-nos-á sumo prazer. — Madalena C...

Estêvão leu e releu o bilhete; teve ideia de levá-lo aos lábios, mas envergonhado diante de si próprio por uma ideia que lhe parecia de fraqueza, cheirou simplesmente o bilhete e meteu-o no bolso.

Estêvão era um pouco fatalista.

— Se eu não fosse àquele baile não conhecia esta mulher, não andava agora com estes cuidados, e tinha conjurado uma desgraça ou uma felicidade, porque ambas as coisas podem nascer deste encontro fortuito. Que será? Eis-me na dúvida de Hamlet. Devo ir à casa dela? A cortesia pede que vá. Devo ir; mas irei encouraçado contra tudo. É preciso romper com estas ideias, e continuar a vida tranquila que tenho tido.

Estava nisto quando Meneses lhe entrou por casa. Vinha buscá-lo para jantar. Estêvão saiu com o deputado. Em caminho fez-lhe perguntas curiosas.

Por exemplo:

— Acredita no destino, meu amigo? Pensa que há um deus do bem e um deus do mal, em conflito travado sobre a vida do homem?

— O destino é a vontade — respondia Meneses —; cada homem faz o seu destino.

— Mas enfim nós temos pressentimentos... Às vezes adivinhamos acontecimentos em que não tomamos parte; não lhe parece que é um deus benfazejo que no-los segreda?

— Fala como um pagão; eu não creio em nada disso. Creio que tenho o estômago vazio, e o que melhor podemos fazer é jantar aqui mesmo no hotel de Europa em vez de ir à rua do Lavradio.

Subiram ao hotel de Europa.

Ali havia vários deputados que conversavam de política, e os quais se reuniram a Meneses. Estêvão ouvia e respondia, sem esquecer nunca a viúva, a carta e o sândalo.

Assim, pois, davam-se contrastes singulares entre a conversa geral e o pensamento de Estêvão.

Dizia por exemplo um deputado:

— O governo é reator; as províncias não podem mais suportá-lo. Os princípios estão todos preteridos; na minha província foram demitidos alguns subdelegados pela circunstância única de serem meus parentes; meu cunhado, que era diretor das rendas, foi posto fora do lugar, e este deu-se a um peralta contraparente dos Valadares. Eu confesso que vou romper amanhã a oposição.

Estêvão olhava para o deputado; mas no interior estava dizendo isto:

— Com efeito, Madalena é bela, é admiravelmente bela. Tem uns olhos de matar. Os cabelos são lindíssimos: tudo nela é fascinador. Se pudesse ser minha mulher, eu seria feliz; mas quem sabe?... Contudo sinto que vou amá-la. Já é irresistível; é preciso amá-la; e ela? que quer dizer aquele convite? Amar-me-á?

Estêvão embebera-se tanto nesta contemplação ideal, que, acontecendo perguntar-lhe um deputado se não achava a situação negra e carrancuda, Estêvão entregue ao seu pensamento respondeu:

— É lindíssima!

— Ah! — disse o deputado. — Vejo que o senhor é ministerialista.

Estêvão sorriu; mas Meneses franziu o sobrolho.

Compreendera tudo.

V

Quando saíram, o deputado disse ao médico:

— Meu amigo, você é desleal comigo...

— Por quê? — perguntou Estêvão meio sério e meio risonho, não compreendendo a observação do deputado.

— Sim — continuou Meneses —; você esconde-me um segredo...

— Eu?

— É verdade: e um segredo de amor.

— Ah!... — disse Estêvão. — Por que diz isso?

— Reparei há pouco que, ao passo que os mais conversavam em política, você pensava em uma mulher, e mulher... *lindíssima*...

Estêvão compreendeu que estava descoberto; não negou.

— É verdade, pensava em uma mulher.

— E eu serei o último a saber?

— Mas saber o quê? Não há amor, não há nada. Encontrei uma mulher que me impressionou e ainda agora me preocupa; mas é bem possível que não passe disto. Aí está. É um capítulo interrompido; um romance que fica na primeira página. Eu lhe digo: há de me ser difícil amar.

Contos fluminenses *A mulher de preto*

— Por quê?

— Eu sei? custa-me a crer no amor.

Meneses olhou fixamente para Estêvão, sorriu, abanou a cabeça e disse:

— Olhe, deixe a descrença para os que já sofreram as decepções; o senhor está moço, não conhece ainda nada desse sentimento. Na sua idade ninguém é cético... Demais, se a mulher é bonita, eu aposto que daqui a pouco há de dizer-me o contrário.

— Pode ser... — respondeu Estêvão.

E ao mesmo tempo entrou a pensar nas palavras de Meneses, palavras que ele comparava ao episódio do teatro Lírico.

Entretanto, Estêvão foi ao convite de Madalena. Preparou-se e perfumou-se como se fosse falar a uma noiva. Que sairia daquele encontro? Viria de lá livre ou cativo? Já seria amado? Estêvão não deixou de pensá-lo; aquele convite parecia-lhe uma prova irrecusável. O médico entrando num tílburi começou a formar vários castelos no ar.

Enfim chegou à casa.

VI

Madalena estava na sala acompanhada de um filho. Ninguém mais.

Eram nove horas e meia.

— Viria eu cedo demais? — perguntou ele à dona da casa.

— O senhor nunca vem cedo.

Estêvão inclinou-se.

Madalena continuou:

— Se me acha só, é porque, tendo enfermado um pouco, mandei desavisar as poucas pessoas que eu havia convidado.

— Ah! mas eu não recebi...

— Naturalmente; eu não lhe mandei dizer nada. Era a primeira vez que o convidava; não queria por modo algum arredar de casa um homem tão distinto.

Estas palavras de Madalena não valiam coisa alguma, nem mesmo como desculpa, porque a desculpa é fraquíssima.

Estêvão compreendeu logo que havia algum motivo oculto. Seria o amor?

Estêvão pensou que era, e doeu-se, porque, apesar de tudo, sonhara uma paixão mais reservada e menos precipitada. Não queria, embora lhe agradasse, ser objeto daquela preferência; e mais que tudo achava-se embaraçadíssimo diante de uma mulher a quem começava a amar, e que talvez o amasse. Que lhe diria? Era a primeira vez que o médico achava-se em tais apuros. Há toda a razão para supor que Estêvão naquele momento preferia estar cem léguas distante, e contudo, longe que estivesse pensaria nela.

Madalena era excessivamente bela, embora mostrasse no rosto sinais de longo sofrimento. Era alta, cheia, tinha um belíssimo colo, magníficos braços, olhos castanhos e grandes, boca feita para ninho de amores.

Naquele momento trajava um vestido preto.

A cor preta ia-lhe muito bem.

Estêvão contemplava aquela figura com amor e adoração; ouvia-a falar e sentia-se encantado e dominado por um sentimento que não podia explicar.

Era um misto de amor e de receio.

Madalena mostrou-se delicada e solícita. Falou no merecimento do rapaz e na sua nascente reputação, e instou com ele para que fosse algumas vezes visitá-la.

Às dez horas e meia serviu-se o chá na sala. Estêvão conservou-se lá até as onze horas.

Chegando à rua o médico estava completamente namorado. Madalena tinha-o atado no seu carro, e o pobre rapaz nem vontade tinha de quebrar o jugo.

Caminhando para casa ia ele formando projetos: via-se casado com ela, amado e amante, causando inveja a todos, e mais que tudo feliz no seu interior.

Quando chegou a casa, lembrou-se de escrever uma carta que mandaria no dia seguinte a Meneses. Escreveu cinco e rasgou-as todas.

Afinal redigiu um simples bilhete nestes termos:

> Meu amigo.
> Você tem razão; na minha idade crê-se; eu creio e amo. Nunca o pensei; mas é verdade. Amo... Quer saber a quem? Hei de apresentá-lo em casa dela. Há de achá-la bonita... Se o é...!

A carta dizia muitas coisas mais; era tudo, porém, uma glosa do mesmo mote.

Estêvão voltou à casa de Madalena e as suas visitas começaram a ser regulares e assíduas.

A viúva usava para com ele de tanta solicitude que não era possível duvidar do sentimento que a dirigia. Pelo menos Estêvão assim o pensava. Achava-se quase sempre só, e deliciava-se em ouvi-la. A intimidade começou a estabelecer-se.

Logo na segunda visita, Estêvão falou-lhe em Meneses pedindo licença para apresentá-lo. A viúva disse que teria muito prazer em receber amigos de Estêvão; mas pedia-lhe que adiasse a apresentação. Todos os pedidos e todas as razões de Madalena eram dignas para o médico; não disse mais nada.

Como era natural, ao passo que as visitas à viúva eram mais assíduas, as visitas ao amigo eram mais raras.

Meneses não se queixou; compreendeu, e disse-o ao rapaz.

— Não se desculpe — acrescentou o deputado —; é natural; a amizade deve ceder o passo ao amor. O que eu quero é que seja feliz.

Um dia Estêvão pediu ao amigo que lhe contasse o motivo que o tinha feito descrer do amor, e se algum grande infortúnio lhe havia acontecido.

— Nada me aconteceu — disse Meneses.

Mas ao mesmo tempo, compreendendo que o médico merecia-lhe toda a confiança, e podia não acreditá-lo absolutamente, disse:

— Por que negá-lo? Sim, aconteceu-me um grande infortúnio; amei também, mas não encontrei no amor as doçuras e a dignidade do sentimento; enfim, é um drama íntimo de que não quero falar: limite-se a pateá-lo.

VII

— Quando quiser que eu lhe apresente o meu amigo Meneses... — dizia Estêvão uma noite à viúva Madalena.

— Ah! é verdade; um dia destes. Vejo que o senhor é amigo dele.

— Somos amigos íntimos.
— Verdadeiros?
— Verdadeiros.

Madalena sorriu; e como estava brincando com os cabelos do filho deu-lhe um beijo na testa.

A criança riu alegremente e abraçou a mãe.

A ideia de vir a ser pai honorário do pequeno apresentou-se ao espírito de Estêvão. Contemplou-o, chamou por ele, acariciou-o e deu-lhe um beijo no mesmo lugar em que pousaram os lábios de Madalena.

Estêvão tocava piano, e às vezes executava algum pedaço de música a pedido de Madalena.

Nessas e noutras distrações lá passavam as horas.

O amor não adiantava um passo.

Podiam ser ambos duas crateras prestes a rebentar a lava; mas até então não davam o menor sinal de si.

Esta situação incomodava o rapaz, acanhava-o, e fazia-o sofrer; mas quando ele pensava em dar um ataque decisivo, era exatamente quando se mostrava mais covarde e poltrão.

Era o primeiro amor do rapaz: ele nem conhecia as palavras próprias desse sentimento.

Um dia resolveu escrever à viúva.

— É melhor — pensava ele —; uma carta é eloquente e tem a grande vantagem de deixar a gente longe.

Entrou para o gabinete e começou uma carta.

Gastou nisso uma hora; cada frase ocupava-lhe muito tempo. Estêvão queria fugir à hipótese de ser classificado como tolo ou como sensual. Queria que a carta não respirasse sentimentos frívolos nem maus; queria revelar-se puro como era.

Mas de que não dependem às vezes os acontecimentos? Estêvão estava relendo e emendando a carta quando lhe entrou por casa um rapazola que tinha intimidade com ele. Chamava-se Oliveira e passava por ser o primeiro janota do Rio de Janeiro.

Entrou com um rolo de papel na mão.

Estêvão escondeu rapidamente a carta.

— Adeus, Estêvão! — disse o recém-chegado. — Estavas escrevendo algum libelo ou carta de namoro?

— Nem uma nem outra coisa — respondeu Estêvão secamente.

— Dou-te uma notícia.

— Que é?

— Entrei na literatura.

— Ah!

— É verdade, e venho ler-te a primeira comédia.

— Deus me livre! — disse Estêvão levantando-se.

— Hás de ouvir, meu amigo; ao menos algumas cenas; dar-se-á caso que não me protejas nas letras? Anda cá; ao menos duas cenas. Sim? É pouca coisa.

Estêvão sentou-se.

O dramaturgo continuou:

— Talvez prefiras ouvir a minha tragédia intitulada — *O punhal de Bruto*...

— Não, não; prefiro a comédia: é menos sanguinária. Vamos lá.

Oliveira abriu o rolo, arranjou as folhas, tossiu e começou a ler o que se segue, com voz pausada e fanhosa:

Cena I

César (*entrando pela direita.*)

João (*pela esquerda.*)

César — Fechada! A sinhá já se levantou?

João — Já, sim senhor; mas está incomodada.

César — O que tem?

João — Tem... está incomodada.

César — Já sei. (*consigo.*) Os incômodos do costume. (*A João.*) Qual é então o remédio hoje?

João — O remédio? (*depois de uma pausa.*) Não sei.

César — Está bom, vai-te!

Cena II

César, Freitas (*pela direita.*)

César — Bom dia, senhor procurador...

Freitas — De causas perdidas. Só me ocupo em procurar as perdidas. Procurar o que se não perdeu é tolice. A minha constituinte?

César — Disse-me o João que está incomodada.

Freitas — Mesmo para vossa senhoria?

César — (*sentando-se.*) Mesmo para mim. Por que me olha com esse olhar? Tem inveja?

Freitas — Não é inveja, é admiração! De ordinário ninguém corresponde ao nome que recebeu na pia; mas o senhor César, benza-o Deus, não desmente que traz um nome significativo, e trata de ser nas páginas amorosas o que foi o outro nas batalhas campais.

César — Pois também os procuradores dizem coisas destas?

Freitas — De vez em quando. (*indo sentar-se.*) vossa senhoria admira-se?

César — (*tirando charutos.*) Como não é de costume... quer um charuto?

Freitas — Obrigado... Eu tomo rapé. (*tira a boceta.*) Quer uma pitada?

César — Obrigado.

Freitas — (*sentando-se.*) Pois a causa da minha constituinte vai às mil maravilhas. A parte contrária requereu assinação de dez dias, mas eu vou...

César — Está bom, senhor Freitas, eu dispenso o resto; ou então não me fale linguagem do foro. Em resumo, ela vence?

Freitas — Está claro. Tratando provar que...

César — Vence, é quanto basta.

Freitas — Pudera não vencer! Pois se eu ando nisto...

César — Tanto melhor!

Freitas — Ainda não me lembro de ter perdido uma só causa: isto é, já perdi uma, mas é porque nas vésperas de ganhar disse-me o constituinte que desejava perdê-la. Dito e feito. Provei o contrário do que já tinha provado, e perdi... ou antes, ganhei, porque perder assim é ganhar.

CÉSAR — É a fênix dos procuradores.

FREITAS — (*modestamente.*) São os seus bons olhos...

CÉSAR — Mas a consciência?

FREITAS — Quem é a consciência?

CÉSAR — A consciência, a sua consciência?

FREITAS — A minha consciência? Ah! essa também ganha.

CÉSAR — (*levantando-se.*) Ah! também?...

FREITAS — (*o mesmo.*) Tem vossa senhoria alguma demandazinha?

CÉSAR — Não, não, não tenho; mas, quando tiver, fique descansado, vou bater à sua porta...

FREITAS — Sempre às ordens de vossa senhoria.

VIII

Estêvão interrompeu violentamente a leitura, o que desgostou bastante ao poeta novel. O pobre candidato às musas mal pôde balbuciar uma súplica; Estêvão mostrou-se surdo, e o mais que lhe concedeu foi ficar com a comédia para lê-la depois.

Oliveira contentou-se com isso; mas não se retirou sem recitar-lhe de cor uma fala do protagonista da tragédia, em versos duros e compridos, dando-lhe por quebra uma estrofe de uma poesia lírica, no estilo do *Djinns* de Victor Hugo.

Enfim saiu.

Entretanto havia passado o tempo.

Estêvão releu a carta e quis ainda mandá-la; mas a interrupção do poeta fora proveitosa; relendo a carta, Estêvão achou-a fria e nula; a linguagem era ardente, mas não lhe correspondia ao fogo do coração.

— É inútil — disse ele rasgando a carta em mil pedaços —, a língua humana há de ser sempre impotente para exprimir certos afetos da alma; tudo aquilo era frio e diferente do que sinto. Estou condenado a não dizer nada ou a dizer mal. Ao pé dela não tenho forças, sinto-me fraco...

Estêvão parou diante da janela que dava para a rua, no momento em que passava um antigo colega dele, com a mulher de braço, a mulher que era bonita, e com quem se casara um mês antes.

Os dois iam alegres e felizes.

Estêvão contemplou aquele quadro com adoração e tristeza. O casamento já não era para ele aquele impossível de que falava quando apenas tinha ideias e não sentimentos. Agora era uma ventura realizável.

O casal que passara dera-lhe nova força.

— É preciso acabar com isto — dizia ele —; eu não posso deixar de ir àquela mulher e dizer-lhe que a amo, que a adoro, que desejo ser seu marido. Ela amar-me-á, se já me não ama: sim, ama-me...

E começou a vestir-se.

Quando calçava as luvas e lançava um olhar para o relógio, o criado trouxe-lhe uma carta.

Era de Madalena.

Espero, meu caro doutor, que não deixe de vir hoje; esperei-o ontem em vão. Desejo falar-lhe.

Estêvão acabou de ler este bilhete na escada, com tal pressa descia e tal urgência tinha de achar-se em casa da viúva.

O que ele não queria era perder aquele assomo de coragem. Partiu.

Quando chegou à casa de Madalena achava-se esta à janela. Recebeu-o com a costumada afabilidade. Estêvão desculpou-se como pôde por não ter podido vir na véspera, acrescentando que só com desgosto do seu coração havia faltado.

Que melhor ocasião do que era essa para lançar a bomba de uma declaração franca e apaixonada? Estêvão hesitou alguns segundos; mas tomando ânimo, ia continuar o período, quando a viúva lhe disse:

— Estava ansiosa por vê-lo para comunicar-lhe uma coisa de certa importância, e que só a um homem de honra, como o senhor, se pode confiar.

Estêvão empalideceu.

— Sabe onde foi que eu o vi pela primeira vez?

— No baile de ***.

— Não; foi antes disso; foi no teatro Lírico.

— Ah!

— Lá o vi com o seu amigo Meneses.

— Fomos algumas vezes lá!

Madalena entrou então em uma longa exposição, que o rapaz ouviu sem pestanejar, mas pálido e agitado por comoções íntimas. As últimas palavras da viúva foram estas:

— Bem vê, senhor; coisas destas só uma grande alma pode ouvi-las. As pequenas não as compreendem. Se lhe mereço alguma coisa, se esta confiança pode ser paga com um benefício, peço-lhe que faça o que lhe pedi.

O médico passou a mão pelos olhos, e apenas murmurou:

— Mas...

Neste momento entrava na sala o filhinho de Madalena; a viúva levantou-se e trouxe-o pela mão até o lugar onde se achava Estêvão Soares.

— Se não por mim — disse ela —, ao menos por esta criança inocente!

A criança, sem nada compreender, atirou-se aos braços de Estêvão. O moço deu-lhe um beijo na testa, e disse para a viúva:

— Se hesitei não foi porque duvidasse do que a senhora acaba de contar-me; foi porque a missão é espinhosa; mas prometo que hei de cumpri-la.

IX

Estêvão saiu da casa da viúva agitado por diversos sentimentos, com passo trêmulo e a vista turva. A conversa com a viúva fora um longo combate; a última promessa foi um golpe decisivo e mortal. Estêvão saía dali como um homem que acabava de matar as suas esperanças em flor; caminhava ao acaso, precisava de ar e queria meter-se em um quarto sombrio; quisera ao mesmo tempo estar solitário e no meio de imensa multidão.

No caminho encontrou Oliveira, o poeta novel.

Lembrou-se que a leitura da comédia impedira a remessa da carta, e portanto poupou-lhe um tristíssimo desengano.

Estêvão involuntariamente abraçou o poeta com toda a efusão da alma.

Oliveira correspondeu ao abraço, e quando pôde desligar-se do médico, disse-lhe:

— Obrigado, meu amigo; estas manifestações são muito honrosas para mim; sempre te conheci como um perfeito juiz literário, e a prova que acabas de dar-me é uma consolação e uma animação; consola-me do que tenho sofrido, anima-me para novos cometimentos. Se Torquato Tasso...

Diante desta ameaça de discurso, e sobretudo vendo a interpretação do seu abraço, Estêvão resolveu-se a continuar caminho abandonando o poeta.

— Adeus, tenho pressa.

— Adeus, obrigado!

Estêvão chegou a casa e atirou-se à cama. Ninguém o soube nunca, só as paredes do quarto foram testemunhas; mas a verdade é que Estêvão chorou lágrimas amargas.

Enfim que lhe dissera Madalena e que exigira dele?

A viúva não era viúva; era mulher de Meneses; viera do norte meses antes do marido, que só veio como deputado; Meneses, que a amava doidamente, e que era amado com igual delírio, acusava-a de infidelidade; uma carta e um retrato eram os indícios; ela negou, mas explicou-se mal; o marido separou-se e mandou-a para o Rio de Janeiro.

Madalena aceitou a situação com resignação e coragem: não murmurou nem pediu; cumpriu a ordem do marido.

Todavia Madalena não era criminosa; o seu crime era uma aparência; estava condenada por fidelidade de honra. A carta e o retrato não lhe pertenciam; eram apenas um depósito imprudente e fatal. Madalena podia dizer tudo, mas era trair uma promessa; não quis; preferiu que a tempestade doméstica caísse unicamente sobre ela.

Agora, porém, a necessidade do segredo expirara; Madalena recebeu do norte uma carta em que a amiga, no leito da morte, pedia que inutilizasse a carta e o retrato, ou os restituísse ao homem que lhos dera. Esta carta era uma justificação.

Madalena podia mandar a carta ao marido, ou pedir-lhe uma entrevista; mas receava tudo; sabia que seria inútil, porque Meneses era extremamente severo.

Vira o médico uma noite no teatro em companhia de seu marido; indagara e soube que eram amigos; pedia-lhe pois que fosse mediador entre os dois, que a salvasse e que reconstruísse uma família.

Não era pois somente o amor de Estêvão que sofria; era também o seu amor-próprio. Estêvão facilmente compreendeu que não fora atraído àquela casa para outra coisa. É verdade que a carta só chegara na véspera; mas a carta apenas vinha apressar a resolução. Naturalmente Madalena pedir-lhe-ia, sem haver carta, algum serviço análogo àquele.

Se se tratasse de qualquer outro homem, Estêvão recusaria o serviço que lhe pedia a viúva; mas tratava-se do seu amigo, de um homem a quem ele devia estima e serviços de amizade.

Aceitou, pois, a cruel missão.

— Cumpra-se o destino — disse ele —; hei de ir lançar a mulher que amo aos braços de outro; e por desgraça maior, em vez de gozar com este restabelecimento de concórdia doméstica, vejo-me na dura situação de amar a mulher do meu amigo, isto é, de fugir para longe...

Estêvão não saiu mais de casa nesse dia.

Quis escrever ao deputado contando-lhe tudo; mas pensou que o melhor era falar-lhe de viva voz. Embora lhe custasse mais, era de mais efeito para o desempenho da sua promessa.

Adiou, porém, para o dia seguinte, ou antes para o mesmo dia, porque a noite não lhe interrompeu o tempo, visto que Estêvão não dormiu um minuto sequer.

X

Levantou-se da cama o pobre namorado sem ter conseguido dormir. Vinha nascendo o sol.

Quis ler os jornais e pediu-os.

Já os ia pondo de lado, por haver acabado de ler, quando repentinamente viu o seu nome impresso no *Jornal do Commercio*.

Era um artigo *a pedido* com o título de "Uma obra-prima".

Dizia o artigo:

> Temos o prazer de anunciar ao país o próximo aparecimento de uma excelente comédia, estreia de um jovem literato fluminense, de nome Antônio Carlos de Oliveira.
>
> Este robusto talento, por muito tempo incógnito, vai enfim entrar nos mares da publicidade, e para isso procurou logo ensaiar-se em uma obra de certo vulto.
>
> Consta-nos que o autor, solicitado por seus numerosos amigos, leu há dias a comédia em casa do sr. dr. Estêvão Soares, diante de um luzido auditório, que aplaudiu muito e profetizou no sr. Oliveira um futuro Shakespeare.
>
> O sr. dr. Estêvão Soares levou a sua amabilidade a ponto de pedir a comédia para ler segunda vez, e ontem ao encontrar-se na rua com o sr. Oliveira, de tal entusiasmo vinha possuído que o abraçou estreitamente, com grande pasmo dos numerosos transeuntes.
>
> Da parte de um juiz tão competente em matérias literárias este ato é honroso para o sr. Oliveira.
>
> Estamos ansiosos por ler a peça do sr. Oliveira, e ficamos certos de que ela fará fortuna de qualquer teatro.
>
> O AMIGO DAS LETRAS

Estêvão, apesar dos sentimentos que o agitavam então, enfureceu-se com o artigo que acabava de ler. Não havia dúvida que o autor dele era o próprio autor da comédia. O abraço da véspera fora mal interpretado, e o poetastro aproveitava-o em seu favor. Se ao menos não falasse no nome de Estêvão, este poderia desculpar a vaidadezinha do escritor. Mas o nome ali estava como cúmplice da obra.

Pondo de lado o *Jornal do Commercio*, Estêvão lembrou-se de protestar, e ia já escrever um artigo quando recebeu uma cartinha de Oliveira.

Dizia a carta:

> Meu Estêvão.
> Lembrou-se um amigo meu de escrever alguma coisa a propósito da minha peça. Expliquei-lhe como se dera a leitura em tua casa, e disse-lhe como é que, apesar do vivo desejo que tinhas de ouvir lê-la, interrompeste-me para ir cuidar de um doente. Apesar de

tudo isto, o meu referido amigo contou hoje no *Jornal do Commercio* a história alterando um pouco a verdade. Desculpa-o; é a linguagem da amizade e da benevolência.

Ontem entrei para casa tão orgulhoso com o teu abraço que escrevi uma ode, e assim manifestou-se em mim a veia lírica, depois da cômica e da trágica. Aí te mando o rascunho; se não prestar, rasga-a.

A carta tinha, por engano, a data da véspera.
A ode era muito comprida; Estêvão nem a leu, atirou-a para um canto.
A ode começava assim:

> Sai do teu monte, ó musa!
> Vem inspirar a lira do poeta;
> Enche de luz a minha fronte ousada,
> E mandemos aos evos,
> Nas asas de uma estrofe igente e altíssona,
> Do caro amigo o animador abraço!
>
> Não canto os altos feitos
> De Aquiles, nem traduzo os sons tremendos
> Dos rufos marciais enchendo os campos!
> Outro assunto me inspira.
> Não canto a espada que dá morte e campa;
> Canto o abraço que dá vida e glória!

XI

Como havia prometido, Estêvão foi logo procurar o deputado Meneses. Em vez de ir direito ao fim, quis antes sondá-lo a respeito do seu passado. Era a primeira vez que o moço tocava em tal. Meneses não desconfiou, mas estranhou; mas tal confiança tinha nele que não recusou nada.

— Sempre imaginei — dissera-lhe Estêvão — que há na sua vida um drama. É talvez engano meu, mas a verdade é que ainda não perdi a ideia.

— Há, com efeito, um drama; mas um drama pateado. Não sorria; é assim. Que supõe então?

— Não suponho nada. Imagino que...

— Pede dramas a um homem político?

— Por que não?

— Eu lhe digo. Sou político e não sou. Não entrei na vida pública por vocação; entrei como se entra em uma sepultura: para dormir melhor. Por que o fiz? A razão é o drama de que me fala.

— Uma mulher, talvez...

— Sim, uma mulher.

— Talvez mesmo — disse Estêvão procurando sorrir —, talvez uma esposa.

Meneses estremeceu e olhou para o amigo, espantado e desconfiado.

— Quem lho disse?

— Pergunto.

— Uma esposa, sim; mas não lhe direi mais nada. É a primeira pessoa que ouve tanta coisa de mim. Deixemos o passado que morreu: *parce sepultis*.

— Conforme — disse Estêvão —; e se eu pertencer a uma seita filosófica que pretenda ressuscitar os mortos, mesmo quando é um passado...

— As suas palavras ou querem dizer muito, ou nada. Qual é a sua intenção?

— A minha intenção não é ressuscitar o passado unicamente; é repará-lo, é restaurá-lo em todo o seu esplendor, com toda a legitimidade do seu direito; o meu fim é dizer-lhe, meu caro amigo, que a mulher condenada é uma mulher inocente.

Ouvindo estas palavras Meneses deu um pequeno grito.

Depois levantando-se com rapidez pediu a Estêvão que lhe dissesse o que sabia e como sabia.

Estêvão referiu tudo.

Quando concluiu a sua narração, o deputado abanou a cabeça com aquele último sintoma de incredulidade que é ainda um eco das grandes catástrofes domésticas.

Mas Estêvão ia armado contra as objeções do marido. Protestou energicamente pela defesa da mulher; instou pelo cumprimento do dever.

A última resposta de Meneses foi esta:

— Meu caro Estêvão, a mulher de César nem deve ser suspeitada. Acredito em tudo; mas o que está feito, está feito.

— O princípio é cruel, meu amigo.

— É fatal.

Estêvão saiu.

Ficando só, Meneses caiu em profunda meditação; ele acreditava em tudo, e amava a mulher; mas não acreditava que os belos dias pudessem voltar.

Recusando, pensava ele, era ficar no túmulo em que tivera tão brando sono.

Estêvão, porém, não desanimou.

Quando entrou em casa, escreveu uma longa carta ao deputado exortando-o a que restaurasse a família um momento separada e desfeita. Estêvão era eloquente; o coração de Meneses com pouco se contentava.

Enfim, nesta missão diplomática, o médico houve-se com suprema habilidade. No fim de alguns dias dissipara-se a nuvem do passado, e o casal reunira-se.

Como?

Madalena soube das disposições de Meneses e recebeu o anúncio de uma visita de seu marido.

Quando o deputado preparava-se para sair, vieram dizer-lhe que uma senhora o procurava.

A senhora era Madalena.

Meneses nem quis abraçá-la; ajoelhou-se-lhe aos pés.

Tudo estava esquecido.

Quiseram celebrar a reconciliação, e Estêvão foi convidado para lá passar o dia em companhia dos seus amigos, que lhe deviam a felicidade.

Estêvão não foi.

Mas no dia seguinte Meneses recebeu este bilhete:

    Desculpe, meu amigo, se não vou despedir-me pessoalmente. Sou obrigado a partir repentinamente para Minas. Voltarei daqui a alguns meses.
    Estimo que sejam felizes, e espero que não se esqueçam de mim.

Meneses foi apressadamente à casa de Estêvão, e ainda o achou preparando as malas.

Achou singular a viagem, e mais singular o bilhete; mas o médico não revelou por modo nenhum o verdadeiro motivo da sua partida. Quando Meneses voltou, comunicou à mulher as suas impressões; e perguntou se ela compreendia aquilo.

— Não — respondeu Madalena.

Mas tinha compreendido enfim.

— Nobre alma! — disse ela consigo.

Nada disse ao marido; nisso mostrava-se esposa solícita pela tranquilidade conjugal; mas mostrava-se sobretudo mulher.

Meneses não foi à Câmara durante muitos dias, e no primeiro paquete seguiu para o norte.

A ausência transtornou algumas votações, e a sua partida logrou muitos cálculos.

Mas o homem tem o direito de procurar a sua felicidade e a felicidade de Meneses era independente da política.

Jornal das Famílias, *abril-maio de 1868*; J. J.

O segredo de Augusta

I

São onze horas da manhã.

D. Augusta Vasconcelos está reclinada sobre um sofá, com um livro na mão. Adelaide, sua filha, passa os dedos pelo teclado do piano.

— Papai já acordou? — pergunta Adelaide à sua mãe.

— Não — responde esta sem levantar os olhos do livro.

Adelaide levantou-se e foi ter com Augusta.

— Mas é tão tarde, mamãe — disse ela. — São onze horas. Papai dorme muito.

Augusta deixou cair o livro no regaço, e disse olhando para Adelaide:

— É que naturalmente recolheu-se tarde.

— Reparei já que nunca me despeço de papai quando me vou deitar. Anda sempre fora.

Augusta sorriu:

— És uma roceira — disse ela —; dormes com as galinhas. Aqui o costume é outro. Teu pai tem que fazer de noite.

— É política, mamãe? — perguntou Adelaide.

— Não sei — respondeu Augusta.

Comecei dizendo que Adelaide era filha de Augusta, e esta informação, necessária no romance, não o era menos na vida real em que se passou o episódio que vou contar, porque à primeira vista ninguém diria que havia ali mãe e filha; pareciam duas irmãs, tão jovem era a mulher de Vasconcelos.

Tinha Augusta trinta anos e Adelaide quinze; mas comparativamente a mãe parecia mais moça ainda que a filha. Conservava a mesma frescura dos quinze anos, e tinha de mais o que faltava a Adelaide, que era a consciência da beleza e da mocidade; consciência que seria louvável se não tivesse como consequência uma imensa e profunda vaidade. A sua estatura era mediana, mas imponente. Era muito alva e muito corada. Tinha os cabelos castanhos, e os olhos garços. As mãos compridas e bem feitas, pareciam criadas para os afagos de amor. Augusta dava melhor emprego às suas mãos; calçava-as de macia pelica.

As graças de Augusta estavam todas em Adelaide, mas em embrião. Adivinhava-se que aos vinte anos Adelaide devia rivalizar com Augusta; mas por enquanto havia na menina uns restos da infância que não davam realce aos elementos que a natureza pusera nela.

Todavia, era bem capaz de apaixonar um homem, sobretudo se ele fosse poeta, e gostasse das virgens de quinze anos, até porque era um pouco pálida, e os poetas em todos os tempos tiveram sempre queda para as criaturas descoradas.

Augusta vestia com suprema elegância; gastava muito, é verdade; mas aproveitava bem as enormes despesas, se acaso é isso aproveitá-las. Deve-se fazer-lhe uma justiça; Augusta não regateava nunca; pagava o preço que lhe pediam por qualquer coisa. Punha nisso a sua grandeza, e achava que o procedimento contrário era ridículo e de baixa esfera.

Neste ponto Augusta partilhava os sentimentos e servia aos interesses de alguns mercadores, que entendem ser uma desonra abater alguma coisa no preço das suas mercadorias.

O fornecedor de fazendas de Augusta, quando falava a este respeito, costumava dizer-lhe:

— Pedir um preço e dar a fazenda por outro preço menor é confessar que havia intenção de esbulhar o freguês.

O fornecedor preferia fazer a coisa sem a confissão.

Outra justiça que devemos reconhecer era que Augusta não poupava esforços para que Adelaide fosse tão elegante como ela. Não era pequeno o trabalho.

Adelaide desde a idade de cinco anos fora educada na roça em casa de uns parentes de Augusta, mais dados ao cultivo do café que às despesas do vestuário. Adelaide foi educada nesses hábitos e nessas ideias. Por isso quando chegou à corte, onde se reuniu à família, houve para ela uma verdadeira transformação. Passava de uma civilização para outra; viveu numa longa série de anos. O que lhe valeu é que tinha em sua mãe uma excelente mestra. Adelaide reformou-se, e no dia em que começa esta narração já era outra; todavia estava ainda muito longe de Augusta.

No momento em que Augusta respondia à curiosa pergunta de sua filha acerca das ocupações de Vasconcelos, parou um carro à porta.

Adelaide correu à janela.

— É dona Carlota, mamãe — disse a menina voltando-se para dentro.

Daí a alguns minutos entrava na sala a d. Carlota em questão. Os leitores ficarão conhecendo esta nova personagem com a simples indicação de que era um segundo volume de Augusta; bela, como ela; elegante, como ela; vaidosa, como ela.

Tudo isto quer dizer que eram ambas as mais afáveis inimigas que pode haver neste mundo.

Carlota vinha pedir a Augusta para ir cantar num concerto que ia dar em casa, imaginado por ela para o fim de inaugurar um magnífico vestido novo.

Augusta de boa vontade acedeu ao pedido.

— Como está seu marido? — perguntou ela a Carlota.

— Foi para a praça; e o seu?

— O meu dorme.

— Como um justo? — perguntou Carlota sorrindo maliciosamente.

— Parece — respondeu Augusta.

Neste momento, Adelaide, que por pedido de Carlota tinha ido tocar um noturno ao piano, voltou para o grupo.

A amiga de Augusta perguntou-lhe:

— Aposto que já tem algum noivo em vista?

A menina corou muito, e balbuciou:

— Não fale nisso.

— Ora, há de ter! Ou então aproxima-se da época em que há de ter um noivo, e eu já lhe profetizo que há de ser bonito...

— É muito cedo — disse Augusta.

— Cedo!

— Sim, está muito criança; casar-se-á quando for tempo, e o tempo está longe...

— Já sei — disse Carlota rindo —, quer prepará-la bem... Aprovo-lhe a intenção. Mas nesse caso não lhe tire as bonecas.

— Já não as tem.
— Então é difícil impedir os namorados. Uma coisa substitui a outra.
Augusta sorriu, e Carlota levantou-se para sair.
— Já? — disse Augusta.
— É preciso; adeus!
— Adeus!
Trocaram-se alguns beijos e Carlota saiu logo.
Logo depois chegaram dois caixeiros: um com alguns vestidos e outro com um romance; eram encomendas feitas na véspera. Os vestidos eram caríssimos, e o romance tinha este título: *Fanny*, por Ernesto Feydeau.

II

Pela uma hora da tarde do mesmo dia levantou-se Vasconcelos da cama.
Vasconcelos era um homem de quarenta anos, bem apessoado, dotado de um maravilhoso par de suíças grisalhas, que lhe davam um ar de diplomata, coisa de que estava afastado umas boas cem léguas. Tinha a cara risonha e expansiva; todo ele respirava uma robusta saúde.
Possuía uma boa fortuna e não trabalhava, isto é, trabalhava muito na destruição da referida fortuna, obra em que sua mulher colaborava conscienciosamente.
A observação de Adelaide era verídica; Vasconcelos recolhia-se tarde; acordava sempre depois do meio-dia; e saía às ave-marias para voltar na madrugada seguinte. Quer dizer que fazia com regularidade algumas pequenas excursões à casa da família.
Só uma pessoa tinha o direito de exigir de Vasconcelos mais alguma assiduidade em casa: era Augusta; mas ela nada lhe dizia. Nem por isso se davam mal, porque o marido em compensação da tolerância de sua esposa não lhe negava nada, e todos os caprichos dela eram de pronto satisfeitos.
Se acontecia que Vasconcelos não pudesse acompanhá-la a todos os passeios e bailes, incumbia-se disso um irmão dele, comendador de duas ordens, político de oposição, excelente jogador de voltarete, e homem amável nas horas vagas, que eram bem poucas. O irmão Lourenço era o que se pode chamar um irmão terrível. Obedecia a todos os desejos da cunhada, mas não poupava de quando em quando um sermão ao irmão. Boa semente que não pegava.
Acordou, pois, Vasconcelos, e acordou de bom humor. A filha alegrou-se muito ao vê-lo, e ele mostrou-se de uma grande afabilidade com a mulher, que lhe retribuiu do mesmo modo.
— Por que acorda tão tarde? — perguntou Adelaide acariciando as suíças de Vasconcelos.
— Porque me deito tarde.
— Mas por que se deita tarde?
— Isso agora é muito perguntar! — disse Vasconcelos sorrindo.
E continuou:
— Deito-me tarde porque assim o pedem as necessidades políticas. Tu não sabes o que é política; é uma coisa muito feia, mas muito necessária.
— Sei o que é política, sim! — disse Adelaide.

— Ah! explica-me lá então o que é.

— Lá na roça, quando quebraram a cabeça ao juiz de paz, disseram que era por política; o que eu achei esquisito, porque a política seria não quebrar a cabeça...

Vasconcelos riu muito com a observação da filha, e foi almoçar, exatamente quando entrava o irmão, que não pôde deixar de exclamar:

— A boa hora almoças tu!

— Aí vens tu com as tuas reprimendas. Eu almoço quando tenho fome... Vê se me queres agora escravizar às horas e às denominações. Chama-lhe almoço ou *lunch*, a verdade é que estou comendo.

Lourenço respondeu com uma careta.

Terminado o almoço, anunciou-se a chegada do sr. Batista. Vasconcelos foi recebê-lo no gabinete particular.

Batista era um rapaz de vinte e cinco anos; era o tipo acabado do pândego; excelente companheiro numa ceia de sociedade equívoca, nulo conviva numa sociedade honesta. Tinha chiste e certa inteligência, mas era preciso que estivesse em clima próprio para que se lhe desenvolvessem essas qualidades. No mais era bonito; tinha um lindo bigode; calçava botins do Campas, e vestia no mais apurado gosto; fumava tanto como um soldado e tão bem como um lorde.

— Aposto que acordaste agora? — disse Batista entrando no gabinete do Vasconcelos.

— Há três quartos de hora; almocei neste instante. Toma um charuto.

Batista aceitou o charuto, e estirou-se numa cadeira americana, enquanto Vasconcelos acendia um fósforo.

— Viste o Gomes? — perguntou Vasconcelos.

— Vi-o ontem. Grande notícia: rompeu com a sociedade.

— Deveras?

— Quando lhe perguntei por que motivo ninguém o via há um mês, respondeu-me que estava passando por uma transformação, e que do Gomes que foi só ficará lembrança. Parece incrível, mas o rapaz fala com convicção.

— Não creio; aquilo é alguma caçoada que nos quer fazer. Que novidades há?

— Nada; isto é, tu é que deves saber alguma coisa.

— Eu, nada...

— Ora essa! não foste ontem ao Jardim?

— Fui, sim; houve uma ceia...

— De família, sim. Eu fui ao Alcazar. A que horas acabou a reunião?

— Às quatro da manhã...

Vasconcelos estendeu-se numa rede, e a conversa continuou por esse tom, até que um moleque veio dizer a Vasconcelos que estava na sala o sr. Gomes.

— Eis o homem! — disse Batista.

— Manda subir — ordenou Vasconcelos.

O moleque desceu para dar o recado; mas só um quarto de hora depois é que Gomes apareceu, por demorar-se algum tempo embaixo conversando com Augusta e Adelaide.

— Quem é vivo sempre, aparece — disse Vasconcelos ao avistar o rapaz.

— Não me procuram... — disse ele.

— Perdão; eu já lá fui duas vezes, e disseram-me que havias saído.

— Só por grande fatalidade, porque eu quase nunca saio.
— Mas então estás completamente ermitão?
— Estou crisálida; vou reaparecer borboleta — disse Gomes sentando-se.
— Temos poesia... Guarda debaixo, Vasconcelos...

O novo personagem, o Gomes tão desejado e tão escondido, representava ter cerca de trinta anos. Ele, Vasconcelos e Batista eram a trindade do prazer e da dissipação, ligada por uma indissolúvel amizade. Quando Gomes, cerca de um mês antes, deixou de aparecer nos círculos do costume, todos repararam nisso, mas só Vasconcelos e Batista sentiram deveras. Todavia, não insistiram muito em arrancá-lo à solidão, somente pela consideração de que talvez houvesse nisso algum interesse do rapaz.

Gomes foi portanto recebido como um filho pródigo.

— Mas onde te meteste? que é isso de crisálida e de borboleta? Cuidas que eu sou do mangue?
— É o que lhes digo, meus amigos. Estou criando asas.
— Asas! — disse Batista sufocando uma risada.
— Só se são asas de gavião para cair...
— Não, estou falando sério.

E com efeito Gomes apresentava um ar sério e convencido. Vasconcelos e Batista olharam um para o outro.

— Pois se é verdade isso que dizes, explica-nos lá que asas são essas, e sobretudo para onde é que queres voar.

A estas palavras de Vasconcelos, acrescentou Batista:

— Sim, deves dar-nos uma explicação, e se nós que somos o teu conselho de família acharmos que a explicação é boa, aprovamo-la; senão, ficas sem asas, e ficas sendo o que sempre foste...
— Apoiado — disse Vasconcelos.
— Pois é simples; estou criando asas de anjo, e quero voar para o céu do amor.
— Do amor! — disseram os dois amigos de Gomes.
— É verdade — continuou Gomes. — Que fui eu até hoje? Um verdadeiro estroina, um perfeito pândego, gastando às mãos largas a minha fortuna e o meu coração. Mas isto é bastante para encher a vida? Parece que não...
— Até aí concordo... isso não basta; é preciso que haja outra coisa; a diferença está na maneira de...
— É exato — disse Vasconcelos —; é exato; é natural que vocês pensem de modo diverso, mas eu acho que tenho razão em dizer que sem o amor casto e puro a vida é um puro deserto.

Batista deu um pulo.

Vasconcelos fitou os olhos em Gomes:

— Aposto que vais casar? — disse-lhe.
— Não sei se vou casar; sei que amo, e espero acabar por casar-me com a mulher a quem amo.
— Casar! — exclamou Batista.

E soltou uma estridente gargalhada.

Mas Gomes falava tão seriamente, insistia com tanta gravidade naqueles projetos de regeneração, que os dois amigos acabaram por ouvi-lo com igual seriedade.

Gomes falava uma linguagem estranha, e inteiramente nova na boca de um rapaz que era o mais doido e ruidoso nos festins de Baco e de Citera.

— Assim, pois, deixa-nos? — perguntou Vasconcelos.

— Eu? Sim e não; encontrar-me-ão nas salas; nos hotéis e nas casas equívocas, nunca mais.

— *De profundis*... — cantarolou Batista.

— Mas afinal de contas — disse Vasconcelos —, onde está a tua Marion? Pode-se saber quem ela é?

— Não é Marion, é Virgínia... Pura simpatia ao princípio, depois afeição pronunciada, hoje paixão verdadeira. Lutei enquanto pude; mas abati as armas diante de uma força maior. O meu grande medo era não ter uma alma capaz de oferecer a essa gentil criatura. Pois tenho-a, e tão fogosa, e tão virgem como no tempo dos meus dezoito anos. Só o casto olhar de uma virgem poderia descobrir no meu lodo essa pérola divina. Renasço melhor do que era...

— Está claro, Vasconcelos, o rapaz está doido; mandemo-lo para a praia Vermelha; e como pode ter algum acesso, eu vou-me embora...

Batista pegou no chapéu.

— Onde vais? — disse-lhe Gomes.

— Tenho que fazer; mas logo aparecerei em tua casa; quero ver se ainda é tempo de arrancar-te a esse abismo.

E saiu.

III

Os dois ficaram sós.

— Então é certo que estás apaixonado?

— Estou. Eu bem sabia que vocês dificilmente acreditariam nisto; eu próprio não creio ainda, e contudo é verdade. Acabo por onde tu começaste. Será melhor ou pior? Eu creio que é melhor.

— Tens interesse em ocultar o nome da pessoa?

— Oculto-o por ora a todos, menos a ti.

— É uma prova de confiança...

Gomes sorriu.

— Não — disse ele —, é uma condição *sine qua non*; antes de todos tu deves saber quem é a escolhida do meu coração; trata-se de tua filha.

— Adelaide? — perguntou Vasconcelos espantado.

— Sim, tua filha.

A revelação de Gomes caiu como uma bomba. Vasconcelos nem por sombras suspeitava semelhante coisa.

— Este amor é da tua aprovação? — perguntou-lhe Gomes.

Vasconcelos refletia, e depois de alguns minutos de silêncio, disse:

— O meu coração aprova a tua escolha; és meu amigo, estás apaixonado, e uma vez que ela te ame...

Gomes ia falar, mas Vasconcelos continuou sorrindo:

— Mas a sociedade?

— Que sociedade?

— A sociedade que nos tem em conta de libertinos, a ti e a mim, é natural que não aprove o meu ato.

— Já vejo que é uma recusa — disse Gomes entristecendo.

— Qual recusa, pateta! É uma objeção, que tu poderás destruir dizendo: a sociedade é uma grande caluniadora e uma famosa indiscreta. Minha filha é tua, com uma condição.

— Qual?

— A condição da reciprocidade. Ama-te ela?

— Não sei — respondeu Gomes.

— Mas desconfias...

— Não sei; sei que a amo e que daria a minha vida por ela, mas ignoro se sou correspondido.

— Hás de ser... Eu me incumbirei de apalpar o terreno. Daqui a dois dias dou-te a minha resposta. Ah! se ainda tenho de ver-te meu genro!

A resposta de Gomes foi cair-lhe nos braços. A cena já roçava pela comédia quando deram três horas. Gomes lembrou-se que tinha *rendez-vous* com um amigo; Vasconcelos lembrou-se que tinha de escrever algumas cartas.

Gomes saiu sem falar às senhoras.

Pelas quatro horas Vasconcelos dispunha-se a sair, quando vieram anunciar-lhe a visita do sr. José Brito.

Ao ouvir este nome o alegre Vasconcelos franziu o sobrolho. Pouco depois entrava no gabinete o sr. José Brito.

O sr. José Brito era para Vasconcelos um verdadeiro fantasma, um eco do abismo, uma voz da realidade; era um credor.

— Não contava hoje com a sua visita — disse Vasconcelos.

— Admira — respondeu o sr. José Brito com uma placidez de apunhalar — porque hoje são 21.

— Cuidei que eram 19 — balbuciou Vasconcelos.

— Anteontem, sim; mas hoje são 21. Olhe — continuou o credor pegando no *Jornal do Commercio* que se achava numa cadeira —: quinta-feira 21.

— Vem buscar o dinheiro?

— Aqui está a letra — disse o sr. José Brito tirando a carteira do bolso e um papel da carteira.

— Por que não veio mais cedo? — perguntou Vasconcelos, procurando assim espaçar a questão principal.

— Vim às oito horas da manhã — respondeu o credor —, estava dormindo; vim às nove, idem; vim às dez, idem; vim às onze, idem; vim ao meio-dia, idem. Quis vir à uma hora, mas tinha de mandar um homem para a cadeia e não me foi possível acabar cedo. Às três jantei, e às quatro aqui estou.

Vasconcelos puxava o charuto a ver se lhe ocorria alguma ideia boa de escapar ao pagamento com que ele não contava.

Não achava nada; mas o próprio credor forneceu-lhe ensejo.

— Além de que — disse ele —, a hora não importa nada, porque eu estava certo de que o senhor me vai pagar.

— Ah! — disse Vasconcelos — é talvez um engano; eu não contava com o senhor hoje, e não arranjei o dinheiro...

— Então, como há de ser? — perguntou o credor com ingenuidade.

Vasconcelos sentiu entrar-lhe na alma a esperança.

— Nada mais simples — disse —; o senhor espera até amanhã...

— Amanhã, quero assistir à penhora de um indivíduo que mandei processar por uma larga dívida; não posso...

— Perdão, eu levo-lhe o dinheiro à sua casa...

— Isso seria bom se os negócios comerciais se arranjassem assim. Se fôssemos dois amigos é natural que eu me contentasse com a sua promessa, e tudo acabaria amanhã; mas eu sou seu credor, e só tenho em vista salvar o meu interesse... Portanto, acho melhor pagar hoje...

Vasconcelos passou a mão pelos cabelos.

— Mas se eu não tenho! — disse ele.

— É uma coisa que o deve incomodar muito, mas que a mim não me causa a menor impressão... isto é, deve causar-me alguma, porque o senhor está hoje em situação precária.

— Eu?

— É verdade; as suas casas da rua da Imperatriz estão hipotecadas; a da rua de São Pedro foi vendida, e a importância já vai longe; os seus escravos têm ido a um e um, sem que o senhor o perceba, e as despesas que o senhor há pouco fez para montar uma casa a certa dama da sociedade equívoca são imensas. Eu sei tudo; sei mais do que o senhor...

Vasconcelos estava visivelmente aterrado.

O credor dizia a verdade.

— Mas enfim — disse Vasconcelos — o que havemos de fazer?

— Uma coisa simples; duplicamos a dívida, e o senhor passa-me agora mesmo um depósito.

— Duplicar a dívida! mas isto é um...

— Isto é uma tábua de salvação; sou moderado. Vamos lá, aceite. Escreva-me aí o depósito, e rasga-se a letra.

Vasconcelos ainda quis fazer objeção; mas era impossível convencer o sr. José Brito.

Assinou o depósito de dezoito contos.

Quando o credor saiu, Vasconcelos entrou a meditar seriamente na sua vida.

Até então gastara tanto e tão cegamente que não reparara no abismo que ele próprio cavara a seus pés.

Veio porém adverti-lo a voz de um dos seus algozes.

Vasconcelos refletiu, calculou, recapitulou as suas despesas e as suas obrigações, e viu que da fortuna que possuía tinha na realidade menos da quarta parte.

Para viver como até ali vivera, aquilo era nada menos que a miséria.

Que fazer em tal situação?

Vasconcelos pegou no chapéu e saiu.

Vinha caindo a noite.

Depois de andar algum tempo pelas ruas entregue às suas meditações, Vasconcelos entrou no Alcazar.

Era um meio de distrair-se.

Ali encontraria a sociedade do costume.

Batista veio ao encontro do amigo.

— Que cara é essa? — disse-lhe.

— Não é nada, pisaram-me um calo — respondeu Vasconcelos, que não encontrava melhor resposta.

Mas um pedicuro que se achava perto de ambos ouviu o dito, e nunca mais perdeu de vista o infeliz Vasconcelos, a quem a coisa mais indiferente incomodava. O olhar persistente do pedicuro aborreceu-o tanto, que Vasconcelos saiu.

Entrou no hotel de Milão para jantar. Por mais preocupado que ele estivesse, a exigência do estômago não se demorou.

Ora, no meio do jantar lembrou-lhe aquilo que não devia ter-lhe saído da cabeça: o pedido de casamento feito nessa tarde por Gomes. Foi um raio de luz.

— Gomes é rico — pensou Vasconcelos —; o meio de escapar a maiores desgostos é este; Gomes casa-se com Adelaide, e como é meu amigo não me negará o que eu precisar. Pela minha parte procurarei ganhar o perdido... Que boa fortuna foi aquela lembrança do casamento!

Vasconcelos comeu alegremente; voltou depois ao Alcazar, onde alguns rapazes e outras pessoas fizeram esquecer completamente os seus infortúnios.

Às três horas da noite Vasconcelos entrava para casa com a tranquilidade e regularidade do costume.

IV

No dia seguinte o primeiro cuidado de Vasconcelos foi consultar o coração de Adelaide. Queria porém fazê-lo na ausência de Augusta. Felizmente esta precisava de ir ver à rua da Quitanda umas fazendas novas, e saiu com o cunhado, deixando a Vasconcelos toda a liberdade.

Como os leitores já sabem, Adelaide queria muito ao pai, e era capaz de fazer por ele tudo. Era, além disso, um excelente coração. Vasconcelos contava com essas duas forças.

— Vem cá, Adelaide — disse ele entrando na sala —; sabes quantos anos tens?

— Tenho quinze.

— Sabes quantos anos tem tua mãe?

— Vinte e sete, não é?

— Tem trinta; quer dizer que tua mãe casou-se com quinze anos.

Vasconcelos parou, a fim de ver o efeito que produziam estas palavras; mas foi inútil a expectativa; Adelaide não compreendeu nada. O pai continuou:

— Não pensaste no casamento?

A menina corou muito, hesitou em falar, mas como o pai instasse, respondeu:

— Qual, papai! eu não quero casar...

— Não queres casar? É boa! por quê?

— Porque não tenho vontade, e vivo bem aqui.

— Mas tu podes casar e continuar a viver aqui...

— Bem; mas não tenho vontade.

— Anda lá... Amas alguém, confessa.

— Não me pergunte isso, papai... eu não amo ninguém.

A linguagem de Adelaide era tão sincera, que Vasconcelos não podia duvidar.

— Ela fala a verdade — pensou ele —; é inútil tentar por esse lado...

Adelaide sentou-se ao pé dele, e disse:

— Portanto, meu paizinho, não falemos mais nisso...

— Falemos, minha filha; tu és criança, não sabes calcular. Imagina que eu e tua mãe morremos amanhã. Quem te há de amparar? Só um marido.

— Mas se eu não gosto de ninguém...

— Por ora; mas hás de vir a gostar se o noivo for um bonito rapaz, de bom coração... Eu já escolhi um que te ama muito, e a quem tu hás de amar.

Adelaide estremeceu.

— Eu? — disse ela. — Mas... quem é?

— É o Gomes.

— Não o amo, meu pai...

— Agora, creio; mas não negas que ele é digno de ser amado. Dentro de dois meses estás apaixonada por ele.

Adelaide não disse palavra. Curvou a cabeça e começou a torcer nos dedos uma das suas tranças bastas e negras. O seio arfava-lhe com força; a menina tinha os olhos cravados no tapete.

— Vamos, está decidido, não? — perguntou Vasconcelos.

— Mas, papai, e se eu for infeliz?...

— Isso é impossível, minha filha; hás de ser muito feliz; e hás de amar muito a teu marido.

— Oh! papai — disse-lhe Adelaide com os olhos rasos de água —, peço-lhe que não me case ainda...

— Adelaide, o primeiro dever de uma filha é obedecer a seu pai, e eu sou teu pai. Quero que te cases com o Gomes; hás de casar.

Estas palavras, para terem todo o efeito, deviam ser seguidas de uma retirada rápida. Vasconcelos compreendeu isso, e saiu da sala deixando Adelaide na maior desolação.

Adelaide não amava ninguém. A sua recusa não tinha por ponto de partida nenhum outro amor; também não era resultado de aversão que tivesse pelo seu pretendente.

A menina sentia simplesmente uma total indiferença pelo rapaz.

Nestas condições o casamento não deixava de ser uma odiosa imposição.

Mas que faria Adelaide? a quem recorreria?

Recorreu às lágrimas.

Quanto a Vasconcelos, subiu ao gabinete e escreveu as seguintes linhas ao futuro genro:

> Tudo caminha bem; autorizo-te a vires fazer corte à pequena, e espero que dentro de dois meses o casamento esteja concluído.

Fechou a carta e mandou-a.

Pouco depois voltaram de fora Augusta e Lourenço.

Enquanto Augusta subiu para o quarto da toalete para mudar de roupa, Lourenço foi ter com Adelaide, que estava no jardim.

Reparou que ela tinha os olhos vermelhos, e inquiriu a causa; mas a moça negou que fosse de chorar.

Lourenço não acreditou nas palavras da sobrinha, e instou com ela para que lhe contasse o que havia.

Adelaide tinha grande confiança no tio, até por causa da sua rudeza de maneiras. No fim de alguns minutos de instâncias, Adelaide contou a Lourenço a cena com o pai.

— Então, é por isso que estás chorando, pequena?
— Pois então? Como fugir ao casamento?
— Descansa, não te casarás; eu te prometo que não te hás de casar.

A moça sentiu um estremecimento de alegria.

— Promete, meu tio, que há de convencer a papai?
— Hei de vencê-lo ou convencê-lo, não importa; tu não te hás de casar. Teu pai é um tolo.

Lourenço subiu ao gabinete de Vasconcelos, exatamente no momento em que este se dispunha a sair.

— Vais sair? — perguntou-lhe Lourenço.
— Vou.
— Preciso falar-te.

Lourenço sentou-se, e Vasconcelos, que já tinha o chapéu na cabeça, esperou de pé que ele falasse.

— Senta-te — disse Lourenço.

Vasconcelos sentou-se.

— Há dezesseis anos...
— Começas de muito longe; vê se abrevias uma meia dúzia de anos, sem o que não prometo ouvir o que me vais dizer.
— Há dezesseis anos — continuou Lourenço — que és casado; mas a diferença entre o primeiro dia e o dia de hoje é grande.
— Naturalmente — disse Vasconcelos. — *Tempora mutantur et...*
— Naquele tempo — continuou Lourenço —, dizias que encontraras um paraíso, o verdadeiro paraíso, e foste durante dois ou três anos o modelo dos maridos. Depois mudaste completamente; e o paraíso tornar-se-ia verdadeiro inferno se tua mulher não fosse tão indiferente e fria como é, evitando assim as mais terríveis cenas domésticas.
— Mas, Lourenço, que tens com isso?
— Nada; nem é disso que vou falar-te. O que me interessa é que não sacrifiques tua filha por um capricho, entregando-a a um dos teus companheiros de vida solta...

Vasconcelos levantou-se:

— Estás doido! — disse ele.
— Estou calmo, e dou-te o prudente conselho de não sacrificares tua filha a um libertino.
— Gomes não é libertino; teve uma vida de rapaz, é verdade, mas gosta de Adelaide, e reformou-se completamente. É um bom casamento, e por isso acho que todos devemos aceitá-lo. É a minha vontade, e nesta casa quem manda sou eu.

Lourenço procurou falar ainda, mas Vasconcelos já ia longe.

— Que fazer? — pensou Lourenço.

V

A oposição de Lourenço não causava grande impressão a Vasconcelos. Ele podia, é verdade, sugerir à sobrinha ideias de resistência; mas Adelaide, que era um espírito fraco, cederia ao último que lhe falasse, e os conselhos de um dia seriam vencidos pela imposição do dia seguinte.

Todavia era conveniente obter o apoio de Augusta. Vasconcelos pensou em tratar disso o mais cedo que lhe fosse possível.

Entretanto, urgia organizar os seus negócios, e Vasconcelos procurou um advogado a quem entregou todos os papéis e informações, encarregando-o de orientá-lo em todas as necessidades da situação, quais os meios que poderia opor em qualquer caso de reclamação por dívida ou hipoteca.

Nada disto fazia supor da parte de Vasconcelos uma reforma de costumes. Preparava-se apenas para continuar a vida anterior.

Dois dias depois da conversa com o irmão, Vasconcelos procurou Augusta para tratar francamente do casamento de Adelaide.

Já nesse intervalo o futuro noivo, obedecendo ao conselho de Vasconcelos, fazia corte prévia à filha. Era possível que, se o casamento não lhe fosse imposto, Adelaide acabasse por gostar do rapaz. Gomes era um homem belo e elegante; e, além disso, conhecia todos os recursos de que se deve usar para impressionar uma mulher.

Teria Augusta notado a presença assídua do moço? Vasconcelos fazia essa pergunta ao seu espírito no momento em que entrava na toalete da mulher.

— Vais sair? — perguntou ele.

— Não; tenho visitas.

— Ah! quem?

— A mulher do Seabra — disse ela.

Vasconcelos sentou-se, e procurou um meio de encabeçar a conversa especial que ali o levava.

— Estás muito bonita hoje!

— Deveras? — disse ela sorrindo. — Pois estou hoje como sempre, e é singular que o digas hoje...

— Não; realmente hoje estás mais bonita do que costumas, a ponto que sou capaz de ter ciúmes...

— Qual! — disse Augusta com um sorriso irônico.

Vasconcelos coçou a cabeça, tirou o relógio, deu-lhe corda; depois entrou a puxar as barbas, pegou numa folha, leu dois ou três anúncios, atirou a folha ao chão, e afinal, depois de um silêncio já prolongado, Vasconcelos achou melhor atacar a praça de frente.

— Tenho pensado ultimamente em Adelaide — disse ele.

— Ah! por quê?

— Está moça...

— Moça! — exclamou Augusta. — É uma criança...

— Está mais velha do que tu quando te casaste...

Augusta franziu ligeiramente a testa.

— Mas então... — disse ela.

— Então é que eu desejo fazê-la feliz e feliz pelo casamento. Um rapaz, digno dela a todos os respeitos, pediu-ma há dias, e eu disse-lhe que sim. Em sabendo quem é, aprovarás a escolha; é o Gomes. Casamo-la, não?

— Não! — respondeu Augusta.

— Como, não?

— Adelaide é uma criança; não tem juízo nem idade própria... Casar-se-á quando for tempo.

— Quando for tempo? Estás certa se o noivo esperará até que seja tempo?

— Paciência — disse Augusta.

— Tens alguma coisa que notar no Gomes?

— Nada. É um moço distinto; mas não convém a Adelaide.

Vasconcelos hesitava em continuar; parecia-lhe que nada se podia arranjar; mas a ideia da fortuna deu-lhe forças, e ele perguntou:

— Por quê?

— Estás certo de que ele convenha a Adelaide? — perguntou Augusta, eludindo a pergunta do marido.

— Afirmo que convém.

— Convenha ou não, a pequena não deve casar já.

— E se ela amasse?...

— Que importa isso? esperaria!

— Entretanto, Augusta, não podemos prescindir deste casamento... É uma necessidade fatal.

— Fatal? não compreendo.

— Vou explicar-me. O Gomes tem uma boa fortuna.

— Também nós temos uma...

— É o teu engano — interrompeu Vasconcelos.

— Como assim?

Vasconcelos continuou:

— Mais tarde ou mais cedo havias de sabê-lo, e eu estimo ter esta ocasião de dizer-te toda a verdade. A verdade é que, se não estamos pobres, estamos arruinados.

Augusta ouviu estas palavras com os olhos espantados. Quando ele acabou, disse:

— Não é possível!

— Infelizmente é verdade!

Seguiu-se algum tempo de silêncio.

— Tudo está arranjado — pensou Vasconcelos.

Augusta rompeu o silêncio.

— Mas — disse ela —, se a nossa fortuna está abalada, creio que o senhor tem coisa melhor para fazer do que estar conversando; é reconstruí-la.

Vasconcelos fez com a cabeça um movimento de espanto, e como se fosse aquilo uma pergunta, Augusta apressou-se a responder:

— Não se admire disto; creio que o seu dever é reconstruir a fortuna.

— Não me admira esse dever; admira-me que mo lembres por esse modo. Dir-se-ia que a culpa é minha...

— Bom! — disse Augusta. — Vais dizer que fui eu...

— A culpa, se culpa há, é de nós ambos.

— Por quê? é também minha?

— Também. As tuas despesas loucas contribuíram em grande parte para este resultado; eu nada te recusei nem recuso, e é nisso que sou culpado. Se é isso que me lanças em rosto, aceito.

Augusta levantou os ombros com um gesto de despeito; e deitou a Vasconcelos um olhar de tamanho desdém que bastaria para intentar uma ação de divórcio.

Vasconcelos viu o movimento e o olhar.

— O amor do luxo e do supérfluo — disse ele — há de sempre produzir estas consequências. São terríveis, mas explicáveis. Para conjurá-las era preciso viver com moderação. Nunca pensaste nisso. No fim de seis meses de casada entraste a viver no turbilhão da moda, e o pequeno regato das despesas tornou-se um rio imenso de desperdícios. Sabes o que me disse uma vez meu irmão? Disse-me que a ideia de mandar Adelaide para a roça foi-te sugerida pela necessidade de viver sem cuidados de natureza alguma.

Augusta tinha-se levantado e deu alguns passos; estava trêmula e pálida.

Vasconcelos ia por diante nas suas recriminações, quando a mulher o interrompeu, dizendo:

— Mas por que motivo não impediu o senhor essas despesas que eu fazia?

— Queria a paz doméstica.

— Não! — clamou ela. — O senhor queria ter por sua parte uma vida livre e independente; vendo que eu me entregava a essas despesas imaginou comprar a minha tolerância com a sua tolerância. Eis o único motivo; a sua vida não será igual à minha; mas é pior... Se eu fazia despesas em casa o senhor as fazia na rua... É inútil negar, porque eu sei tudo; conheço, de nome, as rivais que sucessivamente o senhor me deu, e nunca lhe disse uma única palavra, nem agora lho censuro, porque seria inútil e tarde.

A situação tinha mudado. Vasconcelos começara constituindo-se juiz, e passara a ser co-réu. Negar era impossível; discutir era arriscado e inútil. Preferiu sofismar.

— Dado que fosse assim (e eu não discuto esse ponto), em todo caso a culpa será de nós ambos, e não vejo razão para que ma lances em rosto. Devo reparar a fortuna, concordo; há um meio, e é este: o casamento de Adelaide com o Gomes.

— Não! — disse Augusta.

— Bem; seremos pobres, ficaremos piores do que estamos agora; venderemos tudo...

— Perdão — disse Augusta —, eu não sei por que razão não há de o senhor, que é forte, e tem a maior parte no desastre, empregar esforços para a reconstrução da fortuna destruída.

— É trabalho longo; e daqui até lá a vida continua e gasta-se. O meio, já lho disse, é este: casar Adelaide com o Gomes.

— Não quero! — disse Augusta. — Não consinto em semelhante casamento.

Vasconcelos ia responder, mas Augusta, logo depois de proferir estas palavras, tinha saído precipitadamente do gabinete.

Vasconcelos saiu alguns minutos depois.

VI

Lourenço não teve conhecimento da cena entre o irmão e a cunhada, e depois da teima de Vasconcelos resolveu nada mais dizer; entretanto, como queria muito à sobrinha, e não queria vê-la entregue a um homem de costumes que ele reprovava, Lourenço esperou que a situação tomasse caráter mais decisivo para assumir mais ativo papel.

Mas, a fim de não perder tempo, e poder usar alguma arma poderosa, Lourenço tratou de instaurar uma pesquisa mediante a qual pudesse colher informações minuciosas acerca de Gomes.

Este cuidava que o casamento era coisa decidida, e não perdia um só dia na conquista de Adelaide.

Notou, porém, que Augusta tornava-se mais fria e indiferente, sem causa que ele conhecesse, e entrou-lhe no espírito a suspeita de que viesse dali alguma oposição.

Quanto a Vasconcelos, desanimado pela cena da toalete, esperou melhores dias, e contou sobretudo com o império da necessidade. Um dia, porém, exatamente quarenta e oito horas depois da grande discussão com Augusta, Vasconcelos fez dentro de si esta pergunta:

— Augusta recusa a mão de Adelaide para o Gomes; por quê?

De pergunta em pergunta, de dedução em dedução, abriu-se no espírito de Vasconcelos campo para uma suspeita dolorosa.

— Amá-lo-á ela? — perguntou ele a si próprio.

Depois, como se o abismo atraísse o abismo, e uma suspeita reclamasse outra, Vasconcelos perguntou:

— Ter-se-iam eles amado algum tempo?

Pela primeira vez, Vasconcelos sentiu morder-lhe no coração a serpe do ciúme.

Do ciúme, digo eu, por eufemismo; não sei se aquilo era ciúme; era amor-próprio ofendido.

As suspeitas de Vasconcelos teriam razão?

Devo dizer a verdade; não tinham. Augusta era vaidosa, mas era fiel ao infiel marido; e isso por dois motivos: um de consciência, outro de temperamento. Ainda que ela não estivesse convencida do seu dever de esposa, é certo que nunca trairia o juramento conjugal. Não era feita para as paixões, a não ser as paixões ridículas que a vaidade impõe. Ela amava antes de tudo a sua própria beleza; o seu melhor amigo era o que dissesse que ela era a mais bela entre as mulheres; mas se lhe dava a sua amizade, não lhe daria nunca o coração; isso a salvava.

A verdade é esta; mas quem o diria a Vasconcelos? Uma vez suspeitoso de que a sua honra estava afetada, Vasconcelos começou a recapitular toda a sua vida. Gomes frequentava a sua casa há seis anos, e tinha nela plena liberdade. A traição era fácil. Vasconcelos entrou a recordar as palavras, os gestos, os olhares, tudo que antes lhe foi indiferente, e que naquele momento tomava um caráter suspeitoso.

Dois dias andou Vasconcelos cheio deste pensamento. Não saía de casa. Quando Gomes chegava, Vasconcelos observava a mulher com desusada persistência; a própria frieza com que ela recebia o rapaz era aos olhos do marido uma prova do delito.

Estava nisto, quando na manhã do terceiro dia (Vasconcelos já se levantava cedo) entrou-lhe no gabinete o irmão, sempre com o ar selvagem do costume.

A presença de Lourenço inspirou a Vasconcelos a ideia de contar-lhe tudo.

Lourenço era um homem de bom senso, e em caso de necessidade era um apoio.

O irmão ouviu tudo quanto Vasconcelos contou, e concluindo este, rompeu o seu silêncio com estas palavras:

— Tudo isso é uma tolice; se tua mulher recusa o casamento, será por qualquer outro motivo que não esse.

— Mas é o casamento com o Gomes que ela recusa.

— Sim, porque lhe falaste no Gomes; fala-lhe em outro, talvez recuse do mesmo modo. Há de haver outro motivo; talvez Adelaide lhe contasse, talvez lhe pedisse para opor-se, porque tua filha não ama o rapaz, e não pode casar com ele.

— Não casará.

— Não só por isso, mas até porque...

— Acaba.

— Até porque este casamento é uma especulação do Gomes.

— Uma especulação? — perguntou Vasconcelos.

— Igual à tua — disse Lourenço. — Tu dás-lhe a filha com os olhos na fortuna dele; ele aceita-a com os olhos na tua fortuna...

— Mas ele possui...

— Não possui nada; está arruinado como tu. Indaguei e soube da verdade. Quer naturalmente continuar a mesma vida dissipada que teve até hoje, e a tua fortuna é um meio...

— Estás certo disso?

— Certíssimo!...

Vasconcelos ficou aterrado. No meio de todas as suspeitas, ainda lhe restava a esperança de ver a sua honra salva, e realizado aquele negócio que lhe daria uma excelente situação.

Mas a revelação de Lourenço matou-o.

— Se queres uma prova, manda chamá-lo, e dize-lhe que estás pobre, e por isso lhe recusas a filha; observa-o bem, e verás o efeito que as tuas palavras lhe hão de produzir.

Não foi preciso mandar chamar o pretendente. Daí a uma hora apresentou-se ele em casa de Vasconcelos.

Vasconcelos mandou-o subir ao gabinete.

VII

Logo depois dos primeiros cumprimentos Vasconcelos disse:

— Ia mandar chamar-te.

— Ah! para quê? — perguntou Gomes.

— Para conversarmos acerca do... casamento.

— Ah! há algum obstáculo?

— Conversemos.

Gomes tornou-se mais sério; entrevia alguma dificuldade grande. Vasconcelos tomou a palavra.

— Há circunstâncias — disse ele — que devem ser bem definidas, para que se possa compreender bem...

— É a minha opinião.

— Amas minha filha?

— Quantas vezes queres que to diga?

— O teu amor está acima de todas as circunstâncias?...

— De todas, salvo aquelas que entenderem com a felicidade dela.

— Devemos ser francos; além de amigo que sempre foste, és agora quase meu filho... A discrição entre nós seria indiscreta...

— Sem dúvida! — respondeu Gomes.

— Vim a saber que os meus negócios param mal; as despesas que fiz alteraram profundamente a economia da minha vida, de modo que eu não te minto dizendo que estou pobre.

Gomes reprimiu uma careta.

— Adelaide — continuou Vasconcelos — não tem fortuna, não terá mesmo dote; é apenas uma mulher que eu te dou. O que te afianço é que é um anjo, e que há de ser excelente esposa.

Vasconcelos calou-se, e o seu olhar cravado no rapaz parecia querer arrancar-lhe das feições as impressões da alma.

Gomes devia responder; mas durante alguns minutos houve entre ambos um profundo silêncio.

Enfim o pretendente tomou a palavra.

— Aprecio — disse ele — a tua franqueza, e usarei de franqueza igual.

— Não peço outra coisa...

— Não foi por certo o dinheiro que me inspirou este amor; creio que me farás a justiça de crer que eu estou acima dessas considerações. Além de que, no dia em que eu te pedi a querida do meu coração, acreditava estar rico.

— Acreditavas?

— Escuta. Só ontem é que o meu procurador me comunicou o estado dos meus negócios.

— Mau?

— Se fosse isso apenas! Mas imagina que há seis meses estou vivendo pelos esforços inauditos que o meu procurador fez para apurar algum dinheiro, pois que ele não tinha ânimo de dizer-me a verdade. Ontem soube tudo!

— Ah!

— Calcula qual é o desespero de um homem que acredita estar bem, e reconhece um dia que não tem nada!

— Imagino por mim!

— Entrei alegre aqui, porque a alegria que eu ainda tenho reside nesta casa; mas a verdade é que estou à beira de um abismo. A sorte castigou-nos a um tempo...

Depois desta narração, que Vasconcelos ouviu sem pestanejar, Gomes entrou no ponto mais difícil da questão.

— Aprecio a tua franqueza, e aceito tua filha sem fortuna; também eu não tenho, mas ainda me restam forças para trabalhar.

— Aceitas?

— Escuta. Aceito dona Adelaide, mediante uma condição; é que ela queira esperar algum tempo, a fim de que eu comece a minha vida. Pretendo ir ao governo e pedir um lugar qualquer, se é que ainda me lembro do que aprendi na escola... Apenas tenha começado a vida, cá virei buscá-la. Queres?

— Se ela consentir — disse Vasconcelos abraçando esta tábua de salvação — é coisa decidida.

Gomes continuou:

— Bem, falarás nisso amanhã, e mandar-me-ás resposta. Ah! se eu tivesse ainda a minha fortuna! Era agora que eu queria provar-te a minha estima!

— Bem, ficamos nisto.

— Espero a tua resposta.

E despediram-se.

Vasconcelos ficou fazendo esta reflexão:

— De tudo quanto ele disse só acredito que já não tem nada. Mas é inútil esperar: duro com duro não faz bom muro.

Pela sua parte Gomes desceu a escada dizendo consigo:

— O que acho singular é que estando pobre viesse dizer-mo assim tão antecipadamente quando eu estava caído. Mas esperarás debalde: duas metades de cavalo não fazem um cavalo.

Vasconcelos desceu.

A sua intenção era comunicar a Augusta o resultado da conversa com o pretendente. Uma coisa, porém, o embaraçava: era a insistência de Augusta em não consentir no casamento de Adelaide, sem dar nenhuma razão da recusa.

Ia pensando nisto, quando, ao atravessar a sala de espera, ouviu vozes na sala de visitas.

Era Augusta que conversava com Carlota.

Ia entrar quando estas palavras lhe chegaram ao ouvido:

— Mas Adelaide é muito criança.

Era a voz de Augusta.

— Criança! — disse Carlota.

— Sim; não está em idade de casar.

— Mas eu no teu caso não punha embargos ao casamento, ainda que fosse daqui a alguns meses, porque o Gomes não me parece mau rapaz...

— Não é; mas enfim eu não quero que Adelaide se case.

Vasconcelos colou o ouvido à fechadura, e temia perder uma só palavra do diálogo.

— O que eu não compreendo — disse Carlota — é a tua insistência. Mais tarde ou mais cedo Adelaide há de vir a casar-se.

— Oh! o mais tarde possível — disse Augusta.

Houve um silêncio.

Vasconcelos estava impaciente.

— Ah! — continuou Augusta. — Se soubesses o terror que me dá a ideia do casamento de Adelaide...

— Por quê, meu Deus?

— Por quê, Carlota? Tu pensas em tudo, menos numa coisa. Eu tenho medo por causa dos filhos dela que serão meus netos! A ideia de ser avó é horrível, Carlota.

Vasconcelos respirou, e abriu a porta.

— Ah! — disse Augusta.

Vasconcelos cumprimentou Carlota, e apenas esta saiu, voltou-se para a mulher, e disse:

— Ouvi a tua conversa com aquela mulher...
— Não era segredo; mas... que ouviste?
Vasconcelos respondeu sorrindo:
— Ouvi a causa dos teus terrores. Não cuidei nunca que o amor da própria beleza pudesse levar a tamanho egoísmo. O casamento com o Gomes não se realiza; mas se Adelaide amar alguém, não sei como lhe recusaremos o nosso consentimento...
— Até lá... esperemos — respondeu Augusta.

A conversa parou nisto; porque aqueles dois consortes distanciavam-se muito; um tinha a cabeça nos prazeres ruidosos da mocidade, ao passo que a outra meditava exclusivamente em si.

No dia seguinte Gomes recebeu uma carta de Vasconcelos concebida nestes termos:

> Meu Gomes.
> Ocorre uma circunstância inesperada; é que Adelaide não quer casar. Gastei a minha lógica, mas não alcancei convencê-la.
>
> Teu Vasconcelos.

Gomes dobrou a carta e acendeu com ela um charuto, e começou a fumar fazendo esta reflexão profunda:
— Onde acharei eu uma herdeira que me queira por marido?

Se alguém souber avise-o em tempo.

Depois do que acabamos de contar, Vasconcelos e Gomes encontram-se às vezes na rua ou no Alcazar; conversam, fumam, dão o braço um ao outro, exatamente como dois amigos, que nunca foram, ou como dois velhacos que são.

Jornal das Famílias, *julho-agosto de 1868; Machado de Assis.*

Confissões de uma viúva moça

I

Há dois anos tomei uma resolução singular: fui residir em Petrópolis em pleno mês de junho. Esta resolução abriu largo campo às conjeturas. Tu mesma nas cartas que me escreveste para aqui, deitaste o espírito a adivinhar e figuraste mil razões, cada qual mais absurda.

A estas cartas, em que a tua solicitude traía a um tempo dois sentimentos, a afeição da amiga e a curiosidade de mulher, a essas cartas não respondi e nem podia responder. Não era oportuno abrir-te o meu coração nem desfiar-te a série de motivos que me arredou da corte, onde as óperas do teatro Lírico, as tuas partidas e os serões familiares do primo Barros deviam distrair-me da recente viuvez.

Esta circunstância de viuvez recente acreditavam muitos que fosse o único motivo da minha fuga. Era a versão menos equívoca. Deixei-a passar como todas as outras e conservei-me em Petrópolis.

Logo no verão seguinte vieste com teu marido para cá, disposta a não voltar para a corte sem levar o segredo que eu teimava em não revelar. A palavra não fez mais do que a carta. Fui discreta como um túmulo, indecifrável como a esfinge. Depuseste as armas e partiste.

Desde então não me trataste senão por tua esfinge.

Era esfinge, era. E se, como Édipo, tivesses respondido ao meu enigma a palavra "homem", descobririas o meu segredo, e desfarias o meu encanto.

Mas não antecipemos os acontecimentos, como se diz nos romances.

É tempo de contar-te este episódio da minha vida.

Quero fazê-lo por cartas e não por boca. Talvez corasse de ti. Deste modo o coração abre-se melhor e a vergonha não vem tolher a palavra nos lábios. Repara que eu não falo em lágrimas, o que é um sintoma de que a paz voltou ao meu espírito.

As minhas cartas irão de oito em oito dias, de maneira que a narrativa pode fazer-te o efeito de um folhetim de periódico semanal. Dou-te a minha palavra de que hás de gostar e aprender.

E oito dias depois da minha última carta irei abraçar-te, beijar-te, agradecer-te. Tenho necessidade de viver. Estes dois anos são nulos na conta de minha vida: foram dois anos de tédio, de desespero íntimo, de orgulho abatido, de amor abafado.

Lia, é verdade. Mas só o tempo, a ausência, a ideia do meu coração enganado, da minha dignidade ofendida, puderam trazer-me a calma necessária, a calma de hoje.

E sabe que não ganhei só isto. Ganhei conhecer um homem cujo retrato trago no espírito e que me parece singularmente parecido com outros muitos. Já não é pouco; e a lição há de servir-me, como a ti, como às nossas amigas inexperientes. Mostra-lhes estas cartas; são folhas de um roteiro que se eu tivera antes, talvez não houvesse perdido uma ilusão e dois anos de vida.

Devo terminar esta. É o prefácio do meu romance, estudo, conto, o que quiseres. Não questiono sobre a designação, nem consulto para isso os mestres da arte.

Estudo ou romance, isto é simplesmente um livro de verdades, um episódio singelamente contado na confabulação íntima dos espíritos, na plena confiança de dois corações que se estimam e se merecem.

Adeus.

II
Era no tempo de meu marido.

A corte estava então animada e não tinha esta cruel monotonia que eu sinto aqui através das tuas cartas e dos jornais de que sou assinante.

Minha casa era um ponto de reunião de alguns rapazes conversados e algumas moças elegantes. Eu, rainha eleita pelo voto universal... de minha casa, presidia aos serões familiares. Fora de casa, tínhamos os teatros animados, as partidas das amigas, mil outras distrações que davam à minha vida certas alegrias exteriores em falta das íntimas, que são as únicas verdadeiras e fecundas.

Se eu não era feliz, vivia alegre.

E aqui vai o começo do meu romance.

Um dia meu marido pediu-me como obséquio especial que eu não fosse à noite ao teatro Lírico. Dizia ele que não podia acompanhar-me por ser véspera de saída de paquete.

Era razoável o pedido.

Não sei, porém, que espírito mau sussurrou-me ao ouvido e eu respondi peremptoriamente que havia de ir ao teatro, e com ele. Insistiu no pedido, insisti na recusa. Pouco bastou para que eu julgasse a minha honra empenhada naquilo. Hoje vejo que era a minha vaidade ou o meu destino.

Eu tinha certa superioridade sobre o espírito de meu marido. O meu tom imperioso não admitia recusa; meu marido cedeu a despeito de tudo, e à noite fomos ao teatro Lírico.

Havia pouca gente e os cantores estavam endefluxados. No fim do primeiro ato meu marido, com um sorriso vingativo, disse-me estas palavras rindo-se:

— Estimei isto.

— Isto? — perguntei eu franzindo a testa.

— Este espetáculo deplorável. Fizeste da vinda hoje ao teatro um capítulo de honra; estimo ver que o espetáculo não correspondeu à tua expectativa.

— Pelo contrário, acho magnífico.

— Está bom.

Deves compreender que eu tinha interesse em me não dar por vencida; mas acreditas facilmente que no fundo eu estava perfeitamente aborrecida do espetáculo e da noite.

Meu marido, que não ousava retorquir, calou-se com ar de vencido, e adiantando-se um pouco à frente do camarote percorreu com o binóculo as linhas dos poucos camarotes fronteiros em que havia gente.

Eu recuei a minha cadeira, e, encostada à divisão do camarote, olhava para o corredor vendo a gente que passava.

No corredor, exatamente em frente à porta do nosso camarote, estava um sujeito encostado, fumando e com os olhos fitos em mim. Não reparei ao princípio, mas a insistência obrigou-me a isso. Olhei para ele a ver se era algum conhecido nosso que esperava ser descoberto a fim de vir então cumprimentar-nos. A intimidade podia explicar este brinco. Mas não conheci.

Depois de alguns segundos, vendo que ele não tirava os olhos de mim, desviei os meus e cravei-os no pano da boca e na plateia.

Meu marido, tendo acabado o exame dos camarotes, deu-me o binóculo e sentou-se ao fundo diante de mim.

Trocamos algumas palavras.

No fim de um quarto de hora a orquestra começou os prelúdios para o segundo ato. Levantei-me, meu marido aproximou a cadeira para a frente, e nesse ínterim lancei um olhar furtivo para o corredor.

O homem estava lá.

Disse a meu marido que fechasse a porta.

Começou o segundo ato.

Então, por um espírito de curiosidade, procurei ver se o meu observador entrava para as cadeiras. Queria conhecê-lo melhor no meio da multidão.

Mas, ou porque não entrasse, ou porque eu não tivesse reparado bem, o que é certo é que o não vi.

Correu o segundo ato mais aborrecido do que o primeiro.

No intervalo recuei de novo a cadeira, e meu marido, a pretexto de que fazia calor, abriu a porta do camarote.

Lancei um olhar para o corredor.

Não vi ninguém; mas daí a poucos minutos chegou o mesmo indivíduo, colocando-se no mesmo lugar, e fitou em mim os mesmos olhos impertinentes.

Somos todas vaidosas da nossa beleza e desejamos que o mundo inteiro nos admire. É por isso que muitas vezes temos a indiscrição de admirar a corte mais ou menos arriscada de um homem. Há, porém, uma maneira de fazê-la que nos irrita e nos assusta; irrita-nos por impertinente, assusta-nos por perigosa. É o que se dava naquele caso.

O meu admirador insistia de modo tal que me levava a um dilema: ou ele era vítima de uma paixão louca, ou possuía a audácia mais desfaçada. Em qualquer dos casos não era conveniente que eu animasse as suas adorações.

Fiz estas reflexões enquanto decorria o tempo do intervalo. Ia começar o terceiro ato. Esperei que o mudo perseguidor se retirasse e disse a meu marido:

— Vamos?

— Ah!

— Tenho sono simplesmente; mas o espetáculo está magnífico.

Meu marido ousou exprimir um sofisma.

— Se está magnífico como te faz sono?

Não lhe dei resposta.

Saímos.

No corredor encontramos a família do Azevedo que voltava de uma visita a um camarote conhecido. Demorei-me um pouco para abraçar as senhoras. Disse-lhes que tinha uma dor de cabeça e que me retirava por isso.

Chegamos à porta da rua dos Ciganos.

Aí esperei o carro por alguns minutos.

Quem me havia de aparecer ali, encostado ao portal fronteiro?

O misterioso.

Enraiveci.

Cobri o rosto o mais que pude com o meu capuz e esperei o carro, que chegou logo.

O misterioso lá ficou tão insensível e tão mudo como o portal a que estava encostado.

Durante a viagem a ideia daquele incidente não me saiu da cabeça. Fui despertada na minha distração quando o carro parou à porta da casa, em Matacavalos.

Fiquei envergonhada de mim mesma e decidi não pensar mais no que se havia passado.

Mas acreditarás tu, Carlota? Dormi meia hora mais tarde do que supunha, tanto a minha imaginação teimava em reproduzir o corredor, o portal, e o meu admirador platônico.

No dia seguinte pensei menos. No fim de oito dias tinha-me varrido do espírito aquela cena, e eu dava graças a Deus por haver-me salvo de uma preocupação que podia ser-me fatal.

Quis acompanhar o auxílio divino, resolvendo não ir ao teatro durante algum tempo.

Sujeitei-me à vida íntima e limitei-me à distração das reuniões à noite.

Entretanto estava próximo o dia dos anos da tua filhinha. Lembrei-me que para tomar parte na tua festa de família, tinha começado um mês antes um trabalhozinho. Cumpria rematá-lo.

Uma quinta-feira de manhã mandei vir os preparos da obra e ia continuá-la, quando descobri dentre uma meada de lã um invólucro azul fechando uma carta.

Estranhei aquilo. A carta não tinha indicação. Estava colada e parecia esperar que a abrisse a pessoa a quem era endereçada. Quem seria? Seria meu marido? Acostumada a abrir todas as cartas que lhe eram dirigidas, não hesitei. Rompi o invólucro e descobri o papel cor-de-rosa que vinha dentro.

Dizia a carta:

> Não se surpreenda, Eugênia; este meio é o do desespero, este desespero é o do amor. Amo-a e muito. Até certo tempo procurei fugir-lhe e abafar este sentimento; não posso mais. Não me viu no teatro Lírico? Era uma força oculta e interior que me levava ali. Desde então não a vi mais. Quando a verei? Não a veja embora, paciência; mas que o seu coração palpite por mim um minuto em cada dia, é quanto basta a um amor que não busca nem as venturas do gozo, nem as galas da publicidade. Se a ofendo, perdoe um pecador; se pode amar-me, faça-me um deus.

Li esta carta com a mão trêmula e os olhos anuviados; e ainda durante alguns minutos depois não sabia o que era de mim.

Cruzavam-se e confundiam-se mil ideias na minha cabeça, como estes pássaros negros que perpassam em bandos no céu nas horas próximas da tempestade.

Seria o amor que movera a mão daquele incógnito? Seria simplesmente aquilo um meio do sedutor calculado? Eu lançava um olhar vago em derredor e temia ver entrar meu marido.

Tinha o papel diante de mim e aquelas letras misteriosas pareciam-me outros tantos olhos de uma serpente infernal. Com um movimento nervoso e involuntário amarrotei a carta nas mãos.

Se Eva tivesse feito outro tanto à cabeça da serpente que a tentava não houvera pecado. Eu não podia estar certa do mesmo resultado, porque esta que me aparecia ali e cuja cabeça eu esmagava podia, como a hidra de Lerna, brotar muitas outras cabeças.

Não cuides que eu fazia então esta dupla evocação bíblica e pagã. Naquele momento, não refletia, desvairava; só muito depois pude ligar duas ideias.

Dois sentimentos atuavam em mim: primeiramente, uma espécie de terror que infundia o abismo, abismo profundo que eu pressentia atrás daquela carta; depois uma vergonha amarga de ver que eu não estava tão alta na consideração daquele desconhecido, que pudesse demovê-lo do meio que empregou.

Quando o meu espírito se acalmou é que eu pude fazer a reflexão que devia acudir-me desde o princípio. Quem poria ali aquela carta? Meu primeiro movimento foi para chamar todos os meus fâmulos. Mas deteve-me logo a ideia de que por uma simples interrogação nada poderia colher e ficava divulgado o achado da carta. De que valia isto?

Não chamei ninguém.

Entretanto, dizia eu comigo, a empresa foi audaz; podia falhar a cada trâmite; que móvel impeliu aquele homem a dar este passo? Seria amor ou sedução?

Voltando a este dilema, meu espírito, apesar dos perigos, comprazia-se em aceitar a primeira hipótese: era a que respeitava a minha consideração de mulher casada e a minha vaidade de mulher formosa.

Quis adivinhar lendo a carta de novo: li-a não uma, mas duas, três, cinco vezes.

Uma curiosidade indiscreta prendia-me àquele papel. Fiz um esforço e resolvi aniquilá-lo, protestando que ao segundo caso nenhum escravo ou criado me ficaria em casa.

Atravessei a sala com o papel na mão, dirigi-me para o meu gabinete, onde acendi uma vela e queimei aquela carta que me queimava as mãos e a cabeça.

Quando a última faísca do papel enegreceu e voou, senti passos atrás de mim. Era meu marido.

Tive um movimento espontâneo: atirei-me em seus braços. Ele abraçou-me com certo espanto.

E quando o meu abraço se prolongava senti que ele me repelia com brandura dizendo-me:

— Está bom, olha que me afogas!

Recuei.

Entristeceu-me ver aquele homem, que podia e devia salvar-me, não compreender, por instinto ao menos, que se eu o abraçava tão estreitamente era como se me agarrasse à ideia do dever.

Mas este sentimento que me apertava o coração passou um momento para dar lugar a um sentimento de medo. As cinzas da carta ainda estavam no chão, a vela conservava-se acesa em pleno dia; era bastante para que ele me interrogasse.

Nem por curiosidade o fez!

Deu dois passos no gabinete e saiu.

Senti uma lágrima rolar-me pela face. Não era a primeira lágrima de amargura. Seria a primeira advertência do pecado?

III

Decorreu um mês.

Não houve durante esse tempo mudança alguma em casa. Nenhuma carta apareceu mais, e a minha vigilância, que era extrema, tornou-se de todo inútil.

Não me podia esquecer o incidente da carta. Se fosse só isto! As primeiras palavras voltavam-me incessantemente à memória; depois, as outras, as outras, todas. Eu tinha a carta de cor!

Lembras-te? Uma das minhas vaidades era ter a memória feliz. Até neste dote era castigada. Aquelas palavras atordoavam-me, faziam-me arder a cabeça. Por quê? Ah! Carlota! é que eu achava nelas um encanto indefinível, encanto doloroso, porque era acompanhado de um remorso, mas encanto de que eu me não podia libertar.

Não era o coração que se empenhava, era a imaginação. A imaginação perdia-me; a luta do dever e da imaginação é cruel e perigosa para os espíritos fracos. Eu era fraca. O mistério fascinava a minha fantasia.

Enfim os dias e as diversões puderam desviar o meu espírito daquele pensamento único. No fim de um mês, se eu não tinha esquecido inteiramente o misterioso e a carta dele, estava, todavia, bastante calma para rir de mim e dos meus temores.

Na noite de uma quinta-feira, achavam-se algumas pessoas em minha casa, e muitas das minhas amigas, menos tu. Meu marido não tinha voltado, e a ausência dele não era notada nem sentida, visto que, apesar de franco cavalheiro como era, não tinha o dom particular de um conviva para tais reuniões.

Tinha-se cantado, tocado, conversado; reinava em todos a mais franca e expansiva alegria; o tio da Amélia Azevedo fazia rir a todos com as suas excentricidades; a Amélia arrebatava bravos a todos com as notas da sua garganta celeste; estávamos em um intervalo, esperando a hora do chá.

Anunciou-se meu marido.

Não vinha só. Vinha ao lado dele um homem alto, magro, elegante. Não pude conhecê-lo. Meu marido adiantou-se, e no meio do silêncio geral veio apresentar-mo.

Ouvi de meu marido que o nosso conviva chamava-se Emílio***.

Fixei nele um olhar e retive um grito.

Era *ele*!

O meu grito foi substituído por um gesto de surpresa. Ninguém percebeu. Ele pareceu perceber menos que ninguém. Tinha os olhos fixos em mim, e com um gesto gracioso dirigiu-me algumas palavras de lisonjeira cortesia.

Respondi como pude.

Seguiram-se as apresentações, e durante dez minutos houve um silêncio de acanhamento em todos.

Os olhos voltavam-se todos para o recém-chegado. Eu também voltei os meus e pude reparar naquela figura em que tudo estava disposto para atrair as atenções: cabeça formosa e altiva, olhar profundo e magnético, maneiras elegantes e delicadas, certo ar distinto e próprio que fazia contraste com o ar afetado e prosaicamente medido dos outros rapazes.

Este exame de minha parte foi rápido. Eu não podia, nem me convinha, encontrar o olhar de Emílio. Tornei a abaixar os olhos e esperei ansiosa que a conversação voltasse de novo ao seu curso.

Meu marido encarregou-se de dar o tom. Infelizmente era ainda o novo conviva o motivo da conversa geral.

Soubemos então que Emílio era um provinciano filho de pais opulentos, que recebera uma esmerada educação na Europa, onde não houve um só recanto que não visitasse.

Voltara há pouco tempo ao Brasil, e antes de ir para a província tinha determinado passar algum tempo no Rio de Janeiro.

Foi tudo quanto soubemos. Vieram as mil perguntas sobre as viagens de Emílio, e este com a mais amável solicitude, satisfazia a curiosidade geral.

Só eu não era curiosa. É que não podia articular palavra. Pedia interiormente a explicação deste romance misterioso, começado em um corredor do teatro, continuado em uma carta anônima e na apresentação em minha casa por intermédio de meu próprio marido.

De quando em quando levantava os olhos para Emílio e achava-o calmo e frio, respondendo polidamente às interrogações dos outros narrando ele próprio, com uma graça modesta e natural, alguma das suas aventuras de viagem.

Ocorreu-me uma ideia. Seria realmente ele o misterioso do teatro e da carta? Pareceu-me ao princípio que sim, mas eu podia ter-me enganado; eu não tinha as feições do outro bem presentes à memória; parecia-me que as duas criaturas eram uma e a mesma; mas não podia explicar-se o engano por uma semelhança miraculosa?

De reflexão em reflexão, foi-me correndo o tempo, e eu assistia à conversa de todos como se não estivesse presente. Veio a hora do chá. Depois cantou-se e tocou-se ainda. Emílio ouvia tudo com atenção religiosa e mostrava-se tão apreciador do gosto como era conversador discreto e pertinente.

No fim da noite tinha cativado a todos. Meu marido, sobretudo, estava radiante. Via-se que ele se considerava feliz por ter feito a descoberta de mais um amigo para si e um companheiro para as nossas reuniões de família.

Emílio saiu prometendo voltar algumas vezes.

Quando eu me achei a sós com meu marido, perguntei-lhe:

— Donde conheces este homem?

— É uma pérola, não é? Foi-me apresentado no escritório há dias; simpatizei logo; parece ser dotado de boa alma, é vivo de espírito e discreto como o bom senso. Não há ninguém que não goste dele...

E como eu o ouvisse séria e calada, meu marido interrompeu-se e perguntou-me:

— Fiz mal em trazê-lo aqui?

— Mal, por quê? — perguntei eu.

— Por coisa nenhuma. Que mal havia de ser? É um homem distinto...

Pus termo ao novo louvor do rapaz, chamando um escravo para dar algumas ordens.

E retirei-me ao meu quarto.

O sono dessa noite não foi o sono dos justos, podes crer. O que me irritava era a preocupação constante em que eu andava depois destes acontecimentos. Já eu não podia fugir inteiramente a essa preocupação: era involuntária, subjugava-me, arrastava-me. Era a curiosidade do coração, esse primeiro sinal das tempestades em que sucumbe a nossa vida e o nosso futuro.

Parece que aquele homem lia na minha alma e sabia apresentar-se no momento mais próprio a ocupar-me a imaginação como uma figura poética e imponente. Tu, que o conheceste depois, dize-me se, dadas as circunstâncias anteriores, não era para produzir esta impressão no espírito de uma mulher como eu!

Como eu, repito. Minhas circunstâncias eram especiais; se não o soubeste nunca, suspeitaste-o ao menos.

Se meu marido tivesse em mim uma mulher, e se eu tivesse nele um marido, minha salvação era certa. Mas não era assim. Entramos no nosso lar nupcial como dois viajantes estranhos em uma hospedaria, e aos quais a calamidade do tempo e a hora avançada da noite obrigam a aceitar pousada sob o teto do mesmo aposento.

Meu casamento foi resultado de um cálculo e de uma conveniência. Não inculpo meus pais. Eles cuidavam fazer-me feliz e morreram na convicção de que o era.

Eu podia, apesar de tudo, encontrar no marido que me davam um objeto de felicidade para todos os meus dias. Bastava para isso que meu marido visse em mim uma alma companheira da sua alma, um coração sócio do seu coração. Não se dava isto; meu marido entendia o casamento ao modo da maior parte da gente; via nele a obediência às palavras do Senhor no Gênesis.

Fora disso, fazia-me cercar de certa consideração e dormia tranquilo na convicção de que havia cumprido o dever.

O dever! esta era a minha tábua de salvação. Eu sabia que as paixões não eram soberanas e que a nossa vontade pode triunfar delas. A este respeito eu tinha em mim forças bastantes para repelir ideias más. Mas não era o presente que me abafava e atemorizava; era o futuro. Até então aquele romance influía no meu espírito pela circunstância do mistério em que vinha envolto; a realidade havia de abrir-me os olhos; consolava-me a esperança de que eu triunfaria de um amor culpado. Mas, poderia nesse futuro, cuja proximidade eu não calculava, resistir convenientemente à paixão e salvar intatas a minha consideração e a minha consciência? Esta era a questão.

Ora, no meio destas oscilações, eu não via a mão de meu marido estender-se para salvar-me. Pelo contrário, quando na ocasião de queimar a carta, atirava-me a ele, lembras-te que ele me repeliu com uma palavra de enfado.

Isto pensei, isto senti, na longa noite que se seguiu à apresentação de Emílio.

No dia seguinte estava fatigada de espírito; mas, ou fosse calma ou fosse prostração, senti que os pensamentos dolorosos que me haviam torturado durante a noite esvaeceram-se à luz da manhã, como verdadeiras aves da noite e da solidão.

Então abriu-se ao meu espírito um raio de luz. Era a repetição do mesmo pensamento que me voltava no meio das preocupações daqueles últimos dias.

Por que temer? dizia eu comigo. Sou uma triste medrosa; e fatigo-me em criar montanhas para cair extenuada no meio da planície. Eia! nenhum obstáculo se opõe ao meu caminho de mulher virtuosa e considerada. Este homem, se é o mesmo, não passa de um mau leitor de romances realistas. O mistério é que lhe dá algum valor; visto de mais perto há de ser vulgar ou hediondo.

IV

Não te quero fatigar com a narração minuciosa e diária de todos os acontecimentos.

Emílio continuou a frequentar a nossa casa, mostrando sempre a mesma delicadeza e gravidade, e encantando a todos por suas maneiras distintas sem afetação, amáveis sem fingimento.

Não sei por que meu marido revelava-se cada vez mais amigo de Emílio. Este conseguira despertar nele um entusiasmo novo para mim e para todos. Que capricho era esse da natureza?

Muitas vezes interroguei meu marido acerca desta amizade tão súbita e tão estrepitosa; quis até inventar suspeitas no espírito dele; meu marido era inabalável.

— Que queres? — respondia-me ele. — Não sei por que simpatizo extraordinariamente com este rapaz. Sinto que é uma bela pessoa, e eu não posso dissimular o entusiasmo de que me possuo quando estou perto dele.

— Mas sem conhecê-lo... — objetava eu.

— Ora essa! Tenho as melhores informações; e demais, vê-se logo que é uma pessoa distinta...

— As maneiras enganam muitas vezes.

— Conhece-se...

Confesso, minha amiga, que eu podia impor a meu marido o afastamento de Emílio; mas quando esta ideia me vinha à cabeça, não sei por que ria-me dos meus temores e declarava-me com forças de resistir a tudo o que pudesse sobrevir.

Demais, o procedimento de Emílio autorizava-me a desarmar. Ele era para mim de um respeito inalterável, tratava-me como a todas as outras, sem deixar entrever a menor intenção oculta, o menor pensamento reservado.

Sucedeu o que era natural. Diante de tal procedimento não me ficava bem proceder com rigor e responder com a indiferença à amabilidade.

As coisas marchavam de tal modo que eu cheguei a persuadir-me de que tudo o que sucedera antes não tinha relação alguma com aquele rapaz, e que não havia entre ambos mais do que um fenômeno da semelhança, o que aliás eu não podia afirmar, porque, como te disse já, não pudera reparar bem no homem do teatro.

Aconteceu que dentro de pouco tempo estávamos na maior intimidade, e eu era para ele o mesmo que todas as outras: admiradora e admirada.

Das reuniões passou Emílio às simples visitas de dia, nas horas em que meu marido estava presente, e mais tarde, mesmo quando ele se achava ausente.

Meu marido de ordinário era quem o trazia. Emílio vinha então no seu carrinho que ele próprio dirigia, com a maior graça e elegância. Demorava-se horas e horas em nossa casa, tocando piano ou conversando.

A primeira vez que o recebi só, confesso que estremeci; mas foi um susto pueril; Emílio procedeu sempre do modo mais indiferente em relação às minhas suspeitas. Nesse dia, se algumas me ficaram, desvaneceram-se todas.

Nisto passaram-se dois meses.

Um dia, era de tarde, eu estava só; esperava-te para irmos visitar teu pai enfermo. Parou um carro à porta. Mandei ver. Era Emílio. Recebi-o como de costume.

Disse-lhe que íamos visitar um doente, e ele quis logo sair. Disse-lhe que ficasse até a tua chegada. Ficou como se outro motivo o detivesse além de um dever de cortesia.

Passou-se meia hora.

Nossa conversa foi sobre assuntos indiferentes.

Em um dos intervalos da conversa Emílio levantou-se e foi à janela. Eu levantei-me igualmente para ir ao piano buscar um leque. Voltando para o sofá reparei pelo espelho que Emílio me olhava com um olhar estranho. Era uma transfiguração. Parecia que naquele olhar estava concentrada toda a alma dele.

Estremeci.
Todavia fiz um esforço sobre mim e fui sentar-me, então mais séria que nunca.
Emílio encaminhou-se para mim.
Olhei para ele.
Era o mesmo olhar.
Baixei os meus olhos.
— Assustou-se? — perguntou-me ele.
Não respondi nada. Mas comecei a tremer de novo e parecia-me que o coração me queria pular fora do peito.
É que naquelas palavras havia a mesma expressão do olhar; as palavras faziam-me o efeito das palavras da carta.
— Assustou-se? — repetiu ele.
— De quê? — perguntei eu procurando rir para não dar maior gravidade à situação.
— Pareceu-me.
Houve um silêncio.
— Dona Eugênia — disse ele sentando-se —; não quero por mais tempo ocultar o segredo que faz o tormento da minha vida. Fora um sacrifício inútil. Feliz ou infeliz, prefiro a certeza da minha situação. Dona Eugênia, eu amo-a.
Não te posso descrever como fiquei, ouvindo estas palavras. Senti que empalidecia; minhas mãos estavam geladas. Quis falar: não pude. Emílio continuou:
— Oh! eu bem sei a que me exponho. Vejo como este amor é culpado. Mas que quer? É fatalidade. Andei tantas léguas, passei à ilharga de tantas belezas, sem que o meu coração pulsasse. Estava-me reservada a ventura rara ou o tremendo infortúnio de ser amado ou desprezado pela senhora. Curvo-me ao destino. Qualquer que seja a resposta que eu possa obter não recuso, aceito. Que me responde?
Enquanto ele falava, eu podia, ouvindo-lhe as palavras, reunir algumas ideias. Quando ele acabou levantei os olhos e disse:
— Que resposta espera de mim?
— Qualquer.
— Só pode esperar uma...
— Não me ama?
— Não! Nem posso e nem amo, nem amaria se pudesse ou quisesse... Peço que se retire.
E levantei-me.
Emílio levantou-se.
— Retiro-me — disse ele —; e parto com o inferno no coração.
Levantei os ombros em sinal de indiferença.
— Oh! eu bem sei que isso lhe é indiferente. É isso o que eu mais sinto. Eu preferia o ódio; o ódio, sim; mas a indiferença, acredite, é o pior castigo. Mas eu o recebo resignado. Tamanho crime deve ter tamanha pena.
E tomando o chapéu chegou-se a mim de novo.
Eu recuei dois passos.
— Oh! não tenha medo. Causo-lhe medo?
— Medo? — retorqui eu com altivez.

— Asco? — perguntou ele.
— Talvez... — murmurei.
— Uma única resposta — tornou Emílio —; conserva aquela carta?
— Ah! — disse eu. — Era o autor da carta?
— Era. E aquele misterioso do corredor do teatro Lírico. Era eu. A carta?
— Queimei-a.
— Preveniu o meu pensamento.

E cumprimentando-me friamente dirigiu-se para a porta. Quase a chegar à porta senti que ele vacilava e levava a mão ao peito.

Tive um momento de piedade. Mas era necessário que ele se fosse, quer sofresse, quer não. Todavia, dei um passo para ele e perguntei-lhe de longe:

— Quer dar-me uma resposta?

Ele parou e voltou-se.

— Pois não!

— Como é que para praticar o que praticou fingiu-se amigo de meu marido?

— Foi um ato indigno, eu sei; mas o meu amor é daqueles que não recuam ante a indignidade. É o único que eu compreendo. Mas, perdão; não quero enfadá-la mais. Adeus! Para sempre!

E saiu.

Pareceu-me ouvir um soluço.

Fui sentar-me ao sofá. Daí a pouco ouvi o rodar do carro.

O tempo que mediou entre a partida dele e a tua chegada não sei como se passou. No lugar em que fiquei aí me achaste.

Até então eu não tinha visto amor senão nos livros. Aquele homem parecia-me realizar o amor que eu sonhara e vira descrito. A ideia de que o coração de Emílio sangrava naquele momento, despertou em mim um sentimento vivo de piedade. A piedade foi um primeiro passo.

— Quem sabe — dizia eu comigo mesma — o que ele está agora sofrendo? E que culpa é a dele, afinal de contas? Ama-me, disse-mo; o amor foi mais forte do que a razão; não viu que eu era sagrada para ele; revelou-se. Ama, é a sua desculpa.

Depois repassava na memória todas as palavras dele e procurava recordar-me do tom em que ele as proferira. Lembrava-me também do que eu dissera e o tom com que respondera às suas confissões.

Fui talvez severa demais. Podia manter a minha dignidade sem abrir-lhe uma chaga no coração. Se eu falasse com mais brandura podia adquirir dele o respeito e a veneração. Agora há de amar-me ainda, mas não se recordará do que se passou sem um sentimento de amargura.

Estava nestas reflexões quando entraste.

Lembras-te que me achaste triste e perguntaste a causa disso. Nada te respondi. Fomos à casa da tua tia, sem que eu nada mudasse do ar que tinha antes.

À noite, quando meu marido me perguntou por Emílio, respondi sem saber o que respondia:

— Não veio cá hoje.
— Deveras? — disse ele. — Então está doente.
— Não sei.
— Lá vou amanhã.

— Lá onde?
— À casa dele.
— Para quê?
— Talvez esteja doente.
— Não creio; esperemos até ver...

Passei uma noite angustiosa. A ideia de Emílio perturbava-me o sono. Afigurava-se-me que ele estaria àquela hora chorando lágrimas de sangue no desespero do amor não aceito.

Era piedade? Era amor?

Carlota, era uma e outra coisa. Que podia ser mais? Eu tinha posto o pé em uma senda fatal; uma força me atraía. Eu fraca, podendo ser forte. Não me inculpo senão a mim.

Até domingo.

V
Na tarde seguinte, quando meu marido voltou perguntei por Emílio.

— Não o procurei — respondeu-me ele —; tomei o conselho; se não vier hoje, sim.

Passou-se, pois, um dia sem ter notícias dele.

No dia seguinte, não tendo aparecido, meu marido foi lá. Serei franca contigo, eu mesma lembrei isso a meu marido. Esperei ansiosa a resposta.

Meu marido voltou pela tarde. Tinha um certo ar triste. Perguntei o que havia.

— Não sei. Fui encontrar o rapaz de cama. Disse-me que era uma ligeira constipação; mas eu creio que não é isso só...

— Que será então? — perguntei eu, fitando um olhar em meu marido.

— Alguma coisa mais. O rapaz falou-me em embarcar para o norte. Está triste, distraído, preocupado. Ao mesmo tempo que manifesta a esperança de ver os pais, revela receios de não tornar a vê-los. Tem ideias de morrer na viagem. Não sei que lhe aconteceu, mas foi alguma coisa. Talvez...

— Talvez?

— Talvez alguma perda de dinheiro.

Esta resposta transtornou o meu espírito. Posso afirmar-te que esta resposta entrou por muito nos acontecimentos posteriores. Depois de algum silêncio perguntei:

— Mas que pretendes fazer?

— Abrir-me com ele. Perguntar o que é, e acudir-lhe se for possível. Em qualquer caso não o deixarei partir. Que achas?

— Acho que sim.

Tudo o que ia acontecendo contribuía poderosamente para tornar a ideia de Emílio cada vez mais presente à minha memória, e, é com dor que o confesso, não pensava já nele sem pulsações do coração.

Na noite do dia seguinte estávamos reunidas algumas pessoas. Eu não dava grande vida à reunião. Estava triste e desconsolada. Estava com raiva de mim própria. Fazia-me algoz de Emílio e doía-me a ideia de que ele padecesse ainda mais por mim.

Mas, seriam nove horas, quando meu marido apareceu trazendo Emílio pelo braço.

Houve um movimento geral de surpresa.

Realmente porque Emílio não aparecia alguns dias já todos começavam a perguntar por ele; depois, porque o pobre moço vinha pálido de cera.

Não te direi o que se passou nessa noite. Emílio parecia sofrer, não estava alegre como dantes; ao contrário, era naquela noite de uma taciturnidade, de uma tristeza que incomodava a todos, mas que me mortificava atrozmente, a mim que me fazia causa das suas dores.

Pude falar-lhe em uma ocasião, a alguma distância das outras pessoas.

— Desculpe-me — disse-lhe eu —, se alguma palavra dura lhe disse. Compreende a minha posição. Ouvindo bruscamente o que me disse não pude pensar no que dizia. Sei que sofreu; peço-lhe que não sofra mais, que esqueça...

— Obrigado — murmurou ele.

— Meu marido falou-me de projetos seus...

— De voltar à minha província, é verdade.

— Mas doente...

— Esta doença há de passar.

E dizendo isto lançou-me um olhar tão sinistro que eu tive medo.

— Passar? passar como?

— De algum modo.

— Não diga isso...

— Que me resta mais na terra?

E voltou os olhos para enxugar uma lágrima.

— Que é isso? — disse eu. — Está chorando?

— As últimas lágrimas.

— Oh! se soubesse como me faz sofrer! Não chore; eu lho peço. Peço-lhe mais. Peço-lhe que viva.

— Oh!

— Ordeno-lhe.

— Ordena-me? E se eu não obedecer? Se eu não puder?... Acredita que se possa viver com um espinho no coração?

Isto que te escrevo é feio. A maneira por que ele falava é que era apaixonada, dolorosa, comovente. Eu ouvia sem saber de mim. Aproximavam-se algumas pessoas. Quis pôr termo à conversa e disse-lhe:

— Ama-me? — disse eu. — Só o amor pode ordenar? Pois é o amor que lhe ordena que viva!

Emílio fez um gesto de alegria. Levantei-me para ir falar às pessoas que se aproximavam.

— Obrigado — murmurou-me ele aos ouvidos.

Quando, no fim do serão, Emílio se despediu de mim, dizendo-me, com um olhar em que a gratidão e o amor irradiavam juntos: — Até amanhã! — não sei que sentimento de confusão e de amor, de remorso e de ternura se apoderou de mim.

— Bem; Emílio está mais alegre — dizia-me meu marido. Eu olhei para ele sem saber o que responder.

Depois retirei-me precipitadamente. Parecia-me que via nele a imagem da minha consciência.

No dia seguinte recebi de Emílio esta carta:

> Eugênia. Obrigado. Torno-me à vida, e à senhora o devo. Obrigado! fez de um cadáver um homem, faça agora de um homem um deus. Ânimo! ânimo!

Li esta carta, reli, e... dir-to-ei, Carlota? beijei-a. Beijei-a repetidas vezes com alma, com paixão, com delírio. Eu amava! eu amava!

Então houve em mim a mesma luta, mas estava mudada a situação dos meus sentimentos. Antes era o coração que fugia à razão, agora a razão fugia ao coração.

Era um crime, eu bem o via, bem o sentia; mas não sei qual era a minha fatalidade, qual era a minha natureza; eu achava nas delícias do crime desculpa ao meu erro, e procurava com isso legitimar a minha paixão.

Quando o meu marido se achava perto de mim eu me sentia melhor e mais corajosa...

Paro aqui desta vez. Sinto uma opressão no peito. É a recordação de todos estes acontecimentos.

Até domingo.

VI

Seguiram-se alguns dias às cenas que eu te contei na minha carta passada.

Ativou-se entre mim e Emílio uma correspondência. No fim de quinze dias eu só vivia do pensamento dele.

Ninguém dos que frequentavam a nossa casa, nem mesmo tu, pôde descobrir este amor. Éramos dois namorados discretos ao último ponto.

É certo que muitas vezes me perguntavam por que é que eu me distraía tanto e andava tão melancólica; isto chamava-me à vida real e eu mudava logo de parecer.

Meu marido sobretudo parecia sofrer com as minhas tristezas.

A sua solicitude, confesso, incomodava-me. Muitas vezes lhe respondia mal, não já porque eu o odiasse, mas porque de todos era ele o único a quem eu não quisera ouvir destas interrogações.

Um dia voltando para casa à tarde chegou-se ele a mim e disse:

— Eugênia, tenho uma notícia a dar-te.

— Qual?

— E que te há de agradar muito.

— Vejamos qual é.

— É um passeio.

— Aonde?

— A ideia foi minha. Já fui ao Emílio e ele aplaudiu muito. O passeio deve ser domingo à Gávea; iremos daqui muito cedinho. Tudo isto, é preciso notar, não está decidido. Depende de ti. O que dizes?

— Aprovo a ideia.

— Muito bem. A Carlota pode ir.

— E deve ir — acrescentei eu —; e algumas outras amigas.

Pouco depois recebias tu e outras um bilhete de convite para o passeio.

Lembras-te que lá fomos. O que não sabes é que nesse passeio, a favor da confusão e a distração geral, houve entre mim e Emílio um diálogo que foi para mim a primeira amargura de amor.

— Eugênia — dizia ele dando-me o braço —, estás certa de que me amas?

— Estou.

— Pois bem. O que te peço, nem sou eu que te peço, é o meu coração, o teu coração que te pedem, um movimento nobre capaz de nos engrandecer aos nossos próprios olhos. Não haverá um recanto no mundo em que possamos viver longe de todos e perto do céu?

— Fugir?

— Sim!

— Oh! isso nunca!

— Não me amas.

— Amo, sim; é já um crime, não quero ir além.

— Recusas a felicidade?

— Recuso a desonra.

— Não me amas.

— Oh! meu Deus, como respondê-lo? Amo, sim; mas desejo ficar a seus olhos a mesma mulher, amorosa é verdade, mas até certo ponto... pura.

— O amor que calcula não é amor.

Não respondi. Emílio disse estas palavras com uma expressão tal de desdém e com uma intenção de ferir-me que eu senti o coração bater-me apressado, e subir-me o sangue ao rosto.

O passeio acabou mal.

Esta cena tornou Emílio frio para mim; eu sofria com isso; procurei torná-lo ao estado anterior; mas não consegui.

Um dia em que nos achávamos a sós, disse-lhe:

— Emílio, se eu amanhã te acompanhasse, o que farias?

— Cumpria essa ordem divina.

— Mas depois?

— Depois? — perguntou Emílio com ar de quem estranhava a pergunta.

— Sim, depois? — continuei eu. — Depois quando o tempo volvesse não me havias de olhar com desprezo?

— Desprezo? Não vejo...

— Como não? Que te mereceria eu depois?

— Oh! esse sacrifício seria feito por minha causa, eu fora covarde se te lançasse isso em rosto.

— Di-lo-ias no teu íntimo.

— Juro que não.

— Pois a meus olhos é assim; eu nunca me perdoaria esse erro.

Emílio pôs o rosto nas mãos e pareceu chorar. Eu que até ali falava com esforço, fui a ele e tirei-lhe o rosto das mãos.

— Que é isto? — disse eu. — Não vês que me fazes chorar também?

Ele olhou para mim com os olhos rasos de lágrimas. Eu tinha os meus úmidos.

— Adeus — disse ele repentinamente. — Vou partir.

E deu um passo para a porta.

— Se me prometes viver — disse-lhe —, parte; se tens alguma ideia sinistra, fica.

Não sei o que viu ele no meu olhar, mas tomando a mão que eu lhe estendia beijou-a repetidas vezes (eram os primeiros beijos) e disse-me com fogo:

— Fico, Eugênia!

Ouvimos um ruído fora. Mandei ver. Era meu marido que chegava enfermo. Tinha tido um ataque no escritório. Tornara a si, mas achava-se mal. Alguns amigos o trouxeram dentro de um carro.

Corri para a porta. Meu marido vinha pálido e desfeito. Mal podia andar ajudado pelos amigos.

Fiquei desesperada, não cuidei de mais coisa alguma. O médico que acompanhara meu marido mandou logo fazer algumas aplicações de remédios. Eu estava impaciente; perguntava a todos se meu marido estava salvo.

Todos me tranquilizavam.

Emílio mostrou-se pesaroso com o acontecimento. Foi a meu marido e apertou-lhe a mão.

Quando Emílio quis sair, meu marido disse-lhe:

— Olhe, sei que não pode estar aqui sempre; peço-lhe, porém, que venha, se puder, todos os dias.

— Pois não — disse Emílio.

E saiu.

Meu marido passou mal o resto daquele dia e a noite. Eu não dormi. Passei a noite no quarto.

No dia seguinte estava exausta. Tantas comoções diversas e uma vigília tão longa deixaram-me prostrada: cedia à força maior. Mandei chamar a prima Elvira e fui deitar-me.

Fecho esta carta neste ponto. Pouco falta para chegar ao termo da minha triste narração.

Até domingo.

VII

A moléstia de meu marido durou poucos dias. De dia para dia agravava-se. No fim de oito dias os médicos desenganaram o doente.

Quando eu recebi esta fatal nova fiquei como louca. Era meu marido, Carlota, e apesar de tudo eu não podia esquecer que ele tinha sido o companheiro da minha vida e a ideia salvadora nos desvios do meu espírito.

Emílio achou-me num estado de desespero. Procurou consolar-me. Eu não lhe ocultei que esta morte era um golpe profundo para mim.

Uma noite estávamos juntos todos, eu, a prima Elvira, uma parenta de meu marido e Emílio. Fazíamos companhia ao doente. Este, depois de um longo silêncio, voltou-se para mim e disse-me:

— A tua mão.

E apertando-me a mão com uma energia suprema voltou-se para a parede.

Expirou.

Passaram-se quatro meses depois dos fatos que te contei. Emílio acompanhou-me na dor e foi dos mais assíduos em todas as cerimônias fúnebres que se fizeram ao meu finado marido.

Todavia, as visitas começaram a escassear. Era, parecia-me, por motivo de uma delicadeza natural.

No fim do prazo de que te falei, soube, por boca de um dos amigos de meu marido, que Emílio ia partir. Não pude crer. Escrevi-lhe uma carta.

Eu amava-o então como dantes, mais ainda, agora que estava livre.

Dizia a carta:

> Emílio.
>
> Constou-me que ias partir. Será possível? Eu mesma não posso acreditar nos meus ouvidos! Bem sabes se eu te amo. Não é tempo de coroar os nossos votos; mas não faltará muito para que o mundo nos releve uma união que o amor nos impõe. Vem tu mesmo responder-me por boca.
>
> Tua EUGÊNIA.

Emílio veio em pessoa. Asseverou-me que, se ia partir, era por negócio de pouco tempo, mas que voltaria logo. A viagem devia ter lugar daí a oito dias.

Pedi-lhe que jurasse o que dizia, e ele jurou.

Deixei-o partir.

Daí a quatro dias recebia eu a seguinte carta dele:

> Menti, Eugênia; vou partir já. Menti ainda, eu não volto. Não volto porque não posso. Uma união contigo seria para mim o ideal da felicidade se eu não fosse homem de hábitos opostos ao casamento. Adeus. Desculpa-me, e reza para que eu faça uma boa viagem. Adeus.
>
> EMÍLIO.

Avalias facilmente como fiquei depois de ler esta carta. Era um castelo que se desmoronava. Em troca do meu amor, do meu primeiro amor, recebia deste modo a ingratidão e o desprezo. Era justo: aquele amor culpado não podia ter bom fim; eu fui castigada pelas consequências mesmo do meu crime.

Mas, perguntava eu, como é que este homem, que parecia amar-me tanto, recusou aquela de cuja honestidade podia estar certo, visto que pôde opor uma resistência aos desejos de seu coração? Isto me pareceu um mistério. Hoje vejo que não era; Emílio era um sedutor vulgar e só se diferençava dos outros em ter um pouco mais de habilidade que eles.

Tal é a minha história. Imagina o que sofri nestes dois anos. Mas o tempo é um grande médico: estou curada.

O amor ofendido e o remorso de haver de algum modo traído a confiança de meu esposo fizeram-me doer muito. Mas eu creio que caro paguei o meu crime e acho-me reabilitada perante a minha consciência.

Achar-me-ei perante Deus?

E tu? É o que me hás de explicar amanhã; vinte e quatro horas depois de partir esta carta eu serei contigo.

Adeus!

Jornal das Famílias, abril-junho de 1865; J.

Linha reta e linha curva

I

Era em Petrópolis, no ano de 186... Já se vê que a minha história não data de longe. É tomada dos anais contemporâneos e dos costumes atuais. Talvez algum dos leitores conheça até as personagens que vão figurar neste pequeno quadro. Não será raro que, encontrando uma delas amanhã, Azevedo, por exemplo, um dos meus leitores exclame:

— Ah! cá vi uma história em que se falou de ti. Não te tratou mal o autor. Mas a semelhança era tamanha, houve tão pouco cuidado em disfarçar a fisionomia, que eu, à proporção que voltava a página, dizia comigo: É o Azevedo, não há dúvida.

Feliz Azevedo! À hora em que começa essa narrativa é ele um marido feliz, inteiramente feliz. Casado de fresco, possuindo por mulher a mais formosa dama da sociedade, e a melhor alma que ainda se encarnou ao sol da América, dono de algumas propriedades bem situadas e perfeitamente rendosas, acatado, querido, descansado, tal é o nosso Azevedo, a quem por cúmulo de ventura coroam os mais belos vinte e seis anos.

Deu-lhe a fortuna um emprego suave: não fazer nada. Possui um diploma de bacharel em direito; mas esse diploma nunca lhe serviu; existe guardado no fundo da lata clássica em que o trouxe da Faculdade de São Paulo. De quando em quando Azevedo faz uma visita ao diploma, aliás ganho legitimamente, mas é para não se ver mais senão daí a longo tempo. Não é um diploma, é uma relíquia.

Quando Azevedo saiu da Faculdade de São Paulo e voltou para a fazenda da província de Minas Gerais, tinha um projeto: ir à Europa. No fim de alguns meses o pai consentiu na viagem, e Azevedo preparou-se para realizá-la. Chegou à corte no propósito firme de tomar lugar no primeiro paquete que saísse; mas nem tudo depende da vontade do homem. Azevedo foi a um baile antes de partir; aí estava armada uma rede em que ele devia ser colhido. Que rede! Vinte anos, uma figura delicada, esbelta, franzina, uma dessas figuras vaporosas que parecem desfazer-se ao primeiro raio do sol. Azevedo não foi senhor de si: apaixonou-se; daí a um mês casou-se, e daí a oito dias partiu para Petrópolis.

Que casa encerraria aquele casal tão belo, tão amante e tão feliz? Não podia ser mais própria a casa escolhida; era um edifício leve, delgado, elegante, mais de recreio que de morada; um verdadeiro ninho para aquelas duas pombas fugitivas.

A nossa história começa exatamente três meses depois da ida para Petrópolis. Azevedo e a mulher amavam-se ainda como no primeiro dia. O amor tomava então uma força maior e nova; é que... devo dizê-lo, ó casais de três meses? é que apontava no horizonte o primeiro filho. Também a terra e o céu se alegram quando aponta no horizonte o primeiro raio do sol. A figura não vem aqui por simples ornato de estilo; é uma dedução lógica: a mulher de Azevedo chamava-se Adelaide.

Era, pois, em Petrópolis, numa tarde de dezembro do ano de 186... Azevedo e Adelaide estavam no jardim que ficava em frente da casa onde ocultavam a sua felicidade. Azevedo lia alto; Adelaide ouvia-o ler, mas como se ouve um eco do coração, tanto a voz do marido e as palavras da obra correspondiam ao sentimento interior da moça.

No fim de algum tempo Azevedo deteve-se e perguntou:

— Queres que paremos aqui?

— Como quiseres — disse Adelaide.

— É melhor — disse Azevedo fechando o livro. — As coisas boas não se gozam de uma assentada. Guardemos um pouco para a noite. Demais, era já tempo que eu passasse do idílio escrito para o idílio vivo. Deixa-me olhar para ti.

Adelaide olhou para ele e disse:

— Parece que começamos a lua de mel.

— Parece e é — acrescentou Azevedo —; e se o casamento não fosse eternamente isto, o que poderia ser? A ligação de duas existências para meditar discretamente na melhor maneira de comer o maxixe e o repolho? Ora, pelo amor de Deus! Eu penso que o casamento deve ser um namoro eterno. Não pensas como eu?

— Sinto — disse Adelaide.

— Sentes, é quanto basta.

— Mas que as mulheres sintam é natural; os homens...

— Os homens, são homens.

— O que nas mulheres é sentimento, nos homens é pieguice; desde pequena me dizem isto.

— Enganam-te desde pequena — disse Azevedo rindo.

— Antes isso!

— É a verdade. E desconfia sempre dos que mais falam, sejam homens ou mulheres. Tens perto um exemplo. A Emília fala muito da sua isenção. Quantas vezes se casou? Até aqui duas, e está nos vinte e cinco anos. Era melhor calar-se mais e casar-se menos.

— Mas nela é brincadeira — disse Adelaide.

— Pois não. O que não é brincadeira é que os três meses do nosso casamento parecem-me três minutos...

— Três meses! — exclamou Adelaide.

— Como foge o tempo! — disse Azevedo.

— Dirás sempre o mesmo? — perguntou Adelaide com um gesto de incredulidade.

Azevedo abraçou-a e perguntou:

— Duvidas?

— Receio. É tão bom ser feliz!

— Sê-lo-ás sempre e do mesmo modo. De outro não entendo eu.

Neste momento ouviram os dois uma voz que partia da porta do jardim.

— O que é que não entendes? — dizia essa voz.

Olharam.

À porta do jardim estava um homem alto, bem parecido, trajando com elegância, luvas cor de palha, chicotinho na mão.

Azevedo pareceu ao princípio não conhecê-lo. Adelaide olhava para um e para outro sem compreender nada. Tudo isto, porém, não passou de um minuto; no fim dele Azevedo exclamou:

— É o Tito! Entra, Tito!

Tito entrou galhardamente no jardim; abraçou Azevedo e fez um cumprimento gracioso a Adelaide.

— É minha mulher — disse Azevedo apresentando Adelaide ao recém-chegado.

— Já o suspeitava — respondeu Tito —; e aproveito a ocasião para dar-te os meus parabéns.

— Recebeste a nossa carta de participação?

— Em Valparaíso.

— Anda sentar-te e conta-me a tua viagem.

— Isso é longo — disse Tito sentando-se. — O que te posso contar é que desembarquei ontem no Rio. Tratei de indagar a tua morada. Disseram-me que estavas temporariamente em Petrópolis. Descansei, mas logo hoje tomei a barca da Prainha e aqui estou. Eu já suspeitava que com o teu espírito de poeta irias esconder tua felicidade em algum recanto do mundo. Com efeito, isto é verdadeiramente uma nesga do paraíso. Jardim, caramanchões, uma casa leve e elegante, um livro. Bravo! *Marília de Dirceu*... É completo! *Tityre, tu patulae*. Caio no meio de um idílio. Pastorinha, onde está o cajado?

Adelaide ri às gargalhadas.

Tito continua:

— Ri mesmo como uma pastorinha alegre. E tu, Teócrito, que fazes? Deixas correr os dias como as águas do Paraíba? Feliz criatura!

— Sempre o mesmo! — disse Azevedo.

— O mesmo doido? Acha que ele tem razão, minha senhora?

— Acho, se o não ofendo...

— Qual ofender! Se eu até me honro com isso; sou um doido inofensivo, isso é verdade. Mas é que realmente são felizes como poucos. Há quantos meses se casaram?

— Três meses faz domingo — respondeu Adelaide.

— Disse há pouco que me pareciam três minutos — acrescentou Azevedo.

Tito olhou para ambos e disse sorrindo:

— Três meses, três minutos! Eis toda a verdade da vida. Se os pusessem sobre uma grelha, como são Lourenço, cinco minutos eram cinco meses. E ainda se fala em tempo! Há lá tempo! O tempo está nas nossas impressões. Há meses para os infelizes e minutos para os venturosos!

— Mas que ventura! — exclama Azevedo.

— Completa, não? Imagino! Marido de um serafim, nas graças e no coração, não reparei que estava aqui... mas não precisa corar!... Disto me há de ouvir vinte vezes por dia; o que penso, digo. Como não te hão de invejar os nossos amigos!

— Isso não sei.

— Pudera! Encafuado neste desvão do mundo, de nada podes saber. E fazes bem. Isto de ser feliz à vista de todos é repartir a felicidade. Ora, para respeitar o princípio devo ir-me já embora...

Dizendo isto, Tito levantou-se.

— Deixa-te disso: fica conosco.

— Os verdadeiros amigos também são a felicidade — disse Adelaide.

— Ah!

— É até bom que aprendas em nossa escola a ciência do casamento — acrescentou Azevedo.

— Para quê? — perguntou Tito meneando o chicotinho.

— Para te casares.

— Hum!... — fez Tito.

— Não pretende? — perguntou Adelaide.

— Estás ainda o mesmo que em outro tempo?

— O mesmíssimo — respondeu Tito.

Adelaide fez um gesto de curiosidade e perguntou:

— Tem horror ao casamento?

— Não tenho vocação — respondeu Tito. — É puramente um caso de vocação. Quem a não tiver não se meta nisso, que é perder o tempo e o sossego. Desde muito tempo estou convencido disto.

— Ainda te não bateu a hora.

— Nem bate — disse Tito.

— Mas, se bem me lembro — disse Azevedo oferecendo-lhe um charuto —, houve um dia em que fugiste às teorias do costume: andavas então apaixonado...

— Apaixonado, é engano. Houve um dia em que a Providência trouxe uma confirmação aos meus instintos solitários. Meti-me a pretender uma senhora...

— É verdade: foi um caso engraçado.

— Como foi o caso? — perguntou Adelaide.

— O Tito viu em um baile uma rapariga. No dia seguinte apresenta-se em casa dela, e, sem mais nem menos, pede-lhe a mão. Ela responde... que te respondeu?

— Respondeu por escrito que eu era um tolo e me deixasse daquilo. Não disse positivamente tolo, mas vinha a dar na mesma. É preciso confessar que semelhante resposta não era própria. Voltei atrás e nunca mais amei.

— Mas amou naquela ocasião? — perguntou Adelaide.

— Não sei se era amor — respondeu Tito —, era uma coisa... Mas note, isto foi há uns bons cinco anos. Daí para cá ninguém mais me fez bater o coração.

— Pior para ti.

— Eu sei! — disse Tito levantando os ombros. — Se não tenho os gozos íntimos do amor, não tenho nem os dissabores, nem os desenganos. É já uma grande fortuna!

— No verdadeiro amor não há nada disso — disse sentenciosamente a mulher de Azevedo.

— Não há? Deixemos o assunto; eu podia fazer um discurso a propósito, mas prefiro...

— Ficar conosco — Azevedo atalhou-o. — Está sabido.

— Não tenho essa intenção.

— Mas tenho eu. Hás de ficar.

— Mas se eu já mandei o criado tomar alojamento no hotel de Bragança...

— Pois manda contraordem. Fica comigo.

— Insisto em não perturbar a tua paz.

— Deixa-te disso.

— Fique! — disse Adelaide.

— Ficarei.

— E amanhã — continuou Adelaide —, depois de ter descansado, há de nos dizer qual é o segredo da isenção de que tanto se ufana.

— Não há segredo — disse Tito. — O que há é isto. Entre um amor que se oferece e... uma partida de voltarete, não hesito, atiro-me ao voltarete. A propósito, Ernesto, sabes que encontrei no Chile um famoso parceiro de voltarete? Fez a casca mais temerária que tenho visto... sabe o que é uma casca, minha senhora?

— Não — respondeu Adelaide.

— Pois eu lhe explico.

Azevedo olhou para fora e disse:

— Aí chega a dona Emília.

Com efeito à porta do jardim parava uma senhora dando o braço a um velho de cinquenta anos.

D. Emília era uma moça a que se pode chamar uma bela mulher; era alta na estatura e altiva de caráter. O amor que pudesse infundir seria por imposição. De suas maneiras e das suas graças inspirava um não sei quê de rainha que dava vontade de levá-la a um trono.

Trajava com elegância e simplicidade. Ela tinha essa elegância natural que é outra elegância diversa da elegância dos enfeites, a propósito da qual já tive ocasião de escrever esta máxima: "Que há pessoas elegantes, e pessoas enfeitadas".

Olhos negros e rasgados, cheios de luz e de grandeza, cabelos castanhos e abundantes, nariz reto como o de Safo, boca vermelha e breve, faces de cetim, colo e braços como os das estátuas, tais eram os traços da beleza de Emília.

Quanto ao velho que lhe dava o braço, era, como disse, um homem de cinquenta anos. Era o que se chama em português chão e rude — um velho gaiteiro. Pintado, espartilhado, via-se nele uma como que ruína do passado reconstruída por mãos modernas, de modo a ter esse aspecto bastardo que não é nem a austeridade da velhice, nem a frescura da mocidade. Não havia dúvida de que o velho devia ter sido um belo rapaz em seus tempos; mas presentemente, se algumas conquistas tivesse feito, só podia contentar-se com a lembrança delas.

Quando Emília entrou no jardim todos se achavam de pé. A recém-chegada apertou a mão a Azevedo e foi beijar Adelaide. Ia sentar-se na cadeira que Azevedo lhe oferecera quando reparou em Tito que se achava a um lado.

Os dois cumprimentaram-se, mas com ar diferente. Tito parecia tranquilo e friamente polido; mas Emília, depois de cumprimentá-lo, conservou os olhos fitos nele, como que avocando uma memória do passado.

Feitas as apresentações necessárias, e a Diogo Franco (é o nome do velho braceiro), todos tomaram assentos.

A primeira que falou foi Emília:

— Ainda hoje não vinha se não fosse a obsequiosidade do senhor Diogo.

Adelaide olhou para o velho e disse:

— O senhor Diogo é uma maravilha.

Diogo empertigou-se e murmurou com certo tom de modéstia:

— Nem tanto, nem tanto.

— É, é — disse Emília. — Não é talvez uma, porém duas maravilhas. Ah! sabes que me vai fazer um presente?

— Um presente! — exclamou Azevedo.

— É verdade — continuou Emília —, um presente que mandou vir da Europa e lá dos confins; recordações das suas viagens de adolescente...

Diogo estava radiante.

— É uma insignificância — disse ele olhando ternamente para Emília.

— Mas o que é? — perguntou Adelaide.

— É... adivinhem? É um urso branco!

— Um urso branco!

— Deveras?

— Está para chegar, mas só ontem é que me deu notícia dele. Que amável lembrança!

— Um urso! — exclamou ainda Azevedo.

Tito inclinou-se ao ouvido do amigo, e disse em voz baixa:

— Com ele fazem dois.

Diogo jubiloso pelo efeito que causava a notícia do presente, mas iludido no caráter desse efeito disse:

— Não vale a pena. É um urso que eu mandei vir; é verdade que eu pedi dos mais belos. Não sabem o que é um urso branco. Imaginem que é todo branco.

— Ah! — disse Tito.

— É um animal admirável! — tornou Diogo.

— Acho que sim — disse Tito. — Ora imagina tu o que não será um urso branco que é todo branco. Que faz este sujeito? — perguntou ele em seguida a Azevedo.

— Namora a Emília; tem cinquenta contos.

— E ela?

— Não faz caso dele.

— Diz ela?

— E é verdade.

Enquanto os dois trocavam estas palavras, Diogo brincava com os sinetes do relógio e as duas senhoras conversavam. Depois das últimas palavras entre Azevedo e Tito, Emília voltou-se para o marido de Adelaide e perguntou:

— Dá-se isto, senhor Azevedo? Então faz-se anos nesta casa e não me convidam?

— Mas a chuva? — disse Adelaide.

— Ingrata! Bem sabes que não há chuva em casos tais.

— Demais — acrescentou Azevedo —, fez-se a festa tão à capucha.

— Fosse como fosse, eu sou de casa.

— É que a lua de mel continua apesar de cinco meses — disse Tito.

— Aí vens tu com os teus epigramas — disse Azevedo.

— Ah! isso é mau, senhor Tito!

— Tito? — perguntou Emília a Adelaide em voz baixa.

— Sim.

— Dona Emília não sabe ainda quem é o nosso amigo Tito — disse Azevedo.

— Eu até tenho medo de dizê-lo.

— Então é muito feio o que tem para dizer?

— Talvez — disse Tito com indiferença.

— Muito feio! — exclamou Adelaide.

— O que é então? — perguntou Emília.

— É um homem incapaz de amar — continuou Adelaide. — Não pode haver maior indiferença para o amor... Em resumo, prefere a um amor... o quê? um voltarete.

— Disse-te isso? — perguntou Emília.

— E repito — disse Tito. — Mas note bem, não por elas, é por mim. Acredito que todas as mulheres sejam credoras da minha adoração; mas eu é que sou feito de modo que nada mais lhes posso conceder do que uma estima desinteressada.

Emília olhou para o moço e disse:

— Se não é vaidade, é doença.

— Há de me perdoar, mas eu creio que não é doença, nem vaidade. É natureza: uns aborrecem as laranjas, outros aborrecem os amores: agora se o aborrecimento vem por causa das cascas, não sei; o que é certo é que é assim.

— É ferino! — disse Emília olhando para Adelaide.

— Ferino, eu? — disse Tito levantando-se. — Sou uma seda, uma dama, um milagre de brandura... Dói-me, deveras, que eu não possa estar na linha dos outros homens e não seja, como todos, propenso a receber as impressões amorosas, mas que quer? a culpa não é minha.

— Anda lá — disse Azevedo —, o tempo te há de mudar.

— Mas quando? Tenho vinte e nove anos feitos.

— Já vinte e nove? — perguntou Emília.

— Completei-os pela Páscoa.

— Não parece.

— São os seus bons olhos.

A conversa continuou por este modo, até que se anunciou o jantar. Emília e Diogo tinham jantado, ficaram apenas para fazer companhia ao casal Azevedo e a Tito, que declarou desde o princípio estar caindo de fome.

A conversa durante o jantar versou sobre coisas indiferentes.

Quando se servia o café apareceu à porta um criado do hotel em que morava Diogo; trazia uma carta para este, com indicação no sobrescrito de que era urgente. Diogo recebeu a carta, leu-a e pareceu mudar de cor. Todavia continuou a tomar parte na conversa geral. Aquela circunstância, porém, deu lugar a que Adelaide perguntasse a Emília:

— Quando te deixará este eterno namorado?

— Eu sei cá! — respondeu Emília. — Mas afinal de contas, não é mau homem. Tem aquela mania de me dizer no fim de todas as semanas que nutre por mim uma ardente paixão.

— Enfim, se não passa de declaração semanal...

— Não passa. Tem a vantagem de ser um braceiro infalível para a rua e um realejo menos mau dentro de casa. Já me contou umas cinquenta vezes as batalhas amorosas em que entrou. Todo o seu desejo é acompanhar-me a uma viagem à roda do globo. Quando me fala nisto, se é à noite, e é quase sempre à noite, mando vir o chá, excelente meio de aplacar-lhe os ardores amorosos. Gosta do chá que se péla. Gosta tanto como de mim! Mas aquela do urso branco? E se realmente mandou vir um urso?

— Aceita.

— Pois eu hei de sustentar um urso? Não me faltava mais nada!

Adelaide sorriu-se e disse:
— Quer me parecer que acabas por te apaixonar...
— Por quem? Pelo urso?
— Não, pelo Diogo.
Neste momento achavam-se as duas perto de uma janela. Tito conversava no sofá com Azevedo. Diogo refletia profundamente, estendido numa poltrona.
Emília tinha os olhos em Tito. Depois de um silêncio, disse ela para Adelaide:
— Que achas ao tal amigo do teu marido? Parece um presumido. Nunca se apaixonou! É crível?
— Talvez seja verdade.
— Não acredito. Pareces criança! Diz aquilo dos dentes para fora...
— É verdade que não tenho maior conhecimento dele...
— Quanto a mim, pareceu-me não ser estranha aquela cara... mas não me lembro!
— Parece ser sincero... mas dizer aquilo é já atrevimento.
— Está claro...
— De que te ris?
— Lembra-me um do mesmo gênero que este — disse Emília. — Foi já há tempos. Andava sempre a gabar-se da sua isenção. Dizia que todas as mulheres eram para ele vasos da China: admirava-as e nada mais. Coitado! Caiu em menos de um mês. Adelaide, vi-o beijar-me a ponta dos sapatos... depois do que desprezei-o.
— Que fizeste?
— Ah! não sei o que fiz. Santa Astúcia foi quem operou o milagre. Vinguei o sexo e abati um orgulhoso.
— Bem feito.
— Não era menos do que este. Mas falemos de coisas sérias... Recebi as folhas francesas de modas...
— Que há de novo?
— Muita coisa. Amanhã tas mandarei. Repara em um novo corte de mangas. É lindíssimo. Já mandei encomendas para a corte. Em artigos de passeios há fartura e do melhor.
— Para mim quase que é inútil mandar.
— Por quê?
— Quase nunca saio de casa.
— Nem ao menos irás jantar comigo no dia de ano-bom!
— Oh! com toda a certeza!
— Pois vai.... Ah! irá o homem? O senhor Tito?
— Se estiver cá... e quiseres...
— Pois que vá, não faz mal... saberei contê-lo... Creio que não será sempre tão... incivil. Nem sei como podes ficar com esse sangue-frio! A mim faz-me mal aos nervos!
— É-me indiferente.
— Mas a injúria ao sexo... não te indigna?
— Pouco.
— És feliz.
— Que queres que eu faça a um homem que diz aquilo? Se não fosse casada

era possível que me indignasse mais. Se fosse livre era provável que lhe fizesse o que fizeste ao outro. Mas eu não posso cuidar dessas coisas...

— Nem ouvindo a preferência do voltarete? Pôr-nos abaixo da dama de copas! E o ar com que ele diz aquilo! Que calma, que indiferença!

— É mau! É mau!

— Merecia castigo...

— Merecia. Queres tu castigá-lo?

Emília fez um gesto de desdém e disse:

— Não vale a pena.

— Mas tu castigaste o outro.

— Sim... mas não vale a pena.

— Dissimulada!

— Por que dizes isso?

— Porque já te vejo meio tentada a uma nova vingança...

— Eu? Ora qual!

— Que tem? Não é crime...

— Não é, decerto; mas... veremos.

— Ah! serás capaz?

— Capaz? — disse Emília com um gesto de orgulho ofendido.

— Beijar-te-á ele a ponta do sapato?

Emília ficou silenciosa por alguns momentos; depois, apontando com o leque para a botina que lhe calçava o pé, disse:

— E hão de ser estes.

Emília e Adelaide se dirigiram para o lado em que se achavam os homens. Tito, que parecia conversar intimamente com Azevedo, interrompeu a conversa para dar atenção às senhoras. Diogo continuava mergulhado na sua meditação.

— Então o que é isso, senhor Diogo? — perguntou Tito. — Está meditando?

— Ah! perdão, estava distraído!

— Coitado! — disse Tito baixo a Azevedo.

Depois, voltando-se para as senhoras:

— Não as incomoda o charuto?

— Não senhor — disse Emília.

— Então, posso continuar a fumar?

— Pode — disse Adelaide.

— É um mau vício, mas é o meu único vício. Quando fumo parece que aspiro a eternidade. Enlevo-me todo e mudo de ser. Divina invenção!

— Dizem que é excelente para os desgostos amorosos — disse Emília com intenção.

— Isso não sei. Mas não é só isto. Depois da invenção do fumo não há solidão possível. É a melhor companhia deste mundo. Demais, o charuto é um verdadeiro *Memento homo*: convertendo-se pouco a pouco em cinzas, vai lembrando ao homem o fim real e infalível de todas as coisas: é o aviso filosófico, é a sentença fúnebre que nos acompanha em toda a parte. Já é um grande progresso... Mas estou eu a aborrecer com uma dissertação tão pesada. Hão de desculpar... que foi descuido. Ora, a falar a verdade, eu já vou desconfiando; vossa excelência olha com olhos tão singulares...

Emília, a quem era dirigida a palavra, respondeu:

— Não sei se são singulares, mas são os meus.

— Penso que não são os do costume. Está talvez vossa excelência a dizer consigo que eu sou um esquisito, um singular, um...

— Um vaidoso, é verdade.

— Sétimo mandamento: não levantar falsos testemunhos.

— Falsos, diz o mandamento.

— Não me dirá em que sou eu vaidoso?

— Ah! a isso não respondo eu.

— Por que não quer?

— Porque... não sei. É uma coisa que se sente, mas que se não pode descobrir. Respira-lhe a vaidade em tudo: no olhar, na palavra, no gesto... mas não se atina com a verdadeira origem de tal doença.

— É pena. Eu tinha grande prazer em ouvir da sua boca o diagnóstico da minha doença. Em compensação pode ouvir da minha o diagnóstico da sua... A sua doença é... Digo?

— Pode dizer.

— É um despeitozinho.

— Deveras?

— Vamos ver isso — disse Azevedo rindo-se.

Tito continuou:

— Despeito pelo que eu disse há pouco.

— Puro engano! — disse Emília rindo-se.

— É com toda a certeza. Mas é tudo gratuito. Eu não tenho culpa de coisa alguma. A natureza é que me fez assim.

— Só a natureza?

— E um tanto de estudo. Ora vou expor-lhe as minhas razões. Veja se posso amar ou pretender: primeiro, não sou bonito...

— Oh!... — disse Emília.

— Agradeço o protesto, mas continuo na mesma opinião: não sou bonito, não sou...

— Oh!... — disse Adelaide.

— Segundo: não sou curioso, e o amor, se o reduzirmos às suas verdadeiras proporções, não passa de uma curiosidade; terceiro: não sou paciente, e nas conquistas amorosas a paciência é a principal virtude; quarto, finalmente: não sou idiota, porque, se com todos estes defeitos pretendesse amar, mostraria a maior falta de razão. Aqui está o que eu sou por natural e por indústria.

— Emília, parece que é sincero.

— Acreditas?

— Sincero como a verdade — disse Tito.

— Em último caso, seja ou não seja sincero, que tenho eu com isso?

— Eu creio que nada — disse Tito.

II

No dia seguinte àquele em que se passaram as cenas descritas no capítulo anterior, entendeu o céu que devia regar com as suas lágrimas o solo da formosa Petrópolis.

Tito, que destinava esse dia a ver toda a cidade, foi obrigado a conservar-se em casa. Era um amigo que não incomodava, porque quando era demais sabia escapar-se discretamente, e quando o não era, tornava-se o mais delicioso dos companheiros.

Tito sabia juntar muita jovialidade a muita delicadeza; sabia fazer rir sem saltar fora das conveniências. Acrescia que, voltando de uma longa e pitoresca viagem, trazia as algibeiras da memória (deixem passar a frase) cheias de vivas reminiscências. Tinha feito uma viagem de poeta e não peralvilho. Soube ver e sabia contar. Estas duas qualidades, indispensáveis ao viajante, por desgraça são as mais raras. A maioria das pessoas que viajam nem sabe ver, nem sabe contar.

Tito tinha andado por todas as repúblicas do mar Pacífico, tinha vivido no México e em alguns estados americanos. Tinha depois ido à Europa no paquete da linha de Nova York. Viu Londres e Paris. Foi à Espanha, onde viveu a vida de Almaviva, dando serenatas às janelas das Rosinas de hoje. Trouxe de lá alguns leques e mantilhas. Passou à Itália e levantou o espírito à altura das recordações da arte clássica. Viu a sombra de Dante nas ruas de Florença; viu as almas dos doges pairando saudosas sobre as águas viúvas do mar Adriático; a terra de Rafael, de Virgílio e Michelangelo foi para ele uma fonte viva de recordações do passado e de impressões para o futuro. Foi à Grécia, onde soube evocar o espírito das gerações extintas que deram ao gênio da arte e da poesia um fulgor que atravessou as sombras dos séculos.

Viajou ainda mais o nosso herói, e tudo viu com olhos de quem sabe ver e tudo contava com alma de quem sabe contar. Azevedo e Adelaide passavam horas esquecidas.

— Do amor — dizia ele — eu só sei que é uma palavra de quatro letras, um tanto eufônica, é verdade, mas núncia de lutas e desgraças. Os bons amores são cheios de felicidade, porque têm a virtude de não alçarem olhos para as estrelas do céu; contentam-se com ceias à meia-noite e alguns passeios a cavalo ou por mar.

Esta era a linguagem constante de Tito. Exprimia ela a verdade, ou era uma linguagem de convenção? Todos acreditavam que a verdade estava na primeira hipótese, até porque essa era de acordo com o espírito jovial e folgazão de Tito.

No primeiro dia da residência de Tito em Petrópolis, a chuva, como disse acima, impediu que os diversos personagens desta história se encontrassem. Cada qual ficou na sua casa. Mas o dia imediato foi mais benigno; Tito aproveitou o bom tempo para ir ver a risonha cidade da serra. Azevedo e Adelaide quiseram acompanhá-lo; mandaram aparelhar três ginetes próprios para o ligeiro passeio.

Na volta foram visitar Emília. Durou poucos minutos a visita. A bela viúva recebeu-os com graça e cortesia de princesa. Era a primeira vez que Tito lá ia; e fosse por isso, ou por outra circunstância, foi ele quem mereceu as principais atenções da dona da casa.

Diogo, que então fazia a sua centésima declaração de amor a Emília, e a quem Emília acabava de oferecer uma chávena de chá, não viu com bons olhos a demasiada atenção que o viajante merecia da dama dos seus pensamentos. Essa, e talvez outras circunstâncias, fazia com que o velho Adônis assistisse à conversação com a cara fechada.

À despedida Emília ofereceu a casa a Tito, com a declaração de que teria a mesma satisfação em recebê-lo muitas vezes. Tito aceitou cavalheiramente o oferecimento; feito o quê, saíram todos.

Cinco dias depois desta visita Emília foi à casa de Adelaide. Tito não estava presente; andava a passeio. Azevedo tinha saído para um negócio, mas voltou daí a alguns minutos. Quando, depois de uma hora de conversa, Emília já de pé preparava-se para voltar à casa, entrou Tito.

— Ia sair quando entrou — disse Emília. — Parece que nos contrariamos em tudo.

— Não é por minha vontade — respondeu Tito —; pelo contrário, meu desejo é não contrariar pessoa alguma, e portanto não contrariar vossa excelência.

— Não parece.

— Por quê?

Emília sorriu e disse com uma inflexão de censura:

— Sabe que me daria prazer se utilizasse do oferecimento de minha casa; ainda se não utilizou. Foi esquecimento?

— Foi.

— É muito amável...

— Sou muito franco. Eu sei que vossa excelência preferia uma delicada mentira; mas eu não conheço nada mais delicado que a verdade.

Emília sorriu.

Nesse momento entrou Diogo.

— Ia sair, dona Emília? — perguntou ele.

— Esperava o seu braço.

— Aqui o tem.

Emília despediu-se de Azevedo e de Adelaide. Quanto a Tito, no momento em que ele curvava-se respeitosamente, Emília disse-lhe com a maior placidez da alma:

— Há alguém tão delicado como a verdade: é o senhor Diogo. Espero dizer o mesmo...

— De mim? — interrompeu Tito. — Amanhã mesmo.

Emília saiu pelo braço de Diogo.

No dia seguinte, com efeito, Tito foi à casa de Emília. Ela o esperava com certa impaciência. Como não soubesse a hora em que ele devia apresentar-se lá, a bela viúva esperou-o todos os momentos, desde manhã. Só ao cair da tarde é que Tito dignou-se aparecer.

Emília morava com uma tia velha. Era uma boa senhora, amiga da sobrinha, e inteiramente escrava da sua vontade. Isto quer dizer que não havia em Emília o menor receio que a boa tia não assinasse de antemão.

Na sala em que Tito foi recebido não estava ninguém. Ele teve portanto tempo de sobra para examiná-la à vontade. Era uma sala pequena, mas mobiliada e adornada com gosto. Móveis leves, elegantes e ricos; quatro finíssimas estatuetas, copiadas de Pradier, um piano de Erard, tudo disposto e arranjado com vida.

Tito gastou o primeiro quarto de hora no exame da sala e dos objetos que a enchiam. Esse exame devia influir muito no estudo que ele quisesse fazer do espírito da moça. Dize-me como moras, dir-te-ei quem és.

Mas o primeiro quarto de hora correu sem que aparecesse viva alma, nem que se ouvisse rumor de natureza alguma. Tito começou a impacientar-se. Já sabemos que espírito brusco era ele, apesar da suprema delicadeza que todos lhe reconheciam. Parece, porém, que a sua rudeza, quase sempre exercida contra Emília, era antes estudada que natural. O que é certo é que no fim de meia hora, aborrecido pela demora, Tito murmurou consigo:

— Quer tomar desforra!

E tomando o chapéu que havia posto numa cadeira ia dirigindo-se para a porta quando ouviu um farfalhar de sedas. Voltou a cabeça; Emília entrava.

— Fugia?
— É verdade.
— Perdoe a demora.
— Não há que perdoar; não podia vir, era natural que fosse por algum motivo sério. Quanto a mim não tenho igualmente de que pedir perdão. Esperei, estava cansado, voltaria em outra ocasião. Tudo isto é natural.

Emília ofereceu uma cadeira a Tito e sentou-se num sofá.

— Realmente — disse ela acomodando o balão —, o senhor Tito é um homem original.

— É a minha glória. Não imagina como eu aborreço as cópias. Fazer o que muita gente faz, que mérito há nisso? Não nasci para esses trabalhos de imitação.

— Já uma coisa fez como muita gente.
— Qual foi?
— Prometeu-me ontem esta visita e veio cumprir a promessa.
— Ah! minha senhora, não lance isto à conta das minhas virtudes. Podia não vir; vim; não foi vontade, foi... acaso.
— Em todo caso, agradeço-lhe.
— É o meio de me fechar a sua porta.
— Por quê?
— Porque eu não me dou com esses agradecimentos; nem creio mesmo que eles possam acrescentar nada à minha admiração pela pessoa de vossa excelência. Fui visitar muitas vezes as estátuas dos museus da Europa, mas se elas se lembrassem de me agradecer um dia, dou-lhe a minha palavra que não voltava lá.

A estas palavras seguiu-se um silêncio de alguns segundos. Emília foi quem falou primeiro.

— Há muito tempo que se dá com o marido de Adelaide?
— Desde criança — respondeu Tito.
— Ah! foi criança?
— Ainda hoje sou.
— É exatamente o tempo das minhas relações com Adelaide. Nunca me arrependi.
— Nem eu.
— Houve um tempo — prosseguiu Emília —, em que estivemos separadas; mas isso não trouxe mudança alguma às nossas relações. Foi no tempo do meu primeiro casamento.
— Ah! foi casada duas vezes?
— Em dois anos.
— E por que enviuvou da primeira?
— Porque meu marido morreu — disse Emília rindo-se.
— Mas eu pergunto outra coisa. Por que se fez viúva, mesmo depois da morte de seu primeiro marido? Creio que poderia continuar casada.

— De que modo? — perguntou Emília com espanto.

— Ficando mulher do finado. Se o amor acaba na sepultura acho que não vale a pena de procurá-lo neste mundo.

— Realmente o senhor Tito é um espírito fora do comum.

— Um tanto.

— É preciso que o seja para desconhecer que a nossa vida não importa essas exigências da eterna fidelidade. E demais, pode-se conservar a lembrança dos que morrem sem renunciar às condições da nossa existência. Agora é que eu lhe pergunto por que me olha com olhos tão singulares?...

— Não sei se são singulares, mas são os meus.

— Então, acha que eu cometi uma bigamia?

— Eu não acho nada. Ora, deixe-me dizer-lhe a última razão da minha incapacidade para os amores.

— Sou toda ouvidos.

— Eu não creio na fidelidade.

— Em absoluto?

— Em absoluto.

— Muito obrigada.

— Ah! eu sei que isto não é delicado; mas em primeiro lugar, eu tenho a coragem das minhas opiniões, e em segundo foi vossa excelência quem me provocou. É infelizmente verdade, eu não creio nos amores leais e eternos. Quero fazê-la minha confidente. Houve um dia em que eu tentei amar; concentrei todas as forças vivas do meu coração; dispus-me a reunir o meu orgulho e a minha ilusão na cabeça do objeto amado. Que lição mestra! O objeto amado, depois de me alimentar as esperanças, casou-se com outro que não era nem mais bonito, nem mais amante.

— Que prova isso? — perguntou a viúva.

— Prova que me aconteceu o que pode acontecer e acontece diariamente aos outros.

— Ora...

— Há de me perdoar, mas eu creio que é uma coisa já metida na massa do sangue.

— Não diga isso. É certo que pode acontecer casos desses; mas serão todos assim? Não admite uma exceção? Aprofunde mais os corações alheios se quiser encontrar a verdade... e há de encontrar.

— Qual! — disse Tito abaixando a cabeça e batendo com a bengala na ponta do pé.

— Posso afirmá-lo — disse Emília.

— Duvido.

— Tenho pena de uma criatura assim — continuou a viúva. — Não conhecer o amor é não conhecer a vida! Há nada igual à união de duas almas que se adoram? Desde que o amor entra no coração, tudo se transforma, tudo muda, a noite parece dia, a dor assemelha-se ao prazer... Se não conhece nada disto, pode morrer, porque é o mais infeliz dos homens.

— Tenho lido isso nos livros, mas ainda não me convenci...

— Já reparou na minha sala?

— Já vi alguma coisa.

— Reparou naquela gravura?
Tito olhou para a gravura que a viúva lhe indicava.
— Se me não engano — disse ele —, aquilo é o Amor domando as feras.
— Veja e convença-se.
— Com a opinião do desenhista? — perguntou Tito. — Não é possível. Tenho visto gravuras vivas. Tenho servido de alvo a muitas setas; crivam-me todo, mas eu tenho a fortaleza de são Sebastião; afronto, não me curvo.
— Que orgulho!
— O que pode fazer dobrar uma altivez destas? A beleza? Nem Cleópatra. A castidade? Nem Susana. Resuma, se quiser, todas as qualidades em uma só criatura, e eu não mudarei... É isto e nada mais.
Emília levantou-se e dirigiu-se para o piano.
— Não aborrece a música? — perguntou ela abrindo o piano.
— Adoro-a — respondeu o moço sem se mover —; agora quanto aos executantes só gosto dos bons. Os maus dão-me ímpetos de enforcá-los.
Emília executou ao piano os prelúdios de uma sinfonia. Tito ouvia-a com a mais profunda atenção. Realmente a bela viúva tocava divinamente.
— Então — disse ela levantando-se —, devo ser enforcada?
— Deve ser coroada. Toca perfeitamente.
— Outro ponto em que não é original. Toda a gente me diz isso.
— Ah! eu também não nego a luz do sol.
Neste momento entrou na sala a tia de Emília. Esta apresentou-lhe Tito. A conversa tomou então um tom pessoal e reservado; durou pouco, aliás, porque Tito, travando repentinamente do chapéu, declarou que tinha que fazer.
— Até quando?
— Até sempre.
Despediu-se e saiu.
Emília ainda o acompanhou com os olhos por algum tempo, da janela da casa. Mas Tito, como se o caso não fosse com ele, seguiu sem olhar para trás.
Mas, exatamente no momento em que Emília voltava para dentro, Tito encontrava o velho Diogo.
Diogo ia na direção da casa da viúva. Tinha um ar pensativo. Tão distraído ia que chegou quase a esbarrar com Tito.
— Onde vai tão distraído? — perguntou Tito.
— Ah! é o senhor? Vem da casa de dona Emília?
— Venho.
— Eu para lá vou. Coitada! há de estar muito impaciente com a minha demora.
— Não está, não senhor — respondeu Tito com o maior sangue-frio.
Diogo lançou-lhe um olhar de despeito.
A isso seguiu-se um silêncio de alguns minutos, durante o qual Diogo brincava com a corrente do relógio, e Tito lançava ao ar novelos de fumaça de um primoroso havana. Um desses novelos foi desenrolar-se na cara de Diogo. O velho tossiu e disse a Tito:
— Apre lá, senhor Tito! É demais!
— O quê, meu caro senhor? — perguntou o rapaz.

— Até a fumaça!

— Foi sem reparar. Mas eu não compreendo as suas palavras...

— Eu me faço explicar — disse o velho tomando um ar risonho. — Dê-me o seu braço...

— Pois não!

E os dois seguiram conversando como dois amigos velhos.

— Estou pronto a ouvir a sua explicação.

— Lá vai. Sabe o que eu quero? É que seja franco. Não ignora que eu suspiro aos pés da viúva. Peço-lhe que não discuta o fato, admita-o simplesmente. Até aqui tudo ia caminhando bem, quando o senhor chegou a Petrópolis.

— Mas...

— Ouça-me silenciosamente. Chegou o senhor a Petrópolis, e sem que eu lhe tivesse feito mal algum, entendeu de si para si que me havia de tirar do lance. Desde então começou a corte...

— Meu caro senhor Diogo, tudo isso é uma fantasia. Eu não faço a corte a dona Emília, nem pretendo fazer-lha. Vê-me acaso frequentar a casa dela?

— Acaba de sair de lá.

— É a primeira vez que a visito.

— Quem sabe?

— Demais, ainda ontem não ouviu em casa de Azevedo as expressões com que ela se despediu de mim? Não são de mulher que...

— Ah! isso não prova nada. As mulheres, e sobretudo aquela, nem sempre dizem o que sentem...

— Então acha que aquela sente alguma coisa por mim?...

— Se não fosse isso, não lhe falaria.

— Ah! ora eis aí uma novidade.

— Suspeito apenas. Ela só me fala do senhor; indaga-me vinte vezes por dia de sua pessoa, dos seus hábitos, do seu passado e das suas opiniões... Eu, como há de acreditar, respondo a tudo que não sei, mas vou criando um ódio ao senhor, do qual não me poderá jamais criminar.

— É culpa minha se ela gosta de mim? Ora, vá descansado, senhor Diogo. Nem ela gosta de mim, nem eu gosto dela. Trabalhe desassombradamente e seja feliz.

— Feliz! se eu pudesse ser! Mas não... não creio; a felicidade não se fez para mim. Olhe, senhor Tito, amo aquela mulher como se pode amar a vida. Um olhar dela vale mais para mim que um ano de glórias e de felicidade. É por ela que eu tenho deixado os meus negócios à toa. Não viu outro dia que uma carta me chegou às mãos, cuja leitura me fez entristecer? Perdi uma causa. Tudo por quê? por ela!

— Mas, ela não lhe dá esperanças?

— Eu sei o que é aquela moça! Ora trata-me de modo que eu vou ao sétimo céu, ora é tal a sua indiferença que me atira ao inferno. Hoje um sorriso, amanhã um gesto de desdém. Ralha-me de não visitá-la; vou visitá-la, ocupa-se tanto de mim como de Ganimedes; Ganimedes é o nome de um cãozinho felpudo que eu lhe dei. Importa-se tanto comigo como com o cachorro... É de propósito. É um enigma aquela moça.

— Pois não serei eu quem o decifre, senhor Diogo. Desejo-lhe muita felicidade. Adeus.

E os dois separaram-se. Diogo seguiu para a casa de Emília, Tito para a casa de Azevedo.

Tito acabava de saber que a viúva pensava nele; todavia, isso não lhe dera o menor abalo. Por quê? É o que saberemos mais adiante. O que é preciso dizer desde já, é que as mesmas suspeitas despertadas no espírito de Diogo, tivera a mulher de Azevedo. A intimidade de Emília dava lugar a uma franca interrogação e a uma confissão franca. Adelaide, no dia seguinte àquele em que se passou a cena que referi acima, disse a Emília o que pensava.

A resposta da viúva foi uma risada.

— Não te compreendo — disse a mulher de Azevedo.

— É simples — disse a viúva. — Julgas-me capaz de apaixonar-me pelo amigo de teu marido? Enganas-te. Não, eu não o amo. Somente, como te disse no dia em que o vi aqui pela primeira vez, empenho-me em tê-lo a meus pés. Se bem me recordo foste tu mesma quem me deu conselho. Aceitei-o. Hei de vingar o nosso sexo. É um pouco de vaidade minha, embora; mas eu creio que aquilo que nenhuma fez, fá-lo-ei eu.

— Ah! cruelzinha! É isso?

— Nem mais, nem menos.

— Achas possível?

— Por que não?

— Reflete que a derrota será dupla...

— Será, mas não há de haver.

Esta conversa foi interrompida por Azevedo. Um sinal de Emília fez calar Adelaide. Ficou convencionado que nem mesmo Azevedo saberia de coisa alguma. E, com efeito, Adelaide nada comunicou a seu marido.

III

Tinham-se passado oito dias depois do que acabo de narrar.

Tito, como o temos visto até aqui, estava no terreno do primeiro dia. Passeava, lia, conversava e parecia inteiramente alheio aos planos que se tramavam em roda dele. Durante esse tempo foi apenas duas vezes à casa de Emília, uma com a família de Azevedo, outra com Diogo. Nestas visitas era sempre o mesmo, frio, indiferente, impassível. Não havia olhar, por mais sedutor e significativo, que o abalasse; nem a ideia de que andava no pensamento da viúva era capaz de animá-lo.

— Por que, ao menos, se não é capaz de amar, não procura entreter um desses namoros de sala, que tanto lisonjeiam a vaidade dos homens?

Esta pergunta era feita por Emília a si mesma, sob a impressão da estranheza que lhe causava a indiferença do rapaz. Ela não compreendia que Tito pudesse conservar-se de gelo diante dos seus encantos. Mas infelizmente era assim.

Cansada de trabalhar em vão, a viúva determinou dar um golpe mais decisivo. Encaminhou a conversa para as doçuras do casamento e lamentou o estado de sua viuvez. O casal Azevedo era para ela o tipo da perfeita felicidade conjugal. Apresentava-o aos olhos de Tito como um incentivo para quem queria ser venturoso na terra. Nada, nem a tese, nem a hipótese, nada moveu a frieza de Tito.

Emília jogava um jogo perigoso. Era preciso decidir entre os seus desejos de vingar o sexo e as conveniências da sua posição; mas ela era de um caráter imperioso; respeitava muito os princípios de sua moral severa, mas não acatava do mesmo modo as conveniências de que a sociedade cercava essa moral. A vaidade impunha no espírito dela, com força prodigiosa. Assim que a bela viúva foi usando todos os meios que era lícito empregar para fazer apaixonar Tito.

Mas, apaixonado ele, o que faria ela? A pergunta é ociosa; desde que ela o tivesse aos pés, trataria de conservá-lo aí fazendo parelha ao velho Diogo. Era o melhor troféu que uma beleza altiva pode ambicionar.

Uma manhã, oito dias depois das cenas referidas no capítulo anterior, apareceu Diogo em casa de Azevedo. Tinham aí acabado de almoçar; Azevedo subira para o gabinete, a fim de aviar alguma correspondência para a corte; Adelaide achava-se na sala do pavimento térreo.

Diogo entrou com uma cara contristada, como nunca se lhe vira. Adelaide correu para ele.

— Que é isso? — perguntou ela.

— Ah! minha senhora... sou o mais infeliz dos homens!

— Por quê? Venha sentar-se...

Diogo sentou-se, ou antes deixou-se cair na cadeira que Adelaide lhe ofereceu. Esta tomou lugar ao pé dele, animou-o a contar as suas mágoas.

— Então que há?

— Duas desgraças — respondeu ele. — A primeira em forma de sentença. Perdi mais uma demanda. É uma desgraça isto, mas não é nada...

— Pois há maior?...

— Há. A segunda desgraça foi em forma de carta.

— De carta? — perguntou Adelaide.

— De carta. Veja isto.

Diogo tirou da carteira uma cartinha cor-de-rosa, cheirando a essência de magnólia.

Adelaide leu a carta para si.

Quando ela acabou, perguntou-lhe o velho:

— Que me diz a isto?

— Não compreendo — respondeu Adelaide.

— Esta carta é dela.

— Sim, e depois?

— É para ele.

— Ele quem?

— Ele! o diabo! o meu rival! o Tito!

— Ah!

— Dizer-lhe o que senti quando apanhei esta carta é impossível. Nunca tremi na minha vida! Mas quando li isto, não sei que vertigem se apoderou de mim. Ando tonto! A cada passo como que desmaio... Ah!

— Ânimo! — disse Adelaide.

— É isto mesmo que eu vinha buscar... é uma consolação, uma animação. Soube que estava aqui e estimei achá-la só... Ah! quanto sinto que o estimável seu marido esteja vivo... porque a melhor consolação era aceitar vossa excelência um coração tão mal compreendido.

— Felizmente ele está vivo.

Diogo soltou um suspiro e disse:

— Felizmente!

E depois de um silêncio continuou:

— Tive duas ideias: uma foi o desprezo; mas desprezá-los é pô-los em maior liberdade e ralar-me de dor e de vergonha; a segunda foi o duelo... é melhor... eu mato... ou...

— Deixe-se disso.

— É indispensável que um de nós seja riscado do número dos vivos.

— Pode ser engano...

— Mas não é engano, é certeza.

— Certeza de quê?

Diogo abriu o bilhete e disse:

— Ora, ouça: "Se ainda não me compreendeu é bem curto de penetração. Tire a máscara e eu me explicarei. Esta noite tomo chá sozinha. O importuno Diogo não me incomodará com as suas tolices. Dê-me a felicidade de vê-lo e admirá-lo. EMÍLIA".

— Mas que é isto?

— Que é isto? Ah! se fosse mais do que isto já eu estava morto! Pude pilhar a carta, e a tal entrevista não se deu...

— Quando foi escrita a carta?

— Ontem.

— Tranquilize-se. É capaz de guardar um segredo? O que lhe vou dizer é grave. Mas só a sua aflição me faz falar. Posso afirmar-lhe que esta carta é uma pura caçoada. Trata-se de vingar o nosso sexo ultrajado; trata-se de fazer com que Tito se apaixone... nada mais.

Diogo estremeceu de alegria.

— Sim? — perguntou ele.

— É pura verdade. Mas veja lá, isto é segredo. Se lho descobri foi por vê-lo aflito. Não nos comprometa.

— Isso é sério? — insistiu Diogo.

— Como quer que lho diga?

— Ah! que peso me tirou! Pode estar certa de que o segredo caiu num poço. Oh! muito me hei de rir... muito me hei de rir... Que boa inspiração tive em vir falar-lhe! Diga-me, posso dizer a dona Emília que sei tudo?

— Não!

— É então melhor que não me dê por achado...

— Sim.

— Muito bem!

Dizendo estas palavras o velho Diogo esfregava as mãos e piscava os olhos. Estava radiante. Quê! ver o suposto rival sendo vítima dos laços da viúva! Que glória! que felicidade!

Nisto estava quando à porta do interior apareceu Tito. Acabava de levantar-se da cama.

— Bom dia, dona Adelaide — disse ele dirigindo-se para a mulher de Azevedo. Depois sentando-se e voltando a cara para Diogo:

— Bom dia — disse. — Está hoje alegre... Tirou a sorte grande?

— A sorte grande? — perguntou Diogo. — Tirei... tirei...

— Dormiu bem? — perguntou Adelaide a Tito.

— Como um justo que sou. Tive sonhos cor-de-rosa: sonhei com o senhor Diogo.

— Ah! sonhou comigo? — murmurou entre dentes o velho namorado. — Coitado! tenho pena dele!

— Mas onde está Azevedo? — perguntou Tito a Adelaide.

— Anda de passeio.

— Já?

— Pois então. Onze horas.

— Onze horas! É verdade, acordei muito tarde. Tinha duas visitas para fazer: uma a dona Emília...

— Ah! — disse Diogo.

— De que se espanta, meu caro?

— De nada! de nada!

— Bom; vou mandar pôr o seu almoço — disse Adelaide.

Os dois ficaram sós. Tito acendeu um cigarro de palha; Diogo afetava grande distração, mas olhava sorrateiramente para o moço. Este, apenas soltou duas fumaças, voltou-se para o velho e disse:

— Como vão os seus amores?

— Que amores?

— Os seus, a Emília... Já lhe fez compreender toda a imensidade da paixão que o devora?

— Qual... Preciso de algumas lições... Se mas quisesse dar?...

— Eu? Está sonhando!

— Ah! eu sei que o senhor é forte... É modesto, mas é forte... e até fortíssimo! Ora, eu sou realmente um aprendiz... Tive há pouco a ideia de desafiá-lo.

— A mim?

— É verdade, mas foi uma loucura de que me arrependi...

— Além de que não é uso em nosso país...

— Em toda a parte é uso vingar a honra.

— Bravo, dom Quixote!

— Ora, eu acreditava-me ofendido na honra.

— Por mim?

— Mas emendei a mão; reparei que era antes eu quem ofendia pretendendo lutar com um mestre, eu simples aprendiz...

— Mestre de quê?

— Dos amores! Oh! eu sei que é mestre...

— Deixe-se disso... eu não sou nada... o senhor Diogo, sim; o senhor vale um urso, vale mesmo dois. Como havia de eu... Ora! Aposto que teve ciúmes?

— Exatamente.

— Mas era preciso não me conhecer; não sabe das minhas ideias?

— Homem, às vezes é pior.

— Pior, como?

— As mulheres não deixam uma afronta sem castigo... As suas ideias são afrontosas... Qual será o castigo? Paro aqui... paro aqui...

— Onde vai?

— Vou sair. Adeus. Não se lembre mais da minha desastrada ideia do duelo...

— Que está acabado... Ah! o senhor escapou de boa!
— De quê?
— De morrer. Eu enfiava-lhe a espada por esse abdômen... com um gosto... com um gosto só comparável ao que tenho de abraçá-lo vivo e são!

Diogo riu-se com um riso amarelo.

— Obrigado, obrigado. Até logo!
— Venha cá, onde vai? Não se despede de dona Adelaide?
— Eu já volto — disse Diogo travando do chapéu e saindo precipitadamente.

Tito ainda o acompanhou com os olhos.

— Este sujeito — disse o moço consigo quando se viu só — não tem nada de original. Aquela opinião a respeito das mulheres não é dele... Melhor... já se conspira; é o que me convém. Hás de vir! hás de vir!

Um criado alemão veio anunciar a Tito que o almoço estava preparado. Tito ia entrando quando assomou à porta a figura de Azevedo.

— Ora, graças a Deus! O meu amigo não se levanta com o sol. Estás com olhos de quem acaba de dormir.
— É verdade, e vou almoçar.

Dirigiram-se os dois para dentro, onde a mesa estava posta à espera de Tito.

— Almoças outra vez? — perguntou Tito.
— Não.
— Pois então vais ver como se come.

Tito sentou-se à mesa; Azevedo estirou-se num sofá.

— Onde foste? — perguntou Tito.
— Fui passear... Compreendi que é preciso ver e admirar o que é indiferente, para apreciar e ver aquilo que faz a felicidade íntima do coração.
— Ah! sim? Bem vês que até a felicidade por igual fatiga! Afinal sempre a razão do meu lado.
— Talvez. Apesar de tudo, quer-me parecer que já intentas entrar na família dos casados.
— Eu?
— Tu, sim.
— Por quê?
— Mas, dize, é ou não verdade?
— Qual, verdade!
— O que sei é que uma destas tardes em que adormeceste lendo, não sei que livro, ouvi-te pronunciar em sonhos, com a maior ternura, o nome de Emília.
— Deveras? — perguntou Tito mastigando.
— É exato. Concluí que se sonhavas com ela é que a tinhas no pensamento, e se a tinhas no pensamento é que a amavas.
— Concluíste mal.
— Mal?
— Concluíste como um marido de cinco meses. Que prova um sonho? Não prova nada! Pareces velha supersticiosa...
— Mas enfim, alguma coisa há por força... Serás capaz de me dizeres o que é?
— Homem, podia dizer-te alguma coisa se não fosses casado...
— Que tem que eu seja casado?

— Tem tudo. Seria indiscreto sem querer e até sem saber. À noite, entre um beijo e um bocejo, o marido e a mulher abrem um para o outro a bolsa das confidências. Sem pensares, podes deitar tudo a perder.

— Não digas isso. Vamos lá. Há novidade?

— Não há nada.

— Confirmas as minhas suspeitas. Gostas da Emília.

— Ódio não lhe tenho, é verdade.

— Gostas. E ela merece. É uma boa senhora, de não vulgar beleza, possuindo as melhores qualidades. Talvez preferisses que não fosse viúva?...

— Sim; é natural que se embale dez vezes por dia na lembrança dos dois maridos que já exportou para o outro mundo... à espera de exportar o terceiro...

— Não é dessas...

— Afianças?

— Quase que posso afiançar.

— Ah! meu amigo — disse Tito levantando-se da mesa e indo acender um charuto —, toma o conselho de um tolo: nunca afiances nada, principalmente em tais assuntos. Entre a prudência discreta e a cega confiança não é lícito duvidar, a escolha está decidida nos próprios termos da primeira. O que podes tu afiançar a respeito de Emília? Não a conheces melhor do que eu. Há quinze dias que nos conhecemos, e eu já lhe leio no interior; estou longe de atribuir-lhe maus sentimentos, mas tenho a certeza de que não possui as raríssimas qualidades que são necessárias à exceção. Que sabes tu?

— Realmente, eu não sei nada.

— Não sabes nada! — disse Tito consigo.

— Falo pelas minhas impressões. Parecia-me que um casamento entre vocês ambos não vinha fora de propósito.

— Se me falas outra vez em casamento, saio.

— Pois só a palavra?

— A palavra, a ideia, tudo.

— Entretanto, admiras e aplaudes o meu casamento...

— Ah! eu aplaudo nos outros muitas coisas de que não sou capaz de usar. Depende da vocação...

Adelaide apareceu à porta da sala de jantar. A conversa cessou entre os dois rapazes.

— Trago-lhe uma notícia.

— Que notícia? — perguntaram-lhe os dois.

— Recebi um bilhete de Emília... Pede-nos que vamos lá amanhã, porque...

— Por quê? — perguntou Azevedo.

— Talvez dentro de oito dias se retire para a cidade.

— Ah! — disse Tito com a maior indiferença deste mundo.

— Apronta as tuas malas — disse Azevedo a Tito.

— Por quê?

— Não segues os passos da deusa?

— Não zombes, cruel amigo! Quando não...

— Anda lá...

Adelaide sorriu ouvindo estas palavras.

Daí a meia hora Tito subiu para o gabinete em que Azevedo tinha os livros. Ia, dizia, ler as *Confissões* de santo Agostinho.

— Que repentina viagem é esta? — perguntou Azevedo à sua mulher.

— Tens muito empenho em saber?

— Tenho.

— Pois bem. Olha que é segredo. Eu não sei positivamente, mas creio que é uma estratégia.

— Estratégia? Não entendo.

— Eu te digo. Trata-se de prender o Tito.

— Prender?

— Estás hoje tão bronco! Prender pelos laços do amor...

— Ah!

— Emília julgou que deve fazê-lo. É só para brincar. No dia em que ele se declarar vencido fica ela vingada do que ele disse contra o sexo.

— Não está mau... E tu entras nesta estratégia...

— Como conselheira.

— Trama-se então contra um amigo, um *alter ego*.

— Tá, tá, tá. Cala a boca. Não vás fazer abortar o plano.

Azevedo riu-se a bandeiras despregadas. No fundo achava engraçada a punição premeditada ao pobre Tito.

A visita que Tito disse ter de fazer à viúva naquele dia, não se realizou.

Diogo, que apenas saíra da casa de Azevedo, ciente das intenções da viúva, fora para casa desta esperar o rapaz, embalde lá esteve durante o dia, embalde jantou, embalde aborreceu a tarde inteira tanto a Emília como à tia. Tito não apareceu.

Mas, à noite, à hora em que Diogo, já vexado de tanta demora na casa da moça, tratava de sair, anunciou-se a chegada de Tito. Emília estremeceu; mas esse movimento escapou a Diogo. Tito entrou na sala onde se achavam Emília, a tia, e Diogo.

— Não contava com a sua visita — disse a viúva.

— Eu sou assim; apareço quando não me esperam. Sou como a morte e a sorte grande.

— Agora é a sorte grande — disse Emília.

— Que número é o seu bilhete, minha senhora?

— Número doze, isto é, doze horas que tenho tido o prazer de ter hoje aqui o senhor Diogo...

— Doze horas! — exclamou Tito voltando-se para o velho.

— Sem que ainda o nosso bom amigo nos contasse uma história...

— Doze horas! — repetiu Tito.

— Que admira, meu caro senhor? — perguntou Diogo.

— Acho um pouco estirado...

— As horas contam-se quando são aborrecidas... Peço para me retirar...

E dizendo isto, Diogo travou do chapéu para sair lançando um olhar de despeito e ciúme para a viúva.

— Que é isso? — perguntou esta. — Onde vai?

— Dou asas às horas — respondeu Diogo ao ouvido de Emília —; vão correr depressa agora.

— Perdoo-lhe e peço que se sente.

Diogo sentou-se.

A tia de Emília pediu licença para retirar-se alguns minutos. Ficaram os três.

— Mas então — disse Tito — nem ao menos uma história contou?

— Nenhuma.

Emília lançou um olhar a Diogo como para tranquilizá-lo. Este, mais calmo então, lembrou-se do que Adelaide lhe havia dito, e voltou às boas.

— Afinal de contas — disse ele consigo — o caçoado é ele. Eu sou apenas o meio de prendê-lo... Contribuamos para que se lhe tire a proa.

— Nenhuma história — continuou Emília.

— Pois olhe, eu sei muitas — disse Diogo com intenção.

— Conte uma de tantas que sabe — disse Tito.

— Nada! Por que não conta o senhor?

— Se faz empenho...

— Muito... muito — disse Diogo piscando os olhos. — Conte lá, por exemplo, a história do taboqueado, a história das imposturas do amor, a história dos viajantes encouraçados; vá, vá.

— Não, vou contar a história de um homem e de um macaco.

— Oh! — disse a viúva.

— É muito interessante — disse Tito. — Ora, ouçam...

— Perdão — interrompeu Emília —, será depois do chá.

— Pois sim.

Daí a pouco servia-se o chá aos três. Findo ele, Tito tomou a palavra e começou a história:

História de um homem e de um macaco

Não longe da vila ***, no interior do Brasil, morava há uns vinte anos um homem de trinta e cinco anos, cuja vida misteriosa era o objeto das conversas das vilas próximas e o objeto do terror que experimentavam os viajantes que passavam na estrada a dois passos da casa.

A própria casa era já de causar apreensões ao espírito menos timorato. Vista de longe nem parecia casa, tão baixinha era. Mas quem se aproximasse conheceria aquela construção singular. Metade do edifício estava ao nível do chão e metade abaixo da terra. Era entretanto uma casa solidamente construída. Não tinha porta nem janelas. Tinha um vão quadrado que servia ao mesmo tempo de janela e de porta. Era por ali que o misterioso morador entrava e saía.

Pouca gente o via sair, não só porque ele raras vezes o fazia, como porque fazia em horas impróprias. Era nas horas da lua cheia que o solitário deixava a residência para ir passear nos arredores. Levava sempre consigo um grande macaco, que acudia pelo nome de Calígula.

O macaco e o homem, o homem e o macaco eram dois amigos inseparáveis, dentro e fora de casa, na lua nova.

Mil versões corriam a respeito deste misterioso solitário.

A mais geral é que era um feiticeiro. Havia uma que o dava por doido; outra por simplesmente atacado de misantropia.

Esta última versão tinha por si duas circunstâncias: a primeira era não constar nada de positivo que fizesse reconhecer no homem hábitos de feiticeiro ou alienado; a segunda era a amizade que ele parecia votar ao macaco e o horror com que fugia ao olhar dos homens. Quando a gente se aborrece dos homens toma sempre a afeição dos animais, que têm a vantagem de não discorrer, nem intrigar.

O misterioso... É preciso dar-lhe um nome: chamemo-lo Daniel. Daniel preferia o macaco, e não falava a mais homem algum. Algumas vezes os viajantes que passavam pela estrada ouviam partir de dentro da casa gritos do macaco e do homem; era o homem que afagava o macaco.

Como se alimentavam aquelas duas criaturas? Houve quem visse um dia de manhã abrir-se a porta, sair o macaco e voltar pouco depois com um embrulho na boca. O tropeiro que presenciava esta cena quis descobrir onde ia o macaco buscar aquele embrulho que levava sem dúvida os alimentos dos dois solitários. Na manhã seguinte introduziu-se no mato; o macaco chegou à hora do costume, dirigiu-se para um tronco de árvore; havia sobre esse tronco um grande galho, que o bicho atirou ao chão. Depois, introduzindo as mãos no interior do velho tronco, tirou um embrulho igual ao da véspera e partiu.

O tropeiro persignou-se, e tão apreendido ficou com a cena que acabava de presenciar que não a contou a ninguém.

Durava esta existência três anos.

Durante esse tempo o homem não envelhecera. Era o mesmo que no primeiro dia. Longas barbas ruivas e cabelos grandes caídos para trás. Usava um grande casaco de baeta, tanto no inverno, como no verão. Calçava botas e não usava chapéu.

Era impossível aos passageiros e aos moradores das vizinhanças penetrar na casa do solitário. Não o será decerto para nós, minha bela senhora, e meu caro amigo.

A casa divide-se em duas salas e um quarto. Uma sala é para jantar; a outra é... a de visitas. O quarto é ocupado pelos dois moradores, Daniel e Calígula.

As duas salas são de iguais dimensões; o quarto é uma metade da sala. A mobília da primeira sala compõe-se de dois sujos bancos encostados à parede, uma mesa baixa no centro. O chão é assoalhado. Pendem das paredes dois retratos: um de moça, outro de velho. A moça é uma figura angélica e deliciosa. O velho inspirava respeito e admiração. Das outras duas paredes pendem, de um lado uma faca de cabo de marfim, e do outro uma mão de defunto, amarela e seca.

A sala de jantar tem apenas uma mesa e dois bancos.

A mobília do quarto resume-se num grabato em que dorme Daniel. Calígula estende-se no chão, junto à cabeceira do dono.

Tal é a mobília da casa.

A casa, que de fora parece não ter capacidade para conter um homem em pé, é contudo suficiente, visto estar, como disse, entranhada no chão.

Que vida terão passado aí dentro o macaco e o homem, no espaço de três anos? Não saberei dizê-lo.

Quando Calígula traz de manhã o embrulho, Daniel divide a comida em duas porções, uma para o almoço, outra para jantar. Depois homem e macaco sentam-se em face um do outro na sala de jantar e comem irmãmente as duas refeições.

Quando chega a lua cheia saem os dois solitários, como já disse, todas as noites, até a época em que a lua passa a ser minguante. Saem às dez horas, pouco mais ou menos, e voltam pouco mais ou menos às duas horas da madrugada. Quando entram, Daniel tira a mão do finado que pende da parede e dá com ela duas bofetadas em si próprio. Feito isto, vai deitar-se; Calígula acompanha-o.

Uma noite, era no mês de junho, época de lua cheia, Daniel preparou-se para sair. Calígula deu um pulo e saltou à estrada. Daniel fechou a porta, e lá se foi com o macaco estrada acima.

A lua, inteiramente cheia, projetava os seus reflexos pálidos e melancólicos na vasta floresta que cobria as colinas próximas, e clareava toda a vasta campina que rodeava a casa.

Só se ouvia ao longe o murmúrio de uma cachoeira, e ao perto o piar de algumas corujas, e o chilrar de uma infinidade de grilos espalhados na planície.

Daniel caminhava pausadamente levando um pau debaixo do braço, e acompanhado do macaco, que saltava do chão aos ombros de Daniel e dos ombros de Daniel para o chão.

Mesmo sem a forma lúgubre que tinha aquele lugar por causa da residência do solitário, qualquer pessoa que encontrasse àquela hora Daniel e o macaco corria risco de morrer de medo. Daniel, extremamente magro e alto, tinha em si um ar lúgubre. Os cabelos da barba e da cabeça, crescidos em abundância, faziam a sua cabeça ainda maior do que era. Sem chapéu era uma cabeça verdadeiramente satânica.

Calígula, que nos outros dias era um macaco ordinário, tomava, naquelas horas de passeio noturno, um ar tão lúgubre e tão misterioso como o de Daniel.

Havia já uma hora que os dois solitários tinham saído de casa. A casa ficara já um pouco longe. Nada mais natural do que chegar a polícia nessa ocasião, tomar a entrada da casa e reconhecer o mistério. Mas a polícia, apesar dos meios que tinha à sua disposição, não se animava a investigar no mistério que o povo reputava diabólico. Também a polícia é humana, e nada do que é humano lhe é desconhecido.

Havia uma hora, disse eu, que os dois passeadores tinham saído de casa. Começavam então a subir uma pequena colina...

Tito foi interrompido por um bocejo do velho Diogo.

— Quer dormir? — perguntou o rapaz.

— É o que vou fazer.

— Mas a história?

— A história é muito divertida. Até aqui só temos visto duas coisas, um homem e um macaco; perdão... temos mais dois, um macaco e um homem. É muito divertida! Mas, para variar, o homem vai sair e fica o macaco.

Dizendo estas palavras com uma raiva cômica, Diogo travou do chapéu e saiu. Tito soltou uma gargalhada.

— Mas vamos ao fim da história...

— Que fim, minha senhora? Eu já estava em talas por não saber como continuar... Era um meio de servi-la. Vejo que é um velho aborrecido...

— Não é, está enganado.

— Ah! não?

— Divirto-me com ele. O que não impede que a presença do senhor me dê infinito prazer...

— Vossa excelência disse agora uma falsidade.

— Qual foi?

— Disse que lhe era agradável a minha conversa. Ora, isso é falso como tudo quanto é falso...

— Quer um elogio?

— Não, falo franco. Eu nem sei como vossa excelência me atura; desabrido, maçante, chocarreiro, sem fé em coisa alguma, sou um conversador muito pouco digno de ser desejado. É preciso ter uma grande soma de bondade para ter expressões tão benévolas... tão amigas...

— Deixe esse ar de mofa, e...

— Mofa, minha senhora?

— Ontem eu e minha tia tomamos chá sozinhas! sozinhas!...

— Ah!

— Contava que o senhor viesse aborrecer-se uma hora conosco...

— Qual aborrecer... Eu lhe digo: o culpado foi o Ernesto.

— Ah! foi ele?

— É verdade; deu comigo aí em casa de uns amigos, éramos quatro ao todo, rolou a conversa sobre o voltarete e acabamos por formar mesa. Ah! mas foi uma noite completa! Aconteceu-me o que me acontece sempre: ganhei!

— Está bom.

— Pois, olhe, ainda assim eu não jogava com pexotes; eram mestres de primeira força: um principalmente; até as onze horas a fortuna pareceu desfavorecer-me, mas dessa hora em diante desandou a roda para eles e eu comecei a assombrar... pode ficar certa de que os assombrei. Ah! é que eu tenho diploma... mas que é isso, está chorando?

Emília tinha com efeito o lenço nos olhos. Chorava? É certo que quando tirou o lenço dos olhos, tinha-os úmidos. Voltou-se contra a luz e disse ao moço...

— Qual... pode continuar.

— Não há mais nada; foi só isto — disse Tito.

— Estimo que a noite lhe corresse feliz...

— Alguma coisa...

— Mas a uma carta responde-se; por que não respondeu à minha? — disse a viúva.

— À sua qual?

— À carta que lhe escrevi pedindo que viesse tomar chá conosco?

— Não me lembro.

— Não se lembra?

— Ou, se recebi essa carta, foi em ocasião que a não pude ler, e então esqueci, esqueci-a em algum lugar...

— É possível: mas é a última vez...

— Não me convida mais para tomar chá?

— Não. Pode arriscar-se a perder distrações melhores.

— Isso não digo: a senhora trata bem a gente, e em sua casa passam-se bem as horas... Isto é com franqueza. Mas então tomou chá sozinha? E o Diogo?

— Descartei-me dele. Acha que ele seja divertido?

— Parece que sim... É um homem delicado; um tanto dado às paixões, é verdade, mas sendo esse um defeito comum, acho que nele não é muito digno de censura.

— O Diogo está vingado.

— De quê, minha senhora?

Emília olhou fixamente para Tito e disse:

— De nada!

E levantando-se dirigiu-se para o piano.

— Vou tocar — disse ela —; não o aborrece?

— De modo nenhum.

Emília começou a tocar; mas era uma música tão triste que infundia certa melancolia no espírito do moço. Este, depois de algum tempo, interrompeu com estas palavras:

— Que música triste!

— Traduzo a minha alma — disse a viúva.

— Anda triste?

— Que lhe importam as minhas tristezas?

— Tem razão, não me importam nada. Em todo o caso não é comigo?

Emília levantou-se e foi para ele.

— Acha que lhe hei de perdoar a desfeita que me fez? — disse ela.

— Que desfeita, minha senhora?

— A desfeita de não vir ao meu convite?

— Mas eu já lhe expliquei...

— Paciência! O que sinto é que também nesse voltarete estivesse o marido de Adelaide.

— Ele retirou-se às dez horas, e entrou um parceiro novo, que não era de todo mau.

— Pobre Adelaide!

— Mas se eu lhe digo que ele se retirou às dez horas...

— Não devia ter ido. Devia pertencer sempre à sua mulher. Sei que estou falando a um descrido; não pode calcular a felicidade e os deveres do lar doméstico. Viverem duas criaturas uma para a outra, confundidas, unificadas; pensar, aspirar, sonhar a mesma coisa; limitar o horizonte nos olhos de cada uma, sem outra ambição, sem inveja de mais nada. Sabe o que é isto?

— Sei... É o casamento por fora.

— Conheço alguém que lhe provava aquilo tudo...

— Deveras? Quem é essa fênix?

— Se lho disser, há de mofar; não digo.

— Qual mofar! Diga lá, eu sou curioso.

— Não acredita que haja alguém que possa amá-lo?

— Pode ser...

— Não acredita que alguém, por despeito, por outra coisa que seja, tire da originalidade do seu espírito os influxos de um amor verdadeiro, mui diverso do amor ordinário dos salões; um amor capaz de sacrifício, capaz de tudo? Não acredita!

— Se me afirma, acredito; mas...

— Existe a pessoa e o amor.

— São então duas fênix.

— Não zombe. Existem... Procure...

— Ah! isso há de ser mais difícil: não tenho tempo. E suponha que achasse, de que me servia? Para mim é perfeitamente inútil. Isso é bom para outros; para o Diogo, por exemplo...

— Para o Diogo?

A bela viúva pareceu ter um assomo de cólera. Depois de um silêncio disse:

— Adeus! Desculpe, estou incomodada.

— Então, até amanhã!

Dizendo o quê, Tito apertou a mão de Emília e saiu tão alegre e descuidoso como se saísse de um jantar de anos.

Emília, apenas ficou só, caiu numa cadeira e cobriu o rosto. Estava nessa posição havia cinco minutos, quando assomou à porta a figura do velho Diogo.

O rumor que o velho fez entrando despertou a viúva.

— Ainda aqui!

— É verdade, minha senhora — disse Diogo aproximando-se —, é verdade. Ainda aqui, por minha infelicidade...

— Não entendo...

— Não saí para casa. Um demônio oculto me impeliu para cometer um ato infame. Cometi-o, mas tirei dele um proveito; estou salvo. Sei que me não ama.

— Ouviu?

— Tudo. E percebi.

— Que percebeu, meu caro senhor?

— Percebi que a senhora ama o Tito.

— Ah!

— Retiro-me, portanto, mas não quero fazê-lo sem que ao menos fique sabendo de que saio com ciência de que não sou amado; e que saio antes de me mandarem embora.

Emília ouviu as palavras de Diogo com a maior tranquilidade. Enquanto ele falava teve tempo de refletir no que devia dizer.

Diogo estava já a fazer o seu último cumprimento, quando a viúva lhe dirigiu a palavra.

— Ouça-me, senhor Diogo. Ouviu bem, mas percebeu mal. Já que pretende ter sabido...

— Já sei; vem dizer que há um plano assentado de zombar com aquele moço...

— Como sabe?

— Disse-mo dona Adelaide.

— É verdade.

— Não creio.

— Por quê?

— Havia lágrimas nas suas palavras. Ouvi-as com a dor na alma. Se soubesse como eu sofria!

A bela viúva não pôde deixar de sorrir ao gesto cômico de Diogo. Depois, como ele parecesse mergulhado em meditação sombria, disse:

— Engana-se, tanto que volto para a cidade.

— Deveras?

— Pois acredita que um homem como aquele possa inspirar qualquer sentimento sério? Nem por sombras!

Estas palavras foram ditas no tom com que Emília costumava persuadir aquele eterno namorado. Isso e mais um sorriso foi quanto bastou para acalmar o ânimo de Diogo. Daí a alguns minutos estava ele radiante.

— Olhe, e para desenganá-lo de uma vez vou escrever um bilhete ao Tito...

— Eu mesmo o levarei — disse Diogo louco de contente.

— Pois sim!

— Adeus, até amanhã. Tenha sonhos cor-de-rosa, e desculpe os meus maus modos. Até amanhã.

O velho beijou graciosamente a mão de Emília e saiu.

IV

No dia seguinte, ao meio-dia, Diogo apresentou-se ao Tito, e depois de falar sobre diferentes coisas, tirou do bolso uma cartinha, que fingira ter esquecido até então, e à qual mostrava não dar grande apreço.

— Que bomba! — disse ele consigo, na ocasião em que Tito rasgou a sobrecarta.

Eis o que dizia a carta:

> Dei-lhe o meu coração. Não quis aceitá-lo, desprezou-o mesmo. A sua bota magoou-o demais para que ele possa palpitar ainda. Está morto. Não o censuro; não se deve falar de luz aos cegos; a culpada fui eu. Supus que pudesse dar-lhe uma felicidade, recebendo outra. Enganei-me.

Tem a glória de retirar-se com todas as honras da guerra. Eu é que fico vencida. Paciência! Pode zombar de mim; não lhe contesto o direito que tem para isso.

Entretanto, devo dizer-lhe que eu bem o conhecia; nunca lho disse, mas conheci-o; desde o dia em que o vi pela primeira vez em casa de Adelaide, reconheci na sua pessoa o mesmo homem que um dia veio atirar-se aos meus pés... Era zombaria então, como hoje. Eu já devia conhecê-lo. Caro pago o meu engano. Adeus, adeus para sempre.

Lendo esta carta, Tito olhava repetidas vezes para Diogo. Como é que o velho se prestara àquilo? Era autêntica ou apócrifa a tal carta? Sobre não trazer assinatura, tinha a letra disfarçada. Seria uma arma de que o velho usara para descartar-se do rapaz? Mas, se fosse assim, era preciso que ele soubesse do que se passara na véspera.

Tito releu a carta muitas vezes; e, despedindo-se do velho, disse-lhe que a resposta iria depois.

Diogo retirou-se esfregando as mãos de contente.

É que a carta cuja leitura os leitores fizeram ao mesmo tempo que o nosso herói, não era a que Emília lera a Diogo. Na minuta apresentada ao velho a viúva declarava simplesmente que se retirava para a corte, e acrescentava que entre as recordações que levava de Petrópolis figurava Tito, pela figura que ela havia representado diante dele. Mas essa minuta, por uma destreza puramente feminina, não foi a que Emília mandou a Tito, como viram os leitores.

À carta de Emília respondeu Tito nos seguintes termos:

Minha senhora,

Li e reli a sua carta; e não lhe ocultarei o sentimento de pesar que ela me inspirou. Realmente, minha senhora, é esse o estado do seu coração? Está assim tão perdido por mim?

Diz vossa excelência que eu com a minha bota machuquei o seu coração. Penaliza-me o fato, sem que eu entretanto o confirme. Não me lembra até hoje que tivesse feito estrago algum desta natureza. Mas, enfim, vossa excelência o diz, e eu devo crê-lo.

Lendo esta carta vossa excelência dirá consigo que eu sou o mais audaz cavalheiro que ainda pisou a terra de Santa Cruz. Será um engano de observação. Isto em mim não é audácia, é franqueza. Lastimo que as coisas chegassem a este ponto, mas não posso dizer-lhe nada mais que a verdade.

Devo confessar que não sei se a carta a que respondo é de vossa excelência. A sua letra, de que eu já vi uma amostra no álbum de dona Adelaide, não se parece com a da carta; está evidentemente disfarçada; é de qualquer mão. Demais, não traz assinatura.

Digo isto porque a primeira dúvida que nasceu em meu espírito proveio do portador escolhido. Pois quê? Vossa excelência não achou outro senão o próprio Diogo? Confesso que de tudo o que tenho visto em minha vida, é isto o que mais me faz rir.

Mas eu não devo rir, minha senhora. Vossa excelência abriu-me o seu coração de um modo que inspira antes compaixão. Esta compaixão não lhe é desairosa, porque não vem por sentido irônico. É pura e sincera. Sinto não poder dar-lhe essa felicidade que me pede; mas é assim.

Não devo estender-me, e contudo custa-me arrancar a pena de cima do papel. É que poucos terão a posição que eu ocupo agora, a posição de requestado. Mas devo acabar e acabo aqui, mandando-lhe os meus pêsames e rogando a Deus para que encontre um coração menos frio que o meu.

A letra vai disfarçada como a sua, e, como na sua carta, deixo a assinatura em branco.

Esta carta foi entregue à viúva na mesma tarde. À noite, Azevedo e Adelaide foram visitá-la. Não puderam dissuadi-la da ideia da viagem para a corte. Emília usou mesmo de uma certa reserva para com Adelaide, que não pôde descobrir os motivos de semelhante procedimento, e retirou-se um tanto triste.

No dia seguinte, com efeito, Emília e a tia aprontaram-se e saíram para voltar para a corte.

Diogo ficou em Petrópolis ainda, cuidando em aprontar as malas... Não queria, dizia ele, que o público, vendo-o partir em companhia das duas senhoras, supusesse coisas desairosas à viúva.

Todos estes passos admiravam Adelaide, que, como disse, via na insistência de Emília e nos seus modos reservados um segredo que não compreendia. Quereria ela por aquele meio de viagem atrair Tito? Nesse caso era cálculo errado; visto que o rapaz, naquele dia como nos outros, acordou tarde e almoçou alegremente.

— Sabe — disse Adelaide —, que a esta hora deve ter partido para a cidade a nossa amiga Emília?

— Já tinha ouvido dizer.

— Por que será?

— Ah! isso é que eu não sei. Altos segredos do espírito de mulher! Por que sopra hoje a brisa deste lado e não daquele? Interessa-me tanto saber uma coisa como outra.

No fim do almoço Tito, como quase sempre, retirou-se para ler durante duas horas.

Adelaide ia dar algumas ordens quando viu com pasmo entrar-lhe em casa a viúva, acompanhada de um criado.

— Ah! não partiste! — disse Adelaide correndo a abraçá-la.

— Não me vês aqui?

O criado saiu a um sinal de Emília.

— Mas que há? — perguntou a mulher de Azevedo, vendo os modos estranhos da viúva.

— Que há? — disse esta. — Há o que não prevíamos... És quase minha irmã... posso falar francamente. Ninguém nos ouve?

— Ernesto está fora e o Tito lá em cima. Mas que ar é esse?

— Adelaide! — disse Emília com os olhos rasos de lágrimas. — Eu o amo!

— Que me dizes?

— Isto mesmo. Amo-o doidamente, perdidamente, completamente. Procurei até agora vencer esta paixão, mas não pude; e quando, por vãos preconceitos, tratava de ocultar-lhe o estado do meu coração, não pude, as palavras saíram-me dos lábios insensivelmente...

— Mas como se deu isto?

— Eu sei! Parece que foi castigo; quis fazer fogo e queimei-me nas mesmas chamas. Ah! não é de hoje que me sinto assim. Desde que os seus desdéns em nada cederam, comecei a sentir não sei o quê; ao princípio despeito, depois um desejo de triunfar, depois uma ambição de ceder tudo, contanto que tudo ganhasse; afinal não fui senhora de mim. Era eu quem me sentia doidamente apaixonada e lho manifestava por gestos, por palavras, por tudo; e mais crescia nele a indiferença, mais crescia o amor em mim.

— Mas estás falando sério?

— Olha antes para mim.
— Quem pensara?...
— A mim própria parece impossível; porém é mais que verdade...
— E ele?...
— Ele disse-me quatro palavras indiferentes, nem sei o que foi, e retirou-se.
— Resistirá?
— Não sei.
— Se eu adivinhara isto não te insinuaria naquela malfadada ideia.
— Não me compreendeste. Cuidas que eu deploro o que acontece? Oh! não! sinto-me feliz, sinto-me orgulhosa... É um destes amores que brotam por si para encher a alma de satisfação: devo antes abençoar-te...
— É uma verdadeira paixão... Mas acreditas impossível a conversão dele?
— Não sei; mas seja ou não impossível, não é a conversão que eu peço; basta-me que seja menos indiferente e mais compassivo.
— Mas que pretendes fazer? — perguntou Adelaide sentindo que as lágrimas também lhe rebentavam dos olhos.
Houve alguns instantes de silêncio.
— Mas o que tu não sabes — continuou Emília —, é que ele não é para mim um simples estranho. Já o conhecia antes de casada. Foi ele quem me pediu em casamento antes de Rafael...
— Ah!
— Sabias?
— Ele já me havia contado a história, mas não nomeara a santa. Eras tu?
— Era eu. Ambos nos conhecíamos, sem dizermos nada um ao outro...
— Por quê?
A resposta a esta pergunta foi dada pelo próprio Tito, que assomara à porta do interior. Tendo visto entrar a viúva de uma das janelas, Tito desceu abaixo a ouvir a conversa dela com Adelaide. A estranheza que lhe causava a volta inesperada de Emília podia desculpar a indiscrição do rapaz.
— Por quê? — repetiu ele. — É o que lhes vou dizer.
— Mas antes de tudo — disse Adelaide —, não sei se sabe que uma indiferença, tão completa como a sua, pode ser fatal a quem lhe é menos indiferente?
— Refere-se à sua amiga? — perguntou Tito. — Eu corto tudo com uma palavra.
E voltando-se para Emília, disse, estendendo-lhe a mão:
— Aceita a minha mão de esposo?
Um grito de alegria suprema ia saindo do peito de Emília; mas não sei se um resto de orgulho, ou qualquer outro sentimento, converteu essa manifestação em uma simples palavra, que aliás foi pronunciada com lágrimas na voz:
— Sim! — disse ela.
Tito beijou amorosamente a mão da viúva. Depois acrescentou:
— Mas é preciso medir toda a minha generosidade; eu devia dizer: aceito a sua mão. Devia ou não devia? Sou um tanto original e gosto de fazer inversão em tudo.
— Pois sim; mas de um ou outro modo sou feliz. Contudo um remorso me surge na consciência. Dou-lhe uma felicidade tão completa como a que recebo?

— Remorso? Se é sujeita aos remorsos deve ter um, mas por motivo diverso. A senhora está passando neste momento pelas forcas caudinas. Fi-la sofrer, não? Ouvindo o que vou dizer concordará que eu já antes sofria, e muito mais.

— Temos romance? — perguntou Adelaide a Tito.

— Realidade, minha senhora — respondeu Tito —, e realidade em prosa. Um dia, há já alguns anos, tive eu a felicidade de ver uma senhora, e amei-a. O amor foi tanto mais indomável quanto que me nasceu de súbito. Era então mais ardente que hoje, não conhecia muito os usos do mundo. Resolvi declarar-lhe a minha paixão e pedi-la em casamento. Tive em resposta este bilhete...

— Já sei — disse Emília. — Essa senhora fui eu. Estou humilhada; perdão!

— Meu amor a perdoa; nunca deixei de amá-la. Eu estava certo de encontrá-la um dia e procedi de modo a fazer-me o desejado.

— Escreva isto e dirão que é um romance — disse alegremente Adelaide.

— A vida não é outra coisa... — acrescentou Tito.

Daí a meia hora entrava Azevedo. Admirado da presença de Emília quando a supunha rodar no trem de ferro, e mais admirado ainda das maneiras cordiais por que se tratavam Tito e Emília, o marido de Adelaide inquiriu a causa disso.

— A causa é simples — respondeu Adelaide —; Emília voltou porque vai casar-se com Tito.

Azevedo não se deu por satisfeito; explicaram-lhe tudo.

— Percebo — disse ele —; Tito, não tendo alcançado nada caminhando em linha reta, procurou ver se alcançava caminho por linha curva. Às vezes é o caminho mais curto.

— Como agora — acrescentou Tito.

Emília jantou em casa de Adelaide. À tarde apareceu ali o velho Diogo, que ia despedir-se porque devia partir para a corte no dia seguinte de manhã. Grande foi a sua admiração quando viu a viúva.

— Voltou?

— É verdade — respondeu Emília rindo.

— Pois eu ia partir, mas já não parto. Ah! recebi uma carta da Europa: foi o capitão da galera Macedônia quem a trouxe! Chegou o urso!

— Pois vá fazer-lhe companhia — respondeu Tito.

Diogo fez uma careta. Depois, como desejasse saber o motivo da súbita volta da viúva, esta explicou-lhe que se ia casar com Tito. Diogo não acreditou.

— É ainda um laço, não? — disse ele piscando os olhos.

E não só não acreditou então, como não acreditou daí em diante, apesar de tudo. Daí a alguns dias partiram todos para a corte. Diogo ainda se não convencia de nada. Mas, quando entrando um dia em casa de Emília viu a festa do noivado, o pobre velho não pôde negar a realidade e sofreu um forte abalo. Todavia, teve ainda coração para assistir às festas do noivado. Azevedo e a mulher serviram de testemunhas.

"É preciso confessar — escrevia dois meses depois o feliz noivo ao esposo de Adelaide — é preciso confessar que eu entrei num jogo arriscado. Podia perder; felizmente ganhei."

Jornal das Famílias, *outubro-dezembro de 1865 e janeiro de 1866*; Job.

Frei Simão

I

Frei Simão era um frade da ordem dos beneditinos. Tinha, quando morreu, cinquenta anos em aparência, mas na realidade trinta e oito. A causa desta velhice prematura derivava da que o levou ao claustro na idade de trinta anos, e, tanto quanto se pode saber por uns fragmentos de *Memórias* que ele deixou, a causa era justa.

Era frei Simão de caráter taciturno e desconfiado. Passava dias inteiros na sua cela, donde apenas saía na hora do refeitório e dos ofícios divinos. Não contava amizade alguma no convento, porque não era possível entreter com ele as preliminares que fundam e consolidam as afeições.

Em um convento, onde a comunhão das almas deve ser mais pronta e mais profunda, frei Simão parecia fugir à regra geral. Um dos noviços pôs-lhe alcunha de *urso*, que lhe ficou, mas só entre os noviços, bem entendido. Os frades professos, esses, apesar do desgosto que o gênio solitário de frei Simão lhes inspirava, sentiam por ele certo respeito e veneração.

Um dia anuncia-se que frei Simão adoecera gravemente. Chamaram-se os socorros e prestaram ao enfermo todos os cuidados necessários. A moléstia era mortal; depois de cinco dias frei Simão expirou.

Durante estes cinco dias de moléstia, a cela de frei Simão esteve cheia de frades. Frei Simão não disse uma palavra durante esses cinco dias; só no último, quando se aproximava o minuto fatal, sentou-se no leito, fez chamar para mais perto o abade, e disse-lhe ao ouvido com voz sufocada e em tom estranho:

— Morro odiando a humanidade!

O abade recuou até a parede ao ouvir estas palavras, e no tom em que foram ditas. Quanto a frei Simão, caiu sobre o travesseiro e passou à eternidade.

Depois de feitas ao irmão finado as honras que se lhe deviam, a comunidade perguntou ao seu chefe que palavras ouvira tão sinistras que o assustaram. O abade referiu-as, persignando-se. Mas os frades não viram nessas palavras senão um segredo do passado, sem dúvida importante, mas não tal que pudesse lançar o terror no espírito do abade. Este explicou-lhes a ideia que tivera quando ouviu as palavras de frei Simão, no tom em que foram ditas, e acompanhadas do olhar com que o fulminou: acreditara que frei Simão estivesse doido; mais ainda, que tivesse entrado já doido para a ordem. Os hábitos da solidão e taciturnidade a que se votara o frade pareciam sintomas de uma alienação mental de caráter brando e pacífico; mas durante oito anos parecia impossível aos frades que frei Simão não tivesse um dia revelado de modo positivo a sua loucura; objetaram isso ao abade; mas este persistia na sua crença.

Entretanto procedeu-se ao inventário dos objetos que pertenciam ao finado, e entre eles achou-se um rolo de papéis convenientemente enlaçados com este rótulo: *Memórias que há de escrever frei Simão de Santa Águeda, frade beneditino*.

Este rolo de papéis foi um grande achado para a comunidade curiosa. Iam finalmente penetrar alguma coisa no véu misterioso que envolvia o passado de frei Simão, e talvez confirmar as suspeitas do abade. O rolo foi aberto e lido para todos.

Eram, pela maior parte, fragmentos incompletos, apontamentos truncados e notas insuficientes; mas de tudo junto pôde-se colher que realmente frei Simão estivera louco durante certo tempo.

O autor desta narrativa despreza aquela parte das *Memórias* que não tiver absolutamente importância; mas procura aproveitar a que for menos inútil ou menos obscura.

II

As notas de frei Simão nada dizem do lugar do seu nascimento nem do nome de seus pais. O que se pôde saber dos seus princípios é que, tendo concluído os estudos preparatórios, não pôde seguir a carreira das letras, como desejava, e foi obrigado a entrar como guarda-livros na casa comercial de seu pai.

Morava então em casa de seu pai uma prima de Simão, órfã de pai e mãe, que haviam por morte deixado ao pai de Simão o cuidado de a educarem e manterem. Parece que os cabedais deste deram para isto. Quanto ao pai da prima órfã, tendo sido rico, perdera tudo ao jogo e nos azares do comércio, ficando reduzido à última miséria.

A órfã chamava-se Helena; era bela, meiga e extremamente boa. Simão, que se educara com ela, e juntamente vivia debaixo do mesmo teto, não pôde resistir às elevadas qualidades e à beleza de sua prima. Amaram-se. Em seus sonhos de futuro contavam ambos o casamento, coisa que parece mais natural do mundo para corações amantes.

Não tardou muito que os pais de Simão descobrissem o amor dos dois. Ora é preciso dizer, apesar de não haver declaração formal disto nos apontamentos do frade, é preciso dizer que os referidos pais eram de um egoísmo descomunal. Davam de boa vontade o pão da subsistência a Helena; mas lá casar o filho com a pobre órfã é que não podiam consentir. Tinham posto a mira em uma herdeira rica, e dispunham de si para si que o rapaz se casaria com ela.

Uma tarde, como estivesse o rapaz a adiantar a escrituração do livro mestre, entrou no escritório o pai com ar grave e risonho ao mesmo tempo, e disse ao filho que largasse o trabalho e o ouvisse. O rapaz obedeceu. O pai falou assim:

— Vais partir para a província de ***. Preciso mandar umas cartas ao meu correspondente Amaral, e como sejam elas de grande importância, não quero confiá-las ao nosso desleixado correio. Queres ir no vapor ou preferes o nosso brigue?

Esta pergunta era feita com grande tino.

Obrigado a responder-lhe, o velho comerciante não dera lugar a que seu filho apresentasse objeções.

O rapaz enfiou, abaixou os olhos e respondeu:

— Vou onde meu pai quiser.

O pai agradeceu mentalmente a submissão do filho, que lhe poupava o dinheiro da passagem no vapor, e foi muito contente dar parte à mulher de que o rapaz não fizera objeção alguma.

Nessa noite os dois amantes tiveram ocasião de encontrar-se sós na sala de jantar.

Simão contou a Helena o que se passara. Choraram ambos algumas lágrimas furtivas, e ficaram na esperança de que a viagem fosse de um mês, quando muito.

À mesa do chá, o pai de Simão conversou sobre a viagem do rapaz, que devia ser de poucos dias. Isto reanimou as esperanças dos dois amantes. O resto da noite passou-se em conselhos da parte do velho ao filho sobre a maneira de portar-se na casa do correspondente. Às dez horas, como de costume, todos se recolheram aos aposentos.

Os dias passaram-se depressa. Finalmente raiou aquele em que devia partir o brigue. Helena saiu de seu quarto com os olhos vermelhos de chorar. Interrogada bruscamente pela tia, disse que era uma inflamação adquirida pelo muito que lera na noite anterior. A tia prescreveu-lhe abstenção da leitura e banhos de água de malvas.

Quanto ao tio, tendo chamado Simão, entregou-lhe uma carta para o correspondente, e abraçou-o. A mala e um criado estavam prontos. A despedida foi triste. Os dois pais sempre choraram alguma coisa, a rapariga muito.

Quanto a Simão, levava os olhos secos e ardentes. Era refratário às lágrimas; por isso mesmo padecia mais.

O brigue partiu. Simão, enquanto pôde ver terra, não se retirou de cima; quando finalmente se fecharam de todo *as paredes do cárcere que anda*, na frase pitoresca de Ribeyrolles, Simão desceu ao seu camarote, triste e com o coração apertado. Havia como um pressentimento que lhe dizia interiormente ser impossível tornar a ver sua prima. Parecia que ia para um degredo.

Chegando ao lugar do seu destino, procurou Simão o correspondente de seu pai e entregou-lhe a carta. O sr. Amaral leu a carta, fitou o rapaz e, depois de algum silêncio, disse-lhe, volvendo a carta:

— Bem, agora é preciso esperar que eu cumpra esta ordem de seu pai. Entretanto venha morar para a minha casa.

— Quando poderei voltar? — perguntou Simão.

— Em poucos dias, salvo se as coisas se complicarem.

Este *salvo*, posto na boca de Amaral como incidente, era a oração principal. A carta do pai de Simão versava assim:

> Meu caro Amaral,
> Motivos ponderosos me obrigam a mandar meu filho desta cidade. Retenha-o por lá como puder. O pretexto da viagem é ter eu necessidade de ultimar alguns negócios com você, o que dirá ao pequeno, fazendo-lhe sempre crer que a demora é pouca ou nenhuma. Você, que teve na sua adolescência a triste ideia de engendrar romances, vá inventando circunstâncias e ocorrências imprevistas, de modo que o rapaz não me torne cá antes de segunda ordem. Sou, como sempre etc.

III

Passaram-se dias e dias, e nada de chegar o momento de voltar à casa paterna. O ex-romancista era na verdade fértil, e não se cansava de inventar pretextos que deixavam convencido o rapaz.

Entretanto, como o espírito dos amantes não é menos engenhoso que o dos romancistas, Simão e Helena acharam meio de se escreverem, e deste modo podiam consolar-se da ausência, com presença das letras e do papel. Bem diz Heloísa que a arte de escrever foi inventada por alguma amante separada do seu amante. Nestas cartas juravam-se os dois sua eterna fidelidade.

No fim de dois meses de espera baldada e de ativa correspondência, a tia de Helena surpreendeu uma carta de Simão. Era a vigésima, creio eu. Houve grande temporal em casa. O tio, que estava no escritório, saiu precipitadamente e tomou conhecimento do negócio. O resultado foi proscrever de casa tinta, penas e papel, e instituir vigilância rigorosa sobre a infeliz rapariga.

Começaram pois a escassear as cartas ao pobre deportado. Inquiriu a causa disto em cartas choradas e compridas; mas como o rigor fiscal da casa de seu pai adquiria proporções descomunais, acontecia que todas as cartas de Simão iam parar às mãos do velho, que, depois de apreciar o estilo amoroso de seu filho, fazia queimar as ardentes epístolas.

Passaram-se dias e meses. Carta de Helena, nenhuma. O correspondente ia esgotando a veia inventadora, e já não sabia como reter finalmente o rapaz.

Chega uma carta a Simão. Era letra do pai. Só diferençava das outras que recebia do velho em ser esta mais longa, muito mais longa. O rapaz abriu a carta, e leu trêmulo e pálido. Contava nesta carta o honrado comerciante que a Helena, a boa rapariga que ele destinava a ser sua filha casando-se com Simão, a boa Helena tinha morrido. O velho copiara algum dos últimos necrológios que vira nos jornais, e ajuntara algumas consolações de casa. A última consolação foi dizer-lhe que embarcasse e fosse ter com ele.

O período final da carta dizia:

> Assim como assim, não se realizam os meus negócios; não te pude casar com Helena, visto que Deus a levou. Mas volta, filho, vem; poderás consolar-te casando com outra, a filha do conselheiro ***. Está moça feita e é um bom partido. Não te desalentes; lembra-te de mim.

O pai de Simão não conhecia bem o amor do filho, nem era grande águia para avaliá-lo, ainda que o conhecesse. Dores tais não se consolam com uma carta nem com um casamento. Era melhor mandá-lo chamar, e depois preparar-lhe a notícia; mas dada assim friamente em uma carta, era expor o rapaz a uma morte certa.

Ficou Simão vivo em corpo e morto moralmente, tão morto que por sua própria ideia foi dali procurar uma sepultura. Era melhor dar aqui alguns dos papéis escritos por Simão relativamente ao que sofreu depois da carta; mas há muitas falhas, e eu não quero corrigir a exposição ingênua e sincera do frade.

A sepultura que Simão escolheu foi um convento. Respondeu ao pai que agradecia a filha do conselheiro, mas que daquele dia em diante pertencia ao serviço de Deus.

O pai ficou maravilhado. Nunca suspeitou que o filho pudesse vir a ter semelhante resolução. Escreveu às pressas para ver se o desviava da ideia; mas não pôde conseguir.

Quanto ao correspondente, para quem tudo se embrulhava cada vez mais, deixou o rapaz seguir para o claustro, disposto a não figurar em um negócio do qual nada realmente sabia.

IV
Frei Simão de Santa Águeda foi obrigado a ir à província natal em missão religiosa, tempos depois dos fatos que acabo de narrar. Preparou-se e embarcou.

A missão não era na capital, mas no interior. Entrando na capital, pareceu-lhe dever ir visitar seus pais. Estavam mudados física e moralmente. Era com certeza a dor e o remorso de terem precipitado seu filho à resolução que tomou. Tinham vendido a casa comercial e viviam de suas rendas.

Receberam o filho com alvoroço e verdadeiro amor. Depois das lágrimas e das consolações, vieram ao fim da viagem de Simão.

— A que vens tu, meu filho?

— Venho cumprir uma missão do sacerdócio que abracei. Venho pregar, para que o rebanho do Senhor não se arrede nunca do bom caminho.

— Aqui na capital?

— Não, no interior. Começo pela vila de ***.

Os dois velhos estremeceram; mas Simão nada viu. No dia seguinte partiu Simão não sem algumas instâncias de seus pais para que ficasse. Notaram eles que seu filho nem de leve tocara em Helena. Também eles não quiseram magoá-lo falando em tal assunto.

Daí a dias, na vila de que falara frei Simão, era um alvoroço para ouvir as prédicas do missionário.

A velha igreja do lugar estava atopetada de povo.

À hora anunciada, frei Simão subiu ao púlpito e começou o discurso religioso. Metade do povo saiu aborrecido no meio do sermão. A razão era simples. Avezado à pintura viva dos caldeirões de Pedro Botelho e outros pedacinhos de ouro da maioria dos pregadores, o povo não podia ouvir com prazer a linguagem simples, branda, persuasiva, a que serviam de modelo as conferências do fundador da nossa religião.

O pregador estava a terminar, quando entrou apressadamente na igreja um par, marido e mulher: ele, honrado lavrador, meio remediado com o sítio que possuía e a boa vontade de trabalhar; ela, senhora estimada por suas virtudes, mas de uma melancolia invencível.

Depois de tomarem água benta, colocaram-se ambos em lugar donde pudessem ver facilmente o pregador.

Ouviu-se então um grito, e todos correram para a recém-chegada, que acabava de desmaiar. Frei Simão teve de parar o seu discurso, enquanto se punha termo ao incidente. Mas, por uma aberta que a turba deixava, pôde ele ver o rosto da desmaiada.

Era Helena.

No manuscrito do frade há uma série de reticências dispostas em oito linhas. Ele próprio não sabe o que se passou. Mas o que se passou foi que, mal conhecera Helena, continuou o frade o discurso. Era então outra coisa: era um discurso sem nexo, sem assunto, um verdadeiro delírio. A consternação foi geral.

V
O delírio de frei Simão durou alguns dias. Graças aos cuidados, pôde melhorar, e pareceu a todos que estava bom, menos ao médico, que queria continuar a cura. Mas o frade disse positivamente que se retirava ao convento, e não houve forças humanas

que o detivessem.

O leitor compreende naturalmente que o casamento de Helena fora obrigado pelos tios.

A pobre senhora não resistiu à comoção. Dois meses depois morreu, deixando inconsolável o marido, que a amava com veras.

Frei Simão, recolhido ao convento, tornou-se mais solitário e taciturno. Restava-lhe ainda um pouco da alienação.

Já conhecemos o acontecimento de sua morte e a impressão que ela causara ao abade.

A cela de frei Simão de Santa Águeda esteve muito tempo religiosamente fechada. Só se abriu, algum tempo depois, para dar entrada a um velho secular, que por esmola alcançou do abade acabar os seus dias na convivência dos médicos da alma. Era o pai de Simão. A mãe tinha morrido.

Foi crença, nos últimos anos de vida deste velho, que ele não estava menos doido que frei Simão de Santa Águeda.

Jornal das Famílias, *junho de 1864*; M. A.

Histórias da

Histórias da meia-noite foi publicado
pela primeira vez em 1873, por B. L. Garnier,
Livreiro-Editor, no Rio de Janeiro.

A parasita azul

As bodas de Luís Duarte

Ernesto de Tal

meia-noite

Aurora sem dia

O relógio de ouro

Ponto de vista (Quem desdenha)

Advertência

Vão aqui reunidas algumas narrativas, escritas ao correr da pena, sem outra pretensão que não seja a de ocupar alguma sobra do precioso tempo do leitor. Não digo com isto que o gênero seja menos digno da atenção dele, nem que deixe de exigir predicados de observação e de estilo. O que digo é que estas páginas, reunidas por um editor benévolo, são as mais desambiciosas do mundo.

Aproveito a ocasião que se me oferece para agradecer à crítica e ao público a generosidade com que receberam o meu primeiro romance, há tempos dado à luz. Trabalhos de gênero diverso me impediram até agora de concluir outro, que aparecerá a seu tempo.

M. A.
10 de novembro de 1873

A parasita azul

I
VOLTA AO BRASIL

Há cerca de dezesseis anos, desembarcava no Rio de Janeiro, vindo da Europa, o sr. Camilo Seabra, goiano de nascimento, que ali fora estudar medicina e voltava agora com o diploma na algibeira e umas saudades no coração. Voltava depois de uma ausência de oito anos, tendo visto e admirado as principais coisas que um homem pode ver e admirar por lá, quando não lhe falta gosto nem meios. Ambas as coisas possuía, e se tivesse também, não digo muito, mas um pouco mais de juízo, houvera gozado melhor do que gozou, e com justiça poderia dizer que vivera.

Não abonava muito os seus sentimentos patrióticos o rosto com que entrou a barra da capital brasileira. Trazia-o fechado e merencório, como quem abafa em si alguma coisa que não é exatamente a bem-aventurança terrestre. Arrastou um olhar aborrecido pela cidade, que se ia desenrolando à proporção que o navio se dirigia ao ancoradouro. Quando veio a hora de desembarcar, fê-lo com a mesma alegria com que o réu transpõe os umbrais do cárcere. O escaler afastou-se do navio em cujo mastro flutuava uma bandeira tricolor. Camilo murmurou consigo:

— Adeus, França!

Depois envolveu-se num magnífico silêncio e deixou-se levar para terra.

O espetáculo da cidade, que ele não via há tanto tempo, sempre lhe prendeu um pouco a atenção. Não tinha porém dentro da alma alvoroço de Ulisses ao ver a terra da sua pátria. Era antes pasmo e tédio. Comparava o que via agora com o que vira durante longos anos, e sentia a mais e mais apertar-lhe o coração a dolorosa saudade que o minava. Encaminhou-se para o primeiro hotel que lhe pareceu conveniente, e ali determinou passar alguns dias, antes de seguir para Goiás. Jantou solitário e triste com a mente cheia de mil recordações do mundo que acabava de deixar, e para dar ainda maior desafogo à memória, apenas acabado o jantar, estendeu-se num canapé, e começou a desfiar consigo mesmo um rosário de cruéis desventuras.

Na opinião dele, nunca houvera mortal que mais dolorosamente experimentasse a hostilidade do destino. Nem no martirológio cristão, nem nos trágicos gregos, nem no livro de Jó havia sequer um pálido esboço dos seus infortúnios. Vejamos alguns traços patéticos da existência do nosso herói.

Nascera rico, filho de um proprietário de Goiás, que nunca vira outra terra além da sua província natal. Em 1828 estivera ali um naturalista francês, com quem o comendador Seabra travou relações, e de quem se fez tão amigo, que não quis outro padrinho para o seu único filho, que então contava um ano de idade. O naturalista, muito antes de o ser, cometera umas venialidades poéticas que mereceram alguns elogios em 1810, mas que o tempo — velho trapeiro da eternidade — levou consigo para o infinito depósito das coisas inúteis. Tudo lhe perdoara o ex-poeta, menos o esquecimento de um poema em que ele metrificara a vida de Fúrio Camilo, poema que ainda então lia com sincero entusiasmo. Como lembrança desta obra da juventude, chamou ele ao afilhado Camilo, e com esse nome o batizou o padre Maciel, a grande aprazimento da família e seus amigos.

— Compadre — disse o comendador ao naturalista —, se este pequeno vingar, hei de mandá-lo para sua terra, a aprender medicina ou qualquer outra coisa em que se faça homem. No caso de lhe achar jeito para andar com plantas e minerais, como o senhor, não se acanhe; dê-lhe o destino que lhe parecer como se fora seu pai, que o é, espiritualmente falando.

— Quem sabe se eu viverei nesse tempo? — disse o naturalista.

— Oh! há de viver! — protestou Seabra. — Esse corpo não engana; a sua têmpera é de ferro. Não o vejo eu andar todos os dias por esses matos e campos, indiferente a sóis e a chuvas, sem nunca ter a mais leve dor de cabeça? Com metade dos seus trabalhos já eu estava defunto. Há de viver e cuidar do meu rapaz, apenas ele tiver concluído cá os seus primeiros estudos.

A promessa de Seabra foi pontualmente cumprida. Camilo seguiu para Paris logo depois de alguns preparatórios, e ali o padrinho cuidou dele como se realmente fora seu pai. O comendador não poupava dinheiro para que nada faltasse ao filho; a mesada que lhe mandava podia bem servir para duas ou três pessoas em iguais circunstâncias. Além da mesada, recebia ele por ocasião da Páscoa e do Natal amêndoas e festas que a mãe lhe mandava, e que lhe chegavam às mãos debaixo da forma de alguns excelentes mil francos.

Até aqui o único ponto negro na existência de Camilo era o padrinho, que o trazia peado, com receio de que o rapaz viesse a perder-se nos precipícios da grande cidade. Quis, porém, a sua boa estrela que o ex-poeta de 1810 fosse repousar no nada ao lado das suas produções extintas, deixando na ciência alguns vestígios da sua passagem por ela. Camilo apressou-se a escrever ao pai uma carta cheia de reflexões filosóficas. O período final dizia assim:

> Em suma, meu pai, se lhe parece que eu tenho o necessário juízo para concluir aqui os meus estudos, e se tem confiança na boa inspiração que me há de dar a alma daquele

que lá se foi deste vale de lágrimas para gozar a infinita bem-aventurança, deixe-me cá ficar até que eu possa regressar ao meu país como um cidadão esclarecido e apto para o servir, como é do meu dever. Caso a sua vontade seja contrária a isto que lhe peço, diga-o com franqueza, meu pai, porque então não me demorarei um instante mais nesta terra, que já foi meia pátria para mim, e que hoje (*hélas!*) é apenas uma terra de exílio.

O bom velho não era homem que pudesse ver por entre as linhas desta lacrimosa epístola o verdadeiro sentimento que a ditara. Chorou de alegria ao ler as palavras do filho, mostrou a carta a todos os seus amigos, e apressou-se a responder ao rapaz que podia ficar em Paris todo o tempo necessário para completar os seus estudos, e que, além da mesada que lhe dava, nunca recusaria tudo quanto lhe fosse indispensável em circunstâncias imprevistas. Além disto, aprovava de coração os sentimentos que ele manifestava em relação à sua pátria e à memória do padrinho. Transmitia-lhe muitas recomendações do tio Jorge, do padre Maciel, do coronel Veiga, de todos os parentes e amigos, e concluía deitando-lhe a bênção.

A resposta paterna chegou às mãos de Camilo no meio de um almoço que ele dava no café de Madrid a dois ou três estroinas de primeira qualidade. Esperava aquilo mesmo, mas não resistiu ao desejo de beber à saúde do pai, ato em que foi acompanhado pelos elegantes milhafres seus amigos. Nesse mesmo dia planeou Camilo algumas circunstâncias imprevistas (para o comendador) e o próximo correio trouxe para o Brasil uma extensa carta em que ele agradecia as boas expressões do pai, dizia-lhe as suas saudades, confiava-lhe as suas esperanças, e pedia-lhe respeitosamente, em *post-scriptum*, a remessa de uma pequena quantia de dinheiro.

Graças a estas facilidades atirou-se o nosso Camilo a uma vida solta e dispendiosa, não tanto, porém, que lhe sacrificasse os estudos. A inteligência que possuía, e certo amor-próprio que não perdera, muito o ajudaram neste lance; concluído o curso, foi examinado, aprovado e doutorado.

A notícia do acontecimento foi transmitida ao pai com o pedido de uma licença para ir ver outras terras da Europa. Obteve a licença, e saiu de Paris para visitar a Itália, a Suíça, a Alemanha e a Inglaterra. No fim de alguns meses estava outra vez na grande capital, e aí reatou o fio da sua antiga existência, já livre então de cuidados estranhos e aborrecidos. A escala toda dos prazeres sensuais e frívolos foi percorrida por este esperançoso mancebo com uma sofreguidão que parecia antes suicídio. Seus amigos eram numerosos, solícitos e constantes; alguns não duvidavam dar-lhe a honra de o constituir seu credor. Entre as moças de Corinto era o seu nome verdadeiramente popular; não poucas o tinham amado até o delírio. Não havia pateada célebre em que a chave dos seus aposentos não figurasse, nem corrida, nem ceata, nem passeio, em que não ocupasse um dos primeiros lugares *cet aimable brésilien*.

Desejoso de o ver, escreveu-lhe o comendador pedindo que regressasse ao Brasil; mas o filho, parisiense até a medula dos ossos, não compreendia que um homem pudesse sair do cérebro da França para vir internar-se em Goiás. Respondeu com evasivas e deixou-se ficar. O velho fez vista grossa a esta primeira desobediência. Tempos depois insistiu em chamá-lo; novas evasivas da parte de Camilo. Irritou-se o pai e a terceira carta que lhe mandou foi já de amargas censuras. Camilo caiu em si e dispôs-se com grande mágoa a regressar à pátria, não sem esperanças de voltar a acabar os seus dias no bulevar dos Italianos ou à porta do café Helder.

Um incidente, porém, demorou ainda desta vez o regresso do jovem médico. Ele, que até ali vivera de amores fáceis e paixões de uma hora, veio a enamorar-se repentinamente de uma linda princesa russa. Não se assustem; a princesa russa de quem falo, afirmavam algumas pessoas que era filha da rua do Bac e trabalhara numa casa de modas até a revolução de 1848. No meio da revolução apaixonou-se por ela um major polaco, que a levou para Varsóvia, donde acabava de chegar transformada em princesa, com um nome acabado em *ine* ou em *off*, não sei bem. Vivia misteriosamente, zombando de todos os seus adoradores, exceto de Camilo, dizia ela, por quem sentia que era capaz de aposentar as suas roupas de viúva. Tão depressa, porém, soltava estas expressões irrefletidas, como logo protestava com os olhos no céu:

— Oh! não! nunca, meu caro Alexis, nunca desonrarei a tua memória unindo-me a outro.

Isto eram punhais que dilaceravam o coração de Camilo. O jovem médico jurava por todos os santos do calendário latino e grego que nunca amara a ninguém como à formosa princesa. A bárbara senhora parecia às vezes disposta a crer nos protestos de Camilo; outras vezes porém abanava a cabeça e pedia perdão à sombra do venerando príncipe Alexis. Neste meio tempo chegou uma carta decisiva do comendador. O velho goiano intimava pela última vez ao filho que voltasse, sob pena de lhe suspender todos os recursos e trancar-lhe a porta.

Não era possível tergiversar mais. Imaginou ainda uma grave moléstia; mas a ideia de que o pai podia não acreditar nela e suspender-lhe realmente os meios, aluiu de todo este projeto. Camilo nem ânimo teve de ir confessar a sua posição à bela princesa; receava além disso que ela, por um rasgo de generosidade, natural em quem ama, quisesse dividir com ele as suas terras de Novgorod. Aceitá-las seria humilhação, recusá-las poderia ser ofensa. Camilo preferiu sair de Paris deixando à princesa uma carta em que lhe contava singelamente os acontecimentos e prometia voltar algum dia.

Tais eram as calamidades com que o destino quisera abater o ânimo de Camilo. Todas elas repassou na memória o infeliz viajante, até que ouviu bater oito horas da noite. Saiu um pouco para tomar ar, e ainda mais se lhe acenderam as saudades de Paris. Tudo lhe parecia lúgubre, acanhado, mesquinho. Olhou com desdém olímpico para todas as lojas da rua do Ouvidor, que lhe pareceu apenas um beco muito comprido e muito iluminado. Achava os homens deselegantes, as senhoras desgraciosas. Lembrou-se, porém, que Santa Luzia, sua cidade natal, era ainda menos parisiense que o Rio de Janeiro, e então, abatido com esta importuna ideia correu para o hotel e deitou-se a dormir.

No dia seguinte, logo depois do almoço, foi à casa do correspondente de seu pai. Declarou-lhe que tencionava seguir dentro de quatro ou cinco dias para Goiás, e recebeu dele os necessários recursos, segundo as ordens já dadas pelo comendador. O correspondente acrescentou que estava incumbido de lhe facilitar tudo o que quisesse no caso de desejar passar algumas semanas na corte.

— Não — respondeu Camilo —; nada me prende à corte, e estou ansioso por me ver a caminho.

— Imagino as saudades que há de ter. Há quantos anos?

— Oito.

— Oito! Já é uma ausência longa.

Camilo ia-se dispondo a sair, quando viu entrar um sujeito alto, magro, com alguma barba embaixo do queixo e bigode, vestido com um paletó de brim pardo e trazendo na cabeça um chapéu-do-chile. O sujeito olhou para Camilo, estacou, recuou um passo, e depois de uma razoável hesitação, exclamou:

— Não me engano! é o senhor Camilo!

— Camilo Seabra, com efeito — respondeu o filho do comendador, lançando um olhar interrogativo ao dono da casa.

— Este senhor — disse o correspondente — é o senhor Soares, filho do negociante do mesmo nome, da cidade de Santa Luzia.

— Quê! é o Leandro que eu deixei apenas com um buço...

— Em carne e osso — interrompeu Soares —; é o mesmo Leandro que lhe aparece agora todo barbado, como o senhor, que também está com uns bigodes bonitos!

— Pois não o conhecia...

— Conheci-o eu apenas o vi, apesar de o achar muito mudado do que era. Está agora um moço apurado. Eu é que estou velho. Já cá estão vinte e seis... Não se ria: estou velho. Quando chegou?

— Ontem.

— E quando segue viagem para Goiás?

— Espero o primeiro vapor de Santos.

— Nem de propósito! Iremos juntos.

— Como está seu pai? Como vai toda aquela gente? O padre Maciel? O Veiga? Dê-me notícias de todos e de tudo.

— Temos tempo para conversar à vontade. Por agora só lhe digo que todos vão bem. O vigário é que esteve dois meses doente de uma febre maligna e ninguém pensava que arribasse; mas arribou. Deus nos livre que o homem adoeça, agora que estamos com o Espírito Santo à porta.

— Ainda se fazem aquelas festas?

— Pois então! O imperador este ano é o coronel Veiga; e diz que quer fazer as coisas com todo o brilho. Já prometeu que daria um baile. Mas nós temos tempo de conversar, ou aqui ou em caminho. Onde está morando?

Camilo indicou o hotel em que se achava, e despediu-se do comprovinciano, satisfeito de haver encontrado um companheiro que de algum modo lhe diminuísse os tédios de tão longa viagem. Soares chegou à porta e acompanhou com os olhos o filho do comendador até perdê-lo de vista.

— Veja o senhor o que é andar por essas terras estrangeiras — disse ele ao correspondente, que também chegava à porta. — Que mudança fez aquele rapaz, que era pouco mais ou menos como eu!

II
PARA GOIÁS

Daí a dias seguiam ambos para Santos, de lá para São Paulo e tomavam a estrada de Goiás.

Soares, à medida que ia reavendo a antiga intimidade com o filho do comendador, contava-lhe as memórias da sua vida, durante os oito anos de separação, e, à falta de coisa melhor, era isto o que entretinha o médico nas ocasiões e lugares em que a natureza lhe não oferecia algum espetáculo dos seus. Ao cabo de umas quantas léguas de marcha estava Camilo informado das rixas eleitorais de Soares, das suas aventuras na caça, das suas proezas amorosas, e de muitas coisas mais, umas graves, outras fúteis, que Soares narrava com igual entusiasmo e interesse.

Camilo não era espírito observador; mas a alma de Soares andava-lhe tão patente nas mãos, que era impossível deixar de a ver e examinar. Não lhe pareceu mau rapaz; notou-lhe, porém, certa fanfarronice em todo o gênero de coisas, na política, na caça, no jogo, e até nos amores. Neste último capítulo havia um parágrafo sério; era o que dizia respeito a uma moça, que ele amava loucamente, de tal modo que prometia aniquilar a quem quer que ousasse levantar olhos para ela.

— É o que lhe digo, Camilo — confessava o filho do comerciante —, se alguém tiver o atrevimento de pretender essa moça pode contar que há no mundo mais dois desgraçados, ele e eu. Não há de acontecer assim felizmente; lá todos me conhecem; sabem que não cochilo para executar o que prometo. Há poucos meses o major Valente perdeu a eleição só porque teve o atrevimento de dizer que ia arranjar a demissão do juiz municipal. Não arranjou a demissão, e por castigo tomou taboca; saiu na lista dos suplentes. Quem lhe deu o golpe fui eu. A coisa foi...

— Mas por que não se casa com essa moça? — perguntou Camilo desviando cautelosamente a narração da última vitória eleitoral de Soares.

— Não me caso porque... tem muita curiosidade de o saber?

— Curiosidade... de amigo e nada mais.

— Não me caso porque ela não quer.

Camilo estacou o cavalo.

— Não quer? — disse ele espantado. — Então por que motivo pretende impedir que ela...

— Isso é uma história muito comprida. A Isabel...

— Isabel?... — interrompeu Camilo. — Ora espere, será a filha do doutor Matos, que foi juiz de direito há dez anos?

— Essa mesma.

— Deve estar uma moça?

— Tem seus vinte anos bem contados.

— Lembra-me que era bonitinha aos doze.

— Oh! mudou muito... para melhor! Ninguém a vê que não fique logo com a cabeça voltada. Tem rejeitado já uns poucos de casamentos. O último noivo recusado fui eu. A causa por que me recusou foi ela mesma que me veio dizer.

— E que causa era?

— "Olhe, senhor Soares", disse-me ela. "O senhor merece bem que uma moça o aceite por marido; eu era capaz disso, mas não o faço porque nunca seríamos felizes."

— Que mais?

— Mais nada. Respondeu-me apenas isto que lhe acabo de contar.

— Nunca mais se falaram?

— Pelo contrário, falamo-nos muitas vezes. Não mudou comigo; trata-me como dantes. A não ser aquelas palavras que ela me disse, e que ainda me doem cá dentro, eu podia ter esperanças. Vejo, porém, que seriam inúteis; ela não gosta de mim.

— Quer que lhe diga uma coisa com franqueza?
— Diga.
— Parece-me um grande egoísta.
— Pode ser; mas sou assim. Tenho ciúmes de tudo, até do ar que ela respira. Eu, se a visse gostar de outro, e não pudesse impedir o casamento, mudava de terra. O que me vale é a convicção que tenho de que ela não há de gostar nunca de outro, e assim pensam todos os mais.

— Não admira que não saiba amar — reflexionou Camilo pondo os olhos no horizonte como se estivesse ali a imagem da formosa súdita do tzar. — Nem todas receberam do céu esse dom, que é o verdadeiro distintivo dos espíritos seletos. Algumas há porém, que sabem dar a vida e a alma a um ente querido, que lhe enchem o coração de profundos afetos, e deste modo fazem jus a uma perpétua adoração. São raras, bem sei as mulheres desta casta; mas existem...

Camilo terminou esta homenagem à dama dos seus pensamentos abrindo as asas a um suspiro que, se não chegou ao seu destino, não foi por culpa do autor. O companheiro não compreendeu a intenção do discurso, e insistiu em dizer que a formosa goiana estava longe de gostar de ninguém, e ele ainda mais longe de lho consentir.

O assunto agradava aos dois comprovincianos; falaram dele longamente até o aproximar da tarde. Pouco depois chegaram a um pouso, onde deviam pernoitar.

Tirada a carga dos animais, cuidaram os criados primeiramente do café, e depois do jantar. Nessas ocasiões ainda mais pungiam ao nosso herói as saudades de Paris. Que diferença entre os seus jantares dos *restaurants* dos *boulevards* e aquela refeição ligeira e tosca, num miserável pouso de estrada, sem os acepipes da cozinha francesa, sem a leitura do *Figaro* ou da *Gazette des Tribunaux*!

Camilo suspirava consigo mesmo; tornava-se então ainda menos comunicativo. Não se perdia nada porque o seu companheiro falava por dois.

Acabada a refeição, acendeu Camilo um charuto e Soares um cigarro de palha. Era já noite. A fogueira do jantar alumiava um pequeno espaço em roda; mas nem era preciso, porque a lua começava a surgir de trás de um morro; pálida e luminosa, brincando nas folhas do arvoredo e nas águas tranquilas do rio que serpeava ali ao pé.

Um dos tropeiros sacou a viola e começou a gargantear uma cantiga, que a qualquer outro encantaria pela rude singeleza dos versos e da toada, mas que ao filho do comendador apenas fez *lembrar* com tristeza as volatas da ópera. Lembrou-lhe mais; lembrou-lhe uma noite em que a bela moscovita, molemente sentada num camarote dos Italianos, deixava de ouvir as ternuras do tenor, para contemplá-lo de longe cheirando um raminho de violetas.

Soares atirou-se à rede e adormeceu.

O tropeiro cessou de cantar, e dentro de pouco tempo tudo era silêncio no pouso.

Camilo ficou sozinho diante da noite, que estava realmente formosa e solene. Não faltava ao jovem goiano a inteligência do belo; e a quase novidade daquele espetáculo, que uma longa ausência lhe fizera esquecer, não deixava de o impressionar imensamente.

De quando em quando chegavam aos seus ouvidos urros longínquos de alguma fera que vagueava na solidão. Outras vezes eram aves noturnas, que soltavam ao perto os seus pios tristonhos. Os grilos, e também as rãs e os sapos, formavam o coro daquela ópera do sertão, que o nosso herói admirava decerto, mas à qual preferia indubitavelmente a ópera cômica.

Assim esteve longo tempo, cerca de duas horas, deixando vagar o seu espírito ao sabor das saudades, e levantando e desfazendo mil castelos no ar. De repente foi chamado a si pela voz do Soares, que parecia vítima de um pesadelo. Afiou o ouvido e escutou estas palavras soltas e abafadas que o seu companheiro murmurava:

— Isabel... querida Isabel... Que é isso?... Ah! meu Deus! Acudam!

As últimas sílabas eram já mais aflitas que as primeiras. Camilo correu ao companheiro e fortemente o sacudiu. Soares acordou espantado, sentou-se, olhou em roda de si e murmurou:

— Que é?
— Um pesadelo.
— Sim, foi um pesadelo. Ainda bem! Que horas são?
— Ainda é noite.
— Já está levantado?
— Agora é que me vou deitar. Durmamos que é tempo.
— Amanhã lhe contarei o sonho.

No dia seguinte, efetivamente, logo depois das primeiras vinte braças de marcha, referiu Soares o terrível sonho da véspera.

— Estava eu ao pé de um rio — disse ele —, com a espingarda na mão, espiando as capivaras. Olho casualmente para a ribanceira que ficava muito acima, do lado oposto, e vejo uma moça montada num cavalo preto, vestida de preto, e com os cabelos, que também eram pretos, caídos sobre os ombros...

— Era tudo uma escuridão — interrompeu Camilo.

— Espere; admirei-me de ver ali, e por aquele modo, uma moça que me parecia franzina e delicada. Quem pensava o senhor que era?

— A Isabel.

— A Isabel. Corri pela margem adiante, trepei acima de uma pedra fronteira ao lugar onde ela estava, e perguntei-lhe o que fazia ali. Ela esteve algum tempo calada. Depois, apontando para o fundo do grotão, disse:

"— O meu chapéu caiu lá embaixo.
"— Ah!
"— O senhor ama-me? — disse ela passados alguns minutos.
"— Mais que a vida!
"— Fará o que eu lhe pedir?
"— Tudo.
"— Bem, vá buscar o meu chapéu."

Olhei para baixo. Era um imenso grotão em cujo fundo fervia e roncava uma água barrenta e grossa. O chapéu, em vez de ir com a corrente por ali abaixo até perder-se de todo, ficara espetado na ponta de uma rocha, e lá do fundo parecia convidar-me a descer. Mas era impossível. Olhei para todos os lados, a ver se achava algum recurso. Nenhum havia...

— Veja o que é imaginação escaldada! — observou Camilo.

— Já eu procurava algumas palavras com que dissuadisse Isabel da sua terrível ideia, quando senti pousar-me uma mão no ombro. Voltei-me; era um homem, era o senhor.

— Eu?
— É verdade. O senhor olhou para mim com um ar de desprezo, sorriu para ela e depois olhou para o abismo. Repentinamente, sem que eu possa dizer como, estava o senhor embaixo e estendia a mão para tirar o chapelinho fatal.
— Ah!
— A água porém, engrossando subitamente, ameaçava submergi-lo. Então Isabel, soltando um grito de angústia, esporeou o cavalo e atirou-se pela ribanceira abaixo. Gritei... chamei por socorro; tudo foi inútil. Já a água os enrolava em suas dobras... quando fui acordado pelo senhor.

Leandro Soares concluiu esta narração do seu pesadelo parecendo ainda assustado do que lhe acontecera... imaginariamente. Convém dizer que ele acreditava nos sonhos.

— Veja o que é uma digestão malfeita! — exclamou Camilo quando o comprovinciano terminou a narração. — Que porção de tolices! O chapéu, a ribanceira, o cavalo, e mais que tudo a minha presença nesse melodrama fantástico, tudo isso é obra de quem digeriu mal o jantar. Em Paris há teatros que representam pesadelos assim — piores do que o seu porque são mais compridos. Mas o que eu vejo também é que essa moça não o deixa nem dormindo.

— Nem dormindo!

Soares disse estas duas palavras quase como um eco, sem consciência. Desde que concluíra a narração, e logo depois das primeiras palavras de Camilo, entrara a fazer consigo uma série de reflexões que não chegaram ao conhecimento do autor desta narrativa. O mais que lhes posso dizer é que não eram alegres, porque a fronte lhe descaiu, enrugou-se-lhe a testa, e ele, cravando os olhos nas orelhas do animal, recolheu-se a um inviolável silêncio.

A viagem, daquele dia em diante, foi menos suportável para Camilo de que até ali. Além de uma leve melancolia que se apoderara do companheiro, ia-se-lhe tornando enfadonho aquele andar léguas e léguas que pareciam não acabar mais. Afinal voltou Soares à sua habitual verbosidade, mas já então não podia vencer o tédio mortal que se apoderara do mísero Camilo.

Quando porém avistou a cidade, perto da qual estava a fazenda, onde vivera as primeiras auroras da sua mocidade, Camilo sentia abalar-se-lhe fortemente o coração. Um sentimento sério o dominava. Por algum tempo, ao menos, Paris com os seus esplendores cedia o lugar à pequena e honesta pátria dos Seabras.

III
O ENCONTRO

Foi um verdadeiro dia de festa aquele em que o comendador cingiu ao peito o filho que oito anos antes mandara a terras estranhas. Não pôde reter as lágrimas o bom velho — não pôde, que elas vinham de um coração ainda viçoso de afetos e exuberante de ternura. Não menos intensa e sincera foi a alegria de Camilo. Beijou repetidamente as mãos e a fronte do pai, abraçou os parentes, os amigos de outro tempo, e durante alguns dias — não muitos — parecia completamente curado dos seus desejos de regressar à Europa.

Na cidade e seus arredores não se falava em outra coisa. O assunto, não principal, mas exclusivo das palestras e comentários era o filho do comendador. Ninguém se fartava de o elogiar. Admiravam-lhes as maneiras e a elegância. A mesma superioridade com que ele falava a todos achava entusiastas sinceros. Durante muitos dias foi totalmente impossível que o rapaz pensasse em outra coisa que não fosse contar as suas viagens aos amáveis conterrâneos. Mas pagavam-lhe a maçada, porque a menor coisa que ele dissesse tinha aos olhos dos outros uma graça indefinível. O padre Maciel, que o batizara vinte e sete anos antes, e que o via já homem completo, era o primeiro pregoeiro da sua transformação.

— Pode gabar-se, senhor comendador — dizia ele ao pai de Camilo —, pode gabar-se de que o céu lhe deu um rapaz de truz! Santa Luzia vai ter um médico de primeira ordem, se me não engana o afeto que tenho a esse que era ainda ontem um pirralho. E não só médico, mas até bom filósofo; é verdade, parece-me bom filósofo. Sondei-o ontem nesse particular, e não lhe achei ponto fraco ou duvidoso.

O tio Jorge andava a perguntar a todos o que pensavam do sobrinho Camilo. O tenente-coronel Veiga agradecia à Providência a chegada do dr. Camilo nas proximidades do Espírito Santo.

— Sem ele, o meu baile seria incompleto.

O dr. Matos não foi o último que visitou o filho do comendador. Era um velho alto e bem feito, ainda que um tanto quebrado pelos anos.

— Venha, doutor — disse o velho Seabra apenas o viu assomar à porta —; venha ver o meu homem.

— Homem, com efeito — respondeu Matos contemplando o rapaz. — Está mais homem do que eu supunha. Também já lá vão oito anos! Venha de lá esse abraço!

O moço abriu os braços ao velho. Depois, como era costume fazer a quantos o iam ver, contou-lhe alguma coisa das suas viagens e estudos. É perfeitamente inútil dizer que o nosso herói omitiu sempre tudo quanto pudesse abalar o bom conceito em que estava no ânimo de todos. A dar-lhe crédito, vivera quase como um anacoreta; e ninguém ousava pensar o contrário.

Tudo era pois alegrias na boa cidade e seus arredores; e o jovem médico, lisonjeado com a inesperada recepção que teve, continuou a não pensar muito em Paris. Mas o tempo corre, e as nossas sensações com ele se modificam. No fim de quinze dias tinha Camilo esgotado a novidade das suas impressões; a fazenda começou a mudar de aspecto: os campos ficaram monótonos, as árvores monótonas, os rios monótonos, a cidade monótona, ele próprio monótono. Invadiu-o então uma coisa a que podemos chamar — nostalgia do exílio.

— Não — dizia ele consigo —, não posso ficar aqui mais três meses. Paris ou o cemitério, tal é o dilema que se me oferece. Daqui a três meses, estarei morto ou em caminho da Europa.

O aborrecimento de Camilo não escapou aos olhos do pai, que quase vivia a olhar para ele.

— Tem razão — pensava o comendador. — Quem viveu por essas terras que dizem ser tão bonitas e animadas, não pode estar aqui muito alegre. É preciso dar-lhe alguma ocupação... a política, por exemplo.

— Política! — exclamou Camilo, quando o pai lhe falou nesse assunto. — De que me serve a política, meu pai?

— De muito. Serás primeiro deputado provincial; podes ir depois para a Câmara no Rio de Janeiro. Um dia interpelas o ministério, e se ele cair, podes subir ao governo. Nunca tiveste ambição de ser ministro?

— Nunca.

— É pena!

— Por quê?

— Porque é bom ser ministro.

— Governar os homens, não é? — disse Camilo rindo. — É um sexo ingovernável; prefiro o outro.

Seabra riu-se do repente, mas não perdeu a esperança de convencer o herdeiro.

Havia já vinte dias que o médico estava em casa do pai, quando se lembrou da história que lhe contara Soares e do sonho que este tivera no pouso. A primeira vez que foi à cidade e esteve com o filho do negociante, perguntou-lhe:

— Diga-me, como vai sua Isabel, que ainda a não vi?

Soares olhou para ele com o sobrolho carregado e levantou os ombros resmungando um seco:

— Não sei.

Camilo não insistiu.

— A moléstia ainda está no período agudo — disse ele consigo.

Teve porém curiosidade de ver a formosa Isabelinha, que tão por terra deitara aquele verboso cabo eleitoral. A todas as moças da localidade, em dez léguas em redor, havia já falado o jovem médico. Isabel era a única esquiva até então. Esquiva não digo bem. Camilo fora uma vez à fazenda do dr. Matos; mas a filha estava doente. Pelo menos foi isso o que lhe disseram.

— Descanse — dizia-lhe um vizinho a quem ele mostrara impaciência de conhecer a amada de Leandro Soares —; há de vê-la no baile do coronel Veiga, ou na festa do Espírito Santo, ou em outra qualquer ocasião.

A beleza da moça, que ele não julgava pudesse ser superior nem sequer igual à da viúva do príncipe Alexis, a paixão incurável de Soares, e o tal ou qual mistério com que se falava de Isabel, tudo isso excitou ao último ponto a curiosidade do filho do comendador.

No domingo próximo, oito dias antes do Espírito Santo, saiu Camilo da fazenda para ir à missa na igreja da cidade, como já fizera nos domingos anteriores. O cavalo ia a passo lento, a compasso com o pensamento do cavaleiro, que se espreguiçava pelo campo fora em busca de sensações que já não tinha e que ansiava ter de novo.

Mil singulares ideias atravessavam o cérebro de Camilo. Ora, almejava alar-se com cavalo e tudo, rasgar os ares e ir cair defronte do Palais-Royal, ou em outro qualquer ponto da capital do mundo. Logo depois fazia a si mesmo a descrição de um cataclismo tal, que ele viesse a achar-se almoçando no café Tortoni, dois minutos depois de chegar ao altar o padre Maciel.

De repente, ao quebrar uma volta da estrada, descobriu ao longe duas senhoras a cavalo acompanhadas por um pajem. Picou de esporas e dentro de pouco tempo estava junto dos três cavaleiros. Uma das senhoras voltou a cabeça, sorriu e parou. Camilo aproximou-se, com a cabeça descoberta, e estendeu-lhe a mão, que ela apertou.

A senhora a quem cumprimentara era a esposa do tenente-coronel Veiga. Representava ter quarenta e cinco anos, mas estava assaz conservada. A outra senhora, sentindo o movimento da companheira, fez parar também o cavalo, e voltou igualmente a cabeça. Camilo não olhava então para ela. Estava ocupado em ouvir d. Gertrudes, que lhe dava notícias do tenente-coronel.

— Agora só pensa na festa — dizia ela —; já deve estar na igreja. Vai à missa, não?

— Vou.

— Vamos juntos.

Trocadas estas palavras, que foram rápidas, Camilo procurou com os olhos a outra cavaleira. Ela porém ia já alguns passos adiante. O médico colocou-se ao lado de d. Gertrudes, e a comitiva continuou a andar. Iam assim conversando havia já uns dez minutos, quando o cavalo da senhora que ia adiante estacou.

— Que é, Isabel? — perguntou d. Gertrudes.

— Isabel! — exclamou Camilo, sem dar atenção ao incidente que provocara a pergunta da esposa do coronel.

A moça voltou a cabeça e levantou os ombros respondendo secamente:

— Não sei.

A causa era um rumor que o cavalo sentira por trás de uma espessa moita de taquaras que ficava à esquerda do caminho. Antes porém que o pajem ou Camilo fosse examinar a causa da relutância do animal, a moça fez um esforço supremo, e chicoteando vigorosamente o cavalo, conseguiu que este vencesse o terror, e deitasse a correr a galope adiante dos companheiros.

— Isabel! — disse Camilo a d. Gertrudes. — Aquela moça será a filha do doutor Matos?

— É verdade. Não a conhecia?

— Há oito anos que a não vejo. Está uma flor! Já me não admira que se fale aqui tanto na sua beleza. Disseram-me que estava doente.

— Esteve; mas as suas doenças são coisas de pequena monta. São nervos; assim se diz, creio eu, quando se não sabe do que uma pessoa padece...

Isabel parara ao longe, e voltada para a esquerda da estrada, parecia admirar o espetáculo da natureza. Daí a alguns minutos estavam perto dela os seus companheiros. A moça ia prosseguir a marcha, quando d. Gertrudes lhe disse:

— Isabel!

A moça voltou o rosto. D. Gertrudes aproximou-se dela.

— Não te lembras do doutor Camilo Seabra?

— Talvez não se lembre — disse Camilo. — Tinha doze anos quando eu saí daqui, e já lá vão oito!

— Lembro-me — respondeu Isabel curvando levemente a cabeça, mas sem olhar para o médico.

E chicoteando de mansinho o cavalo, seguiu para diante. Por mais singular que fosse aquela maneira de reatar conhecimento antigo, o que mais impressionou então o filho do comendador foi a beleza de Isabel, que lhe pareceu estar na altura da reputação.

Tanto quanto se podia julgar à primeira vista, a esbelta cavaleira devia ser mais alta que baixa. Era morena, mas de um moreno acetinado e macio, com uns delicadíssimos longes cor-de-rosa, o que seria efeito da agitação, visto que afirmavam ser extremamente pálida. Os olhos, não lhes pôde Camilo ver a cor, mas sentiu-lhes a luz que valia mais talvez, apesar de o não terem fitado, e compreendeu logo que com olhos tais a formosa goiana houvesse fascinado o mísero Soares.

Não averiguou, nem pôde, as restantes feições da moça; mas o que pôde contemplar à vontade, o que já vinha admirando de longe, era a elegância nativa do busto e o gracioso desgarro com que ela montava. Vira muitas amazonas elegantes e destras. Aquela porém tinha alguma coisa em que se avantajava às outras; era talvez o desalinho do gesto, talvez a espontaneidade dos movimentos, outra coisa talvez, ou todas essas juntas que davam à interessante goiana incontestável supremacia.

Isabel parava de quando em quando o cavalo e dirigia a palavra à esposa do coronel, a respeito de qualquer acidente — de um efeito de luz, de um pássaro que passava, de um som que se ouvia — mas em nenhuma ocasião encarava ou sequer olhava de esguelha o filho do comendador. Absorvido na contemplação da moça, Camilo deixou cair a conversa, e havia já alguns minutos que ele e d. Gertrudes iam cavalgando, sem dizer palavra, ao lado um do outro. Foram interrompidos em sua marcha silenciosa por um cavaleiro, que vinha atrás da comitiva a trote largo.

Era Soares.

O filho do negociante vinha bem diferente do que até ali andava. Cumprimentou-os sorrindo e jovial como estivera nos primeiros dias de viagem do médico. Não era porém difícil conhecer que a alegria de Soares era um artifício. O pobre namorado fechava o rosto de quando em quando, ou fazia um gesto de desespero que felizmente escapava aos outros. Ele receava o triunfo de um homem que física e intelectualmente lhe era superior; que, além disso, gozava naquela ocasião a grande vantagem de dominar a atenção pública, que era o urso da aldeia, o acontecimento do dia, o homem da situação. Tudo conspirava para derrubar a última esperança de Soares, que era a esperança de ver morrer a moça isenta de todo o vínculo conjugal! O infeliz namorado tinha o sestro, aliás comum, de querer ver quebrada ou inútil a taça que ele não podia levar aos lábios.

Cresceu porém seu receio quando, estando escondido no taquaral de que falei acima, para ver passar Isabel, como costumava fazer muitas vezes, descobriu a pessoa de Camilo na comitiva. Não pôde reter uma exclamação de surpresa, e chegou a dar um passo na direção da estrada. Deteve-se a tempo. Os cavaleiros, como vimos, passaram adiante, deixando o cioso pretendente a jurar aos céus e à terra que tomaria desforra do seu atrevido rival, se o fosse.

Não era rival, bem sabemos; o coração de Camilo guardava ainda fresca a memória da Artemisa moscovita, cujas lágrimas, apesar da distância, o rapaz sentia que eram ardentes e aflitivas. Mas quem poderia convencer a Leandro Soares que o elegante moço da Europa, como lhe chamavam, não ficaria enamorado da esquiva goiana?

Isabel, entretanto, apenas vira o infeliz pretendente, deteve o cavalo e estendeu-lhe afetuosamente a mão. Um adorável sorriso acompanhou esse movimento. Não era bastante para dissipar as dúvidas do pobre moço. Diversa foi porém a impressão de Camilo.

— Ama-o, ou é uma grande velhaca — pensou ele.

Casualmente — e pela primeira vez — olhava Isabel para o filho do comendador. Perspicácia ou adivinhação, leu-lhe no rosto esse pensamento oculto; franziu levemente a testa com uma expressão tão viva de estranheza, que o médico ficou perplexo e não pôde deixar de acrescentar, já então com os lábios, à meia-voz falando para si:

— Ou fala com o diabo.

— Talvez — murmurou a moça com os olhos fitos no chão.

Isto foi dito assim, sem que os outros dois percebessem. Camilo não podia desviar os olhos da formosa Isabel, meio espantado, meio curioso, depois da palavra murmurada por ela em tão singulares condições. Soares olhava para Camilo com a mesma ternura com que um gavião espreita uma pomba. Isabel brincava com o chicotinho. D. Gertrudes, que temia perder a missa do padre Maciel e receber um reparo amigável do marido, deu voz de marcha, e a comitiva seguiu imediatamente.

IV
A FESTA

No sábado seguinte a cidade revestira desusado aspecto. De toda a parte correra uma chusma de povo que ia assistir à festa anual do Espírito Santo.

Vão rareando os lugares em que de todo se não apagou o gosto dessas festas clássicas, resto de outras eras, que os escritores do século futuro hão de estudar com curiosidade, para pintar aos seus contemporâneos um Brasil que eles já não hão de conhecer. No tempo em que esta história se passa uma das mais genuínas festas do Espírito Santo era a da cidade de Santa Luzia.

O tenente-coronel Veiga, que era então o imperador do Divino, estava em uma casa que possuía na cidade. Na noite de sábado foi ali ter o bando dos pastores, composto de homens e mulheres, com o seu pitoresco vestuário, e acompanhado pelo clássico *velho*, que era um sujeito de calção e meia, sapato raso, casaca esguia, colete comprido e grande bengala na mão.

Camilo estava em casa do coronel, quando ali apareceu o bando dos pastores, com alguns músicos à frente, e muita gente atrás. Formaram logo, ali mesmo na rua, um círculo; um pastor e uma pastora iniciaram a dança clássica. Dançaram, cantaram e tocaram todos à porta e na sala do coronel, que estava literalmente a lamber-se de gosto. É ponto duvidoso, e provavelmente nunca será liquidado, se o tenente-coronel Veiga preferia naquela ocasião ser ministro de Estado a ser imperador do Espírito Santo.

E todavia aquilo era apenas uma amostra da grandeza do tenente-coronel. O sol do domingo devia alumiar maiores coisas. Parece que esta razão determinou o rei da luz a trazer nesse dia os seus melhores raios. O céu nunca se mostrara mais limpidamente azul. Algumas nuvens grossas, durante a noite, chegaram a emurchecer as esperanças dos festeiros; felizmente, sobre a madrugada soprara um vento rijo que varreu o céu e purificou a atmosfera.

A população correspondeu à solicitude da natureza. Logo cedo apareceu ela com os seus vestidos domingueiros — jovial, risonha, palreira — nada menos que feliz.

O ar atroava com foguetes; os sinos convidavam alegremente o povo à cerimônia religiosa.

Camilo passara a noite na cidade em casa do padre Maciel, e foi acordado, mais cedo do que supusera, com os repiques e foguetada e mais demonstrações da cidade alegre. Em casa do pai continuara o moço os seus hábitos de Paris, em que o comendador julgou não dever perturbá-lo. Acordava portanto às onze horas da manhã, exceto os domingos, em que ia à missa, para de todo em todo não ofender os hábitos da terra.

— Que diabo é isto, padre? — gritou Camilo do quarto onde estava, e no momento em que uma girândola lhe abria definitivamente os olhos.

— Que há de ser? — respondeu o padre Maciel, metendo a cabeça pela porta: é a festa.

— Então a festa começa de noite?

— De noite? — exclamou o padre. — É dia claro.

Camilo não pôde conciliar o sono, e viu-se obrigado a levantar-se. Almoçou com o padre, contou duas anedotas, confessou ao hóspede que Paris era o ideal das cidades, e saiu para ir ter à casa do imperador do Divino. O padre saiu com ele. Em caminho viram de longe Leandro Soares.

— Não me dirá, padre — perguntou Camilo —, por que razão a filha do doutor Matos não atende àquele pobre rapaz que gosta tanto dela?

Maciel concertou os óculos e expôs a seguinte reflexão:

— Você parece tolo.

— Não tanto, como lhe pareço — replicou o filho do comendador —, porque mais de uma pessoa tem feito a mesma pergunta.

— Assim é, na verdade — disse o padre —; mas há coisas que outros dizem e a gente não repete. A Isabelinha não gosta do Soares simplesmente porque não gosta.

— Não lhe parece que essa moça é um tanto esquisita?

— Não — disse o padre —, parece-me uma grande finória.

— Ah! por quê?

— Suspeito que tem muita ambição; não aceita o amor do Soares, a ver se pilha algum casamento que lhe abra a porta das grandezas políticas.

— Ora — disse Camilo levantando os ombros.

— Não acredita?

— Não.

— Pode ser que me engane; mas creio que é isto mesmo. Aqui cada qual dá uma explicação à isenção de Isabel; todas as explicações porém me parecem absurdas; a minha é a melhor.

Camilo fez algumas objeções à explicação do padre, e despediu-se dele para ir à casa do tenente-coronel.

O festivo imperador estava literalmente fora de si. Era a primeira vez que exercia aquele cargo honorífico e timbrava em fazê-lo brilhantemente, e até melhor que os seus predecessores. Ao natural desejo de não ficar por baixo, acrescia o elemento da inveja política. Alguns adversários seus diziam pela boca pequena que o brioso coronel não era capaz de dar conta da mão.

— Pois verão se sou capaz — foi o que ele disse ao ouvir de alguns amigos a malícia dos adversários.

Quando Camilo entrou na sala, acabava o tenente-coronel de explicar umas ordens relativas ao jantar que se devia seguir à festa, e ouvia algumas informações que lhe dava um irmão definidor acerca de uma cerimônia da sacristia.

— Não ouso falar-lhe, coronel — disse o filho do comendador, quando o Veiga ficou só com ele —; não ouso interrompê-lo.

— Não interrompe — acudiu o imperador do Divino —; agora deve tudo estar acabado. O comendador vem?

— Já cá deve estar.

— Já viu a igreja?

— Ainda não.

— Está muito bonita. Não é por me gabar; creio que a festa não desmerecerá das outras, e até em algumas coisas há de ir melhor.

Era absolutamente impossível não concordar com esta opinião, quando aquele que a exprimia fazia assim o seu próprio louvor. Camilo encareceu ainda mais o mérito da festa. O coronel ouvia-o com um riso de satisfação íntima, e dispunha-se a provar que o seu jovem amigo ainda não apreciava bem a situação, quando este desviou a conversa, perguntando:

— Ainda não veio o doutor Matos?

— Já.

— Com a família?

— Sim, com a família.

Neste momento foram interrompidos pelo som de muitos foguetes e de uma música que se aproximava.

— São eles! — disse Veiga. — Vêm buscar-me. Há de dar-me licença.

O coronel estava até então de calça preta e rodaque de brim. Correu a preparar-se com o traje e as insígnias do seu elevado cargo. Camilo chegou à janela para ver o cortejo. Não tardou que este aparecesse composto de uma banda de música da irmandade do Espírito Santo e dos pastores da véspera. Os irmãos vestiam as suas opas encarnadas, e vinham a passo grave, cercados do povo, que enchia a rua e se aglomerava à porta do tenente-coronel para vê-lo sair.

Quando o cortejo parou em frente da casa do tenente-coronel cessou a música de tocar e todos os olhos se voltaram curiosamente para as janelas. Mas o imperador estreante estava ainda por completar a sua edição, e os curiosos tiveram de contentar-se com a pessoa do dr. Camilo. Entretanto, quatro ou seis irmãos mais graduados destacaram-se do grupo e subiram as escadas do tenente-coronel.

Minutos depois cumprimentava Camilo os ditos irmãos graduados, um dos quais, mais graduado que os outros, não o era só no cargo, mas também, e sobretudo, no tamanho. E a estatura do major Brás seria a coisa mais notável da sua pessoa, se lhe não pedisse meças a magreza do próprio major. A opa do major, apesar disto, ficava-lhe bem, porque nem ia até abaixo da curva da perna como a dos outros, nem lhe ficava na cintura, como devera, no caso de ter sido feita pela mesma medida. Era uma opa termo-médio. Ficava-lhe entre a cintura e a curva, e foi feita assim de propósito para conciliar os princípios da elegância com a estatura do major.

Todos os irmãos graduados estenderam a mão ao filho do comendador e perguntaram ansiosamente pelo tenente-coronel.

— Não tarda; foi vestir-se — respondeu Camilo.

— A igreja está cheia — disse um dos irmãos graduados —; só se espera por ele.

— É justo esperar — opinou o major Brás.

— Apoiado — disse o coro dos irmãos.

— Demais — continuou o imenso oficial —, temos tempo; e não vamos para longe.

Os outros irmãos apoiaram com o gesto esta opinião do major, que, ato contínuo, começou a dizer a Camilo os mil trabalhos que a festa lhes dera, a ele e aos cavalheiros que o acompanhavam naquela ocasião, não menos que ao tenente-coronel.

— Como recompensa dos nossos débeis esforços (Camilo fez um sinal negativo a estas palavras do major Brás), temos consciência de que a coisa não sairá de todo mal.

Ainda estas palavras não tinham bem saído dos lábios do digno oficial, quando assomou à porta da sala o tenente-coronel em todo esplendor da sua transformação.

Camilo perdera de todo as noções que tinha a respeito do traje e insígnias de um imperador do Espírito Santo. Não foi pois sem grande pasmo que viu assomar à porta da sala a figura do tenente-coronel.

Além da calça preta, que já tinha no corpo quando ali chegou Camilo, o tenente-coronel envergara uma casaca, que pela regularidade e elegância do corte podia rivalizar com as dos mais apurados membros do Cassino Fluminense. Até aí tudo ia bem. Ao peito rutilava uma vasta comenda da Ordem da Rosa, que lhe não ficava mal. Mas o que excedeu a toda a expectação, o que pintou no rosto do nosso Camilo a mais completa expressão de assombro, foi uma brilhante e vistosa coroa de papelão forrado de papel dourado, que o tenente-coronel trazia na cabeça.

Camilo recuou um passo e cravou os olhos na insígnia imperial do tenente-coronel. Já lhe não lembrava aquele acessório indispensável em ocasiões semelhantes, e tendo vivido oito anos no meio de uma civilização diversa, não imaginava que ainda existissem costumes que ele julgava enterrados.

O tenente-coronel apertou a mão a todos os amigos e declarou que estava pronto a acompanhá-los.

— Não façamos esperar o povo — disse ele.

Imediatamente, desceram à rua. Houve no povo um movimento de curiosidade, quando viu aparecer à porta a opa encarnada de um dos irmãos que haviam subido. Logo atrás apareceu outra opa, e não tardou que as restantes opas aparecessem também flanqueando o vistoso imperador. A coroa dourada, apenas o sol lhe bateu de chapa, entrou a despedir faíscas quase inverossímeis. O tenente-coronel olhou a um lado e outro, fez algumas inclinações leves de cabeça a uma ou outra pessoa da multidão, e foi ocupar o seu lugar de honra no cortejo. A música rompeu logo uma marcha, que foi executada pelo tenente-coronel, a irmandade e os pastores, na direção da igreja.

Apenas da igreja avistaram o cortejo, o sineiro que já estava à espreita pôs em obra as lições mais complicadas do seu ofício, enquanto uma girândola, entremeada de alguns foguetes soltos, anunciava às nuvens do céu que o imperador do Divino era chegado. Na igreja houve um rebuliço geral apenas se anunciou que era chegado o imperador. Um mestre de cerimônias ativo e desempenado ia abrindo alas, com grande dificuldade, porque o povo, ansioso por ver a figura do tenente-coronel, aglomerava-se desordenadamente e desfazia a obra do mestre de cerimônias. Afinal aconteceu o que sempre acontece nessas ocasiões; as alas foram-se abrindo por si mesmas, e ainda que com algum custo, o tenente-coronel atravessou a multidão, precedido e acompanhado pela irmandade, até chegar ao trono que se levantava ao lado do altar-mor. Subiu com firmeza os degraus do trono, e sentou-se nele, tão orgulhoso como se governasse dali todos os impérios juntos do mundo.

Quando Camilo chegou à igreja, já a festa havia começado. Achou um lugar sofrível, ou antes inteiramente bom, porque dali podia dominar um grande grupo de senhoras, entre as quais descobriu a formosa Isabel.

Camilo estava ansioso por falar outra vez a Isabel. O encontro na estrada e a singular perspicácia de que a moça dera prova nessa ocasião não lhe haviam saído da cabeça. A moça pareceu não dar por ele; mas Camilo era tão versado em tratar com o belo sexo, que não lhe foi difícil perceber que ela o tinha visto e intencionalmente não voltava os olhos para o lado dele. Esta circunstância, ligada aos incidentes do domingo anterior, fez-lhe nascer no espírito a seguinte pergunta:

— Mas que tem ela contra mim?

A festa prosseguiu sem novidade. Camilo não tirava os olhos de sua bela charada, nome que já lhe dava, mas a charada parecia refratária a todo o sentimento de curiosidade. Uma vez porém, quase no fim, encontraram-se os olhos de ambos. Pede a verdade que se diga que o rapaz surpreendeu a moça a olhar para ele. Cumprimentou-a; foi correspondido; nada mais. Acabada a festa foi a irmandade levar o tenente-coronel até a casa. No meio da lufa-lufa da saída, Camilo, que estava embebido a olhar para Isabel, ouviu uma voz desconhecida que lhe dizia ao ouvido:

— Veja o que faz!

Camilo voltou-se e deu com um homem baixinho e magro, de olhos miúdos e vivos, pobre mas asseadamente trajado. Encararam-se alguns segundos sem dizer palavra. Camilo não conhecia aquela cara e não se atrevia a pedir a explicação das palavras que ouvira, conquanto ardesse por saber o resto.

— Há um mistério — continuou o desconhecido. — Quer descobri-lo?

Houve algum tempo de silêncio.

— O lugar não é próprio — disse Camilo —; mas se tem alguma coisa que me dizer...

— Não; descubra o senhor mesmo.

E dizendo isto desapareceu no meio do povo o homem baixinho e magro, de olhos vivos e miúdos. Camilo acotovelou umas dez ou doze pessoas, pisou uns quinze ou vinte calos, pediu outras tantas vezes perdão da sua imprudência, até que se achou na rua sem ver nada que se parecesse com o desconhecido.

— Um romance! — disse ele —; estou em pleno romance.

Nisto saíam da igreja Isabel, d. Gertrudes e o dr. Matos. Camilo aproximou-se do grupo e cumprimentou-os. Matos deu o braço a d. Gertrudes; Camilo ofereceu timidamente o seu a Isabel. A moça hesitou; mas não era possível recusar. Passou o braço no do jovem médico e o grupo dirigiu-se para a casa onde o tenente-coronel já estava e mais algumas pessoas importantes da localidade. No meio do povo havia um homem que também se dirigia para a casa do coronel e que não tirava os olhos de Camilo e de Isabel. Esse homem mordia o lábio até fazer sangue. Será preciso dizer que era Leandro Soares?

V
PAIXÃO

A distância da igreja à casa era pequena; e a conversa entre Isabel e Camilo não foi longa nem seguida. E todavia, leitor, se alguma simpatia te merece a princesa moscovita, deves sinceramente lastimá-la. A aurora de um novo sentimento começava a dourar as cumeadas do coração de Camilo; ao subir as escadas, confessava o filho do comendador de si para si, que a interessante patrícia tinha qualidades superiores às da bela princesa russa. Hora e meia depois, isto é, quase no fim do jantar, o coração de Camilo confirmava plenamente esta descoberta do seu investigador espírito.

A conversa, entretanto, não passou de coisas totalmente indiferentes; mas Isabel falava com tanta doçura e graça, posto não alterasse nunca a sua habitual reserva; os olhos eram tão bonitos de ver ao perto, e os cabelos também, e a boca igualmente, e as mãos do mesmo modo, que o nosso ardente mancebo só mudando de natureza poderia resistir ao influxo de tantas graças juntas.

O jantar correu sem novidade apreciável. Reuniram-se à mesa do tenente-coronel todas as notabilidades do lugar, o vigário, o juiz municipal, o negociante, o fazendeiro, reinando sempre de uma ponta a outra da mesa a maior cordialidade e harmonia. O imperador do Divino, já então restituído ao seu vestuário comum, fazia as honras da mesa com verdadeiro entusiasmo. A festa era o objeto da geral conversa, entremeada, é verdade, de reflexões políticas, em que todos estavam de acordo, porque eram do mesmo partido, homens e senhoras.

O major Brás tinha por costume fazer um ou dois brindes longos e eloquentes em cada jantar de certa ordem a que assistisse. A facilidade com que ele se exprimia não tinha rival em toda a província. Além disso, como era dotado de descomunal estatura, dominava de tal modo o auditório, que o simples levantar-se era já meio triunfo.

Não podia o major Brás deixar passar incólume o jantar do tenente-coronel; ia-se entrar na sobremesa quando o eloquente major pediu licença para dizer algumas palavras singelas e toscas. Um murmúrio, equivalente aos não-apoiados das Câmaras, acolheu esta declaração do orador, e o auditório preparou o ouvido para receber as pérolas que lhe iam cair da boca.

— O ilustre auditório que me escuta — disse ele — desculpará a minha ousadia; não vos fala o talento, senhores; fala-vos o coração. Meu brinde é curto; para celebrar as virtudes e a capacidade do ilustre tenente-coronel Veiga não é preciso fazer um longo discurso. Seu nome diz tudo; a minha voz nada adiantaria...

O auditório revelou por sinais que aplaudia sem restrições o primeiro membro desta última frase, e com restrições o segundo; isto é, cumprimentou o tenente-coronel e o major; e o orador que, para ser coerente com o que acabava de dizer, devia limitar-se a esvaziar o copo, prosseguiu da seguinte maneira:

— O imenso acontecimento que acabamos de presenciar, senhores, creio que nunca se apagará da vossa memória. Muitas festas do Espírito Santo têm havido nesta cidade e em outras; mas nunca o povo teve o júbilo de contemplar um esplendor, uma animação, um triunfo igual ao que nos proporcionou o nosso ilustre correligionário amigo, o tenente-coronel Veiga, honra da classe a que pertence, glória do partido a que se filiou...

— E no qual pretendo morrer — completou o tenente-coronel.

— Nem outra coisa era de esperar de vossa excelência — disse o orador mudando de voz para dar a estas palavras um tom de parênteses.

Apesar da declaração feita no princípio, de que era inútil acrescentar nada aos méritos do tenente-coronel, o intrépido orador falou cerca de vinte e cinco minutos com grande mágoa do padre Maciel, que namorava de longe um fofo e trêmulo pudim de pão, e do juiz municipal que estava ansioso por ir fumar. A peroração desse memorável discurso foi pouco mais ou menos assim:

— Eu faltaria, portanto, aos meus deveres de amigo, de correligionário, de subordinado e de admirador, se não levantasse a voz nesta ocasião, e não vos dissesse em linguagem tosca, sim (*sinais de desaprovação*), mas sincera, os sentimentos que me tumultuam dentro do peito, o entusiasmo de que me sinto possuído, quando contemplo o venerando e ilustre tenente-coronel Veiga, e se vos não convidasse a beber comigo à saúde de Sua Excelência.

O auditório acompanhou com entusiasmo o brinde do major, ao qual respondeu o tenente-coronel com estas poucas, mas sentidas palavras:

— Os elogios que me acaba de fazer o distinto major Brás são verdadeiros favores de uma alma grande e generosa; não os mereço, senhores; devolvo-os intatos ao ilustre orador que me precedeu.

No meio da festa e da alegria que reinava ninguém reparou nas atenções que Camilo prestava à bela filha do dr. Matos. Ninguém, digo mal; Leandro Soares, que fora convidado ao jantar, e assistira a ele, não tirava os olhos do elegante rival e da sua formosa e esquiva dama.

Há de parecer milagre ao leitor a indiferença e até o ar alegre com que Soares assistia aos ataques do adversário. Não é milagre; Soares também interrogava o olhar de Isabel e lia nele a indiferença, talvez o desdém, com que tratava o filho do comendador.

— Nem eu, nem ele — dizia consigo o pretendente.

Camilo estava apaixonado; no dia seguinte amanheceu pior; cada dia que passava aumentava a chama que o consumia. Paris e a princesa, tudo havia desaparecido do coração e da memória do rapaz. Um só ente, um lugar único mereciam agora as suas atenções: Isabel e Goiás.

A esquivança e os desdéns da moça não contribuíram pouco para esta transformação. Fazendo de si próprio melhor ideia que do rival, Camilo dizia consigo:

— Se ela não me dá atenção, muito menos deve importar-se com o filho de Soares. Mas por que razão se mostra comigo tão esquiva? Que motivo há para que eu seja derrotado como qualquer pretendente vulgar?

Nessas ocasiões lembrava-se do desconhecido que lhe falara na igreja e das palavras que lhe dissera.

— Algum mistério haverá — dizia ele —; mas como descobri-lo?

Indagou das pessoas da cidade quem era o sujeito baixo, de olhos miúdos e vivos. Ninguém lho soube dizer. Parecia incrível que não chegasse a descobrir naquelas paragens um homem que naturalmente alguém devia conhecer; redobrou de esforços; ninguém sabia quem era o misterioso sujeito.

Entretanto Camilo frequentava a fazenda do dr. Matos e ali ia jantar algumas vezes. Era difícil falar a Isabel com a liberdade que permitem mais adiantados costumes; fazia entretanto o que podia para comunicar à bela moça os seus sentimentos. Isabel parecia cada vez mais estranha às comunicações do rapaz. Suas maneiras não eram positivamente desdenhosas, mas frias; dissera-se que ali dentro morava um coração de neve.

    Ao amor desprezado, veio juntar-se o orgulho ofendido, o despeito e a vergonha, e tudo isto, junto a uma epidemia que então reinava na comarca, deu com o nosso Camilo na cama, onde por agora o deixaremos, entregue aos médicos seus colegas.

VI
REVELAÇÃO

Não há mistérios para um autor que sabe investigar todos os recantos do coração. Enquanto o povo de Santa Luzia faz mil conjeturas a respeito da causa verdadeira da isenção que até agora tem mostrado a formosa Isabel, estou habilitado para dizer ao leitor impaciente que ela ama.

    — E a quem ama? — pergunta vivamente o leitor.

    Ama... uma parasita. Uma parasita? É verdade, uma parasita. Deve ser então uma flor muito linda — um milagre de frescura e de aroma. Não, senhor, é uma parasita muito feia, um cadáver de flor, seco, mirrado, uma flor que devia ter sido lindíssima há muito tempo, no pé, mas que hoje, na cestinha em que ela a traz, nenhum sentimento inspira, a não ser de curiosidade. Sim, porque é realmente curioso que uma moça de vinte anos, em toda a força das paixões, pareça indiferente aos homens que a cercam, e concentre todos os seus afetos nos restos descorados e secos de uma flor.

    Ah! mas aquela foi colhida em circunstâncias especiais. Dera-se o caso alguns anos antes. Um moço da localidade gostava então muito de Isabel, porque era uma criança engraçada, e costumava chamá-la sua mulher, gracejo inocente que o tempo não sancionou. Isabel também gostava do rapaz, a ponto de fazer nascer no espírito do pai da moça a seguinte ideia:

    — Se daqui a alguns anos as coisas não mudarem por parte dela, e se ele vier a gostar seriamente da pequena, creio que os posso casar.

    Isabel ignorava completamente esta ideia do pai; mas continuava a gostar do moço, o qual continuava a achá-la uma criança interessantíssima.

    Um dia viu Isabel uma linda parasita azul entre os galhos de uma árvore.

    — Que bonita flor! — disse ela.

    — Aposto que você a quer?

    — Queria, sim... — disse a menina que, sem aprender, conhecia já esse falar oblíquo e disfarçado.

    O moço despiu o paletó com a sem-cerimônia de quem trata com uma criança e trepou pela árvore acima. Isabel ficou embaixo ofegante e ansiosa pelo resultado. Não tardou que o complacente moço deitasse a mão à flor e delicadamente a colhesse.

    — Apanhe! — disse ele de cima.

    Isabel aproximou-se da árvore e recolheu a flor no regaço. Contente por ter satisfeito o desejo da menina, tratou o rapaz de descer, mas tão desastradamente o fez, que no fim de dois minutos jazia no chão aos pés de Isabel. A menina deu um grito de angústia e pediu socorro; o rapaz procurou tranquilizá-la dizendo que nada era, e tentando levantar-se alegremente. Levantou-se com efeito, com a camisa salpicada de sangue; tinha ferido a cabeça.

A ferida foi declarada leve; dentro de poucos dias estava o valente moço completamente restabelecido.

A impressão que Isabel recebeu naquela ocasião foi profunda. Gostava até então do rapaz; daí em diante passou a adorá-lo. A flor que ele lhe colhera veio naturalmente a secar; Isabel guardou-a como se fora uma relíquia; beijava-a todos os dias; e de certo tempo em diante até chorava sobre ela. Uma espécie de culto supersticioso prendia o coração da moça àquela mirrada parasita.

Não era ela porém tão mau coração que não ficasse vivamente impressionada quando soube da doença de Camilo. Fez indagar com assiduidade do estado do moço, e cinco dias depois foi com o pai visitá-lo à fazenda do comendador.

A simples visita da moça, se não curou o doente, deu em resultado consolá-lo e animá-lo; viçaram-lhe algumas esperanças, que já estavam mais secas e mirradas que a parasita cuja história acima narrei.

— Quem sabe se me não amará agora? — pensou ele.

Apenas ficou restabelecido foi o seu primeiro cuidado ir à fazenda do dr. Matos; o comendador quis acompanhá-lo. Não o acharam em casa; estavam apenas a irmã e a filha. A irmã era uma pobre velha, que além desse achaque, tinha mais dois: era surda e gostava de política. A ocasião era boa; enquanto a tia de Isabel confiscava a pessoa e a atenção do comendador, Camilo teve tempo de dar um golpe decisivo e rápido, dirigindo à moça estas palavras:

— Agradeço-lhe a bondade que mostrou a meu respeito durante a minha moléstia. Essa mesma bondade anima-me a pedir-lhe uma coisa mais...

Isabel franziu a testa.

— Reviveu-me uma esperança há dias — continuou Camilo —, esperança que já estava morta. Será ilusão minha? Uma sua palavra, um gesto seu resolverá esta dúvida.

Isabel ergueu os ombros.

— Não compreendo — disse ela.

— Compreende — disse Camilo em tom amargo. — Mas eu serei mais franco, se o exige. Amo-a; disse-lho mil vezes; não fui atendido. Agora porém...

Camilo concluiria de boa vontade este pequeno discurso, se tivesse diante de si a pessoa que ele desejava o ouvisse. Isabel, porém, não lhe deu tempo de chegar ao fim. Sem dizer palavra, sem fazer um gesto, atravessou a extensa varanda e foi sentar-se na outra extremidade onde a velha tia punha à prova os excelentes pulmões do comendador.

O desapontamento de Camilo estava além de toda a descrição. Pretextando um calor que não existia saiu para tomar ar, e ora vagaroso, ora apressado, conforme triunfava nele a irritação ou o desânimo, o mísero pretendente deixou-se ir sem destino. Construiu mil planos de vingança, ideou mil maneiras de ir lançar-se aos pés da moça, rememorou todos os fatos que se haviam dado com ela, e ao cabo de uma longa hora chegou à triste conclusão de que tudo estava perdido. Nesse momento deu acordo de si: estava ao pé de um riacho que atravessava a fazenda do dr. Matos. O lugar era agreste e singularmente feito para a situação em que ele se achava. A uns duzentos passos viu uma cabana, onde pareceu que alguém entoava uma cantiga do sertão.

Importuna coisa é a felicidade alheia quando somos vítima de algum infortúnio. Camilo sentiu-se ainda mais irritado, e ingenuamente perguntou a si mesmo se alguém podia ser feliz estando ele com o coração a sangrar de desespero. Daí a nada aparecia à porta da cabana um homem e saía na direção do riacho. Camilo estremeceu; pareceu-lhe reconhecer o misterioso que lhe falara no dia do Espírito Santo. Era a mesma estatura e o mesmo ar; aproximou-se rapidamente e parou a cinco passos de distância. O homem voltou o rosto: era ele!

Camilo correu ao desconhecido.

— Enfim! — disse ele.

O desconhecido sorriu-se complacentemente e apertou a mão que Camilo lhe oferecia.

— Quer descansar? — perguntou-lhe.

— Não — respondeu o médico. — Aqui mesmo, ou mais longe se lhe apraz, mas desde já, por favor, desejo que me explique as palavras que me disse outro dia na igreja.

Novo sorriso do desconhecido.

— Então? — disse Camilo vendo que o homem não respondia.

— Antes de mais nada, diga-me: gosta deveras da moça?

— Oh! muito!

— Jura que a faria feliz?

— Juro!

— Então ouça. O que vou contar a vossa senhoria é verdade, porque o soube por minha mulher que foi mucama de dona Isabel. É aquela que ali está.

Camilo olhou para a porta da cabana e viu uma mulatinha alta e elegante, que olhava para ele com curiosidade.

— Agora — continuou o desconhecido — afastemo-nos um pouco para que ela nos não ouça, porque eu não desejo venha a saber-se de quem vossa senhoria ouviu esta história.

Afastaram-se com efeito costeando o riacho. O desconhecido narrou então a Camilo toda a história da parasita, e o culto que até então a moça votava à flor já seca. Um leitor menos sagaz imagina que o namorado ouviu essa narração triste e abatido. Mas o leitor que souber ler adivinha logo que a confidência do desconhecido despertou na alma de Camilo os mais incríveis sobressaltos de alegria.

— Aqui está o que há — disse o desconhecido ao concluir —, creio que vossa senhoria com isto pode saber em que terreno pisa.

— Oh! sim! sim! — disse Camilo. — Sou amado! sou amado!

Sabedor daquela novidade ardia o médico por voltar a casa, donde saíra havia tanto tempo. Meteu a mão na algibeira, abriu a carteira e tirou uma nota de vinte mil-réis.

— O serviço que me acaba de prestar é imenso — disse ele —; não tem preço. Isto porém é apenas uma lembrança...

Dizendo estas palavras, estendeu-lhe a nota. O desconhecido riu-se desdenhosamente sem responder palavra. Depois, estendeu a mão à nota que Camilo lhe oferecia, e, com grande pasmo deste, atirou-a ao riacho. O fio d'água que ia murmurando e saltando por cima das pedras, levou consigo o bilhete, de envolta com uma folha que o vento lhe levara também.

— Desse modo — disse o desconhecido —, nem o senhor fica devendo um obséquio, nem eu recebo a paga dele. Não pense que tive tenção de servir a vossa senhoria; não. Meu desejo é fazer feliz a filha do meu benfeitor. Sabia que ela gostava de um moço, e que esse moço era capaz de a fazer feliz; abri caminho para que ele chegue até onde ela está. Isto não se paga; agradece-se apenas.

Acabando de dizer estas palavras, o desconhecido voltou as costas ao médico, e dirigiu-se para a cabana. Camilo acompanhou com os olhos aquele homem rústico. Pouco tempo depois estava em casa de Isabel, onde já era esperado com alguma ansiedade. Isabel viu-o entrar alegre e radiante.

— Sei tudo — disse-lhe Camilo pouco antes de sair.

A moça olhou espantada para ele.

— Tudo? — repetiu ela.

— Sei que me ama, sei que esse amor nasceu há longos anos, quando era criança, e que ainda hoje...

Foi interrompido pelo comendador que se aproximava. Isabel estava pálida e confusa; estimou a interrupção, porque não saberia que responder.

No dia seguinte escreveu-lhe Camilo uma extensa carta apaixonada, invocando o amor que ela conservara no coração, e pedindo-lhe que o fizesse feliz. Dois dias esperou Camilo a resposta da moça. Veio no terceiro dia. Era breve e seca. Confessava que o amara durante aquele longo tempo, e jurava não amar nunca a outro.

Apenas isso, concluía Isabel. Quanto a ser sua esposa, nunca. Eu quisera entregar a minha vida a quem tivesse um amor igual ao meu. O seu amor é de ontem; o meu é de nove anos; a diferença de idade é grande demais; não pode ser bom consórcio. Esqueça-me e adeus.

Dizer que esta carta não fez mais do que aumentar o amor de Camilo é escrever no papel aquilo que o leitor já adivinhou. O coração de Camilo só esperava uma confissão escrita da moça para transpor o limite que o separava da loucura. A carta transtornou-o completamente.

VII
PRECIPITAM-SE OS ACONTECIMENTOS

O comendador não perdera a ideia de meter o filho na política. Justamente nesse ano havia eleição; o comendador escreveu às principais influências da província para que o rapaz entrasse na respectiva assembleia. Camilo teve notícia desta premeditação do pai; limitou-se a erguer os ombros, resolvido a não aceitar coisa nenhuma se não fosse a mão de Isabel. Em vão o pai, o padre Maciel, o tenente-coronel lhe mostravam um futuro esplêndido e todo semeado de altas posições. Uma só posição o contentava: casar com a moça.

Não era fácil, decerto: a resolução de Isabel parecia inabalável.

— Ama-me, porém — dizia o rapaz consigo —; é meio caminho andado.

E como o seu amor era mais recente que o dela, compreendeu Camilo que o meio de ganhar a diferença da idade era mostrar que o tinha mais violento e capaz de maiores sacrifícios.

Não poupou manifestações de toda a sorte. Chuvas e temporais arrostou para ir vê-la todos os dias; fez-se escravo dos seus menores desejos. Se Isabel tivesse a curiosidade infantil de ver na mão a estrela-d'alva, é muito provável que ele achasse meio de lha trazer.

Ao mesmo tempo cessara de a importunar com epístolas ou palavras amorosas. A última que lhe disse foi:

— Esperarei!

Nesta esperança andou ele muitas semanas, sem que a sua situação melhorasse sensivelmente.

Alguma leitora menos exigente, há de achar singular a resolução de Isabel, ainda depois de saber que era amada. Também eu penso assim; mas não quero alterar o caráter da heroína, porque ela era tal qual a apresento nestas páginas. Entendia que ser amada casualmente, pela única razão de ter o moço voltado de Paris, enquanto ela gastara largos anos a lembrar-se dele e a viver unicamente dessa recordação, entendia, digo eu, que isto a humilhava, e porque era imensamente orgulhosa, resolvera não casar com ele nem com outro. Será absurdo; mas era assim.

Fatigado de assediar inutilmente o coração da moça, e por outro lado, convencido de que era necessário mostrar uma dessas paixões invencíveis a ver se a convencia e lhe quebrava a resolução, planeou Camilo um grande golpe.

Um dia de manhã desapareceu da fazenda. A princípio ninguém se abalou com a ausência do moço, porque ele costumava dar longos passeios, quando porventura acordava mais cedo. A coisa porém começou a assustar à proporção que o tempo ia passando. Saíram emissários para todas as partes, e voltaram sem dar novas do rapaz.

O pai estava aterrado; a notícia do acontecimento correu por toda a parte em dez léguas ao redor. No fim de cinco dias de infrutíferas pesquisas soube-se que um moço, com todos os sinais de Camilo, fora visto a meia légua da cidade, a cavalo. Ia só e triste. Um tropeiro asseverou depois ter visto um moço junto de uma ribanceira, parecendo sondar com o olhar que probabilidade de morte lhe traria uma queda.

O comendador entrou a oferecer grossas quantias a quem lhe desse notícia segura do filho. Todos os seus amigos despacharam gente a investigar as matas e os campos, e nesta inútil labutação correu uma semana.

Será necessário dizer a dor que sofreu a formosa Isabel quando lhe foram dar notícia do desaparecimento de Camilo? A primeira impressão foi aparentemente nenhuma; o rosto não revelou a tempestade que imediatamente rebentara no coração. Dez minutos depois a tempestade subiu aos olhos e transbordou num verdadeiro mar de lágrimas.

Foi então que o pai teve conhecimento da paixão tão longo tempo incubada. Ao ver aquela explosão não duvidou que o amor da filha pudesse vir a ser-lhe funesto. Sua primeira ideia foi que o rapaz desaparecera para fugir a um enlace indispensável. Isabel tranquilizou-o dizendo que, pelo contrário, era ela quem se negara a aceitar amor de Camilo.

— Fui eu que o matei! — exclamava a pobre moça.

O bom velho não compreendeu muito como é que uma moça apaixonada por um mancebo, e um mancebo apaixonado por uma moça, em vez de caminharem para o casamento, tratassem de se separar um do outro. Lembrou-se que o seu procedimento fora justamente contrário, logo que travou o primeiro namoro.

No fim de uma semana foi o dr. Matos procurado na sua fazenda pelo nosso já conhecido morador da cabana, que ali chegou ofegante e alegre.

— Está salvo! — disse ele.

— Salvo! — exclamaram o pai e a filha.

— É verdade — disse Miguel (era o nome do homem) —; fui encontrá-lo no fundo de uma ribanceira, quase sem vida, ontem de tarde.

— E por que não vieste dizer-nos?... — perguntou o velho.

— Porque era preciso cuidar dele em primeiro lugar. Quando voltou a si quis ir outra vez tentar contra os seus dias; eu e minha mulher impedimo-lo de fazer tal. Está ainda um pouco fraco; por isso não veio comigo.

O rosto de Isabel estava radiante. Algumas lágrimas, poucas e silenciosas, ainda lhe correram dos olhos; mas eram já de alegria e não de mágoa.

Miguel saiu com a promessa de que o velho iria lá buscar o filho do comendador.

— Agora, Isabel — disse o pai apenas ficou só com ela —, que pretendes fazer?

— O que me ordenar, meu pai!

— Eu só ordenarei o que te disser o coração. Que te diz ele?

— Diz...

— O quê?

— Que sim.

— É o que devia ter dito há muito tempo, porque...

O velho estacou.

— Mas se a causa deste suicídio for outra? — pensou ele. — Indagarei tudo.

Comunicada a notícia ao comendador, não tardou que este se apresentasse em casa do dr. Matos, onde pouco depois chegou Camilo. O mísero rapaz trazia escrita no rosto a dor de haver escapado à morte trágica que procurara; pelo menos assim o disse muitas vezes em caminho ao pai de Isabel.

— Mas a causa dessa resolução? — perguntou-lhe o doutor.

— A causa... — balbuciou Camilo que espreitava a pergunta — não ouso confessá-la...

— É vergonhosa? — perguntou o velho com um sorriso benévolo.

— Oh! não!...

— Mas que causa é?

— Perdoa-me, se eu lha disser?

— Por que não?

— Não, não ouso... — disse resolutamente Camilo.

— É inútil, porque eu já sei.

— Ah!

— E perdoo a causa, mas não lhe perdoo a resolução; o senhor fez uma coisa de criança.

— Mas ela despreza-me!

— Não... ama-o!

Camilo fez aqui um gesto de surpresa perfeitamente imitado, e acompanhou o velho até a casa, onde encontrou o pai, que não sabia se devia mostrar-se severo ou satisfeito.

Camilo compreendeu logo ao entrar o efeito que o seu desastre causara no coração de Isabel.

— Ora pois! — disse o pai da moça. — Agora que o ressuscitamos é preciso prendê-lo à vida com uma cadeia forte.

E sem esperar a formalidade do costume nem atender às etiquetas normais da sociedade, o pai de Isabel deu ao comendador a novidade de que era indispensável casar os filhos.

O comendador ainda não voltara a si da surpresa de ter encontrado o filho, quando ouviu esta notícia; e se toda a tribo dos Xavantes viesse cair em cima dele armada de arco e flecha não sentiria espanto maior. Olhou alternadamente para todos os circunstantes como se lhes pedisse a razão de um fato aliás mui natural. Afinal explicaram-lhe a paixão de Camilo e Isabel, causa única do suicídio meio executado pelo filho. O comendador aprovou a escolha do rapaz, e levou a sua galanteria a dizer que no caso dele teria feito mesmo, se não contasse com a vontade da moça.

— Serei enfim digno do seu amor? — perguntou o médico a Isabel quando se achou só com ela.

— Oh! sim!... — disse ela. — Se morresse, eu morreria também!

Camilo apressou-se a dizer que a Providência velara por ele; e não se soube nunca o que é que ele chamava Providência.

Não tardou que o desenlace do episódio trágico fosse publicado na cidade e seus arredores.

Apenas Leandro Soares soube do casamento projetado entre Isabel e Camilo ficou literalmente fora de si. Mil projetos lhe acudiram à mente, cada qual mais sanguinário: em sua opinião eram dois pérfidos que o haviam traído; cumpria tirar uma solene desforra de ambos.

Nenhum déspota sonhou nunca mais terríveis suplícios do que os que Leandro Soares engendrou na sua escaldada imaginação. Dois dias e duas noites passou o pobre namorado em conjeturas estéreis. No terceiro dia resolveu ir simplesmente procurar o venturoso rival, lançar-lhe em rosto a sua vilania e assassiná-lo depois.

Muniu-se de uma faca e partiu.

Saía da fazenda o feliz noivo, descuidado da sorte que o esperava. Sua imaginação ideava agora uma vida cheia de bem-aventurança e deleites celestes; a imagem da moça dava a tudo o que o rodeava uma cor poética. Ia todo engolfado nestes devaneios quando viu em frente de si o preterido rival. Esquecera-se dele no meio da sua felicidade; compreendeu o perigo e preparou-se para ele.

Leandro Soares, fiel ao programa que se havia imposto, desfiou um rosário de impropérios que o médico ouviu calado. Quando Soares acabou e ia dar à prática o ponto final sanguinolento, Camilo respondeu:

— Atendi a tudo o que me disse; peço-lhe agora que me ouça. É verdade que vou casar com essa moça; mas também é verdade que ela o não ama. Qual é o nosso crime neste caso? Ora, ao passo que o senhor nutre a meu respeito sentimentos de ódio, eu pensava na sua felicidade.

— Ah! — disse Soares com ironia.

— É verdade. Disse comigo que um homem das suas aptidões não devia estar eternamente dedicado a servir de degrau aos outros; então, como meu pai quer à força fazer-me deputado provincial, disse-lhe que aceitava o lugar para o dar ao senhor. Meu pai concordou; mas eu tive de vencer resistências políticas e ainda agora trato de quebrar algumas. Um homem que assim procede creio que lhe merece alguma estima — pelo menos não lhe merece tanto ódio.

Não creio que a língua humana possua palavras assaz enérgicas para pintar a indignação que se manifestou no rosto de Leandro Soares. O sangue subiu-lhe todo às faces, enquanto os olhos pareciam despedir chispas de fogo. Os lábios trêmulos como que ensaiavam baixinho uma imprecação eloquente contra o feliz rival. Enfim, o pretendente infeliz rompeu nestes termos:

— A ação que o senhor praticou era já bastante infame; não precisava juntar-lhe o escárnio...

— O escárnio! — interrompeu Camilo.

— Que outro nome darei eu ao que me acaba de dizer? Grande estima, na verdade, é a sua, que depois de me roubar a maior, a única felicidade que eu podia ter, vem oferecer-me uma compensação política!

Camilo conseguiu explicar que não lhe oferecia nenhuma compensação; pensara naquilo por conhecer as tendências políticas de Soares e julgar que deste modo lhe seria agradável.

— Ao mesmo tempo — concluiu gravemente o noivo —, fui levado pela ideia de prestar um serviço à província. Creia que em nenhum caso, ainda que me devesse custar a vida, proporia coisa desvantajosa à província e ao país. Eu cuidava servir a ambos apresentando a sua candidatura, e pode crer que a minha opinião será a de todos.

— Mas o senhor falou de resistências... — disse Soares cravando no adversário um olhar inquisitorial.

— Resistências, não por oposição pessoal, mas por conveniências políticas — explicou Camilo. — Que vale isso? Tudo se desfaz com a razão e os verdadeiros princípios do partido que tem a honra de o possuir entre seus membros.

Leandro Soares não tirava os olhos de Camilo; nos lábios pairava-lhe agora um sorriso irônico e cheio de ameaças. Contemplou-o ainda alguns instantes sem dizer palavra, até que de novo rompeu silêncio.

— Que faria o senhor no meu caso? — perguntou ele dando ao seu irônico sorriso um ar verdadeiramente lúgubre.

— Eu recusava — respondeu afoitamente Camilo.

— Ah!

— Sim, recusava, porque não tenho vocação política. Não acontece o mesmo com o senhor, que a tem, e é por assim dizer o apoio do partido em toda esta comarca.

— Tenho essa convicção — disse Soares com orgulho.

— Não é o único: todos lhe fazem justiça.

Soares entrou a passear de um lado para outro. Esvoaçavam-lhe na mente terríveis inspirações, ou a humanidade reclamava alguma moderação no gênero de morte que daria ao rival? Decorreram cinco minutos. Ao cabo deles, Soares parou em frente de Camilo e *ex abrupto* lhe perguntou:

— Jura-me uma coisa?

— O quê?

— Que a fará feliz?

— Já o jurei a mim mesmo; é o meu mais doce dever.

— Seria meu esse dever se a sorte se não houvesse pronunciado contra mim; não importa; estou disposto a tudo.

— Creia que eu sei avaliar o seu grande coração — disse Camilo estendendo-

-lhe a mão.

— Talvez. O que não sabe, o que não conhece, é a tempestade que me fica na alma, a dor imensa que me há de acompanhar até a morte. Amores destes vão até a sepultura.

Parou e sacudiu a cabeça, como para expelir uma ideia sinistra.

— Que pensamento é o seu? — perguntou Camilo vendo o gesto de Soares.

— Descanse — respondeu este —; não tenho projeto nenhum. Resignar-me-ei à sorte: e se aceito essa candidatura política que me oferece é unicamente para afogar nela a dor que me abafa o coração.

Não sei se este remédio eleitoral servirá para todos os casos de doença amorosa. No coração de Soares produziu uma crise salutar, que se resolveu em favor do doente.

Os leitores adivinham bem que Camilo nada havia dito em favor de Soares; mas empenhou-se logo nesse sentido, e o pai com ele, e afinal conseguiu-se que Leandro Soares fosse incluído numa chapa e apresentado aos eleitores na próxima campanha. Os adversários do rapaz, sabedores das circunstâncias em que lhe foi oferecida a candidatura, não deixaram de dizer em todos os tons que ele vendera o direito de primogenitura por um prato de lentilhas.

Havia já um ano que o filho do comendador estava casado, quando apareceu na sua fazenda um viajante francês. Levava cartas de recomendação de um dos seus professores de Paris. Camilo recebeu-o alegremente e pediu-lhe notícias da França, que ele ainda amava, dizia, como a sua pátria intelectual. O viajante disse-lhe muitas coisas, e sacou por fim da mala um maço de jornais.

Era o *Figaro*.

— O *Figaro*! — exclamou Camilo, lançando-se aos jornais.

Eram atrasados, mas eram parisienses. Lembravam-lhe a vida que ele tivera durante longos anos, e posto nenhum desejo sentisse de trocar por ela a vida atual, havia sempre uma natural curiosidade em despertar recordações de outro tempo.

No quarto ou quinto número que abriu deparou-se-lhe uma notícia que ele leu com espanto.

Dizia assim:

> Uma célebre Leontina Caveau, que se dizia viúva de um tal príncipe Alexis, súdito do tzar, foi ontem recolhida à prisão: A bela dama (era bela!) não contente de iludir alguns moços incautos, alapardou-se com todas as joias de uma sua vizinha, *mlle*. B... A roubada queixou-se a tempo de impedir a fuga da pretendida princesa.

Camilo acabava de ler pela quarta vez esta notícia, quando Isabel entrou na sala.

— Estás com saudades de Paris? — perguntou ela vendo-o tão atento a ler o jornal francês.

— Não — disse o marido, passando-lhe o braço à roda da cintura —; estava com saudades de ti.

Jornal das Famílias, *junho-setembro de 1872; Job.*

As bodas de Luís Duarte

Na manhã de um sábado, 25 de abril, andava tudo em alvoroço em casa de José Lemos. Preparava-se o aparelho de jantar dos dias de festa, lavavam-se as escadas e os corredores, enchiam-se os leitões e os perus para serem assados no forno da padaria defronte; tudo era movimento; alguma coisa grande ia acontecer nesse dia.

O arranjo da sala ficou a cargo de José Lemos. O respeitável dono da casa, trepado num banco, tratava de pregar à parede duas gravuras compradas na véspera em casa do Bernasconi; uma representava a *Morte de Sardanapalo*; outra a *Execução de Maria Stuart*. Houve alguma luta entre ele e a mulher a respeito da colocação da primeira gravura. D. Beatriz achou que era indecente um grupo de homem abraçado com tantas mulheres. Além disso, não lhe pareciam próprios dois quadros fúnebres em dia de festa. José Lemos, que tinha sido membro de uma sociedade literária quando era rapaz, respondeu triunfantemente que os dois quadros eram históricos, e que a história está bem em todas as famílias. Podia acrescentar que nem todas as famílias estão bem na história; mas este trocadilho era mais lúgubre que os quadros.

D. Beatriz, com as chaves na mão, mas sem a *melena desgrenhada* do soneto de Tolentino, andava literalmente da sala para a cozinha, dando ordens, apressando as escravas, tirando toalhas e guardanapos lavados e mandando fazer compras, em suma, ocupada nas mil coisas que estão a cargo de uma dona de casa, máxime num dia de tanta magnitude.

De quando em quando, chegava d. Beatriz à escada que ia ter ao segundo andar, e gritava:

— Meninas, venham almoçar!

Mas parece que as meninas não tinham pressa, porque só depois das nove horas acudiram ao oitavo chamado da mãe, já disposta a subir ao quarto das pequenas, o que era verdadeiro sacrifício da parte de uma senhora tão gorda.

Eram duas moreninhas de truz as filhas do casal Lemos. Uma representava ter vinte anos, outra dezessete; ambas eram altas e um tanto refeitas. A mais velha estava um pouco pálida; a outra, coradinha e alegre, desceu cantando não sei que romance do Alcazar, então em moda. Parecia que das duas a mais feliz seria a que cantava; não era; a mais feliz era a outra que nesse dia devia ligar-se pelos laços matrimoniais ao jovem Luís Duarte, com quem nutria longo e porfiado namoro. Estava pálida por ter tido uma insônia terrível, doença de que até então não padecera nunca. Há doenças assim.

Desceram as duas pequenas, tomaram a bênção à mãe, que lhes fez um rápido discurso de repreensão e foram à sala para falar ao pai. José Lemos, que pela sétima vez trocava a posição dos quadros, consultou as filhas sobre se era melhor que a Stuart ficasse do lado do sofá ou do lado oposto. As meninas disseram que era melhor deixá-la onde estava, e esta opinião pôs termo às dúvidas de José Lemos, que deu por concluída a tarefa e foi almoçar.

Além de José Lemos, sua mulher d. Beatriz, Carlota (a noiva) e Luísa, estavam à mesa Rodrigo Lemos e o menino Antonico, filhos também do casal Lemos. Rodrigo tinha dezoito anos e Antonico seis; o Antonico era a miniatura do Rodrigo;

distinguiam-se ambos por uma notável preguiça, e nisso eram perfeitamente irmãos. Rodrigo desde as oito horas da manhã gastou o tempo em duas coisas: ler os anúncios do jornal e ir à cozinha saber em que altura estava o almoço. Quanto ao Antonico, tinha comido às seis horas um bom prato de mingau, na forma do costume, e só se ocupou em dormir tranquilamente até que a mucama o foi chamar.

O almoço correu sem novidade. José Lemos era homem que comia calado; Rodrigo contou o enredo da comédia que vira na noite antecedente no Ginásio; e não se falou em outra coisa durante o almoço. Quando este acabou, Rodrigo levantou-se para ir fumar; e José Lemos encostando os braços na mesa perguntou se o tempo ameaçava chuva. Efetivamente o céu estava sombrio, e a Tijuca não apresentava bom aspecto.

Quando o Antonico ia levantar-se, impetrada a licença, ouviu da mãe este aviso:

— Olha lá, Antonico, não faças logo ao jantar o que fazes sempre que há gente de fora.

— O que é que ele faz? — perguntou José Lemos.

— Fica envergonhado e mete o dedo no nariz. Só os meninos tolos é que fazem isto: eu não quero semelhante coisa.

O Antonico ficou envergonhado com a reprimenda e foi para a sala lavado em lágrimas. D. Beatriz correu logo atrás para acalentar o seu Benjamim, e todos os mais se levantaram da mesa.

José Lemos indagou da mulher se não faltava nenhum convite, e depois de certificar-se que estavam convidados todos os que deviam assistir à festa, foi vestir-se para sair. Imediatamente foi incumbido de várias coisas: recomendar ao cabeleireiro que viesse cedo, comprar luvas para a mulher e as filhas, avisar de novo os carros, encomendar os sorvetes e os vinhos, e outras coisas mais em que poderia ser ajudado pelo jovem Rodrigo, se este homônimo do Cid não tivesse ido dormir para descansar o almoço.

Apenas José Lemos pôs a sola dos sapatos em contato com as pedras da rua, d. Beatriz disse a sua filha Carlota que a acompanhasse à sala, e apenas ali chegaram ambas, proferiu a boa senhora o seguinte *speech*:

— Minha filha, hoje termina a tua vida de solteira, e amanhã começa a tua vida de casada. Eu, que já passei pela mesma transformação, sei praticamente que o caráter de uma senhora casada traz consigo responsabilidades gravíssimas. Bom é que cada qual aprenda à sua custa; mas eu sigo nisto o exemplo de tua avó, que na véspera da minha união com teu pai, expôs em linguagem clara e simples a significação do casamento e a alta responsabilidade dessa nova posição...

D. Beatriz estacou; Carlota que atribuiu o silêncio da mãe ao desejo de obter uma resposta, não achou melhor palavra do que um beijo amorosamente filial.

Entretanto, se a noiva de Luís Duarte tivesse espiado três dias antes pela fechadura do gabinete de seu pai, adivinharia que d. Beatriz recitava um discurso composto por José Lemos, e que o silêncio era simplesmente um eclipse de memória.

Melhor fora que d. Beatriz, como as outras mães, tirasse alguns conselhos do seu coração e da sua experiência. O amor materno é a melhor retórica deste mundo. Mas o sr. José Lemos, que conservara desde a juventude um sestro literário, achou que fazia mal expondo a cara-metade a alguns erros gramaticais numa ocasião tão solene.

Continuou d. Beatriz o seu discurso, que não foi longo, e terminou perguntando se realmente Carlota amava o noivo, e se aquele casamento não era, como podia acontecer, um resultado de despeito. A moça respondeu que amava ao noivo tanto como a seus pais. A mãe acabou beijando a filha com ternura, não estudada na prosa de José Lemos.

Pelas duas horas da tarde voltou este, suando em bica, mas satisfeito de si, porque além de ter dado conta de todas as incumbências da mulher, relativas aos carros, cabeleireiro etc., conseguiu que o tenente Porfírio fosse lá jantar, coisa que até então estava duvidosa.

O tenente Porfírio era o tipo do orador de sobremesa; possuía o entono, a facilidade, a graça, todas as condições necessárias a esse mister. A posse de tão belos talentos proporcionava ao tenente Porfírio alguns lucros de valor; raro domingo ou dia de festa jantava em casa. Convidava-se o tenente Porfírio com a condição tácita de fazer um discurso, como se convida um músico para tocar alguma coisa. O tenente Porfírio estava entre o creme e o café; e não se cuide que era acepipe gratuito; o bom homem, se bem falava, melhor comia. De maneira que, bem pesadas as coisas, o discurso valia o jantar.

Foi grande assunto de debate nos três dias anteriores ao dia das bodas, se o jantar devia preceder a cerimônia ou vice-versa. O pai da noiva inclinava-se a que o casamento fosse celebrado depois do jantar, e nisto era apoiado pelo jovem Rodrigo, que com uma sagacidade digna de estadista, percebeu que, no caso contrário, o jantar seria muito tarde. Prevaleceu entretanto a opinião de d. Beatriz que achou esquisito ir para a igreja com a barriga cheia. Nenhuma razão teológica ou disciplinar se opunha a isso, mas a esposa de José Lemos tinha opiniões especiais em assunto de igreja.

Venceu a sua opinião.

Pelas quatro horas começaram a chegar convidados.

Os primeiros foram os Vilelas, família composta de Justiniano Vilela, chefe de seção aposentado, d. Margarida, sua esposa, e d. Augusta, sobrinha de ambos.

A cabeça de Justiniano Vilela — se se pode chamar cabeça a uma jaca metida numa gravata de cinco voltas — era um exemplo da prodigalidade da natureza quando quer fazer cabeças grandes. Afirmavam, porém, algumas pessoas que o talento não correspondia ao tamanho; posto que tivesse corrido algum tempo o boato contrário. Não sei de que talento falavam essas pessoas; e a palavra pode ter várias aplicações. O certo é que um talento teve Justiniano Vilela, foi a escolha da mulher, senhora que, apesar dos seus quarenta e seis anos bem puxados, ainda merecia, no entender de José Lemos, dez minutos de atenção.

Trajava Justiniano Vilela como é de uso em tais reuniões; e a única coisa verdadeiramente digna de nota eram os seus sapatos ingleses de apertar no peito do pé por meio de cordões. Ora, como o marido de d. Margarida tinha horror às calças compridas, aconteceu que apenas se sentou deixou patente a alvura de um fino e imaculado par de meias.

Além do ordenado com que foi aposentado, tinha Justiniano Vilela uma casa e dois molecotes, e com isso ia vivendo menos mal. Não gostava de política; mas tinha opiniões assentadas a respeito dos negócios públicos. Jogava o solo e o gamão todos os dias, alternadamente; gabava as coisas do seu tempo; e tomava rapé com o dedo polegar e o dedo médio.

Outros convidados foram chegando, mas em pequena quantidade, porque à cerimônia e ao jantar só devia assistir um pequeno número de pessoas íntimas.

Às quatro horas e meia chegou o padrinho, dr. Valença, e a madrinha, sua irmã viúva d. Virgínia. José Lemos correu a abraçar o dr. Valença; mas este, que era homem formalista e cerimonioso, repeliu brandamente o amigo, dizendo-lhe ao ouvido que naquele dia toda a gravidade era pouca. Depois, com uma serenidade que só ele possuía, entrou o dr. Valença e foi cumprimentar a dona da casa e as outras senhoras.

Era ele homem de seus cinquenta anos, nem gordo nem magro, mas dotado de um largo peito e um largo abdômen que lhe davam maior gravidade ao rosto e às maneiras. O abdômen é a expressão mais positiva da gravidade humana; um homem magro tem necessariamente os movimentos rápidos; ao passo que para ser completamente grave precisa ter os movimentos tardos e medidos. Um homem verdadeiramente grave não pode gastar menos de dois minutos em tirar o lenço e assoar-se. O dr. Valença gastava três quando estava com defluxo e quatro no estado normal. Era um homem gravíssimo.

Insisto neste ponto porque é a maior prova da inteligência do dr. Valença. Compreendeu este advogado, logo que saiu da academia, que a primeira condição para merecer a consideração dos outros era ser grave; e indagando o que era gravidade pareceu-lhe que não era nem o peso da reflexão, nem a seriedade do espírito, mas unicamente certo mistério do corpo, como lhe chama La Rochefoucauld; o qual mistério, acrescentará o leitor, é como a bandeira dos neutros em tempo de guerra: salva do exame a carga que cobre.

Podia-se dar uma boa gratificação a quem descobrisse uma ruga na casaca do dr. Valença. O colete tinha apenas três botões e abria-se até o pescoço em forma de coração. Um elegante claque completava a toalete do dr. Valença. Não era ele bonito de feições no sentido afeminado que alguns dão à beleza masculina; mas não deixava de ter certa correção nas linhas do rosto, o qual se cobria de um véu de serenidade que lhe ficava a matar.

Depois da entrada dos padrinhos, José Lemos perguntou pelo noivo, e o dr. Valença respondeu que não sabia dele. Eram já cinco horas. Os convidados, que cuidavam ter chegado tarde para a cerimônia, ficaram desagradavelmente surpreendidos com a demora, e Justiniano Vilela confessou ao ouvido da mulher que estava arrependido de não ter comido alguma coisa antes. Era justamente o que estava fazendo o jovem Rodrigo Lemos, desde que percebeu que o jantar viria lá para as sete horas.

A irmã do dr. Valença, de quem não falei detidamente por ser uma das figuras insignificantes que jamais produziu a raça de Eva, apenas entrou manifestou logo o desejo de ir ver a noiva, e d. Beatriz saiu com ela da sala, deixando plena liberdade ao marido que encetava uma conversação com a interessante esposa do sr. Vilela.

— Os noivos de hoje não se apressam — disse filosoficamente Justiniano —; quando eu me casei fui o primeiro que apareceu em casa da noiva.

A esta observação, toda filha do estômago implacável do ex-chefe de seção, o dr. Valença respondeu dizendo:

— Compreendo a demora e a comoção de aparecer diante da noiva.

Todos sorriram ouvindo esta defesa do noivo ausente e a conversa tomou certa animação.

Justamente no momento em que Vilela discutia com o dr. Valença as vantagens do tempo antigo sobre o tempo atual, e as moças conversavam entre si do último corte dos vestidos, entrou na sala a noiva, escoltada pela mãe e pela madrinha, vindo logo na retaguarda a interessante Luísa, acompanhada do jovem Antonico.

Eu não seria narrador exato nem de bom gosto se não dissesse que houve na sala um murmúrio de admiração.

Carlota estava efetivamente deslumbrante com o seu vestido branco, e a sua grinalda de flores de laranjeira, e o seu finíssimo véu, sem outra joia mais que os seus olhos negros, verdadeiros diamantes da melhor água.

José Lemos interrompeu a conversa em que estava com a esposa de Justiniano, e contemplou a filha. Foi a noiva apresentada aos convidados, e conduzida para o sofá, onde se sentou entre a madrinha e o padrinho. Este, pondo o claque em pé sobre a perna, e sobre o claque a mão apertada numa luva de três mil e quinhentos, disse à afilhada palavras de louvor que a moça ouviu corando e sorrindo, aliança amável de vaidade e modéstia.

Ouviram-se passos na escada, e já o sr. José Lemos esperava ver entrar o futuro genro, quando assomou à porta o grupo dos irmãos Valadares.

Destes dois irmãos, o mais velho, que se chamava Calisto, era um homem amarelo, nariz aquilino, cabelos castanhos e olhos redondos. Chamava-se o mais moço Eduardo, e só diferenciava do irmão na cor, que era vermelha. Eram ambos empregados numa Companhia, e estavam na flor dos quarenta para cima. Outra diferença havia: era que Eduardo cultivava a poesia quando as cifras lho permitiam, ao passo que o irmão era inimigo de tudo o que cheirava a literatura.

Passava o tempo, e nem o noivo, nem o tenente Porfírio davam sinais de si. O noivo era essencial para o casamento, e o tenente para o jantar. Eram cinco e meia quando apareceu finalmente Luís Duarte. Houve um *Gloria in excelsis Deo* no interior de todos os convidados.

Luís Duarte apareceu à porta da sala, e daí mesmo fez uma cortesia geral, cheia de graça e tão cerimoniosa que o padrinho lha invejou. Era um rapaz de vinte e cinco anos, tez mui alva, bigode louro e sem barba nenhuma. Trazia o cabelo apartado no centro da cabeça. Os lábios eram tão rubros que um dos Valadares disse ao ouvido do outro: parece que os tingiu. Em suma, Luís Duarte era uma figura capaz de agradar a uma moça de vinte anos, e eu não teria grande repugnância em chamar-lhe um Adônis, se ele realmente o fosse. Mas não era. Dada a hora, saíram os noivos, os pais e os padrinhos, e foram à igreja, que ficava perto; os outros convidados ficaram em casa, fazendo as honras dela a menina Luísa e o jovem Rodrigo, a quem o pai foi chamar, e que apareceu logo trajado no rigor da moda.

— É um par de pombos — disse a sra. d. Margarida Vilela, apenas saiu a comitiva.

— É verdade! — disseram em coro os dois irmãos Valadares e Justiniano Vilela.

A menina Luísa, que era alegre por natureza, alegrou a situação, conversando com as outras moças, uma das quais, a convite seu, foi tocar alguma coisa ao piano. Calisto Valadares suspeitava que houvesse uma omissão nas Escrituras, e vinha a ser que entre as pragas do Egito devia ter figurado o piano. Imagine o leitor com que cara viu ele sair uma das moças do seu lugar e dirigir-se ao fatal instrumento. Soltou um longo suspiro e começou a contemplar as duas gravuras compradas na véspera.

— Que magnífico é isto! — exclamou ele diante do Sardanapalo, quadro que ele achava detestável.

— Foi papai quem escolheu — disse Rodrigo, e foi essa a primeira palavra que pronunciou desde que entrou na sala.

— Pois, senhor, tem bom gosto — continuou Calisto —; não sei se conhecem o assunto do quadro...

— O assunto é *Sardanapalo* — disse afoitamente Rodrigo.

— Bem sei — retrucou Calisto, estimando que a conversa pegasse —; mas eu pergunto se...

Não pôde acabar; soaram os primeiros compassos.

Eduardo, que na sua qualidade de poeta, devia amar a música, aproximou-se do piano e inclinou-se sobre ele na posição melancólica de um homem que conversa com as musas. Quanto ao irmão, não tendo podido evitar a cascata de notas, foi sentar-se ao pé de Vilela, com quem travou conversa, começando por perguntar que horas eram no relógio dele. Era tocar na tecla mais preciosa do ex-chefe de seção.

— É já tarde — disse este com voz fraca —; olhe, seis horas.

— Não podem tardar muito.

— Eu sei! A cerimônia é longa, e talvez não achem o padre... Os casamentos deviam fazer-se em casa e de noite.

— É a minha opinião.

A moça terminou o que estava tocando; Calisto suspirou. Eduardo, que estava encostado ao piano, cumprimentou a executante com entusiasmo.

— Por que não toca mais alguma coisa? — disse ele.

— É verdade, Mariquinhas, toca alguma coisa da *Sonâmbula* — disse Luísa obrigando a amiga a sentar-se.

— Sim! a *Son*...

Eduardo não pôde acabar; viu em frente os dois olhos repreensivos do irmão e fez uma careta. Interromper uma frase e fazer uma careta podia ser indício de um calo. Todos assim pensaram, exceto Vilela, que, julgando os outros por si, ficou convencido de que algum grito agudo do estômago tinha interrompido a voz de Eduardo. E, como acontece às vezes, a dor alheia despertou a própria, de maneira que o estômago de Vilela formulou um verdadeiro ultimato ao qual o homem cedeu, aproveitando a intimidade que tinha na casa e indo ao interior sob pretexto de dar exercício às pernas.

Foi uma felicidade.

A mesa, que já tinha em cima de si alguns acepipes convidativos, apareceu como uma verdadeira fonte de Moisés aos olhos do ex-chefe de seção. Dois pastelinhos e uma croquete foram os parlamentares que Vilela mandou ao estômago rebelado e com os quais aquela víscera se conformou.

No entanto d. Mariquinhas fazia maravilhas ao piano; Eduardo encostado à janela parecia meditar um suicídio, ao passo que o irmão brincando com a corrente do relógio ouvia umas confidências de d. Margarida a respeito do mau serviço dos escravos. Quanto a Rodrigo, passeava de um lado para outro, dizendo de vez em quando em voz alta:

— Já tardam!

Eram seis horas e um quarto; nada de carros; algumas pessoas já estavam impacientes. Às seis e vinte minutos ouviu-se um rumor de rodas; Rodrigo correu à janela: era um tílburi. Às seis e vinte e cinco minutos todos supuseram ouvir o rumor dos carros.

— É agora — exclamou uma voz.

Não era nada. Pareceu-lhes ouvir por um efeito (desculpem a audácia com que eu caso este substantivo a este adjetivo) por um efeito de *miragem auricular*.

Às seis horas e trinta e oito minutos apareceram os carros. Grande alvoroço na sala; as senhoras correram às janelas. Os homens olharam uns para os outros como conjurados que medem as suas forças para uma grande empresa. Toda a comitiva entrou. As escravas da casa, que espreitavam do corredor a entrada dos noivos, causaram uma verdadeira surpresa à sinhá moça deitando-lhe sobre a cabeça um dilúvio de folhas de rosa. Cumprimentos e beijos, houve tudo quanto se faz em tais ocasiões.

O sr. José Lemos estava contentíssimo, mas caiu-lhe água na fervura quando soube que o tenente Porfírio não tinha chegado.

— É preciso mandá-lo chamar.

— A esta hora! — murmurou Calisto Valadares.

— Sem o Porfírio não há festa completa — disse o sr. José Lemos confidencialmente ao dr. Valença.

— Papai — disse Rodrigo — eu creio que ele não vem.

— É impossível!

— São quase sete horas.

— E o jantar já nos espera — acrescentou d. Beatriz.

O voto de d. Beatriz pesava muito no ânimo de José Lemos; por isso não insistiu. Não houve remédio senão sacrificar o tenente.

Mas o tenente era o homem das situações difíceis, o salvador dos lances arriscados. Mal acabava d. Beatriz de falar, e José Lemos de assentir mentalmente à opinião da mulher, ouviu-se na escada a voz do tenente Porfírio. O dono da casa soltou um suspiro de alívio e satisfação. Entrou na sala o longamente esperado conviva.

Pertencia o tenente a essa classe feliz de homens que não têm idade; uns lhe davam trinta anos, outros trinta e cinco e outros quarenta; alguns chegavam até os quarenta e cinco, e tanto esses como os outros podiam ter igualmente razão. A todas as hipóteses se prestavam a cara e as suíças castanhas do tenente. Era ele magro e de estatura meã; vestia com certa graça, e comparado com um boneco não havia grande diferença. A única coisa que destoava um pouco era o modo de pisar; o tenente Porfírio pisava para fora a tal ponto, que da ponta do pé esquerdo à ponta do pé direito, quase se podia traçar uma linha reta. Mas como tudo tem compensação, usava ele sapatos rasos de verniz, mostrando um fino par de meias de fio de escócia mais lisas que a superfície de uma bola de bilhar.

Entrou com a graça que lhe era peculiar. Para cumprimentar os noivos arredondou o braço direito, pôs a mão atrás das costas segurando o chapéu, e curvou profundamente o busto, ficando em posição que fazia lembrar (de longe!) os antigos lampiões das nossas ruas.

Porfírio tinha sido tenente do exército e dera baixa, com o que andou perfeitamente, porque entrou no comércio de trastes e já possuía algum pecúlio. Não era bonito, mas algumas senhoras afirmavam que apesar disso era mais perigoso que uma lata de nitroglicerina. Naturalmente não devia essa qualidade à graça da linguagem, pois falava sibilando muito a letra s; dizia sempre: Asss minhasss botasss...

Quando Porfírio acabou os cumprimentos, disse-lhe o dono da casa:

— Já sei que hoje temos coisa boa!

— Qual! — respondeu ele com uma modéstia exemplar —; quem ousará levantar a voz diante de ilustrações?

Porfírio disse estas palavras pondo os quatro dedos da mão esquerda no bolso do colete, gesto que ele praticava por não saber onde havia de pôr aquele fatal braço, obstáculo dos atores novéis.

— Mas por que veio tarde? — perguntou d. Beatriz.

— Condene-me, minha senhora, mas poupe-me a vergonha de explicar uma demora que não tem atenuante no código da amizade e da polidez.

José Lemos sorriu olhando para todos e como se destas palavras do tenente lhe resultasse alguma glória para ele. Mas Justiniano Vilela que, apesar dos pastelinhos, sentia-se impelido para a mesa, exclamou velhacamente:

— Felizmente chegou à hora de jantar!

— É verdade; vamos para a mesa — disse José Lemos dando o braço a d. Margarida e a d. Virgínia.

Seguiram-se os mais em procissão.

Não há mais júbilo nos peregrinos da Meca do que houve nos convivas ao avistarem uma longa mesa, profusamente servida, alastrada de porcelanas e cristais, assados, doces e frutas. Sentaram-se em boa ordem. Durante alguns minutos houve aquele silêncio que precede a batalha, e só no fim dela, começou a geral conversação.

— Quem diria há um ano, quando eu aqui apresentei o nosso Duarte, que ele seria hoje noivo desta interessante dona Carlota? — disse o dr. Valença limpando os lábios com o guardanapo, e lançando um benévolo olhar para a noiva.

— É verdade! — disse d. Beatriz.

— Parece dedo da Providência — opinou a mulher de Vilela.

— Parece, e é — disse d. Beatriz.

— Se é o dedo da Providência — acudiu o noivo —, agradeço aos céus o interesse que toma por mim.

Sorriu d. Carlota, e José Lemos achou o dito de bom gosto e digno de um genro.

— Providência ou acaso? — perguntou o tenente. — Eu sou mais pelo acaso.

— Vai mal — disse Vilela, que pela primeira vez levantara a cabeça do prato —; isso que o senhor chama acaso não é senão a Providência. O casamento e a mortalha no céu se talham.

— Ah! o senhor acredita nos provérbios?

— É a sabedoria das nações — disse José Lemos.

— Não — insistiu o tenente Porfírio. — Repare que para cada provérbio afirmando uma coisa, há outro provérbio afirmando a coisa contrária. Os provérbios mentem. Eu creio que foi simplesmente um felicíssimo acaso, ou antes uma lei de atração das almas que fez com que o senhor Luís Duarte se aproximasse da interessante filha do nosso anfitrião.

José Lemos ignorava até aquela data se era anfitrião; mas considerou que da parte de Porfírio não podia vir coisa má. Agradeceu sorrindo o que lhe pareceu cumprimento, enquanto se servia da gelatina, que Justiniano Vilela dizia estar excelente.

As moças conversavam baixinho e sorrindo; os noivos estavam embebidos com a troca de palavras amorosas, ao passo que Rodrigo palitava os dentes com tal ruído, que a mãe não pôde deixar de lhe lançar um desses olhares fulminantes que eram as suas melhores armas.

— Quer gelatina, senhor Calisto? — perguntou José Lemos com a colher no ar.

— Um pouco — disse o homem de cara amarela.

— A gelatina é excelente! — disse pela terceira vez o marido de d. Margarida, e tão envergonhada ficou a mulher com estas palavras do homem que não pôde reter um gesto de desgosto.

— Meus senhores — disse o padrinho —, eu bebo aos noivos.

— Bravo! — disse uma voz.

— Só isso? — perguntou Rodrigo. — Deseja-se uma saúde historiada.

— Mamãe! eu quero gelatina! — disse o menino Antonico.

— Eu não sei fazer discursos; bebo simplesmente à saúde dos noivos.

Todos beberam à saúde dos noivos.

— Quero gelatina! — insistiu o filho de José Lemos.

D. Beatriz sentiu ímpetos de Medeia; o respeito aos convidados impediu que ali houvesse uma cena grave. A boa senhora limitou-se a dizer a um dos serventes:

— Leva isto a nhonhô...

O Antonico recebeu o prato, e entrou a comer como comem as crianças quando não têm vontade: levava um colherada à boca e demorava-se tempo infinito rolando o conteúdo da colher entre a língua e o paladar, ao passo que a colher, empurrada por um lado, formava na bochecha direita uma pequena elevação. Ao mesmo tempo agitava o pequeno as pernas de maneira que batia alternadamente na cadeira e na mesa.

Enquanto se davam estes incidentes, em que ninguém realmente reparava, a conversa continuava seu caminho. O dr. Valença discutia com uma senhora a excelência do vinho xerez, e Eduardo Valadares recitava uma décima à moça que lhe ficava ao pé.

De repente levantou-se José Lemos.

— Sio! sio! sio! — gritaram todos impondo silêncio.

José Lemos pegou num copo e disse aos circunstantes:

— Não é, meus senhores, a vaidade de ser ouvido por tão notável assembleia que me obriga a falar. É um alto dever de cortesia, de amizade, de gratidão; um desses deveres que podem mais que todos os outros, dever santo, dever imortal.

A estas palavras a assembleia seria cruel se não aplaudisse. O aplauso não atrapalhou o orador, pela simples razão de que ele sabia o discurso de cor.

— Sim, senhores. Curvo-me a esse dever, que é para mim a lei mais santa e imperiosa. Eu bebo aos meus amigos, a estes sectários do coração, a estas vestais, tanto masculinas como femininas, do puro fogo da amizade! Aos meus amigos! à amizade!

A falar verdade, o único homem que percebeu a nulidade do discurso de José Lemos foi o dr. Valença, que aliás não era águia. Por isso mesmo levantou-se e fez um brinde aos talentos oratórios do anfitrião.

Seguiu-se a estes dois brindes o silêncio de uso, até que Rodrigo dirigindo-se ao tenente Porfírio perguntou-lhe se havia deixado a musa em casa.

— É verdade! queremos ouvi-lo — disse uma senhora —; dizem que fala tão bem!

— Eu, minha senhora? — respondeu Porfírio com aquela modéstia de um homem que se supõe um são João Boca de Ouro.

Distribuiu-se o champanhe; e o tenente Porfírio levantou-se. Vilela, que se achava um pouco distante, pôs a mão em forma de concha atrás da orelha direita, ao passo que Calisto fincando um olhar profundo sobre a toalha parecia estar contando os fios do tecido. José Lemos chamou a atenção da mulher, que nesse momento servia uma castanha gelada ao implacável Antonico; todos os mais estavam com os olhos no orador.

— Minhas senhoras! meus senhores! — disse Porfírio. — Não irei esquadrinhar no âmago da história, essa mestra da vida, o que era o himeneu nas priscas eras da humanidade. Seria lançar a luva do escárnio às faces imaculadas desta brilhante reunião. Todos nós sabemos, senhoras e senhores, o que é o himeneu. O himeneu é a rosa, rainha dos vergéis, abrindo as pétalas rubras, para amenizar os cardos, os abrolhos, os espinhos da vida...

— Bravo!
— Bonito!

— Se o himeneu é o que eu acabo de expor aos vossos sentidos auriculares, não é mister explicar o gáudio, o fervor, os ímpetos de amor, as explosões de sentimento com que todos nós estamos à roda deste altar, celebrando a festa do nosso caro e prezadíssimo amigo.

José Lemos curvou a cabeça até tocar com a ponta do nariz numa pera que tinha diante de si, enquanto d. Beatriz, voltando-se para o dr. Valença que lhe ficava ao pé, dizia:

— Fala muito bem! parece um dicionário!

José Porfírio continuou:

— Sinto, senhores, não ter um talento digno do assunto...

— Não apoiado! está falando muito bem! — disseram muitas vozes em volta do orador.

— Agradeço a bondade de vossas excelências; mas eu persisto na crença de que não tenho o talento capaz de arcar com um objeto de tanta magnitude.

— Não apoiado!

— Vossas excelências confundem-me — respondeu Porfírio curvando-se. — Não tenho esse talento; mas sobra-me boa vontade, aquela boa vontade com que os apóstolos plantaram no mundo a religião do Calvário, e graças a este sentimento poderei resumir em duas palavras o brinde aos noivos. Senhores, duas flores nasceram em diverso canteiro, ambas pulcras, ambas recendentes, ambas cheias de vitalidade divina. Nasceram uma para outra; era o cravo e a rosa; a rosa vivia para o cravo, o cravo vivia para a rosa: veio uma brisa e comunicou os perfumes das duas flores, e as flores, conhecendo que se amavam, correram uma para a outra. A brisa apadrinhou essa união. A rosa e o cravo ali estão consorciados no amplexo da simpatia: a brisa ali está honrando a nossa reunião.

Ninguém esperava pela brisa; a brisa era o dr. Valença.

Estrepitosos aplausos celebraram este discurso em que o Calvário andou unido ao cravo e à rosa. Porfírio sentou-se com a satisfação íntima de ter cumprido o seu dever.

O jantar chegava ao fim: eram oito horas e meia; vinham chegando alguns músicos para o baile. Todavia, ainda houve uma poesia de Eduardo Valadares e alguns brindes a todos os presentes e a alguns ausentes. Ora, como os licores iam ajudando as musas, travou-se especial combate entre o tenente Porfírio e Justiniano Vilela, que, só depois de animado, pôde entrar na arena. Esgotados os assuntos, fez Porfírio um brinde ao exército e aos seus generais, e Vilela outro à união das províncias do Império. Nesse terreno os assuntos não podiam escassear. Quando todos se levantaram da mesa, lá ficaram os dois brindando calorosamente todas as ideias práticas e úteis deste mundo, e do outro.

Seguiu-se o baile, que foi animadíssimo e durou até as três horas da manhã.

Nenhum incidente perturbou esta festa. Quando muito podia citar-se um ato de mau gosto da parte de José Lemos que, dançando com d. Margarida, ousou lamentar a sorte dessa pobre senhora cujo marido se entretinha a fazer saúdes em vez de ter a inapreciável ventura de estar ao lado dela. D. Margarida sorriu; mas o incidente não foi adiante.

Às duas horas retirou-se o dr. Valença com a família, sem que durante a noite, e apesar da familiaridade da reunião, perdesse um átomo sequer da gravidade habitual. Calisto Valadares esquivou-se na ocasião em que a filha mais moça de d. Beatriz ia cantar ao piano. Os mais foram-se retirando a pouco e pouco.

Quando a festa acabou de todo, ainda os dois últimos abencerragens do copo e da mesa lá estavam levantando brindes de todo o tamanho. O último brinde de Vilela foi ao progresso do mundo por meio do café e do algodão, e o de Porfírio ao estabelecimento da paz universal.

Mas o verdadeiro brinde dessa festa memorável foi um pequerrucho que viu a luz em janeiro do ano seguinte, o qual perpetuará a dinastia dos Lemos, se não morrer na crise da dentição.

Jornal das Famílias; *junho-julho de 1873; Lara.*

Ernesto de Tal

I

Aquele moço que ali está parado na rua Nova do Conde esquina do campo da Aclamação, às dez horas da noite, não é nenhum ladrão, não é sequer um filósofo. Tem um ar misterioso, é verdade; de quando em quando leva a mão ao peito, bate uma palmada na coxa, ou atira fora um charuto apenas encetado. Filósofo já se vê que não era. Ratoneiro também não; se algum sujeito acerta de passar pelo mesmo lado, o vulto afasta-se cauteloso, como se tivesse medo de ser conhecido.

De dez em dez minutos, sobe a rua até o lugar em que ela faz ângulo com a rua do Areal, torna a descer dez minutos depois, para de novo subir e descer, descer e subir, sem outro resultado mais que aumentar cinco por cento a cólera que lhe murmura no coração.

Quem o visse fazer estas subidas e descidas, bater na perna, acender e apagar charutos, e não tivesse outra explicação, suporia plausivelmente que o homem estava doido ou perto disso. Não, senhor; Ernesto de Tal (não estou autorizado para dizer o nome todo) anda simplesmente apaixonado por uma moça que mora naquela rua; está colérico porque ainda não conseguiu receber resposta da carta que lhe mandou nessa manhã.

Convém dizer que dois dias antes tinha havido um pequeno arrufo. Ernesto quebrara o protesto de namorado que lhe fizera, de nunca mais escrever-lhe, mandando nessa manhã uma epístola de quatro laudas incendiárias, com muitos sinais admirativos e várias liberdades de pontuação. A carta foi, mas a resposta não veio.

De cada vez que o nosso namorado operava a descida ou subida da rua, parava defronte de uma casa assobradada, onde se dançava ao som de um piano. Era ali que morava a dama dos seus pensamentos. Mas parava debalde; nem ela aparecia à janela, nem a carta lhe chegava às mãos.

Ernesto mordia então os beiços para não soltar um grito de desespero e ia desafogar os seus furores na próxima esquina.

— Mas que explicação tem isto — dizia ele consigo mesmo —; por que razão não me atira ela o papel de cima da janela? Não tem que ver; está toda entregue à dança, talvez ao namoro, não se lembra que eu estou aqui na rua, quando podia estar lá...

Neste ponto calou-se o namorado, e em vez do gesto de desespero que devia fazer, soltou apenas um longo e magoado suspiro. A explicação deste suspiro, inverossímil num homem que está rebentando de cólera, é um tanto delicada para se dizer em letra redonda. Mas vá lá; ou não se há de contar nada, ou se há de dizer tudo.

Ernesto dava-se em casa do sr. Vieira, tio de Rosina, que é o nome da namorada. Lá costumava ir com frequência, e lá mesmo é que se arrufou com ela dois dias antes deste sábado de outubro de 1850, em que se passa o acontecimento que estou narrando. Ora, por que razão não figura Ernesto entre os cavalheiros que estão dançando ou tomando chá? Na véspera de tarde o sr. Vieira, encontrando-se com Ernesto, participou-lhe que dava no dia seguinte uma pequena partida para solenizar não sei que acontecimento da família.

— Resolvi isto hoje de manhã — concluiu ele —; convidei pouca gente, mas espero que a festa esteja brilhante. Ia mandar-lhe agora um convite; mas creio que me dispensa?...

— Sem dúvida — apressou-se a dizer Ernesto, esfregando as mãos de contente.

— Não falte!

— Não senhor!

— Ah! esquecia-me avisá-lo de uma coisa — disse Vieira que já havia dado alguns passos —; como vai o subdelegado, que além disso é comendador, eu desejava que todos os meus convidados aparecessem de casaca. Sacrifique-se à casaca, sim?

— Com muito gosto — respondeu o outro ficando pálido como um defunto.

Pálido, por quê? Leitor, por mais ridícula e lastimosa que te pareça esta declaração, não hesito de dizer-te que o nosso Ernesto não possuía uma só casaca nova nem velha. A exigência de Vieira era absurda; mas não havia fugir-lhe; ou não ir, ou ir de casaca. Cumpria sair a todo custo desta gravíssima situação. Três alvitres se apresentaram ao espírito do atribulado moço; encomendar, por qualquer preço, uma casaca para a noite seguinte; comprá-la a crédito; pedi-la a um amigo.

Os dois primeiros alvitres foram desprezados por impraticáveis; Ernesto não tinha dinheiro nem crédito tão alto. Restava o terceiro. Fez Ernesto uma lista dos amigos e casacas prováveis, meteu-a na algibeira e saiu em busca do velocino.

A desgraça, porém, que o perseguia fez com que o primeiro amigo tivesse de ir no dia seguinte a um casamento e o segundo a um baile; o terceiro tinha a casaca rota, o quarto tinha a casaca emprestada, o quinto não emprestava a casaca, o sexto não tinha casaca. Recorreu ainda a mais dois amigos suplementares; mas um partira na véspera para Iguaçu e o outro estava destacado na fortaleza de São João, como alferes da guarda nacional.

Imagine-se o desespero de Ernesto; mas admire-se também a requintada crueldade com que o destino tratava a este moço, que ao voltar para casa encontrou três enterros, dois dos quais com muitos carros, cujos ocupantes iam todos de casaca. Era mister curvar a cabeça à fatalidade; Ernesto não insistiu. Mas como tomara a peito reconciliar-se com Rosina, escreveu-lhe a carta de que falei acima e mandou-a levar pelo moleque da casa, dizendo-lhe que à noite lhe desse a resposta na esquina do campo. Já sabemos que tal resposta não veio. Ernesto não compreendia a causa do silêncio; muitos arrufos tivera com a moça, mas nenhum deles resistia à primeira carta nem durava mais de quarenta e oito horas.

Desenganado enfim de que a resposta viesse naquela noite, Ernesto dirigiu-se para casa com o desespero no coração. Morava na rua da Misericórdia. Quando lá chegou estava cansado e abatido. Nem por isso dormiu logo. Despiu-se precipitadamente. Esteve a ponto de rasgar o colete, cuja fivela teimava em prender-se a um botão da calça. Atirou com as botinas sobre um aparador e quase esmigalhou uma das jarras. Deu cerca de sete ou oito murros na mesa: fumou dois charutos, descompôs o destino, a moça, a si mesmo, até que sobre a madrugada pôde conciliar o sono.

Enquanto ele dorme, indaguemos a causa do silêncio da namorada.

II

Veja o leitor aquela moça que ali está, sentada num sofá, entre duas damas da mesma idade, conversando baixinho com elas, e requebrando de quando em quando os olhos. É Rosina. Os olhos de Rosina não enganam ninguém... exceto os namorados. Os olhos dela são espertinhos e caçadores, e com um certo movimento que ela lhes dá, ficam ainda mais caçadores e espertinhos. É galante e graciosa; se o não fora, não se deixaria prender por ela o nosso infeliz Ernesto, que era rapaz de apurado gosto. Alta não era, mas baixinha, viva, travessa. Tinha bastante afetação nos modos e no falar; mas Ernesto, a quem um amigo notara isso mesmo, declarou que não gostava de moscas mortas.

— Eu nem de moscas vivas — acudiu o amigo encantado por ter apanhado no ar este trocadilho.

Trocadilho de 1850.

Não veste com luxo porque o tio não é rico; mas ainda assim está garrida e elegante. Na cabeça tem por enfeite apenas dois laços de fita azul.

— Ah! se aquelas fitas me quisessem enforcar! — dizia um gamenho de bigode preto e cabelo partido ao meio.

— Se aquelas fitas me quisessem levar ao céu! — dizia outro de suíças castanhas e orelhas pequeninas.

Desejos ambiciosos os destes dois rapazes — ambiciosos e vãos, porque ela, se alguém lhe prende a atenção, é um moço de bigode louro e nariz comprido que está agora conversando com o subdelegado. Para ele é que Rosina dirige de quando em quando os olhos, com disfarce é verdade, não tanto porém que o não percebam as duas moças que estão ao pé dela.

— Namoro ferrado! — dizia uma delas à outra fazendo um sinal de cabeça para o lado do moço de nariz comprido.

— Ora, Justina?

— Calúnias! — acudiu a outra moça.

— Cala-te, Amélia!

— Você quer enganar a gente? — insistia Justina. — Tire o cavalo da chuva! Lá está ele olhando... Parece que nem ouve o comendador. Pobre comendador! para pau de cabeleira está grosso demais.

— Olha, se você não se cala eu vou-me embora — disse Rosina fingindo-se enfadada.

— Pois vá!

— Coitado do Ernesto! — suspirou Amélia do outro lado.

— Olhe que titia pode ouvir — observou Rosina olhando de esguelha para uma velha gorda, que, assentada ao pé do sofá, referia a uma comadre as diversas peripécias da última moléstia do marido.

— Mas por que não veio o Ernesto? — perguntou Justina.

— Mandou dizer a papai que tinha um trabalho urgente.

— Quem sabe se algum namoro também? — insinuou Justina.

— Não é capaz! — acudiu Rosina.

— Bravo! que confiança!

— Que amor!

— Que certeza!

— Que defensora!

— Não é capaz — repetiu a moça —; o Ernesto não é capaz de namorar outra; estou certa disso... O Ernesto é um...

Engoliu o resto.

— Um quê? — perguntou Amélia.

— Um quê? — perguntou Justina.

Neste momento tocou-se uma valsa, e o rapaz do nariz comprido, a quem o subdelegado deixara para ir conversar com Vieira, aproximou-se do sofá e pediu a Rosina a honra de lhe dar aquela valsa. A moça abaixou os olhos com singular modéstia, murmurou algumas palavras que ninguém ouviu, levantou-se e foi valsar. Justina e Amélia chegaram-se então uma para a outra e comentaram o procedimento de Rosina e a sua maneira de valsar sem graça. Mas como ambas eram amigas de Rosina, não foram estas censuras feitas em tom ofensivo, mas com brandura, como os amigos devem censurar os amigos ausentes.

E não tinham muita razão as duas amigas. Rosina valsava com graça e podia pedir meças a quem soubesse aquele gênero de dança. Agora quanto ao namoro, pode ser que tivessem razão, e tinham efetivamente; a maneira por que ela olhava e falava ao rapaz de nariz comprido despertava suspeitas no espírito mais desprevenido a seu respeito.

Acabada a valsa, passearam um pouco e foram depois para o vão de uma janela. Era então uma hora, e já o desgraçado Ernesto palmilhava na direção da rua da Misericórdia.

— Eu passarei amanhã às seis horas da tarde.

— Às seis horas, não! — disse Rosina.

Era a hora em que Ernesto costumava ir lá.

— Então às cinco...

— Às cinco?... Sim, às cinco — concordou a moça.

O rapaz de nariz comprido agradeceu com um sorriso esta ratificação do seu tratado amoroso, e proferiu algumas palavras que a moça ouviu derretida e envergonhada, entre vaidosa e modesta. O que ele dizia era que Rosina não só era a flor do baile, mas também a flor da rua do Conde, e não só a flor da rua do Conde, mas também a flor da cidade inteira.

Isto era o que lhe dissera muitas vezes Ernesto; o rapaz de nariz comprido, entretanto, tinha uma maneira particular de elogiar uma moça. A graça, por exemplo, com que ele metia o dedo polegar da mão esquerda no bolso esquerdo do colete, brincando depois com os outros dedos como se tocasse piano, era de todo ponto inimitável; nem havia ninguém, pelo menos naquelas imediações, que tivesse mais elegância na maneira de arquear os braços, de concertar os cabelos, ou simplesmente de oferecer uma xícara de chá.

Tais foram os dotes que venceram o coração inconstante da graciosa Rosina. Só esses? Não. A simples circunstância de não ter Ernesto a interessante vestidura que ornava o corpo e realçava as graças do seu afortunado rival pode já dar algumas luzes ao leitor de boa-fé. Rosina ignorava sem dúvida a situação precária de Ernesto a respeito da casaca; mas sabia que ele ocupava um emprego somenos no arsenal de guerra, ao passo que o rapaz de nariz comprido tinha um bom lugar numa casa comercial.

Uma moça que professasse ideias filosóficas a respeito do amor e do casamento diria que os impulsos do coração estavam antes de tudo. Rosina não era inteiramente avessa aos impulsos do coração e à filosofia do amor; mas tinha ambição de figurar alguma coisa, morria por vestidos novos e espetáculos frequentes, gostava enfim de viver à luz pública. Tudo isso podia dar-lhe, com o tempo, o rapaz de nariz comprido, que ela antevia já na direção da casa em que trabalhava; o Ernesto porém era difícil que passasse do lugar que tinha no arsenal, e em todo o caso não subiria muito nem depressa.

Pesados os merecimentos de um e de outro, quem perdia era o mísero Ernesto.

Rosina conhecia o novo candidato desde algumas semanas; mas só naquela noite tivera ocasião de o tratar de perto, de consolidar, digamos assim, a sua situação. As relações, até então puramente telegráficas, passaram a ser verbais; e se o leitor gosta de um estilo arrebicado e gongórico, dir-lhe-ei que tantos foram os telegramas trocados durante a noite entre eles, que os estados vizinhos, receosos de perder uma aliança provável, chamaram às armas a milícia dos agrados, mandaram sair a armada dos requebros, assestaram a artilharia dos olhos ternos, dos lenços na boca, e das expressões suavíssimas; mas toda essa leva de broquéis nenhum resultado deu porque a formosa Rosina, ao menos naquela noite, achava-se entregue a um só pensamento.

Quando acabou o baile, e Rosina entrou na sua alcova, viu um papelinho dobrado no toucador.

— Que é isto? — disse ela.

Abriu: era a resposta à carta de Ernesto que ela se esquecera de mandar. Se alguém a tivesse lido? Não; não era natural. Dobrou a cartinha com muito cuidado, fechou-a com obreia, guardou-a numa gavetinha, dizendo consigo:

— É preciso mandá-la amanhã de manhã.

III

— Um palerma — é o que Rosina queria dizer quando defendeu a fidelidade de Ernesto, maliciosamente atacada pelas duas amigas.

Havia apenas três meses que Ernesto namorava a sobrinha de Vieira, que se carteava com ela, que protestavam um ao outro eterna fidelidade, e nesse curto espaço de tempo tinha já descoberto cinco ou seis mouros na costa. Nessas ocasiões fervia-lhe a cólera, e era capaz de deitar tudo abaixo. Mas a boa menina, com a sua varinha mágica, trazia o rapaz a bom caminho, escrevendo-lhe duas linhas ou dizendo-lhe quatro palavras de fogo. Ernesto confessava que tinha visto mal, e que ela era excessivamente misericordiosa para com ele.

— Merecia bem que eu o não amasse mais — observava Rosina com gracioso enfado.

— Oh! não!

— Para que há de inventar essas coisas?

— Eu não invento... disseram-me.

— Pois fez mal em acreditar.

— Fiz mal, sim... você é um anjo do céu!

Rosina perdoava-lhe a calúnia, e as coisas continuavam como dantes.

Um amigo a quem Ernesto confiava todas as suas alegrias e mágoas, a quem tomava por conselheiro e que era seu companheiro de casa, muitas vezes lhe dizia:

— Olha, Ernesto, eu creio que estás perdendo o teu trabalho.

— Como assim?
— Ela não gosta de ti.
— Impossível!
— Tu és apenas um passatempo.
— Enganas-te; ama-me.
— Mas ama também a outros muitos.
— Jorge!
— Em suma...
— Nem mais uma palavra!
— É uma namoradeira — concluía o amigo tranquilamente.

Ouvindo este peremptório juízo do amigo, Ernesto despedia um olhar longo e profundo, capaz de paralisar todos os movimentos conhecidos da mecânica; como porém o rosto do amigo não revelasse a menor impressão de temor ou arrependimento, Ernesto recolhia o olhar — mais cordato neste ponto que o senador d. Manuel, a quem o visconde de Jequitinhonha dizia um dia no Senado que recolhesse um riso, e continuava a rir — e tudo acabava em boa e santa paz.

Tal era a confiança de Ernesto na flor da rua do Conde. Se ela lhe dissesse um dia que tinha na algibeira do vestido uma das torres da Candelária, não é certo, mas é muito provável que Ernesto lhe aceitasse a notícia.

Desta vez porém o arrufo era sério. Ernesto vira positivamente a moça receber uma cartinha, às furtadelas, da mão de uma espécie de primo que frequentava a casa de Vieira. Seus olhos faiscaram de raiva quando viram alvejar a misteriosa epístola nas mãos da moça. Fez um gesto de ameaça ao rapaz, lançou um olhar de desprezo à moça, e saiu. Depois escreveu a carta de que temos notícia, e foi esperar a resposta na esquina da rua. Que resposta, se ele vira o gesto de Rosina? Leitor ingênuo, ele queria uma resposta que lhe demonstrasse não ter visto coisa alguma, uma resposta que o fizesse olhar para si mesmo com desprezo e nojo. Não achava possível semelhante explicação; mas no fundo da alma era isso o que ele queria.

A resposta veio no dia seguinte. O rapaz que morava com ele foi acordá-lo às oito horas da manhã, para lhe entregar uma cartinha de Rosina.

Ernesto deu um salto na cama, assentou-se, abriu a epístola, e leu-a rapidamente. Um ar de celeste bem-aventurança revelou ao companheiro de Ernesto o conteúdo da carta.

— Tudo está sanado — disse Ernesto fechando a carta e descendo da cama —; ela explicou tudo, eu tinha visto mal.

— Ah! — disse Jorge olhando com lástima para o amigo. — Então que diz ela?

Ernesto não respondeu imediatamente; abriu a carta outra vez, leu-a para si, tornou a fechá-la, olhou para o teto, para as chinelas, para o companheiro, e só depois desta série de gestos indicativos da profunda abstração do seu espírito, é que respondeu a Jorge, dizendo:

— Ela explica tudo; a carta que eu pensei ser de amores, era um bilhete do primo pedindo algum dinheiro ao tio. Diz que eu sou muito mau em obrigá-la a falar nestas fraquezas de família, e conclui jurando que me ama como nunca seria capaz de amar ninguém. Lê.

Jorge recebeu a carta e leu, enquanto Ernesto passeava de um para outro lado, gesticulando e monossilabando consigo mesmo, como se redigisse mentalmente um ato de contrição.

— Então? que tal? — disse ele quando Jorge lhe entregou a carta.

— Tens razão, tudo se explica — respondeu Jorge.

Ernesto foi nessa mesma tarde à rua do Conde. Ela recebeu-o com um sorriso logo de longe. Na primeira ocasião que tiveram, tudo ficou explicado, declarando-se Ernesto compungido por haver suspeitado de Rosina, e levando a moça a sua generosidade ao ponto de lhe ceder um beijo, ao lusco-fusco, antes que a criada viesse acender as velas de espermacete dos aparadores.

Agora tem a palavra o leitor para interpelar-me a respeito das intenções desta moça, que preferindo a posição do rapaz de nariz comprido, ainda se carteava com Ernesto, e lhe dava todas as demonstrações de uma preferência que não existia.

As intenções de Rosina, leitor curioso, eram perfeitamente conjugais. Queria casar, e casar o melhor que pudesse. Para este fim aceitava a homenagem de todos os seus pretendentes escolhendo lá consigo o que melhor correspondesse aos seus desejos, mas ainda assim sem desanimar os outros, porque o melhor deles podia falhar, e havia para ela uma coisa pior que casar mal, que era não casar absolutamente.

Este era o programa da moça. Junte a isso que era naturalmente loureira, que gostava de trazer ao pé de si uma chusma de pretendentes, muitos dos quais é preciso saber que não pretendiam casar, e namoravam por passatempo, o que revelava da parte desses cavalheiros uma incurável vadiação de espírito.

Quem não tem cão, caça com gato, diz o provérbio. Ernesto era pois, moral e conjugalmente falando, o gato possível de Rosina, uma espécie de *pis-aller* — como dizem os franceses — que convinha ter à mão.

IV

O moço de nariz comprido não pertencia ao número de namorados de arribação; seus intentos eram estritamente conjugais. Tinha vinte e seis anos, era laborioso, benquisto, econômico, singelo e sincero, um verdadeiro filho de Minas. Podia fazer a felicidade de uma moça.

A moça, pela sua parte, soubera insinuar-se tanto no espírito dele, que por pouco lhe fez perder o emprego. Um dia, chegando-se o patrão à escrivaninha em que ele trabalhava, viu um papelinho debaixo do tinteiro, e leu a palavra *amor*, duas ou três vezes repetida. Uma que fosse bastava para fazê-lo subir às nuvens. O sr. Gomes Arruda contraiu as sobrancelhas, concentrou as ideias, e improvisou uma alocução extensa e ameaçadora, em que o mísero guarda-livros só percebeu a expressão *olho da rua*.

Olho da rua é uma expressão grave. O guarda-livros meditou nela, reconheceu a justiça do patrão, e tratou de emendar-se dos descuidos, não do amor. O amor ia-se enraizando nele cada vez mais; era a primeira paixão séria que o rapaz sentia, acrescendo que ele acertara logo de dar com uma mestra no ofício.

— Isto assim não pode continuar — pensava o rapaz de nariz comprido, coçando o queixo e caminhando uma noite para casa —; o melhor é casar-me logo de uma vez. Com o que me dão lá em casa e o produto de alguma escrita por fora, creio que poderei ocorrer às despesas; o resto pertence a Deus.

Não tardou que Ernesto desconfiasse das intenções do rapaz de nariz comprido. Uma vez chegou a surpreender um olhar da moça e do rival. Enfadou-se, e na primeira ocasião que teve interpelou a namorada a respeito daquela circunstância equívoca.

— Confesse! — dizia ele.

— Oh! meu Deus! — exclamou a moça. — Você de tudo desconfia. Olhei para ele, sim, é verdade, mas olhei por sua causa.

— Por minha causa? — perguntou Ernesto com um tom gelado de ironia.

— Sim, examinava-lhe a gravata, que é muito bonita, para dar uma a você no dia de ano-bom. Agora que me obrigou a descobrir tudo, veja se me lembra outro mimo, porque esse já não serve.

Ernesto caiu em si; recordou que efetivamente havia no olhar da moça uma tal ou qual intenção dadival, se me permitem este adjetivo obsoleto; toda a sua cólera converteu-se num sorriso amável e contrito, e o arrufo não foi adiante.

Dias depois, era um domingo, estando ele e ela na sala, e um filho de Vieira à janela, foram os dois namorados interrompidos pelo pequeno que descera, gritando:

— Aí vem ele! aí vem ele!

— Ele quem? — disse Ernesto sentindo esmigalhar-se-lhe o coração.

Chegou à janela: era o rival.

Apareceu a tempo a tia de Rosina; uma tempestade iminente já pairava na fronte afogueada de Ernesto.

Pouco depois entrou na sala o rapaz de nariz comprido, que, ao ver Ernesto, pareceu sorrir maliciosamente. Ernesto encordoou-o. Seus olhares, se fossem punhais, teriam cometido dois assassinatos naquele instante. Conteve-se, porém, para melhor observar os dois. Rosina não parecia prestar ao outro atenção de caráter especial; tratava-o com polidez apenas. Isto aquietou um pouco o ânimo revolto do Ernesto, que ao cabo de uma hora estava restituído à sua usual bem-aventurança.

Não reparou porém nos olhares desconfiados que o rapaz de nariz comprido lhe lançava de quando em quando. O sorriso malicioso desaparecera dos lábios do guarda-livros. A suspeita entrara-lhe no espírito ao ver a maneira indiferente, ou quase, com que o tratava Rosina, posto tratasse de igual modo ao outro pretendente.

— Será seriamente um rival? — pensava o rapaz de nariz comprido.

Na primeira ocasião em que pôde trocar duas palavras com a namorada, sem testemunhas, o que foi logo no dia seguinte, manifestou a desconfiança que lhe escurecera o espírito até ali tão cor-de-rosa. Rosina soltou uma risada — uma dessas risadas que levam a convicção ao fundo da alma — a tal ponto que o rapaz de nariz comprido julgou de sua dignidade não insistir na absurda suspeita.

— Já lhe disse: ele bem vontade tem de que eu o namore, mas perde o tempo: eu só tenho uma cara e um coração.

— Oh! Rosina, tu és um anjo!

— Quem dera!

— Um anjo, sim — insistiu o rapaz de nariz comprido —; e creio que posso chamar-te brevemente minha esposa.

Os olhos da moça faiscaram de contentamento.

— Sim — continuou o namorado —; daqui a dois meses estaremos casados...

— Ah!

— Se todavia...

Rosina empalideceu.

— Todavia? — repetiu ela.

— Se todavia, o senhor Vieira consentir...

— Por que não? — disse a moça tranqüilizando-se do susto que tivera. — Ele deseja a minha felicidade; e o casamento contigo é a minha felicidade maior. Ainda quando porém se oponha aos impulsos do meu coração, basta que eu queira para que os nossos desejos se realizem. Mas descansa; meu tio não porá obstáculos.

O rapaz de nariz comprido ficou ainda a olhar para a moça alguns minutos sem dizer palavra; admirava duas coisas: a força da alma de Rosina e o amor que ela lhe dedicava. Quem rompeu o silêncio foi ela.

— Mas então daqui a dois meses?

— Só se a sorte me for adversa.

— E poderá sê-lo?

— Quem sabe? — respondeu o rapaz de nariz comprido com um suspiro de dúvida.

Logo depois desta perspectiva de felicidade, a concha em que se pesavam as esperanças de Ernesto começou a subir um pouco. Ele via que Rosina efetivamente parecia ir diminuindo as cartas, e nas poucas que já então recebia dela, a paixão era menos intensa, a frase estudada, acanhada e fria. Quando estavam juntos havia menos intimidade expansiva; a presença dele parecia constrangê-la. Ernesto entrou seriamente a crer que a batalha estava perdida.

Infelizmente a tática deste namorado era perguntar à própria moça se eram fundadas as suspeitas dele, ao que ela respondia vivamente que não, e isto bastava a restituir-lhe a paz do espírito. Não era longa nem profunda a quietação; o laconismo epistolar de Rosina, a frieza de seus modos, a presença do outro, tudo isso sombreava singularmente o espírito de Ernesto. Mas tão depressa caía no abismo do desespero, como ascendia às regiões da celeste bem-aventurança, mostrando assim o que a natureza queria que ele fosse, alma inconsistente e passiva — levada, como a folha, ao sabor de todos os ventos.

Entretanto, era difícil que a verdade não se lhe metesse pelos olhos. Um dia reparou que, além da suspeitosa afetuosidade de Rosina, havia da parte do tio certas atenções características para com o rival. Não se enganava; conquanto o novo pretendente ainda não houvesse pedido formalmente a mão da moça, era quase certo para o sr. Vieira que nele se preparava novo sobrinho, e acertando de ser este um homem do comércio, não podia haver, na opinião do tio, mais feliz escolha.

Desisto de pintar os desesperos, os terrores, as imprecações de Ernesto no dia em que a certeza da derrota mais funda e de raiz se lhe cravou no coração. Já então lhe não bastou a negativa de Rosina, que aliás lhe pareceu frouxa, e efetivamente o era. O triste moço chegou a desconfiar que a amada e o rival estariam de acordo para mofar dele.

Como por via de regra é da nossa miserável condição que o amor-próprio domine o simples amor, apenas aquela suspeita lhe pareceu provável, apoderou-se dele uma feroz indignação, e duvido que nenhum quinto ato de melodrama ostente maior soma de sangue derramado do que ele verteu na fantasia. Na fantasia, apenas, compassiva leitora, não só porque ele era incapaz de fazer mal a um seu semelhante, mas sobretudo porque repugnava à sua natureza achar uma resolução qualquer. Por esse motivo, depois de muito e longo cogitar, confiou todos os seus pesares e suspeitas ao companheiro de casa e pediu-lhe um conselho; Jorge deu-lhe dois.

— Minha opinião — disse Jorge — é que não te importes com ela e vás trabalhar, que é coisa mais séria.

— Nunca!

— Nunca trabalhar?

— Não; nunca esquecê-la.

— Bem — disse Jorge descalçando a bota do pé esquerdo —, nesse caso vai ter com esse sujeito de quem desconfias e entende-te com ele.

— Aceito! — exclamou Ernesto. — É o melhor. Mas — continuou ele depois de refletir um instante —, e se ele não for meu rival, que hei de fazer? como descobrir se há outro?

— Nesse caso — disse Jorge, estendendo-se filosoficamente na marquesa —, nesse caso o meu conselho é que tu, ele e ela vão todos para o diabo que os carregue.

Ernesto cerrou os ouvidos à blasfêmia, vestiu-se e saiu.

V

Apenas saiu à rua, embicou Ernesto para a casa em que trabalhava o rapaz de nariz comprido, resolvido a explicar-se de uma vez com ele. Hesitou alguma coisa, é verdade, e esteve a pique de arrepiar carreira; mas a crise era tão violenta que triunfou da frouxidão de ânimo, e vinte minutos depois chegava ele ao seu destino. Não entrou no escritório do rival: pôs-se a passear de um lado para outro, à espera que ele saísse, o que se verificou daí a três quartos de hora, três enfadonhos e mortais quartos de hora.

Ernesto aproximou-se *casualmente* do rival; cumprimentaram-se com um sorriso acanhado e amarelo, e ficaram alguns segundos a olhar um para o outro. Já o guarda-livros ia tirando o chapéu e despedindo-se, quando Ernesto lhe perguntou:

— Vai hoje à rua do Conde?

— Talvez.

— A que horas?

— Não sei ainda. Por quê?

— Iríamos juntos. Eu vou às oito.

O rapaz de nariz comprido não respondeu.

— Para que lado vai agora? — perguntou Ernesto depois de algum silêncio.

— Vou ao Passeio Público, se o senhor lá não for — respondeu resolutamente o rival.

Ernesto empalideceu.

— Quer assim fugir de mim?

— Sim, senhor.

— Pois eu não; desejo até que haja uma explicação entre nós. Espere... não me volte as costas. Saiba que eu também sou atrevido, menos de língua ainda que de mão. Vamos, dê-me o braço e caminhemos ao Passeio Público.

O rapaz de nariz comprido teve ímpetos de atracar-se com o rival e experimentar-lhe as forças; mas estavam numa rua comercial; todo seu futuro voaria pelos ares. Preferiu dar-lhe as costas e seguir caminho. Executava já este plano, quando Ernesto lhe gritou:

— Venha cá, namorado sem-ventura!

O pobre rapaz voltou-se rapidamente.

— Que diz o senhor? — perguntou ele.

— Namorado sem-ventura — repetiu Ernesto cravando os olhos no rosto do rival a ver se lhe descobria uma confissão qualquer.

— É singular — replicou o rapaz de nariz comprido —, é singular que o senhor me chame namorado sem-ventura, quando ninguém ignora a triste figura que tem feito para obter as boas graças de uma moça que é minha...

— Sua!

— Minha!

— Nossa, direi eu...

— Senhor!

O rapaz de nariz comprido engatilhou um soco; a segurança e tranquilidade com que Ernesto olhava para ele mudaram-lhe o curso das ideias. Falaria ele verdade? Essa moça, que tanto amor lhe jurava, com quem meditava casar dentro de pouco tempo, mas de quem alguma vez desconfiara, teria dado efetivamente àquele homem o direito de a chamar sua? Esta simples interrogação perturbou o espírito do rapaz, que esteve cerca de dois minutos a olhar mudamente para Ernesto, e este a olhar mudamente para ele.

— O que o senhor disse agora é muito grave; preciso de uma explicação.

— Peço-lhe explicação igual — respondeu Ernesto.

— Vamos ao Passeio Público.

Seguiram caminho, a princípio silenciosos, não só porque a situação os acanhava naturalmente, mas também porque cada um deles receava ouvir uma cruel revelação. A conversa começou por monossílabos e frases truncadas, mas foi a pouco e pouco fazendo-se natural e correta. Tudo quanto os leitores sabem de um e outro foi ali exposto por ambos, e por ambos ouvido entre abatimento e cólera.

— Se tudo quanto o senhor diz é a expressão da verdade — observou o rapaz de nariz comprido descendo a rua das Marrecas —, a conclusão é que fomos enganados...

— Vilmente enganados — emendou Ernesto.

— Pela minha parte — tornou o primeiro —, recebo com isto um grande golpe porque eu amava-a muito, e pretendia fazê-la minha esposa, o que sucederia breve. A minha boa fortuna fez com que o senhor me avisasse a tempo...

— Talvez me censurem o passo que dei; mas o resultado que vamos colher justifica tudo. Nem por isso creio que padeço menos... eu amava loucamente aquela moça!

Ernesto proferiu estas palavras tão de dentro, que elas repercutiram no coração do rival, e ambos ficaram algum tempo calados, a devorar consigo a dor e a humilhação. Ernesto rompeu o silêncio soltando um magoadíssimo suspiro, na ocasião em que entravam no Passeio. Só o guarda pôde ouvi-lo; o rapaz de nariz comprido ia revolvendo no espírito uma dúvida.

— Devo eu condenar tão ligeiramente aquela moça? — perguntou ele a si mesmo. — E não será este sujeito um pretendente vencido que, por semelhante meio, quer obter a minha neutralidade?

O rosto de Ernesto não parecia dar razão à conjetura do rival; todavia, como o lance era grave e cumpria não ir por aparências, o rapaz de nariz comprido abriu de novo o capítulo das revelações, no que foi acompanhado pelo rival. Todas elas iam concordando entre si; os incidentes e os gestos que um relembrava, tinham eco na memória do outro. O que porém decidiu tudo foi a apresentação de uma carta que cada um deles tinha casualmente no bolso. O texto de ambas mostrava que eram recentes; a expressão de ternura não era a mesma nas duas epístolas, porque Rosina, como sabemos, ia afrouxando o tom em relação a Ernesto; mas era quanto bastava para dar ao rapaz de nariz comprido o golpe de misericórdia.

— Desprezemo-la — disse este, quando acabou de ler a carta do rival.

— Só isso? — perguntou Ernesto. — O simples desprezo será bastante?

— Que vingança tiraríamos dela? — objetou o rapaz de nariz comprido. — Ainda que alguma fosse possível, não seria digna de nós...

Calou-se; mas tocado de uma súbita ideia exclamou:

— Ah! lembra-me um meio.

— Qual?

— Mandemos-lhe uma carta de rompimento, mas uma carta de igual teor.

A ideia sorriu logo ao espírito de Ernesto, que parecia ainda mais humilhado que o outro, e ambos foram dali redigir a carta fatal.

No dia seguinte, logo depois do almoço, estava Rosina em casa muito sossegada, longe de esperar o golpe, e até forjando planos de futuro, que assentavam todos no rapaz de nariz comprido, quando o moleque lhe apareceu com duas cartas.

— Nhanhã Rosina — disse ele —, esta carta é de sinhô Ernesto, e esta...

— Que é isso? — disse a moça. — Os dois...

— Não — explicou o moleque —, um estava na esquina de cima, outro na esquina de baixo.

E fazendo tinir no bolso alguns cobres que os dois rivais lhe haviam dado, o moleque deixou a senhora moça ler à vontade as duas missivas. A primeira que abriu foi a de Ernesto. Dizia assim:

> Senhora! Hoje que tenho certeza da sua perfídia, certeza que já nada me pode arrancar do espírito, tomo a liberdade de lhe dizer que está livre e eu reabilitado. Basta de humilhações! Pude dar-lhe crédito enquanto lhe era possível enganar-me. Agora... Adeus para sempre!

Rosina levantou os ombros ao ler esta carta. Abriu rapidamente a do rapaz de nariz comprido, e leu:

> Senhora! Hoje que tenho certeza da sua perfídia, certeza que já nada me pode...

Daqui para diante foi crescendo a surpresa. Ambos se despediam; ambos por igual teor. Logo, tinham descoberto tudo um ao outro. Não havia meio de reparar nada; tudo estava perdido!

Rosina não costumava chorar. Esfregava às vezes os olhos, para os fazer vermelhos, quando havia necessidade de mostrar a um namorado que se ressentia de alguma coisa. Desta vez porém chorou deveras; não de mágoa, mas de raiva. Triunfavam ambos os rivais; ambos lhe fugiam, e lhe davam de comum acordo o último golpe. Não havia resistir; entrou-lhe na alma o desespero. Por desgraça não havia no horizonte a mais ligeira vela. O primo a quem aludimos num dos capítulos anteriores andava com ideias a respeito de outra moça, e ideias já conjugais. Ela mesma descuidara o seu sistema durante os últimos trinta dias deixando sem resposta alguns olhares interrogadores. Estava pois abandonada de Deus e dos homens.

Não; ainda lhe restava um recurso.

VI

Um mês depois daquele fatal desastre, estando Ernesto em casa a conversar com o companheiro e mais dois amigos, um dos quais era o rapaz de nariz comprido, ouviu bater palmas. Foi à escada; era o moleque da rua Nova do Conde.

— Que me queres? — disse ele com ar severo, suspeitando que o moleque viesse pedir-lhe dinheiro.

— Venho trazer isto — disse o moleque baixinho.

E tirou do bolso uma carta que entregou a Ernesto.

A primeira ideia de Ernesto foi recusar a carta e pôr o moleque a pontapés pela escada abaixo; mas o coração disse-lhe uma coisa, como ele mesmo confessou. Estendeu a mão, recebeu a carta, abriu-a e leu.

Dizia assim:

> Ainda uma vez curvo-me às tuas injustiças. Estou cansada de chorar. Não posso mais viver debaixo da ação de uma calúnia. Vem ou eu morro!

Ernesto esfregou os olhos; não podia crer no que acabava de ler. Seria um novo ardil, ou a expressão da verdade? Ardil podia ser; mas Ernesto atentou bem e pareceu-lhe ver o sinal de uma lágrima. Evidentemente a moça chorara. Mas se chorara é porque padecia; e nesse caso...

Nestas e noutras reflexões gastou Ernesto cerca de oito a dez minutos. Não sabia que resolvesse. Acudir ao chamado de Rosina era esquecer a perfídia com que ela se houve amando a outro em cujas mãos vira até uma carta sua. Mas não ir podia ser contribuir para a morte de uma criatura que, ainda quando não tivesse sido amada por ele, merecia os seus sentimentos de humanidade.

— Diga que lá irei logo — respondeu enfim Ernesto.

Quando voltou para a sala trazia o rosto mudado. Os amigos repararam na mudança e procuraram descobrir-lhe a causa.

— Algum credor — dizia um.

— Não lhe trouxeram dinheiro — acrescentava outro.

— Namoro novo — opinava o companheiro de casa.

— É tudo isso talvez — respondeu Ernesto com um modo que queria ser alegre.

De tarde preparou-se Ernesto e dirigiu-se para a rua Nova do Conde. Dez ou doze vezes parou resolvido a voltar; mas um minuto de reflexão tirava-lhe os escrúpulos e o rapaz prosseguia em seu caminho.

— Há mistério nisto tudo — dizia ele consigo e relendo a carta de Rosina. — É certo que ele me revelou tudo, e até me leu cartas; nisto não há que duvidar. Rosina é culpada; enganou-me; namorava a outro, dizendo-me que só me amava a mim.

Mas por que esta carta? Se ela amava ao outro por que lhe não escreve? Investiguemos tudo isto.

A última hesitação do digno rapaz foi ao entrar na rua Nova do Conde; seu espírito vacilou dessa vez mais que nunca. Dez minutos gastou em passinhos ora para trás, ora para diante, sem assentar numa coisa definitiva. Afinal deitou o coração à larga e seguiu afoitamente a senda que o destino parecia indicar-lhe.

Quando chegou à casa de Vieira, estava Rosina na sala com a tia. A moça teve um movimento de alegria; mas, tanto quanto Ernesto pôde examinar-lhe as feições, a alegria não foi tal que pudesse disfarçar-lhe os sulcos das lágrimas. O que é certo é que um véu de melancolia parecia envolver os olhos travessos da bela Rosina. Nem já eram travessos; estavam desmaiados ou mortos.

— Oh! ali está a inocência! — disse Ernesto consigo.

Ao mesmo tempo, envergonhado por esta opinião tão benevolente, e lembrando-se das revelações do rapaz de nariz comprido, Ernesto assumiu um ar severo e grave, menos de namorado que de juiz, menos de juiz que de algoz.

Rosina cravou os olhos no chão.

A tia da moça perguntou a Ernesto as causas da sua ausência tão prolongada. Ernesto alegou muito trabalho e alguma doença, as primeiras desculpas que ocorrem a todo homem que não tem desculpa. Trocadas mais algumas palavras, saiu a tia da sala para ir dar umas ordens, tendo já ordenado disfarçadamente ao Juquinha que ficasse na sala. Juquinha porém trepou a uma cadeira e pôs-se à janela; os dois tiveram tempo para explicações.

A situação era esquerda; mas não se podia perder tempo. Bem o compreendeu Rosina, que rompeu logo estas palavras:

— Não tem remorsos?

— De quê? — perguntou Ernesto espantado.

— Do que me fez?

— Eu?

— Sim, abandonando-me sem uma explicação. A causa adivinho eu qual é, alguma nova suspeita, ou antes alguma calúnia...

— Nem calúnia, nem suspeita — disse Ernesto depois de um momento de silêncio —; mas só verdade.

Rosina sufocou um grito; seus lábios pálidos e trêmulos quiseram murmurar alguma coisa, mas não puderam; dos olhos rebentaram-lhe duas grossas lágrimas. Ernesto não podia vê-la chorar; por mais cheio de razões que estivesse, em vendo lágrimas, curvava-se logo e pedia-lhe perdão. Desta vez porém era impossível que tão depressa voltasse ao antigo estado. As revelações do rival estavam ainda frescas na memória.

Curvou-se, entretanto, para a moça e pediu-lhe que não chorasse.

— Que não chore! — disse ela com voz lacrimosa. — Pede-me que não chore quando eu vejo fugir-me a felicidade das mãos, sem ao menos merecer a sua estima, porque o senhor despreza-me; sem ao menos saber o que é essa calúnia para desmenti-la ou desmascará-la...

— É capaz disso? — perguntou Ernesto com fogo. — É capaz de confundir a calúnia?

— Sou — disse ela com um magnífico gesto de dignidade.

Ernesto expôs em resumo a conversa que tivera com o rapaz de nariz comprido, e concluiu dizendo que vira uma carta dela. Rosina ouviu calada a narração; tinha o peito ofegante; sentia-se a comoção que a dominava. Quando ele acabou, soltou uma torrente de lágrimas.

— Meu Deus! — disse baixinho Ernesto. — Podem ouvi-la.

— Não importa — exclamou a moça —; estou disposta a tudo...

— Diga-me, pode negar o que lhe acabo de contar?

— Tudo, não; alguma coisa é verdade — respondeu ela com voz triste.

— Ah!

— A promessa de casamento é mentira; não houve mais que duas cartas, duas apenas, e isto... por sua culpa...

— Por minha culpa! — exclamou Ernesto tão assombrado como se acabasse de ver um dos castiçais a dançar.

— Sim — repetiu ela —, por sua culpa. Não se lembra? Tinha-se arrufado uma vez comigo, e eu... foi uma loucura... para metê-lo em brios, para vingar-me... que loucura!... correspondi ao namoro daquele indivíduo sem educação... foi demência minha, bem vejo... Mas que quer? eu estava despeitada...

A alma de Ernesto ficou fortemente abalada com esta exposição que a moça lhe fazia dos acontecimentos. Era claro para ele que Rosina negaria tudo, se o seu procedimento tivesse alguma intenção má; a carta, diria que era imitação da sua letra. Mas não; ela confessava tudo com a mais nobre e rude singeleza deste mundo; somente — e nisto estava a chave da situação — a moça explicava a que impulsos de despeito cedera, mostrando assim, se podemos comparar o coração a um pastel, debaixo do invólucro da leviandade a nata do amor.

Decorreram alguns segundos de silêncio, em que a moça tinha os olhos pregados no chão, na mais triste e melancólica atitude que jamais teve uma donzela arrependida.

— Mas não viu que esse ato de loucura podia causar a minha morte? — disse Ernesto.

Rosina estremeceu ouvindo estas palavras que Ernesto lhe disse com a voz mais doce dos seus antigos dias; levantou os olhos para ele e tornou a pousá-los no chão.

— Se eu tivesse refletido nisso — observou ela —, não faria nada do que fiz.

— Tem razão — ia dizendo Ernesto, mas levado de um mau espírito de vingança entendeu que a leviandade da moça devia ser punida com alguns minutos mais de dúvida e recriminação.

A moça ouviu ainda muitas coisas que lhe disse Ernesto, e a todas respondeu com um ar tão contrito e palavras tão repassadas de amargura, que o nosso namorado sentiu quase rebentarem-lhe as lágrimas dos olhos. Os de Rosina estavam já mais tranquilos, e a limpidez começava a tomar o lugar da sombra melancólica. A situação era quase a mesma de algumas semanas antes; faltava só consolidá-la com o tempo. Entretanto, disse Rosina:

— Não pense que lhe peço mais do que me cumpre. Meu procedimento alguma punição há de ter, e eu estou perfeitamente resignada. Pedi-lhe que viesse aqui a fim de me explicar o seu silêncio; pela minha parte expliquei-lhe o meu desvario. Não posso ambicionar mais...

— Não pode?...

— Não. Meu fim era não desmerecer a sua estima.

— E por que não o meu amor? — perguntou Ernesto. — Parece-lhe que o coração possa apagar de repente, e por simples esforço de vontade, a chama de que viveu longos dias?

— Oh! isso é impossível! — respondeu a moça. — E pela minha parte sei o que vou padecer...

— Demais — disse Ernesto —, o culpado de tudo fui eu, francamente o confesso. Ambos nós temos que perdoar um a outro; perdoo-lhe a leviandade; perdoa-me o fatal arrufo?

Rosina, a menos de ter um coração de bronze, não podia deixar de conceder o perdão que o namorado lhe pedia. Foi recíproca a generosidade. Como na volta do filho pródigo, as duas almas festejaram aquela renascença de felicidade, e amaram-se com mais força que nunca.

Três meses depois, dia por dia, foi celebrado na igreja de Sant'ana, que era então no campo da Aclamação, o consórcio dos dois namorados. A noiva estava radiante de ventura; o noivo parecia respirar os ares do paraíso celeste. O tio de Rosina deu um sarau a que compareceram os amigos de Ernesto, exceto o rapaz de nariz comprido.

Não quer isto dizer que a amizade dos dois viesse a esfriar. Pelo contrário, o rival de Ernesto revelou certa magnanimidade, apertando ainda mais os laços que o prendiam desde a singular circunstância que os aproximou. Houve mais: dois anos depois do casamento de Ernesto, vemos os dois associados num armarinho, reinando entre ambos a mais serena intimidade. O rapaz de nariz comprido é padrinho de um filho de Ernesto.

— Por que não te casas? — pergunta Ernesto às vezes ao seu sócio, amigo e compadre.

— Nada, meu amigo — responde o outro —, eu já agora morro solteiro.

Jornal das Famílias, *março-abril de 1873*; J. J. e Job.

Aurora sem dia

Naquele tempo contava Luís Tinoco vinte e um anos. Era um rapaz de estatura meã, olhos vivos, cabelos em desordem, língua inesgotável e paixões impetuosas. Exercia um modesto emprego no foro, donde tirava o parco sustento, e morava com o padrinho, cujos meios de subsistência consistiam no ordenado da sua aposentadoria. Tinoco estimava o velho Anastácio e este tinha ao afilhado igual afeição.

Luís Tinoco possuía a convicção de que estava fadado para grandes destinos, e foi esse durante muito tempo o maior obstáculo da sua existência. No tempo em que o dr. Lemos o conheceu começava a arder-lhe a chama poética. Não se sabe como começou aquilo. Naturalmente os louros alheios entraram a tirar-lhe o sono. O certo é que um dia de manhã acordou Luís Tinoco escritor e poeta; a inspiração, flor abotoada ainda na véspera, amanheceu pomposa e viçosa. O rapaz atirou-se ao papel com ardor e perseverança, e entre as seis horas e as nove, quando o foram chamar para almoçar, tinha produzido um soneto, cujo principal defeito era ter cinco versos com sílabas de mais e outros cinco com sílabas de menos. Tinoco levou a produção ao *Correio Mercantil*, que a publicou entre os *a pedido*.

Mal dormida, entremeada de sonhos interruptos, de sobressaltos e ânsias, foi a noite que precedeu a publicação. A aurora raiou enfim, Luís Tinoco, apesar de pouco madrugador, levantou-se com o sol e foi ler o soneto impresso. Nenhuma mãe contemplou o filho recém-nascido com mais amor do que o rapaz leu e releu a produção poética, aliás decorada desde a véspera. Afigurou-se-lhe que todos os leitores do *Correio Mercantil* estavam fazendo o mesmo; e que cada um admirava a recente revelação literária, indagando de quem seria esse nome até então desconhecido.

Não dormiu sobre os louros imaginários. Daí a dois dias, nova composição, e desta vez saiu uma longa ode sentimental em que o poeta se queixava à lua do desprezo em que o deixara a amada, e já entrevia no futuro a morte melancólica de Gilbert. Não podendo fazer despesas, alcançou, por intermédio de um amigo, que a poesia fosse impressa de graça, motivo este que retardou a publicação por alguns dias. Luís Tinoco tragou a custo a demora, e não sei se chegou a suspeitar de inveja os redatores do *Correio Mercantil*. A poesia saiu enfim; e tal contentamento produziu no poeta que foi logo fazer ao padrinho a grande revelação.

— Leu hoje o *Correio Mercantil*, meu padrinho? — perguntou ele.

— Homem, tu sabes que eu só lia os jornais no tempo em que era empregado efetivo. Desde que me aposentei não li mais os periódicos...

— Pois é pena! — disse Tinoco com ar frio. — Queria que me dissesse que pensa de uns versos que lá vêm.

— E de mais a mais versos! Os jornais já não falam de política? No meu tempo não falavam de outra coisa.

— Falam de política e publicam versos, porque ambas as coisas têm entrada na imprensa. Quer ler os versos?

— Dá cá.

— Aqui estão.

O poeta puxou da algibeira o *Correio Mercantil*, e o velho Anastácio entrou a ler para si a obra do afilhado. Com os olhos pregados no padrinho, Luís Tinoco parecia querer adivinhar as impressões que produziam nele os seus elevados conceitos, metrificados com todas as liberdades possíveis e impossíveis do consoante. Anastácio acabou de ler os versos e fez com a boca um gesto de enfado.

— Isto não tem graça — disse ele ao afilhado estupefato —; que diabo tem a lua com a indiferença dessa moça, e a que vem aqui a morte deste estrangeiro?

Luís Tinoco teve vontade de descompor o padrinho, mas limitou-se a atirar os cabelos para trás e a dizer com supremo desdém:

— São coisas de poesia que nem todos entendem; esses versos sem graça são meus.

— Teus? — perguntou Anastácio no cúmulo do espanto.

— Sim, senhor.

— Pois tu fazes versos?

— Assim dizem.

— Mas quem te ensinou a fazer versos?

— Isto não se aprende; traz-se do berço.

Anastácio leu outra vez os versos, e só então reparou na assinatura do afilhado. Não havia que duvidar: o rapaz dera em poeta. Para o velho aposentado era isto uma grande desgraça. Esse ligava à ideia de poeta a ideia de mendicidade. Tinham-lhe pintado Camões e Bocage, que eram os nomes literários que ele conhecia, como dois improvisadores de esquina, espeitorando sonetos em troca de algumas moedas, dormindo nos adros das igrejas e comendo nas cocheiras das casas grandes. Quando soube que o seu querido Luís estava atacado da terrível moléstia, Anastácio ficou triste, e foi nessa ocasião que se encontrou com o dr. Lemos e lhe deu notícia da gravíssima situação do afilhado.

— Dou-lhe parte de que o Luís está poeta.

— Sim? — perguntou-lhe o dr. Lemos. — E que tal lhe saiu o poeta?

— Não me importa se saiu mau ou bom. O que sei é que é a maior desgraça que lhe podia acontecer, porque isto de poesia não dá nada de si. Tenho medo que deixe o emprego, e fique aí pelas esquinas a falar à lua, cercado de moleques.

O dr. Lemos tranquilizou o homem dizendo-lhe que os poetas não eram esses vadios que ele imaginava; mostrou-lhe que a poesia não era obstáculo para andar como os outros, para ser deputado, ministro ou diplomata.

— No entanto — disse o dr. Lemos —, desejarei falar ao Luís; quero ver o que ele tem feito, porque como eu também fui outrora um pouco versejador, posso já saber se o rapaz dá de si.

Luís Tinoco foi ter com ele; levou-lhe o soneto e a ode impressos, e mais algumas produções não publicadas. Estas orçavam pela ode ou pelo soneto. Imagens safadas, expressões comuns, frouxo alento e nenhuma arte; apesar de tudo isso, havia de quando em quando algum lampejo que indicava da parte do neófito propensão para o mister; podia ser ao cabo de algum tempo um excelente trovador de salas.

O dr. Lemos disse-lhe com franqueza, que a poesia era uma arte difícil e que pedia longo estudo; mas que, a querer cultivá-la a todo o transe, devia ouvir alguns conselhos necessários.

— Sim — respondeu ele —; pode lembrar alguma coisa; eu não me nego a aceitar-lhe o que me parecer bom, tanto mais que eu fiz estes versos muito à pressa e não tive ocasião de os emendar.

— Não me parecem bons estes versos — disse o dr. Lemos —; poderia rasgá-los e estudar antes algum tempo.

Não é possível descrever o gesto de soberbo desdém com que Luís Tinoco arrancou os versos ao doutor e lhe disse:

— Os seus conselhos valem tanto como a opinião de meu padrinho. Poesia não se aprende; traz-se do berço. Eu não dou atenção a invejosos. Se os versos não fossem bons, o *Mercantil* não os publicava.

E saiu.

Daí em diante foi impossível ter-lhe mão.

Tinoco entrou a escrever como quem se despedia da vida. Os jornais andavam cheios de produções suas, umas tristes, outras alegres, não daquela tristeza nem daquela alegria que vem diretamente do coração, mas de uma tristeza que fazia sorrir, e de uma alegria que fazia bocejar. Luís Tinoco confessava singelamente ao mundo que fora invadido do ceticismo byroniano, que tragara até às fezes a taça do infortúnio, e que para ele a vida tinha escrita na porta a inscrição dantesca. A inscrição era citada com as próprias palavras do poeta, sem que aliás Luís Tinoco o tivesse lido nunca. Ele respigava nas alheias produções uma coleção de alusões e nomes literários, com que fazia as despesas de sua erudição, e não lhe era preciso, por exemplo, ter lido Shakespeare para falar do *to be or not to be*, do balcão de Julieta e das torturas de Otelo. Tinha a respeito de biografias ilustres noções extremamente singulares. Uma vez, agastando-se com a sua amada — pessoa que ainda não existia — aconteceu-lhe dizer que o clima fluminense podia produzir monstros daquela espécie, do mesmo modo que o sol italiano dourara os cabelos da menina Aspásia. Lera casualmente alguns dos salmos do padre Caldas, e achou-os soporíferos; falava mais benevolamente da "Morte de Lindoia", nome que ele dava ao poema de J. Basílio da Gama, de que só conhecia quatro versos.

Ao cabo de cinco meses tinha Luís Tinoco produzido uma quantia razoável de versos, e podia, mediante muitos claros e páginas em branco, dar um volume de cento e oitenta páginas. A ideia de imprimir um livro sorriu-lhe; e daí a pouco era raro passar por uma loja sem ver no mostrador um prospecto assim concebido:

Goivos e camélias

por

Luís Tinoco

Um volume de 200 páginas... 2$000.

O dr. Lemos encontrou-o algumas vezes na rua. Andava com o ar inspirado de todos os poetas novéis que se supõem apóstolos e mártires. Cabeça alta, olhos vagos, cabelos grandes e caídos; algumas vezes abotoava o paletó e punha a mão ao peito por ter visto assim um retrato de Guizot; outras vezes andava com as mãos para trás.

O dr. Lemos falou-lhe a terceira vez que o viu assim, porque das duas primeiras o rapaz esquivou-se por modo que não pôde deter-lhe passo. Fez-lhe alguns elogios às suas produções. Expandiu-se-lhe o rosto:

— Obrigado — disse ele —; esses elogios são o melhor prêmio das minhas fadigas. O povo não está preparado para a poesia: as pessoas inteligentes, como o doutor, podem julgar do merecimento dos outros. Leu a minha "Flor pálida"?

— Uns versos publicados no domingo?

— Sim.

— Li; são galantíssimos.

— E sentimentais. Fiz aquela poesia em meia hora, e não emendei nada. Acontece-me isso muita vez. Que lhe parecem aqueles esdrúxulos?

— Acho-os esdrúxulos.

— São excelentes. Agora vou levar algumas estrofes que compus ontem. Intitulam-se "À beira de um túmulo".

— Ah!

— Já assinou o meu livro?

— Ainda não.

— Nem assine. Quero dar-lhe um volume. Sai brevemente. Estou recolhendo as assinaturas. *Goivos e camélias*; que lhe parece o título?

— Magnífico.

— Achei-o de repente. Lembraram-me outros, mas eram comuns. *Goivos e camélias* parece que é um título distinto e original; é o mesmo que se dissesse: tristezas e alegrias.

— Justamente.

Durante esse tempo, ia o poeta tirando do bolso uma aluvião de papéis. Procurava as estrofes de que falara. O dr. Lemos quis esquivar-se, mas o homem era implacável; segurou-lhe no braço. Ameaçado de ouvir ler os versos na rua, o doutor convidou o poeta a ir jantar com ele.

Foram a um hotel próximo.

— Ah! meu amigo — dizia ele em caminho —, não imagina quantos invejosos andam a denegrir o meu nome. O meu talento tem sido o alvo de mil ataques; mas eu já estava disposto a isto. Não me espanto. A enxerga de Camões é um exemplo e uma consolação. Prometeu, atado ao Cáucaso, é o emblema do gênio. A posteridade é a vingança dos que sofrem os desdéns do seu tempo.

No hotel procurou o dr. Lemos um lugar mais afastado, onde não chamassem muito a atenção das outras pessoas.

— Aqui estão as estrofes — disse Luís Tinoco conseguindo arrancar de um maço de papéis a poesia anunciada.

— Não lhe parece melhor lê-las à sobremesa?

— Como quiser — respondeu ele —; tem razão, porque eu também estou com fome.

Luís Tinoco era todo prosa à mesa do jantar; comeu desencadernadamente.

— Não repare — dizia ele de quando em quando —; isto é o animal que se está alimentando. O espírito aqui não tem culpa nenhuma.

À sobremesa, estando na sala apenas uns cinco fregueses, desdobrou Luís Tinoco o fatal papel e leu as anunciadas estrofes, com uma melopeia afetada e perfeitamente ridícula. Os versos falavam de tudo, da morte e da vida, das flores e dos vermes, dos amores e dos ódios; havia mais de oito *ciprestes*, cerca de vinte *lágrimas*, e mais *túmulos* do que um verdadeiro cemitério.

Os cinco fregueses jantantes voltaram a cabeça, quando Luís Tinoco começou a recitar os versos; depois começaram a sorrir e a murmurar alguma coisa que os dois não puderam ouvir. Quando o poeta acabou, um dos circunstantes, assaz grosseiro, soltou uma gargalhada. Luís Tinoco voltou-se enfurecido, mas o dr. Lemos conteve-o dizendo:

— Não é conosco.

— É, meu amigo — disse ele resignado —; mas que lhe havemos de fazer? quem entende a poesia para a respeitar em toda a parte?

— Deixemos este lugar — disse o dr. Lemos —; aqui não compreendem o que é um poeta.

— Vamos!

O dr. Lemos pagou a conta e saiu atrás de Luís Tinoco, que deitou ao rideiro um olhar de desafio.

Luís Tinoco acompanhou-o até a casa. Recitou-lhe em caminho alguns versos que sabia de cor. Quando ele se entregava à poesia, não à alheia, que o não preocupava muito, mas à própria, podia-se dizer que tudo mais se lhe apagava da memória; bastava-lhe a contemplação de si mesmo. O dr. Lemos ia ouvindo calado com a resignação de quem suporta a chuva, que não pode impedir.

Pouco tempo depois saíram a lume os *Goivos e camélias*, que todos os jornais prometeram analisar mais de espaço.

Dizia o poeta no prólogo da obra, que era audácia da sua parte "vir assentar-se na mesa da comunhão da poesia, mas que todo aquele que sentia dentro de si o *j'ai quelque chose là*, de André Chénier, devia dar à pátria aquilo que a natureza lhe deu". Em seguida pedia desculpa para os seus verdes anos, e afirmava ao público que não tinha sido "embalado em berços de seda". Concluía dando a bênção ao livro e chamando a atenção para a lista dos assinantes que vinha no fim.

Esta obra monumental passou despercebida no meio da indiferença geral. Apenas um folhetinista do tempo escreveu a respeito dela algumas linhas que fizeram rir a toda a gente, menos o autor, que foi agradecer ao folhetinista.

O dr. Lemos perdeu de vista o seu poeta durante algum tempo. Digo mal; só perdeu de vista o homem, porque o poeta de quando em quando lhe aparecia metido em alguma produção literária, que o dr. Lemos invariavelmente lia para se benzer da estéril pertinácia de Luís Tinoco. Não havia ocasião, enterro ou espetáculo solene, que escapasse à inspiração do fecundo escritor. Como o número de suas ideias fosse mui limitado, podia-se dizer que ele só havia escrito um necrológio, uma elegia, uma ode ou uma congratulação. Os diferentes exemplares de cada uma destas coisas eram a mesma coisa dita por outro modo. O modo porém constituía a originalidade do poeta, originalidade que ele não teve a princípio, mas que se desenvolveu muito com o tempo.

Infelizmente enquanto se entregava com ardor às lides literárias, esquecia-se o poeta das lides forenses, donde lhe vinha o pão. Anastácio queixou-se um dia desta desgraça ao dr. Lemos, numa carta que acabava assim: "Não sei, meu amigo sr. Lemos, aonde irá parar este rapaz. Não lhe vejo outra conclusão: hospício ou xadrez".

O dr. Lemos mandou chamar o poeta. Elogiou-lhe as suas obras com o fim de lhe dispor o espírito a ouvir o que ia dizer. O rapaz expandiu-se.

— Ainda bem que eu ouço de quando em quando alguma voz animadora — disse ele —; não sabe o que tem sido a inveja a meu respeito. Mas que importa? Tenho confiança no futuro; o que me vinga é a posteridade.

— Tem razão, a posteridade é que vinga das maroteiras contemporâneas.

— Li há dias num papelucho, que eu era um alinhavador de ninharias. Percebi a intenção. Acusava-me de não meter ombros a obra de mais largo fôlego. Vou desmentir o papelucho: estou escrevendo um poema épico!

— Ai! — disse o dr. Lemos consigo, adivinhando alguma leitura forçada do poema.

— Podia mostrar-lhe alguma coisa — continuou Luís Tinoco —, mas prefiro que leia a obra quando estiver mais adiantada.

— Muito bem.

— Tem dez cantos, cerca de dez mil versos. Mas quer saber a minha desgraça?

— Qual é?

— Estou apaixonado...

— Realmente, é uma desgraça na sua posição.

— Que tem a minha posição?

— Creio que não é excelente. Dizem-me que se tem descuidado um pouco das suas obrigações do foro, e que brevemente lhe vão tirar o emprego.

— Fui despedido ontem.

— Já?

— É verdade. Se ouvisse o discurso com que eu respondi ao escrivão, diante de toda a gente que enchia o cartório! Vinguei-me.

— Mas... de que viverá agora? seu padrinho não pode, creio eu, com o peso da casa.

— Deus me ajudará. Não tenho eu uma pena na mão? Não recebi do berço um tal ou qual engenho, que já tem dado alguma coisa de si? Até agora nenhum lucro tentei tirar das minhas obras; mas era só amador. Daqui em diante o caso muda de figura; é necessário ganhar o pão, ganharei o pão.

A convicção com que Luís Tinoco dizia estas palavras entristeceu o amigo do padrinho. O dr. Lemos contemplou durante alguns segundos — com inveja, talvez — aquele sonhador incorrigível, tão desapegado da realidade da vida, acreditando não só nos seus grandes destinos, mas também na verossimilhança de fazer da sua pena uma enxada.

— Oh! deixe estar! — continuou Luís Tinoco. — Eu hei de provar-lhes, ao senhor e a meu padrinho, que não sou tão inútil como lhes pareço. Não me falta coragem, doutor; quando me faltasse, há uma estrela...

Luís Tinoco calou-se, retorceu o bigode, e olhou melancolicamente para o céu. O dr. Lemos também olhou para o céu, mas sem melancolia, e perguntou rindo:

— Uma estrela? Ao meio-dia é raro...

— Oh! não falo dessas — interrompeu Luís Tinoco —; lá é que ela devia estar, ali no espaço azul, entre as outras suas irmãs, mais velhas do que ela e menos formosas...

— Uma moça?

— Uma moça é pouco; diga a mais gentil criatura que o sol ainda alumiou, uma sílfide, a minha Beatriz, a minha Julieta, a minha Laura.

— Escusa dizê-lo; deve ser muito formosa se fez apaixonar um poeta.

— Meu amigo, o senhor é um grande homem; Laura é um anjo, e eu adoro-a.

— E ela?

— Ela ignora talvez que eu me consumo.

— Isso é mau!

— Que quer? — disse Luís Tinoco enxugando com o lenço uma lágrima imaginária. — É fado dos poetas arderem por coisas que não podem obter. É esse o pensamento de uns versos que escrevi há oito dias. Publiquei-os no *Caramanchão Literário*.

— Que diacho é isso?

— É a minha folha, que eu lhe mando de quinze em quinze dias... E diz que lê as minhas obras!

— As obras leio... Agora os títulos podem escapar. Vamos porém ao que importa. Ninguém lhe contesta talento nem inspiração fecunda; mas o senhor ilude-se pensando que pode viver dos versos e dos artigos literários... Note que os seus versos e os seus artigos são muito superiores ao entendimento popular, e por isso devem ter muito menos aceitação.

Este desenganar com as mãos cheias de rosas produziu salutar efeito no ânimo de Luís Tinoco; o poeta não pôde sofrear um sorriso de satisfação e bem-aventurança. O amigo do padrinho concluiu o seu discurso oferecendo-lhe um lugar de escrevente em casa de um advogado. Luís Tinoco olhou para ele algum tempo sem dizer palavra. Depois:

— Volto ao foro, não? — disse ele com a mais melancólica resignação deste mundo. — Minha inspiração deve descer outra vez a empoeirar-se nos libelos, a aturar os rábulas, a engrolar o vocabulário da chicana! E a troco de quê? A troco de uns magros mil-réis, que eu não tenho e me são necessários para viver. Isto é sociedade, doutor?

— Má sociedade, se lhe parece — respondeu o dr. Lemos com doçura —, mas não há outra à mão, e a menos de não estar disposto a reformá-la, não tem outro recurso senão tolerá-la e viver.

O poeta deu alguns passos na sala; no fim de dois minutos estendeu a mão ao amigo.

— Obrigado — disse ele —, aceito; vejo que trata de meus interesses, sem desconhecer que me oferece um exílio.

— Um exílio e um ordenado — emendou o dr. Lemos.

Daí a dias estava o poeta a copiar razões de embargos e de apelação, a lastimar-se, a maldizer da fortuna, sem adivinhar que daquele emprego devia nascer uma mudança nas suas aspirações. O dr. Lemos não lhe falou durante cinco meses. Um dia encontraram-se na rua. Perguntou-lhe pelo poema.

— Está parado — respondeu Luís Tinoco.

— Deixa-o de mão?

— Concluí-lo-ei quando tiver tempo.

— E a folha?

— Deve saber que acabei com ela; não lha mando há muito tempo.

— É verdade, mas podia ser um esquecimento. Muito me conta! Então acabou o *Caramanchão Literário*?

— Deixei-o morrer no melhor período de vitalidade: tinha oitenta assinantes pagantes...

— Mas então abandona as letras?

— Não, mas... Adeus.

— Adeus.

Pareceu simples tudo aquilo; mas tendo-se ganho alguma coisa, que era empregá-lo, o dr. Lemos deixou que o próprio poeta lhe fosse anunciar a causa do seu sono literário. Seria o namoro de Laura?

Esta Laura, preciso é que se diga, não era Laura, era simplesmente Inocência; o poeta chamava-lhe Laura nos seus versos, nome que lhe parecia mais doce, e efetivamente o era. Até que ponto existiu esse namoro, e em que proporções correspondeu a moça à chama do rapaz? A história não conservou muita informação a este respeito. O que se sabe com certeza é que um dia apareceu um rival no horizonte, tão poeta como o padrinho de Luís Tinoco, elemento muito mais conjugal do que o redator do *Caramanchão Literário*, e que de um só lance lhe derrubou todas as esperanças.

Não é preciso dizer ao leitor que este acontecimento enriqueceu a literatura com uma extensa e chorosa elegia, em que Luís Tinoco metrificou todas as queixas que pode ter de uma mulher um namorado traído. Esta obra tinha por epígrafe o *nessun maggior dolore* do poeta florentino. Quando ele a acabou e emendou, releu-a em voz alta, passeando na alcova, deu o último apuro a um ou outro verso, admirou a harmonia de muitos, e singelamente confessou de si para si que era a sua melhor produção. O *Caramanchão Literário* ainda existia; Luís Tinoco apressou-se a levar o escrito ao prelo, não sem o ler aos seus colaboradores, cuja opinião foi idêntica à dele. Apesar da dor que o devia consumir, o poeta leu as provas com o maior desvelo e escrúpulo, assistiu à impressão dos primeiros exemplares da folha, e durante muitos dias releu os versos até cansar. Do que ele menos se lembrava era da perfídia que os inspirou.

Esta porém não era a razão do sono literário de Luís Tinoco. A razão era puramente política. O advogado, cujo escrevente ele era, tinha sido deputado e colaborava numa gazeta política. O seu escritório era um centro, onde iam ter muitos homens públicos e se conversava largamente dos partidos e do governo. Luís Tinoco ouviu a princípio essas conversas com a indiferença de um deus envolvido no manto da sua imortalidade. Mas a pouco e pouco foi adquirindo gosto ao que ouvia. Já lia os discursos parlamentares e os artigos de polêmica. Da atenção passou rapidamente ao entusiasmo, porque naquele rapaz tudo era extremo, entusiasmo ou indiferença.

Um dia levantou-se com a convicção de que os seus destinos eram políticos.

— A minha carreira literária está feita — disse ele ao dr. Lemos quando falaram nisto —; agora outro campo me chama.

— A política? Parece-lhe que é essa a sua vocação?

— Parece-me que posso fazer alguma coisa.

— Vejo que é modesto, e não duvido que alguma voz interior o esteja convidando a queimar as suas asas de poeta. Mas, cuidado! Há de ter lido *Macbeth*... Cuidado com a voz das feiticeiras, meu amigo. Há no senhor demasiado sentimento, muita suscetibilidade, e não me parece que...

— Estou disposto a acudir à voz do destino — interrompeu impetuosamente Luís Tinoco. — A política chama-me ao seu campo; não posso, não devo, não quero cerrar-lhe os ouvidos. Não! as opressões do poder, as baionetas dos governos imorais e corrompidos não podem desviar uma grande convicção do caminho que ela mesma escolheu. Sinto que sou chamado pela voz da verdade. Quem foge à voz da verdade? Os covardes e os ineptos. Não sou inepto nem covarde.

Tal foi a estreia oratória com que ele brindou o dr. Lemos numa esquina onde felizmente não passava ninguém.

— Só lhe peço uma coisa — disse o ex-poeta.

— O que é?

— Recomende-me ao doutor. Quero acompanhá-lo, e ser seu protegido; é o meu desejo.

O dr. Lemos cedeu ao desejo de Luís Tinoco. Foi ter com o advogado e recomendou-lhe o escrevente, não com muita solicitude, mas também sem excessiva frieza. Felizmente o advogado era uma espécie de são Francisco Xavier do partido, desejoso como ninguém de aumentar o pessoal militante; recebeu a recomendação com a melhor cara do mundo, e logo no dia seguinte, disse algumas palavras benévolas ao escrevente, que as ouviu trêmulo de comoção.

— Escreva alguma coisa — disse o advogado —, e traga-me para ver se lhe achamos propensão.

Não foi preciso dizer-lho duas vezes. Dois dias depois, levou o ex-poeta ao seu protetor um artigo extenso e difuso, mas cheio de entusiasmo e fé. O advogado achou defeitos no trabalho; apontou-lhe demasias e nebulosidades, frouxidão de argumentos, mais ornamentação que solidez; todavia prometeu publicá-lo. Ou fosse porque lhe fizesse estas observações com muito jeito e benevolência, ou porque Luís Tinoco houvesse perdido alguma coisa da antiga suscetibilidade, ou porque a promessa da publicação lhe adoçasse o amargo da censura, ou por todas estas razões juntas, o certo é que ele ouviu com exemplar modéstia e alegria as palavras do protetor.

— Há de perder os defeitos com o tempo — disse este mostrando o artigo aos amigos.

O artigo foi publicado e Luís Tinoco recebeu alguns apertos de mão. Aquela doce e indefinível alegria que ele sentira quando estampou no *Correio Mercantil* os seus primeiros versos, voltou a experimentá-la agora, mas alegria complicada de uma virtuosa resolução: Luís Tinoco desde aquele dia sinceramente acreditou que tinha uma missão, que a natureza e o destino o haviam mandado à terra para endireitar os tortos políticos.

Poucas pessoas se terão esquecido do período final da estreia política do ex-redator do *Caramanchão Literário*. Era assim: "Releve o poder — hipócrita e sanhudo — que eu lhe diga muito humildemente que não temo o desprezo nem o martírio. Moisés, conduzindo os hebreus à terra da promissão, não teve a fortuna de entrar nela: é o símbolo do escritor que leva os homens à regeneração moral e política, sem lhe transpor as portas de ouro. Que poderia eu temer? Prometeu atado ao Cáucaso, Sócrates bebendo a cicuta, Cristo expirando na cruz, Savonarola indo ao suplício, John Brown esperneando na forca, são os grandes apóstolos da luz, o exemplo e o conforto dos que amam a verdade, o remorso dos tiranos e o terremoto do despotismo".

Luís Tinoco não parou nestas primícias. Aquela mesma fecundidade da estação literária veio a reproduzir-se na estação política; o protetor, entretanto, disse-lhe que era conveniente escrever menos e mais assentado. O ex-poeta não repeliu a advertência, e até lucrou com ela, produzindo alguns artigos menos desgrenhados no estilo e no pensamento. A erudição política de Luís Tinoco era nenhuma; o protetor emprestou-lhe alguns livros, que o ex-poeta aceitou com infinito prazer. Os leitores compreendem facilmente que o autor dos *Goivos e camélias* não era homem que meditasse uma página de leitura; ele ia atrás das grandes frases — sobretudo das frases sonoras —, demorava-se nelas, repetia-as, ruminava-as com verdadeira delícia. O que era reflexão, observação, análise parecia-lhe árido, e ele corria depressa por elas.

Algum tempo depois houve uma eleição primária. O publicista sentiu que havia em si um eleitor, e foi dizê-lo afoitamente ao advogado. O desejo não foi mal aceito; trabalharam-se as coisas de modo que Luís Tinoco teve o gosto de ser incluído numa chapa e a surpresa de ficar batido. Batê-lo foi possível ao governo; abatê-lo, não. O ex-poeta, ainda quente do combate, traduziu em largos e floreados períodos o desprezo que lhe inspirava aquela vitória dos adversários. A esse artigo responderam os amigos do governo com um, que terminava assim: "Até onde quererá ir, com semelhante descomedimento de linguagem, o pimpolho do ex-deputado Z.?".

Luís Tinoco quase morreu de júbilo ao receber em cheio aquela descarga ministerial. A imprensa adversa não o havia tratado até então com a consideração que ele desejava. Uma ou outra vez, haviam discutido argumentos seus; mas faltava o melhor, faltava o ataque pessoal, que lhe parecia ser o batismo de fogo naquela espécie de campanha. O advogado, lendo o ataque, disse ao ex-poeta que a sua posição era idêntica à do primeiro Pitt quando o ministro Walpole lhe respondeu chamando-lhe moço em plena Câmara dos Comuns, e que era necessário repelir no mesmo tom a ofensa ministerial. Luís Tinoco ignorava até aquela data a existência de Pitt e de Walpole; achou todavia muito engenhosa a comparação das duas situações, e com habilidade e cautela perguntou ao advogado se lhe podia emprestar o discurso do orador britânico "para refrescar a memória".

O advogado não tinha o discurso, mas deu-lhe ideia dele, quanto bastou para que Luís Tinoco fosse escrever um longo artigo acerca do que era e não era pimpolho.

Entretanto, a luta eleitoral lhe descobrira um novo talento. Como fosse necessário arengar algumas vezes, fê-lo o pimpolho a grande aprazimento seu e no meio de palmas gerais. Luís Tinoco perguntou a si mesmo se lhe era lícito aspirar às honras da tribuna. A resposta foi afirmativa. Esta nova ambição era mais difícil de satisfazer; o ex-poeta o reconheceu, e armou-se de paciência para esperar.

Aqui há uma lacuna na vida de Luís Tinoco. Razões que a história não conservou levaram o jovem publicista à província natal do seu amigo e protetor, dois anos depois dos acontecimentos eleitorais. Não percamos tempo em conjeturar as causas desta viagem, nem as que ali o demoraram mais do que queria. Vamos já encontrá-lo alguns meses depois, colaborando num jornal com o mesmo ardor juvenil, de que dera tanta prova na capital. Recomendado pelo advogado aos seus amigos políticos e parentes, depressa criou Luís Tinoco um círculo de companheiros, e não tardou que assentasse em ali ficar algum tempo. O padrinho já estava morto; Luís Tinoco achava-se absolutamente sem família.

A ambição do orador não estava apagada pela satisfação do publicista; pelo contrário, uma coisa avivava a outra. A ideia de possuir duas armas, brandi-las ao mesmo tempo, ameaçar e bater com ambas os adversários, tornou-se-lhe ideia crônica, presente, inextinguível. Não era a vaidade que o levava, quero dizer, uma vaidade pueril. Luís Tinoco acreditava piamente que ele era um artigo do programa da Providência, e isso o sustinha e contentava. A sinceridade que nunca teve quando versificava os seus infortúnios entre suas palestras de rapazes, teve-a quando se enterrou a mais e mais na política. É claro que, se alguém lhe pusesse em dúvida o mérito político, feri-lo-ia do mesmo modo que os que lhe contestavam excelências literárias; mas não era só a vaidade que lhe ofendiam, era também, e muito mais, a fé — fé profunda e intolerante — que ele tinha de que o seu talento fazia parte da harmonia universal.

Luís Tinoco mandava ao dr. Lemos na corte todos os seus escritos da província, e contava-lhe singelamente as suas novas esperanças. Um dia noticiou-lhe que a sua eleição para a assembleia provincial era objeto de negociações que se lhe afiguravam propícias. O correio seguinte trouxe notícia de que a candidatura de Luís Tinoco entrara na ordem dos fatos consumados.

A eleição fez-se e não deu pouco trabalho ao candidato fluminense, que à força de muita luta e muito empenho pôde ter a honra de ser incluído na lista dos vencedores. Quando lhe deram notícia da vitória, entoou a alma de Luís Tinoco um verdadeiro e solene *Te Deum Laudamus*. Um suspiro, o mais entranhado e desentranhado de quantos suspiros jamais soltaram homens, desafogou o coração do ex-poeta das dúvidas e incertezas de longas e cruéis semanas. Estava enfim eleito! Ia subir o primeiro degrau do capitólio.

A noite foi mal dormida, como a da véspera da publicação do primeiro soneto, e entremeada de sonhos análogos à situação. Luís Tinoco via-se já troando na assembleia provincial, entre os aplausos de uns, as imprecações de outros, a inveja de quase todos, e lendo em toda a imprensa da província os mais calorosos aplausos à sua nova e original eloquência. Vinte exórdios fez o jovem deputado para o primeiro discurso, cujo assunto seria naturalmente digno de grandes rasgos e nervosos períodos. Ele já estudava mentalmente os gestos, a atitude, todo o exterior da figura que ia honrar a sala dos representantes da província.

Muitos grandes nomes da política haviam começado no parlamento provincial. Era verossímil, era indispensável até, para que ele cumprisse o mandato imperativo do destino, que saísse dali em pouco tempo para vir transpor a porta mais ampla da representação nacional. O ex-poeta ocupava já no espírito uma das cadeiras da Cadeia Velha, e remirava-se na própria pessoa e no brilhante papel que teria de desempenhar. Via já diante de si a oposição ou o ministério estatelado no chão, com quatro ou cinco daqueles golpes que ele supunha saber dar como ninguém, e as gazetas a falarem, e o povo a ocupar-se dele, e o seu nome a repercutir em todos os ângulos do império, e uma pasta a cair-lhe nas mãos, ao mesmo tempo que o bastão do comando ministerial.

Tudo isto e muito mais imaginava o recente deputado, embrulhado nos lençóis, com a cabeça no travesseiro e o espírito a vagar por esse mundo fora, que é a coisa pior que pode acontecer a um corpo mortificado como estava o dele naquela ocasião.

Não se demorou Luís Tinoco em escrever ao dr. Lemos, e contar-lhe as suas esperanças e o programa que tencionava observar, desde que a fortuna lhe abria mais ampla estrada na vida pública. A carta tratava longamente do efeito provável da sua primeira oração, e terminava assim: "Qualquer que seja o posto a que eu suba; qualquer, entenda bem, ainda aquele que é o primeiro do país, abaixo do imperador (e creio que irei até lá), nunca me há de esquecer que ao senhor o devo, à animação que me dispensou, à recomendação que fez de mim. Parece-me que até hoje tenho correspondido à confiança dos meus amigos; espero continuar a merecê-la".

Inauguraram-se enfim os trabalhos. Tão ansioso estava Luís Tinoco de falar que, logo nas primeiras sessões, a propósito de um projeto sobre a colocação de um chafariz, fez um discurso de duas horas em que demonstrou por A + B que a água era necessária ao homem. Mas a grande batalha foi dada na discussão do orçamento provincial. Luís Tinoco fez um longo discurso em que combateu o governo geral, o presidente, os adversários, a polícia e o despotismo. Seus gestos eram até então desconhecidos na escala da gesticulação parlamentar; na província, pelo menos, ninguém tivera nunca a satisfação de contemplar aquele sacudir de cabeça, aquele arquear de braço, aquele apontar, alçar, cair e bater com a mão direita.

O estilo também não era vulgar. Nunca se falou de receita e despesa com maior luxo de imagens e figuras. A receita foi comparada ao orvalho que as flores recolhem durante a noite; a despesa à brisa da manhã que as sacode e lhes entorna um pouco do sereno vivificante. Um bom governo é apenas brisa; o presidente atual foi declarado siroco e pampeiro. Toda a maioria protestou solenemente contra essa qualificação injuriosa, ainda que poética. Um dos secretários confessou que nunca do Rio de Janeiro lhes fora uma aura mais refrigerante.

Infelizmente os adversários não dormiam. Um deles, apenas Luís Tinoco acabou o discurso entre alguns aplausos dos seus amigos, pediu a palavra e cravou longo tempo os olhos no orador estreante. Depois sacou do bolso um maço de jornais e um folheto, concertou a garganta e disse:

— Mandaram-nos do Rio de Janeiro o nobre deputado que me precedeu nesta tribuna. Diziam que era uma ilustração fluminense, destinada a arrasar os talentos da província. Imediatamente, senhor presidente, tratei de obter as obras do nobre deputado. Aqui tenho eu, senhor presidente, o *Caramanchão Literário*, folha redigida pelo meu adversário, e o volume dos *Goivos e camélias*. Tenho lá em casa mais outras obras. Abramos os *Goivos e camélias*.

O sr. Luís Tinoco: — O nobre deputado está fora da ordem! (*Apoiados*.)

O orador: — Continuo, senhor presidente; aqui tenho os *Goivos e Camélias*. Vejamos um goivo.

A Ela.
Quem és tu que me atormentas
Com teus prazenteiros sorrisos?
Quem és tu que me apontas
As portas dos paraísos?

Imagem do céu és tu?
És filha da divindade?
Ou vens prender em teus cabelos
A minha liberdade?

Vê vossa excelência, senhor presidente, que já nesse tempo o nobre deputado era inimigo de todas as leis opressoras. A assembleia tem visto como ele trata as leis do metro.

Todo o resto do discurso foi assim. A minoria protestou, Luís Tinoco fez-se de todas as cores, e a sessão acabou em risada. No dia seguinte os jornais amigos de Luís Tinoco agradeceram ao adversário deste triunfo que lhe proporcionou mostrando à província "uma antiga e brilhante face do talento do ilustre deputado". Os que indecorosamente riram dos versos foram condenados com estas poucas linhas: "Há dias um deputado governista disse que a situação era uma caravana de homens honestos e bons. É caravana, não há dúvida; vimos ontem os seus camelos".

Nem por isso Luís Tinoco ficou mais consolado. As cartas do deputado ao dr. Lemos começaram a escassear, até que de todo cessaram de aparecer. Decorreram assim silenciosos uns três anos, ao cabo dos quais o dr. Lemos foi nomeado não sei para que cargo na província onde se achava Luís Tinoco. Partiu. Apenas empossado do cargo, tratou de procurar o ex-poeta, e pouco tempo gastou, recebendo logo um convite dele para ir a um estabelecimento rural onde se achava.

— Há de me chamar ingrato, não? — disse Luís Tinoco, apenas viu assomar à porta de casa o dr. Lemos. — Mas não sou; contava ir vê-lo daqui a um ano; e se lhe não escrevi... Mas que tem, doutor? está espantado?

O dr. Lemos estava efetivamente pasmado a olhar para a figura de Luís Tinoco. Era aquele o poeta dos *Goivos e camélias*, o eloquente deputado, o fogoso publicista? O que ele tinha diante de si era um honrado e pacato lavrador, ar e maneiras rústicas, sem o menor vestígio das atitudes melancólicas do poeta, do gesto arrebatado do tribuno — uma transformação, uma criatura muito outra e muito melhor.

Riram-se ambos, um da mudança, outro do espanto, pedindo o dr. Lemos a Luís Tinoco lhe dissesse se era certo haver deixado a política, ou se aquilo eram apenas umas férias para renovar a alma.

— Tudo lhe explicarei, doutor, mas há de ser depois de ter examinado a minha casa e a minha roça, depois de lhe apresentar minha mulher e meus filhos...

— Casado?

— Há vinte meses.

— E não me disse nada!

— Ia este ano à corte e esperava surpreendê-lo... Que duas criancinhas as minhas... lindas como dois anjos. Saem à mãe, que é a flor da província. Oxalá se pareçam também com ela nas qualidades de dona de casa; que atividade! que economia!...

Feita a apresentação, beijadas as crianças, examinado tudo, Luís Tinoco declarou ao dr. Lemos que definitivamente deixara a política.

— De vez?

— De vez.

— Mas que motivo? desgostos, naturalmente.

— Não; descobri que não era fadado para grandes destinos. Um dia leram-me na assembleia alguns versos meus. Reconheci então quanto eram pífios os tais versos; e podendo vir mais tarde a olhar com a mesma lástima e igual arrependimento para as minha obras políticas, arrepiei carreira e deixei a vida pública. Uma noite de reflexão e nada mais.

— Pois teve ânimo?...

— Tive, meu amigo, tive ânimo de pisar terreno sólido, em vez de patinhar nas ilusões dos primeiros dias. Eu era um ridículo poeta e talvez ainda mais ridículo orador. Minha vocação era esta. Com poucos anos mais estou rico. Ande agora beber o café que nos espera e feche a boca, que as moscas andam no ar.

Jornal das Famílias, *novembro-dezembro de 1870; Victor de Paula.*

O relógio de ouro

Agora contarei a história do relógio de ouro. Era um grande cronômetro, inteiramente novo, preso a uma elegante cadeia. Luís Negreiros tinha muita razão em ficar boquiaberto quando viu o relógio em casa, um relógio que não era dele, nem podia ser de sua mulher. Seria ilusão dos seus olhos? Não era; o relógio ali estava sobre uma mesa da alcova, a olhar para ele, talvez tão espantado, como ele, do lugar e da situação.

Clarinha não estava na alcova quando Luís Negreiros ali entrou. Deixou-se ficar na sala, a folhear um romance, sem corresponder muito nem pouco ao ósculo com que o marido a cumprimentou logo à entrada. Era uma bonita moça esta Clarinha, ainda que um tanto pálida, ou por isso mesmo. Era pequena e delgada; de longe parecia uma criança; de perto, quem lhe examinasse os olhos, veria bem que era mulher como poucas. Estava molemente reclinada no sofá, com o livro aberto, e os olhos no livro, os olhos apenas, porque o pensamento, não tenho certeza se estava no livro, se em outra parte. Em todo o caso parecia alheia ao marido e ao relógio.

Luís Negreiros lançou mão do relógio com uma expressão que eu não me atrevo a descrever. Nem o relógio, nem a corrente eram dele; também não eram de pessoas suas conhecidas. Tratava-se de uma charada. Luís Negreiros gostava de charadas, e passava por ser decifrador intrépido; mas gostava de charadas nas folhinhas ou nos jornais. Charadas palpáveis ou cronométricas, e sobretudo sem conceito, não as apreciava Luís Negreiros.

Por esse motivo, e outros que são óbvios, compreenderá o leitor que o esposo de Clarinha se atirasse sobre uma cadeira, puxasse raivosamente os cabelos, batesse com o pé no chão, e lançasse o relógio e a corrente para cima da mesa. Terminada esta primeira manifestação de furor, Luís Negreiros pegou de novo nos fatais objetos, e de novo os examinou. Ficou na mesma. Cruzou os braços durante algum tempo e refletiu sobre o caso, interrogou todas as suas recordações, e concluiu no fim de tudo que sem uma explicação de Clarinha qualquer procedimento fora baldado ou precipitado.

Foi ter com ela.

Clarinha acabava justamente de ler uma página e voltava a folha com o ar indiferente e tranquilo de quem não pensa em decifrar charadas de cronômetro. Luís Negreiros encarou-a; seus olhos pareciam dois reluzentes punhais.

— Que tens? — perguntou a moça com a voz doce e meiga que toda a gente concordava em lhe achar.

Luís Negreiros não respondeu à interrogação da mulher; olhou algum tempo para ela; depois deu duas voltas na sala, passando a mão pelos cabelos, por modo que a moça de novo lhe perguntou:

— Que tens?

Luís Negreiros parou defronte dela.

— Que é isto? — disse ele tirando do bolso o fatal relógio e apresentando-lho diante dos olhos. — Que é isto? — repetiu ele com voz de trovão.

Clarinha mordeu os beiços e não respondeu. Luís Negreiros esteve algum tempo com o relógio na mão e os olhos na mulher, a qual tinha os seus olhos no livro. O silêncio era profundo. Luís Negreiros foi o primeiro que o rompeu, atirando estrepitosamente o relógio ao chão, e dizendo em seguida à esposa:

— Vamos, de quem é aquele relógio?

Clarinha ergueu lentamente os olhos para ele, abaixou-os depois, murmurou:

— Não sei.

Luís Negreiros fez um gesto como de quem queria esganá-la; conteve-se. A mulher levantou-se, apanhou o relógio e pô-lo sobre uma mesa pequena. Não se pôde conter Luís Negreiros. Caminhou para ela, e, segurando-lhe nos pulsos com força, lhe disse:

— Não me responderás, demônio? Não me explicarás esse enigma?

Clarinha fez um gesto de dor, e Luís Negreiros imediatamente lhe soltou os pulsos que estavam arrochados. Noutras circunstâncias é provável que Luís Negreiros lhe caísse aos pés e pedisse perdão de a haver machucado. Naquela, nem se lembrou disso; deixou-a no meio da sala e entrou a passear de novo, sempre agitado, parando de quando em quando, como se meditasse algum desfecho trágico.

Clarinha saiu da sala.

Pouco depois veio um escravo dizer que o jantar estava na mesa.

— Onde está a senhora?

— Não sei, não, senhor.

Luís Negreiros foi procurar a mulher, achou-a numa saleta de costura, sentada numa cadeira baixa, com a cabeça nas mãos a soluçar. Ao ruído que ele fez na ocasião de fechar a porta atrás de si, Clarinha levantou a cabeça, e Luís Negreiros pôde ver-lhe as faces úmidas de lágrimas. Esta situação foi ainda pior para ele que a da sala. Luís Negreiros não podia ver chorar uma mulher, sobretudo a dele. Ia enxugar-lhe as lágrimas com um beijo, mas reprimiu o gesto, caminhou frio para ela; puxou uma cadeira e sentou-se em frente de Clarinha.

— Estou tranquilo, como vês — disse ele —, responde-me ao que te perguntei com a franqueza que sempre usaste comigo. Eu não te acuso nem suspeito nada de ti. Quisera simplesmente saber como foi parar ali aquele relógio. Foi teu pai que o esqueceu cá?

— Não.

— Mas então...

— Oh! não me perguntes nada! — exclamou Clarinha. — Ignoro como esse relógio se acha ali... Não sei de quem é... deixa-me.

— É demais! — urrou Luís Negreiros, levantando-se e atirando a cadeira ao chão.

Clarinha estremeceu, e deixou-se ficar aonde estava. A situação tornava-se cada vez mais grave; Luís Negreiros passeava cada vez mais agitado, revolvendo os olhos nas órbitas, e parecendo prestes a atirar-se sobre a infeliz esposa. Esta, com os cotovelos no regaço e a cabeça nas mãos, tinha os olhos encravados na parede. Correu assim cerca de um quarto de hora. Luís Negreiros ia de novo interrogar a esposa, quando ouviu a voz do sogro, que subia as escadas gritando:

— Ó seu Luís! ó seu malandrim!

— Aí vem teu pai! — disse Luís Negreiros. — Logo me pagarás.

Saiu da sala de costura e foi receber o sogro, que já estava no meio da sala, fazendo viravoltas com o chapéu de sol, com grande risco das jarras e do candelabro.

— Vocês estavam dormindo? — perguntou o sr. Meireles tirando o chapéu e limpando a testa com um grande lenço encarnado.

— Não, senhor, estávamos conversando...

— Conversando?... — repetiu Meireles.

E acrescentou consigo:

— Estavam de arrufos... é o que há de ser.

— Vamos justamente jantar — disse Luís Negreiros. — Janta conosco?

— Não vim cá para outra coisa — acudiu Meireles —; janto hoje e amanhã também. Não me convidaste, mas é o mesmo.

— Não o convidei?...

— Sim, não fazes anos amanhã?

— Ah! é verdade...

Não havia razão aparente para que, depois destas palavras ditas com um tom lúgubre, Luís Negreiros repetisse, mas desta vez com um tom descomunalmente alegre:

— Ah! é verdade!...

Meireles, que já ia pôr o chapéu num cabide do corredor, voltou-se espantado para o genro, em cujo rosto leu a mais franca, súbita e inexplicável alegria.

— Está maluco! — disse baixinho Meireles.

— Vamos jantar — bradou o genro, indo logo para dentro, enquanto Meireles seguindo pelo corredor ia ter à sala de jantar.

Luís Negreiros foi ter com a mulher na sala de costura, e achou-a de pé, compondo os cabelos diante de um espelho:

— Obrigado — disse.

A moça olhou para ele admirada.

— Obrigado — repetiu Luís Negreiros —; obrigado e perdoa-me.

Dizendo isto, procurou Luís Negreiros abraçá-la; mas a moça, com um gesto nobre, repeliu o afago do marido e foi para a sala de jantar.

— Tem razão! — murmurou Luís Negreiros.

Daí a pouco achavam-se todos três à mesa do jantar, e foi servida a sopa, que Meireles achou, como era natural, de gelo. Ia já fazer um discurso a respeito da incúria dos criados, quando Luís Negreiros confessou que toda a culpa era dele, porque o jantar estava há muito na mesa. A declaração apenas mudou o assunto do discurso, que versou então sobre a terrível coisa que era um jantar requentado — *qui ne valut jamais rien*.

Meireles era um homem alegre, pilhérico, talvez frívolo demais para a idade, mas em todo o caso interessante pessoa. Luís Negreiros gostava muito dele, e via correspondida essa afeição de parente e de amigo, tanto mais sincera quanto que Meireles só tarde e de má vontade lhe dera a filha. Durou o namoro cerca de quatro anos, gastando o pai de Clarinha mais de dois em meditar e resolver o assunto do casamento. Afinal deu a sua decisão, levado antes das lágrimas da filha que dos predicados do genro, dizia ele.

A causa da longa hesitação eram os costumes pouco austeros de Luís Negreiros, não os que ele tinha durante o namoro, mas os que tivera antes e os que poderia vir a ter depois. Meireles confessava ingenuamente que fora marido pouco exemplar, e achava que por isso mesmo devia dar à filha melhor esposo do que ele. Luís Negreiros desmentiu as apreensões do sogro; o leão impetuoso dos outros dias tornou-se um pacato cordeiro. A amizade nasceu franca entre o sogro e o genro, e Clarinha passou a ser uma das mais invejadas moças da cidade.

E era tanto maior o mérito de Luís Negreiros quanto que não lhe faltavam tentações. O diabo metia-se às vezes na pele de um amigo e ia convidá-lo a uma recordação dos antigos tempos. Mas Luís Negreiros dizia que se recolhera a bom porto e não queria arriscar-se outra vez às tormentas do alto-mar.

Clarinha amava ternamente o marido, e era a mais dócil e afável criatura que por aqueles tempos respirava o ar fluminense. Nunca entre ambos se dera o menor arrufo; a limpidez do céu conjugal era sempre a mesma e parecia vir a ser duradoura. Que mau destino lhe soprou ali a primeira nuvem?

Durante o jantar Clarinha não disse palavra — ou poucas dissera, ainda assim, as mais breves e em tom seco.

— Estão de arrufo, não há dúvida — pensou Meireles ao ver a pertinaz mudez da filha. — Ou a arrufada é só ela, porque ele parece-me lépido.

Luís Negreiros efetivamente desfazia-se todo em agrados, mimos e cortesias com a mulher, que nem sequer olhava em cheio para ele. O marido já dava o sogro a todos os diabos, desejoso de ficar a sós com a esposa, para a explicação última, que reconciliaria os ânimos. Clarinha não parecia desejá-lo; comeu pouco e duas ou três vezes soltou-se-lhe do peito um suspiro.

Já se vê que o jantar, por maiores que fossem os esforços, não podia ser como nos outros dias. Meireles sobretudo achava-se acanhado. Não era que receasse algum grande acontecimento em casa; sua ideia é que sem arrufos não se aprecia a felicidade, como sem tempestade não se aprecia o bom tempo. Contudo, a tristeza da filha sempre lhe punha água na fervura.

Quando veio o café, Meireles propôs que fossem todos três ao teatro; Luís Negreiros aceitou a ideia com entusiasmo. Clarinha recusou secamente.

— Não te entendo hoje, Clarinha. — disse o pai com um modo impaciente — Teu marido está alegre e tu pareces-me abatida e preocupada. Que tens?

Clarinha não respondeu; Luís Negreiros, sem saber o que havia de dizer, tomou a resolução de fazer bolinhas de miolo de pão. Meireles levantou os ombros.

— Vocês lá se entendem — disse ele. — Se amanhã, apesar de ser o dia que é, vocês estiverem do mesmo modo, prometo-lhes que nem a sombra me verão.

— Oh! há de vir — ia dizendo Luís Negreiros, mas foi interrompido pela mulher que desatou a chorar.

O jantar acabou assim triste e aborrecido. Meireles pediu ao genro que lhe explicasse o que aquilo era, e este prometeu que lhe diria tudo em ocasião oportuna.

Pouco depois saía o pai de Clarinha protestando de novo que, se no dia seguinte os achasse do mesmo modo, nunca mais voltaria à casa deles, e que se havia coisa pior que um jantar frio ou requentado, era um jantar mal digerido. Este axioma valia o de Boileau, mas ninguém lhe prestou atenção.

Clarinha fora para o quarto; o marido, apenas se despediu do sogro, foi ter com ela. Achou-a sentada na cama, com a cabeça sobre uma almofada, e soluçando. Luís Negreiros ajoelhou-se diante dela e pegou-lhe numa das mãos.

— Clarinha — disse ele —, perdoa-me tudo. Já tenho a explicação do relógio; se teu pai não me fala em vir jantar amanhã, eu não era capaz de adivinhar que o relógio era um presente de anos que tu me fazias.

Não me atrevo a descrever o soberbo gesto de indignação com que a moça se pôs de pé quando ouviu estas palavras do marido. Luís Negreiros olhou para ela sem compreender nada. A moça não disse uma nem duas; saiu do quarto e deixou o infeliz consorte mais admirado que nunca.

— Mas que enigma é este? — perguntava a si mesmo Luís Negreiros. — Se não era um mimo de anos, que explicação pode ter o tal relógio?

A situação era a mesma que antes do jantar. Luís Negreiros assentou de descobrir tudo naquela noite. Achou, entretanto, que era conveniente refletir maduramente no caso e assentar numa resolução que fosse decisiva. Com este propósito recolheu-se ao seu gabinete, e ali recordou tudo o que se havia passado desde que chegara à casa. Pesou friamente todas as razões, todos os incidentes, e buscou reproduzir na memória a expressão do rosto da moça, em toda aquela tarde. O gesto de indignação e a repulsa quando ele a foi abraçar na sala de costura, eram a favor dela; mas o movimento com que mordera os lábios no momento em que ele lhe apresentou o relógio, as lágrimas que lhe rebentaram à mesa, e mais que tudo o silêncio que ela conservava a respeito da procedência do fatal objeto, tudo isso falava contra a moça.

Luís Negreiros, depois de muito cogitar, inclinou-se à mais triste e deplorável das hipóteses. Uma ideia má começou a enterrar-se-lhe no espírito, à maneira de verruma, e tão fundo penetrou, que se apoderou dele em poucos instantes. Luís Negreiros era homem assomado quando a ocasião o pedia. Proferiu duas ou três ameaças, saiu do gabinete e foi ter com a mulher.

Clarinha recolhera-se de novo ao quarto. A porta estava apenas cerrada. Eram nove horas da noite. Uma pequena lamparina alumiava escassamente o aposento. A moça estava outra vez assentada na cama, mas já não chorava; tinha os olhos fitos no chão. Nem os levantou quando sentiu entrar o marido.

Houve um momento de silêncio.

Luís Negreiros foi o primeiro que falou.

— Clarinha — disse ele —, este momento é solene. Responde-me ao que te pergunto desde esta tarde?

A moça não respondeu.

— Reflete bem, Clarinha — continuou o marido. — Podes arriscar a tua vida.

A moça levantou os ombros.

Uma nuvem passou pelos olhos de Luís Negreiros. O infeliz marido lançou as mãos ao colo da esposa e rugiu:

— Responde, demônio, ou morres!

Clarinha soltou um grito.

— Espera! — disse ela.

Luís Negreiros recuou.

— Mata-me — disse ela —, mas lê isto primeiro. Quando esta carta foi ao teu escritório já te não achou lá: foi o que o portador me disse.

Luís Negreiros recebeu a carta, chegou-se à lamparina e leu estupefato estas linhas:

Meu nhonhô. Sei que amanhã fazes anos; mando-te esta lembrança. Tua iaiá.

Assim acabou a história do relógio de ouro.

Jornal das Famílias, *abril-maio de 1873*; Job.

Ponto de vista (quem desdenha)

I

A D. LUÍSA P..., EM JUIZ DE FORA

Corte, 5 de outubro

Não me dirá a quem entregou você as encomendas que lhe pedi? Na sua carta vem mal escrito o nome do portador, e até hoje nem sombra dele, quem quer que seja. Será o Luís?

Ouvi dizer que você vinha para cá passar algum tempo; estimaria muito que assim fosse. Havia de gostar disto agora, apesar do calor, que tem sido forte. Hoje entretanto temos um dia excelente.

Ou então, no caso de não vir, estimaria muito ir eu para lá; mas papai, como você sabe, ninguém há que o tire dos seus cômodos; e mamãe anda meio adoentada. Vontade teria ela de me ser agradável, mas eu é que não sou tão egoísta. E olhe que perco muito; porque, além de ir ver a minha melhor amiga, iria ao mesmo tempo verificar se é verdade que ainda não tem esperanças de um nenê. Alguém me disse que sim. Por que nega você isso?

Esta carta irá amanhã. Escreva-me logo; e dê muitas lembranças a seu marido, minhas e de todos nós. Adeus.

RAQUEL

II

À MESMA

Corte, 15 de outubro

Gastou muitos dias, mas veio uma carta longa, e, apesar disso, curta. Obrigada pelo trabalho; peço-lhe que o repita; aborreço os seus bilhetinhos, escritos às carreiras, com o pensamento... em quem? Nesse marido cruel que só cuida de eleições, segundo li outro dia. Eu escrevo cartinhas quando não tenho tempo para mais. Mas quando me sobra tempo escrevo cartões. Creio que disse uma tolice; desculpe-me.

Vieram as encomendas logo no dia seguinte ao da minha última carta. E que quer você que eu lhe mande? Tenho aqui uns figurinos recebidos ontem, mas não há portador. Se puder arranjar algum por estes dias irá também um romance que me trouxeram esta semana. Chama-se *Ruth*. Conhece?

A Mariquinhas Rocha vai casar. Que pena! tão bonitinha, tão boa, tão criança, vai casar... com um sujeito velho! E não é só isto: casa-se por amor. Eu duvidei de semelhante coisa; mas todos dizem que tanto o pai como os mais parentes procuraram dissuadi-la de semelhante projeto; ela porém insistiu de maneira que ninguém mais se lhe opôs.

A falar verdade, ele não está a cair de maduro; é velho, mas elegante, gamenho, robusto, alegre, diz muitas pilhérias e parece que tem bom coração. Não era eu que caía apesar de tudo isto. Que consórcio pode haver entre uma rosa e uma carapuça?

Antes, mil vezes antes, casasse ela com o filho do noivo; esse sim, é um rapaz digno de merecer uma moça como ela. Dizem que é um bandoleiro dos quatro costados; mas você sabe que eu não creio em bandoleiros. Quando uma pessoa quer, vence o coração mais versátil deste mundo.

O casamento parece que será daqui a dois meses. Irei naturalmente às exéquias, quero dizer às bodas. Pobre Mariquinhas! Lembra-se das nossas tardes no colégio? Ela era a mais quieta de todas, e a mais cheia de melancolia. Parece que adivinhava este destino.

Papai aprovou muito a escolha dela; faz-lhe muitos elogios como pessoa de juízo, e chegou a dizer que eu devia fazer o mesmo. Que lhe parece? Eu, se tivesse de seguir algum exemplo, seguia o da minha Luísa; essa sim é que teve dedo para escolher... Não mostre esta carta a seu marido; é capaz de arrebentar de vaidade.

E vocês não vêm para cá? É pena; dizem que vamos ter companhia lírica, e mamãe está melhor. Quer dizer que vou passar algum tempo de vida excelente. O futuro enteado da Mariquinhas, o tal que ela devia escolher em lugar do pai, afirma que a companhia é magnífica. Seja ou não, é mais um divertimento. E você lá na roça!...

Vou jantar; adeus. Escreva-me quando puder, mas nada de cartas microscópicas. Ou muito ou nada.

RAQUEL

III
À MESMA

Corte, 17 de outubro

Escrevi-lhe anteontem uma carta, e acrescento hoje um bilhetinho (sem exemplo) para dizer que o velho noivo da Mariquinhas inspirou paixão a outra moça, que adoeceu de desespero. É uma história complicada. Compreende isto? Se fosse o filho vá; mas o pai!

RAQUEL

IV
À MESMA

Corte, 30 de outubro

Muito velhaca é você. Então porque lhe falei duas ou três vezes no rapaz, imagina logo que estou apaixonada por ele? Papai nestes casos costuma dizer que é falta da lógica. Eu digo que é falta de amizade.

E provo.

Pois se eu tivesse algum namoro, afeição ou coisa assim, a quem diria em primeiro lugar senão a você? Não fomos durante tanto tempo confidentes uma da outra? Supor-me tão reservada é não me ter amizade nenhuma; porque a falta de afeição é que traz a injustiça.

Não, Luísa, eu nada sinto por esse moço, a quem conheço de poucos dias. Falei nele algumas vezes por comparação com o pai; se eu estivesse disposta a casar-me, certamente que preferia o moço ao velho. Mas é só isto e nada mais.

Nem imagine que o dr. Alberto (é o nome dele) vale muito; é bonito e elegante, mas tem ar pretensioso e parece-me um espírito curto. Você sabe como eu sou exigente nesses assuntos. Se eu não achar marido como imagino, fico solteira toda a minha vida. Antes isso, que ficar presa a um cepo, ainda que esbelto.

Também não basta ter os predicados que eu imagino para me seduzir logo. Anda agora aqui em casa um sujeito que nos foi apresentado há pouco tempo; qualquer outra moça ficava presa pelas maneiras dele; a mim não me faz a menor impressão.

E por quê?

A razão é simples; toda a graça que ele ostenta, toda a afeição que simula, todos os cortejos que me faz, quer saber o que é, Luísa? é que eu sou rica. Descanse; quando me aparecer aquele que o céu me destina, você será a primeira a ter notícia. Por ora estou livre, como as andorinhas que estão agora a passear na chácara.

E para vingar-me da calúnia, não escrevo mais. Adeus.

RAQUEL

V
À MESMA

Corte, 15 de novembro

Estive doente estes dois dias; foi uma constipação forte que apanhei saindo do Ginásio, onde fui ver uma peça nova, muito falada e muito insípida.

Sabe você quem estava lá? A Mariquinhas com o noivo no camarote, e o enteado também, o futuro enteado, se Deus quiser. Não se pode imaginar como ela parecia contente, como ela conversava com o noivo! E olhe que de longe, à luz do gás, o tal velho é quase tão moço como o filho. Quem sabe? Bem pode ser que ela viva feliz!

Dou-lhe muitos parabéns pela notícia que me dá de que brevemente veremos um nenê. A mamãe também lhe manda parabéns. O Luís leva com esta carta uns figurinos...

RAQUEL

VI
À MESMA

Corte, 27 de novembro

A sua carta chegou quando estávamos almoçando, e foi bom tê-la lido depois, porque se a leio antes não acabava de almoçar. Que história é essa, e quem lhe meteu na cabeça semelhante coisa? Eu, namorada do Alberto! Isso é caçoada de mau gosto, Luísa! Se alguém lhe mandou dizer tal, teve certamente intenção de me envergonhar. Se você o conhecesse, não era necessário este meu protesto. Já lhe disse as boas qualidades dele, mas os seus defeitos são para mim superiores às qualidades. Você bem sabe como eu sou; para mim a menor nódoa destrói a maior alvura. Uma estátua... estátua é o termo próprio, porque o tal Alberto tem certa rigidez escultural.

Ah! Luísa, o homem que o céu me destina ainda não veio. Sei que não veio porque ainda não senti dentro de mim aquele estremecimento simpático que indica a harmonia de duas almas. Quando ele vier, fique certa de que será a primeira a quem eu confiarei tudo.

Dir-me-á que, se eu sou assim fatalista, devo admitir a possibilidade de um marido sem todas as condições que exijo.

Engano.

Deus que me fez assim, e me deu esta percepção íntima para conhecer e amar a superioridade, Deus me há de deparar uma criatura digna de mim.

E agora que me expliquei deixe-me ralhar-lhe um pouco. Por que motivo dá tão facilmente ouvidos a uma calúnia contra mim? Você que me conhece há tanto devia ser a primeira a pôr de quarentena esses ditos sem senso comum. Por que o não faz?

Gastou você duas páginas para defender a Mariquinhas. Eu não a acuso; deploro-a. Pode ser que o noivo venha a ser um excelente marido, mas não creio que esteja na altura dela. E é neste sentido que eu a deploro.

A nossa divergência tem natural explicação. Eu sou uma moça solteira, cheia de caraminholas, sonhos, ambições e poesia; você é já uma dona de casa, esposa tranquila e feliz, mãe de família dentro de pouco tempo; vê a coisa por outro prisma.

Será isto?

Parece que a companhia lírica não vem. A cidade está hoje muito alegre; andam bandas de música nas ruas; chegaram boas notícias do Paraguai. Naturalmente sairemos hoje; não tem saudades de cá?

Adeus.

Lembranças de todos a seu marido.

Raquel

VII
À MESMA

Corte, 20 de dezembro

Tem razão; pareço ingrata. Há quase um mês que lhe não escrevo, apesar de ter recebido já duas cartas. Seria longo explicar esta demora, e eu infelizmente não tenho tempo para tanto, porque estão aqui, alguns dias, as primas Alvarengas.

Com que então você confessa que apenas me quis experimentar? Eu logo vi que ninguém lhe poderia dizer semelhante coisa a respeito do dr. Alberto.

O casamento da Mariquinhas está marcado para véspera de Reis. Iremos assistir ao sacrifício. Desculpe-me, Luísa; bem sabe como sou sarcástica, e às vezes... Desculpe-me, sim?

E todavia, quer saber uma coisa? Mudei de opinião a certo respeito. Hoje penso que antes o pai que o filho. Que espírito frívolo! que sujeito superficial e tolo é o tal Alberto! O pai é grave e sabe ser amável; e é amável sem deixar de ser grave. Tem uma distinção própria, uma conversa animada, é engenhoso e sagaz.

Mil vezes o velho... para ela.

Pergunta-me o que farei eu no caso de nunca encontrar o ideal que procuro? Já lhe disse: nesse caso fico solteira. O casamento é uma grande coisa, é a flor dos estados, concordo; mas é mister que não seja um cativeiro, e cativeiro é tudo o que não realiza as nossas aspirações íntimas.

Agradeço os seus conselhos, mas quer que lhe diga? Você fala como quem é feliz; parece-lhe que o casamento, quaisquer que sejam as condições, é um antegosto do paraíso.

Creio que nem sempre há de ser assim.

Verdade é que, dependendo as coisas das impressões de cada um, a Mariquinhas pode ser feliz, visto que o marido que escolheu parece falar-lhe ao coração. Não o nego; mas, nesse caso, continuo a lastimá-la, porque (repito) não compreendo a união de uma flor com uma carapuça. E não escrevo mais por não dizer mal dela. Perdoe-me você estas tolices, e creia que sou amiga, agora e sempre.

RAQUEL

VIII
À MESMA

Corte, 8 de janeiro

Casou-se a Mariquinhas. Festa íntima, mas brilhante. A noiva estava esplêndida, risonha, orgulhosa. O mesmo se pode dizer do noivo, que parecia ainda mais moço do que me parecera uma vez no teatro, a ponto de me fazer desconfiar da velhice dele. A cada instante cuidava que o homem tirava a máscara e confessava ser irmão do filho.

Perguntar-me-á você se eu não tive inveja?

Confesso que sim.

Não sei bem se era inveja; confesso porém que suspirei quando vi a nossa formosa Mariquinhas com o seu véu e sua grinalda de flores de laranja derramar um olhar tão celeste em torno de si, feliz por se despedir deste mundo de futilidades como é a vida de uma moça solteira.

Suspirei, é verdade.

Se naquela mesma noite eu pudesse escrever o que senti, acredite você que teria uma página de literatura digna de figurar nos jornais.

Hoje tudo passou.

O que não passou, entretanto, porque existia antes e existirá sempre, porque nasceu comigo e comigo morrerá, é este sonho de uns amores que eu nunca vi na terra, uns amores que eu não posso exprimir, mas que devem existir visto que eu tenho a imagem deles no espírito e no coração.

Mamãe, quando me vê aborrecida e devaneadora, costuma perguntar-me se estou respirando as nuvens. Ela ignora talvez que exprime com essa palavra o estado do meu espírito. Pensar nestas coisas não é ir respirar as nuvens lá tão longe da terra?

Acabo de reler o que escrevi, e riscaria tudo se tivesse mais papel para escrever. Infelizmente não tenho, é meia-noite, e esta carta há de seguir amanhã cedo. Risque pois o que aí fica escrito; não vale a pena guardar tolices.

Novidade não há que mereça a pena de mencionar. Esquecia-me dizer-lhe que achei uma verdadeira qualidade no dr. Alberto. Adivinha? Dança admiravelmente. Má língua! dirá você. E para que não diga mais nada, aqui me fico.

RAQUEL

IX
À MESMA

Corte, 10 de janeiro

Isto é apenas um bilhetinho. Dou-lhe notícia de que vamos ter aqui uma representação familiar, como fazíamos no colégio. O dr. Alberto foi encarregado de escrever a comédia; afiançam-me que há de sair boa. Representa comigo a Carlota. Os homens são o primo Abreu, o Juca e o dr. Rodrigues. Ah! se você cá estivesse!

RAQUEL

X
D. LUÍSA A D. RAQUEL

Juiz de Fora, 15 de janeiro

Meu marido quer ir à corte no fim do mês que vem. Ver-nos-emos enfim depois de alguns meses de separação. Escrevo apenas para lhe dar esta notícia que você há de estimar decerto.

E ao mesmo tempo o meu fim é preveni-la, a fim de que procure disfarçar na presença aquilo que me disfarça no papel.

Adeus.

LUÍSA

XI
D. RAQUEL A D. LUÍSA

Corte, 20 de janeiro

O que é que eu disfarço no papel? Estou a meditar, a esquadrinhar, e nada descubro. Podia imaginar que você se refere ao assunto do Alberto; mas depois do que eu lhe escrevi seria demasiada insistência...

Explique-se.

Quanto à notícia que me dá de que vem cá, é para mim a sorte grande. Por mais que eu queira explicar no papel o prazer que sinto com isto, não posso. Não sei escrever; não me acodem as palavras próprias. O dr. Alberto (o tal!) dizia outro dia que a língua humana é cabal para dizer o que se passa no espírito, mas incapaz de dizer o que vem do coração. E acrescentou esta sentença que é engenhosa, mas velha: com os lábios fala a cabeça, com os olhos o coração.

Você porém adivinhará o que eu sinto e apressará a sua vinda. E o nenê?

RAQUEL

XII
À MESMA

Corte, 28 de janeiro

Faz um calor insuportável; mas como eu abri a janela que dá para o jardim, estou a ver o céu "todo recamado de estrelas" como dizem os poetas, e o espetáculo compensa o calor. Que noite, minha Luísa! Gosto imensamente destes grandes silêncios, porque então ouço-me a mim mesma, e vivo mais em cinco minutos de solidão do que em vinte horas de bulício.

A Mariquinhas Rocha esteve esta noite cá em casa com o marido. Ambos parecem felizes, ela ainda mais do que ele, o que se me afigura completa inversão das leis naturais.

Não se admira de me ouvir falar em "leis naturais"? A ideia não é minha, é do próprio enteado, o dr. Alberto. Conversamos os dois a respeito das boas e santas qualidades de Mariquinhas, e eu dizia o que ela foi sempre desde criança.

— Criança é ainda ela — observou ele sorrindo. — Não posso chamar madrasta a uma criatura que parece antes minha irmã mais moça.

— Na idade, sim — tornei eu —; mas na circunspecção e na compostura é positivamente mais velha que o senhor.

Ele sorriu, mas de um sorriso amarelo, e continuou:

— Meu pai é feliz; minha madrasta parece ainda mais feliz que meu pai. Não é isto uma inversão das leis naturais?

Critique, se lhe parece, a opinião do filho; mas aproveito a ocasião para dizer que na sua última carta há duas linhas em que parece ter um resto de suspeita. Mande-me dizer como quer que a convença de que ele é para mim uma criatura igual a tantas outras?

Ande, confesse que é cruel comigo, e disponha-se a um sermão na primeira ocasião em que estivermos juntas.

Sabe quem eu vi hoje? Dou-lhe um doce se adivinhar. O Garcia, aquele Garcia que a nam... Não, não, paremos aqui.

RAQUEL

XIII

D. LUÍSA A D. RAQUEL

Juiz de Fora, 10 de fevereiro

Não confesso nada; não fui cruel. Tive uma suspeita e preferi dizê-la a guardá-la. A amizade manda isto mesmo. Por que razão deixaríamos nós aquela franqueza e confiança do tempo do colégio?

Acredito que realmente nada há, mas acredito também outra coisa. Estou a ver que é alguma figura grotesca, e que você foi antes ofendida na vaidade que no coração. Vá, confesse isso.

Sabe você uma coisa? Está-me parecendo mais poeta do que era, mais romanesca, mais cheia de caraminholas. Bem sei que a idade explica muita coisa; mas há um limite, Raquel; não confunda o romance com a vida, ou viverá desgraçada...

... Um sermão! aí começava eu a fazer-lhe um sermão chocho e insulso, e sobretudo ineficaz. Venhamos a coisas mais de prosa. Meu marido quer entrar na política. Não se arrepia com esta palavra? Política e lua de mel, que duas coisas tão inimigas! Mas será o que Deus quiser. Lembranças dele e minhas a sua mamãe e a você. Até breve.

LUÍSA

XIV

D. RAQUEL A D. LUÍSA

Corte, 15 de fevereiro

Engana-se quando supõe que o dr. Alberto é uma figura grotesca; já lhe disse que é rapaz elegante; e até aquele ar compassado e escultural que eu lhe achava, até isso parece ter desaparecido desde que tem intimidade conosco.

Não foi pois a minha vaidade que se ofendeu; não foi também o meu coração. Senti que você não me acreditasse, nada mais.

Eu podia fazer-lhe agora uma dissertação a respeito do amor; mas retraio a pena por me lembrar que iria ensinar o *padre-nosso* ao vigário.

Seu marido quer entrar na política? Vai você admirar-se da minha opinião a este respeito, que não parece opinião de uma devaneadora, como você me chama. Eu penso que a política para você tem uma onça de inconvenientes e uma libra de vantagens.

A política há de ser uma rival, mas pesadas as coisas antes essa que outra. Essa ao menos ocupa o espírito e a vida; mas deixa o coração livre e puro. Demais, eu nem sempre sou a cismadora que tens na cabeça; sinto um grãozinho de ambição comigo, a ambição de ser... *ministra*. Ri-se? Eu também me rio, o que prova que o meu espírito anda despreocupado e livre, livre como a pena que me corre agora no papel, produzindo uma letra que não sei se entenderá. Adeus.

RAQUEL

XV
O DR. ALBERTO A D. RAQUEL

18 de fevereiro

Perdoe-me a audácia; peço-lhe de joelhos uma resposta que os seus olhos teimam em me não dar. Não lhe digo no papel o que sinto; não o poderia exprimir cabalmente. Mas o seu espírito há de ter compreendido o que se passa no meu coração, há de ter lido no meu rosto aquilo que eu nunca me atreveria a dizer de viva voz.

ALBERTO

XVI
D. RAQUEL A D. LUÍSA

21 de fevereiro

Mamãe estava com disposições de ir visitá-la; mas eu infelizmente não me acho boa, e adiamos a viagem. Quando desempenha você a sua palavra vindo passar alguns dias na corte? Conversaríamos muito.

RAQUEL

XVII
À MESMA

5 de março

Não é carta; é apenas um bilhetinho. Não me dirá o que é o coração humano? Um logogrifo. Mistério! exclamará você ao ler estas linhas. Pois será.

RAQUEL

XVIII
ALBERTO A D. RAQUEL

8 de março

Oh! não sabe como lhe agradeço a sua carta! Enfim veio! Foi um raio de luz entre as sombras da minha incerteza. Sou amado? Não me ilude? Também sente esta paixão que me devora o peito, capaz de levar-me ao céu, capaz de levar-me ao inferno?

Tem razão quando me pergunta se o não percebera já nos seus olhos. É verdade que eu julguei ler neles a minha felicidade. Mas podia iludir-me; supus que a suprema felicidade não era tão pronta, e se me iludisse, não sei se viveria...

Por que razão duvida de mim? por que motivo receia que o meu amor seja um passatempo de sala? Que mortal haveria neste mundo que brincasse com a coroa de glória trazida à terra nas mãos de um anjo?

Não, Raquel... perdão se lhe chamo assim! Não, o meu amor é imenso, casto, sincero, como os verdadeiros amores.

Uma só palavra sua e podemos converter esta paixão no mais doce e delicioso estado de bem-aventurança. Quer ser minha esposa? Diga, responda essa palavra.

ALBERTO

XIX
D. LUÍSA A D. RAQUEL

Juiz de Fora, 10 de março

O coração é um mar, sujeito à influência da lua e dos ventos. Serve-lhe esta definição? Pena foi que o bilhetinho não tivesse mais quatro linhas: saberia agora tudo. Ainda assim adivinho alguma coisa; adivinho que ama.

LUÍSA

XX
À MESMA

Juiz de Fora, 17 de março

A dez deste mês escrevi-lhe uma carta de que ainda não obtive resposta.

Por quê?

Já me lembrou se estaria doente; mas creio que se assim fosse ter-me-iam mandado dizer.

Esta carta vai por mão própria; o portador não volta cá; mas sendo por mão própria tenho certeza de que lhe será entregue. E quero que me responda imediatamente.

Vá; um esforço.

Adeus.

LUÍSA

XXI
À MESMA

Juiz de Fora, 24 de março

Nada até hoje! Que é isso, Raquel?

O portador da minha carta anterior mandou-me dizer que lhe havia entregue em mão própria; não estava doente; por que razão este esquecimento? Esta é a última; se me não escrever, acreditarei que outra amiga lhe merece mais, e que você esqueceu a confidente do colégio.

LUÍSA

XXII
D. RAQUEL A D. LUÍSA

Corte, 30 de março

Esquecer-me de você? Está louca! Onde acharia eu melhor amiga nem tão boa? Não tenho escrito, é verdade, por mil razões, a qual mais justa, sendo a principal delas, ou antes a que as resume todas, uma razão... Não sei como lhe diga isto.

Amor?

Ah! Luísa, o mais puro e ardente que pode imaginar, e o mais inesperado também. Aquela devaneadora que você conhece, a que vive nas nuvens, viu lá mesmo das nuvens o esperado do seu coração, tal qual o sonhara um dia e desesperara de achar jamais.

Não lhe posso dizer mais nada, não sei. Tudo o que eu poderia escrever aqui estaria abaixo da realidade. Mas venha, venha, e talvez leia no meu rosto a felicidade que experimento, e no dele o sinal característico daquela superioridade que eu ambicionei sempre e tão rara é na terra.

Enfim, sou feliz!

RAQUEL

XXIII
D. LUÍSA A D. RAQUEL

Juiz de Fora, 8 de abril

Chegou enfim uma carta, e chegou a tempo, porque eu já estava disposta a esquecer-me de você. Ainda assim não lhe perdoava, se não fosse a razão... Céus! que razão! Ama enfim? achou o homem... quero dizer, o arcanjo que procurava a minha cismadora? Que figura tem? é bonito? é alto? é baixo? Vá, diga-me tudo.

Agora vejo que estive a pique de fazê-la perder a sua felicidade. Tanto lhe falei no tal dr. Alberto, que, era bem possível, como às vezes acontece, vir a namorar-se dele, e então quando o outro chegasse... era tarde.

E diga-me: será ele velho como o da Mariquinhas Rocha? Não se zangue, Raquel, mas o peixe morre pela boca, e era possível que você fosse castigada por ter falado dela. Pela minha parte, não acharia que dizer, uma vez que ele a amasse e fosse homem digno de casar com a minha Raquel. Em todo o caso, antes um moço.

Não me atrevo a pedir-lhe o retrato; mas meu marido pede-lho. Não se zangue, eu contei tudo, e ele manda-lhe muitos parabéns. Os meus, irei eu mesma levá-los.

LUÍSA

XXIV
D. RAQUEL AO DR. ALBERTO

10 de abril

Estou muito zangada por não teres vindo ontem; cedo começas a esquecer-me.

Vem hoje ou eu fico zangada. Ao mesmo tempo quero que me tragas um retrato dos teus; é um segredo.

Ontem perdeste muito; esteve aqui a G... e naturalmente sentiu a tua falta. Sentes isso, não? Pobre da Raquel! Adeus.

RAQUEL

XXV
O DR. ALBERTO A D. RAQUEL

10 de abril

Perdoa-me se não fui ontem lá; em compensação pensei muito em ti. Teu pai pediu-me que eu fosse jantar hoje com a família; espera-me cedo.

Levarei nessa ocasião o meu retrato, sem saber para que é; mas espero que não será para coisa má.

Quanto à G... eu já não sei como te hei de dizer que é uma deslambida de quem não faço caso; se queres, limitar-me-ei a cumprimentá-la apenas. Que mais desejas?

Adeus, minha desconfiada. Crê que eu te amo muito, muito e muito, agora e sempre.

Teu ALBERTO

XXVI
D. RAQUEL A D. LUÍSA

17 de abril

Uma grande notícia! Fui ontem pedida a papai, e vou casar. Se soubesse como sou feliz!... Quisera que estivesse aqui para dar-lhe muitos e muitos beijos. Mas há de vir ao casamento, não? Se não vier, declaro que não caso.

Naturalmente adivinha que o retrato que vai dentro desta carta é o do meu noivo. Não é bonito? Que distinção! que inteligência! que espírito!... A alma, sobretudo, não creio que Deus mandasse a este mundo nenhuma outra que se lhe compare. Creio que eu não merecia tanto.

Venha depressa; o casamento há de ser em maio. Dê a notícia a seu marido.

RAQUEL

XXVII
D. LUÍSA A D. RAQUEL

Juiz de Fora, 22 de abril

Que cabeça! disse tudo menos o nome do noivo!

LUÍSA

XXVIII
D. RAQUEL A D. LUÍSA

Corte, 27 de abril

Tem razão; sou uma cabeça no ar. Mas a felicidade explica ou desculpa tudo. O meu noivo é o dr. Alberto.

RAQUEL

XXIX
D. LUÍSA A D. RAQUEL

Juiz de Fora, 1º de maio

?!!

LUÍSA

Jornal das Famílias, *outubro-novembro de 1873;* Machado de Assis.

Papéis

Papéis avulsos foi publicado pela primeira vez em 1882, por Lombaerts & Cia., no Rio de Janeiro.

dormia regularmente, tinha bom pulso, e excelente vista; estava assim apta para dar-lhe filhos robustos, sãos e inteligentes. Se além dessas prendas — únicas dignas da preocupação de um sábio, d. Evarista era mal composta de feições, longe de lastimá-lo, agradecia-o a Deus, porquanto não corria o risco de preterir os interesses da ciência na contemplação exclusiva, miúda e vulgar da consorte.

D. Evarista mentiu às esperanças do dr. Bacamarte, não lhe deu filhos robustos nem mofinos. A índole natural da ciência é a longanimidade; o nosso médico esperou três anos, depois quatro, depois cinco. Ao cabo desse tempo fez um estudo profundo da matéria, releu todos os escritores árabes e outros, que trouxera para Itaguaí, enviou consultas às universidades italianas e alemãs, e acabou por aconselhar à mulher um regime alimentício especial. A ilustre dama, nutrida exclusivamente com a bela carne de porco de Itaguaí, não atendeu às admoestações do esposo; e à sua resistência — explicável, mas inqualificável — devemos a total extinção da dinastia dos Bacamartes.

Mas a ciência tem o inefável dom de curar todas as mágoas; o nosso médico mergulhou inteiramente no estudo e na prática da medicina. Foi então que um dos recantos desta lhe chamou especialmente a atenção — o recanto psíquico, o exame da patologia cerebral. Não havia na colônia, e ainda no reino, uma só autoridade em semelhante matéria, mal explorada, ou quase inexplorada. Simão Bacamarte compreendeu que a ciência lusitana, e particularmente a brasileira, podia cobrir-se de "louros imarcescíveis" — expressão usada por ele mesmo, mas em um arroubo de intimidade doméstica; exteriormente era modesto, segundo convém aos sabedores.

— A saúde da alma — bradou ele — é a ocupação mais digna do médico.

— Do verdadeiro médico — emendou Crispim Soares, boticário da vila, e um dos seus amigos e comensais.

A vereança de Itaguaí, entre outros pecados de que é arguida pelos cronistas, tinha o de não fazer caso dos dementes. Assim é que cada louco furioso era trancado em uma alcova, na própria casa, e, não curado, mas descurado, até que a morte o vinha defraudar do benefício da vida; os mansos andavam à solta pela rua. Simão Bacamarte entendeu desde logo reformar tão ruim costume; pediu licença à Câmara para agasalhar e tratar no edifício que ia construir todos os loucos de Itaguaí e das demais vilas e cidades, mediante um estipêndio, que a Câmara lhe daria quando a família do enfermo o não pudesse fazer. A proposta excitou a curiosidade de toda a vila, e encontrou grande resistência, tão certo é que dificilmente se desarraigam hábitos absurdos, ou ainda maus. A ideia de meter os loucos na mesma casa, vivendo em comum, pareceu em si mesma um sintoma de demência, e não faltou quem o insinuasse à própria mulher do médico.

— Olhe, dona Evarista — disse-lhe o padre Lopes, vigário do lugar —, veja se seu marido dá um passeio ao Rio de Janeiro. Isso de estudar sempre, sempre, não é bom, vira o juízo.

D. Evarista ficou aterrada, foi ter com o marido, disse-lhe "que estava com desejos", um principalmente, o de vir ao Rio de Janeiro e comer tudo o que a ele lhe parecesse adequado a certo fim. Mas aquele grande homem, com a rara sagacidade que o distinguia, penetrou a intenção da esposa e redarguiu-lhe sorrindo que não tivesse medo. Dali foi à Câmara, onde os vereadores debatiam a proposta, e defendeu-

-a com tanta eloquência, que a maioria resolveu autorizá-lo ao que pedira, votando ao mesmo tempo um imposto destinado a subsidiar o tratamento, alojamento e mantimento dos doidos pobres. A matéria do imposto não foi fácil achá-la; tudo estava tributado em Itaguaí. Depois de longos estudos, assentou-se em permitir o uso de dois penachos nos cavalos dos enterros. Quem quisesse emplumar os cavalos de um coche mortuário pagaria dois tostões à Câmara, repetindo-se tantas vezes esta quantia quantas fossem as horas decorridas entre a do falecimento e a da última bênção na sepultura. O escrivão perdeu-se nos cálculos aritméticos do rendimento possível da nova taxa; e um dos vereadores, que não acreditava na empresa do médico, pediu que se relevasse o escrivão de um trabalho inútil.

— Os cálculos não são precisos — disse ele —, porque o doutor Bacamarte não arranja nada. Quem é que viu agora meter todos os doidos dentro da mesma casa?

Enganava-se o digno magistrado; o médico arranjou tudo. Uma vez empossado da licença começou logo a construir a casa. Era na rua Nova, a mais bela rua de Itaguaí naquele tempo, tinha cinquenta janelas por lado, um pátio no centro, e numerosos cubículos para os hóspedes. Como fosse grande arabista, achou no Corão que Maomé declara veneráveis os doidos, pela consideração de que Alá lhes tira o juízo para que não pequem. A ideia pareceu-lhe bonita e profunda, e ele a fez gravar no frontispício da casa; mas, como tinha medo ao vigário, e por tabela ao bispo, atribuiu o pensamento a Benedito VIII, merecendo com essa fraude aliás pia, que o padre Lopes lhe contasse, ao almoço, a vida daquele pontífice eminente.

A Casa Verde foi o nome dado ao asilo, por alusão à cor das janelas, que pela primeira vez apareciam verdes em Itaguaí. Inaugurou-se com imensa pompa; de todas as vilas e povoações próximas, e até remotas, e da própria cidade do Rio de Janeiro, correu gente para assistir às cerimônias, que duraram sete dias. Muitos dementes já estavam recolhidos; e os parentes tiveram ocasião de ver o carinho paternal e a caridade cristã com que eles iam ser tratados. D. Evarista, contentíssima com a glória do marido, vestira-se luxuosamente, cobriu-se de joias, flores e sedas. Ela foi uma verdadeira rainha naqueles dias memoráveis; ninguém deixou de ir visitá-la duas e três vezes, apesar dos costumes caseiros e recatados do século, e não só a cortejavam como a louvavam; porquanto — e este fato é um documento altamente honroso para a sociedade do tempo — porquanto viam nela a feliz esposa de um alto espírito, de um varão ilustre, e, se lhe tinham inveja, era a santa e nobre inveja dos admiradores.

Ao cabo de sete dias expiraram as festas públicas; Itaguaí tinha finalmente uma casa de Orates.

II
TORRENTE DE LOUCOS

Três dias depois, numa expansão íntima com o boticário Crispim Soares, desvendou o alienista o mistério do seu coração.

— A caridade, senhor Soares, entra decerto no meu procedimento, mas entra como tempero, como o sal das coisas, que é assim que interpreto o dito de são Paulo aos Coríntios: "Se eu conhecer quanto se pode saber, e não tiver caridade, não sou nada". O principal nesta minha obra da Casa Verde é estudar profundamente a loucura, os seus diversos graus, classificar-lhe os casos, descobrir enfim a causa do fenômeno e o remédio universal. Este é o mistério do meu coração. Creio que com isto presto um bom serviço à humanidade.

— Um excelente serviço — corrigiu o boticário.

— Sem este asilo — continuou o alienista —, pouco poderia fazer; ele dá-me, porém, muito maior campo aos meus estudos.

— Muito maior — acrescentou o outro.

E tinham razão. De todas as vilas e arraiais vizinhos afluíam loucos à Casa Verde. Eram furiosos, eram mansos, eram monomaníacos, era toda a família dos deserdados do espírito. Ao cabo de quatro meses, a Casa Verde era uma povoação. Não bastaram os primeiros cubículos; mandou-se anexar uma galeria de mais trinta e sete. O padre Lopes confessou que não imaginara a existência de tantos doidos no mundo, e menos ainda o inexplicável de alguns casos. Um, por exemplo, um rapaz bronco e vilão, que todos os dias, depois do almoço, fazia regularmente um discurso acadêmico, ornado de tropos, de antíteses, de apóstrofes, com seus recamos de grego e latim, e suas borlas de Cícero, Apuleio e Tertuliano. O vigário não queria acabar de crer. Quê! um rapaz que ele vira, três meses antes, jogando peteca na rua!

— Não digo que não — respondia-lhe o alienista —; mas a verdade é o que vossa reverendíssima está vendo. Isto é todos os dias.

— Quanto a mim — tornou o vigário —, só se pode explicar pela confusão das línguas na torre de Babel, segundo nos conta a Escritura; provavelmente, confundidas antigamente as línguas, é fácil trocá-las agora, desde que a razão não trabalhe...

— Essa pode ser, com efeito, a explicação divina do fenômeno — concordou o alienista, depois de refletir um instante —, mas não é impossível que haja também alguma razão humana, e puramente científica, e disso trato...

— Vá que seja, e fico ansioso. Realmente!

Os loucos por amor eram três ou quatro, mas só dois espantavam pelo curioso do delírio. O primeiro, um Falcão, rapaz de vinte e cinco anos, supunha-se estrela-d'alva, abria os braços e alargava as pernas, para dar-lhes certa feição de raios, e ficava assim horas esquecidas a perguntar se o sol já tinha saído para ele recolher-se. O outro andava sempre, sempre, sempre, à roda das salas ou do pátio, ao longo dos corredores, à procura do fim do mundo. Era um desgraçado, a quem a mulher deixou por seguir um peralvilho. Mal descobrira a fuga, armou-se de uma garrucha, e saiu-lhes no encalço; achou-os duas horas depois, ao pé de uma lagoa, matou-os a ambos com os maiores requintes de crueldade.

O ciúme satisfez-se, mas o vingado estava louco. E então começou aquela ânsia de ir ao fim do mundo à cata dos fugitivos.

A mania das grandezas tinha exemplares notáveis. O mais notável era um pobre-diabo, filho de um algibebe, que narrava às paredes (porque não olhava nunca para nenhuma pessoa) toda a sua genealogia, que era esta:

— Deus engendrou um ovo, o ovo engendrou a espada, a espada engendrou Davi, Davi engendrou a púrpura, a púrpura engendrou o duque, o duque engendrou o marquês, o marquês engendrou o conde, que sou eu.

Dava uma pancada na testa, um estalo com os dedos, e repetia cinco, seis vezes seguidas:

— Deus engendrou um ovo, o ovo etc.

Outro da mesma espécie era um escrivão, que se vendia por mordomo do rei; outro era um boiadeiro de Minas, cuja mania era distribuir boiadas a toda a gente, dava trezentas cabeças a um, seiscentas a outro, mil e duzentas a outro, e não acabava mais. Não falo dos casos de monomania religiosa; apenas citarei um sujeito que, chamando-se João de Deus, dizia agora ser o deus João, e prometia reino dos céus a quem o adorasse, e as penas do inferno aos outros; depois desse, o licenciado Garcia, que não dizia nada, porque imaginava que no dia em que chegasse a proferir uma só palavra, todas as estrelas se despegariam do céu e abrasariam a terra; tal era o poder que recebera de Deus. Assim o escrevia ele no papel que o alienista lhe mandava dar, menos por caridade do que por interesse científico.

Que, na verdade, a paciência do alienista era ainda mais extraordinária do que todas as manias hospedadas na Casa Verde; nada menos que assombrosa. Simão Bacamarte começou por organizar um pessoal de administração; e, aceitando essa ideia ao boticário Crispim Soares, aceitou-lhe também dois sobrinhos, a quem incumbiu da execução de um regimento que lhes deu, aprovado pela Câmara, da distribuição da comida e da roupa, e assim também na escrita etc. Era o melhor que podia fazer, para somente cuidar do seu ofício. — A Casa Verde — disse ele ao vigário — é agora uma espécie de mundo, em que há o governo temporal e o governo espiritual. E o padre Lopes ria deste pio trocado, e acrescentava, com o único fim de dizer também uma chalaça: — Deixe estar, deixe estar, que hei de mandá-lo denunciar ao papa.

Uma vez desonerado da administração, o alienista procedeu a uma vasta classificação dos seus enfermos. Dividiu-os primeiramente em duas classes principais: os furiosos e os mansos; daí passou às subclasses, monomanias, delírios, alucinações diversas. Isto feito, começou um estudo aturado e contínuo; analisava os hábitos de cada louco, as horas de acesso, as aversões, as simpatias, as palavras, os gestos, as tendências; inquiria da vida dos enfermos, profissão, costumes, circunstâncias da revelação mórbida, acidentes da infância e da mocidade, doenças de outra espécie, antecedentes na família, uma devassa, enfim, como a não faria o mais atilado corregedor. E cada dia notava uma observação nova, uma descoberta interessante, um fenômeno extraordinário. Ao mesmo tempo estudava o melhor regime, as substâncias medicamentosas, os meios curativos e os meios paliativos, não só os que vinham nos seus amados árabes, como os que ele mesmo descobria, à força de sagacidade e paciência. Ora, todo esse trabalho levava-lhe o melhor e o mais do tempo. Mal dormia e mal comia; e, ainda comendo, era como se trabalhasse, porque ora interrogava um texto antigo, ora ruminava uma questão, e ia muitas vezes de um cabo a outro do jantar sem dizer uma só palavra a d. Evarista.

III
DEUS SABE O QUE FAZ!

A ilustre dama, no fim de dois meses, achou-se a mais desgraçada das mulheres; caiu em profunda melancolia, ficou amarela, magra, comia pouco e suspirava a cada canto. Não ousava fazer-lhe nenhuma queixa ou reproche, porque respeitava nele o seu marido e senhor, mas padecia calada, e definhava a olhos vistos. Um dia, ao jantar, como lhe perguntasse o marido o que é que tinha, respondeu tristemente que nada; depois atreveu-se um pouco, e foi ao ponto de dizer que se considerava tão viúva como dantes. E acrescentou:

— Quem diria nunca que meia dúzia de lunáticos...

Não acabou a frase; ou antes, acabou-a levantando os olhos ao teto — os olhos, que eram a sua feição mais insinuante — negros, grandes, lavados de uma luz úmida, como os da aurora. Quanto ao gesto, era o mesmo que empregara no dia em que Simão Bacamarte a pediu em casamento. Não dizem as crônicas se d. Evarista brandiu aquela arma com o perverso intuito de degolar de uma vez a ciência, ou, pelo menos, decepar-lhe as mãos; mas a conjectura é verossímil. Em todo caso, o alienista não lhe atribuiu outra intenção. E não se irritou o grande homem, não ficou sequer consternado. O metal de seus olhos não deixou de ser o mesmo metal, duro, liso, eterno, nem a menor prega veio quebrar a superfície da fronte quieta como a água de Botafogo. Talvez um sorriso lhe descerrou os lábios, por entre os quais filtrou esta palavra macia como o óleo do *Cântico*:

— Consinto que vás dar um passeio ao Rio de Janeiro.

D. Evarista sentiu faltar-lhe o chão debaixo dos pés. Nunca dos nuncas vira o Rio de Janeiro, que posto não fosse sequer uma pálida sombra do que hoje é, todavia era alguma coisa mais do que Itaguaí. Ver o Rio de Janeiro, para ela, equivalia ao sonho do hebreu cativo. Agora, principalmente, que o marido assentara de vez naquela povoação interior, agora é que ela perdera as últimas esperanças de respirar os ares da nossa boa cidade; e justamente agora é que ele a convidava a realizar os seus desejos de menina e moça. D. Evarista não pôde dissimular o gosto de semelhante proposta. Simão Bacamarte pegou-lhe na mão e sorriu — um sorriso tanto ou quanto filosófico, além de conjugal, em que parecia traduzir-se este pensamento: — "Não há remédio certo para as dores da alma; esta senhora definha, porque lhe parece que a não amo; dou-lhe o Rio de Janeiro, e consola-se". E porque era homem estudioso tomou nota da observação.

Mas um dardo atravessou o coração de d. Evarista. Conteve-se, entretanto; limitou-se a dizer ao marido, que, se ele não ia, ela não iria também, porque não havia de meter-se sozinha pelas estradas.

— Irá com sua tia — redarguiu o alienista.

Note-se que d. Evarista tinha pensado nisso mesmo; mas não quisera pedi-lo nem insinuá-lo, em primeiro lugar porque seria impor grandes despesas ao marido, em segundo lugar porque era melhor, mais metódico e racional que a proposta viesse dele.

— Oh! mas o dinheiro que será preciso gastar! — suspirou d. Evarista sem convicção.

— Que importa? Temos ganho muito — disse o marido. — Ainda ontem o escriturário prestou-me contas. Queres ver?

E levou-a aos livros. D. Evarista ficou deslumbrada. Era uma via-láctea de algarismos. E depois levou-a às arcas, onde estava o dinheiro. Deus! eram montes de ouro, eram mil cruzados sobre mil cruzados, dobrões sobre dobrões; era a opulência. Enquanto ela comia o ouro com os seus olhos negros, o alienista fitava-a, e dizia-lhe ao ouvido com a mais pérfida das alusões:

— Quem diria que meia dúzia de lunáticos...

D. Evarista compreendeu, sorriu e respondeu com muita resignação:

— Deus sabe o que faz!

Três meses depois efetuava-se a jornada. D. Evarista, a tia, a mulher do boticário, um sobrinho deste, um padre que o alienista conhecera em Lisboa, e que de aventura achava-se em Itaguaí, cinco ou seis pajens, quatro mucamas, tal foi a comitiva que a população viu dali sair em certa manhã do mês de maio. As despedidas foram tristes para todos, menos para o alienista. Conquanto as lágrimas de d. Evarista fossem abundantes e sinceras, não chegaram a abalá-lo. Homem de ciência, e só de ciência, nada o consternava fora da ciência; e se alguma coisa o preocupava naquela ocasião, se ele deixava correr pela multidão um olhar inquieto e policial, não era outra coisa mais do que a ideia de que algum demente podia achar-se ali misturado com a gente de juízo.

— Adeus! — soluçaram enfim as damas e o boticário.

E partiu a comitiva. Crispim Soares, ao tornar a casa, trazia os olhos entre as duas orelhas da besta ruana em que vinha montado; Simão Bacamarte alongava os seus pelo horizonte adiante, deixando ao cavalo a responsabilidade do regresso. Imagem vivaz do gênio e do vulgo! Um fita o presente, com todas as suas lágrimas e saudades, outro devassa o futuro com todas as suas auroras.

IV
UMA NOVA TEORIA

Ao passo que d. Evarista, em lágrimas, vinha buscando o Rio de Janeiro, Simão Bacamarte estudava por todos os lados uma certa ideia arrojada e nova, própria a alargar as bases da psicologia. Todo o tempo que lhe sobrava dos cuidados da Casa Verde era pouco para andar na rua, ou de casa em casa, conversando as gentes sobre trinta mil assuntos, e virgulando as falas de um olhar que metia medo aos mais heroicos.

Um dia de manhã — eram passadas três semanas — estando Crispim Soares ocupado em temperar um medicamento, vieram dizer-lhe que o alienista o mandava chamar.

— Trata-se de negócio importante, segundo ele me disse — acrescentou o portador.

Crispim empalideceu. Que negócio importante podia ser, se não alguma triste notícia da comitiva, e especialmente da mulher? Porque este tópico deve ficar claramente definido, visto insistirem nele os cronistas: Crispim amava a mulher, e, desde trinta anos, nunca estiveram separados um só dia. Assim se explicam os monólogos que ele fazia agora, e que os fâmulos lhe ouviam muita vez: — "Anda, bem feito, quem te mandou consentir na viagem de Cesária? Bajulador, torpe bajulador! Só para adular ao doutor Bacamarte. Pois agora aguenta-te; anda, aguenta-te, alma de lacaio, fracalhão, vil, miserável. Dizes amém a tudo, não é? aí tens o lucro, biltre!". — E muitos outros nomes feios, que um homem não deve dizer aos outros, quanto mais a si mesmo. Daqui a imaginar o efeito do recado é um nada. Tão depressa ele o recebeu como abriu mão das drogas e voou à Casa Verde.

Simão Bacamarte recebeu-o com a alegria própria de um sábio, uma alegria abotoada de circunspecção até o pescoço.

— Estou muito contente — disse ele.

— Notícias do nosso povo? — perguntou o boticário com a voz trêmula.

O alienista fez um gesto magnífico, e respondeu:

— Trata-se de coisa mais alta, trata-se de uma experiência científica. Digo experiência, porque não me atrevo a assegurar desde já a minha ideia; nem a ciência é outra coisa, senhor Soares, senão uma investigação constante. Trata-se, pois, de uma experiência, mas uma experiência que vai mudar a face da terra. A loucura, objeto dos meus estudos, era até agora uma ilha perdida no oceano da razão; começo a suspeitar que é um continente.

Disse isto, e calou-se, para ruminar o pasmo do boticário. Depois explicou compridamente a sua ideia. No conceito dele a insânia abrangia uma vasta superfície de cérebros; e desenvolveu isto com grande cópia de raciocínios, de textos, de exemplos. Os exemplos achou-os na história e em Itaguaí; mas, como um raro espírito que era, reconheceu o perigo de citar todos os casos de Itaguaí, e refugiou-se na história. Assim, apontou com especialidade alguns personagens célebres, Sócrates, que tinha um demônio familiar, Pascal, que via um abismo à esquerda, Maomé, Caracala, Domiciano, Calígula etc., uma enfiada de casos e pessoas, em que de mistura vinham entidades odiosas, e entidades ridículas. E porque o boticário se admirasse de uma tal promiscuidade, o alienista disse-lhe que era tudo a mesma coisa, e até acrescentou sentenciosamente:

— A ferocidade, senhor Soares, é o grotesco a sério.

— Gracioso, muito gracioso! — exclamou Crispim Soares levantando as mãos ao céu.

Quanto à ideia de ampliar o território da loucura, achou-a o boticário extravagante; mas a modéstia, principal adorno de seu espírito, não lhe sofreu confessar outra coisa além de um nobre entusiasmo; declarou-a sublime e verdadeira, e acrescentou que era "caso de matraca". Esta expressão não tem equivalente no estilo moderno. Naquele tempo, Itaguaí, que como as demais vilas, arraiais e povoações da colônia, não dispunha de imprensa, tinha dois modos de divulgar uma notícia: ou por meio de cartazes manuscritos e pregados na porta da Câmara e da matriz; — ou por meio de matraca. Eis em que consistia este segundo uso. Contratava-se um homem, por um ou mais dias, para andar as ruas do povoado, com uma matraca na mão. De quando em quando tocava a matraca, reunia-se gente, e ele anunciava o que lhe incumbiam — um remédio para sezões, umas terras lavradias, um soneto, um donativo eclesiástico, a melhor tesoura da vila, o mais belo discurso do ano etc. O sistema tinha inconvenientes para a paz pública; mas era conservado pela grande energia de divulgação que possuía. Por exemplo, um dos vereadores — aquele justamente que mais se opusera à criação da Casa Verde — desfrutava a reputação de perfeito educador de cobras e macacos, e aliás nunca domesticara um só desses bichos; mas, tinha o cuidado de fazer trabalhar a matraca todos os meses. E dizem as crônicas que algumas pessoas afirmavam ter visto cascavéis dançando no peito do vereador; afirmação perfeitamente falsa, mas só devida à absoluta confiança no sistema. Verdade, verdade; nem todas as instituições do antigo regime mereciam o desprezo do nosso século.

— Há melhor do que anunciar a minha ideia, é praticá-la — respondeu o alienista à insinuação do boticário.

E o boticário, não divergindo sensivelmente deste modo de ver, disse-lhe que sim, que era melhor começar pela execução.

— Sempre haverá tempo de a dar à matraca — concluiu ele.

Simão Bacamarte refletiu ainda um instante, e disse:

— Supondo o espírito humano uma vasta concha, o meu fim, senhor Soares, é ver se posso extrair a pérola, que é a razão; por outros termos, demarquemos definitivamente os limites da razão e da loucura. A razão é o perfeito equilíbrio de todas as faculdades; fora daí insânia, insânia, e só insânia.

O vigário Lopes, a quem ele confiou a nova teoria, declarou lisamente que não chegava a entendê-la, que era uma obra absurda, e, se não era absurda, era de tal modo colossal que não merecia princípio de execução.

— Com a definição atual, que é a de todos os tempos — acrescentou —, a loucura e a razão estão perfeitamente delimitadas. Sabe-se onde uma acaba e onde a outra começa. Para que transpor a cerca?

Sobre o lábio fino e discreto do alienista roçou a vaga sombra de uma intenção de riso, em que o desdém vinha casado à comiseração; mas nenhuma palavra saiu de suas egrégias entranhas. A ciência contentou-se em estender a mão à teologia — com tal segurança, que a teologia não soube enfim se devia crer em si ou na outra. Itaguaí e o universo ficavam à beira de uma revolução.

V
O TERROR

Quatro dias depois, a população de Itaguaí ouviu consternada a notícia de que um certo Costa fora recolhido à Casa Verde.

— Impossível!

— Qual impossível! foi recolhido hoje de manhã.

— Mas, na verdade, ele não merecia... Ainda em cima! depois de tanto que ele fez...

Costa era um dos cidadãos mais estimados de Itaguaí. Herdara quatrocentos mil cruzados em boa moeda de el-rei d. João V, dinheiro cuja renda bastava, segundo lhe declarou o tio no testamento, para viver "até o fim do mundo". Tão depressa recolheu a herança, como entrou a dividi-la em empréstimos, sem usura, mil cruzados a um, dois mil a outro, trezentos a este, oitocentos àquele, a tal ponto que, no fim de cinco anos, estava sem nada. Se a miséria viesse de chofre, o pasmo de Itaguaí seria enorme; mas veio devagar; ele foi passando da opulência à abastança, da abastança à mediania, da mediania à pobreza, da pobreza à miséria, gradualmente. Ao cabo daqueles cinco anos, pessoas que levavam o chapéu ao chão, logo que ele assomava no fim da rua, agora batiam-lhe no ombro, com intimidade, davam-lhe piparotes no nariz, diziam-lhe pulhas. E o Costa sempre lhano, risonho. Nem se lhe dava de ver que os menos corteses eram justamente os que tinham ainda a dívida em aberto; ao contrário, parece que os agasalhava com maior prazer, e mais sublime resignação. Um dia, como um desses incuráveis devedores lhe atirasse uma chalaça grossa, e ele se risse dela, observou um desafeiçoado, com certa perfídia: — Você suporta esse sujeito para ver se ele lhe paga. Costa não se deteve um minuto, foi ao devedor e perdoou-lhe a dívida. — Não admira, retorquiu o outro; o Costa abriu mão de uma estrela, que está no céu. Costa era perspicaz, entendeu que ele negava todo o merecimento ao ato, atribuindo-lhe a intenção de rejeitar o que não vinham meter-lhe na algibeira. Era também pundonoroso e inventivo; duas horas depois achou um meio de provar que lhe não cabia um tal labéu: pegou de algumas dobras, e mandou-as de empréstimo ao devedor.

— Agora espero que... — pensou ele sem concluir a frase.

Esse último rasgo do Costa persuadiu a crédulos e incrédulos; ninguém mais pôs em dúvida os sentimentos cavalheirescos daquele digno cidadão. As necessidades mais acanhadas saíram à rua, vieram bater-lhe à porta, com os seus chinelos velhos, com as suas capas remendadas. Um verme, entretanto, roía a alma do Costa: era o conceito do desafeto. Mas isso mesmo acabou; três meses depois veio este pedir-lhe uns cento e vinte cruzados com promessa de restituir-lhos daí a dois dias; era o resíduo da grande herança, mas era também uma nobre desforra: Costa emprestou o dinheiro logo, logo, e sem juros. Infelizmente não teve tempo de ser pago; cinco meses depois era recolhido à Casa Verde.

Imagina-se a consternação de Itaguaí, quando soube do caso. Não se falou em outra coisa, dizia-se que o Costa ensandecera, no almoço, outros que de madrugada; e contavam-se os acessos, que eram furiosos, sombrios, terríveis — ou mansos, e até engraçados, conforme as versões. Muita gente correu à Casa Verde, e achou o pobre Costa, tranquilo, um pouco espantado, falando com muita clareza, e perguntando por que motivo o tinham levado para ali. Alguns foram ter com o alienista. Bacamarte aprovava esses sentimentos de estima e compaixão, mas acrescentava que a ciência era a ciência, e que ele não podia deixar na rua um mentecapto. A última pessoa que intercedeu por ele (porque depois do que vou contar ninguém mais se atreveu a procurar o terrível médico) foi uma pobre senhora, prima do Costa. O alienista disse-lhe confidencialmente que esse digno homem não estava no perfeito equilíbrio das faculdades mentais, à vista do modo como dissipara os cabedais que...

— Isso, não! isso não! — interrompeu a boa senhora com energia. — Se ele gastou tão depressa o que recebeu, a culpa não é dele.

— Não?

— Não, senhor. Eu lhe digo como o negócio se passou. O defunto meu tio não era mau homem; mas quando estava furioso era capaz de nem tirar o chapéu ao Santíssimo. Ora, um dia, pouco tempo antes de morrer, descobriu que um escravo lhe roubara um boi; imagine como ficou. A cara era um pimentão; todo ele tremia, a boca escumava; lembra-me como se fosse hoje. Então um homem feio, cabeludo, em mangas de camisa, chegou-se a ele e pediu água. Meu tio (Deus lhe fale na alma!) respondeu que fosse beber ao rio ou ao inferno. O homem olhou para ele, abriu a mão em ar de ameaça, e rogou esta praga: — "Todo o seu dinheiro não há de durar mais de sete anos e um dia, tão certo como isto ser o sino-salamão!". E mostrou o sino-salamão impresso no braço. Foi isto, meu senhor; foi esta praga daquele maldito.

Bacamarte espetara na pobre senhora um par de olhos agudos como punhais. Quando ela acabou, estendeu-lhe a mão polidamente, como se o fizesse à própria esposa do vice-rei e convidou-a a ir falar ao primo. A mísera acreditou; ele levou-a à Casa Verde e encerrou-a na galeria dos alucinados.

A notícia desta aleivosia do ilustre Bacamarte lançou o terror à alma da população. Ninguém queria acabar de crer, que, sem motivo, sem inimizade, o alienista trancasse na Casa Verde uma senhora perfeitamente ajuizada, que não tinha outro crime senão o de interceder por um infeliz. Comentava-se o caso nas esquinas, nos barbeiros; edificou-se um romance, umas finezas namoradas que o alienista outrora dirigira à prima do Costa, a indignação do Costa e o desprezo da prima. E daí a vingança. Era claro. Mas a austeridade do alienista, a vida de estudos que ele levava, pareciam desmentir uma tal hipótese. Histórias! Tudo isso era naturalmente a capa do velhaco. E um dos mais crédulos chegou a murmurar que sabia de outras coisas, não as dizia, por não ter certeza plena, mas sabia, quase que podia jurar.

— Você, que é íntimo dele, não nos podia dizer o que há, o que houve, que motivo...

Crispim Soares derretia-se todo. Esse interrogar da gente inquieta e curiosa, dos amigos atônitos, era para ele uma consagração pública. Não havia duvidar; toda a povoação sabia enfim que o privado do alienista era ele, Crispim, o boticário, o colaborador do grande homem e das grandes coisas; daí a corrida à botica. Tudo isso dizia o carão jucundo e o riso discreto do boticário, o riso e o silêncio, porque ele não respondia nada; um, dois, três monossílabos, quando muito, soltos, secos, encapados no fiel sorriso, constante e miúdo, cheio de mistérios científicos, que ele não podia, sem desdouro nem perigo, desvendar a nenhuma pessoa humana.

— Há coisa — pensavam os mais desconfiados.

Um desses limitou-se a pensá-lo, deu de ombros e foi embora. Tinha negócios pessoais. Acabava de construir uma casa suntuosa. Só a casa bastava para deter e chamar toda a gente; mas havia mais — a mobília, que ele mandara vir da Hungria e da Holanda, segundo contava, e que se podia ver do lado de fora, porque as janelas viviam abertas — e o jardim, que era uma obra-prima de arte e de gosto. Esse homem, que enriquecera no fabrico de albardas, tinha tido sempre o sonho de uma casa magnífica, jardim pomposo, mobília rara. Não deixou o negócio das albardas, mas repousava dele na contemplação da casa nova, a primeira de Itaguaí, mais grandiosa do que a Casa Verde, mais nobre do que a da Câmara. Entre a gente ilustre da povoação havia choro e ranger de dentes, quando se pensava, ou se falava, ou se louvava a casa do albardeiro — um simples albardeiro, Deus do céu!

— Lá está ele embasbacado — diziam os transeuntes, de manhã.

De manhã, com efeito, era costume do Mateus estatelar-se, no meio do jardim, com os olhos na casa, namorado, durante uma longa hora, até que vinham chamá-lo para almoçar. Os vizinhos, embora o cumprimentassem com certo respeito, riam-se por trás dele, que era um gosto. Um desses chegou a dizer que o Mateus seria muito mais econômico, e estaria riquíssimo, se fabricasse as albardas para si mesmo; epigrama ininteligível, mas que fazia rir às bandeiras despregadas.

— Agora lá está o Mateus a ser contemplado — diziam à tarde.

A razão deste outro dito era que, de tarde, quando as famílias saíam a passeio (jantavam cedo) usava o Mateus postar-se à janela, bem no centro, vistoso, sobre um fundo escuro, trajado de branco, atitude senhoril, e assim ficava duas e três horas até que anoitecia de todo. Pode crer-se que a intenção do Mateus era ser admirado e invejado, posto que ele não a confessasse a nenhuma pessoa, nem ao boticário, nem ao padre Lopes, seus grandes amigos. E entretanto não foi outra a alegação do boticário, quando o alienista lhe disse que o albardeiro talvez padecesse do amor das pedras, mania que ele Bacamarte descobrira e estudava desde algum tempo. Aquilo de contemplar a casa...

— Não, senhor — acudiu vivamente Crispim Soares.

— Não?

— Há de perdoar-me, mas talvez não saiba que ele de manhã examina a obra, não a admira; de tarde, são os outros que o admiram a ele e à obra — e contou o uso do albardeiro, todas as tardes, desde cedo até o cair da noite.

Uma volúpia científica alumiou os olhos de Simão Bacamarte. Ou ele não conhecia todos os costumes do albardeiro, ou nada mais quis, interrogando o Crispim, do que confirmar alguma notícia incerta ou suspeita vaga. A explicação satisfê-lo; mas como tinha as alegrias próprias de um sábio, concentradas, nada viu o boticário que fizesse suspeitar uma intenção sinistra. Ao contrário, era de tarde, e o alienista pediu-lhe o braço para irem a passeio. Deus! era a primeira vez que Simão Bacamarte dava ao seu privado tamanha honra; Crispim ficou trêmulo, atarantado, disse que sim, que estava pronto. Chegaram duas ou três pessoas de fora, Crispim mandou-as mentalmente a todos os diabos; não só atrasavam o passeio, como podia acontecer que Bacamarte elegesse alguma delas, para acompanhá-lo, e o dispensasse a ele. Que impaciência! que aflição! Enfim, saíram. O alienista guiou para os lados da casa do albardeiro, viu-o à janela, passou cinco, seis vezes por diante, devagar, parando, examinando as atitudes, a expressão do rosto. O pobre Mateus, apenas notou que era objeto da curiosidade ou admiração do primeiro vulto de Itaguaí, redobrou de expressão, deu outro relevo às atitudes... Triste! triste! não fez mais do que condenar-se; no dia seguinte, foi recolhido à Casa Verde.

— A Casa Verde é um cárcere privado — disse um médico em clínica.

Nunca uma opinião pegou e grassou tão rapidamente. Cárcere privado: eis o que se repetia de norte a sul e de leste a oeste de Itaguaí — a medo, é verdade, porque durante a semana que se seguiu à captura do pobre Mateus, vinte e tantas pessoas — duas ou três de consideração — foram recolhidas à Casa Verde. O alienista dizia que só eram admitidos os casos patológicos, mas pouca gente lhe dava crédito. Sucediam-se as versões populares. Vingança, cobiça de dinheiro, castigo de Deus, monomania do próprio médico, plano secreto do Rio de Janeiro com o fim de destruir em Itaguaí qualquer germe de prosperidade que viesse a brotar, arvorecer, florir, com desdouro e míngua daquela cidade, mil outras explicações, que não explicavam nada, tal era o produto diário da imaginação pública.

Nisto chegou do Rio de Janeiro a esposa do alienista, a tia, a mulher do Crispim Soares, e toda a mais comitiva — ou quase toda — que algumas semanas antes partira de Itaguaí. O alienista foi recebê-la, com o boticário, o padre Lopes, os vereadores e vários outros magistrados. O momento em que d. Evarista pôs os olhos na pessoa do marido é considerado pelos cronistas do tempo como um dos mais sublimes da história moral dos homens, e isto pelo contraste das duas naturezas, ambas extremas, ambas egrégias. D. Evarista soltou um grito, balbuciou uma palavra, e atirou-se ao consorte, de um gesto que não se pode melhor definir do que comparando-o a uma mistura de onça e rola. Não assim o ilustre Bacamarte; frio como um diagnóstico, sem desengonçar por um instante a rigidez científica, estendeu os braços à dona, que caiu neles, e desmaiou. Curto incidente; ao cabo de dois minutos, d. Evarista recebia os cumprimentos dos amigos, e o préstito punha-se em marcha.

D. Evarista era a esperança de Itaguaí; contava-se com ela para minorar o flagelo da Casa Verde. Daí as aclamações públicas, a imensa gente que atulhava as ruas, as flâmulas, as flores e damascos às janelas. Com o braço apoiado no do padre Lopes — porque o eminente Bacamarte confiara a mulher ao vigário, e acompanhava-os a passo meditativo — d. Evarista voltava a cabeça a um lado e outro, curiosa, inquieta, petulante. O vigário indagava do Rio de Janeiro, que ele não vira desde o vice-reinado anterior; e d. Evarista respondia, entusiasmada, que era a coisa mais bela que podia haver no mundo. O Passeio Público estava acabado, um paraíso, onde ela fora muitas vezes, e a rua das Belas Noites, o chafariz das Marrecas... Ah! o chafariz das Marrecas! Eram mesmo marrecas — feitas de metal e despejando água pela boca fora. Uma coisa galantíssima. O vigário dizia que sim, que o Rio de Janeiro devia estar agora muito mais bonito. Se já o era noutro tempo! Não admira, maior do que Itaguaí, e de mais a mais sede do governo... Mas não se pode dizer que Itaguaí fosse feio; tinha belas casas, a casa do Mateus, a Casa Verde...

— A propósito de Casa Verde — disse o padre Lopes escorregando habilmente para o assunto da ocasião —, a senhora vem achá-la muito cheia de gente.

— Sim?

— É verdade. Lá está o Mateus...

— O albardeiro?

— O albardeiro; está o Costa, a prima do Costa, e Fulano, e Sicrano, e...

— Tudo isso doido?

— Ou quase doido — obtemperou o padre.

— Mas então?

O vigário derreou os cantos da boca, à maneira de quem não sabe nada, ou não quer dizer tudo; resposta vaga, que se não pode repetir a outra pessoa, por falta de texto. D. Evarista achou realmente extraordinário que toda aquela gente ensandecesse; um ou outro, vá; mas todos? Entretanto, custava-lhe duvidar; o marido era um sábio, não recolheria ninguém à Casa Verde sem prova evidente de loucura.

— Sem dúvida... sem dúvida... — ia pontuando o vigário.

Três horas depois, cerca de cinquenta convivas sentavam-se em volta da mesa de Simão Bacamarte; era o jantar das boas-vindas. D. Evarista foi o assunto obrigado dos brindes, discursos, versos de toda a casta, metáforas, amplificações, apólogos. Ela era a esposa do novo Hipócrates, a musa da ciência, anjo, divina, aurora, caridade, vida, consolação; trazia nos olhos duas estrelas, segundo a versão modesta de Crispim Soares, e dois sóis, no conceito de um vereador. O alienista ouvia essas coisas um tanto enfastiado, mas sem visível impaciência. Quando muito dizia ao ouvido da mulher, que a retórica permitia tais arrojos sem significação. D. Evarista fazia esforços para aderir a esta opinião do marido; mas, ainda descontando três quartas partes das louvaminhas, ficava muito com que enfunar-lhe a alma. Um dos oradores, por exemplo, Martim Brito, rapaz de vinte e cinco anos, pintalegrete acabado, curtido de namoros e aventuras, declamou um discurso em que o nascimento de d. Evarista era explicado pelo mais singular dos reptos. "Deus — disse ele — depois de dar ao universo o homem e a mulher, esse diamante e essa pérola da coroa divina (e o orador arrastava triunfalmente esta frase de uma ponta a outra da mesa) Deus quis vencer a Deus, e criou d. Evarista."

D. Evarista baixou os olhos com exemplar modéstia. Duas senhoras, achando a cortesanice excessiva e audaciosa, interrogaram os olhos do dono da casa; e, na verdade, o gesto do alienista pareceu-lhes nublado de suspeitas, de ameaças, e, provavelmente, de sangue. O atrevimento foi grande, pensaram as duas damas. E uma e outra pediam a Deus que removesse qualquer episódio trágico — ou que o adiasse, ao menos, para o dia seguinte. Sim, que o adiasse. Uma delas, a mais piedosa, chegou a admitir, consigo mesma, que d. Evarista não merecia nenhuma desconfiança, tão longe estava de ser atraente ou bonita. Uma simples água-morna. Verdade é que, se todos os gostos fossem iguais, o que seria do amarelo? Esta ideia fê-la tremer outra vez, embora menos; menos, porque o alienista sorria agora para o Martim Brito, e, levantados todos, foi ter com ele e falou-lhe do discurso. Não lhe negou que era um improviso brilhante, cheio de rasgos magníficos. Seria dele mesmo a ideia relativa ao nascimento de d. Evarista, ou tê-la-ia encontrado em algum autor que?... Não senhor; era dele mesmo; achou-a naquela ocasião e parecera-lhe adequada a um arroubo oratório. De resto, suas ideias eram antes arrojadas do que ternas ou jocosas. Dava para o épico. Uma vez, por exemplo, compôs uma ode à queda do marquês de Pombal, em que dizia que esse ministro era o "dragão aspérrimo do Nada", esmagado pelas "garras vingadoras do Todo"; e assim outras, mais ou menos fora do comum; gostava das ideias sublimes e raras, das imagens grandes e nobres...

— Pobre moço! — pensou o alienista. E continuou consigo: — Trata-se de um caso de lesão cerebral; fenômeno sem gravidade, mas digno de estudo...

D. Evarista ficou estupefata quando soube, três dias depois, que o Martim Brito fora alojado na Casa Verde. Um moço que tinha ideias tão bonitas! As duas senhoras atribuíram o ato a ciúmes do alienista. Não podia ser outra coisa; realmente, a declaração do moço fora audaciosa demais.

Ciúmes? Mas como explicar que, logo em seguida, fossem recolhidos José Borges do Couto Leme, pessoa estimável, o Chico das Cambraias, folgazão emérito, o escrivão Fabrício, e ainda outros? O terror acentuou-se. Não se sabia já quem estava são, nem quem estava doido. As mulheres, quando os maridos saíam, mandavam acender uma lamparina a Nossa Senhora; e nem todos os maridos eram valorosos, alguns não andavam fora sem um ou dois capangas. Positivamente o terror. Quem podia, emigrava. Um desses fugitivos chegou a ser preso a duzentos passos da vila. Era um rapaz de trinta anos, amável, conversado, polido, tão polido que não cumprimentava alguém sem levar o chapéu ao chão; na rua, acontecia-lhe correr uma distância de dez a vinte braças para ir apertar a mão a um homem grave, a uma senhora, às vezes a um menino, como acontecera ao filho do juiz de fora. Tinha a vocação das cortesias. De resto, devia as boas relações da sociedade, não só aos dotes pessoais, que eram raros, como à nobre tenacidade com que nunca desanimava diante de uma, duas, quatro, seis recusas, caras feias etc. O que acontecia era que, uma vez entrado numa casa, não a deixava mais, nem os da casa o deixavam a ele, tão gracioso era o Gil Bernardes. Pois o Gil Bernardes, apesar de se saber estimado, teve medo quando lhe disseram um dia que o alienista o trazia de olho; na madrugada seguinte fugiu da vila, mas foi logo apanhado e conduzido à Casa Verde.

— Devemos acabar com isto!
— Não pode continuar!
— Abaixo a tirania!
— Déspota! violento! Golias!

Não eram gritos na rua, eram suspiros em casa, mas não tardava a hora dos gritos. O terror crescia; avizinhava-se a rebelião. A ideia de uma petição ao governo para que Simão Bacamarte fosse capturado e deportado, andou por algumas cabeças, antes que o barbeiro Porfírio a expendesse na loja, com grandes gestos de indignação. Note-se — e essa é uma das laudas mais puras desta sombria história — note-se que o Porfírio, desde que a Casa Verde começava a povoar-se tão extraordinariamente, viu crescerem-lhe os lucros pela aplicação assídua de sanguessugas que dali lhe pediam; mas o interesse particular, dizia ele, deve ceder ao interesse público. E acrescentava: — É preciso derrubar o tirano! Note-se mais que ele soltou esse grito justamente no dia em que Simão Bacamarte fizera recolher à Casa Verde um homem que trazia com ele uma demanda, o Coelho.

— Não me dirão em que é que o Coelho é doido? — bradou o Porfírio.

E ninguém lhe respondia; todos repetiam que era um homem perfeitamente ajuizado. A mesma demanda que ele trazia com o barbeiro, acerca de uns chãos da vila, era filha da obscuridade de um alvará, e não da cobiça ou ódio. Um excelente caráter o Coelho.

Os únicos desafeiçoados que tinha eram alguns sujeitos que, dizendo-se taciturnos, ou alegando andar com pressa, mal o viam de longe dobravam as esquinas, entravam nas lojas etc. Na verdade, ele amava a boa palestra, a palestra comprida, gostada a sorvos largos, e assim é que nunca estava só, preferindo os que sabiam dizer duas palavras, mas não desdenhando os outros. O padre Lopes, que cultivava o Dante, e era inimigo do Coelho, nunca o via desligar-se de uma pessoa que não declamasse e emendasse este trecho:

> La bocca solevò dal fero pasto
> Quel *seccatore*...

mas uns sabiam do ódio do padre, e outros pensavam que isto era uma oração em latim.

VI
A REBELIÃO

Cerca de trinta pessoas ligaram-se ao barbeiro, redigiram e levaram uma representação à Câmara. A Câmara recusou aceitá-la, declarando que a Casa Verde era uma instituição pública, e que a ciência não podia ser emendada por votação administrativa, menos ainda por movimentos de rua.

— Voltai ao trabalho — concluiu o presidente —, é o conselho que vos damos.

A irritação dos agitadores foi enorme. O barbeiro declarou que iam dali levantar a bandeira da rebelião, e destruir a Casa Verde; que Itaguaí não podia continuar a servir de cadáver aos estudos e experiências de um déspota; que muitas pessoas estimáveis, algumas distintas, outras humildes mas dignas de apreço, jaziam nos cubículos da Casa Verde; que o despotismo científico do alienista complicava-se do espírito de ganância, visto que os loucos, ou supostos tais, não eram tratados de graça: as famílias, e em falta delas a Câmara, pagavam ao alienista...

— É falso — interrompeu o presidente.

— Falso?

— Há cerca de duas semanas recebemos um ofício do ilustre médico, em que nos declara que, tratando de fazer experiências de alto valor psicológico, desiste do estipêndio votado pela Câmara, bem como nada receberá das famílias dos enfermos.

A notícia deste ato tão nobre, tão puro, suspendeu um pouco a alma dos rebeldes. Seguramente o alienista podia estar em erro, mas nenhum interesse alheio à ciência o instigava; e para demonstrar o erro era preciso alguma coisa mais do que arruaças e clamores. Isto disse o presidente, com aplauso de toda a Câmara. O barbeiro, depois de alguns instantes de concentração, declarou que estava investido de um mandato público, e não restituiria a paz a Itaguaí antes de ver por terra a Casa Verde — "essa Bastilha da razão humana" —, expressão que ouvira a um poeta local, e que ele repetiu com muita ênfase. Disse, e a um sinal todos saíram com ele.

Imagine-se a situação dos vereadores; urgia obstar ao ajuntamento, à rebelião, à luta, ao sangue. Para acrescentar ao mal, um dos vereadores, que apoiara o presidente, ouvindo agora a denominação dada pelo barbeiro à Casa Verde — "Bastilha da razão humana" — achou-a tão elegante, que mudou de parecer. Disse que entendia de bom aviso decretar alguma medida que reduzisse a Casa Verde; e porque o presidente, indignado, manifestasse em termos enérgicos o seu pasmo, o vereador fez esta reflexão:

— Nada tenho que ver com a ciência; mas se tantos homens em quem supomos juízo são reclusos por dementes, quem nos afirma que o alienado não é o alienista?

Sebastião Freitas, o vereador dissidente, tinha o dom da palavra, e falou ainda por algum tempo com prudência, mas com firmeza. Os colegas estavam atônitos; o presidente pediu-lhe que, ao menos, desse o exemplo da ordem e do respeito à lei, não aventasse as suas ideias na rua, para não dar corpo e alma à rebelião, que era por ora um turbilhão de átomos dispersos. Esta figura corrigiu um pouco o efeito da outra: Sebastião Freitas prometeu suspender qualquer ação, reservando-se o direito de pedir pelos meios legais a redução da Casa Verde. E repetia consigo, namorado: — Bastilha da razão humana!

Entretanto, a arruaça crescia. Já não eram trinta, mas trezentas pessoas que acompanhavam o barbeiro, cuja alcunha familiar deve ser mencionada, porque ela deu o nome à revolta; chamavam-lhe o Canjica — e o movimento ficou célebre com o nome de revolta dos Canjicas. A ação podia ser restrita — visto que muita gente, ou por medo, ou por hábitos de educação, não descia à rua; mas o sentimento era unânime, ou quase unânime, e os trezentos que caminhavam para a Casa Verde — dada a diferença de Paris a Itaguaí — podiam ser comparados aos que tomaram a Bastilha.

D. Evarista teve notícia da rebelião antes que ela chegasse; veio dar-lha uma de suas crias. Ela provava nessa ocasião um vestido de seda — um dos trinta e sete que trouxera do Rio de Janeiro — e não quis crer.

— Há de ser alguma patuscada — dizia ela mudando a posição de um alfinete. — Benedita, vê se a barra está boa.

— Está, sinhá — respondia a mucama de cócoras no chão —, está boa. Sinhá vira um bocadinho. Assim. Está muito boa.

— Não é patuscada, não, senhora; eles estão gritando: — Morra o doutor Bacamarte! o tirano! — dizia o moleque assustado.

— Cala a boca, tolo! Benedita, olha aí do lado esquerdo; não parece que a costura está um pouco enviesada? A risca azul não segue até abaixo; está muito feio assim; é preciso descoser para ficar igualzinho e...

— Morra o doutor Bacamarte! morra o tirano! — uivaram fora trezentas vozes. Era a rebelião que desembocava na rua Nova.

D. Evarista ficou sem pinga de sangue. No primeiro instante não deu um passo, não fez um gesto; o terror petrificou-a. A mucama correu instintivamente para a porta do fundo. Quanto ao moleque, a quem d. Evarista não dera crédito, teve um instante de triunfo, um certo movimento súbito, imperceptível, entranhado, de satisfação moral, ao ver que a realidade vinha jurar por ele.

— Morra o alienista! — bradavam as vozes mais perto.

D. Evarista, se não resistia facilmente às comoções de prazer, sabia entestar com os momentos de perigo. Não desmaiou; correu à sala interior onde o marido estudava. Quando ela ali entrou, precipitada, o ilustre médico escrutava um texto de Averróis; os olhos dele, empanados pela cogitação, subiam do livro ao teto e baixavam do teto ao livro, cegos para a realidade exterior, videntes para os profundos trabalhos mentais. D. Evarista chamou pelo marido duas vezes, sem que ele lhe desse atenção; à terceira, ouviu e perguntou-lhe o que tinha, se estava doente.

— Você não ouve estes gritos? — perguntou a digna esposa em lágrimas.

O alienista atendeu então; os gritos aproximavam-se, terríveis, ameaçadores; ele compreendeu tudo. Levantou-se da cadeira de espaldar em que estava sentado, fechou o livro, e, a passo firme e tranquilo, foi depositá-lo na estante. Como a introdução do volume desconcertasse um pouco a linha dos dois tomos contíguos, Simão Bacamarte cuidou de corrigir esse defeito mínimo, e, aliás, interessante. Depois disse à mulher que se recolhesse, que não fizesse nada.

— Não, não — implorava a digna senhora —, quero morrer ao lado de você...

Simão Bacamarte teimou que não, que não era caso de morte; e ainda que o fosse, intimava-lhe em nome da vida que ficasse. A infeliz dama curvou a cabeça, obediente e chorosa.

— Abaixo a Casa Verde! — bradavam os Canjicas.

O alienista caminhou para a varanda da frente, e chegou ali no momento em que a rebelião também chegava e parava, defronte, com as suas trezentas cabeças rutilantes de civismo e sombrias de desespero. — Morra! morra! bradaram de todos os lados, apenas o vulto do alienista assomou na varanda. Simão Bacamarte fez um sinal pedindo para falar; os revoltosos cobriram-lhe a voz com brados de indignação. Então, o barbeiro agitando o chapéu, a fim de impor silêncio à turba, conseguiu aquietar os amigos, e declarou ao alienista que podia falar, mas acrescentou que não abusasse da paciência do povo como fizera até então.

— Direi pouco, ou até não direi nada, se for preciso. Desejo saber primeiro o que pedis.

— Não pedimos nada — replicou fremente o barbeiro —; ordenamos que a Casa Verde seja demolida, ou pelo menos despojada dos infelizes que lá estão.

— Não entendo.

— Entendeis bem, tirano; queremos dar liberdade às vítimas do vosso ódio, capricho, ganância...

O alienista sorriu, mas o sorriso desse grande homem não era coisa visível aos olhos da multidão; era uma contração leve de dois ou três músculos, nada mais. Sorriu e respondeu:

— Meus senhores, a ciência é coisa séria, e merece ser tratada com seriedade. Não dou razão dos meus atos de alienista a ninguém, salvo aos mestres e a Deus. Se quereis emendar a administração da Casa Verde, estou pronto a ouvir-vos; mas se exigis que me negue a mim mesmo, não ganhareis nada. Poderia convidar alguns de vós, em comissão dos outros, a vir ver comigo os loucos reclusos; mas não o faço, porque seria dar-vos razão do meu sistema, o que não farei a leigos, nem a rebeldes.

    Disse isto o alienista, e a multidão ficou atônita; era claro que não esperava tanta energia e menos ainda tamanha serenidade. Mas o assombro cresceu de ponto quando o alienista, cortejando a multidão com muita gravidade, deu-lhe as costas e retirou-se lentamente para dentro. O barbeiro tornou logo a si, e, agitando o chapéu, convidou os amigos à demolição da Casa Verde; poucas vozes e frouxas lhe responderam. Foi nesse momento decisivo que o barbeiro sentiu despontar em si a ambição do governo; pareceu-lhe então que, demolindo a Casa Verde, e derrocando a influência do alienista, chegaria a apoderar-se da Câmara, dominar as demais autoridades e constituir-se senhor de Itaguaí. Desde alguns anos que ele forcejava por ver o seu nome incluído nos pelouros para o sorteio dos vereadores, mas era recusado por não ter uma posição compatível com tão grande cargo. A ocasião era agora ou nunca. Demais fora tão longe na arruaça, que a derrota seria a prisão, ou talvez a forca, ou o degredo. Infelizmente, a resposta do alienista diminuíra o furor dos sequazes. O barbeiro, logo que o percebeu, sentiu um impulso de indignação, e quis bradar-lhes: — Canalhas! covardes! — mas conteve-se, e rompeu deste modo:

    — Meus amigos, lutemos até o fim! A salvação de Itaguaí está nas vossas mãos dignas e heroicas. Destruamos o cárcere de vossos filhos e pais, de vossas mães e irmãs, de vossos parentes e amigos, e de vós mesmos. Ou morrereis a pão e água, talvez a chicote, na masmorra daquele indigno.

    A multidão agitou-se, murmurou, bradou, ameaçou, congregou-se toda em derredor do barbeiro. Era a revolta que tornava a si da ligeira síncope, e ameaçava arrasar a Casa Verde.

    — Vamos! — bradou Porfírio agitando o chapéu.

    — Vamos! — repetiram todos.

    Deteve-os um incidente: era um corpo de dragões que, a marche-marche, entrava na rua Nova.

VII
O INESPERADO

Chegados os dragões em frente aos Canjicas, houve um instante de estupefação: os Canjicas não queriam crer que a força pública fosse mandada contra eles; mas o barbeiro compreendeu tudo e esperou. Os dragões pararam, o capitão intimou à multidão que se dispersasse; mas, conquanto uma parte dela estivesse inclinada a isso, a outra parte apoiou fortemente o barbeiro, cuja resposta consistiu nestes termos alevantados:

    — Não nos dispersaremos. Se quereis os nossos cadáveres, podeis tomá-los; mas só os cadáveres; não levareis a nossa honra, o nosso crédito, os nossos direitos, e com eles a salvação de Itaguaí.

    Nada mais imprudente do que essa resposta do barbeiro; e nada mais natural. Era a vertigem das grandes crises. Talvez fosse também um excesso de confiança na abstenção das armas por parte dos dragões; confiança que o capitão dissipou logo, mandando carregar sobre os Canjicas. O momento foi indescritível. A multidão urrou furiosa; alguns, trepando às janelas das casas, ou correndo pela rua fora, conseguiram escapar; mas a maioria ficou, bufando de cólera, indignada, animada pela exortação do barbeiro. A derrota dos Canjicas estava iminente, quando um terço dos dragões — qualquer que fosse o motivo, as crônicas não o declaram — passou subitamente para o lado da rebelião. Este inesperado reforço deu alma aos Canjicas, ao mesmo tempo que lançou o desânimo às fileiras da legalidade. Os soldados fiéis não tiveram coragem de atacar os seus próprios camaradas, e, um a um, foram passando para eles, de modo que ao cabo de alguns minutos, o aspecto das coisas era totalmente outro. O capitão estava de um lado, com alguma gente, contra uma massa compacta que o ameaçava de morte. Não teve remédio, declarou-se vencido e entregou a espada ao barbeiro.

A revolução triunfante não perdeu um só minuto; recolheu os feridos às casas próximas, e guiou para a Câmara. Povo e tropa fraternizavam, davam vivas a el-rei, ao vice-rei, a Itaguaí, ao "ilustre Porfírio". Este ia na frente, empunhando tão destramente a espada, como se ela fosse apenas uma navalha um pouco mais comprida. A vitória cingia-lhe a fronte de um nimbo misterioso. A dignidade de governo começava a enrijar-lhe os quadris.

Os vereadores, às janelas, vendo a multidão e a tropa, cuidaram que a tropa capturara a multidão, e sem mais exame, entraram e votaram uma petição ao vice-rei para que mandasse dar um mês de soldo aos dragões, "cujo denodo salvou Itaguaí do abismo a que o tinha lançado uma cáfila de rebeldes". Esta frase foi proposta por Sebastião Freitas, o vereador dissidente, cuja defesa dos Canjicas tanto escandalizara os colegas. Mas bem depressa a ilusão se desfez. Os vivas ao barbeiro, os morras aos vereadores e ao alienista vieram dar-lhe notícia da triste realidade. O presidente não desanimou: — Qualquer que seja a nossa sorte — disse ele — lembremo-nos que estamos ao serviço de Sua Majestade e do povo. — Sebastião Freitas insinuou que melhor se poderia servir à coroa e à vila saindo pelos fundos e indo conferenciar com o juiz de fora, mas toda a Câmara rejeitou esse alvitre.

Daí a nada o barbeiro, acompanhado de alguns de seus tenentes, entrava na sala da vereança, e intimava à Câmara a sua queda. A Câmara não resistiu, entregou-se, e foi dali para a cadeia. Então os amigos do barbeiro propuseram-lhe que assumisse o governo da vila, em nome de Sua Majestade. Porfírio aceitou o encargo, embora não desconhecesse (acrescentou) os espinhos que trazia; disse mais que não podia dispensar o concurso dos amigos presentes; ao que eles prontamente anuíram. O barbeiro veio à janela, e comunicou ao povo essas resoluções, que o povo ratificou, aclamando o barbeiro. Este tomou a denominação de — "Protetor da vila em nome de Sua Majestade e do povo". — Expediram-se logo várias ordens importantes, comunicações oficiais do novo governo, uma exposição minuciosa ao vice-rei, com muitos protestos de obediência às ordens de Sua Majestade; finalmente, uma proclamação ao povo, curta, mas enérgica:

> Itaguaienses!
> Uma Câmara corrupta e violenta conspirava contra os interesses de Sua Majestade e do povo. A opinião pública tinha-a condenado; um punhado de cidadãos, fortemente apoiados pelos bravos dragões de Sua Majestade, acaba de a dissolver ignominiosamente, e por unânime consenso da vila, foi-me confiado o mando supremo, até que Sua Majestade se sirva ordenar o que parecer melhor ao seu real serviço. Itaguaienses! não vos peço senão

que me rodeeis de confiança, que me auxilieis em restaurar a paz e a fazenda pública, tão desbaratada pela Câmara que ora findou às vossas mãos. Contai com o meu sacrifício, e ficai certos de que a coroa será por nós.

O Protetor da vila em nome de Sua Majestade e do povo

Porfírio Caetano das Neves

Toda a gente advertiu no absoluto silêncio desta proclamação acerca da Casa Verde; e, segundo uns, não podia haver mais vivo indício dos projetos tenebrosos do barbeiro. O perigo era tanto maior quanto que, no meio mesmo desses graves sucessos, o alienista metera na Casa Verde umas sete ou oito pessoas, entre elas duas senhoras, sendo um dos homens aparentado com o Protetor. Não era um repto, um ato intencional; mas todos o interpretaram dessa maneira, e a vila respirou com a esperança de que o alienista dentro de vinte e quatro horas estaria a ferros, e destruído o terrível cárcere.

O dia acabou alegremente. Enquanto o arauto da matraca ia recitando de esquina em esquina a proclamação, o povo espelhava-se nas ruas e jurava morrer em defesa do ilustre Porfírio. Poucos gritos contra a Casa Verde, prova de confiança na ação do governo. O barbeiro fez expedir um ato declarando feriado aquele dia, e entabulou negociações com o vigário para a celebração de um *Te Deum*, tão conveniente era aos olhos dele a conjunção do poder temporal com o espiritual; mas o padre Lopes recusou abertamente o seu concurso.

— Em todo caso, vossa reverendíssima não se alistará entre os inimigos do governo? — disse-lhe o barbeiro dando à fisionomia um aspecto tenebroso.

Ao que o padre Lopes respondeu, sem responder:

— Como alistar-me, se o novo governo não tem inimigos?

O barbeiro sorriu; era a pura verdade. Salvo o capitão, os vereadores e os principais da vila, toda a gente o aclamava. Os mesmos principais, se o não aclamavam, não tinham saído contra ele. Nenhum dos almotacés deixou de vir receber as suas ordens. No geral, as famílias abençoavam o nome daquele que ia enfim libertar Itaguaí da Casa Verde e do terrível Simão Bacamarte.

VIII
AS ANGÚSTIAS DO BOTICÁRIO

Vinte e quatro horas depois dos sucessos narrados no capítulo anterior, o barbeiro saiu do palácio do governo — foi a denominação dada à casa da Câmara — com dois ajudantes de ordens, e dirigiu-se à residência de Simão Bacamarte. Não ignorava ele que era mais decoroso ao governo mandá-lo chamar; o receio, porém, de que o alienista não obedecesse, obrigou-o a parecer tolerante e moderado.

Não descrevo o terror do boticário ao ouvir dizer que o barbeiro ia à casa do alienista. — Vai prendê-lo — pensou ele. E redobraram-lhe as angústias. Com efeito, a tortura moral do boticário naqueles dias de revolução excede a toda a descrição possível. Nunca um homem se achou em mais apertado lance: — a privança do alienista chamava-o ao lado deste, a vitória do barbeiro atraía-o ao barbeiro. Já a simples notícia da sublevação tinha-lhe sacudido fortemente a alma, porque ele sabia a unanimidade do ódio ao alienista; mas a vitória final foi também o golpe final. A esposa, senhora máscula, amiga particular de d. Evarista, dizia que o lugar dele era ao lado de

Simão Bacamarte; ao passo que o coração lhe bradava que não, que a causa do alienista estava perdida, e que ninguém, por ato próprio, se amarra a um cadáver. Fê-lo Catão, é verdade, *sed victa Catoni*, pensava ele, relembrando algumas palestras habituais do padre Lopes; mas Catão não se atou a uma causa vencida, ele era a própria causa vencida, a causa da república; o seu ato, portanto, foi de egoísta, de um miserável egoísta; minha situação é outra. Insistindo, porém, a mulher, não achou Crispim Soares outra saída em tal crise senão adoecer; declarou-se doente, e meteu-se na cama.

— Lá vai o Porfírio à casa do doutor Bacamarte — disse-lhe a mulher no dia seguinte à cabeceira da cama —; vai acompanhado de gente.

— Vai prendê-lo — pensou o boticário.

Uma ideia traz outra; o boticário imaginou que, uma vez preso o alienista, viriam também buscá-lo a ele, na qualidade de cúmplice. Esta ideia foi o melhor dos vesicatórios. Crispim Soares ergueu-se, disse que estava bom, que ia sair; e apesar de todos os esforços e protestos da consorte, vestiu-se e saiu. Os velhos cronistas são unânimes em dizer que a certeza de que o marido ia colocar-se nobremente ao lado do alienista consolou grandemente a esposa do boticário; e notam, com muita perspicácia, o imenso poder moral de uma ilusão; porquanto, o boticário caminhou resolutamente ao palácio do governo, não à casa do alienista. Ali chegando, mostrou-se admirado de não ver o barbeiro, a quem ia apresentar os seus protestos de adesão, não o tendo feito desde a véspera por enfermo. E tossia com algum custo. Os altos funcionários que lhe ouviam esta declaração, sabedores da intimidade do boticário com o alienista, compreenderam toda a importância da adesão nova, e trataram a Crispim Soares com apurado carinho; afirmaram-lhe que o barbeiro não tardava; sua senhoria tinha ido à Casa Verde, a negócio importante, mas não tardava. Deram-lhe cadeira, refrescos, elogios; disseram-lhe que a causa do ilustre Porfírio era a de todos os patriotas; ao que o boticário ia repetindo que sim, que nunca pensara outra coisa, que isso mesmo mandaria declarar a sua majestade.

IX

DOIS LINDOS CASOS

Não se demorou o alienista em receber o barbeiro; declarou-lhe que não tinha meios de resistir, e portanto estava prestes a obedecer. Só uma coisa pedia, é que o não constrangesse a assistir pessoalmente à destruição da Casa Verde.

— Engana-se vossa senhoria — disse o barbeiro depois de alguma pausa —, engana-se em atribuir ao governo intenções vandálicas. Com razão ou sem ela, a opinião crê que a maior parte dos doidos ali metidos estão em seu perfeito juízo, mas o governo reconhece que a questão é puramente científica, e não cogita em resolver com posturas as questões científicas. Demais, a Casa Verde é uma instituição pública; tal a aceitamos das mãos da Câmara dissolvida. Há, entretanto — por força que há de haver um alvitre intermédio que restitua o sossego ao espírito público.

O alienista mal podia dissimular o assombro; confessou que esperava outra coisa, o arrasamento do hospício, a prisão dele, o desterro, tudo, menos...

— O pasmo de vossa senhoria — atalhou gravemente o barbeiro — vem de não atender à grave responsabilidade do governo. O povo, tomado de uma cega piedade, que lhe dá em tal caso legítima indignação, pode exigir do governo certa ordem de atos; mas este, com a responsabilidade que lhe incumbe, não os deve praticar, ao menos integralmente, e tal é a nossa situação. A generosa revolução que ontem derrubou uma Câmara vilipendiada e corrupta, pediu em altos brados o arrasamento da Casa Verde; mas pode entrar no ânimo do governo eliminar a loucura? Não. E se o governo não a pode eliminar, está ao menos apto para discriminá-la, reconhecê-la? Também não; é matéria de ciência. Logo, em assunto tão melindroso, o governo não pode, não deve, não quer dispensar o concurso de vossa senhoria. O que lhe pede é que de certa maneira demos alguma satisfação ao povo. Unamo-nos, e o povo saberá obedecer. Um dos alvitres aceitáveis, se Vossa Senhoria não indicar outro, seria fazer retirar da Casa Verde aqueles enfermos que estiverem quase curados, e bem assim os maníacos de pouca monta etc. Desse modo, sem grande perigo, mostraremos alguma tolerância e benignidade.

— Quantos mortos e feridos houve ontem no conflito? — perguntou Simão Bacamarte, depois de uns três minutos.

O barbeiro ficou espantado da pergunta, mas respondeu logo que onze mortos e vinte e cinco feridos.

— Onze mortos e vinte e cinco feridos! — repetiu duas ou três vezes o alienista.

E em seguida declarou que o alvitre lhe não parecia bom, mas que ele ia catar algum outro, e dentro de poucos dias lhe daria resposta. E fez-lhe várias perguntas acerca dos sucessos da véspera, ataque, defesa, adesão dos dragões, resistência da Câmara etc., ao que o barbeiro ia respondendo com grande abundância, insistindo principalmente no descrédito em que a Câmara caíra. O barbeiro confessou que o novo governo não tinha ainda por si a confiança dos principais da vila, mas o alienista podia fazer muito nesse ponto. O governo, concluiu o barbeiro, folgaria se pudesse contar, não já com a simpatia, senão com a benevolência do mais alto espírito de Itaguaí, e seguramente do reino. Mas nada disso alterava a nobre e austera fisionomia daquele grande homem, que ouvia calado, sem desvanecimento, nem modéstia, mas impassível como um deus de pedra.

— Onze mortos e vinte e cinco feridos — repetiu o alienista, depois de acompanhar o barbeiro até a porta. — Eis aí dois lindos casos de doença cerebral. Os sintomas de duplicidade e descaramento deste barbeiro são positivos. Quanto à toleima dos que o aclamaram não é preciso outra prova além dos onze mortos e vinte e cinco feridos. — Dois lindos casos!

— Viva o ilustre Porfírio! — bradaram umas trinta pessoas que aguardavam o barbeiro à porta.

O alienista espiou pela janela, e ainda ouviu este resto de uma pequena fala do barbeiro às trinta pessoas que o aclamavam:

— ... porque eu velo, podeis estar certos disso, eu velo pela execução das vontades do povo. Confiai em mim; e tudo se fará pela melhor maneira. Só vos recomendo ordem. A ordem, meus amigos, é a base do governo...

— Viva o ilustre Porfírio! — bradaram as trinta vozes, agitando os chapéus.

— Dois lindos casos! — murmurou o alienista.

X
A RESTAURAÇÃO

Dentro de cinco dias, o alienista meteu na Casa Verde cerca de cinquenta aclamadores do novo governo. O povo indignou-se. O governo, atarantado, não sabia reagir. João Pina, outro barbeiro, dizia abertamente nas ruas, que o Porfírio estava "vendido ao ouro de Simão Bacamarte", frase que congregou em torno de João Pina a gente mais resoluta da vila. Porfírio, vendo o antigo rival da navalha à testa da insurreição, compreendeu que a sua perda era irremediável, se não desse um grande golpe; expediu dois decretos, um abolindo a Casa Verde, outro desterrando o alienista. João Pina mostrou claramente, com grandes frases, que o ato de Porfírio era um simples aparato, um engodo, em que o povo não devia crer. Duas horas depois caía Porfírio ignominiosamente, e João Pina assumia a difícil tarefa do governo. Como achasse nas gavetas as minutas da proclamação, da exposição ao vice-rei e de outros atos inaugurais do governo anterior, deu-se pressa em os fazer copiar e expedir; acrescentam os cronistas, e aliás subentende-se, que ele lhes mudou os nomes, e onde o outro barbeiro falara de uma Câmara corrupta, falou este de "um intruso eivado das más doutrinas francesas, e contrário aos sacrossantos interesses de sua majestade" etc.

Nisto entrou na vila uma força mandada pelo vice-rei, e restabeleceu a ordem. O alienista exigiu desde logo a entrega do barbeiro Porfírio, e bem assim a de uns cinquenta e tantos indivíduos, que declarou mentecaptos; e não só lhe deram esses, como afiançaram entregar-lhe mais dezenove sequazes do barbeiro, que convalesciam das feridas apanhadas na primeira rebelião.

Este ponto da crise de Itaguaí marca também o grau máximo da influência de Simão Bacamarte. Tudo quanto quis, deu-se-lhe; e uma das mais vivas provas do poder do ilustre médico achamo-la na prontidão com que os vereadores, restituídos a seus lugares, consentiram em que Sebastião Freitas também fosse recolhido ao hospício. O alienista, sabendo da extraordinária inconsistência das opiniões desse vereador, entendeu que era um caso patológico, e pediu-o. A mesma coisa aconteceu ao boticário. O alienista, desde que lhe falaram da momentânea adesão de Crispim Soares à rebelião dos Canjicas, comparou-a à aprovação que sempre recebera dele, ainda na véspera, e mandou capturá-lo. Crispim Soares não negou o fato, mas explicou-o dizendo que cedera a um movimento de terror, ao ver a rebelião triunfante, e deu como prova a ausência de nenhum outro ato seu, acrescentando que voltara logo à cama, doente. Simão Bacamarte não o contrariou; disse, porém, aos circunstantes que o terror também é pai da loucura, e que o caso de Crispim Soares lhe parecia dos mais caracterizados.

Mas a prova mais evidente da influência de Simão Bacamarte foi a docilidade com que a Câmara lhe entregou o próprio presidente. Este digno magistrado tinha declarado em plena sessão, que não se contentava, para lavá-lo da afronta dos Canjicas, com menos de trinta almudes de sangue; palavra que chegou aos ouvidos do alienista por boca do secretário da Câmara, entusiasmado de tamanha energia. Simão Bacamarte começou por meter o secretário na Casa Verde, e foi dali à Câmara, à qual declarou que o presidente estava padecendo da "demência dos touros", um gênero que ele pretendia estudar, com grande vantagem para os povos. A Câmara a princípio hesitou, mas acabou cedendo.

Daí em diante foi uma coleta desenfreada. Um homem não podia dar nascença ou curso à mais simples mentira do mundo, ainda daquelas que aproveitam ao inventor ou divulgador, que não fosse logo metido na Casa Verde. Tudo era loucura. Os cultores de enigmas, os fabricantes de charadas, de anagramas, os maldizentes, os curiosos da vida alheia, os que põem todo o seu cuidado na tafularia, um ou outro almotacé enfunado, ninguém escapava aos emissários do alienista. Ele respeitava as namoradas e não poupava as namoradeiras, dizendo que as primeiras cediam a um impulso natural, e as segundas a um vício. Se um homem era avaro ou pródigo ia do mesmo modo para a Casa Verde; daí a alegação de que não havia regra para a completa sanidade mental. Alguns cronistas creem que Simão Bacamarte nem sempre procedia com lisura, e citam em abono da afirmação (que não sei se pode ser aceita) o fato de ter alcançado da Câmara uma postura autorizando o uso de um anel de prata no dedo polegar da mão esquerda, a toda a pessoa que, sem outra prova documental ou tradicional, declarasse ter nas veias duas ou três onças de sangue godo. Dizem esses cronistas que o fim secreto da insinuação à Câmara foi enriquecer um ourives, amigo e compadre dele; mas, conquanto seja certo que o ourives viu prosperar o negócio depois da nova ordenação municipal, não o é menos que essa postura deu à Casa Verde uma multidão de inquilinos; pelo que, não se pode definir, sem temeridade, o verdadeiro fim do ilustre médico. Quanto à razão determinativa da captura e aposentação na Casa Verde de todos quantos usaram do anel, é um dos pontos mais obscuros da história de Itaguaí; a opinião mais verossímil é que eles foram recolhidos por andarem a gesticular, à toa, nas ruas, em casa, na igreja. Ninguém ignora que os doidos gesticulam muito. Em todo caso é uma simples conjectura; de positivo nada há.

— Onde é que este homem vai parar? — diziam os principais da terra. — Ah! se nós tivéssemos apoiado os Canjicas...

Um dia de manhã — dia em que a Câmara devia dar um grande baile — a vila inteira ficou abalada com a notícia de que a própria esposa do alienista fora metida na Casa Verde. Ninguém acreditou; devia ser invenção de algum gaiato. E não era: era a verdade pura. D. Evarista fora recolhida às duas horas da noite. O padre Lopes correu ao alienista e interrogou-o discretamente acerca do fato.

— Já há algum tempo que eu desconfiava — disse gravemente o marido. — A modéstia com que ela vivera em ambos os matrimônios não podia conciliar-se com o furor das sedas, veludos, rendas e pedras preciosas que manifestou, logo que voltou do Rio de Janeiro. Desde então comecei a observá-la. Suas conversas eram todas sobre esses objetos: se eu lhe falava das antigas cortes, inquiria logo da forma dos vestidos das damas; se uma senhora a visitava, na minha ausência, antes de me dizer o objeto da visita, descrevia-me o trajo, aprovando umas coisas e censurando outras. Um dia, creio que vossa reverendíssima há de lembrar-se, propôs-se a fazer anualmente um vestido para a imagem de Nossa Senhora da Matriz. Tudo isto eram sintomas graves; esta noite, porém, declarou-se a total demência. Tinha escolhido, preparado, enfeitado o vestuário que levaria ao baile da Câmara municipal; só hesitava entre um colar de granada e outro de safira. Anteontem perguntou-me qual deles levaria; respondi-lhe que um ou outro lhe ficava bem. Ontem repetiu a pergunta, ao almoço; pouco depois de jantar fui achá-la calada e pensativa. — Que tem? — perguntei-lhe. — Queria levar o colar de granada, mas acho o de safira tão bonito! — Pois leve o de safira. — Ah! mas onde fica o de granada? — Enfim, passou a tarde sem novidade. Ceamos, e deitamo-nos. Alta noite, seria hora e meia, acordo e não a vejo; levanto-me, vou ao quarto de vestir, acho-a diante dos dois colares, ensaiando-os ao espelho, ora um, ora outro. Era evidente a demência; recolhi-a logo.

O padre Lopes não se satisfez com a resposta, mas não objetou nada. O alienista, porém, percebeu e explicou-lhe que o caso de d. Evarista era de "mania suntuária", não incurável, e em todo caso digno de estudo.

— Conto pô-la boa dentro de seis semanas — concluiu ele.

A abnegação do ilustre médico deu-lhe grande realce. Conjecturas, invenções, desconfianças, tudo caiu por terra, desde que ele não duvidou recolher à Casa Verde a própria mulher, a quem amava com todas as forças da alma. Ninguém mais tinha o direito de resistir-lhe — menos ainda o de atribuir-lhe intuitos alheios à ciência.

Era um grande homem austero, Hipócrates forrado de Catão.

XI
O ASSOMBRO DE ITAGUAÍ

E agora prepare-se o leitor para o mesmo assombro em que ficou a vila, ao saber um dia que os loucos da Casa Verde iam todos ser postos na rua.

— Todos?

— Todos.

— É impossível; alguns, sim, mas todos...

— Todos. Assim o disse ele no ofício que mandou hoje de manhã à Câmara.

De fato, o alienista oficiara à Câmara expondo: — 1º, que verificara das estatísticas da vila e da Casa Verde, que quatro quintos da população estavam aposentados naquele estabelecimento; 2º, que esta deslocação de população levara-o a examinar os fundamentos da sua teoria das moléstias cerebrais, teoria que excluía do domínio da razão todos os casos em que o equilíbrio das faculdades não fosse perfeito e absoluto; 3º, que desse exame e do fato estatístico resultara para ele a convicção de que a verdadeira doutrina não era aquela, mas a oposta, e portanto que se devia admitir como normal e exemplar o desequilíbrio das faculdades, e como hipóteses patológicas todos os casos em que aquele equilíbrio fosse ininterrupto; 4º, que à vista disso declarava à Câmara que ia dar liberdade aos reclusos da Casa Verde e agasalhar nela as pessoas que se achassem nas condições agora expostas; 5º, que tratando de descobrir a verdade científica, não se pouparia a esforços de toda a natureza, esperando da Câmara igual dedicação; 6º, que restituía à Câmara e aos particulares a soma do estipêndio recebido para alojamento dos supostos loucos, descontada a parte efetivamente gasta com a alimentação, roupa etc.; o que a Câmara mandaria verificar nos livros e arcas da Casa Verde.

O assombro de Iguataí foi grande; não foi menor a alegria dos parentes e amigos dos reclusos. Jantares, danças, luminárias, músicas, tudo houve para celebrar tão fausto acontecimento. Não descrevo as festas por não interessarem ao nosso propósito; mas foram esplêndidas, tocantes e prolongadas.

E vão assim as coisas humanas! No meio do regozijo produzido pelo ofício de Simão Bacamarte, ninguém advertia na frase final do § 4º uma frase cheia de experiências futuras.

XII
O FINAL DO § 4º

Apagaram-se as luminárias, reconstituíram-se as famílias, tudo parecia reposto nos antigos eixos. Reinava a ordem, a Câmara exercia outra vez o governo, sem nenhuma pressão externa; o próprio presidente e o vereador Freitas tornaram aos seus lugares. O barbeiro Porfírio, ensinado pelos acontecimentos, tendo "provado tudo", como o poeta disse de Napoleão, e mais alguma coisa, porque Napoleão não provou a Casa Verde, o barbeiro achou preferível a glória obscura da navalha e da tesoura às calamidades brilhantes do poder; foi, é certo, processado; mas a população da vila implorou a clemência de Sua Majestade; daí o perdão. João Pina foi absolvido, atendendo-se a que ele derrocara um rebelde. Os cronistas pensam que deste fato é que nasceu o nosso adágio: — ladrão que furta ladrão, tem cem anos de perdão; — adágio imoral, é verdade, mas grandemente útil.

Não só findaram as queixas contra o alienista, mas até nenhum ressentimento ficou dos atos que ele praticara; acrescendo que os reclusos da Casa Verde, desde que ele os declarara plenamente ajuizados, sentiram-se tomados de profundo reconhecimento e férvido entusiasmo. Muitos entenderam que o alienista merecia uma especial manifestação, e deram-lhe um baile, ao qual se seguiram outros bailes e jantares. Dizem as crônicas que d. Evarista a princípio tivera a ideia de separar-se do consorte, mas a dor de perder a companhia de tão grande homem venceu qualquer ressentimento de amor-próprio, e o casal veio a ser ainda mais feliz do que antes.

Não menos íntima ficou a amizade do alienista e do boticário. Este concluiu do ofício de Simão Bacamarte que a prudência é a primeira das virtudes em tempos de revolução, e apreciou muito a magnanimidade do alienista que, ao dar-lhe a liberdade, estendeu-lhe a mão de amigo velho.

— É um grande homem — disse ele à mulher, referindo aquela circunstância.

Não é preciso falar do albardeiro, do Costa, do Coelho, do Martim Brito e outros, especialmente nomeados neste escrito; basta dizer que puderam exercer livremente os seus hábitos anteriores. O próprio Martim Brito, recluso por um discurso em que louvara enfaticamente d. Evarista, fez agora outro em honra do insigne médico — "cujo altíssimo gênio, elevando as asas muito acima do sol, deixou abaixo de si todos os demais espíritos da terra".

— Agradeço as suas palavras — retorquiu-lhe o alienista —, e ainda me não arrependo de o haver restituído à liberdade.

Entretanto, a Câmara, que respondera ao ofício de Simão Bacamarte, com a ressalva de que oportunamente estatuiria em relação ao final do § 4º, tratou enfim de legislar sobre ele. Foi adotada, sem debate, uma postura autorizando o alienista a agasalhar na Casa Verde as pessoas que se achassem no gozo do perfeito equilíbrio das faculdades mentais. E porque a experiência da Câmara tivesse sido dolorosa, estabeleceu ela a cláusula de que a autorização era provisória, limitada a um ano, para o fim de ser experimentada a nova teoria psicológica, podendo a Câmara, antes mesmo daquele prazo, mandar fechar a Casa Verde, se a isso fosse aconselhada por motivos de ordem pública. O vereador Freitas propôs também a declaração de que em nenhum caso fossem os vereadores recolhidos ao asilo dos alienados: cláusula que foi aceita, votada e incluída na postura, apesar das reclamações do vereador Galvão. O argumento principal deste magistrado é que a Câmara, legislando sobre uma experiência científica, não podia excluir as pessoas dos seus membros das consequências da lei; a exceção era odiosa e ridícula. Mal proferira estas duras palavras, romperam os vereadores em altos brados contra a audácia e insensatez do colega; este, porém, ouviu-os e limitou-se a dizer que votava contra a exceção.

— A vereança — concluiu ele — não nos dá nenhum poder especial nem nos elimina do espírito humano.

Simão Bacamarte aceitou a postura com todas as restrições. Quanto à exclusão dos vereadores, declarou que teria profundo sentimento se fosse compelido a recolhê-los à Casa Verde; a cláusula, porém, era a melhor prova de que eles não padeciam do perfeito equilíbrio das faculdades mentais. Não acontecia o mesmo ao vereador Galvão, cujo acerto na objeção feita, e cuja moderação na resposta dada às invectivas dos colegas mostravam da parte dele um cérebro bem organizado; pelo que rogava à Câmara que lho entregasse. A Câmara, sentindo-se ainda agravada pelo proceder do vereador Galvão, estimou o pedido do alienista, e votou unanimemente a entrega.

Compreende-se que, pela teoria nova, não bastava um fato ou um dito, para recolher alguém à Casa Verde; era preciso um longo exame, um vasto inquérito do passado e do presente. O padre Lopes, por exemplo, só foi capturado trinta dias depois da postura, a mulher do boticário quarenta dias. A reclusão desta senhora encheu o consorte de indignação. Crispim Soares saiu de casa espumando de cólera, e declarando às pessoas a quem encontrava que ia arrancar as orelhas ao tirano. Um sujeito, adversário do alienista, ouvindo na rua essa notícia, esqueceu os motivos de dissidência, e correu à casa de Simão Bacamarte a participar-lhe o perigo que corria. Simão Bacamarte mostrou-se grato ao procedimento do adversário, e poucos minutos lhe bastaram para conhecer a retidão dos seus sentimentos, a boa-fé, o respeito humano, a generosidade; apertou-lhe muito as mãos, e recolheu-o à Casa Verde.

— Um caso destes é raro — disse ele à mulher pasmada. — Agora esperemos o nosso Crispim.

Crispim Soares entrou. A dor vencera a raiva, o boticário não arrancou as orelhas ao alienista. Este consolou o seu privado, assegurando-lhe que não era caso perdido; talvez a mulher tivesse alguma lesão cerebral; ia examiná-la com muita atenção; mas antes disso não podia deixá-la na rua. E, parecendo-lhe vantajoso reuni-los, porque a astúcia e velhacaria do marido poderiam de certo modo curar a beleza moral que ele descobrira na esposa, disse Simão Bacamarte:

— O senhor trabalhará durante o dia na botica, mas almoçará e jantará com sua mulher, e cá passará as noites, e os domingos e dias santos.

A proposta colocou o pobre boticário na situação do asno de Buridan. Queria viver com a mulher, mas temia voltar à Casa Verde; e nessa luta esteve algum tempo, até que d. Evarista o tirou da dificuldade, prometendo que se incumbiria de ver a amiga e transmitir os recados de um para outro. Crispim Soares beijou-lhe as mãos agradecido. Este último rasgo de egoísmo pusilânime pareceu sublime ao alienista.

Ao cabo de cinco meses estavam alojadas umas dezoito pessoas; mas Simão Bacamarte não afrouxava; ia de rua em rua, de casa em casa, espreitando, interrogando, estudando; e quando colhia um enfermo, levava-o com a mesma alegria com que outrora os arrebanhava às dúzias. Essa mesma desproporção confirmava a teoria nova; achara-se enfim a verdadeira patologia cerebral. Um dia, conseguiu meter na Casa Verde o juiz de fora; mas procedia com tanto escrúpulo, que o não fez senão depois de estudar minuciosamente todos os seus atos, e interrogar os principais da vila. Mais de uma vez esteve prestes a recolher pessoas perfeitamente desequilibradas; foi o que se deu com um advogado, em quem reconheceu um tal conjunto de qualidades morais e mentais, que era perigoso deixá-lo na rua. Mandou prendê-lo; mas o agente, desconfiado, pediu-lhe para fazer uma experiência; foi ter com um compadre, demandado por um testamento falso, e deu-lhe de conselho que tomasse por advogado o Salustiano; era o nome da pessoa em questão.

— Então, parece-lhe...?

— Sem dúvida: vá, confesse tudo, a verdade inteira, seja qual for, e confie-lhe a causa.

O homem foi ter com o advogado, confessou ter falsificado o testamento, e acabou pedindo que lhe tomasse a causa. Não se negou o advogado, estudou os papéis, arrazoou longamente, e provou a todas as luzes que o testamento era mais que verdadeiro. A inocência do réu foi solenemente proclamada pelo juiz, e a herança passou-lhe às mãos. O distinto jurisconsulto deveu a esta experiência a liberdade. Mas nada escapa a um espírito original e penetrante. Simão Bacamarte, que desde algum tempo notava o zelo, a sagacidade, a paciência, a moderação daquele agente, reconheceu a habilidade e o tino com que ele levara a cabo uma experiência tão melindrosa e complicada, e determinou recolhê-lo imediatamente à Casa Verde; deu-lhe, todavia, um dos melhores cubículos.

Os alienados foram alojados por classes. Fez-se uma galeria de modestos, isto é, dos loucos em quem predominava esta perfeição moral; outra de tolerantes, outra de verídicos, outra de símplices, outra de leais, outra de magnânimos, outra de sagazes, outra de sinceros etc. Naturalmente, as famílias e os amigos dos reclusos bradavam contra a teoria; e alguns tentaram compelir a Câmara a cassar a licença. A Câmara, porém, não esquecera a linguagem do vereador Galvão, e se cassasse a licença, vê-lo-ia na rua, e restituído ao lugar; pelo que, recusou. Simão Bacamarte oficiou aos vereadores, não agradecendo, mas felicitando-os por esse ato de vingança pessoal.

Desenganados da legalidade, alguns principais da vila recorreram secretamente ao barbeiro Porfírio e afiançaram-lhe todo o apoio de gente, dinheiro e influência na corte, se ele se pusesse à testa de outro movimento contra a Câmara e o alienista. O barbeiro respondeu-lhes que não; que a ambição o levara da primeira vez a transgredir as leis, mas que ele se emendara, reconhecendo o erro próprio e a pouca consistência da opinião dos seus mesmos sequazes; que a Câmara entendera autorizar a nova experiência do alienista, por um ano: cumpria, ou esperar o fim do prazo, ou requerer ao vice-rei, caso a mesma Câmara rejeitasse o pedido. Jamais aconselharia o emprego de um recurso que ele viu falhar em suas mãos, e isso a troco de mortes e ferimentos que seriam o seu eterno remorso.

— O que é que me está dizendo? — perguntou o alienista quando um agente secreto lhe contou a conversação do barbeiro com os principais da vila.

Dois dias depois o barbeiro era recolhido à Casa Verde. — Preso por ter cão, preso por não ter cão! — exclamou o infeliz.

Chegou o fim do prazo, a Câmara autorizou um prazo suplementar de seis meses para ensaio dos meios terapêuticos. O desfecho deste episódio da crônica itaguaiense é de tal ordem, e tão inesperado, que merecia nada menos de dez capítulos de exposição; mas contento-me com um, que será o remate da narrativa, e um dos mais belos exemplos de convicção científica e abnegação humana.

XIII
PLUS ULTRA!

Era a vez da terapêutica. Simão Bacamarte, ativo e sagaz em descobrir enfermos, excedeu-se ainda na diligência e penetração com que principiou a tratá-los. Neste ponto todos os cronistas estão de pleno acordo: o ilustre alienista fez curas pasmosas, que excitaram a mais viva admiração em Itaguaí.

Com efeito, era difícil imaginar mais racional sistema terapêutico. Estando os loucos divididos por classes, segundo a perfeição moral que em cada um deles excedia às outras, Simão Bacamarte cuidou em atacar de frente a qualidade predominante. Suponhamos um modesto. Ele aplicava a medicação que pudesse incutir-lhe o sentimento oposto; e não ia logo às doses máximas, — graduava-as, conforme o estado, a idade, o temperamento, a posição social do enfermo. Às vezes bastava uma casaca, uma fita, uma cabeleira, uma bengala, para restituir a razão ao alienado; em outros casos a moléstia era mais rebelde; recorria então aos anéis de brilhantes, às distinções honoríficas etc. Houve um doente, poeta, que resistiu a tudo. Simão Bacamarte começava a desesperar da cura, quando teve ideia de mandar correr matraca, para o fim de o apregoar como um rival de Garção e de Píndaro.

— Foi um santo remédio — contava a mãe do infeliz a uma comadre —; foi um santo remédio.

Outro doente, também modesto, opôs a mesma rebeldia à medicação; mas não sendo escritor (mal sabia assinar o nome), não se lhe podia aplicar o remédio da matraca. Simão Bacamarte lembrou-se de pedir para ele o lugar de secretário da Academia dos Encobertos estabelecida em Itaguaí. Os lugares de presidente e secretários eram de nomeação régia, por especial graça do finado rei d. João V, e implicavam o tratamento de Excelência e o uso de uma placa de ouro no chapéu. O governo de Lisboa recusou o diploma; mas representando o alienista que o não pedia como prêmio honorífico ou distinção legítima, e somente como um meio terapêutico para um caso difícil, o governo cedeu excepcionalmente à súplica; e ainda assim não o fez sem extraordinário esforço do ministro de marinha e ultramar, que vinha a ser primo do alienado. Foi outro santo remédio.

— Realmente, é admirável! — dizia-se nas ruas, ao ver a expressão sadia e enfunada dos dois ex-dementes.

Tal era o sistema. Imagina-se o resto. Cada beleza moral ou mental era atacada no ponto em que a perfeição parecia mais sólida; e o efeito era certo. Nem sempre era certo. Casos houve em que a qualidade predominante resistia a tudo; então, o alienista atacava outra parte, aplicando à terapêutica o método da estratégia militar, que toma uma fortaleza por um ponto, se por outro o não pode conseguir.

No fim de cinco meses e meio estava vazia a Casa Verde; todos curados! O vereador Galvão tão cruelmente afligido de moderação e equidade, teve a felicidade de perder um tio; digo felicidade, porque o tio deixou um testamento ambíguo, e ele obteve uma boa interpretação, corrompendo os juízes, e embaçando os outros herdeiros. A sinceridade do alienista manifestou-se nesse lance; confessou ingenuamente que não teve parte na cura: foi a simples *vis medicatrix* da natureza. Não aconteceu o mesmo com o padre Lopes. Sabendo o alienista que ele ignorava perfeitamente o hebraico e o grego, incumbiu-o de fazer uma análise crítica da versão dos Setenta; o padre aceitou a incumbência, e em boa hora o fez; ao cabo de dois meses possuía um livro e a liberdade. Quanto à senhora do boticário, não ficou muito tempo na célula que lhe coube, e onde aliás lhe não faltaram carinhos.

— Por que é que o Crispim não vem visitar-me? — dizia ela todos os dias.

Respondiam-lhe ora uma coisa, ora outra; afinal disseram-lhe a verdade inteira. A digna matrona não pôde conter a indignação e a vergonha. Nas explosões da cólera escaparam-lhe expressões soltas e vagas, como estas:

— Tratante!... velhaco!... ingrato!... Um patife que tem feito casas à custa de unguentos falsificados e podres... Ah! tratante!...

Simão Bacamarte advertiu que, ainda quando não fosse verdadeira a acusação contida nestas palavras, bastavam elas para mostrar que a excelente senhora estava enfim restituída ao perfeito desequilíbrio das faculdades; e prontamente lhe deu alta.

Agora, se imaginais que o alienista ficou radiante ao ver sair o último hóspede da Casa Verde, mostrais com isso que ainda não conheceis o nosso homem. *Plus ultra!* era a sua divisa. Não lhe bastava ter descoberto a teoria verdadeira da loucura; não o contentava ter estabelecido em Itaguaí o reinado da razão. *Plus ultra!* Não ficou alegre, ficou preocupado, cogitativo; alguma coisa lhe dizia que a teoria nova tinha, em si mesma, outra e novíssima teoria.

— Vejamos — pensava ele —, vejamos se chego enfim à última verdade.

Dizia isto, passeando ao longo da vasta sala, onde fulgurava a mais rica biblioteca dos domínios ultramarinos de Sua Majestade. Um amplo chambre de damasco preso à cintura por um cordão de seda, com borlas de ouro (presente de uma universidade) envolvia o corpo majestoso e austero do ilustre alienista. A cabeleira cobria-lhe uma extensa e nobre calva adquirida nas cogitações quotidianas da ciência. Os pés, não delgados e femininos, não graúdos e mariolas, mas proporcionados ao vulto, eram resguardados por um par de sapatos cujas fivelas não passavam de simples e modesto latão. Vede a diferença: — só se lhe notava luxo naquilo que era de origem científica; o que propriamente vinha dele trazia a cor da moderação e da singeleza, virtudes tão ajustadas à pessoa de um sábio.

Era assim que ele ia, o grande alienista, de um cabo a outro da vasta biblioteca, metido em si mesmo, estranho a todas as coisas que não fosse o tenebroso problema da patologia cerebral. Súbito, parou. Em pé, diante de uma janela, com o cotovelo esquerdo apoiado na mão direita, aberta, e o queixo na mão esquerda, fechada, perguntou ele a si:

— Mas deveras estariam eles doidos, e foram curados por mim — ou o que pareceu cura não foi mais do que a descoberta do perfeito desequilíbrio do cérebro?

E cavando por aí abaixo, eis o resultado a que chegou: os cérebros bem organizados que ele acabava de curar eram tão desequilibrados como os outros. Sim, dizia ele consigo, eu não posso ter a pretensão de haver-lhes incutido um sentimento ou uma faculdade nova; uma e outra coisa existiam no estado latente, mas existiam.

Chegado a esta conclusão, o ilustre alienista teve duas sensações contrárias, uma de gozo, outra de abatimento. A de gozo foi por ver que, ao cabo de longas e pacientes investigações, constantes trabalhos, luta ingente com o povo, podia afirmar esta verdade: — não havia loucos em Itaguaí; Itaguaí não possuía um só mentecapto. Mas tão depressa esta ideia lhe refrescara a alma, outra apareceu que neutralizou o primeiro efeito; foi a ideia da dúvida. Pois quê! Itaguaí não possuiria um único cérebro concertado? Esta conclusão tão absoluta não seria por isso mesmo errônea, e não vinha, portanto, destruir o largo e majestoso edifício da nova doutrina psicológica?

A aflição do egrégio Simão Bacamarte é definida pelos cronistas itaguaienses como uma das mais medonhas tempestades morais que têm desabado sobre o homem. Mas as tempestades só aterram os fracos; os fortes enrijam-se contra elas e fitam o trovão. Vinte minutos depois alumiou-se a fisionomia do alienista de uma suave claridade.

— Sim, há de ser isso — pensou ele.

Isso é isto. Simão Bacamarte achou em si os característicos do perfeito equilíbrio mental e moral; pareceu-lhe que possuía a sagacidade, a paciência, a perseverança, a tolerância, a veracidade, o vigor moral, a lealdade, todas as qualidades enfim que podem formar um acabado mentecapto. Duvidou logo, é certo, e chegou mesmo a concluir que era ilusão; mas sendo homem prudente, resolveu convocar um conselho de amigos, a quem interrogou com franqueza. A opinião foi afirmativa.

— Nenhum defeito?
— Nenhum — disse em coro a assembleia.
— Nenhum vício?
— Nada.
— Tudo perfeito?
— Tudo.
— Não, impossível. — bradou o alienista. — Digo que não sinto em mim essa superioridade que acabo de ver definir com tanta magnificência. A simpatia é que vos faz falar. Estudo-me e nada acho que justifique os excessos da vossa bondade.

A assembleia insistiu; o alienista resistiu; finalmente o padre Lopes explicou tudo com este conceito digno de um observador:

— Sabe a razão por que não vê as suas elevadas qualidades, que aliás todos nós admiramos? É porque tem ainda uma qualidade que realça as outras: — a modéstia.

Era decisivo. Simão Bacamarte curvou a cabeça, juntamente alegre e triste, e ainda mais alegre do que triste. Ato contínuo, recolheu-se à Casa Verde. Em vão a mulher e os amigos lhe disseram que ficasse, que estava perfeitamente são e equilibrado: nem rogos nem sugestões nem lágrimas o detiveram um só instante.

— A questão é científica — dizia ele —; trata-se de um doutrina nova, cujo primeiro exemplo sou eu. Reúno em mim mesmo a teoria e a prática.

— Simão! Simão! meu amor! — dizia-lhe a esposa com o rosto lavado em lágrimas.

Mas o ilustre médico, com os olhos acesos da convicção científica, trancou os ouvidos à saudade da mulher, e brandamente a repeliu. Fechada a porta da Casa Verde, entregou-se ao estudo e à cura de si mesmo. Dizem os cronistas que ele morreu dali a dezessete meses, no mesmo estado em que entrou, sem ter podido alcançar nada. Alguns chegam ao ponto de conjeturar que nunca houve outro louco, além dele, em Itaguaí; mas esta opinião, fundada em um boato que correu desde que o alienista expirou, não tem outra prova, senão o boato; e boato duvidoso, pois é atribuído ao padre Lopes, que com tanto fogo realçara as qualidades do grande homem. Seja como for, efetuou-se o enterro com muita pompa e rara solenidade.

A Estação, *outubro de 1881 a março de 1882; Machado de Assis.*

Teoria do medalhão

DIÁLOGO

— Estás com sono?

— Não, senhor.

— Nem eu; conversemos um pouco. Abre a janela. Que horas são?

— Onze.

— Saiu o último conviva do nosso modesto jantar. Com que, meu peralta, chegaste aos teus vinte e um anos. Há vinte e um anos, no dia 5 de agosto de 1854, vinhas tu à luz, um pirralho de nada, e estás homem, longos bigodes, alguns namoros...

— Papai...

— Não te ponhas com denguices, e falemos como dois amigos sérios. Fecha aquela porta; vou dizer-te coisas importantes. Senta-te e conversemos. Vinte e um anos, algumas apólices, um diploma, podes entrar no parlamento, na magistratura, na imprensa, na lavoura, na indústria, no comércio, nas letras ou nas artes. Há infinitas carreiras diante de ti. Vinte e um anos, meu rapaz, formam apenas a primeira sílaba do nosso destino. Os mesmos Pitt e Napoleão, apesar de precoces, não foram tudo aos vinte e um anos. Mas, qualquer que seja a profissão da tua escolha, o meu desejo é que te faças grande e ilustre, ou pelo menos notável, que te levantes acima da obscuridade comum. A vida, Janjão, é uma enorme loteria; os prêmios são poucos, os malogrados inúmeros, e com os suspiros de uma geração é que se amassam as esperanças de outra. Isto é a vida; não há planger, nem imprecar, mas aceitar as coisas integralmente, com seus ônus e percalços, glórias e desdouros, e ir por diante.

— Sim, senhor.

— Entretanto, assim como é de boa economia guardar um pão para a velhice, assim também é de boa prática social acautelar um ofício para a hipótese de que os outros falhem, ou não indenizem suficientemente o esforço da nossa ambição. É isto o que te aconselho hoje, dia da tua maioridade.

— Creia que lhe agradeço; mas que ofício, não me dirá?

— Nenhum me parece mais útil e cabido que o de medalhão. Ser medalhão foi o sonho da minha mocidade; faltaram-me, porém, as instruções de um pai, e acabo como vês, sem outra consolação e relevo moral, além das esperanças que deposito em ti. Ouve-me bem, meu querido filho, ouve-me e entende. És moço, tens naturalmente o ardor, a exuberância, os improvisos da idade; não os rejeites, mas modera-os de modo que aos quarenta e cinco anos possas entrar francamente no regime do aprumo e do compasso. O sábio que disse: "a gravidade é um mistério do corpo" definiu a compostura do medalhão. Não confundas essa gravidade com aquela outra que, embora resida no aspecto, é um puro reflexo ou emanação do espírito; essa é do corpo, tão somente do corpo, um sinal da natureza ou um jeito da vida. Quanto à idade de quarenta e cinco anos...

— É verdade, por que quarenta e cinco anos?

— Não é, como podes supor, um limite arbitrário, filho do puro capricho; é a data normal do fenômeno. Geralmente, o verdadeiro medalhão começa a manifestar-se entre os quarenta e cinco e cinquenta anos, conquanto alguns exemplos se deem entre os cinquenta e cinco e os sessenta; mas estes são raros. Há-os também de quarenta anos, e outros mais precoces, de trinta e cinco e de trinta; não são, todavia, vulgares. Não falo dos de vinte e cinco anos: esse madrugar é privilégio do gênio.

— Entendo.

— Venhamos ao principal. Uma vez entrado na carreira, deves pôr todo o cuidado nas ideias que houveres de nutrir para uso alheio e próprio. O melhor será não as ter absolutamente; coisa que entenderás bem, imaginando, por exemplo, um ator defraudado do uso de um braço. Ele pode, por um milagre de artifício, dissimular o defeito aos olhos da plateia; mas era muito melhor dispor dos dois. O mesmo se dá com as ideias; pode-se, com violência, abafá-las, escondê-las até a morte; mas nem essa habilidade é comum, nem tão constante esforço conviria ao exercício da vida.

— Mas quem lhe diz que eu...

— Tu, meu filho, se me não engano, pareces dotado da perfeita inópia mental, conveniente ao uso deste nobre ofício. Não me refiro tanto à fidelidade com que repetes numa sala as opiniões ouvidas numa esquina, e vice-versa, porque esse fato, posto indique certa carência de ideias, ainda assim pode não passar de uma traição da memória. Não; refiro-me ao gesto correto e perfilado com que usas expender francamente as tuas simpatias ou antipatias acerca do corte de um colete, das dimensões de um chapéu, do ranger ou calar das botas novas. Eis aí um sintoma eloquente, eis aí uma esperança. No entanto, podendo acontecer que, com a idade, venhas a ser afligido de algumas ideias próprias, urge aparelhar fortemente o espírito. As ideias são de sua natureza espontâneas e súbitas; por mais que as sofreemos, elas irrompem e precipitam-se. Daí a certeza com que o vulgo, cujo faro é extremamente delicado, distingue o medalhão completo do medalhão incompleto.

— Creio que assim seja; mas um tal obstáculo é invencível.

— Não é; há um meio; é lançar mão de um regime debilitante, ler compêndios de retórica, ouvir certos discursos etc. O voltarete, o dominó e o *whist* são remédios aprovados. O *whist* tem até a rara vantagem de acostumar ao silêncio, que é a forma mais acentuada da circunspecção. Não digo o mesmo da natação, da equitação e da ginástica, embora elas façam repousar o cérebro; mas por isso mesmo que o fazem repousar, restituem-lhe as forças e a atividade perdidas. O bilhar é excelente.

— Como assim, se também é um exercício corporal?

— Não digo que não, mas há coisas em que a observação desmente a teoria. Se te aconselho excepcionalmente o bilhar é porque as estatísticas mais escrupulosas mostram que três quartas partes dos habituados do taco partilham as opiniões do mesmo taco. O passeio nas ruas, mormente nas de recreio e parada é utilíssimo, com a condição de não andares desacompanhado, porque a solidão é oficina de ideias, e o espírito deixado a si mesmo, embora no meio da multidão, pode adquirir uma tal ou qual atividade.

— Mas se eu não tiver à mão um amigo apto e disposto a ir comigo?

— Não faz mal; tens o valente recurso de mesclar-te aos pasmatórios, em que toda a poeira da solidão se dissipa. As livrarias, ou por causa da atmosfera do lugar, ou por qualquer outra razão que me escapa, não são propícias ao nosso fim; e, não obstante, há grande conveniência em entrar por elas, de quando em quando, não digo às ocultas, mas às escâncaras. Podes resolver a dificuldade de um modo simples: vai ali falar do boato do dia, da anedota da semana, de um contrabando, de uma calúnia, de um cometa, de qualquer coisa, quando não prefiras interrogar diretamente os leitores habituais das belas crônicas de Mazade; setenta e cinco por cento desses estimáveis cavalheiros repetir-te-ão as mesmas opiniões, e uma tal monotonia é grandemente saudável. Com este regime, durante oito, dez, dezoito meses — suponhamos dois anos — reduzes o intelecto, por mais pródigo que seja, à sobriedade, à disciplina, ao equilíbrio comum. Não trato do vocabulário, porque ele está subentendido no uso das ideias; há de ser naturalmente simples, tíbio, apoucado, sem notas vermelhas, sem cores de clarim...

— Isto é o diabo! Não poder adornar o estilo, de quando em quando...

— Podes; podes empregar umas quantas figuras expressivas, a hidra de Lerna, por exemplo, a cabeça de Medusa, o tonel das Danaides, as asas de Ícaro, e outras, que românticos, clássicos e realistas empregam sem desar, quando precisam delas. Sentenças latinas, ditos históricos, versos célebres, brocardos jurídicos, máximas, é de bom aviso trazê-los contigo para os discursos de sobremesa, de felicitação, ou de agradecimento. *Caveant, consules* é um excelente fecho de artigo político; o mesmo direi do *Si vis pacem para bellum*. Alguns costumam renovar o sabor de uma citação intercalando-a numa frase nova, original e bela, mas não te aconselho esse artifício; seria desnaturar-lhe as graças vetustas. Melhor do que tudo isso, porém, que afinal não passa de mero adorno, são as frases feitas, as locuções convencionais, as fórmulas consagradas pelos anos, incrustadas na memória individual e pública. Essas fórmulas têm a vantagem de não obrigar os outros a um esforço inútil. Não as relaciono agora, mas fá-lo-ei por escrito. De resto, o mesmo ofício te irá ensinando os elementos dessa arte difícil de pensar o pensado. Quanto à utilidade de um tal sistema, basta figurar uma hipótese. Faz-se uma lei, executa-se, não produz efeito, subsiste o mal. Eis aí uma questão que pode aguçar as curiosidades vadias, dar ensejo a um inquérito pedantesco, a uma coleta fastidiosa de documentos e observações, análise das causas prováveis, causas certas, causas possíveis, um estudo infinito das aptidões do sujeito reformado, da natureza do mal, da manipulação do remédio, das circunstâncias da aplicação; matéria, enfim, para todo um andaime de palavras, conceitos, e desvarios. Tu poupas aos teus semelhantes todo esse imenso arranzel, tu dizes simplesmente: Antes das leis, reformemos os costumes! — E esta frase sintética, transparente, límpida, tirada ao pecúlio comum, resolve mais depressa o problema, entra pelos espíritos como um jorro súbito de sol.

— Vejo por aí que vosmecê condena toda e qualquer aplicação de processos modernos.

— Entendamo-nos. Condeno a aplicação, louvo a denominação. O mesmo direi de toda a recente terminologia científica; deves decorá-la. Conquanto o rasgo peculiar do medalhão seja uma certa atitude de deus Término, e as ciências sejam obra do movimento humano, como tens de ser medalhão mais tarde, convém tomar as armas do teu tempo. E de duas uma: — ou elas estarão usadas e divulgadas daqui a trinta anos, ou conservar-se-ão novas: no primeiro caso, pertencem-te de foro próprio; no segundo, podes ter a coquetice de as trazer, para mostrar que também és pintor. De oitiva, com o tempo, irás sabendo a que leis, casos e fenômenos responde toda essa terminologia; porque o método de interrogar os próprios mestres e oficiais da ciência, nos seus livros, estudos e memórias, além de tedioso e cansativo, traz o perigo de inocular ideias novas, e é radicalmente falso. Acresce que, no dia em que viesses a assenhorear-te do espírito daquelas leis e fórmulas, serias provavelmente levado a empregá-las com um tal ou qual comedimento, como a costureira — esperta e afreguesada, — que, segundo um poeta clássico,

> Quanto mais pano tem, mais poupa o corte,
> Menos monte alardeia de retalhos;

e este fenômeno, tratando-se de um medalhão, é que não seria científico.

— Upa! que a profissão é difícil.

— E ainda não chegamos ao cabo.

— Vamos a ele.

— Não te falei ainda dos benefícios da publicidade. A publicidade é uma dona loureira e senhoril, que tu deves requestar à força de pequenos mimos, confeitos, almofadinhas, coisas miúdas, que antes exprimem a constância do afeto do que o atrevimento e a ambição. Que d. Quixote solicite os favores dela mediante ações heroicas ou custosas é um sestro próprio desse ilustre lunático. O verdadeiro medalhão tem outra política. Longe de inventar um *Tratado científico da criação dos carneiros*, compra um carneiro e dá-o aos amigos sob a forma de um jantar, cuja notícia não pode ser indiferente aos seus concidadãos. Uma notícia traz outra; cinco, dez, vinte vezes põe o teu nome ante os olhos do mundo. Comissões ou deputações para felicitar um agraciado, um benemérito, um forasteiro, têm singulares merecimentos, e assim as irmandades e associações diversas, sejam mitológicas, cinegéticas ou coreográficas. Os sucessos de certa ordem, embora de pouca monta, podem ser trazidos a lume, contanto que ponham em relevo a tua pessoa. Explico-me. Se caíres de um carro, sem outro dano, além do susto, é útil mandá-lo dizer aos quatro ventos, não pelo fato em si, que é insignificante, mas pelo efeito de recordar um nome caro às afeições gerais. Percebeste?

— Percebi.

— Essa é publicidade constante, barata, fácil, de todos os dias; mas há outra. Qualquer que seja a teoria das artes, é fora de dúvida que o sentimento da família, a amizade pessoal e a estima pública instigam à reprodução das feições de um homem amado ou benemérito. Nada obsta a que sejas objeto de uma tal distinção, principalmente se a sagacidade dos amigos não achar em ti repugnância. Em semelhante caso, não só as regras da mais vulgar polidez mandam aceitar o retrato ou o busto, como seria desazado impedir que os amigos o expusessem em qualquer casa pública. Dessa maneira o nome fica ligado à pessoa; os que houverem lido o teu recente discurso (suponhamos) na sessão inaugural da União dos Cabeleireiros, reconhecerão na compostura das feições o autor dessa obra grave, em que a "alavanca do progresso" e "o suor do trabalho", vencem as "fauces hiantes" da miséria. No caso de que uma comissão te leve à casa o retrato, deves agradecer-lhe o obséquio com um discurso cheio de gratidão e um copo d'água: é uso antigo, razoável e honesto. Convidarás então os melhores amigos, os parentes, e, se for possível, uma ou duas pessoas de representação. Mais. Se esse dia é um dia de glória ou regozijo, não vejo que possas, decentemente, recusar um lugar à mesa aos repórteres dos jornais. Em todo caso, se as obrigações desses cidadãos os retiverem noutra parte, podes ajudá-los de certa maneira, redigindo tu mesmo, a notícia da festa; e, dado que por um tal ou qual escrúpulo, aliás desculpável, não queiras com a própria mão anexar ao teu nome os qualificativos dignos dele, incumbe a notícia a algum amigo ou parente.

— Digo-lhe que o que vosmecê me ensina não é nada fácil.

— Nem eu te digo outra coisa. É difícil, come tempo, muito tempo, leva anos, paciência, trabalho, e felizes os que chegam a entrar na terra prometida! Os que lá não penetram, engole-os a obscuridade. Mas os que triunfam! E tu triunfarás, crê-me. Verás cair as muralhas de Jericó ao som das trompas sagradas. Só então poderás dizer que estás fixado. Começa nesse dia a tua fase de ornamento indispensável, de figura obrigada, de rótulo. Acabou-se a necessidade de farejar ocasiões, comissões, irmandades; elas virão ter contigo, com o seu ar pesadão e cru de substantivos desadjetivados, e tu serás o adjetivo dessas orações opacas, o *odorífero* das flores, o *anilado* dos céus, o *prestimoso* dos cidadãos, o *noticioso* e *suculento* dos relatórios. E ser isso é o principal, porque o adjetivo é a alma do idioma, a sua porção idealista e metafísica. O substantivo é a realidade nua e crua, é o naturalismo do vocabulário.

— E parece-lhe que todo esse ofício é apenas um sobressalente para os *deficits* da vida?

— Decerto; não fica excluída nenhuma outra atividade.

— Nem política?

— Nem política. Toda a questão é não infringir as regras e obrigações capitais. Podes pertencer a qualquer partido, liberal ou conservador, republicano ou ultramontano, com a cláusula única de não ligar nenhuma ideia especial a esses vocábulos, e reconhecer-lhe somente a utilidade do *scibboleth* bíblico.

— Se for ao parlamento, posso ocupar a tribuna?

— Podes e deves; é um modo de convocar a atenção pública. Quanto à matéria dos discursos, tens à escolha: — ou os negócios miúdos, ou a metafísica política, mas prefere a metafísica. Os negócios miúdos, força é confessá-lo, não desdizem daquela chateza de bom-tom, própria de um medalhão acabado; mas, se puderes, adota a metafísica; — é mais fácil e mais atraente. Supõe que deseja saber por que motivo a 7ª companhia de infantaria foi transferida de Uruguaiana para Canguçu; serás ouvido tão-somente pelo ministro da guerra, que te explicará em dez minutos as razões desse ato. Não assim a metafísica. Um discurso de metafísica política apaixona naturalmente os partidos e o público, chama os apartes e as respostas. E depois não obriga a pensar e descobrir. Nesse ramo dos conhecimentos humanos tudo está achado, formulado, rotulado, encaixotado; é só prover os alforjes da memória. Em todo caso, não transcendas nunca os limites de uma invejável vulgaridade.

— Farei o que puder. Nenhuma imaginação?

— Nenhuma; antes faze correr o boato de que um tal dom é ínfimo.

— Nenhuma filosofia?

— Entendamo-nos: no papel e na língua alguma, na realidade nada. "Filosofia da história", por exemplo, é uma locução que deves empregar com frequência, mas proíbo-te que chegues a outras conclusões que não sejam as já achadas por outros. Foge a tudo que possa cheirar a reflexão, originalidade etc. etc.

— Também ao riso?

— Como ao riso?

— Ficar sério, muito sério...

— Conforme. Tens um gênio folgazão, prazenteiro, não hás de sofreá-lo nem eliminá-lo; podes brincar e rir alguma vez. Medalhão não quer dizer melancólico. Um grave pode ter seus momentos de expansão alegre. Somente — e este ponto é melindroso...

— Diga.

— Somente não deves empregar a ironia, esse movimento ao canto da boca, cheio de mistérios, inventado por algum grego da decadência, contraído por Luciano, transmitido a Swift e Voltaire, feição própria dos céticos e desabusados. Não. Usa antes a chalaça, a nossa boa chalaça amiga, gorducha, redonda, franca, sem biocos, nem véus, que se mete pela cara dos outros, estala como uma palmada, faz pular o sangue nas veias, e arrebentar de riso os suspensórios. Usa a chalaça. Que é isto?

— Meia-noite.

— Meia-noite? Entras nos teus vinte e dois anos, meu peralta; estás definitivamente maior. Vamos dormir, que é tarde. Rumina bem o que te disse, meu filho. Guardadas as proporções, a conversa desta noite vale o *Príncipe* de Maquiavel. Vamos dormir.

Gazeta de Notícias, *18 de dezembro de 1881; Machado de Assis.*

A chinela turca

Vede o bacharel Duarte. Acaba de compor o mais teso e correto laço de gravata que apareceu naquele ano de 1850, e anunciam-lhe a visita do major Lopo Alves. Notai que é de noite, e passa de nove horas. Duarte estremeceu, e tinha duas razões para isso. A primeira era ser o major, em qualquer ocasião, um dos mais enfadonhos sujeitos do tempo. A segunda é que ele preparava-se justamente para ir ver, em um baile, os mais finos cabelos louros e os mais pensativos olhos azuis, que este nosso clima, tão avaro deles, produzira. Datava de uma semana aquele namoro. Seu coração, deixando-se prender entre duas valsas, confiou aos olhos, que eram castanhos, uma declaração em regra, que eles pontualmente transmitiram à moça, dez minutos antes da ceia, recebendo favorável resposta logo depois do chocolate. Três dias depois, estava a caminho a primeira carta, e pelo jeito que levavam as coisas não era de admirar que, antes do fim do ano, estivessem ambos a caminho da igreja. Nestas circunstâncias, a chegada de Lopo Alves era uma verdadeira calamidade. Velho amigo da família, companheiro de seu finado pai no exército, tinha jus o major a todos os respeitos. Impossível despedi-lo ou tratá-lo com frieza. Havia felizmente uma circunstância atenuante; o major era aparentado com Cecília, a moça dos olhos azuis; em caso de necessidade, era um voto seguro.

Duarte enfiou um chambre e dirigiu-se para a sala, onde Lopo Alves, com um rolo debaixo do braço e os olhos fitos no ar, parecia totalmente alheio à chegada do bacharel.

— Que bom vento o trouxe a Catumbi a semelhante hora? — perguntou Duarte, dando à voz uma expressão de prazer, aconselhada não menos pelo interesse que pelo bom-tom.

— Não sei se o vento que me trouxe é bom ou mau — respondeu o major sorrindo por baixo do espesso bigode grisalho —; sei que foi um vento rijo. Vai sair?

— Vou ao Rio Comprido.

— Já sei; vai à casa da viúva Meneses. Minha mulher e as pequenas já lá devem estar: eu irei mais tarde, se puder. Creio que é cedo, não?

Lopo Alves tirou o relógio e viu que eram nove horas e meia. Passou a mão pelo bigode, levantou-se, deu alguns passos na sala, tornou a sentar-se e disse:

— Dou-lhe uma notícia, que certamente não espera. Saiba que fiz... fiz um drama.

— Um drama! — exclamou o bacharel.

— Que quer? Desde criança padeci destes achaques literários. O serviço militar não foi remédio que me curasse, foi um paliativo. A doença regressou com a força dos primeiros tempos. Já agora não há remédio senão deixá-la, e ir simplesmente ajudando a natureza.

Duarte recordou-se de que efetivamente o major falava noutro tempo de alguns discursos inaugurais, duas ou três nênias e boa soma de artigos que escrevera acerca das campanhas do Rio da Prata. Havia porém muitos anos que Lopo Alves deixara em paz os generais platinos e os defuntos; nada fazia supor que a moléstia volvesse, sobretudo caracterizada por um drama. Esta circunstância explicá-la-ia o bacharel, se soubesse que Lopo Alves, algumas semanas antes, assistira à representação de uma peça do gênero ultra-romântico, obra que lhe agradou muito e lhe sugeriu a ideia de afrontar as luzes do tablado. Não entrou o major nestas minuciosidades necessárias, e o bacharel ficou sem conhecer o motivo da explosão dramática do militar. Nem o soube, nem curou disso. Encareceu muito as faculdades mentais do major, manifestou calorosamente a ambição que nutria de o ver sair triunfante naquela estreia, prometeu que o recomendaria a alguns amigos que tinha no *Correio Mercantil*, e só estacou e empalideceu quando viu o major, trêmulo de bem-aventurança, abrir o rolo que trazia consigo.

— Agradeço-lhe as suas boas intenções — disse Lopo Alves —, e aceito o obséquio que me promete; antes dele, porém, desejo outro. Sei que é inteligente e lido; há de me dizer francamente o que pensa deste trabalho. Não lhe peço elogios, exijo franqueza e franqueza rude. Se achar que não é bom, diga-o sem rebuço.

Duarte procurou desviar aquele cálice de amargura; mas era difícil pedi-lo, e impossível alcançá-lo. Consultou melancolicamente o relógio, que marcava nove horas e cinquenta e cinco minutos, enquanto o major folheava paternalmente as cento e oitenta folhas do manuscrito.

— Isto vai depressa — disse Lopo Alves —; eu sei o que são rapazes e o que são bailes. Descanse que ainda hoje dançará duas ou três valsas com *ela*, se a tem, ou com elas. Não acha melhor irmos para o seu gabinete?

Era indiferente, para o bacharel, o lugar do suplício; acedeu ao desejo do hóspede. Este, com a liberdade que lhe davam as relações, disse ao moleque que não deixasse entrar ninguém. O algoz não queria testemunhas. A porta do gabinete fechou-se; Lopo Alves tomou lugar ao pé da mesa, tendo em frente o bacharel, que mergulhou o corpo e o desespero numa vasta poltrona de marroquim, resoluto a não dizer palavra para ir mais depressa ao termo.

O drama dividia-se em sete quadros. Esta indicação produziu um calafrio no ouvinte. Nada havia de novo naquelas cento e oitenta páginas, senão a letra do autor. O mais eram os lances, os caracteres, as *ficelles* e até o estilo dos mais acabados tipos do romantismo desgrenhado. Lopo Alves cuidava pôr por obra uma invenção, quando não fazia mais do que alinhavar as suas reminiscências. Noutra ocasião, a obra seria um bom passatempo. Havia logo no primeiro quadro, espécie de prólogo, uma criança roubada à família, um envenenamento, dois embuçados, a ponta de um punhal e quantidade de adjetivos não menos afiados que o punhal. No segundo quadro dava-se conta da morte de um dos embuçados, que devia ressuscitar no terceiro, para ser preso no quinto, e matar o tirano no sétimo. Além da morte aparente do embuçado, havia no segundo quadro o rapto da menina, já então moça de dezessete anos, um monólogo que parecia durar igual prazo, e o roubo de um testamento.

Eram quase onze horas quando acabou a leitura deste segundo quadro. Duarte mal podia conter a cólera; era já impossível ir ao Rio Comprido. Não é fora de propósito conjeturar que, se o major expirasse naquele momento, Duarte agradecia a morte como um benefício da Providência. Os sentimentos do bacharel não faziam crer tamanha ferocidade; mas a leitura de um mau livro é capaz de produzir fenômenos ainda mais espantosos. Acresce que, enquanto aos olhos carnais do bacharel aparecia em toda a sua espessura a grenha de Lopo Alves, fulgiam-lhe ao espírito os fios de ouro que ornavam a formosa cabeça de Cecília; via-a com os olhos azuis, a tez branca e rosada, o gesto delicado e gracioso, dominando todas as demais damas que deviam estar no salão da viúva Meneses. Via aquilo, e ouvia mentalmente a música, a palestra, o soar dos passos, e o ruge-ruge das sedas; enquanto a voz rouquenha e sensaborona de Lopo Alves ia desfiando os quadros e os diálogos, com a impassibilidade de uma grande convicção.

Voava o tempo, e o ouvinte já não sabia a conta dos quadros. Meia-noite soara desde muito; o baile estava perdido. De repente, viu Duarte que o major enrolava outra vez o manuscrito, erguia-se, empertigava-se, cravava nele uns olhos odientos e maus, e saía arrebatadamente do gabinete. Duarte quis chamá-lo, mas o pasmo tolhera-lhe a voz e os movimentos. Quando pôde dominar-se, ouviu o bater do tacão rijo e colérico do dramaturgo na pedra da calçada.

Foi à janela; nada viu nem ouviu; autor e drama tinham desaparecido.

— Por que não fez ele isso há mais tempo? — disse o rapaz suspirando.

O suspiro mal teve tempo de abrir as asas e sair pela janela fora, em demanda do Rio Comprido, quando o moleque do bacharel veio anunciar-lhe a visita de um homem baixo e gordo.

— A esta hora! — exclamou Duarte.

— A esta hora — repetiu o homem baixo e gordo, entrando na sala. — A esta ou a qualquer hora, pode a polícia entrar na casa do cidadão, uma vez que se trata de um delito grave.

— Um delito!

— Creio que me conhece...

— Não tenho essa honra.

— Sou empregado na polícia.

— Mas que tenho eu com o senhor? de que delito se trata?

— Pouca coisa: um furto. O senhor é acusado de haver subtraído uma chinela turca. Aparentemente não vale nada ou vale pouco a tal chinela. Mas há chinela e chinela. Tudo depende das circunstâncias.

O homem disse isto com um riso sarcástico, e cravando no bacharel uns olhos de inquisidor. Duarte não sabia sequer da existência do objeto roubado. Concluiu que havia equívoco de nome, e não se zangou com a injúria irrogada à sua pessoa, e de algum modo à sua classe, atribuindo-se-lhe a ratonice. Isto mesmo disse ao empregado da polícia, acrescentando que não era motivo, em todo caso, para incomodá-lo a semelhante hora.

— Há de perdoar-me — disse o representante da autoridade. — A chinela de que se trata vale algumas dezenas de contos de réis; é ornada de finíssimos diamantes, que a tornam singularmente preciosa. Não é turca só pela forma, mas também pela origem. A dona, que é uma de nossas patrícias mais viageiras, esteve, há cerca de três anos, no Egito, onde a comprou a um judeu. A história, que este aluno de Moisés referiu acerca daquele produto da indústria muçulmana, é verdadeiramente miraculosa, e, no meu sentir, perfeitamente mentirosa. Mas não vem ao caso dizê-la. O que importa saber é que ela foi roubada e que a polícia tem denúncia contra o senhor.

Neste ponto do discurso, chegara-se o homem à janela; Duarte suspeitou que fosse um doido ou um ladrão. Não teve tempo de examinar a suspeita, porque dentro de alguns segundos, viu entrar cinco homens armados, que lhe lançaram as mãos e o levaram, escada abaixo, sem embargo dos gritos que soltava e dos movimentos desesperados que fazia. Na rua havia um carro, onde o meteram à força. Já lá estava o homem baixo e gordo, e mais um sujeito alto e magro, que o receberam e fizeram sentar no fundo do carro. Ouviu-se estalar o chicote do cocheiro e o carro partiu à desfilada.

— Ah! ah! — disse o homem gordo. — Com que então pensava que podia impunemente furtar chinelas turcas, namorar moças louras, casar talvez com elas... e rir ainda por cima do gênero humano.

Ouvindo aquela alusão à dama dos seus pensamentos, Duarte teve um calafrio. Tratava-se, ao que parecia, de algum desforço de rival suplantado. Ou a alusão seria casual e estranha à aventura? Duarte perdeu-se num cipoal de conjecturas, enquanto o carro ia sempre andando a todo galope. No fim de algum tempo, arriscou uma observação.

— Quaisquer que sejam os meus crimes, suponho que a polícia...

— Nós não somos da polícia — interrompeu friamente o homem magro.

— Ah!

— Este cavalheiro e eu fazemos um par. Ele, o senhor e eu faremos um terno. Ora, terno não é melhor que par; não, não pode ser. Um casal é o ideal. Provavelmente não me entendeu?

— Não, senhor.

— Há de entender logo mais.

Duarte resignou-se à espera, enfronhou-se no silêncio, derreou o corpo, e deixou correr o carro e a aventura. Obra de cinco minutos depois estacavam os cavalos.

— Chegamos — disse o homem gordo.

Dizendo isto, tirou um lenço da algibeira e ofereceu-o ao bacharel para que tapasse os olhos. Duarte recusou, mas o homem magro observou-lhe que era mais prudente obedecer que resistir. Não resistiu o bacharel; atou o lenço e apeou-se. Ouviu, daí a pouco, ranger uma porta; duas pessoas — provavelmente as mesmas que o acompanharam no carro — seguraram-lhe as mãos e o conduziram por uma infinidade de corredores e escadas. Andando, ouvia o bacharel algumas vozes desconhecidas, palavras soltas, frases truncadas. Afinal pararam; disseram-lhe que se sentasse e destapasse os olhos. Duarte obedeceu; mas ao desvendar-se, não viu ninguém mais.

Era uma sala vasta, assaz iluminada, trastejada com elegância e opulência. Era talvez sobreposse a variedade dos adornos; contudo, a pessoa que os escolhera devia ter gosto apurado. Os bronzes, charões, tapetes, espelhos — a cópia infinita de objetos que enchiam a sala, era tudo da melhor fábrica. A vista daquilo restituiu a serenidade de ânimo ao bacharel; não era provável que ali morassem ladrões.

Reclinou-se o moço indolentemente na otomana... Na otomana! Esta circunstância trouxe à memória do rapaz o princípio da aventura e o roubo da chinela. Alguns minutos de reflexão bastaram para ver que a tal chinela era já agora mais que problemática. Cavando mais fundo no terreno das conjecturas, pareceu-lhe achar uma explicação nova e definitiva. A chinela vinha a ser pura metáfora; tratava-se do coração de Cecília, que ele roubara, delito de que o queria punir o já imaginado rival. A isto deviam ligar-se naturalmente as palavras misteriosas do homem magro: o par é melhor que o terno; um casal é o ideal.

— Há de ser isso — concluiu Duarte —; mas quem será esse pretendente derrotado?

Neste momento abriu-se uma porta do fundo da sala e negrejou a batina de um padre alvo e calvo. Duarte levantou-se, como por efeito de uma mola. O padre atravessou lentamente a sala, ao passar por ele deitou-lhe a bênção, e foi sair por outra porta rasgada na parede fronteira. O bacharel ficou sem movimento, a olhar para a porta, a olhar sem ver, estúpido de todos os sentidos. O inesperado daquela aparição baralhou totalmente as ideias anteriores a respeito da aventura. Não teve tempo, entretanto, de cogitar alguma nova explicação, porque a primeira porta foi de novo aberta e entrou por ela outra figura, desta vez o homem magro, que foi direito a ele e o convidou a segui-lo. Duarte não opôs resistência. Saíram por uma terceira porta, e, atravessados alguns corredores mais ou menos alumiados, foram dar a outra sala, que só o era por duas velas postas em castiçais de prata. Os castiçais estavam sobre uma mesa larga. Na cabeceira desta havia um homem velho que representava ter cinquenta e cinco anos; era uma figura atlética, farta de cabelos na cabeça e na cara.

— Conhece-me? — perguntou o velho, logo que Duarte entrou na sala.

— Não, senhor.

— Nem é preciso. O que vamos fazer exclui absolutamente a necessidade de qualquer apresentação. Saberá em primeiro lugar que o roubo da chinela foi um simples pretexto...

— Oh! decerto! — interrompeu Duarte.

— Um simples pretexto — continuou o velho — para trazê-lo a esta nossa casa. A chinela não foi roubada; nunca saiu das mãos da dona. João Rufino, vá buscar a chinela.

O homem magro saiu, e o velho declarou ao bacharel que a famosa chinela não tinha nenhum diamante, nem fora comprada a nenhum judeu do Egito; era, porém, turca, segundo se lhe disse, e um milagre de pequenez. Duarte ouviu as explicações, e, reunindo todas as forças, perguntou resolutamente:

— Mas, senhor, não me dirá de uma vez o que querem de mim e que estou fazendo nesta casa?

— Vai sabê-lo — respondeu tranquilamente o velho.

A porta abriu-se e apareceu o homem magro com a chinela na mão. Duarte, convidado a aproximar-se da luz, teve ocasião de verificar que a pequenez era realmente miraculosa. A chinela era de marroquim finíssimo; no assento do pé, estufado e forrado de seda cor azul, rutilavam duas letras bordadas a ouro.

— Chinela de criança, não lhe parece? — disse o velho.

— Suponho que sim.

— Pois supõe mal; é chinela de moça.

— Será; nada tenho com isso.

— Perdão! tem muito, porque vai casar com a dona.

— Casar! — exclamou Duarte.

— Nada menos. João Rufino, vá buscar a dona da chinela.

Saiu o homem magro, e voltou logo depois. Assomando à porta, levantou o reposteiro e deu entrada a uma mulher, que caminhou para o centro da sala. Não era mulher, era uma sílfide, uma visão de poeta, uma criatura divina. Era loura; tinha os olhos azuis, como os de Cecília, extáticos, uns olhos que buscavam o céu ou pareciam viver dele. Os cabelos, desleixadamente penteados, faziam-lhe em volta da cabeça, um como resplendor de santa; santa somente, não mártir, porque o sorriso que lhe desabrochava os lábios, era um sorriso de bem-aventurança, como raras vezes há de ter tido a terra.

Um vestido branco, de finíssima cambraia, envolvia-lhe castamente o corpo, cujas formas aliás desenhava, pouco para os olhos, mas muito para a imaginação.

Um rapaz, como o bacharel, não perde o sentimento da elegância, ainda em lances daqueles. Duarte, ao ver a moça, compôs o chambre, apalpou a gravata e fez uma cerimoniosa cortesia, a que ela correspondeu com tamanha gentileza e graça, que a aventura começou a parecer muito menos aterradora.

— Meu caro doutor, esta é a noiva.

A moça abaixou os olhos; Duarte respondeu que não tinha vontade de casar.

— Três coisas vai o senhor fazer agora mesmo — continuou impassivelmente o velho —: a primeira é casar; a segunda escrever o seu testamento; a terceira engolir certa droga do Levante...

— Veneno! — interrompeu Duarte.

— Vulgarmente é esse o nome; eu dou-lhe outro: passaporte do céu.

Duarte estava pálido e frio. Quis falar, não pôde; um gemido, sequer, não lhe saiu do peito. Rolaria ao chão, se não houvesse ali perto uma cadeira em que se deixou cair.

— O senhor — continuou o velho — tem uma fortunazinha de cento e cinquenta contos. Esta pérola será a sua herdeira universal. João Rufino, vá buscar o padre.

O padre entrou, o mesmo padre calvo que abençoara o bacharel pouco antes; entrou e foi direito ao moço, engrolando sonolentamente um trecho de Neemias ou qualquer outro profeta menor; travou-lhe da mão e disse:

— Levante-se!

— Não! não quero! não me casarei!

— E isto? — disse da mesa o velho, apontando-lhe uma pistola.

— Mas então é um assassinato?

— É; a diferença está no gênero de morte: ou violenta com isto, ou suave com a droga. Escolha!

Duarte suava e tremia. Quis levantar-se e não pôde. Os joelhos batiam um contra o outro. O padre chegou-se-lhe ao ouvido, e disse baixinho:

— Quer fugir?

— Oh! sim! — exclamou, não com os lábios, que podia ser ouvido, mas com os olhos em que pôs toda a vida que lhe restava.

— Vê aquela janela? Está aberta; embaixo fica um jardim. Atire-se dali sem medo.

— Oh! padre! — disse baixinho o bacharel.

— Não sou padre, sou tenente do exército. Não diga nada.

A janela estava apenas cerrada; via-se pela fresta uma nesga do céu, já meio claro. Duarte não hesitou, coligiu todas as forças, deu um pulo do lugar onde estava e atirou-se a Deus misericórdia por ali abaixo. Não era grande altura, a queda foi pequena; ergueu-se o moço rapidamente, mas o homem gordo, que estava no jardim, tomou-lhe o passo.

— Que é isso? — perguntou ele rindo.

Duarte não respondeu, fechou os punhos, bateu com eles violentamente nos peitos do homem e deitou a correr pelo jardim fora. O homem não caiu; sentiu apenas um grande abalo; e, uma vez passada a impressão, seguiu no encalço do fugitivo. Começou então uma carreira vertiginosa. Duarte ia saltando cercas e muros, calcando canteiros, esbarrando árvores, que uma ou outra vez se lhe erguiam na frente. Escorria-lhe o suor em bica, alteava-se-lhe o peito, as forças iam a perder-se pouco a pouco; tinha uma das mãos feridas, a camisa salpicada do orvalho das folhas, duas vezes esteve a ponto de ser apanhado, o chambre pegara-se-lhe em uma cerca de espinhos. Enfim, cansado, ferido, ofegante, caiu nos degraus de pedra de uma casa, que havia no meio do último jardim que atravessara.

Olhou para trás; não viu ninguém: o perseguidor não o acompanhara até ali. Podia vir, entretanto; Duarte ergueu-se a custo, subiu os quatro degraus que lhe faltavam, e entrou na casa, cuja porta, aberta, dava para uma sala pequena e baixa.

Um homem que ali estava, lendo um número do *Jornal do Commercio*, pareceu não o ter visto entrar. Duarte caiu numa cadeira. Fitou os olhos no homem. Era o major Lopo Alves. O major, empunhando a folha, cujas dimensões iam-se tornando extremamente exíguas, exclamou repentinamente:

— Anjo do céu, estás vingado! Fim do último quadro.

Duarte olhou para ele, para a mesa, para as paredes, esfregou os olhos, respirou à larga.

— Então! Que tal lhe pareceu?
— Ah! excelente! — respondeu o bacharel, levantando-se.
— Paixões fortes, não?
— Fortíssimas. Que horas são?
— Deram duas agora mesmo.

Duarte acompanhou o major até a porta, respirou ainda uma vez, apalpou-se, foi até à janela. Ignora-se o que pensou durante os primeiros minutos; mas, ao cabo de um quarto de hora, eis o que ele dizia consigo: — Ninfa, doce amiga, fantasia inquieta e fértil, tu me salvaste de uma ruim peça com um sonho original, substituíste-me o tédio por um pesadelo: foi um bom negócio. Um bom negócio e uma grave lição: provaste-me ainda uma vez que o melhor drama está no espectador e não no palco.

A Época, *14 de novembro de 1875; Manassés.*

Na arca
Três capítulos do Gênesis

CAPÍTULO A

1. — Então Noé disse a seus filhos Jafé, Sem e Cam: — "Vamos sair da arca, segundo a vontade do Senhor, nós, e nossas mulheres, e todos os animais. A arca tem de parar no cabeço de uma montanha; desceremos a ela.

2. — "Porque o Senhor cumpriu a sua promessa, quando me disse: Resolvi dar cabo de toda a carne; o mal domina a terra, quero fazer perecer os homens. Faze uma arca de madeira; entra nela tu, tua mulher, e teus filhos.

3. — "E as mulheres de teus filhos, e um casal de todos os animais.

4. — "Agora, pois, se cumpriu a promessa do Senhor, e todos os homens pereceram, e fecharam-se as cataratas do céu; tornaremos a descer à terra, e a viver no seio da paz e da concórdia."

5. — Isto disse Noé, e os filhos de Noé muito se alegraram de ouvir as palavras de seu pai; e Noé os deixou sós, retirando-se a uma das câmaras da arca.

6. — Então Jafé levantou a voz e disse: — "Aprazível vida vai ser a nossa. A figueira nos dará o fruto, a ovelha a lã, a vaca o leite, o sol a claridade e a noite a tenda.

7. — "Porquanto seremos únicos na terra, e toda a terra será nossa, e ninguém perturbará a paz de uma família, poupada do castigo que feriu a todos os homens.

8. — "Para todo o sempre." Então Sem, ouvindo falar o irmão, disse: — "Tenho uma ideia." Ao que Jafé e Cam responderam: — "Vejamos a tua ideia, Sem."

9. — E Sem falou a voz de seu coração, dizendo: — "Meu pai tem a sua família; cada um de nós tem a sua família; a terra é de sobra; podíamos viver em tendas separadas. Cada um de nós fará o que lhe parecer melhor, e plantará, caçará, ou lavrará a madeira, ou fiará o linho."

10. — E respondeu Jafé: — "Acho bem lembrada a ideia de Sem; podemos viver em tendas separadas. A arca vai descer ao cabeço de uma montanha; meu pai e Cam descerão para o lado do nascente; eu e Sem para o lado do poente. Sem ocupará duzentos côvados de terra, eu outros duzentos."

11. — Mas dizendo Sem: — "Acho pouco duzentos côvados" — retorquiu Jafé: — "Pois sejam quinhentos cada um. Entre a minha terra e a tua haverá um rio, que as divida no meio, para se não confundir a propriedade. Eu fico na margem esquerda e tu na margem direita;

12. — "E a minha terra se chamará terra de Jafé, e a tua se chamará a terra de Sem; e iremos às tendas um do outro, e partiremos o pão da alegria e da concórdia."

13. — E tendo Sem aprovado a divisão, perguntou a Jafé: — "Mas o rio? a quem pertencerá a água do rio, a corrente?

14. — "Porque nós possuímos as margens, e não estatuímos nada a respeito da corrente." E respondeu Jafé, que podiam pescar de um e outro lado; mas, divergindo o irmão, propôs dividir o rio em duas partes, fincando um pau no meio. Jafé, porém, disse que a corrente levaria o pau.

15. — E tendo Jafé respondido assim, acudiu o irmão: — "Pois que te não serve o pau, fico eu com o rio, e as duas margens; e para que não haja conflito, podes levantar um muro, dez ou doze côvados, para lá da tua margem antiga.

16.— "E se com isto perdes alguma coisa, nem é grande a diferença, nem deixa de ser acertado, para que nunca jamais se turbe a concórdia entre nós, segundo é a vontade do Senhor."

17.— Jafé porém replicou: — "Vai bugiar! Com que direito me tiras a margem, que é minha, e me roubas um pedaço de terra? Porventura és melhor do que eu,

18.— "Ou mais belo, ou mais querido de meu pai? Que direito tens de violar assim tão escandalosamente a propriedade alheia?

19.— "Pois agora te digo que o rio ficará do meu lado, com ambas as margens, e que se te atreveres a entrar na minha terra, matar-te-ei como Caim matou a seu irmão."

20.— Ouvindo isto, Cam atemorizou-se muito, e começou a aquietar os dois irmãos,

21.— Os quais tinham os olhos do tamanho de figos e cor de brasa, e olhavam-se cheios de cólera e desprezo.

22.— A arca, porém, boiava sobre as águas do abismo.

CAPÍTULO B

1.— Ora, Jafé, tendo curtido a cólera, começou a espumar pela boca, e Cam falou-lhe palavras de brandura,

2.— Dizendo: — "Vejamos um meio de conciliar tudo; vou chamar tua mulher e a mulher de Sem."

3.— Um e outro, porém, recusaram dizendo que o caso era de direito e não de persuasão.

4.— E Sem propôs a Jafé que compensasse os dez côvados perdidos, medindo outros tantos nos fundos da terra dele. Mas Jafé respondeu:

5.— "Por que me não mandas logo para os confins do mundo? Já te não contentas com quinhentos côvados; queres quinhentos e dez, e eu que fique com quatrocentos e noventa.

6.— "Tu não tens sentimentos morais? não sabes o que é justiça? não vês que me esbulhas descaradamente? e não percebes que eu saberei defender o que é meu, ainda com risco de vida?

7.— "E que, se é preciso correr sangue, o sangue há de correr já e já,

8.— "Para te castigar a soberba e lavar a tua iniquidade?".

9.— Então Sem avançou para Jafé; mas Cam interpôs-se, pondo uma das mãos no peito de cada um;

10.— Enquanto o lobo e o cordeiro, que durante os dias do dilúvio, tinham vivido na mais doce concórdia, ouvindo o rumor das vozes, vieram espreitar a briga dos dois irmãos, e começaram a vigiar-se um ao outro.

11.— E disse Cam: — "Ora, pois, tenho uma ideia maravilhosa, que há de acomodar tudo;

12.— "A qual me é inspirada pelo amor, que tenho a meus irmãos. Sacrificarei pois a terra que me couber ao lado de meu pai, e ficarei com o rio e as duas margens, dando-me vós uns vinte côvados cada um."

13.— E Sem e Jafé riram com desprezo e sarcasmo, dizendo: — "Vai plantar tâmaras! Guarda a tua ideia para os dias da velhice." E puxaram as orelhas e o nariz de Cam; e Jafé, metendo dois dedos na boca, imitou o silvo da serpente, em ar de surriada.

14.— Ora, Cam, envergonhado e irritado, espalmou a mão dizendo: — "Deixa estar!" e foi dali ter com o pai e as mulheres dos dois irmãos.

15.— Jafé porém disse a Sem: — "Agora que estamos sós, vamos decidir este grave caso, ou seja de língua ou de punho. Ou tu me cedes as duas margens, ou eu te quebro uma costela."

16.— Dizendo isto, Jafé ameaçou a Sem com os punhos fechados, enquanto Sem, derreando o corpo, disse com voz irada: — "Não te cedo nada, gatuno!"

17.— Ao que Jafé retorquiu irado: — "Gatuno és tu!".

18.— Isto dito, avançaram um para o outro e atracaram-se. Jafé tinha o braço rijo e adestrado; Sem era forte na resistência. Então Jafé, segurando o irmão pela cinta, apertou-o fortemente, bradando: — "De quem é o rio?".

19.— E respondendo Sem: — "É meu!". Jafé fez um gesto para derrubá-lo; mas Sem, que era forte, sacudiu o corpo e atirou o irmão para longe; Jafé, porém, espumando de cólera, tornou a apertar o irmão, e os dois lutaram braço a braço,

20.— Suando e bufando como touros.

21.— Na luta, caíram e rolaram, esmurrando-se um ao outro; o sangue saía dos narizes, dos beiços, das faces; ora vencia Jafé,

22.— Ora vencia Sem; porque a raiva animava-os igualmente, e eles lutavam com as mãos, os pés, os dentes e as unhas; e a arca estremecia como se de novo se houvessem aberto as cataratas do céu.

23.— Então as vozes e brados chegaram aos ouvidos de Noé, ao mesmo tempo que seu filho Cam, que lhe apareceu clamando: — "Meu pai, meu pai, se de Caim se tomará vingança sete vezes, e de Lamech setenta vezes sete, o que será de Jafé e Sem?".

24.— E pedindo Noé que explicasse o dito, Cam referiu a discórdia dos dois irmãos, e a ira que os animava, e disse: — "Correi a aquietá-los." Noé disse: — "Vamos."

25.— A arca, porém, boiava sobre as águas do abismo.

CAPÍTULO C

1.— Eis aqui chegou Noé ao lugar onde lutavam os dois filhos,

2.— E achou-os ainda agarrados um ao outro, e Sem debaixo do joelho de Jafé, que com o punho cerrado lhe batia na cara, a qual estava roxa e sangrenta.

3.— Entretanto, Sem, alçando as mãos, conseguiu apertar o pescoço do irmão, e este começou a bradar: — "Larga-me, larga-me!".

4.— Ouvindo os brados, as mulheres de Jafé e Sem acudiram também ao lugar da luta, e, vendo-os assim, entraram a soluçar e a dizer: — "O que será de nós? A maldição caiu sobre nós e nossos maridos."

5.— Noé, porém, lhes disse: — "Calai-vos, mulheres de meus filhos, eu verei de que se trata, e ordenarei o que for justo." E caminhando para os dois combatentes,

6.— Bradou: — "Cessai a briga. Eu, Noé, vosso pai, o ordeno e mando." E ouvindo os dois irmãos o pai, detiveram-se subitamente, e ficaram longo tempo atalhados e mudos, não se levantando nenhum deles.

7.— Noé continuou: — "Erguei-vos, homens indignos da salvação e merecedores do castigo que feriu os outros homens."

8.— Jafé e Sem ergueram-se. Ambos tinham feridos o rosto, o pescoço e as mãos, e as roupas salpicadas de sangue, porque tinham lutado com unhas e dentes, instigados de ódio mortal.

9.— O chão também estava alagado de sangue, e as sandálias de um e outro, e os cabelos de um e outro,

10.— Como se o pecado os quisera marcar com o selo da iniqüidade.

11.— As duas mulheres, porém, chegaram-se a eles, chorando e acariciando-os, e via-se-lhes a dor do coração. Jafé e Sem não atendiam a nada, e estavam com os olhos no chão, medrosos de encarar seu pai.

12.— O qual disse: — "Ora, pois, quero saber o motivo da briga."

13.— Esta palavra acendeu o ódio no coração de ambos. Jafé, porém, foi o primeiro que falou e disse:

14.— "Sem invadiu a minha terra, a terra que eu havia escolhido para levantar a minha tenda, quando as águas houverem desaparecido e a arca descer, segundo a promessa do Senhor;

15.— "E eu, que não tolero o esbulho, disse a meu irmão: Não te contentas com quinhentos côvados e queres mais dez? E ele me respondeu: Quero mais dez e as duas margens do rio que há de dividir a minha terra da tua terra."

16.— Noé, ouvindo o filho, tinha os olhos em Sem; e acabando Jafé, perguntou ao irmão: — "Que respondes?".

17.— E Sem disse: — "Jafé mente, porque eu só lhe tomei os dez côvados de terra, depois que ele recusou dividir o rio em duas partes; e propondo-lhe ficar com as duas margens, ainda consenti que ele medisse outros dez côvados nos fundos das terras dele,

18.— "Para compensar o que perdia; mas a iniqüidade de Caim falou nele, e ele me feriu a cabeça, a cara e as mãos."

19.— E Jafé interrompeu-o dizendo: — "Porventura não me feriste também? Não estou ensangüentado como tu? Olha a minha cara e o meu pescoço; olha as minhas faces, que rasgaste com as tuas unhas de tigre."

20.— Indo Noé falar, notou que os dois filhos de novo pareciam desafiar-se com os olhos. Então disse: "Ouvi!". — Mas os dois irmãos, cegos de raiva, outra vez se engalfinharam, bradando: — "De quem é o rio?" — "O rio é meu."

21.— E só a muito custo puderam Noé, Cam e as mulheres de Sem e Jafé conter os dois combatentes, cujo sangue entrou a jorrar em grande cópia.

22.— Noé, porém, alçando a voz, bradou: — "Maldito seja o que me não obedecer. Ele será maldito, não sete vezes, não setenta vezes sete, mas setecentas vezes setenta.

23.— "Ora, pois, vos digo que, antes de descer a arca, não quero nenhum ajuste a respeito do lugar em que levantareis as tendas."

24.— Depois ficou meditabundo.

25.— E alçando os olhos ao céu, porque a portinhola do teto estava levantada, bradou com tristeza:

26.— "Eles ainda não possuem a terra e já estão brigando por causa dos limites. O que será quando vierem a Turquia e a Rússia?".

27.— E nenhum dos filhos de Noé pôde entender esta palavra de seu pai.

28.— A arca, porém, continuava a boiar sobre as águas do abismo.

O Cruzeiro, 14 de maio de 1878; Eleazar.

D. Benedita
(Um retrato)

I

A coisa mais árdua do mundo, depois do ofício de governar, seria dizer a idade exata de d. Benedita. Uns davam-lhe quarenta anos, outros quarenta e cinco, alguns trinta e seis. Um corretor de fundos descia aos vinte e nove; mas esta opinião, eivada de intenções ocultas, carecia daquele cunho de sinceridade que todos gostamos de achar nos conceitos humanos. Nem eu a cito, senão para dizer, desde logo, que d. Benedita foi sempre um padrão de bons costumes. A astúcia do corretor não fez mais do que indigná-la, embora momentaneamente; digo momentaneamente. Quanto às outras conjecturas, oscilando entre os trinta e seis e os quarenta e cinco, não desdiziam das feições de d. Benedita, que eram maduramente graves e juvenilmente graciosas. Mas, se alguma coisa admira é que houvesse suposições neste negócio, quando bastava interrogá-la para saber a verdade verdadeira.

D. Benedita fez quarenta e dois anos no domingo 19 de setembro de 1869. São seis horas da tarde; a mesa da família está ladeada de parentes e amigos, em número de vinte ou vinte e cinco pessoas. Muitas dessas estiveram no jantar de 1868, no de 1867 e no de 1866, e ouviram sempre aludir francamente à idade da dona da casa. Além disso, veem-se ali, à mesa, uma moça e um rapaz, seus filhos; este é, decerto, no tamanho e nas maneiras, um tanto menino; mas a moça, Eulália, contando dezoito anos, parece ter vinte e um, tal é a severidade dos modos e das feições.

A alegria dos convivas, a excelência do jantar, certas negociações matrimoniais incumbidas ao cônego Roxo, aqui presente, e das quais se falará mais abaixo, as boas qualidades da dona da casa, tudo isso dá à festa um caráter íntimo e feliz. O cônego levanta-se para trinchar o peru. D. Benedita acatava esse uso nacional das casas modestas de confiar o peru a um dos convivas, em vez de o fazer retalhar fora da mesa por mãos servis, e o cônego era o pianista daquelas ocasiões solenes. Ninguém conhecia melhor a anatomia do animal, nem sabia operar com mais presteza. Talvez — e este fenômeno fica para os entendidos — talvez a circunstância do canonicato aumentasse ao trinchante, no espírito dos convivas, uma certa soma de prestígio, que ele não teria, por exemplo, se fosse um simples estudante de matemáticas, ou um amanuense de secretaria. Mas, por outro lado, um estudante ou um amanuense, sem a lição do longo uso, poderia dispor da arte consumada do cônego? É outra questão importante.

Venhamos, porém, aos demais convivas, que estão parados, conversando; reina o burburinho próprio dos estômagos meio regalados, o riso da natureza que caminha para a repleção; é um instante de repouso.

D. Benedita fala, como as suas visitas, mas não fala para todas, senão para uma, que está sentada ao pé dela. Essa é uma senhora gorda, simpática, muito risonha, mãe de um bacharel de vinte e dois anos, o Leandrinho, que está sentado defronte delas. D. Benedita não se contenta de falar à senhora gorda, tem uma das mãos desta entre as suas; e não se contenta de lhe ter presa a mão, fita-lhe uns olhos namorados, vivamente namorados. Não os fita, note-se bem, de um modo persistente e longo, mas inquieto, miúdo, repetido, instantâneo. Em todo caso, há muita ternura naquele gesto; e, dado que não a houvesse, não se perderia nada, porque d. Benedita repete com a boca a d. Maria dos Anjos tudo o que com os olhos lhe tem dito: — que está encantada, que considera uma fortuna conhecê-la, que é muito simpática, muito digna, que traz o coração nos olhos etc. etc. etc. Uma de suas amigas diz-lhe, rindo, que está com ciúmes.

— Que arrebente! — responde ela, rindo também.

E voltando-se para a outra:

— Não acha? ninguém deve meter-se com a nossa vida.

E aí tornavam as finezas, os encarecimentos, os risos, as ofertas, mais isto, mais aquilo — um projeto de passeio, outro de teatro, e promessas de muitas visitas, tudo com tamanha expansão e calor, que a outra palpitava de alegria e reconhecimento.

O peru está comido. D. Maria dos Anjos faz um sinal ao filho; este levanta-se e pede que o acompanhem em um brinde:

— Meus senhores, é preciso desmentir esta máxima dos franceses: — *les absents ont tort*. Bebamos a alguém que está longe, muito longe, no espaço, mas perto, muito perto, no coração de sua digna esposa: — bebamos ao ilustre desembargador Proença.

A assembleia não correspondeu vivamente ao brinde; e para compreendê-lo basta ver o rosto triste da dona da casa. Os parentes e os mais íntimos disseram baixinho entre si que o Leandrinho fora estouvado; enfim, bebeu-se, mas sem estrépito; ao que parece, para não avivar a dor de d. Benedita. Vã precaução! D. Benedita, não podendo conter-se, deixou rebentarem-lhe as lágrimas, levantou-se da mesa, retirou-se da sala. D. Maria dos Anjos acompanhou-a. Sucedeu um silêncio mortal entre os convivas. Eulália pediu a todos que continuassem, que a mãe voltava já.

— Mamãe é muito sensível — disse ela —, e a ideia de que papai está longe de nós...

Leandrinho, consternado, pediu desculpa a Eulália. Um sujeito, ao lado dele, explicou-lhe que d. Benedita não podia ouvir falar do marido sem receber um golpe no coração — e chorar logo; ao que o Leandrinho acudiu dizendo que sabia da tristeza dela, mas estava longe de supor que o seu brinde tivesse tão mau efeito.

— Pois era a coisa mais natural — explicou o sujeito — porque ela morre pelo marido.

— O cônego — acudiu Leandrinho — disse-me que ele foi para o Pará há uns dois anos...

— Dois anos e meio; foi nomeado desembargador pelo ministério Zacarias. Ele queria a Relação de São Paulo, ou da Bahia; mas não pôde ser e aceitou a do Pará.

— Não voltou mais?

— Não voltou.

— D. Benedita naturalmente tem medo de embarcar...

— Creio que não. Já foi uma vez à Europa. Se bem me lembro, ela ficou para arranjar alguns negócios de família; mas foi ficando, ficando, e agora...

— Mas era muito melhor ter ido em vez de padecer assim... Conhece o marido?

— Conheço; um homem muito distinto, e ainda moço, forte; não terá mais de quarenta e cinco anos. Alto, barbado, bonito. Aqui há tempos disse-se que ele não teimava com a mulher, porque estava lá de amores com uma viúva.

— Ah!

— E houve até quem viesse contá-lo a ela mesma. Imagine como a pobre senhora ficou! Chorou uma noite inteira, no dia seguinte não quis almoçar, e deu todas as ordens para seguir no primeiro vapor.

— Mas não foi?

— Não foi; desfez a viagem daí a três dias.

D. Benedita voltou nesse momento, pelo braço de d. Maria dos Anjos. Trazia um sorriso envergonhado; pediu desculpa da interrupção, e sentou-se com a recente amiga ao lado, agradecendo os cuidados que lhe deu, pegando-lhe outra vez na mão.

— Vejo que me quer bem — disse ela.

— A senhora merece — disse d. Maria dos Anjos.

— Mereço? — inquiriu ela entre desvanecida e modesta.

E declarou que não, que a outra é que era boa, um anjo, um verdadeiro anjo; palavra que ela sublinhou com o mesmo olhar namorado, não persistente e longo, mas inquieto e repetido. O cônego, pela sua parte, com o fim de apagar a lembrança do incidente, procurou generalizar a conversa, dando-lhe por assunto a eleição do melhor doce. Os pareceres divergiram muito. Uns acharam que era o de coco, outros o de caju, alguns o de laranja etc. Um dos convivas, o Leandrinho, autor do brinde, dizia com os olhos — não com a boca — e dizia-o de um modo astucioso, que o melhor doce eram as faces de Eulália, um doce moreno, corado; dito que a mãe dele interiormente aprovava, e que a mãe dela não podia ver, tão entregue estava à contemplação da recente amiga. Um anjo, um verdadeiro anjo!

II

D. Benedita levantou-se, no dia seguinte, com a ideia de escrever uma carta ao marido, uma longa carta em que lhe narrasse a festa da véspera, nomeasse os convivas e os pratos, descrevesse a recepção noturna, e, principalmente, desse notícia das novas relações com d. Maria dos Anjos. A mala fechava-se às duas horas da tarde, d. Benedita acordara às nove, e, não morando longe (morava no campo da Aclamação), um escravo levaria a carta ao correio muito a tempo. Demais, chovia; d. Benedita arredou a cortina da janela, deu com os vidros molhados; era uma chuvinha teimosa, o céu estava todo brochado de uma cor pardo-escura, malhada de grossas nuvens negras. Ao longe, viu flutuar e voar o pano que cobria o balaio que uma preta levava à cabeça: concluiu que ventava. Magnífico dia para não sair, e, portanto, escrever uma carta, duas cartas, todas as cartas de uma esposa ao marido ausente. Ninguém viria tentá-la.

Enquanto ela compõe os babadinhos e rendas do roupão branco, um roupão de cambraia que o desembargador lhe dera em 1862, no mesmo dia aniversário, 19 de setembro, convido a leitora a observar-lhe as feições. Vê que não lhe dou Vênus; também não lhe dou Medusa. Ao contrário de Medusa, nota-se-lhe o alisado simples do cabelo, preso sobre a nuca. Os olhos são vulgares, mas têm uma expressão bonachã. A boca é daquelas que, ainda não sorrindo, são risonhas, e tem esta outra particularidade, que é uma boca sem remorsos nem saudades: podia dizer sem desejos, mas eu só digo o que quero, e só quero falar das saudades e dos remorsos. Toda essa cabeça, que não entusiasma, nem repele, assenta sobre um corpo antes alto do que baixo, e não magro nem gordo, mas fornido na proporção da estatura. Para que falar-lhe das mãos? Há de admirá-las logo, ao travar da pena e do papel, com os dedos afilados e vadios, dois deles ornados de cinco ou seis anéis.

    Creio que é bastante ver o modo por que ela compõe as rendas e os babadinhos do roupão para compreender que é uma senhora pichosa, amiga do arranjo das coisas e de si mesma. Noto que rasgou agora o babadinho do punho esquerdo, mas é porque, sendo também impaciente, não podia mais "com a vida deste diabo". Essa foi a sua expressão, acompanhada logo de um "Deus me perdoe!" que inteiramente lhe extraiu o veneno. Não digo que ela bateu com o pé, mas adivinha-se, por ser um gesto natural de algumas senhoras irritadas. Em todo caso, a cólera durou pouco mais de meio minuto. D. Benedita foi à caixinha de costura para dar um ponto no rasgão, e contentou-se com um alfinete. O alfinete caiu no chão, ela abaixou-se a apanhá-lo. Tinha outros, é verdade, muitos outros, mas não achava prudente deixar alfinetes no chão. Abaixando-se, aconteceu-lhe ver a ponta da chinela, na qual pareceu-lhe descobrir um sinal branco; sentou-se na cadeira que tinha perto, tirou a chinela, e viu o que era: era um roidinho de barata. Outra raiva de d. Benedita, porque a chinela era muito galante, e fora-lhe dada por uma amiga do ano passado. Um anjo, um verdadeiro anjo! D. Benedita fitou os olhos irritados no sinal branco; felizmente a expressão bonachã deles não era tão bonachã que se deixasse eliminar de todo por outras expressões menos passivas, e retomou o seu lugar. D. Benedita entrou a virar e revirar a chinela, e a passá-la de uma para outra mão, a princípio com amor, logo depois maquinalmente, até que as mãos pararam de todo, a chinela caiu no regaço, e d. Benedita ficou a olhar para o ar, parada, fixa. Nisto o relógio da sala de jantar começou a bater horas. D. Benedita logo às primeiras duas estremeceu:

    — Jesus! Dez horas!

    E, rápida, calçou a chinela, consertou depressa o punho do roupão, e dirigiu-se à escrivaninha, para começar a carta. Escreveu, com efeito, a data, e um: — "Meu ingrato marido"; enfim, mal traçara estas linhas: — "Você lembrou-se ontem de mim? Eu...", quando Eulália lhe bateu à porta, bradando:

    — Mamãe, mamãe, são horas de almoçar.

    D. Benedita abriu a porta, Eulália beijou-lhe a mão, depois levantou as suas ao céu:

    — Meu Deus! que dorminhoca!

    — O almoço está pronto?

    — Há que séculos!

    — Mas eu tinha dito que hoje o almoço era mais tarde... Estava escrevendo a teu pai.

    Olhou alguns instantes para a filha, como desejosa de lhe dizer alguma coisa grave, ao menos difícil, tal era a expressão indecisa e séria dos olhos. Mas não chegou a dizer nada; a filha repetiu que o almoço estava na mesa, pegou-lhe do braço e levou-a.

    Deixemo-las almoçar à vontade; descansemos nessa outra sala, a de visitas, sem aliás inventariar os móveis dela, como o não fizemos em nenhuma outra sala ou quarto. Não é que eles não prestem, ou sejam de mau gosto; ao contrário, são bons. Mas a impressão geral que se recebe é esquisita, como se ao trastejar daquela casa houvesse presidido um plano truncado, ou uma sucessão de planos truncados. Mãe, filha e filho almoçaram. Deixemos o filho, que nos não importa, um pirralho de doze anos, que parece ter oito, tão mofino é ele. Eulália interessa-nos, não só pelo que vimos de relance no capítulo passado, como porque, ouvindo a mãe falar em d. Maria dos Anjos e no Leandrinho, ficou muito séria e, talvez, um pouco amuada. D. Benedita percebeu que o assunto não era aprazível à filha, e recuou da conversa, como alguém que desanda uma rua para evitar um importuno; recuou e ergueu-se; a filha veio com ela para a sala de visitas.

Eram onze horas menos um quarto. D. Benedita conversou com a filha até depois do meio-dia, para ter tempo de descansar o almoço e escrever a carta. Sabem que a mala fecha às duas horas. De fato, alguns minutos, poucos, depois do meio-dia, d. Benedita disse à filha que fosse estudar piano, porque ela ia acabar a carta. Saiu da sala; Eulália foi à janela, relanceou a vista pelo campo, e, se lhes disser que com uma pontazinha de tristeza nos olhos, podem crer que é a pura verdade. Não era todavia a tristeza dos débeis ou dos indecisos; era a tristeza dos resolutos, a quem dói de antemão um ato pela mortificação que há de trazer a outros, e que, não obstante, juram a si mesmos praticá-lo, e praticam. Convenho que nem todas essas particularidades podiam estar nos olhos de Eulália, mas por isso mesmo é que as histórias são contadas por alguém, que se incumbe de preencher as lacunas e divulgar o escondido. Que era uma tristeza máscula, era; — e que daí a pouco os olhos sorriam de um sinal de esperança, também não é mentira.

— Isto acaba — murmurou ela, vindo para dentro.

Justamente nessa ocasião parava um carro à porta, apeava-se uma senhora, ouvia-se a campainha da escada, descia um moleque a abrir a cancela, e subia as escadas d. Maria dos Anjos. D. Benedita, quando lhe disseram quem era, largou a pena, alvoroçada; vestiu-se à pressa, calçou-se, e foi à sala.

— Com este tempo! — exclamou. — Ah! isto é que é querer bem à gente!

— Vim sem esperar pela sua visita, só para mostrar que não gosto de cerimônias, e que entre nós deve haver a maior liberdade.

Vieram os cumprimentos de estilo, as palavrinhas doces, os afagos da véspera. D. Benedita não se fartava de dizer que a visita naquele dia era uma grande fineza, uma prova de verdadeira amizade; mas queria outra, acrescentou daí a um instante, que d. Maria dos Anjos ficasse para jantar. Esta desculpou-se alegando que tinha de ir a outras partes; demais, essa era a prova que lhe pedia — a de ir jantar à casa dela primeiro. D. Benedita não hesitou, prometeu que sim, naquela mesma semana.

— Estava agora mesmo escrevendo o seu nome — continuou.

— Sim?

— Estou escrevendo a meu marido, e falo da senhora. Não lhe repito o que escrevi, mas imagine que falei muito mal da senhora, que era antipática, insuportável, maçante, aborrecida... Imagine!

— Imagino, imagino. Pode acrescentar que, apesar de ser tudo isso, e mais alguma coisa, apresento-lhe os meus respeitos.

— Como ela tem graça para dizer as coisas! — comentou d. Benedita olhando para a filha.

Eulália sorriu sem convicção. Sentada na cadeira fronteira à mãe, ao pé da outra ponta do sofá em que estava d. Maria dos Anjos, Eulália dava à conversação das duas a soma de atenção que a cortesia lhe impunha, e nada mais. Chegava a parecer aborrecida; cada sorriso que lhe abria a boca era de um amarelo pálido, um sorriso de favor. Uma das tranças — era de manhã, trazia o cabelo em duas tranças caídas pelas costas abaixo — uma delas servia-lhe de pretexto a alhear-se de quando em quando, porque puxava-a para a frente e contava-lhe os fios do cabelo — ou parecia contá-los. Assim o creu d. Maria dos Anjos, quando lhe lançou uma ou duas vezes os olhos, curiosa, desconfiada. D. Benedita é que não via nada; via a amiga, a feiticeira, como lhe chamou duas ou três vezes — "feiticeira como ela só".

— Já!

D. Maria dos Anjos explicou que tinha de ir a outras visitas; mas foi obrigada a ficar ainda alguns minutos, a pedido da amiga. Como trouxesse um mantelete de renda preta, muito elegante, d. Benedita disse que tinha um igual, e mandou buscá-lo. Tudo demoras. Mas a mãe do Leandrinho estava tão contente! D. Benedita enchia-lhe o coração; achava nela todas as qualidades que melhor se ajustavam à sua alma e aos seus costumes, ternura, confiança, entusiasmo, simplicidade, uma familiaridade cordial e pronta. Veio o mantelete; vieram oferecimentos de alguma coisa, um doce, um licor, um refresco; d. Maria dos Anjos não aceitou nada mais do que um beijo e a promessa de que iriam jantar com ela naquela semana.

— Quinta-feira — disse d. Benedita.
— Palavra?
— Palavra.
— Que quer que lhe faça se não for? Há de ser um castigo bem forte.
— Bem forte? Não me fale mais.

D. Maria dos Anjos beijou com muita ternura a amiga; depois abraçou e beijou também a Eulália, mas a efusão era muito menor de parte a parte. Uma e outra mediam-se, estudavam-se, começavam a compreender-se. D. Benedita levou a amiga até o patamar da escada, depois foi à janela para vê-la entrar no carro; a amiga, depois de entrar no carro, pôs a cabeça de fora, olhou para cima, e disse-lhe adeus, com a mão.

— Não falte, ouviu?
— Quinta-feira.

Eulália já não estava na sala; d. Benedita correu a acabar a carta. Era tarde; não relatara o jantar da véspera, nem já agora podia fazê-lo. Resumiu tudo; encareceu muito as novas relações; enfim, escreveu estas palavras:

> O cônego Roxo falou-me em casar Eulália com o filho de d. Maria dos Anjos; é um moço formado em direito este ano; é conservador, e espera uma promotoria, agora, se o Itaboraí não deixar o ministério. Eu acho que o casamento é o melhor possível. O dr. Leandrinho (é o nome dele) é muito bem educado; fez um brinde a você, cheio de palavras tão bonitas, que eu chorei. Eu não sei se Eulália quererá ou não; desconfio de outro sujeito que outro dia esteve conosco nas Laranjeiras. Mas você que pensa? Devo limitar-me a aconselhá-la, ou impor-lhe a nossa vontade? Eu acho que devo usar um pouco de minha autoridade; mas não quero fazer nada sem que você me diga. O melhor seria se você viesse cá.

Acabou e fechou a carta; Eulália entrou nessa ocasião, ela deu-lha para mandar, sem demora, ao correio; e filha saiu com a carta sem saber que tratava dela e do seu futuro. D. Benedita deixou-se cair no sofá, cansada, exausta. A carta era muito comprida apesar de não dizer tudo; e era-lhe tão enfadonho escrever cartas compridas!

III

Era-lhe tão enfadonho escrever cartas compridas! Esta palavra, fecho do capítulo passado, explica a longa prostração de d. Benedita. Meia hora depois de cair no sofá, ergueu-se um pouco, e percorreu o gabinete com os olhos, como procurando alguma coisa. Essa coisa era um livro. Achou o livro, e podia dizer achou os livros, pois nada menos de três estavam ali, dois abertos, um marcado em certa página, todos em cadeiras. Eram três romances que d. Benedita lia ao mesmo tempo. Um deles, note-se, custou-lhe não pouco trabalho. Deram-lhe notícia na rua, perto de casa, com muitos elogios; chegara da Europa na véspera. D. Benedita ficou tão entusiasmada, que apesar de ser longe e tarde, arrepiou caminho e foi ela mesma comprá-lo, correndo nada menos de três livrarias. Voltou ansiosa, namorada do livro, tão namorada que abriu as folhas, jantando, e leu os cinco primeiros capítulos naquela mesma noite. Sendo preciso dormir, dormiu; no dia seguinte não pôde continuar, depois esqueceu-o. Agora, porém, passados oito dias, querendo ler alguma coisa, aconteceu-lhe justamente achá-lo à mão.

— Ah!

E ei-la que torna ao sofá, que abre o livro com amor, que mergulha o espírito, os olhos e o coração na leitura tão desastradamente interrompida. D. Benedita ama os romances, é natural; e adora os romances bonitos, é naturalíssimo. Não admira que esqueça tudo para ler este; tudo, até a lição de piano da filha, cujo professor chegou e saiu, sem que ela fosse à sala. Eulália despediu-se do professor; depois foi ao gabinete, abriu a porta, caminhou pé ante pé até o sofá, e acordou a mãe com um beijo.

— Dorminhoca!
— Ainda chove?
— Não, senhora; agora parou.
— A carta foi?
— Foi; mandei o José a toda a pressa. Aposto que mamãe esqueceu-se de dar lembranças a papai? Pois olhe, eu não me esqueço nunca.

D. Benedita bocejou. Já não pensava na carta; pensava no colete que encomendara à Charavel, um colete de barbatanas mais moles do que o último. Não gostava de barbatanas duras; tinha o corpo mui sensível, Eulália falou ainda algum tempo do pai, mas calou-se logo, e vendo no chão o livro aberto, o famoso romance, apanhou-o, fechou-o, pô-lo em cima da mesa. Nesse momento vieram trazer uma carta a d. Benedita; era do cônego Roxo, que mandava perguntar se estavam em casa naquele dia, porque iria ao enterro dos ossos.

— Pois não! — bradou d. Benedita. — Estamos em casa, venha, pode vir.

Eulália escreveu o bilhetinho de resposta. Daí a três quartos de hora fazia o cônego a sua entrada na sala de d. Benedita. Era um bom homem o cônego, velho amigo daquela casa, na qual, além de trinchar o peru nos dias solenes, como vimos, exercia o papel de conselheiro, e exercia-o com lealdade e amor. Eulália, principalmente, merecia-lhe muito; vira-a pequena, galante, travessa, amiga dele, e criou-lhe uma afeição paternal, tão paternal que tomara a peito casá-la bem, e nenhum noivo melhor do que o Leandrinho, pensava o cônego. Naquele dia, a ideia de ir jantar com elas era antes um pretexto; o cônego queria tratar o negócio diretamente com a filha do desembargador. Eulália, ou porque adivinhasse isso mesmo, ou porque a pessoa do cônego lhe lembrasse o Leandrinho, ficou logo preocupada, aborrecida.

Mas, preocupada ou aborrecida, não quer dizer triste ou desconsolada. Era resoluta, tinha têmpera, podia resistir, e resistiu, declarando ao cônego, quando ele naquela noite lhe falou do Leandrinho, que absolutamente não queria casar.

— Palavra de moça bonita?
— Palavra de moça feia.
— Mas, por quê?
— Porque não quero.
— E se mamãe quiser?
— Não quero eu.
— Mau! isso não é bonito, Eulália.

Eulália deixou-se estar. O cônego ainda tornou ao assunto, louvou as qualidades do candidato, as esperanças da família, as vantagens do casamento; ela ouvia tudo, sem contestar nada. Mas quando o cônego formulava de um modo direto a questão, a resposta invariável era esta:

— Já disse tudo.
— Não quer?
— Não.

O desconsolo do bom cônego era profundo e sincero. Queria casá-la bem, e não achava melhor noivo. Chegou a interrogá-la discretamente, sobre se tinha alguma preferência em outra parte. Mas Eulália, não menos discretamente, respondia que não, que não tinha nada; não queria nada; não queria casar. Ele creu que era assim, mas receou também que não fosse assim; faltava-lhe o trato suficiente das mulheres para ler através de uma negativa. Quando referiu tudo a d. Benedita, esta ficou assombrada com os termos da recusa; mas tornou logo a si, e declarou ao padre que a filha não tinha vontade, faria o que ela quisesse, e ela queria o casamento.

— Já agora nem espero resposta do pai — concluiu —; declaro-lhe que ela há de casar. Quinta-feira vou jantar com d. Maria dos Anjos, e combinaremos as coisas.

— Devo dizer-lhe — ponderou o cônego — que d. Maria dos Anjos não deseja que se faça nada à força.

— Qual força! Não é preciso força.

O cônego refletiu um instante.

— Em todo caso, não violentaremos qualquer outra afeição, que ela possa ter — disse ele.

D. Benedita não respondeu nada; mas consigo, no mais fundo de si mesma, jurou que, houvesse o que houvesse, acontecesse o que acontecesse, a filha seria nora de d. Maria dos Anjos. E ainda consigo, depois de sair o cônego: — Tinha que ver! um tico de gente, com fumaças de governar a casa!

A quinta-feira raiou. Eulália — o tico de gente — levantou-se fresca, lépida, loquaz, com todas as janelas da alma abertas ao sopro azul da manhã. A mãe acordou ouvindo um trecho italiano, cheio de melodia; era ela que cantava, alegre, sem afetação, com a indiferença das aves que cantam para si ou para os seus, e não para o poeta, que as ouve e traduz na língua imortal dos homens. D. Benedita afagara muito a ideia de a ver abatida, carrancuda, e gastara uma certa soma de imaginação em compor os seus modos, delinear os seus atos, ostentar energia e força. E nada! Em vez de uma filha rebelde, uma criatura gárrula e submissa. Era começar mal o dia; era sair aparelhada para destruir uma fortaleza, e dar com uma cidade aberta, pacífica, hospedeira, que lhe pedia o favor de entrar e partir o pão da alegria e da concórdia. Era começar o dia muito mal.

A segunda causa do tédio de d. Benedita foi um ameaço de enxaqueca, às três horas da tarde; um ameaço, ou uma suspeita de possibilidade de ameaço. Chegou a transferir a visita, mas a filha ponderou que talvez a visita lhe fizesse bem, e em todo caso, era tarde para deixar de ir. D. Benedita não teve remédio, aceitou o reparo. Ao espelho, penteando-se, esteve quase a dizer que definitivamente ficava: chegou a insinuá-lo à filha.

— Mamãe, veja que dona Maria dos Anjos conta com a senhora — disse-lhe Eulália.

— Pois sim — redarguiu a mãe —, mas não prometi ir doente.

Enfim, vestiu-se, calçou as luvas, deu as últimas ordens; e devia doer-lhe muito a cabeça, porque os modos eram arrebatados, uns modos de pessoa constrangida ao que não quer. A filha animava-a muito, lembrava-lhe o vidrinho dos sais, instava que saíssem, descrevia a ansiedade de d. Maria dos Anjos, consultava de dois em dois minutos o pequenino relógio, que trazia na cintura etc. Uma amofinação, realmente.

— O que tu estás é me amofinando — disse-lhe a mãe.

E saiu, saiu exasperada, com uma grande vontade de esganar a filha, dizendo consigo que a pior coisa do mundo era ter filhas. Os filhos ainda vá; criam-se, fazem carreira por si; mas as filhas!

Felizmente, o jantar de d. Maria dos Anjos aquietou-a; e não digo que a enchesse de grande satisfação, porque não foi assim. Os modos de d. Benedita não eram os do costume; eram frios, secos, ou quase secos; ela, porém, explicou de si mesma a diferença, noticiando o ameaço da enxaqueca, notícia mais triste do que alegre, e que, aliás, alegrou a alma de d. Maria dos Anjos, por esta razão fina e profunda: antes a frieza da amiga fosse originada na doença do que na quebra do afeto. Demais, a doença não era grave. E que fosse grave! Não houve naquele dia mãos presas, olhos nos olhos, manjares comidos entre carícias mútuas; não houve nada do jantar de domingo. Um jantar apenas conversado; não alegre, conversado; foi o mais que alcançou o cônego. Amável cônego! As disposições de Eulália, naquele dia, cumularam-no de esperanças; o riso que brincava nela, a maneira expansiva da conversa, a docilidade com que se prestava a tudo, a tocar, a cantar, e o rosto afável, meigo, com que ouvia e falava ao Leandrinho, tudo isso foi para a alma do cônego uma renovação de esperanças. Logo hoje é que d. Benedita estava doente! Realmente, era caiporismo.

D. Benedita reanimou-se um pouco, à noite, depois do jantar. Conversou mais, discutiu um projeto de passeio ao Jardim Botânico, chegou mesmo a propor que fosse logo no dia seguinte; mas Eulália advertiu que era prudente esperar um ou dois dias até que os efeitos da enxaqueca desaparecessem de todo; e o olhar que mereceu à mãe, em troca do conselho, tinha a ponta aguda de um punhal. Mas a filha não tinha medo dos olhos maternos. De noite, ao despentear-se, recapitulando o dia, Eulália repetiu consigo a palavra que lhe ouvimos, dias antes, à janela:

— Isto acaba.

E, satisfeita de si, antes de dormir, puxou uma certa gaveta, tirou uma caixinha, abriu-a, aventou um cartão de alguns centímetros de altura — um retrato. Não era retrato de mulher, não só por ter bigodes, como por estar fardado; era, quando muito, um oficial de marinha. Se bonito ou feio, é matéria de opinião. Eulália achava-o bonito; a prova é que o beijou, não digo uma vez, mas três. Depois mirou-o, com saudade, tornou a fechá-lo e guardá-lo.

Que fazias tu, mãe cautelosa e ríspida, que não vinhas arrancar às mãos e à boca da filha um veneno tão sutil e mortal? D. Benedita, à janela, olhava a noite, entre as estrelas e os lampiões de gás, com a imaginação vagabunda, inquieta, roída de saudades e desejos. O dia tinha-lhe saído mal, desde manhã. D. Benedita confessava, naquela doce intimidade da alma consigo mesma, que o jantar de d. Maria dos Anjos não prestara para nada, e que a própria amiga não estava provavelmente nos seus dias de costume. Tinha saudades, não sabia bem de que, e desejos, que ignorava. De quando em quando, bocejava ao modo preguiçoso e arrastado dos que caem de sono; mas se alguma coisa tinha era fastio — fastio, impaciência, curiosidade. D. Benedita cogitou seriamente em ir ter com o marido; e tão depressa a ideia do marido lhe penetrou no cérebro, como se lhe apertou o coração de saudades e remorsos, e o sangue pulou-lhe num tal ímpeto de ir ver o desembargador que, se o paquete do norte estivesse na esquina da rua e as malas prontas, ela embarcaria logo e logo. Não importa; o paquete devia estar prestes a sair, oito ou dez dias; era o tempo de arranjar as malas. Iria por três meses somente, não era preciso levar muita coisa. Ei-la que se consola da grande cidade fluminense, da similitude dos dias, da escassez das coisas, da persistência das caras, da mesma fixidez das modas, que era um dos seus árduos problemas: — por que é que as modas hão de durar mais de quinze dias?

— Vou, não há que ver, vou ao Pará — disse ela a meia-voz.

Com efeito, no dia seguinte, logo de manhã, comunicou a resolução à filha, que a recebeu sem abalo. Mandou ver as malas que tinha, achou que era preciso mais uma, calculou o tamanho, e determinou comprá-la. Eulália, por uma inspiração súbita:

— Mas, mamãe, nós não vamos por três meses?

— Três... ou dois.

— Pois, então, não vale a pena. As duas malas chegam.

— Não chegam.

— Bem; se não chegarem, pode-se comprar na véspera. E mamãe mesma escolhe; é melhor do que mandar esta gente que não sabe nada.

D. Benedita achou a reflexão judiciosa, e guardou o dinheiro. A filha sorriu para dentro. Talvez repetisse consigo a famosa palavra da janela: — Isto acaba. A mãe foi cuidar dos arranjos, escolha de roupa, lista das coisas que precisava comprar, um presente para o marido etc. Ah! que alegria que ele ia ter! Depois do meio-dia saíram para fazer encomendas, visitas, comprar as passagens, quatro passagens; levavam uma escrava consigo. Eulália ainda tentou arredá-la da ideia, propondo a transferência da viagem; mas d. Benedita declarou peremptoriamente que não. No escritório da Companhia de Paquetes disseram-lhe que o do norte saía na sexta-feira da outra semana. Ela pediu as quatro passagens; abriu a carteirinha, tirou uma nota, depois duas, refletiu um instante.

— Basta vir na véspera, não?

— Basta, mas pode não achar mais.

— Bem; o senhor guarde os bilhetes: eu mando buscar.

— O seu nome?

— O nome? O melhor é não tomar o nome; nós viremos três dias antes de sair o vapor. Naturalmente ainda haverá bilhetes.

— Pode ser.

— Há de haver.

Na rua, Eulália observou que era melhor ter comprado logo os bilhetes; e, sabendo-se que ela não desejava ir para o norte nem para o sul, salvo na fragata em que embarcasse o original do retrato da véspera, há de supor-se que a reflexão da moça era profundamente maquiavélica. Não digo que não. D. Benedita, entretanto, noticiou a viagem aos amigos e conhecidos, nenhum dos quais a ouviu espantado. Um chegou a perguntar-lhe se, enfim, daquela vez era certo. D. Maria dos Anjos, que sabia da viagem pelo cônego, se alguma coisa a assombrou, quando a amiga se despediu dela, foram as atitudes geladas, o olhar fixo no chão, o silêncio, a indiferença. Uma visita de dez minutos apenas, durante os quais d. Benedita disse quatro palavras no princípio: — Vamos para o norte. E duas no fim: — Passe bem. E os beijos? Dois tristes beijos de pessoa morta.

IV

A viagem não se fez por um motivo supersticioso. D. Benedita, no domingo à noite, advertiu que o paquete seguia na sexta-feira, e achou que o dia era mau. Iriam no outro paquete. Não foram no outro; mas desta vez os motivos escapam inteiramente ao alcance do olhar humano, e o melhor alvitre em tais casos é não teimar com o impenetrável. A verdade é que d. Benedita não foi, mas iria no terceiro paquete, a não ser um incidente que lhe trocou os planos.

Tinha a filha inventado uma festa e uma amizade nova. A nova amizade era uma família do Andaraí; a festa não se sabe a que propósito foi, mas deve ter sido esplêndida, porque d. Benedita ainda falava dela três dias depois. Três dias! Realmente, era demais. Quanto à família, era impossível ser mais amável; ao menos, a impressão que deixou na alma de d. Benedita foi intensíssima. Uso este superlativo, porque ela mesma o empregou: é um documento humano.

— Aquela gente? Oh! deixou-me uma impressão intensíssima.

E toca a andar para Andaraí, namorada de d. Petronilha, esposa do conselheiro Beltrão, e de uma irmã dela, d. Maricota, que ia casar com um oficial de marinha, irmão de outro oficial de marinha, cujos bigodes, olhos, cara, porte, cabelos são os mesmos do retrato que o leitor entreviu há tempos na gavetinha de Eulália. A irmã casada tinha trinta e dois anos, e uma seriedade, umas maneiras tão bonitas, que deixaram encantada a esposa do desembargador. Quanto à irmã solteira era uma flor, uma flor de cera, outra expressão de d. Benedita, que não altero com receio de entibiar a verdade.

Um dos pontos mais obscuros desta curiosa história é a pressa com que as relações se travaram, e os acontecimentos se sucederam. Por exemplo, uma das pessoas que estiveram em Andaraí, com d. Benedita, foi o oficial de marinha retratado no cartão particular de Eulália, primeiro-tenente Mascarenhas, que o conselheiro Beltrão proclamou futuro almirante. Vede, porém, a perfídia do oficial: vinha fardado; e d. Benedita, que amava os espetáculos novos, achou-o tão distinto, tão bonito, entre os outros moços à paisana, que o preferiu a todos, e lho disse. O oficial agradeceu comovido. Ela ofereceu-lhe a casa; ele pediu-lhe licença para fazer uma visita.

— Uma visita? Vá jantar conosco.

Mascarenhas fez uma cortesia de aquiescência.

— Olhe — disse d. Benedita —, vá amanhã.

Mascarenhas foi, e foi mais cedo. D. Benedita falou-lhe da vida do mar; ele pediu-lhe a filha em casamento. D. Benedita ficou sem voz, pasmada. Lembrou-se, é verdade, que desconfiara dele, um dia, nas Laranjeiras; mas a suspeita acabara. Agora não os vira conversar nem olhar uma só vez. Em casamento! Mas seria mesmo em casamento? Não podia ser outra coisa; a atitude séria, respeitosa, implorativa do rapaz dizia bem que se tratava de um casamento. Que sonho! Convidar um amigo, e abrir a porta a um genro: era o cúmulo do inesperado. Mas o sonho era bonito; o oficial de marinha era um galhardo rapaz, forte, elegante, simpático, metia toda a gente no coração, e principalmente parecia adorá-la, a ela, d. Benedita. Que magnífico sonho! D. Benedita voltou do pasmo, e respondeu que sim, que Eulália era sua. Mascarenhas pegou-lhe na mão e beijou-a filialmente.

— Mas o desembargador? — disse ele.

— O desembargador concordará comigo.

Tudo andou assim depressa. Certidões passadas, banhos corridos, marcou-se o dia do casamento; seria vinte e quatro horas depois de recebida a resposta do desembargador. Que alegria a da boa mãe! que atividade no preparo do enxoval, no plano e nas encomendas da festa, na escolha dos convidados etc.! Ela ia de um lado para outro, ora a pé, ora de carro, fizesse chuva ou sol. Não se detinha no mesmo objeto muito tempo; a semana do enxoval não era a do preparo da festa, nem a das visitas; alternava as coisas, voltava atrás, com certa confusão, é verdade. Mas aí estava a filha para suprir as faltas, corrigir os defeitos, cercear as demasias, tudo com a sua habilidade natural. Ao contrário de todos os noivos, este não as importunava; não jantava todos os dias com elas, segundo lhe pedia a dona da casa; jantava aos domingos, e visitava-as uma vez por semana. Matava as saudades por meio de cartas, que eram contínuas, longas e secretas, como no tempo do namoro. D. Benedita não podia explicar uma tal esquivança, quando ela morria por ele; e então vingava-se da esquisitice, morrendo ainda mais, e dizendo dele por toda a parte as mais belas coisas do mundo.

— Uma pérola! uma pérola!

— E um bonito rapaz — acrescentavam.

— Não é? De truz.

A mesma coisa repetia ao marido nas cartas que lhe mandava, antes e depois de receber a resposta da primeira. A resposta veio; o desembargador deu o seu consentimento, acrescentando que lhe doía muito não poder vir assistir às bodas, por achar-se um tanto adoentado; mas abençoava de longe os filhos, e pedia o retrato do genro.

Cumpriu-se o acordo à risca. Vinte e quatro horas depois de recebida a resposta do Pará efetuou-se o casamento, que foi uma festa admirável, esplêndida, no dizer de d. Benedita, quando a contou a algumas amigas. Oficiou o cônego Roxo, e claro é que d. Maria dos Anjos não esteve presente, e menos ainda o filho. Ela esperou, note-se, até última hora um bilhete de participação, um convite, uma visita, embora se abstivesse de comparecer; mas não recebeu nada. Estava atônita, revolvia a memória a ver se descobria alguma inadvertência sua que pudesse explicar a frieza das relações; não achando nada, supôs alguma intriga. E supôs mal, pois foi um simples esquecimento. D. Benedita, no dia do consórcio, de manhã, teve ideia de que d. Maria dos Anjos não recebera participação.

— Eulália, parece que não mandamos participação a d. Maria dos Anjos? — disse ela à filha, almoçando.

— Não sei; mamãe é quem se incumbiu dos convites.

— Parece que não — confirmou d. Benedita. — João, dá cá mais açúcar.

O copeiro deu-lhe o açúcar; ela, mexendo o chá, lembrou-se do carro que iria buscar o cônego e reiterou uma ordem da véspera.

Mas a fortuna é caprichosa. Quinze dias depois do casamento, chegou a notícia do óbito do desembargador. Não descrevo a dor de d. Benedita; foi dilacerante e sincera. Os noivos, que devaneavam na Tijuca, vieram ter com ela; d. Benedita chorou todas as lágrimas de uma esposa austera e fidelíssima. Depois da missa do sétimo dia, consultou a filha e o genro acerca da ideia de ir ao Pará, erigir um túmulo ao marido, e beijar a terra em que ele repousava. Mascarenhas trocou um olhar com a mulher; depois disse à sogra que era melhor irem juntos, porque ele devia seguir para o norte daí a três meses em comissão do governo. D. Benedita recalcitrou um pouco, mas aceitou o prazo, dando desde logo todas as ordens necessárias à construção do túmulo. O túmulo fez-se; mas a comissão não veio, e d. Benedita não pôde ir.

Cinco meses depois, deu-se um pequeno incidente na família. D. Benedita mandara construir uma casa no caminho da Tijuca, e o genro, com o pretexto de uma interrupção na obra, propôs acabá-la. D. Benedita consentiu, e o ato era tanto mais honroso para ela, quanto que o genro começava a parecer-lhe insuportável com a sua excessiva disciplina, com as suas teimas, impertinências etc. Verdadeiramente, não havia teimas; nesse particular, o genro de d. Benedita contava tanto com a sinceridade da sogra que nunca teimava; deixava que ela própria se desmentisse dias depois. Mas pode ser que isto mesmo a mortificasse. Felizmente, o governo lembrou-se de o mandar ao sul; Eulália, grávida, ficou com a mãe.

Foi por esse tempo que um negociante viúvo teve ideia de cortejar d. Benedita. O primeiro ano de viuvez estava passado. D. Benedita acolheu a ideia com muita simpatia, embora sem alvoroço. Defendia-se consigo; alegava a idade e os estudos do filho, que em breve estaria a caminho de São Paulo, deixando-a só, sozinha no mundo. O casamento seria uma consolação, uma companhia. E consigo, na rua ou em casa, nas horas disponíveis, aprimorava o plano com todos os floreios da imaginação vivaz e súbita; era uma vida nova, pois desde muito, antes mesmo da morte do marido, pode-se dizer que era viúva. O negociante gozava do melhor conceito: a escolha era excelente.

Não casou. O genro tornou do sul, a filha deu à luz um menino robusto e lindo, que foi a paixão da avó durante os primeiros meses. Depois, o genro, a filha e o neto foram para o norte. D. Benedita achou-se só e triste; o filho não bastava aos seus afetos. A ideia de viajar tornou a rutilar-lhe na mente, mas como um fósforo, que se apaga logo. Viajar sozinha era cansar e aborrecer-se ao mesmo tempo; achou melhor ficar.

Uma companhia lírica, adventícia, sacudiu-lhe o torpor, e restituiu-a à sociedade. A sociedade incutiu-lhe outra vez a ideia do casamento, e apontou-lhe logo um pretendente, desta vez um advogado, também viúvo.

— Casarei? não casarei?

Uma noite, volvendo d. Benedita este problema, à janela da casa de Botafogo, para onde se mudara desde alguns meses, viu um singular espetáculo. Primeiramente uma claridade opaca, espécie de luz coada por um vidro fosco, vestia o espaço da enseada, fronteiro à janela. Nesse quadro apareceu-lhe uma figura vaga e transparente, trajada de névoas, toucada de reflexos, sem contornos definidos, porque morriam todos no ar. A figura veio até o peitoril da janela de d. Benedita; e de um gesto sonolento, com uma voz de criança, disse-lhe estas palavras sem sentido:

— Casa... não casarás... se casas... casarás... não casarás... e casas... casando...

D. Benedita ficou aterrada, sem poder mexer-se; mas ainda teve a força de perguntar à figura quem era. A figura achou um princípio de riso, mas perdeu-o logo; depois respondeu que era a fada que presidira ao nascimento de d. Benedita: Meu nome é Veleidade — concluiu; e, como um suspiro, dispersou-se na noite e no silêncio.

A Estação, *abril-junho de 1882; Machado de Assis.*

O segredo do bonzo
Capítulo inédito de Fernão Mendes Pinto

Atrás deixei narrado o que se passou nesta cidade Fuchéu, capital do reino de Bungo, com o padre-mestre Francisco, e de como el-rei se houve com o Fucarandono e outros bonzos, que tiveram por acertado disputar ao padre as primazias da nossa santa religião. Agora direi de uma doutrina não menos curiosa que saudável ao espírito, e digna de ser divulgada a todas as repúblicas da cristandade.

    Um dia, andando a passeio com Diogo Meireles, nesta mesma cidade Fuchéu, naquele ano de 1552, sucedeu deparar-se-nos um ajuntamento de povo, à esquina de uma rua, em torno a um homem da terra, que discorria com grande abundância de gestos e vozes. O povo, segundo o esmo mais baixo, seria passante de cem pessoas, varões somente, e todos embasbacados. Diogo Meireles, que melhor conhecia a língua da terra, pois ali estivera muitos meses, quando andou com bandeira de veniaga (agora ocupava-se no exercício da medicina, que estudara convenientemente, e em que era exímio) ia-me repetindo pelo nosso idioma o que ouvia ao orador, e que em resumo, era o seguinte: — Que ele não queria outra coisa mais do que afirmar a origem dos grilos, os quais procediam do ar e das folhas de coqueiro, na conjunção da lua nova; que este descobrimento, impossível a quem não fosse, como ele, matemático, físico e filósofo, era fruto de dilatados anos de aplicação, experiência e estudo, trabalhos e até perigos de vida; mas enfim, estava feito, e todo redundava em glória do reino de Bungo, e especialmente da cidade Fuchéu, cujo filho era; e, se por ter aventado tão sublime verdade, fosse necessário aceitar a morte, ele a aceitaria ali mesmo, tão certo era que a ciência valia mais do que a vida e seus deleites.

    A multidão, tanto que ele acabou, levantou um tumulto de aclamações, que esteve a ponto de ensurdecer-nos, e alçou nos braços homem bradando: Patimau, Patimau, viva Patimau que descobriu a origem dos grilos! E todos se foram com ele ao alpendre de um mercador, onde lhe deram refrescos e lhe fizeram muitas saudações e reverências, à maneira deste gentio, que é em extremo obsequioso e cortesão.

    Desandando o caminho, vínhamos nós, Diogo Meireles e eu, falando do singular achado da origem dos grilos, quando, a pouca distância daquele alpendre, obra de seis credos, não mais, achamos outra multidão de gente, em outra esquina, escutando a outro homem. Ficamos espantados com a semelhança do caso, e Diogo Meireles, visto que também este falava apressado, repetiu-me da mesma maneira o teor da oração. E dizia este outro, com grande admiração e aplauso da gente que o cercava, que enfim descobrira o princípio da vida futura, quando a terra houvesse de ser inteiramente destruída, e era nada menos que uma certa gota de sangue de vaca; daí provinha a excelência da vaca para habitação das almas humanas, e o ardor com que esse distinto animal era procurado por muitos homens à hora de morrer; descobrimento que ele podia afirmar com fé e verdade, por ser obra de experiências repetidas e profunda cogitação, não desejando nem pedindo outro galardão mais que dar glória ao reino de Bungo e receber dele a estimação que os bons filhos merecem. O povo, que escutara esta fala com muita veneração, fez o mesmo alarido e levou o homem ao dito alpendre, com a diferença que o trepou a uma charola; ali chegando, foi regalado com obséquios iguais aos que faziam a Patimau, não havendo nenhuma distinção entre eles, nem outra competência nos banqueteadores, que não fosse a de dar graças a ambos os banqueteados.

Ficamos sem saber nada daquilo, porque nem nos parecia casual a semelhança exata dos dois encontros, nem racional ou crível a origem dos grilos, dada por Patimau, ou o princípio da vida futura, descoberto por Languru, que assim se chamava o outro. Sucedeu, porém, costearmos a casa de um certo Titané, alparqueiro, o qual correu a falar a Diogo Meireles, de quem era amigo. E, feitos os cumprimentos, em que o alparqueiro chamou as mais galantes coisas a Diogo Meireles, tais como — ouro da verdade e sol do pensamento —, contou-lhe este o que víramos e ouvíramos pouco antes. Ao que Titané acudiu com grande alvoroço: — Pode ser que eles andem cumprindo uma nova doutrina, dizem que inventada por um bonzo de muito saber, morador em umas casas pegadas ao monte Coral. E porque ficássemos cobiçosos de ter alguma notícia da doutrina, consentiu Titané em ir conosco no dia seguinte às casas do bonzo, e acrescentou: — Dizem que ele não a confia a nenhuma pessoa, se não às que de coração se quiserem filiar a ela; e, sendo assim, podemos simular que o queremos unicamente com o fim de a ouvir; e se for boa, chegaremos a praticá-la à nossa vontade.

No dia seguinte, ao modo concertado, fomos às casas do dito bonzo, por nome Pomada, um ancião de cento e oito anos, muito lido e sabido nas letras divinas e humanas, e grandemente aceito a toda aquela gentilidade, e por isso mesmo mal visto de outros bonzos, que se finavam de puro ciúme. E tendo ouvido o dito bonzo a Titané quem éramos e o que queríamos, iniciou-nos primeiro com várias cerimônias e bugiarias necessárias à recepção da doutrina, e só depois dela é que alçou a voz para confiá-la e explicá-la.

— Haveis de entender — começou ele — que a virtude e o saber têm duas existências paralelas, uma no sujeito que as possui, outra no espírito dos que o ouvem ou contemplam. Se puserdes as mais sublimes virtudes e os mais profundos conhecimentos em um sujeito solitário, remoto de todo contato com outros homens, é como se eles não existissem. Os frutos de uma laranjeira, se ninguém os gostar, valem tanto como as urzes e plantas bravias, e, se ninguém os vir, não valem nada; ou, por outras palavras mais enérgicas, não há espetáculo sem espectador. Um dia, estando a cuidar nestas coisas, considerei que, para o fim de alumiar um pouco o entendimento, tinha consumido os meus longos anos, e, aliás, nada chegaria a valer sem a existência de outros homens que me vissem e honrassem; então cogitei se não haveria um modo de obter o mesmo efeito, poupando tais trabalhos, e esse dia posso agora dizer que foi o da regeneração dos homens, pois me deu a doutrina salvadora.

Neste ponto, afiamos os ouvidos e ficamos pendurados da boca do bonzo, o qual, como lhe dissesse Diogo Meireles que a língua da terra me não era familiar, ia falando com grande pausa, por que eu nada perdesse. E continuou dizendo: — Mal podeis adivinhar o que me deu ideia da nova doutrina; foi nada menos que a pedra da lua, essa insigne pedra tão luminosa que, posta no cabeço de uma montanha ou no píncaro de uma torre, dá claridade a uma campina inteira, ainda a mais dilatada.

Uma tal pedra, com tais quilates de luz, não existiu nunca, e ninguém jamais a viu; mas muita gente crê que existe e mais de um dirá que a viu com os seus próprios olhos. Considerei o caso, e entendi que, se uma coisa pode existir na opinião, sem existir na realidade, e existir na realidade, sem existir na opinião, a conclusão é que das duas existências paralelas a única necessária é a da opinião, não a da realidade, que é apenas conveniente. Tão depressa fiz este achado especulativo, como dei graças a Deus do favor especial, e determinei-me a verificá-lo por experiências; o que alcancei, em mais de um caso, que não relato, por vos não tomar o tempo. Para compreender a eficácia do meu sistema, basta advertir que os grilos não podem nascer do ar e das folhas de coqueiro, na conjunção da lua nova, e por outro lado, o princípio da vida futura não está em uma certa gota de sangue de vaca; mas Patimau e Languru, varões astutos, com tal arte souberam meter estas duas ideias no ânimo da multidão, que hoje desfrutam a nomeada de grandes físicos e maiores filósofos, e têm consigo pessoas capazes de dar a vida por eles.

Não sabíamos em que maneira déssemos ao bonzo as mostras do nosso vivo contentamento e admiração. Ele interrogou-nos ainda algum tempo, compridamente acerca da doutrina e dos fundamentos dela, e depois de reconhecer que a entendíamos, incitou-nos a praticá-la, a divulgá-la cautelosamente, não porque houvesse nada contrário às leis divinas ou humanas, mas porque a má compreensão dela podia daná-la e perdê-la em seus primeiros passos; enfim, despediu-se de nós com a certeza (são palavras suas) de que abalávamos dali com a verdadeira alma de pomadistas; denominação esta que, por se derivar do nome dele, lhe era em extremo agradável.

Com efeito, antes de cair a tarde, tínhamos os três combinado em pôr por obra uma ideia tão judiciosa quão lucrativa, pois não é só lucro o que se pode haver em moeda, senão também o que traz consideração e louvor, que é outra e melhor espécie de moeda, conquanto não dê para comprar damascos ou chaparias de ouro. Combinamos, pois, à guisa de experiência, meter cada um de nós, no ânimo da cidade Fuchéu, uma certa convicção, mediante a qual houvéssemos os mesmos benefícios que desfrutavam Patimau e Languru; mas, tão certo é que o homem não olvida o seu interesse, entendeu Titané que lhe cumpria lucrar de duas maneiras, cobrando da experiência ambas as moedas, isto é, vendendo também as suas alparcas: ao que nos não opusemos, por nos parecer que nada tinha isso com o essencial da doutrina.

Consistiu a experiência de Titané em uma coisa que não sei como diga para que a entendam. Usam neste reino de Bungo, e em outros destas remotas partes, um papel feito de casca de canela moída e goma, obra mui prima, que eles talham depois em pedaços de dois palmos de comprimento, e meio de largura, nos quais desenham com vivas e variadas cores, e pela língua do país, as notícias da semana, políticas, religiosas, mercantis e outras, as novas leis do reino, os nomes das fustas, lancharas, balões e toda a casta de barcos que navegam estes mares, ou em guerra, que a há frequente, ou de veniaga. E digo as notícias da semana, porque as ditas folhas são feitas de oito em oito dias, em grande cópia, e distribuídas ao gentio da terra, a troco de uma espórtula, que cada um dá de bom grado para ter as notícias primeiro que os demais moradores. Ora, o nosso Titané não quis melhor esquina que este papel, chamado pela nossa língua *Vida e claridade das coisas mundanas e celestes*, título expressivo, ainda que um tanto derramado. E, pois, fez inserir no dito papel que acabavam de chegar notícias frescas de toda a costa de Malabar e da China, conforme as quais não havia outro cuidado que não fossem as famosas alparcas dele Titané; que estas alparcas eram chamadas as primeiras do mundo, por serem mui sólidas e graciosas; que nada menos de vinte e dois mandarins iam requerer ao imperador para que, em vista do esplendor das famosas alparcas de Titané, as primeiras do universo, fosse criado o título honorífico de "alparca do Estado", para recompensa dos que se distinguissem em qualquer disciplina do entendimento; que eram grossíssimas as encomendas feitas de todas às partes, às quais ele Titané ia acudir, menos por amor ao lucro do que pela glória que dali provinha à nação; não recuando, todavia, do propósito em que estava e ficava de dar de graça aos pobres do reino umas cinquenta corjas das ditas alparcas, conforme já fizera declarar a el-rei e o repetia agora; enfim, que apesar da primazia no fabrico das alparcas assim reconhecida em toda a terra, ele sabia os deveres da moderação, e nunca se julgaria mais do que um obreiro diligente e amigo da glória do reino de Bungo.

A leitura desta notícia comoveu naturalmente a toda a cidade Fuchéu, não se falando em outra coisa durante toda aquela semana. As alparcas de Titané, apenas estimadas, começaram de ser buscadas com muita curiosidade e ardor, e ainda mais nas semanas seguintes, pois não deixou ele de entreter a cidade, durante algum tempo, com muitas e extraordinárias anedotas acerca de sua mercadoria. E dizia-nos com muita graça: — Vede que obedeço ao principal da nossa doutrina, pois não estou persuadido da superioridade das tais alparcas, antes as tenho por obra vulgar, mas fi-lo crer ao povo, que as vem comprar agora, pelo preço que lhes taxo. — Não me parece — atalhei — que tenhais cumprido a doutrina em seu rigor e substância, pois não nos cabe inculcar aos outros uma opinião que não temos, e sim a opinião de uma qualidade que não possuímos; este é, ao certo, o essencial dela.

Dito isto, assentaram os dois que era a minha vez de tentar a experiência, o que imediatamente fiz; mas deixo de a relatar em todas as suas partes, por não demorar a narração da experiência de Diogo Meireles, que foi a mais decisiva das três, e a melhor prova desta deliciosa invenção do bonzo. Direi somente que, por algumas luzes que tinha de música e charamela, em que aliás era mediano, lembrou-me congregar os principais de Fuchéu para que me ouvissem tanger o instrumento; os quais vieram, escutaram e foram-se repetindo que nunca antes tinham ouvido coisa tão extraordinária. E confesso que alcancei um tal resultado com o só recurso dos ademanes, da graça em arquear os braços para tomar a charamela, que me foi trazida em uma bandeja de prata, da rigidez do busto, da unção com que alcei os olhos ao ar, e do desdém e ufania com que os baixei à mesma assembleia, a qual neste ponto rompeu em um tal concerto de vozes e exclamações de entusiasmo, que quase me persuadiu do meu merecimento.

Mas, como digo, a mais engenhosa de todas as nossas experiências, foi a de Diogo Meireles. Lavrava então na cidade uma singular doença, que consistia em fazer inchar os narizes, tanto e tanto, que tomavam metade e mais da cara ao paciente, e não só a punham horrenda, senão que era molesto carregar tamanho peso. Conquanto os físicos da terra propusessem extrair os narizes inchados, para alívio e melhoria dos enfermos, nenhum destes consentia em prestar-se ao curativo, preferindo o excesso à lacuna, e tendo por mais aborrecível que nenhuma outra coisa a ausência daquele órgão. Neste apertado lance mais de um recorria à morte voluntária, como um remédio, e a tristeza era muita em toda a cidade Fuchéu. Diogo Meireles, que desde algum tempo praticava a medicina, segundo ficou dito atrás, estudou a moléstia e reconheceu que não havia perigo em desnarigar os doentes, antes era vantajoso por lhes levar o mal, sem trazer fealdade, pois tanto valia um nariz disforme e pesado como nenhum; não alcançou, todavia, persuadir os infelizes ao sacrifício. Então ocorreu-lhe uma graciosa invenção. Assim foi que, reunindo muitos físicos, filósofos, bonzos, autoridades e povo, comunicou-lhes que tinha um segredo para eliminar o órgão; e esse segredo era nada menos que substituir o nariz achacado por um nariz são, mas de pura natureza metafísica, isto é, inacessível aos sentidos humanos, e contudo tão verdadeiro ou ainda mais do que o cortado; cura esta praticada por ele em várias partes, e muito aceita aos físicos de Malabar. O assombro da assembleia foi imenso, e não menor a incredulidade de alguns, não digo de todos, sendo que a maioria não sabia que acreditasse, pois se lhe repugnava a metafísica do nariz, cedia entretanto à energia das palavras de Diogo Meireles, ao tom alto e convencido com que ele expôs e definiu o seu remédio. Foi então que alguns filósofos, ali presentes, um tanto envergonhados do saber de Diogo Meireles, não quiseram ficar-lhe atrás, e declararam que havia bons fundamentos para uma tal invenção, visto não ser o homem todo outra coisa mais do que um produto da idealidade transcendental; donde resultava que podia trazer, com toda a verossimilhança, um nariz metafísico, e juravam ao povo que o efeito era o mesmo.

  A assembleia aclamou a Diogo Meireles; e os doentes começaram de buscá-lo, em tanta cópia, que ele não tinha mãos a medir. Diogo Meireles desnarigava-os com muitíssima arte; depois estendia delicadamente os dedos a uma caixa, onde fingia ter os narizes substitutos, colhia um e aplicava-o ao lugar vazio. Os enfermos, assim curados e supridos, olhavam uns para os outros, e não viam nada no lugar do órgão cortado; mas, certos e certíssimos de que ali estava o órgão substituto, e que este era inacessível aos sentidos humanos, não se davam por defraudados, e tornavam aos seus ofícios. Nenhuma outra prova quero da eficácia da doutrina e do fruto dessa experiência, senão o fato de que todos os desnarigados de Diogo Meireles continuaram a prover-se dos mesmos lenços de assoar. O que tudo deixo relatado para glória do bonzo e benefício do mundo.

Gazeta de Notícias, *30 de abril de 1882; Machado de Assis.*

O anel de Polícrates

A — Lá vai o Xavier.

Z — Conhece o Xavier?

A — Há que anos! Era um nababo, rico, podre de rico, mas pródigo...

Z — Que rico? que pródigo?

A — Rico e pródigo, digo-lhe eu. Bebia pérolas diluídas em néctar. Comia línguas de rouxinol. Nunca usou papel mata-borrão, por achá-lo vulgar e mercantil; empregava areia nas cartas, mas uma certa areia feita de pó de diamante. E mulheres! Nem toda a pompa de Salomão pode dar ideia do que era o Xavier nesse particular. Tinha um serralho: a linha grega, a tez romana, a exuberância turca, todas as perfeições de uma raça, todas as prendas de um clima, tudo era admitido no harém do Xavier. Um dia enamorou-se loucamente de uma senhora de alto coturno, e enviou-lhe de mimo três estrelas do Cruzeiro, que então contava sete, e não pense que o portador foi aí qualquer pé-rapado. Não, senhor. O portador foi um dos arcanjos de Milton, que o Xavier chamou na ocasião em que ele cortava o azul para levar a admiração dos homens ao seu velho pai inglês. Era assim o Xavier. Capeava os cigarros com um papel de cristal, obra finíssima, e, para acendê-los, trazia consigo uma caixinha de raios do sol. As colchas da cama eram nuvens purpúreas, e assim também a esteira que forrava o sofá de repouso, a poltrona da secretária e a rede. Sabe quem lhe fazia o café, de manhã? A Aurora, com aqueles mesmos dedos cor-de-rosa, que Homero lhe pôs. Pobre Xavier! Tudo o que o capricho e a riqueza podem dar, o raro, o esquisito, o maravilhoso, o indescritível, o inimaginável, tudo teve e devia ter, porque era um galhardo rapaz, e um bom coração. Ah! fortuna, fortuna! Onde estão agora as pérolas, os diamantes, as estrelas, as nuvens purpúreas? Tudo perdeu, tudo deixou ir por água abaixo; o néctar virou zurrapa, os coxins são a pedra dura da rua, não manda estrelas às senhoras, nem tem arcanjos às suas ordens...

Z — Você está enganado. O Xavier? Esse Xavier há de ser outro. O Xavier nababo! Mas o Xavier que ali vai nunca teve mais de duzentos mil-réis mensais; é um homem poupado, sóbrio, deita-se com as galinhas, acorda com os galos, e não escreve cartas a namoradas, porque não as tem. Se alguma expede aos amigos é pelo correio. Não é mendigo, nunca foi nababo.

A — Creio; esse é o Xavier exterior. Mas nem só de pão vive o homem. Você fala de Marta, eu falo-lhe de Maria; falo do Xavier especulativo...

Z — Ah! — Mas ainda assim, não acho explicação; não me consta nada dele. Que livro, que poema, que quadro...

A — Desde quando o conhece?

Z — Há uns quinze anos.

A — Upa! Conheço-o há muito mais tempo, desde que ele estreou na rua do Ouvidor, em pleno marquês de Paraná. Era um endiabrado, um derramado, planeava todas as coisas possíveis, e até contrárias, um livro, um discurso, um medicamento, um jornal, um poema, um romance, uma história, um libelo político, uma viagem à Europa, outra ao sertão de Minas, outra à lua, em certo balão que inventara, uma candidatura política e arqueologia, e filosofia, e teatro, etc., etc., etc. Era um saco de espantos. Quem conversava com ele sentia vertigens. Imagine uma cachoeira de ideias e imagens, qual mais original, qual mais bela, às vezes extravagante, às vezes sublime. Note que ele tinha a convicção dos seus mesmos inventos. Um dia, por exemplo, acordou com o plano de arrasar o morro do Castelo, a troco das riquezas que os jesuítas ali deixaram, segundo o povo crê. Calculou-as logo em mil contos, inventariou-as com muito cuidado, separou o que era moeda, mil contos, do que eram obras de arte e pedrarias; descreveu minuciosamente os objetos, deu-me dois tocheiros de ouro...

Z — Realmente...

A — Ah! impagável. Quer saber de outra? Tinha lido as cartas do cônego Benigno, e resolveu ir logo ao sertão da Bahia, procurar a cidade misteriosa. Expôs-me o plano, descreveu-me a arquitetura provável da cidade, os templos, os palácios, gênero etrusco, os ritos, os vasos, as roupas, os costumes...

Z — Era então doido?

A — Originalão apenas. Odeio os carneiros de Panúrgio, dizia ele, citando Rabelais: *Comme vous savez estre du mouton le naturel, toujours suivre le premier, quelque part qu'il aille*. Comparava a trivialidade a uma mesa redonda de hospedaria, e jurava que antes comer um mau bife em mesa separada.

Z — Entretanto, gostava da sociedade.

A — Gostava da sociedade, mas não amava os sócios. Um amigo nosso, o Pires, fez-lhe um dia esse reparo; e sabe o que é que ele respondeu? Respondeu com um apólogo, em que cada sócio figurava ser uma cuia d'água, e a sociedade uma banheira: — Ora, eu não posso lavar-me em cuias d'água, foi a sua conclusão.

Z — Nada modesto. Que lhe disse o Pires?

A — O Pires achou o apólogo tão bonito que o meteu numa comédia, daí a tempos. Engraçado é que o Xavier ouviu o apólogo no teatro e aplaudiu-o muito, com entusiasmo; esquecera-se da paternidade; mas a voz do sangue... Isto leva-me à explicação da atual miséria do Xavier.

Z — É verdade, não sei como se possa explicar que um nababo...

A — Explica-se facilmente. Ele espalhava ideias à direita e à esquerda, como o céu chove, por uma necessidade física, e ainda por duas razões. A primeira é que era impaciente, não sofria a gestação indispensável à obra escrita. A segunda é que varria com os olhos uma linha tão vasta de coisas, que mal poderia fixar-se em qualquer delas. Se não tivesse o verbo fluente, morreria de congestão mental; a palavra era um derivativo. As páginas que então falava, os capítulos que lhe borbotavam da boca, só precisavam de uma arte de os imprimir no ar, e depois no papel, para serem páginas e capítulos excelentes, alguns admiráveis. Nem tudo era límpido; mas a porção límpida superava a porção turva, como a vigília de Homero paga os seus cochilos. Espalhava tudo, ao acaso, as mãos cheias, sem ver onde as sementes iam cair; algumas pegavam logo...

Z — Como a das cuias.

A — Como a das cuias. Mas, o semeador tinha a paixão das coisas belas, e, uma vez que a árvore fosse pomposa e verde, não lhe perguntava nunca pela semente sua mãe. Viveu assim longos anos, despendendo à toa, sem cálculo, sem fruto, de noite e de dia, na rua e em casa, um verdadeiro pródigo. Com tal regime, que era a ausência de regime, não admira que ficasse pobre e miserável. Meu amigo, a imaginação e o espírito têm limites; a não ser a famosa botelha dos saltimbancos e a credulidade dos homens, nada conheço inesgotável debaixo do sol. O Xavier não só perdeu as ideias que tinha, mas até exauriu a faculdade de as criar; ficou o que sabemos. Que moeda rara se lhe vê hoje nas mãos? que sestércio de Horácio? que dracma de Péricles? Nada. Gasta o seu lugar-comum, rafado das mãos dos outros, come à mesa redonda, fez-se trivial, chocho...

Z — Cuia, enfim.

A — Justamente: cuia.

Z — Pois muito me conta. Não sabia nada disso. Fico inteirado; adeus.

A — Vai a negócio?

Z — Vou a um negócio.

A — Dá-me dez minutos?

Z — Dou-lhe quinze.

A — Quero referir-lhe a passagem mais interessante da vida do Xavier. Aceite o meu braço, e vamos andando. Vai para a praça? Vamos juntos. Um caso interessantíssimo. Foi ali por 1869 ou 70, não me recordo; ele mesmo é que me contou. Tinha perdido tudo; trazia o cérebro gasto, chupado, estéril, sem a sombra de um conceito, de uma imagem, nada. Basta dizer que um dia chamou rosa a uma senhora — "uma bonita rosa"; falava do luar saudoso, do sacerdócio da imprensa, dos jantares opíparos, sem acrescentar ao menos um relevo qualquer a toda essa chaparia de algibebe. Começara a ficar hipocondríaco; e, um dia, estando à janela, triste, desabusado das coisas, vendo-se chegado a nada, aconteceu passar na rua um taful a cavalo. De repente, o cavalo corcoveou, e o taful veio quase ao chão; mas sustentou-se, e meteu as esporas e o chicote no animal; este empina-se, ele teima; muita gente parada na rua e nas portas; no fim de dez minutos de luta, o cavalo cedeu e continuou a marcha. Os espectadores não se fartaram de admirar o garbo, a coragem, o sangue-frio, a arte do cavaleiro. Então o Xavier, consigo, imaginou que talvez o cavaleiro não tivesse ânimo nenhum; não quis cair diante de gente, e isso lhe deu a força de domar o cavalo. E daí veio uma ideia: comparou a vida a um cavalo xucro ou manhoso; e acrescentou sentenciosamente: Quem não for cavaleiro, que o pareça. Realmente, não era uma ideia extraordinária; mas a penúria do Xavier tocara a tal extremo, que esse cristal pareceu-lhe um diamante. Ele repetiu-a dez ou doze vezes, formulou-a de vários modos, ora na ordem natural, pondo primeiro a definição, depois o complemento; ora dando-lhe a marcha inversa, trocando palavras, medindo-as etc.; e tão alegre, tão alegre como casa de pobre em dia de peru. De noite, sonhou que efetivamente montava um cavalo manhoso, que este pinoteava com ele e o sacudia a um brejo. Acordou triste; a manhã, que era de domingo e chuvosa, ainda mais o entristeceu; meteu-se a ler e a cismar. Então lembrou-se... Conhece o caso do anel de Polícrates?

Z — Francamente, não.

A — Nem eu; mas aqui vai o que me disse o Xavier. Polícrates governava a ilha de Samos. Era o rei mais feliz da terra; tão feliz, que começou a recear alguma viravolta da Fortuna, e, para aplacá-la antecipadamente, determinou fazer um grande sacrifício: deitar ao mar o anel precioso que, segundo alguns, lhe servia de sinete. Assim fez; mas a Fortuna andava tão apostada em cumulá-lo de obséquios, que o anel foi engolido por um peixe, o peixe pescado e mandado para a cozinha do rei, que assim voltou à posse do anel. Não afirmo nada a respeito desta anedota; foi ele quem me contou, citando Plínio, citando...

Z — Não ponha mais na carta. O Xavier naturalmente comparou a vida, não a um cavalo, mas...

A — Nada disso. Não é capaz de adivinhar o plano estrambótico do pobre-diabo. Experimentemos a fortuna, disse ele; vejamos se a minha ideia, lançada ao mar, pode tornar ao meu poder, como o anel de Polícrates, no bucho de algum peixe, ou se o meu caiporismo será tal, que nunca mais lhe ponha a mão.

Z — Ora essa!

A — Não é estrambótico? Polícrates experimentara a felicidade; o Xavier quis tentar o caiporismo; intenções diversas, ação idêntica. Saiu de casa, encontrou um amigo, travou conversa, escolheu assunto, e acabou dizendo o que era a vida, um cavalo xucro ou manhoso, e quem não for cavaleiro que o pareça. Dita assim, esta frase era talvez fria; por isso o Xavier teve o cuidado de descrever primeiro a sua tristeza, o desconsolo dos anos, o malogro dos esforços, ou antes os efeitos da imprevidência, e quando o peixe ficou de boca aberta, digo, quando a comoção do amigo chegou ao cume, foi que ele lhe atirou o anel, e fugiu a meter-se em casa. Isto que lhe conto é natural, crê-se, não é impossível; mas agora começa a juntar-se à realidade uma alta dose de imaginação. Seja o que for, repito o que ele me disse. Cerca de três semanas depois, o Xavier jantava pacificamente no Leão de Ouro ou no Globo, não me lembro bem, e ouviu de outra mesa a mesma frase sua, talvez com a troca de um adjetivo. "Meu pobre anel, disse ele, eis-te enfim no peixe de Polícrates." Mas a ideia bateu as asas e voou, sem que ele pudesse guardá-la na memória. Resignou-se. Dias depois, foi convidado a um baile: era um antigo companheiro dos tempos de rapaz, que celebrava a sua recente distinção nobiliária. O Xavier aceitou o convite, e foi ao baile, e ainda bem que foi, porque entre o sorvete e o chá ouviu de um grupo de pessoas que louvavam a carreira do barão, a sua vida próspera, rígida, modelo, ouviu comparar o barão a um cavaleiro emérito. Pasmo dos ouvintes, porque o barão não montava a cavalo. Mas o panegirista explicou que a vida não é mais do que um cavalo xucro ou manhoso, sobre o qual ou se há de ser cavaleiro ou parecê-lo, e o barão era-o excelente. — "Entra, meu querido anel, disse o Xavier, entra no dedo de Polícrates." Mas de novo a ideia bateu as asas, sem querer ouvi-lo. Dias depois...

Z — Adivinho o resto: uma série de encontros e fugas do mesmo gênero.

A — Justo.

Z — Mas, enfim, apanhou-o um dia.

A — Um dia só, e foi então que me contou o caso digno de memória. Tão contente que ele estava nesse dia! Jurou-me que ia escrever, a propósito disto, um conto fantástico, à maneira de Edgar Poe, uma página fulgurante, pontuada de mistérios — são as suas próprias expressões — e pediu-me que o fosse ver no dia seguinte. Fui; o anel fugira-lhe outra vez. "Meu caro A, disse-me ele, com um sorriso fino e sarcástico, tens em mim o Polícrates do caiporismo; nomeio-te meu ministro honorário e gratuito." Daí em diante foi sempre a mesma coisa. Quando ele supunha pôr a mão em cima da ideia, ela batia as asas, plás, plás, plás, e perdia-se no ar, como as figuras de um sonho. Outro peixe a engolia e trazia, e sempre o mesmo desenlace. Mas dos casos que ele me contou naquele dia, quero dizer-lhe três...

Z — Não posso; lá se vão os quinze minutos.

A — Conto-lhe só três. Um dia, o Xavier chegou a crer que podia enfim agarrar a fugitiva, e fincá-la perpetuamente no cérebro. Abriu um jornal de oposição, e leu estupefato estas palavras: "O ministério parece ignorar que a política é, como a vida, um cavalo xucro ou manhoso, e, não podendo ser bom cavaleiro, porque nunca o foi, devia ao menos parecer que o é". — "Ah! enfim! exclamou o Xavier, cá estás engastado no bucho do peixe; já me não podes fugir." Mas, em vão! a ideia fugia-lhe, sem deixar outro vestígio mais do que uma confusa reminiscência. Sombrio, desesperado, começou a andar, a andar, até que a noite caiu; passando por um teatro, entrou; muita gente, muitas luzes, muita alegria; o coração aquietou-se-lhe. Cúmulo de benefícios: era uma comédia do Pires, uma comédia nova. Sentou-se ao pé do autor, aplaudiu a obra com entusiasmo, com sincero amor de artista e de irmão. No segundo ato, cena VIII, estremeceu. "D. Eugênia, diz o galã a uma senhora, o cavalo pode ser comparado à vida, que é também um cavalo xucro ou manhoso; quem não for bom cavaleiro, deve cuidar de parecer que o é." O autor, com o olhar tímido, espiava no rosto do Xavier o efeito daquela reflexão, enquanto o Xavier repetia a mesma súplica das outras vezes: — "Meu querido anel...".

Z — *Et nuns et semper*... Venha o último encontro, que são horas.

A — O último foi o primeiro. Já lhe disse que o Xavier transmitira a ideia a um amigo. Uma semana depois da comédia cai o amigo doente, com tal gravidade que em quatro dias estava à morte. O Xavier corre a vê-lo; e o infeliz ainda o pôde conhecer, estender-lhe a mão fria e trêmula, cravar-lhe um longo olhar baço da última hora, e, com a voz sumida, eco do sepulcro, soluçar-lhe: "Cá vou, meu caro Xavier, o cavalo xucro ou manhoso da vida deitou-me ao chão: se fui mau cavaleiro, não sei; mas forcejei por parecê-lo bom". Não se ria; ele contou-me isto com lágrimas. Contou-me também que a ideia ainda esvoaçou alguns minutos sobre o cadáver, faiscando as belas asas de cristal, que ele cria ser diamante; depois estalou um risinho de escárnio, ingrato e parricida, e fugiu como das outras vezes, metendo-se no cérebro de alguns sujeitos, amigos da casa, que ali estavam, transidos de dor, e recolheram com saudade esse pio legado do defunto. Adeus.

Gazeta de Notícias, *2 de julho de 1882; Machado de Assis.*

O empréstimo

Vou divulgar uma anedota, mas uma anedota no genuíno sentido do vocábulo, que o vulgo ampliou às historietas de pura invenção. Esta é verdadeira; podia citar algumas pessoas que a sabem tão bem como eu. Nem ela andou recôndita, senão por falta de um espírito repousado, que lhe achasse a filosofia. Como deveis saber, há em todas as coisas um sentido filosófico. Carlyle descobriu o dos coletes, ou, mais propriamente, o do vestuário; e ninguém ignora que os números, muito antes da loteria do Ipiranga, formavam o sistema de Pitágoras. Pela minha parte creio ter decifrado este caso de empréstimo; ides ver se me engano.

E, para começar, emendemos Sêneca. Cada dia, ao parecer daquele moralista, é, em si mesmo, uma vida singular; por outros termos, uma vida dentro da vida. Não digo que não; mas por que não acrescentou ele que muitas vezes uma só hora é a representação de uma vida inteira? Vede este rapaz: entra no mundo com uma grande ambição, uma pasta de ministro, um banco, uma coroa de visconde, um báculo pastoral. Aos cinquenta anos, vamos achá-lo simples apontador de alfândega, ou sacristão da roça. Tudo isso que se passou em trinta anos, pode algum Balzac metê-lo em trezentas páginas; por que não há de a vida, que foi a mestra de Balzac, apertá-lo em trinta ou sessenta minutos?

Tinham batido quatro horas no cartório do tabelião Vaz Nunes, à rua do Rosário. Os escreventes deram ainda as últimas penadas: depois limparam as penas de ganso na ponta de seda preta que pendia da gaveta ao lado; fecharam as gavetas, concertaram os papéis, arrumaram os autos e os livros, lavaram as mãos; alguns que mudavam de paletó à entrada, despiram o do trabalho e enfiaram o da rua; todos saíram. Vaz Nunes ficou só.

Este honesto tabelião era um dos homens mais perspicazes do século. Está morto: podemos elogiá-lo à vontade. Tinha um olhar de lanceta, cortante e agudo. Ele adivinhava o caráter das pessoas que o buscavam para escriturar os seus acordos e resoluções; conhecia a alma de um testador muito antes de acabar o testamento; farejava as manhas secretas e os pensamentos reservados. Usava óculos, como todos os tabeliães de teatro; mas, não sendo míope, olhava por cima deles, quando queria ver, e através deles, se pretendia não ser visto. Finório como ele só, diziam os escreventes. Em todo o caso, circunspecto. Tinha cinquenta anos, era viúvo, sem filhos, e, para falar como alguns outros serventuários, roía muito caladinho os seus duzentos contos de réis.

— Quem é? — perguntou ele de repente, olhando para a porta da rua.

Estava à porta, parado na soleira, um homem que ele não conheceu logo, e mal pôde reconhecer daí a pouco. Vaz Nunes pediu-lhe o favor de entrar; ele obedeceu, cumprimentou-o, estendeu-lhe a mão, e sentou-se na cadeira ao pé da mesa. Não trazia o acanho natural a um pedinte; ao contrário, parecia que não vinha ali senão para dar ao tabelião alguma coisa preciosíssima e rara. E, não obstante, Vaz Nunes estremeceu e esperou.

— Não se lembra de mim?
— Não me lembro...
— Estivemos juntos uma noite, há alguns meses, na Tijuca... Não se lembra?

Em casa do Teodorico, aquela grande ceia de Natal; por sinal que lhe fiz uma saúde... Veja se se lembra do Custódio.

— Ah!

Custódio endireitou o busto, que até então inclinara um pouco. Era um homem de quarenta anos. Vestia pobremente, mas escovado, apertado, correto. Usava unhas longas, curadas com esmero, e tinha as mãos muito bem talhadas, macias, ao contrário da pele do rosto, que era agreste. Notícias mínimas, e aliás necessárias ao complemento de um certo ar duplo que distinguia este homem, um ar de pedinte e general. Na rua, andando, sem almoço, sem vintém, parecia levar após si um exército. A causa não era outra mais do que o contraste entre a natureza e a situação, entre a alma e a vida. Esse Custódio nascera com a vocação da riqueza, sem a vocação do trabalho. Tinha o instinto das elegâncias, o amor do supérfluo, da boa chira, das belas damas, dos tapetes finos, dos móveis raros, um voluptuoso, e, até certo ponto, um artista, capaz de reger a vila Torloni ou a galeria Hamilton. Mas não tinha dinheiro; nem dinheiro, nem aptidão ou pachorra de o ganhar; por outro lado, precisava viver. *Il faut bien que je vive*, dizia um pretendente ao ministro Talleyrand. *Je n'en vois pas la nécessité*, redarguiu friamente o ministro. Ninguém dava essa resposta ao Custódio; davam-lhe dinheiro, um dez, outro cinco, outro vinte mil-réis, e de tais espórtulas é que ele principalmente tirava o albergue e a comida.

Digo que principalmente vivia delas, porque o Custódio não recusava meter-se em alguns negócios, com a condição de os escolher, e escolhia sempre os que não prestavam para nada. Tinha o faro das catástrofes. Entre vinte empresas, adivinhava logo a insensata, e metia ombros a ela, com resolução. O caiporismo, que o perseguia, fazia com que as dezenove prosperassem, e a vigésima lhe estourasse nas mãos. Não importa; aparelhava-se para outra.

Agora, por exemplo, leu um anúncio de alguém que pedia um sócio, com cinco contos de réis, para entrar em certo negócio, que prometia dar, nos primeiros seis meses, oitenta a cem contos de lucro. Custódio foi ter com o anunciante. Era uma grande ideia, uma fábrica de agulhas, indústria nova, de imenso futuro. E os planos, os desenhos da fábrica, os relatórios de Birmingham, os mapas de importação, as respostas dos alfaiates, dos donos de armarinho etc., todos os documentos de um longo inquérito passavam diante dos olhos de Custódio, estrelados de algarismos, que ele não entendia, e que por isso mesmo lhe pareciam dogmáticos. Vinte e quatro horas; não pedia mais de vinte e quatro horas para trazer os cinco contos. E saiu dali, cortejado, amimado pelo anunciante, que, ainda à porta, o afogou numa torrente de saldos. Mas os cinco contos, menos dóceis ou menos vagabundos que os cinco mil-réis, sacudiam incredulamente a cabeça, e deixavam-se estar nas arcas, tolhidos de medo e de sono. Nada. Oito ou dez amigos, a quem falou, disseram-lhe que nem dispunham agora da soma pedida, nem acreditavam na fábrica. Tinha perdido as esperanças, quando aconteceu subir a rua do Rosário e ler no portal de um cartório o nome de Vaz Nunes. Estremeceu de alegria; recordou a Tijuca, as maneiras do tabelião, as frases com que ele lhe respondeu ao brinde, e disse consigo, que este era o salvador da situação.

— Venho pedir-lhe uma escritura...

Vaz Nunes, armado para outro começo, não respondeu; espiou por cima dos óculos e esperou.

— Uma escritura de gratidão — explicou o Custódio —; venho pedir-lhe um grande favor, um favor indispensável, e conto que o meu amigo...

— Se estiver nas minhas mãos...

— O negócio é excelente, note-se bem; um negócio magnífico. Nem eu me metia a incomodar os outros sem certeza do resultado. A coisa está pronta; foram já encomendas para a Inglaterra; e é provável que dentro de dois meses esteja tudo montado, é uma indústria nova. Somos três sócios; a minha parte são cinco contos. Venho pedir-lhe esta quantia, a seis meses — ou a três, com juro módico...

— Cinco contos?

— Sim, senhor.

— Mas, senhor Custódio, não posso, não disponho de tão grande quantia. Os negócios andam mal; e ainda que andassem muito bem, não poderia dispor de tanto. Quem é que pode esperar cinco contos de um modesto tabelião de notas?

— Ora, se o senhor quisesse...

— Quero, decerto; digo-lhe que se se tratasse de uma quantia pequena, acomodada aos meus recursos, não teria dúvida em adiantá-la. Mas cinco contos! Creia que é impossível.

A alma de Custódio caiu de bruços. Subira pela escada de Jacó até o céu; mas em vez de descer como os anjos no sonho bíblico, rolou abaixo e caiu de bruços. Era a última esperança; e justamente por ter sido inesperada, é que ele supôs que fosse certa, pois, como todos os corações que se entregam ao regime do eventual, o do Custódio era supersticioso. O pobre-diabo sentiu enterrarem-se-lhe no corpo os milhões de agulhas que a fábrica teria de produzir no primeiro semestre. Calado, com os olhos no chão, esperou que o tabelião continuasse, que se compadecesse, que lhe desse alguma aberta; mas o tabelião, que lia isso mesmo na alma do Custódio, estava também calado, girando entre os dedos a boceta de rapé, respirando grosso, com um certo chiado nasal e implicante. Custódio ensaiou todas as atitudes; ora pedinte, ora general. O tabelião não se mexia. Custódio ergueu-se.

— Bem — disse ele, com uma pontazinha de despeito —, há de perdoar o incômodo...

— Não há que perdoar; eu é que lhe peço desculpa de não poder servi-lo, como desejava. Repito: se fosse alguma quantia menos avultada, muito menos, não teria dúvida; mas...

Estendeu a mão ao Custódio, que com a esquerda pegara maquinalmente no chapéu. O olhar empanado do Custódio exprimia a absorção da alma dele, apenas convalescida da queda, que lhe tirara as últimas energias. Nenhuma escada misteriosa, nenhum céu; tudo voara a um piparote do tabelião. Adeus, agulhas! A realidade veio tomá-lo outra vez com as suas unhas de bronze. Tinha de voltar ao precário, ao adventício, às velhas contas, com os grandes zeros arregalados e os cifrões retorcidos à laia de orelhas, que continuariam a fitá-lo e a ouvi-lo, a ouvi-lo e a fitá-lo, alongando para ele os algarismos implacáveis de fome. Que queda! e que abismo! Desenganado, olhou para o tabelião com um gesto de despedida; mas, uma ideia súbita clareou-lhe a noite do cérebro. Se a quantia fosse menor, Vaz Nunes poderia servi-lo, e com prazer; por que não seria uma quantia menor? Já agora abria mão da empresa; mas não podia fazer o mesmo a uns aluguéis atrasados, a dois ou três credores etc., e uma soma razoável, quinhentos mil-réis, por exemplo, uma vez que o tabelião tinha a boa vontade de emprestar-lhos, vinham a ponto. A alma do Custódio empertigou-se; vivia do presente, nada queria saber do passado, nem saudades, nem temores, nem remorsos. O presente era tudo. O presente eram os quinhentos mil-réis, que ele ia ver surgir da algibeira do tabelião, como um alvará de liberdade.

— Pois bem — disse ele —, veja o que me pode dar, e eu irei ter com outros amigos... Quanto?

— Não posso dizer nada a este respeito, porque realmente só uma coisa muito modesta.

— Quinhentos mil-réis?

— Não; não posso.

— Nem quinhentos mil-réis?

— Nem isso — replicou firme o tabelião. — De que se admira? Não lhe nego que tenho algumas propriedades; mas, meu amigo, não ando com elas no bolso; e tenho certas obrigações particulares... Diga-me, não está empregado?

— Não, senhor.

— Olhe; dou-lhe coisa melhor do que quinhentos mil-réis; falarei ao ministro da justiça, tenho relações com ele, e...

Custódio interrompeu-o, batendo uma palmada no joelho. Se foi um movimento natural, ou uma diversão astuciosa para não conversar do emprego, é o que totalmente ignoro; nem parece que seja essencial ao caso. O essencial é que ele teimou na súplica. Não podia dar quinhentos mil-réis? Aceitava duzentos; bastavam-lhe duzentos, não paga a empresa, pois adotava o conselho dos amigos: ia recusá-la. Os duzentos mil-réis, visto que o tabelião estava disposto a ajudá-lo, eram para uma necessidade urgente — "tapar um buraco". E então relatou tudo, respondeu à franqueza com franqueza: era a regra da sua vida. Confessou que, ao tratar da grande empresa, tivera em mente acudir também a um credor pertinaz, um diabo, um judeu, que rigorosamente ainda lhe devia, mas tivera a aleivosia de trocar de posição. Eram duzentos e poucos mil-réis; e dez, parece, mas aceitava duzentos...

— Realmente, custa-me repetir-lhe o que disse; mas, enfim, nem os duzentos mil-réis posso dar. Cem mesmo, se o senhor os pedisse, estão acima das minhas forças nesta ocasião. Noutra pode ser, e não tenho dúvida, mas agora...

— Não imagina os apuros em que estou!

— Nem cem, repito. Tenho tido muitas dificuldades nestes últimos tempos. Sociedades, subscrições, maçonaria... Custa-lhe crer, não é? Naturalmente: um proprietário. Mas, meu amigo, é muito bom ter casas: o senhor é que não conta os estragos, os consertos, as penas-d'água, as décimas, o seguro, os calotes etc. São os buracos do pote, por onde vai a maior parte da água...

— Tivesse eu um pote! — suspirou Custódio.

— Não digo que não. O que digo é que não basta ter casas para não ter cuidados, despesas, e até credores... Creia o senhor que também eu tenho credores.

— Nem cem mil-réis!

— Nem cem mil-réis, pesa-me dizê-lo, mas é a verdade. Nem cem mil-réis. Que horas são?

Levantou-se, e veio ao meio da sala. Custódio veio também, arrastado, desesperado. Não podia acabar de crer que o tabelião não tivesse ao menos cem mil-réis.

Quem é que não tem cem mil-réis consigo? Cogitou uma cena patética, mas o cartório abria para a rua; seria ridículo. Olhou para fora. Na loja fronteira, um sujeito apreçava uma sobrecasaca, à porta, porque entardecia depressa, e o interior era escuro. O caixeiro segurava a obra no ar; o freguês examinava o pano com a vista e com os dedos, depois as costuras, o forro... Este incidente rasgou-lhe um horizonte novo, embora modesto; era tempo de aposentar o paletó que trazia. Mas nem cinquenta mil-réis podia dar-lhe o tabelião. Custódio sorriu; — não de desdém, não de raiva, mas de amargura e dúvida; era impossível que ele não tivesse cinquenta mil-réis. Vinte, ao menos? Nem vinte. Nem vinte! Não; falso tudo; tudo mentira.

Custódio tirou o lenço, alisou o chapéu devagarinho; depois guardou o lenço, concertou a gravata, com um ar misto de esperança e despeito. Viera cerceando as asas à ambição, pluma a pluma; restava ainda uma penugem curta e fina, que lhe metia umas veleidades de voar. Mas o outro, nada. Vaz Nunes cotejava o relógio de parede com o do bolso, chegava este ao ouvido, limpava o mostrador, calado, transpirando por todos os poros impaciência e fastio. Estavam a pingar as cinco; deram, enfim, e o tabelião, que as esperava, desengatilhou a despedida. Era tarde; morava longe. Dizendo isto, despiu o paletó de alpaca, e vestiu o de casimira, mudou de um para outro a boceta de rapé, o lenço, a carteira... Oh! a carteira! Custódio viu esse utensílio problemático, apalpou-o com os olhos, invejou a alpaca, invejou a casimira, quis ser algibeira, quis ser o couro, a matéria mesma do precioso receptáculo. Lá vai ela; mergulhou de todo no bolso do peito esquerdo; o tabelião abotoou-se. Nem vinte mil-réis! Era impossível que não levasse ali vinte mil-réis, pensava ele; não diria duzentos, mas vinte, dez que fossem...

— Pronto! — disse-lhe Vaz Nunes, com o chapéu na cabeça.

Era o fatal instante. Nenhuma palavra do tabelião, um convite ao menos, para jantar; nada; findara tudo. Mas os momentos supremos pedem energias supremas. Custódio sentiu toda força deste lugar-comum, e, súbito, como um tiro, perguntou ao tabelião se não lhe podia dar ao menos dez mil-réis.

— Quer ver?

E o tabelião desabotoou o paletó, tirou a carteira, abriu-a, e mostrou-lhe duas notas de cinco mil-réis.

— Não tenho mais — disse ele —; o que posso fazer é reparti-los com o senhor; dou-lhe uma de cinco, e fico com a outra; serve-lhe?

Custódio aceitou os cinco mil-réis, não triste, ou de má cara, mas risonho, palpitante, como se viesse de conquistar a Ásia Menor. Era o jantar certo. Estendeu a mão ao outro, agradeceu-lhe o obséquio, despediu-se até breve — um *até breve* cheio de afirmações implícitas. Depois saiu; o pedinte esvaiu-se à porta do cartório; o general é que foi por ali abaixo, pisando rijo, encarando fraternalmente os ingleses do comércio que subiam a rua, para se transportarem aos arrabaldes. Nunca o céu lhe pareceu tão azul, nem a tarde tão límpida; todos os homens traziam na retina a alma da hospitalidade. Com a mão esquerda no bolso das calças, ele apertava amorosamente os cinco mil-réis, resíduo de uma grande ambição, que ainda há pouco saíra contra o sol, num ímpeto de águia, e ora batia modestamente as asas de frango rasteiro.

Gazeta de Notícias, *30 de julho de 1882; Machado de Assis.*

A sereníssima República
Conferência do cônego Vargas

Meus senhores,

Antes de comunicar-vos uma descoberta, que reputo de algum lustre para o nosso país, deixai que vos agradeça a prontidão com que acudistes ao meu chamado. Sei que um interesse superior vos trouxe aqui; mas não ignoro também — e fora ingratidão ignorá-lo — que um pouco de simpatia pessoal se mistura à vossa legítima curiosidade científica. Oxalá possa eu corresponder a ambas.

Minha descoberta não é recente; data do fim do ano de 1876. Não a divulguei então — e, a não ser o *Globo*, interessante diário desta capital, não a divulgaria ainda agora — por uma razão que achará fácil entrada no vosso espírito. Esta obra de que venho falar-vos, carece de retoques últimos, de verificações e experiências complementares. Mas o *Globo* noticiou que um sábio inglês descobriu a linguagem fônica dos insetos, e cita o estudo feito com as moscas. Escrevi logo para a Europa e aguardo as respostas com ansiedade. Sendo certo, porém, que pela navegação aérea, invento do padre Bartolomeu, é glorificado o nome estrangeiro, enquanto o do nosso patrício mal se pode dizer lembrado dos seus naturais, determinei evitar a sorte do insigne Voador, vindo a esta tribuna, proclamar alto e bom som, à face do universo, que muito antes daquele sábio, e fora das ilhas britânicas, um modesto naturalista descobriu coisa idêntica, e fez com ela obra superior.

Senhores, vou assombrar-vos, como teria assombrado a Aristóteles, se lhe perguntasse: Credes que se possa dar um regime social às aranhas? Aristóteles responderia negativamente, como vós todos, porque é impossível crer que jamais se chegasse a organizar socialmente esse articulado arisco, solitário, apenas disposto ao trabalho, e dificilmente ao amor. Pois bem, esse impossível fi-lo eu.

Ouço um riso, no meio do sussurro de curiosidade. Senhores, cumpre vencer os preconceitos. A aranha parece-vos inferior, justamente porque não a conheceis. Amais o cão, prezais o gato e a galinha, e não advertis que a aranha não pula nem ladra como o cão, não mia como o gato, não cacareja como a galinha, não zune nem morde como o mosquito, não nos leva o sangue e o sono como a pulga. Todos esses bichos são o modelo acabado da vadiação e do parasitismo. A mesma formiga, tão gabada por certas qualidades boas, dá no nosso açúcar e nas nossas plantações, e funda a sua propriedade roubando a alheia. A aranha, senhores, não nos aflige nem defrauda; apanha as moscas, nossas inimigas, fia, tece, trabalha e morre. Que melhor exemplo de paciência, de ordem, de previsão, de respeito e de humanidade? Quanto aos seus talentos, não há duas opiniões. Desde Plínio até Darwin, os naturalistas do mundo inteiro formam um só coro de admiração em torno desse bichinho, cuja maravilhosa teia a vassoura inconsciente do vosso criado destrói em menos de um minuto. Eu repetiria agora esses juízos, se me sobrasse tempo; a matéria, porém, excede o prazo, sou constrangido a abreviá-la. Tenho-os aqui, não todos, mas quase todos; tenho, entre eles, esta excelente monografia de Büchner, que com tanta sutileza estudou a vida psíquica dos animais. Citando Darwin e Büchner, é claro que me restrinjo à homenagem cabida a dois sábios de primeira ordem, sem de nenhum modo absolver (e as minhas vestes o proclamam) as teorias gratuitas e errôneas do materialismo.

Sim, senhores, descobri uma espécie araneida que dispõe do uso da fala; coligi alguns, depois muitos dos novos articulados, e organizei-os socialmente. O primeiro exemplar dessa aranha maravilhosa apareceu-me no dia 15 de dezembro de 1876. Era tão vasta, tão colorida, dorso rubro, com listras azuis, transversais, tão rápida nos movimentos, e às vezes tão alegre, que de todo me cativou a atenção. No dia seguinte vieram mais três, e as quatro tomaram posse de um recanto de minha chácara. Estudei-as longamente; achei-as admiráveis. Nada, porém, se pode comparar ao pasmo que me causou a descoberta do idioma araneida, uma língua, senhores, nada menos que uma língua rica e variada, com a sua estrutura sintática, os seus verbos, conjugações, declinações, casos latinos e formas onomatopaicas, uma língua que estou gramaticando para uso das academias, como o fiz sumariamente para meu próprio uso. E fi-lo, notai bem, vencendo dificuldades aspérrimas com uma paciência extraordinária. Vinte vezes desanimei; mas o amor da ciência dava-me forças para arremeter a um trabalho, que hoje declaro, não chegaria a ser feito duas vezes na vida do mesmo homem.

Guardo para outro recinto a descrição técnica do meu aracnídeo, e a análise da língua. O objeto desta conferência é, como disse, ressalvar os direitos da ciência brasileira, por meio de um protesto em tempo; e, isto feito, dizer-vos a parte em que reputo a minha obra superior à do sábio de Inglaterra. Devo demonstrá-lo, e para este ponto chamo a vossa atenção.

Dentro de um mês tinha comigo vinte aranhas; no mês seguinte cinquenta e cinco; em março de 1877 contava quatrocentas e noventa. Duas forças serviram principalmente à empresa de as congregar: — o emprego da língua delas, desde que pude discerni-la um pouco, e o sentimento de terror que lhes infundi. A minha estatura, as vestes talares, o uso do mesmo idioma, fizeram-lhes crer que era eu o deus das aranhas, e desde então adoraram-me. E vede o benefício desta ilusão. Como as acompanhasse com muita atenção e miudeza, lançando em um livro as observações que fazia, cuidaram que o livro era o registro dos seus pecados, e fortaleceram-se ainda mais na prática das virtudes. A flauta também foi um grande auxiliar. Como sabeis, ou deveis saber, elas são doidas por música.

Não bastava associá-las; era preciso dar-lhes um governo idôneo. Hesitei na escolha; muitos dos atuais pareciam-me bons, alguns excelentes, mas todos tinham contra si o existirem. Explico-me. Uma forma vigente de governo ficava exposta a comparações que poderiam amesquinhá-la. Era-me preciso, ou achar uma forma nova, ou restaurar alguma outra abandonada. Naturalmente adotei o segundo alvitre, e nada me pareceu mais acertado do que uma república, à maneira de Veneza, o mesmo molde, e até o mesmo epíteto. Obsoleto, sem nenhuma analogia, em suas feições gerais, com qualquer outro governo vivo, cabia-lhe ainda a vantagem de um mecanismo complicado — o que era meter à prova as aptidões políticas da jovem sociedade.

Outro motivo determinou a minha escolha. Entre os diferentes modos eleitorais da antiga Veneza, figurava o do saco e bolas, iniciação dos filhos da nobreza no serviço do Estado. Metiam-se as bolas com os nomes dos candidatos no saco, e extraía-se anualmente um certo número, ficando os eleitos desde logo aptos para as carreiras públicas. Este sistema fará rir aos doutores do sufrágio; a mim não. Ele exclui os desvarios da paixão, os desazos da inépcia, o congresso da corrupção e da cobiça. Mas não foi só por isso que o aceitei; tratando-se de um povo tão exímio na fiação de suas teias, o uso do saco eleitoral era de fácil adaptação, quase uma planta indígena.

A proposta foi aceita. Seleníssima República pareceu-lhes um título magnífico, roçagante, expansivo, próprio a engrandecer a obra popular.

Não direi, senhores, que a obra chegou à perfeição, nem que lá chegue tão cedo. Os meus pupilos não são os solários de Campanella ou os utopistas de Morus; formam um povo recente, que não pode trepar de um salto ao cume das nações seculares. Nem o tempo é operário que ceda a outro a lima ou o alvião; ele fará mais e melhor do que as teorias do papel, válidas no papel e mancas na prática. O que posso afirmar-vos é que, não obstante as incertezas da idade, eles caminham, dispondo de algumas virtudes, que presumo, essenciais à duração de um Estado. Uma delas, como já disse, é a perseverança, uma longa paciência de Penélope, segundo vou mostrar-vos.

Com efeito, desde que compreenderam que no ato eleitoral estava a base da vida pública, trataram de o exercer com a maior atenção. O fabrico do saco foi uma obra nacional. Era um saco de cinco polegadas de altura e três de largura, tecido com os melhores fios, obra sólida e espessa. Para compô-lo foram aclamadas dez damas principais, que receberam o título de mães da república, além de outros privilégios e foros. Uma obra-prima, podeis crê-lo. O processo eleitoral é simples. As bolas recebem os nomes dos candidatos, que provarem certas condições, e são escritas por um oficial público, denominado "das inscrições". No dia da eleição, as bolas são metidas no saco e tiradas pelo oficial das extrações, até perfazer o número dos elegendos. Isto que era um simples processo inicial na antiga Veneza, serve aqui ao provimento de todos os cargos.

A eleição fez-se a princípio com muita regularidade; mas, logo depois, um dos legisladores declarou que ela fora viciada, por terem entrado no saco duas bolas com o nome do mesmo candidato. A assembleia verificou a exatidão da denúncia, e decretou que o saco, até ali de três polegadas de largura, tivesse agora duas; limitando-se a capacidade do saco, restringia-se o espaço à fraude, era o mesmo que suprimi-la. Aconteceu, porém, que na eleição seguinte, um candidato deixou de ser inscrito na competente bola, não se sabe se por descuido ou intenção do oficial público. Este declarou que não se lembrava de ter visto o ilustre candidato, mas acrescentou nobremente que não era impossível que ele lhe tivesse dado o nome; neste caso não houve exclusão, mas distração. A assembleia, diante de um fenômeno psicológico inelutável, como é a distração, não pôde castigar o oficial; mas, considerando que a estreiteza do saco podia dar lugar a exclusões odiosas, revogou a lei anterior e restaurou as três polegadas.

Nesse ínterim, senhores, faleceu o primeiro magistrado, e três cidadãos apresentaram-se candidatos ao posto, mas só dois importantes, Hazeroth e Magog, os próprios chefes do partido retilíneo e do partido curvilíneo. Devo explicar-vos estas denominações. Como eles são principalmente geômetras, é a geometria que os divide em política. Uns entendem que a aranha deve fazer as teias com fios retos, é o partido retilíneo; — outros pensam, ao contrário, que as teias devem ser trabalhadas com fios curvos — é o partido curvilíneo. Há ainda um terceiro partido, misto e central, com este postulado: as teias devem ser urdidas de fios retos e fios curvos; é o partido reto-curvilíneo; e finalmente, uma quarta divisão política, o partido antirreto-curvilíneo, que fez tábua rasa de todos os princípios litigantes, e propõe o uso de umas teias urdidas de ar, obra transparente e leve, em que não há linhas de espécie alguma. Como a geometria apenas poderia dividi-los, sem chegar a apaixoná-los, adotaram uma simbólica. Para uns, a linha reta exprime os bons sentimentos, a justiça, a probidade, a inteireza, a constância etc., ao passo que os sentimentos ruins ou inferiores, como a bajulação, a fraude, a deslealdade, a perfídia, são perfeitamente curvos. Os adversários respondem que não, que a linha curva é a da virtude e do saber, porque é a expressão da modéstia e da humildade; ao contrário, a ignorância, a presunção, a toleima, a parlapatice, são retas, duramente retas. O terceiro partido, menos anguloso, menos exclusivista, desbastou a exageração de uns e outros, combinou os contrastes, e proclamou a simultaneidade das linhas como a exata cópia do mundo físico e moral. O quarto limita-se a negar tudo.

Nem Hazeroth nem Magog foram eleitos. As suas bolas saíram do saco, é verdade, mas foram inutilizadas, a do primeiro por faltar a primeira letra do nome, a do segundo por lhe faltar a última. O nome restante e triunfante era o de um argentário ambicioso, político obscuro, que subiu logo à poltrona ducal, com espanto geral da república. Mas os vencidos não se contentaram de dormir sobre os louros do vencedor; requereram uma devassa. A devassa mostrou que o oficial das inscrições intencionalmente viciara a ortografia de seus nomes. O oficial confessou o defeito e a intenção; mas explicou-os dizendo que se tratava de uma simples elipse; delito, se o era, puramente literário. Não sendo possível perseguir ninguém por defeitos de ortografia ou figuras de retórica, pareceu acertado rever a lei. Nesse mesmo dia ficou decretado que o saco seria feito de um tecido de malhas, através das quais as bolas pudessem ser lidas pelo público, e, *ipso facto*, pelos mesmos candidatos, que assim teriam tempo de corrigir as inscrições.

Infelizmente, senhores, o comentário da lei é a eterna malícia. A mesma porta aberta à lealdade serviu à astúcia de um certo Nabiga, que se conchavou com o oficial das extrações, para haver um lugar na assembleia. A vaga era uma, os candidatos três; o oficial extraiu as bolas com os olhos no cúmplice, que só deixou de abanar negativamente a cabeça, quando a bola pegada foi a sua. Não era preciso mais para condenar a ideia das malhas. A assembleia, com exemplar paciência, restaurou o tecido espesso do regime anterior; mas, para evitar outras elipses, decretou a validação das bolas cuja inscrição estivesse incorreta, uma vez que cinco pessoas jurassem ser o nome inscrito o próprio nome do candidato.

Este novo estatuto deu lugar a um caso novo e imprevisto, como ides ver. Tratou-se de eleger um coletor de espórtulas, funcionário encarregado de cobrar as rendas públicas, sob a forma de espórtulas voluntárias. Eram candidatos, entre outros, um certo Caneca e um certo Nebraska. A bola extraída foi a de Nebraska. Estava errada, é certo, por lhe faltar a última letra; mas, cinco testemunhas juraram, nos termos da lei, que o eleito era o próprio e o único Nebraska da república. Tudo parecia findo, quando o candidato Caneca requereu provar que a bola extraída não trazia o nome de Nebraska, mas o dele. O juiz de paz deferiu ao peticionário. Veio então um grande filólogo — talvez o primeiro da república, além de bom metafísico, e não vulgar matemático — o qual provou a coisa nestes termos:

— Em primeiro lugar — disse ele —, deveis notar que não é fortuita a ausência da última letra do nome Nebraska. Por que motivo foi ele inscrito incompletamente? Não se pode dizer que por fadiga ou amor da brevidade, pois só falta a última letra, um simples *a*. Carência de espaço? Também não; vede; há ainda espaço para duas ou três sílabas. Logo, a falta é intencional, e a intenção não pode ser outra senão chamar a atenção do leitor para a letra *k*, última escrita, desamparada, solteira, sem sentido. Ora, por um efeito mental, que nenhuma lei destruiu, a letra reproduz-se no cérebro de dois modos, a forma gráfica, e a forma sônica; *k* e *ca*. O defeito, pois, no nome escrito, chamando os olhos para a letra final, incrusta desde logo no cérebro esta primeira sílaba: *Ca*. Isto posto, o movimento natural do espírito é ler o nome todo; volta-se ao princípio, à inicial *ne*, do nome *Nebrask*. — *Cane*. — Resta a sílaba do meio, *bras*, cuja redução a esta outra sílaba *ca*, última do nome Caneca, é a coisa mais demonstrável do mundo. E, todavia, não a demonstrarei, visto faltar-vos o preparo necessário ao entendimento da significação espiritual ou filosófica da sílaba, suas origens e efeitos, fases, modificações, consequências lógicas e sintáxicas, dedutivas ou indutivas, simbólicas e outras. Mas, suposta a demonstração, aí fica a última prova, evidente, clara, da minha afirmação primeira pela anexação da sílaba *ca* às duas *Cane*, dando este nome Caneca.

A lei emendou-se, senhores, ficando abolida a faculdade da prova testemunhal e interpretativa dos textos, e introduzindo-se uma inovação, o corte simultâneo de meia polegada na altura e outra meia na largura do saco. Esta emenda não evitou um pequeno abuso na eleição dos alcaides, e o saco foi restituído às dimensões primitivas, dando-se-lhe, todavia, a forma triangular. Compreendeis que esta forma trazia consigo uma consequência: ficavam muitas bolas no fundo. Daí a mudança para a forma cilíndrica; mais tarde deu-se-lhe o aspecto de uma ampulheta, cujo inconveniente se reconheceu ser igual ao triângulo, e então adotou-se a forma de um crescente etc. Muitos abusos, descuidos e lacunas tendem a desaparecer, e o restante terá igual destino, não inteiramente, decerto, pois a perfeição não é deste mundo, mas na medida e nos termos do conselho de um dos mais circunspectos cidadãos da minha república, Erasmus, cujo último discurso sinto não poder dar-vos integralmente. Encarregado de notificar a última resolução legislativa às dez damas, incumbidas de urdir o saco eleitoral, Erasmus contou-lhes a fábula de Penélope, que fazia e desfazia a famosa teia, à espera do esposo Ulisses.

— Vós sois a Penélope da nossa república — disse ele ao terminar —; tendes a mesma castidade, paciência e talentos. Refazei o saco, amigas minhas, refazei o saco, até que Ulisses, cansado de dar às pernas, venha tomar entre nós o lugar que lhe cabe. Ulisses é a Sapiência.

Gazeta de Notícias, *20 de agosto de 1882; Machado de Assis.*

O espelho
Esboço de uma nova teoria da alma humana

Quatro ou cinco cavalheiros debatiam, uma noite, várias questões de alta transcendência, sem que a disparidade dos votos trouxesse a menor alteração aos espíritos. A casa ficava no morro de Santa Teresa, a sala era pequena, alumiada a velas, cuja luz fundia-se misteriosamente com o luar que vinha de fora. Entre a cidade, com as suas agitações e aventuras, e o céu, em que as estrelas pestanejavam, através de uma atmosfera límpida e sossegada, estavam os nossos quatro ou cinco investigadores de coisas metafísicas, resolvendo amigavelmente os mais árduos problemas do universo.

Por que quatro ou cinco? Rigorosamente eram quatro os que falavam; mas, além deles, havia na sala um quinto personagem, calado, pensando, cochilando, cuja espórtula no debate não passava de um ou outro resmungo de aprovação. Esse homem tinha a mesma idade dos companheiros, entre quarenta e cinquenta anos, era provinciano, capitalista, inteligente, não sem instrução, e, ao que parece, astuto e cáustico. Não discutia nunca: e defendia-se da abstenção com um paradoxo, dizendo que a discussão é a forma polida do instinto batalhador, que jaz no homem, como uma herança bestial; e acrescentava que os serafins e os querubins não controvertiam nada, e, aliás, eram a perfeição espiritual e eterna. Como desse esta mesma resposta naquela noite, contestou-lha um dos presentes, e desafiou-o a demonstrar o que dizia, se era capaz. Jacobina (assim se chamava ele) refletiu um instante, e respondeu:

— Pensando bem, talvez o senhor tenha razão.

Vai senão quando, no meio da noite, sucedeu que este casmurro usou da palavra, e não dois ou três minutos, mas trinta ou quarenta. A conversa, em seus meandros, veio a cair na natureza da alma, ponto que dividiu radicalmente os quatro amigos. Cada cabeça, cada sentença; não só o acordo, mas a mesma discussão, tornou-se difícil, senão impossível, pela multiplicidade de questões que se deduziram do tronco principal, e um pouco, talvez, pela inconsistência dos pareceres. Um dos argumentadores pediu ao Jacobina alguma opinião — uma conjetura, ao menos.

— Nem conjetura, nem opinião — redarguiu ele —; uma ou outra pode dar lugar a dissentimento, e, como sabem, eu não discuto. Mas, se querem ouvir-me calados, posso contar-lhes um caso de minha vida, em que ressalta a mais clara demonstração acerca da matéria de que se trata. Em primeiro lugar, não há uma só alma, há duas...

— Duas?

— Nada menos de duas almas. Cada criatura humana traz duas almas consigo: uma que olha de dentro para fora, outra que olha de fora para dentro... Espantem-se à vontade; podem ficar de boca aberta, dar de ombros, tudo; não admito réplica. Se me replicarem, acabo o charuto e vou dormir. A alma exterior pode ser um espírito, um fluido, um homem, muitos homens, um objeto, uma operação. Há casos, por exemplo, em que um simples botão de camisa é a alma exterior de uma pessoa; — e assim também a polca, o voltarete, um livro, uma máquina, um par de botas, uma cavatina, um tambor etc. Está claro que o ofício dessa segunda alma é transmitir a vida, como a primeira; as duas completam o homem, que é, metafisicamente falando, uma laranja. Quem perde uma das metades, perde naturalmente metade da existência; e casos há, não raros, em que a perda da alma exterior implica a da existência inteira. Shylock, por exemplo. A alma exterior daquele judeu eram os seus ducados; perdê-los equivalia a morrer. "Nunca mais verei o meu ouro, diz ele a Tubal; *é um punhal que me enterras no coração.*" Vejam bem esta frase; a perda dos ducados, alma exterior, era a morte para ele. Agora, é preciso saber que a alma exterior não é sempre a mesma...

— Não?

— Não, senhor; muda de natureza e de estado. Não aludo a certas almas absorventes, como a pátria, com a qual disse o Camões que morria, e o poder, que foi a alma exterior de César e de Cromwell. São almas enérgicas e exclusivas; mas há outras, embora enérgicas, de natureza mudável. Há cavalheiros, por exemplo, cuja alma exterior, nos primeiros anos, foi um chocalho ou um cavalinho de pau, e mais tarde uma provedoria de irmandade, suponhamos. Pela minha parte, conheço uma senhora — na verdade, gentilíssima — que muda de alma exterior cinco, seis vezes por ano. Durante a estação lírica é a ópera; cessando a estação, a alma exterior substitui-se por outra: um concerto, um baile do Cassino, a rua do Ouvidor, Petrópolis...

— Perdão; essa senhora quem é?

— Essa senhora é parenta do diabo, e tem o mesmo nome: chama-se Legião... E assim outros muitos casos. Eu mesmo tenho experimentado dessas trocas. Não as relato, porque iria longe; restrinjo-me ao episódio de que lhes falei. Um episódio dos meus vinte e cinco anos...

Os quatro companheiros, ansiosos de ouvir o caso prometido, esqueceram a controvérsia. Santa curiosidade! tu não és só a alma da civilização, és também o pomo da concórdia, fruta divina, de outro sabor que não aquele pomo da mitologia. A sala, até há pouco ruidosa de física e metafísica, é agora um mar morto; todos os olhos estão no Jacobina, que concerta a ponta do charuto, recolhendo as memórias. Eis aqui como ele começou a narração:

— Tinha vinte e cinco anos, era pobre, e acabava de ser nomeado alferes da guarda nacional. Não imaginam o acontecimento que isto foi em nossa casa. Minha mãe ficou tão orgulhosa! tão contente! Chamava-me o seu alferes. Primos e tios, foi tudo uma alegria sincera e pura. Na vila, note-se bem, houve alguns despeitados; choro e ranger de dentes, como na Escritura; e o motivo não foi outro senão que o posto tinha muitos candidatos e que estes perderam. Suponho também que uma parte do desgosto foi inteiramente gratuita: nasceu da simples distinção. Lembra-me de alguns rapazes que se davam comigo, e passaram a olhar-me de revés, durante algum tempo. Em compensação, tive muitas pessoas que ficaram satisfeitas com a nomeação; e a prova é que todo o fardamento me foi dado por amigos... Vai então uma das minhas tias, dona Marcolina, viúva do capitão Peçanha, que morava a muitas léguas da vila, num sítio escuso e solitário, desejou ver-me, e pediu que fosse ter com ela e levasse a farda. Fui, acompanhado de um pajem, que daí a dias tornou à vila, porque a tia Marcolina, apenas me pilhou no sítio, escreveu a minha mãe dizendo que não me soltava antes de um mês, pelo menos. E abraçava-me! Chamava-me também o seu alferes. Achava-me um rapagão bonito. Como era um tanto patusca, chegou a confessar que tinha inveja da moça que houvesse de ser minha mulher. Jurava que em toda a província não havia outro que me pusesse o pé adiante. E sempre alferes; era alferes para cá, alferes para lá, alferes a toda a hora. Eu pedia-lhe que me chamasse Joãozinho, como dantes; e ela abanava a cabeça, bradando que não, que era o "senhor alferes". Um cunhado dela, irmão do finado Peçanha, que ali morava, não me chamava de outra maneira. Era o "senhor alferes", não por gracejo, mas a sério, e à vista dos escravos, que naturalmente foram pelo mesmo caminho. Na mesa tinha eu o melhor lugar, e era o primeiro servido. Não imaginam. Se lhes disser que o entusiasmo da tia Marcolina chegou ao ponto de mandar pôr no meu quarto um grande espelho, obra rica e magnífica, que destoava do resto da casa, cuja mobília era modesta e simples... Era um espelho que lhe dera a madrinha, e que esta herdara da mãe, que o comprara a uma das fidalgas vindas em 1808 com a corte de dom João VI. Não sei o que havia nisso de verdade; era a tradição. O espelho estava naturalmente muito velho; mas via-se-lhe ainda o ouro, comido em parte pelo tempo, uns delfins esculpidos nos ângulos superiores da moldura, uns enfeites de madrepérola e outros caprichos do artista. Tudo velho, mas bom...

— Espelho grande?

— Grande. E foi, como digo, uma enorme fineza, por que o espelho estava na sala; era a melhor peça da casa. Mas não houve forças que a demovessem do propósito; respondia que não fazia falta, que era só por algumas semanas, e finalmente que o "senhor alferes" merecia muito mais. O certo é que todas essas coisas, carinhos, atenções, obséquios, fizeram em mim uma transformação, que o natural sentimento da mocidade ajudou e completou. Imaginam, creio eu?

— Não.

— O alferes eliminou o homem. Durante alguns dias as duas naturezas equilibraram-se; mas não tardou que a primitiva cedesse à outra; ficou-me uma parte mínima de humanidade. Aconteceu então que a alma exterior, que era dantes o sol, o ar, o campo, os olhos das moças, mudou de natureza, e passou a ser a cortesia e os rapapés da casa, tudo o que me falava do posto, nada do que me falava do homem. A única parte do cidadão que ficou comigo foi aquela que entendia com o exercício da patente; a outra dispersou-se no ar e no passado. Custa-lhes acreditar, não?

— Custa-me até entender — respondeu um dos ouvintes.

— Vai entender. Os fatos explicarão melhor os sentimentos; os fatos são tudo. A melhor definição do amor não vale um beijo de moça namorada; e, se bem me lembro, um filósofo antigo demonstrou o movimento andando. Vamos aos fatos. Vamos ver como, ao tempo em que a consciência do homem se obliterava, a do alferes tornava-se viva e intensa. As dores humanas, as alegrias humanas, se eram só isso, mal obtinham de mim uma compaixão apática ou um sorriso de favor. No fim de três semanas, era outro, totalmente outro. Era exclusivamente alferes. Ora, um dia recebeu a tia Marcolina uma notícia grave; uma de suas filhas, casada com um lavrador residente dali a cinco léguas, estava mal e à morte. Adeus, sobrinho! adeus, alferes! Era mãe extremosa, armou logo uma viagem, pediu ao cunhado que fosse com ela, e a mim que tomasse conta do sítio. Creio que, se não fosse a aflição, disporia o contrário; deixaria o cunhado, e iria comigo. Mas o certo é que fiquei só, com os poucos escravos da casa. Confesso-lhes que desde logo senti uma grande opressão, alguma coisa semelhante ao efeito de quatro paredes de um cárcere, subitamente levantadas em torno de mim. Era a alma exterior que se reduzia;

estava agora limitada a alguns espíritos boçais. O alferes continuava a dominar em mim, embora a vida fosse menos intensa, e a consciência mais débil. Os escravos punham uma nota de humildade nas suas cortesias, que de certa maneira compensava a afeição dos parentes e a intimidade doméstica interrompida. Notei mesmo, naquela noite, que eles redobravam de respeito, de alegria, de protestos. Nhô alferes de minuto a minuto. Nhô alferes é muito bonito; nhô alferes há de ser coronel; nhô alferes há de casar com moça bonita, filha de general; um concerto de louvores e profecias, que me deixou extático. Ah! pérfidos! mal podia eu suspeitar a intenção secreta dos malvados.

— Matá-lo?

— Antes assim fosse.

— Coisa pior?

— Ouçam-me. Na manhã seguinte achei-me só. Os velhacos, seduzidos por outros, ou de movimento próprio, tinham resolvido fugir durante a noite; e assim fizeram. Achei-me só, sem mais ninguém, entre quatro paredes, diante do terreiro deserto e da roça abandonada. Nenhum fôlego humano. Corri a casa toda, a senzala, tudo, nada, ninguém, um molequinho que fosse. Galos e galinhas tão-somente, um par de mulas, que filosofavam a vida, sacudindo as moscas, e três bois. Os mesmos cães foram levados pelos escravos. Nenhum ente humano. Parece-lhes que isto era melhor do que ter morrido? era pior. Não por medo; juro-lhes que não tinha medo; era um pouco atrevidinho, tanto que não senti nada, durante as primeiras horas. Fiquei triste por causa do dano causado à tia Marcolina; fiquei também um pouco perplexo, não sabendo se devia ir ter com ela, para lhe dar a triste notícia, ou ficar tomando conta da casa. Adotei o segundo alvitre, para não desamparar a casa, e porque, se a minha prima enferma estava mal, eu ia somente aumentar a dor da mãe, sem remédio nenhum; finalmente, esperei que o irmão do tio Peçanha voltasse naquele dia ou no outro, visto que tinha saído havia já trinta e seis horas. Mas a manhã passou sem vestígio dele; e à tarde comecei a sentir uma sensação como de pessoa que houvesse perdido toda a ação nervosa, e não tivesse consciência da ação muscular. O irmão do tio Peçanha não voltou nesse dia, nem no outro, nem em toda aquela semana. Minha solidão tomou proporções enormes. Nunca os dias foram mais compridos, nunca o sol abrasou a terra com uma obstinação mais cansativa. As horas batiam de século a século, no velho relógio da sala, cuja pêndula, *tic-tac, tic-tac*, feria-me a alma interior, como um piparote contínuo da eternidade. Quando, muitos anos depois, li uma poesia americana, creio que de Longfellow, e topei com este famoso estribilho: *Never, for ever! — For ever, never!* confesso-lhes que tive um calafrio: recordei-me daqueles dias medonhos. Era justamente assim que fazia o relógio da tia Marcolina: — *Never, for ever! — For ever, never!* Não eram golpes de pêndula, era um diálogo do abismo, um cochicho do nada. E então de noite! Não que a noite fosse mais silenciosa. O silêncio era o mesmo que de dia. Mas a noite era a sombra, era a solidão ainda mais estreita ou mais larga. *Tic-tac, tic-tac.* Ninguém nas salas, na varanda, nos corredores, no terreiro, ninguém em parte nenhuma... Riem-se?

— Sim, parece que tinha um pouco de medo.

— Oh! fora bom se eu pudesse ter medo! Viveria. Mas o característico daquela situação é que eu nem sequer podia ter medo, isto é, o medo vulgarmente entendido. Tinha uma sensação inexplicável. Era como um defunto andando, um sonâmbulo, um boneco mecânico. Dormindo, era outra coisa. O sono dava-me alívio, não pela razão comum de ser irmão da morte, mas por outra. Acho que posso explicar assim esse fenômeno: — o sono, eliminando a necessidade de uma alma exterior, deixava atuar a alma interior. Nos sonhos, fardava-me, orgulhosamente, no meio da família e dos amigos, que me elogiavam o garbo, que me chamavam alferes; vinha um amigo de nossa casa, e prometia-me o posto de tenente, outro o de capitão ou major; e tudo isso fazia-me viver. Mas quando acordava, dia claro, esvaía-se com o sono a consciência do meu ser novo e único — porque a alma interior perdia a ação exclusiva, e ficava dependente da outra, que teimava em não tornar... Não tornava. Eu saía fora, a um lado e outro, a ver se descobria algum sinal de regresso. *Soeur Anne, soeur Anne, ne vois-tu rien venir?* Nada, coisa nenhuma; tal qual como na lenda francesa. Nada mais do que a poeira da estrada e o capinzal dos morros. Voltava para casa, nervoso, desesperado, estirava-me no canapé da sala. *Tic-tac, tic-tac.* Levantava-me, passeava, tamborilava nos vidros das janelas, assobiava. Em certa ocasião lembrei-me de escrever alguma coisa, um artigo político, um romance, uma ode; não escolhi nada definitivamente; sentei-me e tracei no papel algumas palavras e frases soltas, para intercalar no estilo. Mas o estilo, como a tia Marcolina, deixava-se estar. *Soeur Anne, soeur Anne...* Coisa nenhuma. Quando muito via negrejar a tinta e alvejar o papel.

— Mas não comia?

— Comia mal, frutas, farinha, conservas, algumas raízes tostadas ao fogo, mas suportaria tudo alegremente, se não fora a terrível situação moral em que me achava. Recitava versos, discursos, trechos latinos, liras de Gonzaga, oitavas de Camões, décimas, uma antologia em trinta volumes. Às vezes fazia ginástica; outras dava beliscões nas pernas; mas o efeito era só uma sensação física de dor ou de cansaço, e mais nada. Tudo silêncio, um silêncio vasto, enorme, infinito, apenas sublinhado pelo eterno *tic-tac* da pêndula. *Tic-tac, tic-tac...*

— Na verdade, era de enlouquecer.

— Vão ouvir coisa pior. Convém dizer-lhes que, desde que ficara só, não olhara uma só vez para o espelho. Não era abstenção deliberada, não tinha motivo; era um impulso inconsciente, um receio de achar-me um e dois, ao mesmo tempo, naquela casa solitária; e se tal explicação é verdadeira, nada prova melhor a contradição humana, porque no fim de oito dias, deu-me na veneta olhar para o espelho com o fim justamente de achar-me dois. Olhei e recuei. O próprio vidro parecia conjurado com o resto do universo; não me estampou a figura nítida e inteira, mas vaga, esfumada, difusa, sombra de sombra. A realidade das leis físicas não permite negar que o espelho reproduziu-me textualmente, com os mesmos contornos e feições; assim devia ter sido. Mas tal não foi a minha sensação. Então tive medo; atribuí o fenômeno à excitação nervosa em que andava; receei ficar mais tempo, e enlouquecer. — Vou-me embora, disse comigo. E levantei o braço com gesto de mau humor, e ao mesmo tempo de decisão, olhando para o vidro; o gesto lá estava, mas disperso, esgarçado, mutilado... Entrei a vestir-me, murmurando comigo, tossindo sem tosse, sacudindo a roupa com estrépito, afligindo-me a frio com os botões, para dizer alguma coisa. De quando em quando, olhava furtivamente para o espelho; a imagem era a mesma difusão de linhas, a mesma decomposição de contornos... Continuei a vestir-me. Subitamente por uma inspiração inexplicável, por um impulso sem cálculo, lembrou-me... Se forem capazes de adivinhar qual foi a minha ideia...

— Diga.

— Estava a olhar para o vidro, com uma persistência de desesperado, contemplando as próprias feições derramadas e inacabadas, uma nuvem de linhas soltas, informes, quando tive o pensamento... Não, não são capazes de adivinhar.

— Mas, diga, diga.

— Lembrou-me vestir a farda de alferes. Vesti-a, aprontei-me de todo; e, como estava defronte do espelho, levantei os olhos, e... não lhes digo nada; o vidro reproduziu então a figura integral; nenhuma linha de menos, nenhum contorno diverso; era eu mesmo, o alferes, que achava, enfim, a alma exterior. Essa alma ausente com a dona do sítio, dispersa e fugida com os escravos, ei-la recolhida no espelho. Imaginai um homem que, pouco a pouco, emerge de um letargo, abre os olhos sem ver, depois começa a ver, distingue as pessoas dos objetos, mas não conhece individualmente uns nem outros; enfim, sabe que este é Fulano, aquele é Sicrano; aqui está uma cadeira, ali um sofá. Tudo volta ao que era antes do sono. Assim foi comigo. Olhava para o espelho, ia de um lado para outro, recuava, gesticulava, sorria, e o vidro exprimia tudo. Não era mais um autômato, era um ente animado. Daí em diante, fui outro. Cada dia, a uma certa hora, vestia-me de alferes, e sentava-me diante do espelho, lendo, olhando, meditando; no fim de duas, três horas, despia-me outra vez. Com este regime pude atravessar mais seis dias de solidão, sem os sentir...

Quando os outros voltaram a si, o narrador tinha descido as escadas.

Gazeta de Notícias, *8 de setembro de 1882; Machado de Assis.*

Uma visita de Alcibíades

Carta do desembargador X... ao chefe de polícia da corte

Corte, 20 de setembro de 1875.

Desculpe vossa excelência o tremido da letra e o desgrenhado do estilo; entendê-los-á daqui a pouco.

Hoje, à tardinha, acabado o jantar, enquanto esperava a hora do Cassino, estirei-me no sofá e abri um tomo de Plutarco. Vossa excelência, que foi meu companheiro de estudos, há de lembrar-se que eu, desde rapaz, padeci esta devoção do grego; devoção ou mania, que era o nome que vossa excelência lhe dava, e tão intensa que me ia fazendo reprovar em outras disciplinas. Abri o tomo, e sucedeu o que sempre se dá comigo quando leio alguma coisa antiga: transporto-me ao tempo e ao meio da ação ou da obra. Depois de jantar é excelente. Dentro de pouco acha-se a gente numa via romana, ao pé de um pórtico grego ou na loja de um gramático. Desaparecem os tempos modernos, a insurreição da Herzegovina, a guerra dos carlistas, a rua do Ouvidor, o circo Chiarini. Quinze ou vinte minutos de vida antiga, e de graça. Uma verdadeira digestão literária.

Foi o que se deu hoje. A página aberta acertou de ser a vida de Alcibíades. Deixei-me ir ao sabor da loquela ática; daí a nada entrava nos jogos olímpicos, admirava o mais guapo dos atenienses, guiando magnificamente o carro, com a mesma firmeza e donaire com que sabia reger as batalhas, os cidadãos e os próprios sentidos. Imagine vossa excelência se vivi! Mas, o moleque entrou e acendeu o gás; não foi preciso mais para fazer voar toda a arqueologia da minha imaginação. Atenas volveu à história, enquanto os olhos me caíam das nuvens, isto é, nas calças de brim branco, no paletó de alpaca e nos sapatos de cordovão. E então refleti comigo:

— Que impressão daria ao ilustre ateniense o nosso vestuário moderno?

Sou espiritista desde alguns meses. Convencido de que todos os sistemas são puras niilidades, resolvi adotar o mais recreativo deles. Tempo virá em que este não seja só recreativo, mas também útil à solução dos problemas históricos; é mais sumário evocar o espírito dos mortos, do que gastar as forças críticas, e gastá-las em pura perda, porque não há raciocínio nem documento que nos explique melhor a intenção de um ato do que o próprio autor do ato. E tal era o meu caso desta noite. Conjeturar qual fosse a impressão de Alcibíades era despender o tempo, sem outra vantagem, além do gosto de admirar a minha própria habilidade. Determinei portanto, evocar o ateniense; pedi-lhe que comparecesse em minha casa, logo, sem demora.

E aqui começa o extraordinário da aventura. Não se demorou Alcibíades em acudir ao chamado; dois minutos depois estava ali, na minha sala, perto da parede; mas não era a sombra impalpável que eu cuidara ter evocado pelos métodos da nossa escola; era o próprio Alcibíades, carne e osso, vero homem, grego autêntico, trajado à antiga, cheio daquela gentileza e desgarre com que usava arengar às grandes assembleias de Atenas, e também, um pouco, aos seus pataus. Vossa excelência, tão sabedor da história, não ignora que também houve pataus em Atenas; sim, Atenas também os possuiu, e esse precedente é uma desculpa. Juro a vossa excelência que não acreditei; por mais fiel que fosse o testemunho dos sentidos, não podia acabar de crer que tivesse ali, em minha casa, não a sombra de Alcibíades, mas o próprio Alcibíades redivivo. Nutri ainda a esperança de que tudo aquilo não fosse mais do que o efeito de uma digestão mal rematada, um simples eflúvio do quilo, através da luneta de Plutarco; e então esfreguei os olhos, fitei-os, e...

— Que me queres? — perguntou ele.

Ao ouvir isto, arrepiaram-se-me as carnes. O vulto falava e falava grego, o mais puro ático. Era ele, não havia duvidar que era ele mesmo, um morto de vinte séculos, restituído à vida, tão cabalmente como se viesse de cortar agora mesmo a famosa cauda do cão. Era claro que, sem o pensar, acabava eu de dar um grande passo na carreira do espiritismo; mas, ai de mim! não o entendi logo, e deixei-me ficar assombrado. Ele repetiu a pergunta, olhou em volta de si e sentou-se numa poltrona. Como eu estivesse frio e trêmulo (ainda o estou agora) ele que o percebeu falou-me com muito carinho, e tratou de rir e gracejar para o fim de devolver-me o sossego e a confiança. Hábil como outrora! Que mais direi a vossa excelência? No fim de poucos minutos conversávamos os dois, em grego antigo, ele repotreado e natural, eu pedindo a todos os santos do céu a presença de um criado, de uma visita, de uma patrulha, ou, se tanto fosse necessário, — de um incêndio.

Escusado é dizer a vossa excelência que abri mão da ideia de o consultar acerca do vestuário moderno; pedira um espectro, não um homem "de verdade", como dizem as crianças. Limitei-me a responder ao que ele queria; pediu-me notícias de Atenas, dei-lhas; disse-lhe que ela era enfim a cabeça de uma só Grécia, narrei-lhe a dominação muçulmana, a independência, Botzaris, *lord* Byron. O grande homem tinha os olhos pendurados da minha boca; e, mostrando-me admirado de que os mortos lhe não houvessem contado nada, explicou-me que à porta do outro mundo afrouxavam muito os interesses deste. Não vira Botzaris nem *lord* Byron — em primeiro lugar, porque é tanta e tantíssima a multidão de espíritos, que estes se fazem naturalmente desencontrados; em segundo lugar, porque eles lá congregam-se, não por nacionalidades ou outra ordem, senão por categorias de índole, costume e profissão: assim é que ele, Alcibíades, anda no grupo dos políticos elegantes e namorados, com o duque de Buckingham, o Garrett, o nosso Maciel Monteiro etc. Em seguida pediu-me notícias atuais; relatei-lhe o que sabia, em resumo; falei-lhe do parlamento helênico e do método alternativo com que Bulgaris e Comondouros, estadistas seus patrícios, imitam Disraeli e Gladstone, revezando-se no poder e, assim, como estes, a golpes de discurso. Ele, que foi um magnífico orador, interrompeu-me:

— Bravo, atenienses!

Se entro nestas minúcias é para o fim de nada omitir do que possa dar a vossa excelência o conhecimento exato do extraordinário caso que lhe vou narrando. Já disse que Alcibíades escutava-me com avidez; acrescentarei que era esperto e arguto; entendia as coisas sem largo dispêndio de palavras. Era também sarcástico; ao menos assim me pareceu em um ou dois pontos da nossa conversação; mas no geral dela, mostrava-se simples, atento, correto, sensível e digno. E gamenho, note vossa excelência, tão gamenho como outrora; olhava de soslaio para o espelho, como fazem as nossas e outras damas deste século, mirava os borzeguins, compunha o manto, não saía de certas atitudes esculturais.

— Vá, continua — dizia-me ele, quando eu parava de lhe dar notícias.

Mas eu não podia mais. Entrado no inextricável, no maravilhoso, achava tudo possível, não atinava por que razão, assim, como ele vinha ter comigo ao tempo, não iria eu ter com ele à eternidade. Esta ideia gelou-me. Para um homem que acabou de digerir o jantar e aguarda a hora do Cassino, a morte é o último dos sarcasmos. Se pudesses fugir... Animei-me: disse-lhe que ia a um baile.

— Um baile? Que coisa é um baile?

Expliquei-lho.

— Ah! ver dançar a pírrica!

— Não — emendei eu —, a pírrica já lá vai. Cada século, meu caro Alcibíades, muda de danças como muda de ideias. Nós já não dançamos as mesmas coisas do século passado; provavelmente o século XX não dançará as deste. A pírrica foi-se, como os homens de Plutarco e os numes de Hesíodo.

— Com os numes?

Repeti-lhe que sim, que o paganismo acabara, que as academias do século passado ainda lhe deram abrigo, mas sem convicção, nem alma, que as mesmas bebedeiras arcádicas,

Evoé! padre Bassaréu!

Evoé! etc.

honesto passatempo de alguns desembargadores pacatos, essas mesmas estavam curadas, radicalmente curadas. De longe em longe — acrescentei — um ou outro poeta, um ou outro prosador alude aos restos da teogonia pagã, mas só o faz por gala ou brinco, ao passo que a ciência reduziu todo o Olimpo a uma simbólica. Morto, tudo morto.

— Morto Zeus?

— Morto.

— Dionísio, Afrodite?...

— Tudo morto.

O homem de Plutarco levantou-se, andou um pouco, contendo a indignação, como se dissesse consigo, imitando o outro: — Ah! se lá estou com os meus atenienses! Zeus, Dionísio, Afrodite... — murmurava de quando em quando. Lembrou-me então que ele fora uma vez acusado de desacato aos deuses e perguntei a mim mesmo donde vinha aquela indignação póstuma, e naturalmente postiça. Esquecia-me — um devoto do grego! — esquecia-me que ele era também um refinado hipócrita, um ilustre dissimulado. E quase não tive tempo de fazer esse reparo, porque Alcibíades, detendo-se repentinamente declarou-me que iria ao baile comigo.

— Ao baile? — repeti atônito.

— Ao baile, vamos ao baile.

Fiquei aterrado, disse-lhe que não, que não era possível, que não o admitiriam, com aquele trajo; pareceria doido; salvo se ele queria ir lá representar alguma comédia de Aristófanes, acrescentei rindo, para disfarçar, o medo. O que eu queria era deixá-lo, entregar-lhe a casa, e uma vez na rua, não iria ao Cassino, iria ter com vossa excelência. Mas o diabo do homem não se movia; escutava-me com os olhos no chão, pensativo, deliberante. Calei-me; cheguei a cuidar que o pesadelo ia acabar, que o vulto ia desfazer-se, e que eu ficava ali com as minhas calças, os meus sapatos e o meu século.

— Quero ir ao baile — repetiu ele. — Já agora não vou sem comparar as danças.

— Meu caro Alcibíades, não acho prudente um tal desejo. Eu teria certamente a maior honra, um grande desvanecimento em fazer entrar no Cassino o mais gentil, o mais feiticeiro dos atenienses; mas os outros homens de hoje, os rapazes, as moças, os velhos... é impossível.

— Por quê?

— Já disse; imaginarão que és um doido ou um comediante, porque essa roupa...

— Que tem? A roupa muda-se. Irei à maneira do século. Não tens alguma roupa que me emprestes?

Ia a dizer que não; mas ocorreu-me logo que o mais urgente era sair, e que uma vez na rua, sobravam-me recursos para escapar-lhe, e então disse-lhe que sim.

— Pois bem — tornou ele levantando-se —, irei à maneira do século. Só peço que te vistas primeiro, para eu aprender e imitar-te depois.

Levantei-me também, e pedi-lhe que me acompanhasse. Não se moveu logo; estava assombrado.

Vi que só então reparara nas minhas calças brancas; olhava para elas com os olhos arregalados, a boca aberta; enfim, perguntou por que motivo trazia aqueles canudos de pano. Respondi que por maior comodidade; acrescentei que o nosso século, mais recatado e útil do que artista, determinara trajar de um modo compatível com o seu decoro e gravidade. Demais nem todos seriam Alcibíades. Creio que o lisonjeei com isto; ele sorriu e deu de ombros.

— Enfim!

Seguimos para o meu quarto de vestir, e comecei a mudar de roupa, às pressas. Alcibíades sentou-se molemente num divã, não sem elogiá-lo, não sem elogiar o espelho, a palhinha, os quadros. — Eu vestia-me, como digo, às pressas, ansioso por sair à rua, por meter-me no primeiro tílburi que passasse...

— Canudos pretos! — exclamou ele.

Eram as calças pretas que eu acabava de vestir. Exclamou e riu, um risinho em que o espanto vinha mesclado de escárnio, o que ofendeu grandemente o meu melindre de homem moderno. Porque, note vossa excelência, ainda que o nosso tempo nos pareça digno de crítica, e até de execração, não gostamos de que um antigo venha mofar dele às nossas barbas. Não respondi ao ateniense; franzi um pouco o sobrolho e continuei a abotoar os suspensórios. Ele perguntou-me então por que motivo usava uma cor tão feia...

— Feia, mas séria. — disse-lhe — Olha, entretanto, a graça do corte, vê como cai sobre o sapato, que é de verniz, embora preto, e trabalhado com muita perfeição.

E vendo que ele abanava a cabeça:

— Meu caro — disse-lhe —, tu podes certamente exigir que o Júpiter Olímpico seja o emblema eterno da majestade: é o domínio da arte ideal, desinteressada, superior aos tempos que passam e aos homens que os acompanham. Mas a arte de vestir é outra coisa. Isto que parece absurdo ou desgracioso é perfeitamente racional e belo — belo à nossa maneira, que não andamos a ouvir na rua os rapsodos recitando os seus versos, nem os oradores os seus discursos, nem os filósofos as suas filosofias. Tu mesmo, se te acostumares a ver-nos, acabarás por gostar de nós, porque...

— Desgraçado! — bradou ele atirando-se a mim.

Antes de entender a causa do grito e do gesto, fiquei sem pinga de sangue. A causa era uma ilusão. Como se passasse a gravata à volta do pescoço e tratasse de dar o laço, Alcibíades supôs que ia enforcar-me, segundo confessou depois. E, na verdade, estava pálido, trêmulo, em suores frios. Agora quem se riu fui eu. Ri-me, e expliquei-lhe o uso da gravata, e notei que era branca, não preta, posto usássemos também gravatas pretas. Só depois de tudo isso explicado é que ele consentiu em restituir-ma. Atei-a enfim, depois vesti o colete.

— Por Afrodite! — exclamou ele. — És a coisa mais singular que jamais vi na vida e na morte. Estás todo cor da noite — uma noite com três estrelas apenas — continuou apontando para os botões do peito. — O mundo deve andar imensamente melancólico, se escolheu para uso uma cor tão morta e tão triste. Nós éramos mais alegres; vivíamos...

Não pôde concluir a frase; eu acabava de enfiar a casaca, e a consternação do ateniense foi indescritível. Caíram-lhe os braços, ficou sufocado, não podia articular nada, tinha os olhos cravados em mim, grandes, abertos. Creia vossa excelência que fiquei com medo, e tratei de apressar ainda mais a saída.

— Estás completo? — perguntou-me ele.
— Não: falta o chapéu.
— Oh! venha alguma coisa que possa corrigir o resto! — tornou Alcibíades com voz suplicante. — Venha, venha. Assim pois, toda a elegância que vos legamos está reduzida a um par de canudos fechados e outro par de canudos abertos (e dizia isto levantando-me as abas da casaca), e tudo dessa cor enfadonha e negativa? Não, não posso crê-lo! Venha alguma coisa que corrija isso. O que é que falta, dizes tu?
— O chapéu.
— Põe o que te falta, meu caro, põe o que te falta.

Obedeci; fui dali ao cabide, despendurei o chapéu, e pu-lo na cabeça. Alcibíades olhou para mim, cambaleou e caiu. Corri ao ilustre ateniense, para levantá-lo, mas (com dor o digo) era tarde; estava morto, morto pela segunda vez. Rogo a vossa excelência se digne de expedir suas respeitáveis ordens para que o cadáver seja transportado ao necrotério, e se proceda ao corpo de delito, revelando-me de não ir pessoalmente à casa de vossa excelência agora mesmo (dez da noite) em atenção ao profundo abalo por que acabo de passar, o que aliás farei amanhã de manhã, antes das oito.

Jornal das Famílias, outubro de 1876; Victor de Paula.

Verba testamentária

"... Item, é minha última vontade que o caixão em que o meu corpo houver de ser enterrado seja fabricado em casa de Joaquim Soares, à rua da Alfândega. Desejo que ele tenha conhecimento desta disposição, que também será pública. Joaquim Soares não me conhece; mas é digno da distinção, por ser dos nossos melhores artistas, e um dos homens mais honrados da nossa terra..."

Cumpriu-se à risca esta verba testamentária. Joaquim Soares fez o caixão em que foi metido o corpo do pobre Nicolau B. de C.; fabricou-o ele mesmo, *con amore*; e, no fim, por um movimento cordial, pediu licença para não receber nenhuma remuneração. Estava pago; o favor do defunto era em si mesmo um prêmio insigne. Só desejava uma coisa: a cópia autêntica da verba. Deram-lha; ele mandou-a encaixilhar e pendurar de um prego, na loja. Os outros fabricantes de caixões, passado o assombro, clamaram que o testamento era um despropósito. Felizmente — e esta é uma das vantagens do estado social — felizmente, todas as demais classes acharam que aquela mão, saindo do abismo para abençoar a obra de um operário modesto, praticara uma ação rara e magnânima. Era em 1855; a população estava mais conchegada; não se falou de outra coisa. O nome do Nicolau reboou por muitos dias na imprensa da corte, donde passou à das províncias. Mas a vida universal é tão variada, os sucessos acumulam-se em tanta multidão, e com tal presteza, e, finalmente, a memória dos homens é tão frágil, que um dia chegou em que a ação de Nicolau mergulhou de todo no olvido.

Não venho restaurá-la. Esquecer é uma necessidade. A vida é uma lousa, em que o destino, para escrever um novo caso, precisa apagar o caso escrito. Obra de lápis e esponja. Não; não venho restaurá-la. Há milhares de ações tão bonitas, ou ainda mais bonitas do que a do Nicolau, e comidas do esquecimento. Venho dizer que a verba testamentária não é um efeito sem causa; venho mostrar uma das maiores curiosidades mórbidas deste século.

Sim, leitor amado, vamos entrar em plena patologia. Esse menino que aí vês, nos fins do século passado (em 1855, quando morreu, tinha o Nicolau sessenta e oito anos), esse menino não é um produto são, não é um organismo perfeito. Ao contrário, desde os mais tenros anos, manifestou por atos reiterados que há nele algum vício interior, alguma falha orgânica. Não se pode explicar de outro modo a obstinação com que ele corre a destruir os brinquedos dos outros meninos, não digo os que são iguais aos dele, ou ainda inferiores, mas os que são melhores ou mais ricos. Menos ainda se compreende que, nos casos em que o brinquedo é único, ou somente raro, o jovem Nicolau console a vítima com dois ou três pontapés; nunca menos de um. Tudo isso é obscuro. Culpa do pai não pode ser. O pai era um honrado negociante ou comissário (a maior parte das pessoas a que aqui se dá o nome de comerciantes, dizia o marquês de Lavradio, nada mais são que uns simples comissários), que viveu com certo luzimento, no último quartel do século, homem ríspido, austero, que admoestava o filho, e, sendo necessário, castigava-o. Mas nem admoestações, nem castigos, valiam nada. O impulso interior do Nicolau era mais eficaz do que todos os bastões paternos; e, uma ou duas vezes por semana, o pequeno reincidia no mesmo delito. Os desgostos da família eram profundos. Deu-se mesmo um caso, que, por suas gravíssimas consequências, merece ser contado.

    O vice-rei, que era então o conde de Resende, andava preocupado com a necessidade de construir um cais na praia de d. Manuel. Isto, que seria hoje um simples episódio municipal, era naquele tempo, atentas as proporções escassas da cidade, uma empresa importante. Mas o vice-rei não tinha recursos; o cofre público mal podia acudir às urgências ordinárias. Homem de estado, e provavelmente filósofo, engendrou um expediente não menos suave que profícuo: distribuir, a troco de donativos pecuniários, postos de capitão, tenente e alferes. Divulgada a resolução, entendeu o pai do Nicolau que era ocasião de figurar, sem perigo, na galeria militar do século, ao mesmo tempo que desmentia uma doutrina bramânica. Com efeito, está nas leis de Manu, que dos braços de Brama nasceram os guerreiros, e do ventre os agricultores e comerciantes; o pai do Nicolau, adquirindo o despacho de capitão, corrigia esse ponto da anatomia gentílica. Outro comerciante, que com ele competia em tudo, embora familiares e amigos, apenas teve notícia do despacho, foi também levar a sua pedra ao cais. Desgraçadamente, o despeito de ter ficado atrás alguns dias, sugeriu-lhe um arbítrio de mau gosto e, no nosso caso, funesto; foi assim que ele pediu ao vice-rei outro posto de oficial do cais (tal era o nome dado aos agraciados por aquele motivo) para um filho de sete anos. O vice-rei hesitou; mas o pretendente, além de duplicar donativo, meteu grandes empenhos, e o menino saiu nomeado alferes. Tudo correu em segredo; o pai de Nicolau só teve notícia do caso no domingo próximo, na igreja do Carmo, ao ver os dois, pai e filho, vindo o menino com uma fardinha, que, por galanteria, lhe meteram no corpo. Nicolau, que também ali estava, fez-se lívido; depois, num ímpeto, atirou-se sobre o jovem alferes e rasgou-lhe a farda, antes que os pais pudessem acudir. Um escândalo. O rebuliço do povo, a indignação dos devotos, as queixas do agredido, interromperam por alguns instantes as cerimônias eclesiásticas. Os pais trocaram algumas palavras acerbas, fora, no adro, e ficaram brigados para todo o sempre.

    — Este rapaz há de ser a nossa desgraça! — bradava o pai de Nicolau, em casa, depois do episódio.

    Nicolau apanhou então muita pancada, curtiu muita dor, chorou, soluçou; mas de emenda coisa nenhuma. Os brinquedos dos outros meninos não ficaram menos expostos. O mesmo passou a acontecer às roupas. Os meninos mais ricos do bairro não saíam fora senão com as mais modestas vestimentas caseiras, único modo de escapar às unhas de Nicolau. Com o andar do tempo, estendeu ele a aversão às próprias caras, quando eram bonitas, ou tidas como tais. A rua em que ele residia, contava um sem-número de caras quebradas, arranhadas, conspurcadas. As coisas chegaram a tal ponto, que o pai resolveu trancá-lo em casa durante uns três ou quatro meses. Foi um paliativo, e, como tal, excelente. Enquanto durou a reclusão, Nicolau mostrou-se nada menos que angélico; fora daquele sestro mórbido, era meigo, dócil, obediente, amigo da família, pontual nas rezas. No fim dos quatro meses, o pai soltou-o; era tempo de o meter com um professor de leitura e gramática.

    — Deixe-o comigo — disse o professor —; deixe-o comigo, e com esta (apontava para a palmatória)... Com esta, é duvidoso que ele tenha vontade de maltratar os companheiros...

Frívolo! três vezes frívolo professor! Sim, não há dúvida, que ele conseguiu poupar os meninos bonitos e as roupas vistosas, castigando as primeiras investidas do pobre Nicolau; mas em que é que este sarou da moléstia? Ao contrário, obrigado a conter-se, a engolir o impulso, padecia dobrado, fazia-se mais lívido, com reflexos de verde bronze; em certos casos, era compelido a voltar os olhos ou fechá-los, para não arrebentar, dizia ele. Por outro lado, se deixou de perseguir os mais graciosos ou melhor adornados, não perdoou aos que se mostravam mais adiantados no estudo; espancava-os, tirava-lhes os livros, e lançava-os fora, nas praias ou no mangue. Rixas, sangue, ódios, tais eram os frutos da vida, para ele, além das dores cruéis que padecia, e que a família teimava em não entender. Se acrescentarmos que ele não pôde estudar nada seguidamente, mas a trancos, e mal, como os vagabundos comem, nada fixo, nada metódico, teremos visto algumas das dolorosas consequências do fato mórbido, oculto e desconhecido. O pai, que sonhava para o filho a universidade, vendo-se obrigado a estrangular mais essa ilusão, esteve prestes a amaldiçoá-lo; foi a mãe que o salvou.

Saiu um século, entrou outro, sem desaparecer a lesão do Nicolau. Morreu-lhe o pai em 1807 e a mãe em 1809; a irmã casou com um médico holandês, treze meses depois. Nicolau passou a viver só. Tinha vinte e três anos; era um dos petimetres da cidade, mas um singular petimetre, que não podia encarar nenhum outro, ou fosse mais gentil de feições, ou portador de algum colete especial, sem padecer uma dor violenta, tão violenta, que o obrigava às vezes a trincar o beiço até deitar sangue. Tinha ocasiões de cambalear; outras de escorrer-lhe pelo canto da boca um fio quase imperceptível de espuma. E o resto não era menos cruel. Nicolau ficava então ríspido; em casa achava tudo mau, tudo incômodo, tudo nauseabundo; feria a cabeça aos escravos com os pratos, que iam partir-se também, e perseguia os cães, a pontapés; não sossegava dez minutos, não comia, ou comia mal. Enfim dormia; e ainda bem que dormia. O sono reparava tudo. Acordava lhano e meigo, alma de patriarca, beijando os cães entre as orelhas, deixando-se lamber por eles, dando-lhes do melhor que tinha, chamando aos escravos as coisas mais familiares e ternas. E tudo, cães e escravos, esqueciam as pancadas da véspera, e acudiam às vozes dele obedientes, namorados, como se este fosse o verdadeiro senhor, não o outro.

Um dia, estando ele em casa da irmã, perguntou-lhe esta por que motivo não adotava uma carreira qualquer, alguma coisa em que se ocupasse, e...

— Tens razão, vou ver — disse ele.

Interveio o cunhado e opinou por um emprego na diplomacia. O cunhado principiava a desconfiar de alguma doença e supunha que a mudança de clima bastava a restabelecê-lo. Nicolau arranjou uma carta de apresentação, e foi ter com o ministro de estrangeiros. Achou-o rodeado de alguns oficiais da secretaria, prestes a ir ao paço levar a notícia da segunda queda de Napoleão, notícia que chegara alguns minutos antes. A figura do ministro, as circunstâncias do momento, as reverências dos oficiais, tudo isso deu um tal rebate ao coração de Nicolau, que ele não pôde encarar o ministro. Teimou, seis ou oito vezes, em levantar os olhos, e da única em que o conseguiu, fizeram-se-lhe tão vesgos, que não via ninguém, ou só uma sombra, um vulto, que lhe doía nas pupilas, ao mesmo tempo que a face ia ficando verde. Nicolau recuou, estendeu a mão trêmula ao reposteiro, e fugiu.

— Não quero ser nada! — disse ele à irmã, chegando a casa. — Fico com vocês e os meus amigos.

Os amigos eram os rapazes mais antipáticos da cidade, vulgares e ínfimos. Nicolau escolhera-os de propósito. Viver segregado dos principais era para ele um grande sacrifício; mas, como teria de padecer muito mais vivendo com eles, tragava a situação. Isto prova que ele tinha um certo conhecimento empírico do mal e do paliativo. A verdade é que, com esses companheiros, desapareciam todas as perturbações fisiológicas do Nicolau. Ele fitava-os sem lividez, sem olhos vesgos, sem cambalear, sem nada. Além disso, não só eles lhe poupavam a natural irritabilidade, como porfiavam em tornar-lhe a vida, se não deliciosa, tranquila; e para isso, diziam-lhe as maiores finezas do mundo, em atitudes cativas, ou com uma certa familiaridade inferior. Nicolau amava em geral as naturezas subalternas, como os doentes amam a droga que lhes restitui a saúde; acariciava-as paternalmente, dava-lhes o louvor abundante e cordial, emprestava-lhes dinheiro, distribuía-lhes mimos, abria-lhes a alma... Veio o grito do Ipiranga; Nicolau meteu-se na política. Em 1823 vamos achá-lo na Constituinte. Não há que dizer ao modo por que ele cumpriu os deveres do cargo. Íntegro, desinteressado, patriota, não exercia de graça essas virtudes públicas, mas à custa de muita tempestade moral. Pode-se dizer, metaforicamente, que a frequência da Câmara custava-lhe sangue precioso. Não era só porque os debates lhe pareciam insuportáveis, mas também porque lhe era difícil encarar certos homens, especialmente em certos dias. Montezuma, por exemplo, parecia-lhe balofo, Vergueiro, maçudo, os Andradas, execráveis. Cada discurso, não só dos principais oradores, mas dos secundários, era para o Nicolau verdadeiro suplício. E, não obstante, firme, pontual. Nunca a votação o achou ausente; nunca o nome dele soou sem eco pela augusta sala. Qualquer que fosse o seu desespero, sabia conter-se e pôr a ideia da pátria acima do alívio próprio. Talvez aplaudisse *in petto* o decreto da dissolução. Não afirmo; mas há bons fundamentos para crer que o Nicolau, apesar das mostras exteriores, gostou de ver dissolvida a assembleia. E se essa conjetura é verdadeira, não menos o será esta outra; — que a deportação de alguns dos chefes constituintes, declarados inimigos públicos, veio aguar-lhe aquele prazer. Nicolau, que padecera com os discursos deles, não menos padeceu com o exílio, posto lhes desse um certo relevo. Se ele também fosse exilado!

— Você podia casar, mano — disse-lhe a irmã.
— Não tenho noiva.
— Arranjo-lhe uma. Valeu?

Era um plano do marido. Na opinião deste, a moléstia do Nicolau estava descoberta; era um verme no baço, que se nutria da dor do paciente, isto é, de uma secreção especial, produzida pela vista de alguns fatos, situações ou pessoas. A questão era matar o verme; mas, não conhecendo nenhuma substância química própria a destruí-lo, restava o recurso de obstar à secreção, cuja ausência daria igual resultado. Portanto, urgia casar o Nicolau, com alguma moça bonita e prendada, separá-lo do povoado, metê-lo em alguma fazenda, para onde levaria a melhor baixela, os melhores trastes, os mais reles amigos etc.

— Todas as manhãs — continuou ele — receberá o Nicolau um jornal que vou mandar imprimir com o único fim de lhe dizer as coisas mais agradáveis do mundo, e dizê-las nominalmente, recordando os seus modestos, mas profícuos trabalhos da Constituinte, e atribuindo-lhe muitas aventuras namoradas, agudezas de espírito, rasgos de coragem. Já falei ao almirante holandês para consentir que, de quando em quando, vá ter com o Nicolau algum dos nossos oficiais dizer-lhe que não podia voltar para a Haia sem a honra de contemplar um cidadão tão eminente e simpático, em quem se reúnem qualidades raras, e, de ordinário, dispersas. Você, se puder alcançar de alguma modista, a Gudin, por exemplo, que ponha o nome de Nicolau em um chapéu ou mantelete, ajudará muito na cura de seu mano. Cartas amorosas anônimas, enviadas pelo correio, são um recurso eficaz... Mas comecemos pelo princípio, que é casá-lo.

Nunca um plano foi mais conscienciosamente executado. A noiva escolhida era a mais esbelta, ou uma das mais esbeltas da capital. Casou-os o próprio bispo. Recolhido à fazenda, foram com ele somente alguns de seus mais triviais amigos; fez-se o jornal, mandaram-se as cartas, peitaram-se as visitas. Durante três meses tudo caminhou às mil maravilhas. Mas a natureza, apostada em lograr o homem, mostrou ainda desta vez que ela possui segredos inopináveis. Um dos meios de agradar ao Nicolau era elogiar a beleza, a elegância e as virtudes da mulher; mas a moléstia caminhara, e o que parecia remédio excelente foi simples agravação do mal. Nicolau, ao fim de certo tempo, achava ociosos e excessivos tantos elogios à mulher, e bastava isto a impacientá-lo, e a impaciência a produzir-lhe a fatal secreção. Parece mesmo que chegou ao ponto de não poder encará-la muito tempo, e a encará-la mal; vieram algumas rixas, que seriam o princípio de uma separação, se ela não morresse daí a pouco. A dor do Nicolau foi profunda e verdadeira; mas a cura interrompeu-se logo, porque ele desceu ao Rio de Janeiro, onde o vamos achar, tempos depois, entre os revolucionários de 1831.

Conquanto pareça temerário dizer as causas que levaram o Nicolau para o campo da Aclamação, na noite de 6 para 7 de abril, penso que não estará longe da verdade quem supuser que — *foi o raciocínio de um ateniense célebre e anônimo*. Tanto os que diziam bem, como os que diziam mal do imperador, tinham enchido as medidas ao Nicolau. Esse homem, que inspirava entusiasmos e ódios, cujo nome era repetido onde quer que o Nicolau estivesse, na rua, no teatro, nas casas alheias, tornou-se uma verdadeira perseguição mórbida, daí o fervor com que ele meteu a mão no movimento de 1831. A abdicação foi um alívio. Verdade é que a Regência o achou dentro de pouco tempo entre os seus adversários; e há quem afirme que ele se filiou ao partido caramuru ou restaurador, posto não ficasse prova do ato. O que é certo é que a vida pública do Nicolau cessou com a Maioridade.

A doença apoderara-se definitivamente do organismo. Nicolau ia, a pouco e pouco, recuando na solidão. Não podia fazer certas visitas, frequentar certas casas. O teatro mal chegava a distraí-lo. Era tão melindroso o estado dos seus órgãos auditivos, que o ruído dos aplausos causava-lhe dores atrozes. O entusiasmo da população fluminense para com a famosa Candiani e a Meréa, mas a Candiani principalmente, cujo carro puxaram alguns braços humanos, obséquio tanto mais insigne quanto que o não fariam ao próprio Platão, esse entusiasmo foi uma das maiores mortificações do Nicolau. Ele chegou ao ponto de não ir mais ao teatro, de achar a Candiani insuportável, e preferir a *Norma* dos realejos à da prima-dona. Não era por exageração de patriota que ele gostava de ouvir o João Caetano, nos primeiros tempos; mas afinal deixou-o também, e quase que inteiramente os teatros.

— Está perdido! — pensou o cunhado. — Se pudéssemos dar-lhe um baço novo...

Como pensar em semelhante absurdo? Estava naturalmente perdido. Já não bastavam os recreios domésticos. As tarefas literárias a que se deu, versos de família, glosas a prêmio e odes políticas, não duraram muito tempo, e pode ser até que lhe dobrassem o mal. De fato, um dia, pareceu-lhe que essa ocupação era a coisa mais ridícula do mundo, e os aplausos ao Gonçalves Dias, por exemplo, deram-lhe ideia de um povo trivial e de mau gosto. Esse sentimento literário, fruto de uma lesão orgânica, reagiu sobre a mesma lesão, ao ponto de produzir graves crises, que o tiveram algum tempo na cama. O cunhado aproveitou o momento para desterrar-lhe da casa todos os livros de certo porte.

Explica-se menos o desalinho com que daí a meses começou a vestir-se. Educado com hábitos de elegância, era antigo freguês de um dos principais alfaiates da corte, o Plum, não passando um só dia em que não fosse pentear-se ao Desmarais e Gérard, *coiffeurs de la cour*, à rua do Ouvidor. Parece que achou enfatuada esta denominação de cabeleireiros do paço, e castigou-os indo pentear-se a um barbeiro ínfimo. Quanto ao motivo que o levou a trocar de traje, repito que é inteiramente obscuro, e a não haver sugestão da idade, é inexplicável. A despedida do cozinheiro é outro enigma. Nicolau, por insinuação do cunhado, que o queria distrair, dava dois jantares por semana; e os convivas eram unânimes em achar que o cozinheiro dele primava sobre todos os da capital. Realmente os pratos eram bons, alguns ótimos, mas o elogio era um tanto enfático, excessivo, para o fim justamente de ser agradável ao Nicolau, e assim aconteceu algum tempo. Como entender, porém, que um domingo, acabado o jantar, que fora magnífico, despedisse ele um varão tão insigne, causa indireta de alguns dos seus mais deleitosos momentos na terra? Mistério impenetrável.

— Era um ladrão! — foi a resposta que ele deu ao cunhado.

Nem os esforços deste nem os da irmã e dos amigos, nem os bens, nada melhorou o nosso triste Nicolau. A secreção do baço tornou-se perene, e o verme reproduziu-se aos milhões, teoria que não sei se é verdadeira, mas enfim era a do cunhado. Os últimos anos foram crudelíssimos. Quase se pode jurar que ele viveu então continuamente verde, irritado, olhos vesgos, padecendo consigo ainda muito mais do que fazia padecer aos outros. A menor ou maior coisa triturava-lhe os nervos: um bom discurso, um artista hábil, uma sege, uma gravata, um soneto, um dito, um sonho interessante, tudo dava de si uma crise.

Quis ele deixar-se morrer? Assim se poderia supor, ao ver a impassibilidade com que rejeitou os remédios dos principais médicos da corte; foi necessário recorrer à simulação, e dá-los, enfim, como receitados por um ignorantão do tempo. Mas era tarde. A morte levou-o ao cabo de duas semanas.

— Joaquim Soares? — bradou atônito o cunhado, ao saber da verba testamentária do defunto, ordenando que o caixão fosse fabricado por aquele industrial. — Mas os caixões desse sujeito não prestam para nada, e...

— Paciência! — interrompeu a mulher. — A vontade do mano há de cumprir-se.

Gazeta de Notícias, *8 de outubro de 1882; Machado de Assis.*

Notas [do autor a *Papéis avulsos*]

Nota A — "Advertência": *Deste modo, venha donde vier o reproche...* "O alienista": *Não ousava fazer-lhe nenhuma queixa ou reproche...*

Cerca de dois anos para cá, recebi duas cartas anônimas, escritas por pessoa inteligente e simpática, em que me foi notado o uso do vocábulo *reproche*. Não sabendo como responda ao meu estimável correspondente, aproveito esta ocasião.

Reproche não é galicismo. Nem *reproche* nem *reprochar*. Morais cita, para o verbo, este trecho dos *Ined. II*, fl. 259: "hum non tinha que *reprochar* ao outro"; e aponta os lugares de Fernando de Lucena, Nunes de Leão e d. Francisco Manuel de Melo, em que se encontra o substantivo *reproche*. Os espanhóis também os possuem.

Resta a questão de eufonia. *Reproche* não parece mal soante. Tem contra si o desuso. Em todo caso, o vocábulo que lhe está mais próximo no sentido, *exprobração*, acho que é insuportável. Daí a minha insistência em preferir o outro, devendo notar-se que não o vou buscar para dar ao estilo um verniz de estranheza, mas quando a ideia o traz consigo.

Nota B — "A chinela turca"

Este conto foi publicado, pela primeira vez, na *Época* n° 1, de 14 de novembro de 1875. Trazia o pseudônimo de Manassés, com que assinei outros artigos daquela folha efêmera. O redator principal era um espírito eminente, que a política veio tomar às letras: Joaquim Nabuco. Posso dizê-lo sem indiscrição. Éramos poucos e amigos. O programa era não ter programa, como declarou o artigo inicial, ficando a cada redator plena liberdade de opinião, pela qual respondia exclusivamente. O tom (feita a natural reserva da parte de um colaborador) era elegante, literário, ático. A folha durou quatro números.

Nota C — "O segredo do bonzo"

Como se terá visto, não há aqui um simples pastiche, nem esta imitação foi feita com o fim de provar forças, trabalho que, se fosse só isso, teria bem pouco valor. Era-me preciso, para dar a possível realidade à invenção, colocá-la a distância grande, no espaço e no tempo; e para tornar a narração sincera, nada me pareceu melhor do que atribuí-la ao viajante escritor que tantas maravilhas disse. Para os curiosos acrescentarei que as palavras: *Atrás deixei narrado o que se passou nesta cidade Fuchéu*, — foram escritas com o fim de supor o capítulo intercalado nas *Peregrinações*, entre os capítulos CCXIII e CCXIV.

O bonzo do meu escrito chama-se Pomada, e pomadistas os seus sectários. *Pomada* e *pomadista* são locuções familiares da nossa terra: é o nome local do charlatão e do charlatanismo.

Nota D — *Era um saco de espantos*

Em algumas linhas escritas para dar o último adeus a Artur de Oliveira, meu triste amigo, disse que era ele o original deste personagem. Menos a vaidade, que não tinha, e salvo alguns rasgos mais acentuados, este Xavier era o Artur. Para completá-lo darei aqui mesmo aquelas linhas impressas na *Estação* de 31 de agosto último:

"Quem não tratou de perto este rapaz, morto a 21 do mês corrente, mal poderá entender a admiração e saudade que ele deixou.

"Conheci-o desde que chegou do Rio Grande do Sul, com dezessete ou dezoito anos de idade; e podem crer que era então o que foi aos trinta. Aos trinta lera muito, vivera muito; mas toda aquela pujança de espírito, todo esse raro temperamento literário que lhe admirávamos, veio com a flor da adolescência; desabrochara com os primeiros dias. Era a mesma torrente de ideias, a mesma fulguração de imagens. Há algumas semanas, em escrito que viu a luz na *Gazeta de Notícias*, defini a alma de um personagem com esta espécie de hebraísmo: — chamei-lhe um saco de espantos. Esse personagem (posso agora dizê-lo) era, em algumas partes, o nosso mesmo Artur, com a sua poderosa loquela e extraordinária fantasia. Um saco de espantos. Mas, se o da minha invenção morreu exausto de espírito, não aconteceu o mesmo a Artur de Oliveira, que pôde alguma vez ficar prostrado, mas não exauriu nunca a força genial que possuía.

"Um organismo daqueles era naturalmente irrequieto. Minas o viu, pouco depois, no colégio dos padres do Caraça, começando os estudos, que interrompeu logo, para continuá-los na Europa. Na Europa travou relações literárias de muito peso; Teófilo Gauthier, entre outros, queria-lhe muito, apreciava-lhe a alta compreensão artística, a natureza impetuosa e luminosa, os deslumbramentos súbitos de raio. *Venez, père de la foudre*! dizia-lhe ele, mal o Artur assomava à porta. E o Artur, assim definido familiarmente pelo grande artista, entrava no templo, palpitante da divindade, admirativo como tinha de ser até a morte. Sim, até a morte. Gauthier foi uma das religiões que o consolaram. Sete dias antes de o perdermos, isto é, a 14 deste mês, prostrado na cama, roído pelo dente cruel da tísica, escrevia-me ele a propósito de um prato do jantar. 'O verde das couves espanejava-se em uma onda de pirão, cor de ouro. A palheta de Ruysdael, pelo incendido do ouro, não hesitaria um só instante em assinar esse pirão mirabolante, como diria o grande e divino Teo...' Grande e divino. Vede bem que esta admiração é de um moribundo, refere-se a um morto, e fala na intimidade da correspondência particular. Onde outra mais sincera?

"Não escrevo uma biografia. A vida dele não é das que se escrevem; é das que são vividas, sentidas, amadas, sem jamais poderem converter-se à narração; tal qual os romances psicológicos, em que a urdidura dos fatos é breve ou nenhuma. Ultimamente, exercia o professorado no Colégio Dom Pedro II; mas a doença tomou-o entre as suas tenazes, para não o deixar mais.

"Não o deixou mais: comeu-lhe a seiva toda; desfibrou-o com a paciência dos grandes operários. Ele, como vimos, prestes a tropeçar na cova, regalava-se ainda das reminiscências literárias, evocava a palheta de Ruysdael, olhando para a vida que lhe ia sobreviver, a vida da arte que ele amou com fé religiosa, sem proveito para si, sem cálculo, sem ódios, sem invejas, sem desfalecimento. A doença fê-lo padecer muito; teve instantes de dor cruel, não raro de desespero e de lágrimas; mas, em podendo, reagia. Encararia alguma vez o enigma da morte? Poucas horas antes de morrer (perdoem-me esta recordação pessoal; é necessária), poucas horas antes de morrer, lia um livro meu, o das *Memórias póstumas de Brás Cubas*, e dizia-me que interpretava agora melhor algumas de suas passagens. Talvez as que entendiam com a ocasião... E dizia-me aquilo serenamente, com uma força de ânimo rara, uma resignação de granito. Foi ao sair de uma dessas visitas, que escrevi estes versos, recordando os arrojos dele comparados com o atual estado. Não lhos mostrei; e dou-os aqui para os seus amigos:

Sabes tu de um poeta enorme,
Que andar não usa
No chão, e cuja estranha musa,
Que nunca dorme,
Calça o pé melindroso e leve,
Como uma pluma,
De folha e flor, de sol e neve,
Cristal e espuma;
E mergulha, como Leandro,
A forma rara
No Pó, no Sena, em Guanabara,
E no Escamandro;
Ouve a Tupã e escuta a Momo,
Sem controvérsia,
E tanto adora o estudo, como
Adora a inércia;
Ora do fuste, ora da ogiva
Sair parece;
Ora o Deus do Ocidente esquece
Pelo deus Siva;
Gosta do estrépito infinito,
Gosta das longas
Solidões em que se ouve o grito
Das arapongas;
E se ama o rápido besouro,
Que zumbe, zumbe,
E a mariposa que sucumbe
Na flama de ouro,
Vaga-lumes e borboletas
Da cor da chama,
Roxas, brancas, rajadas, pretas,
Não menos ama.
Os hipopótamos tranquilos,
E os elefantes,
E mais os búfalos nadantes,
E os crocodilos,
Como as girafas e as panteras,
Onças, condores,
Toda a casta de bestas-feras
E voadores.
Se não sabes quem ele seja,
Trepa de um salto,
Azul acima, onde mais alto
A águia negreja;
Onde morre o clamor iníquo
Dos violentos;

Onde não chega o riso oblíquo
Dos fraudulentos.
Então olha, de cima posto,
Para o oceano;
Verás num longo rosto humano
Teu mesmo rosto;
E hás de rir, não do riso antigo,
Potente e largo,
Riso de eterno moço amigo;
Mas de outro amargo,
Como o riso de um deus enfermo,
Que se aborrece
Da divindade, e que apetece
Também um termo...

"Os amigos dele apreciarão o sentido destes versos. O público, em geral, nada tem com um homem que passou pela terra sem o convidar para coisa nenhuma, um forte engenho que apenas soube amar a arte, como tantos cristãos obscuros amaram a Igreja, e amar também aos seus amigos, porque era meigo, generoso e bom."

Nota e — "A sereníssima República"
Este escrito, publicado primeiro na *Gazeta de Notícias*, como outros do livro, é o único em que há um sentido restrito: — as nossas alternativas eleitorais. Creio que terão entendido isso mesmo, através da forma alegórica.

Nota f — "Uma visita de Alcibíades"
Este escrito teve um primeiro texto, que reformei totalmente mais tarde, não aproveitando mais do que a ideia. O primeiro foi dado com um pseudônimo e passou despercebido.

Histórias

Histórias sem data foi publicado
pela primeira vez em 1884,
por B. L. Garnier, Livreiro-Editor,
no Rio de Janeiro.

A igreja do diabo

O lapso

Último capítulo

Cantiga de esponsais

Singular ocorrência

Galeria póstuma

sem data

Capítulo dos chapéus

Conto alexandrino

Primas de Sapucaia!

Uma senhora

Anedota pecuniária

Fulano

A segunda vida

Noite de almirante

Manuscrito de um sacristão

Ex cathedra

A senhora do Galvão

As academias de Sião

Advertência da primeira edição

De todos os contos que aqui se acham há dois que efetivamente não levam data expressa; os outros a têm, de maneira que este título *Histórias sem data* parecerá a alguns ininteligível, ou vago. Supondo, porém, que o meu fim é definir estas páginas como tratando, em substância, de coisas que não são especialmente do dia, ou de um certo dia, penso que o título está explicado. E é o pior que lhe pode acontecer, pois o melhor dos títulos é ainda aquele que não precisa de explicação.

M. de A.

A igreja do Diabo

I
DE UMA IDEIA MIRÍFICA

Conta um velho manuscrito beneditino que o Diabo, em certo dia, teve a ideia de fundar uma igreja. Embora os seus lucros fossem contínuos e grandes, sentia-se humilhado com o papel avulso que exercia desde séculos, sem organização, sem regras, sem cânones, sem ritual, sem nada. Vivia, por assim dizer, dos remanescentes divinos, dos descuidos e obséquios humanos. Nada fixo, nada regular. Por que não teria ele a sua igreja? Uma igreja do Diabo era o meio eficaz de combater as outras religiões, e destruí-las de uma vez.

— Vá, pois, uma igreja — concluiu ele. — Escritura contra Escritura, breviário contra breviário. Terei a minha missa, com vinho e pão à farta, as minhas prédicas, bulas, novenas e todo o demais aparelho eclesiástico. O meu credo será o núcleo universal dos espíritos, a minha igreja uma tenda de Abraão. E, depois, enquanto as outras religiões se combatem e se dividem, a minha igreja será única; não acharei diante de mim, nem Maomé, nem Lutero. Há muitos modos de afirmar; há só um de negar tudo.

Dizendo isto, o Diabo sacudiu a cabeça e estendeu os braços, com um gesto magnífico e varonil. Em seguida, lembrou-se de ir ter com Deus para comunicar-lhe a ideia, e desafiá-lo; levantou os olhos, acesos de ódio, ásperos de vingança, e disse consigo: — Vamos, é tempo. E rápido, batendo as asas, com tal estrondo que abalou todas as províncias do abismo, arrancou da sombra para o infinito azul.

II
ENTRE DEUS E O DIABO

Deus recolhia um ancião, quando o Diabo chegou ao céu. Os serafins que engrinaldavam o recém-chegado, detiveram-no logo, e o Diabo deixou-se estar à entrada com os olhos no Senhor.

— Que me queres tu? — perguntou este.

— Não venho pelo vosso servo Fausto — respondeu o Diabo rindo —, mas por todos os Faustos do século e dos séculos.

— Explica-te.

— Senhor, a explicação é fácil; mas permiti que vos diga: recolhei primeiro esse bom velho; dai-lhe o melhor lugar, mandai que as mais afinadas cítaras e alaúdes o recebam com os mais divinos coros...

— Sabes o que ele fez? — perguntou o Senhor, com os olhos cheios de doçura.

— Não, mas provavelmente é dos últimos que virão ter convosco. Não tarda muito que o céu fique semelhante a uma casa vazia, por causa do preço, que é alto. Vou edificar uma hospedaria barata; em duas palavras, vou fundar uma igreja. Estou cansado da minha desorganização, do meu reinado casual e adventício. É tempo de obter a vitória final e completa. E então vim dizer-vos isto, com lealdade, para que me não acuseis de dissimulação... Boa ideia, não vos parece?

— Vieste dizê-la, não legitimá-la — advertiu o Senhor.

— Tendes razão — acudiu o Diabo —; mas o amor-próprio gosta de ouvir o aplauso dos mestres. Verdade é que neste caso seria o aplauso de um mestre vencido, e uma tal exigência... Senhor, desço à terra; vou lançar a minha pedra fundamental.

— Vai.

— Quereis que venha anunciar-vos o remate da obra?

— Não é preciso; basta que me digas desde já por que motivo, cansado há tanto da tua desorganização, só agora pensaste em fundar uma igreja?

O Diabo sorriu com certo ar de escárnio e triunfo. Tinha alguma ideia cruel no espírito, algum reparo picante no alforje da memória, qualquer coisa que, nesse breve instante da eternidade, o fazia crer superior ao próprio Deus. Mas recolheu o riso, e disse:

— Só agora concluí uma observação, começada desde alguns séculos, e é que as virtudes, filhas do céu, são em grande número comparáveis a rainhas, cujo manto de veludo rematasse em franjas de algodão. Ora, eu proponho-me a puxá-las por essa franja, e trazê-las todas para minha igreja; atrás delas virão as de seda pura...

— Velho retórico! — murmurou o Senhor.

— Olhai bem. Muitos corpos que ajoelham aos vossos pés, nos templos do mundo, trazem as anquinhas da sala e da rua, os rostos tingem-se do mesmo pó, os lenços cheiram aos mesmos cheiros, as pupilas centelham de curiosidade e devoção entre o livro santo e o bigode do pecado. Vede o ardor — a indiferença, ao menos — com que esse cavalheiro põe em letras públicas os benefícios que liberalmente espalha — ou sejam roupas ou botas, ou moedas, ou quaisquer dessas matérias necessárias à vida... Mas não quero parecer que me detenho em coisas miúdas; não falo, por exemplo, da placidez com que este juiz de irmandade, nas procissões, carrega piedosamente ao peito o vosso amor e uma comenda... Vou a negócios mais altos...

Nisto os serafins agitaram as asas pesadas de fastio e sono. Miguel e Gabriel fitaram no Senhor um olhar de súplica. Deus interrompeu o Diabo.

— Tu és vulgar, que é o pior que pode acontecer a um espírito da tua espécie — replicou-lhe o Senhor. — Tudo o que dizes ou digas está dito e redito pelos moralistas do mundo. É assunto gasto; e se não tens força, nem originalidade para renovar um assunto gasto, melhor é que te cales e te retires. Olha; todas as minhas legiões mostram no rosto os sinais vivos do tédio que lhes dás. Esse mesmo ancião parece enjoado; e sabes tu o que ele fez?

— Já vos disse que não.

— Depois de uma vida honesta, teve uma morte sublime. Colhido em um naufrágio, ia salvar-se numa tábua; mas viu um casal de noivos, na flor da vida, que se debatiam já com a morte; deu-lhes a tábua de salvação e mergulhou na eternidade. Nenhum público: a água e o céu por cima. Onde achas aí a franja de algodão?

— Senhor, eu sou, como sabeis, o espírito que nega.

— Negas esta morte?

— Nego tudo. A misantropia pode tomar aspecto de caridade; deixar a vida aos outros, para um misantropo, é realmente aborrecê-los...

— Retórico e sutil! — exclamou o Senhor. — Vai, vai, funda a tua igreja; chama todas as virtudes, recolhe todas as franjas, convoca todos os homens... Mas, vai! vai!

Debalde o Diabo tentou proferir alguma coisa mais. Deus impusera-lhe silêncio; os serafins, a um sinal divino, encheram o céu com as harmonias de seus cânticos. O Diabo sentiu, de repente, que se achava no ar; dobrou as asas, e, como um raio, caiu na terra.

III

A BOA NOVA AOS HOMENS

Uma vez na terra, o Diabo não perdeu um minuto. Deu-se pressa em enfiar a cogula beneditina, como hábito de boa fama, e entrou a espalhar uma doutrina nova e extraordinária, com uma voz que reboava nas entranhas do século. Ele prometia aos seus discípulos fiéis as delícias da terra, todas as glórias, os deleites mais íntimos. Confessava que era o Diabo; mas confessava-o para retificar a noção que os homens tinham dele e desmentir as histórias que a seu respeito contavam as velhas beatas.

— Sim, sou o Diabo — repetia ele —; não o Diabo das noites sulfúreas, dos contos soníferos, terror das crianças, mas o Diabo verdadeiro e único, o próprio gênio da natureza, a que se deu aquele nome para arredá-lo do coração dos homens. Vede-me gentil e airoso. Sou o vosso verdadeiro pai. Vamos lá: tomai daquele nome, inventado para meu desdouro, fazei dele um troféu e um lábaro, e eu vos darei tudo, tudo, tudo, tudo, tudo, tudo...

Era assim que falava, a princípio, para excitar o entusiasmo, espertar os indiferentes, congregar, em suma, as multidões ao pé de si. E elas vieram; e logo que vieram, o Diabo passou a definir a doutrina. A doutrina era a que podia ser na boca de um espírito de negação. Isso quanto à substância, porque, acerca da forma, era umas vezes sutil, outras cínica e deslavada.

Clamava ele que as virtudes aceitas deviam ser substituídas por outras, que eram as naturais e legítimas. A soberba, a luxúria, a preguiça foram reabilitadas, e assim também a avareza, que declarou não ser mais do que a mãe da economia, com a diferença que a mãe era robusta, e a filha uma esgalgada. A ira tinha a melhor defesa na existência de Homero; sem o furor de Aquiles, não haveria a *Ilíada*: "Musa, canta a cólera de Aquiles, filho de Peleu"... O mesmo disse da gula, que produziu as melhores páginas de Rabelais, e muitos bons versos do *Hissope*; virtude tão superior, que ninguém se lembra das batalhas de Luculo, mas das suas ceias; foi a gula que realmente o fez imortal. Mas, ainda pondo de lado essas razões de ordem literária ou histórica, para só mostrar o valor intrínseco daquela virtude, quem negaria que era muito melhor sentir na boca e no ventre os bons manjares, em grande cópia, do que os maus bocados, ou a saliva do jejum? Pela sua parte o Diabo prometia substituir a vinha do Senhor, expressão metafórica, pela vinha do Diabo, locução direta e verdadeira, pois não faltaria nunca aos seus com o fruto das mais belas cepas do mundo. Quanto à inveja, pregou friamente que era a virtude principal, origem de prosperidades infinitas; virtude preciosa, que chegava a suprir todas as outras, e ao próprio talento.

As turbas corriam atrás dele entusiasmadas. O Diabo incutia-lhes, a grandes golpes de eloquência, toda a nova ordem de coisas, trocando a noção delas, fazendo amar as perversas e detestar as sãs.

Nada mais curioso, por exemplo, do que a definição que ele dava da fraude. Chamava-lhe o braço esquerdo do homem; o braço direito era a força; e concluía: muitos homens são canhotos, eis tudo. Ora, ele não exigia que todos fossem canhotos; não era exclusivista. Que uns fossem canhotos, outros destros; aceitava a todos, menos os que não fossem nada. A demonstração, porém, mais rigorosa e profunda, foi a da venalidade. Um casuísta do tempo chegou a confessar que era um monumento de lógica. A venalidade, disse o Diabo, era o exercício de um direito superior a todos os direitos. Se tu podes vender a tua casa, o teu boi, o teu sapato, o teu chapéu, coisas que são tuas por uma razão jurídica e legal, mas que, em todo caso, estão fora de ti, como é que não podes vender a tua opinião, o teu voto, a tua palavra, a tua fé, coisas que são mais do que tuas, porque são a tua própria consciência, isto é, tu mesmo? Negá-lo é cair no obscuro e no contraditório. Pois não há mulheres que vendem os cabelos? não pode um homem vender uma parte do seu sangue para transfundi-lo a outro homem anêmico? e o sangue e os cabelos, partes físicas, terão um privilégio que se nega ao caráter, à porção moral do homem? Demonstrando assim o princípio, o Diabo não se demorou em expor as vantagens de ordem temporal ou pecuniária; depois, mostrou ainda que, à vista do preconceito social, conviria dissimular o exercício de um direito tão legítimo, o que era exercer ao mesmo tempo a venalidade e a hipocrisia, isto é, merecer duplicadamente.

E descia, e subia, examinava tudo, retificava tudo. Está claro que combateu o perdão das injúrias e outras máximas de brandura e cordialidade. Não proibiu formalmente a calúnia gratuita, mas induziu a exercê-la mediante retribuição, ou pecuniária, ou de outra espécie; nos casos, porém, em que ela fosse uma expansão imperiosa da força imaginativa, e nada mais, proibia receber nenhum salário, pois equivalia a fazer pagar a transpiração. Todas as formas de respeito foram condenadas por ele, como elementos possíveis de um certo decoro social e pessoal; salva, todavia, a única exceção do interesse. Mas essa mesma exceção foi logo eliminada, pela consideração de que o interesse, convertendo o respeito em simples adulação, era este o sentimento aplicado e não aquele.

Para rematar a obra, entendeu o Diabo que lhe cumpria cortar por toda a solidariedade humana. Com efeito, o amor do próximo era um obstáculo grave à nova instituição. Ele mostrou que essa regra era uma simples invenção de parasitas e negociantes insolváveis; não se devia dar ao próximo senão indiferença; em alguns casos, ódio ou desprezo. Chegou mesmo à demonstração de que a noção de próximo era errada, e citava esta frase de um padre de Nápoles, aquele fino e letrado

Galiani, que escrevia a uma das marquesas do antigo regime: "Leve a breca o próximo! Não há próximo!". A única hipótese em que ele permitia amar ao próximo era quando se tratasse de amar as damas alheias, porque essa espécie de amor tinha a particularidade de não ser outra coisa mais do que o amor do indivíduo a si mesmo. E como alguns discípulos achassem que uma tal explicação, por metafísica, escapava à compreensão das turbas, o Diabo recorreu a um apólogo: — Cem pessoas tomam ações de um banco, para as operações comuns; mas cada acionista não cuida realmente senão nos seus dividendos: é o que acontece aos adúlteros. Este apólogo foi incluído no livro da sabedoria.

IV
FRANJAS E FRANJAS

A previsão do Diabo verificou-se. Todas as virtudes cuja capa de veludo acabava em franja de algodão, uma vez puxadas pela franja, deitavam a capa às urtigas e vinham alistar-se na igreja nova. Atrás foram chegando as outras, e o tempo abençoou a instituição. A igreja fundara-se; a doutrina propagava-se; não havia uma região do globo que não a conhecesse, uma língua que não a traduzisse, uma raça que não a amasse. O Diabo alçou brados de triunfo.

Um dia, porém, longos anos depois notou o Diabo que muitos dos seus fiéis, às escondidas, praticavam as antigas virtudes. Não as praticavam todas, nem integralmente, mas algumas, por partes, e, como digo, às ocultas. Certos glutões recolhiam-se a comer frugalmente três ou quatro vezes por ano, justamente em dias de preceito católico; muitos avaros davam esmolas, à noite, ou nas ruas mal povoadas; vários dilapidadores do erário restituíam-lhe pequenas quantias; os fraudulentos falavam, uma ou outra vez, com o coração nas mãos, mas com o mesmo rosto dissimulado, para fazer crer que estavam embaçando os outros.

A descoberta assombrou o Diabo. Meteu-se a conhecer mais diretamente o mal, e viu que lavrava muito. Alguns casos eram até incompreensíveis, como o de um droguista do Levante, que envenenara longamente uma geração inteira, e com o produto das drogas socorria os filhos das vítimas. No Cairo achou um perfeito ladrão de camelos, que tapava a cara para ir às mesquitas. O Diabo deu com ele à entrada de uma, lançou-lhe em rosto o procedimento; ele negou, dizendo que ia ali roubar o camelo de um *drogman*; roubou-o, com efeito, à vista do Diabo e foi dá-lo de presente a um muezim, que rezou por ele a Alá. O manuscrito beneditino cita muitas outras descobertas extraordinárias, entre elas esta, que desorientou completamente o Diabo. Um dos seus melhores apóstolos era um calabrês, varão de cinquenta anos, insigne falsificador de documentos, que possuía uma bela casa na campanha romana, telas, estátuas, biblioteca etc. Era a fraude em pessoa; chegava a meter-se na cama para não confessar que estava são. Pois esse homem, não só não furtava ao jogo, como ainda dava gratificações aos criados. Tendo angariado a amizade de um cônego, ia todas as semanas confessar-se com ele, numa capela solitária; e, conquanto não lhe desvendasse nenhuma das suas ações secretas, benzia-se duas vezes, ao ajoelhar-se, e ao levantar-se. O Diabo mal pôde crer tamanha aleivosia. Mas não havia duvidar; o caso era verdadeiro.

Não se deteve um instante. O pasmo não lhe deu tempo de refletir, comparar e concluir do espetáculo presente alguma coisa análoga ao passado. Voou de novo ao céu, trêmulo de raiva, ansioso de conhecer a causa secreta de tão singular fenômeno. Deus ouviu-o com infinita complacência; não o interrompeu, não o repreendeu, não triunfou, sequer, daquela agonia satânica. Pôs os olhos nele, e disse:

— Que queres tu, meu pobre Diabo? As capas de algodão têm agora franjas de seda, como as de veludo tiveram franjas de algodão. Que queres tu? É a eterna contradição humana.

Gazeta de Notícias, 12 de fevereiro de 1883; Machado de Assis.

O lapso

E vieram todos os oficiais... e o resto do povo, desde o pequeno até o grande.
E disseram ao profeta Jeremias: Seja aceita a nossa súplica na tua presença.
Jerem. XLII, 1, 2.

Não me perguntem pela família do dr. Jeremias Halma, nem o que é que ele veio fazer ao Rio de Janeiro, naquele ano de 1768, governando o conde de Azambuja, que a princípio se disse o mandara buscar; esta versão durou pouco. Veio, ficou e morreu com o século. Posso afirmar que era médico e holandês. Viajara muito, sabia toda a química do tempo, e mais alguma; falava correntemente cinco ou seis línguas vivas e duas mortas. Era tão universal e inventivo, que dotou a poesia malaia com um novo metro, e engendrou uma teoria da formação dos diamantes. Não conto os melhoramentos terapêuticos, e outras muitas coisas, que o recomendam à nossa admiração. Tudo isso, sem ser casmurro, nem orgulhoso. Ao contrário, a vida e a pessoa dele eram como a casa que um patrício lhe arranjou na rua do Piolho, casa singelíssima, onde ele morreu pelo Natal de 1799. Sim, o dr. Jeremias era simples, lhano, modesto, tão modesto que... Mas isto seria transtornar a ordem do conto. Vamos ao princípio.

No fim da rua do Ouvidor, que ainda não era a via dolorosa dos maridos pobres, perto da antiga rua dos Latoeiros, morava por esse tempo um tal Tomé Gonçalves, homem abastado, e, segundo algumas induções, vereador da Câmara. Vereador ou não, este Tomé Gonçalves não tinha só dinheiro, tinha também dívidas, não poucas, nem todas recentes. O descuido podia explicar os seus atrasos, a velhacaria também; mas quem opinasse por uma ou outra dessas interpretações, mostraria que não sabe ler uma narração grave. Realmente, não valia a pena dar-se ninguém à tarefa de escrever algumas laudas de papel para dizer que houve, nos fins do século passado, um homem que, por velhacaria ou desleixo, deixava de pagar aos credores. A tradição afirma que este nosso concidadão era exato em todas as coisas, pontual nas obrigações mais vulgares, severo e até meticuloso. A verdade é que as ordens terceiras e irmandades que tinham a fortuna de o possuir (era irmão remido de muitas, desde o tempo em que usava pagar), não lhe regateavam provas de afeição a apreço; e, se é certo que foi vereador, como tudo faz crer, pode-se jurar que o foi a contento da cidade.

Mas então?... Lá vou; nem é outra a matéria do escrito, senão esse curioso fenômeno, cuja causa, se a conhecemos, foi porque a descobriu o dr. Jeremias. Em uma tarde de procissão, Tomé Gonçalves, trajado com o hábito de uma ordem terceira, ia segurando uma das varas do pálio, e caminhando com a placidez de um homem que não faz mal a ninguém. Nas janelas e ruas estavam muitos dos seus credores; dois, entretanto, na esquina do beco das Cancelas (a procissão descia a rua do Hospício), depois de ajoelhados, rezados, persignados e levantados, perguntaram um ao outro, se não era tempo de recorrer à justiça.

— Que é que me pode acontecer? — dizia um deles. — Se brigar comigo, melhor; não me levará mais nada de graça. Não brigando, não lhe posso negar o que me pedir, e, na esperança de receber os atrasados, vou fiando... Não, senhor; não pode continuar assim.

— Pela minha parte — acudiu o outro —, se ainda não fiz nada, é por causa da minha dona, que é medrosa, e entende que não devo brigar com pessoa tão importante... Mas eu como ou bebo da importância dos outros? E as minhas cabeleiras?

Este era um cabeleireiro da rua da Vala defronte da Sé, que vendera ao Tomé Gonçalves dez cabeleiras, em cinco anos, sem lhe haver nunca um real. O outro era alfaiate, e ainda maior credor que o primeiro. A procissão passara inteiramente; eles ficaram na esquina, ajustando o plano de mandar os meirinhos ao Tomé Gonçalves. O cabeleireiro advertiu que outros muitos credores só esperavam um sinal para cair em cima do devedor remisso; e o alfaiate lembrou a conveniência de meter na conjuração o Mata-sapateiro, que vivia desesperado. Só a ele devia o Tomé Gonçalves mais de oitenta mil-réis. Nisso estavam, quando por trás deles ouviram uma voz, com sotaque estrangeiro, perguntando por que motivo conspiravam contra um homem doente. Voltaram-se, e, dando com o dr. Jeremias, desbarretaram-se os dois credores, tomados de profunda veneração; em seguida disseram que tanto não era doente o devedor, que lá ia andando na procissão, muito teso, pegando uma das varas do pálio.

— Que tem isso? — interrompeu o médico. — Ninguém lhes diz que está doente dos braços nem das pernas...

— Do coração? do estômago?

— Nem coração, nem estômago — respondeu o dr. Jeremias. E continuou, com muita doçura, que se tratava de negócios altamente especulativos, que não podia dizer ali, na rua, nem sabia mesmo se eles chegariam a entendê-lo. — Se eu tiver de pentear uma cabeleira ou talhar um calção — acrescentou para os não afligir — é provável que não alcance as regras dos seus ofícios tão úteis, tão necessários ao Estado... Eh! eh! eh!

Rindo assim, amigavelmente cortejou-os e foi andando. Os dois credores ficaram embasbacados. O cabeleireiro foi o primeiro que falou, dizendo que a notícia do dr. Jeremias não era tal que os devesse afrouxar no propósito de cobrar as dívidas. Se até os mortos pagam, ou alguém por eles, reflexionou o cabeleireiro, não é muito exigir aos doentes igual obrigação. O alfaiate, invejoso da pilhéria, fê-la sua cosendo-lhe este babado: — Pague e cure-se.

Não foi dessa opinião o Mata-sapateiro, que entendeu haver alguma razão secreta nas palavras do dr. Jeremias, e propôs que primeiro se examinasse bem o que era, e depois se resolvesse o mais idôneo. Convidaram então outros credores a um conciliábulo, no domingo próximo, em casa de uma d. Aninha, para as bandas do Rocio, a pretexto de um batizado. A precaução era discreta, para não fazer supor ao intendente da polícia que se tratava de alguma tenebrosa maquinação contra o Estado. Mal anoiteceu, começaram a entrar os credores, embuçados em capotes, e, como a iluminação pública só veio a principiar com o vice-reinado do conde de Resende, levava cada qual uma lanterna na mão, ao uso do tempo, dando assim ao conciliábulo um rasgo pinturesco e teatral. Eram trinta e tantos, perto de quarenta — e não eram todos.

A teoria de Charles Lamb acerca da divisão do gênero humano em duas grandes raças é posterior ao conciliábulo do Rocio; mas nenhum outro exemplo a demonstraria melhor. Com efeito, o ar abatido ou aflito daqueles homens, o desespero de alguns, a preocupação de todos, estavam de antemão provando que a teoria do fino ensaísta é verdadeira, e que das duas grandes raças humanas — a dos homens que emprestam, e a dos que pedem emprestado — a primeira contrasta pela tristeza do gesto com as maneiras rasgadas e francas da segunda, *the open, trusting, generous manners of the other*. Assim que, naquela mesma hora, o Tomé Gonçalves, tendo voltado da procissão, regalava alguns amigos com os vinhos e galinhas que comprara fiado; ao passo que os credores estudavam às escondidas, com um ar desenganado e amarelo, algum meio de reaver o dinheiro perdido.

Longo foi o debate; nenhuma opinião chegava a concertar os espíritos. Uns inclinavam-se à demanda, outros à espera, não poucos aceitavam o alvitre de consultar o dr. Jeremias. Cinco ou seis partidários deste parecer não o defendiam senão com a intenção secreta e disfarçada de não fazer coisa nenhuma; eram os servos do medo e da esperança. O cabeleireiro opunha-se-lhe, e perguntava que moléstia haveria que impedisse um homem de pagar o que deve. Mas o Mata-sapateiro: — "Senhor compadre, nós não entendemos desses negócios; lembre-se que o doutor é estrangeiro, e que nas terras estrangeiras sabem coisas que nunca lembraram ao diabo. Em todo caso, só perdemos algum tempo e nada mais". Venceu este parecer; deputaram o sapateiro, o alfaiate e o cabeleireiro para entenderem-se com o dr. Jeremias, em nome de todos, e o conciliábulo dissolveu-se na patuscada. Terpsícore bracejou e perneou diante deles as suas graças jucundas, e tanto bastou para que alguns esquecessem a úlcera secreta que os roía. *Eheu! fugaces...* Nem mesmo a dor é constante.

No dia seguinte o dr. Jeremias recebeu os três credores, entre sete e oito horas da manhã. "Entrem, entrem..." E com o seu largo carão holandês, e o riso derramado pela boca fora, como um vinho generoso de pipa que se rompeu, o grande médico veio em pessoa abrir-lhes a porta. Estudava nesse momento uma cobra, morta de véspera, no morro de Santo Antônio; mas a humanidade, costumava ele dizer, é anterior à ciência. Convidou os três a sentarem-se nas três únicas cadeiras devolutas; a quarta era a dele; as outras, umas cinco ou seis, estavam atulhadas de objetos de toda a casta.

Foi o Mata-sapateiro quem expôs a questão; era dos três o que reunia maior cópia de talentos diplomáticos. Começou dizendo que o engenho do "senhor doutor" ia salvar da miséria uma porção de famílias, e não seria a primeira nem a última grande obra de um médico que, não desfazendo nos da terra, era o mais sábio de quantos cá havia desde o governo de Gomes Freire. Os credores de Tomé Gonçalves não tinham outra esperança. Sabendo que o "senhor doutor" atribuía os atrasos daquele cidadão a uma doença, tinham assentado que primeiro se tentasse a cura, antes de qualquer recurso à justiça. A justiça ficaria para o caso de desespero. Era isto o que vinham dizer-lhe, em nome de dezenas de credores; desejavam saber se era verdade que, além de outros achaques humanos, havia o de não pagar as dívidas, se era mal incurável, e, não o sendo, se as lágrimas de tantas famílias...

— Há uma doença especial — interrompeu o dr. Jeremias, visivelmente comovido —, um lapso da memória; o Tomé Gonçalves perdeu inteiramente a noção de pagar. Não é por descuido, nem de propósito que ele deixa de saldar as contas; é porque esta ideia de pagar, de entregar o preço de uma coisa, varreu-se-lhe da cabeça. Conheci isto há dois meses, estando em casa dele, quando ali foi o prior do Carmo, dizendo que ia "pagar-lhe a fineza de uma visita". Tomé Gonçalves, apenas o prior se despediu, perguntou-me o que era pagar; acrescentou que, alguns dias antes, um boticário lhe dissera a mesma palavra, sem nenhum outro esclarecimento, parecendo-lhe até que já a ouvira a outras pessoas; por ouvi-la da boca do prior, supunha ser latim. Compreendi tudo; tinha estudado a moléstia em várias partes do mundo, e compreendi que ele estava atacado do lapso. Foi por isso que disse outro dia a estes dois senhores que não demandassem um homem doente.

— Mas então — aventurou o Mata, pálido — o nosso dinheiro está completamente perdido...

— A moléstia não é incurável — disse o médico.

— Ah!

— Não é; conheço e possuo a droga curativa, e já a empreguei em dois grandes casos: um barbeiro, que perdera a noção do espaço, e, à noite estendia a mão para arrancar as estrelas do céu, e uma senhora da Catalunha, que perdera a noção do marido. O barbeiro arriscou muitas vezes a vida, querendo sair pelas janelas mais altas das casas, como se estivesse ao rés do chão...

— Santo Deus! — exclamaram os três credores.

— É o que lhes digo — continuou placidamente o médico. — Quanto à dama catalã, a princípio confundia o marido com um licenciado Matias, alto e fino, quando o marido era grosso e baixo; depois com um capitão, dom Hermógenes, e no tempo em que comecei a tratá-la com um clérigo. Em três meses ficou boa. Chamava-se dona Agostinha.

Realmente, era uma droga miraculosa. Os três credores estavam radiantes de esperança; tudo fazia crer que o Tomé Gonçalves padecia do lapso, e, uma vez que a droga existia, e o médico a tinha em casa... Ah! mas aqui pegou o carro. O dr. Jeremias não era familiar da casa do enfermo, embora entretivesse relações com ele; não podia ir oferecer-lhe os seus préstimos. Tomé Gonçalves não tinha parentes que tomassem a responsabilidade de convidar o médico, nem os credores podiam tomá-la a si. Mudos, perplexos, consultaram-se com os olhos. Os do alfaiate, como os do cabeleireiro, exprimiram este alvitre desesperado: cotizarem-se os credores, e, mediante uma quantia grossa e apetitosa, convidarem o dr. Jeremias à cura; talvez o interesse... Mas o ilustre Mata viu o perigo de um tal propósito, porque o doente podia não ficar bom, e a perda seria dobrada. Grande era a angústia; tudo parecia perdido. O médico rolava entre os dedos a boceta de rapé, esperando que eles se fossem embora, não impaciente, mas risonho. Foi então que o Mata, como um capitão dos grandes dias, viu o ponto fraco do inimigo; advertiu que as suas primeiras palavras tinham comovido o médico, e tornou às lágrimas das famílias, aos filhos sem pão, porque eles não eram senão uns tristes oficiais de ofício ou mercadores de pouca fazenda, ao passo que o Tomé Gonçalves era rico. Sapatos, calções, capotes, xaropes, cabeleiras, tudo o que lhes custava dinheiro, tempo e saúde... Saúde, sim, senhor; os calos de suas mãos mostravam bem que o ofício era duro; e o alfaiate, seu amigo, que ali estava presente, que entisicava, às noites, à luz de uma candeia, zás-que-darás, puxando a agulha...

Magnânimo Jeremias! Não o deixou acabar; tinha os olhos úmidos de lágrimas. O acanho de suas maneiras era compensado pelas expansões de um coração pio e humano. Pois, sim; ia tentar o curativo, ia pôr a ciência ao serviço de uma causa justa. Demais, a vantagem era também e principalmente do próprio Tomé Gonçalves, cuja fama andava abocanhada, por um motivo em que ele tinha tanta culpa como o doido que pratica uma iniquidade. Naturalmente, a alegria dos deputados traduziu-se em rapapés infindos e grandes louvores aos insignes merecimentos do médico. Este cortou-lhes modestamente o discurso, convidando-os a almoçar, obséquio que eles não aceitaram, mas agradeceram com palavras cordialíssimas. E, na rua, quando ele já os não podia ouvir, não se fartavam de elogiar-lhe a ciência, a bondade, a generosidade, a delicadeza, os modos tão simples! Tão naturais!

Desde esse dia começou Tomé Gonçalves a notar a assiduidade do médico, e, não desejando outra coisa, porque lhe queria muito, fez tudo o que lhe lembrou por atá-lo de vez aos seus penates. O lapso do infeliz era completo; tanto a ideia de pagar, como as ideias correlatas de *credor*, *dívida*, *saldo*, e outras tinham-se-lhe apagado da memória, constituindo-lhe assim um largo furo no espírito. Temo que se me argua de comparações extraordinárias, mas o abismo de Pascal é o que mais prontamente vem ao bico da pena. Tomé Gonçalves tinha o abismo de Pascal, não ao lado, mas dentro de si mesmo, e tão profundo que cabiam nele mais de sessenta credores que se debatiam lá embaixo com o ranger de dentes da Escritura. Urgia extrair todos esses infelizes e entulhar o buraco.

Jeremias fez crer ao doente que andava abatido, e, para retemperá-lo, começou a aplicar-lhe a droga. Não bastava a droga; era mister um tratamento subsidiário, porque a cura operava-se de dois modos: — o modo geral e abstrato, restauração da ideia de pagar, com todas as noções correlatas — era a parte confiada à droga; e o modo particular e concreto, insinuação ou designação de uma certa dívida e de um certo credor — era a parte do médico. Suponhamos que o credor escolhido era o sapateiro. O médico levava o doente às lojas de sapatos, para assistir à compra e venda da mercadoria, ver uma e muitas vezes a ação de pagar; falava da fabricação e venda dos sapatos no resto do mundo, cotejava os preços do calçado naquele ano de 1768 com o que tinha trinta ou quarenta anos antes; fazia com que o sapateiro fosse dez, vinte vezes à casa de Tomé Gonçalves levar a conta e pedir o dinheiro, e cem outros estratagemas. Assim com o alfaiate, o cabeleireiro, o segeiro, o boticário, um a um, levando mais tempo os primeiros, pela razão natural de estar a doença mais arraigada, e lucrando os últimos com o trabalho anterior, donde lhes vinha a compensação da demora.

Tudo foi pago. Não se descreve a alegria dos credores, não se transcrevem as bênçãos com que eles encheram o nome do dr. Jeremias. Sim, senhor, é um grande homem, bradavam em toda a parte. Parece coisa de feitiçaria, aventuravam as mulheres. Quanto ao Tomé Gonçalves, pasmado de tantas dívidas velhas, não se fartava de elogiar a longanimidade dos credores, censurando-os ao mesmo tempo pela acumulação.

— Agora — dizia-lhes —, não quero contas de mais de oito dias.

— Nós é que lhe marcaremos o tempo — respondiam generosamente os credores.

Restava, entretanto, um credor. Esse era o mais recente, o próprio dr. Jeremias, pelos honorários daquele serviço relevante. Mas, ai dele! a modéstia atou-lhe a língua. Tão expansivo era de coração, como acanhado de maneiras; e planeou três, cinco investidas, sem chegar a executar nada. E aliás era fácil; bastava insinuar-lhe a dívida pelo método usado em relação à dos outros; mas seria bonito? perguntava a si mesmo; seria decente? etc. etc. E esperava, ia esperando. Para não parecer que se lhe metia à cara, entrou a rarear as visitas; mas o Tomé Gonçalves ia ao casebre da rua do Piolho, e trazia-o a jantar, a cear, a falar de coisas estrangeiras, em que era muito curioso. Nada de pagar. Jeremias chegou a imaginar que os credores... Mas os credores, ainda quando pudesse passar-lhes pela cabeça a ideia de ir lembrar a dívida, não chegariam a fazê-lo, porque a supunham paga antes de todas. Era o que diziam uns aos outros, entre muitas fórmulas da sabedoria popular: — Mateus, primeiro os teus — A boa justiça começa por casa — Quem é tolo pede a Deus que o mate etc. Tudo falso; a verdade é que o Tomé Gonçalves, no dia em que falecera, tinha um só credor no mundo: — o dr. Jeremias.

Este, nos fins do século, chegara à canonização. — "Adeus, grande homem!" dizia-lhe o Mata, ex-sapateiro, em 1798, de dentro da sege, que o levava à missa dos carmelitas. E o outro, curvo de velhice, melancolicamente, olhando para os bicos dos pés: — Grande homem, mas pobre-diabo.

Gazeta de Notícias, *17 de abril de 1883;* Machado de Assis.

Último capítulo

Há entre os suicidas um excelente costume, que é não deixar a vida sem dizer o motivo e as circunstâncias que os armam contra ela. Os que se vão calados, raramente é por orgulho; na maior parte dos casos ou não têm tempo, ou não sabem escrever. Costume excelente: em primeiro lugar, é um ato de cortesia, não sendo este mundo um baile, de onde um homem possa esgueirar-se antes do cotilhão; em segundo lugar, a imprensa recolhe e divulga os bilhetes póstumos, e o morto vive ainda um dia ou dois, às vezes uma semana mais.

Pois apesar da excelência do costume, era meu propósito sair calado. A razão é que, tendo sido caipora em minha vida toda, temia que qualquer palavra última pudesse levar-me alguma complicação à eternidade. Mas um incidente de há pouco trocou-me o plano, e retiro-me deixando, não só um escrito, mas dois. O primeiro é o meu testamento, que acabo de compor e fechar, e está aqui em cima da mesa, ao pé da pistola carregada. O segundo é este resumo de autobiografia. E note-se que não dou o segundo escrito senão porque é preciso esclarecer o primeiro, que pareceria absurdo ou ininteligível, sem algum comentário. Disponho ali que, vendidos os meus poucos livros, roupa de uso e um casebre que possuo em Catumbi, alugado a um carpinteiro, seja o produto empregado em sapatos e botas novas, que se distribuirão por um modo indicado, e confesso que extraordinário. Não explicada a razão de um tal legado, arrisco a validade do testamento. Ora, a razão do legado brotou do incidente de há pouco, e o incidente liga-se à minha vida inteira.

Chamo-me Matias Deodato de Castro e Melo, filho do sargento-mor Salvador Deodato de Castro e Melo e de d. Maria da Soledade Pereira, ambos falecidos. Sou natural de Corumbá, Mato Grosso; nasci em 3 de março de 1820; tenho portanto cinquenta e um anos, hoje, 3 de março de 1871.

Repito, sou um grande caipora, o mais caipora de todos os homens. Há uma locução proverbial, que eu literalmente realizei. Era em Corumbá; tinha sete para oito anos, embalava-me na rede, à hora da sesta, em um quartinho de telha-vã; a rede, ou por estar frouxa a argola, ou por impulso demasiado violento da minha parte, desprendeu-se de uma das paredes, e deu comigo no chão. Caí de costas; mas, assim mesmo de costas, quebrei o nariz, porque um pedaço de telha, mal seguro, que só esperava ocasião de vir abaixo, aproveitou a comoção e caiu também. O ferimento não foi grave nem longo; tanto que meu pai caçoou muito comigo. O cônego Brito, de tarde, ao ir tomar guaraná conosco, soube do episódio e citou o rifão, dizendo que era eu o primeiro que cumpria exatamente este absurdo de cair de costas e quebrar o nariz. Nem um nem outro imaginava que o caso era um simples início de coisas futuras.

Não me demoro em outros reveses da infância e da juventude. Quero morrer ao meio-dia, e passa de onze horas. Além disso, mandei fora o rapaz que me serve, e ele pode vir mais cedo, e interromper-me a execução do projeto mortal. Tivesse eu tempo, e contaria pelo miúdo alguns episódios dolorosos, entre eles, o de umas cacetadas que apanhei por engano. Tratava-se do rival de um amigo meu, rival de amores e naturalmente rival derrubado. O meu amigo e a dama indignaram-se com as pancadas quando souberam da aleivosia do outro; mas aplaudiram secretamente a ilusão. Também não falo de alguns achaques que padeci. Corro ao ponto em que meu pai, tendo sido pobre toda a vida, morreu pobríssimo, e minha mãe não lhe sobreviveu dois meses. O cônego Brito, que acabava de sair eleito deputado, propôs então trazer-me ao Rio de Janeiro, e veio comigo, com a ideia de fazer-me padre; mas cinco dias depois de chegar morreu. Vão vendo a ação constante do caiporismo.

Fiquei só, sem amigos, nem recursos, com dezesseis anos de idade. Um cônego da Capela Imperial lembrou-se de fazer-me entrar ali de sacristão; mas, posto que tivesse ajudado muita missa em Mato Grosso, e possuísse algumas letras latinas, não fui admitido, por falta de vaga. Outras pessoas induziram-me então a estudar direito, e confesso que aceitei com resolução. Tive até alguns auxílios, a princípio; faltando-me eles depois, lutei por mim mesmo; enfim alcancei a carta de bacharel. Não me digam que isto foi uma exceção na minha vida caipora, porque o diploma acadêmico levou-me justamente a coisas mui graves; mas, como o destino tinha de flagelar-me, qualquer que fosse a minha profissão, não atribuo nenhum influxo especial ao grau jurídico. Obtive-o com muito prazer, isso é verdade; a idade moça, e uma certa superstição de melhora, faziam-me do pergaminho uma chave de diamante que iria abrir todas as portas da fortuna.

E, para principiar, a carta de bacharel não me encheu sozinha as algibeiras. Não, senhor; tinha ao lado dela umas outras, dez ou quinze, fruto de um namoro travado no Rio de Janeiro, pela semana santa de 1842, com uma viúva mais velha do que eu sete ou oito anos, mas ardente, lépida e abastada. Morava com um irmão cego, na rua do Conde; não posso dar outras indicações. Nenhum dos meus amigos ignorava este namoro; dois deles até liam as cartas, que eu lhes mostrava, com o pretexto de admirar o estilo elegante da viúva, mas realmente para que vissem as finas coisas que ela me dizia. Na opinião de todos, o nosso casamento era certo, mais que certo; a viúva não esperava senão que eu concluísse os estudos. Um desses amigos, quando eu voltei graduado, deu-me os parabéns, acentuando a sua convicção com esta frase definitiva:

— O teu casamento é um dogma.

E, rindo, perguntou-me se, por conta do dogma, poderia arranjar-lhe cinquenta mil-réis; era para uma urgente precisão. Não tinha comigo os cinquenta mil-réis; mas o *dogma* repercutia ainda tão docemente no meu coração, que não descansei em todo esse dia, até arranjar-lhos; fui levá-los eu mesmo, entusiasmado; ele recebeu-os, cheio de gratidão. Seis meses depois foi ele quem casou com a viúva.

Não digo tudo o que então padeci; digo só que o meu primeiro impulso foi dar um tiro em ambos; e, mentalmente, cheguei a fazê-lo; cheguei a vê-los, moribundos, arquejantes, pedirem-me perdão. Vingança hipotética; na realidade, não fiz nada. Eles casaram-se, e foram ver do alto da Tijuca a ascensão da lua de mel. Eu fiquei relendo as cartas da viúva. "Deus, que me ouve (dizia uma delas), sabe que o meu amor é eterno, e que eu sou tua, eternamente tua..." E, no meu atordoamento, blasfemava comigo: — Deus é um grande invejoso; não quer outra eternidade ao pé dele, e por isso desmentiu a viúva: — nem outro dogma além do católico, e por isso desmentiu o meu amigo. Era assim que eu explicava a perda da namorada e dos cinquenta mil-réis.

Deixei a capital, e fui advogar na roça, mas por pouco tempo. O caiporismo foi comigo, na garupa do burro, e onde eu me apeei, apeou-se ele também. Vi-lhe o dedo em tudo, nas demandas que não vinham, nas que vinham e valiam pouco ou nada, e nas que, valendo alguma coisa, eram invariavelmente perdidas. Além de que os constituintes vencedores são em geral mais gratos que os outros, a sucessão de derrotas foi arredando de mim os demandistas. No fim de algum tempo, ano e meio, voltei à corte, e estabeleci-me com um antigo companheiro de ano: o Gonçalves.

Este Gonçalves era o espírito menos jurídico, menos apto para entestar com as questões de direito. Verdadeiramente era um pulha. Comparemos a vida mental a uma casa elegante; o Gonçalves não aturava dez minutos a conversa do salão, esgueirava-se, descia à copa e ia palestrar com os criados. Mas compensava essa qualidade inferior com certa lucidez, com a presteza de compreensão, nos assuntos menos árduos ou menos complexos, com a facilidade de expor, e, o que não era pouco para um pobre-diabo batido da fortuna, com uma alegria quase sem intermitências. Nos primeiros tempos, como as demandas não vinham, matávamos as horas com excelente palestra, animada e viva, em que a melhor parte era dele, ou falássemos de política, ou de mulheres, assunto que lhe era muito particular.

Mas as demandas vieram vindo; entre elas uma questão de hipoteca. Tratava-se da casa de um empregado da alfândega, Temístocles de Sá Botelho, que não tinha outros bens, e queria salvar a propriedade. Tomei conta do negócio. O Temístocles ficou encantado comigo, e, duas semanas depois, como eu lhe dissesse que não era casado, declarou-me rindo que não queria nada com solteirões. Disse-me outras coisas e convidou-me a jantar no domingo próximo. Fui; namorei-me da filha dele, d. Rufina, moça de dezenove anos, bem bonita, embora um pouco acanhada e meio morta. Talvez seja a educação, pensei eu. Casamo-nos poucos meses depois. Não convidei o caiporismo, é claro; mas na igreja, entre as barbas rapadas e as suíças lustrosas, pareceu-me ver o carão sardônico e o olhar oblíquo do meu cruel adversário. Foi por isso que, no ato mesmo de proferir a fórmula sagrada e definitiva do casamento, estremeci, hesitei, e, enfim, balbuciei a medo o que o padre me ditava...

Estava casado. Rufina não dispunha, é verdade, de certas qualidades brilhantes e elegantes; não seria, por exemplo, e desde logo, uma dona de salão. Tinha, porém, as qualidades caseiras, e eu não queria outras. A vida obscura bastava-me; e, contanto que ela ma enchesse, tudo iria bem. Mas esse era justamente o agro da empresa. Rufina (permitam-me esta figuração cromática) não tinha a alma negra de *lady* Macbeth, nem a vermelha de Cleópatra, nem a azul de Julieta, nem a alva de Beatriz, mas cinzenta e apagada como a multidão dos seres humanos. Era boa por apatia, fiel sem virtude, amiga sem ternura nem eleição. Um anjo a levaria ao céu, um diabo ao inferno, sem esforço em ambos os casos, e sem que, no primeiro lhe coubesse a ela nenhuma glória, nem o menor desdouro no segundo. Era a passividade do sonâmbulo. Não tinha vaidades. O pai armou-me o casamento para ter um genro doutor; ela, não; aceitou-me como aceitaria um sacristão, um magistrado, um general, um empregado público, um alferes e não por impaciência de casar, mas por obediência à família, e, até certo ponto, para fazer como as outras. Usavam-se maridos; ela queria usar também o seu. Nada mais antipático à minha própria natureza; mas estava casado.

Felizmente — ah! um felizmente neste último capítulo de um caipora, é, na verdade, uma anomalia; mas vão lendo, e verão que o advérbio pertence ao estilo, não à vida; é um modo de transição e nada mais. O que vou dizer não altera o que está dito. Vou dizer que as qualidades domésticas de Rufina davam-lhe muito mérito. Era modesta; não amava bailes, nem passeios, nem janelas. Vivia consigo. Não mourejava em casa, nem era preciso; para dar-lhe tudo, trabalhava eu, e os vestidos e chapéus, tudo vinha "das francesas", como então se dizia, em vez de modistas. Rufina, no intervalo das ordens que dava, sentava-se horas e horas, bocejando o espírito, matando o tempo, uma hidra de cem cabeças, que não morria nunca; mas, repito, com todas essas lacunas, era boa dona de casa. Pela minha parte, estava no papel das rãs que queriam um rei; a diferença é que, mandando-me Júpiter um cepo, não lhe pedi outro, porque viria a cobra e engolia-me. Viva o cepo! disse comigo. Nem conto estas coisas, senão para mostrar a lógica e a constância do meu destino.

 Outro felizmente; e este não é só uma transição de frase. No fim de ano e meio, abotoou no horizonte uma esperança, e, a calcular pela comoção que me deu a notícia, uma esperança suprema e única. Era o desejado que chegava. Que desejado? Um filho. A minha vida mudou logo. Tudo me sorria como um dia de noivado. Preparei-lhe um recebimento régio; comprei-lhe um rico berço, que me custou bastante; era de ébano e marfim, obra acabada; depois, pouco a pouco, fui comprando o enxoval; mandei-lhe coser as mais finas cambraias, as mais quentes flanelas, uma linda touca de renda, comprei-lhe um carrinho, e esperei, esperei, pronto a bailar diante dele, como Davi diante da arca... Ai, caipora! a arca entrou vazia em Jerusalém; o pequeno nasceu morto.

 Quem me consolou no malogro foi o Gonçalves, que devia ser padrinho do pequeno, e era amigo, comensal e confidente nosso. — Tem paciência, disse-me; serei padrinho do que vier. E confortava-me, falava-me de outras coisas, com ternura de amigo. O tempo fez o resto. O próprio Gonçalves advertiu-me depois que, se o pequeno tinha de ser caipora, como eu dizia que era, melhor foi que nascesse morto.

 — E pensas que não? — redargui.

 Gonçalves sorriu; ele não acreditava no meu caiporismo. Verdade é que não tinha tempo de acreditar em nada; todo era pouco para ser alegre. Afinal, começara a converter-se à advocacia, já arrazoava autos, já minutava petições, já ia às audiências, tudo porque era preciso viver, dizia ele. E alegre sempre. Minha mulher achava-lhe muita graça, ria longamente dos ditos dele, e das anedotas, que às vezes eram picantes demais. Eu, a princípio, repreendia-o em particular, mas acostumei-me a elas. E depois, quem é que não perdoa as facilidades de um amigo, e de um amigo jovial? Devo dizer que ele mesmo se foi refreando, e dali a algum tempo, comecei a achar-lhe muita seriedade. — Estás namorado, disse-lhe um dia; e ele, empalidecendo, respondeu que sim, e acrescentou sorrindo, embora frouxamente, que era indispensável casar também. Eu, à mesa, falei do assunto.

 — Rufina, você sabe que o Gonçalves vai casar?

 — É caçoada dele — interrompeu vivamente o Gonçalves.

 Dei ao diabo a minha indiscrição, e não falei mais nisso; nem ele. Cinco meses depois... A transição é rápida; mas não há meio de a fazer longa. Cinco meses depois, adoeceu Rufina, gravemente, e não resistiu oito dias; morreu de uma febre perniciosa.

 Coisa singular: — em vida, a nossa divergência moral trazia a frouxidão dos vínculos, que se sustinham principalmente da necessidade e do costume. A morte, com o seu grande poder espiritual, mudou tudo; Rufina apareceu-me como a esposa que desce do Líbano, e a divergência foi substituída pela total fusão dos seres. Peguei da imagem, que enchia a minha alma, e enchi com ela a vida, onde outrora ocupara tão pouco espaço e por tão pouco tempo. Era um desafio à má estrela; era levantar o edifício da fortuna em pura rocha indestrutível. Compreendam-me bem; tudo o que até então dependia do mundo exterior, era naturalmente precário: as telhas caíam com o abalo das redes, as sobrepelizes recusavam-se aos sacristães, os juramentos das viúvas fugiam com os dogmas dos amigos, as demandas vinham trôpegas ou iam-se de mergulho; enfim, as crianças nasciam mortas. Mas a imagem de uma defunta era imortal. Com ela podia desafiar o olhar oblíquo do mau destino. A felicidade estava nas minhas mãos, presa, vibrando no ar as grandes asas de condor, ao passo que o caiporismo, semelhante a uma coruja, batia as suas na direção da noite e do silêncio...

Um dia, porém, convalescendo de uma febre, deu-me na cabeça inventariar uns objetos da finada e comecei por uma caixinha, que não fora aberta, desde que ela morreu, cinco meses antes. Achei uma multidão de coisas minúsculas, agulhas, linhas, entremeios, um dedal, uma tesoura, uma oração de são Cipriano, um rol de roupa, outras quinquilharias, e um maço de cartas, atado por uma fita azul. Deslacei a fita e abri as cartas: eram do Gonçalves... Meio-dia! Urge acabar; o moleque pode vir, e adeus. Ninguém imagina como o tempo corre nas circunstâncias em que estou; os minutos voam como se fossem impérios, e, o que é importante nesta ocasião, as folhas de papel vão com eles.

Não conto os bilhetes brancos, os negócios abortados, as relações interrompidas; menos ainda outros acintes ínfimos da fortuna. Cansado e aborrecido, entendi que não podia achar a felicidade em parte nenhuma; fui além: acreditei que ela não existia na terra, e preparei-me desde ontem para o grande mergulho na eternidade. Hoje, almocei, fumei um charuto, e debrucei-me à janela. No fim de dez minutos, vi passar um homem bem trajado, fitando a miúdo os pés. Conhecia-o de vista; era uma vítima de grandes reveses, mas ia risonho, e contemplava os pés, digo mal, os sapatos. Estes eram novos, de verniz, muito bem talhados, e provavelmente cosidos a primor. Ele levantava os olhos para as janelas, para as pessoas, mas tornava-os aos sapatos, como por uma lei de atração, anterior e superior à vontade. Ia alegre; via-se-lhe no rosto a expressão da bem-aventurança. Evidentemente era feliz; e, talvez, não tivesse almoçado; talvez mesmo não levasse um vintém no bolso. Mas ia feliz, e contemplava as botas.

A felicidade será um par de botas? Esse homem, tão esbofeteado pela vida, achou finalmente um riso da fortuna. Nada vale nada. Nenhuma preocupação deste século, nenhum problema social ou moral, nem as alegrias da geração que começa, nem as tristezas da que termina, miséria ou guerra de classes, crises da arte e da política, nada vale, para ele, um par de botas. Ele fita-as, ele respira-as, ele reluz com elas, ele calca com elas o chão de um globo que lhe pertence. Daí o orgulho das atitudes, a rigidez dos passos, e um certo ar de tranquilidade olímpica... Sim, a felicidade é um par de botas.

Não é outra a explicação do meu testamento. Os superficiais dirão que estou doido, que o delírio do suicida define a cláusula do testador; mas eu falo para os sapientes e para os malfadados. Nem colhe a objeção de que era melhor gastar comigo as botas, que lego aos outros; não, porque seria único. Distribuindo-as, faço um certo número de venturosos. Eia, caiporas! que a minha última vontade seja cumprida. Boa noite, e calçai-vos!

Gazeta de Notícias, *20 de junho de 1883; Machado de Assis.*

Cantiga de esponsais

Imagine a leitora que está em 1813, na igreja do Carmo, ouvindo uma daquelas boas festas antigas, que eram todo o recreio público e toda a arte musical. Sabem o que é uma missa cantada; podem imaginar o que seria uma missa cantada daqueles anos remotos. Não lhe chamo a atenção para os padres e os sacristães, nem para o sermão, nem para os olhos das moças cariocas, que já eram bonitos nesse tempo, nem para as mantilhas das senhoras graves, os calções, as cabeleiras, as sanefas, as luzes, os incensos, nada. Não falo sequer da orquestra, que é excelente; limito-me a mostrar-lhes uma cabeça branca, a cabeça desse velho que rege a orquestra, com alma e devoção.

Chama-se Romão Pires; terá sessenta anos, não menos, nasceu no Valongo, ou por esses lados. É bom músico e bom homem; todos os músicos gostam dele. Mestre Romão é o nome familiar; e dizer familiar e público era a mesma coisa em tal matéria e naquele tempo. "Quem rege a missa é mestre Romão" — equivalia a esta outra forma de anúncio, anos depois: "Entra em cena o ator João Caetano"; — ou então: "O ator Martinho cantará uma de suas melhores árias". Era o tempero certo, o chamariz delicado e popular. Mestre Romão rege a festa! Quem não conhecia mestre Romão, com o seu ar circunspecto, olhos no chão, riso triste, e passo demorado? Tudo isso desaparecia à frente da orquestra; então a vida derramava-se por todo o corpo e todos os gestos do mestre; o olhar acendia-se, o riso iluminava-se: era outro. Não que a missa fosse dele; esta, por exemplo, que ele rege agora no Carmo é de José Maurício; mas ele rege-a com o mesmo amor que empregaria se a missa fosse sua.

Acabou a festa; é como se acabasse um clarão intenso, e deixasse o rosto apenas alumiado da luz ordinária. Ei-lo que desce do coro, apoiado na bengala; vai à sacristia beijar a mão aos padres e aceita um lugar à mesa do jantar. Tudo isso indiferente e calado. Jantou, saiu, caminhou para a rua da Mãe dos Homens, onde reside, com um preto velho, pai José, que é a sua verdadeira mãe, e que neste momento conversa com uma vizinha.

— Mestre Romão lá vem, pai José — disse a vizinha.
— Eh! eh! adeus, sinhá, até logo.

Pai José deu um salto, entrou em casa, e esperou o senhor, que daí a pouco entrava com o mesmo ar do costume. A casa não era rica naturalmente; nem alegre. Não tinha o menor vestígio de mulher, velha ou moça, nem passarinhos que cantassem, nem flores, nem cores vivas ou jucundas. Casa sombria e nua. O mais alegre era um cravo, onde o mestre Romão tocava algumas vezes, estudando. Sobre uma cadeira, ao pé, alguns papéis de música; nenhuma dele...

Ah! se mestre Romão pudesse seria um grande compositor. Parece que há duas sortes de vocação, as que têm língua e as que a não têm. As primeiras realizam-se; as últimas representam uma luta constante e estéril entre o impulso interior e a ausência de um modo de comunicação com os homens. Romão era destas. Tinha a vocação íntima da música; trazia dentro de si muitas óperas e missas, um mundo de harmonias novas e originais, que não alcançava exprimir e pôr no papel. Esta era a causa única da tristeza de mestre Romão. Naturalmente o vulgo não atinava com ela; uns diziam isto, outros aquilo: doença, falta de dinheiro, algum desgosto antigo; mas a verdade é esta: — a causa da melancolia de mestre Romão era não poder compor, não possuir o meio de traduzir o que sentia. Não é que não rabiscasse muito papel e não interrogasse o cravo, durante horas; mas tudo lhe saía informe, sem ideia nem harmonia. Nos últimos tempos tinha até vergonha da vizinhança, e não tentava mais nada.

E, entretanto, se pudesse, acabaria ao menos uma certa peça, um canto esponsalício, começado três dias depois de casado, em 1779. A mulher, que tinha então vinte e um anos, e morreu com vinte e três, não era muito bonita, nem pouco, mas extremamente simpática, e amava-o tanto como ele a ela. Três dias depois de casado, mestre Romão sentiu em si alguma coisa parecida com inspiração. Ideou então o canto esponsalício, e quis compô-lo; mas a inspiração não pôde sair. Como um pássaro que acaba de ser preso, e forceja por transpor as paredes da gaiola, abaixo, acima, impaciente, aterrado, assim batia a inspiração do nosso músico, encerrada nele sem poder sair, sem achar uma porta, nada. Algumas notas chegaram a ligar-se; ele escreveu-as; obra de uma folha de papel, não mais. Teimou no dia seguinte, dez dias depois, vinte vezes durante o tempo de casado. Quando a mulher morreu, ele releu essas primeiras notas conjugais, e ficou ainda mais triste, por não ter podido fixar no papel a sensação de felicidade extinta.

— Pai José — disse ele ao entrar —, sinto-me hoje adoentado.

— Sinhô comeu alguma coisa que fez mal...

— Não; já de manhã não estava bom. Vai à botica...

O boticário mandou alguma coisa, que ele tomou à noite; no dia seguinte mestre Romão não se sentia melhor. É preciso dizer que ele padecia do coração: — moléstia grave e crônica. Pai José ficou aterrado, quando viu que o incômodo não cedera ao remédio, nem ao repouso, e quis chamar o médico.

— Para quê? — disse o mestre. — Isto passa.

O dia não acabou pior; e a noite suportou-a ele bem, não assim o preto, que mal pôde dormir duas horas. A vizinhança, apenas soube do incômodo, não quis outro motivo de palestra; os que entretinham relações com o mestre foram visitá-lo. E diziam-lhe que não era nada, que eram macacoas do tempo; um acrescentava graciosamente que era manha, para fugir aos capotes que o boticário lhe dava no gamão — outro que eram amores. Mestre Romão sorria, mas consigo mesmo dizia que era o final.

— Está acabado — pensava ele.

Um dia de manhã, cinco depois da festa, o médico achou-o realmente mal; e foi isso o que ele lhe viu na fisionomia por trás das palavras enganadoras:

— Isto não é nada; é preciso não pensar em músicas...

Em músicas! justamente esta palavra do médico deu ao mestre um pensamento. Logo que ficou só, com o escravo, abriu a gaveta onde guardava desde 1779 o canto esponsalício começado. Releu essas notas arrancadas a custo, e não concluídas. E então teve uma ideia singular: — rematar a obra agora, fosse como fosse; qualquer coisa servia, uma vez que deixasse um pouco de alma na terra.

— Quem sabe? Em 1880, talvez se toque isto, e se conte que um mestre Romão...

O princípio do canto rematava em um certo lá; este lá, que lhe caía bem no lugar, era a nota derradeiramente escrita. Mestre Romão ordenou que lhe levassem o cravo para a sala do fundo, que dava para o quintal: era-lhe preciso ar. Pela janela viu na janela dos fundos de outra casa dois casadinhos de oito dias, debruçados, com os braços por cima dos ombros, e duas mãos presas. Mestre Romão sorriu com tristeza.

— Aqueles chegam — disse ele. — Eu saio. Comporei ao menos este canto que eles poderão tocar...

Sentou-se ao cravo; reproduziu as notas e chegou ao *lá*...

— Lá, lá, lá...

Nada, não passava adiante. E contudo, ele sabia música como gente.

Lá, dó... lá, mi... lá, si, dó, ré... ré... ré...

Impossível! nenhuma inspiração. Não exigia uma peça profundamente original, mas enfim alguma coisa, que não fosse de outro e se ligasse ao pensamento começado. Voltava ao princípio, repetia as notas, buscava reaver um retalho da sensação extinta, lembrava-se da mulher, dos primeiros tempos. Para completar a ilusão, deitava os olhos pela janela para o lado dos casadinhos. Estes continuavam ali, com as mãos presas e os braços passados nos ombros um do outro; a diferença é que se miravam agora, em vez de olhar para baixo. Mestre Romão, ofegante da moléstia e de impaciência, tornava ao cravo; mas a vista do casal não lhe suprira a inspiração, e as notas seguintes não soavam.

— Lá... lá... lá...

Desesperado, deixou o cravo, pegou do papel escrito e rasgou-o. Nesse momento, a moça embebida no olhar do marido começou a cantarolar à toa, inconscientemente, uma coisa nunca antes cantada nem sabida, na qual coisa um certo lá trazia após si uma linda frase musical, justamente a que mestre Romão procurara durante anos sem achar nunca. O mestre ouviu-a com tristeza, abanou a cabeça, e à noite expirou.

A Estação, *15 de maio de 1883*; Machado de Assis.

Singular ocorrência

— Há ocorrências bem singulares. Está vendo aquela dama que vai entrando na igreja da Cruz? Parou agora no adro para dar uma esmola.

— De preto?

— Justamente; lá vai entrando; entrou.

— Não ponha mais na carta. Esse olhar está dizendo que a dama é uma sua recordação de outro tempo, e não há de ser de muito tempo, a julgar pelo corpo: é moça de truz.

— Deve ter quarenta e seis anos.

— Ah! conservada. Vamos lá; deixe de olhar para o chão, e conte-me tudo. Está viúva, naturalmente?

— Não.

— Bem; o marido ainda vive. É velho?

— Não é casada.

— Solteira?

— Assim, assim. Deve chamar-se hoje dona Maria de tal. Em 1860 florescia com o nome familiar de Marocas. Não era costureira, nem proprietária, nem mestra de meninas; vá excluindo as profissões e lá chegará. Morava na rua do Sacramento. Já então era esbelta, e, seguramente, mais linda do que hoje; modos sérios, linguagem limpa. Na rua, com o vestido afogado, escorrido, sem espavento, arrastava a muitos, ainda assim.

— Por exemplo, ao senhor.

— Não, mas ao Andrade, um amigo meu, de vinte e seis anos, meio advogado, meio político, nascido nas Alagoas, e casado na Bahia, donde viera em 1859. Era bonita a mulher dele, afetuosa, meiga e resignada; quando os conheci, tinham uma filhinha de dois anos.

— Apesar disso, a Marocas...?

— É verdade, dominou-o. Olhe, se não tem pressa, conto-lhe uma coisa interessante.

— Diga.

— A primeira vez que ele a encontrou foi à porta da loja Paula Brito, no Rocio. Estava ali, viu a distância uma mulher bonita, e esperou, já alvoroçado, porque ele tinha em alto grau a paixão das mulheres. Marocas vinha andando, parando e olhando como quem procura alguma casa. Defronte da loja deteve-se um instante; depois, envergonhada e a medo, estendeu um pedacinho de papel ao Andrade, e perguntou-lhe onde ficava o número ali escrito. Andrade disse-lhe que do outro lado do Rocio, e ensinou-lhe a altura provável da casa. Ela cortejou com muita graça; ele ficou sem saber o que pensasse da pergunta.

— Como eu estou.

— Nada mais simples: Marocas não sabia ler. Ele não chegou a suspeitá-lo. Viu-a atravessar o Rocio, que ainda não tinha estátua nem jardim, e ir à casa que buscava, ainda assim perguntando em outras. De noite foi ao Ginásio; dava-se a *Dama das camélias*; Marocas estava lá, e, no último ato, chorou como uma criança. Não lhe digo nada; no fim de quinze dias amavam-se loucamente. Marocas despediu todos os seus namorados, e creio que não perdeu pouco; tinha alguns capitalistas bem bons. Ficou só, sozinha, vivendo para o Andrade, não querendo outra afeição, não cogitando de nenhum outro interesse.

— Como a dama das camélias.

— Justo. Andrade ensinou-lhe a ler. Estou mestre-escola, disse-me ele um dia; e foi então que me contou a anedota do Rocio. Marocas aprendeu depressa. Compreende-se; o vexame de não saber, o desejo de conhecer os romances em que ele lhe falava, e finalmente o gosto de obedecer a um desejo dele, de lhe ser agradável... Não me encobriu nada; contou-me tudo com um riso de gratidão nos olhos, que o senhor não imagina. Eu tinha a confiança de ambos. Jantávamos às vezes os três juntos; e... não sei por que negá-lo — algumas vezes os quatro. Não cuide que eram jantares de gente pândega; alegres, mas honestos. Marocas gostava da linguagem afogada, como os vestidos. Pouco a pouco estabeleceu-se intimidade entre nós; ela interrogava-me acerca da vida do Andrade, da mulher, da filha, dos hábitos dele, se gostava deveras dela, ou se era um capricho, se tivera outros, se era capaz de a esquecer, uma chuva de perguntas, e um receio de o perder, que mostravam a força e a sinceridade da afeição... Um dia, uma festa de São João, o Andrade acompanhou a família à Gávea, onde ia assistir a um jantar e um baile; dois dias de ausência. Eu fui com eles. Marocas, ao despedir-se, recordou a comédia que ouvira algumas semanas antes no Ginásio — *Janto com minha mãe* — e disse-me que, não tendo família para passar a festa de São João, ia fazer como a Sofia Arnoult da comédia, ia jantar com um retrato; mas não seria o da mãe, porque não tinha, e sim do Andrade. Este dito ia-lhe rendendo um beijo; o Andrade chegou a inclinar-se; ela, porém, vendo que eu estava ali, afastou-o delicadamente com a mão.

— Gosto desse gesto.

— Ele não gostou menos. Pegou-lhe na cabeça com ambas as mãos, e, paternalmente, pingou-lhe o beijo na testa. Seguimos para a Gávea. De caminho disse-me a respeito da Marocas as maiores finezas, contou-me as últimas frioleiras de ambos, falou-me do projeto que tinha de comprar-lhe uma casa em algum arrabalde, logo que pudesse dispor de dinheiro; e, de passagem, elogiou a modéstia da moça, que não queria receber dele mais do que o estritamente necessário. Há mais do que isso, disse-lhe eu, e contei-lhe uma coisa que sabia, isto é, que cerca de três semanas antes, a Marocas empenhara algumas joias para pagar uma conta da costureira. Esta notícia abalou-o muito; não juro, mas creio que ficou com os olhos molhados. Em todo caso, depois de cogitar algum tempo, disse-me que definitivamente ia arranjar-lhe uma casa e pô-la ao abrigo da miséria. Na Gávea ainda falamos da Marocas, até que as festas acabaram, e nós voltamos. O Andrade deixou a família em casa, na Lapa, e foi ao escritório aviar alguns papéis urgentes. Pouco depois do meio-dia apareceu-lhe um tal Leandro, ex-agente de certo advogado a pedir-lhe, como de costume, dois ou três mil-réis. Era um sujeito reles e vadio. Vivia a explorar os amigos do antigo patrão. Andrade deu-lhe três mil-réis, e, como o visse excepcionalmente risonho, perguntou-lhe se tinha visto passarinho verde. O Leandro piscou os olhos e lambeu os beiços: o Andrade, que dava o cavaco por anedotas eróticas, perguntou-lhe se eram amores. Ele mastigou um pouco, e confessou que sim.

— Olhe; lá vem ela saindo; não é ela?

— Ela mesma; afastemo-nos da esquina.

— Realmente, deve ter sido muito bonita. Tem um ar de duquesa.

— Não olhou para cá; não olha nunca para os lados. Vai subir pela rua do Ouvidor...

— Sim, senhor. Compreendo o Andrade.

— Vamos ao caso. O Leandro confessou que, tivera na véspera uma fortuna rara, ou antes única, uma coisa que ele nunca esperara achar, nem merecia mesmo, porque se conhecia e não passava de um pobre-diabo. Mas, enfim, os pobres também são filhos de Deus. Foi o caso que, na véspera, perto das dez horas da noite, encontrara no Rocio uma dama vestida com simplicidade, vistosa de corpo, e muito embrulhada num xale grande. A dama vinha atrás dele, e mais depressa; ao passar rentezinha com ele, fitou-lhe muito os olhos, e foi andando devagar, como quem espera. O pobre-diabo imaginou que era engano de pessoa; confessou ao Andrade que, apesar da roupa simples, viu logo que não era coisa para os seus beiços. Foi andando; a mulher, parada, fitou-o outra vez, mas com tal instância, que ele chegou atrever-se um pouco; ela atreveu-se o resto... Ah! um anjo! E que casa, que sala rica! Coisa papa-fina. E depois o desinteresse... "Olhe, acrescentou ele, para vossa senhoria é que era um bom arranjo." Andrade abanou a cabeça; não lhe cheirava o comborço. Mas o Leandro teimou; era na rua do Sacramento, número tantos...

— Não me diga isso!

— Imagine como não ficou o Andrade. Ele mesmo não soube o que fez nem o que disse durante os primeiros minutos, nem o que pensou nem o que sentiu. Afinal teve força para perguntar se era verdade o que estava contando; mas o outro advertiu que não tinha nenhuma necessidade de inventar semelhante coisa; vendo, porém, o alvoroço do Andrade, pediu-lhe segredo, dizendo que ele, pela sua parte, era discreto. Parece que ia sair; Andrade deteve-o, e propôs-lhe um negócio; propôs-lhe ganhar vinte mil-réis. — "Pronto!" — "Dou-lhe vinte mil-réis, se você for comigo à casa dessa moça e disser em presença dela que é ela mesma."

— Oh!

— Não defendo o Andrade; a coisa não era bonita; mas a paixão, nesse caso, cega os melhores homens. Andrade era digno, generoso, sincero; mas o golpe fora tão profundo, e ele amava-a tanto, que não recuou diante de uma tal vingança.

— O outro aceitou?

— Hesitou um pouco, estou que por medo, não por dignidade, mas vinte mil-réis... Pôs uma condição: não metê-lo em barulhos... Marocas estava na sala, quando o Andrade entrou. Caminhou para a porta, na intenção de o abraçar; mas o Andrade advertiu-a, com o gesto, que trazia alguém. Depois, fitando-a muito, fez entrar o Leandro; Marocas empalideceu. — "É esta senhora?" perguntou ele. — "Sim, senhor", murmurou o Leandro com voz sumida, porque há ações ainda mais ignóbeis do que o próprio homem que as comete. Andrade abriu a carteira com grande afetação, tirou uma nota de vinte mil-réis e deu-lha; e, com a mesma afetação, ordenou-lhe que se retirasse. O Leandro saiu. A cena que se seguiu, foi breve, mas dramática. Não a soube inteiramente, porque o próprio Andrade é que me contou tudo, e, naturalmente, estava tão atordoado, que muita coisa lhe escapou. Ela não confessou nada; mas estava fora de si, e, quando ele, depois de lhe dizer as coisas mais duras do mundo, atirou-se para a porta, ela rojou-se-lhe aos pés, agarrou-lhe as mãos, lacrimosa, desesperada, ameaçando matar-se; e ficou atirada ao chão, no patamar da escada; ele desceu vertiginosamente e saiu.

— Na verdade, um sujeito reles, apanhado na rua; provavelmente eram hábitos dela?

— Não.

— Não?

— Ouça o resto. De noite seriam oito horas, o Andrade veio à minha casa, e esperou por mim. Já me tinha procurado três vezes. Fiquei estupefato; mas como duvidar, se ele tivera a precaução de levar a prova até a evidência? Não lhe conto o que ouvi, os planos de vingança, as exclamações, os nomes que lhe chamou, todo o estilo e todo o repertório dessas crises. Meu conselho foi que a deixasse; que, afinal, vivesse para a mulher e a filha, a mulher tão boa, tão meiga... Ele concordava, mas tornava ao furor. Do furor passou à dúvida; chegou a imaginar que a Marocas, com o fim de o experimentar, inventara o artifício e pagara ao Leandro para vir dizer-lhe aquilo; e a prova é que o Leandro, não querendo ele saber quem era, teimou e lhe disse a casa e o número. E agarrado a esta inverossimilhança, tentava fugir à realidade; mas a realidade vinha — a palidez de Marocas, a alegria sincera do Leandro, tudo o que lhe dizia que a aventura era certa. Creio até que ele arrependia-se de ter ido tão longe. Quanto a mim, cogitava na aventura, sem atinar com a explicação. Tão modesta! maneiras tão acanhadas!

— Há uma frase de teatro que pode explicar a aventura, uma frase de Augier, creio eu: "a nostalgia da lama".

— Acho que não; mas vá ouvindo. Às dez horas apareceu-nos em casa uma criada de Marocas, uma preta forra, muito amiga da ama. Andava aflita em procura do Andrade, porque a Marocas, depois de chorar muito, trancada no quarto, saiu de casa sem jantar, e não voltara mais. Contive o Andrade, cujo primeiro gesto foi para sair logo. A preta pedia-nos por tudo, que fôssemos descobrir a ama. "Não é costume dela sair?" — perguntou o Andrade com sarcasmo. Mas a preta disse que não era costume. "Está ouvindo?" — bradou ele para mim. Era a esperança que de novo empolgara o coração do pobre-diabo. "E ontem?..." — disse eu. A preta respondeu que na véspera sim; mas não lhe perguntei mais nada, tive compaixão do Andrade, cuja aflição crescia, e cujo pundonor ia cedendo diante do perigo. Saímos em busca da Marocas; fomos a todas as casas em que era possível encontrá-la; fomos à polícia; mas a noite passou-se sem outro resultado. De manhã voltamos à polícia. O chefe ou um dos delegados, não me lembra, era amigo do Andrade, que lhe contou da aventura a parte conveniente; aliás a ligação do Andrade e da Marocas era conhecida de todos os seus amigos. Pesquisou-se tudo; nenhum desastre se dera durante a noite; as barcas da praia Grande não viram cair ao mar nenhum passageiro; as casas de armas não venderam nenhuma; as boticas nenhum veneno. A polícia pôs em campo todos os seus recursos, e nada. Não lhe digo o estado de aflição em que o pobre Andrade viveu durante essas longas horas, porque todo o dia se passou em pesquisas inúteis. Não era só a dor de a perder; era também o remorso, a dúvida, ao menos, da consciência, em presença de um possível desastre, que parecia justificar a moça. Ele perguntava-me, a cada passo se não era natural fazer o que fez, no delírio da indignação, se eu não faria a mesma coisa. Mas depois tornava a afirmar a aventura, e provava-me que era verdadeira, com o mesmo ardor com que na véspera tentara provar que era falsa; o que ele queria era acomodar a realidade ao sentimento da ocasião.

— Mas, enfim, descobriram a Marocas?

— Estávamos comendo alguma coisa, em um hotel, eram perto de oito horas, quando recebemos notícia de um vestígio: — um cocheiro que levara na véspera uma senhora para o Jardim Botânico, onde ela entrou em uma hospedaria, e ficou. Nem acabamos o jantar; fomos no mesmo carro ao Jardim Botânico. O dono da hospedaria confirmou a versão; acrescentando que a pessoa se recolhera a um quarto, não comera nada desde que chegou na véspera; apenas pediu uma xícara de café; parecia profundamente abatida. Encaminhamo-nos para o quarto; o dono da hospedaria bateu à porta; ela respondeu com voz fraca, e abriu. O Andrade nem me deu tempo de preparar nada; empurrou-me, e caíram nos braços um do outro. Marocas chorou muito e perdeu os sentidos.

— Tudo se explicou?

— Coisa nenhuma. Nenhum deles tornou ao assunto; livres de um naufrágio, não quiseram saber nada da tempestade que os meteu a pique. A reconciliação fez-se depressa. O Andrade comprou-lhe, meses depois, uma casinha em Catumbi; a Marocas deu-lhe um filho, que morreu de dois anos. Quando ele seguiu para o norte, em comissão do governo, a afeição era ainda a mesma, posto que os primeiros ardores não tivessem já a mesma intensidade. Não obstante, ela quis ir também; fui eu que a obriguei a ficar. O Andrade contava tornar ao fim de pouco tempo, mas, como lhe disse, morreu na província. A Marocas sentiu profundamente a morte, pôs luto, e considerou-se viúva; sei que nos três primeiros anos, ouvia sempre uma missa no dia aniversário. Há dez anos perdi-a de vista. Que lhe parece tudo isto?

— Realmente, há ocorrências bem singulares, se o senhor não abusou da minha ingenuidade de rapaz para imaginar um romance...

— Não inventei nada; é a realidade pura.

— Pois, senhor, é curioso. No meio de uma paixão tão ardente, tão sincera... Eu ainda estou na minha; acho que foi a nostalgia da lama.

— Não: nunca a Marocas desceu até os Leandros.

— Então por que desceria naquela noite?

— Era um homem que ela supunha separado, por um abismo, de todas as suas relações pessoais; daí a confiança. Mas o acaso, que é um deus e um diabo ao mesmo tempo... Enfim, coisas!

Gazeta de Notícias, 30 de maio de 1883; Machado de Assis.

Galeria póstuma

I

Não, não se descreve a consternação que produziu em todo o Engenho Velho, e particularmente no coração dos amigos, a morte de Joaquim Fidélis. Nada mais inesperado. Era robusto, tinha saúde de ferro, e ainda na véspera fora a um baile, onde todos o viram conversador e alegre. Chegou a dançar, a pedido de uma senhora sexagenária, viúva de um amigo dele, que lhe tomou do braço, e lhe disse:

— Venha cá, venha cá, vamos mostrar a estes criançolas como é que os velhos são capazes de desbancar tudo.

Joaquim Fidélis protestou sorrindo; mas obedeceu e dançou. Eram duas horas quando saiu, embrulhando os seus sessenta anos numa capa grossa — estávamos em junho de 1879 —, metendo a calva na carapuça, acendendo um charuto e entrando lepidamente no carro.

No carro é possível que cochilasse; mas, em casa, malgrado a hora e o grande peso das pálpebras, ainda foi à secretária, abriu uma gaveta, tirou um de muitos folhetos manuscritos — e escreveu durante três ou quatro minutos umas dez ou onze linhas. As últimas palavras eram estas: "Em suma, baile chinfrim; uma velha gaiteira obrigou-me a dançar uma quadrilha; à porta um crioulo pediu-me as festas. Chinfrim!" Guardou o folheto, despiu-se, meteu-se na cama, dormiu e morreu.

Sim, a notícia consternou a todo o bairro. Tão amado que ele era, com os modos bonitos que tinha, sabendo conversar com toda a gente, instruído com os instruídos, ignorante com os ignorantes, rapaz com os rapazes, e até moça com as moças. E depois, muito serviçal, pronto a escrever cartas, a falar a amigos, a concertar brigas, a emprestar dinheiro. Em casa dele reuniam-se à noite alguns íntimos da vizinhança, e às vezes de outros bairros; jogavam o voltarete ou o *whist*, falavam de política. Joaquim Fidélis tinha sido deputado até a dissolução da Câmara pelo marquês de Olinda, em 1863. Não conseguindo ser reeleito, abandonou a vida pública. Era conservador, nome que a muito custo admitiu, por lhe parecer galicismo político. Saquarema é o que ele gostava de ser chamado. Mas abriu mão de tudo; parece até que nos últimos tempos desligou-se do próprio partido, e afinal da mesma opinião. Há razões para crer que, de certa data em diante, foi um profundo cético, e nada mais.

Era rico e letrado. Formara-se em direito no ano de 1842. Agora não fazia nada e lia muito. Não tinha mulheres em casa. Viúvo desde a primeira invasão da febre amarela, recusou contrair segundas núpcias, com grande mágoa de três ou quatro damas, que nutriram essa esperança durante algum tempo. Uma delas chegou a prorrogar perfidamente os seus belos cachos de 1845 até meados do segundo neto; outra, mais moça e também viúva, pensou retê-lo com algumas concessões, tão generosas quão irreparáveis. "Minha querida Leocádia, dizia ele nas ocasiões em que ela insinuava a solução conjugal, por que não continuaremos assim mesmo? O mistério é o encanto da vida." Morava com um sobrinho, o Benjamim, filho de uma irmã, órfão desde tenra idade. Joaquim Fidélis deu-lhe educação e fê-lo estudar, até obter diploma de bacharel em ciências jurídicas, no ano de 1877.

Benjamim ficou atordoado. Não podia acabar de crer na morte do tio. Correu ao quarto, achou o cadáver na cama, frio, olhos abertos, e um leve arregaço irônico ao canto esquerdo da boca. Chorou muito e muito. Não perdia um simples parente, mas um pai, um pai terno, dedicado, um coração único. Benjamim enxugou, enfim, as lágrimas; e, porque lhe fizesse mal ver os olhos abertos do morto, e principalmente o lábio arregaçado, consertou-lhe ambas as coisas. A morte recebeu assim a expressão trágica, mas a originalidade da máscara perdeu-se.

— Não me digam isto! — bradava daí a pouco um dos vizinhos, Diogo Vilares, ao receber notícia do caso.

Diogo Vilares era um dos cinco principais familiares de Joaquim Fidélis. Devia-lhe o emprego que exercia desde 1857. Veio ele; vieram os outros quatro, logo depois, um a um, estupefatos, incrédulos. Primeiro chegou o Elias Xavier, que alcançara por intermédio do finado, segundo se dizia, uma comenda; depois entrou o João Brás, deputado que foi, no regime das suplências, eleito com o influxo do Joaquim Fidélis. Vieram, enfim, o Fragoso e o Galdino, que lhe não deviam diplomas, comendas nem empregos, mas outros favores. Ao Galdino adiantou ele alguns poucos capitais, e ao Fragoso arranjou-lhe um bom casamento... E morto! morto para todo sempre! De redor da cama, fitavam o rosto sereno e recordavam a última festa, a do outro domingo, tão íntima, tão expansiva! E, mais perto ainda, a noite da antevéspera, em que o voltarete do costume foi até as onze horas.

— Amanhã não venham — disse-lhes o Joaquim Fidélis —; vou ao baile do Carvalhinho.

— E depois?...

— Depois de amanhã, cá estou.

E, à saída, deu-lhes ainda um maço de excelentes charutos, segundo fazia às vezes, com um acréscimo de doces secos para os pequenos, e duas ou três pilhérias finas... Tudo esvaído! tudo disperso! tudo acabado!

Ao enterro acudiram muitas pessoas gradas, dois senadores, um ex-ministro, titulares, capitalistas, advogados, comerciantes, médicos; mas as argolas do caixão foram seguras pelos cinco familiares e o Benjamim. Nenhum deles quis ceder a ninguém esse último obséquio, considerando que era um dever cordial e intransferível. O adeus do cemitério foi proferido pelo João Brás, um adeus tocante, com algum excesso de estilo para um caso tão urgente, mas, enfim, desculpável. Deitada a pá de terra, cada um se foi arredando da cova, menos os seis, que assistiram ao trabalho posterior e indiferente dos coveiros. Não arredaram pé antes de ver cheia a cova até acima, e depositadas sobre ela as coroas fúnebres.

II

A missa do sétimo dia reuniu-os na igreja. Acabada a missa, os cinco amigos acompanharam à casa o sobrinho do morto. Benjamim convidou-os a almoçar.

— Espero que os amigos do tio Joaquim serão também meus amigos — disse ele.

Entraram, almoçaram. Ao almoço falaram do morto; cada um contou uma anedota, um dito; eram unânimes no louvor e nas saudades. No fim do almoço, como tivessem pedido uma lembrança do finado, passaram ao gabinete, e escolheram à vontade, este uma caneta velha, aquele uma caixa de óculos, um folheto, um retalho qualquer íntimo. Benjamim sentia-se consolado. Comunicou-lhes que pretendia conservar o gabinete tal qual estava. Nem a secretária abrira ainda. Abriu-a então, e, com eles, inventariou o conteúdo de algumas gavetas. Cartas, papéis soltos, programas de concertos, *menus* de grandes jantares, tudo ali estava de mistura e confusão. Entre outras coisas acharam alguns cadernos manuscritos, numerados e datados.

— Um diário! — disse Benjamim.

Com efeito, era um diário das impressões do finado, espécie de memórias secretas, confidências do homem a si mesmo. Grande foi a comoção dos amigos; lê-lo era ainda conversá-lo. Tão reto caráter! tão discreto espírito! Benjamim começou a leitura; mas a voz embargou-se-lhe depressa, e João Brás continuou-a.

O interesse do escrito adormeceu a dor do óbito. Era um livro digno do prelo. Muita observação política e social, muita reflexão filosófica, anedotas de homens públicos, do Feijó, do Vasconcelos, outras puramente galantes, nomes de senhoras, o da Leocádia, entre outros; um repertório de fatos e comentários. Cada um admirava o talento do finado, as graças do estilo, o interesse da matéria. Uns opinavam pela impressão tipográfica; Benjamim dizia que sim, com a condição de excluir alguma coisa, ou inconveniente ou demasiado particular. E continuavam a ler, saltando pedaços e páginas, até que bateu meio-dia. Levantaram-se todos; Diogo Vilares ia já chegar à repartição fora de horas; João Brás e Elias tinham onde estar juntos. Galdino seguia para a loja. O Fragoso precisava mudar a roupa preta, e acompanhar a mulher à rua do Ouvidor. Concordaram em nova reunião para prosseguir a leitura. Certas particularidades tinham-lhes dado uma comichão de escândalo, e as comichões coçam-se: é o que eles queriam fazer, lendo.

— Até amanhã — disseram.

— Até amanhã.

Uma vez só, Benjamim continuou a ler o manuscrito. Entre outras coisas, admirou o retrato da viúva Leocádia, obra-prima de paciência e semelhança, embora a data coincidisse com a dos amores. Era prova de uma rara isenção de espírito. De resto, o finado era exímio nos retratos. Desde 1873 ou 1874, os cadernos vinham cheios deles, uns de vivos, outros de mortos, alguns de homens públicos, Paula Sousa, Aureliano, Olinda etc. Eram curtos e substanciais, às vezes três ou quatro rasgos firmes, com tal fidelidade e perfeição, que a figura parecia fotografada. Benjamim ia lendo; de repente deu com o Diogo Vilares. E leu estas poucas linhas:

>DIOGO VILARES. — Tenho-me referido muitas vezes a este amigo, e fá-lo-ei algumas outras mais, se ele me não matar de tédio, coisa em que o reputo profissional. Pediu-me há anos que lhe arranjasse um emprego, arranjei-lho. Não me avisou da moeda em que me pagaria. Que singular gratidão! Chegou ao excesso de compor um soneto e publicá-lo. Falava-me do obséquio a cada passo, dava-me grandes nomes; enfim, acabou. Mais tarde relacionamo-nos intimamente. Conheci-o então ainda melhor. *C'est le genre ennuyeux.* Não é mau parceiro de voltarete. Dizem-me que não deve nada a ninguém. Bom pai de família. Estúpido e crédulo. Com intervalo de quatro dias, já lhe ouvi dizer de um ministério que era excelente e detestável: — diferença dos interlocutores. Ri muito e mal. Toda a gente, quando o vê pela primeira vez, começa por supô-lo um varão grave; no segundo dia dá-lhe piparotes. A razão é a figura, ou, mais particularmente, as bochechas, que lhe emprestam um certo ar superior.

A primeira sensação do Benjamim foi a do perigo evitado. Se o Diogo Vilares estivesse ali? Releu o retrato e mal podia crer; mas não havia negá-lo, era o próprio nome do Diogo Vilares, era a mesma letra do tio. E não era o único dos familiares; folheou o manuscrito e deu com o Elias:

> ELIAS XAVIER. — Este Elias é um espírito subalterno, destinado a servir alguém, e a servir com desvanecimento, como os cocheiros de casa elegante. Vulgarmente trata as minhas visitas íntimas com alguma arrogância e desdém: política de lacaio ambicioso. Desde as primeiras semanas, compreendi que ele queria fazer-se meu privado; e não menos compreendi que, no dia que realmente fosse, punha os outros no meio da rua. Há ocasiões em que me chama a um vão da janela para falar-me secretamente do sol e da chuva. O fim claro é incutir nos outros a suspeita de que há entre nós coisas particulares, e alcança isso mesmo, porque todos lhe rasgam muitas cortesias. É inteligente, risonho e fino. Conversa muito bem. Não conheço compreensão mais rápida. Não é poltrão nem maldizente. Só fala mal de alguém, por interesse; faltando-lhe interesse, cala-se; e a maledicência legítima é gratuita. Dedicado e insinuante. Não tem ideias, é verdade; mas há esta grande diferença entre ele e o Diogo Vilares: — o Diogo repete pronta e boçalmente as que ouve, ao passo que o Elias sabe fazê-las suas e plantá-las oportunamente na conversação. Um caso de 1865 caracteriza bem a astúcia deste homem. Tendo dado alguns libertos para a guerra do Paraguai, ia receber uma comenda. Não precisava de mim; mas veio pedir a minha intercessão, duas ou três vezes, com um ar consternado e súplice. Falei ao ministro, que me disse: — "O Elias já sabe que o decreto está lavrado; falta só a assinatura do imperador." Compreendi então que era um estratagema para poder confessar-me essa obrigação. Bom parceiro de voltarete; um pouco brigão, mas entendido.

— Ora o tio Joaquim! — exclamou Benjamim levantando-se. E depois de alguns instantes, reflexionou consigo: — estou lendo um coração, livro inédito. Conhecia a edição pública, revista e expurgada. Este é o texto primitivo e interior, a lição exata e autêntica. Mas quem imaginaria nunca... Ora o tio Joaquim!

E, tornando a sentar-se, releu também o retrato do Elias, com vagar, meditando as feições. Posto lhe faltasse observação, para avaliar a verdade do escrito, achou que em muitas partes, ao menos, o retrato era semelhante. Cotejava essas notas iconográficas, tão cruas, tão secas, com as maneiras cordiais e graciosas do tio, e sentia-se tomado de um certo terror e mal-estar. Ele, por exemplo, que teria dito dele o finado? Com esta ideia, folheou ainda o manuscrito, passou por alto algumas damas, alguns homens públicos, deu com o Fragoso — um esboço curto e curtíssimo — logo depois o Galdino, e quatro páginas adiante o João Brás. Justamente o primeiro levara dele uma caneta, pouco antes, talvez a mesma com que o finado o retratara. Curto era o esboço, e dizia assim:

> FRAGOSO. — Honesto, maneiras açucaradas e bonito. Não me custou casá-lo; vive muito bem com a mulher. Sei que me tem uma extraordinária adoração — quase tanta como a si mesmo. Conversação vulgar, polida e chocha.
>
> GALDINO MADEIRA. — O melhor coração do mundo e um caráter sem mácula; mas as qualidades do espírito destroem as outras. Emprestei-lhe algum dinheiro, por motivo da família, e porque me não fazia falta. Há no cérebro dele um certo furo, por onde o espírito escorrega e cai no vácuo. Não reflete três minutos seguidos. Vive principalmente de imagens, de frases translatas. Os "dentes da calúnia" e outras expressões, surradas como colchões de hospedaria, são os seus encantos. Mortifica-se facilmente no jogo, e, uma vez mortificado, faz timbre em perder, e em mostrar que é de propósito. Não despede os maus caixeiros. Se não tivesse guarda-livros, é duvidoso que somasse os quebrados. Um subdelegado, meu amigo, que lhe deveu algum dinheiro, durante dois anos, dizia-me com muita graça, que o Galdino quando o via na rua, em vez de lhe pedir a dívida, pedia-lhe notícias do ministério.

JOÃO BRÁS. — Nem tolo nem bronco. Muito atencioso, embora sem maneiras. Não pode ver passar um carro de ministro; fica pálido e vira os olhos. Creio que é ambicioso; mas na idade em que está, sem carreira, a ambição vai-se-lhe convertendo em inveja. Durante os dois anos em que serviu de deputado, desempenhou honradamente o cargo: trabalhou muito, e fez alguns discursos bons, não brilhantes, mas sólidos, cheios de fatos e refletidos. A prova de que lhe ficou um resíduo de ambição é o ardor com que anda à cata de alguns cargos honoríficos ou preeminentes; há alguns meses consentiu em ser juiz de uma irmandade de são José, e segundo me dizem, desempenha o cargo com um zelo exemplar. Creio que é ateu, mas não afirmo. Ri pouco e discretamente. A vida é pura e severa, mas o caráter tem uma ou duas cordas fraudulentas, a que só faltou a mão do artista; nas coisas mínimas, mente com facilidade.

Benjamim, estupefato, deu enfim consigo mesmo. — "Este meu sobrinho; dizia o manuscrito, tem vinte e quatro anos de idade, um projeto de reforma judiciária, muito cabelo, e ama-me. Eu não o amo menos. Discreto, leal e bom — bom até a credulidade. Tão firme nas afeições como versátil nos pareceres. Superficial, amigo de novidades, amando no direito o vocabulário e as fórmulas."

Quis reler, e não pôde; essas poucas linhas davam-lhe a sensação de um espelho. Levantou-se, foi à janela, mirou a chácara e tornou dentro para contemplar outra vez as suas feições. Contemplou-as; eram poucas, falhas, mas não pareciam caluniosas. Se ali estivesse um público, é provável que a mortificação do rapaz fosse menor, porque a necessidade de dissipar a impressão moral dos outros dar-lhe-ia a força necessária para reagir contra o escrito; mas, a sós, consigo, teve de suportá-lo sem contraste. Então considerou se o tio não teria composto essas páginas nas horas de mau humor; comparou-as a outras em que a frase era menos áspera, mas não cogitou se ali a brandura vinha ou não de molde.

Para confirmar a conjectura, recordou as maneiras usuais do finado, as horas de intimidade e riso, a sós com ele, ou de palestra com os demais familiares. Evocou a figura do tio, com o olhar espirituoso e meigo, e a pilhéria grave; em lugar dessa, tão cândida e simpática, a que lhe apareceu foi a do tio morto, estendido na cama, com os olhos abertos e o lábio arregaçado. Sacudiu-a do espírito, mas a imagem ficou. Não podendo rejeitá-la, Benjamim tentou mentalmente fechar-lhe os olhos e consertar-lhe a boca; mas tão depressa o fazia, como a pálpebra tornava a levantar-se, a ironia arregaçava o beiço. Já não era o homem, era o autor do manuscrito.

Benjamim jantou mal e dormiu mal. No dia seguinte, à tarde, apresentaram-se os cinco familiares para ouvir a leitura. Chegaram sôfregos, ansiosos; fizeram-lhe muitas perguntas; pediram-lhe com instância para ver o manuscrito. Mas Benjamim tergiversava, dizia isto e aquilo, inventava pretextos; por mal de pecados, apareceu-lhe na sala, por trás deles, a eterna boca do defunto, e esta circunstância fê-lo ainda mais acanhado. Chegou a mostrar-se frio, para ficar só, e ver se com eles desaparecia a visão. Assim se passaram trinta a quarenta minutos. Os cinco olharam enfim uns para os outros, e deliberaram sair; despediram-se cerimoniosamente, e foram conversando, para suas casas:

— Que diferença do tio! que abismo! a herança enfunou-o! deixá-lo! Ah! Joaquim Fidélis! ah! Joaquim Fidélis!

Gazeta de Notícias, *2 de agosto de 1883; Machado de Assis.*

Capítulo dos chapéus

> "Géronte — *Dans quel chapitre, s'il vous plaît?*
> Sganarelle — *Dans le chapitre des chapeaux.*"
> Molière

Musa, canta o despeito de Mariana, esposa do bacharel Conrado Seabra, naquela manhã de abril de 1879. Qual a causa de tamanho alvoroço? Um simples chapéu, leve, não deselegante, um chapéu baixo. Conrado, advogado, com escritório na rua da Quitanda, trazia-o todos os dias à cidade, ia com ele às audiências; só não o levava às recepções, teatro Lírico, enterros e visitas de cerimônia. No mais era constante, e isto desde cinco ou seis anos, que tantos eram os do casamento. Ora, naquela singular manhã de abril, acabado o almoço, Conrado começou a enrolar um cigarro, e Mariana anunciou sorrindo que ia pedir-lhe uma coisa.

— Que é, meu anjo?
— Você é capaz de fazer-me um sacrifício?
— Dez, vinte...
— Pois então não vá mais à cidade com aquele chapéu.
— Por quê? é feio?
— Não digo que seja feio; mas é cá para fora, para andar na vizinhança, à tarde ou à noite, mas na cidade, um advogado, não me parece que...
— Que tolice, iaiá!
— Pois sim, mas faz-me este favor, faz?

Conrado riscou um fósforo, acendeu o cigarro, e fez-lhe um gesto de gracejo, para desconversar; mas a mulher teimou. A teima, a princípio frouxa e súplice, tornou-se logo imperiosa e áspera. Conrado ficou espantado. Conhecia a mulher; era, de ordinário, uma criatura passiva, meiga, de uma plasticidade de encomenda, capaz de usar com a mesma divina indiferença tanto um diadema régio como uma touca. A prova é que, tendo tido uma vida de andarilha nos últimos dois anos de solteira, tão depressa casou como se afez aos hábitos quietos. Saía às vezes, e a maior parte delas por instâncias do próprio consorte; mas só estava comodamente em casa. Móveis, cortinas, ornatos supriam-lhe os filhos; tinha-lhes um amor de mãe; e tal era a concordância da pessoa com o meio, que ela saboreava os trastes na posição ocupada, as cortinas com as dobras do costume, e assim o resto. Uma das três janelas, por exemplo, que davam para a rua vivia sempre meio aberta; nunca era outra. Nem o gabinete do marido escapava às exigências monótonas da mulher, que mantinha sem alteração a desordem dos livros, e até chegava a restaurá-la. Os hábitos mentais seguiam a mesma uniformidade. Mariana dispunha de mui poucas noções, e nunca lera senão os mesmos livros: — *A moreninha* de Macedo, sete vezes; *Ivanhoe* e *O pirata* de Walter Scott, dez vezes; o *Mot de l'énigme*, de Madame Craven, onze vezes.

Isto posto, como explicar o caso do chapéu? Na véspera, à noite, enquanto o marido fora a uma sessão do Instituto da Ordem dos Advogados, o pai de Mariana veio à casa deles. Era um bom velho, magro, pausado, ex-funcionário público, ralado de saudades do tempo em que os empregados iam de casaca para as suas repartições. Casaca era o que ele, ainda agora, levava aos enterros, não pela razão que o leitor suspeita, a solenidade da morte ou a gravidade da despedida última, mas por esta menos filosófica, por ser um costume antigo. Não dava outra, nem da casaca nos enterros, nem do jantar às duas horas, nem de vinte usos mais. E tão aferrado aos hábitos, que no aniversário do casamento da filha, ia para lá às seis horas da tarde, jantado e digerido, via comer, e no fim aceitava um pouco de doce, um cálice de vinho e café. Tal era o sogro de Conrado; como supor que ele aprovasse o chapéu baixo do genro? Suportava-o calado, em atenção às qualidades da pessoa; nada mais. Acontecera-lhe, porém, naquele dia, vê-lo de relance na rua, de palestra com outros chapéus altos de homens públicos, e nunca lhe pareceu tão torpe. De noite, encontrando a filha sozinha, abriu-lhe o coração; pintou-lhe o chapéu baixo como a abominação das abominações, e instou com ela para que o fizesse desterrar.

Conrado ignorava essa circunstância, origem do pedido. Conhecendo a docilidade da mulher, não entendeu a resistência; e, porque era autoritário, e voluntarioso, a teima veio irritá-lo profundamente. Conteve-se ainda assim; preferiu mofar do caso; falou-lhe com tal ironia e desdém, que a pobre dama sentiu-se humilhada. Mariana quis levantar-se duas vezes; ele obrigou-a a ficar, a primeira pegando-lhe levemente no pulso, a segunda subjugando-a com o olhar. E dizia sorrindo:

— Olhe, iaiá, tenho uma razão filosófica para não fazer o que você me pede. Nunca lhe disse isto; mas já agora confio-lhe tudo.

Mariana mordia o lábio, sem dizer mais nada; pegou de uma faca, e entrou a bater com ela devagarinho para fazer alguma coisa; mas, nem isso mesmo consentiu o marido, que lhe tirou a faca delicadamente, e continuou:

— A escolha do chapéu não é uma ação indiferente, como você pode supor; é regida por um princípio metafísico. Não cuide que quem compra um chapéu exerce uma ação voluntária e livre; a verdade é que obedece a um determinismo obscuro. A ilusão da liberdade existe arraigada nos compradores, e é mantida pelos chapeleiros que, ao verem um freguês ensaiar trinta ou quarenta chapéus, e sair sem comprar nenhum, imaginam que ele está procurando livremente uma combinação elegante. O princípio metafísico é este: — o chapéu é a integração do homem, um prolongamento da cabeça, um complemento decretado *ab eterno*; ninguém o pode trocar sem mutilação. É uma questão profunda que ainda não ocorreu a ninguém. Os sábios têm estudado tudo desde o astro até o verme, ou, para exemplificar bibliograficamente, desde Laplace... Você nunca leu Laplace? desde Laplace e a *Mecânica celeste* até Darwin e o seu curioso livro das *Minhocas*, e, entretanto, não se lembraram ainda de parar diante do chapéu e estudá-lo por todos os lados. Ninguém advertiu que há uma metafísica do chapéu. Talvez eu escreva uma memória a este respeito. São nove horas e três quartos; não tenho tempo de dizer mais nada; mas você reflita consigo, e verá... Quem sabe? pode ser até que nem mesmo o chapéu seja complemento do homem, mas o homem do chapéu...

Mariana venceu-se afinal, e deixou a mesa. Não entendera nada daquela nomenclatura áspera nem da singular teoria; mas sentiu que era um sarcasmo, e, dentro de si, chorava de vergonha. O marido subiu para vestir-se; desceu daí a alguns minutos, e parou diante dela com o famoso chapéu na cabeça. Mariana achou-

-lho, na verdade, torpe, ordinário, vulgar, nada sério. Conrado despediu-se cerimoniosamente e saiu.

    A irritação da dama tinha afrouxado muito; mas, o sentimento de humilhação subsistia. Mariana não chorou, não clamou, como supunha que ia fazer; mas, consigo mesma, recordou a simplicidade do pedido, os sarcasmos de Conrado, e, posto reconhecesse que fora um pouco exigente, não achava justificação para tais excessos. Ia de um lado para outro, sem poder parar; foi à sala de visitas, chegou à janela meio aberta, viu ainda o marido, na rua, à espera do bonde, de costas para casa, com o eterno e torpíssimo chapéu na cabeça. Mariana sentiu-se tomada de ódio contra essa peça ridícula; não compreendia como pudera suportá-la por tantos anos. E relembrava os anos, pensava na docilidade dos seus modos, na aquiescência a todas as vontades e caprichos do marido, e perguntava a si mesma se não seria essa justamente a causa do excesso daquela manhã. Chamava-se tola, moleirona; se tivesse feito como tantas outras, a Clara e a Sofia, por exemplo, que tratavam os maridos como eles deviam ser tratados, não lhe aconteceria nem metade, nem uma sombra do que lhe aconteceu. De reflexão em reflexão, chegou à ideia de sair. Vestiu-se, e foi à casa da Sofia, uma antiga companheira de colégio, com o fim de espairecer, não de lhe contar nada.

    Sofia tinha trinta anos, mais dois que Mariana. Era alta, forte, muito senhora de si. Recebeu a amiga com as festas do costume; e, posto que esta lhe não dissesse nada, adivinhou que trazia um desgosto e grande. Adeus, planos de Mariana! Daí a vinte minutos contava-lhe tudo. Sofia riu dela, sacudiu os ombros; disse-lhe que a culpa não era do marido.

    — Bem sei, é minha — concordava Mariana.

    — Não seja tola, iaiá! Você tem sido muito mole com ele. Mas seja forte uma vez; não faça caso; não lhe fale tão cedo; e se ele vier fazer as pazes, diga-lhe que mude primeiro de chapéu.

    — Veja você, uma coisa de nada...

    — No fim de contas, ele tem muita razão; tanta como outros. Olhe a pamonha da Beatriz; não foi agora para a roça, só porque o marido implicou com um inglês que costumava passar a cavalo de tarde? Coitado do inglês! Naturalmente nem deu pela falta. A gente pode viver bem com seu marido, respeitando-se, não indo contra os desejos um do outro, sem pirraças, nem despotismo. Olhe; eu cá vivo muito bem com o meu Ricardo; temos muita harmonia. Não lhe peço uma coisa que ele me não faça logo; mesmo quando não tem vontade nenhuma, basta que eu feche a cara, obedece logo. Não era ele que teimaria assim por causa de um chapéu! Tinha que ver! Pois não! Onde iria ele parar! Mudava de chapéu, quer quisesse, quer não.

    Mariana ouvia com inveja essa bela definição do sossego conjugal. A rebelião de Eva embocava nela os seus clarins; e o contato da amiga dava-lhe um prurido de independência e vontade. Para completar a situação, esta Sofia não era só muito senhora de si, mas também dos outros; tinha olhos para todos os ingleses, a cavalo ou a pé. Honesta, mas namoradeira; o termo é cru, e não há tempo de compor outro mais brando. Namorava a torto e a direito, por uma necessidade natural, um costume de solteira. Era o troco miúdo do amor, que ela distribuía a todos os pobres que lhe batiam à porta: — um níquel a um, outro a outro; nunca uma nota de cinco mil-réis, menos ainda uma apólice. Ora este sentimento caritativo induziu-a a propor à amiga que fossem passear, ver as lojas, contemplar a vista de outros chapéus bonitos e graves. Mariana aceitou; um certo demônio soprava nela as fúrias da vingança. Demais, a amiga tinha o dom de fascinar, virtude de Bonaparte, e não lhe deu tempo de refletir. Pois sim, iria, estava cansada de viver cativa. Também queria gozar um pouco etc. etc.

 Enquanto Sofia foi vestir-se, Mariana deixou-se estar na sala, irrequieta e contente consigo mesma. Planeou a vida de toda aquela semana, marcando os dias e horas de cada coisa, como numa viagem oficial. Levantava-se, sentava-se, ia à janela, à espera da amiga.

 — Sofia parece que morreu — dizia de quando em quando.

 De uma das vezes que foi à janela, viu passar um rapaz a cavalo. Não era inglês, mas lembrou-lhe a outra, que o marido levou para a roça, desconfiado de um inglês, e sentiu crescer-lhe o ódio contra a raça masculina — com exceção, talvez, dos rapazes a cavalo. Na verdade, aquele era afetado demais; esticava a perna no estribo com evidente vaidade das botas, dobrava a mão na cintura, com um ar de figurino. Mariana notou-lhe esses dois defeitos; mas achou que o chapéu resgatava-os; não que fosse um chapéu alto; era baixo, mas próprio do aparelho equestre. Não cobria a cabeça de um advogado indo gravemente para o escritório, mas a de um homem que espairecia ou matava o tempo.

 Os tacões de Sofia desceram a escada, compassadamente. Pronta! disse ela daí a pouco, ao entrar na sala. Realmente, estava bonita. Já sabemos que era alta. O chapéu aumentava-lhe o ar senhoril; e um diabo de vestido de seda preta, arredondando-lhe as formas do busto, fazia-a ainda mais vistosa. Ao pé dela, a figura de Mariana desaparecia um pouco. Era preciso atentar primeiro nesta para ver que possuía feições mui graciosas, uns olhos lindos, muita e natural elegância. O pior é que a outra dominava desde logo; e onde houvesse pouco tempo de as ver, tomava-o Sofia para si. Este reparo seria incompleto, se eu não acrescentasse que Sofia tinha consciência da superioridade, e que apreciava por isso mesmo as belezas do gênero Mariana, menos derramadas e aparentes. Se é um defeito, não me compete emendá-lo.

 — Onde vamos nós? — perguntou Mariana.

 — Que tolice! vamos passear à cidade... Agora me lembro, vou tirar o retrato; depois vou ao dentista. Não; primeiro vamos ao dentista. Você não precisa de ir ao dentista?

 — Não.

 — Nem tirar o retrato?

 — Já tenho muitos. E para quê? para dá-lo "àquele senhor"?

 Sofia compreendeu que o ressentimento da amiga persistia, e, durante o caminho, tratou de lhe pôr um ou dois bagos mais de pimenta. Disse-lhe que, embora fosse difícil, ainda era tempo de libertar-se. E ensinava-lhe um método para subtrair-se à tirania. Não convinha ir logo de um salto, mas devagar, com segurança, de maneira que ele desse por si quando ela lhe pusesse o pé no pescoço. Obra de algumas semanas, três a quatro, não mais. Ela, Sofia, estava pronta a ajudá-la. E repetia-lhe que não fosse mole, que não era escrava de ninguém etc. Mariana ia cantando dentro do coração a *marselhesa* do matrimônio.

 Chegaram à rua do Ouvidor. Era pouco mais do meio-dia. Muita gente, andando ou parada, o movimento do costume. Mariana sentiu-se um pouco atordoada, como sempre lhe acontecia. A uniformidade e a placidez, que eram o fundo do seu caráter e da sua vida, receberam daquela agitação os repelões do costume. Ela mal podia andar por entre os grupos, menos ainda sabia onde fixasse os olhos, tal era a confusão das gentes, tal era a variedade das lojas. Conchegava-se muito à amiga, e, sem reparar que tinham passado a casa do dentista, ia ansiosa de lá entrar. Era um repouso; era alguma coisa melhor do que o tumulto.

— Esta rua do Ouvidor! — ia dizendo.

— Sim? — respondia Sofia, voltando a cabeça para ela e os olhos para um rapaz que estava na outra calçada.

Sofia, prática daqueles mares, transpunha, rasgava ou contornava as gentes com muita perícia e tranquilidade. A figura impunha; os que a conheciam gostavam de vê-la outra vez; os que não a conheciam paravam ou voltavam-se para admirar-lhe o garbo. E a boa senhora, cheia de caridade, derramava os olhos à direita e à esquerda, sem grande escândalo, porque Mariana servia a coonestar os movimentos. Nada dizia seguidamente; parece até que mal ouvia as respostas da outra: mas falava de tudo, de outras damas, que iam ou vinham, de uma loja, de um chapéu... Justamente os chapéus — de senhora ou de homem — abundavam naquela primeira hora da rua do Ouvidor.

— Olha este — dizia-lhe Sofia.

E Mariana acudia a vê-los, femininos ou masculinos, sem saber onde ficar, porque os demônios dos chapéus sucediam-se como num caleidoscópio. Onde era o dentista? perguntava ela à amiga. Sofia só à segunda vez lhe respondeu que tinham passado a casa; mas já agora iriam até o fim da rua; voltariam depois. Voltaram finalmente.

— Uf! — respirou Mariana entrando no corredor.

— Que é, meu Deus? Ora você! Parece da roça...

A sala do dentista tinha já algumas freguesas. Mariana não achou entre elas uma só cara conhecida, e para fugir ao exame das pessoas estranhas, foi para a janela. Da janela podia gozar a rua, sem atropelo. Recostou-se; Sofia veio ter com ela. Alguns chapéus masculinos, parados, começaram a fitá-las; outros, passando, faziam a mesma coisa. Mariana aborreceu-se da insistência; mas, notando que fitavam principalmente a amiga, dissolveu-se-lhe o tédio numa espécie de inveja. Sofia, entretanto, contava-lhe a história de alguns chapéus — ou, mais corretamente, as aventuras. Um deles merecia os pensamentos de fulana; outro andava derretido por sicrana, e ela por ele, tanto que eram certos na rua do Ouvidor às quartas e sábados, entre duas e três horas. Mariana ouvia aturdida. Na verdade, o chapéu era bonito, trazia uma linda gravata, e possuía um ar entre elegante e pelintra, mas...

— Não juro, ouviu? — replicava a outra. — Mas é o que se diz.

Mariana fitou pensativa o chapéu denunciado. Havia agora mais três, de igual porte e graça, e, provavelmente os quatro falavam delas, e falavam bem. Mariana enrubesceu muito, voltou a cabeça para o outro lado, tornou logo à primeira atitude, e afinal entrou. Entrando, viu na sala duas senhoras recém-chegadas, e com elas um rapaz que se levantou prontamente e veio cumprimentá-la com muita cerimônia. Era o seu primeiro namorado.

Este primeiro namorado devia ter agora trinta e três anos. Andara por fora, na roça, na Europa, e afinal na presidência de uma província do sul. Era mediano de estatura, pálido, barba inteira e rara, muito apertado na roupa. Tinha na mão um chapéu novo, alto, preto, grave, presidencial, administrativo, um chapéu adequado à pessoa e às ambições. Mariana, entretanto, mal pôde vê-lo. Tão confusa ficou, tão desorientada com a presença de um homem que conhecera em especiais circunstâncias, e a quem não vira desde 1877, que não pôde reparar em nada. Estendeu-lhe os dedos, parece mesmo que murmurou uma resposta qualquer, e ia tornar à janela, quando a amiga saiu dali.

Sofia conhecia também o recém-chegado. Trocaram algumas palavras. Mariana, impaciente, perguntou-lhe ao ouvido se não era melhor adiar os dentes para outro dia; mas a amiga disse-lhe que não; negócio de meia hora a três quartos. Mariana sentia-se opressa: a presença de um tal homem atava-lhe os sentidos, lançava-a na luta e na confusão. Tudo culpa do marido. Se ele não teimasse e não caçoasse com ela, ainda em cima, não aconteceria nada. E Mariana, pensando assim, jurava tirar uma desforra. De memória contemplava a casa, tão sossegada, tão bonitinha, onde podia estar agora, como de costume, sem os safanões da rua, sem a dependência da amiga...

— Mariana — disse-lhe esta —, o doutor Viçoso teima que está muito magro. Você não acha que está mais gordo do que no ano passado... Não se lembra dele no ano passado?

Dr. Viçoso era o próprio namorado antigo, que palestrava com Sofia, olhando muitas vezes para Mariana. Esta respondeu negativamente. Ele aproveitou a fresta para puxá-la à conversação; disse que, na verdade, não a vira desde alguns anos. E sublinhava o dito com um certo olhar triste e profundo. Depois abriu o estojo dos assuntos, sacou para fora o teatro Lírico. Que tal achavam a companhia? Na opinião dele era excelente, menos o barítono; o barítono parecia-lhe cansado. Sofia protestou contra o cansaço do barítono, mas ele insistiu, acrescentando que, em Londres, onde o ouvira pela primeira vez, já lhe parecera a mesma coisa. As damas, sim, senhora; tanto a soprano como a contralto eram de primeira ordem. E falou das óperas, citava os trechos, elogiou a orquestra, principalmente nos *Huguenotes*... Tinha visto Mariana na última noite, no quarto ou quinto camarote da esquerda, não era verdade?

— Fomos — murmurou ela, acentuando bem o plural.

— No Cassino é que a não tenho visto — continuou ele.

— Está ficando um bicho do mato — acudiu Sofia rindo.

Viçoso gostara muito do último baile, e desfiou as suas recordações; Sofia fez o mesmo às dela. As melhores toaletes foram descritas por ambos com muita particularidade; depois vieram as pessoas, os caracteres, dois ou três picos de malícia, mas tão anódina, que não fez mal a ninguém. Mariana ouvia-os sem interesse; duas ou três vezes chegou a levantar-se e ir à janela; mas os chapéus eram tantos e tão curiosos, que ela voltava a sentar-se. Interiormente, disse alguns nomes feios à amiga; não os ponho aqui por não serem necessários, e, aliás, seria de mau gosto desvendar o que esta moça pôde pensar da outra durante alguns minutos de irritação.

— E as corridas do Jockey Club? — perguntou o ex-presidente.

Mariana continuava a abanar a cabeça. Não tinha ido às corridas naquele ano. Pois perdera muito, a penúltima, principalmente; esteve animadíssima, e os cavalos eram de primeira ordem. As de Epsom, que ele vira, quando esteve em Inglaterra, não eram melhores do que a penúltima do Prado Fluminense. E Sofia dizia que sim, que realmente a penúltima corrida honrava o Jockey Club. Confessou que gostava muito; dava emoções fortes. A conversação descambou em dois concertos daquela semana; depois tomou a barca, subiu a serra e foi a Petrópolis, onde dois diplomatas lhe fizeram as despesas da estada. Como falassem da esposa de um ministro, Sofia lembrou-se de ser agradável ao ex-presidente, declarando-lhe que era preciso casar também porque em breve estaria no ministério. Viçoso teve um estremeção de prazer, e sorriu, e protestou que não; depois, com os olhos em Mariana, disse que provavelmente não casaria nunca... Mariana enrubesceu muito e levantou-se.

— Você está com muita pressa — disse-lhe Sofia. — Quantas são? — continuou, voltando-se para Viçoso.

— Perto de três! — exclamou ele.

Era tarde; tinha de ir à Câmara dos Deputados. Foi falar às duas senhoras, que acompanhara, e que eram primas suas, e despediu-se; vinha despedir-se das outras, mas Sofia declarou que sairia também. Já agora não esperava mais. A verdade é que a ideia de ir à Câmara dos Deputados começara a faiscar-lhe na cabeça.

— Vamos à Câmara? — propôs ela à outra.

— Não, não — disse Mariana —; não posso, estou muito cansada.

— Vamos, um bocadinho só; eu também estou muito cansada...

Mariana teimou ainda um pouco; mas teimar contra Sofia — a pomba discutindo com o gavião — era realmente insensatez. Não teve remédio, foi. A rua estava agora mais agitada, as gentes iam e vinham por ambas as calçadas, e complicavam-se no cruzamento das ruas. De mais a mais, o obsequioso ex-presidente flanqueava as duas damas, tendo-se oferecido para arranjar-lhes uma tribuna.

A alma de Mariana sentia-se cada vez mais dilacerada de toda essa confusão de coisas. Perdera o interesse da primeira hora; e o despeito, que lhe dera forças para um voo audaz e fugidio, começava a afrouxar as asas, ou afrouxara-as inteiramente. E outra vez recordava a casa, tão quieta, com todas as coisas nos seus lugares, metódicas, respeitosas umas com as outras, fazendo-se tudo sem atropelo, e, principalmente, sem mudança imprevista. E a alma batia o pé raivosa... Não ouvia nada do que o Viçoso ia dizendo, conquanto ele falasse alto, e muitas coisas fossem ditas para ela. Não ouvia, não queria ouvir nada. Só pedia a Deus que as horas andassem depressa. Chegaram à Câmara e foram para uma tribuna. O rumor das saias chamou a atenção de uns vinte deputados, que restavam, escutando um discurso de orçamento. Tão depressa o Viçoso pediu licença e saiu, Mariana disse rapidamente à amiga que não lhe fizesse outra.

— Que outra? — perguntou Sofia.

— Não me pregue outra peça como esta de andar de um lugar para outro feito maluca. Que tenho eu com a Câmara? que me importam discursos que não entendo?

Sofia sorriu, agitou o leque e recebeu em cheio o olhar de um dos secretários. Muitos eram os olhos que a fitavam quando ela ia à Câmara, mas os do tal secretário tinham uma expressão mais especial, cálida e súplice. Entende-se, pois, que ela não o recebeu de supetão; pode mesmo entender-se que o procurou curiosa. Enquanto acolhia esse olhar legislativo ia respondendo à amiga, com brandura, que a culpa era dela, e que a sua intenção era boa, era restituir-lhe a posse de si mesma.

— Mas, se você acha que a aborreço não venha mais comigo — concluiu Sofia.

E, inclinando-se um pouco:

— Olha o ministro da justiça.

Mariana não teve remédio senão ver o ministro da justiça. Este aguentava o discurso do orador, um governista, que provava a conveniência dos tribunais correcionais, e, incidentemente, compendiava a antiga legislação colonial. Nenhum aparte; um silêncio resignado, polido, discreto e cauteloso. Mariana passeava os olhos de um lado para outro, sem interesse; Sofia dizia-lhe muitas coisas, para dar saída a uma porção de gestos graciosos. No fim de quinze minutos agitou-se a Câmara, graças a uma expressão do orador e uma réplica da oposição. Trocaram-se apartes, os segundos mais bravos que os primeiros, e seguiu-se um tumulto, que durou perto de um quarto de hora.

Esta diversão não o foi para Mariana, cujo espírito plácido e uniforme ficou atarantado no meio de tanta e tão inesperada agitação. Ela chegou a levantar-se para sair; mas, sentou-se outra vez. Já agora estava disposta a ir ao fim, arrependida e resoluta a chorar só consigo as suas mágoas conjugais. A dúvida começou mesmo a entrar nela. Tinha razão no pedido ao marido; mas era caso de doer-se tanto? era razoável o espalhafato? Certamente que as ironias dele foram cruéis; mas, em suma, era a primeira vez que ela lhe batera o pé, e, naturalmente, a novidade irritou-o. De qualquer modo, porém, fora um erro ir revelar tudo à amiga. Sofia iria talvez contá-lo a outras... Esta ideia trouxe um calafrio a Mariana; a indiscrição da amiga era certa; tinha-lhe ouvido uma porção de histórias de chapéus masculinos e femininos, coisa mais grave do que uma simples briga de casados. Mariana sentiu necessidade de lisonjeá-la, e cobriu a sua impaciência e zanga com uma máscara de docilidade hipócrita. Começou a sorrir também, a fazer algumas observações, a respeito de um ou outro deputado, e assim chegaram ao fim do discurso e da sessão.

Eram quatro horas dadas. — Toca a recolher — disse Sofia; e Mariana concordou que sim, mas sem impaciência, e ambas tornaram a subir a rua do Ouvidor. A rua, a entrada no bonde completaram a fadiga do espírito de Mariana, que afinal respirou quando viu que ia caminho de casa. Pouco antes de apear-se a outra, pediu-lhe que guardasse segredo sobre o que lhe contara; Sofia prometeu que sim.

Mariana respirou. A rola estava livre do gavião. Levava a alma doente dos encontrões, vertiginosa da diversidade de coisas e pessoas. Tinha necessidade de equilíbrio e saúde. A casa estava perto; à medida que ia vendo as outras casas e chácaras próximas, Mariana sentia-se restituída a si mesma. Chegou finalmente; entrou no jardim, respirou. Era aquele o seu mundo; menos um vaso, que o jardineiro trocara de lugar.

— João, bota este vaso onde estava antes — disse ela.

Tudo o mais estava em ordem, a sala de entrada, a de visitas, a de jantar, os seus quartos, tudo. Mariana sentou-se primeiro, em diferentes lugares, olhando bem para todas as coisas, tão quietas e ordenadas. Depois de uma manhã inteira de perturbação e variedade, a monotonia trazia-lhe um grande bem, e nunca lhe pareceu tão deliciosa. Na verdade, fizera mal... Quis recapitular os sucessos e não pôde; a alma espreguiçava-se toda naquela uniformidade caseira. Quando muito, pensou na figura do Viçoso, que achava agora ridícula, e era injustiça. Despiu-se lentamente, com amor, indo certeira a cada objeto. Uma vez despida, pensou outra vez na briga com o marido. Achou que, bem pesadas as coisas, a principal culpa era dela. Que diabo de teima por causa de um chapéu, que o marido usara há tantos anos? Também o pai era exigente demais...

— Vou ver a cara com que ele vem — pensou ela.

Eram cinco e meia; não tardaria muito. Mariana foi à sala da frente, espiou pela vidraça, prestou o ouvido ao bonde, e nada. Sentou-se ali mesmo com o *Ivanhoe* nas palmas, querendo ler e não lendo nada. Os olhos iam até o fim da página, e tornavam ao princípio, em primeiro lugar, porque não apanhavam o sentido, em segundo lugar, porque uma ou outra vez desviavam-se para saborear a correção das cortinas ou qualquer outra feição particular da sala. Santa monotonia, tu a acalentavas no teu regaço eterno.

Enfim, parou um bonde; apeou-se o marido; rangeu a porta de ferro do jardim. Mariana foi à vidraça, e espiou. Conrado entrava lentamente, olhando para a direita e a esquerda, com o chapéu na cabeça, não o famoso chapéu do costume, porém outro, o que a mulher lhe tinha pedido de manhã. O espírito de Mariana recebeu um choque violento, igual ao que lhe dera o vaso do jardim trocado — ou ao que lhe daria uma lauda de Voltaire entre as folhas da *Moreninha* ou de *Ivanhoe*... Era a nota desigual no meio da harmoniosa sonata da vida. Não, não podia ser esse chapéu. Realmente, que mania a dela exigir que ele deixasse o outro que lhe ficava tão bem? E que não fosse o mais próprio, era o de longos anos; era o que quadrava à fisionomia do marido... Conrado entrou por uma porta lateral. Mariana recebeu-o nos braços.

— Então, passou? — perguntou ele, enfim, cingindo-lhe a cintura.

— Escuta uma coisa — respondeu ela com uma carícia divina. — Bota fora esse; antes o outro.

A Estação, *agosto-setembro de 1883; Machado de Assis.*

Conto alexandrino

I
NO MAR

— O quê, meu caro Stroibus! Não, impossível. Nunca jamais ninguém acreditará que o sangue de rato, dado a beber a um homem, possa fazer do homem um ratoneiro.

— Em primeiro lugar, Pítias, tu omites uma condição: — é que o rato deve expirar debaixo do escalpelo, para que o sangue traga o seu princípio. Essa condição é essencial. Em segundo lugar, uma vez que me apontas o exemplo do rato, fica sabendo que já fiz com ele uma experiência, e cheguei a produzir um ladrão...

— Ladrão autêntico?

— Levou-me o manto, ao cabo de trinta dias, mas deixou-me a maior alegria do mundo: a realidade da minha doutrina. Que perdi eu? um pouco de tecido grosso; e que lucrou o universo? a verdade imortal. Sim, meu caro Pítias; esta é a eterna verdade. Os elementos constitutivos do ratoneiro estão no sangue do rato, os do paciente no boi, os do arrojado na águia...

— Os do sábio na coruja — interrompeu Pítias sorrindo.

— Não; a coruja é apenas um emblema; mas a aranha, se pudéssemos transferi-la a um homem, daria a esse homem os rudimentos da geometria e o sentimento musical. Com um bando de cegonhas, andorinhas ou grous, faço-te de um caseiro um viajeiro. O princípio da fidelidade conjugal está no sangue da rola, o da enfatuação no dos pavões... Em suma, os deuses puseram nos bichos da terra, da água e do ar a essência de todos os sentimentos e capacidades humanas. Os animais são as letras soltas do alfabeto; o homem é a sintaxe. Esta é a minha filosofia recente; esta é a que vou divulgar na corte do grande Ptolomeu.

Pítias sacudiu a cabeça, e fixou os olhos no mar. O navio singrava, em direitura a Alexandria, com essa carga preciosa de dois filósofos, que iam levar àquele regaço do saber os frutos da razão esclarecida. Eram amigos, viúvos e quinquagenários. Cultivavam especialmente a metafísica, mas conheciam a física, a química, a medicina e a música; um deles, Stroibus, chegara a ser excelente anatomista, tendo lido muitas vezes os tratados do mestre Herófilo. Chipre era a pátria de ambos; mas, tão certo é que ninguém é profeta em sua terra, Chipre não dava o merecido respeito aos dois filósofos. Ao contrário, desdenhava-os; os garotos tocavam ao extremo de rir deles. Não foi esse, entretanto, o motivo que os levou a deixar a pátria. Um dia, Pítias, voltando de uma viagem, propôs ao amigo irem para Alexandria, onde as artes e as ciências eram grandemente honradas. Stroibus aderiu, e embarcaram. Só agora, depois de embarcados, é que o inventor da nova doutrina expô-la ao amigo, com todas as suas recentes cogitações e experiências.

— Está feito — disse Pítias, levantando a cabeça —, não afirmo nem nego nada. Vou estudar a doutrina, e se a achar verdadeira, proponho-me a desenvolvê-la e divulgá-la.

— Viva Hélios! — exclamou Stroibus. — Posso contar que és meu discípulo.

II
EXPERIÊNCIA

Os garotos alexandrinos não trataram os dois sábios com o escárnio dos garotos cipriotas. A terra era grave como a íbis pousada numa só pata, pensativa como a esfinge, circunspecta como as múmias, dura como as pirâmides; não tinha tempo nem maneira de rir. Cidade e corte, que desde muito tinham notícias dos nossos dois amigos, fizeram-lhes um recebimento régio, mostraram conhecer seus escritos, discutiram as suas ideias, mandaram-lhes muitos presentes, papiros, crocodilos, zebras, púrpuras. Eles, porém, recusaram tudo, com simplicidade, dizendo que a filosofia bastava ao filósofo, e que o supérfluo era um dissolvente. Tão nobre resposta encheu de admiração tanto aos sábios como aos principais e à mesma plebe. E aliás, diziam os mais sagazes, que outra coisa se podia esperar de dois homens tão sublimes, que em seus magníficos tratados...

— Temos coisa melhor do que esses tratados — interrompia Stroibus. — Trago uma doutrina, que, em pouco, vai dominar o universo; cuido nada menos que em reconstituir os homens e os Estados, distribuindo os talentos e as virtudes.

— Não é esse o ofício dos deuses? — objetava um.

— Eu violei o segredo dos deuses — acudia Stroibus. — O homem é a sintaxe da natureza, eu descobri as leis da gramática divina...

— Explica-te.

— Mais tarde; deixa-me experimentar primeiro. Quando a minha doutrina estiver completa, divulgá-la-ei como a maior riqueza que os homens jamais poderão receber de um homem.

Imaginem a expectação pública e a curiosidade dos outros filósofos, embora incrédulos de que a verdade recente viesse aposentar as que eles mesmos possuíam. Entretanto, esperavam todos. Os dois hóspedes eram apontados na rua até pelas crianças. Um filho meditava trocar a avareza do pai, um pai a prodigalidade do filho, uma dama a frieza de um varão, um varão os desvarios de uma dama, porque o Egito, desde os faraós até os lágides, era a terra de Putifar, da mulher de Putifar, da capa de José, e do resto. Stroibus tornou-se a esperança da cidade e do mundo.

Pítias, tendo estudado a doutrina, foi ter com Stroibus, e disse-lhe:

— Metafisicamente, a tua doutrina é um despropósito; mas estou pronto a admitir uma experiência, contanto que seja decisiva. Para isto, meu caro Stroibus, há só um meio. Tu e eu, tanto pelo cultivo da razão como pela rigidez do caráter, somos o que há mais oposto ao vício do furto. Pois bem, se conseguires incutir-nos esse vício, não será preciso mais; se não conseguires nada (e podes crê-lo, porque é um absurdo) recuarás de semelhante doutrina, e tornarás às nossas velhas meditações.

Stroibus aceitou a proposta.

— O meu sacrifício é o mais penoso — disse ele —, pois estou certo do resultado; mas que não merece a verdade? A verdade é imortal; o homem é um breve momento...

Os ratos egípcios, se pudessem saber de um tal acordo, teriam imitado os primitivos hebreus, aceitando a fuga para o deserto, antes do que a nova filosofia. E podemos crer que seria um desastre. A ciência, como a guerra, tem necessidades imperiosas; e desde que a ignorância dos ratos, a sua fraqueza, a superioridade mental e física dos dois filósofos eram outras tantas vantagens na experiência que ia começar, cumpria não perder tão boa ocasião de saber se efetivamente o princípio das paixões e das virtudes humanas estava distribuído pelas várias espécies de animais, e se era possível transmiti-lo.

Stroibus engaiolava os ratos; depois, um a um, ia-os sujeitando ao ferro. Primeiro, atava uma tira de pano no focinho do paciente; em seguida, os pés, finalmente, cingia com um cordel as pernas e o pescoço do animal à tábua da operação. Isto feito, dava o primeiro talho no peito, com vagar, e com vagar ia enterrando o ferro até tocar o coração, porque era opinião dele que a morte instantânea corrompia o sangue e retirava-lhe o princípio. Hábil anatomista, operava com uma firmeza digna do propósito científico. Outro, menos destro, interromperia muita vez a tarefa, porque as contorções de dor e de agonia tornavam difícil o meneio do escalpelo; mas essa era justamente a superioridade de Stroibus: tinha o pulso magistral e prático.

Ao lado dele, Pítias aparava o sangue e ajudava a obra, já contendo os movimentos convulsivos do paciente, já espiando-lhe nos olhos o progresso da agonia. As observações que ambos faziam eram notadas em folhas de papiro; e assim ganhava a ciência de duas maneiras. Às vezes, por divergência de apreciação, eram obrigados a escalpelar maior número de ratos do que o necessário; mas não perdiam com isso, porque o sangue dos excedentes era conservado e ingerido depois. Um só desses casos mostrará a consciência com que eles procediam. Pítias observara que a retina do rato agonizante mudava de cor até chegar ao azul-claro, ao passo que a observação de Stroibus dava a cor de canela como o tom final da morte. Estavam na última operação do dia; mas o ponto valia a pena, e, não obstante o cansaço, fizeram sucessivamente dezenove experiências sem resultado definitivo; Pítias insistia pela cor azul, e Stroibus pela cor de canela. O vigésimo rato esteve prestes a pô-los de acordo, mas Stroibus advertiu, com muita sagacidade, que a sua posição era agora diferente, retificou-a e escalpelaram mais vinte e cinco. Destes, o primeiro ainda os deixou em dúvida; mas os outros vinte e quatro provaram-lhes que a cor final não era canela nem azul, mas um lírio roxo, tirando a claro.

A descrição exagerada das experimentações deu rebate à porção sentimental da cidade, e excitou a loqüela de alguns sofistas; mas o grave Stroibus (com brandura, para não agravar uma disposição própria da alma humana) respondeu que a verdade valia todos os ratos do universo, e não só os ratos, como os pavões, as cabras, os cães, os rouxinóis etc.; que, em relação aos ratos, além de ganhar a ciência, ganhava a cidade, vendo diminuída a praga de um animal tão daninho; e, se a mesma consideração não se dava com outros animais, como, por exemplo, as rolas e os cães, que eles iam escalpelar daí a tempos, nem por isso os direitos da verdade eram menos imprescritíveis. A natureza não há de ser só a mesa de jantar, concluía em forma de aforismo, mas também a mesa de ciência.

E continuavam a extrair o sangue e a bebê-lo. Não o bebiam puro, mas diluído em um cozimento de cinamomo, suco de acácia e bálsamo, que lhe tirava todo o sabor primitivo. As doses eram diárias diminutas; tinham, portanto, de aguardar um longo prazo antes de produzido o efeito. Pítias, impaciente e incrédulo, mofava do amigo.

— Então? nada?

— Espera — dizia o outro —, espera. Não se incute um vício como se cose um par de sandálias.

III
VITÓRIA

Enfim, venceu Stroibus! A experiência provou a doutrina. E Pítias foi o primeiro que deu mostras da realidade do efeito, atribuindo-se umas três ideias ouvidas ao próprio Stroibus; este, em compensação, furtou-lhe quatro comparações e uma teoria dos ventos. Nada mais científico do que essas estreias. As ideias alheias, por isso mesmo que não foram compradas na esquina, trazem um certo ar comum; é muito natural começar por elas antes de passar aos livros emprestados, às galinhas, aos papéis falsos, às províncias etc. A própria denominação de plágio é um indício de que os homens compreendem a dificuldade de confundir esse embrião da ladroeira com a ladroeira formal.

Duro é dizê-lo; mas a verdade é que eles deitaram ao Nilo a bagagem metafísica, e dentro de pouco estavam larápios acabados. Concertavam-se de véspera, e iam aos mantos, aos bronzes, às ânforas de vinho, às mercadorias do porto, às boas dracmas. Como furtassem sem estrépito, ninguém dava por eles; mas, ainda mesmo que os suspeitassem, como fazê-lo crer aos outros? Já então Ptolomeu coligira na biblioteca muitas riquezas e raridades; e, porque conviesse ordená-las, designou para isso cinco gramáticos e cinco filósofos, entre estes os nossos dois amigos. Estes últimos trabalharam com singular ardor, sendo os primeiros que entravam e os últimos que saíam, e ficando ali muitas noites, ao clarão da lâmpada, decifrando, coligindo, classificando. Ptolomeu, entusiasmado, meditava para eles os mais altos destinos.

Ao cabo de algum tempo, começaram a notar-se faltas graves: — um exemplar de Homero, três rolos de manuscritos persas, dois de samaritanos, uma soberba coleção de cartas originais de Alexandre, cópias de leis atenienses, o segundo e o terceiro livro da *República* de Platão etc. etc. A autoridade pôs-se à espreita; mas a esperteza do rato, transferida a um organismo superior, era naturalmente maior, e os dois ilustres gatunos zombavam de espias e guardas. Chegaram ao ponto de estabelecer este preceito filosófico de não sair dali com as mãos vazias; traziam sempre alguma coisa, uma fábula, quando menos. Enfim, estando a sair um navio para Chipre, pediram licença a Ptolomeu, com promessa de voltar, coseram os livros dentro de couros de hipopótamo, puseram-lhe rótulos falsos, e trataram de fugir. Mas a inveja de outros filósofos não dormia; deu rebate às suspeitas dos magistrados, e descobriu-se o roubo. Stroibus e Pítias foram tidos por aventureiros, mascarados com os nomes daqueles dois varões ilustres; Ptolomeu entregou-os à justiça com ordem de os passar logo ao carrasco. Foi então que interveio Herófilo, inventor da anatomia.

IV
PLUS ULTRA!

— Senhor — disse ele a Ptolomeu —, tenho-me limitado até agora a escalpelar cadáveres. Mas o cadáver dá-me a estrutura, não me dá a vida; dá-me os órgãos, não me dá as funções. Eu preciso das funções da vida.

— Que me dizes? — redarguiu Ptolomeu. — Queres estripar os ratos de Stroibus?

— Não, senhor; não quero estripar os ratos.

— Os cães? os gansos? as lebres?

— Nada; peço alguns homens vivos.

— Vivos? não é possível...

— Vou demonstrar que não só é possível, mas até legítimo e necessário. As prisões egípcias estão cheias de criminosos, e os criminosos ocupam, na escala humana, um grau muito inferior. Já não são cidadãos, nem mesmo se podem dizer homens, porque a razão e a virtude, que são os dois principais característicos humanos, eles os perderam, infringindo a lei e a moral. Além disso, uma vez que têm de expiar com a morte os seus crimes, não é justo que prestem algum serviço à verdade e à ciência? A verdade é imortal; ela vale não só todos os ratos, como todos os delinquentes do universo.

Ptolomeu achou o raciocínio exato, e ordenou que os criminosos fossem entregues a Herófilo e seus discípulos. O grande anatomista agradeceu tão insigne obséquio, e começou a escalpelar os réus. Grande foi o assombro do povo; mas, salvo alguns pedidos verbais, não houve nenhuma manifestação contra a medida. Herófilo repetia o que dissera a Ptolomeu, acrescentando que a sujeição dos réus à experiência anatômica era até um modo indireto de servir à moral, visto que o terror do escalpelo impediria a prática de muitos crimes.

Nenhum dos criminosos, ao deixar a prisão, suspeitava o destino científico que o esperava. Saíam um por um; às vezes dois a dois, ou três a três. Muitos deles, estendidos e atados à mesa da operação, não chegavam a desconfiar nada; imaginavam que era um novo gênero de execução sumária. Só quando os anatomistas definiam o objeto do estudo do dia, alçavam os ferros e davam os primeiros talhos, é que os desgraçados adquiriam a consciência da situação. Os que se lembravam de ter visto as experiências dos ratos, padeciam em dobro, porque a imaginação juntava à dor presente o espetáculo passado.

Para conciliar os interesses da ciência com os impulsos da piedade, os réus não eram escalpelados à vista uns dos outros, mas sucessivamente. Quando vinham aos dois ou aos três, não ficavam em lugar donde os que esperavam pudessem ouvir os gritos do paciente, embora os gritos fossem muitas vezes abafados por meio de aparelhos; mas se eram abafados, não eram suprimidos, e em certos casos, o próprio objeto da experiência exigia que a emissão da voz fosse franca. Às vezes as operações eram simultâneas; mas então faziam-se em lugares distanciados.

Tinham sido escalpelados cerca de cinquenta réus, quando chegou a vez de Stroibus e Pítias. Vieram buscá-los; eles supuseram que era para a morte judiciária, e encomendaram-se aos deuses. De caminho, furtaram uns figos, e explicaram o caso alegando que era um impulso da fome; adiante, porém, subtraíram uma flauta, e essa outra ação não a puderam explicar satisfatoriamente. Todavia, a astúcia do larápio é infinita, e Stroibus, para justificar a ação, tentou extrair algumas notas do instrumento, enchendo de compaixão as pessoas que os viam passar, e não ignoravam a sorte que iam ter. A notícia desses dois novos delitos foi narrada por Herófilo, e abalou a todos os seus discípulos.

— Realmente — disse o mestre —, é um caso extraordinário, um caso lindíssimo. Antes do principal, examinemos aqui o outro ponto...

O ponto era saber se o nervo do latrocínio residia na palma da mão ou na extremidade dos dedos; problema esse sugerido por um dos discípulos. Stroibus foi o primeiro sujeito à operação. Compreendeu tudo, desde que entrou na sala; e, como a natureza humana tem uma parte ínfima, pediu-lhes humildemente que poupassem a vida a um filósofo. Mas Herófilo, com um grande poder de dialética, disse-lhe mais ou menos isto: — Ou és um aventureiro ou o verdadeiro Stroibus; no primeiro caso, tens aqui o único meio para resgatar o crime de iludir a um príncipe esclarecido, presta-te ao escalpelo; no segundo caso, não deves ignorar que a obrigação do filósofo é servir à filosofia, e que o corpo é nada em comparação com o entendimento.

Dito isto, começaram pela experiência das mãos, que produziu ótimos resultados, coligidos em livros, que se perderam com a queda dos Ptolomeus. Também as mãos de Pítias foram rasgadas e minuciosamente examinadas. Os infelizes berravam, choravam, suplicavam; mas Herófilo dizia-lhes pacificamente que a obrigação do filósofo era servir à filosofia, e que para os fins da ciência, eles valiam ainda mais que os ratos, pois era melhor concluir do homem para o homem, e não do rato para o homem. E continuou a rasgá-los fibra por fibra, durante oito dias. No terceiro dia arrancaram-lhes os olhos, para desmentir praticamente uma teoria sobre a conformação interior do órgão. Não falo da extração do estômago de ambos, por se tratar de problemas relativamente secundários, e em todo caso estudados e resolvidos em cinco ou seis indivíduos escalpelados antes deles.

Diziam os alexandrinos que os ratos celebraram esse caso aflitivo e doloroso com danças e festas, a que convidaram alguns cães, rolas, pavões e outros animais ameaçados de igual destino, e outrossim, que nenhum dos convidados aceitou o convite, por sugestão de um cachorro, que lhes disse melancolicamente: — "Século virá em que a mesma coisa nos aconteça". Ao que retorquiu um rato: — "Mas até lá, riamos!".

Gazeta de Notícias, *13 de maio de 1883; Machado de Assis.*

Primas de Sapucaia!

Há umas ocasiões oportunas e fugitivas, em que o acaso nos inflige duas ou três primas de Sapucaia; outras vezes, ao contrário, as primas de Sapucaia são antes um benefício do que um infortúnio.

Era à porta de uma igreja. Eu esperava que as minhas primas Claudina e Rosa tomassem água benta, para conduzi-las à nossa casa, onde estavam hospedadas. Tinham vindo de Sapucaia, pelo carnaval, e demoraram-se dois meses na corte. Era eu que as acompanhava a toda parte, missas, teatros, rua do Ouvidor, porque minha mãe, com o seu reumático, mal podia mover-se dentro de casa, e elas não sabiam andar sós. Sapucaia era a nossa pátria comum. Embora todos os parentes estivessem dispersos, ali nasceu o tronco da família. Meu tio José Ribeiro, pai destas primas, foi o único, de cinco irmãos, que lá ficou lavrando a terra e figurando na política do lugar. Eu vim cedo para a corte, donde segui a estudar e bacharelar-me em São Paulo. Voltei uma só vez a Sapucaia, para pleitear uma eleição, que perdi.

Rigorosamente, todas estas notícias são desnecessárias para a compreensão da minha aventura; mas é um modo de ir dizendo alguma coisa, antes de entrar em matéria, para a qual não acho porta grande nem pequena; o melhor é afrouxar a rédea à pena, e ela que vá andando, até achar entrada. Há de haver alguma; tudo depende das circunstâncias, regra que tanto serve para o estilo como para a vida; palavra puxa palavra, uma ideia traz outra, e assim se faz um livro, um governo, ou uma revolução; alguns dizem mesmo que assim é que a natureza compôs as suas espécies.

Portanto, água benta e porta de igreja. Era a igreja de São José. A missa acabara; Claudina e Rosa fizeram uma cruz na testa, com o dedo polegar, molhado na água benta e descalçado unicamente para esse gesto. Depois ajustaram os manteletes, enquanto eu, ao portal, ia vendo as damas que saíam. De repente, estremeço, inclino-me para fora, chego mesmo a dar dois passos na direção da rua.

— Que foi, primo?
— Nada, nada.

Era uma senhora, que passara rentezinha com a igreja, vagarosa, cabisbaixa, apoiando-se no chapelinho de sol; ia pela rua da Misericórdia acima. Para explicar a minha comoção, é preciso dizer que era a segunda vez que a via. A primeira foi no Prado Fluminense, dois meses antes, com um homem que, pelos modos, era seu marido, mas tanto podia ser marido como pai. Estava então um pouco de espavento, vestida de escarlate, com grandes enfeites vistosos, e umas argolas demasiado grossas nas orelhas; mas os olhos e a boca resgatavam o resto. Namoramos às bandeiras despregadas. Se disser que saí dali apaixonado, não meto a minha alma no inferno, porque é a verdade pura. Saí tonto, mas saí também desapontado, perdi-a de vista na multidão. Nunca mais pude dar com ela, nem ninguém me soube dizer quem fosse.

Calcule-se o meu enfado, vendo que a fortuna vinha trazê-la outra vez ao meu caminho, e que umas primas fortuitas não me deixavam lançar-lhe as mãos. Não será difícil calculá-lo, porque estas primas de Sapucaia tomam todas as formas, e o leitor, se não as teve de um modo, teve-as de outro. Umas vezes copiam o ar confidencial de um cavalheiro informado da última crise do ministério, de todas as causas aparentes ou secretas, dissensões novas ou antigas, interesses agravados, conspiração, crise. Outras vezes, enfronham-se na figura daquele eterno cidadão que afirma de um modo ponderoso e abotoado, que não há leis sem costumes, *nisi lege sine moribus*. Outras, afivelam a máscara de um Dangeau de esquina, que nos conta miudamente as fitas e rendas que esta, aquela, aqueloutra dama levara ao baile ou ao teatro. E durante esse tempo, a Ocasião passa, vagarosa, cabisbaixa, apoiando-se no chapelinho de sol: passa, dobra a esquina, e adeus... O ministério esfacelava-se; malinas e bruxelas; *nisi lege sine moribus...*

Estive a pique de dizer às primas que se fossem embora; morávamos na rua do Carmo, não era longe; mas abri mão da ideia. Já na rua pensei também em deixá-las na igreja, à minha espera, e ir ver se agarrava a Ocasião pela calva. Creio mesmo que cheguei a parar um momento, mas rejeitei igualmente esse alvitre e fui andando.

Fui andando com elas para o lado oposto ao da minha incógnita. Olhei para trás repetidas vezes, até perdê-la numa das curvas da rua, com os olhos no chão, como quem reflete, devaneia ou espera uma hora marcada. Não minto dizendo que esta última ideia trouxe-me a emoção do ciúme. Sou exclusivo e pessoal; daria um triste amante de mulheres casadas. Não importa que entre mim e aquela dama existisse apenas uma contemplação fugitiva de algumas horas; desde que a minha personalidade ia para ela, a partilha tornava-se-me insuportável. Sou também imaginoso; engenhei logo uma aventura e um aventureiro, dei-me ao prazer mórbido de afligir-me sem motivo nem necessidade. As primas iam adiante, e falavam-me de quando em quando; eu respondia mal, se respondia alguma coisa. Cordialmente, execrava-as.

Ao chegar à porta de casa, consultei o relógio, como se tivesse alguma coisa que fazer; depois disse às primas que subissem e fossem almoçando. Corri à rua da Misericórdia. Fui primeiro até a Escola de Medicina; depois voltei e vim até a Câmara dos Deputados, então mais devagar, esperando vê-la ao chegar a cada curva da rua; mas nem sombra. Era insensato, não era? Todavia, ainda subi outra vez a rua, porque adverti que, a pé e devagar, mal teria tempo de ir em meio da praia de Santa Luzia, se acaso não parara antes; e aí fui, rua acima e praia fora, até o convento da Ajuda. Não encontrei nada, coisa nenhuma. Nem por isso perdi as esperanças; arrepiei caminho e vim, a passo lento ou apressado, conforme se me afigurava que era possível apanhá-la adiante, ou dar tempo a que saísse de alguma parte. Desde que a minha imaginação reproduzia a dama, todo eu sentia um abalo, como se realmente tivesse de vê-la daí a alguns minutos. Compreendi a emoção dos doidos.

Entretanto, nada. Desci a rua sem achar o menor vestígio da minha incógnita. Felizes os cães, que pelo faro dão com os amigos! Quem sabe se não estaria ali bem perto, no interior de alguma casa, talvez a própria casa dela? Lembrou-me indagar; mas de quem, e como? Um padeiro, encostado ao portal, espiava-me; algumas mulheres faziam a mesma coisa enfiando os olhos pelos postigos. Naturalmente desconfiavam do transeunte, do andar vagaroso ou apressado, do olhar inquisidor, do gesto inquieto. Deixei-me ir até a Câmara dos Deputados, e parei uns cinco minutos, sem saber que fizesse. Era perto de meio-dia. Esperei mais dez minutos, depois mais cinco, parado, com a esperança de vê-la; afinal, desesperei e fui almoçar.

Não almocei em casa. Não queria ver os demônios das primas, que me impediram de seguir a dama incógnita. Fui a um hotel. Escolhi uma mesa no fim da sala, e sentei-me de costas para as outras; não queria ser visto nem conversado. Comecei a comer o que me deram. Pedi alguns jornais, mas confesso que não li nada seguidamente, e apenas entendi três quartas partes do que ia lendo. No meio de uma notícia ou de um artigo, escorregava-me o espírito e caía na rua da Misericórdia, à porta da igreja, vendo passar a incógnita, vagarosa, cabisbaixa, apoiando-se no chapelinho de sol.

A última vez que me aconteceu essa separação da OUTRA e da BESTA estava já no café, e tinha diante de mim um discurso parlamentar. Achei-me ainda uma vez à porta da igreja; imaginei então que as primas não estavam comigo, e que eu seguia atrás da bela dama. Assim é que se consolam os preteridos da loteria; assim é que se fartam as ambições malogradas.

Não me peçam minúcias nem preliminares do encontro. Os sonhos desdenham as linhas finas e o acabado das paisagens; contentam-se de quatro ou cinco brochadas grossas, mas representativas. Minha imaginação galgou as dificuldades da primeira fala, e foi direita à rua do Lavradio ou dos Inválidos, à própria casa de Adriana. Chama-se Adriana. Não viera à rua da Misericórdia por motivos de amores, mas a ver alguém, uma parenta ou uma comadre, ou uma costureira. Conheceu-me, e teve igual comoção. Escrevi-lhe; respondeu-me. Nossas pessoas foram uma para a outra por cima de uma multidão de regras morais e de perigos. Adriana é casada; o marido conta cinquenta e dois anos, ela trinta imperfeitos. Não amou nunca, não amou mesmo o marido, com quem casou por obedecer à família. Eu ensinei-lhe ao mesmo tempo o amor e a traição; é o que ela me diz nesta casinha que aluguei fora da cidade, de propósito para nós.

Ouço-a embriagado. Não me enganei; é a mulher ardente e amorosa, qual me diziam os seus olhos, olhos de touro, como os de Juno, grandes e redondos. Vive de mim e para mim. Escrevemo-nos todos os dias; e, apesar disso, quando nos encontramos, na casinha, é como se mediara um século. Creio até que o coração dela ensinou-me alguma coisa, embora noviço, ou por isso mesmo. Nesta matéria desaprende-se com o uso e o ignorante é que é douto. Adriana não dissimula a alegria nem as lágrimas; escreve o que pensa, conta o que sente; mostra-me que não somos dois, mas um, tão somente um ente universal, para quem Deus criou o sol e as flores, o papel e a tinta, o correio e as carruagens fechadas.

Enquanto ideava isto, creio que acabei de beber o café; lembra-me que o criado veio à mesa e retirou a xícara e o açucareiro. Não sei se lhe pedi fogo, provavelmente viu-me com o charuto na mão e trouxe-me fósforos.

Não juro, mas penso que acendi o charuto, porque daí a um instante, através de um véu de fumaça, vi a cabeça meiga e enérgica da minha bela Adriana, encostada a um sofá. Eu estou de joelhos, ouvindo-lhe a narração da última rusga do marido. Que ele já desconfia; ela sai muitas vezes, distrai-se, absorve-se, aparece-lhe triste ou alegre, sem motivo, e o marido começa a ameaçá-la. Ameaçá-la de quê? Digo-lhe que, antes de qualquer excesso, era melhor deixá-lo, para viver comigo, publicamente, um para o outro. Adriana escuta-me pensativa, cheia de Eva, namorada do demônio, que lhe sussurra de fora o que o coração lhe diz de dentro. Os dedos afagam-me os cabelos.

— Pois sim! pois sim!

Veio no dia seguinte, consigo mesma, sem marido, sem sociedade, sem escrúpulos, tão somente consigo, e fomos dali viver juntos. Nem ostentação, nem resguardo. Supusemo-nos estrangeiros, e realmente não éramos outra coisa; falávamos uma língua, que nunca ninguém antes falara nem ouvira. Os outros amores eram, desde séculos, verdadeiras contrafações; nós dávamos a edição autêntica. Pela primeira vez, imprimia-se o manuscrito divino, um grosso volume que nós dividíamos em tantos capítulos e parágrafos quantas eram as horas do dia ou os dias da semana. O estilo era tecido de sol e música; a linguagem compunha-se da fina flor dos outros vocabulários. Tudo o que neles existia, meigo ou vibrante, foi extraído pelo autor para formar esse livro único — livro sem índice, porque era infinito — sem margens, para que o fastio não viesse escrever nelas as suas notas — sem fita, porque já não tínhamos precisão de interromper a leitura e marcar a página.

Uma voz chamou-me à realidade. Era um amigo que acordara tarde, e vinha almoçar. Nem o sonho me deixava esta outra prima de Sapucaia! Cinco minutos depois despedi-me e saí; eram duas horas passadas.

Vexa-me dizer que ainda fui à rua da Misericórdia, mas é preciso narrar tudo: fui e não achei nada. Voltei nos dias seguintes sem outro lucro, além do tempo perdido. Resignei-me a abrir mão da aventura, ou esperar a solução do acaso. As primas achavam-me aborrecido ou doente; não lhes disse que não. Daí a oito dias, foram-se embora, sem me deixar saudades; despedi-me delas como de uma febre maligna.

A imagem da minha incógnita não me deixou durante muitas semanas. Na rua, enganei-me várias vezes. Descobria ao longe uma figura, que era tal qual a outra; picava os calcanhares, até apanhá-la e desenganar-me. Comecei a achar-me ridículo; mas lá vinha uma hora ou um minuto, uma sombra ao longe, e a preocupação revivia. Afinal vieram outros cuidados, e não pensei mais nisso.

No princípio do ano seguinte, fui a Petrópolis; fiz a viagem com um antigo companheiro de estudos, Oliveira, que foi promotor em Minas Gerais, mas abandonara ultimamente a carreira por ter recebido uma herança. Estava alegre como nos tempos da academia; mas de quando em quando calava-se, olhando para fora da barca ou da caleça, com a atonia de quem regala a alma de uma recordação, de uma esperança ou de um desejo. No alto da serra perguntei-lhe para que hotel ia; respondeu que ia para uma casa particular, mas não me disse aonde, e até desconversou. Cuidei que me visitaria no dia seguinte; mas nem me visitou, nem o vi em parte alguma. Outro colega nosso ouvira dizer que ele tinha uma casa para os lados da Renânia.

Nenhuma destas circunstâncias voltaria à memória, se não fosse a notícia que me deram dias depois. Oliveira tirara uma mulher ao marido, e fora refugiar-se com ela em Petrópolis. Deram-me o nome do marido e o dela. O dela era Adriana. Confesso que, embora o nome da outra fosse pura invenção minha, estremeci ao ouvi-lo; não seria a mesma mulher? Vi logo depois que era pedir muito ao acaso. Já faz bastante esse nobre oficial das coisas humanas, concertando alguns fios dispersos; exigir que os reate a todos, e com os mesmos títulos, é saltar da realidade na novela. Assim falou o meu bom senso, e nunca disse tão gravemente uma tolice, pois as duas mulheres eram nada menos que a mesmíssima.

Vi-a três semanas depois, indo visitar o Oliveira, que viera doente da corte. Subimos juntos na véspera; no meio da serra, começou ele a sentir-se incomodado; no alto estava febril. Acompanhei-o no carro até a casa, e não entrei, porque ele dispensou-me o incômodo. Mas no dia seguinte fui vê-lo, um pouco por amizade, outro pouco por avidez de conhecer a incógnita. Vi-a; era ela, era a minha, era a única Adriana.

 Oliveira sarou depressa, e, apesar do meu zelo em visitá-lo, não me ofereceu a casa; limitou-se a vir ver-me no hotel. Respeitei-lhe os motivos; mas eles mesmos é que faziam reviver a antiga preocupação. Considerei que, além das razões de decoro, havia da parte dele um sentimento de ciúme, filho de um sentimento de amor, e que um e outro podiam ser a prova de um complexo de qualidades finas e grandes naquela mulher. Isto bastava a transtornar-me; mas a ideia de que a paixão dela não seria menor que a dele, o quadro desse casal que fazia uma só alma e pessoa, excitou em mim todos os nervos da inveja. Baldei esforços para ver se metia o pé na casa; cheguei a falar-lhe do boato que corria; ele sorria e tratava de outra coisa.

 Acabou a estação de Petrópolis, e ele ficou. Creio que desceu em julho ou agosto. No fim do ano encontramo-nos casualmente; achei-o um pouco taciturno e preocupado. Vi-o ainda outras vezes, e não me pareceu diferente, a não ser que, além de taciturno, trazia na fisionomia uma longa prega de desgosto. Imaginei que eram efeitos da aventura, e, como não estou aqui para empulhar ninguém, acrescento que tive uma sensação de prazer. Durou pouco; era o demônio que trago em mim, e costuma fazer desses esgares de saltimbanco. Mas castiguei-o depressa, e pus no lugar dele o anjo, que também uso, e que se compadeceu do pobre rapaz, qualquer que fosse o motivo da tristeza.

 Um vizinho dele, amigo nosso, contou-me alguma coisa, que me confirmou a suspeita de desgostos domésticos; mas foi ele mesmo quem me disse tudo, um dia, perguntando-lhe eu, estouvadamente, o que é que tinha que o mudara tanto.

 — Que hei de ter? Imagina tu que comprei um bilhete de loteria, e nem tive, ao menos, o gosto de não tirar nada; tirei um escorpião.

E, como eu franzisse a testa interrogativamente:

 — Ah! se soubesses metade só das coisas que me têm acontecido! Tens tempo? Vamos aqui ao Passeio Público.

 Entramos no jardim, e metemo-nos por uma das alamedas. Contou-me tudo. Gastou duas horas em desfiar um rosário infinito de misérias. Vi através da narração duas índoles incompatíveis, unidas pelo amor ou pelo pecado, fartas uma da outra, mas condenadas à convivência e ao ódio. Ele nem podia deixá-la nem suportá-la. Nenhuma estima, nenhum respeito, alegria rara e impura; uma vida gorada.

 — Gorada — repetia ele, gesticulando afirmativamente com a cabeça. — Não tem que ver; a minha vida gorou. Hás de lembrar-te dos nossos planos da academia, quando nos propúnhamos, tu a ministro do império, eu da justiça. Podes guardar as duas pastas; não serei nada, nada. O ovo, que devia dar uma águia, não chega a dar um frango. Gorou completamente. Há ano e meio que ando nisso, e não acho saída nenhuma; perdi a energia...

 Seis meses depois, encontrei-o aflito e desvairado. Adriana deixara-o para ir estudar geometria com um estudante da antiga Escola Central. Tanto melhor, disse-lhe eu. Oliveira olhou para o chão envergonhado; despediu-se, e correu em procura dela. Achou-a daí a algumas semanas, disseram as últimas um ao outro, e no fim reconciliaram-se. Comecei então a visitá-los, com a ideia de os separar um do outro. Ela estava ainda bonita e fascinante; as maneiras eram finas e meigas, mas evidentemente de empréstimo, acompanhadas de umas atitudes e gestos, cujo intuito latente era atrair-me e arrastar-me.

    Tive medo e retraí-me. Não se mortificou; deitou fora a capa de renda, restituiu-se ao natural. Vi então que era ferrenha, manhosa, injusta, muita vez grosseira; em alguns lances notei-lhe uma nota de perversidade. Oliveira, nos primeiros tempos, para fazer-me crer que mentira ou exagerara, suportava tudo rindo; era a vergonha da própria fraqueza. Mas não pôde guardar a máscara; ela arrancou-lha um dia, sem piedade, denunciando as humilhações em que ele caía, quando eu não estava presente. Tive nojo da mulher e pena do pobre-diabo. Convidei-o abertamente a deixá-la, ele hesitou, mas prometeu que sim.

    — Realmente, não posso mais...

    Combinamos tudo; mas no momento da separação, não pôde. Ela embebeu-lhe novamente os seus grandes olhos de touro e de basilisco, e desta vez — ó minhas queridas primas de Sapucaia! — desta vez para só deixá-lo exausto e morto.

Gazeta de Notícias, 24 de outubro de 1883; Machado de Assis.

Uma senhora

Nunca encontro esta senhora que me não lembre a profecia de uma lagartixa ao poeta Heine, subindo os Apeninos: "Dia virá em que as pedras serão plantas, as plantas animais, os animais homens e os homens deuses". E dá-me vontade de dizer-lhe:
— A senhora, dona Camila, amou tanto a mocidade e a beleza, que atrasou o seu relógio, a fim de ver se podia fixar esses dois minutos de cristal. Não se desconsole, dona Camila. No dia da lagartixa, a senhora será Hebe, deusa da juventude; a senhora nos dará a beber o néctar da perenidade com as suas mãos eternamente moças.

A primeira vez que a vi, tinha ela trinta e seis anos, posto só parecesse trinta e dois, e não passasse da casa dos vinte e nove. Casa é um modo de dizer. Não há castelo mais vasto do que a vivenda destes bons amigos, nem tratamento mais obsequioso do que o que eles sabem dar às suas hóspedes. Cada vez que d. Camila queria ir-se embora, eles pediam-lhe muito que ficasse, e ela ficava. Vinham então novos folguedos, cavalhadas, música, dança, uma sucessão de coisas belas, inventadas com o único fim de impedir que esta senhora seguisse o seu caminho.

— Mamãe, mamãe — dizia-lhe a filha crescendo —, vamos embora, não podemos ficar aqui toda a vida.

D. Camila olhava para ela mortificada, depois sorria, dava-lhe um beijo e mandava-a brincar com as outras crianças. Que outras crianças? Ernestina estava então entre quatorze e quinze anos, era muito espigada, muito quieta, com uns modos naturais de senhora. Provavelmente não se divertiria com as meninas de oito e nove anos; não importa, uma vez que deixasse a mãe tranquila, podia alegrar-se ou enfadar-se. Mas, ai triste! há um limite para tudo, mesmo para os vinte e nove anos. D. Camila resolveu, enfim, despedir-se desses dignos anfitriões, e fê-lo ralada de saudades. Eles ainda instaram por uns cinco ou seis meses de quebra; a bela dama respondeu-lhes que era impossível e, trepando no alazão do tempo, foi alojar-se na casa dos trinta.

Ela era, porém, daquela casta de mulheres que riem do sol e dos almanaques. Cor de leite, fresca, inalterável, deixava às outras o trabalho de envelhecer. Só queria o de existir. Cabelo negro, olhos castanhos e cálidos. Tinha as espáduas e o colo feitos de encomenda para os vestidos decotados, e assim também os braços, que eu não digo que eram os da Vênus de Milo, para evitar uma vulgaridade, mas provavelmente não eram outros. D. Camila sabia disto; sabia que era bonita, não só porque lho dizia o olhar sorrateiro das outras damas, como por um certo instinto que a beleza possui, como o talento e o gênio. Resta dizer que era casada, que o marido era ruivo, e que os dois amavam-se como noivos; finalmente, que era honesta. Não o era, note-se bem, por temperamento, mas por princípio, por amor ao marido, e creio que um pouco por orgulho.

Nenhum defeito, pois, exceto o de retardar os anos; mas é isso um defeito? Há, não me lembra em que página da Escritura, naturalmente nos Profetas, uma comparação dos dias com as águas de um rio que não voltam mais. D. Camila queria fazer uma represa para seu uso. No tumulto desta marcha contínua entre o nascimento e a morte, ela apegava-se à ilusão da estabilidade. Só se lhe podia exigir que não fosse ridícula, e não o era. Dir-me-á o leitor que a beleza vive de si mesma, e que a preocupação do calendário mostra que esta senhora vivia principalmente com os olhos na opinião. É verdade; mas como quer que vivam as mulheres do nosso tempo?

D. Camila entrou na casa dos trinta e não lhe custou passar adiante. Evidentemente o terror era uma superstição. Duas ou três amigas íntimas, nutridas de aritmética, continuavam a dizer que ela perdera a conta dos anos. Não advertiam que a natureza era cúmplice no erro, e que aos quarenta anos (verdadeiros), d. Camila trazia um ar de trinta e poucos. Restava um recurso: espiar-lhe o primeiro cabelo branco, um fiozinho de nada, mas branco. Em vão espiavam; o demônio do cabelo parecia cada vez mais negro.

Nisto enganavam-se. O fio branco estava ali; era a filha de d. Camila que entrava nos dezenove anos, e, por mal de pecados, bonita. D. Camila prolongou, quanto pôde, os vestidos adolescentes da filha, conservou-a no colégio até tarde, fez tudo para proclamá-la criança. A natureza, porém, que não é só imoral, mas também ilógica, enquanto sofreava os anos de uma, afrouxava a rédea aos da outra, e Ernestina, moça feita, entrou radiante no primeiro baile. Foi uma revelação. D. Camila adorava a filha; saboreou-lhe a glória a tragos demorados. No fundo do copo achou a gota amarga e fez uma careta. Chegou a pensar na abdicação; mas um grande pródigo de frases feitas disse-lhe que ela parecia a irmã mais velha da filha, e o projeto desfez-se. Foi dessa noite em diante que d. Camila entrou a dizer a todos que casara muito criança.

Um dia, poucos meses depois, apontou no horizonte o primeiro namorado. D. Camila pensara vagamente nessa calamidade, sem encará-la, sem aparelhar-se para a defesa. Quando menos esperava, achou um pretendente à porta. Interrogou a filha; descobriu-lhe um alvoroço indefinível, a inclinação dos vinte anos, e ficou prostrada. Casá-la era o menos; mas, se os seres são como as águas da Escritura, que não voltam mais, é porque atrás deles vêm outros, como atrás das águas outras águas; e, para definir essas ondas sucessivas é que os homens inventaram este nome de netos. D. Camila viu iminente o primeiro neto, e determinou adiá-lo. Está claro que não formulou a resolução, como não formulara a ideia do perigo. A alma entende-se a si mesma; uma sensação vale um raciocínio. As que ela teve foram rápidas, obscuras, no mais íntimo do seu ser, donde não as extraiu para não ser obrigada a encará-las.

— Mas que é que você acha de mau no Ribeiro? — perguntou-lhe o marido, uma noite, à janela.

D. Camila levantou os ombros.

— Acho-lhe o nariz torto — disse.

— Mau! Você está nervosa; falemos de outra coisa — respondeu o marido.

E, depois de olhar uns dois minutos para a rua, cantarolando na garganta, tornou ao Ribeiro, que achava um genro aceitável, e se lhe pedisse Ernestina, entendia que deviam ceder-lha. Era inteligente e educado. Era também o herdeiro provável de uma tia de Cantagalo. E depois tinha um coração de ouro. Contavam-se dele coisas muito bonitas. Na academia, por exemplo... D. Camila ouviu o resto, batendo com a ponta do pé no chão e rufando com os dedos a sonata da impaciência; mas, quando o marido lhe disse que o Ribeiro esperava um despacho do ministro de estrangeiros, um lugar para os Estados Unidos, não pôde ter-se e cortou-lhe a palavra:

— O quê? separar-me de minha filha? Não, senhor.

Em que dose entrara neste grito o amor materno e o sentimento pessoal, é um problema difícil de resolver, principalmente agora, longe dos acontecimentos e das pessoas. Suponhamos que em partes iguais. A verdade é que o marido não soube que inventar para defender o ministro de estrangeiros, as necessidades diplomáticas, a fatalidade do matrimônio, e, não achando que inventar, foi dormir. Dois dias depois veio a nomeação. No terceiro dia, a moça declarou ao namorado que não a pedisse ao pai, porque não queria separar-se da família. Era o mesmo que dizer: prefiro a família ao senhor. É verdade que tinha a voz trêmula e sumida, e um ar de profunda consternação; mas o Ribeiro viu tão somente a rejeição, e embarcou. Assim acabou a primeira aventura.

D. Camila padeceu com o desgosto da filha; mas consolou-se depressa. Não faltam noivos, refletiu ela. Para consolar a filha, levou-a a passear a toda parte. Eram ambas bonitas, e Ernestina tinha a frescura dos anos; mas a beleza da mãe era mais perfeita, e apesar dos anos, superava a da filha. Não vamos ao ponto de crer que o sentimento da superioridade é que animava d. Camila a prolongar e repetir os passeios. Não: o amor materno, só por si, explica tudo. Mas concedamos que animasse um pouco. Que mal há nisso? Que mal há em que um bravo coronel defenda nobremente a pátria, e as suas dragonas? Nem por isso acaba o amor da pátria e o amor das mães.

Meses depois despontou a orelha de um segundo namorado. Desta vez era um viúvo, advogado, vinte e sete anos. Ernestina não sentiu por ele a mesma emoção que o outro lhe dera; limitou-se a aceitá-lo. D. Camila farejou depressa a nova candidatura. Não podia alegar nada contra ele; tinha o nariz reto como a consciência, e profunda aversão à vida diplomática. Mas haveria outros defeitos, devia haver outros. D. Camila buscou-os com alma; indagou de suas relações, hábitos, passado. Conseguiu achar umas coisinhas miúdas, tão somente a unha da imperfeição humana, alternativas de humor, ausência de graças intelectuais, e, finalmente, um grande excesso de amor-próprio. Foi nesse ponto que a bela dama o apanhou. Começou a levantar vagarosamente a muralha do silêncio; lançou primeiro a camada das pausas, mais ou menos longas, depois as frases curtas, depois os monossílabos, as distrações, as absorções, os olhares complacentes, os ouvidos resignados, os bocejos fingidos por trás da ventarola. Ele não entendeu logo; mas, quando reparou que os enfados da mãe coincidiam com as ausências da filha, achou que era ali demais e retirou-se. Se fosse homem de luta, tinha saltado a muralha; mas era orgulhoso e fraco. D. Camila deu graças aos deuses.

Houve um trimestre de respiro. Depois apareceram alguns namoricos de uma noite, insetos efêmeros, que não deixaram história. D. Camila compreendeu que eles tinham de multiplicar-se, até vir algum decisivo que a obrigasse a ceder; mas ao menos, dizia ela a si mesma, queria um genro que trouxesse à filha a mesma felicidade que o marido lhe deu. E, uma vez, ou para robustecer este decreto da vontade, ou por outro motivo, repetiu o conceito em voz alta, embora só ela pudesse ouvi-lo. Tu, psicólogo sutil, podes imaginar que ela queria convencer-se a si mesma; eu prefiro contar o que lhe aconteceu em 186...

Era de manhã. D. Camila estava ao espelho, a janela aberta, a chácara verde e sonora de cigarras e passarinhos. Ela sentia em si a harmonia que a ligava às coisas externas. Só a beleza intelectual é independente e superior. A beleza física é irmã da paisagem. D. Camila saboreava essa fraternidade íntima, secreta, um sentimento de identidade, uma recordação da vida anterior no mesmo útero divino. Nenhuma lembrança desagradável, nenhuma ocorrência vinha turvar essa expansão misteriosa. Ao contrário, tudo parecia embebê-la de eternidade, e os quarenta e dois anos em que ia não lhe pesavam mais do que outras tantas folhas de rosa. Olhava para fora, olhava para o espelho. De repente, como se lhe surdisse uma cobra, recuou aterrada. Tinha visto, sobre a fonte esquerda, um cabelinho branco. Ainda cuidou que fosse do marido; mas reconheceu depressa que não, que era dela mesma, um telegrama da velhice, que aí vinha a marchas forçadas. O primeiro sentimento foi de prostração. D. Camila sentiu faltar-lhe tudo, tudo, viu-se encanecida e acabada no fim de uma semana.

— Mamãe, mamãe — bradou Ernestina, entrando na saleta. — Está aqui o camarote que papai mandou.

D. Camila teve um sobressalto de pudor, e instintivamente voltou para a filha o lado que não tinha o fio branco. Nunca a achou tão graciosa e lépida. Fitou-a com saudade. Fitou-a também com inveja, e, para abafar este sentimento mau, pegou no bilhete de camarote. Era para aquela mesma noite. Uma ideia expele outra; d. Camila anteviu-se no meio das luzes e das gentes, e depressa levantou o coração. Ficando só, tornou a olhar para o espelho, e corajosamente arrancou o cabelinho branco, e deitou-o à chácara. *Out, damned spot! Out!* Mais feliz do que a outra *lady* Macbeth, viu assim desaparecer a nódoa no ar, porque no ânimo dela, a velhice era um remorso, e a fealdade um crime. Sai, maldita mancha! sai!

Mas, se os remorsos voltam, por que não hão de voltar os cabelos brancos? Um mês depois, d. Camila descobriu outro, insinuado na bela e farta madeixa negra, e amputou-o sem piedade. Cinco ou seis semanas depois, outro. Este terceiro coincidiu com um terceiro candidato à mão da filha, e ambos acharam d. Camila numa hora de prostração. A beleza, que lhe suprira a mocidade, parecia-lhe prestes a ir também, como uma pomba sai em busca da outra. Os dias precipitavam-se. Crianças que ela vira ao colo, ou de carrinho empuxado pelas amas, dançavam agora nos bailes. Os que eram homens fumavam; as mulheres cantavam ao piano. Algumas destas apresentavam-lhe os seus *babies*, gorduchos, uma segunda geração que mamava, à espera de ir bailar também, cantar ou fumar, apresentar outros *babies* a outras pessoas, e assim por diante.

D. Camila apenas tergiversou um pouco, acabou cedendo. Que remédio, senão aceitar um genro? Mas, como um velho costume não se perde de um dia para outro, d. Camila viu paralelamente, naquela festa do coração, um cenário e grande cenário. Preparou-se galhardamente, e o efeito correspondeu ao esforço. Na igreja, no meio de outras damas; na sala, sentada no sofá (o estofo que forrava este móvel, assim como o papel da parede foram sempre escuros para fazer sobressair a tez de d. Camila), vestida a capricho, sem o requinte da extrema juventude, mas também sem a rigidez matronal, um meio-termo apenas, destinado a pôr em relevo as suas graças outoniças, risonha, e feliz, enfim, a recente sogra colheu os melhores sufrágios. Era certo que ainda lhe pendia dos ombros um retalho de púrpura.

Púrpura supõe dinastia. Dinastia exige netos. Restava que o Senhor abençoasse a união, e ele abençoou-a, no ano seguinte. D. Camila acostumara-se à ideia; mas era tão penoso abdicar, que ela aguardava o neto com amor e repugnância. Esse importuno embrião, curioso da vida e pretensioso, era necessário na terra? Evidentemente, não; mas apareceu um dia, com as flores de setembro. Durante a crise, d. Camila só teve de pensar na filha; depois da crise, pensou na filha e no neto. Só dias depois é que pôde pensar em si mesma. Enfim, avó. Não havia duvidar; era avó. Nem as feições que eram ainda concertadas, nem os cabelos, que eram pretos (salvo meia dúzia de fios escondidos), podiam por si sós denunciar a realidade; mas a realidade existia; ela era, enfim, avó.

Quis recolher-se; e para ter o neto mais perto de si, chamou a filha para casa. Mas a casa não era um mosteiro, e as ruas e os jornais com os seus mil rumores acordavam nela os ecos de outro tempo. D. Camila rasgou o ato de abdicação e tornou ao tumulto.

Um dia, encontrei-a ao lado de uma preta, que levava ao colo uma criança de cinco a seis meses. D. Camila segurava na mão o chapelinho de sol aberto para cobrir a criança. Encontrei-a oito dias depois, com a mesma criança, a mesma preta e o mesmo chapéu de sol. Vinte dias depois, e trinta dias mais tarde, tornei a vê-la, entrando para o bonde, com a preta e a criança. — Você já deu de mamar? dizia ela à preta. Olhe o sol. Não vá cair. Não aperte muito o menino. Acordou? Não mexa com ele. Cubra a carinha etc. etc.

Era o neto. Ela, porém, ia tão apertadinha, tão cuidadosa da criança, tão a miúdo, tão sem outra senhora, que antes parecia mãe do que avó; e muita gente pensava que era mãe. Que tal fosse a intenção de d. Camila não o juro eu. ("Não jurarás", Mat. V, 34.) Tão somente digo que nenhuma outra mãe seria mais desvelada do que d. Camila com o neto; atribuírem-lhe um simples filho era a coisa mais verossímil do mundo.

Gazeta de Notícias, 27 de outubro de 1883; Machado de Assis.

Anedota pecuniária

Chama-se Falcão o meu homem. Naquele dia — 14 de abril de 1870 — quem lhe entrasse em casa, às dez horas da noite, vê-lo-ia passear na sala, em mangas de camisa, calça preta e gravata branca, resmungando, gesticulando, suspirando, evidentemente aflito. Às vezes, sentava-se; outras, encostava-se à janela, olhando para a praia, que era a da Gamboa. Mas, em qualquer lugar ou atitude demorava-se pouco tempo.

— Fiz mal — dizia ele —, muito mal. Tão minha amiga que ela era! tão amorosa! Ia chorando, coitadinha! Fiz mal, muito mal... Ao menos, que seja feliz!

Se eu disser que este homem vendeu uma sobrinha, não me hão de crer; se descer a definir o preço, dez contos de réis, voltar-me-ão as costas com desprezo e indignação. Entretanto, basta ver este olhar felino, estes dois beiços, mestres de cálculo, que, ainda fechados, parecem estar contando alguma coisa, para adivinhar logo que a feição capital do nosso homem é a voracidade do lucro. Entendamo-nos: ele faz arte pela arte, não ama o dinheiro pelo que ele pode dar, mas pelo que é em si mesmo! Ninguém lhe vá falar dos regalos da vida. Não tem cama fofa, nem mesa fina, nem carruagem, nem comenda. Não se ganha dinheiro para esbanjá-lo, dizia ele. Vive de migalhas; tudo o que amontoa é para a contemplação. Vai muitas vezes à burra, que está na alcova de dormir, com o único fim de fartar os olhos nos rolos de ouro e maços de títulos. Outras vezes, por um requinte de erotismo pecuniário, contempla-os só de memória. Neste particular, tudo o que eu pudesse dizer, ficaria abaixo de uma palavra dele mesmo, em 1857.

Já então milionário, ou quase, encontrou na rua dois meninos, seus conhecidos, que lhe perguntaram se uma nota de cinco mil-réis, que lhes dera um tio, era verdadeira. Corriam algumas notas falsas, e os pequenos lembraram-se disso em caminho. Falcão ia com um amigo. Pegou trêmulo na nota, examinou-a bem, virou-a, revirou-a...

— É falsa? — perguntou com impaciência um dos meninos.
— Não; é verdadeira.
— Dê cá — disseram ambos.

Falcão dobrou a nota vagarosamente, sem tirar-lhe os olhos de cima; depois, restituiu-a aos pequenos, e, voltando-se para o amigo, que esperava por ele, disse-lhe com a maior candura do mundo:

— Dinheiro, mesmo quando não é da gente, faz gosto ver.

Era assim que ele amava o dinheiro, até a contemplação desinteressada. Que outro motivo podia levá-lo a parar, diante das vitrinas dos cambistas, cinco, dez, quinze minutos, lambendo com os olhos os montes de libras e francos, tão arrumadinhos e amarelos? O mesmo sobressalto com que pegou na nota de cinco mil-réis, era um rasgo sutil, era o terror da nota falsa. Nada aborrecia tanto, como os moedeiros falsos, não por serem criminosos, mas prejudiciais, por desmoralizarem o dinheiro bom.

A linguagem do Falcão valia um estudo. Assim é que, um dia, em 1864, voltando do enterro de um amigo, referiu o esplendor do préstito, exclamando com entusiasmo: — "Pegavam no caixão três mil contos!". E, como um dos ouvintes não o entendesse logo, concluiu do espanto, que duvidava dele, e discriminou a afirmação: — "Fulano quatrocentos, sicrano seiscentos... Sim, senhor, seiscentos; há dois anos, quando desfez a sociedade com o sogro, ia em mais de quinhentos; mas suponhamos quinhentos...". E foi por diante, demonstrando, somando e concluindo: — "Justamente, três mil contos!".

Não era casado. Casar era botar dinheiro fora. Mas os anos passaram, e aos quarenta e cinco entrou a sentir uma certa necessidade moral, que não compreendeu logo, e era a saudade paterna. Não mulher, não parentes, mas um filho ou uma filha, se ele o tivesse, era como receber um patacão de ouro. Infelizmente, esse outro capital devia ter sido acumulado em tempo; não podia começá-lo a ganhar tão tarde. Restava a loteria; a loteria deu-lhe o prêmio grande.

Morreu-lhe o irmão, e três meses depois a cunhada, deixando uma filha de onze anos. Ele gostava muito desta e de outra sobrinha, filha de uma irmã viúva; dava-lhes beijos, quando as visitava; chegava mesmo ao delírio de levar-lhes, uma ou outra vez, biscoitos. Hesitou um pouco, mas, enfim, recolheu a órfã; era a filha cobiçada. Não cabia em si de contente; durante as primeiras semanas, quase não saía de casa, ao pé dela, ouvindo-lhe histórias e tolices.

Chamava-se Jacinta, e não era bonita; mas tinha a voz melodiosa e os modos fagueiros. Sabia ler e escrever; começava a aprender música. Trouxe o piano consigo, o método e alguns exercícios; não pôde trazer o professor, porque o tio entendeu que era melhor ir praticando o que aprendera, e um dia... mais tarde... Onze anos, doze anos, treze anos, cada ano que passava era mais um vínculo que atava o velho solteirão à filha adotiva, e vice-versa. Aos treze, Jacinta mandava na casa; aos dezessete era verdadeira dona. Não abusou do domínio; era naturalmente modesta, frugal, poupada.

— Um anjo! — dizia o Falcão ao Chico Borges.

Este Chico Borges tinha quarenta anos, e era dono de um trapiche. Ia jogar com o Falcão, à noite. Jacinta assistia às partidas. Tinha então dezoito anos; não era mais bonita, mas diziam todos "que estava enfeitando muito". Era pequenina, e o trapicheiro adorava as mulheres pequeninas. Corresponderam-se, o namoro fez-se paixão.

— Vamos a elas — dizia o Chico Borges ao entrar —, pouco depois de ave-marias.

As cartas eram o chapéu de sol dos dois namorados. Não jogavam a dinheiro; mas o Falcão tinha tal sede ao lucro, que contemplava os próprios tentos, sem valor, e contava-os de dez em dez minutos, para ver se ganhava ou perdia. Quando perdia, caía-lhe o rosto num desalento incurável, e ele recolhia-se pouco a pouco ao silêncio. Se a sorte teimava em persegui-lo, acabava o jogo, e levantava-se tão melancólico e cego, que a sobrinha e o parceiro podiam apertar a mão, uma, duas, três vezes, sem que ele visse coisa nenhuma.

Era isto em 1869. No princípio de 1870 Falcão propôs ao outro uma venda de ações. Não as tinha; mas farejou uma grande baixa, e contava ganhar de um só lance trinta a quarenta contos ao Chico Borges. Este respondeu-lhe finamente que andava pensando em oferecer-lhe a mesma coisa. Uma vez que ambos queriam vender e nenhum comprar, podiam juntar-se e propor a venda a um terceiro. Acharam o terceiro, e fecharam o contrato a sessenta dias. Falcão estava tão contente, ao voltar do negócio, que o sócio abriu-lhe o coração e pediu-lhe a mão de Jacinta. Foi o mesmo que, se de repente, começasse a falar turco. Falcão parou, embasbacado, sem entender. Que lhe desse a sobrinha? Mas então...

— Sim; confesso a você que estimaria muito casar com ela, e ela... penso que também estimaria casar comigo.

— Qual, nada! — interrompeu o Falcão. — Não, senhor; está muito criança, não consinto.

— Mas reflita...

— Não reflito, não quero.

Chegou a casa irritado e aterrado. A sobrinha afagou-o tanto para saber o que era, que ele acabou contando tudo, e chamando-lhe esquecida e ingrata. Jacinta empalideceu; amava os dois, e via-os tão dados, que não imaginou nunca esse contraste de afeições. No quarto chorou à larga; depois escreveu uma carta ao Chico Borges pedindo-lhe pelas cinco chagas de Nosso Senhor Jesus Cristo, que não fizesse barulho nem brigasse com o tio; dizia-lhe que esperasse, e jurava-lhe um amor eterno.

Não brigaram os dois parceiros; mas as visitas foram naturalmente mais escassas e frias. Jacinta não vinha à sala, ou retirava-se logo. O terror do Falcão era enorme. Ele amava a sobrinha com um amor de cão, que persegue e morde aos estranhos. Queria-a para si, não como homem, mas como pai. A paternidade natural dá forças para o sacrifício da separação; a paternidade dele era de empréstimo, e, talvez, por isso mesmo, mais egoísta. Nunca pensara em perdê-la; agora, porém, eram trinta mil cuidados, janelas fechadas, advertências à preta, uma vigilância perpétua, um espiar os gestos e os ditos, uma campanha de d. Bartolo.

Entretanto, o sol, modelo de funcionários, continuou a servir pontualmente os dias, um a um, até chegar aos dois meses do prazo marcado para a entrega das ações. Estas deviam baixar, segundo a previsão dos dois; mas as ações, como as loterias e as batalhas, zombam dos cálculos humanos. Naquele caso, além de zombaria, houve crueldade, porque nem baixaram, nem ficaram ao par; subiram até converter o esperado lucro de quarenta contos numa perda de vinte.

Foi aqui que o Chico Borges teve uma inspiração de gênio. Na véspera; quando o Falcão, abatido e mudo, passeava na sala o seu desapontamento, propôs ele custear todo o *deficit*, se lhe desse a sobrinha. Falcão teve um deslumbramento.

— Que eu...?

— Isso mesmo — interrompeu o outro, rindo.

— Não, não...

Não quis; recusou três e quatro vezes. A primeira impressão fora de alegria, eram os dez contos na algibeira. Mas a ideia de separar-se de Jacinta era insuportável, e recusou. Dormiu mal. De manhã, encarou a situação, pesou as coisas, considerou que, entregando Jacinta ao outro, não a perdia inteiramente, ao passo que os dez contos iam-se embora. E, depois, se ela gostava dele e ele dela, por que razão separá-los? Todas as filhas casam-se, e os pais contentam-se de as ver felizes. Correu à casa do Chico Borges, e chegaram a acordo.

— Fiz mal, muito mal — bradava ele na noite do casamento. — Tão minha amiga que ela era! Tão amorosa! Ia chorando, coitadinha... Fiz mal, muito mal.

Cessara o terror dos dez contos; começara o fastio da solidão. Na manhã seguinte, foi visitar os noivos. Jacinta não se limitou a regalá-lo com um bom almoço, encheu-o de mimos e afagos; mas nem estes, nem o almoço lhe restituíram a alegria. Ao contrário, a felicidade dos noivos entristeceu-o mais. Ao voltar para casa não achou a carinha meiga de Jacinta. Nunca mais lhe ouviria as cantigas de menina e moça; não seria ela quem lhe faria o chá, quem lhe traria, à noite, quando ele quisesse ler, o velho tomo ensebado do *Saint-Clair das Ilhas*, dádiva de 1850.

— Fiz mal, muito mal...

Para remediar o malfeito, transferiu as cartas para a casa da sobrinha, e ia lá jogar, à noite, com o Chico Borges. Mas a fortuna, quando flagela um homem, corta-lhe todas as vazas. Quatro meses depois, os recém-casados foram para a Europa; a solidão alargou-se de toda a extensão do mar. Falcão contava então cinquenta e quatro anos. Já estava mais consolado do casamento de Jacinta; tinha mesmo o plano de ir morar com eles, ou de graça, ou mediante uma pequena retribuição, que calculou ser muito mais econômico do que a despesa de viver só. Tudo se esboroou; ei-lo outra vez na situação de oito anos antes, com a diferença que a sorte arrancara-lhe a taça entre dois goles.

Vai senão quando cai-lhe outra sobrinha em casa. Era a filha da irmã viúva, que morreu e lhe pediu a esmola de tomar conta dela. Falcão não prometeu nada, porque um certo instinto o levava a não prometer coisa nenhuma a ninguém, mas a verdade é que recolheu a sobrinha, tão depressa a irmã fechou os olhos. Não teve constrangimento; ao contrário, abriu-lhe as portas de casa, com um alvoroço de namorado, e quase abençoou a morte da irmã. Era outra vez a filha perdida.

— Esta há de fechar-me os olhos — dizia ele consigo.

Não era fácil. Virgínia tinha dezoito anos, feições lindas e originais; era grande e vistosa. Para evitar que lha levassem, Falcão começou por onde acabara da primeira vez: — janelas cerradas, advertências à preta, raros passeios, só com ele e de olhos baixos. Virgínia não se mostrou enfadada.

— Nunca fui janeleira — dizia ela —, e acho muito feio que uma moça viva com o sentido na rua.

Outra cautela do Falcão foi não trazer para casa senão parceiros de cinquenta anos para cima ou casados. Enfim, não cuidou mais da baixa das ações. E tudo isso era desnecessário, porque a sobrinha não cuidava realmente senão dele e da casa. Às vezes, como a vista do tio começava a diminuir muito, lia-lhe ela mesma alguma página do *Saint-Clair das Ilhas*. Para suprir os parceiros, quando eles faltavam, aprendeu a jogar cartas, e, entendendo que o tio gostava de ganhar, deixava-se sempre perder. Ia mais longe: quando perdia muito, fingia-se zangada ou triste, com o único fim de dar ao tio um acréscimo de prazer. Ele ria então à larga, mofava dela, achava-lhe o nariz comprido, pedia um lenço para enxugar-lhe as lágrimas; mas não deixava de contar os seus tentos de dez em dez minutos, e se algum caía no chão (eram grãos de milho) descia a vela para apanhá-lo.

No fim de três meses, Falcão adoeceu. A moléstia não foi grave nem longa; mas o terror da morte apoderou-se-lhe do espírito, e foi então que se pôde ver toda a afeição que ele tinha à moça. Cada visita que se lhe chegava, era recebida com rispidez, ou pelo menos com sequidão. Os mais íntimos padeciam mais, porque ele dizia-lhes brutalmente que ainda não era cadáver, que a carniça ainda estava viva, que os urubus enganavam-se de cheiro etc. Mas nunca Virgínia achou nele um só instante de mau humor. Falcão obedecia-lhe em tudo, com uma passividade de criança, e quando ria, é porque ela o fazia rir.

— Vamos, tome o remédio — deixe-se disso —, vosmecê agora é meu filho...

Falcão sorria e bebia a droga. Ela sentava-se ao pé da cama, contando-lhe histórias, espiava o relógio para dar-lhe os caldos ou a galinha, lia-lhe o sempiterno *Saint-Clair*. Veio a convalescença. Falcão saiu a alguns passeios, acompanhado de Virgínia. A prudência com que esta, dando-lhe o braço, ia mirando as pedras da rua, com medo de encarar os olhos de algum homem, encantavam o Falcão.

— Esta há de fechar-me os olhos — repetia ele consigo mesmo. Um dia, chegou a pensá-lo em voz alta: — Não é verdade que você me há de fechar os olhos?

— Não diga tolices!

Conquanto estivesse na rua, ele parou, apertou-lhe muito as mãos, agradecido, não achando que dizer. Se tivesse a faculdade de chorar, ficaria provavelmente com os olhos úmidos. Chegando a casa, Virgínia correu ao quarto para reler uma carta que lhe entregara na véspera uma d. Bernarda, amiga de sua mãe. Era datada de Nova York, e trazia por única assinatura este nome: Reginaldo. Um dos trechos dizia assim:

— Vou daqui no paquete de 25. Espera-me sem falta. Não sei ainda se irei ver-te logo ou não. Teu tio deve lembrar-se de mim; viu-me em casa de meu tio Chico Borges, no dia do casamento de tua prima...

Quarenta dias depois, desembarcava este Reginaldo, vindo de Nova York, com trinta anos feitos e trezentos mil dólares ganhos. Vinte e quatro horas depois visitou o Falcão, que o recebeu apenas com polidez. Mas o Reginaldo era fino e prático; atinou com a principal corda do homem, e vibrou-a. Contou-lhe os prodígios de negócio nos Estados Unidos, as hordas de moedas que corriam de um a outro dos dois oceanos. Falcão ouvia deslumbrado, e pedia mais. Então o outro fez-lhe uma extensa computação das companhias e bancos, ações, saldos de orçamento público, riquezas particulares, receita municipal de Nova York; descreveu-lhe os grandes palácios do comércio...

— Realmente, é um grande país — dizia o Falcão, de quando em quando. E depois de três minutos de reflexão: — Mas, pelo que o senhor conta, só há ouro?

— Ouro só, não; há muita prata e papel; mas ali papel e ouro é a mesma coisa. E moedas de outras nações? Hei de mostrar-lhe uma coleção que trago. Olhe; para ver o que é aquilo basta pôr os olhos em mim. Fui para lá pobre, com vinte e três anos; no fim de sete anos, trago seiscentos contos.

Falcão estremeceu:

— Eu, com a sua idade — confessou ele —, mal chegaria a cem.

Estava encantado. Reginaldo disse-lhe que precisava de duas ou três semanas, para lhe contar os milagres do dólar.

— Como é que o senhor lhe chama?

— Dólar.

— Talvez não acredite que nunca vi essa moeda.

Reginaldo tirou do bolso do colete um dólar e mostrou-lho. Falcão, antes de lhe pôr a mão, agarrou-o com os olhos. Como estava um pouco escuro, levantou-se e foi até a janela, para examiná-lo bem — de ambos os lados; depois restituiu-o, gabando muito o desenho e a cunhagem, e acrescentando que os nossos antigos patacões eram bem bonitos.

As visitas repetiram-se. Reginaldo assentou de pedir a moça. Esta, porém, disse-lhe que era preciso ganhar primeiro as boas graças do tio; não casaria contra a vontade dele. Reginaldo não desanimou. Tratou de redobrar as finezas; abarrotou o tio de dividendos fabulosos.

— A propósito, o senhor nunca me mostrou a sua coleção de moedas — disse-lhe um dia o Falcão.

— Vá amanhã à minha casa.

Falcão foi. Reginaldo mostrou-lhe a coleção metida num móvel envidraçado por todos os lados. A surpresa de Falcão foi extraordinária; esperava uma caixinha com um exemplar de cada moeda, e achou montes de ouro, de prata, de bronze e de cobre. Falcão mirou-as primeiro de um olhar universal e coletivo; depois, começou a fixá-las especificamente. Só conheceu as libras, os dólares e os francos; mas o Reginaldo nomeou-as todas: florins, coroas, rublos, dracmas, piastras, pesos, rupias, toda a numismática do trabalho, concluiu ele poeticamente.

— Mas que paciência a sua para ajuntar tudo isto! — disse ele.

— Não fui eu que ajuntei — replicou o Reginaldo —; a coleção pertencia ao espólio de um sujeito de Filadélfia. Custou-se uma bagatela: — cinco mil dólares.

Na verdade, valia mais. Falcão saiu dali com a coleção na alma; falou dela à sobrinha, e, imaginariamente, desarrumou e tornou a arrumar as moedas, como um amante desgrenha a amante para toucá-la outra vez. De noite sonhou que era um florim, que um jogador o deitava à mesa do *lansquenet*, e que ele trazia consigo para a algibeira do jogador mais de duzentos florins. De manhã, para consolar-se, foi contemplar as próprias moedas que tinha na burra; mas não se consolou nada. O melhor dos bens é o que se não possui.

Dali a dias, estando em casa, na sala, pareceu-lhe ver uma moeda no chão. Inclinou-se a apanhá-la; não era moeda, era uma simples carta. Abriu a carta distraidamente e leu-a espantado: era de Reginaldo a Virgínia...

— Basta! — interrompe-me o leitor. — Adivinho o resto. Virgínia casou com o Reginaldo, as moedas passaram às mãos do Falcão, e eram falsas...

Não, senhor, eram verdadeiras. Era mais moral que, para castigo do nosso homem, fossem falsas; mas, ai de mim! eu não sou Sêneca, não passo de um Suetônio que contaria dez vezes a morte de César, se ele ressuscitasse dez vezes, pois não tornaria à vida, senão para tornar ao império.

Gazeta de Notícias, *6 de outubro de 1883;* Machado de Assis.

Fulano

Venha o leitor comigo assistir à abertura do testamento do meu amigo Fulano Beltrão. Conheceu-o? Era um homem de cerca de sessenta anos. Morreu ontem, 2 de janeiro de 1884, às onze horas e trinta minutos da noite. Não imagina a força de ânimo que mostrou em toda a moléstia. Caiu na véspera de finados, e a princípio supúnhamos que não fosse nada; mas a doença persistiu, e ao fim de dois meses e poucos dias a morte o levou.

Eu confesso-lhe que estou curioso de ouvir o testamento. Há de conter por força algumas determinações de interesse geral e honrosas para ele. Antes de 1863 não seria assim, porque até então era um homem muito metido consigo, reservado, morando no caminho do Jardim Botânico, para onde ia de ônibus ou de mula. Tinha a mulher e o filho vivos, a filha solteira, com treze anos. Foi nesse ano que ele começou a ocupar-se com outras coisas, além da família, revelando um espírito universal e generoso. Nada posso afirmar-lhe sobre a causa disto. Creio que foi uma apologia de amigo, por ocasião dele fazer quarenta anos. Fulano Beltrão leu no *Jornal do Commercio*, no dia 5 de março de 1864, um artigo anônimo em que se lhe diziam coisas belas e exatas: — bom pai, bom esposo, amigo e pontual, cidadão digno, alma levantada e pura. Que se lhe fizesse justiça, era muito; mas anonimamente, era raro.

— Você verá — disse Fulano Beltrão à mulher —, você verá que isso é do Xavier ou do Castro; logo rasgaremos o capote.

Castro e Xavier eram dois habituados da casa, parceiros constantes do voltarete e velhos amigos do meu amigo. Costumavam dizer coisas amáveis, no dia 5 de março, mas era ao jantar, na intimidade da família, entre quatro paredes; impressos, era a primeira vez que ele se benzia com elogios. Pode ser que me engane; mas estou que o espetáculo da justiça, a prova material de que as boas qualidades e as boas ações não morrem no escuro, foi o que animou o meu amigo a dispersar-se, a aparecer, a divulgar-se, a dar à coletividade humana um pouco das virtudes com que nasceu. Considerou que milhares de pessoas estariam lendo o artigo, à mesma hora em que o lia também; imaginou que o comentavam, que interrogavam, que confirmavam, ouviu mesmo, por um fenômeno de alucinação que a ciência há de explicar, e que não é raro, ouviu distintamente algumas vozes do público. Ouviu que lhe chamavam homem de bem, cavalheiro distinto, amigo dos amigos, laborioso, honesto, todos os qualificativos que ele vira empregados em outros, e que na vida de bicho do mato em que ia, nunca presumiu que lhe fossem — tipograficamente — aplicados.

— A imprensa é uma grande invenção — disse ele à mulher.

Foi ela, d. Maria Antônia, quem rasgou o capote; o artigo era do Xavier. Declarou este que só em atenção à dona da casa confessava a autoria; e acrescentou que a manifestação não saíra completa, porque a ideia dele era que o artigo fosse dado em todos os jornais, não o tendo feito por havê-lo acabado às sete horas da noite. Não houve tempo de tirar cópias. Fulano Beltrão emendou essa falta, se falta se lhe podia chamar, mandando transcrever o artigo no *Diário do Rio* e no *Correio Mercantil*.

Quando mesmo, porém, este fato não desse causa à mudança de vida do nosso amigo, fica uma coisa de pé, a saber, que daquele ano em diante, e propriamente do mês de março, é que ele começou a aparecer mais. Era até então um casmurro, que não ia às assembleias das companhias, não votava nas eleições políticas, não frequentava teatros, nada, absolutamente nada. Já naquele mês de março, a 22 ou 23, presenteou a Santa Casa de Misericórdia com um bilhete da grande loteria de Espanha, e recebeu uma honrosa carta do provedor, agradecendo em nome dos pobres. Consultou a mulher e os amigos, se devia publicar a carta ou guardá-la, parecendo-lhe que não a publicar era uma desatenção. Com efeito, a carta foi dada a 26 de março, em todas as folhas, fazendo uma delas comentários desenvolvidos acerca da piedade do doador. Das pessoas que leram esta notícia, muitas naturalmente ainda se lembravam do artigo do Xavier, e ligaram as duas ocorrências: "Fulano Beltrão é aquele mesmo que etc.", primeiro alicerce da reputação de um homem.

É tarde, temos de ir ouvir o testamento, não posso estar a contar-lhe tudo. Digo-lhe sumariamente que as injustiças da rua começaram a ter nele um vingador ativo e discursivo; que as misérias, principalmente as misérias dramáticas, filhas de um incêndio ou inundação, acharam no meu amigo a iniciativa dos socorros que, em tais casos, devem ser prontos e públicos. Ninguém como ele para um desses movimentos. Assim também com as alforrias de escravos. Antes da lei de 28 de setembro de 1871, era muito comum aparecerem na praça do Comércio crianças escravas, para cuja liberdade se pedia o favor dos negociantes. Fulano Beltrão iniciava três quartas partes das subscrições, com tal êxito, que em poucos minutos ficava o preço coberto.

A justiça que se lhe fazia animava-o, e até lhe trazia lembranças que, sem ela, é possível que nunca lhe tivessem acudido. Não falo do baile que ele deu para celebrar a vitória de Riachuelo, porque era um baile planeado antes de chegar a notícia da batalha, e ele não fez mais do que atribuir-lhe um motivo mais alto do que a simples recreação de família, meter o retrato do almirante Barroso no meio de um troféu de armas navais e bandeiras no salão de honra, em frente ao retrato do imperador, e fazer, à ceia, alguns brindes patrióticos, como tudo consta dos jornais de 1865.

Mas aqui vai, por exemplo, um caso bem característico da influência que a justiça dos outros pode ter no nosso procedimento. Fulano Beltrão vinha um dia do Tesouro, aonde tinha ido tratar de umas décimas. Ao passar pela igreja da Lampadosa, lembrou-se que fora ali batizado; e nenhum homem tem uma recordação destas, sem remontar o curso dos anos e dos acontecimentos, deitar-se outra vez no colo materno, rir e brincar, como nunca mais se ri nem brinca. Fulano Beltrão não escapou a este efeito; atravessou o adro, entrou na igreja, tão singela, tão modesta, e para ele tão rica e linda. Ao sair, tinha uma resolução feita, que pôs por obra dentro de poucos dias: mandou de presente à Lampadosa um soberbo castiçal de prata, com duas datas, além do nome do doador — a data da doação e a do batizado. Todos os jornais deram esta notícia, e até a receberam em duplicata, porque a administração da igreja entendeu (com muita razão) que também lhe cumpria divulgá-la aos quatro ventos.

No fim de três anos, ou menos, entrara o meu amigo nas cogitações públicas; o nome dele era lembrado, mesmo quando nenhum sucesso recente vinha sugeri-lo, e não só lembrado como adjetivado. Já se lhe notava a ausência em alguns lugares. Já o iam buscar para outros. D. Maria Antônia via assim entrar-lhe no Éden a serpente bíblica, não para tentá-la, mas para tentar a Adão. Com efeito, o marido ia a tantas partes, cuidava de tantas coisas, mostrava-se tanto na rua do Ouvidor, à porta do Bernardo, que afrouxou a convivência antiga da casa. D. Maria Antônia disse-lho. Ele concordou que era assim, mas demonstrou-lhe que não podia ser de outro modo, e, em todo caso, se mudara de costumes, não mudara de sentimentos. Tinha obrigações morais com a sociedade; ninguém se pertence exclusivamente; daí um pouco de dispersão dos seus cuidados. A verdade é que tinham vivido demasiadamente reclusos; não era justo nem bonito. Não era mesmo conveniente; a filha caminhava para a idade do matrimônio, e casa fechada cria morrinha de convento; por exemplo, um carro, por que é que não teriam um carro? D. Maria Antônia sentiu um arrepio de prazer, mas curto; protestou logo, depois de um minuto de reflexão.

— Não; carro para quê? Não; deixemo-nos de carro.

— Já está comprado — mentiu o marido.

Mas aqui chegamos ao juízo da provedoria. Não veio ainda ninguém; esperemos à porta. Tem pressa? São vinte minutos no máximo. Pois é verdade, comprou uma linda vitória; e, para quem, só por modéstia, andou tantos anos às costas de mula ou apertado num ônibus, não era fácil acostumar-se logo ao novo veículo. A isso atribuo eu as atitudes salientes e inclinadas com que ele andava, nas primeiras semanas, os olhos que estendia a um lado e outro, à maneira de pessoa que procura alguém ou uma casa. Afinal acostumou-se; passou a usar das atitudes reclinadas, embora sem um certo sentimento de indiferença ou despreocupação, que a mulher e a filha tinham muito bem, talvez por serem mulheres. Elas, aliás, não gostavam de sair de carro; mas ele teimava tanto que saíssem, que fossem a toda a parte, e até a parte nenhuma, que não tinham remédio senão obedecer-lhe; e, na rua, era sabido, mal vinha ao longe a ponta do vestido de duas senhoras, e na almofada um certo cocheiro, toda a gente dizia logo: — aí vem a família de Fulano Beltrão. E isto mesmo, sem que ele talvez o pensasse, tornava-o mais conhecido.

No ano de 1868 deu entrada na política. Sei do ano porque coincidiu com a queda dos liberais e a subida dos conservadores. Foi em março ou abril de 1868 que ele declarou aderir à situação, não à socapa, mas estrepitosamente. Este foi, talvez, o ponto mais fraco da vida do meu amigo. Não tinha ideias políticas; quando muito, dispunha de um desses temperamentos que substituem as ideias, e fazem crer que um homem pensa, quando simplesmente transpira. Cedeu, porém, a uma alucinação de momento. Viu-se na Câmara vibrando um aparte, ou inclinado sobre a balaustrada, em conversa com o presidente do Conselho, que sorria para ele, numa intimidade grave de governo. E aí é que a galeria, na exata acepção do termo, tinha de o contemplar. Fez tudo o que pôde para entrar na Câmara; a meio caminho caiu a situação. Voltando do atordoamento, lembrou-se de afirmar ao Itaboraí o contrário do que dissera ao Zacarias, ou antes a mesma coisa; mas perdeu a eleição, e deu de mão à política. Muito mais acertado andou, metendo-se na questão da maçonaria com os prelados. Deixara-se estar quedo, a princípio; por um lado, era maçom; por outro, queria respeitar os sentimentos religiosos da mulher. Mas o conflito tomou tais proporções que ele não podia ficar calado; entrou nele com o ardor, a expansão, a publicidade que metia em tudo; celebrou reuniões em que falou muito da liberdade de consciência e do direito que assistia ao maçom de enfiar uma opa; assinou protestos, representações, felicitações, abriu a bolsa e o coração, escancaradamente.

Morreu-lhe a mulher em 1878. Ela pediu-lhe que a enterrasse sem aparato, e ele assim o fez, porque a amava deveras e tinha a sua última vontade como um decreto do céu. Já então perdera o filho; e a filha, casada, achava-se na Europa. O meu amigo dividiu a dor com o público; e, se enterrou a mulher sem aparato, não deixou de lhe mandar esculpir na Itália um magnífico mausoléu, que esta cidade admirou exposto, na rua do Ouvidor, durante perto de um mês. A filha ainda veio assistir à inauguração. Deixei de os ver uns quatro anos. Ultimamente surgiu a doença, que no fim de pouco mais de dois meses o levou desta para a melhor. Note que, até começar a agonia, nunca perdeu a razão nem a força da alma. Conversava com as visitas, mandava-as relacionar, não esquecia mesmo noticiar às que chegavam as que acabavam de sair; coisa inútil, porque uma folha amiga publicava-as todas. Na manhã do dia em que morreu ainda ouviu ler os jornais, e num deles uma pequena comunicação relativamente à sua moléstia; o que de algum modo pareceu reanimá-lo. Mas para a tarde enfraqueceu um pouco; à noite expirou.

Vejo que está aborrecido. Realmente demoraram-se... Espere; creio que são eles. São; entremos. Cá está o nosso magistrado, que começa a ler o testamento. Está ouvindo? Não era preciso esta minuciosa genealogia, excedente das práticas tabelioas; mas isto mesmo de contar a família desde o quarto avô prova o espírito exato e paciente do meu amigo. Não esquecia nada. O cerimonial do saimento é longo e complicado, mas bonito. Começa agora a lista dos legados. São todos pios; alguns industriais. Vá vendo a alma do meu amigo. Trinta contos...

Trinta contos para quê? Para servir de começo a uma subscrição pública destinada a erigir uma estátua a Pedro Álvares Cabral. "Cabral, diz ali o testamento, não pode ser olvidado dos brasileiros, foi o precursor do nosso Império." Recomenda que a estátua seja de bronze, com quatro medalhões no pedestal, a saber, o retrato do bispo Coutinho, presidente da Constituinte, o de Gonzaga, chefe da conjuração mineira, e o de dois cidadãos da presente geração "notáveis por seu patriotismo e liberalidade" à escolha da comissão, que ele mesmo nomeou para levar a empresa a cabo.

Que ela se realize, não sei; falta-nos a perseverança do fundador da verba. Dado, porém, que a comissão se desempenhe da tarefa, e que este sol americano ainda veja erguer-se a estátua de Cabral, é da nossa honra que ele contemple num dos medalhões o retrato do meu finado amigo. Não lhe parece? Bem, o magistrado acabou, vamos embora.

Gazeta de Notícias, 4 de janeiro de 1884; Machado de Assis.

A segunda vida

Monsenhor Caldas interrompeu a narração do desconhecido:
— Dá licença? é só um instante.
Levantou-se, foi ao interior da casa, chamou o preto velho que o servia, e disse-lhe em voz baixa:
— João, vai ali à estação de urbanos, fala da minha parte ao comandante, e pede-lhe que venha cá com um ou dois homens, para livrar-me de um sujeito doido. Anda, vai depressa.
E, voltando à sala:
— Pronto — disse ele —; podemos continuar.
— Como ia dizendo a vossa reverendíssima, morri no dia 20 de março de 1860, às cinco horas e quarenta e três minutos da manhã. Tinha então sessenta e oito anos de idade. Minha alma voou pelo espaço, até perder a terra de vista, deixando muito abaixo a lua, as estrelas e o sol; penetrou finalmente num espaço em que não havia mais nada, e era clareado tão somente por uma luz difusa. Continuei a subir, e comecei a ver um pontinho mais luminoso ao longe, muito longe. O ponto cresceu, fez-se sol. Fui por ali dentro, sem arder, porque as almas são incombustíveis. A sua pegou fogo alguma vez?
— Não, senhor.
— São incombustíveis. Fui subindo, subindo; na distância de quarenta mil léguas, ouvi uma deliciosa música, e logo que cheguei a cinco mil léguas, desceu um enxame de almas, que me levaram num palanquim feito de éter e plumas. Entrei daí a pouco no novo sol, que é o planeta dos virtuosos da terra. Não sou poeta, monsenhor; não ouso descrever-lhe as magnificências daquela estância divina. Poeta que fosse, não poderia, usando a linguagem humana, transmitir-lhe a emoção da grandeza, do deslumbramento, da felicidade, os êxtases, as melodias, os arrojos de luz e cores, uma coisa indefinível e incompreensível. Só vendo. Lá dentro é que soube que completava mais um milheiro de almas; tal era o motivo das festas extraordinárias que me fizeram, e que duraram dois séculos, ou, pelas nossas contas, quarenta e oito horas. Afinal, concluídas as festas, convidaram-me a tornar à terra para cumprir uma vida nova; era o privilégio de cada alma que completava um milheiro. Respondi agradecendo e recusando, mas não havia recusar. Era uma lei eterna. A única liberdade que me deram foi a escolha do veículo; podia nascer príncipe ou condutor de ônibus. Que fazer? Que faria vossa reverendíssima no meu lugar?
— Não posso saber; depende...
— Tem razão; depende das circunstâncias. Mas imagine que as minhas eram tais que não me davam gosto a tornar cá. Fui vítima da inexperiência, monsenhor, tive uma velhice ruim, por essa razão. Então lembrou-me que sempre ouvira dizer a meu pai e outras pessoas mais velhas, quando viam algum rapaz: — "Quem me dera aquela idade, sabendo o que sei hoje!". Lembrou-me isto, e declarei que me era indiferente nascer mendigo ou potentado, com a condição de nascer experiente. Não imagina o riso universal com que me ouviram. Jó, que ali preside a província dos pacientes, disse-me que um tal desejo era disparate; mas eu teimei e venci. Daí a

pouco escorreguei no espaço; gastei nove meses a atravessá-lo até cair nos braços de uma ama-de-leite, e chamei-me José Maria. Vossa reverendíssima é Romualdo, não?

— Sim, senhor; Romualdo de Sousa Caldas.

— Será parente do padre Sousa Caldas?

— Não, senhor.

— Bom poeta o padre Caldas. Poesia é um dom; eu nunca pude compor uma décima. Mas, vamos ao que importa. Conto-lhe primeiro o que me sucedeu; depois lhe direi o que desejo de vossa reverendíssima. Entretanto, se me permitisse ir fumando...

Monsenhor Caldas fez um gesto de assentimento, sem perder de vista a bengala que José Maria conservava atravessada sobre as pernas. Este preparou vagarosamente um cigarro. Era um homem de trinta e poucos anos, pálido, com um olhar ora mole e apagado, ora inquieto e centelhante. Apareceu ali, tinha o padre acabado de almoçar, e pediu-lhe uma entrevista para negócio grave e urgente. Monsenhor fê-lo entrar e sentar-se; no fim de dez minutos, viu que estava com um lunático. Perdoava-lhe a incoerência das ideias ou o assombroso das invenções; podia ser até que lhe servissem de estudo. Mas o desconhecido teve um assomo de raiva, que meteu medo ao pacato clérigo. Que podiam fazer ele e o preto, ambos velhos, contra qualquer agressão de um homem forte e louco? Enquanto esperava o auxílio policial, monsenhor Caldas desfazia-se em sorrisos e assentimentos de cabeça, espantava-se com ele, alegrava-se com ele, política útil com os loucos, as mulheres e os potentados. José Maria acendeu finalmente o cigarro, e continuou:

— Renasci em 5 de janeiro de 1861. Não lhe digo nada da nova meninice, porque aí a experiência teve só uma forma instintiva. Mamava pouco; chorava o menos que podia para não apanhar pancada. Comecei a andar tarde, por medo de cair, e daí me ficou uma tal ou qual fraqueza nas pernas. Correr e rolar, trepar nas árvores, saltar paredões, trocar murros, coisas tão úteis, nada disso fiz, por medo de contusão e sangue. Para falar com franqueza, tive uma infância aborrecida, e a escola não o foi menos. Chamavam-me tolo e moleirão. Realmente, eu vivia fugindo de tudo. Creia que durante esse tempo não escorreguei, mas também não corria nunca. Palavra, foi um tempo de aborrecimento; e, comparando as cabeças quebradas de outro tempo com o tédio de hoje, antes as cabeças quebradas. Cresci; fiz-me rapaz, entrei no período dos amores... Não se assuste; serei casto, como a primeira ceia. Vossa reverendíssima sabe o que é uma ceia de rapazes e mulheres?

— Como quer que saiba?...

— Tinha dezenove anos — continuou José Maria —, e não imagina o espanto dos meus amigos, quando me declarei pronto a ir a uma tal ceia... Ninguém esperava tal coisa de um rapaz tão cauteloso, que fugia de tudo, dos sonos atrasados, dos sonos excessivos, de andar sozinho a horas mortas, que vivia, por assim dizer, às apalpadelas. Fui à ceia; era no Jardim Botânico, obra esplêndida. Comidas, vinhos, luzes, flores, alegria dos rapazes, os olhos das damas, e, por cima de tudo, um apetite de vinte anos. Há de crer que não comi nada? A lembrança de três indigestões apanhadas quarenta anos antes na primeira vida, fez-me recuar. Menti dizendo que estava indisposto. Uma das damas veio sentar-se à minha direita, para curar-me; outra levantou-se também, e veio para a minha esquerda, com o mesmo fim. "Você cura de um lado, eu curo do outro", disseram elas. Eram lépidas, frescas, astuciosas, e tinham fama de devorar o coração e a vida dos rapazes. Confesso-lhe que fiquei com medo e retraí-me. Elas fizeram tudo, tudo; mas em vão. Vim de lá de manhã, apaixonado por ambas, sem nenhuma delas, e caindo de fome. Que lhe parece? — concluiu José Maria pondo as mãos nos joelhos, e arqueando os braços para fora.

— Com efeito...

— Não lhe digo mais nada; vossa reverendíssima adivinhará o resto. A minha segunda vida é assim uma mocidade expansiva e impetuosa, enfreada por uma experiência virtual e tradicional. Vivo como Eurico, atado ao próprio cadáver... Não, a comparação não é boa. Como lhe parece que vivo?

— Sou pouco imaginoso. Suponho que vive assim como um pássaro, batendo as asas e amarrado pelos pés...

— Justamente. Pouco imaginoso? Achou a fórmula; é isso mesmo. Um pássaro, um grande pássaro, batendo as asas, assim...

José Maria ergueu-se, agitando os braços, à maneira de asas. Ao erguer-se, caiu-lhe a bengala no chão; mas ele não deu por ela. Continuou a agitar os braços, em pé, defronte do padre, e a dizer que era isso mesmo, um pássaro, um grande pássaro... De cada vez que batia os braços nas coxas, levantava os calcanhares, dando ao corpo uma cadência de movimentos, e conservava os pés unidos, para mostrar que os tinha amarrados. Monsenhor aprovava de cabeça; ao mesmo tempo afiava as orelhas para ver se ouvia passos na escada. Tudo silêncio. Só lhe chegavam os rumores de fora: — carros e carroças que desciam, quitandeiras apregoando legumes, e um piano da vizinhança. José Maria sentou-se finalmente, depois de apanhar a bengala, e continuou nestes termos:

— Um pássaro, um grande pássaro. Para ver quanto é feliz a comparação, basta a aventura que me traz aqui, um caso de consciência, uma paixão, uma mulher, uma viúva, d. Clemência. Tem vinte e seis anos, uns olhos que não acabam mais, não digo no tamanho, mas na expressão, e duas pinceladas de buço, que lhe completam a fisionomia. É filha de um professor jubilado. Os vestidos pretos ficam-lhe tão bem que eu às vezes digo-lhe rindo que ela não enviuvou senão para andar de luto. Caçoadas! Conhecemo-nos há um ano, em casa de um fazendeiro de Cantagalo. Saímos namorados um do outro. Já sei o que me vai perguntar: por que é que não nos casamos, sendo ambos livres...

— Sim, senhor.

— Mas, homem de Deus! é essa justamente a matéria da minha aventura. Somos livres, gostamos um do outro, e não nos casamos; tal é a situação tenebrosa que venho expor a vossa reverendíssima, que a sua teologia ou o que quer que seja, explicará, se puder. Voltamos para a corte namorados. Clemência morava com o velho pai, e um irmão empregado no comércio; relacionei-me com ambos, comecei a frequentar a casa, em Matacavalos. Olhos, apertos de mão, palavras soltas, outras ligadas, uma frase, duas frases, e estávamos amados e confessados. Uma noite, no patamar da escada, trocamos o primeiro beijo... Perdoe estas coisas, monsenhor; faça de conta que me está ouvindo de confissão. Nem eu lhe digo isto senão para acrescentar que saí dali tonto, desvairado, com a imagem de Clemência na cabeça e o sabor do beijo na boca. Errei cerca de duas horas, planeando uma vida única; determinei pedir-lhe a mão no fim da semana, e casar daí a um mês. Cheguei às derradeiras minúcias, cheguei a redigir e ornar de cabeça as cartas de participação.

Entrei em casa depois de meia-noite, e toda essa fantasmagoria voou, como as mutações à vista nas antigas peças de teatro. Veja se adivinha como.

— Não alcanço...

— Considerei, no momento de despir o colete, que o amor podia acabar depressa; tem-se visto algumas vezes. Ao descalçar as botas, lembrou-me coisa pior: — podia ficar o fastio. Concluí a toalete de dormir, acendi um cigarro, e, reclinado no canapé, pensei que o costume, a convivência, podia salvar tudo; mas, logo depois, adverti que as duas índoles podiam ser incompatíveis; e que fazer com duas índoles incompatíveis e inseparáveis? Mas, enfim, dei de barato tudo isso, porque a paixão era grande, violenta; considerei-me casado, com uma linda criancinha... Uma? duas, seis, oito; podiam vir oito, podiam vir dez; algumas aleijadas. Também podia vir uma crise, duas crises, falta de dinheiro, penúria, doenças; podia vir alguma dessas afeições espúrias que perturbam a paz doméstica... Considerei tudo e concluí que o melhor era não casar. O que não lhe posso contar é meu desespero; faltam-me expressões para lhe pintar o que padeci nessa noite... Deixa-me fumar outro cigarro?

Não esperou resposta, fez o cigarro, e acendeu-o. Monsenhor não podia deixar de admirar-lhe a bela cabeça, no meio do desalinho próprio do estado; ao mesmo tempo notou que ele falava em termos polidos, e, que apesar dos rompantes mórbidos, tinha maneiras. Quem diabo podia ser esse homem? José Maria continuou a história, dizendo, que deixou de ir à casa de Clemência, durante seis dias, mas não resistiu às cartas e às lágrimas. No fim de uma semana correu para lá, e confessou-lhe tudo, tudo. Ela ouviu-o com muito interesse, e quis saber o que era preciso para acabar com tantas cismas, que prova de amor queria que ela lhe desse. A resposta de José Maria foi uma pergunta.

— Está disposta a fazer-me um grande sacrifício? disse-lhe eu. Clemência jurou que sim. "Pois bem, rompa com tudo, família e sociedade; venha morar comigo; casamo-nos depois desse noviciado." Compreendo que vossa reverendíssima arregale os olhos. Os dela encheram-se de lágrimas; mas, apesar de humilhada, aceitou tudo. Vamos; confesse que sou um monstro.

— Não, senhor...

— Como não? Sou um monstro. Clemência veio para minha casa, não imagina as festas com que a recebi. "Deixo tudo, disse-me ela; você é para mim o universo." Eu beijei-lhe os pés, beijei-lhe os tacões dos sapatos. Não imagina o meu contentamento. No dia seguinte, recebi uma carta tarjada de preto; era a notícia da morte de um tio meu, em Santa Ana do Livramento, deixando-me vinte mil contos. Fiquei fulminado. "Entendo, disse a Clemência, você sacrificou tudo, porque tinha notícia da herança." Desta vez, Clemência não chorou, pegou em si e saiu. Fui atrás dela, envergonhado, pedi-lhe perdão; ela resistiu. Um dia, dois dias, três dias, foi tudo vão; Clemência não cedia nada, não falava sequer. Então declarei-lhe que me mataria; comprei um revólver, fui ter com ela, e apresentei-lho: é este.

Monsenhor Caldas empalideceu. José Maria mostrou-lhe o revólver, durante alguns segundos, tornou a metê-lo na algibeira, e continuou:

— Cheguei a dar um tiro. Ela, assustada, desarmou-me e perdoou-me. Ajustamos precipitar o casamento, e, pela minha parte, impus uma condição: doar os vinte mil contos à Biblioteca Nacional. Clemência atirou-se-me aos braços, e aprovou-me com um beijo. Dei os vinte mil contos. Há de ter lido nos jornais... Três semanas depois casamo-nos. Vossa reverendíssima respira como quem chegou ao fim. Qual! Agora é que chegamos ao trágico. O que posso fazer é abreviar umas particularidades e suprimir outras; restrinjo-me a Clemência. Não lhe falo de outras emoções truncadas, que são todas as minhas, abortos de prazer, planos que se esgarçam no ar, nem das ilusões de saia rota, nem do tal pássaro... plás... plás... plás...

E, de um salto, José Maria ficou outra vez de pé, agitando os braços, e dando ao corpo uma cadência. Monsenhor Caldas começou a suar frio. No fim de alguns segundos, José Maria parou, sentou-se, reatou a narração, agora mais difusa, mais derramada, evidentemente mais delirante. Contava os sustos em que vivia, desgostos e desconfianças. Não podia comer um figo às dentadas, como outrora; o receio do bicho diminuía-lhe o sabor. Não cria nas caras alegres da gente que ia pela rua: preocupações, desejos, ódios, tristezas, outras coisas, iam dissimuladas por umas três quartas partes delas. Vivia a temer um filho cego ou surdo-mudo, ou tuberculoso, ou assassino etc. Não conseguia dar um jantar que não ficasse triste logo depois da sopa, pela ideia de que uma palavra sua, um gesto da mulher, qualquer falta de serviço podia sugerir o epigrama digestivo, na rua, debaixo de um lampião. A experiência dera-lhe o terror de ser empulhado. Confessava ao padre que, realmente, não tinha até agora lucrado nada; ao contrário, perdera até, porque fora levado ao sangue... Ia contar-lhe o caso do sangue. Na véspera, deitara-se cedo, e sonhou... Com quem pensava o padre que ele sonhou?

— Não atino...

— Sonhei que o Diabo lia-me o Evangelho. Chegando ao ponto em que Jesus fala dos lírios do campo, o Diabo colheu alguns e deu-mos. "Toma, disse-me ele; são os lírios da Escritura; segundo ouviste, nem Salomão em toda a pompa pode ombrear com eles. Salomão é a sapiência. Sabes o que são estes lírios, José? São os teus vinte anos." Fitei-os encantado; eram lindos como não imagina. O Diabo pegou deles, cheirou-os e disse-me que os cheirasse também. Não lhe digo nada; no momento de os chegar ao nariz, vi sair de dentro um réptil fedorento e torpe, dei um grito, e arrojei para longe as flores. Então, o Diabo, escancarando uma formidável gargalhada: "José Maria, são os teus vinte anos". Era uma gargalhada assim: — cá, cá, cá, cá, cá...

José Maria ria à solta, ria de um modo estridente e diabólico. De repente, parou; levantou-se, e contou que, tão depressa abriu os olhos, como viu a mulher diante dele, aflita e desgrenhada. Os olhos de Clemência eram doces, mas ele disse-lhe que os olhos doces também fazem mal. Ela arrojou-se-lhe aos pés... Neste ponto a fisionomia de José Maria estava tão transtornada que o padre, também de pé, começou a recuar, trêmulo e pálido. "Não, miserável! não! tu não me fugirás!" bradava José Maria investindo para ele. Tinha os olhos esbugalhados, as têmporas latejantes; o padre ia recuando... recuando... Pela escada acima ouvia-se um rumor de espadas e de pés.

Gazeta Literária, 15 de janeiro de 1884; Machado de Assis.

Noite de almirante

Deolindo Venta-Grande (era uma alcunha de bordo) saiu do arsenal de marinha e enfiou pela rua de Bragança. Batiam três horas da tarde. Era a fina flor dos marujos e, demais, levava um grande ar de felicidade nos olhos. A corveta dele voltou de uma longa viagem de instrução, e Deolindo veio à terra tão depressa alcançou licença. Os companheiros disseram-lhe, rindo:

— Ah! Venta-Grande! Que noite de almirante vai você passar! ceia, viola e os braços de Genoveva. Colozinho de Genoveva...

Deolindo sorriu. Era assim mesmo, uma noite de almirante, como eles dizem, uma dessas grandes noites de almirante que o esperava em terra. Começara a paixão três meses antes de sair a corveta. Chamava-se Genoveva, caboclinha de vinte anos, esperta, olho negro e atrevido. Encontraram-se em casa de terceiro e ficaram morrendo um pelo outro, a tal ponto que estiveram prestes a dar uma cabeçada, ele deixaria o serviço e ela o acompanharia para a vila mais recôndita do interior.

A velha Inácia, que morava com ela, dissuadiu-os disso; Deolindo não teve remédio senão seguir em viagem de instrução. Eram oito ou dez meses de ausência. Como fiança recíproca, entenderam dever fazer um juramento de fidelidade.

— Juro por Deus que está no céu. E você?
— Eu também.
— Diz direito.
— Juro por Deus que está no céu; a luz me falte na hora da morte.

Estava celebrado o contrato. Não havia descrer da sinceridade de ambos; ela chorava doidamente, ele mordia o beiço para dissimular. Afinal separaram-se, Genoveva foi ver sair a corveta e voltou para casa com um tal aperto no coração que parecia que "lhe ia dar uma coisa". Não lhe deu nada, felizmente; os dias foram passando, as semanas, os meses, dez meses, ao cabo dos quais, a corveta tornou e Deolindo com ela.

Lá vai ele agora, pela rua de Bragança, Prainha e Saúde, até o princípio da Gamboa, onde mora Genoveva. A casa é uma rotulazinha escura, portal rachado do sol, passando o cemitério dos Ingleses; lá deve estar Genoveva, debruçada à janela, esperando por ele. Deolindo prepara uma palavra que lhe diga. Já formulou esta: "Jurei cumpri", mas procura outra melhor. Ao mesmo tempo lembra as mulheres que viu por esse mundo de Cristo, italianas, marselhesas ou turcas, muitas delas bonitas, ou que lhe pareciam tais. Concorda que nem todas seriam para os beiços dele, mas algumas eram, e nem por isso fez caso de nenhuma. Só pensava em Genoveva. A mesma casinha dela, tão pequenina, e a mobília de pé quebrado, tudo velho e pouco, isso mesmo lhe lembrava diante dos palácios de outras terras. Foi à custa de muita economia que comprou em Trieste um par de brincos, que leva agora no bolso com algumas bugigangas. E ela que lhe guardaria? Pode ser que um lenço marcado com o nome dele e uma âncora na ponta, porque ela sabia marcar muito bem. Nisto chegou à Gamboa, passou o cemitério e deu com a casa fechada. Bateu, falou-lhe uma voz conhecida, a da velha Inácia, que veio abrir-lhe a porta com grandes exclamações de prazer. Deolindo, impaciente, perguntou por Genoveva.

— Não me fale nessa maluca — arremeteu a velha. — Estou bem satisfeita com o conselho que lhe dei. Olhe lá se fugisse. Estava agora como o lindo amor.

— Mas que foi? que foi?

A velha disse-lhe que descansasse, que não era nada, uma dessas coisas que aparecem na vida; não valia a pena zangar-se. Genoveva andava com a cabeça virada...

— Mas virada por quê?

— Está com um mascate, José Diogo. Conheceu José Diogo, mascate de fazendas? Está com ele. Não imagina a paixão que eles têm um pelo outro. Ela então anda maluca. Foi o motivo da nossa briga. José Diogo não me saía da porta; eram conversas e mais conversas, até que eu um dia disse que não queria a minha casa difamada. Ah! meu pai do céu! foi um dia de juízo. Genoveva investiu para mim com uns olhos deste tamanho, dizendo que nunca difamou ninguém e não precisava de esmolas. Que esmolas, Genoveva? O que digo é que não quero esses cochichos à porta, desde as ave-marias... Dois dias depois estava mudada e brigada comigo.

— Onde mora ela?

— Na praia Formosa, antes de chegar à pedreira, uma rótula pintada de novo.

Deolindo não quis ouvir mais nada. A velha Inácia, um tanto arrependida, ainda lhe deu avisos de prudência, mas ele não os escutou e foi andando. Deixo de notar o que pensou em todo o caminho; não pensou nada. As ideias marinhavam-lhe no cérebro, como em hora de temporal, no meio de uma confusão de ventos e apitos. Entre elas rutilou a faca de bordo, ensangüentada e vingadora. Tinha passado a Gamboa, o saco do Alferes, entrara na praia Formosa. Não sabia o número da casa, mas era perto da pedreira, pintada de novo, e com auxílio da vizinhança poderia achá-la. Não contou com o acaso que pegou de Genoveva e fê-la sentar à janela, cosendo, no momento em que Deolindo ia passando. Ele conheceu-a e parou; ela, vendo o vulto de um homem, levantou os olhos e deu com o marujo.

— Que é isso? — exclamou espantada. — Quando chegou? Entre, seu Deolindo.

E, levantando-se, abriu a rótula e fê-lo entrar. Qualquer outro homem ficaria alvoroçado de esperanças, tão francas eram as maneiras da rapariga; podia ser que a velha se enganasse ou mentisse: podia ser mesmo que a cantiga do mascate estivesse acabada. Tudo isso lhe passou pela cabeça, sem a forma precisa do raciocínio ou da reflexão, mas em tumulto e rápido. Genoveva deixou a porta aberta: fê-lo sentar-se, pediu-lhe notícias da viagem e achou-o mais gordo: nenhuma comoção nem intimidade. Deolindo perdeu a última esperança. Em falta de faca, bastavam-lhe as mãos para estrangular Genoveva, que era um pedacinho de gente, e durante os primeiros minutos não pensou em outra coisa.

— Sei tudo — disse ele.

— Quem lhe contou?

Deolindo levantou os ombros.

— Fosse quem fosse — tornou ela —, disseram-lhe que eu gostava muito de um moço?

— Disseram.

— Disseram a verdade.

Deolindo chegou a ter um ímpeto; ela fê-lo parar só com a ação dos olhos. Em seguida disse que, se lhe abrira a porta, é porque contava que era homem de juízo.

Contou-lhe então tudo, as saudades que curtira, as propostas do mascate, as suas recusas, até que um dia, sem saber como, amanhecera gostando dele.

— Pode crer que pensei muito e muito em você. Sinhá Inácia que lhe diga se não chorei muito... Mas o coração mudou... Mudou... Conto-lhe tudo isto, como se estivesse diante do padre — concluiu sorrindo.

Não sorria de escárnio. A expressão das palavras é que era uma mescla de candura e cinismo, de insolência e simplicidade, que desisto de definir melhor. Creio até que insolência e cinismo são mal aplicados. Genoveva não se defendia de um erro ou de um perjúrio; não se defendia de nada; faltava-lhe o padrão moral das ações. O que dizia, em resumo, é que era melhor não ter mudado, dava-se bem com a afeição do Deolindo, a prova é que quis fugir com ele; mas, uma vez que o mascate venceu o marujo, a razão era do mascate, e cumpria declará-lo. Que vos parece? O pobre marujo citava o juramento de despedida, como uma obrigação eterna, diante da qual consentira em não fugir e embarcar: "Juro por Deus que está no céu; a luz me falte na hora da morte". Se embarcou, foi porque ela lhe jurou isso. Com essas palavras é que andou, viajou, esperou e tornou; foram elas que lhe deram a força de viver. Juro por Deus que está no céu; a luz me falte na hora da morte...

— Pois, sim, Deolindo, era verdade. Quando jurei, era verdade. Tanto era verdade que eu queria fugir com você para o sertão. Só Deus sabe se era verdade! Mas vieram outras coisas... Veio este moço e eu comecei a gostar dele...

— Mas a gente jura é para isso mesmo; é para não gostar de mais ninguém...

— Deixa disso, Deolindo. Então você só se lembrou de mim? Deixa de partes...

— A que horas volta José Diogo?

— Não volta hoje.

— Não?

— Não volta; está lá para os lados de Guaratiba com a caixa; deve voltar sexta-feira ou sábado... E por que é que você quer saber? Que mal lhe fez ele?

Pode ser que qualquer outra mulher tivesse igual palavra; poucas lhe dariam uma expressão tão cândida, não de propósito, mas involuntariamente. Vede que estamos aqui muito próximos da natureza. Que mal lhe fez ele? Que mal lhe fez esta pedra que caiu de cima? Qualquer mestre de física lhe explicaria a queda das pedras. Deolindo declarou, com um gesto de desespero, que queria matá-lo. Genoveva olhou para ele com desprezo, sorriu de leve e deu um muxoxo; e, como ele lhe falasse de ingratidão e perjúrio, não pôde disfarçar o pasmo. Que perjúrio? Que ingratidão? Já lhe tinha dito e repetia que quando jurou era verdade. Nossa Senhora, que ali estava, em cima da cômoda, sabia se era verdade ou não. Era assim que lhe pagava o que padeceu? E ele que tanto enchia a boca de fidelidade, tinha-se lembrado dela por onde andou?

A resposta dele foi meter a mão no bolso e tirar o pacote que lhe trazia. Ela abriu-o, aventou as bugigangas, uma por uma, e por fim deu com os brincos. Não eram nem poderiam ser ricos; eram mesmo de mau gosto, mas faziam uma vista de todos os diabos. Genoveva pegou deles, contente, deslumbrada, mirou-os por um lado e outro, perto e longe dos olhos, e afinal enfiou-os nas orelhas; depois foi ao espelho de pataca, suspenso na parede, entre a janela e a rótula, para ver o efeito que lhe faziam. Recuou, aproximou-se, voltou a cabeça da direita para a esquerda e da esquerda para a direita.

— Sim, senhor, muito bonito — disse ela, fazendo uma grande mesura de agradecimento. — Onde é que comprou?

Creio que ele não respondeu nada, nem teria tempo para isso, porque ela disparou mais duas ou três perguntas, uma atrás da outra, tão confusa estava de receber um mimo a troco de um esquecimento. Confusão de cinco ou quatro minutos; pode ser que dois. Não tardou que tirasse os brincos, e os contemplasse e pusesse na caixinha em cima da mesa redonda que estava no meio da sala. Ele pela sua parte começou a crer que, assim como a perdeu, estando ausente, assim o outro, ausente, podia também perdê-la; e, provavelmente, ela não lhe jurara nada.

— Brincando, brincando, é noite — disse Genoveva.

Com efeito, a noite ia caindo rapidamente. Já não podiam ver o hospital dos Lázaros e mal distinguiam a ilha dos Melões; as mesmas lanchas e canoas, postas em seco, defronte da casa, confundiram-se com a terra e o lodo da praia. Genoveva acendeu uma vela. Depois foi sentar-se na soleira da porta e pediu-lhe que contasse alguma coisa das terras por onde andara. Deolindo recusou a princípio; disse que se ia embora, levantou-se e deu alguns passos na sala. Mas o demônio da esperança mordia e babujava o coração do pobre-diabo, e ele voltou a sentar-se, para dizer duas ou três anedotas de bordo. Genoveva escutava com atenção. Interrompidos por uma mulher da vizinhança, que ali veio, Genoveva fê-la sentar-se também para ouvir "as bonitas histórias que o senhor Deolindo estava contando". Não houve outra apresentação. A grande dama que prolonga a vigília para concluir a leitura de um livro ou de um capítulo, não vive mais intimamente a vida dos personagens do que a antiga amante do marujo vivia as cenas que ele ia contando, tão livremente interessada e presa, como se entre ambos não houvesse mais que uma narração de episódios. Que importa à grande dama o autor do livro? Que importava a esta rapariga o contador dos episódios?

A esperança, entretanto, começava a desampará-lo e ele levantou-se definitivamente para sair. Genoveva não quis deixá-lo sair antes que a amiga visse os brincos, e foi mostrar-lhos com grandes encarecimentos. A outra ficou encantada, elogiou-os muito, perguntou se os comprara em França e pediu a Genoveva que os pusesse.

— Realmente, são muito bonitos.

Quero crer que o próprio marujo concordou com essa opinião. Gostou de os ver, achou que pareciam feitos para ela e, durante alguns segundos, saboreou o prazer exclusivo e superfino de haver dado um bom presente; mas foram só alguns segundos.

Como ele se despedisse, Genoveva acompanhou-o até a porta para lhe agradecer ainda uma vez o mimo, e provavelmente dizer-lhe algumas coisas meigas e inúteis. A amiga, que deixara ficar na sala, apenas lhe ouviu esta palavra: "Deixa disso, Deolindo"; e esta outra do marinheiro: "Você verá". Não pôde ouvir o resto, que não passou de um sussurro.

Deolindo seguiu, praia fora, cabisbaixo e lento, não já o rapaz impetuoso da tarde, mas com um ar velho e triste, ou, para usar outra metáfora de marujo, como um homem "que vai do meio caminho para terra". Genoveva entrou logo depois, alegre e barulhenta. Contou à outra a anedota dos seus amores marítimos, gabou muito o gênio do Deolindo e os seus bonitos modos; a amiga declarou achá-lo grandemente simpático.

— Muito bom rapaz — insistiu Genoveva. — Sabe o que ele me disse agora?
— Que foi?
— Que vai matar-se.
— Jesus!
— Qual o quê! Não se mata, não. Deolindo é assim mesmo; diz as coisas, mas não faz. Você verá que não se mata. Coitado, são ciúmes. Mas os brincos são muito engraçados.
— Eu aqui ainda não vi destes.
— Nem eu — concordou Genoveva, examinando-os à luz. Depois guardou-os e convidou a outra a coser. — Vamos coser um bocadinho, quero acabar o meu corpinho azul...

A verdade é que o marinheiro não se matou. No dia seguinte, alguns dos companheiros bateram-lhe no ombro, cumprimentando-o pela noite de almirante, e pediram-lhe notícias de Genoveva, se estava mais bonita, se chorara muito na ausência etc. Ele respondia a tudo com um sorriso satisfeito e discreto, um sorriso de pessoa que viveu uma grande noite. Parece que teve vergonha da realidade e preferiu mentir.

Gazeta de Notícias, *10 de fevereiro de 1884; Machado de Assis.*

Manuscrito de um sacristão

I
Ao dar com o padre Teófilo falando a uma senhora, ambos sentadinhos no banco da igreja, e a igreja deserta, confesso que fiquei espantado. Note-se que conversavam em voz tão baixa e discreta, que eu, por mais que afiasse o ouvido e me demorasse a apagar as velas do altar, não podia apanhar nada, nada, nada. Não tive remédio senão adivinhar alguma coisa. Que eu sou um sacristão filósofo. Ninguém me julgue pela sobrepeliz rota e amarrotada nem pelo uso clandestino das galhetas. Sou um filósofo sacristão. Tive estudos eclesiásticos, que interrompi por causa de uma doença e que inteiramente deixei por outro motivo, uma paixão violenta, que me trouxe à miséria. Como o seminário deixa sempre um certo vinco, fiz-me sacristão aos trinta anos, para ganhar a vida. Venhamos, porém, ao nosso padre e à nossa dama.

II
Antes de ir adiante, direi que eram primos. Soube depois que eram primos, nascidos em Vassouras. Os pais dela mudaram-se para a corte, tendo Eulália (é o seu nome) sete anos. Teófilo veio depois. Na família era uso antigo que um dos rapazes fosse padre. Vivia ainda na Bahia um tio dele, cônego. Cabendo-lhe nesta geração envergar a batina, veio para o seminário de São José, no ano de mil oitocentos e cinquenta e tantos, e foi aí que o conheci. Compreende-se o sentimento de discrição que me leva a deixar a data no ar.

III
No seminário, dizia-nos o lente de retórica:
— A teologia é a cabeça do gênero humano, o latim a perna esquerda, e a retórica a perna direita.

Justamente da perna direita é que o Teófilo coxeava. Sabia muito as outras coisas: teologia, filosofia, latim, história sagrada; mas a retórica é que lhe não entrava no cérebro. Ele, para desculpar-se, dizia que a palavra divina não precisava de adornos. Tinha então vinte ou vinte e dois anos de idade e era lindo como são João.

Já nesse tempo era um místico; achava em todas as coisas uma significação recôndita. A vida era uma eterna missa em que o mundo servia de altar, a alma de sacerdote e o corpo de acólito; nada respondia à realidade exterior. Vivia ansioso de tomar ordens para sair a pregar grandes coisas, espertar as almas, chamar os corações à Igreja, e renovar o gênero humano. Entre todos os apóstolos, amava principalmente são Paulo.

Não sei se o leitor é da minha opinião; eu cuido que se pode avaliar um homem pelas suas simpatias históricas; tu serás mais ou menos da família dos personagens que amares deveras. Aplico assim aquela lei de Helvetius: "O grau de espírito que nos deleita dá a medida exata do grau de espírito que possuímos". No nosso caso, ao menos, a regra não falhou. Teófilo amava são Paulo, adorava-o, estudava-o dia e noite, parecia viver daquele converso que ia de cidade em cidade, à custa de um ofício mecânico, espalhando a boa nova aos homens. Nem tinha somente esse modelo, tinha mais dois: Hildebrando e Loiola. Daqui podeis concluir que nasceu com a fibra da peleja e do apostolado. Era um faminto de ideal e criação, olhando todas as coisas correntes por cima da cabeça do século. Na opinião de um cônego, que lá ia ao seminário, o amor dos dois modelos últimos temperava o que pudesse haver perigoso em relação ao primeiro.

— Não vá o senhor cair no excesso e no exclusivo — disse-lhe um dia com brandura —, não pareça que, exaltando somente a Paulo, intenta diminuir Pedro. A Igreja, que os comemora ao lado um do outro, meteu-os ambos no Credo; mas veneremos Paulo e obedeçamos a Pedro. *Super hanc petram*...

Os seminaristas gostavam do Teófilo, principalmente três, um Vasconcelos, um Soares e um Veloso, todos excelentes retóricos. Eram também bons rapazes, alegres por natureza, graves por necessidade e ambiciosos. Vasconcelos jurava que seria bispo; Soares contentava-se com algum grande cargo; Veloso cobiçava as meias roxas de cônego e um púlpito. Teófilo tentou repartir com eles o pão místico dos seus sonhos, mas reconheceu depressa que era manjar leve ou pesado demais, e passou a devorá-lo sozinho. Até aqui o padre; vamos agora à dama.

IV

Agora a dama. No momento em que os vi falar baixinho na igreja, Eulália contava trinta e oito anos de idade. Juro-lhes que era ainda bonita. Não era pobre; os pais deixaram-lhe alguma coisa. Nem casada; recusou cinco ou seis pretendentes.

Este ponto nunca foi entendido pelas amigas. Nenhuma delas era capaz de repelir um noivo. Creio até que não pediam outra coisa, quando rezavam antes de entrar na cama, e ao domingo, à missa, no momento de levantar a Deus. Por que é que Eulália recusava-os todos? Vou dizer desde já o que soube depois. Supuseram-lhe, a princípio, um simples desdém — nariz torcido, dizia uma delas; — mas, no fim da terceira recusa, inclinaram-se a crer que havia namoro encoberto, e esta explicação prevaleceu. A própria mãe de Eulália não aceitou outra. Não lhe importaram as primeiras recusas; mas, repetindo-se, ela começou a assustar-se. Um dia, voltando de um casamento, perguntou à filha, no carro em que vinham, se não se lembrava que tinha de ficar só.

— Ficar só?

— Sim, um dia hei de morrer. Por ora tudo são flores; cá estou para governar a casa; e você é só ler, cismar, tocar e brincar; mas eu tenho de morrer, Eulália, e você tem de ficar só...

Eulália apertou-lhe muito a mão, sem poder dizer palavra. Nunca pensara na morte da mãe; perdê-la era perder metade de si mesma. Na expansão de momento, a mãe atreveu-se a perguntar-lhe se amava alguém e não era correspondida. Eulália respondeu que não. Não simpatizara com os candidatos. A boa velha abanou a cabeça; falou dos vinte e sete anos da filha, procurou aterrá-la com os trinta, disse-lhe que, se nem todos os noivos a mereciam igualmente, alguns eram dignos de ser aceitos, e que importava a falta de amor? O amor conjugal podia ser assim mesmo; podia nascer depois, como um fruto da convivência. Conhecera pessoas que se casaram por simples interesse de família e acabaram amando-se muito. Esperar uma grande paixão para casar era arriscar-se a morrer esperando.

— Pois sim, mamãe, deixe estar...

E, reclinando a cabeça, fechou um pouco os olhos para espiar alguém, para ver o namorado encoberto, que não era só encoberto, mas também e principalmente impalpável. Concordo que isto agora é obscuro; não tenho dúvida em dizer que entramos em pleno sonho.

Eulália era uma esquisita, para usarmos a linguagem da mãe, ou romanesca, para empregarmos a definição das amigas. Tinha, em verdade, uma singular organização. Saiu ao pai. O pai nascera com o amor do enigmático, do arriscado e do obscuro; morreu quando aparelhava uma expedição para ir à Bahia descobrir a "cidade abandonada". Eulália recebeu essa herança moral, modificada ou agravada pela natureza feminil. Nela dominava principalmente a contemplação. Era na cabeça que ela descobria as cidades abandonadas. Tinha os olhos dispostos de maneira que não podiam apanhar integralmente os contornos da vida. Começou idealizando as coisas, e, se não acabou negando-as, é certo que o sentimento da realidade esgarçou-se-lhe até chegar à transparência fina em que o tecido parece confundir-se com o ar.

Aos dezoito anos, recusou o primeiro casamento. A razão é que esperava outro, um marido extraordinário, que ela viu e conversou, em sonho ou alucinação, a mais radiosa figura do universo, a mais sublime e rara, uma criatura em que não havia falha ou quebra, verdadeira gramática sem irregularidades, pura língua sem solecismos.

Perdão, interrompe-me uma senhora, esse noivo, não é obra exclusiva de Eulália, é o marido de todas as virgens de dezessete anos. Perdão, digo-lhe eu, há uma diferença entre Eulália e as outras, é que as outras trocam finalmente o original esperado por uma cópia gravada, antes ou depois da letra, e às vezes por uma simples fotografia ou litografia, ao passo que Eulália continuou a esperar o painel autêntico. Vinham as gravuras, vinham as litografias, algumas muito bem-acabadas, obra de artista e grande artista, mas para ela traziam o defeito de ser cópias. Tinha fome e sede de originalidade. A vida comum parecia-lhe uma cópia eterna. As pessoas do seu conhecimento caprichavam em repetir as ideias umas das outras, com iguais palavras, e às vezes sem diferente inflexão, à semelhança do vestuário que usavam, e que era do mesmo gosto e feitio. Se ela visse alvejar na rua um turbante mourisco ou flutuar um penacho, pode ser que perdoasse o resto; mas nada, coisa nenhuma, uma constante uniformidade de ideias e coletes. Não era outro o pecado mortal das coisas. Mas, como tinha a faculdade de viver tudo o que sonhava, continuou a esperar uma vida nova e um marido único.

Enquanto esperava, as outras iam casando. Assim perdeu ela as três principais amigas: Júlia Costinha, Josefa e Mariana. Viu-as todas casadas, viu-as mães, a princípio de um filho, depois de dois, de quatro e de cinco. Visitava-as, assistia ao viver delas, sereno e alegre, medíocre, vulgar, sem sonhos nem quedas, mais ou menos feliz. Assim se passaram os anos; assim chegou aos trinta, aos trinta e três, aos trinta e cinco, e finalmente aos trinta e oito em que a vemos na igreja, conversando com o padre Teófilo.

V

Naquele dia mandara dizer uma missa por alma da mãe, que morrera um ano antes. Não convidou ninguém: foi ouvi-la sozinha. Ouviu-a, rezou, depois sentou-se no banco.

Eu, depois de ajudar à missa, voltei para a sacristia, e vi ali o padre Teófilo, que viera da roça duas semanas antes e andava à cata de alguma missa para comer. Parece que ele ouviu do outro sacristão ou do mesmo padre oficiante o nome da pessoa sufragada; viu que era o da tia e correu à igreja, onde ainda achou a prima no banco. Sentou-se ao pé dela, esquecido do lugar e das posições, e falaram naturalmente de si mesmos. Não se viam desde longos anos. Teófilo visitara-as logo depois de ordenado padre; mas saiu para o interior e nunca mais soube delas, nem elas dele.

Já disse que não pude ouvir nada. Estiveram assim perto de meia hora. O coadjutor veio espiar, deu com eles e ficou justamente escandalizado. A notícia do caso chegou, dois dias depois, ao bispo. Teófilo recebeu uma advertência amiga, subiu à Conceição e explicou tudo: era uma prima, a quem não via desde muito. O padre coadjutor, quando soube da explicação, exclamou com muito critério que o ser parente não lhe trocava o sexo nem supria o escândalo.

Entretanto, como eu tinha sido companheiro do Teófilo no seminário e gostava dele, defendi-o com muito calor e fiz chegar o meu testemunho ao palácio da Conceição. Ele ficou-me grato por isso, e daí veio a intimidade de nossas relações. Como os dois primos podiam ver-se em casa, Teófilo passou a visitá-la, e ela a recebê-lo com muito prazer. No fim de oito dias, recebeu-me também; ao cabo de duas semanas era eu um dos seus familiares.

Dois patrícios que se encontram em plaga estrangeira e podem finalmente trocar as palavras mamadas na infância não sentem maior alvoroço do que estes dois primos, que eram mais que primos: moralmente eram gêmeos. Ele contou-lhe a vida e, como os acontecimentos acarretassem os sentimentos, ela olhou para dentro da alma do primo e achou que era a sua mesma alma e que, em substância, a vida de ambos era a mesma. A diferença é que uma esperou quieta o que o outro andou buscando por montes e vales; no mais, igual equívoco, igual conflito com a realidade, idêntico diálogo de árabe e japonês.

— Tudo o que me cerca é trivial e chocho — dizia-lhe ele.

Com efeito, gastara o aço da mocidade em divulgar uma concepção que ninguém lhe entendeu. Enquanto os três amigos mais chegados do seminário passavam adiante, trabalhando e servindo, afinados pela nota do século, Veloso cônego e pregador, Soares com uma grande vigairaria, Vasconcelos a caminho de bispar, ele Teófilo era o mesmo apóstolo e místico dos primeiros anos, em plena aurora cristã e metafísica. Vivia miseravelmente, costeando a fome, pão magro e batina surrada; tinha instantes e horas de tristeza e de abatimento: confessou-os à prima...

— Também o senhor? — perguntou ela.

E as suas mãos apertaram-se com energia: entendiam-se. Não tendo achado um astro na loja de um relojoeiro, a culpa era do relojoeiro; tal era a lógica de ambos. Olharam-se com a simpatia de náufragos — náufragos e não desenganados —

porque não o eram. Crusoé, na ilha deserta, inventa e trabalha; eles não; lançados à ilha, estendiam os olhos para o mar ilimitado, esperando a águia que viria buscá-los com as suas grandes asas abertas. Uma era a eterna noiva sem noivo, outro o eterno profeta sem Israel; ambos punidos e obstinados.

Já disse que Eulália era ainda bonita. Resta dizer que o padre Teófilo, com quarenta e dois anos tinha os cabelos grisalhos e as feições cansadas; as mãos não possuíam nem a maciez nem o aroma da sacristia, eram magras e calosas e cheiravam ao mato. Os olhos é que conservavam o fogo antigo, era por ali que a mocidade interior falava cá para fora, e força é dizer que eles valiam só por si todo o resto.

As visitas amiudaram-se. Afinal íamos passar ali as tardes e as noites e jantar aos domingos. A convivência produziu dois efeitos, e até três. O primeiro foi que os dois primos, frequentando-se, deram força e vida um ao outro; relevem-me esta expressão familiar: — fizeram um piquenique de ilusões. O segundo é que Eulália, cansada de esperar um noivo humano, volveu os olhos para o noivo divino e, assim como ao primo viera a ambição de são Paulo, veio-lhe a ela a de santa Teresa. O terceiro efeito é o que o leitor já adivinhou.

Já adivinhou. O terceiro foi o caminho de Damasco — um caminho às avessas, porque a voz não baixou do céu, mas subiu da terra; não chamava a pregar Deus, mas a pregar o homem. Sem metáfora, amavam-se. Outra diferença é que a vocação aqui não foi súbita como em relação ao apóstolo das gentes; foi vagarosa, muito vagarosa, cochichada, insinuada, bafejada pelas asas da pomba mística.

Note-se que a fama precedeu ao amor. Sussurrava-se desde muito que as visitas do padre eram menos de confessor que de pecador. Era mentira; eu juro que era mentira. Via-os, acompanhava-os, estudava esses dois temperamentos tão espirituais, tão cheios de si mesmos, que nem sabiam da fama, nem cogitavam no perigo da aparência. Um dia vi-lhes os primeiros sinais do amor. Será o que quiserem, uma paixão quarentona, rosa outoniça e pálida, mas era, existia, crescia, ia tomá-los inteiramente. Pensei em avisar o padre, não por mim, mas por ele mesmo; mas era difícil, e talvez perigoso. Demais, eu era e sou gastrônomo e psicólogo; avisá-lo era botar fora uma fina matéria de estudo e perder os jantares dominicais. A psicologia, ao menos, merecia um sacrifício; calei-me.

Calei-me à toa. O que eu não quis dizer, publicou-o o coração de ambos. Se o leitor me leu de corrida, conclui por si mesmo a anedota, conjugando os dois primos; mas, se me leu devagar, adivinha o que sucedeu. Os dois místicos recuaram; não tiveram horror um do outro nem de si mesmos, porque essa sensação estava excluída de ambos, mas recuaram, agitados de medo e de desejo.

— Volto para a roça — disse-me o padre.
— Mas por quê?
— Volto para a roça.

Voltou para a roça e nunca mais cá veio. Ela, é claro que tinha achado o marido que esperava, mas saiu-lhe tão impossível como a vida que sonhou. Eu, gastrônomo e psicólogo, continuei a ir jantar com Eulália aos domingos. Considero que alguma coisa deve subsistir debaixo do sol, ou o amor ou o jantar, se é certo, como quer Schiller, que o amor e a fome governam este mundo.

Gazeta de Notícias, *17 de fevereiro de 1884; Machado de Assis.*

Ex cathedra

— Padrinho, vosmecê assim fica cego.

— O quê?

— Vosmecê fica cego; lê que é um desespero. Não, senhor, dê cá o livro.

Caetaninha tirou-lhe o livro das mãos. O padrinho deu uma volta, e foi meter-se no gabinete, onde lhe não faltavam livros; fechou-se por dentro e continuou a ler. Era o seu mal; lia com excesso, lia de manhã, de tarde e de noite, ao almoço e ao jantar, antes de dormir, depois do banho, lia andando, lia parado, lia em casa e na chácara, lia antes de ler e depois de ler, lia toda a casta de livros, mas especialmente direito (em que era graduado), matemáticas e filosofia; ultimamente dava-se também às ciências naturais.

Pior que cego, ficou aluado. Foi pelos fins de 1873, na Tijuca, que ele começou a dar sinais de transtorno cerebral; mas, como eram leves e poucos, só em março ou abril de 1874 é que a afilhada lhe percebeu a alteração. Um dia, almoçando, interrompeu ele a leitura para lhe perguntar:

— Como é que eu me chamo?

— Como é que padrinho se chama? — repetiu ela espantada. — Chama-se Fulgêncio.

— De hoje em diante, chamar-me-ás Fulgencius.

E, enterrando a cara no livro, prosseguiu na leitura. Caetaninha referiu o caso às mucamas, que lhe declararam desconfiar desde algum tempo que ele não andava bom. Imagine-se o medo da moça; mas o medo passou depressa para só deixar a piedade que lhe aumentou a afeição. Também a mania era restrita e mansa; não passava dos livros. Fulgêncio vivia do escrito, do impresso, do doutrinal, do abstrato, dos princípios e das fórmulas. Com o tempo chegou, não já à superstição, mas à alucinação da teoria. Uma de suas máximas era que a liberdade não morre onde restar uma folha de papel para decretá-la; e um dia, acordando com a ideia de melhorar a condição dos turcos, redigiu uma constituição, que mandou de presente ao ministro inglês, em Petrópolis. De outra ocasião, meteu-se a estudar nos livros a anatomia dos olhos, para verificar se realmente eles podiam ver, e concluiu que sim.

Digam-me, se, em tais condições, a vida de Caetaninha podia ser alegre. Não lhe faltava nada, é verdade, porque o padrinho era rico. Foi ele mesmo que a educou, desde os sete anos, quando perdeu a mulher; ensinou-lhe a ler e escrever, francês, um pouco de história e geografia, para não dizer quase nada, e incumbiu uma das mucamas de lhe ensinar crivo, renda e costura. Tudo isso é verdade. Mas Caetaninha fizera quatorze anos; e, se nos primeiros tempos bastavam os brinquedos e as escravas para diverti-la, era chegada a idade em que os brinquedos perdem de moda e as escravas de interesse, em que não há leituras nem escrituras que façam de uma casa solitária na Tijuca um paraíso. Descia algumas vezes, raras, e de corrida; não ia a teatros nem bailes; não fazia nem recebia visitas. Quando via passar na estrada uma cavalgada de homens e senhoras, punha a alma na garupa dos animais, e deixava-a ir com eles, ficando-lhe o corpo, ao pé do padrinho, que continuava a ler.

Um dia, estando na chácara, viu parar ao portão um rapaz, montado numa bestinha, e ouviu que lhe perguntava se era ali a casa do dr. Fulgêncio.

— Sim, senhor, é aqui mesmo.

— Podia falar-lhe?

Caetaninha respondeu que ia ver; entrou em casa, e foi ao gabinete, onde achou o padrinho remoendo, com a mais voluptuária e beata das expressões, um capítulo de Hegel. — Mocinho? Que mocinho? — Caetaninha disse-lhe que era um mocinho vestido de luto. — De luto? — repetiu o velho doutor fechando precipitadamente o livro — há de ser ele. — Esquecia-me dizer (mas há tempo para tudo) que, três meses antes, falecera um irmão de Fulgêncio, no norte, deixando um filho natural. Como o irmão, dias antes de morrer, lhe escrevera recomendando o órfão que ia deixar, Fulgêncio mandou que este viesse para o Rio de Janeiro. Ouvindo que estava ali um mocinho de luto, concluiu que era o sobrinho, e não concluiu mal. Era ele mesmo.

Parece que até aqui nada há que destoe de uma história ingenuamente romanesca: temos um velho lunático, uma mocinha solitária e suspirosa, e vemos despontar inopinadamente um sobrinho. Para não descer da região poética em que nos achamos, deixo de dizer que a mula em que o Raimundo veio montado foi reconduzida por um preto ao alugador; passo também por alto as circunstâncias da acomodação do rapaz, limitando-me a dizer que, como o tio, à força de viver lendo, esquecera inteiramente que o mandara buscar, nada havia em casa preparado para recebê-lo. Mas a casa era grande e abastada; uma hora depois, estava o rapaz aposentado num lindo quarto, donde podia ver a chácara, a cisterna antiga, o lavadouro, basta folha verde e vasto céu azul.

Creio que ainda não disse a idade do hóspede; tem quinze anos e um ameaço de buço; é quase uma criança. Logo, se a nossa Caetaninha ficou alvoroçada, e as mucamas andam de um lado para outro, espiando e falando do "sobrinho de sinhô velho que chegou de fora", é porque a vida ali não tem outros episódios, não porque ele seja homem feito. Essa foi também a impressão do dono da casa; mas, aqui vai a diferença. A afilhada não advertia que o ofício do buço é virar bigode, ou, se pensou nisso, fê-lo tão vagamente, que não vale a pena de o pôr aqui. Não assim o velho Fulgêncio. Compreendeu este que havia ali a massa de um marido, e resolveu casá-los; mas viu também que, a menos de lhes pegar nas mãos e mandar que se amassem, o acaso podia guiar as coisas por modo diferente.

Uma ideia traz outra. A ideia de os casar pegou por um lado com uma de suas opiniões recentes. Era esta que as calamidades ou os simples dissabores nas relações do coração provinham de que o amor era praticado de um modo empírico; faltava-lhe a base científica. Um homem e uma mulher, desde que conhecessem as razões físicas e metafísicas desse sentimento, estariam mais aptos a recebê-lo e nutri-lo com eficácia, do que outro homem e outra mulher que nada soubessem do fenômeno.

— Os meus pequenos estão verdes — dizia ele consigo —, tenho três a quatro anos diante de mim, e posso começar desde já a prepará-los. Vamos com lógica; primeiro os alicerces, depois as paredes, depois o teto... em vez de começar pelo teto... Dia virá em que se aprenda a amar como se aprende a ler... Nesse dia...

Estava atordoado, deslumbrado, delirante. Foi às estantes, desceu alguns tomos, astronomia, geologia, fisiologia, anatomia, jurisprudência, política, lingüística, abriu-os, folheou-os, comparou-os, extratou daqui e dali, até formular um programa de ensino. Compunha-se este de vinte capítulos, nos quais entravam as noções gerais do universo, uma definição da vida, demonstração da existência do homem e da mulher, organização das sociedades, definição e análise das paixões, definição e análise do amor, suas causas, necessidades e efeitos. Em verdade, as matérias eram crespas; ele entendeu torná-las dóceis, tratando-as em frase corriqueira e chã, dando-lhes um tom puramente familiar, como a astronomia de Fontenelle. E dizia com ênfase que o essencial da fruta era o miolo, não a casca.

Tudo isso era engenhoso; mas aqui vai o mais engenhoso. Não os convidou a aprender. Uma noite, olhando para o céu, disse que as estrelas estavam brilhando muito; e o que eram as estrelas? acaso sabiam eles o que eram as estrelas?

— Não senhor.

Daqui a iniciar uma descrição do universo era um passo. Fulgêncio deu o passo, com tal presteza e naturalidade, que os deixou encantados e eles pediram a viagem toda.

— Não — disse o velho —, não esgotemos tudo hoje, nem isto se entende bem senão devagar; amanhã ou depois...

Foi assim, sorrateiramente, que ele começou a executar o plano. Os dois alunos, assombrados com o mundo astronômico, pediam-lhe todos os dias que continuasse, e, posto que no fim dessa primeira parte Caetaninha ficasse um tanto confusa, ainda assim quis ouvir as outras coisas que o padrinho lhe prometeu.

Não digo nada da familiaridade entre os dois alunos, por ser coisa óbvia. Entre quatorze e quinze anos a diferença é tão pequena, que os portadores das duas idades não tinham mais que dar a mão um ao outro. Foi o que aconteceu.

No fim de três semanas pareciam ter sido criados juntos. Só isto bastava a mudar a vida de Caetaninha; mas Raimundo trouxe-lhe mais. Não há dez minutos, vimo-la olhar com saudade as cavalgadas de homens e damas que passavam na estrada. Raimundo matou-lhe a saudade, ensinando-lhe a montaria, apesar da relutância do velho, que temia algum desastre; mas este cedeu e alugou dois cavalos. Caetaninha mandou fazer uma linda amazona, Raimundo veio à cidade comprar-lhe as luvas e um chicotinho, com o dinheiro do tio — já se sabe — que também lhe deu as botas e o demais aparelho masculino. Daí a pouco era um gosto vê-los ambos, galhardos e intrépidos, abaixo e acima da montanha.

Em casa, brincavam à larga, jogavam damas e cartas, cuidavam de aves e plantas. Brigavam, muita vez; mas, segundo as mucamas, eram brigas de mentira, só para fazerem as pazes depois. Era o pico do arrufo. Raimundo vinha às vezes à cidade, a mandado do tio. Caetaninha ia esperá-lo ao portão, espiando ansiosa. Quando ele chegava, brigavam, porque ela queria tirar-lhe os maiores embrulhos, a pretexto de que ele vinha cansado, e ele queria dar-lhe os mais leves, alegando que ela era fraquinha.

No fim de quatro meses, a vida era totalmente outra. Pode-se até dizer que só então é que Caetaninha começou a usar rosas no cabelo. Antes disso vinha muita vez despenteada para a mesa do almoço. Agora, não só se penteava logo cedo, mas até, como digo, trazia rosas, uma ou duas; estas eram, ou colhidas na véspera, por ela mesma, e guardadas em água, ou na própria manhã, por ele, que ia levar-lhas à janela. A janela era alta; mas Raimundo, pondo-se na ponta dos pés, e levantando o braço, conseguia dar-lhe as rosas em mão. Foi por esse tempo que ele adquiriu o sestro de mortificar o buço, puxando-o muito de um e outro lado. Caetaninha chegava a bater-lhe nos dedos, para lhe tirar tão mau costume.

Entretanto, as lições continuavam regularmente. Já tinham uma ideia geral do universo, e uma definição da vida, que nenhum deles entendeu. Assim chegaram ao quinto mês. No sexto, começou a demonstração da existência do homem. Caetaninha não pôde suster o riso, quando o padrinho, expondo a matéria, perguntou-lhes se eles sabiam que existiam, e por quê; mas ficou logo séria, e respondeu que não.

— Nem você?

— Nem eu, não, senhor — concordou o sobrinho.

Fulgêncio iniciou uma demonstração em regra, profundamente cartesiana. A seguinte lição foi na chácara. Chovera muito nos dias anteriores; mas o sol agora alagava tudo de luz, e a chácara parecia uma linda viúva, que troca o véu do luto pelo do noivado. Raimundo, como se quisesse copiar o sol (copiam-se naturalmente os grandes), despedia das pupilas um olhar vasto e longo, que Caetaninha recebia, palpitando, como a chácara. Fusão, transfusão, difusão, confusão e profusão de seres e de coisas.

Enquanto o velho falava, reto, lógico, vagaroso, curtido de fórmulas, com os olhos fixos em parte nenhuma, os dois alunos faziam trinta mil esforços para escutá-lo, mas vinham trinta mil incidentes distraí-los. Foi a princípio um casal de borboletas que brincavam no ar. Façam-me o favor de dizer o que é que pode haver extraordinário num casal de borboletas? Concordo que eram amarelas, mas esta circunstância não basta a explicar a distração. O fato de voarem uma atrás da outra, ora à direita, ora à esquerda, ora abaixo, ora acima, também não dá a razão do desvio, visto que nunca as borboletas voaram em linha reta, como simples militares.

— O entendimento — dizia o velho —, o entendimento, segundo eu já expliquei...

Raimundo olhou para Caetaninha, e achou-a olhando para ele. Um e outro pareciam confusos e acanhados. Ela foi a primeira que baixou os olhos ao regaço. Depois, levantou-os, a fim de os levar a outra parte, mais remota, o muro da chácara; na passagem, como os de Raimundo ali estivessem, ela encarou-os o mais rapidamente que pôde. Felizmente, o muro apresentava um espetáculo que a encheu de admiração: um casal de andorinhas (era o dia dos casais) saltitava nele, com a graça peculiar às pessoas aladas. Saltitavam piando, dizendo coisas uma à outra, o que quer que fosse, talvez isto — que era bem bom não haver filosofia nos muros das chácaras. Se não quando, uma delas voou, provavelmente a dama, e a outra, naturalmente o garção, não se deixou ficar atrás: esticou as asas e seguiu o mesmo caminho. Caetaninha desceu os olhos à grama do chão.

Quando a lição acabou, daí a alguns minutos, ela pediu ao padrinho que continuasse, e, recusando este, tomou-lhe o braço e convidou-o a dar um giro na chácara.

— Está muito sol — contestou o velho.

— Vamos pela sombra.

— Faz muito calor.

Caetaninha propôs irem continuar na varanda; mas o padrinho disse-lhe misteriosamente que Roma não se fez num dia, e acabou declarando que só dois dias depois continuaria a lição. Caetaninha recolheu-se ao quarto, esteve ali três quartos de hora fechada, sentada, à janela, de um lado para outro, procurando as coisas que tinha na mão, e chegando ao cúmulo de ver-se a si mesma, cavalgando, estrada acima, ao lado de Raimundo. De uma vez aconteceu-lhe ver o rapaz no muro da chácara; mas atentou bem, reconheceu que era um par de besouros que zumbiam no ar. E dizia um deles ao outro:

— Tu és a flor da nossa raça, a flor do ar, a flor das flores, o sol e a lua da minha vida.

Ao que respondia o outro:

— Ninguém te vence na beleza e na graça; o teu zumbir é um eco das falas divinas; mas, deixa-me... deixa-me...

— Por que deixar-te, alma destes bosques?

— Já te disse, rei dos ares puros, deixa-me.

— Não me fales assim, feitiço e gala das matas. Tudo por cima e em volta de nós está dizendo que me deves falar de outra maneira. Conheces a cantiga dos mistérios azuis?

— Vamos ouvi-la nas folhas verdes da laranjeira.

— As da mangueira são mais bonitas.

— Tu és mais linda que umas e outras.

— E tu, sol da minha vida?

— Lua do meu ser, eu sou o que tu quiseres...

Era assim que os dois besouros falavam. Ela ouviu-os cismando. Como eles desaparecessem, ela entrou, viu as horas e saiu do quarto. Raimundo estava fora; ela foi esperá-lo ao portão, dez, vinte, trinta, quarenta, cinquenta minutos. Na volta disseram pouco; uniram-se e separaram-se duas ou três vezes. Da última vez foi ela que o trouxe à varanda, para mostrar-lhe um enfeite que julgava perdido e acabava de achar. Façam-lhe a justiça de crer que era pura mentira. Entretanto, Fulgêncio antecipou a lição; deu-a no dia seguinte, entre o almoço e o jantar. Nunca a palavra lhe saiu tão límpida e singela. E assim devia ser; tratava-se da existência do homem, capítulo profundamente metafísico, em que era preciso considerar tudo e por todos os lados.

— Estão entendendo? — perguntava ele.

— Perfeitamente.

E a lição seguiu até o fim. No fim, deu-se a mesma coisa da véspera; Caetaninha, como se tivesse medo de ficar só, pedia-lhe para continuar ou passear; ele recusou uma e outra coisa, bateu-lhe paternalmente na cara, e foi encerrar-se no gabinete.

— Para a semana — pensava o velho doutor, dando volta à chave—, para a semana entro na organização das sociedades; todo o mês que vem e o outro é para a definição e classificação das paixões; em maio, passaremos ao amor... já será tempo...

Enquanto ele dizia isto, e fechava a porta, alguma coisa ressoava do lado da varanda — um trovão de beijos, segundo disseram as lagartas da chácara; mas, para as lagartas qualquer pequeno rumor vale um trovão. Quanto aos autores do ruído nada positivo se sabe. Parece que um maribondo, vendo Caetaninha e Raimundo unidos nessa ocasião, concluiu da coincidência para a consequência, e entendeu que eram eles; mas um velho gafanhoto demonstrou a inanidade do fundamento, alegando que ouvira muitos beijos, outrora, em lugares onde nem Raimundo nem Caetaninha puseram os pés. Convenhamos que este outro argumento não prestava para nada; mas, tal é o prestígio de um bom caráter, que o gafanhoto foi aclamado como tendo ainda uma vez defendido a verdade e a razão. E daí pode ser que fosse assim mesmo. Mas um trovão de beijos? Suponhamos dois: suponhamos três ou quatro.

Gazeta de Notícias, *8 de abril de 1884; Machado de Assis.*

A senhora do Galvão

Começaram a rosnar dos amores deste advogado com a viúva do brigadeiro, quando eles não tinham ainda passado dos primeiros obséquios. Assim vai o mundo. Assim se fazem algumas reputações más, e, o que parece absurdo, algumas boas. Com efeito, há vidas que só têm prólogo; mas toda a gente fala do grande livro que se lhe segue, e o autor morre com as folhas em branco. No presente caso, as folhas escreveram-se, formando todas um grosso volume de trezentas páginas compactas, sem contar as notas. Estas foram postas no fim, não para esclarecer, mas para recordar os capítulos passados; tal é o método nesses livros de colaboração. Mas a verdade é que eles apenas combinavam no plano, quando a mulher do advogado recebeu este bilhete anônimo:

> Não é possível que a senhora se deixe embair mais tempo, tão escandalosamente, por uma de suas amigas, que se console da viuvez, seduzindo os maridos alheios, quando bastava conservar os cachos...

Que cachos? Maria Olímpia não perguntou que cachos eram; eram da viúva do brigadeiro, que os trazia por gosto, e não por moda. Creio que isto se passou em 1853. Maria Olímpia leu e releu o bilhete; examinou a letra, que lhe pareceu de mulher e disfarçada, e percorreu mentalmente a primeira linha das suas amigas, a ver se descobria a autora. Não descobriu nada, dobrou o papel e fitou o tapete do chão, caindo-lhe os olhos justamente no ponto do desenho em que dois pombinhos ensinavam um ao outro a maneira de fazer de dois bicos um bico. Há dessas ironias do acaso, que dão vontade de destruir o universo. Afinal meteu o bilhete no vestido, e encarou a mucama, que esperava por ela, e que lhe perguntou:

— Nhanhã não quer mais ver o xale?

Maria Olímpia pegou no xale que a mucama lhe dava e foi pô-lo aos ombros, defronte do espelho. Achou que lhe ficava bem, muito melhor que à viúva. Cotejou as suas graças com as da outra. Nem os olhos nem a boca eram comparáveis; a viúva tinha os ombros estreitinhos, a cabeça grande, e o andar feio. Era alta; mas que tinha ser alta? E os trinta e cinco anos de idade, mais nove que ela? Enquanto fazia essas reflexões, ia compondo, pregando e despregando o xale.

— Este parece melhor que o outro — aventurou a mucama.

— Não sei... — disse a senhora, chegando-se mais para a janela, com os dois nas mãos.

— Bota o outro, nhanhã.

A nhanhã obedeceu. Experimentou cinco xales dos dez que ali estavam, em caixas, vindos de uma loja da rua da Ajuda. Concluiu que os dois primeiros eram os melhores; mas aqui surgiu uma complicação — mínima, realmente — mas tão sutil e profunda na solução, que não vacilo em recomendá-la aos nossos pensadores de 1906. A questão era saber qual dos dois xales escolheria, uma vez que o marido, recente advogado, pedia-lhe que fosse econômica. Contemplava-os alternadamente, e ora preferia um, ora outro. De repente, lembrou-lhe a aleivosia do marido, a necessidade de mortificá-lo, castigá-lo, mostrar-lhe que não era peteca de ninguém, nem maltrapilha; e, de raiva, comprou ambos os xales.

Ao bater das quatro horas (era a hora do marido) nada de marido. Nem às quatro, nem às quatro e meia. Maria Olímpia imaginava uma porção de coisas aborrecidas, ia à janela, tornava a entrar, temia um desastre ou doença repentina; pensou também que fosse uma sessão do júri. Cinco horas, e nada. Os cachos da viúva também negrejavam diante dela, entre a doença e o júri, com uns tons de azul-ferrete, que era provavelmente a cor do diabo. Realmente era para exaurir a paciência de uma moça de vinte e seis anos. Vinte e seis anos; não tinha mais. Era filha de um deputado do tempo da Regência, que a deixou menina; e foi uma tia que a educou com muita distinção. A tia não a levou muito cedo a bailes e espetáculos. Era religiosa, conduziu-a primeiro à igreja. Maria Olímpia tinha a vocação da vida exterior, e, nas procissões e missas cantadas, gostava principalmente do rumor, da pompa; a devoção era sincera, tíbia e distraída. A primeira coisa que ela via na tribuna das igrejas era a si mesma. Tinha um gosto particular em olhar de cima para baixo, fitar a multidão das mulheres ajoelhadas ou sentadas, e os rapazes, que, por baixo do coro ou nas portas laterais, temperavam com atitudes namoradas as cerimônias latinas. Não entendia os sermões; o resto, porém, orquestra, canto, flores, luzes, sanefas, ouros, gentes, tudo exercia nela um singular feitiço. Magra devoção, que escasseou ainda mais com o primeiro espetáculo e o primeiro baile. Não alcançou a Candiani, mas ouviu a Ida Edelvira, dançou à larga, e ganhou fama de elegante.

Eram cinco horas e meia, quando o Galvão chegou. Maria Olímpia, que então passeava na sala, tão depressa lhe ouviu os pés, fez o que faria qualquer outra senhora na mesma situação: pegou de um jornal de modas, e sentou-se, lendo, com um grande ar de pouco caso. Galvão entrou ofegante, risonho, cheio de carinhos, perguntando-lhe se estava zangada, e jurando que tinha um motivo para a demora, um motivo que ela havia de agradecer, se soubesse...

— Não é preciso — interrompeu ela friamente.

Levantou-se; foram jantar. Falaram pouco; ela menos que ele, mas em todo o caso, sem parecer magoada. Pode ser que entrasse a duvidar da carta anônima; pode ser também que os dois xales lhe pesassem na consciência. No fim do jantar, Galvão explicou a demora; tinha ido, a pé, ao teatro Provisório, comprar um camarote para essa noite: davam os *Lombardos*. De lá, na volta, foi encomendar um carro...

— Os *Lombardos*? — interrompeu Maria Olímpia.

— Sim; canta o Laboceta, canta a Jacobson; há bailado. Você nunca ouviu os *Lombardos*?

— Nunca.

— E aí está por que me demorei. Que é que você merecia agora? Merecia que eu lhe cortasse a ponta desse narizinho arrebitado...

Como ele acompanhasse o dito com um gesto, ela recuou a cabeça; depois acabou de tomar o café. Tenhamos pena da alma desta moça. Os primeiros acordes dos *Lombardos* ecoavam nela, enquanto a carta anônima lhe trazia uma nota lúgubre, espécie de réquiem. E por que é que a carta não seria uma calúnia? Naturalmente não era outra coisa: alguma invenção de inimigas, ou para afligi-la, ou para fazê-los brigar. Era isto mesmo. Entretanto, uma vez que estava avisada, não os perderia de vista. Aqui acudiu-lhe uma ideia: consultou o marido se mandaria convidar a viúva.

— Não — respondeu ele —, o carro só tem dois lugares, e eu não hei de ir na boleia.

Maria Olímpia sorriu de contente, e levantou-se. Há muito tempo que tinha vontade de ouvir os *Lombardos*. Vamos aos *Lombardos*! Trá, lá, lá, lá... Meia hora depois foi vestir-se. Galvão, quando a viu pronta, daí a pouco, ficou encantado. "Minha mulher é linda", pensou ele; e fez um gesto para estreitá-la ao peito; mas a mulher recuou, pedindo-lhe que não a amarrotasse. E, como ele, por umas veleidades de camareiro, pretendeu concertar-lhe a pluma do cabelo, ela disse-lhe enfastiada:

— Deixa, Eduardo! Já veio o carro?

Entraram no carro e seguiram para o teatro. Quem é que estava no camarote contíguo ao deles? Justamente a viúva e a mãe. Esta coincidência, filha do acaso, podia fazer crer algum ajuste prévio. Maria Olímpia chegou a suspeitá-lo; mas a sensação da entrada não lhe deu tempo de examinar a suspeita. Toda a sala voltara-se para vê-la, e ela bebeu, a tragos demorados, o leite da admiração pública. Demais, o marido teve a inspiração maquiavélica de lhe dizer ao ouvido: "Antes a mandasses convidar; ficava-nos devendo o favor". Qualquer suspeita cairia diante desta palavra. Contudo, ela cuidou de os não perder de vista — e renovou a resolução de cinco em cinco minutos, durante meia hora, até que, não podendo fixar a atenção, deixou-a andar. Lá vai ela, inquieta, vai direito ao clarão das luzes, ao esplendor dos vestuários, um pouco à ópera, como pedindo a todas as coisas alguma sensação deleitosa em que se espreguice uma alma fria e pessoal. E volta depois à própria dona, ao seu leque, às suas luvas, aos adornos do vestido, realmente magníficos. Nos intervalos, conversando com a viúva, Maria Olímpia tinha a voz e os gestos do costume, sem cálculo, sem esforço, sem sentimento, esquecida da carta. Justamente nos intervalos é que o marido, com uma discrição rara entre os filhos dos homens, ia para os corredores ou para o saguão pedir notícias do ministério.

Juntas saíram do camarote, no fim, e atravessaram os corredores. A modéstia com que a viúva trajava podia realçar a magnificência da amiga. As feições, porém, não eram o que esta afirmou, quando ensaiava os xales de manhã. Não, senhor; eram engraçadas, e tinham um certo pico original. Os ombros proporcionais e bonitos. Não contava trinta e cinco anos, mas trinta e um; nasceu em 1822, na véspera da independência, tanto que o pai, por brincadeira, entrou a chamá-la Ipiranga, e ficou-lhe esta alcunha entre as amigas. De mais, lá estava em Santa Rita o assentamento de batismo.

Uma semana depois, recebeu Maria Olímpia outra carta anônima. Era mais longa e explícita. Vieram outras, uma por semana, durante três meses. Maria Olímpia leu as primeiras com algum aborrecimento; as seguintes foram calejando a sensibilidade. Não havia dúvida que o marido demorava-se fora, muitas vezes, ao contrário do que fazia dantes, ou saía à noite e regressava tarde; mas, segundo dizia, gastava o tempo no Wallerstein ou no Bernardo, em palestras políticas. E isto era verdade, uma verdade de cinco a dez minutos, o tempo necessário para recolher alguma anedota ou novidade, que pudesse repetir em casa, à laia de documento. Dali seguia para o largo de São Francisco, e metia-se no ônibus.

Tudo era verdade. E, contudo, ela continuava a não crer nas cartas. Ultimamente, não se dava mais ao trabalho de as refutar consigo; lia-as uma só vez, e rasgava-as. Com o tempo foram surgindo alguns indícios menos vagos, pouco a pouco, ao modo do aparecimento da terra aos navegantes; mas este Colombo teimava em não crer na América. Negava o que via; não podendo negá-lo, interpretava-o; depois recordava algum caso de alucinação, uma anedota de aparências ilusórias, e nesse travesseiro cômodo e mole punha a cabeça e dormia. Já então, prosperando-lhe o escritório, dava o Galvão partidas e jantares, iam a bailes, teatros, corridas de cavalos. Maria Olímpia vivia alegre, radiante; começava a ser um dos nomes da moda. E andava muita vez, com a viúva, a despeito das cartas, a tal ponto que uma destas lhe dizia: "Parece que é melhor não escrever mais, uma vez que a senhora se regala numa comborçaria de mau gosto". Que era comborçaria? Maria Olímpia quis perguntá-lo ao marido, mas esqueceu o termo, e não pensou mais nisso.

Entretanto, constou ao marido que a mulher recebia cartas pelo correio. Cartas de quem? Esta notícia foi um golpe duro e inesperado. Galvão examinou de memória as pessoas que lhe frequentavam a casa, as que podiam encontrá-la em teatros ou bailes, e achou muitas figuras verossímeis. Em verdade, não lhe faltavam adoradores.

— Cartas de quem? — repetia ele mordendo o beiço e franzindo a testa.

Durante sete dias passou uma vida inquieta e aborrecida, espiando a mulher e gastando em casa grande parte do tempo. No oitavo dia, veio uma carta.

— Para mim? — disse ele vivamente.

— Não; é para mim — respondeu Maria Olímpia, lendo o sobrescrito —; parece letra de Mariana ou de Lulu Fontoura...

Não queria vê-la; mas o marido disse que a lesse; podia ser alguma notícia grave. Maria Olímpia leu a carta e dobrou-a, sorrindo; ia guardá-la, quando o marido desejou ver o que era.

— Você sorriu — disse ele gracejando —, há de ser algum epigrama comigo.

— Qual! é um negócio de moldes.

— Mas deixa ver.

— Para quê, Eduardo?

— Que tem? Você, que não quer mostrar, por algum motivo há de ser. Dê cá.

Já não sorria; tinha a voz trêmula. Ela ainda recusou a carta, uma, duas, três vezes. Teve mesmo ideia de rasgá-la, mas era pior, e não conseguiria fazê-lo até o fim. Realmente, era uma situação original. Quando ela viu que não tinha remédio, determinou ceder. Que melhor ocasião para ler no rosto dele a expressão da verdade? A carta era das mais explícitas; falava da viúva em termos crus. Maria Olímpia entregou-lha.

— Não queria mostrar esta — disse-lhe ela primeiro —, como não mostrei outras que tenho recebido e botado fora; são tolices, intrigas, que andam fazendo para... Leia, leia a carta.

Galvão abriu a carta e deitou-lhe os olhos ávidos. Ela enterrou a cabeça na cintura, para ver de perto a franja do vestido. Não o viu empalidecer. Quando ele, depois de alguns minutos, proferiu duas ou três palavras, tinha já a fisionomia composta e um esboço de sorriso. Mas a mulher, que o não adivinhava, respondeu ainda de cabeça baixa; só a levantou daí a três ou quatro minutos, e não para fitá-lo de uma vez, mas aos pedaços, como se temesse descobrir-lhe nos olhos a confirmação do anônimo. Vendo-lhe, ao contrário, um sorriso, achou que era o da inocência, e falou de outra coisa.

Redobraram as cautelas do marido; parece também que ele não pôde esquivar-se a um tal ou qual sentimento de admiração para com a mulher. Pela sua parte, a viúva, tendo notícia das cartas, sentiu-se envergonhada; mas reagiu depressa, e requintou de maneiras afetuosas com a amiga.

Na segunda ou terceira semana de agosto, Galvão fez-se sócio do cassino Fluminense. Era um dos sonhos da mulher. A 6 de setembro fazia anos a viúva, como sabemos. Na véspera, foi Maria Olímpia (com a tia que chegara de fora) comprar-lhe um mimo: era uso entre elas. Comprou-lhe um anel. Viu na mesma casa uma jóia engraçada, uma meia lua de diamantes para cabelo, emblema de Diana, que lhe iria muito bem sobre a testa. De Maomé que fosse; todo o emblema de diamantes é cristão. Maria Olímpia pensou naturalmente na primeira noite do cassino; e a tia, vendo-lhe o desejo, quis comprar a joia, mas era tarde, estava vendida.

Veio a noite do baile. Maria Olímpia subiu comovida as escadas do cassino. Pessoas que a conheceram naquele tempo dizem que o que ela achava na vida exterior era a sensação de uma grande carícia pública, a distância; era a sua maneira de ser amada. Entrando no cassino, ia recolher nova cópia de admirações, e não se enganou, porque elas vieram, e de fina casta.

Foi pelas dez horas e meia que a viúva ali apareceu. Estava realmente bela, trajada a primor, tendo na cabeça a meia lua de diamantes. Ficava-lhe bem o diabo da joia, com as duas pontas para cima, emergindo do cabelo negro. Toda a gente admirou sempre a viúva naquele salão. Tinha muitas amigas, mais ou menos íntimas, não poucos adoradores, e possuía um gênero de espírito que espertava com as grandes luzes. Certo secretário de legação não cessava de a recomendar aos diplomatas novos: *"Causez avec madame Tavares; c'est adorable!"*. Assim era nas outras noites; assim foi nesta.

— Hoje quase não tenho tido tempo de estar com você — disse ela a Maria Olímpia, perto de meia-noite.

— Naturalmente — disse a outra abrindo e fechando o leque; e, depois de umedecer os lábios, como para chamar a eles todo o veneno que tinha no coração —, Ipiranga, você está hoje uma viúva deliciosa... Vem seduzir mais algum marido?

A viúva empalideceu, e não pôde dizer nada. Maria Olímpia acrescentou, com os olhos, alguma coisa que a humilhasse bem, que lhe respingasse lama no triunfo. Já no resto da noite falaram pouco; três dias depois romperam para nunca mais.

Gazeta de Notícias, *14 de maio de 1884; Machado de Assis.*

As academias de Sião

Conhecem as academias de Sião? Bem sei que em Sião nunca houve academias: mas suponhamos que sim, e que eram quatro, e escutem-me.

I

As estrelas, quando viam subir, através da noite, muitos vaga-lumes cor de leite, costumavam dizer que eram os suspiros do rei de Sião, que se divertia com as suas trezentas concubinas. E, piscando o olho umas às outras, perguntavam:

— Reais suspiros, em que é que se ocupa esta noite o lindo Kalaphangko?

Ao que os vaga-lumes respondiam com gravidade:

— Nós somos os pensamentos sublimes das quatro academias de Sião; trazemos conosco toda a sabedoria do universo.

Uma noite, foram em tal quantidade os vaga-lumes, que as estrelas, de medrosas, refugiaram-se nas alcovas, e eles tomaram conta de uma parte do espaço, onde se fixaram para sempre com o nome de Via Láctea.

Deu lugar a essa enorme ascensão de pensamentos o fato de quererem as quatro academias de Sião resolver este singular problema: — por que é que há homens femininos e mulheres másculas? E o que as induziu a isso foi a índole do jovem rei. Kalaphangko era virtualmente uma dama. Tudo nele respirava a mais esquisita feminidade: tinha os olhos doces, a voz argentina, atitudes moles e obedientes e um cordial horror às armas. Os guerreiros siameses gemiam, mas a nação vivia alegre, tudo eram danças, comédias e cantigas, à maneira do rei que não cuidava de outra coisa. Daí a ilusão das estrelas.

Vai senão quando, uma das academias achou esta solução ao problema:

— Umas almas são masculinas, outras femininas. A anomalia que se observa é uma questão de corpos errados.

— Nego — bradaram as outras três —, a alma é neutra; nada tem com o contraste exterior.

Não foi preciso mais para que as vielas e águas de Bangkok se tingissem de sangue acadêmico. Veio primeiramente a controvérsia, depois a descompostura, e finalmente a pancada. No princípio da descompostura tudo andou menos mal; nenhuma das rivais arremessou um impropério que não fosse escrupulosamente derivado do sânscrito, que era a língua acadêmica, o latim de Sião. Mas dali em diante perderam a vergonha. A rivalidade desgrenhou-se, pôs as mãos na cintura, baixou à lama, à pedrada, ao murro, ao gesto vil, até que a academia sexual, exasperada, resolveu dar cabo das outras, organizou um plano sinistro... Ventos que passais, se quisésseis levar convosco estas folhas de papel, para que eu não contasse a tragédia de Sião! Custa-me (ai de mim!), custa-me escrever a singular desforra. Os acadêmicos armaram-se em segredo, e foram ter com os outros, justamente quando estes, curvados sobre o famoso problema, faziam subir ao céu uma nuvem de vaga-lumes. Nem preâmbulo, nem piedade. Caíram-lhes em cima, espumando de raiva. Os que puderam fugir, não fugiram por muitas horas; perseguidos e atacados, morreram na beira do rio, a bordo das lanchas, ou nas vielas escusas. Ao todo, trinta e oito cadáveres. Cortaram uma orelha aos principais, e fizeram delas colar e braceletes para o presidente vencedor, o sublime U-Tong. Ébrios da vitória, celebraram o feito com um grande festim, no qual cantaram este hino magnífico: "Glória a nós, que somos o arroz da ciência e a luminária do universo".

A cidade acordou estupefata. O terror apoderou-se da multidão. Ninguém podia absolver uma ação tão crua e feia; alguns chegavam mesmo a duvidar do que viam... Uma só pessoa aprovou tudo: foi a bela Kinnara, a flor das concubinas régias.

II

Molemente deitado aos pés da bela Kinnara, o jovem rei pedia-lhe uma cantiga.

— Não dou outra cantiga que não seja esta: creio na alma sexual.

— Crês no absurdo, Kinnara.

— Vossa majestade crê então na alma neutra?

— Outro absurdo, Kinnara. Não, não creio na alma neutra, nem na alma sexual.

— Mas então em que é que vossa majestade crê, se não crê em nenhuma delas?

— Creio nos teus olhos, Kinnara que são o sol e a luz do universo.

— Mas cumpre-lhe escolher: — ou crer na alma neutra, e punir a academia viva, ou crer na alma sexual, e absolvê-la.

— Que deliciosa que é a tua boca, minha doce Kinnara! Creio na tua boca: é a fonte da sabedoria.

Kinnara levantou-se agitada. Assim como o rei era o homem feminino, ela era a mulher máscula — um búfalo com penas de cisne. Era o búfalo que andava agora no aposento, mas daí a pouco foi o cisne que parou, e, inclinando o pescoço, pediu e obteve do rei, entre duas carícias, um decreto em que a doutrina da alma sexual foi declarada legítima e ortodoxa, e a outra absurda e perversa. Nesse mesmo dia, foi o decreto mandado à academia triunfante, aos pagodes, aos mandarins, a todo o reino. A academia pôs luminárias; restabeleceu-se a paz pública.

III

Entretanto, a bela Kinnara tinha um plano engenhoso e secreto. Uma noite, como o rei examinasse alguns papéis do Estado, perguntou-lhe ela se os impostos eram pagos com pontualidade.

— *Ohimé*! — exclamou ele, repetindo essa palavra que lhe ficara de um missionário italiano. — Poucos impostos têm sido pagos. Eu não quisera mandar cortar a cabeça aos contribuintes... Não, isso nunca... Sangue? sangue? não, não quero sangue...

— E se eu lhe der um remédio a tudo?

— Qual?

— Vossa majestade decretou que as almas eram femininas e masculinas — disse Kinnara depois de um beijo. — Suponha que os nossos corpos estão trocados. Basta restituir cada alma ao corpo que lhe pertence. Troquemos os nossos...

Kalaphangko riu muito da ideia, e perguntou-lhe como é que fariam a troca. Ela respondeu que pelo método Mukunda, rei dos hindus, que se meteu no cadáver de um brâmane, enquanto um truão se metia no dele Mukunda — velha lenda passada aos turcos, persas e cristãos. Sim, mas a fórmula da invocação? Kinnara declarou que a possuía; um velho bonzo achara cópia dela nas ruínas de um templo.

— Valeu?

— Não creio no meu próprio decreto — redarguiu ele rindo —, mas vá lá, se for verdade, troquemos... mas por um semestre, não mais. No fim do semestre destrocaremos os corpos.

Ajustaram que seria nessa mesma noite. Quando toda a cidade dormia, eles mandaram vir a piroga real, meteram-se dentro e deixaram-se ir à toa. Nenhum dos remadores os via. Quando a aurora começou a aparecer, fustigando as vacas rútilas, Kinnara proferiu a misteriosa invocação; a alma desprendeu-se-lhe, e ficou pairando, à espera que o corpo do rei vagasse também. O dela caíra no tapete.

— Pronto? — disse Kalaphangko.

— Pronto, aqui estou no ar esperando. Desculpe vossa majestade a indignidade da minha pessoa...

Mas a alma do rei não ouviu o resto. Lépida e cintilante, deixou o seu vaso físico e penetrou no corpo de Kinnara, enquanto a desta se apoderava do despojo real. Ambos os corpos ergueram-se e olharam um para o outro, imagine-se com que assombro. Era a situação do Buoso e da cobra, segundo conta o velho Dante; mas vede aqui a minha audácia. O poeta manda calar Ovídio e Lucano, por achar que a sua metamorfose vale mais que a deles dois. Eu mando-os calar a todos três. Buoso e a cobra não se encontram mais, ao passo que os meus dois heróis, uma vez trocados continuam a falar e a viver juntos — coisa evidentemente mais dantesca, em que me pese a modéstia.

— Realmente — disse Kalaphangko —, isto de olhar para mim mesmo e dar-me majestade é esquisito. Vossa majestade não sente a mesma coisa?

Um e outro estavam bem, como pessoas que acham finalmente uma casa adequada. Kalaphangko espreguiçava-se todo nas curvas femininas de Kinnara. Esta inteiriçava-se no tronco rijo de Kalaphangko. Sião tinha, finalmente, um rei.

IV

A primeira ação de Kalaphangko (daqui em diante entenda-se que é o corpo do rei com a alma de Kinnara, e Kinnara o corpo da bela siamesa com a alma do Kalaphangko) foi nada menos que dar as maiores honrarias à academia sexual. Não elevou os seus membros ao mandarinato, pois eram mais homens de pensamento que de ação e administração, dados à filosofia e à literatura, mas decretou que todos se prosternassem diante deles, como é de uso aos mandarins. Além disso, fez-lhes grandes presentes, coisas raras ou de valia, crocodilos empalhados, cadeiras de marfim, aparelhos de esmeralda para almoço, diamantes, relíquias. A academia, grata a tantos benefícios, pediu mais o direito de usar oficialmente o título de Claridade do Mundo, que lhe foi outorgado.

Feito isso, cuidou Kalaphangko da fazenda pública, da justiça, do culto e do cerimonial. A nação começou de sentir o peso grosso, para falar como o excelso Camões, pois nada menos de onze contribuintes remissos foram logo decapitados. Naturalmente os outros, preferindo a cabeça ao dinheiro, correram a pagar as taxas, e tudo se regularizou. A justiça e a legislação tiveram grandes melhoras. Construíram-se novos pagodes e a religião pareceu até ganhar outro impulso, desde que Kalaphangko, copiando as antigas artes espanholas, mandou queimar uma dúzia de pobres missionários cristãos que por lá andavam; ação que os bonzos da terra chamaram a pérola do reinado.

Faltava uma guerra. Kalaphangko, com um pretexto mais ou menos diplomático, atacou a outro reino, e fez a campanha mais breve e gloriosa do século. Na volta a Bangkok, achou grandes festas esplêndidas. Trezentos barcos, forrados de seda escarlate e azul, foram recebê-lo. Cada um destes tinha na proa um cisne ou um dragão de ouro, e era tripulado pela mais fina gente da cidade; músicas e aclamações atroaram os ares. De noite, acabadas as festas, sussurrou-lhe ao ouvido a bela concubina:

— Meu jovem guerreiro, paga-me as saudades que curti na ausência; dize-me que a melhor das festas é a tua meiga Kinnara.

Kalaphangko respondeu com um beijo.

— Os teus beiços têm o frio da morte ou do desdém — suspirou ela.

Era verdade, o rei estava distraído e preocupado; meditava uma tragédia. Ia-se aproximando o termo do prazo em que deviam destrocar os corpos, e ele cuidava em iludir a cláusula, matando a linda siamesa. Hesitava por não saber se padeceria com a morte dela visto que o corpo era seu, ou mesmo se teria de sucumbir também. Era esta a dúvida de Kalaphangko; mas a ideia da morte sombreava-lhe a fronte, enquanto ele afagava ao peito um frasquinho com veneno, imitado dos Bórgias.

De repente, pensou na douta academia; podia consultá-la, não claramente, mas por hipótese. Mandou chamar os acadêmicos; vieram todos menos o presidente, o ilustre U-Tong, que estava enfermo. Eram treze; prosternaram-se e disseram ao modo de Sião:

— Nós, desprezíveis palhas, corremos ao chamado de Kalaphangko.

— Erguei-vos — disse benevolamente o rei.

— O lugar da poeira é o chão — teimaram eles com os cotovelos e joelhos em terra.

— Pois serei o vento que subleva a poeira — redarguiu Kalaphangko; e, com um gesto cheio de graça e tolerância, estendeu-lhes as mãos.

Em seguida, começou a falar de coisas diversas, para que o principal assunto viesse de si mesmo; falou nas últimas notícias do ocidente e nas leis de Manu. Referindo-se a U-Tong, perguntou-lhes se realmente era um grande sábio, como parecia; mas, vendo que mastigavam a resposta, ordenou-lhes que dissessem a verdade inteira. Com exemplar unanimidade, confessaram eles que U-Tong era um dos mais singulares estúpidos do reino, espírito raso, sem valor, nada sabendo e incapaz de aprender nada. Kalaphangko estava pasmado. Um estúpido?

— Custa-nos dizê-lo, mas não é outra coisa; é um espírito raso e chocho. O coração é excelente, caráter puro, elevado...

Kalaphangko, quando voltou a si do espanto, mandou embora os acadêmicos, sem lhes perguntar o que queria. Um estúpido? Era mister tirá-lo da cadeira sem molestá-lo. Três dias depois, U-Tong compareceu ao chamado do rei. Este perguntou-lhe carinhosamente pela saúde, depois disse que queria mandar alguém ao Japão estudar uns documentos, negócio que só podia ser confiado a pessoa esclarecida. Qual dos seus colegas da academia lhe parecia idôneo para tal mister? Compreende-se o plano artificioso do rei: era ouvir dois ou três nomes, e concluir que a todos preferia o do próprio U-Tong; mas eis o que este lhe respondeu:

— Real senhor, perdoai a familiaridade da palavra: são treze camelos, com a diferença que os camelos são modestos, e eles não; comparam-se ao sol e à lua. Mas, na verdade, nunca a lua nem o sol cobriram mais singulares pulhas do que esses treze... Compreendo o assombro de vossa majestade; mas eu não seria digno de mim se não dissesse isto com lealdade, embora confidencialmente...

Kalaphangko tinha a boca aberta. Treze camelos? Treze, treze. U-Tong ressalvou tão somente o coração de todos, que declarou excelente; nada superior a eles pelo lado do caráter. Kalaphangko, com um fino gesto de complacência, despediu o sublime U-Tong, e ficou pensativo. Quais fossem as suas reflexões, não o soube ninguém. Sabe-se que ele mandou chamar os outros acadêmicos, mas desta vez separadamente, a fim de não dar na vista, e para obter maior expansão. O primeiro que chegou, ignorando aliás a opinião de U-Tong, confirmou-a integralmente com a única emenda de serem doze os camelos, ou treze, contando o próprio U-Tong. O segundo não teve opinião diferente, nem o terceiro, nem os restantes acadêmicos. Diferiam no estilo; uns diziam camelos, outros usavam circunlóquios e metáforas, que vinham a dar na mesma coisa. E, entretanto, nenhuma injúria ao caráter moral das pessoas. Kalaphangko estava atônito.

Mas não foi esse o último espanto do rei. Não podendo consultar a academia, tratou de deliberar por si, no que gastou dois dias, até que a linda Kinnara lhe segredou que era mãe. Esta notícia fê-lo recuar do crime. Como destruir o vaso eleito da flor que tinha de vir com a primavera próxima? Jurou ao céu e à terra que o filho havia de nascer e viver. Chegou ao fim do semestre; chegou o momento de destrocar os corpos.

Como da primeira vez, meteram-se no barco real, à noite, e deixaram-se ir águas abaixo, ambos de má vontade, saudosos do corpo que iam restituir um ao outro. Quando as vacas cintilantes da madrugada começaram de pisar vagarosamente o céu, proferiram eles a fórmula misteriosa, e cada alma foi devolvida ao corpo anterior. Kinnara, tornando ao seu, teve a comoção materna, como tivera a paterna, quando ocupava o corpo de Kalaphangko. Parecia-lhe até que era ao mesmo tempo mãe e pai da criança.

— Pai e mãe? — repetiu o príncipe restituído à forma anterior.

Foram interrompidos por uma deleitosa música, ao longe. Era algum junco ou piroga que subia o rio, pois a música aproximava-se rapidamente. Já então o sol alagava de luz as águas e as margens verdes, dando ao quadro um tom de vida e renascença, que de algum modo fazia esquecer aos dois amantes a restituição psíquica. E a música vinha chegando, agora mais distinta, até que numa curva do rio, apareceu aos olhos de ambos um barco magnífico, adornado de plumas e flâmulas. Vinham dentro os quatorze membros da academia (contando U-Tong) e todos em coro mandavam aos ares o velho hino: "Glória a nós, que somos o arroz da ciência e a claridade do mundo!".

A bela Kinnara (antigo Kalaphangko) tinha os olhos esbugalhados de assombro. Não podia entender como é que quatorze varões reunidos em academia eram a claridade do mundo, e separadamente uma multidão de camelos. Kalaphangko, consultado por ela, não achou explicação. Se alguém descobrir alguma, pode obsequiar uma das mais graciosas damas do Oriente, mandando-lha em carta fechada, e, para maior segurança, sobrescritada ao nosso cônsul em Xangai, China.

Gazeta de Notícias, *6 de junho de 1884; Machado de Assis.*

Várias

Várias histórias foi publicado
pela primeira vez em 1896, por
Laemmert, no Rio de Janeiro.

A cartomante

Entre santos

Uns braços

Um homem célebre

A desejada das gentes

histórias

A causa secreta

Trio em lá menor

Adão e Eva

O enfermeiro

O diplomático

Mariana (1891)

Conto de escola

Um apólogo

D. Paula

Viver!

O cônego ou metafísica do estilo

Advertência

*Mon ami, faisons toujours des contes... Le temps se passe,
et le conte de la vie s'achève, sans qu'on s'en aperçoive.*
DIDEROT

As várias histórias que formam este volume foram escolhidas entre outras, e podiam ser acrescentadas, se não conviesse limitar o livro às suas trezentas páginas. É a quinta coleção que dou ao público. As palavras de Diderot que vão por epígrafe no rosto desta coleção servem de desculpa aos que acharem excessivos tantos contos. É um modo de passar o tempo. Não pretendem sobreviver como os do filósofo. Não são feitos daquela matéria, nem daquele estilo que dão aos de Mérimée o caráter de obras-primas, e colocam os de Poe entre os primeiros escritos da América. O tamanho não é o que faz mal a este gênero de histórias, é naturalmente a qualidade; mas há sempre uma qualidade nos contos, que os torna superiores aos grandes romances, se uns e outros são medíocres: é serem curtos.

M. de A.

A cartomante

Hamlet observa a Horácio que há mais coisas no céu e na terra do que sonha a nossa filosofia. Era a mesma explicação que dava a bela Rita ao moço Camilo, numa sexta-feira de novembro de 1869, quando este ria dela, por ter ido na véspera consultar uma cartomante; a diferença é que o fazia por outras palavras.

— Ria, ria. Os homens são assim; não acreditam em nada. Pois saiba que fui, e que ela adivinhou o motivo da consulta, antes mesmo que eu lhe dissesse o que era. Apenas começou a botar as cartas, disse-me: "A senhora gosta de uma pessoa...". Confessei que sim, e então ela continuou a botar as cartas, combinou-as, e no fim declarou-me que eu tinha medo de que você me esquecesse, mas que não era verdade...

— Errou! — interrompeu Camilo, rindo.

— Não diga isso, Camilo. Se você soubesse como eu tenho andado, por sua causa. Você sabe; já lhe disse. Não ria de mim, não ria...

Camilo pegou-lhe nas mãos, e olhou para ela sério e fixo. Jurou que lhe queria muito, que os seus sustos pareciam de criança; em todo o caso, quando tivesse algum receio, a melhor cartomante era ele mesmo. Depois, repreendeu-a; disse-lhe que era imprudente andar por essas casas. Vilela podia sabê-lo, e depois...

— Qual saber! tive muita cautela, ao entrar na casa.

— Onde é a casa?

— Aqui perto, na rua da Guarda Velha; não passava ninguém nessa ocasião. Descansa; eu não sou maluca.

Camilo riu outra vez:

— Tu crês deveras nessas coisas? — perguntou-lhe.

Foi então que ela, sem saber que traduzia Hamlet em vulgar, disse-lhe que havia muita coisa misteriosa e verdadeira neste mundo. Se ele não acreditava, paciência; mas o certo é que a cartomante adivinhara tudo. Que mais? A prova é que ela agora estava tranquila e satisfeita.

Cuido que ele ia falar, mas reprimiu-se. Não queria arrancar-lhe as ilusões. Também ele, em criança, e ainda depois, foi supersticioso, teve um arsenal inteiro de crendices, que a mãe lhe incutiu e que aos vinte anos desapareceram. No dia em que deixou cair toda essa vegetação parasita, e ficou só o tronco da religião, ele, como tivesse recebido da mãe ambos os ensinos, envolveu-os na mesma dúvida, logo depois em uma só negação total. Camilo não acreditava em nada. Por quê? Não poderia dizê-lo, não possuía um só argumento; limitava-se a negar tudo. E digo mal, porque negar é ainda afirmar, ele não formulava a incredulidade; diante do mistério, contentou-se em levantar os ombros, e foi andando.

Separaram-se contentes, ele ainda mais que ela. Rita estava certa de ser amada; Camilo, não só o estava, mas via-a estremecer e arriscar-se por ele, correr às cartomantes, e, por mais que a repreendesse, não podia deixar de sentir-se lisonjeado. A casa do encontro era na antiga rua dos Barbonos, onde morava uma comprovinciana de Rita. Esta desceu pela rua das Mangueiras, na direção de Botafogo, onde residia; Camilo desceu pela da Guarda Velha, olhando de passagem para a casa da cartomante.

Vilela, Camilo e Rita, três nomes, uma aventura e nenhuma explicação das origens. Vamos a ela. Os dois primeiros eram amigos de infância. Vilela seguiu a carreira de magistrado. Camilo entrou no funcionalismo, contra a vontade do pai, que queria vê-lo médico; mas o pai morreu, e Camilo preferiu não ser nada, até que a mãe lhe arranjou um emprego público. No princípio de 1869, voltou Vilela da província, onde casara com uma dama formosa e tonta: abandonou a magistratura e veio abrir banca de advogado. Camilo arranjou-lhe casa para os lados de Botafogo, e foi a bordo recebê-lo.

— É o senhor? — exclamou Rita, estendendo-lhe a mão. — Não imagina como meu marido é seu amigo; falava sempre do senhor.

Camilo e Vilela olharam-se com ternura. Eram amigos deveras. Depois, Camilo confessou de si para si que a mulher do Vilela não desmentia as cartas do marido. Realmente, era graciosa e viva nos gestos, olhos cálidos, boca fina e interrogativa. Era um pouco mais velha que ambos: contava trinta anos, Vilela vinte e nove e Camilo vinte e seis. Entretanto, o porte grave de Vilela fazia-o parecer mais velho que a mulher, enquanto Camilo era um ingênuo na vida moral e prática. Faltava-lhe tanto a ação do tempo, como os óculos de cristal, que a natureza põe no berço de alguns para adiantar os anos. Nem experiência, nem intuição.

Uniram-se os três. Convivência trouxe intimidade. Pouco depois morreu a mãe de Camilo, e nesse desastre, que o foi, os dois mostraram-se grandes amigos dele. Vilela cuidou do enterro, dos sufrágios e do inventário; Rita tratou especialmente do coração, e ninguém faria melhor.

Como daí chegaram ao amor, não o soube ele nunca. A verdade é que gostava de passar as horas ao lado dela; era a sua enfermeira moral, quase uma irmã, mas principalmente era mulher e bonita. *Odor di femmina*: eis o que ele aspirava nela, e em volta dela, para incorporá-lo em si próprio. Liam os mesmos livros, iam juntos a teatros e passeios. Camilo ensinou-lhe as damas e o xadrez e jogavam às noites; — ela mal — ele, para lhe ser agradável, pouco menos mal. Até aí as coisas. Agora a ação da pessoa, os olhos teimosos de Rita, que procuravam muita vez os dele, que os consultavam antes de o fazer ao marido, as mãos frias, as atitudes insólitas. Um dia, fazendo ele anos, recebeu de Vilela uma rica bengala de presente, de Rita apenas um cartão com um vulgar cumprimento a lápis, e foi então que ele pôde ler no próprio coração; não conseguia arrancar os olhos do bilhetinho. Palavras vulgares; mas há vulgaridades sublimes, ou, pelo menos, deleitosas. A velha caleça de praça, em que pela primeira vez passeaste com a mulher amada, fechadinhos ambos, vale o carro de Apolo. Assim é o homem, assim são as coisas que o cercam.

Camilo quis sinceramente fugir, mas já não pôde. Rita, como uma serpente, foi-se acercando dele, envolveu-o todo, fez-lhe estalar os ossos num espasmo, e pingou-lhe o veneno na boca. Ele ficou atordoado e subjugado. Vexame, sustos, remorsos, desejos, tudo sentiu de mistura; mas a batalha foi curta e a vitória delirante. Adeus, escrúpulos! Não tardou que o sapato se acomodasse ao pé, e aí foram ambos, estrada fora, braços dados, pisando folgadamente por cima de ervas e pedregulhos, sem padecer nada mais que algumas saudades, quando estavam ausentes um do outro. A confiança e estima de Vilela continuavam a ser as mesmas.

Um dia, porém, recebeu Camilo uma carta anônima, que lhe chamava imoral e pérfido, e dizia que a aventura era sabida de todos. Camilo teve medo, e, para desviar as suspeitas, começou a rarear as visitas à casa de Vilela. Este notou-lhe as ausências. Camilo respondeu que o motivo era uma paixão frívola de rapaz. Candura gerou astúcia. As ausências prolongaram-se, e as visitas cessaram inteiramente. Pode ser que entrasse também nisso um pouco de amor-próprio, uma intenção de diminuir os obséquios do marido, para tornar menos dura a aleivosia do ato.

Foi por esse tempo que Rita, desconfiada e medrosa, correu à cartomante para consultá-la sobre a verdadeira causa do procedimento de Camilo. Vimos que a cartomante restituiu-lhe a confiança, que o rapaz repreendeu-a por ter feito o que fez. Correram ainda algumas semanas. Camilo recebeu mais duas ou três cartas anônimas, tão apaixonadas, que não podiam ser advertência da virtude, mas despeito de algum pretendente; tal foi a opinião de Rita, que, por outras palavras mal compostas, formulou este pensamento: — a virtude é preguiçosa e avara, não gasta tempo nem papel; só o interesse é ativo e pródigo.

Nem por isso Camilo ficou mais sossegado; temia que o anônimo fosse ter com Vilela, e a catástrofe viria então sem remédio. Rita concordou que era possível.

— Bem — disse ela —, eu levo os sobrescritos para comparar a letra com as das cartas que lá aparecerem; se alguma for igual, guardo-a e rasgo-a...

Nenhuma apareceu; mas daí a algum tempo Vilela começou a mostrar-se sombrio, falando pouco, como desconfiado. Rita deu-se pressa em dizê-lo ao outro, e sobre isso deliberaram. A opinião dela é que Camilo devia tornar à casa deles, tatear o marido, e pode ser até que lhe ouvisse a confidência de algum negócio particular. Camilo divergia; aparecer depois de tantos meses era confirmar a suspeita ou denúncia. Mais valia acautelarem-se, sacrificando-se por algumas semanas. Combinaram os meios de se corresponderem, em caso de necessidade, e separaram-se com lágrimas.

No dia seguinte, estando na repartição, recebeu Camilo este bilhete de Vilela: "Vem já, já, à nossa casa; preciso falar-te sem demora". Era mais de meio-dia. Camilo saiu logo; na rua, advertiu que teria sido mais natural chamá-lo ao escritório; por que em casa? Tudo indicava matéria especial, e a letra, fosse realidade ou ilusão, afigurou-se-lhe trêmula. Ele combinou todas essas coisas com a notícia da véspera.

— Vem já, já, à nossa casa; preciso falar-te sem demora — repetia ele com os olhos no papel.

Imaginariamente, viu a ponta da orelha de um drama, Rita subjugada e lacrimosa, Vilela indignado, pegando da pena e escrevendo o bilhete, certo de que ele acudiria, e esperando-o para matá-lo. Camilo estremeceu, tinha medo: depois sorriu amarelo, e em todo caso repugnava-lhe a ideia de recuar, e foi andando. De caminho, lembrou-se de ir a casa; podia achar algum recado de Rita, que lhe explicasse tudo. Não achou nada, nem ninguém. Voltou à rua, e a ideia de estarem descobertos parecia-lhe cada vez mais verossímil; era natural uma denúncia anônima, até da própria pessoa que o ameaçara antes; podia ser que Vilela conhecesse agora tudo. A mesma suspensão das suas visitas, sem motivo aparente, apenas com um pretexto fútil, viria confirmar o resto.

Camilo ia andando inquieto e nervoso. Não relia o bilhete, mas as palavras estavam decoradas, diante dos olhos, fixas; ou então — o que era ainda pior — eram-lhe murmuradas ao ouvido, com a própria voz de Vilela. "Vem já, já, à nossa casa; preciso falar-te sem demora." Ditas assim, pela voz do outro, tinham um tom de mistério e ameaça. Vem, já, já, para quê? Era perto de uma hora da tarde. A comoção crescia de minuto a minuto. Tanto imaginou o que se iria passar, que chegou a crê-lo e vê-lo. Positivamente, tinha medo. Entrou a cogitar em ir armado, considerando que, se nada houvesse, nada perdia, e a precaução era útil. Logo depois rejeitava a ideia, vexado de si mesmo, e seguia, picando o passo, na direção do largo da Carioca, para entrar num tílburi. Chegou, entrou e mandou seguir a trote largo.

— Quanto antes, melhor — pensou ele —, não posso estar assim...

Mas o mesmo trote do cavalo veio agravar-lhe a comoção. O tempo voava, e ele não tardaria a entestar com o perigo. Quase no fim da rua da Guarda Velha, o tílburi teve de parar; a rua estava atravancada com uma carroça, que caíra. Camilo, em si mesmo, estimou o obstáculo, e esperou. No fim de cinco minutos, reparou que ao lado, à esquerda, ao pé do tílburi, ficava a casa da cartomante, a quem Rita consultara uma vez, e nunca ele desejou tanto crer na lição das cartas. Olhou, viu as janelas fechadas, quando todas as outras estavam abertas e pejadas de curiosos do incidente da rua. Dir-se-ia a morada do indiferente Destino.

Camilo reclinou-se no tílburi, para não ver nada. A agitação dele era grande, extraordinária, e do fundo das camadas morais emergiam alguns fantasmas de outro tempo, as velhas crenças, as superstições antigas. O cocheiro propôs-lhe voltar à primeira travessa, e ir por outro caminho; ele respondeu que não, que esperasse. E inclinava-se para fitar a casa... Depois fez um gesto incrédulo: era a ideia de ouvir a cartomante, que lhe passava ao longe, muito longe, com vastas asas cinzentas; desapareceu, reapareceu, e tornou a esvair-se no cérebro; mas daí a pouco moveu outra vez as asas, mais perto, fazendo uns giros concêntricos... Na rua, gritavam os homens, safando a carroça:

— Anda! agora! empurra! vá! vá!

Daí a pouco estaria removido o obstáculo. Camilo fechava os olhos, pensava em outras coisas; mas a voz do marido sussurrava-lhe às orelhas as palavras da carta: "Vem, já, já...". E ele via as contorções do drama e tremia. A casa olhava para ele. As pernas queriam descer e entrar... Camilo achou-se diante de um longo véu opaco... pensou rapidamente no inexplicável de tantas coisas. A voz da mãe repetia-lhe uma porção de casos extraordinários; e a mesma frase do príncipe de Dinamarca reboava-lhe dentro: "Há mais coisas no céu e na terra do que sonha a filosofia...". Que perdia ele, se...?

Deu por si na calçada, ao pé da porta; disse ao cocheiro que esperasse, e rápido enfiou pelo corredor, e subiu a escada. A luz era pouca, os degraus comidos dos pés, o corrimão pegajoso; mas ele não viu nem sentiu nada. Trepou e bateu. Não aparecendo ninguém, teve ideia de descer; mas era tarde, a curiosidade fustigava-lhe o sangue, as fontes latejavam-lhe; ele tornou a bater uma, duas, três pancadas. Veio uma mulher; era a cartomante. Camilo disse que ia consultá-la, ela fê-lo entrar. Dali subiram ao sótão, por uma escada ainda pior que a primeira e mais escura. Em cima, havia uma salinha, mal alumiada por uma janela, que dava para o telhado dos fundos. Velhos trastes, paredes sombrias, um ar de pobreza, que antes aumentava do que destruía o prestígio.

A cartomante fê-lo sentar diante da mesa, e sentou-se do lado oposto, com as costas para a janela, de maneira que a pouca luz de fora batia em cheio no rosto de Camilo. Abriu uma gaveta e tirou um baralho de cartas compridas e enxovalhadas. Enquanto as baralhava, rapidamente, olhava para ele, não de rosto, mas por baixo dos olhos. Era uma mulher de quarenta anos, italiana, morena e magra, com grandes olhos sonsos e agudos. Voltou três cartas sobre a mesa, e disse-lhe:

— Vejamos primeiro o que é que o traz aqui. O senhor tem um grande susto...

Camilo, maravilhado, fez um gesto afirmativo.

— E quer saber — continuou ela — se lhe acontecerá alguma coisa ou não...

— A mim e a ela — explicou vivamente ele.

A cartomante não sorriu; disse-lhe só que esperasse. Rápido pegou outra vez das cartas e baralhou-as, com os longos dedos finos, de unhas descuradas; baralhou-as bem, transpôs os maços, uma, duas, três vezes; depois começou a estendê-las. Camilo tinha os olhos nela, curioso e ansioso.

— As cartas dizem-me...

Camilo inclinou-se para beber uma a uma as palavras. Então ela declarou-lhe que não tivesse medo de nada. Nada aconteceria nem a um nem a outro; ele, o terceiro, ignorava tudo. Não obstante, era indispensável muita cautela; ferviam invejas e despeitos. Falou-lhe do amor que os ligava, da beleza de Rita... Camilo estava deslumbrado. A cartomante acabou, recolheu as cartas e fechou-as na gaveta.

— A senhora restituiu-me a paz ao espírito — disse ele estendendo a mão por cima da mesa e apertando a da cartomante.

Esta levantou-se, rindo.

— Vá, disse ela; vá, *ragazzo innamorato*...

E de pé, com o dedo indicador, tocou-lhe na testa. Camilo estremeceu, como se fosse a mão da própria sibila, e levantou-se também. A cartomante foi à cômoda, sobre a qual estava um prato com passas, tirou um cacho destas, começou a despencá-las e comê-las, mostrando duas fileiras de dentes que desmentiam as unhas.

Nessa mesma ação comum, a mulher tinha um ar particular. Camilo, ansioso por sair, não sabia como pagasse; ignorava o preço.

— Passas custam dinheiro — disse ele afinal, tirando a carteira. — Quantas quer mandar buscar?

— Pergunte ao seu coração — respondeu ela.

Camilo tirou uma nota de dez mil-réis, e deu-lha. Os olhos da cartomante fuzilaram. O preço usual era dois mil-réis.

— Vejo bem que o senhor gosta muito dela... E faz bem; ela gosta muito do senhor. Vá, vá, tranquilo. Olhe a escada, é escura; ponha o chapéu...

A cartomante tinha já guardado a nota na algibeira, e descia com ele, falando, com um leve sotaque. Camilo despediu-se dela embaixo, e desceu a escada que levava à rua, enquanto a cartomante, alegre com a paga, tornava acima, cantarolando uma barcarola. Camilo achou o tílburi esperando; a rua estava livre. Entrou e seguiu a trote largo.

Tudo lhe parecia agora melhor, as outras coisas traziam outro aspecto, o céu estava límpido e as caras joviais. Chegou a rir dos seus receios, que chamou pueris; recordou os termos da carta de Vilela e reconheceu que eram íntimos e familiares. Onde é que ele lhe descobrira a ameaça? Advertiu também que eram urgentes, e que fizera mal em demorar-se tanto; podia ser algum negócio grave e gravíssimo.

— Vamos, vamos depressa — repetia ele ao cocheiro.

E consigo, para explicar a demora ao amigo, engenhou qualquer coisa; parece que formou também o plano de aproveitar o incidente para tornar à antiga assiduidade... De volta com os planos, reboavam-lhe na alma as palavras da cartomante. Em verdade, ela adivinhara o objeto da consulta, o estado dele, a existência de um terceiro; por que não adivinharia o resto? O presente que se ignora vale o futuro. Era assim, lentas e contínuas, que as velhas crenças do rapaz iam tornando ao de cima, e o mistério empolgava-o com as unhas de ferro. Às vezes queria rir, e ria de si mesmo, algo vexado; mas a mulher, as cartas, as palavras secas e afirmativas, a exortação: — Vá, vá, *ragazzo innamorato*; e no fim, ao longe, a barcarola da despedida, lenta e graciosa, tais eram os elementos recentes, que formavam, com os antigos, uma fé nova e vivaz.

A verdade é que o coração ia alegre e impaciente, pensando nas horas felizes de outrora e nas que haviam de vir. Ao passar pela Glória, Camilo olhou para o mar, estendeu os olhos para fora, até onde a água e o céu dão um abraço infinito, e teve assim uma sensação do futuro, longo, longo, interminável.

Daí a pouco chegou à casa de Vilela. Apeou-se, empurrou a porta de ferro do jardim e entrou. A casa estava silenciosa. Subiu os seis degraus de pedra, e mal teve tempo de bater, a porta abriu-se, e apareceu-lhe Vilela.

— Desculpa, não pude vir mais cedo; que há?

Vilela não lhe respondeu; tinha as feições decompostas; fez-lhe sinal, e foram para uma saleta interior. Entrando, Camilo não pôde sufocar um grito de terror: — ao fundo sobre o canapé, estava Rita morta e ensanguentada. Vilela pegou-o pela gola, e, com dois tiros de revólver, estirou-o morto no chão.

Gazeta de Notícias, *28 de novembro de 1884; Machado de Assis.*

Entre santos

Quando eu era capelão de São Francisco de Paula (contava um padre velho) aconteceu-me uma aventura extraordinária.

Morava ao pé da igreja, e recolhi-me tarde, uma noite. Nunca me recolhi tarde que não fosse ver primeiro se as portas do templo estavam bem fechadas. Achei-as bem fechadas, mas lobriguei luz por baixo delas. Corri assustado à procura da ronda; não a achei, tornei atrás e fiquei no adro, sem saber que fizesse. A luz, sem ser muito intensa, era-o demais para ladrões; além disso notei que era fixa e igual, não andava de um lado para outro, como seria a das velas ou lanternas de pessoas que estivessem roubando. O mistério arrastou-me; fui a casa buscar as chaves da sacristia (o sacristão tinha ido passar a noite em Niterói), benzi-me primeiro, abri a porta e entrei.

O corredor estava escuro. Levava comigo uma lanterna e caminhava devagarinho, calando o mais que podia o rumor dos sapatos. A primeira e a segunda porta que comunicam com a igreja estavam fechadas; mas via-se a mesma luz e, porventura, mais intensa que do lado da rua. Fui andando, até que dei com a terceira porta aberta. Pus a um canto a lanterna, com o meu lenço por cima, para que me não vissem de dentro, e aproximei-me a espiar o que era.

Detive-me logo. Com efeito, só então adverti que viera inteiramente desarmado e que ia correr grande risco aparecendo na igreja sem mais defesa que as duas mãos. Correram ainda alguns minutos. Na igreja a luz era a mesma, igual e geral, e de uma cor de leite que não tinha a luz das velas. Ouvi também vozes, que ainda mais me atrapalharam, não cochichadas nem confusas, mas regulares, claras e tranquilas, à maneira de conversação. Não pude entender logo o que diziam. No meio disto, assaltou-me uma ideia que me fez recuar. Como naquele tempo os cadáveres eram sepultados nas igrejas, imaginei que a conversação podia ser de defuntos. Recuei espavorido, e só passado algum tempo, é que pude reagir e chegar outra vez à porta, dizendo a mim mesmo que semelhante ideia era um disparate. A realidade ia dar-me coisa mais assombrosa que um diálogo de mortos. Encomendei-me a Deus, benzi-me outra vez e fui andando, sorrateiramente, encostadinho à parede, até entrar. Vi então uma coisa extraordinária.

Dois dos três santos do outro lado, são José e são Miguel (à direita de quem entra na igreja pela porta da frente), tinham descido dos nichos e estavam sentados nos seus altares. As dimensões não eram as das próprias imagens, mas de homens. Falavam para o lado de cá, onde estão os altares de são João Batista e são Francisco de Sales. Não posso descrever o que senti. Durante algum tempo, que não chego a calcular, fiquei sem ir para diante nem para trás, arrepiado e trêmulo. Com certeza, andei beirando o abismo da loucura, e não caí nele por misericórdia divina. Que perdi a consciência de mim mesmo e de toda outra realidade que não fosse aquela, tão nova e tão única, posso afirmá-lo; só assim se explica a temeridade com que, dali a algum tempo, entrei mais pela igreja, a fim de olhar também para o lado oposto. Vi aí a mesma coisa: são Francisco de Sales e são João, descidos dos nichos, sentados nos altares e falando com os outros santos.

Tinha sido tal a minha estupefação que eles continuaram a falar, creio eu, sem que eu sequer ouvisse o rumor das vozes. Pouco a pouco, adquiri a percepção delas e pude compreender que não tinham interrompido a conversação; distingui-as, ouvi claramente as palavras, mas não pude colher desde logo o sentido. Um dos santos, falando para o lado do altar-mor, fez-me voltar a cabeça, e vi então que são Francisco de Paula, o orago da igreja, fizera a mesma coisa que os outros e falava para eles, como eles falavam entre si. As vozes não subiam do tom médio e, contudo, ouviam-se bem, como se as ondas sonoras tivessem recebido um poder maior de transmissão. Mas, se tudo isso era espantoso, não menos o era a luz, que não vinha de parte nenhuma, porque os lustres e castiçais estavam todos apagados; era como um luar, que ali penetrasse, sem que os olhos pudessem ver a lua; comparação tanto mais exata quanto que, se fosse realmente luar, teria deixado alguns lugares escuros, como ali acontecia, e foi num desses recantos que me refugiei.

Já então procedia automaticamente. A vida que vivi durante esse tempo todo, não se pareceu com a outra vida anterior e posterior. Basta considerar que, diante de tão estranho espetáculo, fiquei absolutamente sem medo; perdi a reflexão, apenas sabia ouvir e contemplar.

Compreendi, no fim de alguns instantes, que eles inventariavam e comentavam as orações e implorações daquele dia. Cada um notava alguma coisa. Todos eles, terríveis psicólogos, tinham penetrado a alma e a vida dos fiéis, e desfibravam os sentimentos de cada um, como os anatomistas escalpelam um cadáver. São João Batista e são Francisco de Paula, duros ascetas, mostravam-se às vezes enfadados e absolutos. Não era assim são Francisco de Sales; esse ouvia ou contava as coisas com a mesma indulgência que presidira ao seu famoso livro da *Introdução à vida devota*.

Era assim, segundo o temperamento de cada um, que eles iam narrando e comentando. Tinham já contado casos de fé sincera e castiça, outros de indiferença, dissimulação e versatilidade; os dois ascetas estavam a mais e mais anojados, mas são Francisco de Sales recordava-lhes o texto da Escritura: muitos são os chamados e poucos os escolhidos, significando assim que nem todos os que ali iam à igreja levavam o coração puro. São João abanava a cabeça.

— Francisco de Sales, digo-te que vou criando um sentimento singular em santo: começo a descrer dos homens.

— Exageras tudo, João Batista — atalhou o santo bispo —, não exageremos nada. Olha, ainda hoje aconteceu aqui uma coisa que me fez sorrir, e pode ser, entretanto, que te indignasse. Os homens não são piores do que eram em outros séculos; descontemos o que há neles ruim, e ficará muita coisa boa. Crê isto e hás de sorrir ouvindo o meu caso.

— Eu?

— Tu, João Batista, e tu também, Francisco de Paula, e todos vós haveis de sorrir comigo: e, pela minha parte, posso fazê-lo, pois já intercedi e alcancei do Senhor aquilo mesmo que me veio pedir esta pessoa.

— Que pessoa?

— Uma pessoa mais interessante que o teu escrivão, José, e que o teu lojista, Miguel...

— Pode ser — atalhou são José —, mas não há de ser mais interessante que a adúltera que aqui veio hoje prostrar-se a meus pés. Vinha pedir-me que lhe limpasse o coração da lepra da luxúria. Brigara ontem mesmo com o namorado, que a injuriou torpemente, e passou a noite em lágrimas. De manhã, determinou abandoná-lo e veio buscar aqui a força precisa para sair das garras do demônio. Começou rezando bem, cordialmente; mas pouco a pouco vi que o pensamento a ia deixando para remontar aos primeiros deleites. As palavras, paralelamente, iam ficando sem vida. Já a oração era morna, depois fria, depois inconsciente; os lábios, afeitos à reza, iam rezando; mas a alma, que eu espiava cá de cima, essa já não estava aqui, estava com o outro. Afinal persignou-se, levantou-se e saiu sem pedir nada.

— Melhor é o meu caso.

— Melhor que isto? — perguntou são José curioso.

— Muito melhor — respondeu são Francisco de Sales —, e não é triste como o dessa pobre alma ferida do mal da terra, que a graça do Senhor ainda pode salvar. E por que não salvará também a esta outra? Lá vai o que é.

Calaram-se todos, inclinaram-se os bustos, atentos, esperando. Aqui fiquei com medo; lembrou-me que eles, que veem tudo o que se passa no interior da gente, como se fôssemos de vidro, pensamentos recônditos, intenções torcidas, ódios secretos, bem podiam ter-me lido já algum pecado ou germe de pecado. Mas não tive tempo de refletir muito; são Francisco de Sales começou a falar.

— Tem cinquenta anos o meu homem — disse ele —; a mulher está de cama, doente de uma erisipela na perna esquerda. Há cinco dias vive aflito porque o mal agrava-se e a ciência não responde pela cura. Vede, porém, até onde pode ir um preconceito público. Ninguém acredita na dor do Sales (ele tem o meu nome), ninguém acredita que ele ame outra coisa que não seja dinheiro, e logo que houve notícia da sua aflição desabou em todo o bairro um aguaceiro de motes e dichotes; nem faltou quem acreditasse que ele gemia antecipadamente pelos gastos da sepultura.

— Bem podia ser que sim — ponderou são João.

— Mas não era. Que ele é usurário e avaro não o nego; usurário, como a vida, e avaro, como a morte. Ninguém extraiu nunca tão implacavelmente da algibeira dos outros o ouro, a prata, o papel e o cobre; ninguém os amuou com mais zelo e prontidão. Moeda que lhe cai na mão dificilmente torna a sair; e tudo o que lhe sobra das casas mora dentro de um armário de ferro, fechado a sete chaves. Abre-o às vezes, por horas mortas, contempla o dinheiro alguns minutos, e fecha-o outra vez depressa; mas nessas noites não dorme, ou dorme mal. Não tem filhos. A vida que leva é sórdida; come para não morrer, pouco e ruim. A família compõe-se da mulher e de uma preta escrava, comprada com outra, há muitos anos, e às escondidas, por serem de contrabando. Dizem até que nem as pagou, porque o vendedor faleceu logo sem deixar nada escrito. A outra preta morreu há pouco tempo; e aqui vereis se este homem tem ou não o gênio da economia; Sales libertou o cadáver...

E o santo bispo calou-se para saborear o espanto dos outros.

— O cadáver?

— Sim, o cadáver. Fez enterrar a escrava como pessoa livre e miserável, para não acudir às despesas da sepultura. Pouco embora, era alguma coisa. E para ele não há pouco; com pingos d'água é que se alagam as ruas. Nenhum desejo de representação, nenhum gosto nobiliário; tudo isso custa dinheiro, e ele diz que o dinheiro não lhe cai do céu. Pouca sociedade, nenhuma recreação de família. Ouve e conta anedotas da vida alheia, que é regalo gratuito.

— Compreende-se a incredulidade pública — ponderou são Miguel.

— Não digo que não, porque o mundo não vai além da superfície das coisas.

O mundo não vê que, além de caseira eminente, educada por ele, e sua confidente de mais de vinte anos, a mulher deste Sales é amada deveras pelo marido. Não te espantes, Miguel; naquele muro aspérrimo brotou uma flor descorada e sem cheiro, mas flor. A botânica sentimental tem dessas anomalias. Sales ama a esposa; está abatido e desvairado com a ideia de a perder. Hoje de manhã, muito cedo, não tendo dormido mais de duas horas, entrou a cogitar no desastre próximo. Desesperando da terra, voltou-se para Deus; pensou em nós, e especialmente em mim que sou o santo do seu nome. Só um milagre podia salvá-la; determinou vir aqui. Mora perto, e veio correndo. Quando entrou trazia o olhar brilhante e esperançado; podia ser a luz da fé, mas era outra coisa muito particular, que vou dizer. Aqui peço-vos que redobreis de atenção.

Vi os bustos inclinarem-se ainda mais; eu próprio não pude esquivar-me ao movimento e dei um passo para diante. A narração do santo foi tão longa e miúda, a análise tão complicada, que não as ponho aqui integralmente, mas em substância.

— Quando pensou em vir pedir-me que intercedesse pela vida da esposa, Sales teve uma ideia específica de usurário, a de prometer-me uma perna de cera. Não foi o crente, que simboliza desta maneira a lembrança do benefício; foi o usurário que pensou em forçar a graça divina pela expectação do lucro. E não foi só a usura que falou, mas também a avareza; porque em verdade, dispondo-se à promessa, mostrava ele querer deveras a vida da mulher — intuição de avaro; — despender é documentar: só se quer de coração aquilo que se paga a dinheiro, disse-lho a consciência pela mesma boca escura. Sabeis que pensamentos tais não se formulam como outros, nascem das entranhas do caráter e ficam na penumbra da consciência. Mas eu li tudo nele logo que aqui entrou alvoroçado, com o olhar fúlgido de esperança; li tudo e esperei que acabasse de benzer-se e rezar.

— Ao menos, tem alguma religião — ponderou são José.

— Alguma tem, mas, vaga e econômica. Não entrou nunca em irmandades e ordens terceiras, porque nelas se rouba o que pertence ao Senhor; é o que ele diz para conciliar a devoção com a algibeira. Mas não se pode ter tudo; é certo que ele teme a Deus e crê na doutrina.

— Bem, ajoelhou-se e rezou.

— Rezou. Enquanto rezava, via eu a pobre alma, que padecia deveras, conquanto a esperança começasse a trocar-se em certeza intuitiva. Deus tinha de salvar a doente, por força, graças à minha intervenção, e eu ia interceder; é o que ele pensava, enquanto os lábios repetiam as palavras da oração. Acabando a oração, ficou Sales algum tempo olhando, com as mãos postas; afinal falou a boca do homem, falou para confessar a dor, para jurar que nenhuma outra mão, além da do Senhor, podia atalhar o golpe. A mulher ia morrer... ia morrer... ia morrer... E repetia a palavra, sem sair dela. A mulher ia morrer. Não passava adiante. Prestes a formular o pedido e a promessa não achava palavras idôneas, nem aproximativas, nem sequer dúbias, não achava nada, tão longo era o descostume de dar alguma coisa. Afinal saiu o pedido; a mulher ia morrer, ele rogava-me que a salvasse, que pedisse por ela ao Senhor. A promessa, porém, é que não acabava de sair. No momento em que a boca ia articular a primeira palavra, a garra da avareza mordia-lhe as entranhas e não deixava sair nada. Que a salvasse... que intercedesse por ela...

No ar, diante dos olhos, recortava-se-lhe a perna de cera, e logo a moeda que ela havia de custar. A perna desapareceu, mas ficou a moeda, redonda, luzidia, amarela, ouro puro, completamente ouro, melhor que o dos castiçais do meu altar, apenas dourados. Para onde quer que virasse os olhos, via a moeda, girando, girando, girando. E os olhos a apalpavam, de longe, e transmitiam-lhe a sensação fria do metal e até a do relevo do cunho. Era ela mesma, velha amiga de longos anos, companheira do dia e da noite, era ela que ali estava no ar, girando, às tontas; era ela que descia do teto, ou subia do chão, ou rolava no altar, indo da Epístola ao Evangelho, ou tilintava nos pingentes do lustre.

Agora a súplica dos olhos e a melancolia deles eram mais intensas, puramente voluntárias. Vi-os alongarem-se para mim, cheios de contrição, de humilhação, de desamparo; e a boca ia dizendo algumas coisas soltas — Deus — os anjos do Senhor — as bentas chagas — palavras lacrimosas e trêmulas, como para pintar por elas a sinceridade da fé e a imensidade da dor. Só a promessa da perna é que não saía. Às vezes, a alma, como pessoa que recolhe as forças, a fim de saltar um valo, fitava longamente a morte da mulher e rebolcava-se no desespero que ela lhe havia de trazer; mas, à beira do valo, quando ia a dar o salto, recuava. A moeda emergia dele e a promessa ficava no coração do homem.

O tempo ia passando. A alucinação crescia, porque a moeda, acelerando e multiplicando os saltos, multiplicava-se a si mesma e parecia uma infinidade delas; e o conflito era cada vez mais trágico. De repente, o receio de que a mulher podia estar expirando, gelou sangue ao pobre homem e ele quis precipitar-se. Podia estar expirando... Pedia-me que intercedesse por ela, que a salvasse...

Aqui o demônio da avareza sugeria-lhe uma transação nova, uma troca de espécie, dizendo-lhe que o valor da oração era superfino e muito mais excelso que o das obras terrenas. E o Sales, curvo, contrito, com as mãos postas, o olhar submisso, desamparado, resignado, pedia-me que lhe salvasse a mulher. Que lhe salvasse a mulher, e prometia-me trezentos — não menos — trezentos padre-nossos e trezentas ave-marias. E repetia enfático: trezentos, trezentas, trezentos... Foi subindo, chegou a quinhentos, a mil padre-nossos e mil ave-marias. Não via esta soma escrita por letras do alfabeto, mas em algarismos, como se ficasse assim mais viva, mais exata, e a obrigação maior, e maior também a sedução. Mil padre-nossos, mil ave-marias. E voltaram as palavras lacrimosas e trêmulas, as bentas chagas, os anjos do Senhor... 1000 — 1000 — 1000. Os quatro algarismos foram crescendo tanto, que encheram a igreja de alto a baixo, e com eles, crescia o esforço do homem, e a confiança também; a palavra saía-lhe mais rápida, impetuosa, já falada, mil, mil, mil, mil... Vamos lá, podeis rir à vontade, concluiu são Francisco de Sales.

E os outros santos riram efetivamente, não daquele grande riso descomposto dos deuses de Homero, quando viram o coxo Vulcano servir à mesa, mas de um riso modesto, tranquilo, beato e católico.

Depois, não pude ouvir mais nada. Caí redondamente no chão. Quando dei por mim era dia claro... Corri a abrir todas as portas e janelas da igreja e da sacristia, para deixar entrar o sol, inimigo dos maus sonhos.

Gazeta de Notícias, *1º de janeiro de 1886; Machado de Assis.*

Uns braços

Inácio estremeceu, ouvindo os gritos do solicitador, recebeu o prato que este lhe apresentava e tratou de comer, debaixo de uma trovoada de nomes, malandro, cabeça de vento, estúpido, maluco.

— Onde anda que nunca ouve o que lhe digo? Hei de contar tudo a seu pai, para que lhe sacuda a preguiça do corpo com uma boa vara de marmelo, ou um pau; sim, ainda pode apanhar, não pense que não. Estúpido! maluco!

— Olhe que lá fora é isto mesmo que você vê aqui — continuou, voltando-se para d. Severina, senhora que vivia com ele maritalmente, há anos. — Confunde-me os papéis todos, erra as casas, vai a um escrivão em vez de ir a outro, troca os advogados: é o diabo! É o tal sono pesado e contínuo. De manhã é o que se vê; primeiro que acorde é preciso quebrar-lhe os ossos... Deixe; amanhã hei de acordá-lo a pau de vassoura!

D. Severina tocou-lhe no pé, como pedindo que acabasse. Borges espeitorou ainda alguns impropérios, e ficou em paz com Deus e os homens.

Não digo que ficou em paz com os meninos, porque o nosso Inácio não era propriamente menino. Tinha quinze anos feitos e bem feitos. Cabeça inculta, mas bela, olhos de rapaz que sonha, que adivinha, que indaga, que quer saber e não acaba de saber nada. Tudo isso posto sobre um corpo não destituído de graça, ainda que mal vestido. O pai é barbeiro na Cidade Nova, e pô-lo de agente, escrevente, ou que quer que era, do solicitador Borges, com esperança de vê-lo no foro, porque lhe parecia que os procuradores de causas ganhavam muito. Passava-se isto na rua da Lapa, em 1870.

Durante alguns minutos não se ouviu mais que o tinir dos talheres e o ruído da mastigação. Borges abarrotava-se de alface e vaca; interrompia-se para virgular a oração com um golpe de vinho e continuava logo calado.

Inácio ia comendo devagarinho, não ousando levantar os olhos do prato, nem para colocá-los onde eles estavam no momento em que o terrível Borges o descompôs. Verdade é que seria agora muito arriscado. Nunca ele pôs os olhos nos braços de d. Severina que se não esquecesse de si e de tudo.

Também a culpa era antes de d. Severina em trazê-los assim nus, constantemente. Usava mangas curtas em todos os vestidos de casa, meio palmo abaixo do ombro; dali em diante ficavam-lhe os braços à mostra. Na verdade, eram belos e cheios, em harmonia com a dona, que era antes grossa que fina, e não perdiam a cor nem a maciez por viverem ao ar; mas é justo explicar que ela os não trazia assim por faceira, senão porque já gastara todos os vestidos de mangas compridas. De pé, era muito vistosa; andando, tinha meneios engraçados; ele, entretanto, quase que só a via à mesa, onde, além dos braços, mal poderia mirar-lhe o busto. Não se pode dizer que era bonita; mas também não era feia. Nenhum adorno; o próprio penteado consta de mui pouco; alisou os cabelos, apanhou-os, atou-os e fixou-os no alto da cabeça com o pente de tartaruga que a mãe lhe deixou. Ao pescoço, um lenço escuro; nas orelhas, nada. Tudo isso com vinte e sete anos floridos e sólidos.

Acabaram de jantar. Borges, vindo o café, tirou quatro charutos da algibeira, comparou-os, apertou-os entre os dedos, escolheu um e guardou os restantes. Aceso o charuto, fincou os cotovelos na mesa e falou a d. Severina de trinta mil coisas que não interessavam nada ao nosso Inácio; mas enquanto falava, não o descompunha e ele podia devanear à larga.

Inácio demorou o café o mais que pôde. Entre um e outro gole, alisava a toalha, arrancava dos dedos pedacinhos de pele imaginários, ou passava os olhos pelos quadros da sala de jantar, que eram dois, um são Pedro e um são João, registros trazidos de festas e encaixilhados em casa. Vá que disfarçasse com são João, cuja cabeça moça alegra as imaginações católicas; mas com o austero são Pedro era demais. A única defesa do moço Inácio é que ele não via nem um nem outro; passava os olhos por ali como por nada. Via só os braços de d. Severina — ou porque sorrateiramente olhasse para eles, ou porque andasse com eles impressos na memória.

— Homem, você não acaba mais? — bradou de repente o solicitador.

Não havia remédio; Inácio bebeu a última gota, já fria, e retirou-se, como de costume, para o seu quarto, nos fundos da casa. Entrando, fez um gesto de zanga e desespero e foi depois encostar-se a uma das duas janelas que davam para o mar. Cinco minutos depois, a vista das águas próximas e das montanhas ao longe restituía-lhe o sentimento confuso, vago, inquieto, que lhe doía e fazia bem, alguma coisa que deve sentir a planta, quando abotoa a primeira flor. Tinha vontade de ir embora e de ficar. Havia cinco semanas que ali morava, e a vida era sempre a mesma, sair de manhã com o Borges, andar por audiências e cartórios, correndo, levando papéis ao selo, ao distribuidor, aos escrivães, aos oficiais de justiça. Voltava à tarde, jantava e recolhia-se ao quarto, até a hora da ceia; ceava e ia dormir. Borges não lhe dava intimidade na família, que se compunha apenas de d. Severina, nem Inácio a via mais de três vezes por dia, durante as refeições. Cinco semanas de solidão, de trabalho sem gosto, longe da mãe e das irmãs; cinco semanas de silêncio, porque ele só falava uma ou outra vez na rua; em casa, nada.

— Deixe estar — pensou ele um dia —, fujo daqui e não volto mais.

Não foi; sentiu-se agarrado e acorrentado pelos braços de d. Severina. Nunca vira outros tão bonitos e tão frescos. A educação que tivera não lhe permitia encará-los logo abertamente, parece até que a princípio afastava os olhos, vexado. Encarou-os pouco a pouco, ao ver que eles não tinham outras mangas, e assim os foi descobrindo, mirando e amando. No fim de três semanas eram eles, moralmente falando, as suas tendas de repouso. Aguentava toda a trabalheira de fora, toda a melancolia da solidão e do silêncio, toda a grosseria do patrão, pela única paga de ver, três vezes por dia, o famoso par de braços.

Naquele dia, enquanto a noite ia caindo e Inácio estirava-se na rede (não tinha ali outra cama), d. Severina, na sala da frente, recapitulava o episódio do jantar e, pela primeira vez, desconfiou alguma coisa. Rejeitou a ideia logo, uma criança! Mas há ideias que são da família das moscas teimosas: por mais que a gente as sacuda, elas tornam e pousam. Criança? Tinha quinze anos; e ela advertiu que entre o nariz e a boca do rapaz havia um princípio de rascunho de buço. Que admira que começasse a amar? E não era ela bonita? Esta outra ideia não foi rejeitada, antes afagada e beijada. E recordou então os modos dele, os esquecimentos, as distrações, e mais um incidente, e mais outro, tudo eram sintomas, e concluiu que sim.

— Que é que você tem? — disse-lhe o solicitador, estirado no canapé, ao cabo de alguns minutos de pausa.

— Não tenho nada.

— Nada? Parece que cá em casa anda tudo dormindo! Deixem estar, que eu sei de um bom remédio para tirar o sono aos dorminhocos...

E foi por ali, no mesmo tom zangado, fuzilando ameaças, mas realmente incapaz de as cumprir, pois era antes grosseiro que mau. D. Severina interrompia-o que não, que era engano, não estava dormindo, estava pensando na comadre Fortunata. Não a visitavam desde o Natal; por que não iriam lá uma daquelas noites? Borges redarguia que andava cansado, trabalhava como um negro, não estava para visitas de parola; e descompôs a comadre, descompôs o compadre, descompôs o afilhado, que não ia ao colégio, com dez anos! Ele, Borges, com dez anos, já sabia ler, escrever e contar, não muito bem, é certo, mas sabia. Dez anos! Havia de ter um bonito fim: — vadio, e o côvado e meio nas costas. A tarimba é que viria ensiná-lo.

D. Severina apaziguava-o com desculpas, a pobreza da comadre, o caiporismo do compadre, e fazia-lhe carinhos, a medo, que eles podiam irritá-lo mais. A noite caíra de todo; ela ouviu o *tlic* do lampião do gás da rua, que acabavam de acender, e viu o clarão dele nas janelas da casa fronteira. Borges, cansado do dia, pois era realmente um trabalhador de primeira ordem, foi fechando os olhos e pegando no sono, e deixou-a só na sala, às escuras, consigo e com a descoberta que acaba de fazer.

Tudo parecia dizer à dama que era verdade; mas essa verdade, desfeita a impressão do assombro, trouxe-lhe uma complicação moral, que ela só conheceu pelos efeitos, não achando meio de discernir o que era. Não podia entender-se nem equilibrar-se, chegou a pensar em dizer tudo ao solicitador, e ele que mandasse embora o fedelho. Mas que era tudo? Aqui estacou: realmente, não havia mais que suposição, coincidência e possivelmente ilusão. Não, não, ilusão não era. E logo recolhia os indícios vagos, as atitudes do mocinho, o acanhamento, as distrações, para rejeitar a ideia de estar enganada. Daí a pouco (capciosa natureza!), refletindo que seria mau acusá-lo sem fundamento, admitiu que se iludisse, para o único fim de observá-lo melhor e averiguar bem a realidade das coisas.

Já nessa noite, d. Severina mirava por baixo dos olhos os gestos de Inácio; não chegou a achar nada, porque o tempo do chá era curto e o rapazinho não tirou os olhos da xícara. No dia seguinte pôde observar melhor, e nos outros otimamente. Percebeu que sim, que era amada e temida, amor adolescente e virgem, retido pelos liames sociais e por um sentimento de inferioridade que o impedia de reconhecer-se a si mesmo. D. Severina compreendeu que não havia recear nenhum desacato, e concluiu que o melhor era não dizer nada ao solicitador; poupava-lhe um desgosto, e outro à pobre criança. Já se persuadia bem que ele era criança, e assentou de o tratar tão secamente como até ali, ou ainda mais. E assim fez; Inácio começou a sentir que ela fugia com os olhos, ou falava áspero, quase tanto como o próprio Borges. De outras vezes, é verdade que o tom da voz saía brando e até meigo, muito meigo; assim como o olhar geralmente esquivo, tanto errava por outras partes, que, para descansar, vinha pousar na cabeça dele; mas tudo isso era curto.

— Vou-me embora — repetia ele na rua como nos primeiros dias.

Chegava a casa e não se ia embora. Os braços de d. Severina fechavam-lhe um parêntese no meio do longo e fastidioso período da vida que levava, e essa oração intercalada trazia uma ideia original e profunda, inventada pelo céu unicamente para ele. Deixava-se estar e ia andando. Afinal, porém, teve de sair, e para nunca mais; eis aqui como e por quê.

    D. Severina tratava-o desde alguns dias com benignidade. A rudeza da voz parecia acabada, e havia mais do que brandura, havia desvelo e carinho. Um dia recomendava-lhe que não apanhasse ar, outro que não bebesse água fria depois do café quente, conselhos, lembranças, cuidados de amiga e mãe, que lhe lançaram na alma ainda maior inquietação e confusão. Inácio chegou ao extremo de confiança de rir um dia à mesa, coisa que jamais fizera; e o solicitador não o tratou mal dessa vez, porque era ele que contava um caso engraçado, e ninguém pune a outro pelo aplauso que recebe. Foi então que d. Severina viu que a boca do mocinho, graciosa estando calada, não o era menos quando ria.

    A agitação de Inácio ia crescendo, sem que ele pudesse acalmar-se nem entender-se. Não estava bem em parte nenhuma. Acordava de noite, pensando em d. Severina. Na rua, trocava de esquinas, errava as portas, muito mais que dantes, e não via mulher, ao longe ou ao perto, que lha não trouxesse à memória. Ao entrar no corredor da casa, voltando do trabalho, sentia sempre algum alvoroço, às vezes grande, quando dava com ela no topo da escada, olhando através das grades de pau da cancela, como tendo acudido a ver quem era.

    Um domingo — nunca ele esqueceu esse domingo — estava só no quarto, à janela, virado para o mar, que lhe falava a mesma linguagem obscura e nova de d. Severina. Divertia-se em olhar para as gaivotas, que faziam grandes giros no ar, ou pairavam em cima d'água, ou avoaçavam somente. O dia estava lindíssimo. Não era só um domingo cristão; era um imenso domingo universal.

    Inácio passava-os todos ali no quarto ou à janela, ou relendo um dos três folhetos que trouxera consigo, contos de outros tempos, comprados a tostão, debaixo do passadiço do largo do Paço. Eram duas horas da tarde. Estava cansado, dormira mal a noite, depois de haver andado muito na véspera; estirou-se na rede, pegou em um dos folhetos, a *Princesa Magalona*, e começou a ler. Nunca pôde entender por que é que todas as heroínas dessas velhas histórias tinham a mesma cara e talhe de d. Severina, mas a verdade é que os tinham. Ao cabo de meia hora, deixou cair o folheto e pôs os olhos na parede, donde, cinco minutos depois, viu sair a dama dos seus cuidados. O natural era que se espantasse; mas não se espantou. Embora com as pálpebras cerradas viu-a desprender-se de todo, parar, sorrir e andar para a rede. Era ela mesma; eram os seus mesmos braços.

    É certo, porém, que d. Severina, tanto não podia sair da parede, dado que houvesse ali porta ou rasgão, que estava justamente na sala da frente ouvindo os passos do solicitador que descia as escadas. Ouviu-o descer; foi à janela vê-lo sair e só se recolheu quando ele se perdeu ao longe, no caminho da rua das Mangueiras. Então entrou e foi sentar-se no canapé. Parecia fora do natural, inquieta, quase maluca; levantando-se, foi pegar na jarra que estava em cima do aparador e deixou-a no mesmo lugar; depois caminhou até a porta, deteve-se e voltou, ao que parece, sem plano. Sentou-se outra vez, cinco ou dez minutos. De repente, lembrou-se que Inácio comera pouco ao almoço e tinha o ar abatido, e advertiu que podia estar doente; podia ser até que estivesse muito mal.

Saiu da sala, atravessou rasgadamente o corredor e foi até o quarto do mocinho, cuja porta achou escancarada. D. Severina parou, espiou, deu com ele na rede, dormindo, com o braço para fora e o folheto caído no chão. A cabeça inclinava-se um pouco do lado da porta, deixando ver os olhos fechados, os cabelos revoltos e um grande ar de riso e de beatitude.

D. Severina sentiu bater-lhe o coração com veemência e recuou. Sonhara de noite com ele; pode ser que ele estivesse sonhando com ela. Desde madrugada que a figura do mocinho andava-lhe diante dos olhos como uma tentação diabólica. Recuou ainda, depois voltou, olhou dois, três, cinco minutos, ou mais. Parece que o sono dava à adolescência de Inácio uma expressão mais acentuada, quase feminina, quase pueril. Uma criança! disse ela a si mesma, naquela língua sem palavras que todos trazemos conosco. E esta ideia abateu-lhe o alvoroço do sangue e dissipou-lhe em parte a turvação dos sentidos.

— Uma criança!

E mirou-o lentamente, fartou-se de vê-lo, com a cabeça inclinada, o braço caído; mas, ao mesmo tempo que o achava criança, achava-o bonito, muito mais bonito que acordado, e uma dessas ideias corrigia ou corrompia a outra. De repente estremeceu e recuou assustada: ouvira um ruído ao pé, na saleta do engomado; foi ver, era um gato que deitara uma tigela ao chão. Voltando devagarinho a espiá-lo, viu que dormia profundamente. Tinha o sono duro a criança! O rumor que a abalara tanto, não o fez sequer mudar de posição. E ela continuou a vê-lo dormir — dormir e talvez sonhar.

Que não possamos ver os sonhos uns dos outros! D. Severina ter-se-ia visto a si mesma na imaginação do rapaz; ter-se-ia visto diante da rede, risonha e parada; depois inclinar-se, pegar-lhe nas mãos, levá-las ao peito, cruzando ali os braços, os famosos braços. Inácio, namorado deles, ainda assim ouvia as palavras dela, que eram lindas, cálidas, principalmente novas — ou, pelo menos, pertenciam a algum idioma que ele não conhecia, posto que o entendesse. Duas, três e quatro vezes a figura esvaía-se, para tornar logo, vindo do mar ou de outra parte, entre gaivotas, ou atravessando o corredor, com toda a graça robusta de que era capaz. E tornando, inclinava-se, pegava-lhe outra vez das mãos e cruzava ao peito os braços, até que, inclinando-se, ainda mais, muito mais, abrochou os lábios e deixou-lhe um beijo na boca.

Aqui o sonho coincidiu com a realidade, e as mesmas bocas uniram-se na imaginação e fora dela. A diferença é que a visão não recuou, e a pessoa real tão depressa cumprira o gesto, como fugiu até a porta, vexada e medrosa. Dali passou à sala da frente, aturdida do que fizera, sem olhar fixamente para nada. Afiava o ouvido, ia até o fim do corredor, a ver se escutava algum rumor que lhe dissesse que ele acordara, e só depois de muito tempo é que o medo foi passando. Na verdade, a criança tinha o sono duro; nada lhe abria os olhos, nem os fracassos contíguos, nem os beijos de verdade. Mas, se o medo foi passando, o vexame ficou e cresceu. D. Severina não acabava de crer que fizesse aquilo; parece que embrulhara os seus desejos na ideia de que era uma criança namorada que ali estava sem consciência nem imputação; e, meio mãe, meio amiga, inclinara-se e beijara-o. Fosse como fosse, estava confusa, irritada, aborrecida, mal consigo e mal com ele. O medo de que ele podia estar fingindo que dormia apontou-lhe na alma e deu-lhe um calefrio.

Mas a verdade é que dormiu ainda muito, e só acordou para jantar. Sentou-se à mesa lépido. Conquanto achasse d. Severina calada e severa e o solicitador tão ríspido como nos outros dias, nem a rispidez de um, nem a severidade da outra podiam dissipar-lhe a visão graciosa que ainda trazia consigo, ou amortecer-lhe a sensação do beijo. Não reparou que d. Severina tinha um xale que lhe cobria os braços; reparou depois, na segunda-feira, e na terça-feira, também, até sábado, que foi o dia em que Borges mandou dizer ao pai que não podia ficar com ele; e não o fez zangado, porque o tratou relativamente bem e ainda lhe disse à saída:

— Quando precisar de mim para alguma coisa, procure-me.
— Sim, senhor. A senhora dona Severina...
— Está lá para o quarto, com muita dor de cabeça. Venha amanhã ou depois despedir-se dela.

Inácio saiu sem entender nada. Não entendia a despedida, nem a completa mudança de d. Severina, em relação a ele, nem o xale, nem nada. Estava tão bem! falava-lhe com tanta amizade! Como é que, de repente... Tanto pensou que acabou supondo de sua parte algum olhar indiscreto, alguma distração que a ofendera; não era outra coisa; e daqui a cara fechada e o xale que cobria os braços tão bonitos... Não importa; levava consigo o sabor do sonho. E através dos anos, por meio de outros amores, mais efetivos e longos, nenhuma sensação achou nunca igual à daquele domingo, na rua da Lapa, quando ele tinha quinze anos. Ele mesmo exclama às vezes, sem saber que se engana:

— E foi um sonho! um simples sonho!

Gazeta de Notícias, *5 de novembro de 1885; Machado de Assis.*

Um homem célebre

— Ah! o senhor é que é o Pestana? — perguntou Sinhazinha Mota, fazendo um largo gesto admirativo. E logo depois, corrigindo a familiaridade: — Desculpe meu modo, mas... é mesmo o senhor?

Vexado, aborrecido, Pestana respondeu que sim, que era ele. Vinha do piano, enxugando a testa com o lenço, e ia a chegar à janela, quando a moça o fez parar. Não era baile; apenas um sarau íntimo, pouca gente, vinte pessoas ao todo, que tinham ido jantar com a viúva Camargo, rua do Areal, naquele dia dos anos dela, cinco de novembro de 1875... Boa e patusca viúva! Amava o riso e a folga, apesar dos sessenta anos em que entrava, e foi a última vez que folgou e riu, pois faleceu nos primeiros dias de 1876. Boa e patusca viúva! Com que alma e diligência arranjou ali umas danças, logo depois do jantar, pedindo ao Pestana que tocasse uma quadrilha! Nem foi preciso acabar o pedido; Pestana curvou-se gentilmente, e correu ao piano. Finda a quadrilha, mal teriam descansado uns dez minutos, a viúva correu novamente ao Pestana para um obséquio mui particular.

— Diga, minha senhora.

— É que nos toque agora aquela sua polca *Não bula comigo, nhonhô*.

Pestana fez uma careta, mas dissimulou depressa, inclinou-se calado, sem gentileza, e foi para o piano, sem entusiasmo. Ouvidos os primeiros compassos, derramou-se pela sala uma alegria nova, os cavalheiros correram às damas, e os pares entraram a saracotear a polca da moda. Da moda; tinha sido publicada vinte dias antes, e já não havia recanto da cidade em que não fosse conhecida. Ia chegando à consagração do assobio e da cantarola noturna.

Sinhazinha Mota estava longe de supor que aquele Pestana que ela vira à mesa de jantar e depois ao piano, metido numa sobrecasaca cor de rapé, cabelo negro, longo e cacheado, olhos cuidosos, queixo rapado, era o mesmo Pestana compositor; foi uma amiga que lho disse quando o viu vir do piano, acabada a polca. Daí a pergunta admirativa. Vimos que ele respondeu aborrecido e vexado. Nem assim as duas moças lhe pouparam finezas, tais e tantas, que a mais modesta vaidade se contentaria de as ouvir; ele recebeu-as cada vez mais enfadado, até que, alegando dor de cabeça, pediu licença para sair. Nem elas, nem a dona da casa, ninguém logrou retê-lo. Ofereceram-lhe remédios caseiros, algum repouso, não aceitou nada, teimou em sair e saiu.

Rua fora, caminhou depressa, com medo de que ainda o chamassem; só afrouxou, depois que dobrou a esquina da rua Formosa. Mas aí mesmo esperava-o a sua grande polca festiva. De uma casa modesta, à direita, a poucos metros de distância, saíam as notas da composição do dia, sopradas em clarineta. Dançava-se. Pestana parou alguns instantes, pensou em arrepiar caminho, mas dispôs-se a andar, estugou o passo, atravessou a rua, e seguiu pelo lado oposto ao da casa do baile. As notas foram-se perdendo, ao longe, e o nosso homem entrou na rua do Aterrado, onde morava. Já perto de casa viu vir dois homens: um deles, passando rentezinho com o Pestana, começou a assobiar a mesma polca, rijamente, com brio, e o outro pegou a tempo na música, e aí foram os dois abaixo, ruidosos e alegres, enquanto o autor da peça, desesperado, corria a meter-se em casa.

Em casa, respirou. Casa velha, escada velha, um preto velho que o servia, e que veio saber se ele queria cear.

— Não quero nada — bradou o Pestana —, faça-me café e vá dormir.

Despiu-se, enfiou uma camisola, e foi para a sala dos fundos. Quando o preto acendeu o gás da sala, Pestana sorriu e, dentro da alma, cumprimentou uns dez retratos que pendiam da parede. Um só era a óleo, o de um padre, que o educara, que lhe ensinara latim e música, e que, segundo os ociosos, era o próprio pai do Pestana. Certo é que lhe deixou em herança aquela casa velha, e os velhos trastes, ainda do tempo de Pedro I. Compusera alguns motetes o padre, era doido por música, sacra ou profana, cujo gosto incutiu no moço, ou também lhe transmitiu no sangue, se é que tinham razão as bocas vadias, coisa de que se não ocupa a minha história, como ides ver.

Os demais retratos eram de compositores clássicos, Cimarosa, Mozart, Beethoven, Gluck, Bach, Schumann, e ainda uns três, alguns gravados, outros litografados, todos mal encaixilhados e de diferente tamanho, mas postos ali como santos de uma igreja. O piano era o altar; o evangelho da noite lá estava aberto: era uma sonata de Beethoven.

Veio o café; Pestana engoliu a primeira xícara, e sentou-se ao piano. Olhou para o retrato de Beethoven, e começou a executar a sonata, sem saber de si, desvairado ou absorto, mas com grande perfeição. Repetiu a peça; depois parou alguns instantes, levantou-se e foi a uma das janelas. Tornou ao piano; era a vez de Mozart, pegou de um trecho, e executou-o do mesmo modo, com a alma alhures. Haydn levou-o à meia-noite e à segunda xícara de café.

Entre meia-noite e uma hora, Pestana pouco mais fez que estar à janela e olhar para as estrelas, entrar e olhar para os retratos. De quando em quando ia ao piano, e, de pé, dava uns golpes soltos no teclado, como se procurasse algum pensamento; mas o pensamento não aparecia e ele voltava a encostar-se à janela. As estrelas pareciam-lhe outras tantas notas musicais fixadas no céu à espera de alguém que as fosse descolar; tempo viria em que o céu tinha de ficar vazio, mas então a terra seria uma constelação de partituras. Nenhuma imagem, desvario ou reflexão trazia uma lembrança qualquer de Sinhazinha Mota, que entretanto, a essa mesma hora, adormecia, pensando nele, famoso autor de tantas polcas amadas. Talvez a ideia conjugal tirou à moça alguns momentos de sono. Que tinha? Ela ia em vinte anos, ele em trinta, boa conta. A moça dormia ao som da polca, ouvida de cor, enquanto o autor desta não cuidava nem da polca nem da moça, mas das velhas obras clássicas, interrogando o céu e a noite, rogando aos anjos, em último caso ao diabo. Por que não faria ele uma só que fosse daquelas páginas imortais?

Às vezes, como que ia surgir das profundezas do inconsciente uma aurora de ideia; ele corria ao piano, para aventá-la inteira, traduzi-la, em sons, mas era em vão; a ideia esvaía-se. Outras vezes, sentado ao piano, deixava os dedos correrem, à ventura, a ver se as fantasias brotavam deles, como dos de Mozart; mas nada, nada, a inspiração não vinha, a imaginação deixava-se estar dormindo. Se acaso uma ideia aparecia, definida e bela, era eco apenas de alguma peça alheia, que a memória repetia, e que ele supunha inventar. Então, irritado, erguia-se, jurava abandonar a arte, ir plantar café ou puxar carroça; mas daí a dez minutos, ei-lo outra vez, com os olhos em Mozart, a imitá-lo ao piano.

Duas, três, quatro horas. Depois das quatro foi dormir; estava cansado, desanimado, morto; tinha que dar lições no dia seguinte. Pouco dormiu; acordou às sete horas. Vestiu-se e almoçou.

— Meu senhor quer a bengala ou o chapéu de sol? — perguntou o preto, segundo as ordens que tinha, porque as distrações do senhor eram frequentes.

— A bengala.

— Mas parece que hoje chove.

— Chove — repetiu Pestana maquinalmente.

— Parece que sim, senhor, o céu está meio escuro.

Pestana olhava para o preto, vago, preocupado. De repente:

— Espera aí.

Correu à sala dos retratos, abriu o piano, sentou-se e espalmou as mãos no teclado. Começou a tocar alguma coisa própria, uma inspiração real e pronta, uma polca, uma polca buliçosa, como dizem os anúncios. Nenhuma repulsa da parte do compositor; os dedos iam arrancando as notas, ligando-as, meneando-as; dir-se-ia que a musa compunha e bailava a um tempo. Pestana esquecera as discípulas, esquecera o preto, que o esperava com a bengala e o guarda-chuva, esquecera até os retratos que pendiam gravemente da parede. Compunha só, teclando ou escrevendo, sem os vãos esforços da véspera, sem exasperação, sem nada pedir ao céu, sem interrogar os olhos de Mozart. Nenhum tédio. Vida, graça, novidade, escorriam-lhe da alma como de uma fonte perene.

Em pouco tempo estava a polca feita. Corrigiu ainda alguns pontos, quando voltou para jantar; mas já a cantarolava, andando, na rua. Gostou dela; na composição recente e inédita circulava o sangue da paternidade e da vocação. Dois dias depois, foi levá-la ao editor das outras polcas suas, que andariam já por umas trinta. O editor achou-a linda.

— Vai fazer grande efeito.

Veio a questão do título. Pestana, quando compôs a primeira polca, em 1871, quis dar-lhe um título poético, escolheu este: *Pingos de sol*. O editor abanou a cabeça, e disse-lhe que os títulos deviam ser, já de si, destinados à popularidade, ou por alusão a algum sucesso do dia — ou pela graça das palavras; indicou-lhe dois: *A lei de 28 de setembro*, ou *Candongas não fazem festa*.

— Mas que quer dizer *Candongas não fazem festa*? — perguntou o autor.

— Não quer dizer nada, mas populariza-se logo.

Pestana, ainda donzel inédito, recusou qualquer das denominações e guardou a polca; mas não tardou que compusesse outra, e a comichão da publicidade levou-o a imprimir as duas, com os títulos que ao editor parecessem mais atraentes ou apropriados. Assim se regulou pelo tempo adiante.

Agora, quando Pestana entregou a nova polca, e passaram ao título, o editor acudiu que trazia um, desde muitos dias, para a primeira obra que ele lhe apresentasse, título de espavento, longo e meneado. Era este: *Senhora dona, guarde o seu balaio*.

— E para a vez seguinte — acrescentou — já trago outro de cor.

Exposta à venda, esgotou-se logo a primeira edição. A fama do compositor bastava à procura; mas a obra em si mesma era adequada ao gênero, original, convidava a dançá-la e decorava-se depressa. Em oito dias, estava célebre. Pestana, durante os primeiros, andou deveras namorado da composição, gostava de a cantarolar baixinho, detinha-se na rua, para ouvi-la tocar em alguma casa, e zangava-se quando não a tocavam bem. Desde logo, as orquestras de teatro a executaram, e ele lá foi a um deles. Não desgostou também de a ouvir assobiada, uma noite, por um vulto que descia a rua do Aterrado.

Essa lua de mel durou apenas um quarto de lua. Como das outras vezes, e mais depressa ainda, os velhos mestres retratados o fizeram sangrar de remorsos. Vexado e enfastiado, Pestana arremeteu contra aquela que o viera consolar tantas vezes, musa de olhos marotos e gestos arredondados, fácil e graciosa. E aí voltaram as náuseas de si mesmo, o ódio a quem lhe pedia a nova polca da moda, e juntamente o esforço de compor alguma coisa ao sabor clássico, uma página que fosse, uma só, mas tal que pudesse ser encadernada entre Bach e Schumann. Vão estudo, inútil esforço. Mergulhava naquele Jordão sem sair batizado. Noites e noites, gastou-as assim, confiado e teimoso, certo de que a vontade era tudo, e que, uma vez que abrisse mão da música fácil...

— As polcas que vão para o inferno fazer dançar o diabo — disse ele um dia, de madrugada, ao deitar-se.

Mas as polcas não quiseram ir tão fundo. Vinham à casa de Pestana, à própria sala dos retratos, irrompiam tão prontas, que ele não tinha mais que o tempo de as compor, imprimi-las depois, gostá-las alguns dias, aborrecê-las, e tornar às velhas fontes, donde lhe não manava nada. Nessa alternativa viveu até casar, e depois de casar.

— Casar com quem? — perguntou Sinhazinha Mota ao tio escrivão que lhe deu aquela notícia.

— Vai casar com uma viúva.

— Velha?

— Vinte e sete anos.

— Bonita?

— Não, nem feia, assim, assim. Ouvi dizer que ele se enamorou dela, porque a ouviu cantar na última festa de São Francisco de Paula. Mas ouvi também que ela possui outra prenda, que não é rara, mas vale menos: está tísica.

Os escrivães não deviam ter espírito — mau espírito, quero dizer. A sobrinha deste sentiu no fim um pingo de bálsamo, que lhe curou a dentadinha da inveja. Era tudo verdade. Pestana casou daí a dias com uma viúva de vinte e sete anos, boa cantora e tísica. Recebeu-a como a esposa espiritual do seu gênio. O celibato era, sem dúvida, a causa da esterilidade e do transvio, dizia ele consigo; artisticamente considerava-se um arruador de horas mortas; tinha as polcas por aventuras de petimetres. Agora, sim, é que ia engendrar uma família de obras sérias, profundas, inspiradas e trabalhadas.

Essa esperança abotoou desde as primeiras horas do amor, e desabrochou à primeira aurora do casamento. Maria, balbuciou a alma dele, dá-me o que não achei na solidão das noites, nem no tumulto dos dias.

Desde logo, para comemorar o consórcio, teve ideia de compor um noturno. Chamar-lhe-ia *Ave, Maria*. A felicidade como que lhe trouxe um princípio de inspiração; não querendo dizer nada à mulher, antes de pronto, trabalhava às escondidas; coisa difícil, porque Maria, que amava igualmente a arte, vinha tocar com ele, ou ouvi-lo somente, horas e horas, na sala dos retratos. Chegaram a fazer alguns concertos semanais, com três artistas, amigos do Pestana. Um domingo, porém, não se pôde ter o marido, e chamou a mulher para tocar um trecho do noturno; não lhe disse o que era nem de quem era. De repente, parando, interrogou-a com os olhos.

— Acaba — disse Maria —, não é Chopin?

Pestana empalideceu, fitou os olhos no ar, repetiu um ou dois trechos e ergueu-se. Maria assentou-se ao piano, e, depois de algum esforço de memória, executou a peça de Chopin. A ideia, o motivo eram os mesmos; Pestana achara-os em algum daqueles becos escuros da memória, velha cidade de traições. Triste, desesperado, saiu de casa, e dirigiu-se para o lado da ponte, caminho de São Cristóvão.

— Para que lutar? — dizia ele. — Vou com as polcas... Viva a polca!

Homens que passavam por ele, e ouviam isto, ficavam olhando, como para um doido. E ele ia andando, alucinado, mortificado, eterna peteca entre a ambição e a vocação... Passou o velho matadouro; ao chegar à porteira da estrada de ferro, teve ideia de ir pelo trilho acima e esperar o primeiro trem que viesse e o esmagasse. O guarda fê-lo recuar. Voltou a si e tornou a casa.

Poucos dias depois — uma clara e fresca manhã de maio de 1876 — eram seis horas, Pestana sentiu nos dedos um frêmito particular e conhecido. Ergueu-se devagarinho, para não acordar Maria, que tossira toda a noite, e agora dormia profundamente. Foi para a sala dos retratos, abriu o piano, e, o mais surdamente que pôde, extraiu uma polca. Fê-la publicar com um pseudônimo; nos dois meses seguintes compôs e publicou mais duas. Maria não soube nada; ia tossindo e morrendo, até que expirou, uma noite, nos braços do marido, apavorado e desesperado.

Era noite de Natal. A dor do Pestana teve um acréscimo, porque na vizinhança havia um baile, em que se tocaram várias de suas melhores polcas. Já o baile era duro de sofrer; as suas composições davam-lhe um ar de ironia e perversidade. Ele sentia a cadência dos passos, adivinhava os movimentos, porventura lúbricos, a que obrigava alguma daquelas composições; tudo isso ao pé do cadáver pálido, um molho de ossos, estendido na cama... Todas as horas da noite passaram assim, vagarosas ou rápidas, úmidas de lágrimas e de suor, de águas-da-colônia e de Labarraque, saltando sem parar, como ao som da polca de um grande Pestana invisível.

Enterrada a mulher, o viúvo teve uma única preocupação: deixar a música, depois de compor um réquiem, que faria executar no primeiro aniversário da morte de Maria. Escolheria outro emprego, escrevente, carteiro, mascate, qualquer coisa que lhe fizesse esquecer a arte assassina e surda.

Começou a obra; empregou tudo, arrojo, paciência, meditação, e até os caprichos do acaso, como fizera outrora, imitando Mozart. Releu e estudou o réquiem deste autor. Passaram-se semanas e meses. A obra, célere a princípio, afrouxou o andar. Pestana tinha altos e baixos. Ora achava-a incompleta, não lhe sentia a alma sacra, nem ideia, nem inspiração, nem método; ora elevava-se-lhe o coração e trabalhava com vigor. Oito meses, nove, dez, onze, e o réquiem não estava concluído. Redobrou de esforços; esqueceu lições e amizades. Tinha refeito muitas vezes a obra;

mas agora queria concluí-la, fosse como fosse. Quinze dias, oito, cinco... A aurora do aniversário veio achá-lo trabalhando.

Contentou-se da missa rezada e simples, para ele só. Não se pode dizer se todas as lágrimas que lhe vieram sorrateiramente aos olhos, foram do marido, ou se algumas eram do compositor. Certo é que nunca mais tornou ao réquiem.

— Para quê? — dizia ele a si mesmo.

Correu ainda um ano. No princípio de 1878, apareceu-lhe o editor.

— Lá vão dois anos — disse este — que nos não dá um ar da sua graça. Toda a gente pergunta se o senhor perdeu o talento. Que tem feito?

— Nada.

— Bem sei o golpe que o feriu; mas lá vão dois anos. Venho propor-lhe um contrato: vinte polcas durante doze meses; o preço antigo, e uma porcentagem maior na venda. Depois, acabado o ano, podemos renovar.

Pestana assentiu com um gesto. Poucas lições tinha, vendera a casa para saldar dívidas, e as necessidades iam comendo o resto, que era assaz escasso. Aceitou o contrato.

— Mas a primeira polca há de ser já — explicou o editor. — É urgente. Viu a carta do Imperador ao Caxias? Os liberais foram chamados ao poder; vão fazer a reforma eleitoral. A polca há de chamar-se: *Bravos à eleição direta!* Não é política; é um bom título de ocasião.

Pestana compôs a primeira obra do contrato. Apesar do longo tempo de silêncio, não perdera a originalidade nem a inspiração. Trazia a mesma nota genial. As outras polcas vieram vindo, regularmente. Conservara os retratos e os repertórios; mas fugia de gastar todas as noites ao piano, para não cair em novas tentativas. Já agora pedia uma entrada de graça, sempre que havia alguma boa ópera ou concerto de artista, ia, metia-se a um canto, gozando aquela porção de coisas que nunca lhe haviam de brotar do cérebro. Uma ou outra vez, ao tornar para casa, cheio de música, despertava nele o maestro inédito; então, sentava-se ao piano, e, sem ideia, tirava algumas notas, até que ia dormir, vinte ou trinta minutos depois.

Assim foram passando os anos, até 1885. A fama do Pestana dera-lhe definitivamente o primeiro lugar entre os compositores de polcas; mas o primeiro lugar da aldeia não contentava a este César, que continuava a preferir-lhe, não o segundo, mas o centésimo em Roma. Tinha ainda as alternativas de outro tempo, acerca de suas composições; a diferença é que eram menos violentas. Nem entusiasmo nas primeiras horas, nem horror depois da primeira semana; algum prazer e certo fastio.

Naquele ano, apanhou uma febre de nada, que em poucos dias cresceu, até virar perniciosa. Já estava em perigo, quando lhe apareceu o editor, que não sabia da doença, e ia dar-lhe notícia da subida dos conservadores, e pedir-lhe uma polca de ocasião. O enfermeiro, pobre clarineta de teatro, referiu-lhe o estado do Pestana, de modo que o editor entendeu calar-se. O doente é que instou para que lhe dissesse o que era; o editor obedeceu.

— Mas há de ser quando estiver bom de todo — concluiu.

— Logo que a febre decline um pouco — disse o Pestana.

Seguiu-se uma pausa de alguns segundos. O clarineta foi pé ante pé preparar o remédio; o editor levantou-se e despediu-se.

— Adeus.

— Olhe — disse o Pestana —, como é provável que eu morra por estes dias, faço-lhe logo duas polcas; a outra servirá para quando subirem os liberais.

Foi a única pilhéria que disse em toda a vida, e era tempo, porque expirou na madrugada seguinte, às quatro horas e cinco minutos, bem com os homens e mal consigo mesmo.

Gazeta de Notícias, 29 de junho de 1888; Machado de Assis.

A desejada das gentes

— Ah! conselheiro, aí começa a falar em verso.

— Todos os homens devem ter uma lira no coração — ou não sejam homens. Que a lira ressoe a toda a hora, nem por qualquer motivo, não o digo eu; mas de longe em longe, e por algumas reminiscências particulares... Sabe por que é que lhe pareço poeta, apesar das Ordenações do Reino e dos cabelos grisalhos? é porque vamos por esta Glória adiante, costeando aqui a Secretaria de Estrangeiros... Lá está o outeiro célebre... Adiante há uma casa...

— Vamos andando.

— Vamos... Divina Quintília! Todas essas caras que aí passam são outras, mas falam-me daquele tempo, como se fossem as mesmas de outrora; é a lira que ressoa, e a imaginação faz o resto. Divina Quintília!

— Chamava-se Quintília? Conheci de vista, quando andava na Escola de Medicina, uma linda moça com esse nome. Diziam que era a mais bela da cidade.

— Há de ser a mesma, porque tinha essa fama. Magra e alta?

— Isso. Que fim levou?

— Morreu em 1859. Vinte de abril. Nunca me há de esquecer esse dia. Vou contar-lhe um caso interessante para mim, e creio que também para o senhor. Olhe, a casa era aquela... Morava com um tio, chefe de esquadra reformado; tinha outra casa no Cosme Velho. Quando conheci Quintília... Que idade pensa que teria, quando a conheci?

— Se foi em 1855...

— Em 1855.

— Devia ter vinte anos.

— Tinha trinta.

— Trinta?

— Trinta anos. Não os parecia, nem era nenhuma inimiga que lhe dava essa idade. Ela própria a confessava e até com afetação. Ao contrário, uma de suas amigas afirmava que Quintília não passava dos vinte e sete; mas como ambas tinham nascido no mesmo dia, dizia isso para diminuir-se a si própria.

— Mau, nada de ironias; olhe que a ironia não faz boa cama com a saudade.

— Que é a saudade senão uma ironia do tempo e da fortuna? Veja lá; começo a ficar sentencioso. Trinta anos; mas em verdade, não os parecia. Lembra-se bem que era magra e alta; tinha os olhos, como eu então dizia, que pareciam cortados da capa da última noite, mas apesar de noturnos, sem mistérios nem abismos. A voz era brandíssima, um tanto apaulistada, a boca larga, e os dentes, quando ela simplesmente falava, davam-lhe à boca um ar de riso. Ria também, e foram os risos dela, de parceria com os olhos, que me doeram muito durante certo tempo.

— Mas se os olhos não tinham mistérios...

— Tanto não os tinham que cheguei ao ponto de supor que eram as portas abertas do castelo, e o riso o clarim que chamava os cavaleiros. Já a conhecíamos, eu e o meu companheiro de escritório, o João Nóbrega, ambos principiantes na advocacia, e íntimos como ninguém mais; mas nunca nos lembrou namorá-la. Ela andava então no galarim; era bela, rica, elegante, e da primeira roda. Mas um dia, no antigo teatro Provisório entre dois atos dos *Puritanos*, estando eu num corredor, ouvi um grupo de moços que falavam dela, como de uma fortaleza inexpugnável. Dois confessaram haver tentado alguma coisa, mas sem fruto; e todos pasmavam do celibato da moça que lhes parecia sem explicação. E chalaceavam: um dizia que era promessa até ver se engordava primeiro; outro que estava esperando a segunda mocidade do tio para casar com ele; outro que provavelmente encomendara algum anjo ao porteiro do céu; trivialidades que me aborreceram muito, e da parte dos que confessavam tê-la cortejado ou amado, achei que era uma grosseria sem nome. No que eles estavam todos de acordo é que ela era extraordinariamente bela; aí foram entusiastas e sinceros.

— Oh! ainda me lembro!... era muito bonita.

No dia seguinte, ao chegar ao escritório, entre duas causas que não vinham, contei ao Nóbrega a conversação da véspera. Nóbrega riu-se do caso, refletiu, e depois de dar alguns passos, parou diante de mim, olhando, calado. — Aposto que a namoras? perguntei-lhe. — Não, disse ele, nem tu? Pois lembrou-me uma coisa: vamos tentar o assalto à fortaleza? Que perdemos com isso? Nada; ou ela nos põe na rua, e já podemos esperá-lo, ou aceita um de nós, e tanto melhor para o outro que verá o seu amigo feliz. — Estás falando sério? — Muito sério. — Nóbrega acrescentou que não era só a beleza dela que a fazia atraente. Note que ele tinha a presunção de ser espírito prático, mas era principalmente um sonhador que vivia lendo e construindo aparelhos sociais e políticos. Segundo ele, os tais rapazes do teatro evitavam falar dos bens da moça, que eram um dos feitiços dela, e uma das causas prováveis da desconsolação de uns e dos sarcasmos de todos. E dizia-me: — Escuta, nem divinizar o dinheiro, nem também bani-lo; não vamos crer que ele dá tudo, mas reconheçamos que dá alguma coisa e até muita coisa — este relógio, por exemplo. Combatamos pela nossa Quintília, minha ou tua, mas provavelmente minha, porque sou mais bonito que tu.

— Conselheiro, a confissão é grave; foi assim brincando...?

— Foi assim brincando, cheirando ainda aos bancos da academia, que nos metemos em negócio de tanta ponderação, que podia acabar em nada, mas deu muito de si. Era um começo estouvado, quase um passatempo de crianças, sem a nota da sinceridade; mas o homem põe e a espécie dispõe. Conhecíamo-la, posto não tivéssemos encontros frequentes; uma vez que nos dispusemos a uma ação comum, entrou um elemento novo na nossa vida, e dentro de um mês estávamos brigados.

— Brigados?

— Ou quase. Não tínhamos contado com ela, que nos enfeitiçou a ambos, violentamente. Em algumas semanas já pouco falávamos de Quintília, e com indiferença; tratávamos de enganar um ao outro e dissimular o que sentíamos. Foi assim que as nossas relações se dissolveram, no fim de seis meses, sem ódio, nem luta, nem demonstração externa, porque ainda nos falávamos, onde o acaso nos reunia; mas já então tínhamos banca separada.

— Começo a ver uma pontinha do drama...

— Tragédia, diga tragédia; porque daí a pouco tempo, ou por desengano verbal que ela lhe desse, ou por desespero de vencer, Nóbrega deixou-me só em campo. Arranjou uma nomeação de juiz municipal lá para os sertões da Bahia, onde definhou e morreu antes de acabar o quatriênio. E juro-lhe que não foi o inculcado espírito prático de Nóbrega que o separou de mim; ele, que tanto falara das vantagens do dinheiro, morreu apaixonado como um simples Werther.

— Menos a pistola.

— Também o veneno mata; e o amor de Quintília podia dizer-se alguma coisa parecido com isso; foi o que o matou, e o que ainda hoje me dói... Mas, vejo pelo seu dito que o estou aborrecendo...

— Pelo amor de Deus. Juro-lhe que não; foi uma graçola que me escapou. Vamos adiante, conselheiro; ficou só em campo.

— Quintília não deixava ninguém estar só em campo — não digo por ela, mas pelos outros. Muitos vinham ali tomar um cálice de esperanças, e iam cear a outra parte. Ela não favorecia a um mais que a outro; mas era lhana, graciosa e tinha essa espécie de olhos derramados que não foram feitos para homens ciumentos. Tive ciúmes amargos e, às vezes, terríveis. Todo argueiro me parecia um cavaleiro, e todo cavaleiro um diabo. Afinal acostumei-me a ver que eram passageiros de um dia. Outros me metiam mais medo, eram os que vinham dentro da luva das amigas. Creio que houve duas ou três negociações dessas, mas sem resultado. Quintília declarou que nada faria sem consultar o tio, e o tio aconselhou a recusa — coisa que ela sabia de antemão. O bom velho não gostava nunca da visita de homens, com receio de que a sobrinha escolhesse algum e casasse. Estava tão acostumado a trazê-la ao pé de si, como uma muleta da velha alma aleijada, que temia perdê-la inteiramente.

— Não seria essa a causa da isenção sistemática da moça?

— Vai ver que não.

— O que noto é que o senhor era mais teimoso que os outros...

— ... Iludido, a princípio, porque no meio de tantas candidaturas malogradas, Quintília preferia-me a todos os outros homens, conversava comigo mais largamente e mais intimamente, a tal ponto que chegou a correr que nos casávamos.

— Mas conversavam de quê?

— De tudo o que ela não conversava com os outros; e era de fazer pasmar que uma pessoa tão amiga de bailes e passeios, de valsar e rir, fosse comigo tão severa e grave, tão diferente do que costumava ou parecia ser.

— A razão é clara: achava a sua conversação menos insossa que a dos outros homens.

— Obrigado; era mais profunda a causa da diferença, e a diferença ia-se acentuando com os tempos. Quando a vida cá embaixo a aborrecia muito, ia para o Cosme Velho, e ali as nossas conversações eram mais frequentes e compridas. Não lhe posso dizer, nem o senhor compreenderia nada, o que foram as horas que ali passei, incorporando na minha vida toda a vida que jorrava dela. Muitas vezes quis dizer-lhe o que sentia, mas as palavras tinham medo e ficavam no coração. Escrevi cartas sobre cartas; todas me pareciam frias, difusas, ou inchadas de estilo. Demais, ela não dava ensejo a nada; tinha um ar de velha amiga. No princípio de 1857 adoeceu meu pai em *Itaboraí*; corri a vê-lo, achei-o moribundo. Este fato reteve-me fora da corte uns quatro meses. Voltei pelos fins de maio. Quintília recebeu-me triste da minha tristeza, e vi claramente que meu luto passara aos olhos dela...

— Mas que era isso senão amor?

— Assim o cri, e dispus a minha vida para desposá-la. Nisto, adoeceu o tio gravemente. Quintília não ficava só, se ele morresse, porque, além dos muitos parentes espalhados que tinha, morava com ela agora, na casa da rua do Catete, uma prima, dona Ana, viúva; mas, é certo que a afeição principal ia-se embora e nessa transição da vida presente à vida ulterior podia eu alcançar o que desejava. A moléstia do tio foi breve; ajudada da velhice, levou-o em duas semanas. Digo-lhe aqui que a morte dele lembrou-me a de meu pai, e a dor que então senti foi quase a mesma. Quintília viu-me padecer, compreendeu o duplo motivo, e, segundo me disse depois, estimou a coincidência do golpe, uma vez que tínhamos de o receber sem falta e tão breve. A palavra pareceu-me um convite matrimonial; dois meses depois cuidei de pedi-la em casamento. Dona Ana ficara morando com ela e estavam no Cosme Velho. Fui ali, achei-as juntas no terraço, que ficava perto da montanha. Eram quatro horas da tarde de um domingo. Dona Ana, que nos presumia namorados, deixou-nos campo livre.

— Enfim!

— No terraço, lugar solitário, e posso dizer agreste, proferi a primeira palavra. O meu plano era justamente precipitar tudo, com medo de que, cinco minutos de conversa me tirassem as forças. Ainda assim, não sabe o que me custou; custaria menos uma batalha, juro-lhe que não nasci para guerras. Mas aquela mulher magrinha delicada impunha-se-me, como nenhuma outra, antes e depois...

— E então?

— Quintília adivinhara, pelo transtorno do meu rosto, o que lhe ia pedir, e deixou-me falar para preparar a resposta. A resposta foi interrogativa e negativa. Casar para quê? Era melhor que ficássemos amigos como dantes. Respondi-lhe que a amizade era, em mim, desde muito, a simples sentinela do amor; não podendo mais contê-lo, deixou que ele saísse. Quintília sorriu da metáfora, o que me doeu, sem razão; ela, vendo o efeito, fez-se outra vez séria e tratou de persuadir-me de que era melhor não casar. — Estou velha, disse ela; vou em trinta e três anos. — Mas se eu a amo assim mesmo, repliquei, e disse-lhe uma porção de coisas, que não poderia repetir agora. Quintília refletiu um instante; depois insistiu nas relações de amizade; disse que, posto que mais moço que ela, tinha a gravidade de um homem mais velho, e inspirava-lhe confiança como nenhum outro. Desesperançado, dei algumas passadas, depois sentei-me outra vez e narrei-lhe tudo. Ao saber da minha briga com o amigo e companheiro da academia, e a separação em que ficamos, sentiu-se, não sei se diga, magoada ou irritada. Censurou-nos a ambos, não valia a pena que chegássemos a tal ponto. — A senhora diz isso, porque não sente a mesma coisa. — Mas então é um delírio? — Creio que sim; o que lhe afianço é que ainda agora, se fosse necessário, separar-me-ia dele uma e cem vezes; e creio poder afirmar-lhe que ele faria a mesma coisa. Aqui olhou ela espantada para mim, como se olha para uma pessoa cujas faculdades parecem transtornadas; depois abanou a cabeça, e repetiu que fora um erro; não valia a pena. — Fiquemos amigos, disse-me, estendendo a mão. — É impossível; pede-me coisa superior às minhas forças, nunca poderei ver na senhora uma simples amiga; não desejo impor-lhe nada; dir-lhe-ei até que nem mais insisto, porque não aceitaria outra resposta agora. Trocamos ainda algumas palavras, e retirei-me... Veja a minha mão.

— Treme-lhe ainda...

— E não lhe contei tudo. Não lhe digo aqui os aborrecimentos que tive, nem a dor e o despeito que me ficaram. Estava arrependido, zangado, devia ter provocado aquele desengano desde as primeiras semanas; mas a culpa foi da esperança, que é uma planta daninha, que me comeu o lugar de outras plantas melhores. No fim de cinco dias saí para Itaboraí, onde me chamaram alguns interesses do inventário de meu pai. Quando voltei, três semanas depois, achei em casa uma carta de Quintília.

— Oh!

— Abri-a alvoroçadamente: datava de quatro dias. Era longa; aludia aos últimos sucessos, e dizia coisas meigas e graves. Quintília afirmava ter esperado por mim todos os dias, não cuidando que eu levasse o egoísmo até não voltar lá mais, por isso escrevia-me, pedindo que fizesse dos meus sentimentos pessoais e sem eco uma página de história acabada; que ficasse só o amigo, e lá fosse ver a sua amiga. E concluía com estas singulares palavras: "Quer uma garantia? Juro-lhe que não casarei nunca". Compreendi que um vínculo de simpatia moral nos ligava um ao outro; com a diferença que o que era em mim paixão específica, era nela uma simples eleição de caráter. Éramos dois sócios, que entravam no comércio da vida com diferente capital: eu, tudo o que possuía; ela, quase um óbolo. Respondi à carta dela nesse sentido; e declarei que era tal a minha obediência e o meu amor, que cedia, mas de má vontade, porque, depois do que se passara entre nós, ia sentir-me humilhado. Risquei a palavra *ridículo*, já escrita, para poder ir vê-la sem este vexame; bastava o outro.

— Aposto que seguiu atrás da carta? É o que eu faria, porque essa moça, ou eu me engano ou estava morta por casar com o senhor.

— Deixe a sua fisiologia usual; este caso é particularíssimo.

— Deixe-me adivinhar o resto; o juramento era um anzol, místico; depois, o senhor, que o recebera, podia desobrigá-la dele, uma vez que aproveitasse com a absolvição. Mas, enfim, correu à casa dela.

— Não corri; fui dois dias depois. No intervalo, respondeu ela à minha carta com um bilhete carinhoso, que rematava com esta ideia: "não fale de humilhação, onde não houve público". Fui, voltei uma e mais vezes e restabeleceram-se as nossas relações. Não se falou em nada; ao princípio, custou-me muito parecer o que era dantes; depois, o demônio da esperança veio pousar outra vez no meu coração; e, sem nada exprimir, cuidei que um dia, um dia tarde, ela viesse a casar comigo. E foi essa esperança que me retificou aos meus próprios olhos, na situação em que me achava. Os boatos de nosso casamento correram mundo. Chegaram aos nossos ouvidos; eu negava formalmente e sério; ela dava de ombros e ria. Foi essa fase da nossa vida a mais serena para mim, salvo um incidente curto, um diplomata austríaco ou não sei quê, rapagão, elegante, ruivo, olhos grandes e atrativos, e fidalgo ainda por cima. Quintília mostrou-se-lhe tão graciosa, que ele cuidou estar aceito, e tratou de ir adiante. Creio que algum gesto meu, inconsciente, ou então um pouco da percepção fina que o céu lhe dera, levou depressa o desengano à legação austríaca. Pouco depois ela adoeceu; e foi então que a nossa intimidade cresceu de vulto. Ela, enquanto se tratava, resolveu não sair, e isso mesmo lhe disseram os médicos. Lá passava eu muitas horas diariamente. Ou elas tocavam, ou jogávamos os três, ou então lia-se alguma coisa; a maior parte das vezes conversávamos somente. Foi então que a estudei muito; escutando as suas leituras vi que os livros puramente amorosos achava-os incompreensíveis, e, se as paixões aí eram violentas, largava-os com tédio. Não falava assim por ignorante; tinha notícia vaga das paixões, e assistira a algumas alheias.

— De que moléstia padecia?

— Da espinha. Os médicos diziam que a moléstia não era talvez recente, e ia tocando o ponto melindroso. Chegamos assim a 1859. Desde março desse ano a moléstia agravou-se muito; teve uma pequena parada, mas para os fins do mês chegou ao estado desesperador. Nunca vi depois criatura mais enérgica diante da iminente catástrofe; estava então de uma magreza transparente, quase fluida; ria, ou antes, sorria apenas, e vendo que eu escondia as minhas lágrimas, apertava-me as mãos agradecida. Um dia, estando só com o médico, perguntou-lhe a verdade; ele ia mentir; ela disse-lhe que era inútil, que estava perdida. — Perdida, não, murmurou o médico. — Jura que não estou perdida? — Ele hesitou, ela agradeceu-lho. Uma vez certa que morria, ordenou o que prometera a si mesma.

— Casou com o senhor, aposto?

— Não me relembre essa triste cerimônia; ou antes, deixe-me relembrá-la, porque me traz algum alento do passado. Não aceitou recusas nem pedidos meus; casou comigo à beira da morte. Foi no dia 18 de abril de 1859. Passei os últimos dois dias, até 20 de abril, ao pé da minha noiva moribunda, e abracei-a pela primeira vez, feita cadáver.

— Tudo isso é bem esquisito.

— Não sei o que dirá a sua fisiologia. A minha, que é de profano, crê que aquela moça tinha ao casamento uma aversão puramente física. Casou meio defunta, às portas do nada. Chame-lhe monstro, se quer, mas acrescente divino.

Gazeta de Notícias, *15 de julho de 1886; Machado de Assis.*

A causa secreta

Garcia, em pé, mirava e estalava as unhas; Fortunato, na cadeira de balanço, olhava para o teto; Maria Luísa, perto da janela, concluía um trabalho de agulha. Havia já cinco minutos que nenhum deles dizia nada. Tinham falado do dia, que estivera excelente, de Catumbi, onde morava o casal Fortunato, e de uma casa de saúde, que adiante se explicará. Como os três personagens aqui presentes estão agora mortos e enterrados, tempo é de contar a história sem rebuço.

Tinham falado também de outra coisa, além daquelas três, coisa tão feia e grave, que não lhes deixou muito gosto para tratar do dia, do bairro e da casa de saúde. Toda a conversação a este respeito foi constrangida. Agora mesmo, os dedos de Maria Luísa parecem ainda trêmulos, ao passo que há no rosto de Garcia uma expressão de severidade, que lhe não é habitual. Em verdade, o que se passou foi de tal natureza, que para fazê-lo entender, é preciso remontar a origem da situação.

Garcia tinha-se formado em medicina, no ano anterior, 1861. No de 1860, estando ainda na Escola, encontrou-se com Fortunato, pela primeira vez, à porta da Santa Casa; entrava, quando o outro saía. Fez-lhe impressão a figura; mas, ainda assim, tê-la-ia esquecido, se não fosse o segundo encontro, poucos dias depois. Morava na rua de Dom Manuel. Uma de suas raras distrações era ir ao teatro de São Januário, que ficava perto, entre essa rua e a praia; ia uma ou duas vezes por mês, e nunca achava acima de quarenta pessoas. Só os mais intrépidos ousavam estender os passos até aquele recanto da cidade. Uma noite, estando nas cadeiras, apareceu ali Fortunato, e sentou-se ao pé dele.

A peça era um dramalhão, cosido a facadas, ouriçado de imprecações e remorsos; mas Fortunato ouviu-a com singular interesse. Nos lances dolorosos, a atenção dele redobrava, os olhos iam avidamente de um personagem a outro, a tal ponto que o estudante suspeitou haver na peça reminiscências pessoais do vizinho. No fim do drama, veio uma farsa; mas Fortunato não esperou por ela e saiu; Garcia saiu atrás dele. Fortunato foi pelo beco do Cotovelo, rua de São José, até o largo da Carioca. Ia devagar, cabisbaixo, parando às vezes, para dar uma bengalada em algum cão que dormia; cão ficava ganindo e ele ia andando. No largo da Carioca entrou num tílburi, e seguiu para os lados da praça da Constituição. Garcia voltou para casa sem saber mais nada.

Decorreram algumas semanas. Uma noite, eram nove horas, estava em casa, quando ouviu rumor de vozes na escada; desceu logo do sótão, onde morava, ao primeiro andar, onde vivia um empregado do arsenal de guerra. Era este, que alguns homens conduziam, escada acima, ensanguentado. O preto que o servia, acudiu a abrir a porta; homem gemia, as vozes eram confusas, a luz pouca. Deposto o ferido na cama, Garcia disse que era preciso chamar um médico.

— Já aí vem um — acudiu alguém.

Garcia olhou: era o próprio homem da Santa Casa e do teatro. Imaginou que seria parente ou amigo do ferido; mas, rejeitou a suposição, desde que lhe ouvira perguntar se este tinha família ou pessoa próxima. Disse-lhe o preto que não, e ele assumiu a direção do serviço, pediu às pessoas estranhas que se retirassem, pagou aos carregadores, e deu as primeiras ordens. Sabendo que o Garcia era vizinho e estudante de medicina pediu-lhe que ficasse para ajudar o médico. Em seguida contou o que se passara.

— Foi uma malta de capoeiras. Eu vinha do quartel de Moura, onde fui visitar um primo, quando ouvi um barulho muito grande, logo depois um ajuntamento. Parece que eles feriram também a um sujeito que passava, e que entrou por um daqueles becos; mas eu só vi a este senhor, que atravessava a rua no momento em que um dos capoeiras, roçando por ele, meteu-lhe o punhal. Não caiu logo; disse onde morava, e, como era a dois passos, achei melhor trazê-lo.

— Conhecia-o antes? — perguntou Garcia.

— Não, nunca o vi. Quem é?

— É um bom homem, empregado no arsenal de guerra. Chama-se Gouveia.

— Não sei quem é.

Médico e subdelegado vieram daí a pouco; fez-se o curativo, e tomaram-se as informações. O desconhecido declarou chamar-se Fortunato Gomes da Silveira, ser capitalista, solteiro, morador em Catumbi. A ferida foi reconhecida grave. Durante o curativo, ajudado pelo estudante, Fortunato serviu de criado, segurando a bacia, a vela, os panos, sem perturbar nada, olhando friamente para o ferido, que gemia muito. No fim, entendeu-se particularmente com o médico, acompanhou-o até o patamar da escada, e reiterou ao subdelegado a declaração de estar pronto a auxiliar as pesquisas da polícia. Os dois saíram, ele e o estudante ficaram no quarto.

Garcia estava atônito. Olhou para ele, viu-o sentar-se tranquilamente, estirar as pernas, meter as mãos nas algibeiras das calças, e fitar os olhos no ferido. Os olhos eram claros, cor de chumbo, moviam-se devagar, e tinham a expressão dura, seca e fria. Cara magra e pálida; uma tira estreita de barba, por baixo do queixo, e de uma têmpora a outra, curta, ruiva e rara. Teria quarenta anos. De quando em quando, voltava-se para o estudante, e perguntava alguma coisa acerca do ferido; mas tornava logo a olhar para ele, enquanto o rapaz lhe dava a resposta. A sensação que o estudante recebia era de repulsa ao mesmo tempo que de curiosidade; não podia negar que estava assistindo a um ato de rara dedicação, e se era desinteressado como parecia, não havia mais que aceitar o coração humano como um poço de mistérios.

Fortunato saiu pouco antes de uma hora; voltou nos dias seguintes, mas a cura fez-se depressa, e, antes de concluída, desapareceu sem dizer ao obsequiado onde morava. Foi o estudante que lhe deu as indicações do nome, rua e número.

— Vou agradecer-lhe a esmola que me fez, logo que possa sair — disse o convalescente.

Correu a Catumbi daí a seis dias. Fortunato recebeu-o constrangido, ouviu impaciente as palavras de agradecimento, deu-lhe uma resposta enfastiada e acabou batendo com as borlas do chambre no joelho. Gouveia, defronte dele, sentado e calado, alisava o chapéu com os dedos, levantando os olhos de quando em quando, sem achar mais nada que dizer. No fim de dez minutos, pediu licença para sair, e saiu.

— Cuidado com os capoeiras! — disse-lhe o dono da casa, rindo-se.

O pobre-diabo saiu de lá mortificado, humilhado, mastigando a custo o desdém, forcejando por esquecê-lo, explicá-lo ou perdoá-lo, para que no coração só ficasse a memória do benefício; mas o esforço era vão. O ressentimento, hóspede novo e exclusivo, entrou e pôs fora o benefício, de tal modo que o desgraçado não teve mais que trepar à cabeça e refugiar-se ali como uma simples ideia. Foi assim que o próprio benfeitor insinuou a este homem o sentimento da ingratidão.

Tudo isso assombrou o Garcia. Este moço possuía, em germe, a faculdade de decifrar os homens, de decompor os caracteres, tinha o amor da análise, e sentia o regalo, que dizia ser supremo, de penetrar muitas camadas morais, até apalpar o segredo de um organismo. Picado de curiosidade, lembrou-se de ir ter com o homem de Catumbi, mas advertiu que nem recebera dele o oferecimento formal da casa. Quando menos, era-lhe preciso um pretexto, e não achou nenhum.

Tempos depois, estando já formado, e morando na rua de Matacavalos, perto da do Conde, encontrou Fortunato em uma gôndola, encontrou-o ainda outras vezes, e a frequência trouxe a familiaridade. Um dia Fortunato convidou-o a ir visitá-lo ali perto, em Catumbi.

— Sabe que estou casado?
— Não sabia.
— Casei-me há quatro meses, podia dizer quatro dias. Vá jantar conosco domingo.
— Domingo?
— Não esteja forjando desculpas; não admito desculpas. Vá domingo.

Garcia foi lá domingo. Fortunato deu-lhe um bom jantar, bons charutos e boa palestra, em companhia da senhora, que era interessante. A figura dele não mudara; os olhos eram as mesmas chapas de estanho, duras e frias; as outras feições não eram mais atraentes que dantes. Os obséquios, porém, se não resgatavam a natureza, davam alguma compensação, e não era pouco. Maria Luísa é que possuía ambos os feitiços, pessoa e modos. Era esbelta, airosa, olhos meigos e submissos; tinha vinte e cinco anos e parecia não passar de dezenove. Garcia, à segunda vez que lá foi, percebeu que entre eles havia alguma dissonância de caracteres, pouca ou nenhuma afinidade moral, e da parte da mulher para com o marido uns modos que transcendiam o respeito e confinavam na resignação e no temor. Um dia, estando os três juntos, perguntou Garcia a Maria Luísa se tivera notícia das circunstâncias em que ele conhecera o marido.

— Não — respondeu a moça.
— Vai ouvir uma ação bonita.
— Não vale a pena — interrompeu Fortunato.
— A senhora vai ver se vale a pena — insistiu o médico.

Contou o caso da rua de Dom Manuel. A moça ouviu-o espantada. Insensivelmente estendeu a mão e apertou o pulso ao marido, risonha e agradecida, como se acabasse de descobrir-lhe o coração. Fortunato sacudia os ombros, mas não ouvia com indiferença. No fim contou ele próprio a visita que o ferido lhe fez, com todos os pormenores da figura, dos gestos, das palavras atadas, dos silêncios, em suma, um estúrdio. E ria muito ao contá-la. Não era o riso da dobrez. A dobrez é evasiva e oblíqua; o riso dele era jovial e franco.

— Singular homem! — pensou Garcia.

Maria Luísa ficou desconsolada com a zombaria do marido; mas o médico restituiu-lhe a satisfação anterior, voltando a referir a dedicação deste e as suas raras qualidades de enfermeiro; tão bom enfermeiro, concluiu ele, que, se algum dia fundar uma casa de saúde, irei convidá-lo.

— Valeu? — perguntou Fortunato.
— Valeu o quê?
— Vamos fundar uma casa de saúde?
— Não valeu nada; estou brincando.
— Podia-se fazer alguma coisa; e para o senhor, que começa a clínica, acho que seria bem bom. Tenho justamente uma casa que vai vagar, e serve.

Garcia recusou nesse e no dia seguinte; mas a ideia tinha-se metido na cabeça ao outro, e não foi possível recuar mais. Na verdade, era uma boa estreia para ele, e podia vir a ser um bom negócio para ambos. Aceitou finalmente, daí a dias, e foi uma desilusão para Maria Luísa. Criatura nervosa e frágil, padecia só com a ideia de que o marido tivesse de viver em contato com enfermidades humanas, mas não ousou opor-se-lhe, e curvou a cabeça. O plano fez-se e cumpriu-se depressa. Verdade é que Fortunato não curou de mais nada, nem então, nem depois. Aberta a casa, foi ele o próprio administrador e chefe de enfermeiros, examinava tudo, ordenava tudo, compras e caldos, drogas e contas.

Garcia pôde então observar que a dedicação ao ferido da rua de Dom Manuel não era um caso fortuito, mas assentava na própria natureza deste homem. Via-o servir como nenhum dos fâmulos. Não recuava diante de nada, não conhecia moléstia aflitiva ou repelente, e estava sempre pronto para tudo, a qualquer hora do dia ou da noite. Toda a gente pasmava e aplaudia. Fortunato estudava, acompanhava as operações, e nenhum outro curava os cáusticos. — Tenho muita fé nos cáusticos — dizia ele.

A comunhão dos interesses apertou os laços da intimidade. Garcia tornou-se familiar na casa; ali jantava quase todos os dias, ali observava a pessoa e a vida de Maria Luísa, cuja solidão moral era evidente. E a solidão como que lhe duplicava o encanto. Garcia começou a sentir que alguma coisa o agitava, quando ela aparecia, quando falava, quando trabalhava, calada, ao canto da janela, ou tocava ao piano umas músicas tristes. Manso e manso, entrou-lhe o amor no coração. Quando deu por ele, quis expeli-lo, para que entre ele e Fortunato não houvesse outro laço que o da amizade; mas não pôde. Pôde apenas trancá-lo; Maria Luísa compreendeu ambas as coisas, a afeição e o silêncio, mas não se deu por achada.

No começo de outubro deu-se um incidente que desvendou ainda mais aos olhos do médico a situação da moça. Fortunato metera-se a estudar anatomia e fisiologia, e ocupava-se nas horas vagas em rasgar e envenenar gatos e cães. Como os guinchos dos animais atordoavam os doentes, mudou o laboratório para casa, e a mulher, compleição nervosa, teve de os sofrer. Um dia, porém, não podendo mais, foi ter com o médico e pediu-lhe que, como coisa sua, alcançasse do marido a cessação de tais experiências.

— Mas a senhora mesma...
Maria Luísa acudiu, sorrindo:
— Ele naturalmente achará que sou criança. O que eu queria é que o senhor, como médico, lhe dissesse que isso me faz mal; e creia que faz...

Garcia alcançou prontamente que o outro acabasse com tais estudos. Se os foi fazer em outra parte, ninguém o soube, mas pode ser que sim. Maria Luísa agradeceu ao médico, tanto por ela como pelos animais, que não podia ver padecer. Tossia de quando em quando; Garcia perguntou-lhe se tinha alguma coisa, ela respondeu que nada.

— Deixe ver o pulso.
— Não tenho nada.

Não deu o pulso, e retirou-se. Garcia ficou apreensivo. Cuidava, ao contrário, que ela podia ter alguma coisa, que era preciso observá-la e avisar o marido em tempo.

Dois dias depois — exatamente o dia em que os vemos agora — Garcia foi lá jantar. Na sala disseram-lhe que Fortunato estava no gabinete, e ele caminhou para ali; ia chegando à porta, no momento em que Maria Luísa saía aflita.

— Que é? — perguntou-lhe.

— O rato! o rato! — exclamou a moça sufocada e afastando-se.

Garcia lembrou-se que, na véspera, ouvira ao Fortunato queixar-se de um rato, que lhe levara um papel importante; mas estava longe de esperar o que viu. Viu Fortunato sentado à mesa, que havia no centro do gabinete, e sobre a qual pusera um prato com espírito de vinho. O líquido flamejava. Entre o polegar e o índice da mão esquerda segurava um barbante, de cuja ponta pendia o rato atado pela cauda. Na direita tinha uma tesoura. No momento em que o Garcia entrou, Fortunato cortava ao rato uma das patas; em seguida desceu o infeliz até a chama, rápido, para não matá-lo, e dispôs-se a fazer o mesmo à terceira, pois já lhe havia cortado a primeira. Garcia estacou horrorizado.

— Mate-o logo! — disse-lhe.

— Já vai.

E com um sorriso único, reflexo de alma satisfeita, alguma coisa que traduzia a delícia íntima das sensações supremas, Fortunato cortou a terceira pata ao rato, e fez pela terceira vez o mesmo movimento até a chama. O miserável estorcia-se, guinchando, ensanguentado, chamuscado, e não acabava de morrer. Garcia desviou os olhos, depois voltou-os novamente, e estendeu a mão para impedir que o suplício continuasse; mas não chegou a fazê-lo, porque o diabo do homem impunha medo, com toda aquela serenidade radiosa da fisionomia. Faltava cortar a última pata; Fortunato cortou-a muito devagar, acompanhando a tesoura com os olhos; a pata caiu, e ele ficou olhando para o rato meio cadáver. Ao descê-lo pela quarta vez, até a chama, deu ainda mais rapidez ao gesto, para salvar, se pudesse, alguns farrapos de vida.

Garcia, defronte, conseguia dominar a repugnância do espetáculo para fixar a cara do homem. Nem raiva, nem ódio; tão somente um vasto prazer, quieto e profundo, como daria a outro a audição de uma bela sonata ou a vista de uma estátua divina, alguma coisa parecida com a pura sensação estética. Pareceu-lhe, e era verdade, que Fortunato havia-o inteiramente esquecido. Isto posto, não estaria fingindo, e devia ser aquilo mesmo. A chama ia morrendo, o rato podia ser que tivesse ainda um resíduo de vida, sombra de sombra; Fortunato aproveitou-o para cortar-lhe o focinho e pela última vez chegar a carne ao fogo. Afinal deixou cair o cadáver no prato, e arredou de si toda essa mistura de chamusco e sangue.

Ao levantar-se deu com o médico e teve um sobressalto. Então, mostrou-se enraivecido contra o animal, que lhe comera o papel; mas a cólera evidentemente era fingida.

— Castiga sem raiva — pensou o médico — pela necessidade de achar uma sensação de prazer, que só a dor alheia lhe pode dar: é o segredo deste homem.

Fortunato encareceu a importância do papel, a perda que lha trazia, perda de tempo, é certo, mas o tempo agora era-lhe preciosíssimo. Garcia ouvia só, sem dizer nada, nem lhe dar crédito. Relembrava os atos dele, graves e leves, achava a mesma explicação para todos. Era a mesma troca das teclas da sensibilidade, um diletantismo *sui generis*, uma redução de Calígula.

Quando Maria Luísa voltou ao gabinete, daí a pouco, o marido foi ter com ela, rindo, pegou-lhe nas mãos e falou-lhe mansamente:

— Fracalhona!

E voltando-se para o médico:

— Há de crer que quase desmaiou?

Maria Luísa defendeu-se a medo, disse que era nervosa e mulher; depois foi sentar-se à janela com as suas lãs e agulhas, e os dedos ainda trêmulos, tal qual a vimos no começo desta história. Hão de lembrar-se que, depois de terem falado de outras coisas, ficaram calados os três, o marido sentado e olhando para o teto, o médico estalando as unhas. Pouco depois foram jantar; mas o jantar não foi alegre. Maria Luísa cismava e tossia; o médico indagava de si mesmo se ela não estaria exposta a algum excesso na companhia de tal homem. Era apenas possível; mas o amor trocou-lhe a possibilidade em certeza; tremeu por ela e cuidou de os vigiar.

Ela tossia, tossia, e não se passou muito tempo que a moléstia não tirasse a máscara. Era a tísica, velha dama insaciável, que chupa a vida toda, até deixar um bagaço de ossos. Fortunato recebeu a notícia como um golpe; amava deveras a mulher, a seu modo, estava acostumado com ela, custava-lhe perdê-la. Não poupou esforços, médicos, remédios, ares, todos os recursos e todos os paliativos. Mas foi tudo vão. A doença era mortal.

Nos últimos dias, em presença dos tormentos supremos da moça, a índole do marido subjugou qualquer outra afeição. Não a deixou mais; fitou o olho baço e frio naquela decomposição lenta e dolorosa da vida, bebeu uma a uma as aflições da bela criatura, agora magra e transparente, devorada de febre e minada de morte. Egoísmo aspérrimo, faminto de sensações, não lhe perdoou um só minuto de agonia, nem lhos pagou com uma só lágrima, pública ou íntima. Só quando ela expirou, é que ele ficou aturdido. Voltando a si, viu que estava outra vez só.

De noite, indo repousar uma parenta de Maria Luísa, que a ajudara a morrer, ficaram na sala Fortunato e Garcia, velando o cadáver, ambos pensativos; mas o próprio marido estava fatigado, o médico disse-lhe que repousasse um pouco.

— Vá descansar, passe pelo sono uma hora ou duas: eu irei depois.

Fortunato saiu, foi deitar-se no sofá da saleta contígua, e adormeceu logo. Vinte minutos depois acordou, quis dormir outra vez, cochilou alguns minutos, até que se levantou e voltou à sala. Caminhava nas pontas dos pés para não acordar a parenta, que dormia perto. Chegando à porta, estacou assombrado.

Garcia tinha-se chegado ao cadáver, levantara o lenço e contemplara por alguns instantes as feições defuntas. Depois, como se a morte espiritualizasse tudo, inclinou-se e beijou-a na testa. Foi nesse momento que Forutnato chegou à porta. Estacou assombrado; não podia ser o beijo da amizade, podia ser o epílogo de um livro adúltero. Não tinha ciúmes, note-se; a natureza compô-lo de maneira que lhe não deu ciúmes nem inveja, mas dera-lhe vaidade, que não é menos cativa ao ressentimento. Olhou assombrado, mordendo os beiços.

Entretanto, Garcia inclinou-se ainda para beijar outra vez o cadáver, mas então não pôde mais. O beijo rebentou em soluços, e os olhos não puderam conter as lágrimas, que vieram em borbotões, lágrimas de amor calado, e irremediável desespero. Fortunato, à porta, onde ficara, saboreou tranquilo essa explosão de dor moral que foi longa, muito longa, deliciosamente longa.

Gazeta de Notícias, *1º de agosto de 1885; Machado de Assis.*

Trio em lá menor

I. *ADAGIO CANTABILE*

Maria Regina acompanhou a avó até o quarto, despediu-se e recolheu-se ao seu. A mucama que a servia, apesar da familiaridade que existia entre elas, não pôde arrancar-lhe uma palavra, e saiu, meia hora depois, dizendo que Nhanhã estava muito séria. Logo que ficou só, Maria Regina sentou-se ao pé da cama, com as pernas estendidas, os pés cruzados, pensando.

A verdade pede que diga que esta moça pensava amorosamente em dois homens ao mesmo tempo. Um de vinte e sete anos, Maciel — outro de cinquenta, Miranda. Convenho que é abominável, mas não posso alterar a feição das coisas, não posso negar que se os dois homens estão namorados dela, ela não o está menos de ambos. Uma esquisita, em suma; ou, para falar como as suas amigas de colégio, uma desmiolada. Ninguém lhe nega coração excelente e claro espírito; mas a imaginação é que é o mal, uma imaginação adusta e cobiçosa, insaciável principalmente, avessa à realidade, sobrepondo às coisas da vida outras de si mesma; daí curiosidades irremediáveis.

A visita dos dois homens (que a namoravam de pouco) durou cerca de uma hora. Maria Regina conversou alegremente com eles, e tocou ao piano uma peça clássica, uma sonata, que fez a avó cochilar um pouco. No fim discutiram música. Miranda disse coisas pertinentes acerca da música moderna e antiga; a avó tinha a religião de Bellini e da *Norma*, e falou das toadas do seu tempo, agradáveis, saudosas e principalmente claras. A neta ia com as opiniões do Miranda; Maciel concordou polidamente com todos.

Ao pé da cama, Maria Regina reconstruía agora tudo isso, a visita, a conversação, a música, o debate, os modos de ser de um e de outro, as palavras do Miranda e os belos olhos do Maciel. Eram onze horas, a única luz do quarto era a lamparina, tudo convidava ao sonho e ao devaneio. Maria Regina, à força de recompor a noite, viu ali dois homens ao pé dela, ouviu-os, e conversou com eles durante uma porção de minutos, trinta ou quarenta, ao som da mesma sonata tocada por ela: lá, lá, lá...

II. *ALLEGRO MA NON TROPPO*

No dia seguinte a avó e a neta foram visitar uma amiga na Tijuca. Na volta a carruagem derribou um menino que atravessava a rua, correndo. Uma pessoa que viu isto, atirou-se aos cavalos e, com perigo de si própria, conseguiu detê-los e salvar a criança, que apenas ficou ferida e desmaiada. Gente, tumulto, a mãe do pequeno acudiu em lágrimas. Maria Regina desceu do carro e acompanhou o ferido até a casa da mãe, que era ali ao pé.

Quem conhece a técnica do destino adivinha logo que a pessoa que salvou o pequeno foi um dos dois homens da outra noite; foi o Maciel. Feito o primeiro curativo, o Maciel acompanhou a moça até a carruagem e aceitou o lugar que a avó lhe ofereceu até a cidade. Estavam no Engenho Velho. Na carruagem é que Maria Regina viu que o rapaz trazia a mão ensanguentada. A avó inquiria a miúdo se o pequeno estava muito mal, se escaparia; Maciel disse-lhe que os ferimentos eram leves. Depois contou o acidente: estava parado, na calçada, esperando que passasse um tílburi, quando viu o pequeno atravessar a rua por diante dos cavalos; compreendeu o perigo, e tratou de conjurá-lo, ou diminuí-lo.

— Mas está ferido — disse a velha.
— Coisa de nada.
— Está, está — acudiu a moça —, podia ter-se curado também.
— Não é nada — teimou ele —, foi um arranhão, enxugo isto com o lenço.

Não teve tempo de tirar o lenço; Maria Regina ofereceu-lhe o seu. Maciel, comovido, pegou nele, mas hesitou em maculá-lo. Vá, vá, dizia-lhe ela; e vendo-o acanhado, tirou-lho e enxugou-lhe, ela mesma, o sangue da mão.

A mão era bonita, tão bonita como o dono; mas parece que ele estava menos preocupado com a ferida da mão que com o amarrotado dos punhos. Conversando, olhava para eles disfarçadamente e escondia-os. Maria Regina não via nada, via-o a ele, via-lhe principalmente a ação que acabava de praticar, e que lhe punha uma auréola. Compreendeu que a natureza generosa saltara por cima dos hábitos pausados e elegantes do moço, para arrancar à morte uma criança que ele nem conhecia. Falaram do assunto até a porta da casa delas; Maciel recusou, agradecendo, a carruagem que elas lhe ofereciam, e despediu-se até a noite.

— Até a noite! — repetiu Maria Regina.

Esperou-o ansiosa. Ele chegou, por volta de oito horas, trazendo uma fita preta enrolada na mão, e pediu desculpa de vir assim; mas disseram-lhe que era bom pôr alguma coisa e obedeceu.

— Mas está melhor!
— Estou bom, não foi nada.
— Venha, venha — disse-lhe a avó, do outro lado da sala. — Sente-se aqui ao pé de mim: o senhor é um herói.

Maciel ouvia sorrindo. Tinha passado o ímpeto generoso, começava a receber os dividendos do sacrifício. O maior deles era a admiração de Maria Regina, tão ingênua e tamanha, que esquecia a avó e a sala. Maciel sentara-se ao lado da velha, Maria Regina defronte de ambos. Enquanto a avó, restabelecida do susto, contava as comoções que padecera, a princípio sem saber de nada, depois imaginando que a criança teria morrido, os dois olhavam um para o outro, discretamente, e afinal esquecidamente. Maria Regina perguntava a si mesma onde acharia melhor noivo. A avó, que não era míope, achou a contemplação excessiva, e falou de outra coisa; pediu ao Maciel algumas notícias de sociedade.

III. *ALLEGRO APPASSIONATO*

Maciel era homem, como ele mesmo dizia em francês, *très répandu*; sacou da algibeira uma porção de novidades miúdas e interessantes. A maior de todas foi a de estar desfeito o casamento de certa viúva.

— Não me diga isso! — exclamou a avó. — E ela?
— Parece que foi ela mesma que o desfez: o certo é que esteve anteontem no baile, dançou e conversou com muita animação. Oh! abaixo da notícia, o que fez mais sensação em mim foi o colar que ela levava, magnífico...

— Com uma cruz de brilhantes? — perguntou a velha. — Conheço; é muito bonito.

— Não, não é esse.

Maciel conhecia o da cruz, que ela levara à casa de um Mascarenhas; não era esse. Este outro ainda há poucos dias estava na loja do Resende, uma coisa linda. E descreveu-o todo, número, disposição e facetado das pedras; concluiu dizendo que foi a joia da noite.

— Para tanto luxo era melhor casar — ponderou maliciosamente a avó.

— Concordo que a fortuna dela não dá para isso. Ora, espere! Vou amanhã, ao Resende, por curiosidade, saber o preço por que o vendeu. Não foi barato, não podia ser barato.

— Mas por que é que se desfez o casamento?

— Não pude saber; mas tenho de jantar sábado com o Venancinho Correia, e ele conta-me tudo. Sabe que ainda é parente dela? Bom rapaz; está inteiramente brigado com o barão...

A avó não sabia da briga; Maciel contou-lha de princípio a fim, com todas as suas causas e agravantes. A última gota no cálice foi um dito à mesa de jogo, uma alusão ao defeito do Venancinho, que era canhoto. Contaram-lhe isto, e ele rompeu inteiramente as relações com o barão. O bonito é que os parceiros do barão acusaram-se uns aos outros de terem ido contar as palavras deste. Maciel declarou que era regra sua não repetir o que ouvia à mesa do jogo, porque é lugar em que há certa franqueza.

Depois fez a estatística da rua do Ouvidor, na véspera, entre uma e quatro horas da tarde. Conhecia os nomes das fazendas e todas as cores modernas. Citou as principais toaletes do dia. A primeira foi a de *mme*. Pena Maia, baiana distinta, *très pschutt*. A segunda foi a de *mlle*. Pedrosa, filha de um desembargador de São Paulo, *adorable*. E apontou mais três, comparou depois as cinco, deduziu e concluiu. Às vezes esquecia-se e falava francês; pode mesmo ser que não fosse esquecimento, mas propósito; conhecia bem a língua, exprimia-se com facilidade e formulara um dia este axioma etnológico — que há parisienses em toda a parte. De caminho, explicou um problema de voltarete.

— A senhora tem cinco trunfos de espadilha e manilha, tem rei e dama de copas...

Maria Regina ia descambando da admiração no fastio: agarrava-se aqui e ali, contemplava a figura moça do Maciel, recordava a bela ação daquele dia, mas ia sempre escorregando; o fastio não tardava a absorvê-la. Não havia remédio. Então recorreu a um singular expediente. Tratou de combinar os dois homens, o presente com o ausente, olhando para um, e escutando o outro de memória; recurso violento e doloroso, mas tão eficaz, que ela pôde contemplar por algum tempo uma criatura perfeita e única.

Nisto apareceu o outro, o próprio Miranda. Os dois homens cumprimentaram-se friamente; Maciel demorou-se ainda uns dez minutos e saiu.

Miranda ficou. Era alto e seco, fisionomia dura e gelada. Tinha o rosto cansado, os cinquenta anos confessavam-se tais, nos cabelos grisalhos, nas rugas e na pele. Só os olhos continham alguma coisa menos caduca. Eram pequenos, e escondiam-se por baixo da vasta arcada do sobrolho; mas lá, ao fundo, quando não estavam pensativos, centelhavam de mocidade. A avó perguntou-lhe, logo que Maciel saiu, se já tinha notícia do acidente do Engenho Velho, e contou-lho com grandes encarecimentos, mas o outro ouvia tudo sem admiração nem inveja.

— Não acha sublime? — perguntou ela, no fim.

— Acho que ele salvou talvez a vida a um desalmado que algum dia, sem o conhecer, pode meter-lhe uma faca na barriga.

— Oh! — protestou a avó.

— Ou mesmo conhecendo — emendou ele.

— Não seja mau — acudiu Maria Regina —, o senhor era bem capaz de fazer o mesmo, se ali estivesse.

Miranda sorriu de um modo sardônico. O riso acentuou-lhe a dureza da fisionomia. Egoísta e mau, este Miranda primava por um lado único: espiritualmente, era completo. Maria Regina achava nele o tradutor maravilhoso e fiel de uma porção de ideias que lutavam dentro dela, vagamente, sem forma ou expressão. Era engenhoso e fino e até profundo, tudo sem pedantice, e sem meter-se por matos cerrados, antes quase sempre na planície das conversações ordinárias; tão certo é que as coisas valem pelas ideias que nos sugerem. Tinham ambos os mesmos gostos artísticos; Miranda estudara direito para obedecer ao pai; a sua vocação era a música.

A avó, prevendo a sonata, aparelhou a alma para alguns cochilos. Demais, não podia admitir tal homem no coração; achava-o aborrecido e antipático. Calou-se no fim de alguns minutos. A sonata veio, no meio de uma conversação que Maria Regina achou deleitosa, e não veio senão porque ele lhe pediu que tocasse; ele ficaria de bom grado a ouvi-la.

— Vovó — disse ela —, agora há de ter paciência...

Miranda aproximou-se do piano. Ao pé das arandelas, a cabeça dele mostrava toda a fadiga dos anos, ao passo que a expressão da fisionomia era muito mais de pedra e fel. Maria Regina notou a graduação, e tocava sem olhar para ele; difícil coisa, porque, se ele falava, as palavras entravam-lhe tanto pela alma, que a moça insensivelmente levantava os olhos, e dava logo com um velho ruim. Então é que se lembrava do Maciel, dos seus anos em flor, da fisionomia franca, meiga e boa, e afinal da ação daquele dia. Comparação tão cruel para o Miranda, como fora para o Maciel o cotejo dos seus espíritos. E a moça recorreu ao mesmo expediente. Completou um pelo outro; escutava a este com o pensamento naquele; a música ia ajudando a ficção, indecisa a princípio, mas logo viva e acabada. Assim Titânia, ouvindo namorada a cantiga do tecelão, admirava-lhe as belas formas, sem advertir que a cabeça era de burro.

IV. *MENUETTO*

Dez, vinte, trinta dias passaram depois daquela noite, e ainda mais vinte, e depois mais trinta. Não há cronologia certa; melhor é ficar no vago. A situação era a mesma. Era a mesma insuficiência individual dos dois homens, e o mesmo complemento ideal por parte dela; daí um terceiro homem, que ela não conhecia.

Maciel e Miranda desconfiavam um do outro, detestavam-se a mais e mais, e padeciam muito, Miranda principalmente, que era paixão da última hora. Afinal acabaram aborrecendo a moça. Esta viu-os ir pouco a pouco. A esperança ainda os fez relapsos, mas tudo morre, até a esperança, e eles saíram para nunca mais. As noites foram passando, passando... Maria Regina compreendeu que estava acabado.

A noite em que se persuadiu bem disto foi uma das mais belas daquele ano, clara, fresca, luminosa. Não havia lua; mas nossa amiga aborrecia a lua — não se sabe bem por quê — ou porque brilha de empréstimo, ou porque toda a gente a admira, e pode ser que por ambas as razões. Era uma das suas esquisitices. Agora outra.

Tinha lido de manhã, em uma notícia de jornal, que há estrelas duplas, que nos parecem um só astro. Em vez de ir dormir, encostou-se à janela do quarto, olhando para o céu, a ver se descobria alguma delas; baldado esforço. Não a descobrindo no céu, procurou-a em si mesma, fechou os olhos para imaginar o fenômeno; astronomia fácil e barata, mas não sem risco. O pior que ela tem é pôr os astros ao alcance da mão; por modo que, se a pessoa abre os olhos e eles continuam a fulgurar lá em cima, grande é o desconsolo e certa a blasfêmia. Foi o que sucedeu aqui. Maria Regina viu dentro de si a estrela dupla e única. Separadas, valiam bastante; juntas, davam um astro esplêndido. E ela queria o astro esplêndido. Quando abriu os olhos e viu que o firmamento ficava tão alto, concluiu que a criação era um livro falho e incorreto, e desesperou.

No muro da chácara viu então uma coisa parecida com dois olhos de gato. A princípio teve medo, mas advertiu logo que não era mais que a reprodução externa dos dois astros que ela vira em si mesma que tinham ficado impressos na retina. A retina desta moça fazia refletir cá fora todas as suas imaginações. Refrescando o vento recolheu-se, fechou a janela e meteu-se na cama.

Não dormiu logo, por causa de duas rodelas de opala que estavam incrustadas na parede; percebendo que era ainda uma ilusão, fechou os olhos e dormiu. Sonhou que morria, que a alma dela, levada aos ares, voava na direção de uma bela estrela dupla. O astro desdobrou-se, e ela voou para uma das duas porções; não achou ali a sensação primitiva e despenhou-se para outra; igual resultado, igual regresso, ei-la a andar de uma para outra das duas estrelas separadas. Então uma voz surgiu do abismo, com palavras que ela não entendeu:

— É a tua pena, alma curiosa de perfeição; a tua pena é oscilar por toda a eternidade entre dois astros incompletos, ao som desta velha sonata do absoluto: lá, lá, lá...

Gazeta de Notícias, *20 de janeiro de 1886; Machado de Assis.*

Adão e Eva

Uma senhora de engenho, na Bahia, pelos anos de mil setecentos e tantos, tendo algumas pessoas íntimas à mesa, anunciou a um dos convivas, grande lambareiro, um certo doce particular. Ele quis logo saber o que era; a dona da casa chamou-lhe curioso. Não foi preciso mais; daí a pouco estavam todos discutindo a curiosidade, se era masculina ou feminina, e se a responsabilidade da perda do paraíso devia caber a Eva ou a Adão. As senhoras diziam que a Adão, os homens que a Eva, menos o juiz de fora, que não dizia nada, e frei Bento, carmelita, que interrogado pela dona da casa, d. Leonor:

— Eu, senhora minha, toco viola — respondeu sorrindo; e não mentia, porque era insigne na viola e na harpa, não menos que na teologia.

Consultado, o juiz de fora respondeu que não havia matéria para opinião; porque as coisas no paraíso terrestre passaram-se de modo diferente do que está contado no primeiro livro do Pentateuco, que é apócrifo. Espanto geral, riso do carmelita, que conhecia o juiz de fora como um dos mais piedosos sujeitos da cidade, e sabia que era também jovial e inventivo, e até amigo da pulha, uma vez que fosse curial e delicada; nas coisas graves, era gravíssimo.

— Frei Bento — disse-lhe d. Leonor —, faça calar o senhor Veloso.

— Não o faço calar — acudiu o frade —, porque sei que de sua boca há de sair tudo com boa significação.

— Mas a Escritura... — ia dizendo o mestre de campo João Barbosa.

— Deixemos em paz a Escritura — interrompeu o carmelita. — Naturalmente, o senhor Veloso conhece outros livros...

— Conheço o autêntico — insistiu o juiz de fora, recebendo o prato de doce que d. Leonor lhe oferecia —, e estou pronto a dizer o que sei, se não mandam o contrário.

— Vá lá, diga.

— Aqui está como as coisas se passaram. Em primeiro lugar, não foi Deus que criou o mundo, foi o Diabo...

— Cruz! — exclamaram as senhoras.

— Não diga esse nome — pediu d. Leonor.

— Sim, parece que... — ia intervindo frei Bento.

— Seja o Tinhoso. Foi o Tinhoso que criou o mundo; mas Deus, que lhe leu no pensamento, deixou-lhe as mãos livres, cuidando somente de corrigir ou atenuar a obra, a fim de que ao próprio mal não ficasse a desesperança da salvação ou do benefício. E a ação divina mostrou-se logo porque, tendo o Tinhoso criado as trevas, Deus criou a luz, e assim se fez o primeiro dia. No segundo dia, em que foram criadas as águas, nasceram as tempestades e os furacões; mas as brisas da tarde baixaram do pensamento divino. No terceiro dia foi feita a terra, e brotaram dela os vegetais, mas só os vegetais sem fruto nem flor, os espinhosos, as ervas que matam como a cicuta; Deus, porém, criou as árvores frutíferas e os vegetais que nutrem ou encantam. E tendo o Tinhoso cavado abismos e cavernas na terra, Deus fez o sol, a lua e as estrelas; tal foi a obra do quarto dia. No quinto foram criados os animais da terra, da água e do ar. Chegamos ao sexto dia, e aqui peço que redobrem de atenção.

Não era preciso pedi-lo; toda a mesa olhava para ele, curiosa.

Veloso continuou dizendo que no sexto dia foi criado o homem, e logo depois a mulher; ambos belos, mas sem alma, que o Tinhoso não podia dar, e só com ruins instintos. Deus infundiu-lhes a alma, com um sopro, e com outro os sentimentos nobres, puros e grandes. Nem parou nisso a misericórdia divina; fez brotar um jardim de delícias, e para ali os conduziu, investindo-os na posse de tudo. Um e outro caíram aos pés do Senhor, derramando lágrimas de gratidão. "Vivereis aqui, disse-lhes o Senhor, e comereis de todos os frutos, menos o desta árvore, que é a da ciência do bem e do mal."

Adão e Eva ouviram submissos; e ficando sós, olharam um para outro, admirados; não pareciam os mesmos. Eva, antes que Deus lhe infundisse os bons sentimentos, cogitava de armar um laço a Adão, e Adão tinha ímpetos de espancá-la. Agora, porém, embebiam-se na contemplação um do outro, ou na vista da natureza, que era esplêndida. Nunca até então viram ares tão puros, nem águas tão frescas, nem flores tão lindas e cheirosas, nem o sol tinha para nenhuma outra parte as mesmas torrentes de claridade. E dando as mãos percorreram tudo, a rir muito, nos primeiros dias, porque até então não sabiam rir. Não tinham a sensação do tempo. Não sentiam peso da ociosidade; viviam da contemplação. De tarde iam ver morrer o sol e nascer a lua, e contar as estrelas, e raramente chegavam a mil, dava-lhes o sono e dormiam como dois anjos.

Naturalmente, o Tinhoso ficou danado quando soube do caso. Não podia ir ao paraíso, onde tudo lhe era avesso, nem chegaria a lutar com o Senhor; mas ouvindo um rumor no chão entre folhas secas, olhou e viu que era a serpente. Chamou-a alvoroçado.

— Vem cá, serpe, fel rasteiro, peçonha das peçonhas, queres tu ser a embaixatriz de teu pai, para reaver as obras de teu pai?

A serpente fez com a cauda um gesto vago, que parecia afirmativo; mas o Tinhoso deu-lhe a fala, e ela respondeu que sim, que iria onde ele a mandasse — às estrelas, se lhe desse as asas da águia, — ao mar, se lhe confiasse o segredo de respirar na água, — ao fundo da terra, se lhe ensinasse o talento da formiga. E falava a maligna, falava à toa, sem parar, contente e pródiga da língua; mas o diabo interrompeu-a:

— Nada disso, nem ao ar, nem ao mar, nem à terra, mas tão somente ao jardim de delícias; onde estão vivendo Adão e Eva.

— Adão e Eva?

— Sim, Adão e Eva.

— Duas belas criaturas que vimos andar há tempos, altas e direitas como palmeiras?

— Justamente.

— Oh! detesto-os. Adão e Eva? Não, não, manda-me a outro lugar. Detesto-os! Só a vista deles faz-me padecer muito. Não hás de querer que lhes faça mal...

— É justamente para isso.

— Deveras? Então vou; farei tudo o que quiseres, meu senhor e pai. Anda, dize depressa o que queres que faça. Que morda o calcanhar de Eva? Morderei...

— Não — interrompeu o Tinhoso. — Quero justamente o contrário. Há no jardim uma árvore, que é a da ciência do bem e do mal; eles não devem tocar nela, nem comer-lhe os frutos. Vai, entra, enrosca-te na árvore, e quando um deles ali passar, chama-o de mansinho, tira uma fruta e oferece-lhe, dizendo que é a mais saborosa fruta do mundo; se te responder que não, tu insistirás, dizendo que é bastante comê-la para conhecer o próprio segredo da vida. Vai, vai...

— Vou; mas não falarei a Adão, falarei a Eva. Vou, vou. Que é o próprio segredo da vida, não?

— Sim, o próprio segredo da vida. Vai, serpe das minhas entranhas, flor do mal, e se te saíres bem, juro que terás a melhor parte na criação, que é a parte humana, porque terás muito calcanhar de Eva que morder, muito sangue de Adão em que deitar o vírus do mal... Vai, vai, não te esqueças...

Esquecer? Já levava tudo de cor. Foi, penetrou no paraíso, rastejou até a árvore do bem e do mal, enroscou-se e esperou. Eva apareceu daí a pouco, caminhando sozinha, esbelta, com a segurança de uma rainha que sabe que ninguém lhe arrancará a coroa. A serpente, mordida de inveja, ia chamar a peçonha à língua, mas advertiu que estava ali às ordens do Tinhoso, e, com a voz de mel, chamou-a. Eva estremeceu.

— Quem me chama?

— Sou eu, estou comendo desta fruta...

— Desgraçada, é a árvore do bem e do mal!

— Justamente. Conheço agora tudo, a origem das coisas e o enigma da vida. Anda, come e terás um grande poder na terra.

— Não, pérfida!

— Néscia! Para que recusas o resplendor dos tempos? Escuta-me, faze o que te digo, e serás legião, fundarás cidades, e chamar-te-ás Cleópatra, Dido, Semíramis; darás heróis do teu ventre, e serás Cornélia; ouvirás a voz do céu, e serás Débora; cantarás e serás Safo. E um dia, se Deus quiser descer à terra, escolherá as tuas entranhas, e chamar-te-ás Maria de Nazaré. Que mais queres tu? Realeza, poesia, divindade, tudo trocas por uma estulta obediência. Nem será só isso. Toda a natureza te fará bela e mais bela. Cores das folhas verdes, cores do céu azul, vivas ou pálidas, cores da noite, hão de refletir nos teus olhos. A mesma noite, de porfia com o sol, virá brincar nos teus cabelos. Os filhos do teu seio tecerão para ti as melhores vestiduras, comporão os mais finos aromas, e as aves te darão as suas plumas, e a terra as suas flores, tudo, tudo, tudo...

Eva escutava impassível; Adão chegou, ouviu-os e confirmou a resposta de Eva; nada valia a perda do paraíso, nem a ciência, nem o poder, nenhuma outra ilusão da terra. Dizendo isto, deram as mãos um ao outro, e deixaram a serpente, que saiu pressurosa para dar conta ao Tinhoso...

Deus, que ouvira tudo, disse a Gabriel:

— Vai, arcanjo meu, desce ao paraíso terrestre, onde vivem Adão e Eva, e traze-os para a eterna bem-aventurança, que mereceram pela repulsa às instigações do Tinhoso.

E logo o arcanjo, pondo na cabeça o elmo de diamante, que rutila como um milhar de sóis, rasgou instantaneamente os ares, chegou a Adão e Eva, e disse-lhes:

— Salve, Adão e Eva. Vinde comigo para o paraíso, que merecestes pela repulsa às instigações do Tinhoso.

Um e outro, atônitos e confusos, curvaram o colo em sinal de obediência; então Gabriel deu as mãos a ambos, e os três subiram até a estância eterna, onde miríades de anjos os esperavam, cantando:

— Entrai, entrai. A terra que deixastes fica entregue às obras do Tinhoso, aos animais ferozes e maléficos, às plantas daninhas e peçonhentas, ao ar impuro, à vida dos pântanos. Reinará nela a serpente que rasteja, babuja e morde, nenhuma criatura igual a vós porá entre tanta abominação a nota da esperança e da piedade.

E foi assim que Adão e Eva entraram no céu, ao som de todas as cítaras, que uniam as suas notas em um hino aos dois egressos da criação...

... Tendo acabado de falar, o juiz de fora estendeu o prato a d. Leonor para que lhe desse mais doce, enquanto os outros convivas olhavam uns para os outros, embasbacados; em vez de explicação, ouviam uma narração enigmática, ou, pelo menos, sem sentido aparente. D. Leonor foi a primeira que falou:

— Bem dizia eu que o senhor Veloso estava logrando a gente. Não foi isso que lhe pedimos, nem nada disso aconteceu, não é, frei Bento?

— Lá o saberá o senhor juiz — respondeu o carmelita sorrindo.

E o juiz de fora, levando à boca uma colher de doce:

— Pensando bem, creio que nada disso aconteceu; mas também, dona Leonor, se tivesse acontecido, não estaríamos aqui saboreando este doce, que está, na verdade, uma coisa primorosa. É ainda aquela sua antiga doceira de Itapagipe?

Gazeta de Notícias, 1º de março de 1885; Machado de Assis.

O enfermeiro

Parece-lhe então que o que se deu comigo em 1860 pode entrar numa página de livro? Vá que seja, com a condição única de que não há de divulgar nada antes da minha morte. Não esperará muito, pode ser que oito dias, se não for menos; estou desenganado.

Olhe, eu podia mesmo contar-lhe a minha vida inteira, em que há outras coisas interessantes, mas para isso era preciso tempo, ânimo e papel, e eu só tenho papel; o ânimo é frouxo, e o tempo assemelha-se à lamparina de madrugada. Não tarda o sol do outro dia, um sol dos diabos, impenetrável como a vida. Adeus, meu caro senhor, leia isto e queira-me bem; perdoe-me o que lhe parecer mau, e não maltrate muito a arruda, se lhe não cheira a rosas. Pediu-me um documento humano, ei-lo aqui. Não me peça também o império do grão-mogol, nem a fotografia dos Macabeus; peça, porém, os meus sapatos de defunto e não os dou a ninguém mais.

Já sabe que foi em 1860. No ano anterior, ali pelo mês de agosto, tendo eu quarenta e dois anos, fiz-me teólogo — quero dizer, copiava os estudos de teologia de um padre de Niterói, antigo companheiro de colégio, que assim me dava, delicadamente, casa, cama e mesa. Naquele mês de agosto de 1859, recebeu ele uma carta de um vigário de certa vila do interior, perguntando se conhecia pessoa entendida, discreta e paciente, que quisesse ir servir de enfermeiro ao coronel Felisberto, mediante um bom ordenado. O padre falou-me, aceitei com ambas as mãos, estava já enfarado de copiar citações latinas e fórmulas eclesiásticas. Vim à corte despedir-me de um irmão, e segui para a vila.

Chegando à vila, tive más notícias do coronel. Era homem insuportável, estúrdio, exigente, ninguém o aturava, nem os próprios amigos. Gastava mais enfermeiros que remédios. A dois deles quebrou a cara. Respondi que não tinha medo de gente sã, menos ainda de doentes; e depois de entender-me com o vigário, que me confirmou as notícias recebidas, e me recomendou mansidão e caridade, segui para a residência do coronel.

Achei-o na varanda da casa estirado numa cadeira, bufando muito. Não me recebeu mal. Começou por não dizer nada; pôs em mim dois olhos de gato que observa; depois, uma espécie de riso maligno alumiou-lhe as feições, que eram duras. Afinal, disse-me que nenhum dos enfermeiros que tivera prestava para nada, dormiam muito, eram respondões e andavam ao faro das escravas; dois eram até gatunos!

— Você é gatuno?

— Não, senhor.

Em seguida, perguntou-me pelo nome: disse-lho e ele fez um gesto de espanto. Colombo? Não, senhor: Procópio José Gomes Valongo. Valongo? achou que não era nome de gente, e propôs chamar-me tão somente Procópio, ao que respondi que estaria pelo que fosse de seu agrado. Conto-lhe esta particularidade, não só porque me parece pintá-lo bem, como porque a minha resposta deu de mim a melhor ideia ao coronel. Ele mesmo o declarou ao vigário, acrescentando que eu era o mais simpático dos enfermeiros que tivera. A verdade é que vivemos uma lua de mel de sete dias.

No oitavo dia, entrei na vida dos meus predecessores, uma vida de cão, não dormir, não pensar em mais nada, recolher injúrias, e, às vezes, rir delas, com um ar de resignação e conformidade; reparei que era um modo de lhe fazer corte. Tudo impertinências da moléstia e do temperamento. A moléstia era um rosário delas, padecia de aneurisma, de reumatismo e de três ou quatro afecções menores. Tinha perto de sessenta anos, e desde os cinco toda a gente lhe fazia a vontade. Se fosse só rabugento, vá; mas ele era também mau, deleitava-se com a dor e a humilhação dos outros. No fim de três meses estava farto de o aturar; determinei vir embora; só esperei ocasião.

Não tardou a ocasião. Um dia, como lhe não desse a tempo uma fomentação, pegou da bengala e atirou-me dois ou três golpes. Não era preciso mais; despedi-me imediatamente, e fui aprontar a mala. Ele foi ter comigo, ao quarto, pediu-me que ficasse, que não valia a pena zangar por uma rabugice de velho. Instou tanto que fiquei.

— Estou na dependura, Procópio — dizia-me ele à noite —, não posso viver muito tempo. Estou aqui, estou na cova. Você há de ir ao meu enterro, Procópio; não o dispenso por nada. Há de ir, há de rezar ao pé da minha sepultura. Se não for — acrescentou rindo —, eu voltarei de noite para lhe puxar as pernas. Você crê em almas de outro mundo, Procópio?

— Qual o quê!

— E por que é que não há de crer, *seu* burro? — redarguiu vivamente, arregalando os olhos.

Eram assim as pazes; imagine a guerra. Coibiu-se das bengaladas; mas as injúrias ficaram as mesmas, se não piores. Eu, com o tempo, fui calejando, e não dava mais por nada; era burro, camelo, pedaço d'asno, idiota, moleirão, era tudo. Nem, ao menos, havia mais gente que recolhesse uma parte desses nomes. Não tinha parentes; tinha um sobrinho que morreu tísico, em fins de maio ou princípios de julho, em Minas. Os amigos iam por lá às vezes aprová-lo, aplaudi-lo, e nada mais; cinco, dez minutos de visita. Restava eu; era eu sozinho para um dicionário inteiro. Mais de uma vez resolvi sair; mas, instado pelo vigário, ia ficando.

Não só as relações foram-se tornando melindrosas, mas eu estava ansioso por tornar à corte. Aos quarenta e dois anos não é que havia de acostumar-me à reclusão constante, ao pé de um doente bravio, no interior. Para avaliar o meu isolamento, basta saber que eu nem lia os jornais; salvo alguma notícia mais importante que levavam ao coronel, eu nada sabia do resto do mundo. Entendi, portanto, voltar para a corte, na primeira ocasião, ainda que tivesse de brigar com o vigário. Bom é dizer (visto que faço uma confissão geral) que, nada gastando e tendo guardado integralmente os ordenados, estava ansioso por vir dissipá-los aqui.

Era provável que a ocasião aparecesse. O coronel estava pior, fez testamento, descompondo o tabelião, quase tanto como a mim. O trato era mais duro, os breves lapsos de sossego e brandura faziam-se raros. Já por esse tempo tinha eu perdido a escassa dose de piedade que me fazia esquecer os excessos do doente; trazia dentro de mim um fermento de ódio e aversão. No princípio de agosto resolvi definitivamente sair; o vigário e o médico, aceitando as razões, pediram-me que ficasse algum tempo mais. Concedi-lhes um mês; no fim de um mês viria embora, qualquer que fosse o estado do doente. O vigário tratou de procurar-me substituto.

Vai ver o que aconteceu. Na noite de 24 de agosto, o coronel teve um acesso de raiva, atropelou-me, disse-me muito nome cru, ameaçou-me de um tiro, e acabou atirando-me um prato de mingau, que achou frio; o prato foi cair na parede, onde se fez em pedaços.

— Hás de pagá-lo, ladrão! — bradou ele.

Resmungou ainda muito tempo. Às onze horas passou pelo sono. Enquanto ele dormia, saquei um livro do bolso, um velho romance de d'Arlincourt, traduzido, que lá achei, e pus-me a lê-lo, no mesmo quarto, a pequena distância da cama; tinha de acordá-lo à meia-noite para lhe dar o remédio. Ou fosse de cansaço, ou do livro, antes de chegar ao fim da segunda página adormeci também. Acordei aos gritos do coronel, e levantei-me estremunhado. Ele, que parecia delirar, continuou nos mesmos gritos, e acabou por lançar mão da moringa e arremessá-la contra mim. Não tive tempo de desviar-me; a moringa bateu-me na face esquerda, e tal foi a dor que não vi mais nada; atirei-me ao doente, pus-lhe as mãos ao pescoço, lutamos, e esganei-o.

Quando percebi que o doente expirava, recuei aterrado, e dei um grito; mas ninguém me ouviu. Voltei à cama, agitei-o para chamá-lo à vida, era tarde; arrebentara o aneurisma, e o coronel morreu. Passei à sala contígua, e durante duas horas não ousei voltar ao quarto. Não posso mesmo dizer tudo o que passei, durante esse tempo. Era um atordoamento, um delírio vago e estúpido. Parecia-me que as paredes tinham vultos; escutava umas vozes surdas. Os gritos da vítima, antes da luta e durante a luta, continuavam a repercutir dentro de mim, e o ar, para onde quer que me voltasse, aparecia recortado de convulsões. Não creia que esteja fazendo imagens nem estilo; digo-lhe que eu ouvia distintamente umas vozes que me bradavam: assassino! assassino!

Tudo o mais estava calado. O mesmo som do relógio, lento, igual e seco, sublinhava o silêncio e a solidão. Colava a orelha à porta do quarto na esperança de ouvir um gemido, uma palavra, uma injúria, qualquer coisa que significasse a vida, e me restituísse a paz à consciência. Estaria pronto a apanhar das mãos do coronel, dez, vinte, cem vezes. Mas nada, nada; tudo calado. Voltava a andar à toa, na sala, sentava-me, punha as mãos na cabeça; arrependia-me de ter vindo. — "Maldita a hora em que aceitei semelhante coisa!" — exclamava. E descompunha o padre de Niterói, o médico, o vigário, os que me arranjaram um lugar, e os que me pediram para ficar mais algum tempo. Agarrava-me à cumplicidade dos outros homens.

Como o silêncio acabasse por aterrar-me, abri uma das janelas, para escutar o som do vento, se ventasse. Não ventava. A noite ia tranquila, as estrelas fulguravam, com a indiferença de pessoas que tiram o chapéu a um enterro que passa, e continuam a falar de outra coisa. Encostei-me ali por algum tempo, fitando a noite, deixando-me ir a uma recapitulação da vida, a ver se descansava da dor presente. Só então posso dizer que pensei claramente no castigo. Achei-me com um crime às costas e vi a punição certa. Aqui o temor complicou o remorso. Senti que os cabelos me ficavam de pé. Minutos depois, vi três ou quatro vultos de pessoas, no terreiro, espiando, com um ar de emboscada; recuei, os vultos esvaíram-se no ar; era uma alucinação.

Antes do alvorecer curei a contusão da face. Só então ousei voltar ao quarto. Recuei duas vezes, mas era preciso e entrei; ainda assim, não cheguei logo à cama. Tremiam-me as pernas, o coração batia-me; cheguei a pensar na fuga; mas era confessar o crime, e, ao contrário, urgia fazer desaparecer os vestígios dele. Fui até a cama; vi o cadáver, com os olhos arregalados e a boca aberta, como deixando passar a eterna palavra dos séculos: "Caim, que fizeste de teu irmão?". Vi no pescoço o sinal das minhas unhas; abotoei alto a camisa e cheguei ao queixo a ponta do lençol. Em seguida, chamei um escravo, disse-lhe que o coronel amanhecera morto; mandei recado ao vigário e ao médico.

A primeira ideia foi retirar-me logo cedo, a pretexto de ter meu irmão doente, e, na verdade, recebera carta dele, alguns dias antes, dizendo-me que se sentia mal. Mas adverti que a retirada imediata poderia fazer despertar suspeitas, e fiquei. Eu mesmo amortalhei o cadáver, com o auxílio de um preto velho e míope. Não saí da sala mortuária; tinha medo de que descobrissem alguma coisa. Queria ver no rosto dos outros se desconfiavam; mas não ousava fitar ninguém. Tudo me dava impaciências: os passos de ladrão com que entravam na sala, os cochichos, as cerimônias e as rezas do vigário. Vindo a hora, fechei o caixão, com as mãos trêmulas, tão trêmulas que uma pessoa, que reparou nelas, disse a outra com piedade:

— Coitado do Procópio! apesar do que padeceu, está muito sentido.

Pareceu-me ironia; estava ansioso por ver tudo acabado. Saímos à rua. A passagem da meia escuridão da casa para a claridade da rua deu-me grande abalo; receei que fosse então impossível ocultar o crime. Meti os olhos no chão, e fui andando. Quando tudo acabou, respirei. Estava em paz com os homens. Não o estava com a consciência, e as primeiras noites foram naturalmente de desassossego e aflição. Não é preciso dizer que vim logo para o Rio de Janeiro, nem que vivi aqui aterrado, embora longe do crime; não ria, falava pouco, mal comia, tinha alucinações, pesadelos...

— Deixa lá o outro que morreu — diziam-me. — Não é caso para tanta melancolia.

E eu aproveitava a ilusão, fazendo muitos elogios ao morto, chamando-lhe boa criatura, impertinente, é verdade, mas um coração de ouro. E, elogiando, convencia-me também, ao menos por alguns instantes. Outro fenômeno interessante, e que talvez lhe possa aproveitar, é que, não sendo religioso, mandei dizer uma missa pelo eterno descanso do coronel, na igreja do Sacramento. Não fiz convites, não disse nada a ninguém; fui ouvi-la, sozinho, e estive de joelhos todo o tempo, persignando-me a miúdo. Dobrei a espórtula do padre, e distribuí esmolas à porta, tudo por intenção do finado. Não queria embair os homens; a prova é que fui só. Para completar este ponto, acrescentarei que nunca aludia ao coronel, que não dissesse: "Deus lhe fale n'alma!". E contava dele algumas anedotas alegres, rompantes engraçados...

Sete dias depois de chegar ao Rio de Janeiro, recebi a carta do vigário, que lhe mostrei, dizendo-me que fora achado o testamento do coronel, e que eu era o herdeiro universal. Imagine o meu pasmo. Pareceu-me que lia mal, fui a meu irmão, fui aos amigos; todos leram a mesma coisa. Estava escrito; era eu o herdeiro universal do coronel. Cheguei a supor que fosse uma cilada; mas adverti logo que havia outros meios de capturar-me, se o crime estivesse descoberto. Demais, eu conhecia a probidade do vigário, que não se prestaria a ser instrumento. Reli a carta, cinco, dez, muitas vezes; lá estava a notícia.

— Quanto tinha ele? — perguntava-me meu irmão.

— Não sei, mas era rico.

— Realmente, provou que era teu amigo.
— Era... Era...

Assim, por uma ironia da sorte, os bens do coronel vinham parar às minhas mãos. Cogitei em recusar a herança. Parecia-me odioso receber um vintém do tal espólio; era pior do que fazer-me esbirro alugado. Pensei nisso três dias, e esbarrava sempre na consideração de que a recusa podia fazer desconfiar alguma coisa. No fim dos três dias, assentei num meio-termo; receberia a herança e dá-la-ia toda, aos bocados e às escondidas. Não era só escrúpulo; era também o modo de resgatar o crime por um ato de virtude; pareceu-me que ficava assim de contas saldas.

Preparei-me e segui para a vila. Em caminho, à proporção que me ia aproximando, recordava o triste sucesso; as cercanias da vila tinham um aspecto de tragédia, e a sombra do coronel parecia-me surgir de cada lado. A imaginação ia reproduzindo as palavras, os gestos, toda a noite horrenda do crime...

Crime ou luta? Realmente, foi uma luta em que eu, atacado, defendi-me, e na defesa... Foi uma luta desgraçada, uma fatalidade. Fixei-me nessa ideia. E balanceava os agravos, punha no ativo as pancadas, as injúrias... Não era culpa do coronel, bem o sabia, era da moléstia, que o tornava assim rabugento e até mau... Mas eu perdoava tudo, tudo... O pior foi a fatalidade daquela noite... Considerei também que o coronel não podia viver muito mais; estava por pouco; ele mesmo o sentia e dizia. Viveria quanto? Duas semanas, ou uma; pode ser até que menos. Já não era vida, era um molambo de vida, se isto mesmo se podia chamar ao padecer contínuo do pobre homem... E quem sabe mesmo se a luta e a morte não foram apenas coincidentes? Podia ser, era até o mais provável; não foi outra coisa. Fixei-me também nessa ideia...

Perto da vila apertou-se-me o coração, e quis recuar; mas dominei-me e fui. Receberam-me com parabéns. O vigário disse-me as disposições do testamento, os legados pios, e de caminho ia louvando a mansidão cristã e o zelo com que eu servira ao coronel, que, apesar de áspero e duro, soube ser grato.

— Sem dúvida — dizia eu olhando para outra parte.

Estava atordoado. Toda a gente me elogiava a dedicação e a paciência. As primeiras necessidades do inventário detiveram-me algum tempo na vila. Constituí advogado; as coisas correram placidamente. Durante esse tempo, falava muita vez do coronel. Vinham contar-me coisas dele, mas sem a moderação do padre; eu defendia-o, apontava algumas virtudes, era austero...

— Qual austero! Já morreu, acabou; mas era o diabo.

E referiam-me casos duros, ações perversas, algumas extraordinárias. Quer que lhe diga? Eu, a princípio, ia ouvindo cheio de curiosidade; depois, entrou-me no coração um singular prazer, que eu, sinceramente buscava expelir. E defendia o coronel, explicava-o, atribuía alguma coisa às rivalidades locais; confessava, sim, que era um pouco violento... Um pouco? Era uma cobra assanhada, interrompia-me o barbeiro; e todos, o coletor, o boticário, o escrivão, todos diziam a mesma coisa; e vinham outras anedotas, vinha toda a vida do defunto. Os velhos lembravam-se das crueldades dele, em menino. E o prazer íntimo, calado, insidioso, crescia dentro de mim, espécie de tênia moral, que por mais que a arrancasse aos pedaços, recompunha-se logo e ia ficando.

As obrigações do inventário distraíram-me; e por outro lado a opinião da vila era tão contrária ao coronel, que a vista dos lugares foi perdendo para mim a feição tenebrosa que a princípio achei neles. Entrando na posse da herança, converti-a em títulos e dinheiro. Eram então passados muitos meses, e a ideia de distribuí-la toda em esmolas e donativos pios não me dominou como da primeira vez; achei mesmo que era afetação. Restringi o plano primitivo; distribuí alguma coisa aos pobres, dei à matriz da vila uns paramentos novos, fiz uma esmola à Santa Casa da Misericórdia etc.: ao todo trinta e dois contos. Mandei também levantar um túmulo ao coronel, todo de mármore, obra de um napolitano, que aqui esteve até 1866, e foi morrer, creio eu, no Paraguai.

Os anos foram andando, a memória tornou-se cinzenta e desmaiada. Penso às vezes no coronel, mas sem os terrores dos primeiros dias. Todos os médicos a quem contei as moléstias dele foram acordes em que a morte era certa, e só se admiravam de ter resistido tanto tempo. Pode ser que eu, involuntariamente, exagerasse a descrição que então lhes fiz; mas a verdade é que ele devia morrer, ainda que não fosse aquela fatalidade...

Adeus, meu caro senhor. Se achar que esses apontamentos valem alguma coisa, pague-me também com um túmulo de mármore, ao qual dará por epitáfio esta emenda que faço aqui ao divino sermão da montanha: "Bem-aventurados os que possuem, porque eles serão consolados".

Gazeta de Notícias, *13 de julho de 1884 (com o título "Coisas íntimas"); Machado de Assis.*

O diplomático

A preta entrou na sala de jantar, chegou-se à mesa rodeada de gente, e falou baixinho à senhora. Parece que lhe pedia alguma coisa urgente, porque a senhora levantou-se logo.

— Ficamos esperando, dona Adelaide?

— Não espere, não, senhor Rangel; vá continuando, eu entro depois.

Rangel era o leitor do livro de sortes. Voltou a página, e recitou um título: "Se alguém *lhe* ama em segredo". Movimento geral; moças e rapazes sorriram uns para os outros. Estamos na noite de São João de 1854, e a casa é na rua das Mangueiras. Chama-se João o dono da casa, João Viegas, e tem uma filha, Joaninha. Usa-se todos os anos a mesma reunião de parentes e amigos, arde uma fogueira no quintal, assam-se as batatas do costume, e tiram-se sortes. Também há ceia, às vezes dança, e algum jogo de prendas, tudo familiar. João Viegas é escrivão de uma vara cível da corte.

— Vamos. Quem começa agora? — disse ele. — Há de ser dona Felismina. Vamos ver se alguém *lhe* ama em segredo.

D. Felismina sorriu amarelo. Era uma boa quarentona, sem prendas nem rendas, que vivia espiando um marido por baixo das pálpebras devotas. Em verdade, o gracejo era duro, mas natural. D. Felismina era o modelo acabado daquelas criaturas indulgentes e mansas, que parecem ter nascido para divertir os outros. Pegou e lançou os dados com um ar de complacência incrédula. Número dez, bradaram duas vozes. Rangel desceu os olhos ao baixo da página, viu a quadra correspondente ao número, e leu-a: dizia que sim, que havia uma pessoa, que ela devia procurar domingo, na igreja, quando fosse à missa. Toda a mesa deu parabéns a d. Felismina, que sorriu com desdém, mas interiormente esperançada.

Outros pegaram nos dados, e Rangel continuou a ler a sorte de cada um. Lia espevitadamente. De quando em quando, tirava os óculos e limpava-os com muito vagar na ponta do lenço de cambraia — ou por ser cambraia, ou por exalar um fino cheiro de bogari. Presumia de grande maneira, e ali chamavam-lhe "o diplomático".

— Ande, *seu* diplomático, continue.

Rangel estremeceu; esquecera-se de ler uma sorte, embebido em percorrer a fila de moças que ficava do outro lado da mesa. Namorava alguma? Vamos por partes.

Era solteiro, por obra das circunstâncias, não de vocação. Em rapaz teve alguns namoricos de esquina, mas com o tempo apareceu-lhe a comichão das grandezas, e foi isto que lhe prolongou o celibato até os quarenta e um anos, em que o vemos. Cobiçava alguma noiva superior a ele e à roda em que vivia, e gastou o tempo em esperá-la. Chegou a frequentar os bailes de um advogado célebre e rico, para quem copiava papéis, e que o protegia muito. Tinha nos bailes a mesma posição subalterna do escritório; passava a noite vagando pelos corredores, espiando o salão, vendo passar as senhoras, *devorando* com os olhos uma multidão de espáduas magníficas e talhes graciosos. Invejava os homens, e copiava-os. Saía dali excitado e resoluto. Em falta de bailes, ia às festas de igreja, onde poderia ver algumas das primeiras moças da cidade. Também era certo no saguão do Paço Imperial, em dia de cortejo, para ver entrar as grandes damas e as pessoas da corte, ministros, generais, diplomatas, desembargadores, e conhecia tudo e todos, pessoas e carruagens. Voltava da festa e do cortejo, como voltava do baile, impetuoso, ardente, capaz de arrebatar de um lance a palma da fortuna.

    O pior é que entre a espiga e a mão, há o tal muro do poeta, e o Rangel não era homem de saltar muros. De imaginação fazia tudo, raptava mulheres e destruía cidades. Mais de uma vez foi, consigo mesmo, ministro de Estado, e fartou-se de cortesias e decretos. Chegou ao extremo de aclamar-se imperador, um dia, 2 de dezembro, ao voltar da parada no largo do Paço; imaginou para isso uma revolução, em que derramou algum sangue, pouco, e uma ditadura benéfica, em que apenas vingou alguns pequenos desgostos de escrevente. Cá fora, porém, todas as suas proezas eram fábulas. Na realidade, era pacato e discreto.

    Aos quarenta anos desenganou-se das ambições; mas a índole ficou a mesma, e, não obstante a vocação conjugal, não achou noiva. Mais de uma o aceitaria com muito prazer; ele perdia-as todas à força de circunspecção. Um dia, reparou em Joaninha, que chegava aos dezenove anos e possuía um par de olhos lindos e sossegados — virgens de toda a conversação masculina. Rangel conhecia-a desde criança, andara com ela ao colo, no Passeio Público, ou nas noites de fogo da Lapa; como falar-lhe de amor? Mas, por outro lado, as relações dele na casa eram tais, que podiam facilitar-lhe o casamento; e ou este ou nenhum outro.

    Desta vez, o muro não era alto, e a espiga era baixinha; bastava esticar o braço com algum esforço, para arrancá-la do pé. Rangel andava neste trabalho desde alguns meses. Não esticava o braço, sem espiar primeiro para todos os lados, a ver se vinha alguém, e, se vinha alguém, disfarçava e ia-se embora. Quando chegava a esticá-lo, acontecia que uma lufada de vento meneava a espiga ou algum passarinho andava ali nas folhas secas, e não era preciso mais para que ele recolhesse a mão. Ia-se assim o tempo, e a paixão entranhava-se-lhe, causa de muitas horas de angústia, a que seguiam sempre melhores esperanças. Agora mesmo traz ele a primeira carta de amor, disposto a entregá-la. Já teve duas ou três ocasiões boas, mas vai sempre espaçando; a noite é tão comprida! Entretanto, continua a ler as sortes, com a solenidade de um áugure.

    Tudo, em volta, é alegre. Cochicham ou riem, ou falam ao mesmo tempo. O tio Rufino, que é o gaiato da família, anda à roda da mesa com uma pena, fazendo cócegas nas orelhas das moças. João Viegas está ansioso por um amigo, que se demora, o Calisto. Onde se meteria o Calisto?

    — Rua, rua, preciso da mesa; vamos para a sala de visitas.

    Era d. Adelaide que tornava; ia pôr-se a mesa para a ceia. Toda a gente emigrou, e andando é que se podia ver bem como era graciosa a filha do escrivão. Rangel acompanhou-a com grandes olhos namorados. Ela foi à janela, por alguns instantes, enquanto se preparava um jogo de prendas, e ele foi também; era a ocasião de entregar-lhe a carta.

    Defronte, numa casa grande, havia um baile, e dançava-se. Ela olhava, ele olhou também. Pelas janelas viam passar os pares, cadenciados, as senhoras com as suas sedas e rendas, os cavalheiros finos e elegantes, alguns condecorados. De quando em quando, uma faísca de diamantes, rápida, fugitiva, no giro da dança.

Pares que conversavam, dragonas que reluziam, bustos de homem inclinados, gestos de leque, tudo isso em pedaços, através das janelas, que não podiam mostrar todo o salão, mas adivinhava-se o resto. Ele, ao menos, conhecia tudo, e dizia tudo à filha do escrivão. O demônio das grandezas, que parecia dormir, entrou a fazer as suas arlequinadas no coração do nosso homem, e ei-lo que tenta seduzir também o coração da outra.

— Conheço uma pessoa que estaria ali muito bem — murmurou o Rangel.

E Joaninha, com ingenuidade:

— Era o senhor.

Rangel sorriu lisonjeado, e não achou que dizer. Olhou para os lacaios e cocheiros, de libré, na rua, conversando em grupos ou reclinados no tejadilho dos carros. Começou a designar carros: este é do Olinda, aquele é do Maranguape; mas aí vem outro, rodando, do lado da rua da Lapa, e entra na rua das Mangueiras. Parou defronte: salta o lacaio, abre a portinhola, tira o chapéu e perfila-se. Sai de dentro uma calva, uma cabeça, um homem, duas comendas, depois uma senhora ricamente vestida; entram no saguão, e sobem a escadaria, forrada de tapete e ornada embaixo com dois grandes vasos.

— Joaninha, senhor Rangel...

Maldito jogo de prendas! Justamente quando ele formulava, na cabeça, uma insinuação a propósito do casal que subia, e ia assim passar naturalmente à entrega da carta... Rangel obedeceu, e sentou-se defronte da moça. D. Adelaide, que dirigia o jogo de prendas, recolhia os nomes; cada pessoa devia ser uma flor. Está claro que o tio Rufino, sempre gaiato, escolheu para si a flor da abóbora. Quanto ao Rangel, querendo fugir ao trivial, comparou mentalmente as flores, e quando a dona da casa lhe perguntou pela dele, respondeu com doçura e pausa:

— Maravilha, minha senhora.

— O pior é não estar cá o Calisto! — suspirou o escrivão.

— Ele disse mesmo que vinha?

— Disse; ainda ontem foi ao cartório, de propósito, avisar-me de que viria tarde, mas que contasse com ele; tinha de ir a uma brincadeira na rua da Carioca...

— Licença para dois! — bradou uma voz no corredor.

— Ora graças! está aí o homem!

João Viegas foi abrir a porta; era o Calisto, acompanhado de um rapaz estranho, que ele apresentou a todos em geral: — "Queirós, empregado na Santa Casa; não é meu parente, apesar de se parecer muito comigo; quem vê um, vê outro...". Toda a gente riu; era uma pilhéria do Calisto, feio como o diabo, — ao passo que o Queirós era um bonito rapaz de vinte e seis a vinte e sete anos, cabelo negro, olhos negros e singularmente esbelto. As moças retraíram-se um pouco; d. Felismina abriu todas as velas.

— Estávamos jogando prendas, os senhores podem entrar também — disse a dona da casa. — Joga, senhor Queirós?

Queirós respondeu afirmativamente e passou a examinar as outras pessoas. Conhecia algumas, e trocou duas ou três palavras com elas. Ao João Viegas disse que desde muito tempo desejava conhecê-lo, por causa de um favor que o pai lhe deveu outrora, negócio de foro. João Viegas não se lembrava de nada, nem ainda depois que ele lhe disse o que era; mas gostou de ouvir a notícia, em público, olhou para todos, e durante alguns minutos regalou-se calado.

Queirós entrou em cheio no jogo. No fim de meia hora, estava familiar da casa. Todo ele era ação, falava com desembaraço, tinha os gestos naturais e espontâneos. Possuía um vasto repertório de castigos para jogo de prendas, coisa que encantou a toda a sociedade, e ninguém os dirigia melhor, com tanto movimento e animação, indo de um lado para outro, concertando os grupos, puxando cadeiras, falando às moças, como se houvesse brincado com elas em criança.

— Dona Joaninha aqui, nesta cadeira; dona Cesária, deste lado, em pé, e o senhor Camilo entra por aquela porta... Assim, não: olhe, assim de maneira que...

Teso na cadeira, o Rangel estava atônito. Donde vinha esse furacão? E o furacão ia soprando, levando os chapéus dos homens, e despenteando as moças, que riam de contentes: Queirós daqui, Queirós dali, Queirós de todos os lados. Rangel passou da estupefação à mortificação. Era o cetro que lhe caía das mãos. Não olhava para o outro, não se ria do que ele dizia, e respondia-lhe seco. Interiormente, mordia-se e mandava-o ao diabo, chamava-o bobo alegre, que fazia rir e agradava, porque nas noites de festa tudo é festa. Mas, repetindo essas e piores coisas, não chegava a reaver a liberdade de espírito. Padecia deveras, no mais íntimo do amor-próprio; e o pior é que o outro percebeu toda essa agitação, e o péssimo é que ele percebeu que era percebido.

Rangel, assim como sonhava os bens, assim também as vinganças. De cabeça, espatifou o Queirós; depois cogitou a possibilidade de um desastre qualquer, uma dor bastava, mas coisa forte, que levasse dali aquele intruso. Nenhuma dor, nada; o diabo parecia cada vez mais lépido, e toda a sala fascinada por ele. A própria Joaninha, tão acanhada, vibrava nas mãos de Queirós, como as outras moças; e todos, homens e mulheres, pareciam empenhados em servi-lo. Tendo ele falado em dançar, as moças foram ter com o tio Rufino, e pediram-lhe que tocasse uma quadrilha na flauta, uma só, não se lhe pedia mais.

— Não posso, dói-me um calo.

— Flauta? — bradou o Calisto. — Peçam ao Queirós que nos toque alguma coisa, e verão o que é flauta... Vai buscar a flauta, Rufino. Ouçam o Queirós. Não imaginam como ele é saudoso na flauta!

Queirós tocou a *Casta diva*. Que coisa ridícula! dizia consigo o Rangel; — uma música que até os moleques assobiam na rua. Olhava para ele, de revés, para considerar se aquilo era posição de homem sério; e concluía que a flauta era um instrumento grotesco. Olhou também para Joaninha, e viu que, como todas as outras pessoas, tinha a atenção no Queirós, embebida, namorada dos sons, da música, e estremeceu, sem saber por quê. Os demais semblantes mostravam a mesma expressão dela, e, contudo, sentiu alguma coisa que lhe complicou a aversão ao intruso. Quando a flauta acabou, Joaninha aplaudiu menos que os outros, e Rangel entrou em dúvida se era o habitual acanhamento, se alguma especial comoção... Urgia entregar-lhe a carta.

Chegou a ceia. Toda a gente entrou confusamente na sala, e felizmente para o Rangel, coube-lhe ficar defronte de Joaninha, cujos olhos estavam mais belos que nunca e tão derramados, que não pareciam os do costume. Rangel saboreou-os caladamente, e reconstruiu todo o seu sonho que o diabo do Queirós abalara com um piparote. Foi assim que tornou a ver-se, ao lado dela, na casa que ia alugar, berço de noivos, que ele enfeitou com os ouros da imaginação. Chegou a tirar um prêmio na loteria e a empregá-lo todo em sedas e joias para a mulher, a linda Joaninha, — Joaninha Rangel, — d. Joaninha Rangel, — d. Joana Viegas Rangel, — ou d. Joana Cândida Viegas Rangel... Não podia tirar o Cândida...

— Vamos, uma saúde, *seu* diplomático... faça uma saúde daquelas...

Rangel acordou; a mesa inteira repetia a lembrança do tio Rufino; a própria Joaninha pedia-lhe uma saúde, como a do ano passado. Rangel respondeu que ia obedecer; era só acabar aquela asa de galinha. Movimento, cochichos de louvor; d. Adelaide, dizendo-lhe uma moça que nunca ouvira falar o Rangel:

— Não? — perguntou com pasmo — Não imagina; fala muito bem, muito explicado, palavras escolhidas, e uns bonitos modos...

Comendo, ia ele dando rebate a algumas reminiscências, frangalhos de ideias, que lhe serviam para o arranjo das frases e metáforas. Acabou e pôs-se de pé. Tinha o ar satisfeito e cheio de si. Afinal, vinham bater-lhe à porta. Cessara a farandolagem das anedotas, das pilhérias sem alma, e vinham ter com ele para ouvir alguma coisa correta e grave. Olhou em derredor, viu todos os olhos levantados, esperando. Todos não; os de Joaninha enviesavam-se na direção do Queirós, e os deste vinham esperá-los a meio caminho, numa cavalgada de promessas. Rangel empalideceu. A palavra morreu-lhe na garganta; mas era preciso falar, esperavam por ele, com simpatia, em silêncio.

Obedeceu mal. Era justamente um brinde ao dono da casa e à filha. Chamava a esta um pensamento de Deus, transportado da imortalidade à realidade, frase que empregara três anos antes, e devia estar esquecida. Falava também do santuário da família, do altar da amizade, e da gratidão, que é a flor dos corações puros. Onde não havia sentido, a frase era mais especiosa ou retumbante. Ao todo, um brinde de dez minutos bem puxados, que ele despachou em cinco, e sentou-se.

Não era tudo. Queirós levantou-se logo, dois ou três minutos depois para outro brinde, e o silêncio foi ainda mais pronto e completo. Joaninha meteu os olhos no regaço, vexada do que ele iria dizer; Rangel teve um arrepio.

— O ilustre amigo desta casa, o senhor Rangel — disse Queirós —, bebeu às duas pessoas cujo nome é o do santo de hoje; eu bebo àquela que é a santa de todos os dias, a dona Adelaide.

Grandes aplausos aclamaram esta lembrança, e d. Adelaide, lisonjeada, recebeu os cumprimentos de cada conviva. A filha não ficou em cumprimentos. — Mamãe! mamãe! exclamou, levantando-se; e foi abraçá-la e beijá-la três e quatro vezes; — espécie de carta para ser lida por duas pessoas.

Rangel passou da cólera ao desânimo, e, acabada a ceia, pensou em retirar-se. Mas a esperança, demônio de olhos verdes, pediu-lhe que ficasse, e ficou. Quem sabe? Era tudo passageiro, coisas de uma noite, namoro de São João; afinal, ele era amigo da casa, e tinha a estima da família; bastava que pedisse a moça, para obtê-la. E depois esse Queirós podia não ter meios de casar. Que emprego era o dele na *Santa Casa*? Talvez alguma coisa reles... Nisto, olhou obliquamente para a roupa de Queirós, enfiou-se-lhe pelas costuras, escrutou o bordadinho da camisa, apalpou os joelhos das calças, a ver-lhe o uso, e os sapatos, e concluiu que era um rapaz caprichoso, mas provavelmente gastava tudo consigo, e casar era negócio sério. Podia ser também que tivesse mãe viúva, irmãs solteiras... Rangel era só.

— Tio Rufino, toque uma quadrilha.

— Não posso; flauta depois de comer faz indigestão. Vamos a um víspora.

Rangel declarou que não podia jogar, estava com dor de cabeça; mas Joaninha veio a ele e pediu-lhe que jogasse com ela, de sociedade. — "Meia coleção para o senhor, e meia para mim", disse ela, sorrindo; ele sorriu também e aceitou. Sentaram-se ao pé um do outro. Joaninha falava-lhe, ria, levantava para ele os belos olhos, inquieta, mexendo muito a cabeça para todos os lados. Rangel sentiu-se melhor, e não tardou que se sentisse inteiramente bem. Ia marcando à toa, esquecendo alguns números, que ela lhe apontava com o dedo — um dedo de ninfa, dizia ele consigo; e os descuidos passaram a ser de propósito, para ver o dedo da moça, e ouvi-la ralhar: "O senhor é muito esquecido; olhe que assim perdemos o nosso dinheiro...".

Rangel pensou em entregar-lhe a carta por baixo da mesa; mas não estando declarados, era natural que ela a recebesse com espanto e estragasse tudo; cumpria avisá-la. Olhou em volta da mesa: todos os rostos estavam inclinados sobre os cartões, seguindo atentamente os números. Então, ele inclinou-se à direita, e baixou os olhos aos cartões de Joaninha, como para verificar alguma coisa.

— Já tem duas quadras — cochichou ele.

— Duas, não; tenho três.

— Três, é verdade, três. Escute.

— E o senhor?

— Eu duas.

— Que duas o quê? São quatro.

Eram quatro; ela mostrou-lhas inclinada, roçando quase a orelha pelos lábios dele; depois, fitou-o rindo e abanando a cabeça: "O senhor! o senhor!" Rangel ouviu isto com singular deleite; a voz era tão doce, e a expressão tão amiga, que ele esqueceu tudo, agarrou-a pela cintura, e lançou-se com ela na eterna valsa das quimeras. Casa, mesa, convivas, tudo desapareceu, como obra vã da imaginação, para só ficar a realidade única, ele e ela, girando no espaço, debaixo de um milhão de estrelas, acesas de propósito para alumiá-los.

Nem carta, nem nada. Perto da manhã foram todos para a janela ver sair os convidados do baile fronteiro. Rangel recuou espantado. Viu um aperto de dedos entre o Queirós e a bela Joaninha. Quis explicá-lo, eram aparências, mas tão depressa destruía uma como vinham outras e outras, à maneira das ondas que não acabam mais. Custava-lhe entender que uma só noite, algumas horas bastassem a ligar assim duas criaturas; mas era a verdade clara e viva dos modos de ambos, dos olhos, das palavras, dos risos, e até da saudade com que se despediram de manhã.

Saiu tonto. Uma só noite, algumas horas apenas! Em casa, aonde chegou tarde, deitou-se na cama, não para dormir, mas para romper em soluços. Só consigo, foi-se-lhe o aparelho da afetação, e já não era o diplomático, era o energúmeno, que rolava na cama, bradando, chorando como uma criança, infeliz deveras, por esse triste amor do outono. O pobre-diabo, feito de devaneio, indolência e afetação, era, em substância, tão desgraçado como Otelo, e teve um desfecho mais cruel.

Otelo mata Desdêmona; o nosso namorado, em quem ninguém pressentira nunca a paixão encoberta, serviu de testemunha ao Queirós, quando este se casou com Joaninha, seis meses depois.

Nem os acontecimentos, nem os anos lhe mudaram a índole. Quando rompeu a guerra do Paraguai, teve ideia muitas vezes de alistar-se como oficial de voluntários; não o fez nunca; mas é certo que ganhou algumas batalhas e acabou brigadeiro.

Gazeta de Notícias, 29 de outubro de 1884; M. de Assis.

Mariana

I

Que será feito de Mariana? — perguntou Evaristo a si mesmo, no largo da Carioca, ao despedir-se de um velho amigo, que lhe fez lembrar aquela velha amiga.

Era em 1890. Evaristo voltara da Europa, dias antes, após dezoito anos de ausência. Tinha saído do Rio de Janeiro em 1872, e contava demorar-se até 1874 ou 1875, depois de ver algumas cidades célebres ou curiosas; mas o viajante põe e Paris dispõe. Uma vez entrado naquele mundo, em 1873, Evaristo deixou-se ir ficando, além do prazo determinado; adiou a viagem um ano, outro ano, e afinal não pensou mais na volta. Desinteressara-se das nossas coisas; ultimamente nem lia os jornais daqui; era um estudante pobre da Bahia, que os ia buscar emprestados, e lhe referia depois uma ou outra notícia de vulto. Senão quando, em novembro de 1889, entra-lhe em casa um repórter parisiense, que lhe fala de revolução no Rio de Janeiro, pede informações políticas, sociais, biográficas. Evaristo refletiu.

— Meu caro senhor — disse ao repórter —, acho melhor ir eu mesmo buscá-las.

Não tendo partido, nem opiniões, nem parentes próximos, nem interesses (todos os seus haveres estavam na Europa), mal se explica a resolução súbita de Evaristo pela simples curiosidade, e contudo não houve outro motivo. Quis ver o novo aspecto das coisas. Indagou da data de uma primeira representação no Odéon, comédia de um amigo, calculou que, saindo no primeiro paquete e voltando três paquetes depois, chegaria a tempo de comprar bilhete e entrar no teatro; fez as malas, correu a Bordéus, e embarcou.

— Que será feito de Mariana? — repetia agora, descendo a rua da Assembleia. — Talvez morta... Se ainda viver, deve estar outra; há de andar pelos seus quarenta e cinco... Upa! quarenta e oito; era mais moça que eu uns cinco anos. Quarenta e oito... Bela mulher! grande mulher! belos e grandes amores!

Teve desejo de vê-la. Indagou discretamente, soube que vivia e morava na mesma casa em que a deixou, rua do Engenho Velho; mas não aparecia desde alguns meses, por causa do marido, que estava mal, parece que à morte.

— Ela também deve estar escangalhada — disse Evaristo ao conhecido que lhe dava aquelas informações.

— Homem, não. A última vez que a vi, achei-a frescalhona. Não se lhe dá mais de quarenta anos. Você quer saber uma coisa? Há por aí roseiras magníficas, mas os nossos cedros de 1860 a 1865 parece que não nascem mais.

— Nascem; você não os vê, porque já não sobe ao Líbano — retorquiu Evaristo.

Crescera-lhe o desejo de ver Mariana. Que olhos teriam um para o outro? Que visões antigas viriam transformar a realidade presente? A viagem de Evaristo, cumpre sabê-lo, não foi de recreio, senão de cura. Agora que a lei do tempo fizera a sua obra, que efeito produziria neles quando se encontrassem, o espectro de 1872, aquele triste ano da separação que quase o pôs doido, e quase a deixou morta?

II

Dias depois apeava-se ele de um tílburi à porta de Mariana, e dava um cartão ao criado, que lhe abriu a sala.

Enquanto esperava circulou os olhos e ficou impressionado. Os móveis eram os mesmos de dezoito anos antes. A memória, incapaz de os recompor na ausência, reconheceu-os a todos, assim como a disposição deles, que não mudara. Tinham o aspecto vetusto. As próprias flores artificiais de uma grande jarra, que estava sobre um aparador, haviam desbotado com o tempo. Tudo ossos dispersos, que a imaginação podia enfeixar para restaurar uma figura, a que só faltasse a alma.

Mas não faltava a alma. Pendente da parede, por cima do canapé, estava o retrato de Mariana. Tinha sido pintado quando ela contava vinte e cinco anos; a moldura, dourada uma só vez, descascando em alguns lugares, contrastava com a figura ridente e fresca. O tempo não descolara a formosura. Mariana estava ali, trajada à moda de 1865, com os seus lindos olhos redondos e namorados. Era o único alento vivo da sala; mas só ele bastava a dar à decrepitude ambiente a fugidia mocidade. Grande foi a comoção de Evaristo. Havia uma cadeira defronte do retrato, ele sentou-se nela, e ficou a mirar a moça de outro tempo. Os olhos pintados fitavam também os naturais, porventura admirados do encontro e da mudança porque os naturais não tinham o calor e a graça da pintura. Mas pouco durou a diferença; a vida anterior do homem restituiu-lhe a verdura exterior, e os olhos embeberam-se uns nos outros, e todos nos seus velhos pecados.

Depois, vagarosamente, Mariana desceu da tela e da moldura, e veio sentar-se defronte de Evaristo, inclinou-se, estendeu os braços sobre os joelhos e abriu as mãos. Evaristo entregou-lhes as suas, e as quatro apertaram-se cordialmente. Nenhum perguntou nada que se referisse ao passado, porque ainda não havia passado; ambos estavam no presente, as horas tinham parado, tão instantâneas e tão fixas, que pareciam haver sido ensaiadas na véspera para esta representação única e interminável. Todos os relógios da cidade e do mundo quebraram discretamente as cordas, e todos os relojoeiros trocaram de ofício. Adeus, velho *lago* de Lamartine! Evaristo e Mariana tinham ancorado no oceano dos tempos. E aí vieram as palavras mais doces que jamais disseram lábios de homem nem de mulher, e as mais ardentes também, e as mudas, e as tresloucadas, e as expirantes, e as de ciúme, e as de perdão.

— Estás bom?

— Bom; e tu?

— Morria por ti. Há uma hora que te espero, ansiosa, quase chorando; mas bem vês que estou risonha e alegre, tudo porque o melhor dos homens entrou nesta sala. Por que te demoraste tanto?

— Tive duas interrupções em caminho; e a segunda muito maior que a primeira.

— Se tu me amasses deveras, gastarias dois minutos com as duas, e estarias aqui há três quartos de hora. Que riso é esse?

— A segunda interrupção foi teu marido.

Mariana estremeceu.

— Foi aqui perto — continuou Evaristo —, falamos de ti, ele primeiro, a propósito não sei de quê, e falou com bondade, quase que com ternura. Cheguei a crer que era um laço, um modo de captar a minha confiança. Afinal despedimo-nos; mas eu ainda fiquei espiando, a ver se ele voltava; não vi ninguém. Aí está a causa da minha demora; aí tens também a causa dos meus tormentos.

— Não venhas outra vez com essa eterna desconfiança — atalhou Mariana sorrindo, como na tela, há pouco. — Que quer você que eu faça? Xavier é meu marido; não hei de mandá-lo embora, nem castigá-lo, nem matá-lo, só porque eu e você nos amamos.

— Não digo que o mates; mas tu o amas, Mariana.

— Amo-te e a ninguém mais — respondeu ela, evitando assim a resposta negativa, que lhe pareceu demasiado crua.

Foi o que pensou Evaristo; mas não aceitou a delicadeza da forma indireta. Só a negativa rude e simples poderia contentá-lo.

— Tu o amas — insistiu ele.

Mariana refletiu um instante.

— Para que hás de revolver a minha alma e o meu passado? — disse ela. — Para nós, o mundo começou há quatro meses, e não acabará mais — ou acabará quando você se aborrecer de mim, porque eu não mudarei nunca...

Evaristo ajoelhou-se, puxou-lhe os braços, beijou-lhe as mãos, e fechou nelas o rosto; finalmente, deixou cair a cabeça nos joelhos de Mariana. Ficaram assim alguns instantes, até que ela sentiu os dedos úmidos, ergueu-lhe a cabeça e viu-lhe os olhos rasos de água. Que era?

— Nada — disse ele —, adeus.

— Mas que foi?!

— Tu o amas — tornou Evaristo —, e esta ideia apavora-me, ao mesmo tempo que me aflige, porque eu sou capaz de matá-lo, se tiver certeza de que ainda o amas.

— Você é um homem singular — retorquiu Mariana, depois de enxugar os olhos de Evaristo com os cabelos, que despenteara às pressas, para servi-lo com o melhor lenço do mundo. — Que o amo? Não, já não o amo, aí tens a resposta. Mas já agora hás de consentir que te diga tudo, porque a minha índole não admite meias confidências.

Desta vez foi Evaristo que estremeceu; mas a curiosidade mordia-lhe a ele o coração, em tal maneira, que não houve mais temer, senão aguardar e escutar. Apoiado nos joelhos dela, ouviu a narração, que foi curta. Mariana referiu o casamento, a resistência do pai, a dor da mãe, e a perseverança dela e de Xavier. Esperaram dez meses, firmes, ela já menos paciente que ele, porque a paixão que a tomou tinha toda a força necessária para as decisões violentas. Que de lágrimas verteu por ele! Que de maldições lhe saíram do coração contra os pais, e foram sufocadas por ela, que temia a Deus, e não quisera que essas palavras, como armas de parricídio a condenassem, pior que ao inferno, à eterna separação do homem a quem amava. Venceu a constância, o tempo desarmou os velhos, e o casamento se fez, lá se iam sete anos. A paixão dos noivos prolongou-se na vida conjugal. Quando o tempo trouxe o sossego, trouxe também a estima. Os corações eram harmônicos, as recordações da luta pungentes e doces. A felicidade serena veio sentar-se à porta deles, como uma sentinela. Mas bem depressa se foi a sentinela; não deixou a desgraça, nem ainda o tédio, mas a apatia, uma figura pálida, sem movimento, que mal sorria e não lembrava nada. Foi por esse tempo que Evaristo apareceu aos seus olhos e a arrebatou. Não a arrebatou ao amor de ninguém; mas por isso mesmo nada tinha que ver com o passado, que era um mistério, e podia trazer remorsos...

— Remorsos? — interrompeu ele.

— Podias supor que eu os tinha; mas não os tenho, nem os terei jamais.

— Obrigado! — disse Evaristo após alguns momentos. — Agradeço-te a confissão. Não falarei mais de tal assunto. Não o amas, é o essencial. Que linda és tu quando juras assim, e me falas do nosso futuro! Sim, acabou; agora aqui estou, ama-me!

— Só a ti, querido.

— Só a mim? Ainda uma vez, jura!

— Por estes olhos — respondeu ela, beijando-lhe os olhos —, por estes lábios. — continuou, impondo-lhe um beijo nos lábios. — Pela minha vida e pela tua!

Evaristo repetiu as mesmas fórmulas, com iguais cerimônias. Depois, sentou-se defronte de Mariana, como estava a princípio. Ela ergueu-se então, por sua vez, e foi ajoelhar-se-lhe aos pés, com os braços nos joelhos dele. Os cabelos caídos enquadravam tão bem o rosto, que ele sentiu não ser um gênio para copiá-la e legá-la ao mundo. Disse-lhe isso, mas a moça não respondeu palavra; tinha os olhos fitos nele, suplicantes. Evaristo inclinou-se, cravando nela os seus, e assim ficaram, rosto a rosto, uma, duas, três horas, até que alguém veio acordá-los:

— Faz favor de entrar.

III

Evaristo teve um sobressalto. Deu com um homem, o mesmo criado que recebera o seu cartão de visita. Levantou-se depressa; Mariana recolheu-se à tela, que pendia da parede, onde ele a viu outra vez, trajada à moda de 1865, penteada e tranquila. Como nos sonhos, os pensamentos, gestos e atos mediram-se por outro tempo, que não o tempo; fez-se tudo em cinco ou seis minutos, que tantos foram os que o criado despendeu em levar o cartão e trazer o convite. Entretanto, é certo que Evaristo sentia ainda a impressão das carícias da moça, vivera realmente entre 1869 e 1872, porque as três horas da visão foram ainda uma concessão ao tempo. Toda a história ressurgira com os ciúmes que ele tinha de Xavier, os seus perdões e as ternuras recíprocas. Só faltou a crise final, quando a mãe de Mariana, sabendo de tudo, corajosamente se interpôs e os separou. Mariana resolveu morrer, chegou a ingerir veneno, e foi preciso o desespero da mãe para restituí-la à vida. Xavier que então estava na província do Rio, nada soube daquela tragédia, senão que a mulher escapara da morte, por causa de uma troca de medicamentos. Evaristo quis ainda vê-la antes de embarcar, mas foi impossível.

— Vamos — disse ele agora ao criado que o esperava.

Xavier estava no gabinete próximo, estirado em um canapé, com a mulher ao lado e algumas visitas. Evaristo penetrou ali cheio de comoção. A luz era pouca, o silêncio grande; Mariana tinha presa uma das mãos do enfermo, a observá-lo, a temer a morte ou uma crise. Mal pôde levantar os olhos para Evaristo e estender-lhe a mão; voltou a fitar o marido, em cujo rosto havia a marca do longo padecimento, e cujo respirar parecia o prelúdio da grande ópera infinita. Evaristo, que apenas vira o rosto de Mariana, retirou-se a um canto, sem ousar mirar-lhe a figura, nem acompanhar-lhe os movimentos. Chegou o médico, examinou o enfermo, recomendou as prescrições dadas, e retirou-se para voltar de noite. Mariana foi com ele até a porta, interrogando baixo, e procurando ler no rosto a verdade que a boca não queria dizer. Foi então que Evaristo a viu bem; a dor parecia alquebrá-la mais que os anos. Conheceu-lhe o jeito particular do corpo. Não descia da tela, como a outra, mas do tempo. Antes que ela tornasse ao leito do marido, Evaristo entendeu retirar-se também, e foi até a porta.

— Peço-lhe licença... Sinto não poder falar agora a seu marido.

— Agora não pode ser; o médico recomenda repouso e silêncio. Será noutra ocasião...

— Não vim há mais tempo vê-lo, porque só há pouco é que soube... E não cheguei há muito.

— Obrigada.

Evaristo estendeu-lhe a mão e saiu a passo abafado, enquanto ela voltava a sentar-se ao pé do doente. Nem os olhos nem a mão de Mariana revelaram em relação a ele uma impressão qualquer, e a despedida fez-se como entre pessoas indiferentes. Certo, o amor acabara, a data era remota, o coração envelhecera com o tempo, e o marido estava a expirar; mas, refletia ele, como explicar que, ao cabo de dezoito anos de separação, Mariana visse diante de si um homem que tanta parte tivera em sua vida, sem o menor abalo, espanto, constrangimento que fosse? Eis aí um mistério. Chamava-lhe mistério. Ainda agora, à despedida, sentira ele um aperto, uma coisa, que lhe fez a palavra trôpega, que lhe tirou as ideias e até as simples fórmulas banais de pesar e de esperança. Ela, entretanto, não recebeu dele a menor comoção. E lembrando-se do retrato da sala, Evaristo concluiu que a arte era superior à natureza; a tela guardara o corpo e a alma... Tudo isso borrifado de um despeitozinho acre.

Xavier durou ainda uma semana. Indo fazer-lhe segunda visita, Evaristo assistiu à morte do enfermo, e não pôde furtar-se à comoção natural do momento, do lugar e das circunstâncias. Mariana, desgrenhada ao pé do leito, tinha os olhos mortos de vigília e de lágrimas. Quando Xavier, depois de longa agonia, expirou, mal se ouviu o choro de alguns parentes e amigos; um grito agudíssimo de Mariana chamou a atenção de todos; depois o desmaio e a queda da viúva. Durou alguns minutos a perda dos sentidos; tornada a si, Mariana correu ao cadáver, abraçou-se a ele, soluçando desesperadamente, dizendo-lhe os nomes mais queridos e ternos. Tinham esquecido de fechar os olhos ao cadáver; daí um lance pavoroso e melancólico, porque ela, depois de os beijar muito foi tomada de alucinação e bradou que ele ainda vivia, que estava salvo; e, por mais que quisessem arrancá-la dali, não cedia, empurrava a todos, clamava que queriam tirar-lhe o marido. Nova crise a prostrou; foi levada às carreiras para outro quarto.

Quando o enterro saiu no dia seguinte, Mariana não estava presente, por mais que insistisse em despedir-se; já não tinha forças para acudir à vontade. Evaristo acompanhou o enterro. Seguindo o carro fúnebre, mal chegava a crer onde estava e o que fazia. No cemitério, falou a um dos parentes de Xavier, confiando-lhe a pena que tivera de Mariana.

— Vê-se que se amavam muito — concluiu.

— Ah! muito — disse o parente. — Casaram-se por paixão; não assisti ao casamento, porque só cheguei ao Rio de Janeiro muitos anos depois, em 1874; achei-os, porém, tão unidos como se fossem noivos, e assisti até agora à vida de ambos. Viviam um para outro; não sei se ela ficará muito tempo neste mundo.

— 1874 — pensou Evaristo —, dois anos depois.

Mariana não assistiu à missa do sétimo dia; um parente — o mesmo do cemitério — representava-a naquela triste ocasião. Evaristo soube por ele que o estado da viúva não lhe permitia arriscar-se à comemoração da catástrofe. Deixou passar alguns dias, e foi fazer a sua visita de pêsames; mas, tendo dado o cartão, ouviu que ela não recebia ninguém. Foi então a São Paulo, voltou cinco ou seis semanas depois, preparou-se para embarcar; antes de partir, pensou ainda em visitar Mariana — não tanto por simples cortesia, como para levar consigo a imagem — deteriorada embora — daquela paixão de quatro anos.

Não a encontrou em casa. Voltava zangado, mal consigo, achava-se impertinente e de mau gosto. A pouca distância viu sair da igreja do Espírito Santo uma senhora de luto, que lhe pareceu Mariana. Era Mariana; vinha a pé; ao passar pela carruagem olhou para ele, fez que o não conhecia, e foi andando, de modo que o cumprimento de Evaristo ficou sem resposta. Este ainda quis mandar parar o carro e despedir-se dela, ali mesmo, na rua, um minuto, três palavras; como, porém, hesitasse na resolução, só parou quando já havia passado a igreja, e Mariana ia um grande pedaço adiante. Apeou-se, não obstante, e desandou o caminho; mas, fosse respeito ou despeito, trocou de resolução, meteu-se no carro e partiu.

— Três vezes sincera — concluiu, passados alguns minutos de reflexão.

Antes de um mês estava em Paris. Não esquecera a comédia do amigo, a cuja primeira representação no Odéon ficara de assistir. Correu a saber dela; tinha caído redondamente.

— Coisas de teatro — disse Evaristo ao autor, para consolá-lo. — Há peças que caem. Há outras que ficam no repertório.

Gazeta de Notícias, *18 de outubro de 1891; Machado de Assis.*

Conto de escola

A escola era na rua do Costa, um sobradinho de grade de pau. O ano era de 1840. Naquele dia — uma segunda-feira, do mês de maio — deixei-me estar alguns instantes na rua da Princesa a ver onde iria brincar amanhã. Hesitava entre o morro de São Diogo e o campo de Sant'Ana, que não era então esse parque atual, construção de *gentleman*, mas um espaço rústico, mais ou menos infinito, alastrado de lavadeiras, capim e burros soltos. Morro ou campo? Tal era o problema. De repente disse comigo que o melhor era a escola. E guiei para a escola. Aqui vai a razão.

Na semana anterior tinha feito dois suetos, e, descoberto o caso, recebi o pagamento das mãos de meu pai, que me deu uma sova de vara de marmeleiro. As sovas de meu pai doíam por muito tempo. Era um velho empregado do arsenal de guerra, ríspido e intolerante. Sonhava para mim uma grande posição comercial, e tinha ânsia de me ver com os elementos mercantis, ler, escrever e contar, para me meter de caixeiro. Citava-me nomes de capitalistas que tinham começado ao balcão. Ora, foi a lembrança do último castigo que me levou naquela manhã para o colégio. Não era um menino de virtudes.

Subi a escada com cautela, para não ser ouvido do mestre, e cheguei a tempo; ele entrou na sala três ou quatro minutos depois. Entrou com o andar manso do costume, em chinelas de cordovão, com a jaqueta de brim lavada e desbotada, calça branca e tesa e grande colarinho caído. Chamava-se Policarpo e tinha perto de cinquenta anos ou mais. Uma vez sentado, extraiu da jaqueta a boceta de rapé e o lenço vermelho, pô-los na gaveta; depois relanceou os olhos pela sala. Os meninos, que se conservaram de pé durante a entrada dele, tornaram a sentar-se. Tudo estava em ordem; começaram os trabalhos.

— Seu Pilar, eu preciso falar com você — disse-me baixinho o filho do mestre.

Chamava-se Raimundo este pequeno, e era mole, aplicado, inteligência tarda. Raimundo gastava duas horas em reter aquilo que a outros levava apenas trinta ou cinquenta minutos; vencia com o tempo o que não podia fazer logo com o cérebro. Reunia a isso um grande medo ao pai. Era uma criança fina, pálida, cara doente; raramente estava alegre. Entrava na escola depois do pai e retirava-se antes. O mestre era mais severo com ele do que conosco.

— O que é que você quer?

— Logo — respondeu ele com voz trêmula.

Começou a lição de escrita. Custa-me dizer que eu era dos mais adiantados da escola; mas era. Não digo também que era dos mais inteligentes, por um escrúpulo fácil de entender e de excelente efeito no estilo, mas não tenho outra convicção. Note-se que não era pálido nem mofino: tinha boas cores e músculos de ferro. Na lição de escrita, por exemplo, acabava sempre antes de todos, mas deixava-me estar a recortar narizes no papel ou na tábua, ocupação sem nobreza nem espiritualidade, mas em todo caso ingênua. Naquele dia foi a mesma coisa; tão depressa acabei, como entrei a reproduzir o nariz do mestre, dando-lhe cinco ou seis atitudes diferentes, das quais recordo a interrogativa, a admirativa, a dubitativa e a cogitativa. Não lhes punha esses nomes, pobre estudante de primeiras letras que era; mas, instintivamente, dava-lhes essas expressões. Os outros foram acabando; não tive remédio senão acabar também, entregar a escrita, voltar para o meu lugar.

Com franqueza, estava arrependido de ter vindo. Agora que ficava preso, ardia por andar lá fora, e recapitulava o campo e o morro, pensava nos outros meninos vadios, o Chico Telha, o Américo, o Carlos das Escadinhas, a fina flor do bairro e do gênero humano. Para cúmulo de desespero, vi através das vidraças da escola, no claro azul do céu, por cima do morro do Livramento, um papagaio de papel, alto e largo, preso de uma corda imensa, que bojava no ar, uma coisa soberba. E eu na escola, sentado, pernas unidas, com livro de leitura e a gramática nos joelhos.

— Fui um bobo em vir — disse eu ao Raimundo.

— Não diga isso — murmurou ele.

Olhei para ele; estava mais pálido. Então lembrou-me outra vez que queria pedir-me alguma coisa, e perguntei-lhe o que era. Raimundo estremeceu de novo, e, rápido, disse-me que esperasse um pouco; era uma coisa particular.

— Seu Pilar... — murmurou ele daí a alguns minutos.

— Que é?

— Você...

— Você quê?

Ele deitou os olhos ao pai, e depois a alguns outros meninos. Um destes, o Curvelo, olhava para ele, desconfiado, e o Raimundo, notando-me essa circunstância, pediu alguns minutos mais de espera. Confesso que começava a arder de curiosidade. Olhei para o Curvelo, vi que parecia atento; podia ser uma simples curiosidade vaga, natural indiscrição; mas podia ser também alguma coisa entre eles. Esse Curvelo era um pouco levado do diabo. Tinha onze anos, era mais velho que nós.

Que me quereria o Raimundo? Continuei inquieto, remexendo-me muito, falando-lhe baixo, com instância, que me dissesse o que era, que ninguém cuidava dele nem de mim. Ou então, de tarde...

— De tarde, não — interrompeu-me ele —, não pode ser de tarde.

— Então agora...

— Papai está olhando.

Na verdade, o mestre fitava-nos. Como era mais severo para o filho, buscava-o muitas vezes com os olhos, para trazê-lo mais aperreado. Mas nós também éramos finos; metemos o nariz no livro, e continuamos a ler. Afinal cansou e tomou as folhas do dia, três ou quatro, que ele lia devagar, mastigando as ideias e as paixões. Não esqueçam que estávamos então no fim da Regência, e que era grande a agitação pública. Policarpo tinha decerto algum partido, mas nunca pude averiguar esse ponto. O pior que ele podia ter, para nós, era a palmatória. E essa lá estava, pendurada do portal da janela, à direita, com os seus cinco olhos do diabo. Era só levantar a mão, despendurá-la e brandi-la, com a força do costume, que não era pouca. E daí, pode ser que alguma vez as paixões políticas dominassem nele a ponto de poupar-nos uma ou outra correção. Naquele dia, ao menos, pareceu-me que lia as folhas com muito interesse; levantava os olhos de quando em quando, ou tomava uma pitada, mas tornava logo aos jornais, e lia a valer.

No fim de algum tempo — dez ou doze minutos — Raimundo meteu a mão no bolso das calças e olhou para mim.

— Sabe o que tenho aqui?

— Não.
— Uma pratinha que mamãe me deu.
— Hoje?
— Não, no outro dia, quando fiz anos...
— Pratinha de verdade?
— De verdade.

Tirou-a vagarosamente, e mostrou-me de longe. Era uma moeda do tempo do rei, cuido que doze vinténs ou dois tostões, não me lembra; mas era uma moeda, e tão moeda que me fez pular o sangue no coração. Raimundo revolveu em mim o olhar pálido; depois perguntou-me se a queria para mim. Respondi-lhe que estava caçoando, mas ele jurou que não.

— Mas então você fica sem ela?
— Mamãe depois me arranja outra. Ela tem muitas que vovô lhe deixou, numa caixinha; algumas são de ouro. Você quer esta?

Minha resposta foi estender-lhe a mão disfarçadamente, depois de olhar para a mesa do mestre. Raimundo recuou a mão dele e deu à boca um gesto amarelo, que queria sorrir. Em seguida propôs-me um negócio, uma troca de serviços; ele me daria a moeda, eu lhe explicaria um ponto da lição de sintaxe. Não conseguira reter nada do livro, e estava com medo do pai. E concluía a proposta esfregando a pratinha nos joelhos...

Tive uma sensação esquisita. Não é que eu possuísse da virtude uma ideia antes própria de homem; não é também que não fosse fácil em empregar uma ou outra mentira de criança. Sabíamos ambos enganar ao mestre. A novidade estava nos termos da proposta, na troca de lição e dinheiro, compra franca, positiva, toma lá, dá cá; tal foi a causa da sensação. Fiquei a olhar para ele, à toa, sem poder dizer nada.

Compreende-se que o ponto da lição era difícil, e que o Raimundo, não o tendo aprendido, recorria a um meio que lhe pareceu útil para escapar ao castigo do pai. Se me tem pedido a coisa por favor, alcançá-la-ia do mesmo modo, como de outras vezes; mas parece que era a lembrança das outras vezes, o medo de achar a minha vontade frouxa ou cansada, e não aprender como queria — e pode ser mesmo que em alguma ocasião lhe tivesse ensinado mal —, parece que tal foi a causa da proposta. O pobre-diabo contava com o favor — mas queria assegurar-lhe a eficácia, e daí recorreu à moeda que a mãe lhe dera e que ele guardava como relíquia ou brinquedo; pegou dela e veio esfregá-la nos joelhos, à minha vista, como uma tentação... Realmente, era bonita, fina, branca, muito branca; e para mim, que só trazia cobre no bolso, quando trazia alguma coisa, um cobre feio, grosso, azinhavrado...

Não queria recebê-la, e custava-me recusá-la. Olhei para o mestre, que continuava a ler, com tal interesse, que lhe pingava o rapé do nariz. — Ande, tome — dizia-me baixinho o filho. E a pratinha fuzilava-lhe entre os dedos, como se fora diamante... Em verdade, se o mestre não visse nada, que mal havia? E ele não podia ver nada, estava agarrado aos jornais lendo com fogo, com indignação...

— Tome, tome...

Relanceei os olhos pela sala, e dei com os do Curvelo em nós; disse ao Raimundo que esperasse. Pareceu-me que o outro nos observava, então dissimulei;

mas daí a pouco, deitei-lhe outra vez o olho, e — tanto se iluda a vontade! — não lhe vi mais nada. Então cobrei ânimo.

— Dê cá...

Raimundo deu-me a pratinha, sorrateiramente; eu meti-a na algibeira das calças, com um alvoroço que não posso definir. Cá estava ela comigo, pegadinha à perna. Restava prestar o serviço, ensinar a lição, e não me demorei em fazê-lo, nem o fiz mal, ao menos conscientemente; passava-lhe a explicação em um retalho de papel que ele recebeu com cautela e cheio de atenção. Sentia-se que despendia um esforço cinco ou seis vezes maior para aprender um nada; mas contanto que ele escapasse ao castigo, tudo iria bem.

De repente, olhei para o Curvelo e estremeci; tinha os olhos em nós, com um riso que me pareceu mau. Disfarcei; mas daí a pouco, voltando-me outra vez para ele, achei-o do mesmo modo, com o mesmo ar, acrescendo que entrava a remexer-se no banco, impaciente. Sorri para ele e ele não sorriu; ao contrário, franziu a testa, o que lhe deu um aspecto ameaçador. O coração bateu-me muito.

— Precisamos muito cuidado — disse eu ao Raimundo.

— Diga-me isto só — murmurou ele.

Fiz-lhe sinal que se calasse; mas ele instava, e a moeda, cá no bolso, lembrava-me o contrato feito. Ensinei-lhe o que era, disfarçando muito; depois, tornei a olhar para o Curvelo, que me pareceu ainda mais inquieto, e o riso, dantes mau, estava agora pior. Não é preciso dizer que também eu ficara em brasas, ansioso que a aula acabasse; mas nem o relógio andava como das outras vezes, nem o mestre fazia caso da escola; este lia os jornais, artigo por artigo, pontuando-os com exclamações, com gestos de ombros, com uma ou duas pancadinhas na mesa. E lá fora, no céu azul, por cima do morro, o mesmo eterno papagaio, guinando a um lado e outro, como se me chamasse a ir ter com ele. Imaginei-me ali com os livros e a pedra embaixo da mangueira, e a pratinha no bolso das calças, que eu não daria a ninguém, nem que me serrassem; guardá-la-ia em casa, dizendo a mamãe que a tinha achado na rua. Para que me não fugisse, ia-a apalpando, roçando-lhe os dedos pelo cunho, quase lendo pelo tato a inscrição, com uma grande vontade de espiá-la.

— Oh! seu Pilar! — bradou o mestre com voz de trovão.

Estremeci como se acordasse de um sonho, e levantei-me às pressas. Dei com o mestre, olhando para mim, cara fechada, jornais dispersos, e ao pé da mesa, em pé, o Curvelo. Pareceu-me adivinhar tudo.

— Venha cá! — bradou o mestre.

Fui e parei diante dele. Ele enterrou-me pela consciência dentro um par de olhos pontudos; depois chamou o filho. Toda a escola tinha parado; ninguém mais lia, ninguém fazia um só movimento. Eu, conquanto não tirasse os olhos do mestre, sentia no ar a curiosidade e o pavor de todos.

— Então o senhor recebe dinheiro para ensinar as lições aos outros? — disse-me o Policarpo.

— Eu...

— Dê cá a moeda que este seu colega lhe deu! — clamou.

Não obedeci logo, mas não pude negar nada. Continuei a tremer muito. Policarpo bradou de novo que lhe desse a moeda, e eu não resisti mais, meti a mão no bolso, vagarosamente, saquei-a e entreguei-lha. Ele examinou-a de um e outro lado, bufando de raiva; depois estendeu o braço e atirou-a à rua. E então disse-nos uma porção de coisas duras, que tanto o filho como eu acabávamos de praticar uma ação feia, indigna, baixa, uma vilania, e para emenda e exemplo íamos ser castigados. Aqui pegou da palmatória.

— Perdão, *seu* mestre... — solucei eu.
— Não há perdão! Dê cá a mão! dê cá! vamos! sem-vergonha! dê cá a mão!
— Mas, *seu* mestre...
— Olhe que é pior!

Estendi-lhe a mão direita, depois a esquerda, e fui recebendo os bolos uns por cima dos outros, até completar doze, que me deixaram as palmas vermelhas e inchadas. Chegou a vez do filho, e foi a mesma coisa; não lhe poupou nada, dois, quatro, oito, doze bolos. Acabou, pregou-nos outro sermão. Chamou-nos sem-vergonhas, desaforados, e jurou que se repetíssemos o negócio, apanharíamos tal castigo que nos havia de lembrar para todo o sempre. E exclamava: Porcalhões! tratantes! faltos de brio!

Eu por mim, tinha a cara no chão. Não ousava fitar ninguém, sentia todos os olhos em nós. Recolhi-me ao banco, soluçando, fustigado pelos impropérios do mestre. Na sala arquejava o terror; posso dizer que naquele dia ninguém faria igual negócio. Creio que o próprio Curvelo enfiara de medo. Não olhei logo para ele, cá dentro de mim jurava quebrar-lhe a cara, na rua, logo que saíssemos, tão certo como três e dois serem cinco.

Daí a algum tempo olhei para ele; ele também olhava para mim, mas desviou a cara, e penso que empalideceu. Compôs-se e entrou a ler em voz alta; estava com medo. Começou a variar de atitude, agitando-se à toa, coçando os joelhos, o nariz. Pode ser até que se arrependesse de nos ter denunciado; e na verdade, por que denunciar-nos? Em que é que lhe tirávamos alguma coisa?

— Tu me pagas! tão duro como osso! — dizia eu comigo.

Veio a hora de sair, e saímos; ele foi adiante, apressado, e eu não queria brigar ali mesmo, na rua do Costa, perto do colégio; havia de ser na rua Larga de São Joaquim. Quando, porém, cheguei à esquina, já o não vi; provavelmente escondera-se em algum corredor ou loja; entrei numa botica, espiei em outras casas, perguntei por ele a algumas pessoas, ninguém me deu notícia. De tarde faltou à escola.

Em casa não contei nada, é claro; mas para explicar as mãos inchadas, menti a minha mãe, disse-lhe que não tinha sabido a lição. Dormi nessa noite, mandando ao diabo os dois meninos, tanto o da denúncia como o da moeda. E sonhei com a moeda; sonhei que, ao tornar à escola, no dia seguinte, dera com ela na rua, e a apanhara, sem medo nem escrúpulos...

De manhã, acordei cedo. A ideia de ir procurar a moeda fez-me vestir depressa. O dia estava esplêndido, um dia de maio, sol magnífico, ar brando, sem contar as calças novas que minha mãe me deu, por sinal que eram amarelas. Tudo isso, e a pratinha... Saí de casa, como se fosse trepar ao trono de Jerusalém. Piquei o passo para que ninguém chegasse antes de mim à escola; ainda assim não andei tão depressa que amarrotasse as calças. Não, que elas eram bonitas! Mirava-as, fugia aos encontros, ao lixo da rua...

Na rua encontrei uma companhia do batalhão de fuzileiros, tambor à frente, rufando. Não podia ouvir isto quieto. Os soldados vinham batendo o pé rápido, igual, direita, esquerda, ao som do rufo; vinham, passaram por mim, e foram andando. Eu senti uma comichão nos pés, e tive ímpeto de ir atrás deles. Já lhes disse: o dia estava lindo, e depois o tambor... Olhei para um e outro lado; afinal, não sei como foi, entrei a marchar também ao som do rufo, creio que cantarolando alguma coisa: *Rato na casaca*... Não fui à escola, acompanhei os fuzileiros, depois enfiei pela Saúde, e acabei a manhã na praia da Gamboa. Voltei para casa com as calças enxovalhadas, sem pratinha no bolso nem ressentimento na alma. E contudo a pratinha era bonita e foram eles, Raimundo e Curvelo, que me deram o primeiro conhecimento, um da corrupção, outro da delação; mas o diabo do tambor...

Gazeta de Notícias, *8 de setembro de 1884; Machado de Assis*.

Um apólogo

Era uma vez uma agulha, que disse a um novelo de linha:
— Por que está você com esse ar, toda cheia de si, toda enrolada, para fingir que vale alguma coisa neste mundo?
— Deixe-me, senhora.
— Que a deixe? Que a deixe, por quê? Porque lhe digo que está com um ar insuportável? Repito que sim, e falarei sempre que me der na cabeça.
— Que cabeça, senhora? A senhora não é alfinete, é agulha. Agulha não tem cabeça. Que lhe importa o meu ar? Cada qual tem o ar que Deus lhe deu. Importe-se com a sua vida e deixe a dos outros.
— Mas você é orgulhosa.
— Decerto que sou.
— Mas por quê?
— É boa! Porque coso. Então os vestidos e enfeites de nossa ama, quem é que os cose, senão eu?
— Você? Esta agora é melhor. Você é que os cose? Você ignora que quem os cose sou eu, e muito eu?
— Você fura o pano, nada mais; eu é que coso, prendo um pedaço ao outro, dou feição aos babados...
— Sim, mas que vale isso? Eu é que furo o pano, vou adiante, puxando por você, que vem atrás, obedecendo ao que eu faço e mando...
— Também os batedores vão adiante do imperador.
— Você imperador?
— Não digo isso. Mas a verdade é que você faz um papel subalterno, indo adiante; vai só mostrando o caminho, vai fazendo o trabalho obscuro e ínfimo. Eu é que prendo, ligo, ajunto...

Estavam nisto, quando a costureira chegou à casa da baronesa. Não sei se disse que isto se passava em casa de uma baronesa, que tinha a modista ao pé de si, para não andar atrás dela. Chegou a costureira, pegou do pano, pegou da agulha, pegou da linha, enfiou a linha na agulha, e entrou a coser. Uma e outra iam andando orgulhosas, pelo pano adiante, que era a melhor das sedas, entre os dedos da costureira, ágeis como os galgos de Diana — para dar a isto uma cor poética. E dizia a agulha:
— Então senhora linha, ainda teima no que dizia há pouco? Não repara que esta distinta costureira só se importa comigo; eu é que vou aqui entre os dedos dela, unidinha a eles, furando abaixo e acima...

A linha não respondia nada; ia andando. Buraco aberto pela agulha era logo enchido por ela, silenciosa e ativa, como quem sabe o que faz, e não está para ouvir palavras loucas. A agulha, vendo que ela não lhe dava resposta, calou-se também, e foi andando. E era tudo silêncio na saleta de costura; não se ouvia mais que o *plic--plic-plic* da agulha no pano. Caindo o sol, a costureira dobrou a costura, para o dia seguinte; continuou ainda nesse e no outro, até que no quarto acabou a obra, e ficou esperando o baile.

Veio a noite do baile, e a baronesa vestiu-se. A costureira, que a ajudou a vestir-se, levava a agulha espetada no corpinho, para dar algum ponto necessário. E enquanto compunha o vestido da bela dama, e puxava a um lado ou outro, arregaçava daqui ou dali, alisando, abotoando, acolchetando, a linha, para mofar da agulha, perguntou-lhe:

— Ora, agora, diga-me, quem é que vai ao baile, no corpo da baronesa, fazendo parte do vestido e da elegância? Quem é que vai dançar com ministros e diplomatas, enquanto você volta para a caixinha da costureira, antes de ir para o balaio das mucamas? Vamos, diga lá.

Parece que a agulha não disse nada; mas um alfinete, de cabeça grande e não menor experiência, murmurou à pobre agulha: — Anda, aprende, tola. Cansas-te em abrir caminho para ela e ela é que vai gozar da vida, enquanto aí ficas na caixinha de costura. Faze como eu, que não abro caminho para ninguém. Onde me espetam, fico.

Contei esta história a um professor de melancolia, que me disse, abanando a cabeça: — Também eu tenho servido de agulha a muita linha ordinária!

Gazeta de Notícias, *1º de março de 1885 (com o título "A agulha e a linha"); Machado de Assis.*

D. Paula

Não era possível chegar mais a ponto. D. Paula entrou na sala, exatamente quando a sobrinha enxugava os olhos cansados de chorar. Compreende-se o assombro da tia. Entender-se-á também o da sobrinha, em se sabendo que d. Paula vive no alto da Tijuca, donde raras vezes desce; a última foi pelo Natal passado, e estamos em maio de 1882. Desceu ontem, à tarde, e foi para casa da irmã, rua do Lavradio. Hoje, tão depressa almoçou, vestiu-se e correu a visitar a sobrinha. A primeira escrava que a viu, quis ir avisar a senhora, mas d. Paula ordenou-lhe que não, e foi pé ante pé, muito devagar, para impedir o rumor das saias, abriu a porta da sala de visitas, e entrou.

— Que é isto? — exclamou.

Venancinha atirou-se-lhe aos braços, as lágrimas vieram-lhe de novo. A tia beijou-a muito, abraçou-a, disse-lhe palavras de conforto, e pediu, e quis que lhe contasse o que era, se alguma doença, ou...

— Antes fosse uma doença! antes fosse a morte! — interrompeu a moça.

— Não digas tolices; mas que foi? anda, que foi?

Venancinha enxugou os olhos e começou a falar. Não pôde ir além de cinco ou seis palavras; as lágrimas tornaram, tão abundantes e impetuosas, que d. Paula achou de bom aviso deixá-las correr primeiro. Entretanto, foi tirando a capa de rendas pretas que a envolvia, e descalçando as luvas. Era uma bonita velha, elegante, dona de um par de olhos grandes, que deviam ter sido infinitos. Enquanto a sobrinha chorava, ela foi cerrar cautelosamente a porta da sala, e voltou ao canapé. No fim de alguns minutos, Venancinha cessou de chorar, e confiou à tia o que era.

Era nada menos que uma briga com o marido, tão violenta, que chegaram a falar de separação. A causa eram ciúmes. Desde muito que o marido embirrava com um sujeito; mas na véspera à noite, em casa do C..., vendo-a dançar com ele duas vezes e conversar alguns minutos, concluiu que eram namorados. Voltou amuado para casa; de manhã, acabado o almoço, a cólera estourou, e ele disse-lhe coisas duras e amargas, que ela repeliu com outras.

— Onde está teu marido? — perguntou a tia.

— Saiu; parece que foi para o escritório.

D. Paula perguntou-lhe se o escritório era ainda o mesmo, e disse-lhe que descansasse, que não era nada; dali a duas horas tudo estaria acabado. Calçava as luvas rapidamente.

— Titia vai lá?

— Vou... Pois então? Vou. Teu marido é bom; são arrufos. 104? Vou lá; espera por mim, que as escravas não te vejam.

Tudo isso era dito com volubilidade, confiança e doçura. Calçadas as luvas, pôs o mantelete, e a sobrinha ajudou-a, falando também, jurando que, apesar de tudo, adorava o Conrado. Conrado era o marido, advogado desde 1874. D. Paula saiu, levando muitos beijos da moça. Na verdade, não podia chegar mais a ponto. De caminho, parece que ela encarou o incidente, não digo desconfiada, mas curiosa, um pouco inquieta da realidade positiva; em todo caso ia resoluta a reconstruir a paz doméstica.

Chegou, não achou o sobrinho no escritório, mas ele veio logo, e, passado o primeiro espanto, não foi preciso que d. Paula lhe dissesse o objeto da visita; Conrado adivinhou tudo. Confessou que fora excessivo em algumas coisas, e, por outro lado, não atribuía à mulher nenhuma índole perversa ou viciosa. Só isso; no mais, era uma cabeça de vento, muito amiga de cortesias, de olhos ternos, de palavrinhas doces, e a leviandade também é uma das portas do vício. Em relação à pessoa de quem se tratava, não tinha dúvida de que eram namorados. Venancinha contara só o fato da véspera; não referiu outros, quatro ou cinco, o penúltimo no teatro, onde chegou a haver tal ou qual escândalo. Não estava disposto a cobrir com a sua responsabilidade os desazos da mulher. Que namorasse, mas por conta própria.

D. Paula ouviu tudo, calada; depois falou também. Concordava que a sobrinha fosse leviana; era próprio da idade. Moça bonita não sai à rua sem atrair os olhos, e é natural que a admiração dos outros a lisonjeie. Também é natural que o que ela fizer de lisonjeada pareça aos outros e ao marido um princípio de namoro: a fatuidade de uns e o ciúme do outro explicam tudo. Pela parte dela, acabava de ver a moça chorar lágrimas sinceras; deixou-a consternada, falando de morrer, abatida com o que ele lhe dissera. E se ele próprio só lhe atribuía leviandade, por que não proceder com cautela e doçura, por meio de conselho e de observação, poupando-lhe as ocasiões, apontando-lhe o mal que fazem à reputação de uma senhora as aparências de acordo, de simpatia, de boa vontade para os homens?

Não gastou menos de vinte minutos a boa senhora em dizer essas coisas mansas, com tão boa sombra, que o sobrinho sentiu apaziguar-se-lhe o coração. Resistia, é verdade; duas ou três vezes, para não resvalar na indulgência, declarou à tia que entre eles tudo estava acabado. E, para animar-se, evocava mentalmente as razões que tinha contra a mulher. A tia, porém, abaixava a cabeça para deixar passar a onda, e surgia outra vez com os seus grandes olhos sagazes e teimosos. Conrado ia cedendo aos poucos e mal. Foi então que d. Paula propôs um meio-termo.

— Você perdoa-lhe, fazem as pazes, e ela vai estar comigo, na Tijuca, um ou dois meses; uma espécie de desterro. Eu, durante este tempo, encarrego-me de lhe pôr ordem no espírito. Valeu?

Conrado aceitou. D. Paula, tão depressa obteve a palavra, despediu-se para levar a boa nova à outra; Conrado acompanhou-a até a escada. Apertaram as mãos; d. Paula não soltou a dele sem lhe repetir os conselhos de brandura e prudência; depois, fez esta reflexão natural:

— E vão ver que o homem de quem se trata nem merece um minuto dos nossos cuidados...

— É um tal Vasco Maria Portela...

D. Paula empalideceu. Que Vasco Maria Portela? Um velho, antigo diplomata, que... Não, esse estava na Europa desde alguns anos, aposentado, e acabava de receber um título de barão. Era um filho dele, chegado de pouco, um pelintra... D. Paula apertou-lhe a mão, e desceu rapidamente. No corredor, sem ter necessidade de ajustar a capa, fê-lo durante alguns minutos, com a mão trêmula e um pouco de alvoroço na fisionomia. Chegou mesmo a olhar para o chão, refletindo. Saiu; foi ter com a sobrinha, levando a reconciliação e a cláusula. Venancinha aceitou tudo.

Dois dias depois foram para a Tijuca. Venancinha ia menos alegre do que prometera; provavelmente era o exílio, ou pode ser também que algumas saudades. Em todo caso, o nome de Vasco subiu a Tijuca, se não em ambas as cabeças, ao menos na da tia, onde era uma espécie de eco, um som remoto e brando, alguma coisa que parecia vir do tempo da Stoltz e do ministério Paraná. Cantora e ministério, coisas frágeis, não o eram menos que a ventura de ser moça, e onde iam essas três eternidades? Jaziam nas ruínas de trinta anos. Era tudo o que d. Paula tinha em si e diante de si.

Já se entende que o outro Vasco, o antigo, também foi moço e amou. Amaram-se, fartaram-se um do outro, à sombra do casamento, durante alguns anos, e, como o vento que passa não guarda a palestra dos homens, não há meio de escrever aqui o que então se disse da aventura. A aventura acabou; foi uma sucessão de horas doces e amargas, de delícias, de lágrimas, de cóleras, de arroubos, drogas várias com que encheram a esta senhora a taça das paixões. D. Paula esgotou-a inteira e emborcou-a depois para não mais beber. A saciedade trouxe-lhe a abstinência, e com o tempo foi esta última fase que fez a opinião. Morreu-lhe o marido e foram vindo os anos. D. Paula era agora uma pessoa austera e pia, cheia de prestígio e consideração.

A sobrinha é que lhe levou o pensamento ao passado. Foi a presença de uma situação análoga, de mistura com o nome e o sangue do mesmo homem, que lhe acordou algumas velhas lembranças. Não esqueçam que elas estavam na Tijuca, que iam viver juntas algumas semanas, e que uma obedecia à outra; era tentar e desafiar a memória.

— Mas nós deveras não voltamos à cidade tão cedo? — perguntou Venancinha rindo, no outro dia de manhã.

— Já estás aborrecida?

— Não, não, isso nunca, mas pergunto...

D. Paula, rindo também, fez com o dedo um gesto negativo; depois, perguntou-lhe se tinha saudades cá de baixo. Venancinha respondeu que nenhumas; e para dar mais força à resposta, acompanhou-a de um descair dos cantos da boca, a modo de indiferença e desdém. Era pôr demais na carta. D. Paula tinha o bom costume de não ler às carreiras, como quem vai salvar o pai da forca, mas devagar, enfiando os olhos entre as sílabas e entre as letras, para ver tudo, e achou que o gesto da sobrinha era excessivo.

— Eles amam-se! — pensou ela.

A descoberta avivou o espírito do passado. D. Paula forcejou por sacudir fora essas memórias importunas; elas, porém, voltavam, ou de manso ou de assalto, como raparigas que eram, cantando, rindo, fazendo o diabo. D. Paula tornou aos seus bailes de outro tempo, às suas eternas valsas que faziam pasmar a toda a gente, às mazurcas, que ela metia à cara da sobrinha como sendo a mais graciosa coisa do mundo, e aos teatros, e às cartas, e vagamente, aos beijos; mas tudo isso — e esta é a situação — tudo isso era como as frias crônicas, esqueleto da história, sem a alma da história. Passava-se tudo na cabeça. D. Paula tentava emparelhar o coração com o cérebro, a ver se sentia alguma coisa além da pura repetição mental, mas, por mais que evocasse as comoções extintas, não lhe voltava nenhuma. Coisas truncadas!

Se ela conseguisse espiar para dentro do coração da sobrinha, pode ser que achasse ali a sua imagem, e então... Desde que esta ideia penetrou no espírito de d. Paula, complicou-lhe um pouco a obra de reparação e cura. Era sincera, tratava da alma da outra, queria vê-la restituída ao marido. Na constância do pecado é que se pode desejar que outros pequem também, para descer de companhia ao purgatório; mas aqui o pecado já não existia. D. Paula mostrava à sobrinha a superioridade do marido, as suas virtudes e assim também as paixões, que podiam dar um mau desfecho ao casamento, pior que trágico, o repúdio.

Conrado, na primeira visita que lhes fez, nove dias depois, confirmou a advertência da tia; entrou frio e saiu frio. Venancinha ficou aterrada. Esperava que os nove dias de separação tivessem abrandado o marido, e, em verdade, assim era; mas ele mascarou-se à entrada e conteve-se para não capitular. E isto foi mais salutar que tudo o mais. O terror de perder o marido foi o principal elemento de restauração. O próprio desterro não pôde tanto.

Vai senão quando, dois dias depois daquela visita, estando ambas ao portão da chácara, prestes a sair para o passeio do costume, viram vir um cavaleiro. Venancinha fixou a vista, deu um pequeno grito, e correu a esconder-se atrás do muro. D. Paula compreendeu e ficou. Quis ver o cavaleiro de mais perto; viu-o dali a dois ou três minutos, um galhardo rapaz, elegante, com as suas finas botas lustrosas, muito bem-posto no selim; tinha a mesma cara do outro Vasco, era o filho; o mesmo jeito da cabeça, um pouco à direita, os mesmos ombros largos, os mesmos olhos redondos e profundos.

Nessa mesma noite, Venancinha contou-lhe tudo, depois da primeira palavra que ela lhe arrancou. Tinham-se visto nas corridas, uma vez, logo que ele chegou da Europa. Quinze dias depois, foi-lhe apresentado em um baile, e pareceu-lhe tão bem, com um ar tão parisiense, que ela falou dele, na manhã seguinte, ao marido. Conrado franziu o sobrolho, e foi este gesto que lhe deu uma ideia que até então não tinha. Começou a vê-lo com prazer; daí a pouco com certa ansiedade. Ele falava-lhe respeitosamente, dizia-lhe coisas amigas, que ela era a mais bonita moça do Rio, e a mais elegante, que já em Paris ouvira elogiá-la muito, por algumas senhoras da família Alvarenga. Tinha graça em criticar os outros, e sabia dizer também umas palavras sentidas, como ninguém. Não falava de amor, mas perseguia-a com os olhos, e ela, por mais que afastasse os seus, não podia afastá-los de todo. Começou a pensar nele, amiudadamente, com interesse, e quando se encontravam, batia-lhe muito o coração; pode ser que ele lhe visse então, no rosto, a impressão que fazia.

D. Paula, inclinada para ela, ouvia essa narração, que aí fica apenas resumida e coordenada. Tinha toda a vida nos olhos; a boca meio aberta, parecia beber as palavras da sobrinha, ansiosamente, como um cordial. E pedia-lhe mais, que lhe contasse tudo, tudo. Venancinha criou confiança. O ar da tia era tão jovem, a exortação tão meiga e cheia de um perdão antecipado, que ela achou ali uma confidente e amiga, não obstante algumas frases severas que lhe ouviu, mescladas às outras, por um motivo de inconsciente hipocrisia. Não digo cálculo; d. Paula enganava-se a si mesma. Podemos compará-la a um general inválido, que forceja por achar um pouco do antigo ardor na audiência de outras campanhas.

— Já vês que teu marido tinha razão — dizia ela —, foste imprudente, muito imprudente...

Venancinha achou que sim, mas jurou que estava tudo acabado.

— Receio que não. Chegaste a amá-lo deveras?

— Titia...

— Tu ainda gostas dele!

— Juro que não. Não gosto; mas confesso... sim... confesso que gostei... Perdoe-me tudo; não diga nada a Conrado; estou arrependida... Repito que a princípio um pouco fascinada... Mas que quer a senhora?

— Ele declarou-te alguma coisa?

— Declarou; foi no teatro, uma noite, no teatro Lírico, à saída. Tinha costume de ir buscar-me ao camarote e conduzir-me até o carro; e foi à saída... duas palavras...

D. Paula não perguntou, por pudor, as próprias palavras do namorado, mas imaginou as circunstâncias, o corredor, os pares que saíam, as luzes, a multidão, o rumor das vozes, e teve o poder de representar, com o quadro, um pouco das sensações dela; e pediu-lhas com interesse, astutamente.

— Não sei o que senti — acudiu a moça cuja comoção crescente ia desatando a língua —, não me lembro dos primeiros cinco minutos. Creio que fiquei séria; em todo o caso, não lhe disse nada. Pareceu-me que toda gente olhava para nós, que teriam ouvido, e quando alguém me cumprimentava sorrindo, dava-me ideia de estar caçoando. Desci as escadas não sei como, entrei no carro sem saber o que fazia; ao apertar-lhe a mão, afrouxei bem os dedos. Juro-lhe que não queria ter ouvido nada. Conrado disse-me que tinha sono, e encostou-se ao fundo do carro; foi melhor assim, porque eu não sei que diria, se tivéssemos de ir conversando. Encostei-me também, mas por pouco tempo; não podia estar na mesma posição. Olhava para fora através dos vidros, e via só o clarão dos lampiões, de quando em quando, e afinal nem isso mesmo; via os corredores do teatro, as escadas, as pessoas todas, e ele ao pé de mim, cochichando as palavras, duas palavras só, e não posso dizer o que pensei em todo esse tempo; tinha as ideias baralhadas, confusas, uma revolução em mim...

— Mas, em casa?

— Em casa, despindo-me, é que pude refletir um pouco, mas muito pouco. Dormi tarde, e mal. De manhã, tinha a cabeça aturdida. Não posso dizer que estava alegre nem triste; lembro-me que pensava muito nele, e para arredá-lo prometi a mim mesma revelar tudo ao Conrado; mas o pensamento voltava outra vez. De quando em quando, parecia-me escutar a voz dele, e estremecia. Cheguei a lembrar-me que, à despedida, lhe dera os dedos frouxos, e sentia, não sei como diga, uma espécie de arrependimento, um medo de o ter ofendido... e depois vinha o desejo de o ver outra vez... Perdoe-me, titia; a senhora é que quer que lhe conte tudo.

A resposta de d. Paula foi apertar-lhe muito a mão e fazer um gesto de cabeça. Afinal achava alguma coisa de outro tempo, ao contato daquelas sensações ingenuamente narradas. Tinha os olhos, ora meio cerrados, na sonolência da recordação — ora aguçados de curiosidade e calor, e ouvia tudo, dia por dia, encontro por encontro, a própria cena do teatro, que a sobrinha a princípio lhe ocultara. E vinha tudo o mais, horas de ânsia, de saudade, de medo, de esperança, desalentos, dissimulações, ímpetos, toda a agitação de uma criatura em tais circunstâncias, nada dispensava a curiosidade insaciável da tia. Não era um livro, não era sequer um capítulo de adultério, mas um prólogo — interessante e violento.

Venancinha acabou. A tia não lhe disse nada, deixou-se estar metida em si mesma; depois acordou, pegou-lhe na mão e puxou-a. Não lhe falou logo; fitou primeiro, e de perto, toda essa mocidade, inquieta e palpitante, a boca fresca, os olhos ainda infinitos, e só voltou a si quando a sobrinha lhe pediu outra vez perdão. D. Paula disse-lhe tudo o que a ternura e a austeridade da mãe lhe poderia dizer, falou-

-lhe de castidade, de amor ao marido, de respeito público; foi tão eloquente que Venancinha não pôde conter-se, e chorou.

Veio o chá, mas não há chá possível depois de certas confidências. Venancinha recolheu-se logo, e, como a luz era agora maior, saiu da sala com os olhos baixos, para que o criado lhe não visse a comoção. D. Paula ficou diante da mesa e do criado. Gastou vinte minutos, ou pouco menos, em beber uma xícara de chá e roer um biscoito, e apenas ficou só, foi encostar-se à janela, que dava para a chácara.

Ventava um pouco, as folhas moviam-se sussurrando, e, conquanto não fossem as mesmas do outro tempo, ainda assim perguntavam-lhe: "Paula, você lembra-se do outro tempo?". Que esta é a particularidade das folhas, as gerações que passam contam às que chegam as coisas que viram, e é assim que todas sabem tudo e perguntam por tudo. Você lembra-se do outro tempo?

Lembrar, lembrava; mas aquela sensação de há pouco, reflexo apenas, tinha agora cessado. Em vão repetia as palavras da sobrinha, farejando o ar agreste da noite: era só na cabeça que achava algum vestígio, reminiscências, coisas truncadas. O coração empacara de novo; o sangue ia outra vez com a andadura do costume. Faltava-lhe o contato moral da outra. E continuava, apesar de tudo, diante da noite, que era igual às outras noites de então, e nada tinha que se parecesse com as do tempo da Stoltz e do marquês de Paraná; mas continuava, e lá dentro as pretas espalhavam o sono contando anedotas, e diziam, uma ou outra vez, impacientes:

— Sinhá velha hoje deita tarde como diabo!

Gazeta de Notícias, *12 de outubro de 1884; Machado de Assis.*

Viver!

Fim dos tempos. Ahasverus, sentado em uma rocha, fita longamente o horizonte, onde passam duas águias, cruzando-se. Medita, depois sonha. Vai declinando o dia.

AHASVERUS — Chego à cláusula dos tempos; este é o limiar da eternidade. A terra está deserta; nenhum outro homem respira o ar da vida. Sou o último; posso morrer. Morrer! deliciosa ideia! Séculos de séculos vivi, cansado, mortificado, andando sempre, mas ei-los que acabam e vou morrer com eles. Velha natureza, adeus! Céu azul, nuvens renascentes, rosas de um dia e de todos os dias, águas perenes, terra inimiga, que me não comeste os ossos, adeus! O errante não errará mais. Deus me perdoará, se quiser, mas a morte consola-me. Aquela montanha é áspera como a minha dor; aquelas águias, que ali passam, devem ser famintas como o meu desespero. Morrereis também, águias divinas?

PROMETEU — Certo que os homens acabaram; a terra está nua deles.

AHASVERUS — Ouço ainda uma voz... Voz de homem? Céus implacáveis, não sou então o último? Ei-lo que se aproxima... Quem és tu? Há em teus grandes olhos alguma coisa parecida com a luz misteriosa dos arcanjos de Israel; não és homem...

PROMETEU — Não.

AHASVERUS — Raça divina?

PROMETEU — Tu o disseste.

AHASVERUS — Não te conheço; mas que importa que te não conheça? Não és homem; posso então morrer; pois sou o último, e fecho a porta da vida.

PROMETEU — A vida, como a antiga Tebas, tem cem portas. Fechas uma, outras se abrirão. És o último da tua espécie? Virá outra espécie melhor, não feita do mesmo barro, mas da mesma luz. Sim, homem derradeiro, toda a plebe dos espíritos perecerá para sempre; a flor deles é que voltará à terra para reger as coisas. Os tempos serão retificados. O mal acabará; os ventos não espalharão mais, nem os germes da morte, nem o clamor dos oprimidos, mas tão somente a cantiga do amor perene e a bênção da universal justiça...

AHASVERUS — Que importa à espécie que vai morrer comigo toda essa delícia póstuma? Crê-me, tu que és imortal, para os ossos que apodrecem na terra as púrpuras de Sidônia não valem nada. O que tu me contas é ainda melhor que o sonho de Campanella. Na cidade deste havia delitos e enfermidades; a tua exclui todas as lesões morais e físicas. O Senhor te ouça! Mas deixa-me ir morrer.

PROMETEU — Vai, vai. Que pressa tens em acabar os teus dias?

AHASVERUS — A pressa de um homem que tem vivido milheiros de anos. Sim, milheiros de anos. Homens que apenas respiraram por dezenas deles, inventaram um sentimento de enfado, *tedium vitae*, que eles nunca puderam conhecer, ao menos em toda a sua implacável e vasta realidade, porque é preciso haver calcado, como eu, todas as gerações e todas as ruínas, para experimentar esse profundo fastio da existência.

PROMETEU — Milheiros de anos?

AHASVERUS — Meu nome é Ahasverus: vivia em Jerusalém, ao tempo em que iam crucificar Jesus Cristo. Quando ele passou pela minha porta, afrouxou ao peso do madeiro que levava aos ombros, e eu empurrei-o, bradando-lhe que não parasse, que não descansasse, que fosse andando até a colina, onde tinha de ser crucificado... Então uma voz anunciou-me do céu que eu andaria sempre, continuamente, até o fim dos tempos. Tal é a minha culpa; não tive piedade para com aquele que ia morrer. Não sei mesmo como isto foi. Os fariseus diziam que o filho de Maria vinha destruir a lei, e que era preciso matá-lo; eu, pobre ignorante, quis realçar o meu zelo e daí a ação daquele dia. Que de vezes vi isto mesmo, depois, atravessando os tempos e as cidades! Onde quer que o zelo penetrou numa alma subalterna, fez-se cruel ou ridículo. Foi a minha culpa irremissível.

Prometeu — Grave culpa, em verdade, mas, a pena foi benévola. Os outros homens leram da vida um capítulo, tu leste o livro inteiro. Que sabe um capítulo de outro capítulo? Nada; mas o que os leu a todos, liga-os e conclui. Há páginas melancólicas? Há outras joviais e felizes. À convulsão trágica precede a do riso, a vida brota da morte, cegonhas e andorinhas trocam de clima, sem jamais abandoná-lo inteiramente; é assim que tudo se concerta e restitui. Tu viste isso, não dez vezes, não mil vezes, mas todas as vezes; viste a magnificência da terra curando a aflição da alma, e a alegria da alma suprindo à desolação das coisas; dança alternada da natureza, que dá a mão esquerda a Jó e a direita a Sardanapalo.

Ahasverus — Que sabes tu da minha vida? Nada; ignoras a vida humana.

Prometeu — Ignoro a vida humana? deixa-me rir! Eia, homem perpétuo, explica-te. Conta-me tudo; saíste de Jerusalém...

Ahasverus — Saí de Jerusalém. Comecei a peregrinação dos tempos. Ia a toda a parte, qualquer que fosse a raça, o culto ou a língua; sóis e neves, povos bárbaros e cultos, ilhas, continentes, onde quer que respirasse um homem, aí respirei eu. Nunca mais trabalhei. Trabalho é refúgio, e não tive esse refúgio. Cada manhã achava comigo a moeda do dia... Vede; cá está a última. Ide, que já não sois precisa (*atira a moeda ao longe*). Não trabalhava, andava apenas, sempre, sempre, sempre, um dia e outro dia, um ano e outro ano, e todos os anos, e todos os séculos. A eterna justiça soube o que fez: somou a eternidade com a ociosidade. As gerações legavam-me umas às outras. As línguas que morriam ficavam com o meu nome embutido na ossada. Com o volver dos tempos, esquecia-se tudo; os heróis dissipavam-se em mitos, na penumbra, ao longe; e a história ia caindo aos pedaços, não lhe ficando mais que duas ou três feições vagas e remotas. E eu via-as de um modo e de outro modo. Falaste em capítulo? Felizes os que só leram a vida em um capítulo. Os que se foram, à nascença dos impérios, levaram a impressão da perpetuidade deles; os que expiraram quando eles decaíam, enterraram-se com a esperança da recomposição; mas sabes tu o que é ver as mesmas coisas, sem parar, a mesma alternativa de prosperidade e desolação, desolação e prosperidade, eternas exéquias e eternas aleluias, auroras sobre auroras, ocasos sobre ocasos?

Prometeu — Mas não padeceste, creio; é alguma coisa não padecer nada.

Ahasverus — Sim, mas vi padecer os outros homens, e, para o fim, o espetáculo da alegria dava-me a mesma sensação que os discursos de um doido. Fatalidades do sangue e da carne, conflitos sem fim, tudo vi passar a meus olhos, a ponto que a noite me fez perder o gosto ao dia, e acabo não distinguindo as flores das urzes. Tudo se me confunde na retina enfarada.

PROMETEU — Pessoalmente não te doeu nada; e eu que padeci por tempos inúmeros o efeito da cólera divina?

AHASVERUS — Tu?

PROMETEU — Prometeu é o meu nome.

AHASVERUS — Tu Prometeu?

PROMETEU — E qual foi o meu crime? Fiz de lodo e água os primeiros homens, e depois, compadecido, roubei para eles o fogo do céu. Tal foi o meu crime. Júpiter, que então regia o Olimpo, condenou-me ao mais cruel suplício. Anda, sobe comigo a este rochedo.

AHASVERUS — Contas-me uma fábula. Conheço esse sonho helênico.

PROMETEU — Velho incrédulo! Anda ver as próprias correntes que me agrilhoaram; foi uma pena excessiva para nenhuma culpa; mas a divindade orgulhosa e terrível... Chegamos, olha, aqui estão elas...

AHASVERUS — O tempo que tudo rói não as quis então?

PROMETEU — Eram de mão divina; fabricou-as Vulcano. Dois emissários do céu vieram atar-me ao rochedo, e uma águia, como aquela que lá corta o horizonte, comia-me o fígado, sem consumi-lo nunca. Durou isto tempos que não contei. Não, não podes imaginar este suplício...

AHASVERUS — Não me iludes? Tu Prometeu? Não foi então um sonho da imaginação antiga?

PROMETEU — Olha bem para mim, palpa estas mãos. Vê se existo.

AHASVERUS — Moisés mentiu-me. Tu Prometeu, criador dos primeiros homens?

PROMETEU — Foi o meu crime.

AHASVERUS — Sim, foi o teu crime, artífice do inferno; foi o teu crime inexpiável. Aqui devias ter ficado por todos os tempos, agrilhoado e devorado, tu, origem dos males que me afligiram. Careci de piedade, é certo; mas tu, que me trouxeste à existência, divindade perversa, foste a causa original de tudo.

PROMETEU — A morte próxima obscurece-te a razão.

AHASVERUS — Sim, és tu mesmo, tens a fronte olímpica, forte e belo titão: és tu mesmo... São estas as cadeias? Não vejo o sinal das tuas lágrimas.

PROMETEU — Chorei-as pela tua raça.

AHASVERUS — Ela chorou muito mais por tua culpa.

PROMETEU — Ouve, último homem, último ingrato!

AHASVERUS — Para que quero eu palavras tuas? Quero os teus gemidos, divindade perversa. Aqui estão as cadeias. Vê como as levanto nas mãos; ouve o tinir dos ferros... Quem te desagrilhoou outrora?

PROMETEU — Hércules.

AHASVERUS — Hércules... Vê se ele te presta igual serviço, agora que vais ser novamente agrilhoado.

PROMETEU — Deliras.

AHASVERUS — O céu deu-te o primeiro castigo; agora a terra vai dar-te o segundo e derradeiro. Nem Hércules poderá mais romper estes ferros. Olha como os agito no ar, à maneira de plumas; é que eu represento a força dos desesperos milenários. Toda a humanidade está em mim. Antes de cair no abismo, escreverei nesta pedra o epitáfio de um mundo. Chamarei a águia, e ela virá; dir-lhe-ei que o derradeiro homem, ao partir da vida, deixa-lhe um regalo de deuses.

PROMETEU — Pobre ignorante, que rejeitas um trono! Não, não podes mesmo rejeitá-lo.

AHASVERUS — És tu agora que deliras. Eia, prostra-te, deixa-me ligar-te os braços. Assim, bem, não resistirás mais; arqueja para aí. Agora as pernas...

PROMETEU — Acaba, acaba. São as paixões da terra que se voltam contra mim; mas eu, que não sou homem, não conheço a ingratidão. Não arrancarás uma letra ao teu destino, ele se cumprirá inteiro. Tu mesmo serás o novo Hércules. Eu, que anunciei a glória do outro, anuncio a tua; e não serás menos generoso que ele.

AHASVERUS — Deliras tu?

PROMETEU — A verdade ignota aos homens é o delírio de quem a anuncia. Anda, acaba.

AHASVERUS — A glória não paga nada, e extingue-se.

PROMETEU — Esta não se extinguirá. Acaba, acaba; ensina ao bico adunco da águia como me há de devorar a entranha; mas escuta... Não, não escutes nada; não podes entender-me.

AHASVERUS — Fala, fala.

PROMETEU — O mundo passageiro não pode entender o mundo eterno; mas tu serás o elo entre ambos.

AHASVERUS — Dize tudo.

PROMETEU — Não digo nada; anda, aperta bem estes pulsos, para que eu não fuja, para que me aches aqui à tua volta. Que te diga tudo? Já te disse que uma raça nova povoará a terra, feita dos melhores espíritos da raça extinta; a multidão dos outros perecerá. Nobre família, lúcida e poderosa, será a perfeita comunhão do divino com o humano. Outros serão os tempos, mas entre eles e estes um elo é preciso, e esse elo és tu.

AHASVERUS — Eu?

PROMETEU — Tu mesmo, tu, eleito, tu, rei. Sim, Ahasverus, tu serás rei. O errante pousará. O desprezado dos homens governará os homens.

AHASVERUS — Titão artificioso, iludes-me... Rei, eu?

PROMETEU — Tu rei. Que outro seria? O mundo novo precisa de uma tradição do mundo velho, e ninguém pode falar de um a outro como tu. Assim não haverá interrupção entre as duas humanidades. O perfeito procederá do imperfeito, e a tua boca dir-lhe-á as suas origens. Contarás aos novos homens todo o bem e todo o mal antigo. Reviverás assim como a árvore a que cortaram as folhas secas, e conserva tão-somente as viçosas; mas aqui o viço é eterno.

AHASVERUS — Visão luminosa! Eu mesmo?

PROMETEU — Tu mesmo.

AHASVERUS — Estes olhos... estas mãos... vida nova e melhor... Visão excelsa! Titão, é justo. Justa foi a pena; mas igualmente justa é a remissão gloriosa do meu pecado. Viverei eu? eu mesmo? Vida nova e melhor? Não, tu mofas de mim.

PROMETEU — Bem, deixa-me, voltarás um dia, quando este imenso céu for aberto para que desçam os espíritos da vida nova. Aqui me acharás tranquilo. Vai.

AHASVERUS — Saudarei outra vez o sol?

PROMETEU — Esse mesmo que ora vai a cair. Sol amigo, olho dos tempos, nunca mais se fechará a tua pálpebra. Fita-o, se podes.

AHASVERUS — Não posso.

PROMETEU — Podê-lo-ás depois quando as condições da vida houverem mudado. Então a tua retina fitará o sol sem perigo, porque no homem futuro ficará concentrado tudo o que há melhor na natureza, enérgico ou sutil, cintilante ou puro.

AHASVERUS — Jura que não me mentes.

PROMETEU — Verás se minto.

AHASVERUS — Fala, fala mais, conta-me tudo.

PROMETEU — A descrição da vida não vale a sensação da vida; tê-la-ás prodigiosa. O seio de Abraão das tuas velhas Escrituras não é senão esse mundo ulterior e perfeito. Lá verás Davi e os profetas. Lá contarás à gente estupefata, não só as grandes ações do mundo extinto, como também os males que ela não há de conhecer, lesão ou velhice, dolo, egoísmo, hipocrisia, a aborrecida vaidade, a inopinável toleima e o resto. A alma terá, como a terra, uma túnica incorruptível.

AHASVERUS — Verei ainda este imenso céu azul!

PROMETEU — Olha como é belo.

AHASVERUS — Belo e sereno como a eterna justiça. Céu magnífico, melhor que as tendas de Cedar, ver-te-ei ainda e sempre; tu recolherás os meus pensamentos, como outrora; tu me darás os dias claros e as noites amigas...

PROMETEU — Auroras sobre auroras.

AHASVERUS — Eia, fala, fala mais. Conta-me tudo. Deixa-me desatar-te estas cadeias...

PROMETEU — Desata-as, Hércules novo, homem derradeiro de um mundo, que vais ser o primeiro de outro. É o teu destino; nem tu nem eu, ninguém poderá mudá-lo. És mais ainda que o teu Moisés. Do alto do Nebo, viu ele, prestes a morrer, toda a terra de Jericó, que ia pertencer à sua posteridade; e o Senhor lhe disse: "Tu a viste com teus olhos, e não passarás a ela". Tu passarás a ela, Ahasverus; tu habitarás Jericó.

AHASVERUS — Põe a mão sobre a minha cabeça, olha bem para mim; incute-me a tua realidade e a tua predição; deixa-me sentir um pouco da vida nova e plena... Rei disseste?

PROMETEU — Rei eleito de uma raça eleita.

AHASVERUS — Não é demais para resgatar o profundo desprezo em que vivi. Onde uma vida cuspiu lama, outra vida porá uma auréola. Anda, fala mais... fala mais... (*Continua sonhando. As duas águias aproximam-se.*)

UMA ÁGUIA — Ai, ai, ai deste último homem, está morrendo e ainda sonha com a vida.

A OUTRA — Nem ele a odiou tanto, senão porque a amava muito.

Gazeta de Notícias, *28 de fevereiro de 1886; Machado de Assis.*

O cônego ou metafísica do estilo

— "Vem do Líbano, esposa minha, vem do Líbano, vem... As mandrágoras deram o seu cheiro. Temos às nossas portas toda a casta de pombos..."

— "Eu vos conjuro, filhas de Jerusalém, que se encontrardes o meu amado, lhe façais saber que estou enferma de amor..."

Era assim, com essa melodia do velho drama de Judá, que procuravam um ao outro na cabeça do cônego Matias um substantivo e um adjetivo... Não me interrompas, leitor precipitado; sei que não acreditas em nada do que vou dizer. Di-lo-ei, contudo, a despeito da tua pouca fé, porque o dia da conversão pública há de chegar.

Nesse dia — cuido que por volta de 2222 — o paradoxo despirá as asas para vestir a japona de uma verdade comum. Então esta página merecerá, mais que favor, apoteose. Hão de traduzi-la em todas as línguas. As academias e institutos farão dela um pequeno livro, para uso dos séculos, papel de bronze, corte-dourado, letras de opala embutidas, e capa de prata fosca. Os governos decretarão que ela seja ensinada nos ginásios e liceus. As filosofias queimarão todas as doutrinas anteriores, ainda as mais definitivas, e abraçarão esta psicologia nova, única verdadeira, e tudo estará acabado. Até lá passarei por tonto, como se vai ver.

Matias, cônego honorário e pregador efetivo, estava compondo um sermão quando começou o idílio psíquico. Tem quarenta anos de idade, e vive entre livros e livros para os lados da Gamboa. Vieram encomendar-lhe o sermão para certa festa próxima; ele que se regalava então com uma grande obra espiritual, chegada no último paquete, recusou o encargo; mas instaram tanto, que aceitou.

— Vossa reverendíssima faz isto brincando — disse o principal dos festeiros.

Matias sorriu manso e discreto, como devem sorrir os eclesiásticos e os diplomatas. Os festeiros despediram-se com grandes gestos de veneração, e foram anunciar a festa nos jornais, com a declaração de que pregava ao Evangelho o cônego Matias "um dos ornamentos do clero brasileiro". Este "ornamento do clero" tirou ao cônego a vontade de almoçar, quando ele o leu agora de manhã; e só por estar ajustado, é que se meteu a escrever o sermão.

Começou de má vontade, mas no fim de alguns minutos já trabalhava com amor. A inspiração, com os olhos no céu, e a meditação, com os olhos no chão, ficam a um e outro lado do espaldar da cadeira, dizendo ao ouvido do cônego mil coisas místicas e graves. Matias vai escrevendo, ora devagar, ora depressa. As tiras saem-lhe das mãos, animadas e polidas. Algumas trazem poucas emendas ou nenhumas. De repente, indo escrever um adjetivo, suspende-se; escreve outro e risca-o; mais outro, que não tem melhor fortuna. Aqui é o centro do idílio. Subamos à cabeça do cônego.

Upa! Cá estamos. Custou-te, não, leitor amigo? É para que não acredites nas pessoas que vão ao Corcovado, e dizem que ali a impressão da altura é tal, que o homem fica sendo coisa nenhuma. Opinião pânica e falsa, falsa como Judas e outros diamantes. Não creias tu nisso, leitor amado. Nem Corcovados, nem Himalaias valem muita coisa ao pé da tua cabeça, que os mede. Cá estamos. Olha bem que é a cabeça do cônego. Temos à escolha um ou outro dos hemisférios cerebrais; mas vamos por este, que é onde nascem os substantivos. Os adjetivos nascem no da esquerda. Descoberta minha, que, ainda assim, não é a principal, mas a base dela, como se vai ver. Sim, meu senhor, os adjetivos nascem de um lado, e os substantivos de outro, e toda a sorte de vocábulos está assim dividida por motivo da diferença sexual...

— Sexual?

Sim, minha senhora, sexual. As palavras têm sexo. Estou acabando a minha grande memória psico-lexico-lógica, em que exponho e demonstro esta descoberta. Palavra tem sexo.

— Mas, então, amam-se umas às outras?

Amam-se umas às outras. E casam-se. O casamento delas é o que chamamos estilo. Senhora minha, confesse que não entendeu nada.

— Confesso que não.

Pois entre aqui também na cabeça do cônego. Estão justamente a suspirar deste lado. Sabe quem é que suspira? é o substantivo de há pouco, o tal que o cônego escreveu no papel, quando suspendeu a pena. Chama por certo adjetivo, que lhe não aparece: "Vem do Líbano, vem...". E fala assim, pois está em cabeça de padre; se fosse de qualquer pessoa do século, a linguagem seria a de Romeu: "Julieta é o sol... ergue-te, lindo sol". Mas em cérebro eclesiástico, a linguagem é a das Escrituras. Ao cabo, que importam fórmulas? Namorados de Verona ou de Judá falam todos o mesmo idioma, como acontece com o *thaler* ou o dólar, o florim ou a libra, que é tudo o mesmo dinheiro.

Portanto, vamos lá por essas circunvoluções do cérebro eclesiástico, atrás do substantivo que procura o adjetivo. Sílvio chama por Sílvia. Escutai; ao longe parece que suspira também alguma pessoa; é Sílvia que chama por Sílvio.

Ouvem-se agora e procuram-se. Caminho difícil e intrincado que é este de um cérebro tão cheio de coisas velhas e novas! Há aqui um burburinho de ideias, que mal deixa ouvir os chamados de ambos; não percamos de vista o ardente Sílvio, que lá vai, que desce e sobe, escorrega e salta; aqui, para não cair, agarra-se a umas raízes latinas, ali abordoa-se a um salmo, acolá monta num pentâmetro, e vai sempre andando, levado de uma força íntima, a que não pode resistir.

De quando em quando, aparece-lhe alguma dama — adjetivo também — e oferece-lhe as suas graças antigas ou novas; mas, por Deus, não é a mesma, não é a única, a destinada *ab eterno* para este consórcio. E Sílvio vai andando, à procura da única. Passai, olhos de toda cor, formas de toda casta, cabelos cortados à cabeça do sol ou da noite; morrei sem eco, meigas cantilenas suspiradas no eterno violino; Sílvio não pede um amor qualquer, adventício ou anônimo; pede um certo amor nomeado e predestinado.

Agora não te assustes, leitor, não é nada; é o cônego que se levanta, vai à janela, e encosta-se a espairecer do esforço. Lá olha, lá esquece o sermão e o resto. O papagaio em cima do poleiro, ao pé da janela, repete-lhe as palavras do costume e, no terreiro, o pavão enfuna-se todo ao sol da manhã; o próprio sol, reconhecendo o cônego, manda-lhe um dos seus fiéis raios, a cumprimentá-lo. E o raio vem, e para diante da janela: "cônego ilustre, aqui venho trazer os recados do sol, meu senhor e pai". Toda a natureza parece assim bater palmas ao regresso daquele galé do espírito. Ele próprio alegra-se, entorna os olhos por esse ar puro, deixa-os ir fartarem-se de verdura e fresquidão, ao som de um passarinho e de um piano; depois fala ao papagaio, chama o jardineiro, assoa-se, esfrega as mãos, encosta-se. Não lhe lembra mais nem Sílvio nem Sílvia.

Mas Sílvio e Sílvia é que se lembram de si. Enquanto o cônego cuida em coisas estranhas, eles prosseguem em busca um do outro, sem que ele saiba nem suspeite nada. Agora, porém, o caminho é escuro. Passamos da consciência para a inconsciência, onde se faz a elaboração confusa das ideias, onde as reminiscências dormem ou cochilam. Aqui pulula a vida sem formas, os germes e os detritos, os rudimentos e os sedimentos; é o desvão imenso do espírito. Aqui caíram eles, à procura um do outro, chamando e suspirando. Dê-me a leitora a mão, agarre-se o leitor a mim, e escorreguemos também.

Vasto mundo incógnito. Sílvio e Sílvia rompem por entre embriões e ruínas. Grupos de ideias, deduzindo-se à maneira de silogismos, perdem-se no tumulto de reminiscências da infância e do seminário. Outras ideias, grávidas de ideias, arrastam-se pesadamente, amparadas por outras ideias virgens. Coisas e homens amalgamam-se; Platão traz os óculos de um escrivão da câmara eclesiástica; mandarins de todas as classes distribuem moedas etruscas e chilenas, livros ingleses e rosas pálidas; tão pálidas, que não parecem as mesmas que a mãe do cônego plantou quando ele era criança. Memórias pias e familiares cruzam-se e confundem-se. Cá estão as vozes remotas da primeira missa; cá estão as cantigas da roça que ele ouvia cantar às pretas, em casa; farrapos de sensações esvaídas, aqui um medo, ali um gosto, acolá um fastio de coisas que vieram cada uma por sua vez, e que ora jazem na grande unidade impalpável e obscura.

— Vem do Líbano, esposa minha...
— Eu vos conjuro, filhas de Jerusalém...

Ouvem-se cada vez mais perto. Eis aí chegam eles às profundas camadas de teologia, de filosofia, de liturgia, de geografia e de história, lições antigas, noções modernas, tudo à mistura, dogma e sintaxe. Aqui passou a mão panteísta de Espinosa, às escondidas; ali ficou a unhada do doutor Angélico; mas nada disso é Sílvio nem Sílvia. E eles vão rasgando, elevados de uma força íntima, afinidade secreta, através de todos os obstáculos e por cima de todos os abismos. Também os desgostos hão de vir. Pesares sombrios, que não ficaram no coração do cônego, cá estão, à laia de manchas morais, e ao pé deles reflexo amarelo ou roxo, ou o que quer que seja da dor alheia e universal. Tudo isso vão eles cortando, com a rapidez do amor e do desejo.

Cambaleias, leitor? Não é o mundo que desaba; é o cônego que se sentou agora mesmo. Espaireceu à vontade, tornou à mesa do trabalho, e relê o que escreveu, para continuar; pega da pena, molha-a, desce-a ao papel, a ver que adjetivo há de anexar ao substantivo.

Justamente agora é que os dois cobiçosos estão mais perto um do outro. As vozes crescem, o entusiasmo cresce, todo o *Cântico* passa pelos lábios deles, tocados de febre. Frases alegres, anedotas de sacristia, caricaturas, facécias, disparates, aspectos estúrdios, nada os retém, menos ainda os faz sorrir. Vão, vão, o espaço estreita-se. Ficai aí, perfis meio apagados de paspalhões que fizeram rir ao cônego, e que ele inteiramente esqueceu; ficai, rusgas extintas, velhas charadas, regras de voltarete, e vós também, células de ideias novas, debuxos de concepções, pó que tens de ser pirâmide, ficai, abalroai, esperai, desesperai, que eles não têm nada convosco. Amam-se e procuram-se.

Procuram-se e acham-se. Enfim, Sílvio achou Sílvia. Viram-se, caíram nos braços um do outro, ofegantes de canseira, mas remidos com a paga. Unem-se, entrelaçam os braços, e regressam palpitando da inconsciência para a consciência. "Quem é esta que sobe do deserto, firmada sobre o seu amado?" pergunta Sílvio, como no *Cântico*; e ela, com a mesma lábia erudita, responde-lhe que "é o selo do seu coração", e que "o amor é tão valente como a própria morte".

Nisto, o cônego estremece. O rosto ilumina-se-lhe. A pena, cheia de comoção e respeito, completa o substantivo com o adjetivo. Sílvia caminhará agora ao pé de Sílvio, no sermão que o cônego vai pregar um dia destes, e irão juntinhos ao prelo, se ele coligir os seus escritos, o que não se sabe.

Gazeta de Notícias, *22 de novembro de 1885; Machado de Assis.*

Páginas

Páginas recolhidas foi publicado
pela primeira vez em 1899, por
H. Garnier, Livreiro-Editor, no Rio de Janeiro.

O caso da vara

O dicionário

Um erradio

Eterno!

Missa do galo

Ideias de canário

recolhidas

Lágrimas de Xerxes

Papéis velhos

A estátua de José de Alencar

Henriqueta Renan

O velho Senado

Tu, só tu, puro amor

Entre 1892 e 1894

Vae soli!

Os salteadores da Tessália

O sermão do diabo

A cena do cemitério

Canção de piratas

Garnier

Prefácio

Montaigne explica pelo seu modo dele a variedade deste livro. Não há que repetir a mesma ideia, nem qualquer outro lhe daria a graça da expressão que vai por epígrafe. O que importa unicamente é dizer a origem destas páginas.

Umas são contos e novelas, figuras que vi ou imaginei, ou simples ideias que me deu na cabeça reduzir a linguagem. Saíram primeiro nas folhas volantes do jornalismo, em data diversa, e foram escolhidas dentre muitas, por achar que ainda agora possam interessar. Também vai aqui *Tu só, tu, puro amor...*, comédia escrita para as festas centenárias de Camões, e representada por essa ocasião. Tiraram-se dela cem exemplares numerados que se distribuíram por algumas estantes e bibliotecas. Uma análise da correspondência de Renan com sua irmã Henriqueta, e um debuxo do nosso antigo Senado foram dados na *Revista Brasileira*, tão brilhantemente dirigida pelo meu ilustre e prezado amigo José Veríssimo. Sai também um pequeno discurso, lido quando se lançou a primeira pedra da estátua de Alencar. Enfim, alguns retalhos de cinco anos de crônica na *Gazeta de Notícias* que me pareceram não destoar do livro, seja porque o objeto não passasse inteiramente, seja porque o aspecto que lhe achei ainda agora me fale ao espírito. Tudo é pretexto para recolher folhas amigas.

Machado de Assis

O caso da vara

Damião fugiu do seminário às onze horas da manhã de uma sexta-feira de agosto. Não sei bem o ano; foi antes de 1850. Passados alguns minutos parou vexado; não contava com o efeito que produzia nos olhos da outra gente aquele seminarista que ia espantado, medroso, fugitivo. Desconhecia as ruas, andava e desandava; finalmente parou. Para onde iria? Para casa, não; lá estava o pai que o devolveria ao seminário, depois de um bom castigo. Não assentara no ponto de refúgio, porque a saída estava determinada para mais tarde; uma circunstância fortuita a apressou. Para onde iria? Lembrou-se do padrinho, João Carneiro, mas o padrinho era um moleirão sem vontade, que por si só não faria coisa útil. Foi ele que o levou ao seminário e o apresentou ao reitor:

— Trago-lhe o grande homem que há de ser — disse ele ao reitor.

— Venha — acudiu este —, venha o grande homem, contanto que seja também humilde e bom. A verdadeira grandeza é chã. Moço...

Tal foi a entrada. Pouco tempo depois fugiu o rapaz ao seminário. Aqui o vemos agora na rua, espantado, incerto, sem atinar com refúgio nem conselho; percorreu de memória as casas de parentes e amigos, sem se fixar em nenhuma. De repente, exclamou:

— Vou pegar-me com Sinhá Rita! Ela manda chamar meu padrinho, diz-lhe que quer que eu saia do seminário... Talvez assim...

Sinhá Rita era uma viúva, querida de João Carneiro; Damião tinha umas ideias vagas dessa situação e tratou de a aproveitar. Onde morava? Estava tão atordoado, que só daí a alguns minutos é que lhe acudiu a casa; era no largo do Capim.

— Santo nome de Jesus! Que é isto? — bradou Sinhá Rita, sentando-se na marquesa, onde estava reclinada.

Damião acabava de entrar espavorido; no momento de chegar a casa, vira passar um padre, e deu um empurrão à porta, que por fortuna não estava fechada a chave nem ferrolho. Depois de entrar espiou pela rótula, a ver o padre. Este não deu por ele e ia andando.

— Mas que é isto, senhor Damião? — bradou novamente a dona da casa, que só agora o conhecera. — Que vem fazer aqui?

Damião, trêmulo, mal podendo falar, disse que não tivesse medo, não era nada; ia explicar tudo.

— Descanse; e explique-se.

— Já lhe digo; não pratiquei nenhum crime, isso juro; mas espere.

Sinhá Rita olhava para ele espantada, e todas as crias, de casa, e de fora, que estavam sentadas em volta da sala, diante das suas almofadas de renda, todas fizeram parar os bilros e as mãos. Sinhá Rita vivia principalmente de ensinar a fazer renda, crivo e bordado. Enquanto o rapaz tomava fôlego, ordenou às pequenas que trabalhassem, e esperou. Afinal, Damião contou tudo, o desgosto que lhe dava o seminário; estava certo de que não podia ser bom padre; falou com paixão, pediu-lhe que o salvasse.

— Como assim? Não posso nada.

— Pode, querendo.

— Não — replicou ela abanando a cabeça —, não me meto em negócios de sua família, que mal conheço; e então seu pai, que dizem que é zangado!

Damião viu-se perdido... Ajoelhou-se-lhe aos pés, beijou-lhe as mãos, desesperado.

— Pode muito, Sinhá Rita; peço-lhe pelo amor de Deus, pelo que a senhora tiver de mais sagrado, por alma de seu marido, salve-me da morte, porque eu mato-me, se voltar para aquela casa.

Sinhá Rita, lisonjeada com as súplicas do moço, tentou chamá-lo a outros sentimentos. A vida de padre era santa e bonita, disse-lhe ela; o tempo lhe mostraria que era melhor vencer as repugnâncias e um dia... Não, nada, nunca! redarguia Damião, abanando a cabeça e beijando-lhe as mãos; e repetia que era a sua morte. Sinhá Rita hesitou ainda muito tempo; afinal perguntou-lhe por que não ia ter com o padrinho.

— Meu padrinho? Esse é ainda pior que papai; não me atende, duvido que atenda a ninguém...

— Não atende? — interrompeu Sinhá Rita ferida em seus brios. — Ora, eu lhe mostro se atende ou não...

Chamou um moleque e bradou-lhe que fosse à casa do sr. João Carneiro chamá-lo, já e já; e se não estivesse em casa, perguntasse onde podia ser encontrado, e corresse a dizer-lhe que precisava muito de lhe falar imediatamente.

— Anda, moleque.

Damião suspirou alto e triste. Ela, para mascarar a autoridade com que dera aquelas ordens, explicou ao moço que o sr. João Carneiro fora amigo do marido e arranjara-lhe algumas crias para ensinar. Depois, como ele continuasse triste, encostado a um portal, puxou-lhe o nariz, rindo:

— Ande lá, seu padreco, descanse que tudo se há de arranjar.

Sinhá Rita tinha quarenta anos na certidão de batismo, e vinte e sete nos olhos. Era apessoada, viva, patusca, amiga de rir; mas, quando convinha, brava como diabo. Quis alegrar o rapaz, e, apesar da situação, não lhe custou muito. Dentro de pouco, ambos eles riam, ela contava-lhe anedotas, e pedia-lhe outras, que ele referia com singular graça. Uma destas, estúrdia, obrigada a trejeitos, fez rir a uma das crias de Sinhá Rita, que esquecera o trabalho, para mirar e escutar o moço. Sinhá Rita pegou de uma vara que estava ao pé da marquesa, e ameaçou-a:

— Lucrécia, olha a vara!

A pequena abaixou a cabeça, aparando o golpe, mas o golpe não veio. Era uma advertência; se à noitinha a tarefa não estivesse pronta, Lucrécia receberia o castigo do costume. Damião olhou para a pequena; era uma negrinha, magricela, um frangalho de nada, com uma cicatriz na testa e uma queimadura na mão esquerda. Contava onze anos. Damião reparou que tossia, mas para dentro, surdamente, a fim de não interromper a conversação. Teve pena da negrinha, e resolveu apadrinhá-la, se não acabasse a tarefa. Sinhá Rita não lhe negaria o perdão... Demais, ela rira por achar-lhe graça; a culpa era sua, se há culpa em ter chiste.

Nisto, chegou João Carneiro. Empalideceu quando viu ali o afilhado, e olhou para Sinhá Rita, que não gastou tempo com preâmbulos. Disse-lhe que era preciso tirar o moço do seminário, que ele não tinha vocação para a vida eclesiástica, e antes um padre de menos que um padre ruim. Cá fora também se podia amar e servir a Nosso Senhor. João Carneiro, assombrado, não achou que replicar durante os primeiros minutos; afinal, abriu a boca e repreendeu o afilhado por ter vindo incomodar "pessoas estranhas", e em seguida afirmou que o castigaria.

— Qual castigar, qual nada! — interrompeu Sinhá Rita. — Castigar por quê? Vá, vá falar a seu compadre.

— Não afianço nada, não creio que seja possível...

— Há de ser possível, afianço eu. Se o senhor quiser — continuou ela com certo tom insinuativo —, tudo se há de arranjar. Peça-lhe muito, que ele cede. Ande, senhor João Carneiro, seu afilhado não volta para o seminário; digo-lhe que não volta...

— Mas, minha senhora...

— Vá, vá.

João Carneiro não se animava a sair, nem podia ficar. Estava entre um puxar de forças opostas. Não lhe importava, em suma, que o rapaz acabasse clérigo, advogado ou médico, ou outra qualquer coisa, vadio que fosse; mas o pior é que lhe cometiam uma luta ingente com os sentimentos mais íntimos do compadre, sem certeza do resultado; e, se este fosse negativo, outra luta com Sinhá Rita, cuja última palavra era ameaçadora: "digo-lhe que ele não volta". Tinha de haver por força um escândalo. João Carneiro estava com a pupila desvairada, a pálpebra trêmula, o peito ofegante. Os olhares que deitava a Sinhá Rita eram de súplica, mesclados de um tênue raio de censura. Por que lhe não pedia outra coisa? Por que lhe não ordenava que fosse a pé, debaixo de chuva, à Tijuca, ou Jacarepaguá? Mas logo persuadir ao compadre que mudasse a carreira do filho... Conhecia o velho; era capaz de lhe quebrar uma jarra na cara. Ah! se o rapaz caísse ali, de repente, apoplético, morto! Era uma solução — cruel, é certo, mas definitiva.

— Então? — insistiu Sinhá Rita.

Ele fez-lhe um gesto de mão que esperasse. Coçava a barba, procurando um recurso. Deus do céu! um decreto do papa dissolvendo a Igreja, ou, pelo menos, extinguindo os seminários, faria acabar tudo em bem. João Carneiro voltaria para casa e ia jogar os três-setes. Imaginai que o barbeiro de Napoleão era encarregado de comandar a batalha de Austerlitz... Mas a Igreja continuava, os seminários continuavam, o afilhado continuava cosido à parede, olhos baixos, esperando, sem solução apoplética.

— Vá, vá — disse Sinhá Rita dando-lhe o chapéu e a bengala.

Não teve remédio. O barbeiro meteu a navalha no estojo, travou da espada e saiu à campanha. Damião respirou; exteriormente deixou-se estar na mesma, olhos fincados no chão, acabrunhado. Sinhá Rita puxou-lhe desta vez o queixo.

— Ande jantar, deixe-se de melancolias.

— A senhora crê que ele alcance alguma coisa?

— Há de alcançar tudo — redarguiu Sinhá Rita cheia de si. — Ande, que a sopa está esfriando.

Apesar do gênio galhofeiro de Sinhá Rita, e do seu próprio espírito leve, Damião esteve menos alegre ao jantar que na primeira parte do dia. Não fiava do caráter mole do padrinho. Contudo, jantou bem; e, para o fim, voltou às pilhérias da manhã. À sobremesa, ouviu um rumor de gente na sala, e perguntou se o vinham prender.

— Hão de ser as moças.

Levantaram-se e passaram à sala. As moças eram cinco vizinhas que iam todas as tardes tomar café com Sinhá Rita, e ali ficavam até o cair da noite.

As discípulas, findo o jantar delas, tornaram às almofadas do trabalho. Sinhá Rita presidia a todo esse mulherio de casa e de fora. O sussurro dos bilros e o palavrear das moças eram ecos tão mundanos, tão alheios à teologia e ao latim, que o rapaz deixou-se ir por eles e esqueceu o resto. Durante os primeiros minutos, ainda houve da parte das vizinhas certo acanhamento; mas passou depressa. Uma delas cantou uma modinha, ao som da guitarra, tangida por Sinhá Rita, e a tarde foi passando depressa. Antes do fim, Sinhá Rita pediu a Damião que contasse certa anedota que lhe agradara muito. Era a tal que fizera rir Lucrécia.

— Ande, senhor Damião, não se faça de rogado, que as moças querem ir embora. Vocês vão gostar muito.

Damião não teve remédio senão obedecer. Malgrado o anúncio e a expectação, que serviam a diminuir o chiste e o efeito, a anedota acabou entre risadas das moças. Damião, contente de si, não esqueceu Lucrécia e olhou para ela, a ver se rira também. Viu-a com a cabeça metida na almofada para acabar a tarefa. Não ria; ou teria rido para dentro, como tossia.

Saíram as vizinhas, e a tarde caiu de todo. A alma de Damião foi-se fazendo tenebrosa, antes da noite. Que estaria acontecendo? De instante a instante, ia espiar pela rótula, e voltava cada vez mais desanimado. Nem sombra do padrinho. Com certeza, o pai fê-lo calar, mandou chamar dois negros, foi à polícia pedir um pedestre, aí vinha pegá-lo à força e levá-lo ao seminário. Damião perguntou a Sinhá Rita se a casa não teria saída pelos fundos; correu ao quintal, calculou que podia saltar o muro. Quis ainda saber se haveria modo de fugir para a rua da Vala, ou se era melhor falar a algum vizinho que fizesse o favor de o receber. O pior era a batina; se Sinhá Rita lhe pudesse arranjar um rodaque, uma sobrecasaca velha... Sinhá Rita dispunha justamente de um rodaque, lembrança ou esquecimento de João Carneiro.

— Tenho um rodaque do meu defunto — disse ela, rindo —, mas para que está com esses sustos? Tudo se há de arranjar, descanse.

Afinal, à boca da noite, apareceu um escravo do padrinho, com uma carta para Sinhá Rita. O negócio ainda não estava composto; o pai ficou furioso e quis quebrar tudo; bradou que não, senhor, que o peralta havia de ir para o seminário, ou então metia-o no Aljube ou na presiganga. João Carneiro lutou muito para conseguir que o compadre não resolvesse logo, que dormisse a noite, e meditasse bem se era conveniente dar à religião um sujeito tão rebelde e vicioso. Explicava na carta que falou assim para melhor ganhar a causa. Não a tinha por ganha; mas no dia seguinte lá iria ver o homem, e teimar de novo. Concluía dizendo que o moço fosse para a casa dele.

Damião acabou de ler a carta e olhou para Sinhá Rita. Não tenho outra tábua de salvação, pensou ele. Sinhá Rita mandou vir um tinteiro de chifre, e na meia folha da própria carta escreveu esta resposta: "Joãozinho, ou você salva o moço, ou nunca mais nos vemos". Fechou a carta com obreia, e deu-a ao escravo, para que a levasse depressa. Voltou a reanimar o seminarista, que estava outra vez no capuz da humildade e da consternação. Disse-lhe que sossegasse, que aquele negócio era agora dela.

— Hão de ver para quanto presto! Não, que eu não sou de brincadeiras!

Era a hora de recolher os trabalhos. Sinhá Rita examinou-os; todas as discípulas tinham concluído a tarefa. Só Lucrécia estava ainda à almofada, meneando os bilros, já sem ver; Sinhá Rita chegou-se a ela, viu que a tarefa não estava acabada, ficou furiosa, e agarrou-a por uma orelha.

— Ah! malandra!

— Nhanhã, nhanhã! pelo amor de Deus! por Nossa Senhora que está no céu.

— Malandra! Nossa Senhora não protege vadias!

Lucrécia fez um esforço, soltou-se das mãos da senhora, e fugiu para dentro; a senhora foi atrás e agarrou-a.

— Anda cá!

— Minha senhora, me perdoe! — tossia a negrinha.

— Não perdoo, não. Onde está a vara?

E tornaram ambas à sala, uma presa pela orelha, debatendo-se, chorando e pedindo; a outra dizendo que não, que a havia de castigar.

— Onde está a vara?

A vara estava à cabeceira da marquesa, do outro lado da sala. Sinhá Rita, não querendo soltar a pequena, bradou ao seminarista:

— Senhor Damião, dê-me aquela vara, faz favor?

Damião ficou frio... Cruel instante! Uma nuvem passou-lhe pelos olhos. Sim, tinha jurado apadrinhar a pequena, que por causa dele, atrasara o trabalho...

— Dê-me a vara, senhor Damião!

Damião chegou a caminhar na direção da marquesa. A negrinha pediu-lhe então por tudo o que houvesse mais sagrado, pela mãe, pelo pai, por Nosso Senhor...

— Me acuda, meu sinhô moço!

Sinhá Rita, com a cara em fogo e os olhos esbugalhados, instava pela vara, sem largar a negrinha, agora presa de um acesso de tosse. Damião sentiu-se compungido; mas ele precisava tanto sair do seminário! Chegou à marquesa, pegou na vara e entregou-a a Sinhá Rita.

Gazeta de Notícias, 1º de fevereiro de 1891; Machado de Assis.

O dicionário

Era uma vez um tanoeiro, demagogo, chamado Bernardino, o qual em cosmografia professava a opinião de que este mundo é um imenso tonel de marmelada, e em política pedia o trono para a multidão. Com o fim de a pôr ali, pegou de um pau, concitou os ânimos e deitou abaixo o rei; mas, entrando no paço, vencedor e aclamado, viu que o trono só dava para uma pessoa, e cortou a dificuldade sentando-se em cima.

— Em mim — bradou ele — podeis ver a multidão coroada. Eu sou vós, vós sois eu.

O primeiro ato do novo rei foi abolir a tanoaria, indenizando os tanoeiros, prestes a derrubá-lo, com o título de Magníficos. O segundo foi declarar que, para maior lustre da pessoa e do cargo, passava a chamar-se, em vez de Bernardino, Bernardão. Particularmente encomendou uma genealogia a um grande doutor dessas matérias, que em pouco mais de uma hora o entroncou a um tal ou qual general romano do século IV, Bernardus Tanoarius; — nome que deu lugar à controvérsia, que ainda dura, querendo uns que o rei Bernardão tivesse sido tanoeiro, e outros que isto não passe de uma confusão deplorável com o nome do fundador da família. Já vimos que esta segunda opinião é a única verdadeira.

Como era calvo desde verdes anos, decretou Bernardão que todos os seus súditos fossem igualmente calvos, ou por natureza ou por navalha, e fundou esse ato em uma razão de ordem política, a saber, que a unidade moral do Estado pedia a conformidade exterior das cabeças. Outro ato em que revelou igual sabedoria, foi o que ordenou que todos os sapatos do pé esquerdo tivessem um pequeno talho no lugar correspondente ao dedo mínimo, dando assim aos seus súditos o ensejo de se parecerem com ele, que padecia de um calo. O uso dos óculos em todo o reino não se explica de outro modo, senão por uma oftalmia que afligiu a Bernardão, logo no segundo ano do reinado. A doença levou-lhe um olho, e foi aqui que se revelou a vocação poética de Bernardão, porque, tendo-lhe dito um dos seus dois ministros, chamado Alfa, que a perda de um olho o fazia igual a Aníbal — comparação que o lisonjeou muito — o segundo ministro, Ômega, deu um passo adiante, e achou-o superior a Homero, que perdera ambos os olhos. Esta cortesia foi uma revelação; e como isto prende com o casamento, vamos ao casamento.

Tratava-se, em verdade, de assegurar a dinastia dos Tanoarius. Não faltavam noivas ao novo rei, mas nenhuma lhe agradou tanto como a moça Estrelada, bela, rica e ilustre. Esta senhora, que cultivava a música e a poesia, era requestada por alguns cavalheiros, e mostrava-se fiel à dinastia decaída. Bernardão ofereceu-lhe as coisas mais suntuosas e raras, e, por outro lado, a família bradava-lhe que uma coroa na cabeça valia mais que uma saudade no coração; que não fizesse a desgraça dos seus, quando o ilustre Bernardão lhe acenasse com o principado; que os tronos não andavam a rodo, e mais isto, e mais aquilo. Estrelada, porém, resistia à sedução.

Não resistiu muito tempo, mas também não cedeu tudo. Como entre os seus candidatos preferia secretamente um poeta, declarou que estava pronta a casar, mas seria com quem lhe fizesse o melhor madrigal, em concurso. Bernardão aceitou a cláusula, louco de amor e confiado em si: tinha mais um olho que Homero, e fizera a unidade dos pés e das cabeças.

Concorreram ao certame, que foi anônimo e secreto, vinte pessoas. Um dos madrigais foi julgado superior aos outros todos; era justamente o do poeta amado. Bernardão anulou por um decreto o concurso, e mandou abrir outro; mas então, por uma inspiração de insigne maquiavelismo, ordenou que não se empregassem palavras que tivessem menos de trezentos anos de idade. Nenhum dos concorrentes estudara os clássicos: era o meio provável de os vencer.

Não venceu ainda assim porque o poeta amado leu à pressa o que pôde, e o seu madrigal foi outra vez o melhor. Bernardão anulou esse segundo concurso; e, vendo que no madrigal vencedor as locuções antigas davam singular graça aos versos, decretou que só se empregassem as modernas e particularmente as da moda. Terceiro concurso, e terceira vitória do poeta amado.

Bernardão, furioso, abriu-se com os dois ministros, pedindo-lhes um remédio pronto e enérgico, porque, se não ganhasse a mão de Estrelada, mandaria cortar trezentas mil cabeças. Os dois, tendo consultado algum tempo, voltaram com este alvitre:

— Nós, Alfa e Ômega, estamos designados pelos nossos nomes para as coisas que respeitam à linguagem. A nossa ideia é que vossa sublimidade mande recolher todos os dicionários e nos encarregue de compor um vocabulário novo que lhe dará a vitória.

Bernardão assim fez, e os dois meteram-se em casa durante três meses, findos os quais depositaram nas augustas mãos a obra acabada, um livro a que chamaram Dicionário de Babel, porque era realmente a confusão das letras. Nenhuma locução se parecia com a do idioma falado; as consoantes trepavam nas consoantes, as vogais diluíam-se nas vogais, palavras de duas sílabas tinham agora sete e oito, e vice-versa, tudo trocado, misturado, nenhuma energia, nenhuma graça, uma língua de cacos e trapos.

— Obrigue vossa sublimidade esta língua por um decreto, e está tudo feito.

Bernardão concedeu um abraço e uma pensão a ambos, decretou o vocabulário, e declarou que ia fazer-se o concurso definitivo para obter a mão da bela Estrelada. A confusão passou do dicionário aos espíritos; toda a gente andava atônita. Os farsolas cumprimentavam-se na rua pela novas locuções: diziam, por exemplo, em vez de: *Bom-dia, como passou? — Pflerrgpxx, rouph, aa?* A própria dama, temendo que o poeta amado perdesse afinal a campanha, propôs-lhe que fugissem; ele, porém, respondeu que ia ver primeiro se podia fazer alguma coisa. Deram noventa dias para o novo concurso e recolheram-se vinte madrigais. O melhor deles, apesar da língua bárbara, foi o do poeta amado. Bernardão, alucinado, mandou cortar as mãos aos dois ministros, e foi a única vingança. Estrelada era tão admiravelmente bela, que ele não se atreveu a magoá-la, e cedeu.

Desgostoso, encerrou-se oito dias na biblioteca, lendo, passeando ou meditando. Parece que a última coisa que leu foi uma sátira do poeta Garção, e especialmente estes versos, que pareciam feitos de encomenda:

> O raro Apeles,
> Rubens e Rafael, inimitáveis
> Não se fizeram pela cor das tintas;
> A mistura elegante os fez eternos.

Gazeta de Notícias, 1º de março de 1885 (com o título "Os dicionários"); *Machado de Assis.*

Um erradio

— A porta abriu-se... Deixa-me contar a história à laia de novela — disse Tosta à mulher, um mês depois de casados, quando ela lhe perguntou quem era o homem representado numa velha fotografia, achada na secretária do marido. — A porta abriu-se, e apareceu este homem, alto e sério, moreno, metido numa infinita sobrecasaca cor de rapé, que os rapazes chamavam opa.

— Aí vem a opa do Elisiário.

— Entre a opa só.

— Não, a opa não pode; entre só o Elisiário, mas, primeiro há de glosar um mote. Quem dá o mote?

Ninguém dava o mote. A casa era uma simples sala, sublocada por um alfaiate, que morava nos fundos com a família; rua do Lavradio, 1866. Era a segunda vez que ia ali, a convite de um dos rapazes. Não podes ter ideia da sala e da vida. Imagina um município do país da Boêmia, tudo desordenado e confuso; além dos poucos móveis pobres, que eram do alfaiate, havia duas redes, uma canastra, um cabide, um baú de folha de flandres, livros, chapéus, sapatos. Moravam cinco rapazes, mas apareciam outros, e todos eram tudo, estudantes, tradutores, revisores, namoradores, e ainda lhes sobrava tempo para redigir uma folha política e literária, publicada aos sábados. Que longas palestras que tínhamos! Solapávamos as bases da sociedade, descobríamos mundos novos, constelações novas, liberdades novas. Tudo era o novíssimo.

— Lá vai mote — disse afinal um dos rapazes, e recitou:

Podia embrulhar o mundo
A opa do Elisiário.

Parado à porta, o homem cerrou os olhos por alguns instantes, abriu-os, passou pela testa o lenço que trazia fechado na mão, em forma de bolo, e recitou uma glosa de improviso. Rimo-nos muito; eu, que não tinha ideia do que era improviso, cuidei a princípio que a composição era velha e a cena um logro para mim. Elisiário despiu a sobrecasaca, levantou-a na ponta da bengala, deu duas voltas pela sala, com ar triunfal, e foi pendurá-la a um prego, porque o cabide estava cheio. Em seguida, atirou o chapéu ao teto, apanhou-o entre as mãos, e foi pô-lo em cima do aparador.

— Lugar para um! — disse finalmente.

Dei-me pressa em ceder-lhe o sofá; ele deitou-se, fincou os joelhos no ar, e perguntou que novidades havia.

— Que o jantar é duvidoso — respondeu o redator principal do *Cenáculo* —; o Chico foi ver se cobrava alguma assinatura. Se arranjar dinheiro, traz logo o jantar da casa de pasto. Você já jantou?

— Já e bem — respondeu Elisiário —, jantei numa casa de comércio. Mas vocês por que é que não vendem o Chico? é um bonito crioulo. É livre, não há dúvida, mas por isso mesmo compreenderá que, deixando-se vender como escravo, terão vocês com que pagar-lhe os ordenados... Dois mil-réis chegam? Romeu, vê ali no bolso da sobrecasaca. Há de haver uns dois mil-réis.

Havia só mil e quinhentos, mas não foram precisos. Cinco minutos depois voltava o Chico, trazendo um tabuleiro com o jantar e o resto da assinatura de um semestre.

— Não é possível! — bradou Elisiário. — Uma assinatura! Vem cá, Chico. Quem foi que pagou? Que figura tinha o homem? Baixo? Não é possível que fosse baixo; a ação é tão sublime que nenhum homem baixo podia praticá-la. Confessa que era alto. Confessa ao menos que era de meia altura. Confessas? Ainda bem! Como se chama? Guimarães? Rapazes, vamos perpetuar este nome em uma placa de bronze. Acredito que não lhe deste recibo, Chico.

— Dei, sim, senhor.

— Recibo! Mas a um assinante que paga não se dá recibo, para que ele pague outra vez; não se matam esperanças, Chico.

Tudo isto, dito por ele, tinha muito mais graça que contado. Não te posso pintar os gestos, os olhos e um riso que não ria, um riso único, sem alterar a face, nem mostrar os dentes. Essa feição era a menos simpática; mas tudo o mais, a fala, as ideias, e principalmente a imaginação fecunda e moça, que se desfazia em ditos, anedotas, epigramas, versos, descrições, ora sério, quase sublime, ora familiar, quase rasteiro, mas sempre original, tudo atraía e prendia. Trazia a barba por fazer, o cabelo à escovinha; a testa, que era alta, tinha grossas rugas verticais. Calado, parecia estar pensando. Voltava-se a miúdo no sofá, erguia-se, sentava-se, tornava a deitar-se. Lá o deixei, quando saí, às nove horas da noite.

Comecei a frequentar a casa da rua do Lavradio, mas durante os primeiros dias não apareceu o Elisiário. Disseram-me que era muito incerto. Tinha temporadas. Às vezes, ia todos os dias; repentinamente, falhava uma, duas, três semanas seguidas, e mais. Era professor de latim e explicador de matemáticas. Não era formado em coisa nenhuma, posto estudasse engenharia, medicina e direito, deixando em todas as faculdades fama de grande talento sem aplicação. Seria bom prosador, se fosse capaz de escrever vinte minutos seguidos; era poeta de improviso, não escrevia os versos, os outros é que os ouviam e transladavam ao papel, dando-lhe cópias, muitas das quais perdia. Não tinha família; tinha um protetor, o dr. Lousada, operador de algum nome, que devera obséquios ao pai de Elisiário, e quis pagá-los ao filho. Era atrevido por causa de uma sombrinha de amor-próprio, que não tolerava a menor picada. Naquela casa era bonachão. Trinta e cinco anos; o mais velho dos rapazes contava apenas vinte e um. A familiaridade entre ele e os outros era como a de um tio com sobrinhos, um pouco menos de autoridade, um pouco mais de liberdade.

No fim de uma semana, apareceu Elisiário na rua do Lavradio. Vinha com a ideia de escrever um drama, e queria ditá-lo. Escolheram-me a mim, por escrever depressa. Esta colaboração mental e manual durou duas noites e meia. Escreveu-se um ato e as primeiras cenas de outro; Elisiário não quis absolutamente acabar a peça. A princípio disse que depois, mais tarde, estava indisposto, e falava de outras coisas; afinal, declarou-nos que a peça não prestava para nada. Espanto geral, porque a obra parecia-nos excelente, e ainda agora creio que o era. Mas o autor pegou da palavra e demonstrou que nem o escrito prestava, nem o resto do plano valia coisa nenhuma. Falou como se tratasse de outrem. Nós contestávamos; eu principalmente achava um crime, e repetia esta palavra com alma, com fogo — achava um crime não acabar o drama, que era de primeira ordem.

— Não vale nada — dizia ele sorrindo para mim com simpatia. — Menino, você quantos anos tem?

— Dezoito.

— Tudo é sublime aos dezoito anos. Cresça e apareça. O drama não presta; mas, deixe estar que havemos de escrever outro daqui a dias. Ando com uma ideia.

— Sim?

— Uma boa ideia — continuou ele com os olhos vagos —; essa, sim, creio que dará um drama. Cinco atos; talvez faça em verso. O assunto presta-se...

Nunca mais falou em tal ideia; mas o drama começado fez com que nos ligássemos um pouco mais intimamente. Ou simpatia, ou amor-próprio satisfeito, por ver que o mais consternado com a interrupção e condenação do trabalho fui eu — ou qualquer outra causa que não achei nem vale a pena buscar, Elisiário entrou a distinguir-me entre os outros. Quis saber quem eram meus pais e o que fazia. Disse-lhe que não tinha mãe; meu pai era lavrador em Baturité, eu estudava preparatórios, intercalando-os com versos, e andava com ideias de compor um poema, um drama e um romance. Tinha já uma lista de subscritores para os versos. Parece que, de envolta com as notícias literárias, alguma coisa lhe disse ou ele percebeu acerca dos meus sentimentos de moço. Propôs-se a ajudar-me nos estudos com o seu próprio ensino, latim, francês, inglês, história... Cheio de orgulho, não menos que de sensibilidade, proferi algumas palavras que ele gostou de ouvir, e a que respondeu gravemente:

— Quero fazer de você um homem.

Estávamos sós; eu nada contei aos outros, para os não molestar, nem sei se eles perceberam daí em diante alguma diferença no trato do Elisiário, em relação a mim. É certo, porém, que a diferença não era grande, nem o plano de "fazer-me um homem" foi além da simpatia e da benevolência. Ensinava-me algumas matérias, quando eu lhe pedia lições, e eu raramente as pedia. Queria só ouvi-lo, ouvi-lo, ouvi-lo até não acabar. Não imaginas a eloquência desse homem, cálida e forte, mansa e doce, as imagens que lhe brotavam no discurso, as ideias arrojadas, as formas novas e graciosas. Muita vez ficávamos os dois sós na rua do Lavradio, ele falando, eu ouvindo. Onde morava? Disseram-me vagamente que para os lados da Gamboa, mas nunca me convidou a lá ir, nem ninguém sabia positivamente onde era.

Na rua era lento, direito, circunspecto. Nada faria então suspeitar o desengonçado da casa do Lavradio, e, se falava, eram poucas e meias palavras. Nos primeiros dias, encontrava-me sem alvoroço, quase sem prazer, ouvia-me atento, respondia pouco, estendia os dedos e continuava a andar. Ia a toda parte; era comum achá-lo nos lugares mais distantes uns dos outros, Botafogo, São Cristóvão, Andaraí. Quando lhe dava na veneta, metia-se na barca e ia a Niterói. Chamava-se a si mesmo erradio.

— Eu sou um erradio. No dia em que parar de vez, jurem que estou morto.

Um dia encontrei-o na rua de São José. Disse-lhe que ia ao Castelo ver a igreja dos Jesuítas, que nunca vira.

— Pois vamos — disse ele.

Subimos a ladeira, achamos a igreja aberta e entramos. Enquanto eu mirava os altares, ele ia falando, mas em poucos minutos o espetáculo era ele só, um espetáculo vivo, como se tudo renascera tal qual era. Vi os primeiros templos da cidade, os padres da Companhia, a vida monástica e leiga, os nomes principais e os fatos culminantes. Quando saímos, e fomos até a muralha, descobrindo o mar e parte da cidade, Elisiário fez-me viver dois séculos atrás. Vi a expedição dos franceses, como se a houvesse comandado ou combatido. Respirei o ar da colônia, contemplei as figuras velhas e mortas. A imaginação evocativa era a grande prenda desse homem, que sabia dar vida às coisas extintas e realidade às inventadas.

Mas não era só do passado local que ele sabia, nem unicamente dos seus sonhos. Vês aquela estatuazinha que ali tenho na parede? Sabes que é uma redução da Vênus de Milo. Uma vez, abrindo-se a exposição das belas-artes, fui visitá-la; achei lá o meu Elisiário, passeando grave, com a sua imensa sobrecasaca. Acompanhou-me; ao passar pela sala de escultura, dei com os olhos na cópia desta Vênus. Era a primeira vez que a via. Soube que era ela pela falta dos braços.

— Oh! admirável! — exclamei.

Elisiário entrou a comentar a bela obra anônima, com tal abundância e agudeza que me deixou ainda mais pasmado. Que de coisas me disse a propósito da Vênus de Milo, e da Vênus em si mesma! Falou da posição dos braços, que gesto fariam, que atitude dariam à figura, formulando uma porção de hipóteses graciosas e naturais. Falou da estética, dos grandes artistas, da vida grega, do mármore grego, da alma grega. Era um grego, um puro grego, que ali me aparecia e transportava de uma rua estreita para diante do Pártenon. A opa do Elisiário transformou-se em clâmide, a língua devia ser a da Hélade, conquanto eu nada soubesse a tal respeito, nem então, nem agora. Mas era feiticeiro o diabo do homem.

Saímos; fomos até o campo da Aclamação, que ainda não possuía o parque de hoje, nem tinha outra polícia além da natureza, que fazia brotar o capim, e das lavadeiras, que batiam e ensaboavam a roupa defronte do quartel. Eu ia cheio do discurso do Elisiário, ao lado dele, que levava a cabeça baixa e os olhos pensativos. De repente, ouvi dizer baixinho:

— Adeus, ioiô!

Era uma quitandeira de doces, uma crioula baiana, segundo me pareceu pelos bordados e crivos da saia e da camisa. Vinha da Cidade Nova e atravessava o campo. Elisiário respondeu à saudação:

— Adeus, Zeferina.

Estacou e olhou para mim, rindo sem riso, e, depois de alguns segundos:

— Não se espante, menino. Há muitas espécies de Vênus. O que ninguém dirá é que a esta lhe faltem braços — continuou olhando para os braços da quitandeira, mais negros ainda pelo contraste da manga curta e alva da camisa. Eu, de vexado, não achei resposta.

Não contei esse episódio na rua do Lavradio; podiam meter à bulha o Elisiário, e não queria parecer indiscreto. Tinha-lhe não sei que veneração particular, que a familiaridade não enfraquecia. Chegamos a jantar juntos algumas vezes, e uma noite fomos ao teatro. O que mais lhe custava no teatro era estar muito tempo na mesma cadeira, apertado entre duas pessoas, com gente adiante e atrás de si. Nas noites de enchente, em que eram precisas travessas na plateia, ficava aflito com a ideia de não poder sair no meio de um ato, se quisesse. Naquela, acabado o terceiro ato (a peça tinha cinco), disse-me que não podia mais e que ia embora.

Fomos tomar chá ao botequim próximo, e deixei-me estar, esquecido do espetáculo. Ficamos até o fechar das portas. Tínhamos falado de viagens; eu contei-lhe a vida do sertão cearense, ele ouviu e projetou mil jornadas ao sertão do Brasil inteiro, por serras, campos e rios, de mula e de canoa. Colheria tudo, plantas, lendas, cantigas, locuções. Narrou a vida do caipira, falou de Eneias, citou Virgílio e Camões, com grande espanto dos criados, que paravam boquiabertos.

— Você era capaz de ir daqui a pé até São Cristóvão, agora? — perguntou-me na rua.

— Pode ser.

— Não, você está cansado.

— Não estou, vamos.

— Está cansado, adeus; até depois — concluiu.

Realmente, estava fatigado, precisava dormir. Quando ia a voltar para casa, perguntei a mim mesmo se ele iria sozinho, àquela hora, e deu-me vontade de acompanhá-lo de longe, até certo ponto. Ainda o apanhei na rua dos Ciganos. Ia devagar, com a bengala debaixo do braço, e as mãos ora atrás, ora nas algibeiras das calças. Atravessou o campo da Aclamação, enfiou pela rua de São Pedro e meteu-se pelo aterrado acima. Eu, no campo, quis voltar, mas a curiosidade fez-me ir andando também. Quem sabe se esse erradio não teria pouso certo de amores escondidos? Não gostei desta reflexão, e quis punir-me desandando; mas a curiosidade levara-me o sono e dava-me vigor às pernas. Fui andando atrás do Elisiário. Chegamos assim à ponte do aterrado, enfiamos por ela, desembocamos na rua de São Cristóvão. Ele algumas vezes parava, ou para acender um charuto, ou para nada. Tudo deserto, uma ou outra patrulha, algum tílburi, raro, a passo cochilado, tudo deserto e longo. Assim chegamos ao cais da Igrejinha. Junto ao cais dormiam os botes que, durante o dia, conduziam gente para o saco do Alferes. Maré frouxa, apenas o ressonar manso da água. Após alguns minutos, quando me pareceu que ia voltar pelo mesmo caminho, acordou os remadores de um bote, que de acaso ali dormiam, e propôs-lhes levá-lo à cidade. Não sei quanto ofereceu; vi que, depois de alguma relutância, aceitaram a proposta.

Elisiário entrou no bote, que se afastou logo, os remos feriram a água, e lá se perdeu na noite e no mar o meu professor de latim e explicador de matemáticas. Também eu me achei perdido, longe da cidade e exausto. Valeu-me um tílburi, que atravessava o campo de São Cristóvão, tão cansado como eu, mas piedoso e necessitado.

— Você não quis ir comigo anteontem a São Cristóvão? Não sabe que perdeu; a noite estava linda, o passeio foi muito agradável. Chegando ao cais da Igrejinha, meti-me num bote e vim desembarcar no saco do Alferes. Era um bom pedaço até a casa; fiquei numa hospedaria do campo de Sant'Ana. Fui atacado por um cachorro, no caminho do saco, e por dois na rua de São Diogo, mas não senti as pulgas da hospedaria, porque dormi como um justo. E você que fez?

— Eu?

Não querendo mentir, se ele me tivesse pressentido, nem confessar que o acompanhara de longe, respondi sumariamente:

— Eu? Eu também dormi como um justo.

— *Justus, justa, justum.*

Estávamos na casa da rua do Lavradio. Elisiário trazia no peito da camisa um botão de coral, objeto de grande espanto e aclamação da parte dos rapazes, que nunca jamais o viram com joias. Maior, porém, foi o meu espanto, depois que os rapazes saíram. Tendo ouvido que me faltava dinheiro para comprar sapatos, Elisiário sacou o botão de coral e disse que me fosse calçar com ele. Recusei energicamente, mas tive de aceitá-lo à força. Não o vendi nem empenhei; no dia seguinte pedi algum dinheiro adiantado ao correspondente de meu pai, calcei-me de novo, e esperei que chegasse o paquete do norte, para restituir o botão ao Elisiário. Se visses a cara de desconsolo com que o recebeu!

— Mas o senhor não disse outro dia que lhe tinham dado este botão de presente? — repliquei à proposta que me fez de ficar com a joia.

— Sim, disse e é verdade; mas para que me servem joias? Acho que ficam melhor nos outros. Bem pensado, como é presente, posso guardar o botão. Deveras, não o quer para si?

— Não, senhor; um presente...

— Presente de anos — continuou mirando a pedra com o olhar vago. — Fiz trinta e cinco. Estou velho, meu menino; não tardo em pedir reforma e ir morrer em algum buraco.

Tinha acabado de repor o botão na camisa.

— Fez anos, e não me disse.

— Para quê? Para visitar-me? Não recebo nesse dia; de costume janto com o meu velho amigo doutor Lousada, que também faz o seu versinho, às vezes, e outro dia brindou-me com um soneto impresso em papel azul... Lá o tenho em casa; não é mau.

— Foi ele que lhe deu o botão...

— Não, foi a filha... O soneto tem um verso muito parecido, com outro de Camões; o meu velho Lousada possui as suas letras clássicas, além de ser excelente médico... Mas o melhor dele é a alma...

Quiseram fazê-lo deputado. Ouvi que dois amigos dele, homens políticos, entenderam que o Elisiário daria um bom orador parlamentar. Não se opôs, pediu apenas aos inventores do projeto que lhe emprestassem algumas ideias políticas; riram-se, e o projeto não foi adiante.

Quero crer que lhe não faltassem ideias, talvez as tivesse de sobra, mas tão contrárias umas às outras que não chegariam a formar uma opinião. Pensava segundo a disposição do dia, liberal exaltado ou conservador corcunda. O principal motivo da recusa era a impossibilidade de obedecer a um partido, a um chefe, a um regimento de câmara. Se houvesse liberdade de alterar as horas da sessão, uma de manhã, outra de noite, outra de madrugada, ao acaso da frequência, sem ordem do dia, com direito de discutir o anel de Saturno ou os sonetos de Petrarca, o meu erradio Elisiário aceitaria o cargo, contanto que não fosse obrigado a estar calado, nem a falar, quando lhe chegasse a vez.

Aí tens o que era esse homem fotografado em 1862. Em suma, boa criatura, muito talento, excelente conversador, alma inquieta e doce, desconfiada e irritadiça, sem futuro nem passado, sem saudades nem ambições, um erradio. Senão quando... Mas é muito falar sem fumar um charuto... Consentes? Enquanto acendo o charuto, olha para esse retrato, descontando-lhe os olhos, que não saíram bem; parecem olhos de gato e inquisidor, espetados na gente, como querendo furar a consciência. Não eram isso; olhavam mais para dentro que para fora, e quando olhavam para fora derramavam-se por toda a parte.

Senão quando, uma tarde, já escuro, por volta das sete horas, apareceu-me na casa de pensão o meu amigo Elisiário. Havia três semanas que o não via, e, como tratava de fazer exames, e passava mais tempo metido em casa, não me admirei da ausência nem cuidei dela. Demais, já me acostumara aos seus eclipses. O quarto estava escuro, eu ia sair e acabava de apagar a vela, quando a figura alta e magra do Elisiário apareceu à porta. Entrou, foi direito a uma cadeira, sentei-me ao pé dele, perguntei-lhe por onde andara. Elisiário abraçou-me chorando. Fiquei tão assombrado que não pude dizer nada; abracei-o também, ele enxugou os olhos com o lenço, que de costume trazia fechado na mão, e suspirou largo. Creio que ainda chorou silenciosamente, porque enxugava os olhos de quando em quando. Eu, cada vez mais assombrado, esperava que ele me dissesse o que tinha; afinal murmurei:

— Que é? que foi?

— Tosta, casei-me sábado...

Cada vez mais espantado, não tive tempo de lhe pedir outra explicação, porque o Elisiário continuou logo, dizendo que era um casamento de gratidão, não de amor, uma desgraça. Não sabia que respondesse à confidência, não acabava de crer na notícia, e principalmente, não entendia o abatimento nem a dor do homem. A figura do Elisiário, qual a recompus depois, não me aparecia por esse tempo com a significação verdadeira. Cheguei a supor alguma coisa mais que o simples casamento; talvez a mulher fosse idiota ou tísica; mas quem o obrigaria a desposar uma doente?

— Uma desgraça! — repetia baixinho, falando para si. — Uma desgraça!

Como eu me levantasse dizendo que ia acender uma vela, Elisiário reteve-me pela aba do fraque.

— Não acenda, não me vexe, o escuro é melhor, para lhe expor esta minha desgraça. Ouça-me. Uma desgraça. Casado! Não é que ela me não ame; ao contrário, morria por mim há sete anos. Tem vinte e cinco... Boa criatura! Uma desgraça!

A palavra *desgraça* era a que mais vezes lhe tornava ao discurso. Eu, para saber o resto, quase não respirava; mas não ouvi grande coisa, pois o homem, depois de algumas palavras descosidas, suspendeu a conferência. Fiquei sabendo só que a mulher era filha do dr. Lousada, seu protetor e amigo, a mesma que lhe dera o botão de coral. Elisiário calou-se de repente, e depois de alguns instantes, como arrependido ou vexado, pediu-me que não referisse a pessoa alguma aquela cena dele comigo.

— O senhor deve conhecer-me...

— Conheço, e porque o conheço é que vim aqui. Não sei que outra pessoa me merecesse agora igual confiança. Adeus, não lhe digo mais nada, não vale a pena. Você é moço, Tosta; se não tiver vocação para o casamento, não se case nunca, nem por gratidão, nem por interesse. Há de ser um suplício. Adeus. Não lhe digo onde moro, moro com meu sogro, mas não me procure.

Abraçou-me e saiu. Fiquei à porta do quarto. Quando me lembrei de acompanhá-lo até a escada, era tarde; ia descendo os últimos degraus. O lampião de azeite alumiava mal a escada, e a figura descia vagarosa, apoiada ao corrimão, cabeça baixa e a vasta sobrecasaca alegre, agora triste.

Só dez meses depois tornei a ver o Elisiário. A primeira ausência foi minha; tinha ido ao Ceará, ver meu pai, durante as férias. Quando voltei, soube que ele fora ao Rio Grande do Sul. Um dia, almoçando, li nos jornais que chegara na véspera, e corri a buscá-lo. Achei-o em Santa Teresa, uma casinha pequena, com um jardim, pouco maior que ela. Elisiário abraçou-me com alvoroço; falamos de coisas passadas; perguntei-lhe pelos versos.

— Publiquei um volume em Porto Alegre. Não foi por minha vontade, mas minha mulher teimou tanto que afinal cedi; ela mesma os copiou. Tem alguns erros; hei de fazer aqui uma segunda edição.

Elisiário deu-me um exemplar do livro, mas não consentiu que lesse ali nada. Queria só falar dos tempos idos. Perdera o sogro, que lhe deixara alguma coisa, e ia continuar a lecionar, para ver se achava as impressões de outrora. Onde estavam os rapazes da rua do Lavradio? Recordava cenas antigas, noitadas, algazarra, grandes risotas, que me iam lembrando coisas análogas, e assim gastamos duas boas horas compridas. Quando me despedi, pegou-me para jantar.

— Você ainda não viu minha mulher — disse ele. E indo à porta que dava para dentro: — Cintinha!

— Lá vou! — respondeu uma voz doce.

D. Jacinta chegou logo depois, com os seus vinte e seis anos, mais baixa que alta, mais feia que bonita, expressão boa e séria, grande quietação de maneiras. Quando ele lhe disse o meu nome, olhou para mim espantada.

— Não é um bonito rapaz?

Ela confirmou a opinião inclinando modestamente a cabeça. Elisiário disse-lhe que eu jantava com eles; a moça retirou-se da sala.

— Boa criatura — disse-me ele —, dedicada, serviçal. Parece que me adora. Já me não faltam botões nos paletós que trago... Pena! melhor que eles eram os botões que faltavam. A sobrecasaca de outrora, lembra-se?

> Podia embrulhar o mundo
> A opa do Elisiário.

— Lembra-me.

— Creio que me durou cinco anos. Onde vai ela! Hei de fazer-lhe um epicédio, com uma epígrafe de Horácio...

Jantamos alegremente. D. Jacinta falou pouco; deixou que eu e o marido gastássemos o tempo em relembrar o passado. Naturalmente, o marido tinha surtos de eloquência, como outrora; a mulher era pouca para ouvi-lo. Elisiário esquecia-se de nós, ela de si, e eu achava a mesma nota antiga, tão viva e tão forte. Era costume dele concluir um discurso desses e ficar algum tempo calado. Resumia dentro de si o que acabava de dizer? Continuava a mesma ordem de ideias? Deixava-se ir ainda pela música da palavra? Não sei; achei-lhe o velho costume de ficar calado sem dar pelos outros. Nessas ocasiões a mulher calava-se também, a olhar para ele, não cheia de pensamento, mas de admiração. Sucedeu isso duas vezes. Em ambas chegou a ser bonita.

Elisiário disse-me, ao café, que viria comigo abaixo.

— Você deixa, Cintinha?

D. Jacinta sorriu para mim, como se dissesse que o pedido era desnecessário. Também ela falou no livro de versos do marido.

— Elisiário é preguiçoso; o senhor há de ajudar-me a fazer com que ele trabalhe.

Meia hora depois descíamos a ladeira. Elisiário confessou-me que, desde que casara, não tivera ocasião de relembrar a vida de solteiro, e ao chegarmos abaixo declarou-me que iríamos ao teatro.

— Mas você não avisou em casa...

— Que tem? Aviso depois. Cintinha é boa, não se zanga por isso. Que teatro há de ser?

Não foi nenhum; falamos de outras coisas, e às nove horas, tornou para casa. Voltei a Santa Teresa poucos dias depois, não o achei, mas a mulher disse-me que o esperasse, não tardaria.

— Foi a uma visita aqui mesmo no morro — disse ela —, há de gostar muito de o ver.

Enquanto falava, ia fechando dissimuladamente um livro, e foi pô-lo em uma mesa, a um canto. Tratamos do marido; ela pediu-me que lhe dissesse o que pensava dele, se era um grande espírito, um grande poeta, um grande orador, um grande homem, em suma. As palavras não seriam propriamente essas, mas vinham a dar nelas. Eu, que o admirava, confirmei-lhe o sentimento, e o gosto com que me ouviu foi paga bastante ao tal ou qual esforço que empreguei para dar à minha opinião a mesma ênfase.

— Faz bem em ser amigo dele — concluiu —, ele sempre me falou bem do senhor; dizia que era um menino muito sério.

O gabinete tinha flores frescas e uma gaiola com passarinho. Tudo em ordem, cada coisa em seu lugar, obra visível da mulher. Daí a pouco entrou Elisiário, com a gravata no pescoço, o laço na frente, a barba rapada, correto e em flor. Só então notei a diferença entre este Elisiário e o outro. A incoerência dos gestos era já menor, ou estava prestes a acabar inteiramente. A inquietação desaparecera. Logo que ele entrou, a mulher deixou-nos para ir mandar fazer café, e voltou pouco depois, com um trabalho de agulha.

— Não, senhora, vamos primeiro ao latim — bradou o marido.

D. Jacinta corou extraordinariamente, mas obedeceu ao marido e foi buscar o livro, que estava lendo quando eu cheguei.

— Tosta é de confiança — continuou Elisiário —, não vai dizer nada a ninguém.

E voltando-se para mim:

— Não pense que sou eu que lhe imponho isto; ela mesma é que quis aprender.

Não crendo o que ele me dizia, quis poupar à moça a lição de latim, mas foi ela própria que me dispensou o auxílio, indo buscar alegremente a gramática do padre Pereira. Vencida a vergonha, deu a lição, como um simples aluno. Ouvia com atenção, articulava com prazer, e mostrava aprender com vontade. Acabado o latim, o marido quis passar à lição de história; mas foi ela, dessa vez, que recusou obedecer, para me não roubá-lo a mim. Eu, pasmado, desfiz-me em louvores; realmente achava tão fora de propósito aquela escola de latim conjugal, que não alcançava explicação, nem ousava pedi-la.

Amiudei as visitas. Jantava com eles algumas vezes. Ao domingo ia só almoçar. D. Jacinta era um primor. Não imaginas a graça que tinha em falar e andar, tudo sem perder a compostura dos modos nem a gravidade dos pensamentos. Sabia muitos trabalhos de mãos, apesar do latim e da história que o marido lhe ensinava.

Vestia com simplicidade, usava os cabelos lisos e não trazia joia alguma; podia ser afetação, mas tal era a sinceridade que punha em tudo, que parecia natural nisso como no resto.

Ao domingo, o almoço era no jardim. Já achava o Elisiário à minha espera, à porta, ansioso que eu chegasse. A mulher estava acabando de arranjar as flores e folhagens que tinham de adornar a mesa. Além disso e do mais, adornava cartões contendo a lista dos pratos, com emblemas poéticos e nomes de musas para as comidas. Nem todas as musas podiam entrar, eles não eram ricos, nem nós tão comilões; entravam as que podiam. Era ao almoço que Elisiário, nos primeiros tempos, mais geralmente improvisava alguma coisa. Improvisava décimas — ele preferia essa estrofe a qualquer outra; mais tarde, foi diminuindo o número delas, e para diante não passava de duas ou de uma. D. Jacinta pedia-lhe então sonetos; sempre eram quatorze versos. Ela e eu copiávamos logo, a lápis, com retificações que ele fazia, rindo: — "Para que querem vocês isso?". Afinal perdeu o costume, com grande mágoa da mulher, e minha também. Os versos eram bons, a inspiração fácil; faltava-lhes só o calor antigo.

Um dia perguntei a Elisiário por que não reimprimia o livro de versos, que ele dizia ter saído com incorreções; eu ajudaria a ler as provas. D. Jacinta apoiou com entusiasmo a proposta.

— Pois, sim — disse ele —, um dia destes; começaremos domingo.

No domingo, d. Jacinta, estando a sós comigo, um instante, pediu-me que não esquecesse a revisão do livro.

— Não, senhora, deixe estar.

— Não enfraqueça, se ele quiser adiar o trabalho — continuou a moça —, é provável que ele fale em guardar para outra vez, mas teime sempre, diga que não, que se zanga, que não volta cá...

Apertou-me a mão com tanta força, que me deixou abalado. Os dedos tremiam-lhe; parecia um aperto de namorada. Cumpri o que disse, ela ajudou-me, e ainda assim gastamos meia hora antes que ele se dispusesse ao trabalho. Afinal pediu-nos que esperássemos, ia buscar o livro.

— Desta vez, vencemos — disse eu.

D. Jacinta fez com a boca um gesto de desconfiança, e passou da alegria ao abatimento.

— Elisiário está preguiçoso. Há de ver que não acabamos nada. Pois não vê que não faz versos senão à força de muito pedido, e poucos? Podia escrever também, quando mais não fosse alguns daqueles discursos que costuma improvisar, mas os próprios discursos são raros e curtos. Tenho-me oferecido tantas vezes para escrever o que ele mandar... Chego a preparar o papel, pego na pena e espero; ele ri, disfarça, diz um gracejo, e responde que não está disposto.

— Nem sempre estará.

— Pois sim; mas então declaro que estou pronta para quando vier a inspiração, e peço-lhe que me chame. Não chama nunca. Uma ou outra vez tem planos; eu vou animando, mas os planos ficam no mesmo. Entretanto, o livro que ele imprimiu em Porto Alegre foi bem recebido, podia animá-lo.

— Animá-lo? Mas ele não precisa de animações; basta-lhe o grande talento que tem.

— Não é verdade? — disse ela chegando-se a mim, com os olhos cheios de fogo. — Mas é pena! tanto talento perdido!

— Nós o acharemos; hei de tratá-lo como se ele fosse mais moço que eu. O mau foi deixá-lo cair na ociosidade...

Elisiário tornou com um exemplar do livro. Não trazia tinta nem pena; ela foi buscá-las. Começamos o trabalho da revisão; o plano era emendar, não só os erros de imprensa, mas o próprio texto. A novidade do caso interessou grandemente o nosso poeta, durante perto de duas horas. Verdade é que a maior parte do tempo era interrompido com a história das poesias, a notícia das pessoas, se as havia, e havia muitas; uma boa porção das composições era dedicada a amigos ou homens públicos. Naturalmente fizemos pouco: não passamos de vinte páginas. Elisiário confessou que estava com sono, adiamos o trabalho, e nunca mais pegamos nele.

D. Jacinta chegou a pedir ao marido que nos deixasse a nós a tarefa de emendar o livro; ele veria depois o texto emendado e pronto. Elisiário respondeu que não, que ele mesmo faria tudo, que esperássemos, não havia pressa. Mas, como disse, nunca mais pegamos no livro. Já raro improvisava, e, como não tinha paciência para compor escrevendo, os versos iam escasseando mais. Já lhe saíam frouxos; o poeta repetia-se. Quisemos ainda assim propor-lhe outro livro, recolhendo o que havia, e antes de o propor, tratamos de compilá-lo. O todo precisava de revisão; Elisiário consentiu em fazê-la, mas a tentativa teve o mesmo resultado que a outra. Os próprios discursos iam acabando. O gosto da palavra morria. Falava como todos nós falamos; não era já nem sombra daquela catadupa de ideias, de imagens, de frases, que mostravam no orador um poeta. Para o fim, nem falava; já me recebia sem entusiasmo, ainda que cordialmente. Afinal vivia aborrecido.

Com poucos anos de casada, d. Jacinta tinha no marido um homem de ordem, de sossego, mas sem inspiração nem calor. Ela própria foi mudando também. Não instava já pela composição de versos novos, nem pela correção dos velhos. Ficou tão desinteressada como ele. Os jantares e os almoços eram como os de qualquer pessoa que não cuide de letras. D. Jacinta buscava não tocar em tal assunto que era penoso ao marido e a ela; eu imitava-os. Quando me formei, Elisiário compôs um soneto em honra minha; mas já lhe custou muito, e, a falar verdade, não era do mesmo homem de outro tempo.

D. Jacinta vivia então, não direi triste, mas desencantada. A razão não se compreenderá bem, senão sabendo as origens da afeição que a levara ao casamento.

Pelo que pude colher e observar, nunca essa moça amou verdadeiramente o homem com quem casou. Elisiário acreditou que sim, e o disse, porque o pai dela pensava que era deveras um amor como os outros. A verdade, porém, é que o sentimento de d. Jacinta era pura admiração. Tinha uma paixão intelectual por esse homem, nada mais, e nos primeiros anos não pensou em casar com ele. Quando Elisiário ia à casa do dr. Lousada, d. Jacinta vivia as melhores horas da vida, escutando-lhe os versos, novos ou velhos — os que trazia de cor e os que improvisava ali mesmo. Possuía boa cópia deles. Mas, ainda que não fossem versos, contentava-se em ouvi-lo para admirá-lo. Elisiário, que a conhecia desde pequena, falava-lhe como a uma irmã mais moça. Depois viu que era inteligente, mais do que o comum das mulheres, e que havia nela um sentimento de poesia e de arte que a faziam superior. O apreço em que a tinha era grande, mas não passava disso.

Assim se passaram anos. D. Jacinta começou a pensar em um ato de pura dedicação. Conhecia a vida de Elisiário, os dias perdidos, as noitadas, a incoerência e o desarranjo de uma existência que ameaçava acabar na inutilidade. Nenhum estímulo, nenhuma ambição de futuro. D. Jacinta acreditava no gênio de Elisiário. Muitos eram os admiradores; nenhum tinha a fé viva, a devoção calada e profunda daquela moça. O projeto era desposá-lo. Uma vez casados, ela lhe daria a ambição que não tinha, o estímulo, o hábito do trabalho regular, metódico, e naturalmente abundante. Em vez de perder o tempo e a inspiração em coisas fúteis ou conversas ociosas, comporia obras de fôlego, nas boas horas, e para ele quase todas as horas eram excelentes. O grande poeta afirmar-se-ia perante o mundo. Assim disposta, não lhe foi difícil obter a colaboração do pai, sem todavia confessar-lhe o motivo secreto da ação; seria dizer que se casava sem amor. O que ela disse foi que o amava deveras.

Que haja nisso uma nota romanesca, é verdade; mas o romanesco era aqui obra de piedade, vinha de um sentimento de admiração, e podia ser um sacrifício. Talvez mais de um tentasse casar com ela. D. Jacinta não pensou em ninguém, até que lhe surdiu a ideia generosa de seduzir o poeta. Já sabes que este casou por obediência.

O resultado foi inteiramente oposto às esperanças da moça. O poeta, em vez dos louros, enfiou uma carapuça na cabeça, e mandou bugiar a poesia. Acabou em nada. Para o fim dos tempos nem lia já obras de arte. D. Jacinta padeceu grandemente; viu esvair-se-lhe o sonho, e, se não perdeu, antes ganhou o latim, perdeu aquela língua sublime em que cuidou falar às ambições de um grande espírito. A conclusão a que chegou foi ainda um desconsolo para si. Concluiu que o casamento esterilizara uma inspiração que só tinha ambiente na liberdade do celibato. Sentiu remorsos. Assim, além de não achar as doçuras do casamento na união com Elisiário, perdeu a única vantagem a que se propusera no sacrifício.

Errava naturalmente. Para mim Elisiário era o mesmo erradio, ainda que parecesse agora pousado; mas era também um talento de pouca dura; tinha de acabar, ainda que não casasse. Não foi a ordem que lhe tirou a inspiração. Certamente, a desordem ia mais com ele que tanto tinha de agitado, como de solitário; mas a quietação e o método não dariam cabo do poeta, se a poesia nele não fosse uma grande febre da mocidade... Em mim é que não passou de ligeira constipação da adolescência. Pede-me tu amor, que o terás; não me peças versos, que desaprendi há muito, concluiu Tosta, beijando a mulher.

A Estação, *setembro-novembro de 1894; Machado de Assis.*

Eterno!

— Não me expliques nada — disse eu entrando no quarto —, é o negócio da baronesa.

Norberto enxugou os olhos e sentou-se na cama, com as pernas pendentes. Eu, cavalgando uma cadeira, pousei a barba no dorso, e proferi este breve discurso:

— Mas, meu pateta, quantas vezes queres que te diga que acabes com essa paixão ridícula e humilhante? Sim, senhor, humilhante e ridícula, porque ela não faz caso de ti; e demais, é arriscado. Não? Verás se o é, quando o barão desconfiar que lhe arrastas a asa à mulher. Olha que ele tem cara de maus bofes.

Norberto meteu as unhas na cabeça, desesperado. Tinha-me escrito cedo, pedindo que fosse confortá-lo e dar-lhe algum conselho; esperara-me na rua, até perto de uma hora da noite, defronte da casa de pensão em que eu morava; contava-me na carta que não dormira, que recebera um golpe terrível, falava em atirar-se ao mar. Eu, apesar de outro golpe que também recebera, acudi ao meu pobre Norberto. Éramos da mesma idade, estudávamos medicina, com a diferença que eu repetia o terceiro ano, que perdera, por vadio. Norberto vivia com os pais; não me cabendo igual fortuna, por havê-los perdido, vivia de uma mesada que me dava um tio da Bahia, e das dívidas que o bom velho pagava semestralmente. Pagava-as, e escrevia-me logo uma porção de coisas amargas, concluindo sempre que, pelo menos, fosse estudando até ser doutor. Doutor, para quê? dizia comigo. Pois se nem o sol, nem a lua, nem as moças, nem os bons charutos Villegas eram doutores, que necessidade tinha eu de o ser? E tocava a rir, a folgar, a deixar correr semanas e credores.

Falei de um golpe recebido. Era uma carta do tio, vinda com a do Norberto, naquela mesma manhã. Abri-a antes da outra, e li-a com pasmo. Já me não tuteava; dizia cerimoniosamente: "Sr. Simeão Antônio de Barros, estou farto de gastar à toa o meu dinheiro com o senhor. Se quiser concluir os estudos, venha matricular-se aqui, e morar comigo. Se não, procure por si mesmo recursos; não lhe dou mais nada". Amarrotei o papel, finquei os olhos numa litografia muito ruim do visconde de Sepetiba, que já achei pendente de um prego, no meu quarto de pensão, e disse-lhe os nomes mais feios, de maluco para baixo. Bradei que podia guardar o seu dinheiro, que eu tinha vinte anos — o primeiro dos direitos do homem, anterior aos tios e outras convenções sociais.

A imaginação, madre amiga, apontou-me logo uma infinidade de recursos, que bastavam a dispensar os magros cobres de um velho avarento; mas, passada essa primeira impressão, e relida a carta, entrei a ver que a solução era mais árdua do que parecia. Os recursos podiam ser bons e até certos; mas eu estava tão afeito a ir à rua da Quitanda receber a pensão mensal e a gastá-la em dobro, que mal podia adotar outro sistema.

Foi neste ponto que abri a carta do amigo Norberto e corri à casa dele. Já sabem o que lhe disse; viram que ele meteu as unhas na cabeça, desesperado. Saibam agora que, depois do gesto, disse com olhar sombrio que esperava de mim outros conselhos.

— Quais?

Não me respondeu.

— Que compres uma pistola ou uma gazua? algum narcótico?

— Para que estás caçoando comigo?

— Para fazer-te homem.

Norberto deu de ombros, com um laivozinho de escárnio ao canto da boca. Que homem? Que era ser homem senão amar a mais divina criatura do mundo e morrer por ela?

A baronesa de Magalhães, causa daquela demência, viera pouco antes da Bahia, com o marido, que antes do baronato, adquirido para satisfazer a noiva, era Antônio José Soares de Magalhães. Vinham casados de fresco; a baronesa tinha menos trinta anos que o barão; ia em vinte e quatro. Realmente era bela. Chamavam-lhe, em família, Iaiá Lindinha. Como o barão era velho amigo do pai de Norberto, as duas famílias uniram-se desde logo.

— Morrer por ela? — disse eu.

Jurou-me que sim; era capaz de matar-se. Mulher misteriosa! A voz dela entrava-lhe pelos ossos... E, dizendo isto, rolava na cama, batia com a cabeça, mordia os travesseiros. Às vezes, parava, arquejando; logo depois tornava às mesmas convulsões, abafando os soluços e os gritos, para que os não ouvissem do primeiro andar.

Já acostumado às lágrimas do meu amigo, desde a vinda da baronesa, esperei que elas acabassem, mas não acabavam. Descavalguei a cadeira, fui a ele, bradei-lhe que era uma criançada, e despedi-me; Norberto pegou-me na mão, para que ficasse, não me tinha dito ainda o principal.

— É verdade; que é?

— Vão-se embora. Estivemos lá ontem, e ouvi que embarcam sábado.

— Para a Bahia?

— Sim.

— Então, vão comigo.

Contei-lhe o caso da carta, e as ordens de meu tio para ir matricular-me na Bahia, e estudar ao pé dele. Norberto escutou-me alvoroçado. Na Bahia? Iríamos juntos; éramos íntimos, os pais não recusariam este favor à nossa jovem amizade. Confesso que o plano pareceu-me excelente, e demo-nos a ele com afinco. A mãe, apesar de muita lágrima que teria de verter ao despegar-se do filho, cedeu mais prontamente do que supúnhamos. O pai é que não cedeu nada. Não houve rogos nem empenhos; o próprio barão, que eu tive a arte de trazer ao nosso propósito, não alcançou do velho amigo que deixasse ir o filho, nem ainda com a promessa de o aposentar em casa e velar por ele. O pai foi inflexível.

Podem imaginar o desespero do meu amigo. Na noite de sexta-feira esteve em casa dela, com a família, até onze horas; mas, com o pretexto de passar comigo a última noite da minha estada aqui, veio realmente chorar tantas e tais lágrimas, como nunca as vi chorar jamais, nem antes nem depois. Não podia descrer da paixão, nem presumir consolá-la; era a primeira. Até então, ambos nós só conhecíamos os trocos miúdos do amor; e, por desgraça dele a primeira moeda grande que achara, não era ouro nem prata, senão ferro, duro ferro, como a do velho Licurgo, forjada como mesmo amargo vinagre.

Não dormimos. Norberto chorava, arrepelava-se, pedia a morte, construía planos absurdos ou terríveis. Eu, arranjando as malas, ia-lhe dizendo alguma coisa que o consolasse; era pior, era como se falasse de dança a uma perna dolorida. Consegui que fumasse um cigarro, depois outro, e afinal fumou-os às dúzias, sem acabar nenhum. Às três horas tratava do modo de fugir ao Rio de Janeiro — não logo, mas daí a dias, no primeiro vapor. Tirei-lhe essa ideia da cabeça unicamente no interesse dele próprio.

— Ainda se fosse útil, vá — disse-lhe eu —, mas ir sem certeza de nada, ir dar com o nariz na porta, porque a mulher, se não gosta de ti, e te vê lá, é capaz de perceber logo o motivo da tua viagem, e não te recebe.

— Que sabes tu?

— Pode receber-te, mas não há certeza, acho eu. Crês que ela goste de ti?

— Não digo que sim, nem que não.

Contou-me episódios, gestos, ditos, coisas ambíguas ou insignificantes; depois vinha uma reticência de lágrimas, murros no peito, clamor de angústia, a dor ia-se-me comunicando; padecia com ele, a razão cedia à compaixão, as nossas naturezas fundiam-se em uma só lástima. Daí esta promessa que lhe fiz.

— Tenho uma ideia. Vou com eles, já nos conhecemos, é provável que frequente a casa; eu então farei uma coisa: sondo-a a teu respeito. Se vir que nem pensa em ti, escrevo-te francamente que penses em outra coisa; mas se achar alguma inclinação, pouca que seja, aviso-te, e, ou por bem ou por mal, embarca.

Norberto aceitou alvoroçado a proposta; era uma esperança. Fez-me jurar que cumpriria tudo, que a observaria bem, sem temor, e, pela sua parte, jurou-me que não hesitaria um instante. E teimava comigo que não perdesse nada; que, às vezes, um indício pequeno valia muito, uma palavrinha era um livro; que, se pudesse, aludisse ao desespero em que o deixava. Para peitar a minha sagacidade, afirmou que o desengano matá-lo-ia, porque esse amor, eterno como era, iria fartar-se na morte e na eternidade. Não achei boca para replicar-lhe que isto era o mesmo que obrigar-me a só mandar boas notícias. Naquela ocasião, apenas sabia chorar com ele.

A aurora registrou o nosso pacto imoral. Não consenti que ele fosse a bordo despedir-se. Parti. Não falemos da viagem... Ó mares de Homero, flagelados por Euros, Bóreas e o violento Zéfiro, mares épicos, podeis sacudir Ulisses, mas não lhe dais as aflições do enjoo. Isso é bom para os mares de agora, e particularmente para aqueles que me levaram daqui à Bahia. Só depois de chegar ante a cidade, ousei aparecer à nossa dona magnífica, tão senhora de si, como se acabasse de dar um passeio apenas longo.

— Não tem saudades do Rio de Janeiro? — disse-lhe eu logo, de introito.

— Certamente.

O barão veio indicar-me os lugares que a gente via do paquete — ou a direção de outros. Ofereceu-me a casa dele, no Bonfim. Meu tio veio a bordo, e, por mais que quisesse fazer-se tétrico, senti-lhe o coração amigo. Via-me, único filho da irmã finada — e via-me obediente. Não podia haver para mim melhores impressões de entrada. Divina juventude! as coisas novas pagavam-me em dobro as coisas velhas.

Dei os primeiros dias ao conhecimento da cidade; mas não tardou que uma carta do meu amigo Norberto me chamasse a atenção para ele. Fui ao Bonfim. A baronesa — ou Iaiá Lindinha, que era ainda o nome dado por toda a gente — recebeu-me com tanta graça, e o marido era tão hospedeiro e bom, que me envergonhei da particular comissão que trazia. Mas durou pouco a vergonha, vi o desespero do meu amigo, e a necessidade de consolá-lo ou desenganá-lo era superior a qualquer outra consideração. Confesso até uma singularidade; agora que estavam separados entrou-me na alma a esperança de que ela não desgostasse dele — justamente o que eu negava antes. Talvez fosse o desejo de o ver feliz; podia ser uma instigação da vaidade que me acenasse com a vitória em favor do desgraçado.

Naturalmente, conversamos do Rio de Janeiro. Eu dizia-lhe as minhas saudades, falava das coisas que estava acostumado a ver, das ruas que faziam parte da minha pessoa, das caras de todos os dias, das casas, das afeições... Oh! as afeições eram os laços mais apertados. Tinha amigos: os pais de Norberto...

— Dois santos — interrompeu a moça —; meu marido, que conhece o velho desde muitos anos, conta dele coisas curiosas. Sabe que casou por uma paixão fortíssima?

— Adivinha-se. O filho é o fruto expressivo do amor dos dois. Conheceu bem o meu pobre Norberto?

— Conheci; ia lá a casa muitas vezes.

— Não conheceu.

Iaiá Lindinha franziu levemente a testa.

— Perdoe-me se a desminto — continuei com vivacidade. — Não conheceu a melhor alma, a mais pura e a mais ardente que Deus criou. Talvez que ache parcial por ser amigo. A verdade é que ninguém me prende mais ao Rio de Janeiro. Coitado do meu Norberto! Não imagina que homem talhado para dois ofícios ao mesmo tempo, arcanjo e herói — para dizer à terra as delícias do céu, e para escalar o céu, se for preciso ir lá levar as lamentações humanas...

Só no fim desta fala compreendi que era ridícula. Iaiá Lindinha, ou não a entendeu assim, ou disfarçou a opinião; disse-me somente que a minha amizade era entusiasta, mas que o meu amigo parecia boa pessoa. Não era alegre, ou tinha crises melancólicas. Disseram-lhe que ele estudava muito...

— Muito.

Não insisti para não atropelar os acontecimentos... Que o leitor me não condene sem remissão nem agravo. Sei que o papel que eu fazia não era bonito; mas já lá vão vinte e sete anos. Confio do Tempo, que é um insigne alquimista. Dá-se-lhe um punhado de lodo, ele o restitui em diamantes; quando menos, em cascalho. Assim é que, se um homem de Estado escrever e publicar as suas memórias, tão sem escrúpulo que lhes não falte nada, nem confidências pessoais, nem segredos do governo, nem até amores, amores particularíssimos e inconfessáveis, verá que escândalo levanta o livro. Dirão, e dirão bem, que o autor é um cínico, indigno dos homens que confiaram nele e das mulheres que o amaram. Clamor sincero e legítimo, porque o caráter público impõe muitos resguardos; os bons costumes e o próprio respeito às mulheres amadas constrangem ao silêncio...

... Mas deixai pingar os anos na cuba de um século. Cheio o século, passa o livro a documento histórico, psicológico, anedótico. Hão de lê-lo a frio; estudar-se-á nele a vida íntima do nosso tempo, a maneira de amar, a de compor os ministérios e deitá-los abaixo, se as mulheres eram mais animosas que dissimuladas, como é que se faziam eleições e galanteios, se eram usados xales ou capas, que veículos tínhamos, se os relógios eram trazidos à direita ou à esquerda, e multidão de coisas interessantes para a nossa história pública íntima. Daí a esperança que me fica, de não ser condenado absolutamente pela consciência dos que me leem. Já lá vão vinte e sete anos!

Gastei mais de meio em bater à porta daquele coração, a ver se lá achava o Norberto; mas ninguém me respondia de dentro, nem o próprio marido. Não obstante, as cartas que mandava ao meu pobre amigo, se não levavam esperanças, também não levavam desenganos.

Houve-as até mais esperançosas que desenganadas. A afeição que lhe tinha e o meu amor-próprio conjugavam as forças todas para espertar nela a curiosidade e a sedução de um mistério remoto e possível.

Já então as nossas relações eram familiares. Visitava-os a miúdo. Quando lá não ia três noites seguidas, vivia aflito e inquieto; corria a vê-los na quarta noite, e era ela que me esperava ao portão da chácara, para dizer-me nomes feios, ingrato, preguiçoso, esquecido. Os nomes foram cessando, mas a pessoa não deixava de estar ali à espera, com a mão prestes a apertar a minha — às vezes, trêmula — ou seria a minha que tremia; não sei.

— Amanhã não posso vir — dizia-lhe algumas noites, à despedida, baixo, no vão de uma janela.

— Por quê?

Explicava-lhe a causa, estudo ou alguma obrigação de meu tio. Nunca tentou dissuadir-me de promessa, mas ficava desconsolada. Comecei a escrever menos ao Norberto e a falar pouco de Iaiá Lindinha, como quem não ia à casa dela. Tinha fórmulas diferentes: "Ontem encontrei o barão no largo do Palácio; disse-me que a mulher está boa". Ou então: "Sabes quem vi há três dias no teatro? A baronesa". Não relia as cartas, para não encarar a minha hipocrisia. Ele, pela sua parte, também ia escrevendo menos, e bilhetes curtos. Entre mim e a moça não aparecia mais o nome de Norberto; convencionamos, sem palavras, que era um defunto, e um triste defunto sem galas mortuárias.

Beirávamos o abismo, ambos teimando que era um reflexo da cúpula celeste — incongruência para os que não andam namorados. A morte resolveu o problema, levando consigo o barão, por meio de um ataque de apoplexia, no dia vinte e três de março de 1861, às seis horas da tarde. Era um excelente homem, a quem a viúva pagou em preces o que lhe não dera em amor.

Quando eu lhe pedi, três meses depois, que, acabado o luto, casasse comigo, Iaiá Lindinha não estranhou nem me despediu. Ao contrário, respondeu que sim, mas não tão cedo; punha uma condição: que concluísse primeiro os estudos, que me formasse. E disse isto com os mesmos lábios, que pareciam ser o único livro do mundo, o livro universal, a melhor das academias, a escola das escolas. Apelei dela para ela; escutou-me inflexível. A razão que me deu foi que meu tio podia recear que, uma vez casado, interromperia a carreira.

— E com razão — concluiu. — Ouça-me: só me caso com um doutor.

Cumprimos ambos a promessa. Durante algum tempo andou ela pela Europa, com uma cunhada e o marido desta; e as saudades foram então as minhas disciplinas mais duras. Estudei pacientemente; despeguei-me de todas as vadiações antigas. Recebi o capelo na véspera da bênção matrimonial; e posso dizer, sem hipocrisia, que achei o latim do padre muito superior ao discurso acadêmico.

Semanas depois, pediu-me Iaiá Lindinha que viéssemos ao Rio de Janeiro.

Cedi ao pedido, confesso que um pouco atordoado. Cá viria achar o meu amigo Norberto, se é que ele ainda residia aqui. Ia em mais de três anos que nos não escrevíamos; já antes disso as nossas cartas eram breves e sem interesse. Saberia do nosso casamento? Dos precedentes? Viemos; não contei nada a minha mulher.

Para quê? Era dar-lhe notícia da uma aleivosia oculta, dizia comigo. Ao chegar, pus esta questão a mim mesmo, se esperaria a visita dele, se iria visitá-lo antes; escolhi o segundo alvitre, para avisá-lo das coisas. Engenhei umas circunstâncias especiais, curiosas, acarretadas pela Providência, cujos fios ficam sempre ocultos aos homens. Não me ria, note-se bem; minha imaginação compunha tudo isso com seriedade.

No fim de quatro dias, soube que Norberto morava para os lados do Rio Comprido; estava casado. Tanto melhor. Corri à casa dele. Vi no jardim uma preta amamentando uma criança, outra criança de ano e meio, que recolhia umas pedrinhas do chão, acocorada.

— Nhô Bertinho, vai dizer a mamãe que está aqui um moço procurando papai.

O menino obedeceu; mas, antes que voltasse, chegava de fora o meu velho amigo Norberto. Conheci-o logo, apesar das grandes suíças que usava; lançamo-nos nos braços um do outro.

— Tu aqui? Quando chegaste?

— Ontem.

— Estás mais gordo, meu velho! Gordo e bonito. Entremos. Que é? — continuou ele inclinando-se para nhô Bertinho, que lhe abraçava uma das pernas.

Pegou dele, alçou-o, deu-lhe trinta mil beijos ou pouco menos; depois, tendo-o num braço, apontou para mim.

— Conheces este moço?

Nhô Bertinho olhava espantado, com o dedo na boca. O pai contou-lhe então que eu era um amigo de papai, muito amigo, desde o tempo em que vovô e vovó eram vivos...

— Teus pais morreram?

Norberto fez-me sinal que sim, e acudiu ao filho, que com as mãozinhas espalmadas pegava da cara do pai, pedindo-lhe mais beijos. Depois, foi à criança que mamava, não a tirou do regaço da ama, mas disse-lhe muitas coisas ternas, chamou-me para vê-la; era uma menina. Revia-se nela, encantado. Tinha cinco meses por ora; mas se eu voltasse ali quinze anos depois, veria que mocetona. Que bracinhos! que dedos gordos! Não podendo ter-se, inclinou-se e beijou-a.

— Entra, anda ver minha mulher. Jantas conosco.

— Não posso.

— Mamãe, está espiando — disse nhô Bertinho.

Olhei, vi uma moça à porta da sala, que dava para o jardim; a porta estava aberta, ela esperava-nos. Subimos os cinco degraus; entramos na sala. Norberto pegou-lhe nas mãos, e deu-lhes dois beijos. A moça quis recuar, não pôde, ficou muito corada.

— Não te vexes, Carmela — disse ele. — Sabes quem é este sujeito? É aquele Barros de quem te falei muitas vezes, um Simeão, estudante de medicina... A propósito, por que é que não me respondeste à participação do casamento?

— Não recebi nada — respondi.
— Pois afirmo que foi pelo correio.

Carmela ouvia o marido com admiração; ele tanto fez, que foi sentar-se ao pé dela, para lhe reter a mão, às escondidas. Eu fingia não ver nada; falava dos tempos acadêmicos, de alguns amigos, da política, da guerra, tudo para evitar que ele me perguntasse se estava ou não casado. Já me arrependia de ter ido ali; que lhe diria, se ele tocasse no ponto e indagasse da pessoa? Não me falou em nada; talvez soubesse tudo.

A conversação prolongou-se; mas eu teimei em sair, e levantei-me, Carmela despediu-se de mim com muita afabilidade. Era bela; os olhos pareciam dar-lhe um resplendor de santa. Certo é que o marido tinha-lhe adoração.

— Viste-a bem? — perguntou-me ele à porta do jardim. — Não te digo o sentimento que nos prende, estas coisas sentem-se, não se exprimem. De que sorris? Achas-me naturalmente criança. Creio que sim; criança eterna, como é eterno o meu amor.

Entrei no tílburi, prometendo ir lá jantar um daqueles dias.

— Eterno! — disse comigo. — Tal qual o amor que ele tinha a minha mulher.

E, voltando-me para o cocheiro, perguntei-lhe:

— O que é eterno?

— Com perdão de vossa senhoria — acudiu ele — mas eu acho que eterno é o fiscal da minha rua, um maroto que, se não lhe quebro a cara um destes dias, a minha alma se não salve. Pois o maroto parece eterno no lugar; tem aí não sei que compadres... Outros dizem que... Não me meto nisso... Lá quebrar-lhe a cara...

Não ouvi o resto; fui mergulhando em mim mesmo, ao zunzum do cocheiro. Quando dei por mim, estava na rua da Glória. O demônio continuava a falar; paguei, e desci até a praia da Glória, meti-me pela do Russell e fui sair à do Flamengo. O mar batia com força. Moderei o passo e pus-me a olhar para as ondas que vinham ali bater e morrer. Cá dentro, ressoava, como um trecho musical, a pergunta que fizera ao cocheiro: O que é eterno? As ondas, mais discretas que ele, não me contaram os seus particulares, vinham vindo, morriam, vinham vindo, morriam.

Cheguei ao hotel de Estrangeiros ao declinar da tarde. Minha mulher esperava-me para jantar. Eu, ao entrar no quarto, peguei-lhe das mãos, e perguntei-lhe:

— O que é eterno, Iaiá Lindinha?

Ela, suspirando:

— Ingrato! é o amor que te tenho.

Jantei sem remorsos; ao contrário, tranquilo e jovial. Coisas do Tempo! Dá-se-lhe um punhado de lodo, ele o restitui em diamantes...

Gazeta de Notícias, *9 de setembro de 1887; Machado de Assis.*

Missa do galo

Nunca pude entender a conversação que tive com uma senhora, há muitos anos, contava eu dezessete, ela trinta. Era noite de Natal. Havendo ajustado com um vizinho irmos à missa do galo, preferi não dormir; combinei que eu iria acordá-lo à meia-noite.

A casa em que eu estava hospedado era a do escrivão Meneses, que fora casado, em primeiras núpcias, com uma de minhas primas. A segunda mulher, Conceição, e a mãe desta acolheram-me bem, quando vim de Mangaratiba para o Rio de Janeiro, meses antes, a estudar preparatórios. Vivia tranquilo, naquela casa assobradada da rua do Senado, com os meus livros, poucas relações, alguns passeios. A família era pequena, o escrivão, a mulher, a sogra e duas escravas. Costumes velhos. Às dez horas da noite toda a gente estava nos quartos; às dez e meia a casa dormia. Nunca tinha ido ao teatro, e mais de uma vez, ouvindo dizer ao Meneses que ia ao teatro, pedi-lhe que me levasse consigo. Nessas ocasiões, a sogra fazia uma careta, e as escravas riam à socapa; ele não respondia, vestia-se, saía e só tornava na manhã seguinte. Mais tarde é que eu soube que o teatro era um eufemismo em ação. Meneses trazia amores com uma senhora, separada do marido, e dormia fora de casa uma vez por semana. Conceição padecera, a princípio, com a existência da comborça; mas, afinal, resignara-se, acostumara-se, e acabou achando que era muito direito.

Boa Conceição! Chamavam-lhe "a santa", e fazia jus ao título, tão facilmente suportava os esquecimentos do marido. Em verdade, era um temperamento moderado, sem extremos, nem grandes lágrimas, nem grandes risos. No capítulo de que trato, dava para maometana; aceitaria um harém, com as aparências salvas. Deus me perdoe, se a julgo mal. Tudo nela era atenuado e passivo. O próprio rosto era mediano, nem bonito nem feio. Era o que chamamos uma pessoa simpática. Não dizia mal de ninguém, perdoava tudo. Não sabia odiar; pode ser até que não soubesse amar.

Naquela noite de Natal foi o escrivão ao teatro. Era pelos anos de 1861 ou 1862. Eu já devia estar em Mangaratiba, em férias; mas fiquei até o Natal para ver "a missa do galo na corte". A família recolheu-se à hora do costume; eu meti-me na sala da frente, vestido e pronto. Dali passaria ao corredor da entrada e sairia sem acordar ninguém. Tinha três chaves a porta; uma estava com o escrivão, eu levaria outra, a terceira ficava em casa.

— Mas, senhor Nogueira, que fará você todo esse tempo? — perguntou-me a mãe de Conceição.

— Leio, dona Inácia.

Tinha comigo um romance, os *Três Mosqueteiros*, velha tradução creio do *Jornal do Commercio*. Sentei-me à mesa que havia no centro da sala, e à luz de um candeeiro de querosene, enquanto a casa dormia, trepei ainda uma vez ao cavalo magro de D'Artagnan e fui-me às aventuras. Dentro em pouco estava completamente ébrio de Dumas. Os minutos voavam, ao contrário do que costumam fazer, quando são de espera; ouvi bater onze horas, mas quase sem dar por elas, um acaso. Entretanto, um pequeno rumor que ouvi dentro veio acordar-me da leitura. Eram uns passos no corredor que ia da sala de visitas à de jantar; levantei a cabeça; logo depois vi assomar à porta da sala o vulto de Conceição.

— Ainda não foi? — perguntou ela.
— Não fui, parece que ainda não é meia-noite.
— Que paciência!

Conceição entrou na sala, arrastando as chinelinhas da alcova. Vestia um roupão branco, mal apanhado na cintura. Sendo magra, tinha um ar de visão romântica, não disparatada com o meu livro de aventuras. Fechei o livro; ela foi sentar-se na cadeira que ficava defronte de mim, perto do canapé. Como eu lhe perguntasse se a havia acordado, sem querer, fazendo barulho, respondeu com presteza:

— Não! qual! Acordei por acordar.

Fitei-a um pouco e duvidei da afirmativa. Os olhos não eram de pessoa que acabasse de dormir; pareciam não ter ainda pegado no sono. Essa observação, porém, que valeria alguma coisa em outro espírito, depressa a botei fora, sem advertir que talvez não dormisse justamente por minha causa, e mentisse para me não afligir ou aborrecer. Já disse que ela era boa, muito boa.

— Mas a hora já há de estar próxima — disse eu.
— Que paciência a sua de esperar acordado, enquanto o vizinho dorme! E esperar sozinho! Não tem medo de almas do outro mundo? Eu cuidei que se assustasse quando me viu.
— Quando ouvi os passos estranhei: mas a senhora apareceu logo.
— Que é que estava lendo? Não diga, já sei, é o romance dos *Mosqueteiros*.
— Justamente: é muito bonito.
— Gosta de romances?
— Gosto.
— Já leu a *Moreninha*?
— Do doutor Macedo? Tenho lá em Mangaratiba.
— Eu gosto muito de romances, mas leio pouco, por falta de tempo. Que romances é que você tem lido?

Comecei a dizer-lhe os nomes de alguns. Conceição ouvia-me com a cabeça reclinada no espaldar, enfiando os olhos por entre as pálpebras meio cerradas, sem os tirar de mim. De vez em quando passava a língua pelos beiços, para umedecê-los. Quando acabei de falar, não me disse nada; ficamos assim alguns segundos. Em seguida, vi-a endireitar a cabeça, cruzar os dedos e sobre eles pousar o queixo, tendo os cotovelos nos braços da cadeira, tudo sem desviar de mim os grandes olhos espertos:

— Talvez esteja aborrecida — pensei eu.

E logo alto:

— Dona Conceição, creio que vão sendo horas, e eu...
— Não, não, ainda é cedo. Vi agora mesmo o relógio, são onze e meia. Tem tempo. Você, perdendo a noite, é capaz de não dormir de dia?
— Já tenho feito isso.
— Eu, não; perdendo uma noite, no outro dia estou que não posso, e, meia hora que seja, hei de passar pelo sono. Mas também estou ficando velha.
— Que velha o quê, dona Conceição?

Tal foi o calor da minha palavra que a fez sorrir. De costume tinha os gestos demorados e as atitudes tranquilas; agora, porém, ergueu-se rapidamente, passou para o outro lado da sala e deu alguns passos, entre a janela da rua e a porta do gabinete do marido. Assim, com o desalinho honesto que trazia, dava-me uma impressão singular. Magra embora, tinha não sei que balanço no andar, como quem lhe custa levar o corpo; essa feição nunca me pareceu tão distinta como naquela noite. Parava algumas vezes, examinando um trecho de cortina ou concertando a posição de algum objeto no aparador; afinal deteve-se, ante mim, com a mesa de permeio. Estreito era o círculo das suas ideias; tornou ao espanto de me ver esperar acordado; eu repeti-lhe o que ela sabia, isto é, que nunca ouvira missa do galo na corte, e não queria perdê-la.

— É a mesma missa da roça; todas as missas se parecem.

— Acredito; mas aqui há de haver mais luxo e mais gente também. Olhe, a semana santa na corte é mais bonita que na roça. São João não digo, nem Santo Antônio...

Pouco a pouco, tinha-se reclinado; fincara os cotovelos no mármore da mesa e metera o rosto entre as mãos espalmadas. Não estando abotoadas as mangas, caíram naturalmente, e eu vi-lhe metade dos braços, muito claros, e menos magros do que se poderiam supor.

A vista não era nova para mim, posto também não fosse comum; naquele momento, porém, a impressão que tive foi grande. As veias eram tão azuis, que apesar da pouca claridade, podia contá-las do meu lugar. A presença de Conceição espertara-me ainda mais que o livro. Continuei a dizer o que pensava das festas da roça e da cidade, e de outras coisas que me iam vindo à boca. Falava emendando os assuntos, sem saber por quê, variando deles ou tornando aos primeiros, e rindo para fazê-la sorrir e ver-lhe os dentes que luziam de brancos, todos iguaizinhos. Os olhos dela não eram bem negros, mas escuros; o nariz, seco e longo, um tantinho curvo, dava-lhe ao rosto um ar interrogativo. Quando eu alteava um pouco a voz, ela reprimia-me:

— Mais baixo! mamãe pode acordar.

E não saía daquela posição, que me enchia de gosto, tão perto ficavam as nossas caras. Realmente, não era preciso falar alto para ser ouvido: cochichávamos os dois, eu mais que ela, porque falava mais; ela, às vezes, ficava séria, muito séria, com a testa um pouco franzida. Afinal, cansou; trocou de atitude e de lugar. Deu volta à mesa e veio sentar-se do meu lado, no canapé. Voltei-me, e pude ver, a furto, o bico das chinelas; mas foi só o tempo que ela gastou em sentar-se, o roupão era comprido e cobriu-as logo. Recordo-me que eram pretas. Conceição disse baixinho:

— Mamãe está longe, mas tem o sono muito leve; se acordasse agora, coitada, tão cedo não pegava no sono.

— Eu também sou assim.

— O quê? — perguntou ela inclinando o corpo para ouvir melhor.

Fui sentar-me na cadeira que ficava ao lado do canapé e repeti-lhe a palavra. Riu-se da coincidência; também ela tinha o sono leve; éramos três sonos leves.

— Há ocasiões em que sou como mamãe; acordando, custa-me dormir outra vez, rolo na cama, à toa, levanto-me, acendo vela, passeio, torno a deitar-me e nada.

— Foi o que lhe aconteceu hoje.

— Não, não — atalhou ela.

Não entendi a negativa; ela pode ser que também não a entendesse. Pegou das pontas do cinto e bateu com elas sobre os joelhos, isto é, o joelho direito, porque acabava de cruzar as pernas. Depois referiu uma história de sonhos, e afirmou-me que só tivera um pesadelo, em criança. Quis saber se eu os tinha. A conversa reatou-se assim lentamente, longamente, sem que eu desse pela hora nem pela missa. Quando eu acabava uma narração ou uma explicação, ela inventava outra pergunta ou outra matéria, e eu pegava novamente na palavra. De quando em quando, reprimia-me:

— Mais baixo, mais baixo...

Havia também umas pausas. Duas outras vezes, pareceu-me que a via dormir; mas os olhos, cerrados por um instante, abriam-se logo sem sono nem fadiga, como se ela os houvesse fechado para ver melhor. Uma dessas vezes creio que deu por mim embebido na sua pessoa, e lembra-me que os tornou a fechar, não sei se apressada ou vagarosamente. Há impressões dessa noite que me aparecem truncadas ou confusas. Contradigo-me, atrapalho-me. Uma das que ainda tenho frescas é que, em certa ocasião, ela, que era apenas simpática, ficou linda, ficou lindíssima. Estava de pé, os braços cruzados; eu, em respeito a ela, quis levantar-me; não consentiu, pôs uma das mãos no meu ombro, e obrigou-me a estar sentado. Cuidei que ia dizer alguma coisa; mas estremeceu, como se tivesse um arrepio de frio, voltou as costas e foi sentar-se na cadeira, onde me achara lendo. Dali relanceou a vista pelo espelho, que ficava por cima do canapé, falou de duas gravuras que pendiam da parede.

— Estes quadros estão ficando velhos. Já pedi a Chiquinho para comprar outros.

Chiquinho era o marido. Os quadros falavam do principal negócio deste homem. Um representava "Cleópatra"; não me recordo o assunto do outro, mas eram mulheres. Vulgares ambos; naquele tempo não me pareciam feios.

— São bonitos — disse eu.

— Bonitos são; mas estão manchados. E depois francamente, eu preferia duas imagens, duas santas. Estas são mais próprias para sala de rapaz ou de barbeiro.

— De barbeiro? A senhora nunca foi à casa de barbeiro.

— Mas imagino que os fregueses, enquanto esperam, falam de moças e namoros, e naturalmente o dono da casa alegra a vista deles com figuras bonitas. Em casa de família é que não acho próprio. É o que eu penso; mas eu penso muita coisa assim esquisita. Seja o que for, não gosto dos quadros. Eu tenho uma Nossa Senhora da Conceição, minha madrinha, muito bonita; mas é de escultura, não se pode pôr na parede, nem eu quero. Está no meu oratório.

A ideia do oratório trouxe-me a da missa, lembrou-me que podia ser tarde e quis dizê-lo. Penso que cheguei a abrir a boca, mas logo a fechei para ouvir o que ela contava, com doçura, com graça, com tal moleza que trazia preguiça à minha alma e fazia esquecer a missa e a igreja. Falava das suas devoções de menina e moça. Em seguida referia umas anedotas de baile, uns casos de passeio, reminiscências de Paquetá, tudo de mistura, quase sem interrupção. Quando cansou do passado, falou do presente, dos negócios da casa, das canseiras de família, que lhe diziam ser muitas, antes de casar, mas não eram nada. Não me contou, mas eu sabia que casara aos vinte e sete anos.

Já agora não trocava de lugar, como a princípio, e quase não saíra da mesma atitude. Não tinha os grandes olhos compridos, e entrou a olhar à toa para as paredes.

— Precisamos mudar o papel da sala — disse daí a pouco, como se falasse consigo.

Concordei, para dizer alguma coisa, para sair da espécie de sono magnético, ou o que quer que era que me tolhia a língua e os sentidos. Queria e não queria acabar a conversação; fazia esforço para arredar os olhos dela, e arredava-os por um sentimento de respeito; mas a ideia de parecer que era aborrecimento, quando não era, levava-me os olhos outra vez para Conceição. A conversa ia morrendo. Na rua, o silêncio era completo.

Chegamos a ficar por algum tempo — não posso dizer quanto — inteiramente calados. O rumor único e escasso, era um roer de camundongo no gabinete, que me acordou daquela espécie de sonolência; quis falar dele, mas não achei modo. Conceição parecia estar devaneando. Subitamente, ouvi uma pancada na janela, do lado de fora, e uma voz que bradava: "Missa do galo! missa do galo!"

— Aí está o companheiro — disse ela levantando-se. — Tem graça; você é que ficou de ir acordá-lo, ele é que vem acordar você. Vá, que hão de ser horas; adeus.

— Já serão horas? — perguntei.

— Naturalmente.

— Missa do galo! — repetiram de fora, batendo.

— Vá, vá, não se faça esperar. A culpa foi minha. Adeus, até amanhã.

E com o mesmo balanço do corpo, Conceição enfiou pelo corredor dentro, pisando mansinho. Saí à rua e achei o vizinho que esperava. Guiamos dali para a igreja. Durante a missa, a figura de Conceição interpôs-se mais de uma vez, entre mim e o padre; fique isto à conta dos meus dezessete anos. Na manhã seguinte, ao almoço, falei da missa do galo e da gente que estava na igreja sem excitar a curiosidade de Conceição. Durante o dia, achei-a como sempre, natural, benigna, sem nada que fizesse lembrar a conversação da véspera. Pelo ano-bom fui para Mangaratiba. Quando tornei ao Rio de Janeiro em março, o escrivão tinha morrido de apoplexia. Conceição morava no Engenho Novo, mas nem a visitei nem a encontrei. Ouvi mais tarde que casara com o escrevente juramentado do marido.

A Semana, *12 de maio de 1894; Machado de Assis.*

Ideias de canário

Um homem dado a estudos de ornitologia, por nome Macedo, referiu a alguns amigos um caso tão extraordinário que ninguém lhe deu crédito. Alguns chegam a supor que Macedo virou o juízo. Eis aqui o resumo da narração.

No princípio do mês passado — disse ele — indo por uma rua, sucedeu que um tílburi à disparada quase me atirou ao chão. Escapei saltando para dentro de uma loja de belchior. Nem o estrépito do cavalo e do veículo, nem a minha entrada fizeram levantar o dono do negócio, que cochilava ao fundo, sentado numa cadeira de abrir. Era um frangalho de homem, barba cor de palha suja, a cabeça enfiada em um gorro esfarrapado, que provavelmente não achara comprador. Não se adivinhava nele nenhuma história, como podiam ter alguns dos objetos que vendia, nem se lhe sentia a tristeza austera e desenganada das vidas que foram vidas.

A loja era escura, atulhada das coisas velhas, tortas, rotas, enxovalhadas, enferrujadas que de ordinário se acham em tais casas, tudo naquela meia desordem própria do negócio. Essa mistura, posto que banal, era interessante. Panelas sem tampa, tampas sem panela, botões, sapatos, fechaduras, uma saia preta, chapéus de palha e de pelo, caixilhos, binóculos, meias casacas, um florete, um cão empalhado, um par de chinelas, luvas, vasos sem nome, dragonas, uma bolsa de veludo, dois cabides, um bodoque, um termômetro, cadeiras, um retrato litografado pelo finado Sisson, um gamão, duas máscaras de arame para o carnaval que há de vir, tudo isso e o mais que não vi ou não me ficou de memória, enchia a loja nas imediações da porta, encostado, pendurado ou exposto em caixas de vidro, igualmente velhas. Lá para dentro, havia outras coisas mais e muitas, e do mesmo aspecto, dominando os objetos grandes, cômodas, cadeiras, camas, uns por cima dos outros, perdidos na escuridão.

Ia a sair, quando vi uma gaiola pendurada da porta. Tão velha como o resto, para ter o mesmo aspecto da desolação geral, faltava-lhe estar vazia. Não estava vazia. Dentro pulava um canário. A cor, a animação e a graça do passarinho davam àquele amontoado de destroços uma nota de vida e de mocidade. Era o último passageiro de algum naufrágio, que ali foi parar íntegro e alegre como dantes. Logo que olhei para ele, entrou a saltar mais abaixo e acima, de poleiro em poleiro, como se quisesse dizer que no meio daquele cemitério brincava um raio de sol. Não atribuo essa imagem ao canário, senão porque falo a gente retórica; em verdade, ele não pensou em cemitério nem sol, segundo me disse depois. Eu, de envolta com o prazer que me trouxe aquela vista, senti-me indignado do destino do pássaro, e murmurei baixinho palavras de azedume.

— Quem seria o dono execrável deste bichinho, que teve ânimo de se desfazer dele por alguns pares de níqueis? Ou que mão indiferente, não querendo guardar esse companheiro de dono defunto, o deu de graça a algum pequeno, que o vendeu para ir jogar uma quiniela?

E o canário, quedando-se em cima do poleiro, trilou isto:

— Quem quer que sejas tu, certamente não estás em teu juízo. Não tive dono execrável, nem fui dado a nenhum menino que me vendesse. São imaginações de pessoa doente; vai-te curar, amigo...

— Como? — interrompi eu, sem ter tempo de ficar espantado. — Então o teu dono não te vendeu a esta casa? Não foi a miséria ou a ociosidade que te trouxe a este cemitério, como um raio de sol?

— Não sei que seja sol nem cemitério. Se os canários que tens visto usam do primeiro desses nomes, tanto melhor, porque é bonito, mas estou que confundes.

— Perdão, mas tu não vieste para aqui à toa, sem ninguém, salvo se o teu dono foi sempre aquele homem que ali está sentado.

— Que dono? Esse homem que aí está é meu criado, dá-me água e comida todos os dias, com tal regularidade que eu, se devesse pagar-lhe os serviços, não seria com pouco; mas os canários não pagam criados. Em verdade, se o mundo é propriedade dos canários, seria extravagante que eles pagassem o que está no mundo.

Pasmado das respostas, não sabia que mais admirar, se a linguagem, se as ideias. A linguagem, posto me entrasse pelo ouvido como de gente, saía do bicho em trilos engraçados. Olhei em volta de mim, para verificar se estava acordado; a rua era a mesma, a loja era a mesma loja escura, triste e úmida. O canário, movendo a um lado e outro, esperava que eu lhe falasse. Perguntei-lhe então se tinha saudades do espaço azul e infinito...

— Mas, caro homem — trilou o canário —, que quer dizer espaço azul e infinito?

— Mas, perdão, que pensas deste mundo? Que coisa é o mundo?

— O mundo — redarguiu o canário com certo ar de professor —, o mundo é uma loja de belchior, com uma pequena gaiola de taquara, quadrilonga, pendente de um prego; o canário é senhor da gaiola que habita e da loja que o cerca. Fora daí, tudo é ilusão e mentira.

Nisto acordou o velho, e veio a mim arrastando os pés. Perguntou-me se queria comprar o canário. Indaguei se o adquirira, como o resto dos objetos que vendia, e soube que sim, que o comprara a um barbeiro, acompanhado de uma coleção de navalhas.

— As navalhas estão em muito bom uso — concluiu ele.

— Quero só o canário.

Paguei-lhe o preço, mandei comprar uma gaiola vasta, circular, de madeira e arame, pintada de branco, e ordenei que a pusessem na varanda da minha casa, de onde o passarinho podia ver o jardim, o repuxo e um pouco do céu azul.

Era meu intuito fazer um longo estudo do fenômeno, sem dizer nada a ninguém, até poder assombrar o século com a minha extraordinária descoberta. Comecei por alfabetar a língua do canário, por estudar-lhe a estrutura, as relações com a música, os sentimentos estéticos do bicho, as suas ideias e reminiscências. Feita essa análise filológica e psicológica, entrei propriamente na história dos canários, na origem deles, primeiros séculos, geologia e flora das ilhas Canárias, se ele tinha conhecimento da navegação etc. Conversávamos longas horas, eu escrevendo as notas, ele esperando, saltando, trilando.

Não tendo mais família que dois criados, ordenava-lhes que não me interrompessem, ainda por motivo de alguma carta ou telegrama urgente, ou visita de importância. Sabendo ambos das minhas ocupações científicas, acharam natural a ordem, e não suspeitaram que o canário e eu nos entendíamos.

Não é mister dizer que dormia pouco, acordava duas e três vezes por noite, passeava à toa, sentia-me com febre. Afinal tornava ao trabalho, para reler, acrescentar, emendar. Retifiquei mais de uma observação — ou por havê-la entendido mal, ou porque ele não a tivesse expresso claramente. A definição do mundo foi uma delas. Três semanas depois da entrada do canário em minha casa, pedi-lhe que me repetisse a definição do mundo.

— O mundo — respondeu ele — é um jardim assaz largo com repuxo no meio, flores e arbustos, alguma grama, ar claro e um pouco de azul por cima; o canário, dono do mundo, habita uma gaiola vasta, branca e circular, de onde mira o resto. Tudo o mais é ilusão e mentira.

Também a linguagem sofreu algumas retificações, e certas conclusões, que me tinham parecido simples, vi que eram temerárias. Não podia ainda escrever a memória que havia de mandar ao Museu Nacional, ao Instituto Histórico e às universidades alemãs, não porque faltasse matéria, mas para acumular primeiro todas as observações e ratificá-las. Nos últimos dias, não saía de casa, não respondia a cartas, não quis saber de amigos nem parentes. Todo eu era canário. De manhã, um dos criados tinha a seu cargo limpar a gaiola e pôr-lhe água e comida. O passarinho não lhe dizia nada, como se soubesse que a esse homem faltava qualquer preparo científico. Também o serviço era o mais sumário do mundo; o criado não era amador de pássaros.

Um sábado amanheci enfermo, a cabeça e a espinha doíam-me. O médico ordenou absoluto repouso; era excesso de estudo, não devia ler nem pensar, não devia saber sequer o que se passava na cidade e no mundo. Assim fiquei cinco dias; no sexto levantei-me, e só então soube que o canário, estando o criado a tratar dele, fugira da gaiola. O meu primeiro gesto foi para esganar o criado; a indignação sufocou-me, caí na cadeira, sem voz, tonto. O culpado defendeu-se, jurou que tivera cuidado, o passarinho é que fugira por astuto...

— Mas não o procuraram?

— Procuramos, sim, senhor; a princípio trepou ao telhado, trepei também, ele fugiu, foi para uma árvore, depois escondeu-se não sei onde. Tenho indagado desde ontem, perguntei aos vizinhos, aos chacareiros, ninguém sabe nada.

Padeci muito; felizmente, a fadiga estava passada, e com algumas horas pude sair à varanda e ao jardim. Nem sombra de canário. Indaguei, corri, anunciei, e nada. Tinha já recolhido as notas para compor a memória, ainda que truncada e incompleta, quando me sucedeu visitar um amigo, que ocupa uma das mais belas e grandes chácaras dos arrabaldes. Passeávamos nela antes de jantar, quando ouvi trilar esta pergunta:

— Viva, senhor Macedo, por onde tem andado que desapareceu?

Era o canário; estava no galho de uma árvore. Imaginem como fiquei, e o que lhe disse. O meu amigo cuidou que eu estivesse doido; mas que me importavam cuidados de amigos? Falei ao canário com ternura, pedi-lhe que viesse continuar a conversação, naquele nosso mundo composto de um jardim e repuxo, varanda e gaiola branca e circular...

— Que jardim? que repuxo?

— O mundo, meu querido.

— Que mundo? Tu não perdes os maus costumes de professor. O mundo — concluiu solenemente — é um espaço infinito e azul, com o sol por cima.

Indignado, retorqui-lhe que, se eu lhe desse crédito, o mundo era tudo; até já fora uma loja de belchior...

— De belchior? — trilou ele às bandeiras despregadas. — Mas há mesmo lojas de belchior?

Gazeta de Notícias, *15 de novembro de 1895; Machado de Assis.*

Lágrimas de Xerxes

Suponhamos (tudo é de supor) que Julieta e Romeu, antes que frei Lourenço os casasse, travavam com ele este diálogo curioso:

Julieta — Uma só pessoa?

Frei Lourenço — Sim, filha, e, logo que eu houver feito de vós ambos uma só pessoa, nenhum outro poder vos desligará mais. Andai, andai, vamos ao altar, que estão acendendo as velas... (*Saem da cela e vão pelo corredor.*)

Romeu — Para que velas? Abençoai-nos aqui mesmo. (*Para diante de uma janela.*) Para que altar e velas? O céu é o altar: não tarda que a mão dos anjos acenda ali as eternas estrelas; mas, ainda sem elas, o altar é este. A igreja está aberta; podem descobrir-nos. Eia, abençoai-nos aqui mesmo.

Frei Lourenço — Não, vamos para a igreja; daqui a pouco estará tudo pronto. Curvarás a cabeça, filha minha, para que olhos estranhos, se alguns houver, não cheguem a reconhecer-te...

Romeu — Vã dissimulação; não há, em toda Verona, um talhe igual ao da minha bela Julieta, nenhuma outra dama chegaria a dar a mesma impressão que esta. Que impede que seja aqui? O altar não é mais que o céu.

Frei Lourenço — Mais eficaz que o céu.

Romeu — Como?

Frei Lourenço — Tudo o que ele abençoa perdura. As velas que lá verás arder, hão de acabar antes dos noivos e do padre que os vai ligar; tenho-as visto morrer infinitas; mas as estrelas...

Romeu — Que tem? arderão ainda, nem ali nasceram senão para dar ao céu a mesma graça da terra. Sim, minha divina Julieta, a Via Láctea é como o pó luminoso dos teus pensamentos, todas as pedrarias e claridades altas e remotas, tudo isso está aqui perto e resumido na tua pessoa, porque a lua plácida imita a tua indulgência, e Vênus, quando cintila, é com os fogos da tua imaginação. Aqui mesmo, padre. Que outra formalidade nos pedes tu? Nenhuma formalidade exterior, nenhum consentimento alheio. Nada mais que amor e vontade. O ódio de outros separa-nos, mas o nosso amor conjuga-nos.

Frei Lourenço — Para sempre.

Julieta — Conjuga-nos, e para sempre. Que mais então? Vai a tua mão fazer com que parem todas as horas de uma vez. Em vão o sol passará de um céu a outro céu, e tornará a vir e tornará a ir, não levará consigo o tempo que fica a nossos pés como um tigre domado. Monge amigo, repete essa palavra amiga.

Frei Lourenço — Para sempre.

Julieta — Para sempre! amor eterno! eterna vida! Juro-vos que não entendo outra língua senão essa. Juro-vos que não entendo a língua de minha mãe.

Frei Lourenço — Pode ser que tua mãe não entendesse a língua da mãe dela. A vida é uma Babel, filha; cada um de nós vale por uma nação.

Romeu — Não aqui, padre; ela e eu somos duas províncias da mesma linguagem, que nos aliamos para dizer as mesmas orações, com o mesmo alfabeto e um só sentido. Nem há outro sentido que tenha algum valor na terra. Agora, quem nos ensinou essa linguagem divina não sei eu nem ela; foi talvez alguma estrela. Olhai, pode ser que fosse aquela primeira que começa a cintilar no espaço.

JULIETA — Que mão celeste a terá acendido? Rafael, talvez, ou tu, amado Romeu. Magnífica estrela, serás a estrela da minha vida, tu, que marcas a hora do meu consórcio. Que nome tem ela, padre?

FREI LOURENÇO — Não sei de astronomias, filha.

JULIETA — Hás de saber por força. Tu conheces as letras divinas e humanas, as próprias ervas do chão, as que matam e as que curam... Dize, dize...

FREI LOURENÇO — Eva eterna!

JULIETA — Dize o nome dessa tocha celeste, que vai alumiar as minhas bodas, e casai-nos aqui mesmo. Os astros valem mais que as tochas da terra.

FREI LOURENÇO — Valem menos. Que nome tem aquele? Não sei. A minha astronomia não é como a dos outros homens. (*Depois de alguns instantes de reflexão.*) Eu sei o que me contaram os ventos, que andam cá e lá, abaixo e acima, de um tempo a outro tempo, e sabem muito, porque são testemunhas de tudo. A dispersão não lhes tira a unidade, nem a inquietação a constância.

ROMEU — E que vos disseram eles?

FREI LOURENÇO — Coisas duras. Heródoto conta que Xerxes um dia chorou; mas não conta mais nada. Os ventos é que me disseram o resto, porque eles lá estavam ao pé do capitão, e recolheram tudo... Escutai; aí começam eles a agitar-se; ouviram-nos falar e murmuram... Uivai, amigos ventos, uivai como nos jovens dias das Termópilas.

ROMEU — Mas que te disseram eles? Contai, contai depressa.

JULIETA — Fala a gosto, nós te esperaremos.

FREI LOURENÇO — Gentil criatura, aprende com ela, filho, aprende a tolerar as demasias de um velho lunático. O que é que me disseram? Melhor fora não repeti-lo; mas, se teimais em que vos case aqui mesmo, ao clarão das estrelas, dir-vos-ei a origem daquela, que parece governar todas as outras... Vamos, ainda é tempo, o altar espera-nos... Não? teimosos que sois... Contar-vos-ei o que me disseram os ventos, que lá estavam em torno de Xerxes, quando este vinha destruir a Hélade com tropas inumeráveis. As tropas marchavam diante dele, a poder de chicote, porque esse homem cru amava particularmente o chicote e empregava-o a miúdo, sem hesitação nem remorso. O próprio mar, quando ousou destruir a ponte que ele mandara construir, recebeu em castigo trezentas chicotadas. Era justo; mas para não ser somente justo, para ser também abominável, Xerxes ordenou que decapitassem a todos os que tinham construído a ponte e não souberam fazê-la imperecível. Chicote e espada; pancada e sangue.

JULIETA — Oh! abominável!

FREI LOURENÇO — Abominável, mas forte. Força vale alguma coisa; a prova é que o mar acabou aceitando o jugo do grande persa. Ora, um dia, à margem do Helesponto, curioso de contemplar as tropas que ali ajuntara, no mar e em terra, Xerxes trepou a um alto morro feitiço, donde espalhou as vistas para todos os lados. Calculai o orgulho que ele sentiu. Viu ali gente infinita, o melhor leite mungido à vaca asiática, centenas de milhares ao pé de centenas de milhares, várias armas, povos diversos, cores e vestiduras diferentes, mescladas, baralhadas, flecha e gládio, tiara e capacete, pele de cabra, pele de cavalo, pele de pantera, uma algazarra infinita de coisas. Viu e riu; farejava a vitória. Que outro poder viria contrastá-lo? Sentia-se indestrutível. E ficou a rir e a olhar com longos olhos ávidos e felizes, olhos de noivado, como os teus, moço amigo...

Romeu — Comparação falsa. O maior déspota do universo é um miserável escravo, se não governa os mais belos olhos femininos de Verona. E a prova é que, a despeito do poder, chorou.

Frei Lourenço — Chorou, é certo, logo depois, tão depressa acabara de rir. A cara embruscou-se-lhe de repente, e as lágrimas saltaram-lhe grossas e irreprimíveis. Um tio do guerreiro, que ali estava, interrogou-o espantado; ele respondeu melancolicamente que chorava, considerando que de tantos milhares e milhares de homens que ali tinha diante de si, e às suas ordens, não existiria um só ao cabo de um século. Até aqui Heródoto; escutai agora os ventos. Os ventos ficaram atônitos. Estavam justamente perguntando uns aos outros se esse homem feito de ufania e rispidez teria nunca chorado em sua vida, e concluíam que não, que era impossível, que ele não conhecia mais que injustiça e crueldade, não a compaixão. E era a compaixão que ali vinha lacrimosa, era ela que soluçava na garganta do tirano... Então eles rugiram de assombro; depois pegaram das lágrimas de Xerxes... Que farias tu delas?

Romeu — Secá-las-ia, para que a piedade humana não ficasse desonrada.

Frei Lourenço — Não fizeram isso; pegaram das lágrimas todas e deitaram a voar pelo espaço fora, bradando às considerações: Aqui estão! olhai! olhai! aqui estão os primeiros diamantes da alma bárbara! Todo o firmamento ficou alvoroçado; pode crer-se que, por um instante, a marcha das coisas parou. Nenhum astro queria acabar de crer nos ventos. Xerxes! Lágrimas de Xerxes eram impossíveis; tal planta não dava em tal rochedo. Mas ali estavam elas; eles as mostravam, contando a sua curiosa história, o riso que servira de concha a essas pérolas, as palavras dele, e as constelações não tiveram remédio, e creram finalmente que o duro Xerxes houvesse chorado. Os planetas miraram longo tempo essas lágrimas inverossímeis; não havia negar que traziam o amargo da dor e o travo da melancolia. E quando pensaram que o coração que as brotara de si tinha particular amor ao estalido do chicote, deitaram um olhar oblíquo à terra, como perguntando de que contradições era ela feita. Um deles disse aos ventos que devolvessem as lágrimas ao bárbaro, para que as engolisse; mas os ventos responderam que não e detiveram-se para deliberar. Não cuideis que só os homens dissentem uns dos outros.

Julieta — Também os ventos?

Frei Lourenço — Também eles. O aquilão queria convertê-las em tempestades do mundo, violentas e destruidoras, como o homem que as gerara; mas os outros ventos não aceitaram a ideia. As tempestades passam ligeiras; eles queriam alguma coisa que tivesse perenidade, um rio, por exemplo, ou um mar novo; mas não combinaram nada e foram ter com o sol e a lua. Tu conheces a lua, filha.

Romeu — A lua é ela mesma; uma e outra são a plácida imagem da indulgência e do carinho; é o que eu te disse há pouco, meu bom confessor.

Julieta — Não, não creias nada do que ele disser, frei amigo; a lua é a minha rival, é a rival que alumia de longe o belo rosto do galhardo Romeu, que lhe dá um resplendor de opala, à noite, quando ele vem pela rua...

Frei Lourenço — Terão ambos razão. A lua e Julieta podem ser a mesma pessoa, e é por isso que querem o mesmo homem. Mas, se a lua és tu, filha, deves saber o que ela disse ao vento.

JULIETA — Nada, não me lembra nada.

FREI LOURENÇO — Os ventos foram ter com ela, perguntaram-lhe o que fariam das lágrimas de Xerxes, e a resposta foi a mais piedosa do mundo. Cristalizemos essas lágrimas, disse a lua, e façamos delas uma estrela que brilhe por todos os séculos, com a claridade da compaixão, e onde vão residir todos aqueles que deixarem a terra, para achar ali a perpetuidade que lhes escapou.

JULIETA — Sim, eu diria a mesma coisa. (*Olhando pela janela.*) Lume eterno, berço de renovação, mundo do amor continuado e infinito, estávamos ouvindo a tua bela história.

FREI LOURENÇO — Não, não, não.

JULIETA — Não?

FREI LOURENÇO — Não, porque os ventos foram também ao sol, e tu que conheces a lua, não conheces o sol, amiga minha. Os ventos levaram-lhe as lágrimas, contaram a origem delas e o conselho do astro da noite, e falaram da beleza que teria essa estrela nova e especial. O sol ouviu-os e redarguiu que sim, que cristalizassem as lágrimas e fizessem delas uma estrela; mas nem tal como o pedia a lua, nem para igual fim. Há de ser eterna e brilhante, disse ele, mas para a compaixão basta a mesma lua com a sua enjoada e dulcíssima poesia. Não; essa estrela feita das lágrimas que a brevidade da vida arrancou um dia ao orgulho humano ficará pendente do céu como o astro da ironia, luzirá cá de cima sobre todas as multidões que passam, cuidando não acabar mais e sobre todas as coisas construídas em desafio dos tempos. Onde as bodas cantarem a eternidade, ela fará descer um dos seus raios, lágrima de Xerxes, para escrever a palavra da extinção, breve, total, irremissível. Toda epifania receberá esta nota de sarcasmo. Não quero melancolias, que são rosas pálidas da lua e suas congêneres; — ironia, sim, uma dura boca, gelada e sardônica...

ROMEU — Como? Esse astro esplêndido...

FREI LOURENÇO — Justamente, filho; e é por isso que o altar é melhor que o céu; no altar a benta vela arde depressa e morre às nossas vistas.

JULIETA — Conto de ventos!

FREI LOURENÇO — Não, não.

JULIETA — Ou ruim sonho de lunático. Velho lunático disseste há pouco; és isso mesmo. Vão sonho ruim, como os teus ventos, e o teu Xerxes, e as tuas lágrimas, e o teu sol, e toda essa dança de figuras imaginárias.

FREI LOURENÇO — Filha minha...

JULIETA — Padre meu, que não sabes que há, quando menos, uma coisa imortal, que é o meu amor, e ainda outra, que é o incomparável Romeu. Olha bem para ele; vê se há aqui um soldado de Xerxes. Não, não, não. Viva o meu amado, que não estava no Helesponto, nem escutou os desvarios dos ventos noturnos, como este frade, que é a um tempo amigo e inimigo. Sê só amigo, e casa-nos. Casa-nos onde quiseres, aqui ou além, diante das velas ou debaixo das estrelas, sejam elas de ironia ou de piedade; mas casa-nos, casa-nos, casa-nos...

Publicado originalmente em Páginas recolhidas *(1899).*

Papéis velhos

Brotero é deputado. Entrou agora mesmo em casa, às duas horas da noite, agitado, sombrio, respondendo mal ao moleque, que lhe pergunta se quer isto ou aquilo, e ordenando-lhe, finalmente, que o deixe só. Uma vez só, despe-se, enfia um chambre e vai estirar-se no canapé do gabinete, com os olhos no teto e o charuto na boca. Não pensa tranquilamente; resmunga e estremece. Ao cabo de algum tempo senta-se; logo depois levanta-se, vai a uma janela, passeia, para no meio da sala, batendo com o pé no chão; enfim resolve ir dormir, entra no quarto, despe-se, mete-se na cama, rola inutilmente de um lado para outro, torna a vestir-se e volta para o gabinete.

Mal se sentou outra vez no canapé, bateram três horas no relógio da casa. O silêncio era profundo; e, como a divergência dos relógios é o princípio fundamental da relojoaria, começaram todos os relógios da vizinhança a bater, com intervalos desiguais, uma, duas, três horas. Quando o espírito padece, a coisa mais indiferente do mundo traz uma intenção recôndita, um propósito do destino. Brotero começou a sentir esse outro gênero de mortificação. As três pancadas secas, cortando o silêncio da noite, pareciam-lhe as vozes do próprio tempo, que lhe bradava: Vai dormir. Enfim, cessaram; e ele pôde ruminar, resolver, e levantar-se, bradando:

— Não há outro alvitre, é isto mesmo.

Dito isso, foi à secretária, pegou da pena e de uma folha de papel, e escreveu esta carta ao presidente do conselho de ministros:

Excelentíssimo senhor,

Há de parecer estranho a vossa excelência tudo o que vou dizer neste papel; mas, por mais estranho que lhe pareça, e a mim também, há situações tão extraordinárias que só comportam soluções extraordinárias. Não quero desabafar nas esquinas, na rua do Ouvidor, ou nos corredores da Câmara. Também não quero manifestar-me, na tribuna, amanhã ou depois, quando vossa excelência for apresentar o programa do seu ministério; seria digno, mas seria aceitar a cumplicidade de uma ordem de coisas, que inteiramente repudio. Tenho um só alvitre: renunciar à cadeira de deputado e voltar à vida íntima.

Não sei se, ainda assim, vossa excelência me chamará despeitado. Se o fizer, creio que terá razão. Mas rogo-lhe que advirta que há duas qualidades de despeito, e o meu é da melhor.

Não pense vossa excelência que recuo diante de certas deputações influentes, nem que me senti ferido pelas intrigas do A... e por tudo o que fez o B... para meter o C... no ministério. Tudo isso são coisas mínimas. A questão para mim é de lealdade, já não digo política, mas pessoal; a questão é com vossa excelência. Foi vossa excelência que me obrigou a romper com o ministério dissolvido, mais cedo do que era minha intenção, e, talvez mais cedo do que convinha ao partido. Foi vossa excelência que, uma vez, em casa do Z... me disse, a uma janela, que os meus estudos de questões diplomáticas me indicavam naturalmente a pasta de estrangeiros. Há de lembrar-se que lhe respondi então ser para mim indiferente subir ao ministério, uma vez que servisse ao meu país. Vossa excelência replicou: — É muito bonito, mas os bons talentos querem-se no ministério.

Na Câmara, já pela posição que fui adquirindo, já pelas distinções especiais de que era objeto, dizia-se, acreditava-se que eu seria ministro na primeira ocasião; e, ao ser chamado vossa excelência ontem para organizar o novo gabinete, não se jurou outra coisa. As combinações variavam, mas o meu nome figurava em todas elas. É que ninguém ignorava as finezas de vossa excelência para comigo, os bilhetes em que me louvava, os seus reiterados convites etc. Confesso a vossa excelência que acompanhei a opinião geral.

A opinião enganou-se, eu enganei-me; o ministério está organizado sem mim. Considero esta exclusão um desdouro irreparável, e determinei deixar a cadeira de deputado a algum mais capaz, e, principalmente, mais dócil. Não será difícil a vossa excelência achá-lo entre os seus numerosos admiradores. Sou, com elevada estima e consideração,
De vossa excelência desobrigado amigo,

BROTERO.

Os verdadeiros políticos dirão que esta carta é só verossímil no despeito, e inverossímil na resolução. Mas os verdadeiros políticos ignoram duas coisas, penso eu. Ignoram Boileau, que nos adverte da possível inverossimilhança da verdade, em matérias de arte, e a política, segundo a definiu um padre da nossa língua, é a arte das artes; e ignoram que um outro golpe feria a alma do Brotero naquela ocasião. Se a exclusão do ministério não bastava a explicar a renúncia da cadeira, outra perda a ajudava. Já têm notícia do desastre político; sabem que houve crise ministerial, que o conselheiro *** recebeu do imperador o encargo de organizar um gabinete, e que a diligência de um certo B... conseguiu meter nele um certo C... A pasta deste foi justamente a de estrangeiros; e o fim secreto da diligência era dar um lugar na galeria do Estado à viúva Pedroso. Esta senhora, não menos gentil que abastada, elegera dias antes para seu marido o recente ministro. Tudo isso iria menos mal, se o Brotero não cobiçasse ambas as fortunas, a pasta e a viúva; mas, cobiçá-las, cortejá-las e perdê-las, sem que ao menos uma viesse consolá-lo da perda da outra, digam-me francamente se não era bastante a explicar a renúncia do nosso amigo?

Brotero releu a carta, dobrou-a, encapou-a, sobrescritou-a; depois atirou-a a um lado, para remetê-la no dia seguinte. O destino lançara os dados. César transpunha o Rubicão, mas em sentido inverso. Que fique Roma com os seus novos cônsules e patrícias ricas e volúveis! Ele volve à região dos obscuros; não quer gastar o aço em pelejas de aparato, sem utilidade nem grandeza. Reclinou-se na cadeira e fechou o rosto na mão. Tinha os olhos vermelhos quando se levantou; e levantou-se, porque ouviu bater quatro horas, e recomeçar a procissão dos relógios, a cruel e implicante monotonia das pêndulas. Uma, duas, três, quatro...

Não tinha sono; não tentou sequer meter-se na cama. Entrou a andar de um lado para outro, passeando, planeando, relembrando. De memória em memória, reconstruiu as ilusões de outro tempo, comparou-as com as sensações de hoje, e achou-se roubado. Voluptuoso até na dor, mirou afincadamente essas ilusões perdidas, como uma velha contempla as suas fotografias da mocidade. Lembrou-se de um amigo que lhe dizia que, em todas as dificuldades da vida, olhasse para o futuro. Que futuro? Ele não via nada. E foi-se achegando da secretária, onde tinha guardadas as cartas dos amigos, dos amores, dos correligionários políticos, todas as cartas. Já agora não podia conciliar o sono; ia reler esses papéis velhos. Não se releem livros antigos?

Abriu a gaveta; tirou dois ou três maços e desatou-os. Muitas das cartas estavam encardidas do tempo. Posto nem todos os signatários houvessem morrido, o aspecto geral era de cemitério; donde se pode inferir que, em certo sentido, estavam mortos e enterrados. E ele começou a relê-las, uma a uma, as de dez páginas e os simples bilhetes, mergulhando nesse mar morto de recordações apagadas, negócios pessoais ou públicos, um espetáculo, um baile, dinheiro emprestado, uma intriga, um livro novo, um discurso, uma tolice, uma confidência amorosa. Uma das cartas, assinada Vasconcelos, fê-lo estremecer:

> A L...a, dizia a carta, chegou a São Paulo, anteontem. Custou-me muito e muito obter as tuas cartas; mas alcancei-as, e daqui a uma semana estarão contigo; levo-as eu mesmo. Quanto ao que me dizes na tua de H..., estimo que tenhas perdido a tal ideia fúnebre; era um despropósito. Conversaremos à vista.

Esse simples trecho trouxe-lhe uma penca de lembranças. Brotero atirou-se a ler todas as cartas do Vasconcelos. Era um companheiro dos primeiros anos, que naquele tempo cursava a academia, e agora estava de presidente no Piauí. Uma das cartas, muito anterior àquela, dizia-lhe:

> Com que então a L...a agarrou-te deveras? Não faz mal; é boa moça e sossegada. E bonita, maganão! Quanto ao que me dizes do Chico Sousa, não acho que devas ter nenhum escrúpulo; vocês não são amigos; dão-se. E depois, não há adultério. Ele devia saber que quem edifica em terreno devoluto...

Treze dias depois:

> Está bom, retiro a expressão *terreno devoluto*; direi terreno que, por direito divino, humano e diabólico, pertence ao meu amigo Brotero. Estás satisfeito?

Outra, no fim de duas semanas:

> Dou-te a minha palavra de honra que não há no que disse a menor falta de respeito aos teus sentimentos; gracejei, por supor que a tua paixão não era tão séria. O dito por não dito. Custa pouco mudar de estilo, e custa muito perder um amigo, como tu...

Quatro ou cinco cartas referiam-se às suas efusões amorosas. Nesse intervalo o Chico Sousa farejou a aventura e deixou a L...a; e o nosso amigo narrou o lance ao Vasconcelos, contente de a possuir sozinho. O Vasconcelos felicitou-o, mas fez-lhe um reparo.

> ... Acho-te exigente e transcendente. A coisa mais natural do mundo é que essa moça, perdendo um homem a quem devia atenções e que lhe dera certo relevo, recebesse com alguma dor o golpe. Saudade, infidelidade, dizes tu. Realmente, é demais. Isso não prova senão que ela sabe ser grata aos benefícios recebidos. Quanto à ordem que lhe deste de não ficar com um só traste, uma só cadeira, um pente, nada do que foi do outro, acho que não a entendi bem. Dizes-me que o fizeste por um sentimento de dignidade; acredito. Mas não será também um pouco de ciúme retrospectivo? Creio que sim. Se a saudade é uma infidelidade, o leque é um beijo; e tu não queres beijos nem saudades em casa. São maneiras de ver...

Brotero ia assim relendo a aventura, um capítulo inteiro da vida, não muito longo, é verdade, mas cálido e vivo. As cartas abrangiam um período de dez meses; desde o sexto mês começaram os arrufos, as crises, as ameaças de separação. Ele era ciumento; ela professava o aforismo de que o ciúme significa falta de confiança; chegava mesmo a repetir esta sentença vulgar e enigmática: "zelos, sim, ciúmes, nunca". E dava de ombros, quando o amante mostrava uma suspeita qualquer, ou lhe fazia alguma exigência. Então ele excedia-se; e aí vinham as cenas de irritação, de reproches, de ameaças, e por fim de lágrimas. Brotero às vezes deixava a casa, jurando não voltar mais; e voltava logo no dia seguinte, contrito e manso. Vasconcelos reprimia-o de longe; e, em relação às deixadas e tornadas, dizia-lhe uma vez: "Má política, Brotero; ou lê o livro até o fim, ou fecha-o de uma vez; abri-lo e fechá-lo, fechá-lo e abri-lo é mau, porque traz sempre a necessidade de reler o capítulo anterior para ligar o sentido, e livros relidos são livros eternos". A isto respondia o Brotero que sim, que ele tinha razão, que ia emendar-se de uma vez, tanto mais que agora viviam como os anjos no céu.

Os anjos dissolveram a sociedade. Parece que o anjo L...a, exausto da perpétua antífona, ouviu cantar Dafne e Cloé, cá embaixo, e desceu a ver o que é que podiam dizer tão melodiosamente as duas criaturas. Dafne vestia então uma casaca e uma comenda, administrava um banco, e pintava-se; o anjo repetiu-lhe a lição de Cloé; adivinha-se o resto. As cartas de Vasconcelos neste período eram de consolação e filosofia. Brotero lembrou-se de tudo o que padeceu, das imprudências que praticou, dos desvarios, que lhe trouxe aquela evasão de uma mulher, que realmente o tinha nas mãos. Tudo empregara para reavê-la e tudo falhara. Quis ver as cartas que lhe escreveu por este tempo, e que o Vasconcelos, mais tarde, pôde alcançar dela em São Paulo e foi à gaveta onde as guardara com as outras. Era um maço atado com fita preta. Brotero sorriu da fita preta; deslaçou o maço e abriu as cartas. Não saltou nada, data ou vírgula; leu tudo, explicações, imprecações, súplicas, promessas de amor e paz, uma fraseologia incoerente e humilhante. Nada faltava a essas cartas; lá estava o infinito, o abismo, o eterno. Um dos *eternos*, escrito na dobra do papel, não se chegava a ler, mas supunha-se. A frase era esta: "Um só minuto do teu amor, e estou pronto a padecer um suplício et...". Uma traça bifara o resto da palavra; comeu o *eterno* e deixou o *minuto*. Não se pode saber a que atribuir essa preferência, se à voracidade, se à filosofia das traças. A primeira causa é mais provável; ninguém ignora que as traças comem muito.

A última carta falava de suicídio. Brotero, ao reler esse tópico, sentiu uma coisa indefinível; chamemos-lhe o "calafrio do ridículo evitado". Realmente se ele se houvesse eliminado, não teria o presente desgosto político e pessoal; mas o que não diriam dele nos pasmatórios da rua do Ouvidor, nas conversações à mesa? Viria tudo à rua, viria mais alguma coisa; chamar-lhe-iam frouxo, insensato, libidinoso, e depois falariam de outro assunto, uma ópera, por exemplo.

— Uma, duas, três, quatro, cinco — principiaram a dizer os relógios.

Brotero recolheu as cartas, fechou-as uma a uma, emaçou-as, atou-as e meteu-as na gaveta. Enquanto fazia esse trabalho, e ainda alguns minutos depois, deu-se a um esforço interessante: reaver a sensação perdida. Tinha recomposto mentalmente o episódio, queria agora recompô-lo cordialmente; e o fim não era outro senão cotejar o efeito e a causa, e saber se a ideia do suicídio tinha sido um produto natural da crise. Logicamente, assim era; mas Brotero não queria julgar através do raciocínio e sim da sensação.

Imaginai um soldado a quem uma bala levasse o nariz, e que, acabada a batalha, fosse procurar no campo o desgraçado apêndice. Suponhamos que o acha entre um grupo de braços e pernas; pega dele, levanta-o entre os dedos — mira-o, examina-o, é o seu próprio... Mas é um nariz ou um cadáver de nariz? Se o dono lhe puser diante os mais finos perfumes da Arábia, receberá em si mesmo a sensação do aroma? Não: esse cadáver de nariz nunca mais lhe transmitirá nenhum cheiro bom ou mau; pode levá-lo para casa, preservá-lo, embalsamá-lo; é o mesmo. A própria ação de assoar o nariz, embora ele a veja e compreenda nos outros, nunca mais há de podê-la compreender em si, não chegará a reconhecer que efeito lhe causava o contato da ponta do nariz com o lenço. Racionalmente, sabe o que é; sensorialmente, não saberá mais nada.

— Nunca mais? — pensou o Brotero. — Nunca mais poderei...

Não podendo obter a sensação extinta, cogitou se não aconteceria o mesmo à sensação presente, isto é, se a crise política e pessoal, tão dura de roer agora, não teria algum dia tanto valor como os velhos diários, em que se houvesse dado a notícia do novo gabinete e do casamento da viúva. Brotero acreditou que sim. Já então a arraiada vinha clareando o céu. Brotero ergueu-se; pegou da carta que escrevera ao presidente do conselho, e chegou-a à vela; mas recuou a tempo.

— Não — disse ele consigo —; juntemo-la aos outros papéis velhos; inda há de ser um nariz cortado.

Gazeta de Notícias, *14 de março de 1883;* Machado de Assis.

A estátua de José de Alencar

Discurso proferido na cerimônia do lançamento da primeira pedra da estátua de José de Alencar:

Senhores,

Tenho ainda presente a essa em que, por algumas horas últimas, pousou o corpo de José de Alencar. Creio que jamais o espetáculo da morte me fez tão singular impressão. Quando entrei na adolescência, fulgiam os primeiros raios daquele grande engenho; vi-os depois em tanta cópia e com tal esplendor que eram já um sol, quando entrei na mocidade. Gonçalves Dias e os homens do seu tempo estavam feitos; Álvares de Azevedo, cujo livro era a *boa-nova* dos poetas, falecera antes de revelado ao mundo. Todos eles influíam profundamente no ânimo juvenil que apenas balbuciava alguma coisa; mas a ação crescente de Alencar dominava as outras. A sensação que recebi no primeiro encontro pessoal com ele foi extraordinária; creio ainda agora que não lhe disse nada, contentando-me de fitá-lo com os olhos assombrados do menino Heine ao ver passar Napoleão. A fascinação não diminuiu com o trato do homem e do artista. Daí o espanto da morte. Não podia crer que o autor de tanta vida estivesse ali, dentro de um féretro, mudo e inábil por todos os tempos dos tempos. Mas o mistério e a realidade impunham-se; não havia mais que enterrá-lo e ir conversá-lo em seus livros.

Hoje, senhores, assistimos ao início de outro monumento, este agora de vida, destinado a dar à cidade, à pátria e ao mundo a imagem daquele que um dia acompanhamos ao cemitério. Volveram anos; volveram coisas; mas a consciência humana diz-nos que, no meio das obras e dos tempos fugidios, subsiste a flor da poesia, ao passo que a consciência nacional nos mostra na pessoa do grande escritor o robusto e vivaz representante da literatura brasileira.

Não é aqui o lugar adequado à narração da carreira do autor de *Iracema*. Todos vós sabeis que foi rápida, brilhante e cheia; podemos dizer que ele saiu da Academia para a celebridade. Quem o lê agora, em dias e horas de escolha, e nos livros que mais lhe aprazem, não tem ideia da fecundidade extraordinária que revelou tão depressa entrou na vida. Desde logo pôs mãos à crônica, ao romance, à crítica e ao teatro, dando a todas essas formas do pensamento um cunho particular e desconhecido. No romance que foi a sua forma por excelência, a primeira narrativa, curta e simples, mal se espaçou da segunda e da terceira. Em três saltos estava o *Guarani* diante de nós; e daí veio a sucessão crescente de força, de esplendor, de variedade. O espírito de Alencar percorreu as diversas partes de nossa terra, o norte e o sul, a cidade e o sertão, a mata e o pampa, fixando-as em suas páginas, compondo assim com as diferenças da vida, das zonas e dos tempos a unidade nacional da sua obra.

Nenhum escritor teve em mais alto grau a alma brasileira. E não é só porque houvesse tratado assuntos nossos. Há um modo de ver e de sentir que dá a nota íntima da nacionalidade, independente da face externa das coisas. O mais francês dos trágicos franceses é Racine, que só fez falar a antigos. Schiller é sempre alemão, quando recompõe Filipe II e Joana d'Arc. O nosso Alencar juntava a esse dom a natureza dos assuntos tirados da vida ambiente e da história local. Outros o fizeram também; mas a expressão do seu gênio era mais vigorosa e mais íntima. A imaginação que sobrepujava nele o espírito de análise dava a tudo o calor dos trópicos e as galas viçosas de nossa terra. O talento descritivo, a riqueza, o mimo e a originalidade do estilo completavam a sua fisionomia literária.

Não lembro aqui as letras políticas, os dias de governo e de tribuna. Toda essa parte de Alencar fica para a biografia. A glória contenta-se da outra parte. A política era incompatível com ele, alma solitária. A disciplina dos partidos e a natural sujeição dos homens às necessidades e interesses comuns não podiam ser aceitas a um espírito que, em outra esfera, dispunha da soberania e da liberdade. Primeiro em Atenas, era-lhe difícil ser segundo ou terceiro em Roma. Quando um ilustre homem de Estado, respondendo a Alencar, já então apeado do Governo, comparou a carreira política à do soldado, que tem de passar pelos serviços ínfimos e ganhar os postos gradualmente, dando-se a si mesmo como exemplo dessa lei, usou de uma imagem feliz e verdadeira, mas ininteligível para o autor das *Minas de prata*. Um ponto há que notar, entretanto, naquele curto estádio político. O autor do *Gaúcho* carecia das qualidades necessárias à tribuna, mas quis ser orador, e foi orador. Sabemos que se bateu galhardamente com muitas das primeiras vozes do parlamento.

Desenganado dos homens e das coisas, Alencar volveu de todo às suas queridas letras. As letras são boas amigas; não lhe fizeram esquecer inteiramente as amarguras, é certo; senti-lhe mais de uma vez a alma enojada e abatida. Mas a arte, que é a liberdade, era a força medicatriz do seu espírito. Enquanto a imaginação inventava, compunha e polia novas obras, a contemplação mental ia vencendo as tristezas do coração, e o misantropo amava os homens.

Agora que os anos vão passando sobre o óbito do escritor, é justo perpetuá-lo, pela mão do nosso ilustre estatuário nacional. Concluindo o livro de *Iracema*, escreveu Alencar esta palavra melancólica: "A jandaia cantava ainda no olho do coqueiro, mas não repetia já o mavioso nome de *Iracema*. Tudo passa sobre a terra". Senhores, a filosofia do livro não podia ser outra, mas a posteridade é aquela jandaia que não deixa o coqueiro, e que ao contrário da que emudeceu na novela, repete e repetirá o nome da linda tabajara e do seu imortal autor. Nem tudo passa sobre a terra.

Discurso proferido em 12 de dezembro de 1891 e publicado na Gazeta de Notícias *em 13 de dezembro de 1891.*

Henriqueta Renan

Um espartano, convidado a ouvir alguém que imitava o canto do rouxinol, respondeu friamente: Já ouvi o rouxinol. O mesmo dirás tu, se leste *Henriqueta Renan*, a quem quer que se proponha falar desta senhora que tamanha influência teve no autor da *Vida de Jesus*. A diferença é que aqui ninguém te convida a ver e imitar o inimitável. Renan é o próprio rouxinol; ninguém poderá dizer nada depois do estilo incomparável e da grande emoção daquelas páginas. Assim é que não venho contar o que leste ou podes ler nessa língua única, mas trazer somente, com os subsídios posteriores, um esboço da amiga pia e discreta, inteligência fina e culta, vontade forte e longa, capaz de esforços grandes para cumprir deveres altos, ainda que obscuros. Os renanistas da nossa terra são como todos os devotos de um espírito eminente, não lhe amam só os livros e atos públicos, mas tudo o que a ele se refere, seja gozo íntimo ou tristeza particular. De um sei eu, que talvez por vir também do seminário, é o mais absoluto de todos. Esse, se estivesse agora na antiga Biblos, iria até a aldeia de Amschit, onde descansam os restos da irmã querida do mestre. Sentar-se-ia ao pé das palmeiras para evocar a sombra daquela nobre criatura. A memória lhe traria novamente os passos de uma vida feita de sacrifício e de trabalho, começada em uma cidadezinha da Bretanha, continuada em Paris, na Polônia e na Itália, e acabada no recanto modesto de um pedaço da Ásia.

A vida de Henriqueta Renan completa-se pelas cartas trocadas entre os dois irmãos, ela nos confins da Polônia, ele na província e em Paris. Destas me servirei principalmente. A impressão original do opúsculo de Renan, feita em 1862, não foi divulgada; cem exemplares bastaram para recordar Henriqueta às pessoas que a tinham conhecido. No prólogo dos *Souvenirs d'enfance et de jeunesse*, Renan declara que não queria profanar a memória da irmã juntando aquele opúsculo a este livro. "Inserindo essas páginas em um volume posto à venda, andaria tão mal como se levasse o retrato dela a um leilão." Não obstante, autorizou a reimpressão depois dele morto. A reimpressão fez-se integralmente em 1895, trazendo os retratos de ambos. Não imagines, se não viste o dela, que é uma formosa criatura moça. Aos dezenove anos, segundo o irmão, fora em extremo graciosa, de olhos meigos e mãos finíssimas. O retrato representa uma senhora idosa, com a sua touca de folhos, atada debaixo do queixo, um vestido sem feitio; mas a doçura que ele tanto louva lá se lhe vê na gravura, cópia da fotografia. Conta o próprio irmão que, em 1850, voltando da Polônia, Henriqueta estava inteiramente mudada; trazia as rugas da velhice prematura, "não lhe restando da graça antiga mais que a deleitosa expressão de sua inefável bondade".

Camões, mestre em figuras poéticas, disse do filho de Sêmele, que era nascido de duas mães, — e não dá o próprio nome de Baco senão por alusão àquele que traz a perpétua mocidade no rosto. De Renan, eterno moço, se pode dizer igual coisa; mas aqui a imagem pagã e graciosa, não menos que atrevida, é uma austera e doce verdade. Henriqueta, mais velha que ele doze anos, dividiu com a mãe de ambos a maternidade do irmãozinho. "Uma das tuas mães", escreve-lhe ela em 28 de fevereiro de 1845, dia em que ele fazia vinte e dois anos. Já antes (carta de 30 de outubro de 1842) havia-lhe dito que era seu filho de adoção. Os primeiros tempos da infância de Ernesto são deliciosos sem alegria, unicamente pela afeição recíproca, pela docilidade daquela moça, que deixava de ir ter com as amigas, para não afligir o pequeno que a queria só para si. Henriqueta é que o leva à igreja, agasalhadinho em sua capa, quando era inverno. Um dia, como o visse disfarçar envergonhado o casaquinho surrado pelo uso, não pôde reter as lágrimas. Já então haviam perdido o pai — náufrago ou suicida — que não deixara de si mais que dívidas e saudades. Um mês inteiro gastaram a esperar alguma notícia ou o cadáver. Parece que esses dramas são comuns na costa bretã; lembrai-vos do pescador da Islândia e das angústias da pobre Maud, à espera que voltem Yann e o seu barco, e vendo que todos voltam, menos eles.

— Já vieram todos os de Tréguier e Saint-Brieuc — diz à pobre Maud uma das mulheres que também ia esperar à praia.

Tréguier é justamente a cidadezinha em que nasceu Renan. O navio do pai voltou, ao invés da Léopoldine de Yann, mas voltou sem o dono, e só depois de longos dias é que o cadáver foi arrojado à praia entre Saint-Brieuc e o cabo Fréhel. Os pormenores e o quadro são outros; da invenção de Loti resultou um livro; da realidade de 1828 nasceu e cresceu a nobre figura de Henriqueta. Ela enfrentou com o trabalho, disposta a resgatar as dívidas do pai e acudir às necessidades da família. Rejeitou um casamento rico, unicamente pela condição que trazia de deixar os seus. Abriu uma escola, mas foi obrigada a fechá-la, e pouco depois aceitou emprego em uma pensão de meninas em Paris. Renan diz que as suas estreias na capital foram horríveis, e pinta o contraste da provinciana, e particularmente da bretã, com aquele mundo novo para ela, feito de "sequidão, de frieza e de charlatanismo". Henriqueta aceitou a direção de outro colégio, onde trabalhou descomunalmente sem prosperidade, mas onde fez crescer a sua própria instrução, que chegou a ser excepcional; é a palavra do irmão. Este viera então a Paris, a chamado dela, para entrar no seminário dirigido por Dupanloup, e continuar os estudos começados em um colégio de padres da cidade natal: era em 1838. Dois anos depois, não podendo tirar da vida de mestra em Paris os meios necessários para liquidar as dívidas do pai, contratou Henriqueta os seus serviços de professora em casa de uma família polaca, e começou novo exílio, mais longo (dez anos) e mais remoto, em um castelo da Polônia, a sessenta léguas de Varsóvia.

Aqui entra naturalmente a correspondência (*Lettres intimes*), publicada agora em volume, uma coleção que vai de 1842 a 1845. Há outras cartas (1845-1848), dadas mais recentemente em uma revista francesa; não as li. A correspondência que tenho à vista mostra, ainda melhor que a narração de Renan, o sentimento raro, a afeição profunda, e a dedicação sem aparato daquela boa e grave Henriqueta. As cartas desta senhora são a sua própria alma. Escrevem-se muitas para o prelo, alguma para a posteridade; nenhum desses destinos podia atraí-la. Fala do irmão ao irmão. Raro trata de si, e quando o faz é para completar um conselho ou uma reflexão. Também não conta o que se passa em torno dela. Conquanto a vida fosse solitária, algum incidente interior, alguma observação do meio em que estava, podia cair no papel, por desabafo sequer, não digo por malícia; nada disso. Uma vez falará de dinheiro pedido ao pai das educandas, para explicar a demora de uma remessa. Outra vez, em poucas linhas, dirá do campônio polaco que é o mais pobre e embrutecido que se possa imaginar, e notará os excessos de fanatismo e de ódio religioso entre os judeus que enchem as cidades e os cristãos, e entre os próprios dissidentes do cristianismo. Pouco mais dirá na longa correspondência de quatro anos. A distância era tamanha que não dava tempo a desperdiçar papel com assunto alheio. Todo ele é pouco para tratar somente do irmão. Henriqueta aperta as linhas e as letras, aproveita as margens das folhas para não acabar de lhe falar. "Custa-me deixar-te", conclui a primeira carta impressa. Era inútil dizê-lo; todas as seguintes fazem sentir que mui dificilmente Henriqueta suspende a mão do papel. São verdadeiramente cartas íntimas, medrosas de aparecer, receosas de violação. Desde logo revelam a força do afeto e a gravidade do espírito. Nenhum floreio de retórica, nenhum arrebique de sabichona, mas um alinho natural, muita simpleza de arte, fino estilo e comoção sincera. As expressões de ternura são intensas e abundantes. Meu filho, meu amado, meu querido, meu bom e mil vezes querido, são umas de tantas palavras inspiradas por um amor único.

Henriqueta Renan é melancólica. Segundo o irmão, herdou essa disposição do pai; a mãe era vivaz e alegre. A tristeza, em verdade, ressumbra das suas cartas. O meio em que vive era apropriado a agravar essa inclinação de nascença. Nem o interior do castelo nem as temporadas de Varsóvia podiam trazer-lhe a alegria que não vinha dela. Querendo dar ideia da terra em que habita, fala de "imensas e monótonas planícies de areia que fariam pensar na Arábia ou na África, se intermináveis pinhais, interrompendo-as, não viessem lembrar a vizinhança do norte". Junta a isso a estranheza das gentes, as saudades dos seus, maiores que as da terra natal; não esqueças a distância no espaço, que é enorme, e no tempo que parece infinito, e compreenderás que em toda a correspondência de Henriqueta não haja o reflexo de um sorriso. O sentimento que tem da vida, aos trinta anos, aqui o dá ela ao irmão, uma vez que fala de o ver feliz: "Feliz! Quem é feliz nesta terra de dores e desassossegos? E, sem contar os lances da sorte e as ações dos homens, não é certo que em nosso coração há uma fonte perene de agitações e de misérias?". Entretanto, a melancolia de Henriqueta não lhe abate as forças, não é daquela espécie que faz da alma uma simples espectadora da vida. Henriqueta não se contenta de gemer; a queixa não parece que seja a sua voz natural. Aconselha ao irmão que lute e que conte com ela para ajudá-lo. Exorta-o a ser homem. Um dia, achando-lhe resolução, louva a força de vontade, "sem a qual não passamos de criançolas". Henriqueta tira do sentimento do dever, não menos que do amor, a energia necessária para amparar Renan, primeiro nas dúvidas, depois nos estudos e na carreira nova.

Há um ponto na narrativa de Renan, que as cartas de Henriqueta completam e explicam: é o que se refere aos laços de afeição e estima existentes entre ela e a família do conde Zamosky com quem contratara os seus serviços de preceptora; tais laços que lhe faziam esquecer a tristeza da posição e o rigor do clima. As cartas de Henriqueta não deixam tão simples impressão. Se a queixa não parece ser a sua voz natural, alguma vez, como na carta de 12 de março de 1843, referindo-se às faculdades de cada um, e à liberdade interior, confessa que só com grande luta se consegue fazer crer *àqueles que pagam* que há coisas de que só se dão contas a Deus e à consciência. Foi nessa mesma carta que falou do dinheiro pedido ao pai das educandas, a que aludi acima; era para mandá-lo à mãe, e não conhecia outra pessoa. O conde demorou-se em satisfazê-la, por fim ausentou-se e ainda não voltara "sem má intenção" acrescenta; o que não a impede de exclamar: "Deus meu! Por que é que os grandes não pensam naqueles que só têm o fruto do seu trabalho, e que este lhes é preciso receber regularmente!". E conclui com esta máxima, que porventura resgatará o que achares banal naquela exclamação: "É que o homem não pode compreender senão as penas que já padeceu; tudo o mais não existe para ele". Noutro lugar, respondendo a um reparo do irmão, concorda que a vida para muitos é passada no meio de pessoas com quem só há relações de fria polidez, e "nem tu nem eu somos desses a quem tais relações bastem". Uma organização dessas poderia conquistar a estima da família, e mui provavelmente a afeição das educandas, mas não esquecia tão de leve a tristeza do ofício nem a aspereza dos ares. Henriqueta ia de um lado para outro sem levar saudades; é que tudo lhe era estranho no campo e na cidade, e bem pode ser que quase tudo lhe fosse aborrecido. A paixão grande e real estava fora dali. Assim se explicam os dez anos de exílio para concluir a obra contratada com outros e com a sua consciência.

Durante metade desse prazo, Renan frequentou os seminários de Issy e de Saint-Sulpice. Daquele, aliás dependência deste, data a primeira carta da coleção, respondendo a outra da irmã, que não vem nela. Conquanto o livro dos *Souvenirs* nos conte abreviadamente a estada em ambos os seminários, é certo que melhor se sentem na correspondência as hesitações e dúvidas do autor da *Vida de Jesus* em relação à carreira eclesiástica e ao próprio fundador da Igreja. As cartas acompanham o movimento psicológico do homem, fazem-nos assistir às alterações de um espírito destinado pela família ao serviço do altar e à glória católica ao mesmo tempo que nos mostram a influência de Henriqueta na alma do seu querido Ernesto. "Minha irmã (*Souvenirs*), cuja razão era desde anos como a coluna luminosa caminhando ante mim, animava-me do fundo da Polônia com suas cartas cheias de bom senso." Não há propriamente iniciativa ou tentação da parte dela. É certo que nunca desejou vê-lo padre; assim o declara mais tarde (28 de fevereiro de 1845), quando as confissões de Renan estão quase todas feitas; diz-lhe então que previra as dúvidas que ora o assediam, e acrescenta que ninguém a quis ouvir, e não podia resistir, sozinha. Mas então, como antes, como depois, a arte que emprega é tal que antes parece ir ao encontro dos novos sentimentos do irmão que sugerir-lhos.

A este respeito as duas cartas de 15 de setembro e 30 de outubro de 1842 são cheias de interesse. Renan conta naquela os efeitos do primeiro ano de filosofia e matemáticas. A primeira destas disciplinas fá-lo julgar as coisas de modo diverso que antes, e troca-lhe uma porção de supostas verdades em erros e preconceitos; ensina a ver tudo e claro. Assim disposto à reflexão, e com o sossego e a liberdade de espírito que lhe dá o seminário, Renan pensou em si e no seu futuro. Fala demoradamente da influência que têm sobre este os atos iniciais da vida; não se arrepende dos seus, e, se tivesse de escolher novamente uma carreira, não escolheria outra senão a eclesiástica. Mas, em seguida, confessa os inconvenientes desta, que declara imensos; coisas há que meteram na cabeça do clero, e que jamais entrarão na dele; alude também à frivolidade, à duplicidade, ao caráter cortesão de alguns "seus futuros colegas", e finalmente à submissão a uma autoridade por vezes suspicaz, à qual não poderia obedecer. Tais inconvenientes encontrá-los-ia em qualquer carreira, e ainda maiores que esses, verdadeiras impossibilidades; louva o retiro, a independência, o estudo, e afirma a execração que tem à vida social com as suas futilidades.

Não fala assim por zelo de devoção espiritual, diz ele... "Oh! não! é defeito que já não tenho; a filosofia é bom remédio para cortar excessos, e, se há nela que recear, será antes uma violenta reação." Enfim, chega à conclusão inesperada em um seminarista: "Ainda que o cristianismo não passasse de um devaneio, o sacerdócio seria divino". Mais uma vez lastima que o sacerdócio seja exercido por pessoas que o rebaixam, e que o mundo superficial confunda o homem com o ministério; mas logo reduz isto a uma opinião, "e, graças a Deus, creio estar acima da opinião". Parece que esta palavra é definitiva? Não é; na parte seguinte e final da carta declara à irmã que continua a pensar naquele grave negócio a ver se o esclarece, e pede que não escreva à mãe sobre as suas hesitações.

Há duas explicações para esse vaivém de ideias e de impressões — ou hesitação pura ou cálculo. Mas há uma terceira, que é talvez a única real. Creio juntamente na hesitação e no cálculo. Uma parte da alma de Renan vacila deveras entre a vida mundana, que lhe não oferece as delícias íntimas, e a vida eclesiástica, onde a condição terrena não corresponde muita vez ao seu ideal cristão. A outra parte calcula de modo que a confissão lhe não saia tão acentuada e decisiva que destoe do espírito geral do homem, e desminta a compostura do seminarista. Ao cabo, é já um esboço de renanismo. Entretanto, se examinarmos bem as duas tendências alternadas, veremos que a negação para a vida eclesiástica é mais forte que a outra; falta-lhe vocação. Também se sente que a dúvida relativamente ao dogma começa de ensombrar a alma do estudante de filosofia. Renan confessa a Henriqueta "gostar muito dos seus pensadores alemães, posto que um tanto céticos e panteístas". Recomenda-lhe que, se for a Königsberg, faça por ele uma visita ao túmulo de Kant. O pedido de nada dizer à mãe, repetido em outras cartas, é porque a mãe conta vê-lo padre, e vive dessa esperança velha.

Que esses dois espíritos eram irmãos vê-se bem na carta que Henriqueta escreve a Renan, em 30 de outubro, respondendo à de 15 de setembro. Também ela, sem dizer francamente que não deseja vê-lo padre, sabe insinuá-lo; menos ainda que insinuá-lo, parece apenas repetir o que ele balbuciou. A carta dela tem a mesma ondulação que a dele. Henriqueta declara estremecer ao vê-lo tratar tão graves questões em idade geralmente descuidosa: entretanto, gosta que ele encare com seriedade o que outros fazem leviana ou apaixonadamente. Concorda que as estreias da vida influem no resto dela, e insinua que "às vezes de modo irreparável". Tem para si que ele não deve precipitar nada; não quer aconselhá-lo para que lhe fique a liberdade de escolha. Quando alude à vida retirada e independente, diz-se mais que ninguém capaz de entendê-lo; mas pergunta logo: onde encontrá-la? Crê que a raros caiba, e não pode esperar que o irmão a encontre numa sociedade hierárquica, onde já antevê a autoridade suspicaz. Também ela acha suspicaz a autoridade, mas acrescenta que o mesmo se dá com todas as profissões; e quando parece que esta fatalidade de caráter deva enfraquecer qualquer argumento contra o ministério eclesiástico, lembra interrogativamente o vínculo perpétuo do juramento. Quer que ele pense por si, que escolha por si, apela para a razão e a consciência do irmão. Insiste em lhe não dar conselhos; mas já lhe tem dito que, se uma parte do clero é pessoal e ambiciosa, ele, Renan, pode vir a ser a mesma coisa. A frase em que o diz é velada e cautelosa: "o número e o costume não levarão atrás de si a minoria e o dever?". Essa pergunta, todas as demais perguntas que lhe faz pela carta adiante, trazem o fim evidente de evocar uma ideia ou atenuar outra, e porventura criar-lhe novos casos e motivos de repugnância à milícia da Igreja. É uma série de sugestões e de esquivanças.

A diferença de um a outro espírito é que Henriqueta, insinuando as desvantagens que o irmão possa achar na carreira eclesiástica, entre palavras dúbias e alternação de pensamentos, aceitá-lo-ia sacerdote, se não com igual prazer, certamente com igual dedicação. Nem lhe quer impor o que julga melhor, nem lhe doerá a escolha do irmão, se for contrária aos seus sentimentos, uma vez que o faça feliz. Certo é, porém, que as preferências de Renan, que ora vemos a meio século de distância, à vista da carta impressa, ele mesmo as sentiria lendo a carta manuscrita. Com efeito, por mais que equilibre os sentimentos, Renan está inclinado à vida leiga. Não importa que a situação se prolongue por vinte meses. Em 1844, Renan comunica à irmã (16 de abril) que havia dado o primeiro passo na carreira eclesiástica. Hesitou até a última hora, e ainda assim não se decidiu senão porque o primeiro passo não era irrevogável; exprimia *a intenção atual*. Parte dessa epístola é destinada a explicar o ajuste entre o sentimento e o ato, entre o alcance deste e a liberdade efetiva. Não fazia mais que renunciar às frivolidades do mundo. A 11 de julho escreve-lhe que deu um passo mais na carreira, menos importante que o primeiro, sem vínculo novo, pelo que não lhe custou muito; é um complemento daquele — um anexo, como lhe chama. O terceiro, o subdiaconato, é que seria definitivo, mas, como o prazo era longo, um ano mais tarde, a ansiedade era menor. Durante esse tempo, o seminarista entrega-se aos estudos hebraicos, às línguas orientais, e, mais tarde, à língua alemã. Pelos fins de 1844, é encarregado de lecionar hebreu, porque o professor efetivo não podia com os dois cursos; aceitou a posição, já pela vantagem científica que lhe trará, já "porque pode levá-lo a alguma coisa". Assim começara o então professor da Sorbonne.

Três meses depois, a 11 de abril de 1845, escreve Renan a carta mais importante da situação. Resolveu não atar naquele ano o laço indissolúvel, o subdiaconato, e solta a palavra explicativa: não crê bastante para ser padre. Expõe assim, e mais longamente, o estado em que se acha ante o catolicismo e os seus dogmas, dos quais fala com respeito, proclamando que Jesus será sempre o seu Deus; mas, tendo procedido ao que chama "verificação racional do cristianismo", descobriu a verdade. Descobriu também um meio-termo, que exprime a natureza moral do futuro exegeta: o cristianismo não é falso, mas não é a verdade absoluta. Não repareis na contradição do seminarista, para quem o sacerdócio era divino, há vinte meses, ainda que o cristianismo fosse um devaneio, e agora encontra na meia verdade da Igreja razão bastante para deixá-la. Ou reparai nela, com o único fim de entender a formação intelectual do homem. Contradição aqui é sinceridade.

Não há espanto da parte de Henriqueta, quando Renan lhe faz a confissão de 11 de abril. Tinha soletrado à alma dele, à medida que lhe recebia as letras, assim como tu e eu podemos lê-la agora de vez e integralmente. Também não há no primeiro momento nenhuma manifestação de alegria, que alguns possam dizer ímpia. A alma desta senhora conserva-se fundamentalmente religiosa, cheia daquela caridade do Evangelho que falava ao coração de Rousseau. Demais, além de conhecer o estado moral do irmão, foi ela própria que o aconselhou a adiar o subdiaconato. Não sabe — pelo menos não lho contou ele nas cartas do volume — não sabe da cena que ocorreu no seminário de Issy, muito antes da confissão de 11 de abril, que é datada de Saint-Sulpice. Foi após uma das argumentações latinas, que o professor Gottofrey, desconfiando das inclinações de Renan, em conversação particular, à noite, concluiu por estas palavras que o aterraram: "Vós não sois cristão!" (*Souvenirs*). Já antes disso sentia Renan em si mesmo a negação do espiritualismo; mas ele explica a conservação do cristianismo, apesar da concepção positiva de mundo que ia adquirindo "por ser moço, inconsequente e falho de crítica" (*Souvenirs*). De resto, a confissão à irmã não foi única; escreveu por esse tempo outras cartas a vários, uma ao seu diretor, apenas designado por ***, em 6 de setembro de 1845, outra a um de seus companheiros, Cognat, que mais tarde tomou ordens, em 24 de agosto, ambas datadas da Bretanha. Henriqueta, ao que se pode supor, teve as primícias da confissão; foi para ela que ele rompeu, antes que para estranhos, os véus todos da incredulidade mal encoberta. Ficou entendido que ocultariam à mãe a resolução nova e última. Trataram dos meios de acudir à necessidade presente, se aceitar um lugar de preceptor na Alemanha, se adotar estudos livres; o fim era proceder de modo que a renúncia da carreira eclesiástica se fizesse cautelosamente sem dor para a mãe nem escândalo público. Há aqui uma divergência de datas em que não vale a pena insistir; segundo a carta de Renan de 13 de outubro de 1845, à irmã, foi na noite de 9 que ele deixou o seminário para ir morar na hospedaria próxima; segundo o livro dos *Souvenirs* foi a 6.[1]

A alma delicada de Henriqueta manifesta-se vivamente no que respeita ao dinheiro. Henriqueta custeia as despesas todas da vida e dos estudos do irmão. A vida deste, antes da saída do seminário, quase não passa dos livros; mas, depois da saída, é preciso alojamento e alimentação, é preciso que ele ande "vestido como toda gente", e Henriqueta não esquece nada. Não esquecer é pouco; um coração daquele melindre tem cuidados que escapariam à previsão comum. "Espero de Varsóvia uma letra de câmbio de mil e quinhentos francos; mandá-la-ei a Paris a uma pessoa de confiança, *que acreditará que esta soma é só tua...*" Em que é que podia vexar ao irmão esse auxílio pecuniário? Henriqueta quer poupar-lhe até a sombra de algum acanhamento. Conhecendo-lhe a nenhuma prática da vida, a absorção dos estudos, a mesma índole da pessoa, desce às minúcias derradeiras, ao modo de entrar na posse do valor da letra, por bimestre ou trimestre, segundo as necessidades; é o orçamento de um ano. Manda-lhe outras somas por intermédio do outro irmão, a quem incumbe também da tarefa de comprar a roupa em Saint-Malo, por conta dela; a razão é a inexperiência de Ernesto. Mas ainda aqui prevalece o respeito à liberdade; se este preferir comprá-la em Paris, Henriqueta recomenda que lhe seja entregue mais um tanto em dinheiro. Que te não enfadem estas particularidades, grave leitor amigo; aqui as tens ainda mais ínfimas. Henriqueta desce à indicação da

---

[1] É mais interessante citar uma coincidência. Na carta que Renan escreveu ao colega Cognat, datada de 12 de novembro de 1845, e na que escreveu à irmã em data de 13 de outubro, a narração da chegada e saída do seminário de Saint-Sulpice é feita com as mesmas palavras, pouco mais ou menos (conf. *Lettres Intimes* e *Souvenirs*, apêndice). É mais que coincidência, é repetição de textos. O sentimento final é expresso em ambos os lugares com este mesmo suspiro: *Que de liens, mon ami, (ma bonne amie) rompus en quelques heures!* [N. do A.]

cor e forma do vestuário, uma sobrecasaca escura, o resto preto, é o que lhe parece mais adequado. Ao pé disto não há falar de conselhos sobre hospedagens e tantas outras miudezas, intercaladas de expressões tão d'alma, que é como se víssemos uma jovem mãe ensinando o filhinho a dar os primeiros passos.

A influência de Henriqueta avulta com o tempo e as necessidades da carreira nova. O zelo cresce-lhe na mesma proporção. Pelo outro irmão, por uma amiga de Paris, *mlle*. Ulliac, e pelas cartas, Henriqueta governa a vida de Renan, e não cuida mais que de lhe incutir confiança e de lhe abrir caminho. O que lhe escreve sobre o bacharelado, Escola Normal, estudo de línguas orientais e o resto é apoiado pela amiga. Uma e outra suscitam-lhe proteções e auxiliares de boa vontade. Renan faz daquela amiga da irmã excelente juízo; não o diz só nas cartas do tempo, mas ainda no opúsculo de 1862. Era uma senhora bela, virtuosa e instruída. Com grande arte, ao que parece, insinuou-lhe ela que lhe era preciso relacionar-se com alguma senhora boa e amável. "Ri-me, escreve Renan a Henriqueta, mas não por mofa." E confessando que não é bom que o homem esteja só, pergunta se alguém está só tendo uma irmã (carta de 31 de outubro de 1845). Henriqueta é-lhe necessária à vida moral e intelectual. De novembro em diante insta com a irmã para que volte da Polônia. A amiga falou-lhe da saúde de Henriqueta como estando muito alterada, e deu-lhe notícias que profundamente o afligiram; "desvendou-lhe o mistério" é a expressão dele. Foi na noite de 3 de novembro que *mlle*. Ulliac abriu os olhos a Renan, confiando-lhe que Henriqueta tivera grandes padecimentos, dos quais nem ele nem a mãe souberam nada. Não se deduz bem do texto se eram moléstias recentes, se antigas; sabe-se que eram caladas, e por isso ainda mais tocantes. As cartas do volume não passam de 25 de dezembro daquele ano; as instâncias repetem-se, um longo silêncio da irmã assusta o irmão; afinal vimos que ela só voltou da Polônia cinco anos depois, em 1850. Trazia uma laringite crônica. Tudo, porém, estava pago.

Os sacrifícios é que não estavam cumpridos. A vida desta senhora tinha de continuar com eles, e acabar por eles. O maior de todos foi o casamento do irmão. Quando Renan resolveu casar, Henriqueta recebeu um grande golpe e quis separar-se dele. Essa irmã e mãe tinha ciúmes de esposa. Renan quis desfazer o casamento; foi então que o coração de Henriqueta cedeu, e consentiu em vê-lo feliz com outra. A dor não morreu; o irmão confessa que o nascimento do seu primeiro filho é que lhe enxugou a ela todas as lágrimas, mas foi só dias antes de morrer que, por algumas palavras dela, reconheceu haver a ferida cicatrizado inteiramente. As palavras seriam talvez estas, transcritas no opúsculo: "Amei-te muito; cheguei a ser injusta, exclusiva, mas foi porque te amei como já se não ama, como talvez ninguém deva amar". Viveram juntos os três; juntos foram em 1860 para aquela missão da Fenícia, a que o imperador Napoleão convidou Renan. A esposa deste regressou pouco depois; Renan e Henriqueta continuaram a jornada de explorações e de estudos, durante a qual ela padeceu largamente, trabalhando longas horas por dia, curtindo violentas dores nevrálgicas, até contrair a febre perniciosa que a levou deste mundo. As páginas em que Renan conta a viagem, a doença e a morte de Henriqueta são das mais belas que lhe saíram das mãos. Morreu trabalhando; os últimos auxílios que prestou ao irmão foram copiar as laudas da *Vida de Jesus*, à medida que ele as ia escrevendo, em Gazhir.

Renan confessa que lhe deveu muito, não só na orientação das ideias, mas ainda em relação ao estilo, e explica por que e de que maneira. Antes da missão da Fenícia trabalhavam juntos, em matéria de arte e de arqueologia; além disso, ela compunha trabalhos para jornais de educação; mas os seus melhores escritos diz ele que eram as cartas. Moralmente, tinham ambos alcançado as mesmas vistas e o mesmo sentimento; ainda aí porém reconhece Renan alguma superioridade nela.

Que impressão final deixa a correspondência daqueles dois corações? O de Henriqueta, mais exclusivo, era também mais terno e o amor mais profundo. As cartas de Henriqueta são talvez únicas, como expressão de sentimento fraternal. Mais de uma vez lhe diz que a vida dele e a sua felicidade são o seu principal cuidado, e até único. Não temos aqui o que escreveu à mãe; mas não creio que a nota fosse mais forte, nem talvez tanto. Renan ama a irmã, é-lhe gratíssimo, ia-lhe sacrificando o consórcio; mas, enfim, pode amar outra mulher, e, feliz com ambas, viver dessas duas dedicações. Henriqueta, por mais que Renan nos afirme o contrário, tinha um fundo pessimista. Que amasse a vida, creio, mas por ele; se "podia sorrir a um enfeite, como se pode sorrir a uma flor", estava longe da inalterável bem-aventurança do irmão. O ceticismo otimista de Renan nunca seria entendido por ela; temperamento e experiência tinham dado a Henriqueta uma filosofia triste que se lhe sente nas cartas. Todos conhecem a confissão geral feita pelo autor dos *Souvenirs d'enfance et de jeunesse*. Renan afirma ter sido tão feliz que, se houvesse de recomeçar a vida, com direito de emendá-la, não faria emenda alguma. Henriqueta, se tivesse igual sentimento, seria unicamente para servi-lo e amá-lo, e, caso pudesse, creio que usaria do direito de eliminar, quando menos, as moléstias que padeceu. Renan tinha da vida e dos homens um sentimento que, apesar das agruras dos primeiros anos, já lhe aparece em alguma parte da correspondência. "Um livro — diz ele na última carta do volume — é o melhor introdutor no mundo científico. A sua composição obriga a consultar uma porção de sábios, que nunca ficam tão lisonjeados como quando se lhes vai prestar homenagem à ciência deles. As dedicatórias, fazem amigos e protetores elevados. Tenciono dedicar o meu ao sr. Quatremère." Na confissão dos *Souvenirs* é já o sábio que fala em relação aos estreantes: "Um poeta, por exemplo, apresenta-nos os seus versos. É preciso dizer que são admiráveis; o contrário equivale a dizer-lhe que não valem nada, e fazer sangrenta injúria a um homem cuja intenção é fazer-nos uma fineza". Um clássico da nossa língua, Sá de Miranda, põe na boca de um personagem de uma das suas comédias alguma coisa que resume toda essa arte e polidez aí recomendadas: "A mor ciência que no mundo há assim é saber conversar com os homens; bom rosto, bom barrete, boas palavras não custam nada, e valem muito... Vou-me a comer".

"Vou-me a comer", aplicado a Renan, é a glória que lhe ficou das suas admiráveis páginas de escritor único. A glória de Henriqueta seria a contemplação daquela, o gozo íntimo de uma adoração e de um amor, que a vida achou realmente excessivos tanto que a despegou de si, com um derradeiro e terrível sofrimento, talvez mais inútil que os outros.

Revista Brasileira, *outubro de 1896.*

O velho Senado

A propósito de algumas litografias de Sisson, tive há dias uma visão do Senado de 1860. Visões valem o mesmo que a retina em que se operam. Um político, tornando a ver aquele corpo, acharia nele a mesma alma dos seus correligionários extintos, e um historiador colheria elementos para a história. Um simples curioso não descobre mais que o pinturesco do tempo e a expressão das linhas com aquele tom geral que dão as coisas mortas e enterradas.

  Nesse ano entrara eu para a imprensa. Uma noite, como saíssemos do teatro Ginásio, Quintino Bocaiuva e eu fomos tomar chá. Bocaiuva era então uma gentil figura de rapaz, delgado, tez macia, fino bigode e olhos serenos. Já então tinha os gestos lentos de hoje, e um pouco daquele ar *distant* que Taine achou em Mérimée. Disseram coisa análoga de Challemel-Lacour, que alguém ultimamente definia como *très républicain de conviction et très aristocrate de tempérament*. O nosso Bocaiuva era só a segunda parte, mas já então liberal bastante para dar um republicano convicto. Ao chá, conversamos primeiramente de letras, e pouco depois de política, matéria introduzida por ele, o que me espantou bastante; não era usual nas nossas práticas. Nem é exato dizer que conversamos de política, eu antes respondia às perguntas que Bocaiuva me ia fazendo, como se quisesse conhecer as minhas opiniões. Provavelmente não as teria fixas nem determinadas; mas, quaisquer que fossem, creio que as exprimi na proporção e com a precisão apenas adequadas ao que ele me ia oferecer. De fato, separamo-nos com prazo dado para o dia seguinte, na loja de Paula Brito, que era na antiga praça da Constituição, ao lado do teatro São Pedro, a meio caminho das ruas do Cano e dos Ciganos. Relevai esta nomenclatura morta; é vício de memória velha. Na manhã seguinte, achei ali Bocaiuva escrevendo um bilhete. Tratava-se do *Diário do Rio de Janeiro*, que ia reaparecer, sob a direção política de Saldanha Marinho. Vinha dar-me um lugar na redação com ele e Henrique César Múzio.

  Estas minudências, agradáveis de escrever, sê-lo-ão menos de ler. É difícil fugir a elas, quando se recordam coisas idas. Assim, dizendo que no mesmo ano, abertas as câmaras, fui para o Senado, como redator do *Diário do Rio*, não posso esquecer que nesse ou no outro ali estiveram comigo, Bernardo Guimarães, representante do *Jornal do Commercio*, e Pedro Luís, por parte do *Correio Mercantil*, nem as boas horas que vivemos os três. Posto que Bernardo Guimarães fosse mais velho que nós, partíamos irmãmente o pão da intimidade. Descíamos juntos aquela praça da Aclamação, que não era então o parque de hoje, mas um vasto espaço inculto e vazio como o campo de São Cristóvão. Algumas vezes íamos jantar a um restaurante da rua dos Latoeiros, hoje Gonçalves Dias, nome este que se lhe deu por indicação justamente do *Diário do Rio*; o poeta morara ali outrora, e foi Múzio, seu amigo, que pela nossa folha o pediu à Câmara Municipal. Pedro Luís não tinha só a paixão que pôs nos belos versos à Polônia e no discurso com que, pouco depois, entrou na Câmara dos Deputados, mas ainda a graça, o sarcasmo, a observação fina e aquele largo riso em que os grandes olhos se faziam maiores. Bernardo Guimarães não falava nem ria tanto, incumbia-se de pontuar o diálogo com um bom dito, um reparo, uma anedota. O Senado não se prestava menos que o resto do mundo à conversação dos três amigos.

Poucos membros restarão da velha casa. Paranaguá e Sinimbu carregam o peso dos anos com muita facilidade e graça, o que ainda mais admira em Sinimbu, que suponho mais idoso. Ouvi falar a este bastantes vezes; não apaixonava o debate, mas era simples, claro, interessante, e, fisicamente, não perdia a linha. Esta geração conhece a firmeza daquele homem político, que mais tarde foi presidente do conselho e teve de lutar com oposições grandes. Um incidente dos últimos anos mostrará bem a natureza dele. Saindo da Câmara dos Deputados para a secretaria da Agricultura, com o visconde de Ouro Preto, colega de gabinete, eram seguidos por enorme multidão de gente em assuada. O carro parou em frente à secretaria; os dois apearam-se e pararam alguns instantes, voltados para a multidão, que continuava a bradar e apupar, e então vi bem a diferença dos dois temperamentos. Ouro Preto fitava-a com a cabeça erguida e certo gesto de repto; Sinimbu parecia apenas mostrar ao colega um trecho de muro, indiferente. Tal era o homem que conheci no Senado.

Para avaliar bem a minha impressão diante daqueles homens que eu via ali juntos, todos os dias, é preciso não esquecer que não poucos eram contemporâneos da Maioridade, algum da Regência, do primeiro reinado e da Constituinte. Tinham feito ou visto fazer a história dos tempos iniciais do regime, e eu era um adolescente espantado e curioso. Achava-lhes uma feição particular, metade militante, metade triunfante, um pouco de homens, outro pouco de instituição. Paralelamente, iam-me lembrando os apodos e chufas que a paixão política desferira contra alguns deles, e sentia que as figuras serenas e respeitáveis que ali estavam agora naquelas cadeiras estreitas não tiveram outrora o respeito dos outros, nem provavelmente a serenidade própria. E tirava-lhes as cãs e as rugas, e fazia-os outra vez moços, árdegos e agitados. Comecei a aprender a parte do presente que há no passado, e vice-versa. Trazia comigo a *oligarquia, o golpe de Estado de 1848*, e outras notas da política em oposição ao domínio conservador, e ao ver os cabos deste partido, risonhos, e familiares, gracejando entre si e com os outros, tomando juntos café e rapé, perguntava a mim mesmo se eram eles que podiam fazer, desfazer e refazer os elementos e governar com mão de ferro este país.

Os senadores compareciam regularmente ao trabalho. Era raro não haver sessão por falta de *quorum*. Uma particularidade do tempo é que muitos vinham em carruagem própria, como Zacarias, Monte Alegre, Abrantes, Caxias e outros, começando pelo mais velho, que era o marquês de Itanhaém. A idade deste fazia-o menos assíduo, mas ainda assim era-o mais do que cabia esperar dele. Mal se podia apear do carro, e subir as escadas; arrastava os pés até a cadeira, que ficava do lado direito da mesa. Era seco e mirrado, usava cabeleira e trazia óculos fortes. Nas cerimônias de abertura e encerramento agravava o aspecto com a farda de senador. Se usasse barba, poderia disfarçar o chupado e engelhado dos tecidos, a cara rapada acentuava-lhe a decrepitude; mas a cara rapada era o costume de outra quadra, que ainda existia na maioria do Senado. Uns, como Nabuco e Zacarias, traziam a barba toda feita; outros deixavam pequenas suíças, como Abrantes e Paranhos, ou, como Olinda e Eusébio, a barba em forma de colar; raros usavam bigodes, como Caxias e Montezuma — um Montezuma de segunda maneira.

A figura de Itanhaém era uma razão visível contra a vitaliciedade do Senado, mas é também certo que a vitaliciedade dava àquela casa uma consciência de duração perpétua, que parecia ler-se no rosto e no trato de seus membros. Tinham um ar de família, que se dispersava durante a estação calmosa, para ir às águas e outras diversões, e que se reunia depois, em prazo certo, anos e anos. Alguns não tornavam mais, e outros novos apareciam; mas também nas famílias se morre e nasce. Dissentiam sempre, mas é próprio das famílias numerosas brigarem, fazerem as pazes e tornarem a brigar; parece até que é a melhor prova de estar dentro da humanidade. Já então se evocavam contra a vitaliciedade do Senado os princípios liberais, como se fizera antes. Algumas vozes, vibrantes cá fora, calavam-se lá dentro, é certo, mas o germe da reforma ia ficando, os programas o acolhiam, e, como em vários outros casos, os sucessos o fizeram lei.

Nenhum tumulto nas sessões. A atenção era grande e constante. Geralmente, as galerias não eram mui frequentadas, e, para o fim da hora, poucos espectadores ficavam, alguns dormiam. Naturalmente, a discussão do voto de graças e outras chamavam mais gente. Nabuco e algum outro dos principais da casa gozavam do privilégio de atrair grande auditório, quando se sabia que eles rompiam um debate ou respondiam a um discurso. Nessas ocasiões, mui excepcionalmente, eram admitidos ouvintes no próprio salão do Senado, como aliás era comum na Câmara temporária; como nesta, porém, os espectadores não intervinham com aplausos nas discussões. A presidência de Abaeté redobrou a disciplina do regimento, porventura menos apertada no tempo da presidência de Cavalcanti.

Não faltavam oradores. Uma só vez ouvi falar a Eusébio de Queirós, e a impressão que me deixou foi viva; era fluente, abundante, claro, sem prejuízo do vigor e da energia. Não foi discurso de ataque, mas de defesa, falou na qualidade de chefe do partido conservador, ou *papa*; Itaboraí, Uruguai, Saião Lobato e outros eram *cardeais*, e todos formavam o *consistório*, segundo a célebre definição de Otaviano no *Correio Mercantil*. Não reli o discurso, não teria agora tempo nem oportunidade de fazê-lo, mas estou que a impressão não haveria diminuído muito, posto lhe falte o efeito da própria voz do orador, que seduzia. A matéria era sobremodo ingrata: tratava-se de explicar e defender o acúmulo dos cargos públicos, acusação feita na imprensa da oposição. Era a tarde da oligarquia, o crepúsculo do domínio conservador. As eleições de 1860, na capital, deram o primeiro golpe na situação; se também deram o último, não sei; os partidos nunca se entenderam bem acerca das causas imediatas da própria queda ou subida, salvo no ponto de serem alternadamente a violação ou a restauração da carta constitucional. Quaisquer que fossem, então, a verdade é que as eleições da capital naquele ano podem ser contadas como uma vitória liberal. Elas trouxeram à minha imaginação adolescente uma visão rara e especial do poder das urnas. Não cabe inseri-la aqui; não direi o movimento geral e o calor sincero dos votantes, incitados pelos artigos da imprensa e pelos discursos de Teófilo Otoni, nem os lances, cenas e brados de tais dias. Não me esqueceu a maior parte deles; ainda guardo a impressão que me deu um obscuro votante que veio ter com Otoni, perto da matriz do Sacramento. Otoni não o conhecia, nem sei se o tornou a ver. Ele chegou-se-lhe e mostrou-lhe um maço de cédulas, que acabava de tirar às escondidas da algibeira de um agente contrário. O riso que acompanhou esta notícia nunca mais se me apagou da memória. No meio das mais ardentes reivindicações deste mundo, alguma vez me despontou ao longe aquela boca sem nome, acaso verídica e honesta em tudo o mais da vida, que ali viera confessar candidamente, e sem outro prêmio pessoal, o fino roubo praticado. Não mofes desta insistência pueril da minha memória; eu a tempo advirto que as mais claras águas podem levar de enxurro alguma palha podre — se é que é podre, se é que é mesmo palha.

Eusébio de Queirós era justamente respeitado dos seus e dos contrários. Não tinha a figura esbelta de um Paranhos, mas ligava-se-lhe uma história particular e célebre, dessas que a crônica social e política de outros países escolhe e examina, mas que os nossos costumes — aliás demasiado soltos na palestra — não consentem inserir no escrito. De resto, pouco valeria repetir agora o que se divulgava então, não podendo pôr aqui a própria e extremada beleza da pessoa que as ruas e salas desta cidade viram tantas vezes. Era alta e robusta; não me ficaram outros pormenores.

O Senado contava raras sessões ardentes; muitas, porém, eram animadas. Zacarias fazia reviver o debate pelo sarcasmo e pela presteza e vigor dos golpes. Tinha a palavra cortante, fina e rápida, com uns efeitos de sons guturais, que a tornavam mais penetrante e irritante. Quando ele se erguia, era quase certo que faria deitar sangue a alguém. Chegou até hoje a reputação de *debater*, como oposicionista, e como ministro e chefe de gabinete. Tinha audácias, como a da escolha "não acertada", que a nenhum outro acudiria, creio eu. Politicamente, era uma natureza seca e sobranceira. Um livro que foi de seu uso, uma *História de Clarendon* (*History of the Rebellion and Civil Wars in England*), marcado em partes, a lápis encarnado, tem uma sublinha nas seguintes palavras (vol. I, pág. 44) atribuídas ao conde de Oxford, em resposta ao duque de Buckingham, "que não buscava a sua amizade nem temia o seu ódio". É arriscado ver sentimentos pessoais nas simples notas ou lembranças postas em livros de estudo, mas aqui parece que o espírito de Zacarias achou o seu parceiro. Particularmente, ao contrário, e desde que se inclinasse a alguém, convidava fortemente a amá-lo; era lhano e simples, amigo e confiado. Pessoas que o frequentavam, dizem e afirmam que, sob as suas árvores da rua do Conde ou entre os seus livros, era um gosto ouvi-lo, e raro haverá esquecido a graça e a polidez dos seus obséquios. No Senado, sentava-se à esquerda da mesa, ao pé da janela, abaixo de Nabuco, com quem trocava os seus reparos e reflexões. Nabuco, outra das principais vozes do Senado, era especialmente orador para os debates solenes. Não tinha o sarcasmo agudo de Zacarias, nem o epigrama alegre de Cotegipe. Era então o centro dos conservadores moderados que, com Olinda e Zacarias, fundaram a liga e os partidos Progressista e Liberal. Joaquim Nabuco, com a eloquência de escritor político e a afeição de filho, dirá toda essa história no livro que está consagrando à memória de seu ilustre pai. A palavra do velho Nabuco era modelada pelos oradores da tribuna liberal francesa. A minha impressão é que preparava os seus discursos, e a maneira por que os proferia realçava-lhes a matéria e a forma sólida e brilhante. Gostava das imagens literárias: uma dessas, a comparação do poder moderador à estátua de Glauco, fez então fortuna. O gesto não era vivo, como o de Zacarias, mas pausado, o busto cheio era tranquilo, e a voz adquiria uma sonoridade que habitualmente não tinha.

Mas eis que todas as figuras se atropelam na evocação comum, as de grande peso, como Uruguai, com as de pequeno ou nenhum peso, como o padre Vasconcelos, senador creio que pela Paraíba, um bom homem que ali achei e morreu pouco depois. Outro, que se podia incluir nesta segunda categoria, era um de quem só me lembram duas circunstâncias, as longas barbas grisalhas e sérias, e a cautela e pontualidade com que não votava os artigos de uma lei sem ter os olhos pregados em Itaboraí. Era um modo de cumprir a fidelidade política e obedecer ao chefe, que herdara o bastão de Eusébio. Como o recinto era pequeno, viam-se todos esses gestos, e quase se ouviam todas as palavras particulares. E, conquanto fosse assim pequeno, nunca vi rir a Itaboraí, creio que os seus músculos dificilmente ririam — o contrário de São Vicente, que ria com facilidade, um riso bom, mas que lhe não ia bem. Quaisquer que fossem, porém, as deselegâncias físicas do senador por São Paulo, e malgrado a palavra sem sonoridade, era ouvido com grande respeito, como Itaboraí. De Abrantes dizia-se que era um canário falando. Não sei até que ponto merece a definição; em verdade, achava-o fluente, acaso doce, e, para um povo mavioso como o nosso, a qualidade era preciosa; nem por isso Abrantes era popular. Também não o era Olinda, mas a autoridade deste sabe-se que era grande. Olinda aparecia-me envolvido na aurora remota do reinado, e na mais recente aurora liberal ou "situação nascente", mote de um dos chefes da liga, penso que Zacarias, que os conservadores glosaram por todos os feitios, na tribuna e na imprensa. Mas não deslizemos a reminiscências de outra ordem; fiquemos na surdez de Olinda, que competia com Beethoven nesta qualidade, menos musical que política. Não seria tão surdo. Quando tinha de responder a alguém, ia sentar-se ao pé do orador, e escutava atento, cara de mármore, sem dar um aparte, sem fazer um gesto, sem tomar uma nota. E a resposta vinha logo; tão depressa o adversário acabava, como ele principiava, e, ao que me ficou, lúcido e completo.

Um dia vi ali aparecer um homem alto, suíças e bigodes brancos e compridos. Era um dos remanescentes da Constituinte, nada menos que Montezuma, que voltava da Europa. Foi-me impossível reconhecer naquela cara barbada a cara rapada que eu conhecia da litografia [de] Sisson; pessoalmente nunca o vira. Era, muito mais que Olinda, um tipo de velhice robusta. Ao meu espírito de rapaz afigurava-se que ele trazia ainda os rumores e os gestos da assembleia de 1823. Era o mesmo homem; mas foi preciso ouvi-lo agora para sentir toda a veemência dos seus ataques de outrora. Foi preciso ouvir-lhe a ironia de hoje para entender a ironia daquela retificação que ele pôs ao texto de uma pergunta ao ministro do Império, na célebre sessão permanente de 11 a 12 de novembro: "Eu disse que o senhor ministro do Império, por estar ao lado de sua majestade, melhor conhecerá o 'espírito da tropa', e um dos senhores secretários escreveu 'o espírito de sua majestade', quando não disse tal, *porque deste não duvido eu*".

Agora o que eu mais ouvia dizer dele, além do talento, eram as suas infidelidades, e sobre isto corriam anedotas; mas eu nada tenho com anedotas políticas. Que se não pudesse fiar muito em seus carinhos parlamentares, creio. Uma vez, por exemplo, encheu a alma de Sousa Franco de grandes aleluias. Querendo criticar o ministro da Fazenda (não me lembra quem era) começou por afirmar que nunca tivéramos ministros da Fazenda, mas tão somente ministros do Tesouro. Encarecia com adjetivos: excelentes, ilustrados, conspícuos ministros do Tesouro, mas da Fazenda nenhum. "Um houve, senhor presidente, que nos deu alguma coisa do que deve ser um ministro da Fazenda; foi o nobre senador pelo Pará." E Sousa Franco sorria alegre, deleitava-se com a exceção, que devia doer ao seu forte rival em finanças, Itaboraí; não passou muito tempo que não perdesse o gosto. De outra vez, Montezuma atacava a Sousa Franco, e este novamente sorria, mas agora a expressão não era alegre, parecia rir de desdém. Montezuma empina o busto, encara-o irritado, e com a voz e o gesto intima-lhe que recolha o riso; e passa a demonstrar as suas críticas, uma por uma, com esta espécie de estribilho: "Recolha o riso o nobre senador!". Tudo isto aceso e torvo. Sousa Franco quis resistir; mas o riso recolheu-se por si mesmo. Era então um homem magro e cansado. Gozava ainda agora a popularidade ganha na Câmara dos Deputados, anos antes, pela campanha que sustentou, sozinho e parece que enfermo, contra o Partido Conservador.

Contrastando com Sousa Franco, vinha a figura de Paranhos, alta e forte. Não é preciso dizê-lo a uma geração que o conheceu e admirou, ainda belo e robusto na velhice. Nem é preciso lembrar que era uma das primeiras vozes do Senado. Eu trazia de cor as palavras que alguém me confiou haver dito, quando ele era simples estudante da Escola Central: "Senhor Paranhos, você ainda há de ser ministro". O estudante respondia modestamente, sorrindo; mas o profeta dos seus destinos tinha apanhado bem o valor e a direção da alma do moço.

Muitas recordações me vieram do Paranhos de então, discursos de ataque, discursos de defesa, mas, uma basta, a justificação do convênio de 20 de fevereiro. A notícia deste ato entrou no Rio de Janeiro, como as outras desse tempo, em que não havia telégrafo. Os sucessos do exterior chegavam-nos às braçadas, por atacado, e uma batalha, uma conspiração, um ato diplomático eram conhecidos com todos os seus pormenores. Por um paquete do sul soubemos do convênio da vila da União. O pacto foi mal recebido, fez-se uma manifestação de rua, e um grupo de populares, com três ou quatro chefes à frente, foi pedir ao governo a demissão do plenipotenciário. Paranhos foi demitido, e, aberta a sessão parlamentar, cuidou de produzir a sua defesa.

Tornei a ver aquele dia, e ainda agora me parece vê-lo. Galerias e tribunas estavam cheias de gente; ao salão do Senado foram admitidos muitos homens políticos ou simplesmente curiosos. Era uma hora da tarde quando o presidente deu a palavra ao senador por Mato Grosso; começava a discussão do voto de graças. Paranhos costumava falar com moderação e pausa; firmava os dedos, erguia-os para o gesto lento e sóbrio, ou então para chamar os punhos da camisa, e a voz ia saindo meditada e colorida. Naquele dia, porém, a ânsia de produzir a defesa era tal, que as primeiras palavras foram antes bradadas que ditas: "Não a vaidade, senhor presidente...". Daí a um instante, a voz tornava ao diapasão habitual, e o discurso continuou como nos outros dias. Eram nove horas da noite, quando ele acabou; estava como no princípio, nenhum sinal de fadiga nele nem no auditório, que o aplaudiu. Foi uma das mais fundas impressões que me deixou a eloquência parlamentar. A agitação passara com os sucessos, a defesa estava feita. Anos depois do ataque, esta mesma cidade aclamava o autor da lei de 28 de setembro de 1871, como uma glória nacional; e ainda depois, quando ele tornou da Europa, foi recebê-lo e conduzi-lo até a casa. Ao clarão de um belo sol, rubro de comoção, levado pelo entusiasmo público, Paranhos seguia as mesmas ruas que, anos antes, voltando do sul, pisara sozinho e condenado.

A visão do Senado foi-se-me assim alterando nos gestos e nas pessoas, como nos dias, e sempre remota e velha: era o Senado daqueles três anos. Outras figuras vieram vindo. Além dos cardeais, os Muritibas, os Sousa e Melos, vinham os de menor graduação política, o risonho Pena, zeloso e miúdo em seus discursos, o Jobim, que falava algumas vezes, o Ribeiro, do Rio Grande do Sul, que não falava nunca — não me lembra, ao menos. Este, filósofo e filólogo, tinha junto a si, no tapete, encostado no pé da cadeira, um exemplar do dicionário de Morais. Era comum vê-lo consultar um e outro tomo, no correr de um debate, quando ouvia algum vocábulo, que lhe parecia de incerta origem ou duvidosa aceitação. Em contraste com a abstenção dele, eis aqui outro, Silveira da Mota, assíduo na tribuna, oposicionista por temperamento, e este outro, d. Manuel de Assis Mascarenhas, bom exemplar da geração que acabava. Era um homenzinho seco e baixo, cara lisa, cabelo raro e branco, tenaz, um tanto impertinente, creio que desligado de partidos. Da sua tenacidade dará ideia o que lhe vi fazer em relação a um projeto de subvenção ao teatro Lírico, por meio de loterias. Não era novo; continuava o de anos anteriores. D. Manuel opunha-se por todos os meios à passagem dele, e fazia extensos discursos. A mesa, para acabar com o projeto, já o incluía entre os primeiros na ordem do dia, mas nem assim desanimava o senador. Um dia foi ele colocado antes de nenhum. D. Manuel pediu a palavra, e francamente declarou que era seu intuito falar toda a sessão; portanto, aqueles de seus colegas que tivessem algum negócio estranho e fora do Senado podiam retirar-se: não se discutiria mais nada. E falou até o fim da hora, consultando a miúdo o relógio para ver o tempo que lhe ia faltando. Naturalmente não haveria muito que dizer em tão escassa matéria, mas a resolução do orador e a liberdade do regimento davam-lhe meio de compor o discurso. Daí nascia uma infinidade de episódios, reminiscências, argumentos e explicações; por exemplo, não era recente a sua aversão às loterias, vinha do tempo em que, andando a viajar, foi ter a Hamburgo; ali ofereceram-lhe com tanta instância um bilhete de loteria, que ele foi obrigado a comprar, e o bilhete saiu branco. Esta anedota era contada com todas as minúcias necessárias para ampliá-la. Uma parte do tempo falou sentado, e acabou diante da mesa e três ou quatro colegas. Mas, imitando assim Catão, que também falou um dia inteiro para impedir uma petição de César, foi menos feliz que o seu colega romano. César retirou a petição, e aqui as loterias passaram, não me lembra se por fadiga ou omissão de d. Manuel; anuência é que não podia ser. Tais eram os costumes do tempo.

  E após ele vieram outros, e ainda outros, Sapucaí, Maranguape, Itaúna, e outros mais, até que se confundiram todos e desapareceu tudo, coisas e pessoas, como sucede às visões. Pareceu-me vê-los enfiar por um corredor escuro, cuja porta era fechada por um homem de capa preta, meias de seda preta, calções pretos e sapatos de fivela. Este era nada menos que o próprio porteiro do Senado, vestido segundo as praxes do tempo, nos dias de abertura e encerramento da assembleia geral. Quanta coisa obsoleta! Alguém ainda quis obstar à ação do porteiro, mas tinha o gesto tão cansado e vagaroso que não alcançou nada; aquele deu volta à chave, envolveu-se na capa, saiu por uma das janelas e esvaiu-se no ar, a caminho de algum cemitério, provavelmente. Se valesse a pena saber o nome do cemitério, iria eu catá-lo, mas não vale; todos os cemitérios se parecem.

Revista Brasileira, *junho de 1898*.

Tu, só tu, puro amor
Comédia

> *Tu só, tu, puro amor, com força crua,*
> *Que os corações humanos tanto obriga...*
> CAMÕES, *Lusíadas*, 3, CXIX.

O desfecho dos amores palacianos de Camões e de d. Catarina de Ataíde é o objeto da comédia, desfecho que deu lugar à subsequente aventura de África, e mais tarde à partida para a Índia, donde o poeta devia regressar um dia com a imortalidade nas mãos. Não pretendi fazer um quadro da corte de d. João II, nem sei se o permitiam as proporções mínimas do escrito e a urgência da ocasião. Busquei sim haver-me de maneira que o poeta fosse contemporâneo de seus amores, não lhe dando feições épicas, e, por assim dizer, póstumas.

Na primeira impressão escrevi uma nota, que reproduzi na segunda, acrescentando-lhe alguma coisa explicativa. Como na cena primeira se trata da anedota que motivou o epigrama de Camões ao duque de Aveiro, disse eu ali que, posto se lhe não possa fixar data, usaria dela por me parecer um curioso rasgo de costumes. E aduzi: "Engana-se, creio eu, o sr. Teófilo Braga, quando afirma que ela só podia ter ocorrido depois do regresso de Camões a Lisboa, alegando, para fundamentar essa opinião, que o título de duque de Aveiro foi criado em 1557. Digo que se engana o distinto escritor, porque eu encontro o duque de Aveiro, cinco anos antes, 1552, indo receber, na qualidade de embaixador, a princesa d. Joana, noiva do príncipe d. João (Veja *Mem.* e *Doc.* Anexos aos *Anais de d. João III*, págs. 440 e 441); e, se Camões só em 1553 partiu para a Índia, não é impossível que o epigrama e o caso que lhe deu origem fossem anteriores".

Temos ambos razão, o sr. Teófilo Braga e eu. Com efeito, o ducado de Aveiro só foi criado formalmente em 1557, mas o agraciado usava o título desde muito antes, por mercê de d. João III: é o que confirma a própria carta régia de 30 de agosto daquele ano, textualmente inserta na *Hist. Geneal.* de d. Antônio Caetano de Souza, que cita em abono da asserção o testemunho de Andrade, na *Crônica d'el-rei d. João III*. Naquela mesma obra se lê (liv. IV, cap. V) que em 1551, na transladação dos ossos d'el-rei d. Manuel estivera presente o duque de Aveiro. Não é pois impossível que a anedota ocorresse antes da primeira ausência de Camões.

Machado de Assis.

PERSONAGENS

Camões, Antônio de Lima, Caminha, d. Manuel de Portugal, d. Catarina de Ataíde, d. Francisca de Aragão

SALA NO PAÇO
CENA I
Caminha, d. Manuel de Portugal

(Caminha vem do fundo, da esquerda; vai a entrar pela porta da direita, quando lhe sai Manoel de Portugal, a rir.)

CAMINHA — Alegre vindes, senhor dom Manuel de Portugal. Disse-vos el-rei alguma coisa graciosa, de certo...

D. MANUEL — Não; não foi el-rei. Adivinhai o que seria, se é que o não sabeis já.

CAMINHA — Que foi?

D. MANUEL — Sabeis o caso da galinha do duque de Aveiro?

CAMINHA — Não.

D. MANUEL — Não sabeis? — Pois é isto: uns versos mui galantes do nosso Camões. *(Caminha estremece e faz um gesto de má vontade.)* Uns versos como ele os sabe fazer. *(à parte.)* Dói-lhe a notícia. *(alto.)* Mas, deveras não sabeis do encontro de Camões com o duque de Aveiro?

CAMINHA — Não.

D. MANUEL — Foi o próprio duque que mo contou agora mesmo, ao vir de estar com el-rei...

CAMINHA — Que houve então?

D. MANUEL — Eu vo-lo digo; achavam-se ontem, na igreja do Amparo, o duque e o poeta...

CAMINHA, *com enfado.* — O poeta! O poeta! Não é mais que engenhar aí uns poucos versos, para ser logo poeta! Desperdiçais o vosso entusiasmo, senhor dom Manuel. Poeta é o nosso Sá, o meu grande Sá! Mas, esse arruador, esse brigão de horas mortas...

D. MANUEL — Parece-vos então...?

CAMINHA — Que esse moço tem algum engenho, muito menos do que lhe diz a presunção dele e a cegueira dos amigos; algum engenho não lhe nego eu. Faz sonetos sofríveis. E canções... Digo-vos que li uma ou duas, não de todo mal alinhavadas. Pois então? Com boa vontade, mais esforço, menos soberba, gastando as noites, não a folgar pelas locandas de Lisboa, mas a meditar os poetas italianos, digo-vos que pode vir a ser...

D. MANUEL — Acabe.

CAMINHA — Está acabado: um poeta sofrível.

D. MANUEL — Deveras? Lembra-me que já isso mesmo lhe negastes.

CAMINHA *(sorrindo.)* — No meu epigrama, não? E nego-lho ainda agora, se não fizer o que vos digo. Pareceu-vos gracioso o epigrama? Fi-lo por desenfado, não por ódio... Dizei, que tal vos pareceu ele?

D. MANUEL — Injusto, mas gracioso.

CAMINHA — Sim? Tenho em mui boa conta o vosso parecer. Algum tempo supus que me desdenháveis. Não era impossível que assim fosse. Intrigas da corte dão azo a muita injustiça; mas principalmente acreditei que fossem artes desse rixoso... Juro-vos que ele me tem ódio.

D. MANUEL — O Camões?

CAMINHA — Tem, tem...

D. MANUEL — Por quê?

CAMINHA — Não sei, mas tem. Adeus.
D. MANUEL — Ides-vos?
CAMINHA — Vou a el-rei, e depois ao meu senhor infante. *(corteja-o e dirige-se para a porta da direita. D. Manuel dirige-se para o fundo.)*
D. MANUEL *(andando.)* —

>Eu já vi a taverneiro
>vender vaca por carneiro...

CAMINHA *(volta-se.)* — Recitais versos?... São vossos?... Não me negueis o gosto de os ouvir.
D. MANUEL — Meus não; são de Camões... *(repete, descendo a cena.)*

>Eu já vi a taverneiro
>Vender vaca por carneiro...

CAMINHA *(sarcástico.)* — De Camões?... Galantes são. Nem Virgílio os daria melhores. Ora, fazei o favor de repetir comigo:

>Eu já vi a taverneiro
>Vender vaca por carneiro...

— E depois? vá, dizei-me o resto, que não quero perder iguaria de tão fino sabor.
D. MANUEL — O duque de Aveiro e o poeta encontraram-se ontem na igreja do Amparo. O duque prometeu ao poeta mandar-lhe uma galinha de sua mesa, mas só lhe mandou um assado. Camões retorquiu-lhe com estes versos, que o próprio duque me mostrou agora, a rir:

>Eu já vi a taverneiro,
>Vender vaca por carneiro.
>Mas não vi, por vida minha,
>vender vaca por galinha,
>senão ao duque de Aveiro.

— Confessai, confessai senhor Caminha, vós que sois poeta, confessai que há aí certo pico, e uma simpleza de dizer... Não vale tanto de certo como os sonetos dele, alguns dos quais são sublimes, aquele por exemplo:

>De amor escrevo, de amor trato e vivo...

ou este:

>Tanto de meu estado me acho incerto...

— Sabeis a continuação?
CAMINHA — Até lhe sei o fim:

> Se me pergunta alguém porque assim ando
> respondo que não sei, porém suspeito
> que só porque vos vi, minha senhora.

— *(fitando-lhe muito os olhos.)* Esta senhora... Sabeis vós, de certo, quem é esta senhora do poeta, como eu o sei, como o sabem todos... Naturalmente amam-se ainda muito?

D. MANUEL *(à parte.)* — Que quererá ele?

CAMINHA — Amam-se por força.

D. MANUEL — Cuido que não.

CAMINHA — Que não?

D. MANUEL — Acabou, como tudo acaba.

CAMINHA *(sorrindo.)* — Anda lá; não sei se me dizeis tudo. Amigos sois, e não é impossível que também vós... Onde está a nossa gentil senhora dona Francisca de Aragão?

D. MANUEL — Que tem?

CAMINHA — Vede: um simples nome vos faz estremecer. Mas sossegai, que não sou vosso inimigo; mui ao contrário, amo-vos, e a ela também... e respeito-a muito. Um para o outro nascestes. Mas, adeus, faz-se tarde, vou ter com el-rei. *(sai pela direita.)*

CENA II
D. Manuel de Portugal

— Este homem!... Este homem!... Como se os versos dele, duros e insossos... *(vai à porta por onde Caminha saiu e levanta o reposteiro.)* Lá vai ele; vai cabisbaixo; rumina talvez alguma coisa. Que não sejam versos! *(ao fundo aparecem d. Antônio de Lima e d. Catarina de Ataíde.)*

CENA III
D. Manuel de Portugal, d. Catarina de Ataíde, d. Antônio de Lima

D. ANTÔNIO DE LIMA — Que espreitais aí, senhor dom Manuel?

D. MANUEL — Estava a ver o porte elegante do nosso Caminha. Não vades supor que era alguma dama. *(levanta o reposteiro.)* Olhai, lá vai ele a desaparecer. Vai a el-rei.

D. ANTÔNIO — Também eu. Tu, não, minha boa Catarina. A rainha espera-te. *(d. Catarina faz uma reverência e caminha para a porta da esquerda.)* Vai, vai, minha gentil flor... *(a d. Manuel.)* Gentil, não a achais?

D. MANUEL — Gentilíssima.

D. ANTÔNIO — Agradece, Catarina.

D. CATARINA — Agradeço; mas o certo é que o senhor dom Manuel é rico de louvores...

D. MANUEL — Eu podia dizer que a natureza é que foi conosco pródiga de graças; mas, não digo; seria repetir mal aquilo que só poetas podem dizer bem. *(d. An-*

tônio fecha o rosto.) Dizem que também sou poeta, é verdade; não sei; faço versos. Adeus, senhor dom Antônio... *(corteja-os e sai. D. Catarina vai a entrar, à esquerda. D. Antônio detém-na.)*

CENA IV
D. Antônio de Lima, d. Catarina de Ataíde

D. ANTÔNIO — Ouviste aquilo?

D. CATARINA (*parando.*) — Aquilo?

D. ANTÔNIO — "Que só poetas podem dizer bem" foram as palavras dele. (*d. Catarina aproxima-se.*) Vês tu, filha? tão divulgadas andam já essas coisas, que até se dizem nas barbas de teu pai!

D. CATARINA — Senhor, um gracejo...

D. ANTÔNIO (*enfadando-se.*) — Um gracejo injurioso, que eu não consinto, que não quero, que me dói... "Que só poetas podem dizer bem." E que poeta! Pergunta ao nosso Caminha o que é esse atrevido, o que vale a sua poesia... Mas, que seja outra e melhor, não a quero para mim, nem para ti. Não te criei para entregar-te às mãos do primeiro que passa, e lhe dá na cabeça haver-te.

D. CATARINA (*procurando moderá-lo.*) — Meu pai...

D. ANTÔNIO — Teu pai e teu senhor!

D. CATARINA — Meu senhor e pai... juro-vos que... Juro-vos que vos quero e muito... Por quem sois, não vos irriteis contra mim!

D. ANTÔNIO — Jura que me obedecerás.

D. CATARINA — Não é essa a minha obrigação?

D. ANTÔNIO — Obrigação é, e a mais grave de todas. Olha-me bem, filha; eu amo-te como pai que sou. Agora, anda, vai.

CENA V
D. Antônio de Lima, d. Catarina de Ataíde, d. Francisca de Aragão

D. ANTÔNIO — Mas não, não vás sem falar à senhora dona Francisca de Aragão, que aí nos aparece, fresca como a rosa que desabotoou agora mesmo, ou, como dizia a farsa do nosso Gil Vicente, que eu ouvi há tantos anos, por tempo do nosso sereníssimo senhor dom Manuel... Velho estou, minha formosa dama...

D. FRANCISCA — E que dizia a farsa?

D. ANTÔNIO — A farsa dizia:

> É bonita como estrela,
> Uma rosinha de abril,
> Uma frescura de maio,
> Tão manhosa.
> Tão sutil!

— Vede que a farsa adivinhava já a nossa dona Francisca de Aragão, uma frescura de maio, tão manhosa, tão sutil...

D. FRANCISCA — Manhosa, eu?

D. ANTÔNIO — E sutil. Não vos esqueça a rima, que é de lei. (*vai a sair pela porta da direita; aparece Camões.*)

CENA VI
Os mesmos, Camões

D. CATARINA (*à parte.*) — Ele!

D. FRANCISCA (*baixo a d. Catarina.*) — Sossegai!

D. ANTÔNIO — Vinde cá, senhor poeta das galinhas. Já me chegou aos ouvidos o vosso lindo epigrama. Lindo, sim; e estou que não vos custaria mais tempo a fazê--lo do que eu a dizer-vos que me divertiu muito... E o duque? O duque, ainda não emendou a mão? Há de emendar, que não é nenhum mesquinho.

CAMÕES (*alegremente.*) — Pois el-rei deseja o contrário...

D. ANTÔNIO — Ah! Sua alteza falou-vos disso?... Contar-mo-eis em tempo. (*a d. Catarina, com intenção.*) Minha filha e senhora, não ides ter com a rainha? Eu vou falar a el-rei. (*d. Catarina corteja-os e dirige-se para a esquerda; d. Antônio sai pela direita.*)

CENA VII
Os mesmos, menos d. Antônio de Lima

(*D. Catarina quer sair, d. Francisca de Aragão detém-na.*)

D. FRANCISCA — Ficai, ficai...

D. CATARINA — Deixe-me ir!

CAMÕES — Fugis de mim?

D. CATARINA — Fujo... Assim o querem todos.

CAMÕES — Todos quem?

D. FRANCISCA (*indo a Camões.*) — Sossegai. Tendes, na verdade, um gênio, uns espíritos... Que há de ser? Corre a mais e mais a notícia dos vossos amores... e o senhor dom Antônio, que é pai, e pai severo...

CAMÕES (*vivamente a d. Catarina.*) — Ameaça-vos?

D. CATARINA — Não; dá-me conselhos... bons conselhos, meu Luís. Não vos quer mal, não quer... Vamos lá; eu é que sou desatinada. Mas passou. Dizei-nos lá esses versos de que faláveis há pouco. Um epigrama, não é? Há de ser tão bonito como os outros... menos um.

CAMÕES — Um?

D. CATARINA — Sim, o que fizestes a dona Guiomar de Blasfé.

CAMÕES (*com desdém.*) — Que monta? Bem frouxos versos.

D. FRANCISCA — Não tanto; mas eram feitos a dona Guiomar, e os piores versos deste mundo são os que se fazem a outras damas. (*a d. Catarina.*) Acertei? (*a Camões.*) Ora, andai, vou deixar-vos; dizei o caso do vosso epigrama, não a mim, que já o sei de cor, porém a ela que ainda não sabe nada... E que foi que vos disse el-rei?

CAMÕES — El-rei viu-me, e dignou-se chamar-me; fitou-me um pouco a sua real vista, e disse com brandura: — "Tomara eu, senhor poeta, que todos os duques vos faltem com galinhas, por que assim nos alegrareis com versos tão chistosos".

D. FRANCISCA — Disse-vos isto? é um grande espírito el-rei!

D. CATARINA *(a d. Francisca.)* — Não é? *(a Camões.)* E vós que lhe dissestes?

CAMÕES — Eu? nada... ou quase nada. Era tão inopinado louvor que me tomou a fala. E, contudo, se eu pudesse responder agora... agora que recobrei os espíritos... dir-lhe-ia que há aqui *(leva a mão à fronte.)* alguma coisa mais do que simples versos de desenfado... dir-lhe-ia que... *(fica absorto um instante, depois olha alternadamente para as duas damas, entre as quais se acha.)* Um sonho... às vezes cuido conter cá dentro mais do que a minha vida e o meu século... Sonhos... sonhos! A realidade é que vós sois as duas mais lindas damas da cristandade, e que o amor é a alma do universo!

D. FRANCISCA — O amor e a espada, senhor brigão!

CAMÕES *(alegremente.)* — Por que me não dais logo as alcunhas que me hão de ter posto os poltrões do Rocio? Vingam-se com isso, que é a desforra da poltroneria... Não sabeis? Naturalmente não; vós gastais as horas nos lavores e recreios do paço; mora aqui a doce paz do espírito.

D. CATARINA *(com intenção.)* — Nem sempre.

D. FRANCISCA — Isto é convosco; e eu, que posso ser indiscreta, não me detenho a ouvir mais nada. *(dá alguns passos para o fundo.)*

D. CATARINA — Vinde cá...

D. FRANCISCA — Vou-me... vou a consolar o nosso Caminha, que há de estar um pouco enfadado... Ouviu ele o que el-rei vos disse?

CAMÕES — Ouviu; que tem?

D. FRANCISCA — Não ouviria de boa sombra.

CAMÕES — Pode ser que não... dizem-me que não. *(a d. Catarina.)* Pareceis inquieta...

D. CATARINA *(a d. Francisca.)* — Não, não vades; ficai um instante.

CAMÕES *(a d. Francisca.)* — Irei eu.

D. FRANCISCA — Não, senhor; irei eu só. *(sai pelo fundo.)*

CENA VIII
Camões, d. Catarina de Ataíde

CAMÕES *(com uma reverência.)* — Irei eu. Adeus, minha senhora dona Catarina de Ataíde! *(d. Catarina dá um passo para ele.)* Mantenha-vos Deus na sua santa guarda.

D. CATARINA — Não... vinde cá... *(Camões detém-se.)* Enfadei-vos? Vinde um pouco mais perto. *(Camões aproxima-se.)* Que vos fiz eu? Duvidais de mim?

CAMÕES — Cuido que me quereis ausente.

D. CATARINA — Luís! *(inquieta.)* Vede esta sala, estas paredes... falarmos a sós... Duvidais de mim?

CAMÕES — Não duvido de vós; não duvido da vossa ternura: da vossa firmeza é que eu duvido.

D. CATARINA — Receais que fraqueie algum dia?

CAMÕES — Receio; chorareis muitas lágrimas, muitas e amargas... mas, cuido que fraqueareis.

D. CATARINA — Luís! Juro-vos...

CAMÕES — Perdoai, se vos ofende esta palavra. Ela é sincera: subiu-me do coração à boca. Não posso guardar a verdade; perder-me-ei algum dia por dizê-la sem rebuço. Assim me fez a natureza; assim irei à sepultura.

D. CATARINA — Não, não fraquearei, juro-vos. Amo-vos muito, bem o sabeis. Posso chegar a afrontar tudo, até a cólera de meu pai. Vede lá, estamos a sós; se nos vira alguém... (*Camões dá um passo para sair.*) Não, vinde cá. Mas, se nos vira alguém, defronte um do outro, no meio de uma sala deserta, que pensaria? Não sei que pensaria; tinha medo há pouco, já não tenho medo... amor sim... O que eu tenho é amor, meu Luís.

CAMÕES — Minha boa Catarina.

D. CATARINA — Não me chameis boa, que eu não sei se o sou... Nem boa, nem má.

CAMÕES — Divina sois.

D. CATARINA — Não me deis nomes que são sacrílegios.

CAMÕES — Que outro vos cabe?

D. CATARINA — Nenhum.

CAMÕES — Nenhum? Simplesmente a minha doce e formosa senhora dona Catarina de Ataíde, uma ninfa do paço, que se lembrou de amar um triste escudeiro, sem se lembrar que seu pai a guarda para algum solar opulento, algum grande cargo de camareira-mor. Tudo isso havereis, enquanto que o coitado de Camões irá morrer em África ou Ásia...

D. CATARINA — Teimoso sois! Sempre essas ideias de África...

CAMÕES — Ou Ásia. Que tem isso? Digo-vos que, às vezes, a dormir, imagino lá estar, longe dos galanteios da corte, armado em guerra, diante do gentio. Imaginai agora...

D. CATARINA — Não imagino nada; vós sois meu, tão só meu, tão somente meu. Que me importa o gentio, ou o turco, ou que quer que é, que não sei, nem quero? Tinha que ver, se me deixáveis, para ir às vossas Áfricas... E os meus sonetos? Quem mos havia de fazer, meu rico poeta?

CAMÕES — Não faltará quem vo-los faça, e da maior perfeição.

D. CATARINA — Pode ser; mas eu quero-os ruins, como os vossos... como aquele da Circe, o meu retrato, dissestes vós.

CAMÕES (*recitando.*)

> Um mover de olhos, brando e piedoso,
> Sem ver de que; um riso brando e honesto,
> Quase forçado um doce e humilde gesto
> De qualquer alegria duvidoso...

D. CATARINA — Não acabeis, que me obrigareis a fugir de vexada.

CAMÕES — De vexada! Quando é que a rosa se vexou, por que o sol a beijou de longe?

D. CATARINA — Bem respondido, meu claro sol.

CAMÕES — Deixai-me repetir que sois divina. Natércia minha, pode a sorte separar-nos, ou a morte de um ou de outro; mas o amor subsiste, longe ou perto, na morte ou na vida, no mais baixo estado, ou no cimo das grandezas humanas, não é assim? Deixai-me crê-lo, ao menos; deixai-me crer que há um vínculo secreto e forte, que nem os homens, nem a própria natureza poderia já destruir. Deixai-me crer... Não me ouvis?

D. CATARINA — Ouço, ouço.

CAMÕES — Crer que a última palavra de vossos lábios será o meu nome. Será? Tenha eu esta fé, e não se me dará da adversidade; sentir-me-ei afortunado e grande. Grande, ouvis bem? Maior que todos os demais homens.

D. CATARINA — Acabai!

CAMÕES — Que mais?

D. CATARINA — Não sei; mas é tão doce ouvir-vos! Acabai, acabai, meu poeta! Ou antes, não, não acabeis; falai sempre, deixai-me ficar perpetuamente a escutar-vos.

CAMÕES — Ai de nós! A perpetuidade é um simples instante, um instante em que nos deixam sós nesta sala! *(d. Catarina afasta-se rapidamente.)* Olhai; só a ideia do perigo vos arredou de mim.

D. CATARINA — Na verdade, se nos vissem... Se alguém aí, por esses reposteiros... Adeus...

CAMÕES — Medrosa, eterna medrosa!

D. CATARINA — Pode ser que sim; mas não está isso mesmo no meu retrato?

> Um encolhido ousar, uma brandura,
> Um medo sem ter culpa; um ar sereno,
> Um longo e obediente sofrimento...

CAMÕES —

> Esta foi a celeste formosura
> Da minha Circe, e o mágico veneno
> Que pôde transformar meu pensamento.

D. CATARINA *(indo a ele.)* — Pois então? A vossa Circe manda-vos que não duvideis dela, que lhe perdoeis os medos, tão próprios do lugar e da condição; manda-vos crer e amar. Se ela às vezes foge, é porque a espreitam; se vos não responde, é porque outros ouvidos poderiam escutá-la. Entendeis? É o que vos manda dizer a vossa Circe, meu poeta... e agora... *(estende-lhe a mão.)* Adeus!

CAMÕES — Ides-vos?

D. CATARINA — A rainha espera-me. Audazes fomos, Luís. Não desafiemos o paço... que esses reposteiros...

CAMÕES — Deixa-me ir ver!

D. CATARINA *(detendo-o.)* — Não, não. Separemo-nos.

CAMÕES — Adeus! *(d. Catarina dirige-se para a porta da esquerda; Camões olha para a porta da direita.)*

D. CATARINA — Andai, andai!

CAMÕES — Um instante ainda!

D. CATARINA — Imprudente! Por quem sois, ide-vos meu Luís!

CAMÕES — A rainha espera-vos?

D. CATARINA — Espera.

CAMÕES — Tão raro é ver-vos!

D. Catarina — Não afrontemos o céu... podem dar conosco...

Camões — Que venham! Tomara eu que nos vissem! Bradaria a todos o meu amor, e a que o faria respeitar!

D. Catarina (*aflita pegando-lhe na mão.*) — Reparai, meu Luís, reparai onde estais, quem eu sou, o que são estas paredes... domai esse gênio arrebatado, peço-vo-lo eu. Ide-vos em boa paz, sim?

Camões — Viva a minha corça gentil, a minha tímida corça! Ora vos juro que me vou, e de corrida. Adeus!

D. Catarina — Adeus!

Camões (*com a mão dela presa.*) — Adeus!

D. Catarina — Ide... deixai-me ir!

Camões — Hoje há luar; se virdes um embuçado diante das vossas janelas, quedado a olhar para cima, desconfiai que sou eu; e então, já não é o sol a beijar de longe uma rosa, é o goivo que pede calor a uma estrela.

D. Catarina — Cautela, não vos reconheçam.

Camões — Cautela haverei; mas, que me reconheçam, que tem isso? embargarei a palavra ao importuno.

D. Catarina — Sossegai. Adeus!

Camões — Adeus!

(*D. Catarina dirige-se para a porta da esquerda, e para diante dela, à espera que Camões saia. Camões corteja-a com um gesto gracioso, e dirige-se para o fundo. Levanta-se o reposteiro da porta da direita, e aparece Caminha. D. Catarina dá um pequeno grito, e sai precipitadamente. Camões detém-se. Os dois homens olham-se por um instante.*)

CENA IX
Camões, Caminha

Caminha (*entrando.*) — Discreteáveis com alguém, ao que parece...

Camões — É verdade.

Caminha — Ouvi de longe a vossa fala, e reconheci-a. Vi logo que era o nosso poeta, de quem tratava há pouco com alguns fidalgos. Sois o bem-amado, entre os últimos de Coimbra. — Com que, discreteáveis... Com alguma dama?

Camões — Com uma dama.

Caminha — Certamente formosa, que não as há de outra casta nestes reais paços. Sua alteza cuido que continuará, e ainda em bem, algumas boas tradições de el-rei seu pai. Damas formosas, e, quanto possível, letradas. São estes, dizem, os bons costumes italianos. E vós, senhor Camões, por que não ides à Itália?

Camões — Irei à Itália, mas passando por África.

Caminha — Ah! Ah! para lá deixar primeiro um braço, uma perna, ou um olho... Não, poupai os olhos, que são o feitiço dessas damas da corte; poupai também a mão, com que nos haveis de escrever tão lindos versos; isto vos digo que poupai...

Camões — Uma palavra, senhor Pero de Andrade. Uma só palavra, mas sincera.

Caminha — Dizei.

CAMÕES — Dissimulais algum outro pensamento. Revelai-mo... intimo-vos que mo reveleis.

CAMINHA — Ide à Itália, senhor Camões, ide à Itália.

CAMÕES — Não resistireis muito tempo ao que vos mando.

CAMINHA — Ou à África, se o quereis... ou à Babilônia... À Babilônia melhor; levai a harpa do desterro, mas em vez de a pendurar de um salgueiro, como na Escritura, cantar-nos-eis a linda copla da galinha, ou componeis umas outras voltas ao mote, que já vos serviu tão bem:

> Perdigão perdeu a pena,
> Não há mal que lhe não venha.
> Ide à Babilônia, senhor Perdigão!

CAMÕES (*pegando-lhe no pulso.*) — Por vida minha, calai-vos!

CAMINHA — Vede o lugar em que estais.

CAMÕES (*solta-o.*) — Vejo; vejo também quem sois; só não vejo o que odiais em mim.

CAMINHA — Nada.

CAMÕES — Nada?

CAMINHA — Coisa nenhuma.

CAMÕES — Mentis pela gorja, senhor camareiro.

CAMINHA — Minto? Vede lá; ia-me deixando arrebatar, ia conspurcando com alguma vilania esta sala de el-rei. Retraí-me a tempo. Menti, dizeis vós? — Pode ser que sim, porque eu creio que efetivamente vos odeio, mas só há um instante, depois que me pagastes com uma injúria o aviso que vos dei.

CAMÕES — Um aviso?

CAMINHA — Nada menos. Queria eu dizer-vos que as paredes do paço nem são mudas, nem sempre são caladas.

CAMÕES — Não serão; mas eu as farei caladas.

CAMINHA — Pode ser. Essa dama era...?

CAMÕES — Não reparei bem.

CAMINHA — Fizestes mal; é prudência reparar nas damas; prudência e cortesia. Com que, ides à África? Lá estão os nossos em Mazagão, cometendo façanhas contra essa canalha de Mafamede; imitai-os. Vede, não deixeis lá esse braço, com que nos haveis de calar as paredes os reposteiros. É conselho de amigo.

CAMÕES — Por que sereis meu amigo?

CAMINHA — Não digo que o seja; o conselho é que o é.

CAMÕES — Credes, então...?

CAMINHA — Que pouparei uma grande dor e um maior escândalo.

CAMÕES — Percebo-vos. Imaginais que amo alguma dama? Suponhamos que sim. Qual é o meu delito? Em que ordenação, em que rescrito, em que bula, em que escritura, divina ou humana, foi já dado como delito amarem-se duas criaturas?

CAMINHA — Deixai a corte.

CAMÕES — Digo-vos que não.

CAMINHA — Oxalá que não!

CAMÕES (*à parte.*) — Este homem... que há neste homem? Lealdade ou perfídia? *(alto.)* Adeus, senhor Caminha. *(para no meio da cena).* Por que não tratamos de versos?... Fora muito melhor...

CAMINHA — Adeus, senhor Camões. *(Camões sai.)*

CENA X
Caminha, logo d. Catarina de Ataíde

CAMINHA — Ide ide, magro poeta de camarins... *(desce ao proscênio.)* Era ela, decerto, era ela que aí estava com ele, no meio do paço, esquecidos de el-rei e de todos... Oh temeridade do amor! Do amor? ele... ele... Mas seria ela deveras?... Que outra podia ser?

D. CATARINA *(espreita e entra.)* — Senhor... senhor...

CAMINHA — Ela!

D. CATARINA — Ouvi tudo... tudo o que lhe dissestes... e peço-vos que não nos façais mal. Sois amigo de meu pai, ele é vosso amigo; não lhe digais nada. Fui imprudente, fui, mas que quereis? *(vendo que Caminha não diz nada.)* Então? falai... poderei contar convosco?

CAMINHA — Comigo? *(d. Catarina inquieta, aflita, pega-lhe na mão; ele retira-lha com aspereza.)* Contar comigo! para que, minha senhora dona Catarina? Amais um mancebo digno, por que vós o amais... muito, não?

D. CATARINA — Muito.

CAMINHA — Muito, dizeis... E éreis vós que estáveis aqui, com ele, nesta sala solitária, juntos um do outro, a falarem naturalmente do céu e da terra... ou só do céu, que é a terra dos namorados. Que dizeis?...

D. CATARINA *(baixando os olhos.)* — Senhor...

CAMINHA — Galanteios, galanteios, de que se há de falar lá fora... *(gesto de d. Catarina.)* Ah! cuidais que estes amores nascem e morrem no paço? — Não; passam além; descem à rua, são o mantimento dos ociosos e ainda dos que trabalham, porque, ao serão, principalmente nas noites de inverno, em que se há de ocupar a gente, depois de fazer as suas orações? Com que, éreis vós? Pois digo-vos que o não sabia; suspeitava, porque não podia talvez ser outra... E confessais que lhe quereis muito. Muito?

D. CATARINA — Pode ser fraqueza; mas crime... onde está o crime?

CAMINHA — O crime está em desonrar as cãs de um nobre homem, arrastando-lhe o nome por vielas e praças; o crime está em escandalizar a corte, com essas ternuras, impróprias do alto cargo que exerceis, do vosso sexo e estado... esse é o crime. E parece-vos pequeno?

D. CATARINA — Bem; desculpai-me, não direis nada...

CAMINHA — Não sei.

D. CATARINA — Peço-vos... de joelhos até... *(faz um gesto para ajoelhar-se, ele impede-lho.)*

CAMINHA — Perderíeis o tempo; eu sou amigo de vosso pai.

D. CATARINA — Contar-lhe-eis tudo?

CAMINHA — Talvez.

D. CATARINA — Bem mo diziam sempre; sois inimigo de Camões.

CAMINHA — E sou.

D. CATARINA — Que vos fez ele?

CAMINHA — Que me fez? *(pausa.)* Dona Catarina de Ataíde, quereis saber o que me fez o vosso Camões? Não é só a sua soberba que me afronta; fosse só isso, e que me importava um frouxo cerzidor de palavras, sem arte nem conceito?

D. CATARINA — Acabai.

CAMINHA — Também não é porque ele vos ama, que eu o odeio; mas vós, senhora dona Catarina de Ataíde, vós o amais... eis o crime de Camões. Entendeis?

D. CATARINA *(depois de um instante de assombro.)* — Não quero entender.

CAMINHA — Sim, que também eu vos quero, ouvis? — E quero-vos muito... mais do que ele, e melhor do que ele; porque o meu amor tem o impulso do ódio, nutre-se do silêncio, o desdém o avigora, e não faço alarde nem escândalo; é um amor...

D. CATARINA — Calai-vos! Pela Virgem, calai-vos!

CAMINHA — Que me cale? Obedecerei. *(faz uma reverência.)* Mandais alguma outra coisa?

D. CATARINA — Não, ficai, ficai. Jurai-me que não direis nada...

CAMINHA — Depois da confissão que vos fiz, esse pedido chega a ser mofa. Que não diga nada? Direi tudo, revelarei tudo a vosso pai. Não sei se a ação é má ou boa; sei que vos amo, e que detesto esse rufião, a quem vadios deram foros de letrado.

D. CATARINA — Senhor! É demais!

CAMINHA — Defendei-o, não é assim?

D. CATARINA — Odiai-o, se vos apraz; insulta-o, é que não é de cavaleiro...

CAMINHA — Que tem? O amor desprezado sangra e fere.

D. CATARINA — Deixai que lhe chame um amor vilão.

CAMINHA — Sois vós agora que me injuriais. Adeus, senhora dona Catarina de Ataíde! *(dirige-se para o fundo.)*

D. CATARINA *(tomando-lhe o passo.)* — Não! Agora não vos peço... intimo-vos que vos caleis.

CAMINHA — Que recompensa me dais?

D. CATARINA — A vossa consciência.

CAMINHA — Deixai em paz os que dormem. Quereis que vos prometa alguma coisa? Uma só coisa prometo; não contar a vosso pai o que se passou. Mas, se por denúncia ou desconfiança, for interrogado por ele, então lhe direi tudo. E duas vezes farei bem: — não faltarei à verdade, que é dever de cavaleiro; e depois... chorareis lágrimas de sangue; e eu prefiro ver-vos chorar a ver-vos sorrir. A vossa angústia será a minha consolação. Onde falecerdes de pura saudade, aí me glorificarei eu. Chamai-me agora perverso, se o quereis; eu respondo que vos amo, e que não tenho outra virtude. *(vai a sair, encontra-se com d. Francisca de Aragão; corteja-a e sai.)*

CENA XI
D. Catarina de Ataíde, d. Francisca de Aragão

D. FRANCISCA — Vai afrontado o nosso poeta. Que terá ele? *(reparando em d. Catarina.)* Que tendes vós? Que foi?

D. CATARINA — Tudo sabe.

D. FRANCISCA — Quem?

D. CATARINA — Esse homem. Achou-nos nesta sala; eu tive medo; disse-lhe tudo.

D. FRANCISCA — Imprudente!

D. CATARINA — Duas vezes imprudente; deixei-me estar ao lado do meu Luís, a ouvir-lhe as palavras tão nobres, tão apaixonadas... e o tempo corria... e podiam espreitar-nos... Credes que o Caminha diga alguma coisa a meu pai?

D. FRANCISCA — Talvez não.

D. CATARINA — Quem sabe? Ele ama-me.

D. FRANCISCA — O Caminha?

D. CATARINA — Disse-mo agora. Que admira? Acha-me formosa, como os outros. Triste dom é esse. Sou formosa para não ser feliz, para ser amada às ocultas, odiada às escâncaras, e, talvez... Se meu pai vier a saber... que fará ele, amiga minha?

D. FRANCISCA — O senhor dom Antônio é tão severo!

D. CATARINA — Irá ter com el-rei, pedir-lhe-á que o castigue, que o encarcere, não? E por minha causa... Não; primeiro irei eu... (*dirige-se para a porta da direita.*)

D. FRANCISCA — Onde ides?

D. CATARINA — Vou falar a el-rei... Ou, não... (*encaminha-se para a porta da esquerda.*) Vou ter com a rainha; contar-lhe-ei tudo; ela me amparará. Credes que não?

D. FRANCISCA — Creio que sim.

D. CATARINA — Irei, ajoelhar-me-ei a seus pés. Ela é rainha, mas é também mulher... e ama-me. (*Sai pela esquerda.*)

CENA XII

D. Francisca de Aragão, d. Antônio de Lima, depois, d. Manuel de Portugal

D. FRANCISCA (*depois de um momento de reflexão.*) — Talvez chegue cedo demais. (*Dá um passo para a porta da esquerda.*) Não; melhor é que lhe fale... mas, se se aventa a notícia? Meu Deus, não sei... não sei... Ouço passos... (*entra d. Antônio de Lima.*) Ah!

D. ANTÔNIO — Que foi?

D. FRANCISCA — Nada, nada... não sabia quem era. Sois vós... (*Risonha.*) Chegaram galeões da Ásia; boas notícias, dizem...

D. ANTÔNIO — Eu não ouvi dizer nada. (*querendo retirar-se.*) Permitis?...

D. FRANCISCA — Jesus! Que tendes? Que ar é esse? (*vendo entrar d. Manuel de Portugal.*) Vinde cá, senhor dom Manuel de Portugal, vinde saber o que tem este meu bom e velho amigo, que me não quer... (*segurando na mão de d. Antônio*). Então, eu já não sou a vossa frescura de maio?

D. ANTÔNIO (*sorrindo a custo.*) — Sois, sois. Manhosamente sutil, ou sutilmente manhosa, à escolha; eu é que sou uma triste secura de dezembro, que me vou e vos deixo. Permitis, não? (*corteja-a e dirige-se para a porta.*)

D. MANUEL (*interpondo-se*) — Deixai que vos levante o reposteiro. (*levanta o reposteiro.*) Ides ter com sua alteza, suponho?

D. ANTÔNIO — Vou.

D. MANUEL — Ides levar-lhe notícias da Índia?

D. ANTÔNIO — Sabeis que não é o meu cargo...

D. Manuel — Sei, sei; mas dizem que... Senhor dom Antônio, acho-vos o rosto anuviado, alguma coisa vos penaliza ou turva. Sabeis que sou vosso amigo; perdoai se vos interrogo. Que foi? Que há?

D. Antônio (*gravemente.*) — Senhor dom Manuel, tendes vinte e sete anos, eu conto sessenta; deixai-me passar. (*D. Manuel inclina-se, levantando o reposteiro. D. Antônio desaparece.*)

CENA XIII
D. Manuel de Portugal, d. Francisca de Aragão

D. Manuel — Vai dizer tudo a el-rei.

D. Francisca — Credes?

D. Manuel — Camões contou-me o encontro que tivera com o Caminha aqui; eu ia falar ao senhor dom Antônio; achei-o agora mesmo, ao pé de uma janela, com o dissimulado Caminha, que lhe dizia: "Não vos nego, senhor dom Antônio, que os achei naquela sala, a sós e que vossa filha fugiu desde que eu lá entrei".

D. Francisca — Ouvistes isso?

D. Manuel — Dom Antônio ficou severo e triste. "Querem escândalo?..." foram as suas palavras. E não disse outras; apertou a mão ao Caminha, e seguiu para cá... Penso que foi pedir alguma coisa a el-rei. Talvez o desterro.

D. Francisca — O desterro?

D. Manuel — Talvez. Camões há de voltar agora aqui; disse-me que viria falar ao senhor dom Antônio. Para quê? Que outros lhe falem, sim; mas o meu Luís que não sabe conter-se... Dona Catarina?

D. Francisca — Foi lançar-se aos pés da rainha, a pedir-lhe proteção.

D. Manuel — Outra imprudência. Foi há muito?

D. Francisca — Pouco há.

D. Manuel — Ide ter com ela, se é tempo, dizei-lhe que não, que não convém falar nada. (*d. Francisca vai a sair, e para.*) Recusais?

D. Francisca — Vou, vou. Pensava comigo uma coisa. (*D. Manuel vai a ela.*) Pensava que é preciso querer muito aqueles dois para nos esquecermos assim de nós.

D. Manuel — É verdade. E não há mais nobre motivo da nossa mútua indiferença. Indiferença, não; não o é, nem o podia ser nunca. No meio de toda essa angústia que nos cerca, poderia eu esquecer a minha doce Aragão? Poderíeis vós esquecer-me? Ide agora, nós que somos felizes, temos o dever de consolar os desgraçados. (*d. Francisca sai pela esquerda.*)

CENA XIV
D. Manuel de Portugal, logo d. Antônio de Lima

D. Manuel — Se perco o confidente dos meus amores, da minha mocidade, o meu companheiro de longas horas... Não é impossível. — El-rei concederá o que lhe pedir dom Antônio. A culpa — força é confessá-lo — a culpa é dele, do meu Camões, do meu impetuoso poeta; um coração sem freio... (*abre-se o reposteiro, aparece d. Antônio.*) Dom Antônio!

D. ANTÔNIO (*da porta, jubiloso.*) — Interrogastes-me há pouco; agora hei tempo de vos responder.

D. MANUEL — Talvez não seja preciso.

D. ANTÔNIO (*adianta-se.*) — Adivinhais então?

D. MANUEL — Pode ser que sim.

D. ANTÔNIO — Creio que adivinhais.

D. MANUEL — Sua alteza concedeu-vos o desterro de Camões.

D. ANTÔNIO — Esse é o nome da pena: a realidade é que sua alteza restituiu a honra a um vassalo, e a paz a um ancião.

D. MANUEL — Senhor dom Antônio...

D. ANTÔNIO — Nem mais uma palavra, senhor dom Manuel de Portugal, nem mais uma palavra. — Mancebo sois; é natural que vos ponhais do lado do amor; eu sou velho, e a velhice ama o respeito. Até a vista, senhor dom Manuel, e não turveis o meu contentamento. (*dá um passo para sair.*)

D. MANUEL — Se matais vossa filha?

D. ANTÔNIO — Não a matarei. Amores fáceis de curar são esses que aí brotam no meio de galanteios e versos. Versos curam tudo. Só não curam a honra os versos; mas para a honra dá Deus um rei austero, em pai inflexível... Até a vista, senhor dom Manuel. (*sai pela esquerda.*)

CENA XV
D. Manuel de Portugal, logo Camões

D. MANUEL — Perdido... está tudo perdido. (*Camões entra pelo fundo.*) Meu pobre Luís! Se soubesses...

CAMÕES — Que há?

D. MANUEL — El-rei... el-rei atendeu às súplicas do senhor dom Antônio. Está tudo perdido.

CAMÕES — E que pena me cabe?

D. MANUEL — Desterra-vos da corte.

CAMÕES — Desterrado! Mas eu vou ter com sua alteza, eu direi...

D. MANUEL (*aquietando-o.*) — Não direis nada; não tendes mais que cumprir a real ordem; deixai que os vossos amigos façam alguma coisa; talvez logrem abrandar o rigor da pena. Vós não fareis mais do que agravá-la.

CAMÕES — Desterrado! E para onde?

D. MANUEL — Não sei. Desterrado da corte é o que é certo. Vede... não há mais demorar no paço. Saiamos.

CAMÕES — Aí me vou eu, pois, a caminho do desterro, e não sei se da miséria! Venceu então o Caminha? Talvez os versos dele fiquem assim melhores. Se nos vai dar uma nova *Eneida*, o Caminha? Pode ser, tudo pode ser... Desterrado da corte! Cá me ficam os melhores dias, e as mais fundas saudades. Crede, senhor dom Manuel, podeis crer que as mais fundas saudades cá me ficam.

D. MANUEL — Tornareis, tornareis...

CAMÕES — E ela? Já o saberá ela?

D. Manuel — Cuido que o senhor dom Antônio foi dizer-lho em pessoa. Deus! Aí vêm eles.

CENA XVI
Os mesmos, d. Antônio de Lima, d. Catarina de Ataíde

D. Antônio aparece à porta da esquerda, trazendo d. Catarina pela mão. — D. Catarina vem profundamente abatida.

D. Catarina *(à parte, vendo Camões.)* — Ele! Daí-me força, meu Deus! *(d. Antônio corteja os dois, e segue na direção do fundo. Camões dá um passo para falar-lhe, mas d. Manuel contém-no. D. Catarina, prestes a sair, volve a cabeça para trás.)*

CENA XVII
D. Manuel de Portugal, Camões

Camões — Ela aí vai... talvez para sempre... Credes que para sempre?

D. Manuel — Não. Saiamos!

Camões — Vamos lá; deixemos estas salas que tão funestas me foram. *(indo ao fundo e olhando para dentro.)* Ela aí vai, a minha estrela, aí vai a resvalar no abismo, de onde não sei se a levantarei mais... Nem eu... *(voltando-se para d. Manuel.)* Nem vós, meu amigo, nem vós que me quereis tanto, ninguém.

D. Manuel — Desanimais depressa, Luís. Por que ninguém?

Camões — Não saberia dizer-vos; mas sinto-o aqui no coração. Essa clara luz, essa doce madrugada da minha vida, apagou-se agora mesmo, e de uma vez.

D. Manuel — Confiai em mim, nos meus amigos, nos vossos amigos. Irei ter com eles; induzi-los-ei a...

Camões — A quê? A mortificarem um camareiro-mor, a fim de servir um triste escudeiro que já estará a caminho de África?

D. Manuel — Ides à África?

Camões — Pode ser; sinto umas tonteiras africanas. Pois que me fecham a porta dos amores, abrirei eu mesmo as da guerra. Irei lá pelejar, ou não sei se morrer... África, disse eu? Pode ser que Ásia também, ou Ásia só; o que me der na imaginação.

D. Manuel — Saiamos.

Camões — E agora, adeus, infiéis paredes; sede ao menos compassivas; guardai-ma, guardai-ma bem, a minha formosa dona Catarina! *(a d. Manuel.)* Credes que tenho vontade de chorar?

D. Manuel — Saiamos, Luís!

Camões — Eu não choro, não; não choro... não quero... *(forcejando por ser alegre.)* Vedes? até rio! Vou-me para bem longe. Considerando bem, Ásia é melhor; lá rematou a audácia lusitana o seu edifício, lá irei escutar o rumor dos passos do nosso Vasco. E este sonho, esta quimera, esta coisa que me flameja cá dentro, quem sabe se... Um grande sonho, senhor dom Manuel... Vede lá, ao longe, na imensidade desses mares, nunca dantes navegados, uma figura rútila, que se debruça dos balcões da aurora, coroada de palmas indianas? É a nossa glória, é a nossa glória que alonga os olhos, como a pedir o seu esposo ocidental. E nenhum lhe vai dar o ósculo que a fecunde; nenhum filho desta terra, nenhum que empunhe a tuba da imortalidade, para dizê-la aos quatro ventos do céu... Nenhum... *(vai amortecendo a voz.)* Nenhum... *(pausa, fita d. Manuel, como se acordasse, e dá de ombros.)* Uma grande quimera, senhor dom Manuel. Vamos ao nosso desterro.

Revista Brasileira, *10 de julho de 1880*.

Entre 1892 e 1894

Vae soli!

Um dia desta semana, farto de vendavais, naufrágios, boatos, mentiras, polêmicas, farto de ver como se descompõem os homens, acionistas e diretores, importadores e industriais, farto de mim, de ti, de todos, de um tumulto sem vida, de um silêncio sem quietação, peguei de uma página de anúncios, e disse comigo:

— Eia, passemos em revista as procuras e ofertas, caixeiros desempregados, pianos, magnésias, sabonetes, oficiais de barbeiro, casas para alugar, amas de leite, cobradores, coqueluche, hipotecas, professores, tosses crônicas...

E o meu espírito, estendendo e juntando as mãos e os braços, como fazem os nadadores, que caem do alto, mergulhou por uma coluna abaixo. Quando voltou à tona, trazia entre os dedos esta pérola:

> Uma viúva interessante, distinta, de boa família e independente de meios, deseja encontrar por esposo um homem de meia-idade, sério, instruído, e também com meios de vida, *que esteja como ela cansado de viver só*; resposta por carta ao escritório desta folha, com as iniciais M. R..., anunciando, a fim de ser procurada essa carta.

Gentil viúva, eu não sou o homem que procuras, mas desejava ver-te, ou, quando menos, possuir o teu retrato porque tu não és qualquer pessoa, tu vales alguma coisa mais que o comum das mulheres. *Ai de quem está só!* dizem as sagradas letras; mas não foi a religião que te inspirou esse anúncio. Nem motivo teológico, nem metafísico. Positivo também não, porque o positivismo é infenso às segundas núpcias. Que foi então, senão a triste, longa e aborrecida experiência? Não queres amar; estás cansada de viver só.

E a cláusula de ser o esposo outro aborrecido, fato de solidão, mostra que tu não queres enganar, nem sacrificar ninguém. Ficam desde já excluídos os sonhadores, os que amem o mistério e procurem justamente esta ocasião de comprar um bilhete na loteria da vida. Que não pedes um diálogo de amor, é claro, desde que impões a cláusula da meia-idade, zona em que as paixões arrefecem, onde as flores vão perdendo a cor purpúrea e o viço eterno. Não há de ser um náufrago, à espera de uma tábua de salvação, pois que exiges que também possua. E há de ser instruído, para encher com as luzes do espírito as longas noites do coração, e contar (sem as mãos presas) a tomada de Constantinopla.

Viúva dos meus pecados, quem és tu que sabes tanto? O teu anúncio lembra a carta de certo capitão da guarda de Nero. Rico, interessante, aborrecido, como tu, escreveu um dia ao grave Sêneca, perguntando-lhe como se havia de curar do tédio que sentia, e explicava-se por figura: "Não é a tempestade que me aflige, é o enjoo do mar". Viúva minha, o que tu queres realmente, não é um marido, é um remédio contra o enjoo. Vês que a travessia ainda é longa — porque a tua idade está entre trinta e dois e trinta e oito anos — o mar é agitado, o navio joga muito; precisas de um preparado para matar esse mal cruel e indefinível. Não te contentas com o remédio de Sêneca, que era justamente a solidão, "a vida retirada, em que a alma acha todo o seu sossego". Tu já provaste esse preparado; não te fez nada. Tentas outro; mas queres menos um companheiro que uma companhia.

Pode ser que a esta hora já tenhas achado o esposo nas condições definidas. Não estás ainda casada, porque é preciso fazer correr os pregões, e tens alguns dias diante de ti, para examinar bem o homem. Lembra-te de Xisto V, amiga minha; não vá ele sair, em vez de um coração arrimado à bengala, um coração com pernas, e umas pernas com músculos e sangue; não vás tu ouvir, em vez da tomada de Constantinopla, a queda de Margarida nos braços de Fausto. Há desses corações, nevados por cima, como estão agora as serras do Itatiaia e de Itajubá, e contendo em si as lavas que o Etna está cuspindo desde alguns dias.

Mas, se ele te sair o que queres, que grande prêmio de loteria! Junto à amurada do navio, vendo a fúria do mar e dos ventos, tu ouvirás muitas coisas sérias e graciosas a um tempo, seguindo com os olhos a fúria dos ventos e o tumulto das ondas, livre do enjoo, como pedia aquele capitão de Nero, e por diferente regime do que lhe aconselhou o filósofo. E a tua conclusão será como a tua premissa; em caso de tédio, antes um marido que nada.

Gazeta de Notícias, *17 de julho de 1892*.

Salteadores da Tessália

Tudo isto cansa, tudo isto exaure. Este sol é o mesmo sol, debaixo do qual, segundo uma palavra antiga, nada existe que seja novo. A lua não é outra lua. O céu azul ou embruscado, as estrelas e as nuvens, o galo da madrugada, é tudo a mesma coisa. Lá vai um para a banca da advocacia, outro para o gabinete médico, este vende, aquele compra, aquele outro empresta, enquanto a chuva cai ou não cai, e o vento sopra ou não; mas sempre o mesmo vento e a mesma chuva. Tudo isto cansa, tudo isto exaure.

Tal era a reflexão que eu fazia comigo, quando me trouxeram os jornais. Que me diriam eles que não fosse velho? A guerra é velha, quase tão velha como a paz. Os próprios diários são decrépitos. A primeira crônica do mundo é justamente a que conta a primeira semana dele, dia por dia, até o sétimo em que o Senhor descansou. O cronista bíblico omite a causa do descanso divino; podemos supor que não foi outra senão o sentimento da caducidade da obra.

Repito, que me trariam os diários? As mesmas notícias locais e estrangeiras, os furtos do Rio e de Londres, as damas da Bahia e de Constantinopla, um incêndio em Olinda, uma tempestade em Chicago, as cebolas do Egito, os juízes de Berlim, a paz de Varsóvia, os *Mistérios de Paris*, a *Lua de Londres*, o *Carnaval de Veneza*... Abri-os sem curiosidade, li-os sem interesse, deixando que os olhos caíssem pelas colunas abaixo, ao peso do próprio fastio. Mas os diabos estacaram de repente, leram, releram e mal puderam crer no que liam. Julgai por vós mesmos.

Antes de ir adiante, é preciso saber a ideia que faço de um legislador, e a que faço de um salteador. Provavelmente, é a vossa. O legislador é o homem deputado pelo povo para votar os seus impostos e leis. É um cidadão ordeiro, ora implacável e violento, ora tolerante e brando, membro de uma câmara que redige, discute e vota as regras do governo, os deveres do cidadão, as penas do crime. O salteador é o contrário. O ofício deste é justamente infringir as leis que o outro decreta. Inimigo delas, contrário à sociedade e à humanidade, tem por gosto, prática e religião tirar a bolsa aos homens, e, se for preciso, a vida. Foge naturalmente aos tribunais, e, por antecipação, aos agentes de polícia. A sua arma é uma espingarda; para que lhe serviriam penas, a não ser de ouro? Uma espingarda, um punhal, olho vivo, pé leve, e mato, eis tudo o que ele pede ao céu. O mais é com ele.

Dadas estas noções elementares, imaginai com que alvoroço li esta notícia de uma de nossas folhas: "Na Grécia foi preso o deputado Talis, e expediu-se ordem de prisão contra outros deputados, por fazerem parte de uma quadrilha de salteadores, que infesta a província da Tessália". Dou-vos dez minutos de incredulidade para o caso de não haverdes lido a notícia; e, se vos acomodais da monotonia da vida, podeis clamar contra semelhante acumulação. Chamai bárbara à moderna Grécia, chamai-lhe opereta, pouco importa. Eu chamo-lhe sublime.

Sim, essa mistura de discurso e carabina, esse apoiar o ministério com um voto de confiança às duas horas da tarde, e ir espreitá-lo às cinco, à beira da estrada, para tirar-lhe os restos do subsídio, não é comum, nem rara, é única. As instituições parlamentares não apresentam em parte nenhuma esta variante. Ao contrário, quaisquer que sejam as modificações de clima, de raça ou de costumes, o regime das câmaras difere pouco, e, ainda que difira muito, não irá ao ponto de pôr na mesma curul Catão e Caco. Há alguma coisa nova debaixo do sol.

Durante meia hora fiquei como fora de mim. A situação é, na verdade, aristofanesca. Só a mão de grande cômico podia inventar e cumprir tão extraordinária facécia. A folha que dá a notícia não conta nada da provável confusão de linguagem que há de haver nos dois ofícios. Quando algum daqueles deputados tivesse de falar na Câmara, em vez de pedir a palavra, podia muito bem pedir a bolsa ou a vida. Vice-versa, agredindo um viajante, pedir-lhe-ia dois minutos de atenção. E nada ficaria, em absoluto, fora do seu lugar; com dois minutos de atenção se tira o relógio a um homem, e mais de um na Câmara preferiria entregar a bolsa a ouvir um discurso.

Mas, por todos os deuses do Olimpo! não há gosto perfeito na terra. No melhor da alegria, acudiu-me à lembrança o livro de Edmond About, onde me pareceu que havia alguma coisa semelhante à notícia. Corri a ele; achei a cena dos maniotas, que ameaçavam brandamente um dos amigos do autor, se lhes não desse uma pequena quantia. O chefe do grupo era empregado subalterno da administração local. About chega, ameaça por sua vez os homens, e, para assustá-los, cita o nome de um deputado para quem levava carta de recomendação. "Fulano! exclamou o chefe da quadrilha, rindo; conheço muito, é dos nossos."

Assim, pois, nem isto é novo! Já existia há quarenta anos! A novidade está no mandado de prisão, se é a primeira vez que ele se expede, ou se até agora os homens faziam um dos dois ofícios discretamente. Fiquei triste. Eis aí, tornamos à velha divisão de classes, que a terra de Homero podia destruir pela forma audaz de Talis. Aí volta a monotonia das funções separadas, isto é, uma restrição à liberdade das profissões. A própria poesia perde com isto; ninguém ignora que o salteador, na arte, é um caráter generoso e nobre. Talis, se é assim que se lhe escreve o nome, pode ser que tivesse ganho um par de sapatos a tiro de espingarda; mas estou certo que proporia na Câmara uma pensão à viúva da vítima. São duas operações diversas, e a diversidade é o próprio espírito grego. Adeus, minha ilusão de um instante! Tudo continua a ser velho; *nihil sub sole novum*.

Eu pediria o perdão de Talis, se pudesse ser ouvido. Condenem os demais, se querem, mas deixem um, Talis ou outro qualquer, um funcionário duplo, que tire ao parlamento grego o aspecto de uma instituição aborrecida. Que a Hélade deite os ministérios abaixo, se lhe apraz, mas não atire às águas do Eurotas um elemento de aventura e de poesia. Acabou com o turco, acabe com este modernismo, que é outro turco, diferente do primeiro em não ser silencioso. Não esqueça que Byron, um dos seus grandes amigos, deixou o parlamento britânico para fugir à discussão da resposta à fala do trono. E repare que não há, entre os seus poemas, nenhum que se chame *O presidente do conselho*, mas há um que se chama *O corsário*.

Gazeta de Notícias, *26 de novembro de 1893*.

O sermão do diabo

Nem sempre respondo por papéis velhos; mas aqui está um que parece autêntico; e, se o não é, vale pelo texto, que é substancial. É um pedaço do evangelho do Diabo, justamente um sermão da montanha, à maneira de são Mateus. Não se apavorem as almas católicas. Já santo Agostinho dizia que "a igreja do Diabo imita a igreja de Deus". Daí a semelhança entre os dois evangelhos. Lá vai o do Diabo:

"1º E vendo o Diabo a grande multidão de povo, subiu a um monte, por nome Corcovado, e, depois de se ter sentado, vieram a ele os seus discípulos.

"2º E ele, abrindo a boca, ensinou dizendo as palavras seguintes.

"3º Bem-aventurados aqueles que embaçam, porque eles não serão embaçados.

"4º Bem-aventurados os afoitos, porque eles possuirão a terra.

"5º Bem-aventurados os limpos das algibeiras, porque eles andarão mais leves.

"6º Bem-aventurados os que nascem finos, porque eles morrerão grossos.

"7º Bem-aventurados sois, quando vos injuriarem e disserem todo o mal, por meu respeito.

"8º Folgai e exultai, porque o vosso galardão é copioso na terra.

"9º Vós sois o sal do *money market*. E se o sal perder a força, com que outra coisa se há de salgar?

"10º Vós sois a luz do mundo. Não se põe uma vela acesa debaixo de um chapéu, pois assim se perdem o chapéu e a vela.

"11º Não julgueis que vim destruir as obras imperfeitas, mas refazer as desfeitas.

"12º Não acrediteis em sociedades arrebentadas. Em verdade vos digo que todas se consertam, e se não for com remendo da mesma cor, será com remendo de outra cor.

"13º Ouvistes que foi dito aos homens: Amai-vos uns aos outros. Pois eu digo-vos: Comei-vos uns aos outros; melhor é comer que ser comido; o lombo alheio é muito mais nutritivo que o próprio.

"14º Também foi dito aos homens: Não matareis a vosso irmão, nem a vosso inimigo, para que não sejais castigados. Eu digo-vos que não é preciso matar a vosso irmão para ganhardes o reino da terra; basta arrancar-lhe a última camisa.

"15º Assim, se estiveres fazendo as tuas contas, e te lembrar que teu irmão anda meio desconfiado de ti, interrompe as contas, sai de casa, vai ao encontro de teu irmão na rua, restitui-lhe a confiança, e tira-lhe o que ele ainda levar consigo.

"16º Igualmente ouvistes que foi dito aos homens: Não jurareis falso, mas cumpri ao Senhor os teus juramentos.

"17º Eu, porém, vos digo que não jureis nunca a verdade, porque a verdade nua e crua, além de indecente, é dura de roer; mas jurai sempre e a propósito de tudo, porque os homens foram feitos para crer antes nos que juram falso, do que nos que não juram nada. Se disseres que o sol acabou, todos acenderão velas.

"18º Não façais as vossas obras diante de pessoas que possam ir contá-lo à polícia.

"19º Quando, pois, quiserdes tapar um buraco, entendei-vos com algum sujeito hábil, que faça treze de cinco e cinco.

"20º Não queirais guardar para vós tesouros na terra, onde a ferrugem e a traça os consomem, e donde os ladrões os tiram e levam.

"21º Mas remetei os vossos tesouros para algum banco de Londres, onde a ferrugem, nem a traça os consomem, nem os ladrões os roubam, e onde ireis vê-los no dia do juízo.

"22º Não vos fieis uns nos outros. Em verdade vos digo, que cada um de vós é capaz de comer o seu vizinho, e boa cara não quer dizer bom negócio.

"23º Vendei gato por lebre, e concessões ordinárias por excelentes, a fim de que a terra se não despovoe das lebres, nem as más concessões pereçam nas vossas mãos.

"24º Não queirais julgar para que não sejais julgados; não examineis os papéis do próximo para que ele não examine os vossos, e não resulte irem os dois para a cadeia, quando é melhor não ir nenhum.

"25º Não tenhais medo às assembleias de acionistas, e afagai-as de preferência às simples comissões, porque as comissões amam a vanglória e as assembleias as boas palavras.

"26º As porcentagens são as primeiras flores do capital; cortai-as logo, para que as outras flores brotem mais viçosas e lindas.

"27º Não deis conta das contas passadas, porque passadas são as contas contadas e perpétuas as contas que se não contam.

"28º Deixai falar os acionistas prognósticos; uma vez aliviados, assinam de boa vontade.

"29º Podeis excepcionalmente amar a um homem que vos arranjou um bom negócio; mas não até o ponto de o não deixar com as cartas na mão, se jogardes juntos.

"30º Todo aquele que ouve estas minhas palavras, e as observa, será comparado ao homem sábio, que edificou sobre a rocha e resistiu aos ventos; ao contrário do homem sem consideração, que edificou sobre a areia, e fica a ver navios..."

Aqui acaba o manuscrito que me foi trazido pelo próprio Diabo, ou alguém por ele; mas eu creio que era o próprio. Alto, magro, barbícula ao queixo, ar de Mefistóteles. Fiz-lhe uma cruz com os dedos e ele sumiu-se. Apesar de tudo, não respondo pelo papel, nem pelas doutrinas, nem pelos erros de cópia.

Gazeta de Notícias, *4 de setembro de 1893.*

A cena do cemitério

Não mistureis alhos com bugalhos; é o melhor conselho que posso dar às pessoas que leem de noite na cama. A noite passada, por infringir essa regra, tive um pesadelo horrível. Escutai; não perdereis os cinco minutos de audiência.

Foi o caso que, como não tinha acabado de ler os jornais de manhã, fi-lo à noite. Pouco já havia que ler, três notícias e a cotação da praça. Notícias da manhã, lidas à noite, produzem sempre o efeito de modas velhas, donde concluo que o melhor encanto das gazetas está na hora em que aparecem. A cotação da praça, conquanto tivesse a mesma feição, não a li com igual indiferença, em razão das recordações que trazia do ano terrível (1890-91). Gastei mais tempo a lê-la e relê-la. Afinal pus os jornais de lado, e, não sendo tarde, peguei de um livro, que acertou de ser Shakespeare. O drama era *Hamlet*. A página, aberta ao acaso, era a cena do cemitério, ato V. Não há que dizer ao livro nem à página; mas essa mistura de poesia e cotação de praça, de gente morta e dinheiro vivo, não podia gerar nada bom; eram alhos com bugalhos.

Sucedeu o que era de esperar; tive um pesadelo. A princípio, não pude dormir; voltava-me de um lado para outro, vendo as figuras de Hamlet e de Horácio, os coveiros e as caveiras, ouvindo a balada e a conversação. A muito custo, peguei no sono. Antes não pegasse! Sonhei que era Hamlet; trazia a mesma capa negra, as meias, o gibão e os calções da mesma cor. Tinha a própria alma do príncipe da Dinamarca. Até aí nada houve que me assustasse. Também não me aterrou ver, ao pé de mim, vestido de Horácio, o meu fiel criado José. Achei natural: ele não o achou menos. Saímos de cara para o cemitério; atravessamos uma rua que nos pareceu ser a Primeiro de Março e entramos em um espaço que era metade cemitério, metade sala. Nos sonhos há confusões dessas, imaginações duplas ou incompletas, mistura de coisas opostas, dilacerações, desdobramentos inexplicáveis; mas, enfim, como eu era Hamlet e ele Horácio, tudo aquilo devia ser cemitério. Tanto era que ouvimos logo a um dos coveiros esta estrofe:

> Era um título novinho,
> Valia mais de oitocentos;
> Agora que está velhinho
> Não chega a valer duzentos.

Entramos e escutamos. Como na tragédia, deixamos que os coveiros falassem entre si, enquanto faziam a cova de Ofélia. Mas os coveiros eram ao mesmo tempo corretores, e tratavam de ossos e papéis. A um deles ouvia bradar que tinha trinta ações da Companhia Promotora das Batatas Econômicas. Respondeu-lhe outro que dava cinco mil-réis por elas. Achei pouco dinheiro e disse isto mesmo a Horácio, que me respondeu, pela boca de José: "Meu senhor, as batatas desta companhia foram prósperas enquanto os portadores dos títulos não as foram plantar. A economia da nobre instituição consistia justamente em não plantar o precioso tubérculo; uma vez que o plantassem, era indício certo da decadência e da morte".

Não entendi bem; mas os coveiros, fazendo saltar caveiras do solo, iam dizendo graças e apregoando títulos. Falavam de bancos, do Banco Único, do Banco Eterno, do Banco dos Bancos, e os respectivos títulos eram vendidos ou não, segundo oferecessem por eles sete tostões ou duas patacas. Não eram bem títulos nem bem caveiras; eram as duas coisas juntas, uma fusão de aspectos, letras com buracos de olhos, dentes por assinaturas. Demos mais alguns passos, até que eles nos viram. Não se admiraram; foram indo com o trabalho de cavar e vender. — Cem da Companhia Balsâmica! — Três mil-réis. — São suas. — Vinte e cinco da Companhia Salvadora! — Mil-réis! — Dois mil-réis! — Dois mil e cem! — E duzentos! — E quinhentos! — São suas.

Cheguei-me a um, ia a falar-lhe, quando fui interrompido pelo próprio homem: "— Pronto Alívio! meus senhores! Dez do Banco Pronto Alívio! Não dão nada, meus senhores? Pronto Alívio! senhores... Quanto dão? Dois tostões? Oh! não! não! valem mais! Pronto Alívio! Pronto Alívio!". O homem calou-se afinal, não sem ouvir de outro coveiro que, como alívio, o banco não podia ter sido mais pronto. Faziam trocadilhos, como os coveiros de Shakespeare. Um deles, ouvindo apregoar sete ações do Banco Pontual, disse que tal banco foi realmente pontual até o dia em que passou do ponto à reticência. Como espírito, não era grande coisa; daí a chuva de tíbias que caiu em cima do autor. Foi uma cena lúgubre e alegre ao mesmo tempo. Os coveiros riam, as caveiras riam, as árvores, torcendo-se ao ventos da Dinamarca, pareciam torcer-se de riso, e as covas abertas riam, à espera que fossem chorar sobre elas.

Surdiram muitas outras caveiras ou títulos. Da Companhia Exploradora de Além-Túmulo apareceram cinquenta e quatro, que se venderam a dez réis. O fim desta companhia era comprar para cada acionista um lote de trinta metros quadrados no Paraíso. Os primeiros títulos, em março de 1891, subiram a conto de réis; mas se nada há seguro neste mundo conhecido, pode havê-lo no incognoscível? Esta dúvida entrou no espírito do caixa da companhia, que aproveitou a passagem de um paquete transatlântico, para ir consultar um teólogo europeu, levando consigo tudo o que havia mais cognoscível entre os valores. Foi um coveiro que me contou este antecedente da companhia. Eis aqui, porém, surdiu uma voz do fundo da cova, que estavam abrindo. Uma *debenture!* uma *debenture!*

Era já outra coisa. Era uma *debenture*. Cheguei-me ao coveiro, e perguntei que era que estava dizendo. Repetiu o nome do título. Uma *debenture*? — Uma *debenture*. Deixe ver, amigo. E, pegando nela, como Hamlet, exclamei, cheio de melancolia:

— *Alas, poor Yorick*! Eu a conheci, Horácio. Era um título magnífico. Estes buracos de olhos foram algarismos de brilhantes, safiras e opalas. Aqui, onde foi nariz, havia um promontório de marfim velho lavrado; eram de nácar estas faces, os dentes de ouro, as orelhas de granada e safira. Desta boca saíam as mais sublimes promessas em estilo alevantado e nobre. Onde estão agora as belas palavras de outro tempo? Prosa eloquente e fecunda, onde param os longos períodos, as frases galantes, a arte com que fazias ver a gente cavalos soberbos com ferraduras de prata e arreios de ouro? Onde os carros de cristal, as almofadas de cetim? Dize-me cá, Horácio.

— Meu senhor...

— Crês que uma letra de Sócrates esteja hoje no mesmo estado que este papel?

— Seguramente.

— Assim que, uma promessa de dívida do nobre Sócrates não será hoje mais que uma *debenture* escangalhada?

— A mesma coisa.

— Até onde podemos descer, Horácio! Uma letra de Sócrates pode vir a ter os mais tristes empregos deste mundo; limpar os sapatos, por exemplo. Talvez ainda valha menos que esta *debenture*.

— Saberá vossa senhoria que eu não dava nada por ela.

— Nada? Pobre Sócrates! Mas espera, calemo-nos, aí vem um enterro.

Era o enterro da Ofélia. Aqui o pesadelo foi-se tornando cada vez mais aflitivo. Vi os padres, o rei e a rainha, o séquito, o caixão. Tudo se me fez turvo e confuso. Vi a rainha deitar flores sobre a defunta. Quando o jovem Laertes saltou dentro da cova, saltei também; ali dentro atracamo-nos, esbofeteamo-nos. Eu suava, eu matava, eu sangrava, eu gritava...

— Acorde, patrão! acorde!

Gazeta de Notícias, *3 de junho de 1894.*

Canção de piratas

Telegrama da Bahia refere que o Conselheiro está em Canudos com 2.000 homens (dois mil homens) perfeitamente armados. Que Conselheiro? O Conselheiro. Não lhe ponhas nome algum, que é sair da poesia e do mistério. É o Conselheiro, um homem, dizem que fanático, levando consigo a toda a parte aqueles dois mil legionários. Pelas últimas notícias tinha já mandado um contingente a Alagoinhas. Temem-se no Pombal e outros lugares os seus assaltos.

Jornais recentes afirmam também que os célebres clavinoteiros de Belmonte têm fugido, em turmas, para o sul, atravessando a comarca de Porto Seguro. Essa outra horda, para empregar o termo do profano vulgo que odeio, não obedece ao mesmo chefe. Tem outro ou mais de um, entre eles o que responde ao nome de Cara de Graxa. Jornais e telegramas dizem dos clavinoteiros e dos sequazes do Conselheiro que são criminosos; nem outra palavra pode sair de cérebros alinhados, registrados, qualificados, cérebros eleitores e contribuintes. Para nós, artistas, é a renascença, é um raio de sol que, através da chuva miúda e aborrecida, vem dourar-nos a janela e a alma. É a poesia que nos levanta do meio da prosa chilra e dura deste fim de século. Nos climas ásperos, a árvore que o inverno despiu é novamente enfolhada pela primavera, essa eterna florista que aprendeu não sei onde e não esquece o que lhe ensinaram. A arte é a árvore despida: eis que lhe rebentam folhas novas e verdes.

Sim, meus amigos. Os dois mil homens do Conselheiro, que vão de vila em vila, assim como os clavinoteiros de Belmonte, que se metem pelo sertão, comendo o que arrebatam, acampando em vez de morar, levando moças naturalmente, moças cativas, chorosas e belas, são os piratas dos poetas de 1830. Poetas de 1894, aí tendes matéria nova e fecunda. Recordai vossos pais; cantai, como Hugo, a canção dos piratas:

> *En mer, les hardis écumeurs!*
> *Nous allions de Fez à Catane...*

Entrai pela Espanha, é ainda a terra da imaginação de Hugo, esse homem de todas as pátrias; puxai pela memória, ouvireis Espronceda dizer outra canção de pirata, um que desafia a ordem e a lei, como o nosso Conselheiro. Ide a Veneza; aí Byron recita os versos do *Corsário* no regaço da bela Guiccioli. Tornai à nossa América, onde Gonçalves Dias também cantou o seu pirata. Tudo pirata. O romantismo é a pirataria, é o banditismo, é a aventura do salteador que estripa um homem e morre por uma dama.

Crede-me, esse Conselheiro que está em Canudos com os seus dois mil homens não é o que dizem telegramas e papéis públicos. Imaginai uma legião de aventureiros galantes, audazes, sem ofício nem benefício, que detestam o calendário, os relógios, os impostos, as reverências, tudo o que obriga, alinha e apruma. São homens fartos desta vida social e pacata, os mesmos dias, as mesmas caras, os mesmos acontecimentos, os mesmos delitos, as mesmas virtudes. Não podem crer que o mundo seja uma secretaria de Estado, com o seu livro do ponto, hora de entrada e de saída, e desconto por faltas. O próprio amor é regulado por lei; os consórcios celebram-se por um regulamento em casa do pretor, e por um ritual na casa de Deus, tudo com etiqueta dos carros e casacas, palavras simbólicas, gestos de convenção. Nem a morte escapa à regulamentação universal; o finado há de ter velas e responsos, um caixão fechado, um carro que o leve, uma sepultura numerada, como a casa em que viveu... Não, por Satanás! Os partidários do Conselheiro lembraram-se dos piratas românticos, sacudiram as sandálias à porta da civilização e saíram à vida livre.

A vida livre, para evitar a morte igualmente livre, precisa comer, e daí alguns possíveis assaltos. Assim também o amor livre. Eles não irão às vilas pedir moças em casamento. Suponho que se casam a cavalo, levando as noivas à garupa, enquanto as mães ficam soluçando e gritando à porta das casas ou à beira dos rios. As esposas do Conselheiro, essas são raptadas em verso, naturalmente:

    Sa *Hautesse aime les primeurs,*
    Nous vous ferons mahométane...

Maometana ou outra coisa, pois nada sabemos da religião desses, nem dos clavinoteiros, a verdade é que todas elas se afeiçoarão ao regime, se regime se pode chamar a vida errática. Também há estrelas erráticas, dirão elas, para se consolarem. Que outra coisa podemos supor de tamanho número de gente? Olhai que tudo cresce, que os exércitos de hoje não são já os dos tempos românticos, nem as armas, nem os legisladores, nem os contribuintes, nada. Quando tudo cresce, não se há de exigir que os aventureiros de Canudos, Alagoinhas e Belmonte contem ainda aquele exíguo número de piratas da cantiga:

    Dans la galère capitane,
    Nous étions quatre-vingts rameurs,

mas mil, dois mil, no mínimo. Do mesmo modo, ó poetas, devemos compor versos extraordinários e rimas inauditas. Fora com as cantigas de pouco fôlego. Vamos fazê-las de mil estrofes, com estribilho de cinquenta versos, e versos compridos, dois decassílabos atados por um alexandrino e uma redondilha. Pélion sobre Ossa, versos de Adamastor, versos de Encélado. Rimemos o Atlântico com o Pacífico, a Via Láctea com as areias do mar, ambições com malogros, empréstimos com calotes, tudo ao som das polcas que temos visto compor, vender e dançar só no Rio de Janeiro. Ó vertigem das vertigens!

Gazeta de Notícias, 22 *de julho de* 1894.

Garnier

Segunda-feira desta semana, o livreiro Garnier saiu pela primeira vez de casa para ir a outra parte que não a livraria. *Revertere ad locum tuum* — está escrito no alto da porta do cemitério de São João Batista. Não, murmurou ele talvez dentro do caixão mortuário, quando percebeu para onde o iam conduzindo, não é este o meu lugar; o meu lugar é na rua do Ouvidor 71, ao pé de uma carteira de trabalho, ao fundo, à esquerda: é ali que estão os meus livros, e minha correspondência, as minhas notas, toda a minha escrituração.

Durante meio século, Garnier não fez outra coisa, senão estar ali, naquele mesmo lugar, trabalhando. Já enfermo desde alguns anos, com a morte no peito, descia todos os dias de Santa Teresa para a loja, de onde regressava antes de cair a noite. Uma tarde, ao encontrá-lo na rua, quando se recolhia, andando vagaroso, com os seus pés direitos, metido em um sobretudo, perguntei-lhe por que não descansava algum tempo. Respondeu-me com outra pergunta: *Pourriez-vous résister, si vous étiez forcé de ne plus faire ce que vous auriez fait pendant cinquante ans?* Na véspera da morte, se estou bem informado, achando-se de pé, ainda planejou descer na manhã seguinte, para dar uma vista de olhos à livraria.

Essa livraria é uma das últimas casas da rua do Ouvidor; falo de uma rua anterior e acabada. Não cito os nomes das que se foram, porque não as conheceríeis, vós que sois mais rapazes que eu, e abristes os olhos em uma rua animada e populosa onde se vendem, ao par de belas joias, excelentes queijos. Uma das últimas figuras desaparecidas foi o Bernardo, o perpétuo Bernardo, cujo nome achei ligado aos charutos do duque de Caxias, que tinha fama de os fumar únicos, ou quase únicos. Há casas como a Laemmert e o *Jornal do Commercio*, que ficaram e prosperaram, embora os fundadores se fossem; a maior parte, porém, desfez-se com os donos.

Garnier é das figuras derradeiras. Não aparecia muito; durante os vinte anos das nossas relações, conheci-o sempre no mesmo lugar, ao fundo da livraria, que a princípio era em outra casa, n° 69, abaixo da rua Nova. Não pude conhecê-lo na da Quitanda, onde se estabeleceu primeiro. A carteira é que pode ser a mesma, como o banco alto onde ele repousava, às vezes, de estar em pé. Aí vivia sempre, pena na mão, diante de um grande livro, notas soltas, cartas que assinava ou lia. Com o gesto obsequioso, a fala lenta, os olhos mansos, atendia a toda gente. Gostava de conversar o seu pouco. Neste caso, quando a pessoa amiga chegava, se não era dia de mala, ou se o trabalho ia adiantado e não era urgente, tirava logo os óculos, deixando ver no centro do nariz uma depressão do longo uso deles. Depois vinham duas cadeiras. Pouco sabia da política da terra, acompanhava a de França, mas só o ouvi falar com interesse por ocasião da guerra de 1870. O francês sentiu-se francês. Não sei se tinha partido; presumo que haveria trazido da pátria, quando aqui *aportou*, as simpatias da classe média para com a monarquia orleanista. Não gostava do império napoleônico. Aceitou a república, e era grande admirador de Gambetta.

Daquelas conversações tranquilas, algumas longas, estão mortos quase todos os interlocutores, Liais, Fernandes Pinheiro, Macedo, Joaquim Norberto, José de Alencar, para só indicar estes. De resto, a livraria era um ponto de conversação e de encontro. Pouco me dei com Macedo, o mais popular dos nossos autores, pela *Moreninha* e pelo *Fantasma branco*, romance e comédia que fizeram as delícias de uma geração inteira. Com José de Alencar foi diferente; ali travamos as nossas relações literárias. Sentados os dois, em frente à rua, quantas vezes tratamos daqueles negócios de arte e poesia, de estilo e imaginação, que valem todas as canseiras deste mundo. Muitos outros iam ao mesmo ponto de palestra. Não os cito, porque teria de nomear um cemitério, e os cemitérios são tristes, não em si mesmos, ao contrário. Quando outro dia fui a enterrar o nosso velho livreiro, vi entrar no de São João Batista, já acabada a cerimônia e o trabalho, um bando de crianças que iam divertir-se. Iam alegres, como quem não pisa memórias nem saudades. As figuras sepulcrais eram, para elas, lindas bonecas de pedra; todos esses mármores faziam um mundo único, sem embargo das suas flores mofinas, ou por elas mesmas, tal é a visão dos primeiros anos. Não citemos nomes.

Nem mortos, nem vivos. Vivos há-os ainda, e dos bons, que alguma coisa se lembrarão daquela casa e do homem que a fez e perfez. Editar obras jurídicas ou escolares, não é mui difícil; a necessidade é grande, a procura certa. Garnier, que fez custosas edições dessas, foi também editor de obras literárias, o primeiro e o maior de todos. Os seus catálogos estão cheios dos nomes principais, entre os nossos homens de letras. Macedo e Alencar, que eram os mais fecundos, sem igualdade de mérito, Bernardo Guimarães, que também produziu muito nos seus últimos anos, figuram ao pé de outros, que entraram já consagrados, ou acharam naquela casa a porta da publicidade e o caminho da reputação.

Não é mister lembrar o que era essa livraria tão copiosa e tão variada, em que havia tudo, desde a teologia até a novela, o livro clássico, a composição recente, a ciência e a imaginação, a moral e a técnica. Já a achei feita; mas vi-a crescer ainda mais, por longos anos. Quem a vê agora, fechadas as portas, trancados os mostradores, à espera da justiça, do inventário e dos herdeiros, há de sentir que falta alguma coisa à rua. Com efeito, falta uma grande parte dela, e bem pode ser que não volte, se a casa não conservar a mesma tradição e o mesmo espírito.

Pessoalmente, que proveito deram a esse homem as suas labutações? O gosto do trabalho, um gosto que se transformou em pena, porque no dia em que devera libertar-se dele, não pôde mais; o instrumento da riqueza era também o do castigo. Esta é uma das misericórdias da Divina Natureza. Não importa: *laboremus*. Valha sequer a memória, ainda que perdida nas páginas dos dicionários biográficos. Perdure a notícia, ao menos, de alguém que neste país novo ocupou a vida inteira em criar uma indústria liberal, ganhar alguns milhares de contos de réis, para ir afinal dormir em sete palmos de uma sepultura perpétua. Perpétua!

Gazeta de Notícias, *8 de outubro de 1893.*

Relíquias

Relíquias de casa velha foi publicado
pela primeira vez em 1906, por H. Garnier,
Livreiro-Editor, no Rio de Janeiro.

A Carolina
Pai contra mãe
Maria Cora
Marcha fúnebre
Um capitão de voluntários
Suje-se gordo!
Umas férias

de casa velha

Evolução
Pílades e Orestes
Anedota do Cabriolé

Páginas críticas e comemorativas
Gonçalves Dias
Um livro
Eduardo Prado
Antônio José

Teatro
Não consultes médico
Lição de botânica

Advertência

Uma casa tem muita vez as suas relíquias, lembranças de um dia ou de outro, da tristeza que passou, da felicidade que se perdeu. Supõe que o dono pense em as arejar e expor para teu e meu desenfado. Nem todas serão interessantes, não raras serão aborrecidas, mas, se o dono tiver cuidado, pode extrair uma dúzia delas que mereçam sair cá fora.

Chama-lhe à minha vida uma casa, dá o nome de relíquias aos inéditos e impressos que aqui vão, ideias, histórias, críticas, diálogos, e verás explicados o livro e o título. Possivelmente não terão a mesma suposta fortuna daquela dúzia de outras, nem todas valerão a pena de sair cá fora. Depende da tua impressão, leitor amigo, como dependerá de ti a absolvição da má escolha.

Machado de Assis

A Carolina

Querida, ao pé do leito derradeiro
Em que descansas dessa longa vida,
Aqui venho e virei, pobre querida,
Trazer-te o coração do companheiro.

Pulsa-lhe aquele afeto verdadeiro
Que, a despeito de toda a humana lida,
Fez a nossa existência apetecida
E num recanto pôs um mundo inteiro.

Trago-te flores, — restos arrancados
Da terra que nos viu passar unidos
E ora mortos nos deixa e separados.
Que eu, se tenho nos olhos malferidos
Pensamentos de vida formulados,
São pensamentos idos e vividos.

Pai contra mãe

A escravidão levou consigo ofícios e aparelhos, como terá sucedido a outras instituições sociais. Não cito alguns aparelhos senão por se ligarem a certo ofício. Um deles era o ferro ao pescoço, outro o ferro ao pé; havia também a máscara de folha de flandres. A máscara fazia perder o vício da embriaguez aos escravos, por lhes tapar a boca. Tinha só três buracos, dois para ver, um para respirar, e era fechada atrás da cabeça por um cadeado. Com o vício de beber, perdiam a tentação de furtar, porque geralmente era dos vinténs do senhor que eles tiravam com que matar a sede, e aí ficavam dois pecados extintos, e a sobriedade e a honestidade certas. Era grotesca tal máscara, mas a ordem social e humana nem sempre se alcança sem o grotesco, e alguma vez o cruel. Os funileiros as tinham penduradas, à venda, na porta das lojas. Mas não cuidemos de máscaras.

  O ferro ao pescoço era aplicado aos escravos fujões. Imaginai uma coleira grossa, com a haste grossa também à direita ou à esquerda, até o alto da cabeça e fechada atrás com chave. Pesava, naturalmente, mas era menos castigo que sinal. Escravo que fugia assim, onde quer que andasse, mostrava um reincidente, e com pouco era pegado.

  Há meio século, os escravos fugiam com frequência. Eram muitos, e nem todos gostavam da escravidão. Sucedia ocasionalmente apanharem pancada, e nem todos gostavam de apanhar pancada. Grande parte era apenas repreendida; havia alguém de casa que servia de padrinho, e o mesmo dono não era mau; além disso, o sentimento da propriedade moderava a ação, porque dinheiro também dói. A fuga repetia-se, entretanto. Casos houve, ainda que raros, em que o escravo de contrabando, apenas comprado no Valongo, deitava a correr, sem conhecer as ruas da cidade. Dos que seguiam para casa, não raro, apenas ladinos, pediam ao senhor que lhes marcasse aluguel, e iam ganhá-lo fora, quitandando.

  Quem perdia um escravo por fuga dava algum dinheiro a quem lho levasse. Punha anúncios nas folhas públicas, com os sinais do fugido, o nome, a roupa, o defeito físico, se o tinha, o bairro por onde andava e a quantia de gratificação. Quando não vinha a quantia, vinha promessa: "gratificar-se-á generosamente" — ou "receberá uma boa gratificação". Muita vez o anúncio trazia em cima ou ao lado uma vinheta, figura de preto, descalço, correndo, vara ao ombro, e na ponta uma trouxa. Protestava-se com todo o rigor da lei contra quem o acoitasse.

  Ora, pegar escravos fugidios era um ofício do tempo. Não seria nobre, mas por ser instrumento da força com que se mantêm a lei e a propriedade, trazia esta outra nobreza implícita das ações reivindicadoras. Ninguém se metia em tal ofício por desfastio ou estudo; a pobreza, a necessidade de uma achega, a inaptidão para outros trabalhos, o acaso, e alguma vez o gosto de servir também, ainda que por outra via, davam o impulso ao homem que se sentia bastante rijo para pôr ordem à desordem.

  Cândido Neves — em família, Candinho — é a pessoa a quem se liga a história de uma fuga, cedeu à pobreza, quando adquiriu o ofício de pegar escravos fugidos. Tinha um defeito grave esse homem, não aguentava emprego nem ofício, carecia de estabilidade; é o que ele chamava caiporismo. Começou por querer aprender tipografia, mas viu cedo que era preciso algum tempo para compor bem, ainda assim talvez não ganhasse o bastante; foi o que ele disse a si mesmo. O comércio chamou-lhe a atenção, era carreira boa. Com algum esforço entrou de caixeiro para um armarinho. A obrigação, porém, de atender e servir a todos feria-o na corda do orgulho, e ao cabo de cinco ou seis semanas estava na rua por sua vontade. Fiel de cartório, contínuo de uma repartição anexa ao Ministério do Império, carteiro e outros empregos foram deixados pouco depois de obtidos.

Quando veio a paixão da moça Clara, não tinha ele mais que dívidas, ainda que poucas, porque morava com um primo, entalhador de ofício. Depois de várias tentativas para obter emprego, resolveu adotar o ofício do primo, de que aliás já tomara algumas lições. Não lhe custou apanhar outras, mas, querendo aprender depressa, aprendeu mal. Não fazia obras finas nem complicadas, apenas garras para sofás e relevos comuns para cadeiras. Queria ter em que trabalhar quando casasse, e o casamento não se demorou muito.

Contava trinta anos. Clara vinte e dois. Ela era órfã, morava com uma tia, Mônica, e cosia com ela. Não cosia tanto que não namorasse o seu pouco, mas os namorados apenas queriam matar o tempo; não tinham outro empenho. Passavam às tardes, olhavam muito para ela, ela para eles, até que a noite a fazia recolher para a costura. O que ela notava é que nenhum deles lhe deixava saudades nem lhe acendia desejos. Talvez nem soubesse o nome de muitos. Queria casar, naturalmente. Era, como lhe dizia a tia, um pescar de caniço, a ver se o peixe pegava, mas o peixe passava de longe; algum que parasse, era só para andar à roda da isca, mirá-la, cheirá-la, deixá-la e ir a outras.

O amor traz sobrescritos. Quando a moça viu Cândido Neves, sentiu que era este o possível marido, o marido verdadeiro e único. O encontro deu-se em um baile; tal foi — para lembrar o primeiro ofício do namorado — tal foi a página inicial daquele livro, que tinha de sair mal composto e pior brochado. O casamento fez-se onze meses depois, e foi a mais bela festa das relações dos noivos. Amigas de Clara, menos por amizade que por inveja, tentaram arredá-la do passo que ia dar. Não negavam a gentileza do noivo, nem o amor que lhe tinha, nem ainda algumas virtudes; diziam que era dado em demasia a patuscadas.

— Pois ainda bem — replicava a noiva —; ao menos, não caso com defunto.

— Não, defunto não; mas é que...

Não diziam o que era. Tia Mônica, depois do casamento, na casa pobre onde eles se foram abrigar, falou-lhes uma vez nos filhos possíveis. Eles queriam um, um só, embora viesse agravar a necessidade.

— Vocês, se tiverem um filho, morrem de fome — disse a tia à sobrinha.

— Nossa Senhora nos dará de comer — acudiu Clara.

Tia Mônica devia ter-lhes feito a advertência, ou ameaça, quando ele lhe foi pedir a mão da moça; mas também ela era amiga de patuscadas, e o casamento seria uma festa, como foi.

A alegria era comum aos três. O casal ria a propósito de tudo. Os mesmos nomes eram objeto de trocados, Clara, Neves, Cândido; não davam que comer, mas davam que rir, e o riso digeria-se sem esforço. Ela cosia agora mais, ele saía a empreitadas de uma coisa e outra; não tinha emprego certo.

Nem por isso abriam mão do filho. O filho é que, não sabendo daquele desejo específico, deixava-se estar escondido na eternidade. Um dia, porém, deu sinal de si a criança; varão ou fêmea, era o fruto abençoado que viria trazer ao casal a suspirada ventura. Tia Mônica ficou desorientada, Cândido e Clara riram dos seus sustos.

— Deus nos há de ajudar, titia — insistia a futura mãe.

A notícia correu de vizinha a vizinha. Não houve mais que espreitar a aurora do dia grande. A esposa trabalhava agora com mais vontade, e assim era preciso, uma vez que, além das costuras pagas, tinha de ir fazendo com retalhos o enxoval da criança. À força de pensar nela, vivia já com ela, media-lhe fraldas, cosia-lhe camisas. A porção era escassa, os intervalos longos. Tia Mônica ajudava, é certo, ainda que de má vontade.

— Vocês verão a triste vida — suspirava ela.

— Mas as outras crianças não nascem também? — perguntou Clara.

— Nascem, e acham sempre alguma coisa certa que comer, ainda que pouco...

— Certa como?

— Certa, um emprego, um ofício, uma ocupação, mas em que é que o pai dessa infeliz criatura que aí vem gasta o tempo?

Cândido Neves, logo que soube daquela advertência, foi ter com a tia, não áspero, mas muito menos manso que de costume, e lhe perguntou se já algum dia deixara de comer.

— A senhora ainda não jejuou senão pela semana santa, e isso mesmo quando não quer jantar comigo. Nunca deixamos de ter o nosso bacalhau...

— Bem sei, mas somos três.

— Seremos quatro.

— Não é a mesma coisa.

— Que quer então que eu faça, além do que faço?

— Alguma coisa mais certa. Veja o marceneiro da esquina, o homem do armarinho, o tipógrafo que casou sábado, todos têm um emprego certo... Não fique zangado; não digo que você seja vadio, mas a ocupação que escolheu é vaga. Você passa semanas sem vintém.

— Sim, mas lá vem uma noite que compensa tudo, até de sobra. Deus não me abandona, e preto fugido sabe que comigo não brinca; quase nenhum resiste, muitos entregam-se logo.

Tinha glória nisto, falava da esperança como de capital seguro. Daí a pouco ria, e fazia rir à tia, que era naturalmente alegre, e previa uma patuscada no batizado.

Cândido Neves perdera já o ofício de entalhador, como abrira mão de outros muitos, melhores ou piores. Pegar escravos fugidos trouxe-lhe um encanto novo. Não obrigava a estar longas horas sentado. Só exigia força, olho vivo, paciência, coragem e um pedaço de corda. Cândido Neves lia os anúncios, copiava-os, metia-os no bolso e saía às pesquisas. Tinha boa memória. Fixados os sinais e os costumes de um escravo fugido, gastava pouco tempo em achá-lo, segurá-lo, amarrá-lo e levá-lo. A força era muita; a agilidade também. Mais de uma vez, a uma esquina, conversando de coisas remotas, via passar um escravo como os outros, e descobria logo que ia fugido, quem era, o nome, o dono, a casa deste e a gratificação; interrompia a conversa e ia atrás do vicioso. Não o apanhava logo, espreitava lugar azado, e de um salto tinha a gratificação nas mãos. Nem sempre saía sem sangue, as unhas e os dentes do outro trabalhavam, mas geralmente ele os vencia sem o menor arranhão.

Um dia os lucros entraram a escassear. Os escravos fugidos não vinham já, como dantes, meter-se nas mãos de Cândido Neves. Havia mãos novas e hábeis. Como o negócio crescesse, mais de um desempregado pegou em si e numa corda, foi aos jornais, copiou anúncios e deitou-se à caçada. No próprio bairro havia mais de um competidor. Quer dizer que as dívidas de Cândido Neves começaram de subir, sem aqueles pagamentos prontos ou quase prontos dos primeiros tempos. A vida fez-se difícil e dura. Comia-se fiado e mal; comia-se tarde. O senhorio mandava pelos aluguéis.

Clara não tinha sequer tempo de remendar a roupa ao marido, tanta era a necessidade de coser para fora. Tia Mônica ajudava a sobrinha, naturalmente. Quando ele chegava à tarde, via-se-lhe pela cara que não trazia vintém. Jantava e saía outra vez, à cata de algum fugido. Já lhe sucedia, ainda que raro, enganar-se de pessoa, e pegar em escravo fiel que ia a serviço de seu senhor; tal era a cegueira da necessidade. Certa vez capturou um preto livre; desfez-se em desculpas, mas recebeu grande soma de murros que lhe deram os parentes do homem.

— É o que lhe faltava! — exclamou a tia Mônica, ao vê-lo entrar, e depois de ouvir narrar o equívoco e suas consequências. — Deixe-se disso, Candinho; procure outra vida, outro emprego.

Cândido quisera efetivamente fazer outra coisa, não pela razão do conselho, mas por simples gosto de trocar de ofício; seria um modo de mudar de pele ou de pessoa. O pior é que não achava à mão negócio que aprendesse depressa.

A natureza ia andando, o feto crescia, até fazer-se pesado à mãe, antes de nascer. Chegou o oitavo mês, mês de angústias e necessidades, menos ainda que o nono, cuja narração dispenso também. Melhor é dizer somente os seus efeitos. Não podiam ser mais amargos.

— Não, tia Mônica! — bradou Candinho, recusando um conselho que me custa escrever, quanto mais ao pai ouvi-lo. — Isso nunca!

Foi na última semana do derradeiro mês que a tia Mônica deu ao casal o conselho de levar a criança que nascesse à roda dos enjeitados. Em verdade, não podia haver palavra mais dura de tolerar a dois jovens pais que espreitavam a criança, para beijá-la, guardá-la, vê-la rir, crescer, engordar, pular... Enjeitar quê? enjeitar como? Candinho arregalou os olhos para a tia, e acabou dando um murro na mesa de jantar. A mesa, que era velha e desconjuntada, esteve quase a se desfazer inteiramente. Clara interveio.

— Titia não fala por mal, Candinho.

— Por mal? — replicou tia Mônica. — Por mal ou por bem, seja o que for, digo que é o melhor que vocês podem fazer. Vocês devem tudo; a carne e o feijão vão faltando. Se não aparecer algum dinheiro, como é que a família há de aumentar? E depois, há tempo; mais tarde, quando o senhor tiver a vida mais segura, os filhos que vierem serão recebidos com o mesmo cuidado que este ou maior. Este será bem criado, sem lhe faltar nada. Pois então a roda é alguma praia ou monturo? Lá não se mata ninguém, ninguém morre à toa, enquanto que aqui é certo morrer, se viver à míngua. Enfim...

Tia Mônica terminou a frase com um gesto de ombros, deu as costas e foi meter-se na alcova. Tinha já insinuado aquela solução, mas era a primeira vez que o fazia com tal franqueza e calor — crueldade, se preferes. Clara estendeu a mão ao marido, como a amparar-lhe o ânimo; Cândido Neves fez uma careta, e chamou maluca à tia, em voz baixa. A ternura dos dois foi interrompida por alguém que batia à porta da rua.

— Quem é? — perguntou o marido.

— Sou eu.

Era o dono da casa, credor de três meses de aluguel, que vinha em pessoa ameaçar o inquilino. Este quis que ele entrasse.

— Não é preciso...

— Faça favor.

O credor entrou e recusou sentar-se; deitou os olhos à mobília para ver se daria algo à penhora; achou que pouco. Vinha receber os aluguéis vencidos, não podia esperar mais; se dentro de cinco dias não fosse pago, pô-lo-ia na rua. Não havia trabalhado para regalo dos outros. Ao vê-lo, ninguém diria que era proprietário; mas a palavra supria o que faltava ao gesto, e o pobre Cândido Neves preferiu calar a retorquir. Fez uma inclinação de promessa e súplica ao mesmo tempo. O dono da casa não cedeu mais.

— Cinco dias ou rua! — repetiu, metendo a mão no ferrolho da porta e saindo.

Candinho saiu por outro lado. Nesses lances não chegava nunca ao desespero, contava com algum empréstimo, não sabia como nem onde, mas contava. Demais, recorreu aos anúncios. Achou vários, alguns já velhos, mas em vão os buscava desde muito. Gastou algumas horas sem proveito, e tornou para casa. Ao fim de quatro dias, não achou recursos; lançou mão de empenhos, foi a pessoas amigas do proprietário, não alcançando mais que a ordem de mudança.

A situação era aguda. Não achavam casa, nem contavam com pessoa que lhes emprestasse alguma; era ir para a rua. Não contavam com a tia. Tia Mônica teve arte de alcançar aposento para os três em casa de uma senhora velha e rica, que lhe prometeu emprestar os quartos baixos da casa, ao fundo da cocheira, para os lados de um pátio. Teve ainda a arte maior de não dizer nada aos dois, para que Cândido Neves, no desespero da crise começasse por enjeitar o filho e acabasse alcançando algum meio seguro e regular de obter dinheiro; emendar a vida, em suma. Ouvia as queixas de Clara, sem as repetir, é certo, mas sem as consolar. No dia em que fossem obrigados a deixar a casa, fá-los-ia espantar com a notícia do obséquio e iriam dormir melhor do que cuidassem.

Assim sucedeu. Postos fora da casa, passaram ao aposento de favor, e dois dias depois nasceu a criança. A alegria do pai foi enorme, e a tristeza também. Tia Mônica insistiu em dar a criança à roda. "Se você não a quer levar, deixe isso comigo; eu vou à rua dos Barbonos." Cândido Neves pediu que não, que esperasse, que ele mesmo a levaria. Notai que era um menino, e que ambos os pais desejavam justamente este sexo. Mal lhe deram algum leite; mas, como chovesse à noite, assentou o pai levá-lo à roda na noite seguinte.

Naquela reviu todas as suas notas de escravos fugidos. As gratificações pela maior parte eram promessas; algumas traziam a soma escrita e escassa. Uma, porém, subia a cem mil-réis. Tratava-se de uma mulata; vinham indicações de gesto e de vestido. Cândido Neves andara a pesquisá-la sem melhor fortuna, e abrira mão do negócio; imaginou que algum amante da escrava a houvesse recolhido. Agora, porém, a vista nova da quantia e a necessidade dela animaram Cândido Neves a fazer um grande esforço derradeiro. Saiu de manhã a ver e indagar pela rua e largo da Carioca, rua do Parto e da Ajuda, onde ela parecia andar, segundo o anúncio. Não a achou; apenas um farmacêutico da rua da Ajuda se lembrava de ter vendido uma onça de qualquer droga, três dias antes, à pessoa que tinha os sinais indicados. Cândido Neves parecia falar como dono da escrava, e agradeceu cortesmente a notícia. Não foi mais feliz com outros fugidos de gratificação incerta ou barata.

Voltou para a triste casa que lhe haviam emprestado. Tia Mônica arranjara de si mesma a dieta para a recente mãe, e tinha já o menino para ser levado à roda. O pai, não obstante o acordo feito, mal pôde esconder a dor do espetáculo. Não quis comer o que tia Mônica lhe guardara; não tinha fome, disse, e era verdade. Cogitou mil modos de ficar com o filho; nenhum prestava. Não podia esquecer o próprio albergue em que vivia. Consultou a mulher, que se mostrou resignada. Tia Mônica pintara-lhe a criação do menino; seria maior a miséria, podendo suceder que o filho achasse a morte sem recurso. Cândido Neves foi obrigado a cumprir a promessa; pediu à mulher que desse ao filho o resto do leite que ele beberia da mãe. Assim se fez; o pequeno adormeceu, o pai pegou dele, e saiu na direção da rua dos Barbonos.

Que pensasse mais de uma vez em voltar para casa com ele, é certo; não menos certo é que o agasalhava muito, que o beijava, que lhe cobria o rosto para preservá-lo do sereno. Ao entrar na rua da Guarda Velha, Cândido Neves começou a afrouxar o passo.

— Hei de entregá-lo o mais tarde que puder — murmurou ele.

Mas não sendo a rua infinita ou sequer longa, viria a acabá-la; foi então que lhe ocorreu entrar por um dos becos que ligavam aquela à rua da Ajuda. Chegou ao fim do beco e, indo a dobrar à direita, na direção do largo da Ajuda, viu do lado oposto um vulto de mulher; era a mulata fugida. Não dou aqui a comoção de Cândido Neves por não podê-lo fazer com a intensidade real. Um adjetivo basta; digamos enorme. Descendo a mulher, desceu ele também; a poucos passos estava a farmácia onde obtivera a informação, que referi acima. Entrou, achou o farmacêutico, pediu-lhe a fineza de guardar a criança por um instante; viria buscá-la sem falta.

— Mas...

Cândido Neves não lhe deu tempo de dizer nada; saiu rápido, atravessou a rua, até o ponto em que pudesse pegar a mulher sem dar alarma. No extremo da rua, quando ela ia a descer a de São José, Cândido Neves aproximou-se dela. Era a mesma, era a mulata fujona.

— Arminda! — bradou, conforme a nomeava o anúncio.

Arminda voltou-se sem cuidar malícia. Foi só quando ele, tendo tirado o pedaço de corda da algibeira, pegou dos braços da escrava, que ela compreendeu e quis fugir. Era já impossível. Cândido Neves, com as mãos robustas, atava-lhe os pulsos e dizia que andasse. A escrava quis gritar, parece que chegou a soltar alguma voz mais alta que de costume, mas entendeu logo que ninguém viria libertá-la, ao contrário. Pediu então que a soltasse pelo amor de Deus.

— Estou grávida, meu senhor! — exclamou. — Se vossa senhoria tem algum filho, peço-lhe por amor dele que me solte; eu serei tua escrava, vou servi-lo pelo tempo que quiser. Me solte, meu senhor moço!

— Siga! — repetiu Cândido Neves.

— Me solte!

— Não quero demoras; siga!

Houve aqui luta, porque a escrava, gemendo, arrastava-se a si e ao filho. Quem passava ou estava à porta de uma loja, compreendia o que era e naturalmente não acudia. Arminda ia alegando que o senhor era muito mau, e provavelmente a castigaria com açoites — coisa que, no estado em que ela estava, seria pior de sentir. Com certeza, ele lhe mandaria dar açoites.

— Você é que tem culpa. Quem lhe manda fazer filhos e fugir depois? — perguntou Cândido Neves.

Não estava em maré de riso, por causa do filho que lá ficara na farmácia, à espera dele. Também é certo que não costumava dizer grandes coisas. Foi arrastando a escrava pela rua dos Ourives, em direção à da Alfândega, onde residia o senhor. Na esquina desta a luta cresceu; a escrava pôs os pés à parede, recuou com grande esforço, inutilmente. O que alcançou foi, apesar de ser a casa próxima, gastar mais tempo em lá chegar do que devera. Chegou, enfim, arrastada, desesperada, arquejando. Ainda ali ajoelhou-se, mas em vão. O senhor estava em casa, acudiu ao chamado e ao rumor.

— Aqui está a fujona — disse Cândido Neves.

— É ela mesma.

— Meu senhor!

— Anda, entra...

Arminda caiu no corredor. Ali mesmo o senhor da escrava abriu a carteira e tirou os cem mil-réis de gratificação. Cândido Neves guardou as duas notas de cinquenta mil-réis, enquanto o senhor novamente dizia à escrava que entrasse. No chão, onde jazia, levada do medo e da dor, e após algum tempo de luta a escrava abortou.

O fruto de algum tempo entrou sem vida neste mundo, entre os gemidos da mãe e os gestos de desespero do dono. Cândido Neves viu todo esse espetáculo. Não sabia que horas eram. Quaisquer que fossem, urgia correr à rua da Ajuda, e foi o que ele fez sem querer conhecer as consequências do desastre.

Quando lá chegou, viu o farmacêutico sozinho, sem o filho que lhe entregara. Quis esganá-lo. Felizmente, o farmacêutico explicou tudo a tempo; o menino estava lá dentro com a família, e ambos entraram. O pai recebeu o filho com a mesma fúria com que pegara a escrava fujona de há pouco, fúria diversa, naturalmente, fúria de amor. Agradeceu depressa e mal, e saiu às carreiras, não para a roda dos enjeitados, mas para a casa de empréstimo com o filho e os cem mil-réis de gratificação. Tia Mônica, ouvida a explicação, perdoou a volta do pequeno, uma vez que trazia os cem mil-réis. Disse, é verdade, algumas palavras duras contra a escrava, por causa do aborto, além da fuga. Cândido Neves, beijando o filho, entre lágrimas, verdadeiras, abençoava a fuga e não se lhe dava do aborto.

— Nem todas as crianças vingam — bateu-lhe o coração.

Publicado originalmente em Relíquias de casa velha *(1906).*

Maria Cora

I

Uma noite, voltando para casa, trazia tanto sono que não dei corda ao relógio. Pode ser também que a vista de uma senhora que encontrei em casa do comendador T... contribuísse para aquele esquecimento; mas estas duas razões destroem-se. Cogitação tira o sono e o sono impede a cogitação; só uma das causas devia ser verdadeira. Ponhamos que nenhuma, e fiquemos no principal, que é o relógio parado, de manhã, quando me levantei, ouvindo dez horas no relógio da casa.

Morava então (1893) em uma casa de pensão no Catete. Já por esse tempo este gênero de residência florescia no Rio de Janeiro. Aquela era pequena e tranquila. Os quatrocentos contos de réis permitiam-me casa exclusiva e própria; mas, em primeiro lugar, já eu ali residia quando os adquiri, por jogo de praça; em segundo lugar, era um solteirão de quarenta anos, tão afeito à vida de hospedaria que me seria impossível morar só. Casar não era menos impossível. Não é que me faltassem noivas. Desde os fins de 1891 mais de uma dama — e não das menos belas — olhou para mim com olhos brandos e amigos. Uma das filhas do comendador tratava-me com particular atenção. A nenhuma dei corda; o celibato era a minha alma, a minha vocação, o meu costume, a minha única ventura. Amaria de empreitada e por desfastio. Uma ou duas aventuras por ano bastavam a um coração meio inclinado ao ocaso e à noite.

Talvez por isso dei alguma atenção à senhora que vi em casa do comendador, na véspera. Era uma criatura morena, robusta, vinte e oito a trinta anos, vestida de escuro; entrou às dez horas, acompanhada de uma tia velha. A recepção que lhe fizeram foi mais cerimoniosa que as outras; era a primeira vez que ali ia. Eu era a terceira. Perguntei se era viúva.

— Não; é casada.
— Com quem?
— Com um estancieiro do Rio Grande.
— Chama-se?
— Ele? Fonseca, ela Maria Cora.
— O marido não veio com ela?
— Está no Rio Grande.

Não soube mais nada; mas a figura da dama interessou-me pelas graças físicas, que eram o oposto do que poderiam sonhar poetas românticos e artistas seráficos. Conversei com ela alguns minutos, sobre coisas indiferentes — mas suficientes para escutar-lhe a voz, que era musical, e saber que tinha opiniões republicanas. Vexou-me confessar que não as professava de espécie alguma; declarei-me vagamente pelo futuro do país. Quando ela falava, tinha um modo de umedecer os beiços, não sei se casual, mas gracioso e picante. Creio que, vistas assim ao pé, as feições não eram tão corretas como pareciam a distância, mas eram mais suas, mais originais.

II

De manhã tinha o relógio parado. Chegando à cidade, desci a rua do Ouvidor, até a da Quitanda, e indo a voltar à direita, para ir ao escritório do meu advogado, lembrou-me ver que horas eram. Não me acudiu que o relógio estava parado.

— Que maçada! — exclamei.

Felizmente, naquela mesma rua da Quitanda, à esquerda, entre as do Ouvidor e Rosário, era a oficina onde eu comprara o relógio, e a cuja pêndula usava acertá-lo. Em vez de ir para um lado, fui para outro. Era apenas meia hora; dei corda ao relógio, acertei-o, troquei duas palavras com o oficial que estava ao balcão, e indo a sair, vi à porta de uma loja de novidades que ficava defronte, nem mais nem menos que a senhora de escuro que encontrara em casa do comendador. Cumprimentei-a, ela correspondeu depois de alguma hesitação, como se me não houvesse reconhecido logo, e depois seguiu pela rua da Quitanda fora, ainda para o lado esquerdo.

Como tivesse algum tempo ante mim (pouco menos de trinta minutos), dei-me a andar atrás de Maria Cora. Não digo que uma força violenta me levasse já, mas não posso esconder que cedia a qualquer impulso de curiosidade e desejo; era também um resto da juventude passada. Na rua, andando, vestida de escuro, como na véspera, Maria Cora pareceu-me ainda melhor. Pisava forte, não apressada nem lenta, o bastante para deixar ver e admirar as belas formas, mui mais corretas que as linhas do rosto. Subiu a rua do Hospício, até uma oficina de ocularista, onde entrou e ficou dez minutos ou mais. Deixei-me estar a distância, fitando a porta disfarçadamente. Depois saiu, arrepiou caminho, e dobrou a rua dos Ourives, até a do Rosário, por onde subiu até ao largo da Sé; daí passou ao de São Francisco de Paula. Todas essas reminiscências parecerão escusadas, senão aborrecíveis; a mim dão-me uma sensação intensa e particular, são os primeiros passos de uma carreira penosa e longa. Demais, vereis por aqui que ela evitava subir a rua do Ouvidor, que todos e todas buscariam àquela ou a outra hora para ir ao largo de São Francisco de Paula. Foi atravessando o largo, na direção da Escola Politécnica, mas a meio caminho veio ter com ela um carro que estava parado defronte da Escola; meteu-se nele, e o carro partiu.

A vida tem suas encruzilhadas, como outros caminhos da terra. Naquele momento achei-me diante de uma assaz complicada, mas não tive tempo de escolher direção — nem tempo nem liberdade. Ainda agora não sei como é que me vi dentro de um tílburi; é certo que me vi nele, dizendo ao cocheiro que fosse atrás do carro.

Maria Cora morava no Engenho Velho; era uma boa casa, sólida, posto que antiga, dentro de uma chácara. Vi que morava ali, porque a tia estava a uma das janelas. Depois, saindo do carro, Maria Cora disse ao cocheiro (o meu tílburi ia passando adiante) que naquela semana não sairia mais, e que aparecesse segunda-feira ao meio-dia. Em seguida, entrou pela chácara, como dona dela, e parou a falar ao feitor, que lhe explicava alguma coisa com o gesto.

Voltei depois que ela entrou em casa, e só muito abaixo é que me lembrou de ver as horas; era quase uma e meia. Vim a trote largo até a rua da Quitanda, onde me apeei à porta do advogado.

— Pensei que não vinha — disse-me ele.

— Desculpe, doutor, encontrei um amigo que me deu uma maçada.

Não era a primeira vez que mentia na minha vida, nem seria a última.

III

Fiz-me encontradiço com Maria Cora, na casa do comendador, primeiro, e depois em outras. Maria Cora não vivia absolutamente reclusa, dava alguns passeios e fazia visitas. Também recebia, mas sem dia certo, uma ou outra vez, e apenas cinco a seis pessoas da intimidade. O sentimento geral é que era pessoa de fortes sentimentos e austeros costumes. Acrescentai a isto o espírito, um espírito agudo, brilhante e viril. Capaz de resistências e fadigas, não menos que de violências e combates, era feita, como dizia um poeta que lá ia à casa dela, "de um pedaço de pampa e outro de pampeiro". A imagem era em verso e com rima, mas a mim só me ficou a ideia e o principal das palavras. Maria Cora gostava de ouvir definir-se assim, posto não andasse mostrando aquelas forças a cada passo, nem contando as suas memórias da adolescência. A tia é que contava algumas, com amor, para concluir que lhe saía a ela, que também fora assim na mocidade. A justiça pede que se diga que, ainda agora, apesar de doente, a tia era pessoa de muita vida e robustez.

Com pouco, apaixonei-me pela sobrinha. Não me pesa confessá-lo, pois foi a ocasião da única página da minha vida que merece atenção particular. Vou narrá-la brevemente; não conto novela nem direi mentiras.

Gostei de Maria Cora. Não lhe confiei logo o que sentia, mas é provável que ela o percebesse ou adivinhasse, como todas as mulheres. Se a descoberta ou adivinhação foi anterior à minha ida à casa do Engenho Velho, nem assim deveis censurá-la por me haver convidado a ir ali uma noite. Podia ser-lhe então indiferente a minha disposição moral; podia também gostar de se sentir querida, sem a menor ideia de retribuição. A verdade é que fui essa noite e tornei outras; a tia gostava de mim e dos meus modos. O poeta que lá ia, tagarela e tonto, disse uma vez que estava afinando a lira para o casamento da tia comigo. A tia riu-se; eu, que queria as boas graças dela, não podia deixar de rir também, e o caso foi matéria de conversação por uma semana; mas já então o meu amor à outra tinha atingido ao cume.

Soube, pouco depois, que Maria Cora vivia separada do marido. Tinham casado oito anos antes, por verdadeira paixão. Viveram felizes cinco. Um dia, sobreveio uma aventura do marido que destruiu a paz do casal. João da Fonseca apaixonou-se por uma figura de circo, uma chilena que voava em cima do cavalo, Dolores, e deixou a estância para ir atrás dela. Voltou seis meses depois, curado do amor, mas curado à força, porque a aventureira se enamorou do redator de um jornal, que não tinha vintém, e por ele abandonou Fonseca e a sua prataria. A esposa tinha jurado não aceitar mais o esposo, e tal foi a declaração que lhe fez quando ele apareceu na estância.

— Tudo está acabado entre nós; vamos desquitar-nos.

João da Fonseca teve um primeiro gesto de acordo; era um quadragenário orgulhoso, para quem tal proposta era de si mesma uma ofensa. Durante uma noite tratou dos preparativos para o desquite; mas, na seguinte manhã, a vista das graças da esposa novamente o comoveram. Então, sem tom implorativo, antes como quem lhe perdoava, entendeu dizer-lhe que deixasse passar uns seis meses. Se ao fim de seis meses, persistisse o sentimento atual que inspirava a proposta do desquite, este se faria. Maria Cora não queria aceitar a emenda, mas a tia, que residia em Porto Alegre e fora passar algumas semanas na estância, interveio com boas palavras. Antes de três meses estavam reconciliados.

— João — disse-lhe a mulher no dia seguinte ao da reconciliação —, você deve ver que o meu amor é maior que o meu ciúme, mas fica entendido que este caso da nossa vida é único. Nem você me fará outra, nem eu lhe perdoarei nada mais.

João da Fonseca achava-se então em um renascimento do delírio conjugal; respondeu à mulher jurando tudo e mais alguma coisa. Aos quarenta anos, concluiu ele, não se fazem duas aventuras daquelas, e a minha foi de doer. Você verá, agora é para sempre.

A vida recomeçou tão feliz, como dantes — ele dizia que mais. Com efeito, a paixão da esposa era violenta, e o marido tornou a amá-la como outrora. Viveram assim dois anos. Ao fim desse tempo, os ardores do marido haviam diminuído, alguns amores passageiros vieram meter-se entre ambos. Maria Cora, ao contrário do que lhe dissera, perdoou essas faltas, que aliás não tiveram a extensão nem o vulto da aventura Dolores. Os desgostos, entretanto, apareceram e grandes. Houve cenas violentas. Ela parece que chegou mais de uma vez a ameaçar que se mataria; mas, posto não lhe faltasse o preciso ânimo, não fez tentativa nenhuma, a tal ponto lhe doía deixar a própria causa do mal, que era o marido. João da Fonseca percebeu isto mesmo, e acaso explorou a fascinação que exercia na mulher.

Uma circunstância política veio complicar esta situação moral. João da Fonseca era pelo lado da revolução, dava-se com vários dos seus chefes, e pessoalmente detestava alguns dos contrários. Maria Cora, por laços de família, era adversa aos federalistas. Esta oposição de sentimentos não seria bastante para separá-los, nem se pode dizer que, por si mesma, azedasse a vida dos dois. Embora a mulher, ardente em tudo, não o fosse menos em condenar a revolução, chamando nomes crus aos seus chefes e oficiais; embora o marido, também excessivo, replicasse com igual ódio, os seus arrufos políticos apenas aumentariam os domésticos, e provavelmente não passariam dessa troca de conceitos, se uma nova Dolores, desta vez Prazeres, e não chilena nem saltimbanca, não revivesse os dias amargos de outro tempo. Prazeres era ligada ao partido da revolução, não só pelos sentimentos, como pelas relações da vida com um federalista. Eu a conheci pouco depois, era bela e airosa; João da Fonseca era também um homem gentil e sedutor. Podiam amar-se fortemente, e assim foi. Vieram incidentes, mais ou menos graves, até que um decisivo determinou a separação do casal.

Já cuidavam disto desde algum tempo, mas a reconciliação não seria impossível, apesar da palavra de Maria Cora, graças à intervenção da tia; esta havia insinuado à sobrinha que residisse três ou quatro meses no Rio de Janeiro ou em São Paulo. Sucedeu, porém, uma coisa triste de dizer. O marido, em um momento de desvario, ameaçou a mulher com o rebenque. Outra versão diz que ele tentara esganá-la. Quero crer que a verídica é a primeira, e que a segunda foi inventada para tirar à violência de João da Fonseca o que pudesse haver deprimente e vulgar. Maria Cora não disse mais uma só palavra ao marido. A separação foi imediata; a mulher veio com a tia para o Rio de Janeiro, depois de arranjados amigavelmente os interesses pecuniários. Demais, a tia era rica.

João da Fonseca e Prazeres ficaram vivendo juntos uma vida de aventuras que não importa escrever aqui. Só uma coisa interessa diretamente à minha narração. Tempos depois da separação do casal, João da Fonseca estava alistado entre os revolucionários. A paixão política, posto que forte, não o levaria a pegar em armas, se não fosse uma espécie de desafio da parte de Prazeres; assim correu entre os amigos dele, mas ainda este ponto é obscuro. A versão é que ela, exasperada com o resultado de alguns combates, disse ao estancieiro que iria, disfarçada em homem, vestir farda de soldado e bater-se pela revolução. Era capaz disto; o amante disse-lhe que era uma loucura, ela acabou propondo-lhe que, nesse caso, fosse ele bater-se em vez dela; era uma grande prova de amor que lhe daria.

— Não te tenho dado tantas?

— Tem, sim; mas esta é a maior de todas, esta me fará cativa até a morte.

— Então agora ainda não é até a morte? — perguntou ele rindo.

— Não.

Pode ser que as coisas se passassem assim. Prazeres era, com efeito, uma mulher caprichosa e imperiosa, e sabia prender um homem por laços de ferro. O federalista, de quem se separou para acompanhar João da Fonseca, depois de fazer tudo para reavê-la, passou à campanha oriental, onde dizem que vive pobremente, encanecido e envelhecido vinte anos, sem querer saber de mulheres nem de política. João da Fonseca acabou cedendo; ela pediu para acompanhá-lo, e até bater-se, se fosse preciso; ele negou-lho. A revolução triunfaria em breve, disse; vencidas as forças do governo, tornaria à estância, onde ela o esperaria.

— Na estância, não — respondeu Prazeres —, espero-te em Porto Alegre.

IV

Não importa dizer o tempo que despendi nos inícios da minha paixão, mas não foi grande. A paixão cresceu rápida e forte. Afinal senti-me tão tomado dela que não pude mais guardá-la comigo, e resolvi declará-lha uma noite; mas a tia, que usava cochilar desde às nove horas (acordava às quatro), daquela vez não pregou olho, e, ainda que o fizesse, é provável que eu não alcançasse falar; tinha a voz presa e na rua senti uma vertigem igual à que me deu a primeira paixão da minha vida.

— Senhor Correia, não vá cair — disse a tia quando eu passei à varanda, despedindo-me.

— Deixe estar, não caio.

Passei mal a noite; não pude dormir mais de duas horas, aos pedaços, e antes das cinco estava em pé.

— É preciso acabar com isto! — exclamei.

De fato, não parecia achar em Maria Cora mais que benevolência e perdão, mas era isso mesmo que a tornava apetecível. Todos os amores da minha vida tinham sido fáceis; em nenhum encontrei resistência, a nenhuma deixei com dor; alguma pena, é possível, e um pouco de recordação. Desta vez sentia-me tomado por ganchos de ferro. Maria Cora era toda vida; parece que, ao pé dela, as próprias cadeiras andavam e as figuras do tapete moviam os olhos. Põe nisso uma forte dose de meiguice e graça; finalmente, a ternura da tia fazia daquela criatura um anjo. É banal a comparação, mas não tenho outra.

Resolvi cortar o mal pela raiz, não tornando ao Engenho Velho, e assim fiz por alguns dias largos, duas ou três semanas. Busquei distrair-me e esquecê-la, mas foi em vão. Comecei a sentir a ausência como de um bem querido; apesar disso, resisti e não tornei logo. Mas, crescendo a ausência, cresceu o mal, e enfim resolvi tornar lá uma noite. Ainda assim pode ser que não fosse, a não achar Maria Cora na mesma oficina da rua da Quitanda, aonde eu fora acertar o relógio parado.

— É freguês também? — perguntou-me ao entrar.

sinônimo; mas, uma ou outra coisa, não foi tal nem tamanha que fizesse durar por muito tempo a hesitação. Na cidade do Rio Grande encontrei um amigo, a quem eu por carta do Rio de Janeiro dissera muito reservadamente que ia lá por motivos políticos. Quis saber quais.

— Naturalmente são reservados — respondi tentando sorrir.

— Bem; mas uma coisa creio que posso saber, uma só, porque não sei absolutamente o que pense a tal respeito, nada havendo antes que me instrua. De que lado estás, legalistas ou revoltosos?

— É boa! Se não fosse dos legalistas, não te mandaria dizer nada; viria às escondidas.

— Vens com alguma comissão secreta do marechal?

— Não.

Não me arrancou então mais nada, mas eu não pude deixar de lhe confiar os meus projetos, ainda que sem os seus motivos. Quando ele soube que aqueles eram alistar-me entre os voluntários que combatiam a revolução, não pôde crer em mim, e talvez desconfiasse que efetivamente eu levava algum plano secreto do presidente. Nunca da minha parte ouviu nada que pudesse explicar semelhante passo. Entretanto, não perdeu tempo em despersuadir-me; pessoalmente era legalista e falava dos adversários com ódio e furor. Passado o espanto, aceitou o meu ato, tanto mais nobre quanto não era inspirado por sentimento de partido. Sobre isto disse-me muita palavra bela e heroica, própria a levantar o ânimo de quem já tivesse tendência para a luta. Eu não tinha nenhuma, fora das razões particulares; estas, porém, eram agora maiores. Justamente acabava de receber uma carta da tia de Maria Cora, dando-me notícias delas, e recomendações da sobrinha, tudo com alguma generalidade e certa simpatia verdadeira.

Fui a Porto Alegre, alistei-me e marchei para a campanha. Não disse a meu respeito nada que pudesse despertar a curiosidade de ninguém, mas era difícil encobrir a minha condição, a minha origem, a minha viagem com o plano de ir combater a revolução. Fez-se logo uma lenda a meu respeito. Eu era um republicano antigo, riquíssimo, entusiasta, disposto a dar pela República mil vidas, se as tivesse, e resoluto a não poupar a única. Deixei dizer isto e o mais, e fui. Como eu indagasse das forças revolucionárias com que estaria João da Fonseca, alguém quis ver nisto uma razão de ódio pessoal; também não faltou quem me supusesse espião dos rebeldes, que ia por-me em comunicação secreta com aquele. Pessoas que sabiam das relações dele com a Prazeres imaginavam que era um antigo amante desta que se queria vingar dos amores dele. Todas aquelas suposições morreram, para só ficar a do meu entusiasmo político; a da minha espionagem ia-me prejudicando; felizmente, não passou de duas cabeças e de uma noite.

Levava comigo um retrato de Maria Cora; alcançara-o dela mesmo, uma noite, pouco antes do meu embarque, com uma pequena dedicatória cerimoniosa. Já disse que estava em pleno romantismo; dado o primeiro passo, os outros vieram de si mesmos. E agora juntai a isto o amor-próprio, e compreendereis que de simples cidadão indiferente da capital saísse um guerreiro áspero da campanha rio-grandense.

Nem por isso conto combates, nem escrevo para falar da revolução, que não teve nada comigo, por si mesma, senão pela ocasião que me dava, e por algum golpe que lhe desfechei na estreita área da minha ação. João da Fonseca era o meu rebelde.

Depois de haver tomado parte no combate de Sarandi e Cochila Negra, ouvi que o marido de Maria Cora fora morto, não sei em que recontro; mais tarde deram-me a notícia de estar com as forças de Gumercindo, e também que fora feito prisioneiro e seguira para Porto Alegre; mas ainda isto não era verdade. Disperso, com dois camaradas, encontrei um dia um regimento legal que ia em defesa da Encruzilhada, investida ultimamente por uma força dos federalistas; apresentei-me ao comandante e segui. Aí soube que João da Fonseca estava entre essa força; deram-me todos os sinais dele, contaram-me a história dos amores e a separação da mulher.

A ideia de matá-lo no turbilhão de um combate tinha algo fantástico; nem eu sabia se tais duelos eram possíveis em semelhantes ocasiões, quando a força de cada homem tem de somar com a de toda uma força única e obediente a uma só direção. Também me pareceu, mais de uma vez, que ia cometer um crime pessoal, e a sensação que isto me dava, podeis crer que não era leve nem doce; mas a figura de Maria Cora abraçava-me e absolvia com uma bênção de felicidades. Atirei-me de vez. Não conhecia João da Fonseca; além dos sinais que me haviam dado, tinha de memória um retrato dele que vira no Engenho Velho; se as feições não estivessem mudadas, era provável que eu o reconhecesse entre muitos. Mas, ainda uma vez, seria este encontro possível? Os combates em que eu entrara já me faziam desconfiar que não era fácil, ao menos.

Não foi fácil nem breve. No combate da Encruzilhada creio que me houve com a necessária intrepidez e disciplina, e devo aqui notar que eu me ia acostumando à vida da guerra civil. Os ódios que ouvia eram forças reais. De um lado e outro batiam-se com ardor, e a paixão que eu sentia nos meus ia-se pegando em mim. Já lera o meu nome em uma ordem do dia, e de viva voz recebera louvores, que comigo não pude deixar de achar justos, e ainda agora tais os declaro. Mas vamos ao principal, que é acabar com isto.

Naquele combate achei-me um tanto como o herói de Stendhal na batalha de Waterloo; a diferença é que o espaço foi menor. Por isso, e também porque não me quero deter em coisas de recordação fácil, direi somente que tive ocasião de matar em pessoa a João da Fonseca. Verdade é que escapei de ser morto por ele. Ainda agora trago na testa a cicatriz que ele me deixou. O combate entre nós foi curto. Se não parecesse romanesco demais, eu diria que João da Fonseca adivinhara o motivo e previra o resultado da ação.

Poucos minutos depois da luta pessoal, a um canto da vila, João da Fonseca caiu prostrado. Quis ainda lutar, e certamente lutou um pouco; eu é que não consenti na desforra, que podia ser a minha derrota, se é que raciocinei; creio que não. Tudo o que fiz foi cego pelo sangue em que o deixara banhado, e surdo pelo clamor e tumulto do combate. Matava-se, gritava-se, vencia-se; em pouco ficamos senhores do campo.

Quando vi que João da Fonseca morrera deveras, voltei ao combate por instantes; a minha ebriedade cessara um pouco, e os motivos primários tornaram a dominar-me, como se fossem únicos. A figura de Maria Cora apareceu-me como um sorriso de aprovação e perdão; tudo foi rápido.

Haveis de ter lido que ali se apreenderam três ou quatro mulheres. Uma destas era a Prazeres. Quando, acabado tudo, a Prazeres viu o cadáver do amante, fez uma cena que me encheu de ódio e de inveja. Pegou em si e deitou-se a abraçá-lo; as lágrimas que verteu, as palavras que disse, fizeram rir a uns; a outros, se não enterneceram, deram algum sentimento de admiração. Eu, como digo, achei-me tomado de inveja e ódio, mas também esse duplo sentimento desapareceu para não ficar nem admiração; acabei rindo. Prazeres, depois de honrar com dor a morte do amante, ficou sendo a federalista que já era; não vestia farda, como dissera ao desafiar João da Fonseca, quis ser prisioneira com os rebeldes e seguir com eles.

É claro que não deixei logo as forças, bati-me ainda algumas vezes, mas a razão principal dominou, e abri mão das armas. Durante o tempo em que estive alistado, só escrevi duas cartas a Maria Cora, uma pouco depois de encetar aquela vida nova — outra depois do combate da Encruzilhada; nesta não lhe contei nada do marido, nem da morte, nem sequer que o vira. Unicamente anunciei que era provável acabasse brevemente a guerra civil. Em nenhuma das duas fiz a menor alusão aos meus sentimentos nem ao motivo do meu ato; entretanto, para quem soubesse deles, a carta era significativa. Maria Cora só respondeu à primeira das cartas, com serenidade, mas não com isenção. Percebia-se, ou percebia-o eu — que, não prometendo nada, tudo agradecia, e, quando menos, admirava. Gratidão e admiração podiam encaminhá-la ao amor.

Ainda não disse — e não sei como diga este ponto — que na Encruzilhada, depois da morte de João da Fonseca, tentei degolá-lo; mas nem queria fazê-lo, nem realmente o fiz. O meu objeto era ainda outro e romanesco. Perdoa-me tu, realista sincero, há nisto também um pouco de realidade, e foi o que pratiquei, de acordo com o estado da minha alma: o que fiz foi cortar-lhe um molho de cabelos. Era o recibo da morte que eu levaria à viúva.

VI

Quando voltei ao Rio de Janeiro, tinham já passado muitos meses do combate da Encruzilhada. O meu nome figurou não só em partes oficiais como em telegramas e correspondências, por mais que eu buscasse esquivar-me ao ruído e desaparecer na sombra. Recebi cartas de felicitações e de indagações. Não vim logo para o Rio de Janeiro, note-se; podia ter aqui alguma festa; preferi ficar em São Paulo. Um dia, sem ser esperado, meti-me na estrada de ferro e entrei na cidade. Fui para a casa de pensão do Catete.

Não procurei logo Maria Cora. Pareceu-me até mais acertado que a notícia da minha vinda lhe chegasse pelos jornais. Não tinha pessoa que lhe falasse; vexava-me ir eu mesmo a alguma redação contar o meu regresso do Rio Grande; não era passageiro de mar, cujo nome viesse em lista nas folhas públicas. Passaram dois dias; no terceiro, abrindo uma destas, dei com o meu nome. Dizia-se ali que viera de São Paulo e estivera nas lutas do Rio Grande, citavam-se os combates, tudo com adjetivos de louvor; enfim, que voltava à mesma pensão do Catete. Como eu só contara alguma coisa ao dono da casa, podia ser ele o autor das notas; disse-me que não. Entrei a receber visitas pessoais. Todas queriam saber tudo; eu pouco mais disse que nada.

Entre os cartões, recebi dois de Maria Cora e da tia, com palavras de boas-vindas. Não era preciso mais; restava-me ir agradecer-lhes, e dispus-me a isso; mas, no próprio dia em que resolvi ir ao Engenho Velho, tive uma sensação de... De quê? Expliquem, se podem, o acanhamento que me deu a lembrança do marido de Maria Cora, morto às minha mãos. A sensação que ia ter diante dela encheu-me inteiramente. Sabendo-se qual foi o móvel principal da minha ação militar, mal se compreende aquela hesitação; mas, se considerares que, por mais que me defendesse do marido e o matasse para não morrer, ele era sempre o marido, terás entendido o mal-estar que me fez adiar a visita. Afinal, peguei em mim e fui à casa dela.

Maria Cora estava de luto. Recebeu-me com bondade, e repetiu-me, como a tia, as felicitações escritas. Falamos da guerra civil, dos costumes do Rio Grande, um pouco de política, e mais nada. Não se disse de João da Fonseca. Ao sair de lá, perguntei a mim mesmo se Maria Cora estaria disposta a casar comigo.

— Não me parece que recuse, embora não lhe ache maneiras especiais. Creio até que está menos afável que dantes... Terá mudado?

Pensei assim, vagamente. Atribuí a alteração ao estado moral da viuvez; era natural. E continuei a frequentá-la, disposto a deixar passar a primeira fase do luto para lhe pedir formalmente a mão. Não tinha que fazer declarações novas; ela sabia tudo. Continuou a receber-me bem. Nenhuma pergunta me fez sobre o marido, a tia também não, e da própria revolução não se falou mais. Pela minha parte, tornando à situação anterior, busquei não perder tempo, fiz-me pretendente com todas as maneiras do ofício. Um dia, perguntei-lhe se pensava em tornar ao Rio Grande.

— Por ora, não.

— Mas irá?

— É possível; não tenho plano nem prazo marcado; é possível.

Eu, depois de algum silêncio, durante o qual olhava interrogativamente para ela, acabei por inquirir se antes de ir, caso fosse, não alteraria nada em sua vida.

— A minha vida está tão alterada...

Não me entendera; foi o que supus. Tratei de me explicar melhor, e escrevi uma carta em que lhe lembrava a entrega e a recusa da primeira e lhe pedia francamente a mão. Entreguei a carta, dois dias depois, com estas palavras:

— Desta vez não recusará ler-me.

Não recusou, aceitou a carta. Foi à saída, à porta da sala. Creio até que lhe vi certa comoção de bom agouro. Não me respondeu por escrito, como esperei. Passados três dias, estava tão ansioso que resolvi ir ao Engenho Velho. Em caminho imaginei tudo; que me recusasse, que me aceitasse, que me adiasse, e já me contentava com a última hipótese, se não houvesse de ser a segunda. Não a achei em casa; tinha ido passar alguns dias na Tijuca. Saí de lá aborrecido. Pareceu-me que não queria absolutamente casar; mas então era mais simples dizê-lo ou escrevê-lo. Esta consideração trouxe-me esperanças novas.

Tinha ainda presentes as palavras que me dissera, quando me devolveu a primeira carta, e eu lhe falei da minha paixão: "Suponha que eu o amo; nem por isso deixo de ser uma senhora casada". Era claro que então gostava de mim, e agora mesmo não havia razão decisiva para crer o contrário, embora a aparência fosse um tanto fria. Ultimamente, entrei a crer que ainda gostava, um pouco por vaidade, um pouco por simpatia, e não sei se por gratidão também; tive alguns vestígios disso. Não obstante, não me deu resposta à segunda carta. Ao voltar da Tijuca, vinha menos expansiva, acaso mais triste. Tive eu mesmo de lhe falar na matéria; a resposta foi que, por ora, estava disposta a não casar.

— Mas um dia...? — perguntei depois de algum silêncio.

— Estarei velha.

— Mas então... será muito tarde?

— Meu marido pode não estar morto.

Espantou-me esta objeção.

— Mas a senhora está de luto.

— Tal foi a notícia que li e me deram; pode não ser exata. Tenho visto desmentir outras que se reputavam certas.

— Quer certeza absoluta? — perguntei. — Eu posso dá-la.

Maria Cora empalideceu. Certeza. Certeza de quê? Queria que lhe contasse tudo, mas tudo. A situação era tão penosa para mim que não hesitei mais, e, depois de lhe dizer que era intenção minha não lhe contar nada, como não contara a ninguém, ia fazê-lo, unicamente para obedecer à intimação. E referi o combate, as suas fases todas, os riscos, as palavras, finalmente a morte de João da Fonseca. A ânsia com que me ouviu foi grande, e não menor o abatimento final. Ainda assim, dominou-se, e perguntou-me:

— Jura que me não está enganando?

— Para que a enganar? O que tenho feito é bastante para provar que sou sincero. Amanhã, trago-lhe outra prova, se é preciso mais alguma.

Levei-lhe os cabelos que cortara ao cadáver. Contei-lhe — e confesso que o meu fim foi irritá-la contra a memória do defunto — contei-lhe o desespero da Prazeres. Descrevi essa mulher e as suas lágrimas. Maria Cora ouviu-me com os olhos grandes e perdidos; estava ainda com ciúmes. Quando lhe mostrei os cabelos do marido, atirou-se a eles, recebeu-os, beijou-os, chorando, chorando, chorando... Entendi melhor sair e sair para sempre. Dias depois recebi a resposta à minha carta; recusava casar.

Na resposta havia uma palavra que é a única razão de escrever esta narrativa: "Compreende que eu não podia aceitar a mão do homem que, embora lealmente, matou meu marido". Comparei-a àquela outra que me dissera antes, quando eu me propunha sair a combate, matá-lo e voltar: "Não creio que ninguém me ame com tal força". E foi essa palavra que me levou à guerra. Maria Cora vive agora reclusa; de costume manda dizer uma missa por alma do marido, no aniversário do combate da Encruzilhada. Nunca mais a vi; e, coisa menos difícil, nunca mais esqueci dar corda ao relógio.

A Estação, janeiro-março de 1898 (com o título de "Relógio parado"); Machado de Assis.

Marcha fúnebre

O deputado Cordovil não podia pregar olho uma noite de agosto de 186... Viera cedo do Cassino Fluminense, depois da retirada do imperador, e durante o baile não tivera o mínimo incômodo moral nem físico. Ao contrário, a noite foi excelente; tão excelente que um inimigo seu, que padecia do coração, faleceu antes das dez horas, e a notícia chegou ao Cassino pouco depois das onze.

Naturalmente concluis que ele ficou alegre com a morte do homem, espécie de vingança que os corações adversos e fracos tomam em falta de outra. Digo-te que concluis mal; não foi alegria, foi desabafo. A morte vinha de meses, era daquelas que não acabam mais, e moem, mordem, comem, trituram a pobre criatura humana. Cordovil sabia dos padecimentos do adversário. Alguns amigos, para o consolar de antigas injúrias, iam contar-lhe o que viam ou sabiam do enfermo, pregado a uma cadeira de braços, vivendo as noites horrivelmente, sem que as auroras lhe trouxessem esperanças, nem as tardes desenganos. Cordovil pagava-lhes com alguma palavra de compaixão, que o alvissareiro adotava, e repetia, e era mais sincera naquele que neste. Enfim acabara de padecer; daí o desabafo.

Este sentimento pegava com a piedade humana. Cordovil, salvo em política, não gostava do mal alheio. Quando rezava, ao levantar da cama: "Padre Nosso, que estás no céu, santificado seja o teu nome, venha a nós o teu reino, seja feita a tua vontade, assim na terra como no céu; o pão nosso de cada dia nos dá hoje; perdoa as nossas dívidas, como nós perdoamos aos nossos devedores..." não imitava um de seus amigos que rezava a mesma prece, sem todavia perdoar aos devedores, como dizia de língua; esse chegava a cobrar além do que eles lhe deviam, isto é, se ouvia maldizer de alguém, decorava tudo e mais alguma coisa, e ia repeti-lo a outra parte. No dia seguinte, porém, a bela oração de Jesus tornava a sair dos lábios da véspera com a mesma caridade de ofício.

Cordovil não ia nas águas desse amigo; perdoava deveras. Que entrasse no perdão um tantinho de preguiça, é possível, sem aliás ser evidente. Preguiça amamenta muita virtude. Sempre é alguma coisa minguar força à ação do mal. Não esqueça que o deputado só gostava do mal alheio em política, e o inimigo morto era inimigo pessoal. Quanto à causa da inimizade, não a sei eu, e o nome do homem acabou com a vida.

— Coitado! Descansou — disse Cordovil.

Conversaram da longa doença do finado. Também falaram das várias mortes deste mundo, dizendo Cordovil que a todas preferia a de César, não por motivo do ferro, mas por inesperada e rápida.

— *Tu quoque*? — perguntou-lhe um colega rindo.

Ao que ele, apanhando a alusão, replicou:

— Eu, se tivesse um filho, quisera morrer às mãos dele. O parricídio, estando fora do comum, faria a tragédia mais trágica.

Tudo foi assim alegre. Cordovil saiu do baile com sono, e foi cochilando no carro, apesar do mal calçado das ruas. Perto de casa, sentiu parar o carro e ouviu rumor de vozes. Era o caso de um defunto, que duas praças de polícia estavam levantando do chão.

— Assassinado? — perguntou ele ao lacaio, que descera da almofada para saber o que era.

— Não sei, não, senhor.

— Pergunta o que é.

— Este moço sabe como foi — disse o lacaio, indicando um desconhecido, que falava a outros.

O moço aproximou-se da portinhola, antes que o deputado recusasse ouvi-lo. Referiu-lhe então em poucas palavras o acidente a que assistira.

— Vínhamos andando, ele adiante, eu atrás. Parece que assobiava uma polca. Indo a atravessar a rua para o lado do mangue, vi que estacou o passo, a modo que torceu o corpo, não sei bem, e caiu sem sentidos. Um doutor, que chegou logo, descendo de um sobradinho, examinou o homem e disse que "morreu de repente". Foi-se juntando gente, a patrulha levou muito tempo a chegar. Agora pegou dele. Quer ver o defunto?

— Não, obrigado. Já se pode passar?

— Pode.

— Obrigado. Vamos, Domingos.

Domingos trepou à almofada, o cocheiro tocou os animais, e o carro seguiu até a rua de São Cristóvão, onde morava Cordovil.

Antes de chegar a casa, Cordovil foi pensando na morte do desconhecido. Em si mesma, era boa; comparada à do inimigo pessoal, excelente. Ia a assobiar, cuidando sabe Deus em que delícia passada ou em que esperança futura; revivia o que vivera, ou antevia o que podia viver, senão quando, a morte pegou da delícia ou da esperança, e lá se foi o homem ao eterno repouso. Morreu sem dor, ou, se alguma teve, foi acaso brevíssima, como um relâmpago que deixa a escuridão mais escura.

Então pôs o caso em si. Se lhe tem acontecido no Cassino a morte do Aterrado? Não seria dançando; os seus quarenta anos não dançavam. Podia até dizer que ele só dançou até os vinte. Não era dado a moças, tivera uma afeição única na vida — aos vinte e cinco anos, casou e enviuvou ao cabo de cinco semanas para não casar mais. Não é que lhe faltassem noivas — mormente depois de perder o avô, que lhe deixou duas fazendas. Vendeu-as ambas e passou a viver consigo, fez duas viagens à Europa, continuou a política e a sociedade. Ultimamente parecia enojado de uma e de outra, mas não tendo em que matar o tempo, não abriu mão delas. Chegou a ser ministro uma vez, creio que da Marinha, não passou de sete meses. Nem a pasta lhe deu glória, nem a demissão desgosto. Não era ambicioso, e mais puxava para a quietação que para o movimento.

Mas se lhe tivesse sucedido morrer de repente no Cassino, ante uma valsa ou quadrilha, entre duas portas? Podia ser muito bem. Cordovil compôs de imaginação a cena, ele caído de bruços ou de costas, o prazer turbado, a dança interrompida... e daí podia ser que não; um pouco de espanto apenas, outro de susto, os homens animando as damas, a orquestra continuando por instantes a oposição do compasso e da confusão. Não faltariam braços que o levassem para um gabinete, já morto, totalmente morto.

— Tal qual a morte de César — ia dizendo consigo.

E logo emendou:

— Não, melhor que ela; sem ameaça, nem armas, nem sangue, uma simples queda e o fim. Não sentiria nada.

Cordovil deu consigo a rir ou a sorrir, alguma coisa que afastava o terror e deixava a sensação da liberdade. Em verdade, antes a morte assim que após longos dias ou longos meses e anos, como o adversário que perdera algumas horas antes. Nem era morrer; era um gesto de chapéu, que se perdia no ar com a própria mão e a alma que lhe dera movimento. Um cochilo e o sono eterno. Achava-lhe um só defeito — o aparato. Essa morte no meio de um baile, defronte do imperador, ao som de Strauss, contada, pintada, enfeitada nas folhas públicas, essa morte pareceria de encomenda. Paciência, uma vez que fosse repentina.

Também pensou que podia ser na Câmara, no dia seguinte, ao começar o debate do orçamento. Tinha a palavra; já andava cheio de algarismos e citações. Não quis imaginar o caso, não valia a pena; mas o caso teimou e apareceu de si mesmo. O salão da Câmara, em vez do do Cassino, sem damas ou com poucas, nas tribunas. Vasto silêncio. Cordovil em pé começaria o discurso, depois de circular os olhos pela casa, fitar o ministro e fitar o presidente: "Releve-me a Câmara que lhe tome algum tempo, serei breve, buscarei ser justo...". Aqui uma nuvem lhe taparia os olhos, a língua pararia, o coração também, e ele cairia de golpe no chão. Câmara, galerias, tribunas ficariam assombradas. Muitos deputados correriam a erguê-lo; um, que era médico, verificaria a morte; não diria que fora de repente, como o do sobradinho do Aterrado, mas por outro estilo mais técnico. Os trabalhos seriam suspensos, depois de algumas palavras do presidente e escolha da comissão que acompanharia o finado ao cemitério...

Cordovil quis rir da circunstância de imaginar além da morte, o movimento e o saimento, as próprias notícias dos jornais, que ele leu de cor e depressa. Quis rir, mas preferia cochilar; os olhos é que, estando já perto de casa e da cama, não quiseram desperdiçar o sono, e ficaram arregalados.

Então a morte, que ele imaginara pudesse ter sido no baile, antes de sair, ou no dia seguinte em plena sessão da Câmara, apareceu ali mesmo no carro. Supôs ele que, ao abrirem-lhe a portinhola, dessem com o seu cadáver. Sairia assim de uma noite ruidosa para outra pacífica, sem conversas, nem danças, nem encontros, sem espécie alguma de luta ou resistência. O estremeção que teve fez-lhe ver que não era verdade. Efetivamente, o carro entrou na chácara, estacou, e Domingos saltou da almofada para vir abrir-lhe a portinhola. Cordovil desceu com as pernas e a alma vivas, e entrou pela porta lateral, onde o aguardava com um castiçal e vela acesa o escravo Florindo. Subiu a escada, e os pés sentiam que os degraus eram deste mundo; se fossem do outro, desceriam naturalmente. Em cima, ao entrar no quarto, olhou para a cama; era a mesma dos sonos quietos e demorados.

— Veio alguém?

— Não, senhor — respondeu o escravo distraído, mas corrigiu logo: — Veio, sim, senhor; veio aquele doutor que almoçou com meu senhor domingo passado.

— Queria alguma coisa?

— Disse que vinha dar a meu senhor uma boa notícia, e deixou este bilhete — que eu botei ao pé da cama.

O bilhete referia a morte do inimigo; era de um dos amigos que usavam contar-lhe a marcha da moléstia. Quis ser o primeiro a anunciar o desenlace, um alegrão, com um abraço apertado. Enfim, morrera o patife. Não disse a coisa assim por esses termos claros, mas os que empregou vinham a dar neles, acrescendo que não atribuiu esse único objeto à visita. Vinha passar a noite; só ali soube que Cordovil fora ao Cassino. Ia a sair, quando lhe lembrou a morte e pediu ao Florindo que lhe deixasse escrever duas linhas. Cordovil entendeu o significado, e ainda uma vez lhe doeu a agonia do outro. Fez um gesto de melancolia e exclamou a meia voz:

— Coitado! Vivam as mortes súbitas!

Florindo, se referisse o gesto e a frase ao doutor do bilhete, talvez o fizesse arrepender da canseira. Nem pensou nisso; ajudou o senhor a preparar-se para dormir, ouviu as últimas ordens e despediu-se. Cordovil deitou-se.

— Ah! — suspirou ele estirando o corpo cansado.

Teve então uma ideia, a de amanhecer morto. Esta hipótese, a melhor de todas, porque o apanharia meio morto, trouxe consigo mil fantasias que lhe arredaram o sono dos olhos. Em parte, era a repetição das outras, a participação à Câmara, as palavras do presidente, comissão para o saimento, e o resto. Ouviu lástimas de amigos e de fâmulos, viu notícias impressas, todas lisonjeiras ou justas. Chegou a desconfiar que era já sonho. Não era. Chamou-se ao quarto, à cama, a si mesmo: estava acordado.

A lamparina deu melhor corpo à realidade. Cordovil espancou as ideias fúnebres e esperou que as alegres tomassem conta dele e dançassem até cansá-lo. Tentou vencer uma visão com outra. Fez até uma coisa engenhosa, convocou os cinco sentidos, porque a memória de todos eles era aguda e fresca; foi assim evocando lances e rasgos longamente extintos. Gestos, cenas de sociedade e de família, panoramas, repassou muita coisa vista, com o aspecto do tempo diverso e remoto. Deixara de comer acepipes que outra vez lhe sabiam, como se estivesse agora a mastigá-los. Os ouvidos escutavam passos leves e pesados, cantos joviais e tristes, e palavra de todos os feitios. O tato, o olfato, todos fizeram o seu ofício, durante um prazo que ele não calculou.

Cuidou de dormir e cerrou bem os olhos. Não pôde, nem do lado direito, nem do esquerdo, de costas nem de bruços. Ergueu-se e foi ao relógio; eram três horas. Insensivelmente levou-o à orelha a ver se estava parado; estava andando, dera-lhe corda. Sim, tinha tempo de dormir um bom sono; deitou-se, cobriu a cabeça para não ver a luz.

Ah! foi então que o sono tentou entrar, calado e surdo, todo cautelas, como seria a morte, se quisesse levá-lo de repente, para nunca mais. Cordovil cerrou os olhos com força, e fez mal, porque a força acentuou a vontade que tinha de dormir; cuidou de os afrouxar, e fez bem. O sono, que ia a recuar, tornou atrás, e veio estirar-se ao lado deles, passando-lhe aqueles braços leves e pesados, a um tempo, que tiram à pessoa todo movimento. Cordovil os sentia, e com os seus quis conchegá-los ainda mais... A imagem não é boa, mas não tenho outra à mão nem tempo de ir buscá-la. Digo só o resultado do gesto, que foi arredar o sono de si, tão aborrecido ficou este reformador de cansados.

— Que terá ele hoje contra mim? — perguntaria o sono, se falasse.

Tu sabes que ele é mudo por essência. Quando parece que fala é o sonho que abre a boca à pessoa; ele não, ele é a pedra, e ainda a pedra fala, se lhe batem, como estão fazendo agora os calceteiros da minha rua. Cada pancada acorda na pedra um som, e a regularidade do gesto torna aquele som tão pontual que parece a alma de um relógio. Vozes de conversa ou de pregão, rodas de carro, passos de gente, uma janela batida pelo vento, nada dessas coisas que ora ouço, animava então a rua e a noite de Cordovil. Tudo era propício ao sono.

Cordovil ia finalmente dormir, quando a ideia de amanhecer morto apareceu outra vez. O sono recuou e fugiu. Esta alternativa durou muito tempo. Sempre que o sono ia a grudar-lhe os olhos, a lembrança da morte os abria, até que ele sacudiu o lençol e saiu da cama. Abriu uma janela e encostou-se ao peitoril. O céu queria clarear, alguns vultos iam passando na rua, trabalhadores e mercadores que desciam para o centro da cidade. Cordovil sentiu um arrepio; não sabendo se era frio ou medo, foi vestir um camisão de chita, e voltou para a janela. Parece que era frio, porque não sentia mais nada.

A gente continuava a passar, o céu a clarear, um assobio da estrada de ferro deu sinal de trem que ia partir. Homens e coisas vinham do descanso; o céu fazia economia de estrelas, apagando-as à medida que o sol ia chegando para o seu ofício. Tudo dava ideia de vida. Naturalmente a ideia da morte foi recuando e desapareceu de todo, enquanto o nosso homem, que suspirou por ela no Cassino, que a desejou para o dia seguinte na Câmara dos Deputados, que a encarou no carro, voltou-lhe as costas quando a viu entrar com o sono, seu irmão mais velho, — ou mais moço, não sei.

Quando veio a falecer, muitos anos depois, pediu e teve a morte, não súbita, mas vagarosa, a morte de um vinho filtrado, que sai impuro de uma garrafa para entrar purificado em outra; a borra iria para o cemitério. Agora é que lhe via a filosofia; em ambas as garrafas era sempre o vinho que ia ficando, até passar inteiro e pingado para a segunda. Morte súbita não acabava de entender o que era.

Publicado originalmente em Relíquias de casa velha *(1906)*.

Um capitão de voluntários

Indo a embarcar para a Europa, logo depois da proclamação da República, Simão de Castro fez inventário das cartas e apontamentos; rasgou tudo. Só lhe ficou a narração que ides ler; entregou-a a um amigo para imprimi-la quando ele estivesse barra fora. O amigo não cumpriu a recomendação por achar na história alguma coisa que podia ser penosa, e assim lho disse em carta. Simão respondeu que estava por tudo o que quisesse; não tendo vaidades literárias, pouco se lhe dava de vir ou não a público. Agora que os dois faleceram, e não há igual escrúpulo, dá-se o manuscrito ao prelo.

Éramos dois, elas duas. Os dois íamos ali por visita, costume, desfastio, e finalmente por amizade. Fiquei amigo do dono da casa, ele meu amigo. Às tardes, sobre o jantar — jantava-se cedo em 1866 — ia ali fumar um charuto. O sol ainda entrava pela janela, onde se via um morro com casas em cima. A janela oposta dava para o mar. Não digo a rua nem o bairro; a cidade posso dizer que era o Rio de Janeiro. Ocultarei o nome do meu amigo; ponhamos uma letra, X... Ela, uma delas, chamava-se Maria.

Quando eu entrava, já ele estava na cadeira de balanço. Os móveis da sala eram poucos, os ornatos raros, tudo simples. X... estendia-me a mão larga e forte; eu ia sentar-me ao pé da janela, olho na sala, olho na rua. Maria, ou já estava ou vinha de dentro. Éramos nada um para o outro; ligava-nos unicamente a afeição de X... Conversávamos; eu saía para casa ou ia passear, eles ficavam e iam dormir. Algumas vezes jogávamos cartas, às noites, e, para o fim do tempo, era ali que eu passava a maior parte destas.

Tudo em X... me dominava. A figura primeiro. Ele robusto, eu franzino; a minha graça feminina, débil, desaparecia ao pé do garbo varonil dele, dos seus ombros largos, cadeiras largas, jarrete forte e o pé sólido que, andando, batia rijo no chão. Dai-me um bigode escasso e fino; vede nele as suíças longas, espessas e encaracoladas, e um dos seus gestos habituais, pensando ou escutando, era passar os dedos por elas, encaracolando-as sempre. Os olhos completavam a figura, não só por serem grandes e belos, mas porque riam mais e melhor que a boca. Depois da figura, a idade; X... era homem de quarenta anos, eu não passava dos vinte e quatro. Depois da idade, a vida; ele vivera muito, em outro meio, donde saíra a encafuar-se naquela casa, com aquela senhora; eu não vivera nada nem com pessoa alguma. Enfim — e este rasgo é capital — havia nele uma fibra castelhana, uma gota do sangue que circula nas páginas de Calderón, uma atitude moral que posso comparar, sem depressão nem riso, à do herói de Cervantes.

Como se tinham amado? Datava de longe. Maria contava já vinte e sete anos, e parecia haver recebido alguma educação. Ouvi que o primeiro encontro fora em um baile de máscaras, no antigo teatro Provisório. Ela trajava uma saia curta, e dançava ao som de um pandeiro. Tinha os pés admiráveis, e foram eles ou o seu destino a causa do amor de X... Nunca lhe perguntei a origem da aliança; sei só que ela tinha uma filha, que estava no colégio e não vinha à casa; a mãe é que ia vê-la. Verdadeiramente as nossas relações eram respeitosas, e o respeito ia ao ponto de aceitar a situação sem a examinar.

Quando comecei a ir ali, não tinha ainda o emprego no banco. Só dois ou três meses depois é que entrei para este, e não interrompi as relações. Maria tocava piano; às vezes, ela e a amiga Raimunda conseguiam arrastar X... ao teatro; eu ia com eles. No fim, tomávamos chá em sala particular, e uma ou outra vez, se havia lua, acabávamos a noite indo de carro a Botafogo.

A estas festas não ia Barreto, que só mais tarde começou a frequentar a casa. Entretanto, era bom companheiro, alegre e rumoroso. Uma noite, como saíssemos de lá, encaminhou a conversa para as duas mulheres, e convidou-me a namorá-las.

— Tu escolhes uma, Simão, eu outra.

Estremeci e parei.

— Ou antes, eu já escolhi — continuou ele —; escolhi a Raimunda. Gosto muito da Raimunda. Tu, escolhe a outra.

— A Maria?

— Pois que outra há de ser?

O alvoroço que me deu este tentador foi tal que não achei palavra de recusa, nem palavra nem gesto. Tudo me pareceu natural e necessário. Sim, concordei em escolher Maria; era mais velha que eu três anos, mas tinha a idade conveniente para ensinar-me a amar. Está dito, Maria. Deitamo-nos às duas conquistas com ardor e tenacidade. Barreto não tinha que vencer muito; a eleita dele não trazia amores, mas até pouco antes padecera de uns que rompera contra a vontade, indo o amante casar com uma moça de Minas. Depressa se deixou consolar. Barreto um dia, estando eu a almoçar, veio anunciar-me que recebera uma carta dela, e mostrou-ma.

— Estão entendidos?

— Estamos. E vocês?

— Eu não.

— Então quando?

— Deixa ver; eu te digo.

Naquele dia fiquei meio vexado. Com efeito, apesar da melhor vontade deste mundo, não me atrevia a dizer a Maria os meus sentimentos. Não suponhas que era nenhuma paixão. Não tinha paixão, mas curiosidade. Quando a via esbelta e fresca, toda calor e vida, sentia-me tomado de uma força nova e misteriosa; mas, por um lado, não amara nunca, e, por outro, Maria era a companheira de meu amigo. Digo isto, não para explicar escrúpulos, mas unicamente para fazer compreender o meu acanhamento. Viviam juntos desde alguns anos, um para o outro, X... tinha confiança em mim, confiança absoluta, comunicava-me os seus negócios, contava-me coisas da vida passada. Apesar da desproporção da idade, éramos como estudantes do mesmo ano.

Como entrasse a pensar mais constantemente em Maria, é provável que por algum gesto lhe houvesse descoberto o meu recente estado; certo é que, um dia, ao apertar-lhe a mão, senti que os dedos dela se demoravam mais entre os meus. Dois dias depois, indo ao correio, encontrei-a selando uma carta para a Bahia. Ainda não disse que era baiana? Era baiana. Ela é que me viu primeiro e me falou. Ajudei-lhe a pôr o selo e despedimo-nos. À porta ia a dizer alguma coisa, quando vi ante nós, parada, a figura de X...

— Vim trazer a carta para mamãe — apressou-se ela em dizer.

Despediu-se de nós e foi para casa; ele e eu tomamos outro rumo. X... aproveitou a ocasião para fazer muitos elogios de Maria. Sem entrar em minudências acerca da origem das relações, assegurou-me que fora uma grande paixão igual em ambos, e concluiu que tinha a vida feita.

— Já agora não me caso; vivo maritalmente com ela, morrerei com ela. Tenho uma só pena; é ser obrigado a viver separado de minha mãe. Minha mãe sabe — disse-me ele parando. E continuou andando: — sabe, e até já me fez uma alusão muito vaga e remota, mas que eu percebi. Consta-me que não desaprova; sabe que Maria é séria e boa, e uma vez que eu seja feliz, não exige mais nada. O casamento não me daria mais que isto...

Disse muitas outras coisas, que eu fui ouvindo sem saber de mim; o coração batia-me rijo, e as pernas andavam frouxas. Não atinava com resposta idônea; alguma palavra que soltava, saía-me engasgada. Ao cabo de algum tempo, ele notou o meu estado e interpretou-o erradamente; supôs que as suas confidências me aborreciam, e disse-mo rindo. Contestei sério:

— Ao contrário, ouço com interesse, e trata-se de pessoas de toda a consideração e respeito.

Penso agora que cedia inconscientemente a uma necessidade de hipocrisia. A idade das paixões é confusa, e naquela situação não posso discernir bem os sentimentos e suas causas. Entretanto, não é fora de propósito que buscasse dissipar no ânimo de X... qualquer possível desconfiança. A verdade é que ele me ouviu agradecido. Os seus grandes olhos de criança envolveram-me todo, e quando nos despedimos, apertou-me a mão com energia. Creio até que lhe ouvi dizer: "Obrigado!".

Não me separei dele aterrado, nem ferido de remorsos prévios. A primeira impressão da confidência esvaiu-se, ficou só a confidência, e senti crescer-me o alvoroço da curiosidade. X... falara-me de Maria como de pessoa casta e conjugal; nenhuma alusão às suas prendas físicas, mas a minha idade dispensava qualquer referência direta. Agora, na rua, via de cor a figura da moça, os seus gestos igualmente lânguidos e robustos, e cada vez me sentia mais fora de mim. Em casa escrevi-lhe uma carta longa e difusa, que rasguei meia hora depois, e fui jantar. Sobre o jantar fui à casa de X...

Eram ave-marias. Ele estava na cadeira de balanço, eu sentei-me no lugar do costume, olho na sala, olho no morro. Maria apareceu tarde, depois das horas, e tão anojada que não tomou parte na conversação. Sentou-se e cochilou; depois tocou um pouco de piano e saiu da sala.

— Maria acordou hoje com a mania de colher donativos para a guerra — disse-me ele. — Já lhe fiz notar que nem todos quererão parecer que... Você sabe... A posição dela... Felizmente, a ideia há de passar; tem dessas fantasias...

— E por que não?

— Ora, porque não! E depois, a guerra do Paraguai, não digo que não seja como todas as guerras, mas, palavra, não me entusiasma. A princípio, sim, quando o López tomou o marquês de Olinda, fiquei indignado; logo depois perdi a impressão, e agora, francamente, acho que tínhamos feito muito melhor se nos aliássemos ao López contra os argentinos.

— Eu não. Prefiro os argentinos.

— Também gosto deles, mas, no interesse da nossa gente, era melhor ficar com o López.

— Não; olhe, eu estive quase a alistar-me como voluntário da pátria.

— Eu, nem que me fizessem coronel, não me alistava.

Ele disse não sei que mais. Eu, como tinha a orelha afiada, à escuta dos pés de Maria, não respondi logo, nem claro, nem seguido; fui engrolando alguma palavra e sempre à escuta. Mas o diabo da moça não vinha; imaginei que estariam arrufados. Enfim, propus cartas, podíamos jogar uma partida de voltarete.

— Podemos — disse ele.

Passamos ao gabinete. X... pôs as cartas na mesa e foi chamar a amiga. Dali ouvi algumas frases sussurradas, mas só estas me chegaram claras:

— Vem! é só meia hora.

— Que maçada! Estou doente.

Maria apareceu no gabinete, bocejando. Disse-me que era só meia hora; tinha dormido mal, doía-lhe a cabeça e contava deitar-se cedo. Sentou-se enfastiada, e começamos a partida. Eu arrependia-me de haver rasgado a carta; lembrava-me alguns trechos dela, que diriam bem o meu estado, com o calor necessário a persuadi-la. Se a tenho conservado, entregava-lhe agora; ela ia muita vez ao patamar da escada despedir-se de mim e fechar a cancela. Nessa ocasião podia dar-lha; era uma solução da minha crise.

Ao cabo de alguns minutos, X... levantou-se para ir buscar tabaco de uma caixa de folha de flandres, posta sobre a secretária. Maria fez então um gesto que não sei como diga nem pinte. Ergueu as cartas à altura dos olhos para os tapar, voltou-os para mim que lhe ficava à esquerda, e arregalou-os tanto e com tal fogo e atração, que não sei como não entrei por eles. Tudo foi rápido. Quando ele voltou fazendo um cigarro, Maria tinha as cartas embaixo dos olhos, abertas em leque, fitando-as como se calculasse. Eu devia estar trêmulo; não obstante, calculava também, com a diferença de não poder falar. Ela disse então com placidez uma das palavras do jogo, *passo* ou *licença*.

Jogamos cerca de uma hora. Maria, para o fim, cochilava literalmente, e foi o próprio X... que lhe disse que era melhor ir descansar. Despedi-me e passei ao corredor, onde tinha o chapéu e a bengala. Maria, à porta da sala, esperava que eu saísse e acompanhou-me até a cancela, para fechá-la. Antes que eu descesse, lançou-me um dos braços ao pescoço, chegou-me a si, colou-me os lábios nos lábios, onde eles me depositaram um beijo grande, rápido e surdo. Na mão senti alguma coisa.

— Boa noite — disse Maria fechando a cancela.

Não sei como não caí. Desci atordoado, com o beijo na boca, os olhos nos dela, e a mão apertando instintivamente um objeto. Cuidei de me pôr longe. Na primeira rua, corri a um lampião, para ver o que trazia. Era um cartão de loja de fazendas, um anúncio, com isto escrito nas costas, a lápis: "Espere-me amanhã, na ponte das barcas de Niterói, a uma hora da tarde".

O meu alvoroço foi tamanho que durante os primeiros minutos não soube absolutamente o que fiz. Em verdade, as emoções eram demasiado grandes e numerosas, e tão de perto seguidas que eu mal podia saber de mim. Andei até o largo de São Francisco de Paula. Tornei a ler o cartão; arrepiei caminho, novamente parei, e uma patrulha que estava perto talvez desconfiou dos meus gestos. Felizmente, a respeito da comoção, tinha fome e fui cear ao hotel dos Príncipes. Não dormi antes da madrugada; às seis horas estava em pé. A manhã foi lenta como as agonias lentas. Dez minutos antes de uma hora cheguei à ponte; já lá achei Maria, envolvida numa capa, e com um véu azul no rosto. Ia sair uma barca, entramos nela.

O mar acolheu-nos bem. A hora era de poucos passageiros. Havia movimento de lanchas, de aves, e o céu luminoso parecia cantar a nossa primeira entrevista. O que dissemos foi tão de atropelo e confusão que não me ficou mais de meia dúzia de palavras, e delas nenhuma foi o nome de X... ou qualquer referência a ele. Sentíamos ambos que traíamos, eu o meu amigo, ela o seu amigo e protetor. Mas, ainda que o não sentíssemos, não é provável que falássemos dele, tão pouco era o tempo para o nosso infinito. Maria apareceu-me então como nunca a vi nem suspeitara falando de mim e de si, com a ternura possível naquele lugar público, mas toda a possível, não menos. As nossas mãos colavam-se, os nossos olhos comiam-se, e os corações batiam provavelmente ao mesmo compasso rápido e rápido. Pelo menos foi a sensação com que me separei dela, após a viagem redonda a Niterói e São Domingos. Convidei-a a desembarcar em ambos os pontos, mas recusou; na volta, lembrei-lhe que nos metêssemos numa caleça fechada: "Que ideia faria de mim?" perguntou-me com gesto de pudor que a transfigurou. E despedimo-nos com prazo dado, jurando-lhe que eu não deixaria de ir vê-los, à noite, como de costume.

Como eu não tomei da pena para narrar a minha felicidade, deixo a parte deliciosa da aventura, com as suas entrevistas, cartas e palavras, e mais os sonhos e esperanças, as infinitas saudades e os renascentes desejos. Tais aventuras são como os almanaques, que, com todas as suas mudanças, hão de trazer os mesmos dias e meses, com os seus eternos nomes e santos. O nosso almanaque apenas durou um trimestre, sem quartos minguantes nem ocasos de sol. Maria era um modelo de graças finas, toda vida, toda movimento. Era baiana, como disse, fora educada no Rio Grande do Sul, na campanha, perto da fronteira. Quando lhe falei do seu primeiro encontro com X... no teatro Provisório, dançando ao som de um pandeiro, disse-me que era verdade, fora ali vestida à castelhana e de máscara; e, como eu lhe pedisse a mesma coisa, menos a máscara, ou um simples lundu nosso, respondeu-me como quem recusa um perigo:

— Você poderia ficar doido.

— Mas X... não ficou doido.

— Ainda hoje não está no seu juízo. — replicou Maria rindo — Imagina que eu fazia isto só...

E em pé, num maneio rápido, deu uma volta ao corpo, que me fez ferver o sangue.

O trimestre acabou depressa, como os trimestres daquela casta. Maria faltou um dia à entrevista. Era tão pontual que fiquei tonto quando vi passar a hora. Cinco, dez, quinze minutos; depois vinte, depois trinta, depois quarenta... Não digo as vezes que andei de um lado para outro, na sala, no corredor, à espreita e à escuta, até que de todo passou a possibilidade de vir. Poupo a notícia do meu desespero, o tempo que rolei no chão, falando, gritando ou chorando. Quando cansei, escrevi-lhe uma longa carta; esperei que me escrevesse também, explicando a falta. Não mandei a carta, e à noite fui à casa deles.

Maria pôde explicar-me a falta pelo receio de ser vista e acompanhada por alguém que a perseguia desde algum tempo. Com efeito, haviam-me já falado em não sei que vizinho que a cortejava com instância; uma vez disse-me que ele a seguira até a porta da minha casa. Acreditei na razão, e propus-lhe outro lugar de encontro, mas não lhe pareceu conveniente. Desta vez achou melhor suspendermos as nossas entrevistas, até fazer calar as suspeitas. Não sairia de casa. Não compreendi então que a principal verdade era ter cessado nela o ardor dos primeiros dias. Maria era outra, principalmente outra. E não podes imaginar o que vinha a ser essa bela criatura, que tinha em si o fogo e o gelo, e era mais quente e mais fria que ninguém.

Quando me entrou a convicção de que tudo estava acabado, resolvi não voltar lá, mas nem por isso perdia a esperança; era para mim questão de esforço. A imaginação, que torna presentes os dias passados, fazia-me crer facilmente na possibilidade de restaurar as primeiras semanas. Ao cabo de cinco dias, voltei; não podia viver sem ela.

X... recebeu-me com o seu grande riso infante, os olhos puros, a mão forte e sincera; perguntou a razão da minha ausência. Aleguei uma febrezinha, e, para explicar o enfadamento que eu não podia vencer, disse que ainda me doía a cabeça. Maria compreendeu tudo; nem por isso se mostrou meiga ou compassiva, e, à minha saída, não foi até o corredor, como de costume.

Tudo isto dobrou a minha angústia. A ideia de morrer entrou a passar-me pela cabeça; e, por uma simetria romântica, pensei em meter-me na barca de Niterói, que primeiro acolheu os nossos amores, e, no meio da baía, atirar-me ao mar. Não iniciei tal plano nem outro. Tendo encontrado casualmente o meu amigo Barreto, não vacilei em lhe dizer tudo; precisava de alguém para falar comigo mesmo. No fim pedi-lhe segredo; devia pedir-lhe especialmente que não contasse nada a Raimunda. Nessa mesma noite ela soube tudo. Raimunda era um espírito aventureiro, amigo de entrepresas e novidades. Não se lhe dava, talvez, de mim nem da outra, mas viu naquilo um lance, uma ocupação, e cuidou em reconciliar-nos; foi o que eu soube depois, e é o que dá lugar a este papel.

Falou-lhe uma e mais vezes. Maria quis negar a princípio, acabou confessando tudo, dizendo-se arrependida da cabeçada que dera. Usaria provavelmente de circunlóquios e sinônimos, frases vagas e truncadas, alguma vez empregaria só gestos. O texto que aí fica é o da própria Raimunda, que me mandou chamar à casa dela e me referiu todos os seus esforços, contente de si mesma.

— Mas não perca as esperanças — concluiu —; eu disse-lhe que o senhor era capaz de matar-se.

— E sou.

— Pois não se mate por ora; espere.

No dia seguinte vi nos jornais uma lista de cidadãos que, na véspera tinham ido ao quartel-general apresentar-se como voluntários da pátria, e nela o nome de X..., com o posto de capitão. Não acreditei logo; mas eram os mesmos, na mesma ordem, e uma das folhas fazia referências à família de X..., ao pai, que fora oficial de marinha, e à figura esbelta e varonil do novo capitão; era ele mesmo.

A minha primeira impressão foi de prazer; íamos ficar sós. Ela não iria de vivandeira para o sul. Depois, lembrou-me o que ele me disse acerca da guerra, e achei estranho o seu alistamento de voluntário, ainda que o amor dos atos generosos e a nota cavalheiresca do espírito de X... pudessem explicá-lo. Nem de coronel iria, disse-me, e agora aceitava o posto de capitão. Enfim, Maria; como é que ele, que tanto lhe queria, ia separar-se dela repentinamente, sem paixão forte que o levasse à guerra?

Havia três semanas que eu não ia à casa deles. A notícia do alistamento justificava a minha visita imediata e dispensava-me de explicações. Almocei e fui. Compus um rosto ajustado à situação e entrei. X... veio à sala, depois de alguns minutos de espera. A cara desdizia das palavras; estas queriam ser alegres e leves, aquela era fechada e torva, além de pálida. Estendeu-me a mão, dizendo:

— Então, vem ver o capitão de voluntários?

— Venho ouvir o desmentido.

— Que desmentido? É pura verdade. Não sei como isto foi, creio que as últimas notícias... Você por que não vem comigo?

— Mas então é verdade?

— É.

Após alguns instantes de silêncio, meio sincero, por não saber realmente que dissesse, meio calculado, para persuadi-lo da minha consternação, murmurei que era melhor não ir, e falei-lhe na mãe. X... respondeu-me que a mãe aprovava; era viúva de militar. Fazia esforços para sorrir, mas a cara continuava a ser de pedra. Os olhos buscavam desviar-se, e geralmente não fitavam bem nem longo. Não conversamos muito; ele ergueu-se, alegando que ia liquidar um negócio, e pediu-me que voltasse a vê-lo. À porta, disse-me com algum esforço:

— Venha jantar um dia destes, antes da minha partida.

— Sim.

— Olhe, venha jantar amanhã.

— Amanhã?

— Ou hoje, se quiser.

— Amanhã.

Quis deixar lembranças a Maria; era natural e necessário, mas faltou-me o ânimo. Embaixo arrependi-me de o não ter feito. Recapitulei a conversação, achei-me atado e incerto; ele pareceu-me, além de frio, sobranceiro. Vagamente, senti alguma coisa mais. O seu aperto de mão tanto à entrada, como à saída, não me dera a sensação do costume.

Na noite desse dia, Barreto veio ter comigo, atordoado com a notícia da manhã, e perguntando-me o que sabia; disse-lhe que nada. Contei-lhe a minha visita da manhã, a nossa conversação, sem as minhas suspeitas.

— Pode ser engano — disse ele, depois de um instante.

— Engano?

— Raimunda contou-me hoje que falara a Maria, que esta negara tudo a princípio, depois confessara, e recusara reatar as relações com você.

— Já sei.

— Sim, mas parece que da terceira vez foram pressentidas e ouvidas por ele, que estava na saleta ao pé. Maria correu a contar a Raimunda que ele mudara inteiramente; esta dispôs-se a sondá-lo, eu opus-me, até que li a notícia nos jornais. Vi-o na rua, andando: não tinha aquele gesto sereno de costume, mas o passo era forte.

Fiquei aturdido com a notícia, que confirmava a minha impressão. Nem por isso deixei de ir lá jantar no dia seguinte. Barreto quis ir também; percebi que era com o fim único de estar comigo, e recusei.

X... não dissera nada a Maria; achei-os na sala, e não me lembro de outra situação na vida em que me sentisse mais estranho a mim mesmo. Apertei-lhes a mão, sem olhar para ela. Creio que ela também desviou os olhos. Ele é que, com certeza, não nos observou; riscava um fósforo e acendia um cigarro. Ao jantar falou o mais naturalmente que pôde, ainda que frio. O rosto exprimia maior esforço que na véspera. Para explicar a possível alteração, disse-me que embarcaria no fim da semana, e que, à proporção que a hora ia chegando, sentia dificuldade em sair.

— Mas é só até fora da barra; lá fora torno a ser o que sou, e, na campanha, serei o que devo ser.

Usava dessas palavras rígidas, alguma vez enfáticas. Notei que Maria trazia os olhos pisados; soube depois que chorara muito e tivera grande luta com ele, na véspera, para que não embarcasse. Só conhecera a resolução pelos jornais, prova de alguma coisa mais particular que o patriotismo. Não falou à mesa, e a dor podia explicar o silêncio, sem nenhuma outra causa de constrangimento pessoal. Ao contrário, X... procurava falar muito, contava os batalhões, os oficiais novos, as probabilidades de vitória, e referia anedotas e boatos, sem curar de ligação. Às vezes, queria rir; para o fim, disse que naturalmente voltaria general, mas ficou tão carrancudo depois deste gracejo, que não tentou outro. O jantar acabou frio; fumamos, ele ainda quis falar da guerra, mas o assunto estava exausto. Antes de sair, convidei-o a ir jantar comigo.

— Não posso; todos os meus dias estão tomados.

— Venha almoçar.

— Também não posso. Faço uma coisa; na volta do Paraguai, o terceiro dia é seu.

Creio ainda hoje que o fim desta última frase era indicar que os dois primeiros dias seriam da mãe e de Maria; assim, qualquer suspeita que eu tivesse dos motivos secretos da resolução, devia dissipar-se. Nem bastou isso; disse-me que escolhesse uma prenda em lembrança, um livro, por exemplo. Preferi o seu último retrato, fotografado a pedido da mãe, com a farda de capitão de voluntários. Por dissimulação, quis que assinasse; ele prontamente escreveu: "Ao seu leal amigo Simão de Castro oferece o capitão de voluntários da pátria X...". O mármore do rosto era mais duro, o olhar mais torvo; passou os dedos pelo bigode, com um gesto convulso, e despedimo-nos.

No sábado embarcou. Deixou a Maria os recursos necessários para viver aqui, na Bahia, ou no Rio Grande do Sul; ela preferiu o Rio Grande, e partiu para lá, três semanas depois, a esperar que ele voltasse da guerra. Não a pude ver antes; fechara-me a porta, como já me havia fechado o rosto e o coração.

Antes de um ano, soube-se que ele morrera em combate, no qual se houve com mais denodo que perícia. Ouvi contar que primeiro perdera um braço, e que provavelmente a vergonha de ficar aleijado o fez atirar-se contra as armas inimigas, como quem queria acabar de vez. Esta versão podia ser exata, porque ele tinha desvanecimentos das belas formas; mas a causa foi complexa. Também me contaram que Maria, voltando do Rio Grande, morreu em Curitiba; outros dizem que foi acabar em Montevidéu. A filha não passou dos quinze anos.

Eu cá fiquei entre os meus remorsos e saudades; depois, só remorsos; agora admiração apenas, uma admiração particular, que não é grande senão por me fazer sentir pequeno. Sim, eu não era capaz de praticar o que ele praticou. Nem efetivamente conheci ninguém que se parecesse com X... E por que teimar nesta letra? Chamemo-lo pelo nome que lhe deram na pia, Emílio, o meigo, o forte, o simples Emílio.

Publicado originalmente em Relíquias de casa velha *(1906).*

Suje-se gordo!

Uma noite, há muitos anos, passeava eu com um amigo no terraço do teatro de São Pedro de Alcântara. Era entre o segundo e o terceiro ato da peça *A sentença ou o tribunal do júri*. Só me ficou o título, e foi justamente o título que nos levou a falar da instituição e de um fato que nunca mais me esqueceu.

— Fui sempre contrário ao júri — disse-me aquele amigo — não pela instituição em si, que é liberal, mas porque me repugna condenar alguém, e por aquele preceito do Evangelho: "Não queirais julgar para que não sejais julgados". Não obstante, servi duas vezes. O tribunal era então no antigo Aljube, fim da rua dos Ourives, princípio da ladeira da Conceição.

Tal era o meu escrúpulo que, salvo dois, absolvi todos os réus. Com efeito, os crimes não me pareceram provados; um ou dois processos eram malfeitos. O primeiro réu que condenei, era um moço limpo, acusado de haver furtado certa quantia, não grande, antes pequena, com falsificação de um papel. Não negou o fato, nem podia fazê-lo, contestou que lhe coubesse a iniciativa ou inspiração do crime. Alguém, que não citava, foi que lhe lembrou esse modo de acudir a uma necessidade urgente; mas Deus, que via os corações, daria ao criminoso verdadeiro o merecido castigo. Disse isso sem ênfase, triste, a palavra surda, os olhos mortos, com tal palidez que metia pena; o promotor público achou nessa mesma cor do gesto a confissão do crime. Ao contrário, o defensor mostrou que o abatimento e a palidez significavam a lástima da inocência caluniada.

Poucas vezes terei assistido a debate tão brilhante. O discurso do promotor foi curto, mas forte, indignado, com um tom que parecia ódio, e não era. A defesa, além do talento do advogado, tinha a circunstância de ser a estreia dele na tribuna. Parentes, colegas e amigos esperavam o primeiro discurso do rapaz, e não perderam na espera. O discurso foi admirável, e teria salvo o réu, se ele pudesse ser salvo, mas o crime metia-se pelos olhos dentro. O advogado morreu dois anos depois, em 1865. Quem sabe o que se perdeu nele! Eu, acredite, quando vejo morrer um moço de talento, sinto mais que quando morre um velho... Mas vamos ao que ia contando. Houve réplica do promotor e tréplica do defensor. O presidente do tribunal resumiu os debates, e, lidos os quesitos, foram entregues ao presidente do conselho, que era eu.

Não digo o que se passou na sala secreta; além de ser secreto o que lá se passou, não interessa ao caso particular, que era melhor ficasse também calado, confesso. Cantarei depressa; o terceiro ato não tarda.

Um dos jurados do conselho, cheio de corpo e ruivo, parecia mais que ninguém convencido do delito e do delinquente. O processo foi examinado, os quesitos lidos, e as respostas dadas (onze votos contra um); só o jurado ruivo estava inquieto. No fim, como os votos assegurassem a condenação, ficou satisfeito, disse que seria um ato de fraqueza, ou coisa pior, a absolvição que lhe déssemos. Um dos jurados, certamente o que votara pela negativa — proferiu algumas palavras de defesa do moço. O ruivo — chamava-se Lopes — replicou com aborrecimento:

— Como, senhor? Mas o crime do réu está mais que provado.

— Deixemos de debate — disse eu, e todos concordaram comigo.

— Não estou debatendo, estou defendendo o meu voto — continuou Lopes. — O crime está mais que provado. O sujeito nega, porque todo o réu nega, mas o certo é que ele cometeu a falsidade, e que falsidade! Tudo por uma miséria, duzentos mil-réis! Suje-se gordo! Quer sujar-se? Suje-se gordo!

"Suje-se gordo!" Confesso-lhe que fiquei de boca aberta, não que entendesse a frase, ao contrário; nem a entendi nem a achei limpa, e foi por isso mesmo que fiquei de boca aberta. Afinal caminhei e bati à porta, abriram-nos, fui à mesa do juiz, dei as respostas do conselho e o réu saiu condenado. O advogado apelou; se a sentença foi confirmada ou a apelação aceita, não sei; perdi o negócio de vista.

Quando saí do tribunal, vim pensando na frase do Lopes, e pareceu-me entendê-la. "Suje-se gordo!" era como se dissesse que o condenado era mais que ladrão, era um ladrão reles, um ladrão de nada. Achei esta explicação na esquina da rua de São Pedro; vinha ainda pela dos Ourives. Cheguei a desandar um pouco, a ver se descobria o Lopes para lhe apertar a mão; nem sombra de Lopes. No dia seguinte, lendo nos jornais os nossos nomes, dei com o nome todo dele; não valia a pena procurá-lo, nem me ficou de cor. Assim são as páginas da vida, como dizia meu filho quando fazia versos, e acrescentava que as páginas vão passando umas sobre outras, esquecidas apenas lidas. Rimava assim, mas não me lembra a forma dos versos.

Em prosa disse-me ele, muito tempo depois, que eu não devia faltar ao júri, para o qual acabava de ser designado. Respondi-lhe que não compareceria, e citei o preceito evangélico; ele teimou, dizendo ser um dever de cidadão, um serviço gratuito, que ninguém que se prezasse podia negar ao seu país. Fui e julguei três processos.

Um destes era de um empregado do banco do Trabalho Honrado, o caixa, acusado de um desvio de dinheiro. Ouvira falar no caso, que os jornais deram sem grande minúcia, e aliás eu lia pouco as notícias de crimes. O acusado apareceu e foi sentar-se no famoso banco dos réus. Era um homem magro e ruivo. Fitei-o bem, e estremeci; pareceu-me ver o meu colega daquele julgamento de anos antes. Não poderia reconhecê-lo logo por estar agora magro, mas era a mesma cor dos cabelos e das barbas, o mesmo ar, e por fim a mesma voz e o mesmo nome: Lopes.

— Como se chama? — perguntou o presidente.

— Antônio do Carmo Ribeiro Lopes.

Já me não lembravam os três primeiros nomes, o quarto era o mesmo, e os outros sinais vieram confirmando as reminiscências; não me tardou reconhecer a pessoa exata daquele dia remoto. Digo-lhe aqui com verdade que todas essas circunstâncias me impediram de acompanhar atentamente o interrogatório, e muitas coisas me escaparam. Quando me dispus a ouvi-lo bem, estava quase no fim. Lopes negava com firmeza tudo o que lhe era perguntado, ou respondia de maneira que trazia uma complicação ao processo. Circulava os olhos sem medo nem ansiedade; não sei até se com uma pontinha de riso nos cantos da boca.

Seguiu-se a leitura do processo. Era uma falsidade e um desvio de cento e dez contos de réis. Não lhe digo como se descobriu o crime nem o criminoso, por já ser tarde; a orquestra está afinando os instrumentos. O que lhe digo com certeza é que a leitura dos autos me impressionou muito, o inquérito, os documentos, a tentativa de fuga do caixa e uma série de circunstâncias agravantes; por fim o depoimento das testemunhas. Eu ouvia ler ou falar e olhava para o Lopes. Também ele ouvia, mas com o rosto alto, mirando o escrivão, o presidente, o teto e as pessoas que o iam julgar; entre elas eu. Quando olhou para mim não me reconheceu; fitou-me algum tempo e sorriu, como fazia aos outros.

    Todos esses gestos do homem serviram à acusação e à defesa, tal como serviram, tempos antes, os gestos contrários do outro acusado. O promotor achou neles a revelação clara do cinismo, o advogado mostrou que só a inocência e a certeza da absolvição podiam trazer aquela paz de espírito.

    Enquanto os dois oradores falavam, vim pensando na fatalidade de estar ali, no mesmo banco do outro, este homem que votara a condenação dele, e naturalmente repeti comigo o texto evangélico: "Não queirais julgar, para que não sejais julgados". Confesso-lhe que mais de uma vez me senti frio. Não é que eu mesmo viesse a cometer algum desvio de dinheiro, mas podia, em ocasião de raiva, matar alguém ou ser caluniado de desfalque. Aquele que julgava outrora era agora julgado também.

    Ao pé da palavra bíblica lembrou-me de repente a do mesmo Lopes: "Suje-se gordo!". Não imagina o sacudimento que me deu esta lembrança. Evoquei tudo o que contei agora, o discursinho que lhe ouvi na sala secreta, até aquelas palavras: "Suje-se gordo!". Vi que não era um ladrão reles, um ladrão de nada, sim de grande valor. O verbo é que definia duramente a ação. "Suje-se gordo!" Queria dizer que o homem não se devia levar a um ato daquela espécie sem a grossura da soma. A ninguém cabia sujar-se por quatro patacas. Quer sujar-se? Suje-se gordo!

    Ideias e palavras iam assim rolando na minha cabeça, sem eu dar pelo resumo dos debates que o presidente do tribunal fazia. Tinha acabado, leu os quesitos e recolhemo-nos à sala secreta. Posso dizer-lhe aqui em particular que votei afirmativamente, tão certo me pareceu o desvio dos cento e dez contos. Havia, entre outros documentos, uma carta de Lopes que fazia evidente o crime. Mas parece que nem todos leram com os mesmos olhos que eu. Votaram comigo dois jurados. Nove negaram a criminalidade do Lopes, a sentença de absolvição foi lavrada e lida, e o acusado saiu para a rua. A diferença da votação era tamanha, que cheguei a duvidar comigo se teria acertado. Podia ser que não. Agora mesmo sinto uns repelões de consciência. Felizmente, se o Lopes não cometeu deveras o crime, não recebeu a pena do meu voto, e esta consideração acaba por me consolar do erro, mas os repelões voltam. O melhor de tudo é não julgar ninguém para não vir a ser julgado. Suje-se gordo! suje-se magro! suje-se como lhe parecer! o mais seguro é não julgar ninguém... Acabou a música, vamos para as nossas cadeiras.

Publicado originalmente em Relíquias de casa velha *(1906)*.

Umas férias

Vieram dizer ao mestre-escola que alguém lhe queria falar.
— Quem é?
— Diz que meu senhor não o conhece — respondeu o preto.
— Que entre.

Houve um movimento geral de cabeças na direção da porta do corredor, por onde devia entrar a pessoa desconhecida. Éramos não sei quantos meninos na escola. Não tardou que aparecesse uma figura rude, tez queimada, cabelos compridos, sem sinal de pente, a roupa amarrotada, não me lembra bem a cor nem a fazenda, mas provavelmente era brim pardo. Todos ficaram esperando o que vinha dizer o homem, eu mais que ninguém, porque ele era meu tio, roceiro, morador em Guaratiba. Chamava-se tio Zeca.

Tio Zeca foi ao mestre e falou-lhe baixo. O mestre fê-lo sentar, olhou para mim, e creio que lhe perguntou alguma coisa, porque tio Zeca entrou a falar demorado, muito explicativo. O mestre insistiu, ele respondeu, até que o mestre, voltando-se para mim, disse alto:

— Senhor José Martins, pode sair.

A minha sensação de prazer foi tal que venceu a de espanto. Tinha dez anos apenas, gostava de folgar, não gostava de aprender. Um chamado de casa, o próprio tio, irmão de meu pai, que chegara na véspera de Guaratiba, era naturalmente alguma festa, passeio, qualquer coisa. Corri a buscar o chapéu, meti o livro de leitura no bolso e desci as escadas da escola, um sobradinho da rua do Senado. No corredor beijei a mão a tio Zeca. Na rua fui andando ao pé dele, amiudando os passos, e levantando a cara. Ele não me dizia nada, eu não me atrevia a nenhuma pergunta. Pouco depois chegávamos ao colégio de minha irmã Felícia; disse-me que esperasse, entrou, subiu, desceram, e fomos os três caminho de casa. A minha alegria agora era maior. Certamente havia festa em casa, pois que íamos os dois, ela e eu; íamos na frente, trocando as nossas perguntas e conjecturas. Talvez anos de tio Zeca. Voltei a cara para ele; vinha com os olhos no chão, provavelmente para não cair.

Fomos andando. Felícia era mais velha que eu um ano. Calçava sapato raso, atado ao peito do pé por duas fitas cruzadas, vindo acabar acima do tornozelo com laço. Eu, botins de cordovão, já gastos. As calcinhas dela pegavam com a fita dos sapatos, as minhas calças, largas, caíam sobre o peito do pé; eram de chita. Uma ou outra vez parávamos, ela para admirar as bonecas à porta dos armarinhos, eu para ver, à porta das vendas, algum papagaio que descia e subia pela corrente de ferro atada ao pé. Geralmente, era meu conhecido, mas papagaio não cansa em tal idade. Tio Zeca é que nos tirava do espetáculo industrial ou natural. — Andem, dizia ele em voz sumida. E nós andávamos, até que outra curiosidade nos fazia deter o passo. Entretanto, o principal era a festa que nos esperava em casa.

— Não creio que sejam anos de tio Zeca — disse-me Felícia.
— Por quê?
— Parece meio triste.
— Triste, não, parece carrancudo.

— Ou carrancudo. Quem faz anos tem a cara alegre.
— Então serão anos de meu padrinho...
— Ou de minha madrinha...
— Mas por que é que mamãe nos mandou para a escola?
— Talvez não soubesse.
— Há de haver jantar grande...
— Com doce...
— Talvez dancemos.

Fizemos um acordo: podia ser festa, sem aniversário de ninguém. A sorte grande, por exemplo. Ocorreu-me também que podiam ser eleições. Meu padrinho era candidato a vereador; embora eu não soubesse bem o que era candidatura nem vereação, tanto ouvira falar em vitória próxima que a achei certa e ganha. Não sabia que a eleição era ao domingo, e o dia era sexta-feira. Imaginei bandas de música, vivas e palmas, e nós, meninos, pulando, rindo, comendo cocadas. Talvez houvesse espetáculo à noite; fiquei meio tonto. Tinha ido uma vez ao teatro, e voltei dormindo, mas no dia seguinte estava tão contente que morria por lá tornar, posto não houvesse entendido nada do que ouvira. Vira muita coisa, isto sim, cadeiras ricas, tronos, lanças compridas, cenas que mudavam à vista, passando de uma sala a um bosque, e do bosque a uma rua. Depois, os personagens, todos príncipes. Era assim que chamávamos aos que vestiam calção de seda, sapato de fivela ou botas, espada, capa de veludo, gorra com pluma. Também houve bailado. As bailarinas e os bailarinos falavam com os pés e as mãos, trocando de posição e um sorriso constante na boca. Depois os gritos do público e as palmas...

Já duas vezes escrevi palmas; é que as conhecia bem. Felícia, a quem comuniquei a possibilidade do espetáculo, não me pareceu gostar muito, mas também não recusou nada. Iria ao teatro. E quem sabe se não seria em casa, teatrinho de bonecos? Íamos nessas conjecturas, quando tio Zeca nos disse que esperássemos; tinha parado a conversar com um sujeito.

Paramos, à espera. A ideia da festa, qualquer que fosse, continuou a agitar-nos, mais a mim que a ela. Imaginei trinta mil coisas, sem acabar nenhuma, tão precipitadas vinham, e tão confusas que não as distinguia; pode ser até que se repetissem. Felícia chamou a minha atenção para dois moleques de carapuça encarnada, que passavam carregando canas — o que nos lembrou as noites de Santo Antônio e São João, já lá idas. Então falei-lhe das fogueiras do nosso quintal, das bichas que queimamos, das rodinhas, das pistolas e das danças, com outros meninos. Se houvesse agora a mesma coisa... Ah! lembrou-me que era ocasião de deitar à fogueira o livro da escola, e o dela também, com os pontos de costura que estava aprendendo.

— Isso não — acudiu Felícia.
— Eu queimava o meu livro.
— Papai comprava outro.
— Enquanto comprasse, eu ficava brincando em casa; aprender é muito aborrecido.

Nisto estávamos, quando vimos tio Zeca e o desconhecido ao pé de nós. O desconhecido pegou-nos nos queixos e levantou-nos a cara para ele, fitou-nos com seriedade, deixou-nos e despediu-se.

— Nove horas? Lá estarei — disse ele.
— Vamos — disse-nos tio Zeca.

Quis perguntar-lhe quem era aquele homem, e até me pareceu conhecê-lo vagamente. Felícia também. Nenhum de nós acertava com a pessoa; mas a promessa de lá estar às nove horas dominou o resto. Era festa, algum baile, conquanto às nove horas, costumássemos ir para a cama. Naturalmente, por exceção, estaríamos acordados. Como chegássemos a um rego de lama, peguei da mão de Felícia, e transpusemo-lo de um salto, tão violento que quase me caiu o livro. Olhei para tio Zeca, a ver o efeito do gesto; vi-o abanar a cabeça com reprovação. Ri, ela sorriu, e fomos pela calçada adiante.

Era o dia dos desconhecidos. Desta vez estavam em burros, e um dos dois era mulher. Vinham da roça. Tio Zeca foi ter com eles ao meio da rua, depois de dizer que esperássemos. Os animais pararam, creio que de si mesmos, por também conhecerem a tio Zeca, ideia que Felícia reprovou com o gesto, e que eu defendi rindo. Teria apenas meia convicção; tudo era folgar. Fosse como fosse, esperamos os dois, examinando o casal de roceiros. Eram ambos magros, a mulher mais que o marido, e também mais moça; ele tinha os cabelos grisalhos. Não ouvimos o que disseram, ele e tio Zeca; vimo-lo, sim, o marido olhar para nós com ar de curiosidade, e falar à mulher, que também nos deitou os olhos, agora com pena ou coisa parecida. Enfim apartaram-se, tio Zeca veio ter conosco e enfiamos para casa.

A casa ficava na rua próxima, perto da esquina. Ao dobrarmos esta, vimos os portais da casa forrados de preto — o que nos encheu de espanto. Instintivamente paramos e voltamos a cabeça para tio Zeca. Este veio a nós, deu a mão a cada um e ia a dizer alguma palavra que lhe ficou na garganta; andou, levando-nos consigo. Quando chegamos, as portas estavam meio cerradas. Não sei se lhes disse que era um armarinho. Na rua, curiosos. Nas janelas fronteiras e laterais, cabeças aglomeradas. Houve certo rebuliço quando chegamos. É natural que eu tivesse a boca aberta, como Felícia. Tio Zeca empurrou uma das meias portas, entramos os três, ele tornou a cerrá-la, meteu-se pelo corredor e fomos à sala de jantar e à alcova.

Dentro, ao pé da cama, estava minha mãe com a cabeça entre as mãos. Sabendo da nossa chegada, ergueu-se de salto, veio abraçar-nos entre lágrimas, bradando:

— Meus filhos, vosso pai morreu!

A comoção foi grande, por mais que o confuso e o vago entorpecessem a consciência da notícia. Não tive forças para andar, e teria medo de o fazer. Morto como? morto por quê? Estas duas perguntas, se as meto aqui, é para dar seguimento à ação; naquele momento não perguntei nada a mim nem a ninguém. Ouvi as palavras de minha mãe, que se repetiam em mim, e os seus soluços que eram grandes. Ela pegou em nós e arrastou-nos para a cama, onde jazia o cadáver do marido; e fez-nos beijar-lhe a mão. Tão longe estava eu daquilo que, apesar de tudo, não entendera nada a princípio; a tristeza e o silêncio das pessoas que rodeavam a cama ajudaram a explicar que meu pai morrera deveras. Não se tratava de um dia santo, com a sua folga e recreio, não era festa, não eram as horas breves ou longas, para a gente desfiar em casa, arredada dos castigos da escola. Que essa queda de um sonho tão bonito fizesse crescer a minha dor de filho não é coisa que possa afirmar ou negar; melhor é calar. O pai ali estava defunto, sem pulos, nem danças, nem risadas, nem bandas de música, coisas todas também defuntas. Se me houvessem dito à saída da escola por que é que me iam lá buscar, é claro que a alegria não houvera penetrado o coração, donde era agora expelida a punhadas.

O enterro foi no dia seguinte às nove horas da manhã, e provavelmente lá estava aquele amigo de tio Zeca que se despediu na rua, com a promessa de ir às nove horas. Não vi as cerimônias; alguns vultos, poucos, vestidos de preto, lembra-me que vi. Meu padrinho, dono de um trapiche, lá estava, e a mulher também, que me levou a uma alcova dos fundos para me mostrar gravuras. Na ocasião da saída, ouvi os gritos de minha mãe, o rumor dos passos, algumas palavras abafadas de pessoas que pegavam nas alças do caixão, creio eu: — "vire de lado — mais à esquerda — assim — segure bem...". Depois, ao longe, o coche andando e as seges atrás dele...

Lá iam meu pai e as férias! Um dia de folga sem folguedo! Não, não foi um dia, mas oito, oito dias de nojo, durante os quais alguma vez me lembrei do colégio. Minha mãe chorava, cosendo o luto, entre duas visitas de pêsames. Eu também chorava; não via meu pai às horas do costume, não lhe ouvia as palavras à mesa ou ao balcão, nem as carícias que dizia aos pássaros. Que ele era muito amigo de pássaros, e tinha três ou quatro, em gaiolas. Minha mãe vivia calada. Quase que só falava às pessoas de fora. Foi assim que eu soube que meu pai morrera de apoplexia. Ouvi esta notícia muitas vezes; as visitas perguntavam pela causa da morte, e ela referia tudo, a hora, o gesto, a ocasião: tinha ido beber água, e enchia um copo, à janela da área. Tudo decorei, à força de ouvi-lo contar.

Nem por isso os meninos do colégio deixavam de vir espiar para dentro da minha memória. Um deles chegou a perguntar-me quando é que eu voltaria.

— Sábado, meu filho — disse minha mãe, quando lhe repeti a pergunta imaginada —; a missa é sexta-feira. Talvez seja melhor voltar na segunda.

— Antes sábado — emendei.

— Pois sim — concordou.

Não sorria; se pudesse, sorriria de gosto ao ver que eu queria voltar mais cedo à escola. Mas, sabendo que eu não gostava de aprender, como entenderia a emenda? Provavelmente, deu-lhe algum sentido superior, conselho do céu ou do marido. Em verdade, eu não folgava, se lerdes isto com o sentido de rir. Com o de descansar também não cabe, porque minha mãe fazia-me estudar, e, tanto como o estudo, aborrecia-me a atitude. Obrigado a estar sentado, com o livro nas mãos, a um canto ou à mesa, dava ao diabo o livro, a mesa e a cadeira. Usava um recurso que recomendo aos preguiçosos: deixava os olhos na página e abria a porta à imaginação. Corria a apanhar as flechas dos foguetes, a ouvir os realejos, a bailar com meninas, a cantar, a rir, a espancar de mentira ou de brincadeira, como for mais claro.

Uma vez, como desse por mim a andar na sala sem ler, minha mãe repreendeu-me, e eu respondi que estava pensando em meu pai. A explicação fê-la chorar, e, para dizer tudo, não era totalmente mentira; tinha-me lembrado o último presentinho que ele me dera, e entrei a vê-lo com o mimo na mão.

Felícia vivia tão triste como eu, mas confesso a minha verdade, a causa principal não era a mesma. Gostava de brincar, mas não sentia a ausência do brinco, não se lhe dava de acompanhar a mãe, coser com ela, e uma vez fui achá-la a enxugar-lhe os olhos. Meio vexado, pensei em imitá-la, e meti a mão no bolso para tirar o lenço. A mão entrou sem ternura, e, não achando o lenço, saiu sem pesar. Creio que ao gesto não faltava só originalidade, mas sinceridade também.

Não me censurem. Sincero fui longos dias calados e reclusos. Quis uma vez ir para o armarinho, que se abriu depois do enterro, onde o caixeiro continuou a servir. Conversaria com este, assistiria à venda de linhas e agulhas, à medição de fitas, iria à porta, à calçada, à esquina da rua... Minha mãe sufocou este sonho pouco depois dele nascer. Mal chegara ao balcão, mandou-me buscar pela escrava; lá fui para o interior da casa e para o estudo. Arrepelei-me, apertei os dedos à guisa de quem quer dar murro; não me lembra se chorei de raiva.

O livro lembrou-me a escola, e a imagem da escola consolou-me. Já então lhe tinha grandes saudades. Via de longe as caras dos meninos, os nossos gestos de troça nos bancos, e os saltos à saída. Senti cair-me na cara uma daquelas bolinhas de papel com que nos espertávamos uns aos outros, e fiz a minha e atirei-a ao meu suposto espertador. A bolinha, como acontecia às vezes, foi cair na cabeça de terceiro, que se desforrou depressa. Alguns, mais tímidos, limitavam-se a fazer caretas. Não era folguedo franco, mas já me valia por ele. Aquele degredo que eu deixei tão alegremente com tio Zeca, parecia-me agora um céu remoto, e tinha medo de o perder. Nenhuma festa em casa, poucas palavras, raro movimento. Foi por esse tempo que eu desenhei a lápis maior número de gatos nas margens do livro de leitura; gatos e porcos. Não alegrava, mas distraía.

A missa do sétimo dia restituiu-me à rua; no sábado não fui à escola, fui à casa de meu padrinho, onde pude falar um pouco mais, e no domingo estive à porta da loja. Não era alegria completa. A total alegria foi segunda-feira, na escola. Entrei vestido de preto, fui mirado com curiosidade, mas tão outro ao pé dos meus condiscípulos, que me esqueceram as férias sem gosto, e achei uma grande alegria sem férias.

Publicado originalmente em Relíquias de casa velha *(1906).*

Evolução

Chamo-me Inácio; ele, Benedito. Não digo o resto dos nossos nomes por um sentimento de compostura, que toda a gente discreta apreciará. Inácio basta. Contentem-se com Benedito. Não é muito, mas é alguma coisa, e está com a filosofia de Julieta: "Que valem nomes? perguntava ela ao namorado. A rosa, como quer que se lhe chame, terá sempre o mesmo cheiro". Vamos ao cheiro do Benedito.

E desde logo assentemos que ele era o menos Romeu deste mundo. Tinha quarenta e cinco anos, quando o conheci; não declaro em que tempo, porque tudo neste conto há de ser misterioso e truncado. Quarenta e cinco anos, e muitos cabelos pretos; para os que o não eram, usava um processo químico, tão eficaz que não se lhe distinguiam os pretos dos outros — salvo ao levantar da cama; mas ao levantar da cama não aparecia a ninguém. Tudo mais era natural, pernas, braços, cabeça, olhos, roupa, sapatos, corrente do relógio e bengala. O próprio alfinete de diamante, que trazia na gravata, um dos mais lindos que tenho visto, era natural e legítimo, custou-lhe bom dinheiro; eu mesmo o vi comprar na casa do... lá me ia escapando o nome do joalheiro; — fiquemos na rua do Ouvidor.

Moralmente, era ele mesmo. Ninguém muda de caráter, e o do Benedito era bom — ou para melhor dizer, pacato. Mas, intelectualmente, é que ele era menos original. Podemos compará-lo a uma hospedaria bem afreguesada, aonde iam ter ideias de toda parte e de toda sorte, que se sentavam à mesa com a família da casa. Às vezes, acontecia acharem-se ali duas pessoas inimigas, ou simplesmente antipáticas; ninguém brigava, o dono da casa impunha aos hóspedes a indulgência recíproca. Era assim que ele conseguia ajustar uma espécie de ateísmo vago com duas irmandades que fundou, não sei se na Gávea, na Tijuca ou no Engenho Velho. Usava assim, promiscuamente, a devoção, a irreligião e as meias de seda. Nunca lhe vi as meias, note-se; mas ele não tinha segredos para os amigos.

Conhecemo-nos em viagem para Vassouras. Tínhamos deixado o trem e entrado na diligência que nos ia levar da estação à cidade. Trocamos algumas palavras, e não tardou conversarmos francamente, ao sabor das circunstâncias que nos impunham a convivência, antes mesmo de saber quem éramos.

Naturalmente, o primeiro objeto foi o progresso que nos traziam as estradas de ferro. Benedito lembrava-se do tempo em que toda a jornada era feita às costas de burro. Contamos então algumas anedotas, falamos de alguns nomes, e ficamos de acordo em que as estradas de ferro eram uma condição de progresso do país. Quem nunca viajou não sabe o valor que tem uma dessas banalidades graves e sólidas para dissipar os tédios do caminho. O espírito areja-se, os próprios músculos recebem uma comunicação agradável, o sangue não salta, fica-se em paz com Deus e os homens.

— Não serão os nossos filhos que verão todo este país cortado de estradas — disse ele.

— Não, decerto. O senhor tem filhos?

— Nenhum.

— Nem eu. Não será ainda em cinquenta anos; e, entretanto, é a nossa primeira necessidade. Eu comparo o Brasil a uma criança que está engatinhando; só começará a andar quando tiver muitas estradas de ferro.

— Bonita ideia! — exclamou Benedito faiscando-lhe os olhos.

— Importa-me pouco que seja bonita, contanto que seja justa.

— Bonita e justa — redarguiu ele com amabilidade. — Sim, o senhor tem razão: — o Brasil está engatinhando; só começará a andar quando tiver muitas estradas de ferro.

Chegamos a Vassouras; eu fui para a casa do juiz municipal, camarada antigo; ele demorou-se um dia e seguiu para o interior. Oito dias depois voltei ao Rio de Janeiro, mas sozinho. Uma semana mais tarde, voltou ele; encontramo-nos no teatro, conversamos muito e trocamos notícias; Benedito acabou convidando-me a ir almoçar com ele no dia seguinte. Fui; deu-me um almoço de príncipe, bons charutos e palestra animada. Notei que a conversa dele fazia mais efeito no meio da viagem — arejando o espírito e deixando a gente em paz com Deus e os homens; mas devo dizer que o almoço pode ter prejudicado o resto. Realmente era magnífico; e seria impertinência histórica pôr a mesa de Luculo na casa de Platão. Entre o café e o conhaque, disse-me ele, apoiando o cotovelo na borda da mesa, e olhando para o charuto que ardia:

— Na minha viagem agora, achei ocasião de ver como o senhor tem razão com aquela ideia do Brasil engatinhando.

— Ah!

— Sim, senhor; é justamente o que o senhor dizia na diligência de Vassouras. Só começaremos a andar quando tivermos muitas estradas de ferro. Não imagina como isso é verdade.

E referiu muita coisa, observações relativas aos costumes do interior, dificuldades da vida, atraso, concordando, porém, nos bons sentimentos da população e nas aspirações de progresso. Infelizmente, o governo não correspondia às necessidades da pátria; parecia até interessado em mantê-la atrás das outras nações americanas. Mas era indispensável que nos persuadíssemos de que os princípios são tudo e os homens nada. Não se fazem os povos para os governos, mas os governos para os povos; e *abyssus abyssum invocat*. Depois foi mostrar-me outras salas. Eram todas alfaiadas com apuro. Mostrou-me as coleções de quadros, de moedas, de livros antigos, de selos, de armas; tinha espadas e floretes, mas confessou que não sabia esgrimir. Entre os quadros vi um lindo retrato de mulher; perguntei-lhe quem era. Benedito sorriu.

— Não irei adiante — disse eu sorrindo também.

— Não, não há que negar — acudiu ele —, foi uma moça de quem gostei muito. Bonita, não? Não imagina a beleza que era. Os lábios eram mesmo de carmim e as faces de rosa; tinha os olhos negros, cor da noite. E que dentes! verdadeiras pérolas. Um mimo da natureza.

Em seguida, passamos ao gabinete. Era vasto, elegante, um pouco trivial, mas não lhe faltava nada. Tinha duas estantes, cheias de livros muito bem encadernados, um mapa-múndi, dois mapas do Brasil. A secretária era de ébano, obra fina; sobre ela, casualmente aberto, um almanaque de Laemmert. O tinteiro era de cristal — "cristal de rocha", disse-me ele, explicando o tinteiro, como explicava as outras coisas. Na sala contígua havia um órgão. Tocava órgão, e gostava muito de música, falou dela com entusiasmo, citando as óperas, os trechos melhores, e noticiou-me que, em pequeno, começara a aprender flauta; abandonou-a logo — o que foi pena, concluiu, porque é, na verdade, um instrumento muito saudoso. Mostrou-me ainda outras salas, fomos ao jardim, que era esplêndido, tanto ajudava a arte à natureza, e tanto a natureza coroava a arte. Em rosas, por exemplo (não há negar, disse-me ele, que é a rainha das flores), em rosas, tinha-as de toda casta e de todas as regiões.

Saí encantado. Encontramo-nos algumas vezes, na rua, no teatro, em casa de amigos comuns, tive ocasião de apreciá-lo. Quatro meses depois fui à Europa, negócio que me obrigava a ausência de um ano; ele ficou cuidando da eleição; queria ser deputado. Fui eu mesmo que o induzi a isso, sem a menor intenção política, mas com o único fim de lhe ser agradável; mal comparando, era como se lhe elogiasse o corte do colete. Ele pegou da ideia, e apresentou-se. Um dia, atravessando uma rua de Paris, dei subitamente com o Benedito.

— Que é isto? — exclamei.

— Perdi a eleição — disse ele —, e vim passear à Europa.

Não me deixou mais; viajamos juntos o resto do tempo. Confessou-me que a perda da eleição não lhe tirara a ideia de entrar no parlamento. Ao contrário, incitara-o mais. Falou-me de um grande plano.

— Quero vê-lo ministro — disse-lhe.

Benedito não contava com esta palavra, o rosto iluminou-se-lhe; mas disfarçou depressa.

— Não digo isso — respondeu. — Quando, porém, seja ministro, creia que serei tão somente ministro industrial. Estamos fartos de partidos; precisamos desenvolver as forças vivas do país, os seus grandes recursos. Lembra-se do que nós dizíamos na diligência de Vassouras? O Brasil está engatinhando; só andará com estradas de ferro...

— Tem razão — concordei um pouco espantado. — E por que é que eu mesmo vim à Europa? Vim cuidar de uma estrada de ferro. Deixo as coisas arranjadas em Londres.

— Sim?

— Perfeitamente.

Mostrei-lhe os papéis; ele viu-os deslumbrado. Como eu tivesse então recolhido alguns apontamentos, dados estatísticos, folhetos, relatórios, cópias de contratos, tudo referente a matérias industriais, e lhos mostrasse, Benedito declarou-me que ia também coligir algumas coisas daquelas. E, na verdade, vi-o andar por ministérios, bancos, associações, pedindo muitas notas e opúsculos, que amontoava nas malas; mas o ardor com que o fez, se foi intenso, foi curto; era de empréstimo. Benedito recolheu com muito mais gosto os anexins políticos e fórmulas parlamentares. Tinha na cabeça um vasto arsenal deles. Nas conversas comigo repetia-os muita vez, à laia de experiência; achava neles grande prestígio e valor inestimável. Muitos eram de tradição inglesa, e ele os proferia aos outros, como trazendo em si um pouco da Câmara dos Comuns. Saboreava-os tanto que eu não sei se ele aceitaria jamais a liberdade real sem aquele aparelho verbal; creio que não. Creio até que, se tivesse de optar, optaria por essas formas curtas, tão cômodas, algumas lindas, outras sonoras, todas axiomáticas, que não forçam a reflexão, preenchem os vazios, e deixam a gente em paz com Deus e os homens.

Regressamos juntos; mas eu fiquei em Pernambuco, e tornei mais tarde a Londres, donde vim ao Rio de Janeiro, um ano depois. Já então Benedito era deputado. Fui visitá-lo; achei-o preparando o discurso de estreia. Mostrou-me alguns apontamentos, trechos de relatórios, livros de economia política; alguns com páginas marcadas, por meio de tiras de papel rubricadas assim: — *Câmbio, Taxa das terras, Questão dos cereais em Inglaterra, Opinião de Stuart Mill, Erro de Thiers sobre caminhos de ferro* etc. Era sincero, minucioso e cálido. Falava-me daquelas coisas, como se acabasse de as descobrir, expondo-me tudo, *ab ovo*; tinha a peito mostrar aos homens práticos da Câmara que também ele era prático. Em seguida, perguntou-me pela empresa; disse-lhe o que havia.

— Dentro de dois anos conto inaugurar o primeiro trecho da estrada.
— E os capitalistas ingleses?
— Que tem?
— Estão contentes, esperançados?
— Muito; não imagina.

Contei-lhe algumas particularidades técnicas, que ele ouviu distraidamente — ou porque a minha narração fosse em extremo complicada, ou por outro motivo. Quando acabei, disse-me que estimava ver-me entregue ao movimento industrial; era dele que precisávamos, e a este propósito fez-me o favor de ler o exórdio do discurso que devia proferir dali a dias.

— Está ainda em borrão — explicou-me —; mas as ideias capitais ficam. E começou: "No meio da agitação crescente dos espíritos, do alarido partidário que encobre as vozes dos legítimos interesses, permiti que alguém faça ouvir uma súplica da nação. Senhores, é tempo de cuidar exclusivamente — notai que digo exclusivamente — dos melhoramentos materiais do país. Não desconheço o que se me pode replicar; dir-me-eis que uma nação não se compõe só de estômago para digerir, mas de cabeça para pensar e de coração para sentir. Respondo-vos que tudo isso não valerá nada ou pouco, se ela não tiver pernas para caminhar; e aqui repetirei o que, há alguns anos, dizia eu a um amigo, em viagem pelo interior: o Brasil é uma criança que engatinha; só começará a andar quando estiver cortado de estradas de ferro...".

Não pude ouvir mais nada e fiquei pensativo. Mais que pensativo, fiquei assombrado, desvairado diante do abismo que a psicologia rasgava aos meus pés. Este homem é sincero, pensei comigo, está persuadido do que escreveu. E fui por aí abaixo até ver se achava a explicação dos trâmites por que passou aquela recordação da diligência de Vassouras. Achei (perdoem-me se há nisto enfatuação), achei ali mais um efeito da lei da evolução, tal como a definiu Spencer — Spencer ou Benedito, um deles.

Gazeta de Notícias, *24 de junho de 1884; Machado de Assis.*

Pílades e Orestes

Quintanilha engendrou Gonçalves. Tal era a impressão que davam os dois juntos, não que se parecessem. Ao contrário, Quintanilha tinha o rosto redondo, Gonçalves comprido, o primeiro era baixo e moreno, o segundo alto e claro, e a expressão total divergia inteiramente. Acresce que eram quase da mesma idade. A ideia da paternidade nascia das maneiras com que o primeiro tratava o segundo; um pai não se desfaria mais em carinhos, cautelas e pensamentos.

Tinham estudado juntos, morado juntos, e eram bacharéis do mesmo ano. Quintanilha não seguiu advocacia nem magistratura, meteu-se na política; mas, eleito deputado provincial em 187..., cumpriu o prazo da legislatura e abandonou a carreira. Herdara os bens de um tio, que lhe davam de renda cerca de trinta contos de réis. Veio para o seu Gonçalves, que advogava no Rio de Janeiro.

Posto que abastado, moço, amigo do seu único amigo, não se pode dizer que Quintanilha fosse inteiramente feliz, como vais ver. Ponho de lado o desgosto que lhe trouxe a herança com o ódio dos parentes; tal ódio foi que ele esteve prestes a abrir mão dela, e não o fez porque o amigo Gonçalves, que lhe dava ideias e conselhos, o convenceu de que semelhante ato seria rematada loucura.

— Que culpa tem você que merecesse mais a seu tio que os outros parentes? Não foi você que fez o testamento nem andou a bajular o defunto, como os outros. Se ele deixou tudo a você, é que o achou melhor que eles; fique-se com a fortuna, que é a vontade do morto, e não seja tolo.

Quintanilha acabou concordando. Dos parentes alguns buscaram reconciliar-se com ele, mas o amigo mostrou-lhe a intenção recôndita dos tais, e Quintanilha não lhes abriu a porta. Um desses, ao vê-lo ligado com o antigo companheiro de estudos, bradava por toda a parte:

— Aí está, deixa os parentes para se meter com estranhos; há de ver o fim que leva.

Ao saber disto, Quintanilha correu a contá-lo a Gonçalves, indignado. Gonçalves sorriu, chamou-lhe tolo e aquietou-lhe o ânimo; não valia a pena irritar-se por ditinhos.

— Uma só coisa desejo — continuou —, é que nos separemos, para que se não diga...

— Que se não diga o quê? É boa! Tinha que ver, se eu passava a escolher as minhas amizades conforme o capricho de alguns peraltas sem-vergonha!

— Não fale assim, Quintanilha. Você é grosseiro com seus parentes.

— Parentes do diabo que os leve! Pois eu hei de viver com as pessoas que me forem designadas por meia dúzia de velhacos que o que querem é comer-me o dinheiro? Não, Gonçalves; tudo o que você quiser, menos isso. Quem escolhe os meus amigos sou eu, é o meu coração. Ou você está... está aborrecido de mim?

— Eu? Tinha graça.

— Pois então?

— Mas é...

— Não é tal!

A vida que viviam os dois era a mais unida deste mundo. Quintanilha acordava, pensava no outro, almoçava e ia ter com ele. Jantavam juntos, faziam alguma visita, passeavam ou acabavam a noite no teatro. Se Gonçalves tinha algum trabalho que fazer à noite, Quintanilha ia ajudá-lo como obrigação; dava busca aos textos de lei, marcava-os, copiava-os, carregava os livros. Gonçalves esquecia com facilidade, ora um recado, ora uma carta, sapatos, charutos, papéis. Quintanilha supria-lhe a memória. Às vezes, na rua do Ouvidor, vendo passar as moças, Gonçalves lembrava-se de uns autos que deixara no escritório. Quintanilha voava a buscá-los e tornava com eles, tão contente que não se podia saber se eram autos, se a sorte grande; procurava-o ansiosamente com os olhos, corria, sorria, morria de fadiga.

— São estes?

— São; deixa ver, são estes mesmos. Dá cá.

— Deixa, eu levo.

A princípio, Gonçalves suspirava:

— Que maçada que dei a você!

Quintanilha ria do suspiro com tão bom humor que o outro, para não o molestar, não se acusou de mais nada; concordou em receber os obséquios. Com o tempo, os obséquios ficaram sendo puro ofício. Gonçalves dizia ao outro: "Você hoje há de lembrar-me isto e aquilo". E o outro decorava as recomendações, ou escrevia-as, se eram muitas. Algumas dependiam de horas; era de ver como o bom Quintanilha suspirava aflito, à espera que chegasse tal ou tal hora para ter o gosto de lembrar os negócios ao amigo. E levava-lhe as cartas e papéis, ia buscar as respostas, procurar as pessoas, esperá-las na estrada de ferro, fazia viagens ao interior. De si mesmo descobria-lhe bons charutos, bons jantares, bons espetáculos. Gonçalves já não tinha liberdade de falar de um livro novo, ou somente caro, que não achasse um exemplar em casa.

— Você é um perdulário — dizia-lhe em tom repressivo.

— Então gastar com letras e ciências é botar fora? É boa! — concluía o outro.

No fim do ano quis obrigá-lo a passar fora as férias. Gonçalves acabou aceitando, e o prazer que lhe deu com isto foi enorme. Subiram a Petrópolis. Na volta, serra abaixo, como falassem de pintura, Quintanilha advertiu que não tinham ainda uma tela com o retrato dos dois, e mandou fazê-la. Quando a levou ao amigo, este não pôde deixar de lhe dizer que não prestava para nada. Quintanilha ficou sem voz.

— É, uma porcaria — insistiu Gonçalves.

— Pois o pintor disse-me...

— Você não entende de pintura, Quintanilha, e o pintor aproveitou a ocasião para meter a espiga. Pois isto é cara decente? Eu tenho este braço torto?

— Que ladrão!

— Não, ele não tem culpa, fez o seu negócio; você é que não tem o sentimento da arte, nem prática, e espichou-se redondamente. A intenção foi boa, creio...

— Sim, a intenção foi boa.

— E aposto que já pagou?

— Já.

Gonçalves abanou a cabeça, chamou-lhe ignorante e acabou rindo. Quintanilha, vexado e aborrecido, olhava para a tela, até que sacou de um canivete e rasgou-a de alto a baixo. Como se não bastasse esse gesto de vingança, devolveu a pintura ao artista com um bilhete em que lhe transmitiu alguns dos nomes recebidos e mais o de asno. A vida tem muitas de tais pagas. Demais, uma letra de Gonçalves que se venceu dali a dias e que este não pôde pagar, veio trazer ao espírito de Quintanilha uma diversão. Quase brigaram; a ideia de Gonçalves era reformar a letra; Quintanilha, que era o endossante, entendia não valer a pena pedir o favor por tão escassa quantia (um conto e quinhentos), ele emprestaria o valor da letra, e o outro que lhe pagasse, quando pudesse. Gonçalves não consentiu e fez-se a reforma. Quando, ao fim dela, a situação se repetiu, o mais que este admitiu foi aceitar uma letra de Quintanilha, com o mesmo juro.

— Você não vê que me envergonha, Gonçalves? Pois eu hei de receber juro de você...?

— Ou recebe, ou não fazemos nada.

— Mas, meu querido...

Teve que concordar. A união dos dois era tal que uma senhora chamava-lhes os "casadinhos de fresco", e um letrado, Pílades e Orestes. Eles riam, naturalmente, mas o riso de Quintanilha trazia alguma coisa parecida com lágrimas: era, nos olhos, uma ternura úmida. Outra diferença é que o sentimento de Quintanilha tinha uma nota de entusiasmo, que absolutamente faltava ao de Gonçalves; mas, entusiasmo não se inventa. É claro que o segundo era mais capaz de inspirá-lo ao primeiro do que este a ele. Em verdade, Quintanilha era mui sensível a qualquer distinção; uma palavra, um olhar bastava a acender-lhe o cérebro. Uma pancadinha no ombro ou no ventre, com o fim de aprová-lo ou só acentuar a intimidade, era para derretê-lo de prazer. Contava o gesto e as circunstâncias durante dois e três dias.

Não era raro vê-lo irritar-se, teimar, descompor os outros. Também era comum vê-lo rir-se; alguma vez o riso era universal, entornava-se-lhe da boca, dos olhos, da testa, dos braços, das pernas, todo ele era um riso único. Sem ter paixões, estava longe de ser apático.

A letra sacada contra Gonçalves tinha o prazo de seis meses. No dia do vencimento, não só não pensou em cobrá-la, mas resolveu ir jantar a algum arrabalde para não ver o amigo, se fosse convidado à reforma. Gonçalves destruiu todo esse plano; logo cedo, foi levar-lhe o dinheiro. O primeiro gesto de Quintanilha foi recusá-lo, dizendo-lhe que o guardasse, podia precisar dele; o devedor teimou em pagar e pagou.

Quintanilha acompanhava os atos de Gonçalves; via a constância do seu trabalho, o zelo que ele punha na defesa das demandas, e vivia cheio de admiração. Realmente, não era grande advogado, mas na medida das suas habilitações, era distinto.

— Você por que não se casa? — perguntou-lhe um dia —; um advogado precisa casar.

Gonçalves respondia rindo. Tinha uma tia, única parenta, a quem ele queria muito, e que lhe morreu, quando eles iam em trinta anos. Dias depois, dizia ao amigo:

— Agora só me resta você.

Quintanilha sentiu os olhos molhados, e não achou que lhe respondesse. Quando se lembrou de dizer que "iria até a morte" era tarde. Redobrou então de carinhos, e um dia acordou com a ideia de fazer testamento. Sem revelar nada ao outro, nomeou-o testamenteiro e herdeiro universal.

— Guarde-me este papel, Gonçalves — disse-lhe entregando o testamento. — Sinto-me forte, mas a morte é fácil, e não quero confiar a qualquer pessoa as minhas últimas vontades.

Foi por esse tempo que sucedeu um caso que vou contar.

Quintanilha tinha uma prima segunda, Camila, moça de vinte e dois anos, modesta, educada e bonita. Não era rica; o pai, João Bastos, era guarda-livros de uma casa de café. Haviam brigado por ocasião da herança; mas, Quintanilha foi ao enterro da mulher de João Bastos, e este ato de piedade novamente os ligou. João Bastos esqueceu facilmente alguns nomes crus que dissera do primo, chamou-lhe outros nomes doces, e pediu-lhe que fosse jantar com ele. Quintanilha foi e tornou a ir. Ouviu ao primo o elogio da finada mulher; numa ocasião em que Camila os deixou sós, João Bastos louvou as raras prendas da filha, que afirmava haver recebido integralmente a herança moral da mãe.

— Não direi isto nunca à pequena, nem você lhe diga nada. É modesta, e, se começarmos a elogiá-la, pode perder-se. Assim, por exemplo, nunca lhe direi que é tão bonita como foi a mãe, quando tinha a idade dela; pode ficar vaidosa. Mas a verdade é que é mais, não lhe parece? Tem ainda o talento de tocar piano, que a mãe não possuía.

Quando Camila voltou à sala de jantar, Quintanilha sentiu vontade de lhe descobrir tudo, conteve-se e piscou o olho ao primo. Quis ouvi-la ao piano; ela respondeu, cheia de melancolia:

— Ainda não, há apenas um mês que mamãe faleceu, deixe passar mais tempo. Demais, eu toco mal.

— Mal?

— Muito mal.

Quintanilha tornou a piscar o olho ao primo, e ponderou à moça que a prova de tocar bem ou mal só se dava ao piano. Quanto ao prazo, era certo que apenas passara um mês; todavia era também certo que a música era uma distração natural e elevada. Além disso, bastava tocar um pedaço triste. João Bastos aprovou este modo de ver e lembrou uma composição elegíaca. Camila abanou a cabeça.

— Não, não, sempre é tocar piano; os vizinhos são capazes de inventar que eu toquei uma polca.

Quintanilha achou graça e riu. Depois concordou e esperou que os três meses fossem passados. Até lá, viu a prima algumas vezes, sendo as três últimas visitas mais próximas e longas. Enfim, pôde ouvi-la tocar piano, e gostou. O pai confessou que, ao princípio, não gostava muito daquelas músicas alemãs; com o tempo e o costume achou-lhes sabor. Chamava à filha "a minha alemãzinha", apelido que foi adotado por Quintanilha apenas modificado para o plural: "a nossa alemãzinha". Pronomes possessivos dão intimidade; dentro em pouco, ela existia entre os três — ou quatro, se contarmos Gonçalves, que ali foi apresentado pelo amigo —; mas fiquemos nos três.

Que ele é coisa já farejada por ti, leitor sagaz. Quintanilha acabou gostando da moça. Como não, se Camila tinha uns longos olhos mortais? Não é que os pousasse muita vez nele, e, se o fazia, era com tal ou qual constrangimento, a princípio, como as crianças que obedecem sem vontade às ordens do mestre ou do pai; mas pousava-os, e eles eram tais que, ainda sem intenção, feriam de morte. Também sorria com frequência e falava com graça. Ao piano, e por mais aborrecida que tocasse, tocava bem. Em suma, Camila não faria obra de impulso próprio, sem ser por isso menos feiticeira. Quintanilha descobriu um dia de manhã que sonhara com ela a noite toda, à noite que pensara nela todo o dia, e concluiu da descoberta que a amava e era amado. Tão tonto ficou que esteve prestes a imprimi-lo nas folhas públicas. Quando menos, quis dizê-lo ao amigo Gonçalves e correu ao escritório deste. A afeição de Quintanilha complicava-se de respeito e temor. Quase a abrir a boca, engoliu outra vez o segredo. Não ousou dizê-lo nesse dia nem no outro.

Antes dissesse; talvez fosse tempo de vencer a campanha. Adiou a revelação por uma semana. Um dia foi jantar com o amigo, e, depois de muitas hesitações, disse-lhe tudo; amava a prima e era amado.

— Você aprova, Gonçalves?

Gonçalves empalideceu — ou, pelo menos, ficou sério; nele a seriedade confundia-se com a palidez. Mas, não; verdadeiramente ficou pálido.

— Aprova? — repetiu Quintanilha.

Após alguns segundos, Gonçalves ia abrir a boca para responder, mas fechou-a de novo, e fitou os olhos "em ontem", como ele mesmo dizia de si, quando os estendia ao longe. Em vão Quintanilha teimou em saber o que era, o que pensava, se aquele amor era *asneira*. Estava tão acostumado a ouvir-lhe este vocábulo que já lhe não doía nem afrontava, ainda em matéria tão melindrosa e pessoal. Gonçalves tornou a si daquela meditação, sacudiu os ombros, com ar desenganado, e murmurou esta palavra tão surdamente que o outro mal a pôde ouvir:

— Não me pergunte nada; faça o que quiser.

— Gonçalves, que é isso? — perguntou Quintanilha, pegando-lhe nas mãos, assustado.

Gonçalves soltou um grande suspiro, que, se tinha asas, ainda agora estará voando. Tal foi, sem esta forma paradoxal, a impressão de Quintanilha. O relógio da sala de jantar bateu oito horas, Gonçalves alegou que ia visitar um desembargador, e o outro despediu-se.

Na rua, Quintanilha parou atordoado. Não acabava de entender aqueles gestos, aquele suspiro, aquela palidez, todo o efeito misterioso da notícia dos seus amores. Entrara e falara, disposto a ouvir do outro um ou mais daqueles epítetos costumados e amigos, idiota, crédulo, paspalhão, e não ouviu nenhum. Ao contrário, havia nos gestos de Gonçalves alguma coisa que pegava com o respeito. Não se lembrava de nada, ao jantar, que pudesse tê-lo ofendido; foi só depois de lhe confiar o sentimento novo que trazia a respeito da prima que o amigo ficou acabrunhado.

— Mas, não pode ser — pensava ele —; o que é que Camila tem que não possa ser boa esposa?

Nisto gastou, parado, defronte da casa, mais de meia hora. Advertiu então que Gonçalves não saíra. Esperou mais meia hora, nada. Quis entrar outra vez, abraçá-lo, interrogá-lo... Não teve forças; enfiou pela rua fora, desesperado. Chegou à casa de João Bastos, e não viu Camila; tinha-se recolhido, constipada. Queria justamente contar-lhe tudo, e aqui é preciso explicar que ele ainda não se havia declarado à prima. Os olhares da moça não fugiam dos seus; era tudo, e podia não passar de faceirice. Mas o lance não podia ser melhor para clarear a situação. Contando o que se passara com o amigo, tinha o ensejo de lhe fazer saber que a amava e ia pedi-la ao pai. Era uma consolação no meio daquela agonia; o acaso negou-lha, e Quintanilha saiu da casa, pior do que entrara. Recolheu-se à sua.

Não dormiu antes das duas horas da manhã, e não foi para repouso, senão para agitação maior e nova. Sonhou que ia a atravessar uma ponte velha e longa, entre duas montanhas, e a meio caminho viu surdir debaixo um vulto e fincar os pés defronte dele. Era Gonçalves. "Infame, disse este com os olhos acesos, por que me vens tirar a noiva de meu coração, a mulher que eu amo e é minha? Toma, toma logo o meu coração, é mais completo." E com um gesto rápido abriu o peito, arrancou o coração e meteu-lho na boca. Quintanilha tentou pegar da víscera amiga e repô-la no peito de Gonçalves; foi impossível. Os queixos acabaram por fechá-la. Quis cuspi-la, e foi pior; os dentes cravaram-se no coração. Quis falar, mas vá alguém falar com a boca cheia daquela maneira. Afinal o amigo ergueu os braços e estendeu-lhe as mãos com o gesto de maldição que ele vira nos melodramas, em dias de rapaz; logo depois, brotaram-lhe dos olhos duas imensas lágrimas, que encheram o vale de água, atirou-se abaixo e desapareceu. Quintanilha acordou sufocado.

A ilusão do pesadelo era tal que ele ainda levou as mãos à boca, para arrancar de lá o coração do amigo. Achou a língua somente, esfregou os olhos e sentou-se. Onde estava? Que era? E a ponte? E o Gonçalves? Voltou a si de todo, compreendeu e novamente se deitou, para outra insônia, menor que a primeira, é certo; veio a dormir às quatro horas.

De dia, rememorando toda a véspera, realidade e sonho, chegou à conclusão de que o amigo Gonçalves era seu rival, amava a prima dele, era talvez amado por ela... Sim, sim, podia ser. Quintanilha passou duas horas cruéis. Afinal pegou em si e foi ao escritório de Gonçalves, para saber tudo de uma vez; e, se fosse verdade, sim, se fosse verdade...

Gonçalves redigia umas razões de embargo. Interrompeu-as para fitá-lo um instante, erguer-se, abrir o armário de ferro, onde guardava os papéis graves, tirar de lá o testamento de Quintanilha, e entregá-lo ao testador.

— Que é isto?

— Você vai mudar de estado — respondeu Gonçalves, sentando-se à mesa.

Quintanilha sentiu-lhe lágrimas na voz; assim lhe pareceu, ao menos. Pediu-lhe que guardasse o testamento; era o seu depositário natural. Instou muito; só lhe respondia o som áspero da pena correndo no papel. Não corria bem a pena, a letra era tremida, as emendas mais numerosas que de costume, provavelmente as datas erradas. A consulta dos livros era feita com tal melancolia que entristecia o outro. Às vezes, parava tudo, pena e consulta, para só ficar o olhar fito "em ontem".

— Entendo — disse Quintanilha subitamente —; ela será tua.

— Ela quem? — quis perguntar Gonçalves, mas já o amigo voava, escada abaixo, como uma flecha, e ele continuou as suas razões de embargo.

Não se adivinha todo o resto; basta saber o final. Nem se adivinha nem se crê; mas a alma humana é capaz de esforços grandes, no bem como no mal. Quintanilha fez outro testamento, legando tudo à prima, com a condição de desposar o amigo. Camila não aceitou o testamento, mas ficou tão contente, quando o primo lhe falou das lágrimas de Gonçalves, que aceitou Gonçalves e as lágrimas. Então Quintanilha não achou melhor remédio que fazer terceiro testamento legando tudo ao amigo.

O final da história foi dito em latim. Quintanilha serviu de testemunha ao noivo, e de padrinho aos dois primeiros filhos. Um dia em que, levando doces para os afilhados, atravessava a praça Quinze de Novembro, recebeu uma bala revoltosa

(1893) que o matou quase instantaneamente. Está enterrado no cemitério de São João Batista; a sepultura é simples, a pedra tem um epitáfio que termina com esta pia frase: "Orai por ele!". É também o fecho da minha história. Orestes vive ainda, sem os remorsos do modelo grego. Pílades é agora o personagem mudo de Sófocles. Orai por ele!

Almanaque Brasileiro Garnier, *janeiro de 1903; Machado de Assis.*

Anedota do cabriolé

— Cabriolé está aí, sim, senhor — dizia o preto que viera à matriz de São José chamar o vigário para sacramentar dois moribundos.

A geração de hoje não viu a entrada e a saída do cabriolé no Rio de Janeiro. Também não saberá do tempo em que o *cab* e o tílburi vieram para o rol dos nossos veículos de praça ou particulares. O *cab* durou pouco. O tílburi, anterior aos dois, promete ir à destruição da cidade. Quando esta acabar e entrarem os cavadores de ruínas, achar-se-á um parado, com o cavalo e o cocheiro em ossos, esperando o freguês do costume. A paciência será a mesma de hoje, por mais que chova, a melancolia maior, como quer que brilhe o sol, porque juntará a própria atual à do espectro dos tempos. O arqueólogo dirá coisas raras sobre os três esqueletos. O cabriolé não teve história; deixou apenas a anedota que vou dizer.

— Dois! — exclamou o sacristão.

— Sim, senhor, dois: nhã Anunciada e nhô Pedrinho. Coitado de nhô Pedrinho! E nhã Anunciada, coitada! — continuou o preto a gemer, andando de um lado para outro, aflito, fora de si.

Alguém que leia isto com a alma turva de dúvidas, é natural que pergunte se o preto sentia deveras, ou se queria picar a curiosidade do coadjutor e do sacristão. Eu estou que tudo se pode combinar neste mundo, como no outro. Creio que ele sentia deveras; não descreio que ansiasse por dizer alguma história terrível. Em todo caso, nem o coadjutor nem o sacristão lhe perguntavam nada.

Não é que o sacristão não fosse curioso. Em verdade, pouco mais era que isso. Trazia a paróquia de cor; sabia os nomes às devotas, a vida delas, a dos maridos e a dos pais, as prendas e os recursos de cada uma, e o que comiam, e o que bebiam, e o que diziam, os vestidos e as virtudes, os dotes das solteiras, o comportamento das casadas, as saudades das viúvas. Pesquisava tudo; nos intervalos ajudava a missa e o resto. Chamava-se João das Mercês, homem quarentão, pouca barba e grisalho, magro e meão.

— Que Pedrinho e que Anunciada serão esses? — dizia consigo, acompanhando o coadjutor.

Embora ardesse por sabê-los, a presença do coadjutor impediria qualquer pergunta. Este ia tão calado e pio, caminhando para a porta da igreja, que era força mostrar o mesmo silêncio e piedade que ele. Assim foram andando. O cabriolé esperava-os; o cocheiro desbarretou-se, os vizinhos e alguns passantes ajoelharam-se, enquanto o padre e o sacristão entravam e o veículo enfiava pela rua da Misericórdia. O preto desandou o caminho a passo largo.

Que andem burros e pessoas na rua, e as nuvens no céu, se as há, e os pensamentos nas cabeças, se os têm. A do sacristão tinha-os vários e confusos. Não era acerca do nosso-pai, embora soubesse adorá-lo, nem da água benta e do hissope que levava; também não era acerca da hora — oito e quarto da noite — aliás, o céu estava claro e a lua ia aparecendo. O próprio cabriolé, que era novo na terra, e substituía neste caso a sege, esse mesmo veículo não ocupava o cérebro todo de João das Mercês, a não ser na parte que pegava com nhô Pedrinho e nhã Anunciada.

— Há de ser gente nova — ia pensando o sacristão — mas hóspede em alguma casa, decerto, porque não há casa vazia na praia, e o número é da do comendador Brito. Parentes, serão? Que parentes, se nunca ouvi...? Amigos, não sei; conhecidos, talvez, simples conhecidos. Mas então mandariam cabriolé? Este mesmo preto é novo na casa; há de ser escravo de um dos moribundos, ou de ambos.

Era assim que João das Mercês ia cogitando, e não foi por muito tempo. O cabriolé parou à porta de um sobrado, justamente a casa do comendador Brito, José Martins de Brito. Já havia algumas pessoas embaixo com velas, o padre e o sacristão apearam-se e subiram a escada, acompanhados do comendador. A esposa deste, no patamar, beijou o anel ao padre. Gente grande, crianças, escravos, um burburinho surdo, meia claridade, e os dois moribundos à espera, cada um no seu quarto, ao fundo.

Tudo se passou como é de uso e regra, em tais ocasiões. Nhô Pedrinho foi absolvido e ungido, nhã Anunciada também, e o coadjutor despediu-se da casa para tornar à matriz com o sacristão. Este não se despediu do comendador sem lhe perguntar ao ouvido se os dois eram parentes seus. Não, não eram parentes, respondeu Brito; eram amigos de um sobrinho que vivia em Campinas; uma história terrível... Os olhos de João das Mercês escutaram arregaladamente estas duas palavras, e disseram, sem falar, que viriam ouvir o resto — talvez naquela mesma noite. Tudo foi rápido, porque o padre descia a escada, era força ir com ele.

Foi tão curta a moda do cabriolé que este provavelmente não levou outro padre a moribundos. Ficou-lhe a anedota, que vou acabar já, tão escassa foi ela, uma anedota de nada. Não importa.

Qualquer que fosse o tamanho ou a importância, era sempre uma fatia de vida para o sacristão, que ajudou o padre a guardar o pão sagrado, a despir a sobrepeliz, e a fazer tudo mais, antes de se despedir e sair. Saiu, enfim, a pé, rua acima, praia fora, até parar à porta do comendador.

Em caminho foi evocando toda a vida daquele homem, antes e depois da comenda. Compôs o negócio, que era fornecimento de navios, creio eu, a família, as festas dadas, os cargos paroquiais, comerciais e eleitorais, e daqui aos boatos e anedotas não houve mais que um passo ou dois. A grande memória de João das Mercês guardava todas as coisas, máximas e mínimas, com tal nitidez que pareciam da véspera, e tão completas que nem o próprio objeto delas era capaz de as repetir iguais. Sabia-as como o padre-nosso, isto é, sem pensar nas palavras; ele rezava tal qual comia, mastigando a oração, que lhe saía dos queixos sem sentir. Se a regra mandasse rezar três dúzias de padre-nossos seguidamente, João das Mercês os diria ser contar. Tal era com as vidas alheias; amava sabê-las, pesquisava-as, decorava-as, e nunca mais lhe saíam da memória.

Na paróquia todos lhe queriam bem, porque ele não enredava nem maldizia. Tinha o amor da arte pela arte. Muita vez nem era preciso perguntar nada. José dizia-lhe a vida de Antônio e Antônio a de José. O que ele fazia era ratificar ou retificar um com outro, e os dois com Sancho, Sancho com Martinho, e vice-versa, todos com todos. Assim é que enchia as horas vagas, que eram muitas. Alguma vez, à própria missa, recordava uma anedota da véspera, e, a princípio, pedia perdão a Deus; deixou de lho pedir quando refletiu que não falhava uma só palavra ou gesto do santo sacrifício, tão consubstanciados os trazia em si. A anedota que então revivia por instantes, era como a andorinha que atravessa uma paisagem. A paisagem fica sendo a mesma, e a água, se há água, murmura o mesmo som. Esta comparação, que era dele, valia mais do que ele pensava, porque a andorinha, ainda voando, faz parte da paisagem, e a anedota fazia nele parte da pessoa; era um dos seus atos de viver.

Quando chegou à casa do comendador, tinha desfiado o rosário da vida deste, e entrou com o pé direito para não sair mal. Não pensou em sair cedo, por mais aflita que fosse a ocasião, e nisto a fortuna o ajudou. Brito estava na sala da frente, em conversa com a mulher, quando lhe vieram dizer que João das Mercês perguntava pelo estado dos moribundos. A esposa retirou-se da sala, o sacristão entrou pedindo desculpas e dizendo que era por pouco tempo; ia passando e lembrara-se de saber se os enfermos tinham ido para o céu — ou se ainda eram deste mundo. Tudo o que dissesse respeito ao comendador seria ouvido por ele com interesse.

— Não morreram, nem sei se escaparão; quando menos, ela creio que morrerá — concluiu Brito.

— Parecem bem mal.

— Ela, principalmente; também é a que mais padece da febre. A febre os pegou aqui em nossa casa, logo que chegaram de Campinas, há dias.

— Já estavam aqui? — perguntou o sacristão, pasmado de o não saber.

— Já; chegaram há quinze dias — ou quatorze. Vieram com o meu sobrinho Carlos e aqui apanharam a doença...

Brito interrompeu o que ia dizendo; assim pareceu ao sacristão, que pôs no semblante toda a expressão de pessoa que espera o resto. Entretanto, como o outro estivesse a morder os beiços e a olhar para as paredes, não viu o gesto de espera, e ambos se detiveram calados. Brito acabou andando ao longo da sala, enquanto João das Mercês dizia consigo que havia alguma coisa mais que febre. A primeira ideia que lhe acudiu foi se os médicos teriam errado na doença ou no remédio; também pensou que podia ser outro mal escondido, a que deram o nome de febre para encobrir a verdade. Ia acompanhando com os olhos o comendador, enquanto este andava e desandava a sala toda, apagando os passos para não aborrecer mais os que estavam dentro. De lá vinha algum murmúrio de conversação, chamado, recado, porta que se abria ou fechava. Tudo isso era coisa nenhuma para quem tivesse outro cuidado; mas o nosso sacristão já agora não tinha mais que saber o que não sabia. Quando menos, a família dos enfermos, a posição, o atual estado, alguma página da vida deles, tudo era conhecer algo, por mais arredado que fosse da paróquia.

— Ah! — exclamou Brito estacando o passo.

Parecia haver nele o desejo impaciente de referir um caso — a "história terrível", que anunciara ao sacristão, pouco antes; mas nem este ousava pedi-la nem aquele dizê-la, e o comendador pegou a andar outra vez.

João das Mercês sentou-se. Viu bem que em tal situação cumpria despedir-se com boas palavras de esperança ou de conforto, e voltar no dia seguinte; preferiu sentar-se e aguardar. Não viu na cara do outro nenhum sinal de reprovação do seu gesto; ao contrário, ele parou defronte e suspirou com grande cansaço.

— Triste, sim, triste — concordou João das Mercês. — Boas pessoas, não?
— Iam casar.
— Casar? Noivos um do outro?

Brito confirmou de cabeça. A nota era melancólica, mas não havia sinal da história terrível anunciada, e o sacristão esperou por ela. Observou consigo que era a primeira vez que ouvia alguma coisa de gente que absolutamente não conhecia. As caras, vistas há pouco, eram o único sinal dessas pessoas. Nem por isso se sentia menos curioso. Iam casar... Podia ser que a história terrível fosse isso mesmo. Em verdade, atacados de um mal na véspera de um bem, o mal devia ser terrível. Noivos e moribundos...

Vieram trazer recado ao dono da casa; este pediu licença ao sacristão, tão depressa que nem deu tempo a que ele se despedisse e saísse. Correu para dentro, e lá ficou cinquenta minutos. Ao cabo, chegou à sala um pranto sufocado; logo após, tornou o comendador.

— Que lhe dizia eu, há pouco? Quando menos, ela ia morrer; morreu.

Brito disse isto sem lágrimas e quase sem tristeza. Conhecia a defunta de pouco tempo. As lágrimas, segundo referiu, eram do sobrinho de Campinas e de uma parenta da defunta, que morava em Mata-porcos. Daí a supor que o sobrinho do comendador gostasse da noiva do moribundo foi um instante para o sacristão, mas não se lhe pegou a ideia por muito tempo; não era forçoso, e depois se ele próprio os acompanhara... Talvez fosse padrinho de casamento. Quis saber, e era natural — o nome da defunta. O dono da casa — ou por não querer dar-lho — ou porque outra ideia lhe tomasse agora a cabeça — não declarou o nome da noiva, nem do noivo. Ambas as causas seriam.

— Iam casar...
— Deus a receberá em sua santa guarda, e a ele também, se vier a expirar — disse o sacristão cheio de melancolia.

E esta palavra bastou a arrancar metade do segredo que parece ansiava por sair da boca do fornecedor de navios. Quando João das Mercês lhe viu a expressão dos olhos, o gesto com que o levou à janela, e o pedido que lhe fez de jurar — jurou por todas as almas dos seus que ouviria e calaria tudo. Nem era homem de assoalhar as confidências alheias, mormente as de pessoas gradas e honradas, como era o comendador. Ao que este se deu por satisfeito e animado, e então lhe confiou a primeira metade do segredo, a qual era que os dois noivos, criados juntos, vinham casar aqui quando souberam, pela parenta de Mata-porcos, uma notícia abominável...

— E foi...? — precipitou-se em dizer João das Mercês, sentindo alguma hesitação no comendador.

— Que eram irmãos.
— Irmãos como? Irmãos de verdade?
— De verdade; irmãos por parte de mãe. O pai é que não era o mesmo. A parenta não lhes disse tudo nem claro, mas jurou que era assim, e eles ficaram fulminados durante um dia ou mais...

João das Mercês não ficou menos espantado que eles; dispôs-se a não sair dali sem saber o resto. Ouviu dez horas, ouviria todas as demais da noite, velaria o cadáver de um ou de ambos, uma vez que pudesse juntar mais esta página às outras da paróquia, embora não fosse da paróquia.

— E vamos, vamos, foi então que a febre os tomou...?

Brito cerrou os dentes para não dizer mais nada. Como, porém, o viessem chamar de dentro, acudiu depressa, e meia hora depois estava de volta, com a nova do segundo passamento. O choro, agora mais fraco, posto que mais esperado, não havendo já de quem o esconder, trouxera a notícia ao sacristão.

— Lá se foi o outro, o irmão, o noivo... Que Deus lhes perdoe! Saiba agora tudo, meu amigo. Saiba que eles se queriam tanto que alguns dias depois de conhecido o impedimento natural e canônico do consórcio, pegaram de si e, fiados em serem apenas meios-irmãos e não irmãos inteiros, meteram-se em um cabriolé e fugiram de casa. Dado logo o alarma, alcançamos pegar o cabriolé em caminho da Cidade Nova, e eles ficaram tão pungidos e vexados da captura que adoeceram de febre e acabam de morrer.

Não se pode escrever o que sentiu o sacristão, ouvindo-lhe este caso. Guardou-o por algum tempo, com dificuldade. Soube os nomes das pessoas pelo obituário dos jornais, e combinou as circunstâncias ouvidas ao comendador com outras. Enfim, sem se ter por indiscreto, espalhou a história, só com esconder os nomes e contá-la a um amigo, que a passou a outro, este a outros, e todos a todos. Fez mais; meteu-se-lhe em cabeça que o cabriolé da fuga podia ser o mesmo dos últimos sacramentos; foi à cocheira, conversou familiarmente com um empregado, e descobriu que sim. Donde veio chamar-se a esta página a "anedota do cabriolé".

Almanaque Brasileiro Garnier, *janeiro de 1905; Machado de Assis*.

Páginas críticas e comemorativas

Gonçalves Dias

DISCURSO LIDO NO PASSEIO PÚBLICO, AO INAUGURAR-SE O
BUSTO DE GONÇALVES DIAS, EM 2 DE JUNHO DE 1901

Senhor Prefeito do Distrito Federal,

A comissão que tornou a si erguer este monumento, incumbiu-me, como presidente da Academia Brasileira, de o entregar a vossa excelência, como representante da cidade. O encargo é não somente honroso, mas particularmente agradável à Academia e a mim.

Se eu houvesse de dizer tudo o que este busto exprime para nós, faria um discurso, e é justamente o que os autores da homenagem não devem querer neste momento. Conta Renan que, uma hora antes dos funerais de George Sand, quando alguns cogitavam no que convinha proferir à beira da sepultura, ouviu-se no parque da defunta cantar um rouxinol. "Ah! eis o verdadeiro discurso!", disseram eles consigo. O mesmo seria aqui, se cantasse um sabiá. A ave do nosso grande poeta seria o melhor discurso da ocasião. Ela repetiria à alma de todos aquela canção do exílio que ensinou aos ouvidos da antiga mãe-pátria uma lição nova da língua de Camões. Não importa! A canção está em todos nós, com os outros cantos que ele veio espalhando pela vida e pelo mundo, e o som dos golpes de Itajubá, a piedade de I-Juca Pirama, os suspiros de Coema, tudo o que os mais velhos ouviram na mocidade, depois os mais jovens, e daqui em diante ouvirão outros e outros, enquanto a língua que falamos for a língua dos nossos destinos.

Dizem que os cariocas somos pouco dados aos jardins públicos. Talvez este busto emende o costume; mas, supondo que não, nem por isso perderão os que só vierem contemplar aquela fronte que meditou páginas tão magníficas. A solidão e o silêncio são asas robustas para os surtos do espírito. Quem vier a este canto do jardim, entre o mar e a rua, achará o que se encontra nas capelas solitárias, uma voz interior, e dirá pelo rosário da memória as preces em verso que ele compôs e ensinou aos seus compatrícios.

E desde já ficam as duas obras juntas. Uma responderá pela outra. Nem vossa excelência, nem os seus sucessores consentirão que se destrua este abrigo de folhas verdes, ou se arranque daqui este monumento de arte. Se alguém propuser arrasar um e mudar outro, para trazer utilidade ao terreno, por meio de uma avenida, ou coisa equivalente, o prefeito recusará a concessão, dizendo que este jardim, conservado por diversos regimes, está agora consagrado pela poesia, que é um regime só, universal, comum e perpétuo. Também pode declarar que a veneração dos seus grandes homens é uma virtude das cidades. E isto farão os prefeitos de todos os partidos, sem agravo do seu próprio, porque o poeta que ora celebramos, fiel à vocação, não teve outro partido que o de cantar maravilhosamente.

Demais, se o caso for de utilidade, vossa excelência e os seus sucessores acharão aqui o mais útil remédio às agruras administrativas. Este busto consolará do trabalho acerbo e ingrato; ele dirá que há também uma prefeitura do espírito, cujo exercício não pede mais que o mudo bronze e a capacidade de ser ouvido no seu eterno silêncio. E repetirá a todos o nome de vossa excelência, que o recebeu e o dos outros que porventura vierem contemplá-lo. Também aqui vinha, há muitos anos, desenfadar-se da véspera, sem outro encargo nem magistratura, que os seus livros, o autor de *Iracema*. Se já estivesse aqui este busto, ele se consolaria da vida com a memória, e do tempo com a perenidade. Mas então só existiam as árvores. Bernardelli, que tinha de fundir o bronze de ambos, não povoara ainda as nossas praças com outras obras de artista ilustre. Olavo Bilac, que promoveu a subscrição de senhoras a que se deve esta obra, não afinara ainda pela lira de Gonçalves Dias a sua lira deliciosa.

Aqui fica entregue o monumento a vossa excelência, senhor Prefeito, aqui onde ele deve estar, como outro exemplo da nossa unidade, ligando a pátria inteira no mesmo ponto em que a história, melhor que leis, pôs a cabeça da nação perto daquele gigante de pedras que o grande poeta cantou em versos másculos.

Gazeta de Notícias e Jornal do Commercio, *3 de junho de 1901*.

Um livro
[*Cenas da vida amazônica*]

Aqui está um livro que há de ser relido com apreço, com interesse, não raro com admiração. O autor que ocupa lugar eminente na crítica brasileira, também enveredou um dia pela novela, como Sainte-Beuve, que escreveu *Volupté*, antes de atingir o sumo grau na crítica francesa. Também há aqui um narrador e um observador, e há mais aquilo que não acharemos em *Volupté*, um paisagista e um miniaturista. Já era tempo de dar às *Cenas da vida amazônica* outra e melhor edição. Eu, que as reli, achei-lhes o mesmo sabor de outrora. Os que as lerem, pela primeira vez, dirão se o meu falar desmente as suas próprias impressões.

Talvez achem comigo que o título é exato, sem dizer tudo. São efetivamente cenas daquela vida e daquele meio; sente-se que não podem ser de outra parte, que foram vistas e recolhidas diretamente. Mas não diz tudo o título. Três, ao menos, das quatro novelas em que se divide o livro, são pequenos dramas completos. Tais o *Boto*, o *Crime do Tapuio* e a *Sorte de Vicentina*. O próprio *Voluntário da pátria* tem o drama na alma de tia Zeferina, desde a quietação na palhoça até aquele adeus que ela fica acenando na margem, não já ao filho, que a não pode ver, nem ela a ele, mas ao fumo do vapor que se perde ao longe no rio, como uma sombra.

Em todos eles, os costumes locais e a natureza grande e rica, quando não é só áspera e dura, servem de quadro a sentimentos ingênuos, simples e alguma vez fortes. O sr. José Veríssimo possui o dom da simpatia e da piedade. As suas principais figuras são as vítimas de um meio rude, como Benedita, Rosinha e Vicentina, ou ainda aquele José Tapuio, que confessa um crime não existente, com o único fim de salvar uma menina, ou de "fazê bem pra ela", como diz o texto. Não se irritem os amigos da língua culta com a prosódia e a sintaxe de José Tapuio. Há dessas frases no livro, postas com arte e cabimento, a espaços, onde é preciso caracterizar melhor as pessoas. Há locuções da terra. Há a tecnologia dos usos e costumes. Ninguém esquece que está diante da vida amazônica, não toda, mas aquela que o sr. José Veríssimo escolheu naturalmente para dar-nos a visão do contraste entre o meio e o homem.

O contraste é grande. A floresta e a água envolvem e acabrunham a alma. A magnificência daquelas regiões chega a ser excessiva. Tudo é inumerável e imensurável. São milhões, milhares e centenas os seres que vão pelos rios e igarapés, que espiam entre a água e a terra, ou bramam e cantam na mata, em meio de um concerto de rumores, cóleras, delícias e mistérios. O sr. José Veríssimo dá-nos a sensação daquela realidade. A descrição do caminho que leva ao povoado do Ereré, através do "coberto", do "lavrado" e de um espaço sem nome, é das mais belas e acabadas do livro. Assim também a do Paru, ou antes a história do rio nas duas partes do ano, de verão e de inverno, um só lago intérmino ou muitos lagos grandes, as ilhas que nascem e desaparecem, com os aspectos vários do tempo e da margem.

Não são descrições trazidas de acarreto. As pessoas das narrativas vão para ali continuar a ação começada. No Paru, como o tempo é de "salga", a água é sulcada de canoas, a margem alastrada de barracas, o sussurro do trabalho humano espalha-se e cresce. Aí assistimos à morte trágica do pelintra de Óbidos, regatão de alguns dias, deixando uma triste moça defunta, amarela e magra. Adiante, por meio do "coberto" e do "lavrado", vemos correr Vicentina, com a filha de alguns meses "escarranchada nos quadris", fugindo à casa do marido, depois às onças, depois à solidão, que parece maior ali que em nenhuma parte; e ambas as cenas são das mais vivas do livro.

Ao pé do trágico, o mesquinho, o comum, o cotidiano da existência e dos costumes, que o autor pinta breve ou minuciosamente. Os pequenos quadros sucedem-se, como o da rua Bacuri, na cidade de Óbidos, à hora da sesta, ou no fim dela, quando "a natureza estira os braços num bocejo preguiçoso de quem deixa a rede". A rede é móvel principal das casas; ela serve ao sono, ao descanso, à palestra, à indolência. Se a casa é pobre, pouco mais há que ela; mas, pouco ou muito, podemos fiar-nos da veracidade do autor, que não perde o que seja um rasgo de costumes ou possa avivar a cor da realidade. Vimos o regatão; veremos o benzedeira, a pintadeira de cuias, a mameluca, sem exclusão do jurado, do promotor, do presidente de província.

Nem falta aqui a observação fina e aguda. Uma senhora, a quem a tia Zeferina, que a criou, recorre chorando para que faça soltar o filho preso para voluntário (como diziam aqui no sul), ouve a mãe tapuia, tem sincera pena dela, promete que sim, fala do presidente da província, que é bom moço, do baile do dia 7 de setembro, em palácio, a que ela foi: "uma festa de estrondo; as senhoras estavam todas vestidas de verde e amarelo; muitas tinham mandado vir o vestido do Pará, mas foi tolice, porque em Manaus arranjava-se um vestido tão bem como no Pará; o dela, por exemplo, foi muito gabado...". Já a tia Zeferina ouvira coisa análoga ao major Rabelo, seu compadre, quando lhe foi contar a prisão do filho, e ele rompeu furioso contra os adversários políticos. Todos os negócios pessoais se vão coçando assim naquela agonia errante. No *Boto*, é o próprio pai de Rosinha, que não escava muito as razões do abatimento mortal da filha, "por andar atarefado com as eleições".

Que ele também há eleições no Amazonas; é o tempo da salga política, a quadra das barracas e dos regatões. Não nos dá um capítulo desses o sr. José Veríssimo, naturalmente por lhe não ser necessário, mas a rivalidade da vila e do porto de Monte Alegre é um quadro vivo do que são raivas locais, os motivos que as acendem, a guerra que fazem e os ódios que ficam. Aqui basta a questão de saber se o correio morará no porto, embaixo, ou na vila em cima. E porque não há história sem foguetes, os foguetes vão contar às nuvens o despacho presidencial. A sessão do júri, no *Crime do Tapuio*, é outro quadro finamente acabado. Tudo sem sombra da caricatura. O embarque dos voluntários é outro, mas aí a emoção discreta acompanha os movimentos mal ordenados dos homens. Nós os vimos desembarcar aqui, esses e outros, trôpegos e obedientes, marchando mal, mas enfim marchando seguros para a guerra que já lá vai.

Em tão várias cenas e lances, o estilo do sr. José Veríssimo (salvo nos *Esbocetos*, cuja estrutura é diferente) é já o estilo correntio e vernáculo dos seus escritos posteriores. Já então vemos o homem feito, de mão assentada, dominando a matéria. Há, a mais, uma nota de poesia, a graça e o vigor das imagens, que outra sorte de trabalhos nem sempre consentem. Aqui está a frente da casa do sítio em que Rosinha nasceu: "A palha da cobertura, não aparada, dava-lhe o aspecto alvar das crianças que trazem os cabelos caídos na testa". No tempo da pesca emigram, não só os homens, mas também os cães e os urubus. Os cães são magros e famintos: "Cães magros, com as costelas salientes; como se houvessem engolido arcos de barris...". Os urubus pousam nas árvores, alguma vez baixam ao solo, andando "com o seu passo ritmado de anjos de procissão". A umas árvores que há na grande charneca do "coberto", bastava mostrá-las por uma imagem curta e viva, "em posições retorcidas de entrevados". Mas não se contenta o nosso autor de as dizer assim: em terra tal, tudo há de vibrar ao calor do sol: "Dir-se-ia que o sol, que abrasa aquelas paragens, obriga-as a tais contorções violentas e paralisa-as depois...".

Há muitas dessas imagens originais e expressivas; melhor é lê-las ou relê-las intercaladas na narração e na descrição. Chateaubriand, escrevendo em 1834 a Sainte-Beuve, justamente a propósito de *Volupté*, que acabava de sair do prelo, pergunta-lhe admirado como é que ele, René, não achara tantas outras. "*Comment n'ai-je pas trouvé ces deux vieillards et ces deux enfants entre lesquels une révolution a passé...*" etc. Desculpe a pontinha de vaidade, é de Chateaubriand, e alguma coisa se há de perdoar ao gênio. Mas, em verdade, mais de um de nós outros poderíamos dizer com sinceridade e modéstia como é que nos não acudiram tais e tais imagens do nosso autor, pois que elas trazem a feição de coisas antes saídas do tinteiro que compostas no papel.

Também é dado perguntar por que é que o sr. José Veríssimo deixou logo um terreno que soube arrotear com fruto. Ele dirá, em uma nota, falando dos *Esbocetos*, que o fruto era da primeira mocidade. Vá que sim; mas as *Cenas* trazem outra experiência, e a boa terra não é esquecida, se se lhe encomenda alguma coisa com amor.

Até lá, fiquem-nos estas *Cenas da vida amazônica*. Mais tarde, algum crítico da escola do autor compulsará as suas páginas para restituir costumes extintos. Muito estará mudado. Onde José Tapuio lutou com a sicuriju até matá-la, outro homem estudará alguma nova força da natureza até reduzi-la ao doméstico. Coberto e lavrado darão melhor caminho às pessoas. Já agora, como disse nhá Miloca à mãe tapuia, os vestidos fazem-se tão bons em Manaus como em Belém. A política irá pelas tesouras da costureira, e a natureza agasalhará todas as artes, suas hóspedes. Tal crítico, se tiver o mesmo dom de análise do sr. José Veríssimo, achará que um testemunho esclarecido é mais cabal que outro, e regalará os seus leitores dando-lhe este depoimento feito com emoção, com exação e com estilo.

Gazeta de Notícias, 11 de junho de 1899.

Eduardo Prado

A última vez que vi Eduardo Prado foi na véspera de deixar o Rio de Janeiro para recolher a São Paulo, dizem que com o germe do mal e da morte em si. Naquela ocasião era todo vida e saúde. Quem então me dissesse que ele ia também deixar o mundo, não me causaria espanto, porque a injustiça da natureza acostuma a gente aos seus golpes; mas, é certo que eu buscaria maneira de obter outras horas como aquela, em que me detivesse ao pé dele, para ouvi-lo e admirá-lo.

Só falamos de arte. Ouvi-lhe notícias e impressões, senti-lhe o gosto apurado e a crítica superior, tudo envolvido naquele tom ameno e simples, que era um relevo mais aos seus dotes. Não tínhamos intimidade; faltou-nos tempo e a prática necessária. Antes daquela vez última, apenas falamos três ou quatro, o bastante para considerá-lo bem e cortejar o homem com o escritor. Eduardo Prado era dos que se deixam penetrar sem esforço e com prazer. O que agora li a seu respeito na primeira mocidade, na escola e nos últimos anos, referido por amigos que parecem não o esquecer mais, confirma a minha impressão pessoal. Aliás, os seus escritos mostravam bem o homem. Apanhava-se o sentimento da harmonia que ajustava nele a vida moral, intelectual e social.

Principalmente artista e pensador, possuía o divino horror à vulgaridade, ao lugar-comum e à declamação. Se entrasse na vida política, que apenas atravessou com a pena, em dias de luta, levaria para ela qualidades de primeira ordem, não contando o humor, tão diverso da chalaça e tão original nele. Mas a erudição e a história, não menos que a arte, eram agora o seu maior encanto. Sabia bem todas as coisas que sabia.

Naturalmente remontei comigo, durante aquela boa hora, e ainda depois dela, ao tempo das cartas de viagem que nos deu tão rica amostra de um grande talento que viria a crescer e subir. A matéria em si convidava ao egotismo, mas ele não padecia desse mal. Também faria correr o risco da repetição de coisas vistas e pintadas, que se não acha aqui. A faculdade de ver claro e largo, a arte de dizer originalmente a sensação pessoal, ele as possuía como os principais que hajam andado as terras ou rasgado os mares deste mundo. Invenção de estilo, observação aguda, erudição discreta e vasta, graça, poesia e imaginação produziram essas páginas vivas e saborosas. Aquela partida de Nápoles, sob um céu chuvoso e de chumbo, não se esquece. Relê-se com encanto essa explicação do tempo áspero, durante o qual o céu napolitano se recompõe, para começar novamente a ópera "com os coros de pescadores e as barcarolas, a música de luz e de azul". Assim a África, assim todas as partes onde quer que este brasileiro levou a ânsia de ver homens e coisas, cidades e costumes, a natureza vária entre ruínas perpétuas, através de regiões remotas...

Conta-se que ele chorou, quando morreu Eça de Queirós. Agora, que ambos são mortos, alguém que imaginasse e escrevesse o encontro das duas sombras, à maneira de Luciano, daria uma curiosa página de psicologia. As confabulações de tais espíritos são dignas de memória. Sterne escreveu que "um dia, conversando com Voltaire..." e imagina-se o que diriam eles. Imagina-se o que diriam, todas as noites, Stendhal e Byron, passeando no solitário *foyer* do teatro Scala. Quando Montaigne ouvia as histórias que Amyot lhe ia contar, podemos ver a delícia de ambos e admitir que as visitas continuam no outro mundo. Assim se podia dizer do Eça e do Eduardo, por um texto que exprimisse o talento, o amor das coisas finas e belas, e, enfim, a grande simpatia que um inspirava ao outro.

    Quando me despedi de Eduardo Prado, naquele dia, vim perguntando a mim mesmo se teria vida bastante para ler e admirar as obras-primas que esse talentoso brasileiro levava no cérebro em gestação, ou em germe, e durante muitos anos viriam abastecer a nossa língua e a nossa terra. Seis dias depois, era ele que morria. Chamei injusta a natureza; bastaria dizer — indiferente.

O Comércio de São Paulo, *30 de setembro de 1901.*

Antônio José

Um dia destes, relembrando uma passagem da tragédia que Magalhães consagrou à memória de Antônio José, adverti na resposta dada pelo judeu ao conde de Ericeira, quando este lhe recomenda que imite Molière; o judeu responde que Molière escrevia para franceses e ele não. Será essa resposta a rigorosa expressão da verdade? Antônio José não se modelou, certamente, pelas obras do grande cômico, não cogitou jamais da simples pintura dos vícios e dos caracteres. Molière caminhou do *Médico volante* e dos *Zelos de Barbouillé* à *Escola das mulheres* e ao *Tartufo*; Antônio José não passou das *Guerras do alecrim e manjerona*, e, dado que tentasse fazê-lo, é certo que não poderia ir muito além. Não tinha centro apropriado, nem largas vistas; faltavam-lhe outros meios, outros intuitos; e, se porventura entrou em seu espírito reatar a tradição de Gil Vicente, levantando sobre os alicerces lançados por esse operário do século XVI as paredes de um teatro regular, convinha justamente não imitar nada, nem ninguém, não se fazer Molière, nem Plauto, ficar Antônio José; é a condição das obras vivas.

Interpretada desse modo, é exata e verdadeira a resposta que Magalhães põe na boca do judeu; mas só desse modo. O Anfitrião prova que o nosso poeta alguma coisa imitou e transplantou de Molière, a tal ponto que forçosamente o tinha diante de si, ou na banca de trabalho ou na memória; e, porque esta observação não haja sido feita, cuido que interessará, quando menos, a título de curiosidade literária. Ao mesmo tempo, direi o que me parece do escritor e da sua obra.

E, antes de mais nada, ocorre ponderar que Antônio José goza de uma reputação sobre palavra. A fogueira de 18 de outubro de 1739 iluminou-lhe a figura de maneira que o puderam ver todos os olhos; a tragédia do sr. Magalhães vulgarizou-o entre as nossas plateias de há 40 anos; mas só os estudiosos o terão lido, e nem todos, porque a tarefa exige constância e esforço, embora de certo modo os pague. Pode-se dizer, sem erro, que ele pertence à família dos poetas cômicos, qualquer que seja o grau de parentesco — com a circunstância que era um desperdiçado — trocava a boa moeda do cômico pelo cobre vulgar do burlesco. Mas, poeta cômico era-o, e de boa veia; — mais decerto que Nicolau Luís, que lhe sucedeu na estima das plateias de Lisboa, mais ainda que Manuel de Figueiredo, cujas intenções literárias abafaram, talvez, a livre expansão do engenho, e que aliás escrevia de si mesmo que — "havendo-se enganado consigo em infinitas coisas, nunca se preocupou de que tinha graça". Acresce que o fim trágico do judeu comunica às suas páginas alegres e juvenis um reflexo de simpática melancolia, que ainda mais nos convida a percorrê-las e estudá-las. A piedade não é decerto razão determinativa em pontos de crítica, e tal poetastro haverá que, sucumbindo a uma grande injustiça social, somente inspire compaixão sem desafiar a análise. Não é o caso de Antônio José; este mereceria por si só que o estudássemos, ainda despido das ocorrências trágicas que lhe circundam o nome.

Nenhuma das comédias do judeu se pode dizer excelente e perfeita; há porém graus entre elas, e a todas sobreleva a das *Guerras do alecrim e manjerona*. Nesta, como nas demais, nota-se, decerto muita espontaneidade, viveza de diálogo, graça de estilo, variedade de situações, e certo conhecimento de cena; mas a alma de todas elas não é grande; vive-se ali de enredo e de aparato. Se ao poeta foi estranha a invenção dos caracteres e a pintura dos vícios, não menos o foi a transcrição dos costumes locais. Salvo o *Alecrim e manjerona*, todas as suas peças são inteiramente alheias à sociedade e ao tempo; a *Esopaida* tem por base um assunto antigo; a *Vida de d. Quixote* põe em cena o personagem de Cervantes; as outras peças são todas mitológicas. Podiam estas, não obstante o rótulo, conter a pintura dos costumes e da sociedade cujo produto eram; mas, conquanto em tais composições influa muito o moderno, não se descobre nelas nenhuma intenção daquela natureza.

Ao contrário, a intenção quase exclusiva do poeta era a galhofa, e tal galhofa que transcendia muita vez às raias da conveniência pública. Nenhuma de suas peças — óperas é o nome clássico — nenhuma é isenta de expressões baixas e até obscenas, com que ele, segundo lhe arguia um prelado, "chafurdou na imundície". Tinha razão o prelado, mas não basta ter razão; cumpre saber tê-la. Ora, a baixeza e a obscenidade das locuções não eram novidade na cena portuguesa, nem na de outros países; e, deixando de ir agora a exemplos estranhos à nossa língua, basta lembrar que o *Cioso*, de Ferreira, do culto autor da *Castro*, foi dado por Figueiredo com a declaração de ter sido "expurgado segundo o melindre dos ouvidos do nosso século". Gil Vicente, sem embargo de se representarem suas peças na corte de d. João III e d. Manuel, adubava-as às vezes de espécies que nos parecem hoje bem pouco esquisitas. As óperas do judeu eram dadas num teatro popular; não as ouvia a corte de d. João V, mas o povo e os burgueses de Lisboa, cujas orelhas não teriam ainda os melindres que mais tarde lhes atribuiu Figueiredo. A diferença entre Antônio José e os outros era afinal uma questão de quantidade; mas, se o tempo lho permitia e, com o tempo, a censura, que muito é que o poeta reincidisse? Não é isto escusá-lo, mas explicá-lo. Deixemos os trocados e equívocos, que são um chiste de mau gosto, mácula de estilo, que o poeta exagerou até a puerilidade, cedendo a si mesmo e ao riso das plateias. Outro defeito que se lhe argúi, é o tom guindado e os arrebiques de conceito, que se notam em muitas falas de certos personagens, os deuses, príncipes e heróis. Um de seus biógrafos, comparando o estilo de tais personagens com o dos criados e pessoas ínfimas, que são simples e naturais, supõe que houve no poeta intenção satírica, opinião que me parece carecer de fundamento, entre outras razões porque não há sempre aquela diferença de estilo, e não é raro falarem os principais personagens do mesmo modo natural e reto, que os de condição inferior. Guindam-se muita vez, mas era achaque do tempo e exageração na maneira de empregar o estilo nobre, porque havia então um estilo nobre; e, se o judeu teve alguma vez intenção satírica, arrebicando ou empolando a expressão, tal intenção foi somente literária e nenhuma outra. Que diremos dos anacronismos de linguagem? Esses são constantes e excessivos. Os dobrões de Alcmena, a alcunha de *Alfacinha*, dada a Anfitrião, Juno crismada em Felizarda, um criado antigo "de corpo à inglesa", outro com "relógio de pendurucalhos", deviam promover a gargalhada franca do povo. Esse fugir do meio e da ação para a realidade presente vai algumas vezes além, como na *Esopaida*, em que o herói, falando de sua vida, diz que anda em livros pelo mundo — "e agora me dizem que se está representando no Bairro Alto". Já na *Vida de d. Quixote* havia o poeta posto a mesma coisa na boca de Sancho, quando o cavaleiro, vendo um barco amarrado, pergunta ao escudeiro: — "Sabes onde estamos? — Sei bem. — Aonde? — No Bairro-Alto". O judeu podia responder que tal sestro foi o de Regnard e o de Boursault, por exemplo, que pôs o seu Esopo a tomar café e meteu com ele esposas de tabeliães; podia citar muitos outros exemplos anteriores e contemporâneos, e a crítica se incumbiria de apontar os que vieram depois dele; mas não vale a pena.

Venhamos ao *Anfitrião*. Um erudito escritor, o sr. Teófilo Braga, supõe que a intenção do poeta, nessa comédia foi pintar em Júpiter a pessoa de d. João V, suposição que detidamente examinei e me parece inteiramente gratuita. Cuido que o crítico faz de uma coincidência um propósito, e fundamenta a sua suspeita na possível analogia das aventuras do deus pagão e do rei cristão. A analogia podia ser um elemento de prova, mas desacompanhada de outras não faz chegar a nenhum resultado definitivo. Ora, basta ler o *Anfitrião*, basta comparar a situação do poeta e o tempo para varrer do espírito semelhante hipótese. Certo, não faltava audácia ao poeta; aí está, como exemplo, a definição da justiça, feita por Sancho, na *Vida de d. Quixote*; mas entre a generalidade desse trecho e a sátira pessoal do *Anfitrião* vai um abismo. Ocorre-me que do *Anfitrião* de Molière também se disse ser alusão a Luís XIV, com a diferença que em França não se atribuiu a Molière a intenção de ferir, mas de ser agradável ao rei, que lhe havia encomendado aquela apoteose de suas próprias aventuras, opinião esta que foi de todo condenada. Não, não há motivo para atribuir a Antônio José a intenção que lhe supõe o sr. Teófilo Braga; e, se tal intenção existisse, o desenlace da comédia, quando Júpiter se declara acima da lei, viria a ser de um sarcasmo tão cru que não alcançaríamos compreendê-lo naquele século.

Evidentemente, o judeu achou na aventura pagã o mesmo que lhe acharam Plauto, Molière e Camões — um assunto prestadio às combinações cênicas, e, demais, singularmente próprio para as chufas do Bairro-Alto. Desnecessário é dizer os trâmites dessa travessura de Júpiter, que, namorado de Alcmena, toma a figura do marido e vai à casa dela, acompanhado de Mercúrio, que copia as feições de Sósias, criado de Anfitrião. O nosso poeta seguiu no principal a fábula que encontrou nos antecessores, fazendo-lhe todavia as alterações suscitadas pelo gosto próprio e das plateias. Assim, o Sósias de Plauto, de Molière e de Camões é na peça de Antônio José um Saramago. Não lhe mudou ele o essencial; trocando-lhe o nome, obedeceu ao sistema de dar aos criados nomes burlescos. O de Jasão, nos *Encantos de Medeia*, chama-se Sacatrapos; há nas outras óperas um Caranguejo, um Esfuziote, um Chichisbéu. São nomes, não valem mais que nomes. Nem Molière chamou Dandim ao principal personagem de uma de suas comédias senão para o caracterizar desde logo de um modo jovial; não pretendeu outra coisa. Contudo, a observação em relação a Antônio José tem o valor de um rasgo significativo.

Cotejando o *Anfitrião* de Antônio José com os de seus antecessores, vê-se o que ele imitou dos modelos, e o que de sua casa introduziu. Já disse que no principal os seguiu a todos; mas nem sempre soube escolher, e darei disso um exemplo claro. Camões, que não sendo poeta cômico, era todavia homem de tato e gosto, corrigiu, antes de Molière, o desenlace do *Anfitrião* de Plauto. Na comédia deste, logo depois de explicar Júpiter os equívocos da situação e de anunciar ao marido de Alcmena que o filho desta é seu, mostra-se Anfitrião inteiramente satisfeito e glorioso com o desenlace. Camões suprimiu tão singular contentamento, e o mesmo fez Molière; em ambos os poetas Anfitrião ouve silencioso as declarações do pai dos deuses, sem que Alcmena assista a elas. Antônio José não só não seguiu nessa parte os modelos recentes, mas até carregou a mão sobre o que imitou de Plauto. A alegria do seu Anfitrião e da sua Alcmena é tão franca, tamanho é o alvoroço dos dois esposos, que realmente chega a ofender as leis da verossimilhança, ainda tratando-se de um caso divino. Neste ponto Antônio José é antes inadvertido do que obrigado do gosto público. Outro caso. Nas comédias anteriores não há nenhum lugar em que Alcmena veja ao mesmo tempo os dois Anfitriões, e isto não só era necessário para prolongar e justificar os equívocos, mas até o exigia a verossimilhança, porque, desde que Alcmena chegasse a ver juntos os dois exemplares exatos do marido, saía da boa-fé que serve de fundamento à sua ilusão, para cair no maravilhoso e no inextricável. E é justamente o que acontece na comédia do judeu.

Vamos agora ao que o judeu imitou diretamente de Molière. Há na comédia daquele um caráter, o de Cornucópia, mulher de Saramago, que não tem equivalente na de Plauto, nem na de Camões, e que só na de Molière existe. "Molière (é observação de La Harpe), fazendo de Cléanthis mulher de Sósias, inventou uma situação paralela à de Anfitrião e Alcmena, dando-lhe porém diferente aspecto"; Cléanthis pertence ao número das esposas que, "por serem honestas, cuidam ter o direito de ser insuportáveis". Ora bem, a situação e o caráter de Cléanthis transportou-os o judeu para o seu *Anfitrião*, e não se pode dizer encontro fortuito, senão deliberado propósito. Basta cortejá-los com espírito advertido; a diferença é de tom, de estilo; substancialmente, a invenção é a mesma; as próprias ideias reproduzem-se às vezes na obra do judeu. Assim, logo na cena em que Mercúrio transformado em Saramago (Sósias) encontra a mulher deste, achamos o traço comum aos dois poetas.

Na comédia de Molière:
CLÉANTHIS — *Regarde, traître, Amphytrion;*
Vois comme pour Alcmène il étale de flamme.
Et rougis là-dessus du peu de passion
Que tu témoigne pour ta femme.
MERCURE — *Hé! mon Dieu! Cléanthis, ils sont encore amants.*
Il est certain âge où tout passe;
Et ce qui leur sied bien dans ces commencements,
En nous, vieux mariés, aurait mauvaise grâce.
Il nous ferait beau voir, attachés face à face,
À pousser les beaux sentiments!
CLÉANTHIS — *Mérites-tu, pendard, cet insigne bonheur*
De te voir pour épouse une femme d'honneur?
MERCURE — *Mon Dieu! tu n'es que trop honnête;*
Ce grand honneur ne me vaut rien.
Ne sois point si femme de bien,
Et me romps un peu moins la tête.

Agora Antônio José:
CORNUCÓPIA — Também nosso amo trazia bastante fome, e contudo está dizendo à nossa ama tanta coisa galantinha que faria derreter uma pedra.

MERCÚRIO — Com que é o mesmo nossos amos do que nós? Eles casadinhos de um ano, e nós há um século? Eles senhores e rapazes, e nós velhos e moços? Eles dois jasmins e nós dois lagartos? E finalmente eles com amor, e nós, ou pelo menos eu, sem nenhum?

CORNUCÓPIA — Ora, o certo é que pior é fazer festa a vilões ruins; por estas, que se tu conheceras a mulher que tens, que outra coisa fora; talvez que se eu fora alguma dessas bonecrinhas enfeitadas que me quiseras mais; porém a culpa tenho eu em não aceitar o que me davam nas tuas costas.

MERCÚRIO — Pois ainda estás em tempo...

Trata-se, como se vê, de um caráter e de uma situação integralmente transcritos, embora de outro jeito, cedendo o poeta aos seus hábitos literários, à sua índole e ao seu meio. Nem é somente na introdução do caráter de Cornucópia, e na situação dos dois personagens, que Antônio José revela ter diante de si ou na memória a peça de Molière; há ainda outro vestígio; há uma ideia na cena em que Júpiter se despede de Alcmena — ideia que o judeu expressa deste modo:

ALCMENA — Este amor nasce da obrigação.

JÚPITER — Pois quisera que esta fineza nascera mais do teu amor que da tua obrigação.

ALCMENA — A obrigação de amar ao esposo supera toda a obrigação.

JÚPITER — Pois mais devera que me quiseras como a amante que como a esposo.

ALCMENA — Não sei fazer esta diferença, pois não posso amar-te como a esposa, sem que te ame como a amante.

Na comédia de Molière:

JÚPITER — *En moi, belle et charmante Alcmène,*
Vous voyez un mari, vous voyez un amant;
Mais l'amant seul me touche, à parler franchement,
Et je sens près de vous que le mari me gêne.
Cet amant, de vos voeux, jaloux au dernier point,
Souhaite qu'à lui seul votre amour s'abandonne.

ALCMÈNE — *Je ne sépare point ce qu'unissent les dieux;*
Et l'époux et l'amant me sont fort précieux.

Se, neste ponto, já se não trata de uma situação, de um caráter novo, mas de uma ideia entrelaçada no diálogo, importa repetir que, ainda imitando ou recordando, o judeu se conserva fiel à sua fisionomia literária; pode ir buscar a especiaria alheia, mas há de ser para temperá-la com o molho da sua fábrica. Dessa inclinação ao baixo cômico achamos outro exemplo na *Esopaida*, cujo assunto fora tratado, antes dele, por Boursault. O caráter tradicional de Esopo era pouco apropriado à comédia: é um moralista, um autor de apólogos, mas Boursault trouxe-o assim mesmo para a cena, único modo de lhe conservar a cor original. O Esopo de Antônio José parece antes um exemplar apurado daqueles lacaios argutos e atrevidos da comédia clássica; salvo dois ou três lugares, é outro gênero de Sacatrapos ou Chichisbéu; figura ali com agudezas e trocadilhos. Há destes extremamente bufões, como o da bacia das almas, e disso e de pouco mais se compõe a filosofia de Esopo. Não obstante essa cor geral, notam-se ali toques de bom cômico, embora leves e a espaços. Há também, e principalmente, a veia satírica, na cena que quase todos os seus biógrafos transcrevem — a das teses dos filósofos, cena extremamente chistosa, e que o próprio Dinis, com toda a sua veia do *Hissope* e do *Falso heroísmo*, não sei se chegaria a fazer mais acabada. Compare-se essa cena com a da invasão do Parnaso pelos maus poetas, na *Vida de d. Quixote*, e ver-se-á que havia no talento de Antônio José uma forte dose de sátira — o que, de certa maneira, lhe diminuía a força cômica. Nessas duas peças é, aliás, sensível a habilidade teatral do poeta, que não tinha propriamente uma ação em nenhuma delas, e não obstante, logrou condensar a vida dos episódios, manter a unidade do interesse e angariar o aplauso público. Acresce que o seu d. Quixote não tem o defeito capital do seu Esopo; o poeta soube dar-lhe alguns toques da ingenuidade sublime, que caracteriza o tipo de Cervantes: é o que se vê logo, na exposição, quando d. Quixote responde ao barbeiro acerca da armada que se prepara para combater o turco: — "Para que se cansam com tantas máquinas? diz ele. Eu lhes dera um bom arbítrio com que, em menos de uma hora, vençam quantas armadas e armadilhas o turco tiver". É ocioso dizer que o arbítrio seria a cavalaria andante.

De todas as comédias, porém, a que goza as honras da primazia, é a das *Guerras do alecrim e manjerona*, e com razão; é a mais acabada e a mais cômica. Tem o gosto do tempo, e até um ressaibo da maneira de Calderón, que de si mesmo escrevia:

> Es comedia de Don Pedro
> Calderón, donde ha de haber,
> Por fuerza, amante escondido
> Y rebozada mujer.

Há ali com efeito mulheres rebuçadas e amantes escondidos, e tanta vida como nas peças de Calderón.

Não trato aqui do fato que poderia ter dado lugar à obra do judeu, nem das dúvidas de Costa e Silva sobre se os dois ranchos do alecrim e da manjerona existiam antes da comédia, ou se esta os fez nascer; é investigação que não vale a pena de um minuto, e aliás o texto do poeta é claro. Em tudo se avantaja o *Alecrim e manjerona*, até na linguagem, que é aí muito menos obscena que nas outras, diferença que se pode atribuir ao progresso do talento, porquanto já no *Labirinto de Creta* se dá o mesmo fenômeno. Não direi, como Garrett, que essa peça teria hoje todo o valor de uma comédia histórica; mas assim mesmo, quem lhe vê as figuras, a século e meio de distância, parece contemplar uma gravura em que elas conservam as feições e o vestuário do tempo — os namorados pobres, o velho avarento que arde por se ver livre das sobrinhas, e que, ao anunciarem-lhe a chegada do pretendente provinciano, manda deitar "mais um ovo nos espinafres", d. Tibúrcio, as duas damas, o Semicúpio e a velha Fagundes, todo o pessoal da antiga farsa.

Superior às outras composições, como estilo e originalidade, não menos o é como viveza, graça e movimento: e, se a farsa domina, não é tanto que não apareça a comédia. Basta apontar, por exemplo, a cena da consulta médica, por ocasião do desastre de d. Tibúrcio, que é uma das melhores do teatro do judeu, e não ficaria vexada se a puséssemos ao lado das de Molière e Gil Vicente. Para não faltar nada, há também aforismos latinos, e até uma copla latina, digna de Molière. Podemos considerar o *Alecrim e manjerona* como uma das melhores comédias do século XVIII.

Ler o *Alecrim e manjerona*, o *Anfitrião*, a *Esopaida* e o *D. Quixote*, é avaliar todo o poeta, com suas qualidades boas e más, com o jeito do seu espírito e influência do seu tempo. Nicolau Luís Figueiredo, Dinis e Garção, no mesmo século, tiveram talvez mais intenção cômica do que Antônio José, mas os meios deste eram maiores, possuíam outra virtualidade, outra espontaneidade, outra abundância. Dir-se-á que, se a Inquisição o deixara viver, Antônio José produziria alguma obra de esfera superior? Repito: não creio que ele subisse muito acima do *Alecrim e manjerona*; iria talvez ao ponto de fazer alguma coisa parecida com o *Avaro*, mas não faria todo o *Avaro*.

Agora, a século e meio de distância, podemos afirmar que Antônio José foi um destino decapitado. Qualquer que fosse a natureza do seu engenho, é fora de dúvida que o auto da fé em que ele pereceu, devorou com a mesma flama assaz de páginas alegres e vivazes. A prova de que o teatro poderia ainda esperar muito de Antônio José está na comparação das obras dele com a vida dele. Era um cristão-novo, como tal suspeitado e perseguido; aos vinte e um anos padeceu um primeiro processo, e sabe-se que terríveis eram os processos inquisitoriais: basta dizer que o delinquente revelou todos os seus cúmplices em judaísmo, com a maior franqueza e minuciosidade, o que se pode explicar pela tenra idade do poeta, mas também pelo terror que o tribunal infundia, não menos que pela exortação mansa com que os inquisidores extorquiam a confissão de todos os erros e a denúncia de todos os cúmplices — sem prejuízo, aliás, do cárcere e da polé. Pois bem, não obstante os vestígios e as lembranças desse primeiro ato da Inquisição, não obstante o espetáculo do que padeciam os seus, as óperas de Antônio José trazem o sabor de uma mocidade imperturbavelmente feliz, a facécia grossa e petulante, tal como lha pedia o paladar das plateias, nenhum vislumbre do episódio trágico, salvo uns versos do *Anfitrião* que se creem (e, quanto a mim, sem outro fundamento além da conjetura) como aplicáveis a ele mesmo. Mas ainda supondo que a conjetura tenha razão, admitindo mais que a alegoria da justiça na *Vida de d. Quixote* seja o resumo das queixas pessoais do poeta (suposição tão frágil como aquela), a verdade é que os sucessos da vida dele não influíram, não diminuíram a força nativa do talento, nem lhe torceram a natureza, que estava muito longe da hipocondria. Molière, que, se nem sempre teve flores no caminho, não conheceu o ínfimo dos padecimentos de Antônio José, foi o criador de Alceste; o nosso judeu, dado que tivesse a mesma intensidade de talento, não escolheria nunca o assunto do *Misantropo*.

Nisto, menos que em nenhuma outra coisa, imitaria ele o grande mestre. Não lhe fossem propor graves problemas, nem máximas profundas, nem os caracteres, nem as altas observações que formam o argumento das comédias de outra esfera, nem sobretudo as melancolias de Molière e Shakespeare. O nosso judeu era a farsa, a genuína farsa, sem outras pretensões, sem mais remotas vistas que os limites do seu bairro e do seu tempo. Certo, eu posso hoje, à fina força, arrancar alguma ideia inicial das óperas do judeu; por exemplo, ao ver nos *Encantos de Medeia* a dedicação da feiticeira de Colchos, que trai os deveres filiais e põe todas as suas artes ao serviço de Jasão, ao ponto de lhe entregar o velocino e ao ver que, apesar de tudo isto, o príncipe foge com Creusa, posso, digo eu, atribuir ao poeta a intenção de que o reconhecimento não é caminho do amor e que um coração pode ser legitimamente ingrato.

Seria lógico, seria bem deduzido da ação, mas não passaria de obra da crítica, inteiramente alheia à intenção do poeta, que achou no assunto uma farsa de tramoias e nada mais. Esta é a última conclusão que rigorosamente se pode tirar do poeta. Ele não imitou, não chegaria a imitar Molière, ainda que repetisse as transcrições que fez no *Anfitrião*; tinha originalidade, embora a influência das óperas italianas. Convenhamos que era um engenho sem disciplina, nem gosto, mas característico e pessoal.

Revista Brasileira, *15 de julho de 1879; sob o título "Antônio José e Molière".*

Não consultes médico

PERSONAGENS
D. Leocádia, d. Carlota, d. Adelaide, Cavalcante, Magalhães

Um gabinete em casa de Magalhães, na Tijuca

CENA I
Magalhães, d. Adelaide

(Magalhães lê um livro. D. Adelaide folheia um livro de gravuras.)
MAGALHÃES — Esta gente não terá vindo?
D. ADELAIDE — Parece que não. Já saíram há um bom pedaço; felizmente o dia está fresco. Titia estava tão contente ao almoço! E ontem? Você viu que risadas que ela dava, ao jantar, ouvindo o doutor Cavalcante? E o Cavalcante sério. Meu Deus, que homem triste! que cara de defunto!
MAGALHÃES — Coitado do Cavalcante! Mas que quererá ela comigo? Falou-me em um obséquio.
D. ADELAIDE — Sei o que é.
MAGALHÃES — Que é?
D. ADELAIDE — Por ora é segredo. Titia quer que levemos Carlota conosco.
MAGALHÃES — Para a Grécia?
D. ADELAIDE — Sim, para a Grécia.
MAGALHÃES — Talvez ela pense que a Grécia é em Paris. Eu aceitei a legação de Atenas porque não me dava bem em Guatemala e não há outra vaga na América. Nem é só por isso; você tem vontade de ir acabar a lua de mel na Europa... Mas então Carlota vai ficar conosco?
D. ADELAIDE — É só algum tempo. Carlota gostava muito de um tal Rodrigues, capitão de engenharia, que casou com uma viúva espanhola. Sofreu muito, e ainda agora anda meio triste; titia diz que há de curá-la.
MAGALHÃES — *(rindo.)* É a mania dela.
D. ADELAIDE — *(rindo.)* Só cura moléstias morais.
MAGALHÃES — A verdade é que nos curou; mas, por muito que lhe paguemos em gratidão, fala-nos sempre da nossa antiga moléstia. "Como vão os meus doentezinhos? Não é verdade que estão curados?"
D. ADELAIDE — Pois falemos-lhe nós da cura, para lhe dar gosto. Agora quer curar a filha.
MAGALHÃES — Do mesmo modo?
D. ADELAIDE — Por ora não. Quer mandá-la à Grécia para que ela esqueça o capitão de engenharia.
MAGALHÃES — Mas, em qualquer parte se esquece um capitão de engenharia.
D. ADELAIDE — Titia pensa que a visita das ruínas e dos costumes diferentes cura mais depressa. Carlota está com dezoito para dezenove anos; titia não a quer

casar antes dos vinte. Desconfio que já traz um noivo em mente, um moço que não é feio, mas tem o olhar espantado.

MAGALHÃES — É um desarranjo para nós; mas, enfim, pode ser que lhe achemos lá na Grécia algum descendente de Alcibíades que a preserve do olhar espantado.

D. ADELAIDE — Ouço passos. Há de ser titia...

MAGALHÃES — Justamente! Continuemos a estudar a Grécia. *(sentam-se outra vez, Magalhães lendo, d. Adelaide folheando o livro de vistas.)*

CENA II
Os mesmos, d. Leocádia

D. LEOCÁDIA — *(para à porta, desce pé ante pé, e mete a cabeça entre os dois.)* Como vão os meus doentezinhos? Não é verdade que estão curados?

MAGALHÃES — *(à parte.)* É isto todos os dias.

D. LEOCÁDIA — Agora estudam a Grécia; fazem muito bem. O país do casamento é que vocês não precisaram estudar.

D. ADELAIDE — A senhora foi a nossa geografia, foi quem nos deu as primeiras lições.

D. LEOCÁDIA — Não diga lições, diga remédios. Eu sou doutora, eu sou médica. Este *(indicando Magalhães.)*, quando voltou de Guatemala, tinha um ar esquisito; perguntei-lhe se queria ser deputado, disse-me que não; observei-lhe o nariz, e vi que era um triste nariz solitário...

MAGALHÃES — Já me disse isto cem vezes.

D. LEOCÁDIA — *(voltando-se para ele e continuando.)* Esta *(designando Adelaide.)* andava hipocondríaca. O médico da casa receitava pílulas, cápsulas, uma porção de tolices que ela não tomava porque eu não deixava; o médico devia ser eu.

D. ADELAIDE — Foi uma felicidade. Que é que se ganha em engolir pílulas?

D. LEOCÁDIA — Apanham-se moléstias.

D. ADELAIDE — Uma tarde, fitando eu os olhos de Magalhães...

D. LEOCÁDIA — Perdão, o nariz.

D. ADELAIDE — Vá lá. A senhora disse-me que ele tinha o nariz bonito, mas muito solitário. Não entendi; dois dias depois, perguntou-me se queria casar, eu não sei que disse, e acabei casando.

D. LEOCÁDIA — Não é verdade que estão curados?

MAGALHÃES — Perfeitamente.

D. LEOCÁDIA — A propósito, como irá o doutor Cavalcante? Que esquisitão! Disse-me ontem que a coisa mais alegre do mundo era um cemitério. Perguntei-lhe se gostava aqui da Tijuca, respondeu-me que sim, e que o Rio de Janeiro era uma grande cidade. "É a segunda vez que a vejo, disse ele; eu sou do norte. É uma grande cidade, José Bonifácio é um grande homem, a rua do Ouvidor um poema, o chafariz da Carioca um belo chafariz, o Corcovado, o gigante de pedra, Gonçalves Dias, os *Timbiras*, o Maranhão..." Embrulhava tudo a tal ponto que me fez rir. Ele é doido?

MAGALHÃES — Não.

D. LEOCÁDIA — A princípio, cuidei que era. Mas o melhor foi quando se serviu o peru. Perguntei-lhe que tal achava o peru. Ficou pálido, deixou cair o garfo, fechou os olhos e não me respondeu. Eu ia chamar a atenção de vocês, quando ele abriu os olhos e disse com voz surda: "d. Leocádia, eu não conheço o Peru..." Eu, espantada, perguntei: "Pois não está comendo?...". "Não falo desta pobre ave; falo-lhe da república."

MAGALHÃES — Pois conhece a república.

D. LEOCÁDIA — Então mentiu.

MAGALHÃES — Não, porque nunca lá foi.

D. LEOCÁDIA — *(a d. Adelaide.)* Mau! seu marido parece que também está virando o juízo. *(a Magalhães.)* Conhece então o Peru, como vocês estão conhecendo a Grécia... pelos livros.

MAGALHÃES — Também não.

D. LEOCÁDIA — Pelos homens?

MAGALHÃES — Não, senhora.

D. LEOCÁDIA — Então pelas mulheres?

MAGALHÃES — Nem pelas mulheres.

MAGALHÃES — Por uma mocinha, filha do ministro do Peru em Guatemala. Já contei a história à Adelaide. *(d. Adelaide senta-se folheando o livro de gravuras.)*

D. LEOCÁDIA — *(senta-se.)* Ouçamos a história. É curta?

MAGALHÃES — Quatro palavras. Cavalcante estava em comissão do nosso governo e frequentava o corpo diplomático, onde era muito bem-visto. Realmente, não se podia achar criatura mais dada, mais expansiva, mais estimável. Um dia começou a gostar da peruana. A peruana era bela e alta, com uns olhos admiráveis. Cavalcante, dentro de pouco, estava doido por ela, não pensava em mais nada, não falava de outra pessoa. Quando a via ficava estático. Se ela gostava dele, não sei; é certo que o animava e já se falava em casamento. Puro engano! Dolores voltou para o Peru, onde casou com um primo, segundo me escreveu o pai.

D. LEOCÁDIA — Ele ficou desconsolado, naturalmente.

MAGALHÃES — Ah! não me fale! Quis matar-se; pude impedir esse ato de desespero, e o desespero desfez-se em lágrimas. Caiu doente, uma febre que quase o levou. Pediu dispensa da comissão, e, como eu tinha obtido seis meses de licença, voltamos juntos. Não imagina o abatimento em que ficou, a tristeza profunda; chegou a ter as ideias baralhadas. Ainda agora, diz alguns disparates, mas emenda-se logo e ri de si mesmo.

D. LEOCÁDIA — Quer que lhe diga? Já ontem suspeitei que era negócio de amores; achei-lhe um riso amargo... Terá bom coração?

MAGALHÃES — Coração de ouro.

D. LEOCÁDIA — Espírito elevado?

MAGALHÃES — Sim, senhora.

D. LEOCÁDIA — Espírito elevado, coração de ouro, saudades... Está entendido.

MAGALHÃES — Entendido o quê?

D. LEOCÁDIA — Vou curar o seu amigo Cavalcante. De que é que vocês se espantam?

D. ADELAIDE — De nada.

MAGALHÃES — De nada, mas...

D. LEOCÁDIA — Mas quê?

MAGALHÃES — Parece-me...

D. Leocádia — Não parece nada; vocês são uns ingratos. Pois se confessam que eu curei o nariz de um e a hipocondria do outro, como é que põem em dúvida que eu possa curar a maluquice do Cavalcante? Vou curá-lo. Ele virá hoje?

D. Adelaide — Não vem todos os dias; às vezes passa-se uma semana.

Magalhães — Mora perto daqui; vou escrever-lhe que venha e, quando chegar, dir-lhe-ei que a senhora é o maior médico do século; cura o moral... Mas, minha tia, devo avisá-la de uma coisa: não lhe fale em casamento.

D. Leocádia — Oh! não!

Magalhães — Fica furioso quando lhe falam em casamento; responde que só se há de casar com a morte... A senhora exponha-lhe...

D. Leocádia — Ora, meu sobrinho, vá ensinar o padre-nosso ao vigário. Eu sei o que ele precisa, mas quero estudar primeiro o doente e a doença. Já volto.

Magalhães — Não lhe diga que eu é que lhe contei o caso da peruana...

D. Leocádia — Pois se eu mesma adivinhei que ele sofria do coração. *(sai; entra Carlota.)*

CENA III
Magalhães, d. Adelaide, d. Carlota

D. Adelaide — Bravo! está mais corada agora!

D. Carlota — Foi do passeio.

D. Adelaide — De que é que você gosta mais, da Tijuca ou da cidade?

D. Carlota — Eu por mim, ficava metida aqui na Tijuca.

Magalhães — Não creio. Sem bailes? sem teatro Lírico?

D. Carlota — Os bailes cansam, e não temos agora teatro Lírico.

Magalhães — Mas, em suma, aqui ou na cidade, o que é preciso é que você ria; esse ar tristonho faz-lhe a cara feia.

D. Carlota — Mas eu rio. Ainda agora não pude deixar de rir, vendo o doutor Cavalcante.

Magalhães — Por quê?

D. Carlota — Ele passava ao longe, a cavalo, tão distraído que levava a cabeça caída entre as orelhas do animal; ri da posição, mas lembrei-me que podia cair e ferir-se, e estremeci toda.

Magalhães — Mas não caiu?

D. Carlota — Não.

D. Adelaide — Titia viu também?

D. Carlota — Mamãe ia-me falando da Grécia, do céu da Grécia, dos monumentos da Grécia, do rei da Grécia; toda ela é Grécia, fala como se tivesse estado na Grécia.

D. Adelaide — Você quer ir conosco para lá?

D. Carlota — Mamãe não há de querer.

D. Adelaide — Talvez queira. *(mostrando-lhe as gravuras do livro.)* Olhe que bonitas vistas! Isto são ruínas. Aqui está uma cena de costumes. Olhe esta rapariga com um pote...

Magalhães — *(à janela.)* Cavalcante aí vem.

D. Carlota — Não quero vê-lo.

D. ADELAIDE — Por quê?

D. CARLOTA — Agora que passou o medo, posso rir-me lembrando a figura que ele fazia.

D. ADELAIDE — Eu também vou. *(saem as duas; Cavalcante aparece à porta. Magalhães deixa a janela.)*

CENA IV
Cavalcante, Magalhães

MAGALHÃES — Entra. Como passaste a noite?

CAVALCANTE — Bem. Dei um belo passeio; fui até o Vaticano e vi o papa. *(Magalhães olha espantado.)* Não te assustes, não estou doido. Eis o que foi: o meu cavalo ia para um lado e o meu espírito para outro. Eu pensava em fazer-me frade; então todas as minhas ideias vestiram-se de burel, e entrei a ver sobrepelizes e tochas; enfim, cheguei a Roma, apresentei-me à porta do Vaticano e pedi para ver o papa. No momento em que sua santidade apareceu, prosternei-me, depois estremeci; despertei e vi que o meu corpo seguira atrás do sonho, e que eu ia quase caindo.

MAGALHÃES — Foi então que a nossa prima Carlota deu contigo ao longe.

CAVALCANTE — Também eu a vi, e de vexado piquei o cavalo.

MAGALHÃES — Mas, então ainda não perdeste essa ideia de ser frade?

CAVALCANTE — Não.

MAGALHÃES — Que paixão romanesca!

CAVALCANTE — Não, Magalhães; reconheço agora o que vale o mundo com as suas perfídias e tempestades. Quero achar um abrigo contra elas; esse abrigo é o claustro. Não sairei nunca da minha cela e buscarei esquecer diante do altar...

MAGALHÃES — Olha que vais cair do cavalo!

CAVALCANTE — Não te rias, meu amigo!

MAGALHÃES — Não; quero só acordar-te. Realmente, estás ficando maluco. Não penses mais em semelhante moça. Há no mundo milhares e milhares de moças iguais à bela Dolores.

CAVALCANTE — Milhares e milhares? Mais uma razão para que eu me esconda em um convento. Mas é engano: há só uma, e basta.

MAGALHÃES — Bem; não há remédio senão entregar-te à minha tia.

CAVALCANTE — À tua tia?

MAGALHÃES — Minha tia crê que tu deves padecer de alguma doença moral — e adivinhou — e fala de curar-te. Não sei se sabes que ela vive na persuasão de que cura todas as enfermidades morais.

CAVALCANTE — Oh! eu sou incurável!

MAGALHÃES — Por isso mesmo deves sujeitar-te aos seus remédios. Se te não curar, dar-te-ia alguma distração, e é o que eu quero. *(abre a charuteira que está vazia.)* Olha, espera aqui, lê algum livro; eu vou buscar charutos. *(sai; Cavalcante pega num livro e senta-se.)*

CENA V
Cavalcante, d. Carlota, aparecendo ao fundo

D. CARLOTA — Primo... *(vendo Cavalcante.)* Ah! perdão!

CAVALCANTE — *(erguendo-se.)* Perdão de quê!

D. CARLOTA — Cuidei que meu primo estava aqui; vim buscar um livro de gravuras de prima Adelaide; está aqui...

CAVALCANTE — A senhora viu-me passar a cavalo, há uma hora, numa posição incômoda e inexplicável.

D. CARLOTA — Perdão, mas...

CAVALCANTE — Quero dizer que eu levava na cabeça uma ideia séria, um negócio grave.

D. CARLOTA — Creio.

CAVALCANTE — Deus queira que nunca possa entender o que era! Basta crer. Foi a distração que me deu aquela postura inexplicável. Na minha família quase todos são distraídos. Um dos meus tios morreu na guerra do Paraguai por causa de uma distração; era capitão de engenharia.

D. CARLOTA — *(perturbada.)* Oh! não me fale!

CAVALCANTE — Por quê? Não pode tê-lo conhecido.

D. CARLOTA — Não, senhor; desculpe-me, sou um pouco tonta. Vou levar o livro à minha prima.

CAVALCANTE — Peço-lhe perdão, mas...

D. CARLOTA — Passe bem. *(vai à porta.)*

CAVALCANTE — Mas, eu desejava saber...

D. CARLOTA — Não, não, perdoe-me. *(sai.)*

CENA VI

CAVALCANTE — *(só.)* Não compreendo: não sei se a ofendi. Falei no tio João Pedro, que morreu no Paraguai, antes de ela nascer...

CENA VII
Cavalcante, d. Leocádia

D. LEOCÁDIA — *(ao fundo, à parte.)* Está pensando. *(desce.)* Bom-dia, doutor Cavalcante!

CAVALCANTE — Como passou, minha senhora?

D. LEOCÁDIA — Bem, obrigada. Então meu sobrinho deixou-o aqui só?

CAVALCANTE — Foi buscar charutos, já volta.

D. LEOCÁDIA — Os senhores são muito amigos.

CAVALCANTE — Somos como dois irmãos.

D. LEOCÁDIA — Magalhães é um coração de ouro e o senhor parece-me outro. Acho-lhe só um defeito, doutor... Desculpe-me esta franqueza de velha; acho que o senhor fala trocado.

CAVALCANTE — Disse-lhe ontem algumas tolices, não?

D. Leocádia — Tolices, é muito; umas palavras sem sentido.

Cavalcante — Sem sentido, insensatas, vem a dar no mesmo.

D. Leocádia — *(pegando-lhe nas mãos.)* Olhe bem para mim. *(pausa.)* Suspire. *(Cavalcante suspira.)* O senhor está doente: não negue que está doente — moralmente, entenda-se; não negue! *(solta-lhe as mãos.)*

Cavalcante — Negar seria mentir. Sim, minha senhora, confesso que tive um grandíssimo desgosto.

D. Leocádia — Jogo de praça?

Cavalcante — Não, senhora.

D. Leocádia — Ambições políticas mal-logradas?

Cavalcante — Não conheço política.

D. Leocádia — Algum livro mal recebido pela imprensa?

Cavalcante — Só escrevo cartas particulares.

D. Leocádia — Não atino. Diga francamente; eu sou médico de enfermidades morais e posso curá-lo. Ao médico diz-se tudo. Ande, fale, conte-me tudo, tudo, tudo. Não se trata de amores?...

Cavalcante — *(suspirando.)* Trata-se justamente de amores.

D. Leocádia — Paixão grande?

Cavalcante — Oh! imensa!

D. Leocádia — Não quero saber o nome da pessoa, não é preciso. Naturalmente bonita?

Cavalcante — Como um anjo!

D. Leocádia — O coração também era de anjo?

Cavalcante — Pode ser, mas de anjo mau.

D. Leocádia — Uma ingrata...

Cavalcante — Uma perversa!

D. Leocádia — Diabólica...

Cavalcante — Sem entranhas!

D. Leocádia — Vê que estou adivinhando. Console-se; uma criatura dessas não acha casamento.

Cavalcante — Já achou!

D. Leocádia — Já?

Cavalcante — Casou, minha senhora; teve a crueldade de casar com um primo.

D. Leocádia — Os primos quase que não nascem para outra coisa. Diga-me, não procurou esquecer o mal nas folias próprias de rapazes?

Cavalcante — Oh! não! Meu único prazer é pensar nela.

D. Leocádia — Desgraçado! Assim nunca há de sarar.

Cavalcante — Vou tratar de esquecê-la.

D. Leocádia — De que modo?

Cavalcante — De um modo velho, alguns dizem que já obsoleto e arcaico. Penso em fazer-me frade. Há de haver em algum recanto do mundo um claustro em que não penetre sol nem lua.

D. Leocádia — Que ilusão! Lá mesmo achará a sua namorada. Há de vê-la nas paredes da cela, no teto, no chão, nas folhas do breviário. O silêncio far-se-á boca da moça, a solidão será o seu corpo.

CAVALCANTE — Então estou perdido. Onde acharei paz e esquecimento?

D. LEOCÁDIA — Pode ser frade sem ficar no convento. No seu caso o remédio naturalmente indicado é ir pregar... na China, por exemplo. Vá pregar aos infiéis na China. Paredes de convento são mais perigosas que olhos de chinesas. Ande, vá pregar na China. No fim de dez anos está curado. Volte, meta-se no convento e não achará lá o diabo.

CAVALCANTE — Está certa que na China...

D. LEOCÁDIA — Certíssima.

CAVALCANTE — O seu remédio é muito amargo! Por que é que me não manda antes para o Egito? Também é país de infiéis.

D. LEOCÁDIA — Não serve; é a terra daquela rainha... Como se chama?

CAVALCANTE — Cleópatra? Morreu há tantos séculos!

D. LEOCÁDIA — Meu marido disse que era uma desmiolada.

CAVALCANTE — Seu marido era, talvez, um erudito. Minha senhora, não se aprende amor nos livros velhos, mas nos olhos bonitos; por isso, estou certo de que ele adorava a vossa excelência.

D. LEOCÁDIA — Ah! ah! Já o doente começa a adular o médico. Não, senhor, há de ir à China. Lá há mais livros velhos que olhos bonitos. Ou não tem confiança em mim?

CAVALCANTE — Oh! tenho; tenho. Mas ao doente é permitido fazer uma careta antes de engolir a pílula. Obedeço; vou para a China. Dez anos, não?

D. LEOCÁDIA — *(levanta-se.)* Dez ou quinze, se quiser; mas antes dos quinze está curado.

CAVALCANTE — Vou.

D. LEOCÁDIA — Muito bem. A sua doença é tal que só com remédios fortes. Vá; dez anos passam depressa.

CAVALCANTE — Obrigado, minha senhora.

D. LEOCÁDIA — Até logo.

CAVALCANTE — Não, minha senhora, vou já.

D. LEOCÁDIA — Já para a China!

CAVALCANTE — Vou arranjar as malas e amanhã embarco para a Europa; vou a Roma, depois sigo imediatamente para a China. Até daqui a dez anos. *(estende-lhe a mão.)*

D. LEOCÁDIA — Fique ainda uns dias...

CAVALCANTE — Não posso.

D. LEOCÁDIA — Gosto de ver essa pressa; mas, enfim, pode esperar ainda uma semana.

CAVALCANTE — Não, não devo esperar. Quero ir às pílulas quanto antes; é preciso obedecer religiosamente ao médico.

D. LEOCÁDIA — Como eu gosto de ver um doente assim! O senhor tem fé no médico. O pior é que daqui a pouco, talvez, não se lembre dele.

CAVALCANTE — Oh! não! Hei de lembrar-me sempre, sempre!

D. LEOCÁDIA — No fim de dois anos escreva-me; informe-me sobre o seu estado e talvez eu o faça voltar. Mas, não minta, olhe lá; se já tiver esquecido a namorada, consentirei que volte.

CAVALCANTE — Obrigado. Vou ter com seu sobrinho e depois vou arranjar as malas.

D. LEOCÁDIA — Então não volta mais a esta casa?

CAVALCANTE — Virei daqui a pouco, uma visita de dez minutos, e depois desço, vou tomar passagem no paquete de amanhã.

D. LEOCÁDIA — Jante, ao menos, conosco.

CAVALCANTE — Janto na cidade.

D. LEOCÁDIA — Bem, adeus; guardemos o nosso segredo. Adeus, doutor Cavalcante. Creia-me: o senhor merece estar doente. Há pessoas que adoecem sem merecimento nenhum; ao contrário, não merecem outra coisa mais que uma saúde de ferro. O senhor nasceu para adoecer; que obediência ao médico! que facilidade em engolir todas as nossas pílulas! Adeus!

CAVALCANTE — Adeus, dona Leocádia. *(sai pelo fundo.)*

CENA VIII
D. Leocádia, d. Adelaide

D. LEOCÁDIA — Com dois anos de China está curado. *(vendo entrar Adelaide.)* O doutor Cavalcante saiu agora mesmo. Ouviste o meu exame médico?

D. ADELAIDE — Não. Que lhe pareceu?

D. LEOCÁDIA — Cura-se.

D. ADELAIDE — De que modo?

D. LEOCÁDIA — Não posso dizer; é segredo profissional.

D. ADELAIDE — Em quantas semanas fica bom?

D. LEOCÁDIA — Em dez anos.

D. ADELAIDE — Misericórdia! Dez anos!

D. LEOCÁDIA — Talvez dois; é moço, e robusto, a natureza ajudará a medicina, conquanto esteja muito atacado. Aí vem teu marido.

CENA IX
Os mesmos, Magalhães

MAGALHÃES — *(a d. Leocádia.)* Cavalcante disse-me que vai embora; eu vim correndo saber o que é que lhe receitou.

D. LEOCÁDIA — Receitei-lhe um remédio enérgico, mas que há de salvá-lo. Não são consolações de cacaracá. Coitado! Sofre muito, está gravemente doente; mas, descansem, meus filhos, juro-lhes, à fé do meu grau, que hei de curá-lo. Tudo é que me obedeça, e este obedece. Oh! aquele crê em mim. E vocês, meus filhos? Como vão os meus doentezinhos? Não é verdade que estão curados? *(sai pelo fundo.)*

CENA X
Magalhães, d. Adelaide

MAGALHÃES — Tinha vontade de saber o que é que ela lhe receitou.

D. ADELAIDE — Não falemos disso.

MAGALHÃES — Sabes o que foi?

D. ADELAIDE — Não; mas titia disse-me que a cura se fará em dez anos. *(espanto de Magalhães.)* Sim, dez anos; talvez dois, mas a cura certa é em dez anos.

MAGALHÃES — *(atordoado.)* Dez anos!

D. ADELAIDE — Ou dois!

MAGALHÃES — Ou dois?

D. ADELAIDE — Ou dez.

MAGALHÃES — Dez anos! Mas é impossível! Quis brincar contigo. Ninguém leva dez anos a sarar; ou sara antes ou morre.

D. ADELAIDE — Talvez ela pense que a melhor cura é a morte.

MAGALHÃES — Talvez. Dez anos!

D. ADELAIDE — Ou dois; não esqueças.

MAGALHÃES — Sim, ou dois; dois anos é muito, mas, há casos... Vou ter com ele.

D. ADELAIDE — Se titia quis enganar a gente, não é bom que os estranhos saibam. Vamos falar com ela, talvez que, pedindo muito, ela diga a verdade. Não leves essa cara assustada; é preciso falar-lhe naturalmente, com indiferença.

MAGALHÃES — Pois vamos.

D. ADELAIDE — Pensando bem, é melhor que eu vá só; entre mulheres...

MAGALHÃES — Não; ela continuará a zombar de ti; vamos juntos, estou sobre brasas.

D. ADELAIDE — Vamos.

MAGALHÃES — Dez anos!

D. ADELAIDE — Ou dois. *(saem pelo fundo.)*

CENA XI

D. CARLOTA — *(entrando pela direita.)* Ninguém! Afinal foram-se! Esta casa anda hoje cheia de mistérios. Há um quarto de hora quis vir aqui, e prima Adelaide disse-me que não, que se tratavam aqui negócios graves. Pouco depois levantou-se e saiu; mas antes disso contou-me que mamãe é que quer que eu vá para a Grécia. A verdade é que todos me falam de Atenas, de ruínas, de danças gregas, de Acrópole... Creio que é Acrópole que se diz. *(pega no livro que Magalhães estivera lendo, senta-se, abre e lê.)* "Entre os provérbios gregos, há um muito fino: Não consultes médico; consulta alguém que tenha estado doente." Não sei que possa ser. *(continua a ler em voz baixa.)*

CENA XII
D. Carlota, Cavalcante

CAVALCANTE — *(ao fundo.)* D. Leocádia! *(entra e fala de longe a Carlota, que está de costas.)* Quando eu ia a sair, lembrei-me.

D. CARLOTA — Quem é? *(levanta-se.)* Ah! Doutor!

CAVALCANTE — Desculpe-me, vinha falar à senhora sua mãe para lhe pedir um favor.

D. CARLOTA — Vou chamá-la.

CAVALCANTE — Não se incomode; falar-lhe-ei logo. Saberá por acaso se a senhora sua mãe conhece algum cardeal em Roma?

D. CARLOTA — Não sei, não, senhor.

CAVALCANTE — Queria pedir-lhe uma carta de apresentação; voltarei mais tarde. *(corteja, sai e para.)* Ah! aproveito a ocasião para lhe perguntar, ainda uma vez, em que é que a ofendi?

D. CARLOTA — O senhor nunca me ofendeu.

CAVALCANTE — Certamente que não; mas ainda há pouco, falando-lhe de um tio meu, que morreu no Paraguai, tio João Pedro, capitão de engenharia...

D. CARLOTA — *(atalhando.)* Por que é que o senhor quer ser apresentado a um cardeal?

CAVALCANTE — Bem respondido! Confesso que fui indiscreto com a minha pergunta. Já há de saber que eu tenho distrações repentinas, e quando não caio no ridículo, como hoje de manhã, caio na indiscrição. São segredos mais graves que os seus. É feliz, é bonita, pode contar com o futuro, enquanto que eu... Mas eu não quero aborrecê-la. O meu caso há de andar em romances. *(indicando o livro que ela tem na mão.)*

D. CARLOTA — Não é romance. *(dá-lhe o livro.)*

CAVALCANTE — Não? *(lê o título.)* Como? Está estudando a Grécia?

D. CARLOTA — Estou.

CAVALCANTE — Vai para lá?

D. CARLOTA — Vou, com prima Adelaide.

CAVALCANTE — Viagem de recreio, ou vai tratar-se?

D. CARLOTA — Deixe-me ir chamar mamãe.

CAVALCANTE — Perdoe-me ainda uma vez; fui indiscreto, retiro-me. *(dá alguns passos para sair.)*

D. CARLOTA — Doutor! *(Cavalcante para.)* Não se zangue comigo; sou um pouco tonta, o senhor é bom.

CAVALCANTE — *(descendo.)* Não diga que sou bom; os infelizes são apenas infelizes. A bondade é toda sua. Há poucos dias que nos conhecemos e já nos zangamos, por minha causa. Não proteste; a causa é a minha moléstia.

D. CARLOTA — O senhor está doente?

CAVALCANTE — Mortalmente.

D. CARLOTA — Não diga isso!

CAVALCANTE — Ou gravemente, se prefere.

D. CARLOTA — Ainda é muito. E que moléstia é?

CAVALCANTE — Quanto ao nome, não há acordo: loucura, espírito romanesco e muitos outros. Alguns dizem que é amor. Olhe, está outra vez aborrecida comigo!

D. CARLOTA — Oh! não, não, não. *(procurando rir.)* É o contrário; estou até muito alegre. Diz-me então que está doente, louco...

CAVALCANTE — Louco de amor, é o que alguns dizem. Os autores divergem. Eu prefiro amor, por ser mais bonito, mas a moléstia, qualquer que seja a causa, é cruel e terrível. Não pode compreender este imbróglio; peça a Deus que a conserve nessa boa e feliz ignorância. Por que é que me está olhando assim? Quer talvez saber...

D. CARLOTA — Não, não quero saber nada.

CAVALCANTE — Não é crime ser curiosa.

D. CARLOTA — Seja ou não loucura, não quero ouvir histórias como a sua.

CAVALCANTE — Já sabe qual é?

D. CARLOTA — Não.

CAVALCANTE — Não tenho direito de interrogá-la; mas há já dez minutos que estamos neste gabinete falando de coisas bem esquisitas para duas pessoas que apenas se conhecem.

D. CARLOTA — *(estendendo-lhe a mão.)* Até logo.

CAVALCANTE — A sua mão está fria. Não se vá ainda embora; hão de achá-la agitada. Sossegue um pouco, sente-se. *(Carlota senta-se.)* Eu retiro-me.

D. CARLOTA — Passe bem.

CAVALCANTE — Até logo.

D. CARLOTA — Volta logo?

CAVALCANTE — Não, não volto mais; queria enganá-la.

D. CARLOTA — Enganar-me por quê?

CAVALCANTE — Porque já fui enganado uma vez. Ouça-me: são duas palavras. Eu gostava muito de uma moça que tinha a sua beleza, e ela casou com outro. Eis a minha moléstia.

D. CARLOTA — *(erguendo-se.)* Como assim?

CAVALCANTE — É verdade; casou com outro.

D. CARLOTA — *(indignada.)* Que ação vil!

CAVALCANTE — Não acha?

D. CARLOTA — E ela gostava do senhor?

CAVALCANTE — Aparentemente; mas, depois vi que eu não era mais que um passatempo.

D. CARLOTA — *(animando-se aos poucos.)* Um passatempo! Fazia-lhe juramentos, dizia-lhe que o senhor era a sua única ambição, o seu verdadeiro Deus, parecia orgulhosa em contemplá-lo por horas infinitas, dizia-lhe tudo, tudo, umas coisas que pareciam cair do céu, e suspirava...

CAVALCANTE — Sim, suspirava, mas...

D. CARLOTA — *(muito animada.)* Um dia abandonou-o, sem uma só palavra de saudade nem de consolação, fugiu e foi casar com uma viúva espanhola!

CAVALCANTE — *(espantado.)* Uma viúva espanhola!

D. CARLOTA — Ah! tem muita razão em estar doente!

CAVALCANTE — Mas que viúva espanhola é essa de que me fala?

D. CARLOTA — *(caindo em si.)* Eu falei-lhe de uma viúva espanhola?

CAVALCANTE — Falou.

D. CARLOTA — Foi engano... Adeus, senhor doutor.

CAVALCANTE — Espere um instante. Creio que me compreendeu. Falou com tal paixão que os médicos não têm. Oh! como eu execro os médicos! principalmente os que me mandam para a China.

D. CARLOTA — O senhor vai para a China?

CAVALCANTE — Vou; mas não diga nada! Foi sua mãe que me deu essa receita.

D. CARLOTA — A China é muito longe!

CAVALCANTE — Creio até que está fora do mundo.

D. CARLOTA — Tão longe por quê?

CAVALCANTE — Boa palavra essa. Sim, por que ir à China, se a gente pode sarar na Grécia? Dizem que a Grécia é muito eficaz para estas feridas; há quem afirme que não há melhor para as que são feitas pelos capitães de engenharia. Quanto tempo vai lá passar?

D. Carlota — Não sei. Um ano, talvez.

Cavalcante — Crê que eu possa sarar num ano?

D. Carlota — É possível.

Cavalcante — Talvez sejam precisos dois — dois ou três.

D. Carlota — Ou três.

Cavalcante — Quatro, cinco...

D. Carlota — Cinco, seis...

Cavalcante — Depende menos do país que da doença.

D. Carlota — Ou do doente.

Cavalcante — Ou do doente. Já a passagem do mar pode ser que me faça bem. A minha moléstia casou com um primo. A sua (perdoe esta outra indiscrição; é a última), a sua casou com a viúva espanhola. As espanholas, mormente viúvas, são detestáveis. Mas, diga-me uma coisa: se uma pessoa já está curada, que é que vai fazer à Grécia?

D. Carlota — Convalescer, naturalmente. O senhor, como ainda está doente, vai para a China.

Cavalcante — Tem razão. Entretanto, começo a ter medo de morrer... Pensou alguma vez na morte?

D. Carlota — Pensa-se nela, mas lá vem um dia em que a gente aceita a vida, seja como for.

Cavalcante — Vejo que sabe muita coisa..

D. Carlota — Não sei nada; sou uma tagarela, que o senhor obrigou a dar por paus e por pedras; mas, como é a última vez que nos vemos, não importa. Agora, passe bem.

Cavalcante — Adeus, dona Carlota!

D. Carlota — Adeus, doutor!

Cavalcante — Adeus. *(dá um passo para a porta do fundo.)* Talvez eu vá a Atenas; não fuja se me vir vestido de frade.

D. Carlota — *(indo a ele.)* De frade? O senhor vai ser frade?

Cavalcante — Frade. Sua mãe aprova-me, contanto que eu vá à China. Parece-lhe que devo obedecer a esta vocação, ainda depois de perdida?

D. Carlota — É difícil obedecer a uma vocação perdida.

Cavalcante — Talvez nem a tivesse, e ninguém se deu ao trabalho de me dissuadir. Foi aqui, a seu lado, que comecei a mudar. A sua voz sai de um coração que padeceu também, e sabe falar a quem padece. Olhe, julgue-me doido, se quiser, mas eu vou pedir-lhe um favor: conceda-me que a ame. *(Carlota, perturbada, volta o rosto.)* Não lhe peço que me ame, mas que se deixe amar; é um modo de ser grato. Se fosse uma santa, não podia impedir que lhe acendesse uma vela.

D. Carlota — Não falemos mais nisto e separemo-nos.

Cavalcante — A sua voz treme; olhe para mim...

D. Carlota — Adeus; aí vem mamãe.

CENA XIII
Os mesmos, d. Leocádia

D. LEOCÁDIA — Que é isto, doutor? Então o senhor quer só um ano de China? Vieram pedir-me que reduzisse a sua ausência.
CAVALCANTE — Dona Carlota lhe dirá o que eu desejo.
D. CARLOTA — O doutor vem saber se mamãe conhece algum cardeal em Roma.
CAVALCANTE — A princípio era um cardeal; agora basta um vigário.
D. LEOCÁDIA — Um vigário? Para quê?
CAVALCANTE — Não posso dizer.
D. LEOCÁDIA — *(a Carlota.)* Deixa-nos sós, Carlota; o doutor quer fazer-me uma confidência.
CAVALCANTE — Não, não, ao contrário. Dona Carlota pode ficar. O que eu quero dizer é que um vigário basta para casar.
D. LEOCÁDIA — Casar a quem?
CAVALCANTE — Não é já, falta-me ainda a noiva.
D. LEOCÁDIA — Mas quem é que me está falando?
CAVALCANTE — Sou eu, dona Leocádia.
D. LEOCÁDIA — O senhor! o senhor! o senhor!
CAVALCANTE — Eu mesmo. Pedi licença a alguém...
D. LEOCÁDIA — Para casar?

CENA XIV
Os mesmos, Magalhães, d. Adelaide

MAGALHÃES — Consentiu, titia?
D. LEOCÁDIA — Em reduzir a China a ano? Mas ele agora quer a vida inteira.
MAGALHÃES — Estás doido?
D. LEOCÁDIA — Sim, a vida inteira, mas é para casar. *(d. Carlota fala baixo a d. Adelaide.)* Você entende, Magalhães?
CAVALCANTE — Eu, que devia entender, não entendo.
D. ADELAIDE — *(que ouviu d. Carlota.)* Entendo eu. O doutor Cavalcante contou as suas tristezas a Carlota, e Carlota, meio curada do seu próprio mal, expôs sem querer o que tinha sentido. Entenderam-se e casam-se.
D. LEOCÁDIA — *(a Carlota.)* Deveras? *(d. Carlota baixa os olhos.)* Bem; como é para saúde dos dois, concedo; são mais duas curas!
MAGALHÃES — Perdão; estas fizeram-se pela receita de um provérbio grego que está aqui neste livro. *(abre o livro.)* "Não consultes médico; consulta alguém que tenha estado doente."

Lição de botânica

PERSONAGENS
D. Helena. d. Leonor, d. Cecília, barão Segismundo de Kernoberg

Lugar da cena: Andaraí

ATO ÚNICO
Sala em casa de d. Leonor. Portas ao fundo, uma à direita do espectador

CENA I
D. Leonor, d. Helena, d. Cecília

(D. Leonor entra, lendo uma carta, d. Helena e d. Cecília entram no fundo.)
D. Helena — Já de volta!
D. Cecília — *(a d. Helena, depois de um silêncio.)* Será alguma carta de namoro?
D. Helena — *(baixo.)* Criança!
D. Leonor — Não me explicarão isto?
D. Helena — Que é?
D. Leonor — Recebi ao descer do carro este bilhete: "Minha senhora. Permita que o mais respeitoso vizinho lhe peça dez minutos de atenção. Vai nisto um grande interesse da ciência". Que tenho eu com a ciência?
D. Helena — Mas de quem é a carta?
D. Leonor — Do barão Segismundo de Kernoberg.
D. Cecília — Ah! o tio de Henrique!
D. Leonor — De Henrique! Que familiaridade é essa?
D. Cecília — Titia, eu...
D. Leonor — Eu quê?... Henrique!
D. Helena — Foi uma maneira de falar na ausência. Com que então o senhor barão Segismundo de Kernoberg pede-lhe dez minutos de atenção, em nome e por amor da ciência. Da parte de um botânico é por força alguma écloga.
D. Leonor — Seja o que for, não sei se deva receber um senhor a quem nunca vimos. Já o viram alguma vez?
D. Cecília — Eu nunca.
D. Helena — Nem eu.
D. Leonor — Botânico e sueco: duas razões para ser gravemente aborrecido. Nada, não estou em casa.
D. Cecília — Mas, quem sabe, titia, se ele quer pedir-lhe... sim... um exame no nosso jardim?
D. Leonor — Há por todo esse Andaraí muito jardim para examinar.
D. Helena — Não, senhora, há de recebê-lo.
D. Leonor — Por quê?
D. Helena — Porque é nosso vizinho, porque tem necessidade de falar-lhe, e, enfim, porque, a julgar pelo sobrinho, deve ser um homem distinto.

D. Leonor — Não me lembrava do sobrinho. Vá lá; aturemos o botânico. *(sai pela porta do fundo, à esquerda.)*

CENA II
D. Helena, d. Cecília

D. Helena — Não me agradece?

D. Cecília — O quê?

D. Helena — Sonsa! Pois não adivinhas o que vem cá fazer o barão?

D. Cecília — Não.

D. Helena — Vem pedir a tua mão para o sobrinho.

D. Cecília — Helena!

D. Helena — *(imitando-a.)* Helena!

D. Cecília — Juro...

D. Helena — Que o não amas.

D. Cecília — Não é isso.

D. Helena — Que o amas?

D. Cecília — Também não.

D. Helena — Mau! Alguma coisa há de ser. *Il faut q'une porte soit ouverte ou fermée.* Porta neste caso é coração. O teu coração há de estar fechado ou aberto...

D. Cecília — Perdi a chave.

D. Helena — *(rindo.)* E não o podes fechar outra vez. São assim todos os corações ao pé de todos os Henriques. O teu Henrique viu a porta aberta, e tomou posse do lugar. Não escolheste mal, não; é um bonito rapaz.

D. Cecília — Oh! uns olhos!

D. Helena — Azuis.

D. Cecília — Como o céu.

D. Helena — Louro...

D. Cecília — Elegante...

D. Helena — Espirituoso...

D. Cecília — E bom...

D. Helena — Uma pérola... *(suspira.)* Ah!

D. Cecília — Suspiras?

D. Helena — Que há de fazer uma viúva falando... de uma pérola?

D. Cecília — Oh! tens naturalmente em vista algum diamante de primeira grandeza.

D. Helena — Não tenho, não; meu coração já não quer joias.

D. Cecília — Mas as joias querem o teu coração.

D. Helena — Tanto pior para elas: hão de ficar em casa do joalheiro.

D. Cecília — Veremos isso. *(sobe.)* Ah!

D. Helena — Que é?

D. Cecília — *(olhando para a direita.)* Um homem desconhecido que lá vem; há de ser o barão.

D. Helena — Vou avisar titia. *(sai pelo fundo, à esquerda.)*

CENA III
D. Cecília, barão

D. CECÍLIA — Será deveras ele? Estou trêmula... Henrique não me avisou de nada... Virá pedir-me?... Mas, não, não, não pode ser... Tão moço?... *(o barão aparece.)*
BARÃO — *(à porta, depois de profunda cortesia.)* Creio que a excelentíssima senhora dona Leonor Gouvêa recebeu uma carta... Vim sem esperar a resposta.
D. CECÍLIA — É o senhor barão Segismundo de Kernoberg? *(o barão faz um gesto afirmativo.)* Recebeu. Queira entrar e sentar-se. *(à parte.)* Devo estar vermelha...
BARÃO — *(à parte, olhando para Cecília.)* Há de ser esta.
D. CECÍLIA — *(à parte.)* E titia não vem... Que demora!... Não sei que lhe diga... estou tão vexada... *(o barão tira um livro da algibeira e folheia-o.)* Se eu pudesse deixá-lo... É o que vou fazer. *(sobe.)*
BARÃO — *(fechando o livro e erguendo-se.)* Vossa excelência há de desculpar-me. Recebi hoje mesmo este livro da Europa; é obra que vai fazer revolução na ciência; nada menos que uma monografia das gramíneas, premiadas pela Academia de Estocolmo.
D. CECÍLIA — Sim? *(à parte.)* Aturemo-lo, pode vir a ser meu tio.
BARÃO — As gramíneas têm ou não têm perianto? A princípio adotou-se a negativa, posteriormente... Vossa excelência talvez não conheça o que é o perianto.
D. CECÍLIA — Não, senhor.
BARÃO — Perianto compõe-se de duas palavras gregas: *peri*, em volta, e *anthos*, flor.
D. CECÍLIA — O invólucro da flor.
BARÃO — Acertou. É o que vulgarmente se chama cálice. Pois as gramíneas eram tidas... *(aparece d. Leonor ao fundo.)* Ah!

CENA IV
Os mesmos, d. Leonor

D. LEONOR — Desejava falar-me?
BARÃO — Se me dá essa honra. Vim sem esperar resposta à minha carta. Dez minutos apenas.
D. LEONOR — Estou às suas ordens.
D. CECÍLIA — Com licença. *(à parte, olhando para o céu.)* Ah! minha Nossa Senhora! *(retira-se pelo fundo.)*

CENA V
D. Leonor, barão

(D. Leonor senta-se, fazendo um gesto ao barão, que a imita.)
BARÃO — Sou o barão Segismundo de Kernoberg, seu vizinho, botânico de vocação, profissão e tradição, membro da Academia de Estocolmo e comissionado pelo governo da Suécia para estudar a flora da América do Sul. Vossa excelência dis-

pensa a minha biografia? *(d. Leonor faz um gesto afirmativo.)* Direi somente que o tio de meu tio foi botânico, meu tio botânico, eu botânico, e meu sobrinho há de ser botânico. Todos somos botânicos de tios a sobrinhos. Isto de algum modo explica minha vinda a esta casa.

D. LEONOR — Oh! o meu jardim é composto de plantas vulgares.

BARÃO — *(gracioso.)* É porque as melhores flores da casa estão dentro de casa. Mas vossa excelência engana-se; não venho pedir nada do seu jardim.

D. LEONOR — Ah!

BARÃO — Venho pedir-lhe uma coisa que lhe há de parecer singular.

D. LEONOR — Fale.

BARÃO — O padre desposa a igreja; eu desposei a ciência. Saber é o meu estado conjugal; os livros são a minha família. Numa palavra, fiz voto de celibato.

D. LEONOR — Não se casa.

BARÃO — Justamente. Mas, vossa excelência compreende que, sendo para mim ponto de fé que a ciência não se dá bem com o matrimônio, nem eu devo casar, nem... Vossa excelência já percebeu.

D. LEONOR — Coisa nenhuma.

BARÃO — Meu sobrinho Henrique anda estudando comigo os elementos da botânica. Tem talento, há de vir a ser um luminar da ciência. Se o casamos, está perdido.

D. LEONOR — Mas...

BARÃO — *(à parte.)* Não entendeu. *(alto.)* Sou obrigado a ser mais franco. Henrique anda apaixonado por uma de suas sobrinhas, creio que esta que saiu daqui, há pouco. Impus-lhe que não voltasse a esta casa; ele resistiu-me. Só me resta um meio: é que vossa excelência lhe feche a porta.

D. LEONOR — Senhor barão!

BARÃO — Admira-se do pedido? Creio que não é polido nem conveniente. Mas é necessário, minha senhora, é indispensável. A ciência precisa de mais um obreiro: não o encadeiemos no matrimônio.

D. LEONOR — Não sei se devo sorrir do pedido...

BARÃO — Deve sorrir, sorrir e fechar-nos a porta. Terá os meus agradecimentos e as bênçãos da posteridade.

D. LEONOR — Não é preciso tanto; posso fechá-la de graça.

BARÃO — Justo. O verdadeiro benefício é gratuito.

D. LEONOR — Antes, porém, de nos despedirmos, desejava dizer uma coisa e perguntar outra. *(o barão curva-se.)* Direi primeiramente que ignoro se há tal paixão da parte de seu sobrinho; em segundo lugar, perguntarei se na Suécia estes pedidos são usuais.

BARÃO — Na geografia intelectual não há Suécia nem Brasil; os países são outros: astronomia, geologia, matemáticas; na botânica são obrigatórios.

D. LEONOR — Todavia, à força de andar com flores... deviam os botânicos trazê-las consigo.

BARÃO — Ficam no gabinete.

D. LEONOR — Trazem os espinhos somente.

BARÃO — Vossa excelência tem espírito. Compreendo a afeição de Henrique a esta casa. *(levanta-se.)* Promete-me então...

D. LEONOR — *(levantando-se.)* Que faria no meu caso?

BARÃO — Recusava.

D. LEONOR — Com prejuízo da ciência?

BARÃO — Não, porque nesse caso a ciência mudaria de acampamento, isto é, o vizinho prejudicado escolheria outro bairro para seus estudos.

D. LEONOR — Não lhe parece que era melhor ter feito isso mesmo, antes de arriscar um pedido ineficaz?

BARÃO — Quis primeiro tentar fortuna.

CENA VI
D. Leonor, barão, d. Helena

D. HELENA — *(entra e para.)* Ah!

D. LEONOR — Entra, não é assunto reservado. O senhor barão de Kernoberg... *(ao barão.)* É minha sobrinha Helena. *(à Helena.)* Aqui o senhor barão vem pedir que o não perturbemos no estudo da botânica. Diz que o seu sobrinho Henrique está destinado a um lugar honroso na ciência, e... conclua, senhor barão.

BARÃO — Não convém que se case, a ciência exige o celibato.

D. LEONOR — Ouviste?

D. HELENA — Não compreendo...

BARÃO — Uma paixão louca de meu sobrinho pode impedir que... Minhas senhoras, não desejo roubar-lhes mais tempo... Confio em vossa excelência, minha senhora... Ser-lhe-ei eternamente grato. Minhas senhoras. *(faz uma grande cortesia e sai.)*

CENA VII
D. Helena, d. Leonor

D. LEONOR — *(rindo.)* Que urso!

D. HELENA — Realmente...

D. LEONOR — Perdoo-lhe em nome da ciência. Fique com as suas ervas, e não nos aborreça mais, nem ele nem o sobrinho.

D. HELENA — Nem o sobrinho?

D. LEONOR — Nem o sobrinho, nem o criado, nem o cão, se o houver, nem coisa nenhuma que tenha relação com a ciência. Enfada-te? Pelo que vejo, entre o Henrique e a Cecília há tal ou qual namoro?

D. HELENA — Se promete segredo... há.

D. LEONOR — Pois acabe-se o namoro.

D. HELENA — Não é fácil. O Henrique é um perfeito cavalheiro; ambos são dignos um do outro. Por que razão impediremos que dois corações...

D. LEONOR — Não sei de corações, não hão de faltar casamentos a Cecília.

D. HELENA — Certamente que não, mas os casamentos não se improvisam nem se projetam na cabeça; são atos do coração, que a igreja santifica. Tentemos uma coisa.

D. Leonor — Que é?

D. Helena — Reconciliemo-nos com o barão.

D. Leonor — Nada, nada.

D. Helena — Pobre Cecília!

D. Leonor — É ter paciência, sujeite-se às circunstâncias... *(à d. Cecília, que entra.)* Ouviste?

D. Cecília — O que, titia?

D. Leonor — Helena te explicará tudo. *(à d. Helena, baixo.)* Tira-lhe todas as esperanças. *(indo-se.)* Que urso! que urso!

CENA VIII
D. Helena, d. Cecília

D. Cecília — Que aconteceu?

D. Helena — Aconteceu... *(olha com tristeza para ela.)*

D. Cecília — Acaba.

D. Helena — Pobre Cecília!

D. Cecília — Titia recusou a minha mão?

D. Helena — Qual! O barão é que se opõe ao casamento.

D. Cecília — Opõe-se!

D. Helena — Diz que a ciência exige o celibato do sobrinho. *(d. Cecília encosta-se a uma cadeira.)* Mas, sossega; nem tudo está perdido; pode ser que o tempo...

D. Cecília — Mas quem impede que ele estude?

D. Helena — Mania de sábio. Ou então, evasiva do sobrinho.

D. Cecília — Oh! não! é impossível; Henrique é uma alma angélica! Respondo por ele. Há de certamente opor-se a semelhante exigência...

D. Helena — Não convém precipitar as coisas. O barão pode zangar-se e ir-se embora.

D. Cecília — Que devo então fazer?

D. Helena — Esperar. Há tempo para tudo.

D. Cecília — Pois bem, quando Henrique vier...

D. Helena — Não vem, titia resolveu fechar a porta a ambos.

D. Cecília — Impossível!

D. Helena — Pura verdade. Foi uma exigência do barão.

D. Cecília — Ah! conspiram todos contra mim. *(põe as mãos na cabeça.)* Sou muito infeliz! Que mal fiz eu a essa gente? Helena, salva-me! Ou eu mato-me! Anda, vê se descobres um meio...

D. Helena — *(indo sentar-se.)* Que meio?

D. Cecília — *(acompanhando-a.)* Um meio qualquer que não nos separe!

D. Helena — Há um.

D. Cecília — Qual? Dize.

D. Helena — Casar.

D. Cecília — Oh! não zombes de mim! Tu também amaste, Helena; deves respeitar estas angústias. Não tornar a ver o meu Henrique é uma ideia intolerável. Anda, minha irmãzinha. *(ajoelha-se inclinando o corpo sobre o regaço de d. Helena.)* Salva-me! És tão inteligente, que hás de achar por força alguma ideia; anda, pensa!

D. Helena — *(beijando-lhe a testa.)* Criança! supões que seja tão fácil assim?
D. Cecília — Para ti há de ser fácil.
D. Helena — Lisonjeira! *(pega maquinalmente no livro deixado pelo barão sobre a cadeira.)* A boa vontade não pode tudo; é preciso... *(tem aberto o livro.)* Que livro é este?... Ah! talvez do barão.
D. Cecília — Mas vamos... continua.
D. Helena — Isto há de ser sueco... trata talvez de botânica. Sabes sueco?
D. Cecília — Helena!
D. Helena — Quem sabe se este livro pode salvar tudo? *(depois de um instante de reflexão.)* Sim, é possível. Tratará de botânica?
D. Cecília — Trata.
D. Helena — Quem te disse?
D. Cecília — Ouvi dizer ao barão, trata das...
D. Helena — Das...
D. Cecília — Das gramíneas?
D. Helena — Só das gramíneas?
D. Cecília — Não sei; foi premiado pela Academia de Estocolmo.
D. Helena — De Estocolmo. Bem. *(levanta-se.)*
D. Cecília — *(levantando-se.)* Mas que é?
D. Helena — Vou mandar-lhe o livro...
D. Cecília — Que mais?
D. Helena — Com um bilhete.
D. Cecília — *(olhando para a direita.)* Não é preciso; lá vem ele.
D. Helena — Ah!
D. Cecília — Que vais fazer?
D. Helena — Dar-lhe o livro.
D. Cecília — O livro, e...
D. Helena — E as despedidas.
D. Cecília — Não compreendo.
D. Helena — Espera e verás.
D. Cecília — Não posso encará-lo; adeus.
D. Helena — Cecília! *(d. Cecília sai.)*

CENA IX
D. Helena, barão

Barão — *(à porta.)* Perdão, minha senhora; eu trazia um livro há pouco...
D. Helena — *(com o livro na mão.)* Será este?
Barão — *(caminhando para ela.)* Justamente.
D. Helena — Escrito em sueco, penso eu...
Barão — Em sueco.
D. Helena — Trata naturalmente de botânica.
Barão — Das gramíneas.
D. Helena — *(com interesse.)* Das gramíneas!
Barão — De que se espanta?
D. Helena — Um livro publicado...

BARÃO — Que seriam mais sábios se não fossem casados.

D. HELENA — Não fale assim. A esposa fortifica a alma do sábio. Deve ser um quadro delicioso para o homem que despende as suas horas na investigação da natureza, fazê-lo ao lado da mulher que o ampara e anima, testemunha de seus esforços, sócia de suas alegrias, atenta, dedicada, amorosa. Será vaidade de sexo? Pode ser, mas eu creio que o melhor prêmio do mérito é o sorriso da mulher amada. O aplauso público é mais ruidoso, mas muito menos tocante que a aprovação doméstica.

BARÃO — *(depois de um instante de hesitação e luta.)* Falemos da nossa lição.

D. HELENA — Amanhã, se minha tia consentir. *(levanta-se.)* Até amanhã, não?

BARÃO — Hoje mesmo, se o ordenar.

D. HELENA — Acredita que não perderei o tempo?

BARÃO — Estou certo que não.

D. HELENA — Serei acadêmica de Estocolmo?

BARÃO — Conto que terei essa honra.

D. HELENA — *(cortejando.)* Até amanhã.

BARÃO — *(o mesmo.)* Minha senhora! *(d. Helena sai pelo fundo, esquerda, o barão caminha para a direita, mas volta para buscar o livro que ficara sobre a cadeira ou sofá.)*

CENA X
Barão, d. Leonor

BARÃO — *(pensativo.)* Até amanhã! Devo eu cá voltar? Talvez não devesse, mas é interesse da ciência... a minha palavra empenhada... O pior de tudo é que a discípula é graciosa e bonita. Nunca tive discípula, ignoro até que ponto é perigoso... Ignoro? Talvez não... *(põe a mão no peito.)* Que é isto?... *(resoluto.)* Não, sicambro! Não hás de adorar o que queimaste! Eia, volvamos às flores e deixemos esta casa para sempre. *(entra d. Leonor.)*

D. LEONOR — *(vendo o barão.)* Ah!

BARÃO — Voltei há dois minutos; vim buscar este livro. *(cumprimentando.)* Minha senhora!

D. LEONOR — Senhor barão!

BARÃO — *(vai até a porta e volta.)* Creio que vossa excelência não me fica querendo mal?

D. LEONOR — Certamente que não.

BARÃO — *(cumprimentando.)* Minha senhora!

D. LEONOR — *(idem.)* Senhor barão!

BARÃO — *(vai até a porta e volta.)* A senhora dona Helena não lhe falou agora?

D. LEONOR — Sobre quê?

BARÃO — Sobre umas lições de botânica...

D. LEONOR — Não me falou em nada...

BARÃO — *(cumprimentando.)* Minha senhora!

D. LEONOR — *(idem.)* Senhor barão! *(barão sai.)* Que esquisitão! Valia a pena cultivá-lo de perto.

BARÃO — *(reaparecendo.)* Perdão...

D. Leonor — Ah! Que manda?

Barão — *(aproxima-se.)* Completo a minha pergunta. A sobrinha de vossa excelência falou-me em receber algumas lições de botânica; vossa excelência consente? *(pausa.)* Há de parecer-lhe esquisito este pedido, depois do que tive a honra de fazer-lhe há pouco...

D. Leonor — Senhor barão, no meio de tantas cópias e imitações humanas...

Barão — Eu acabo: sou original.

D. Leonor — Não ouso dizê-lo.

Barão — Sou; noto, entretanto, que a observação de vossa excelência não responde à minha pergunta.

D. Leonor — Bem sei; por isso mesmo é que a fiz.

Barão — Nesse caso...

D. Leonor — Nesse caso, deixe-me refletir.

Barão — Cinco minutos?

D. Leonor — Vinte e quatro horas.

Barão — Nada menos?

D. Leonor — Nada menos.

Barão — *(cumprimentando.)* Minha senhora!

D. Leonor — *(idem.)* Senhor barão! *(sai o barão.)*

CENA XI

D. Leonor, d. Cecília

D. Leonor — Singular é ele, mas não menos singular é a ideia de Helena. Para que quererá ela aprender botânica?

D. Cecília — *(entrando.)* Helena! *(d. Leonor volta-se.)* Ah! é titia.

D. Leonor — Sou eu.

D. Cecília — Onde está Helena?

D. Leonor — Não sei, talvez lá em cima. *(d. Cecília dirige-se para o fundo.)* Onde vais?...

D. Cecília — Vou...

D. Leonor — Acaba.

D. Cecília — Vou concertar o penteado.

D. Leonor — Vem cá; concerto eu. *(d. Cecília aproxima-se de d. Leonor.)* Não é preciso, está excelente. Diz-me: estás muito triste?

D. Cecília — *(muito triste.)* Não, senhora; estou alegre.

D. Leonor — Mas, Helena disse-me que tu...

D. Cecília — Foi gracejo.

D. Leonor — Não creio; tens alguma coisa que te aflige; hás de contar-me tudo.

D. Cecília — Não posso.

D. Leonor — Não tens confiança em mim?

D. Cecília — Oh! toda!

D. Leonor — Pois eu exijo... *(vendo Helena, que aparece à porta do fundo, à esquerda)* Ah! chegas a propósito.

CENA XII
D. Leonor, d. Cecília, d. Helena

D. Helena — Para quê?

D. Leonor — Explica-me que história é essa que me contou o barão?

D. Cecília — *(com curiosidade.)* O barão?

D. Leonor — Parece que estás disposta a estudar botânica.

D. Helena — Estou.

D. Cecília — *(sorrindo.)* Com o barão?

D. Helena — Com o barão.

D. Leonor — Sem o meu consentimento?

D. Helena — Com o seu consentimento.

D. Leonor — Mas de que te serve saber botânica?

D. Helena — Serve para conhecer as flores dos meus buquês, para não confundir jasmíneas com rubiáceas, nem bromélias com umbelíferas.

D. Leonor — Com quê?

D. Helena — Umbelíferas.

D. Leonor — Umbe...

D. Helena — ...líferas. Umbelíferas.

D. Leonor — Virgem santa! E que ganhas tu com esses nomes bárbaros?

D. Helena — Muita coisa.

D. Cecília — *(à parte.)* Boa Helena! Compreendo tudo.

D. Helena — O perianto, por exemplo; a senhora talvez ignore a questão do perianto... a questão das gramíneas...

D. Leonor — E dou graças a Deus!

D. Cecília — *(animada.)* Oh! deve ser uma questão importantíssima!

D. Leonor — *(espantada.)* Também tu!

D. Cecília — Só o nome! Perianto. É nome grego, titia, um delicioso nome grego. *(à parte.)* Estou morta por saber do que se trata.

D. Leonor — Vocês fazem-me perder o juízo! Aqui andam bruxas, de certo. Perianto de um lado, bromélias de outro; uma língua de gentios, avessa à gente cristã. Que quer dizer tudo isso?

D. Cecília — Quer dizer que a ciência é uma grande coisa e que não há remédio senão adorar a botânica.

D. Leonor — Que mais?

D. Cecília — Que mais? Quer dizer que a noite de hoje há de estar deliciosa, e poderemos ir ao teatro Lírico. Vamos, sim? Amanhã é o baile do conselheiro e sábado o casamento da Júlia Marcondes. Três dias de festas! Prometo divertir-me muito, muito, muito. Estou tão contente! Ria-se, titia; ria-se e dê-me um beijo!

D. Leonor — Não dou, não, senhora. Minha opinião é contra a botânica, e isto mesmo vou escrever ao barão.

D. Helena — Reflita primeiro; basta amanhã!

D. Leonor — Há de ser hoje mesmo! Esta casa está ficando muito sueca; voltemos a ser brasileiras. Vou escrever ao urso. Acompanha-me, Cecília; hás de contar-me o que lia. *(saem.)*

CENA XIII
D. Helena, barão

D. Helena — Cecília deitou tudo a perder... Não se pode fazer nada com crianças... Tanto pior para ela. *(pausa.)* Quem sabe se tanto melhor para mim? Pode ser. Aquele professor não é assaz velho, como convinha. Além disso, há nele um ar de diamante bruto, uma alma apenas coberta pela crosta científica, mas cheia de fogo e luz. Se eu viesse a arder ou cegar... *(levanta os ombros.)* Que ideia! Não passa de um urso, como titia lhe chama, um urso com patas de rosas.

Barão — *(aproximando-se.)* Perdão, minha senhora. Ao atravessar a chácara ia pensando no nosso acordo, e, sinto dizê-lo, mudei de resolução.

D. Helena — Mudou.

Barão — *(aproximando-se.)* Mudei.

D. Helena — Pode saber-se o motivo?

Barão — São três. O primeiro é o meu pouco saber... Ri-se?

D. Helena — De incredulidade. O segundo motivo...

Barão — O segundo motivo é o meu gênio áspero e despótico.

D. Helena — Vejamos o terceiro.

Barão — O terceiro é a sua idade. Vinte e um anos, não?

D. Helena — Vinte e dois.

Barão — Solteira?

D. Helena — Viúva.

Barão — Perpetuamente viúva?

D. Helena — Talvez.

Barão — Nesse caso, quarto motivo: sua viuvez perpétua.

D. Helena — Conclusão: todo o nosso acordo está desfeito.

Barão — Não digo que esteja; só por mim não o posso romper. Vossa excelência, porém, avaliará as razões que lhe dou, e decidirá se ele deve ser mantido.

D. Helena — Suponha que respondo afirmativamente.

Barão — Paciência! obedecerei.

D. Helena — De má vontade?

Barão — Não; mas com grande desconsolação.

D. Helena — Pois, senhor barão, não desejo violentá-lo; está livre.

Barão — Livre, e não menos desconsolado.

D. Helena — Tanto melhor!

Barão — Como assim?

D. Helena — Nada mais simples: vejo que é caprichoso e incoerente.

Barão — Incoerente, é verdade.

D. Helena — Irei procurar outro mestre.

Barão — Outro mestre! Não faça isso.

D. Helena — Por quê?

Barão — Porque... *(pausa.)* Vossa excelência é inteligente bastante para dispensar mestres.

D. Helena — Quem lho disse?

Barão — Adivinha-se.

D. Helena — Bem; irei queimar os olhos nos livros.

BARÃO — Oh! seria estragar as mais belas flores do mundo!

D. HELENA — *(sorrindo.)* Mas então nem mestres nem livros?

BARÃO — Livros, mas aplicação moderada. A ciência não se colhe de afogadilho; é preciso penetrá-la com segurança e cautela.

D. HELENA — Obrigada. *(estendendo-lhe a mão.)* E visto que me recusa as suas lições, adeus.

BARÃO — Já!

D. HELENA — Pensei que queria retirar-se.

BARÃO — Queria e custa-me. Em todo caso, não desejava sair sem que vossa excelência me dissesse francamente o que pensa de mim. Bem ou mal?

D. HELENA — Bem e mal.

BARÃO — Pensa então...

D. HELENA — Penso que é inteligente e bom, mas caprichoso e egoísta.

BARÃO — Egoísta!

D. HELENA — Em toda a força da expressão. *(senta-se.)* Por egoísmo — científico, é verdade — opõe-se às afeições de seu sobrinho; por egoísmo, recusa-me as suas lições. Creio que o senhor barão nasceu para mirar-se no vasto espelho da natureza, a sós consigo, longe do mundo, e seus enfados. Aposto que — desculpe a indiscrição da pergunta — aposto que nunca amou?

BARÃO — Nunca.

D. HELENA — De maneira que nunca uma flor teve a seus olhos outra aplicação, além do estudo?

BARÃO — Engana-se.

D. HELENA — Sim?

BARÃO — Depositei algumas coroas de goivos no túmulo de minha mãe.

D. HELENA — Ah!

BARÃO — Há em mim alguma coisa mais do que eu mesmo. Há a poesia das afeições por baixo da prova científica. Não a ostento, é verdade; mas sabe vossa excelência o que tem sido a minha vida? Um claustro. Cedo perdi o que havia mais caro: a família. Desposei a ciência, que me tem servido de alegrias, consolações e esperanças. Deixemos, porém, tão tristes memórias.

D. HELENA — Memórias de homem; até aqui eu só via o sábio.

BARÃO — Mas o sábio reaparece e enterra o homem. Volto à vida vegetativa... se me é lícito arriscar um trocadilho em português, que eu não sei bem se o é. Pode ser que não passe de aparência. Todo eu sou aparências, minha senhora, aparências de homem, de linguagem e até de ciência...

D. HELENA — Quer que o elogie?

BARÃO — Não; desejo que me perdoe.

D. HELENA — Perdoar-lhe o quê?

BARÃO — A incoerência de que me acusava há pouco.

D. HELENA — Tanto perdoo que o imito. Mudo igualmente de resolução, e dou de mão ao estudo.

BARÃO — Não faça isso!

D. HELENA — Não lerei uma só linha de botânica, que é a mais aborrecível ciência do mundo.

BARÃO — Mas o seu talento...

D. HELENA — Não tenho talento; tinha curiosidade.

Barão — É a chave do saber.

D. Helena — Que monta isso? A porta fica tão longe!

Barão — É certo, mas o caminho é de flores.

D. Helena — Com espinhos.

Barão — Eu lhe quebrarei os espinhos.

D. Helena — De que modo?

Barão — Serei seu mestre.

D. Helena — *(levanta-se.)* Não! Respeito os seus escrúpulos. Subsistem, penso eu, os motivos que alegou. Deixe-me ficar na minha ignorância.

Barão — É a última palavra de vossa excelência?

D. Helena — Última.

Barão — *(com ar de despedida.)* Nesse caso... aguardo as suas ordens.

D. Helena — Que se não esqueça de nós.

Barão — Crê possível que me esquecesse?

D. Helena — Naturalmente: um conhecimento de vinte minutos...

Barão — O tempo importa pouco ao caso. Não me esquecerei nunca mais destes vinte minutos, os melhores da minha vida, os primeiros que hei realmente vivido. A ciência não é tudo, minha senhora. Há alguma coisa mais, além do espírito, alguma coisa essencial ao homem, e...

D. Helena — Repare, senhor barão, que está falando à sua ex-discípula.

Barão — A minha ex-discípula tem coração, e sabe que o mundo intelectual é estreito para conter o homem todo; sabe que a vida moral é uma necessidade do ser pensante.

D. Helena — Não passemos da botânica à filosofia, nem tanto à terra, nem tanto ao céu. O que o senhor barão quer dizer, em boa e mediana prosa, é que estes vinte minutos de palestra não o enfadaram de todo. Eu digo a mesma coisa. Pena é que fossem só vinte minutos, e que o senhor barão volte às suas amadas plantas; mas é força ir ter com elas, não quero tolher-lhe os passos. Adeus! *(inclinando-se como a despedir-se.)*

Barão — *(cumprimentando.)* Minha senhora! *(caminha até a porta e para.)* Não transporei mais esta porta?

D. Helena — Já a fechou por suas próprias mãos.

Barão — A chave está nas suas.

D. Helena — *(olhando para as mãos.)* Nas minhas?

Barão — *(aproximando-se.)* Decerto.

D. Helena — Não a vejo.

Barão — É a esperança. Dê-me a esperança de que...

D. Helena — *(depois de uma pausa.)* A esperança de que...

Barão — A esperança de que... a esperança de...

D. Helena — *(que tem tirado uma flor de um vaso.)* Creio que lhe será mais fácil definir esta flor.

Barão — Talvez.

D. Helena — Mas não é preciso dizer mais: adivinhei-o.

Barão — *(alvoroçado.)* Adivinhou?

D. Helena — Adivinhei que quer a todo o transe ser meu mestre.

Barão — *(friamente.)* É isso.

D. Helena — Aceito.

BARÃO — Obrigado.

D. HELENA — Parece-me que ficou triste?...

BARÃO — Fiquei, pois que só adivinhou metade do meu pensamento. Não adivinhou que eu... por que o não direi? di-lo-ei francamente... Não adivinhou que...

D. HELENA — Que...

BARÃO — *(depois de alguns esforços para falar.)* Nada... nada...

D. LEONOR — *(dentro.)* Não admito!

CENA XIV
D. Helena, barão, d. Leonor, d. Cecília

D. CECÍLIA — *(entrando pelo fundo com d. Leonor.)* Mas titia...

D. LEONOR — Não admito, já disse! Não te faltam casamentos. *(vendo o barão.)* Ainda aqui!

BARÃO — Ainda e sempre, minha senhora.

D. LEONOR — Nova originalidade.

BARÃO — Oh! não! A coisa mais vulgar do mundo. Refleti, minha senhora, e venho pedir para meu sobrinho a mão de sua encantadora sobrinha. *(gesto de Cecília.)*

D. LEONOR — A mão de Cecília!

D. CECÍLIA — Que ouço!

BARÃO — O que eu lhe pedia há pouco era uma extravagância, um ato de egoísmo e violência, além de descortesia que era, e que vossa excelência me perdoou, atendendo à singularidade das minhas maneiras. Vejo tudo isso agora...

D. LEONOR — Não me oponho ao casamento, se for do agrado de Cecília.

D. CECÍLIA — *(baixo, a d. Helena.)* Obrigada! Foste tu...

D. LEONOR — Vejo que o senhor barão refletiu.

BARÃO — Não foi só reflexão, foi também resolução.

D. LEONOR — Resolução?

BARÃO — *(gravemente.)* Minha senhora, atrevo-me a fazer outro pedido.

D. LEONOR — Ensinar botânica à Helena? Já me deu vinte e quatro horas para responder.

BARÃO — Peço-lhe mais do que isso; vossa excelência que é, por assim dizer, irmã mais velha de sua sobrinha, pode intervir junto dela para... *(pausa.)*

D. LEONOR — Para...

D. HELENA — Acabo eu. O que o senhor barão deseja é a minha mão.

BARÃO — Justamente!

D. LEONOR — *(espantada.)* Mas... Não compreendo nada.

BARÃO — Não é preciso compreender; basta pedir.

D. HELENA — Não basta pedir; é preciso alcançar.

BARÃO — Não alcançarei?

D. HELENA — Dê-me três meses de reflexão.

BARÃO — Três meses é a eternidade.

D. HELENA — Uma eternidade de noventa dias.

BARÃO — Depois dela, a felicidade ou o desespero?

D. HELENA — *(estendendo-lhe a mão.)* Está nas suas mãos a escolha. *(a d. Leonor.)* Não se admire tanto, titia; tudo isto é botânica aplicada.

Três tesouros perdidos
O país das quimeras
Virginius
O anjo das donzelas
Casada e viúva
Questão de vaidade
Cinco mulheres
O oráculo
Uma excursão milagrosa
O que são as moças

Contos

A pianista
Astúcias de marido
O último dia de um poeta
Não é mel para a boca do asno
O carro nº 13
O anjo Rafael
O capitão Mendonça
O rei dos caiporas
Aires e Vergueiro
Mariana (1871)
Almas agradecidas
O caminho de Damasco
Rui de Leão
Quem não quer ser lobo...
Uma loureira
Uma águia sem asas
Qual dos dois?
Quem conta um conto...
Tempo de crise
Decadência de dois grandes homens
Um homem superior

Nem uma nem outra
Os óculos de Pedro Antão
Um dia de entrudo
Muitos anos depois
Miloca
Valério
Antes que cases...
Brincar com fogo
A mágoa do infeliz Cosme
A última receita

avulsos I

Um esqueleto
Onze anos depois
O sainete
Casa, não casa
História de uma fita azul
To be or not to be
Longe dos olhos...
Encher tempo
O passado, passado
D. Mônica
O astrólogo
Sem olhos
Um almoço
Silvestre
A melhor das noivas
Um ambicioso
O machete
A herança
Conversão de um avaro
Folha rota
Dívida extinta

Três tesouros perdidos

Uma tarde, eram quatro horas, o sr. X... voltava à sua casa para jantar. O apetite que levava não o fez reparar em um cabriolé que estava parado à sua porta. Entrou, subiu a escada, penetrou a sala e... dá com os olhos em um homem que passeava a largos passos como agitado por uma interna aflição.

Cumprimentou-o polidamente; mas o homem lançou-se sobre ele e com uma voz alterada, diz-lhe:

— Senhor, eu sou F..., marido da senhora dona E...

— Estimo muito conhecê-lo — responde o sr. X... —; mas não tenho a honra de conhecer a senhora dona E...

— Não a conhece! Não a conhece!... quer juntar a zombaria à infâmia?

— Senhor!...

E o sr. X... deu um passo para ele.

— Alto lá!

O sr. F..., tirando do bolso uma pistola, continuou:

— Ou o senhor há de deixar esta corte, ou vai morrer como um cão!

— Mas, senhor — disse o sr. X..., a quem a eloquência do sr. F... tinha produzido um certo efeito —, que motivo tem o senhor?...

— Que motivo! É boa! Pois não é um motivo andar o senhor fazendo corte à minha mulher?

— A corte à sua mulher! Não compreendo!

— Não compreende! oh! Não me faça perder a estribeira.

— Creio que se engana...

— Enganar-me! É boa!... mas eu o vi... sair duas vezes da minha casa...

— Sua casa!

— No Andaraí... por uma porta secreta... Vamos! ou...

— Mas, senhor, há de ser outro, que se pareça comigo...

— Não; não; é o senhor mesmo... como escapar-me este ar de tolo que ressalta de toda a sua cara? Vamos, ou deixar a corte, ou morrer... Escolha!

Era um dilema. O sr. X... compreendeu que estava metido entre um cavalo e uma pistola. Pois toda a sua paixão era ir a Minas, escolheu o cavalo.

Surgiu, porém, uma objeção.

— Mas, senhor — disse ele —, os meus recursos...

— Os seus recursos! Ah! Tudo previ... descanse... eu sou um marido previdente.

E tirando da algibeira da casaca uma linda carteira de couro da Rússia, diz-lhe:

— Aqui tem dois contos de réis para os gastos da viagem; vamos, parta! Parta imediatamente. Para onde vai?

— Para Minas.

— Oh! a pátria de Tiradentes! Deus o leve a salvamento... Perdoo-lhe, mas não volte a esta corte... Boa viagem!

Dizendo isto, o sr. F... desceu precipitadamente a escada, e entrou no cabriolé, que desapareceu em uma nuvem de poeira.

O sr. X... ficou por alguns instantes pensativo. Não podia acreditar nos seus olhos e ouvidos; pensava sonhar. Um engano trazia-lhe dois contos de réis, e a realização de um dos seus mais caros sonhos. Jantou tranquilamente, e daí a uma hora partia para a terra de Gonzaga, deixando em sua casa apenas um moleque encarregado de instruir, pelo espaço de oito dias, aos seus amigos sobre o seu destino.

No dia seguinte, pelas onze horas da manhã, voltava o sr. F... para a sua chácara de Andaraí, pois tinha passado a noite fora.

Entrou, penetrou na sala, e indo deixar o chapéu sobre uma mesa, viu ali o seguinte bilhete:

Meu caro esposo! Parto no paquete em companhia do teu amigo P... Vou para a Europa. Desculpa a má companhia, pois melhor não podia ser. – Tua E...

Desesperado, fora de si, o sr. F... lança-se a um jornal que perto estava: o paquete tinha partido às oito horas.

— Era P... que eu acreditava meu amigo... Ah! maldição! Ao menos não percamos os dois contos! Tornou a meter-se no cabriolé e dirigiu-se à casa do sr. X..., subiu; apareceu o moleque.

— Teu senhor?
— Partiu para Minas.
O sr. F... desmaiou.
Quando deu acordo de si estava louco... louco varrido!
Hoje, quando alguém o visita, diz ele com um tom lastimoso:
— Perdi três tesouros a um só tempo: uma mulher sem igual, um amigo a toda prova, e uma linda carteira cheia de encantadoras notas... que bem podiam aquecer-me as algibeiras!...

Neste último ponto, o doido tem razão, e parece ser um doido com juízo.

A Marmota, *5 de janeiro de 1858; Machado d'Assis.*

O país das quimeras
Conto fantástico

Arrependera-se Catão de haver ido algumas vezes por mar quando podia ir por terra. O virtuoso romano tinha razão. Os carinhos de Anfitrite são um tanto raivosos, e muitas vezes funestos. Os feitos marítimos dobram de valia por esta circunstância, e é também por esta circunstância que se esquivam de navegar as almas pacatas, ou para falar mais decentemente, os espíritos prudentes e seguros.

Mas, para justificar o provérbio que diz: debaixo dos pés se levantam os trabalhos, a via terrestre não é absolutamente mais segura que a via marítima, e a história dos caminhos de ferro, pequena embora, conta já não poucos e tristes episódios.

Absorto nestas e noutras reflexões estava o meu amigo Tito, poeta aos vinte anos, sem dinheiro e sem bigode, sentado à mesa caruncosa do trabalho, onde ardia silenciosamente uma vela.

Devo proceder ao retrato físico e moral do meu amigo Tito.

Tito não é alto nem baixo, o que equivale a dizer que é de estatura mediana a qual estatura é aquela que se pode chamar francamente elegante na minha opinião. Possuindo um semblante angélico, uns olhos meigos e profundos, o nariz descendente legítimo e direto de Alcibíades, a boca graciosa, a fronte larga como o verdadeiro trono do pensamento, Tito pode servir de modelo à pintura e de objeto amado aos corações de quinze e mesmo vinte anos.

Como as medalhas, e como todas as coisas deste mundo de compensações, Tito tem um reverso. Oh! triste coisa que é o reverso das moedas e das medalhas! Podendo ser, do colo para cima, modelo à pintura, Tito é uma lastimosa pessoa no que toca ao resto. Pés prodigiosamente tortos, pernas zambras, tais são os contras que a pessoa do meu amigo oferece a quem se extasia diante dos magníficos prós da cara e da cabeça. Parece que a natureza se dividira para dar a Tito o que tinha de melhor e o que tinha de pior, e pô-lo na miserável e desconsoladora condição do pavão, que se enfeita e contempla radioso, mas cujo orgulho se abate e desfalece quando olha para as pernas e para os pés.

No moral Tito apresenta o mesmo aspecto duplo do físico. Não tem vícios, mas tem fraquezas de caráter que quebram, um tanto ou quanto, as virtudes que o enobrecem. É bom e tem a virtude evangélica da caridade; sabe, como o divino Mestre, partir o pão da substância e dar de comer ao faminto, com verdadeiro júbilo de consciência e de coração. Não consta, além disso, que jamais fizesse mal ao mais impertinente bicho, ou ao mais insolente homem, duas coisas idênticas, nos curtos dias da sua vida. Pelo contrário, consta-se que a sua piedade e bons instintos o levaram uma vez a ficar quase esmagado, procurando salvar da morte uma galga que dormia na rua, e sobre a qual ia quase passando um carro. A galga, salva por Tito, afeiçoou-se-lhe tanto que nunca mais o deixou; à hora em que o vemos absorto em pensamentos vagos está ela estendida sobre a mesa a contemplá-lo grave e sisuda.

Só há que censurar em Tito as fraquezas de caráter, e deve-se crer que elas são filhas mesmo das suas virtudes. Tito vendia outrora as produções da sua musa, não por meio de uma permuta legítima de livro e moeda, mas por um meio desonroso e nada digno de um filho de Apolo. As vendas que fazia eram absolutas, isto é, trocando por dinheiro os seus versos, o poeta perdia o direito de paternidade sobre essas produções. Só tinha um freguês; era um sujeito rico, maníaco pela fama de poeta, e que, sabendo da facilidade com que Tito rimava, apresentou-se um dia no modesto albergue do poeta e entabulou a negociação por estes termos:

— Meu caro, venho propor-lhe um negócio da China...

— Pode falar — respondeu Tito.

— Ouvi dizer que você fazia versos... É verdade?

Tito conteve-se a custo diante da familiaridade do tratamento, e respondeu:

— É verdade.

— Muito bem. Proponho-lhe o seguinte: compro-lhe por bom preço todos os seus versos, não os feitos, mas os que fizer de hoje em diante, com a condição de que os hei de dar à estampa como obra da minha lavra. Não ponho outras condições ao negócio: advirto-lhe, porém, que prefiro as odes e as poesias de sentimento. Quer?

Quando o sujeito acabou de falar, Tito levantou-se e com um gesto mandou-o sair. O sujeito pressentiu que, se não saísse logo, as coisas poderiam acabar mal. Preferiu tomar o caminho da porta, dizendo entre dentes: "Hás de procurar-me, deixa estar!".

O meu poeta esqueceu no dia seguinte a aventura da véspera, mas os dias passaram-se e as necessidades urgentes apresentaram-se à porta com o olhar suplicante e as mãos ameaçadoras. Ele não tinha recursos; depois de uma noite atribulada, lembrou-se do sujeito, e tratou de procurá-lo; disse-lhe quem era, e que estava disposto a aceitar o negócio; o sujeito, rindo-se com um riso diabólico, fez o primeiro adiantamento, sob a condição de que o poeta lhe levaria no dia seguinte uma ode aos polacos. Tito passou a noite a arregimentar palavras sem ideia, tal era seu estado, e no dia seguinte levou a obra ao freguês, que achou boa e dignou-se apertar-lhe a mão.

Tal é a face moral de Tito. A virtude de ser pagador em dia levava-o a mercar com os dons de Deus; e ainda assim vemos nós que ele resistiu, e só foi vencido quando se achou com a corda ao pescoço.

A mesa à qual Tito estava encostado era um traste velho e de lavor antigo; herdara-a de uma tia que lhe havia morrido fazia dez anos. Um tinteiro de osso, uma pena de ave, algum papel, eis os instrumentos de trabalho de Tito. Duas cadeiras e uma cama completavam a sua mobília. Já falei na vela e na galga.

À hora em que Tito se engolfava em reflexões e fantasias era noite alta. A chuva caía com violência, e os relâmpagos que de instante a instante rompiam o céu deixavam ver o horizonte pejado de nuvens negras e túmidas. Tito nada via, porque estava com a cabeça encostada nos braços, e estes sobre a mesa; e é provável que não ouvisse, porque se entretinha em refletir nos perigos que oferecem os diferentes modos de viajar.

Mas qual o motivo destes pensamentos em que se engolfava o poeta? É isso que eu vou explicar à legítima curiosidade dos leitores. Tito, como todos os homens de vinte anos, poetas e não poetas, sentia-se afetado da doença do amor. Uns olhos pretos, um porte senhoril, uma visão, uma criatura celestial, qualquer coisa por este teor, havia influído por tal modo no coração de Tito, que o pusera, pode-se dizer, à beira da sepultura. O amor em Tito começou por uma febre; esteve três dias de cama, e foi curado (da febre e não do amor) por uma velha da vizinhança, que conhecia o segredo das plantas virtuosas, e que pôs o meu poeta de pé, com o que adquiriu mais um título à reputação de feiticeira, que os seus milagrosos curativos lhe haviam granjeado.

Passado o período agudo da doença, ficou-lhe este resto de amor, que, apesar da calma e da placidez, nada perde da sua intensidade. Tito estava ardentemente apaixonado, e desde então começou a defraudar o freguês das odes, subtraindo-lhe algumas estrofes inflamadas, que dedicava ao objeto dos seus íntimos pensamentos, tal qual como aquele sr. d'Ofayel, dos amores leais e pudicos, com quem se pareceu, não na sensaboria dos versos, mas no infortúnio amoroso.

O amor contrariado, quando não leva a um desdém sublime da parte do coração, leva à tragédia ou à asneira. Era nesta alternativa que se debatia o espírito do meu poeta. Depois de haver gasto em vão o latim das musas, aventurou uma declaração oral à dama dos seus pensamentos. Esta ouviu-o com dureza d'alma, e quando ele acabou de falar disse-lhe que era melhor voltar à vida real, e deixar musas e amores, para cuidar do alinho da própria pessoa. Não presuma o leitor que a dama de quem lhe falo tinha a vida tão desenvolta como a língua. Era, pelo contrário, um modelo da mais seráfica pureza e do mais perfeito recato de costumes; recebera a educação austera de seu pai, antigo capitão de milícias, homem de incrível boa-fé, que, neste século desabusado, ainda acreditava em duas coisas: nos programas políticos e nas cebolas do Egito.

Desenganado de uma vez nas suas pretensões, Tito não teve força de ânimo para varrer da memória a filha do militar; e a resposta crua e desapiedada da moça estava-lhe no coração como um punhal frio e penetrante. Tentou arrancá-lo, mas a lembrança, viva sempre, como ara de Vesta, trazia-lhe as fatais palavras ao meio das suas horas mais alegres ou menos tristes da sua vida, como aviso de que a sua satisfação não podia durar e que a tristeza era o fundo real dos seus dias. Era assim que os egípcios mandavam pôr um sarcófago no meio de um festim, como lembrança de que a vida é transitória, e que só na sepultura existe a grande e eterna verdade.

Quando, depois de voltar a si, Tito conseguiu encadear duas ideias e tirar delas uma consequência, dois projetos se lhe apresentaram, qual mais próprio a granjear-lhe a vilta de pusilânime; um concluía pela tragédia, outro pela asneira; triste alternativa dos corações não compreendidos! O primeiro desses projetos era simplesmente deixar este mundo; o outro, limitava-se a uma viagem, que o poeta faria por mar ou por terra, a fim de deixar por algum tempo a capital. Já o poeta abandonava o primeiro por achá-lo sanguinolento e definitivo; o segundo parecia-lhe melhor, mais consentâneo com a sua dignidade e sobretudo com os seus instintos de conservação. Mas qual o meio de mudar de sítio? Tomaria por terra? tomaria por mar? Qualquer destes dois meios tinha seus inconvenientes. Estava o poeta nestas averiguações, quando ouviu que batiam à porta três pancadinhas. Quem seria? Quem poderia ir procurar o poeta àquela hora? Lembrou-se que tinha umas encomendas do homem das odes e foi abrir a porta disposto a ouvir resignado a muito plausível sarabanda que ele lhe vinha naturalmente pregar. Mas, ó pasmo! mal o poeta abriu a porta, eis que uma sílfide, uma criatura celestial, vaporosa, fantástica, trajando vestes alvas, nem bem de pano, nem bem de névoas, uma coisa entre as duas espécies, pés alígeros, rosto sereno e insinuante, olhos negros e cintilantes, cachos louros do mais leve e delicado cabelo, a caírem-lhe graciosos pelas espáduas nuas, divinas, como as tuas, ó Afrodite! eis que uma criatura assim invade o aposento do poeta e, estendendo a mão, ordena-lhe que feche a porta e tome assento à mesa.

Tito estava assombrado. Maquinalmente voltou ao seu lugar sem tirar os olhos da visão. Esta sentou-se defronte dele e começou a brincar com a galga que dava mostras de não usado contentamento. Passaram-se nisso dez minutos; depois do que a peregrina e singular criatura cravando os seus olhos nos do poeta, perguntou-lhe com uma doçura de voz nunca ouvida:

— Em que pensas, poeta? Pranteias algum amor mal parado? Sofres com a injustiça dos homens? Dói-te a desgraça alheia, ou é a própria que te sombreia a mente?

Esta indagação era feita de um modo tão insinuante que Tito sem inquirir o motivo de curiosidade, respondeu imediatamente:

— Penso na injustiça de Deus.

— É contraditória a expressão; Deus é a justiça.

— Não é. Se fosse teria repartido irmãmente a ternura pelos corações e não consentiria que um ardesse inutilmente pelo outro. O fenômeno da simpatia devia ser sempre recíproco, de maneira que a mulher não pudesse olhar com frieza para o homem, quando o homem levantasse olhos de amor para ela.

— Não és tu quem fala, poeta. É o teu amor-próprio ferido pela má paga do teu afeto. Mas de que te servem as musas? Entra no santuário da poesia, engolfa-te no seio da inspiração, esquecerás aí a dor da chaga que o mundo te abriu.

— Coitado de mim — respondeu o poeta — que tenho a poesia fria, e apagada a inspiração!

— De que precisas tu para dar vida à poesia e à inspiração?

— Preciso do que me falta... e falta-me tudo.

— Tudo? És exagerado. Tens o selo com que Deus te distinguiu dos outros homens e isso te basta. Cismavas em deixar esta terra?

— É verdade.

— Bem; venho a propósito. Queres ir comigo?

— Para onde?

— Que importa? Queres vir?

— Quero. Assim me distrairei. Partiremos amanhã. É por mar, ou por terra?

— Nem amanhã, nem por mar, nem por terra; mas hoje, e pelo ar.

Tito levantou-se e recuou. A visão levantou-se também.

— Tens medo? — perguntou ela.

— Medo, não, mas...

— Vamos. Faremos uma deliciosa viagem.

— Vamos.

Não sei se Tito esperava um balão para a viagem aérea a que o convidava a inesperada visita; mas, o que é certo é que os seus olhos se arregalaram prodigiosamente quando viu abrirem-se das espáduas da visão duas longas e brancas asas que ela começou a agitar e das quais caía uma poeira de ouro.

— Vamos — disse a visão. Tito repetiu maquinalmente: — Vamos!

E ela tomou-o nos braços, subiu com ele até o teto, que se rasgou, e passaram ambos, visão e poeta. A tempestade tinha, como por encanto, cessado; estava o céu limpo, transparente, luminoso, verdadeiramente celeste, enfim. As estrelas fulgiam com a sua melhor luz, e um luar branco e poético caía sobre os telhados das casas e sobre as flores e a relva dos campos.

Os dois subiram.

Durou a ascensão algum tempo. Tito não podia pensar; ia atordoado, e subia sem saber para onde, nem a razão por quê. Sentia que o vento agitava os cabelos louros da visão, e que eles lhe batiam docemente na face, do que resultava uma exalação celeste que embriagava e adormecia. O ar estava puro e fresco. Tito, que se havia distraído algum tempo da ocupação das musas no estudo das leis físicas, contava que, naquele subir continuado, breve chegariam a sentir os efeitos da rarefação da atmosfera. Engano dele! Subiam sempre, e muito, mas a atmosfera conservava-se sempre a mesma, e quanto mais ele subia melhor respirava.

Isto passou rápido pela mente do poeta. Como disse, ele não pensava; ia subindo sem olhar para a terra. E para que olharia para a terra? A visão não podia conduzi-lo senão ao céu.

Em breve começou Tito a ver os planetas fronte por fronte. Era já sobre a madrugada. Vênus, mais pálida e loura que de costume, ofuscava as estrelas com o seu clarão e com a sua beleza. Tito teve um olhar de admiração para a deusa da manhã. Mas subia, subiam sempre. Os planetas passavam à ilharga do poeta, como se fossem corcéis desenfreados. Afinal penetraram em uma região inteiramente diversa das que haviam atravessado naquela assombrosa viagem. Tito sentia expandir-se-lhe a alma na nova atmosfera. Seria aquilo o céu? O poeta não ousava perguntar, e mudo esperava o termo da viagem. À proporção que penetravam nessa região ia-se a alma do poeta rompendo em júbilo; daí a algum tempo entravam em um planeta; a fada depôs o poeta e começaram a fazer o trajeto a pé.

Caminhando, os objetos, até então vistos através de um nevoeiro, tomavam aspecto de coisas reais. Tito pôde ver então que se achava em uma nova terra, a todos os respeitos estranha: o primeiro aspecto vencia ao que oferece a poética Istambul ou a poética Nápoles. Mais entravam, porém, mais os objetos tomavam o aspecto da realidade. Assim chegaram à grande praça onde estavam construídos os reais paços. A habitação régia era, por assim dizer, uma reunião de todas as ordens arquitetônicas, sem excluir a chinesa, sendo de notar que esta última fazia não mediana despesa na estrutura do palácio.

Tito quis sair da ânsia em que estava por saber em que país acabava de entrar, e aventurou uma pergunta à sua companheira.

— Estamos no país das quimeras — respondeu ela.

— No país das quimeras?

— Das quimeras. País para onde viaja três quartas partes do gênero humano, mas que não se acha consignado nas tábuas da ciência.

Tito contentou-se com a explicação. Mas refletiu sobre o caso. Por que motivo iria parar ali? A que era levado? Estava nisso quando a fada o advertiu de que eram chegados à porta do palácio. No vestíbulo havia uns vinte ou trinta soldados que fumavam em grosso cachimbo de escuma do mar, e que se embriagavam com outros tantos padixás, na contemplação dos novelos de fumo azul e branco que lhes saíam da boca. À entrada dos dois houve continência militar. Subiram pela grande escadaria, e foram ter aos andares superiores.

— Vamos falar aos soberanos — disse a companheira do poeta. Atravessaram muitas salas e galerias. Todas as paredes, como no poema de Dinis, eram forradas de papel prateado e lantejoulas.

Afinal penetraram na grande sala. O gênio das bagatelas, de que fala Elpino, estava sentado em um trono de casquinha, tendo de ornamento dois pavões, um de cada lado. O próprio soberano tinha por coifa um pavão vivo, atado pelos pés a uma espécie de solidéu, maior que os dos nossos padres, o qual por sua vez ficava firme na cabeça por meio de duas largas fitas amarelas, que vinham atar-se debaixo dos reais queixos. Coifa idêntica adornava a cabeça dos gênios da corte, que correspondem aos viscondes deste mundo e que cercavam o trono do brilhante rei. Todos aqueles pavões, de minuto a minuto, armavam-se, apavoneavam-se, e davam os guinchos do costume.

Quando Tito entrou na grande sala pela mão da visão, houve um murmúrio *entre os fidalgos quiméricos*. A visão declarou que ia apresentar um filho da terra. Seguiu-se a cerimônia da apresentação, que era uma enfiada de cortesias, passagens e outras coisas quiméricas, sem excluir a formalidade do beija-mão. Não se pense que Tito foi o único a beijar a mão ao gênio soberano; todos os presentes fizeram o mesmo, porque, segundo Tito ouviu depois, não se dá naquele país o ato mais insignificante sem que esta formalidade seja preenchida.

Depois da cerimônia da apresentação perguntou o soberano ao poeta que tratamento tinha na terra, para dar-se-lhe cicerone correspondente.

— Eu — disse Tito — tenho, se tanto, uma triste Mercê.

— Só isso? Pois há de ter o desprazer de ser acompanhado pelo cicerone comum. Nós temos cá a Senhoria, a Excelência, a Grandeza, e outras mais; mas, quanto à Mercê, essa, tendo habitado algum tempo este país, tornou-se tão pouco útil que julguei melhor despedi-la.

A este tempo a Senhoria e a Excelência, duas criaturas empertigadas, que se haviam aproximado do poeta, voltaram-lhe as costas, encolhendo os ombros e deitando-lhe um olhar de través com a maior expressão de desdém e pouco caso.

Tito quis perguntar à sua companheira o motivo deste ato daquelas duas quiméricas pessoas; mas a visão puxou-lhe pelo braço, e fez-lhe ver com um gesto que estava desatendendo ao gênio das bagatelas, cujos sobrolhos se contraíram, como dizem os poetas antigos que se contraíam os de Júpiter Tonante.

Neste momento entrou um bando de moçoilas frescas, lépidas, bonitas e louras... oh! mas de um louro que se não conhece entre nós, os filhos da terra! Entraram elas a correr, com a agilidade de andorinhas que voam; e depois de apertarem galhofeiramente a mão aos gênios da corte foram ao gênio soberano, diante de quem fizeram umas dez ou doze mesuras.

Quem eram aquelas raparigas? O meu poeta estava de boca aberta. Indagou da sua guia, e soube. Eram as Utopias e as Quimeras que iam da terra, onde haviam passado a noite na companhia de alguns homens e mulheres de todas as idades e condições.

As Utopias e as Quimeras foram festejadas pelo soberano, que se dignou sorrir-lhes e bater-lhes na face. Elas alegres e risonhas receberam os carinhos reais como coisa que lhes era devida; e depois de dez ou doze mesuras, repetição das anteriores, foram-se da sala, não sem abraçarem ou beliscarem o meu poeta, que olhava espantado para elas sem saber por que se tornara objeto de tanta jovialidade. O seu espanto crescia de ponto quando ouvia a cada uma delas esta expressão muito usada nos bailes de máscaras: Eu te conheço!

Depois que saíram todas, o gênio fez um sinal, e toda a atenção concentrou-se no soberano, a ver o que ia sair-lhe dos lábios. A expectativa foi burlada, porque o gracioso soberano apenas com um gesto indicou ao cicerone comum o mísero hóspede que daqui tinha ido. Seguiu-se a cerimônia da saída, que durou longos minutos, em virtude das mesuras, cortesias e beija-mão do estilo.

Os três, o poeta, a fada condutora e o cicerone, passaram à sala da rainha. A real senhora era uma pessoa digna de atenção a todos os respeitos; era imponente e graciosa; trajava vestido de gaze e roupa da mesma fazenda, borzeguins de cetim alvo, pedras finas de todas as espécies e cores, nos braços, no pescoço e na cabeça; na cara trazia posturas finíssimas, e com tal arte, que parecia haver sido corada pelo pincel da natureza; dos cabelos recendiam ativos cosméticos e delicados óleos.

Tito não disfarçou a impressão que lhe causava um todo assim. Voltou-se para a companheira de viagem e perguntou como se chamava aquela deusa.

— Não a vê? — respondeu a fada. — Não vê as trezentas raparigas que trabalham em torno dela? Pois então? é a Moda, cercada de suas trezentas belas, caprichosas filhas.

A estas palavras Tito lembrou-se do *Hissope*. Não duvidava já de que estava no país das Quimeras; mas, raciocinou ele, para que Dinis falasse de algumas destas coisas, é preciso que cá tivesse vindo e voltasse, como está averiguado. Portanto, não devo recear de cá ficar morando eternamente. Descansado por este lado, passou a atentar para os trabalhos das companheiras da rainha; eram umas novas modas que se estavam arranjando, para vir a este mundo substituir as antigas.

Houve apresentação com o cerimonial do estilo. Tito estremeceu quando pousou os lábios na mão fina e macia da soberana; esta não reparou, porque tinha na mão esquerda um psichê, onde se mirava de momento em momento.

Impetraram os três licença para continuar a visita do palácio e seguiram pelas galerias e salas do alcácar. Cada sala era ocupada por um grupo de pessoas, homens ou mulheres, algumas vezes mulheres e homens, que se ocupavam nos diferentes misteres de que estavam incumbidos pela lei do país, ou por ordem arbitrária do soberano. Tito percorria essas diversas salas com o olhar espantado, estranhando o que via, aquelas ocupações, aqueles costumes, aqueles caracteres. Em uma das salas um grupo de cem pessoas ocupava-se em adelgaçar uma massa branca, leve e balofa. Naturalmente este lugar é a ucharia, pensou Tito; estão preparando alguma iguaria singular para o almoço do rei. Indagou do cicerone se havia acertado. O cicerone respondeu:

— Não, senhor; estes homens estão ocupados em preparar massa cerebral para um certo número de homens de todas as classes: estadistas, poetas, namorados etc. serve também a mulheres. Esta massa é especialmente para aqueles que, no seu planeta, vivem com verdadeiras disposições do nosso país, aos quais fazemos presentes deste elemento constitutivo.

— É massa quimérica?

— Da melhor que se há visto até hoje.

— Pode ver-se?

O cicerone sorriu-se; chamou o chefe da sala, a quem pediu um pouco de massa. Este foi com prontidão ao depósito e tirou uma porção que entregou a Tito. Mal o poeta a tomou das mãos do chefe desfez-se a massa, como se fora composta de fumo. Tito ficou confuso; mas o chefe, batendo-lhe no ombro:

— Vá descansado — disse —; nós temos à mão matéria-prima; é da nossa própria atmosfera que nos servimos; e a nossa atmosfera não se esgota.

Este chefe tinha uma cara insinuante, mas, como todos os quiméricos, era sujeito a abstrações, de modo que Tito não pôde arrancar-lhe mais uma palavra, porque ele, ao dizer as últimas, começou a olhar para o ar e a contemplar o voo de uma mosca.

Este caso atraiu os companheiros que se chegaram a ele e mergulharam-se todos na contemplação do alado inseto.

Os três continuaram caminho.

Mais adiante era uma sala onde muitos quiméricos, à roda de mesas, discutiam os diferentes modos de inspirar aos diplomatas e diretores deste nosso mundo os pretextos para encher o tempo e apavorar os espíritos com futilidades e espantalhos. Esses homens tinham ares de finos e espertos. Havia ordem do soberano para não se entrar naquela sala em horas de trabalho; um guarda estava à porta. A menor distração daquele congresso seria considerada uma calamidade pública.

Andou o meu poeta de sala em sala, de galeria em galeria, aqui, visitando um museu, ali, um trabalho ou um jogo; teve tempo de ver tudo, de tudo examinar, com atenção e pelo miúdo. Ao passar pela grande galeria que dava para a praça, viu que o povo, reunido embaixo das janelas, cercava uma forca. Era uma execução que ia ter lugar. Crime de morte?, perguntou Tito, que tinha a nossa legislação na cabeça. Não, responderam-lhe, crime de lesa-cortesia. Era um quimérico que havia cometido o crime de não fazer a tempo e com graça uma continência; este crime é considerado naquele país como a maior audácia possível e imaginável. O povo quimérico contemplou a execução como se assistisse a um espetáculo de saltimbancos, entre aplausos e gritos de prazer.

Entretanto era hora do almoço real. À mesa do gênio soberano só se sentavam o rei, a rainha, dois ministros, um médico e a encantadora fada que havia levado o meu poeta àquelas alturas. A fada, antes de sentar-se à mesa, implorou do rei a mercê de admitir Tito ao almoço; a resposta foi afirmativa; Tito tomou assento. O almoço foi o mais sucinto e rápido que é possível imaginar. Durou alguns segundos, depois do que todos se levantaram, e abriu-se mesa para o jogo das reais pessoas; Tito foi assistir ao jogo; em roda da sala havia cadeiras, onde estavam sentadas as Utopias e as Quimeras; às costas dessas cadeiras empertigavam-se os fidalgos quiméricos, com os seus pavões e as suas vestiduras de escarlate. Tito aproveitou a ocasião para saber como é que o conheciam aquelas assanhadas raparigas. Encostou-se a uma cadeira e indagou da Utopia que se achava nesse lugar. Esta impetrou licença, e depois das formalidades do costume, retirou-se a uma das salas com o poeta, e aí perguntou-lhe:

— Pois deveras não sabes quem somos? Não nos conheces?

— Não as conheço, isto é, conheço-as agora, e isso dá-me verdadeiro pesar, porque quisera tê-las conhecido há mais tempo.

— Oh! sempre poeta!

— É que deveras são de uma gentileza sem rival. Mas onde é que me viram?

— Em tua própria casa.

— Oh!

— Não te lembras? À noite, cansado das lutas do dia, recolhes-te ao aposento, e aí, abrindo velas ao pensamento, deixas-te ir por um mar sereno e calmo. Nessa viagem acompanham-te algumas raparigas... somos nós, as Utopias, nós, as Quimeras.

Tito compreendeu afinal uma coisa que se lhe estava a dizer havia tanto tempo. Sorriu-se, e cravando os seus belos e namorados olhos nos da Utopia que tinha diante de si, disse:

— Ah! sois vós, é verdade! Consoladora companhia que me distrai de todas as misérias e pesares. É no seio de vós que eu enxugo as minhas lágrimas. Ainda bem! Conforta-me ver-vos a todas de face e embaixo de forma palpável.

— E queres saber — tornou a Utopia —, quem nos leva a todas para tua companhia? Olha, vê.

O poeta voltou a cabeça e viu a peregrina visão, sua companheira de viagem.

— Ah! é ela! — disse o poeta.

— É verdade. É a loura Fantasia, a companheira desvelada dos que pensam e dos que sentem.

A Fantasia e a Utopia entrelaçaram-se as mãos e olhavam para Tito. Este, como que enlevado, olhava para ambas. Durou isto alguns segundos; o poeta quis fazer algumas perguntas, mas quando ia falar reparou que as duas se haviam tornado mais delgadas e vaporosas. Articulou alguma coisa; porém, vendo que elas iam ficando cada vez mais transparentes, e distinguindo-lhes já pouco as feições, soltou estas palavras: — Então! que é isto? por que se desfazem assim? — Mais e mais as sombras desapareciam, o poeta correu à sala do jogo; espetáculo idêntico o esperava; era pavoroso; todas as figuras se desfaziam como se fossem feitas de névoa. Atônito e palpitante, Tito percorreu algumas galerias e afinal saiu à praça; todos os objetos estavam sofrendo a mesma transformação. Dentro de pouco Tito sentiu que lhe faltava apoio aos pés e viu que estava solto no espaço.

Nesta situação soltou um grito de dor.

Fechou os olhos e deixou-se ir como se tivesse de encontrar por termo de viagem a morte.

Era na verdade o mais provável. Passados alguns segundos, Tito abriu os olhos e viu que caía perpendicularmente sobre um ponto negro que lhe parecia do tamanho de um ovo. O corpo rasgava como um raio o espaço. O ponto negro cresceu, cresceu, e cresceu até fazer-se do tamanho de uma esfera. A queda do poeta tinha alguma coisa de diabólica; ele soltava de vez em quando um gemido; o ar, batendo-lhe nos olhos, obrigava-o a fechá-los de instante a instante. Afinal, o ponto negro que havia crescido, continuava a crescer, até aparecer ao poeta com o aspecto da terra. É a terra! — disse Tito consigo.

Creio que não haverá expressão humana para mostrar a alegria que sentiu aquela alma, perdida no espaço, quando reconheceu que se aproximava do planeta natal. Curta foi a alegria. Tito pensou, e pensou bem, que naquela velocidade quando tocasse em terra seria para nunca mais levantar. Teve um calafrio: viu a morte diante de si, e encomendou a alma a Deus. Assim foi, foi, ou antes, veio, veio, até que — milagre dos milagres! — caiu sobre uma praia, de pé, firme como se não houvesse dado aquele infernal salto.

A primeira impressão, quando se viu em terra, foi de satisfação; depois tratou de ver em que região do planeta se achava; podia ter caído na Sibéria ou na China; verificou que se achava a dois passos de casa. Apressou-se o poeta a voltar aos seus pacíficos lares.

A vela estava gasta; a galga, estendida sob a mesa, tinha os olhos fitos na porta. Tito entrou e atirou-se sobre a cama, onde adormeceu, refletindo no que lhe acabava de acontecer.

Desde então Tito possui um olhar de lince, e diz, à primeira vista, se um homem traz na cabeça miolos ou massa quimérica. Devo declarar que poucos encontra que não façam provisão desta última espécie. Diz ele, e tenho razões para crer, que eu entro no número das pouquíssimas exceções. Em que pese aos meus desafeiçoados, não posso retirar a minha confiança de um homem que acaba de fazer tão pasmosa viagem, e que pôde olhar de face o trono cintilante do rei das bagatelas.

O Futuro, *1º de novembro de 1862; Machado de Assis;*
republicado com algumas alterações como "Uma excursão milagrosa" em 1866.

Virginius
Narrativa de um advogado

I

Não me correu tranquilo o São João de 185...

Duas semanas antes do dia em que a Igreja celebra o evangelista, recebi pelo correio o seguinte bilhete, sem assinatura e de letra desconhecida:

O dr.*** é convidado a ir à vila de... tomar conta de um processo. O objeto é digno do talento e das habilitações do advogado. Despesas e honorários ser-lhe-ão satisfeitos antecipadamente, mal puser pé no estribo. O réu está na cadeia da mesma vila e chama-se Julião. Note que o dr. é convidado a ir defender o réu.

Li e reli este bilhete; voltei-o em todos os sentidos; comparei a letra com todas as letras dos meus amigos e conhecidos... Nada pude descobrir.

Entretanto, picava-me a curiosidade. Luzia-me um romance através daquele misterioso e anônimo bilhete. Tomei uma resolução definitiva. Ultimei uns negócios, dei de mão outros, e oito dias depois de receber o bilhete tinha à porta um cavalo e um camarada para seguir viagem. No momento em que me dispunha a sair, entrou-me em casa um sujeito desconhecido, e entregou-me um rolo de papel contendo uma avultada soma, importância aproximada das despesas e dos honorários. Recusei apesar das instâncias, montei a cavalo e parti.

Só depois de ter feito algumas léguas é que me lembrei de que justamente na vila a que eu ia morava um amigo meu, antigo companheiro da academia, que se votara, oito anos antes, ao culto da deusa Ceres como se diz em linguagem poética.

Poucos dias depois apeava eu à porta do referido amigo. Depois de entregar o cavalo aos cuidados do camarada, entrei para abraçar o meu antigo companheiro de estudos, que me recebeu alvoroçado e admirado.

Depois da primeira expansão, apresentou-me ele à sua família, composta de mulher e uma filhinha, esta retrato daquela, e aquela retrato dos anjos.

Quanto ao fim da minha viagem, só lho expliquei depois que me levou para a sala mais quente da casa, onde foi ter comigo uma chávena de excelente café. O tempo estava frio; lembro que estávamos em junho. Envolvi-me no meu capote, e a cada gota de café que tomava fazia uma revelação.

— A que vens? a que vens? — perguntava-me ele.

— Vais sabê-lo. Creio que há um romance para deslindar. Há quinze dias recebi no meu escritório, na corte, um bilhete anônimo em que se me convidava com instância a vir a esta vila para tomar conta de uma defesa. Não pude conhecer a letra; era desigual e trêmula, como escrita por mão cansada...

— Tens o bilhete contigo?

— Tenho.

Tirei do bolso o misterioso bilhete e entreguei-o aberto ao meu amigo. Ele, depois de lê-lo, disse:

— É a letra de *Pai de todos*.

— Quem é *Pai de todos*?

— É um fazendeiro destas paragens, o velho Pio. O povo dá-lhe nome de *Pai de todos*, porque o velho Pio o é na verdade.

— Bem dizia eu que há romance no fundo!... Que faz esse velho para que lhe deem semelhante título?

— Pouca coisa. Pio é, por assim dizer, a justiça e a caridade fundidas em uma só pessoa. Só as grandes causas vão ter às autoridades judiciárias, policiais ou municipais; mas tudo o que não sai de certa ordem é decidido na fazenda de Pio, cuja sentença todos acatam e cumprem. Seja ela contra Pedro ou contra Paulo, Paulo e Pedro submetem-se, como se fora uma decisão divina. Quando dois contendores saem da fazenda de Pio, saem amigos. É caso de consciência aderir ao julgamento de *Pai de todos*.

— Isso é como juiz. O que é ele como homem caridoso?

— A fazenda de Pio é o asilo dos órfãos e dos pobres. Ali se encontra o que é necessário à vida: leite e instrução às crianças, pão e sossego aos adultos. Muitos lavradores nestas seis léguas cresceram e tiveram princípio de vida na fazenda de Pio. É a um tempo Salomão e são Vicente de Paulo.

Engoli a última gota de café, e fitei no meu amigo olhos incrédulos.

— Isto é verdade? — perguntei.

— Pois duvidas?

— É que me dói sair tantas léguas da corte, onde esta história encontraria incrédulos, para vir achar neste recanto do mundo aquilo que devia ser comum em toda a parte.

— Põe de parte essas reflexões filosóficas. Pio não é um mito: é uma criatura de carne e osso; vive como vivemos; tem dois olhos, como tu e eu...

— Então esta carta é dele?

— A letra é.

— A fazenda fica perto?

O meu amigo levou-me à janela.

— Fica daqui a um quarto de légua — disse. — Olha, é por detrás daquele morro.

Nisto passava por baixo da janela um preto montado em uma mula, sobre cujas ancas saltavam duas canastras. O meu amigo debruçou-se e perguntou ao negro:

— Teu senhor está em casa?

— Está, sim, senhor; mas vai sair.

O negro foi caminho, e nós saímos da janela.

— É escravo de Pio?

— Escravo é o nome que se dá; mas Pio não tem escravos, tem amigos. Olham-no todos como se fora um Deus. É que em parte alguma houve nunca mais brando e cordial tratamento a homens escravizados. Nenhum dos instrumentos de ignomínia que por aí se aplicam para corrigi-los existe na fazenda de Pio. Culpa capital ninguém comete entre os negros da fazenda; a alguma falta venial que haja, Pio aplica apenas uma repreensão tão cordial e tão amiga, que acaba por fazer chorar o delinquente. Ouve mais: Pio estabeleceu entre os seus escravos uma espécie de concurso que permite a um certo número libertar-se todos os anos. Acreditarás tu que lhes é indiferente viver livres ou escravos na fazenda, e que esse estímulo não decide nenhum deles, sendo que, por natural impulso, todos se portam dignos de elogios?

O meu amigo continuou a desfiar as virtudes do fazendeiro. Meu espírito apreendia-se cada vez mais de que eu ia entrar em um romance. Finalmente o meu amigo dispunha-se a contar-me a história do crime em cujo conhecimento devia eu entrar daí a poucas horas. Detive-o.

— Não — disse-lhe —, deixa-me saber de tudo por boca do próprio réu. Depois compararei com o que me contarás.

— É melhor. Julião é inocente...

— Inocente?

— Quase.

Minha curiosidade estava excitada ao último ponto. Os autos não me tinham tirado o gosto pelas novelas, e eu achava-me feliz por encontrar no meio da prosa judiciária, de que andava cercado, um assunto digno da pena de um escritor.

— Onde é a cadeia? — perguntei.

— É perto — respondeu-me —, mas agora é quase noite; melhor é que descanses; amanhã é tempo.

Atendi a este conselho. Entrou nova porção de café. Tomamo-lo entre recordações do passado, que muitas eram. Juntos vimos florescer as primeiras ilusões, e juntos vimos dissiparem-se as últimas. Havia de que encher, não uma, mas cem noites. Aquela passou-se rápida, e mais ainda depois que a família toda veio tomar parte em nossa íntima confabulação. Por uma exceção, de que fui causa, a hora de recolher foi à meia-noite.

— Como é doce ter um amigo! — dizia eu pensando no conde de Maistre, e retirando-me para o quarto que me foi destinado.

II

No dia seguinte, ainda vinha rompendo a manhã, já eu me achava de pé. Entrou no meu quarto um escravo com um grande copo de leite tirado minutos antes. Em poucos goles o devorei. Perguntei pelo amigo; disse-me o escravo que já se achava de pé. Mandei-o chamar.

— Será cedo para ir à cadeia? — perguntei mal o vi assomar à porta do quarto.

— Muito cedo. Que pressa tamanha! É melhor aproveitarmos a manhã, que está fresca, e irmos dar um passeio. Passaremos pela fazenda de Pio.

Não me desagradou a proposta. Acabei de vestir-me e saímos ambos. Duas mulas nos esperavam à cancela, espertas e desejosas de trotar. Montamos e partimos.

Três horas depois, já quando o sol dissipara as nuvens de neblina que cobriam os morros como grandes lençóis, estávamos de volta, tendo eu visto a bela casa e as esplêndidas plantações da fazenda do velho Pio. Foi este o assunto do almoço.

Enfim, dado ao corpo o preciso descanso, e alcançada a necessária licença, dirigi-me à cadeia para falar ao réu Julião.

Sentado em uma sala onde a luz entrava escassamente, esperei que chegasse o misterioso delinquente. Não se demorou muito. No fim de um quarto de hora estava diante de mim. Dois soldados ficaram à porta.

Mandei sentar o preso, e, antes de entrar em interrogatório, empreguei uns cinco minutos em examiná-lo.

Era um homem trigueiro, de mediana estatura, magro, débil de forças físicas, mas com uma cabeça e um olhar indicativos de muita energia moral e alentado ânimo.

Tinha um ar de inocência, mas não da inocência abatida e receosa; parecia antes que se glorificava com a prisão, e afrontava a justiça humana, não com a impavidez do malfeitor, mas com a daquele que confia na justiça divina.

Passei a interrogá-lo, começando pela declaração de que eu ia para defendê-lo. Disse-lhe que nada ocultasse dos acontecimentos que o levaram à prisão; e ele, com uma rara placidez de ânimo, contou-me toda a história do seu crime.

Julião fora um daqueles a quem a alma caridosa de Pio dera sustento e trabalho. Suas boas qualidades, a gratidão, o amor, o respeito com que falava e adorava o protetor, não ficaram sem uma paga valiosa. Pio, no fim de certo tempo, deu a Julião um sítio que ficava pouco distante da fazenda. Para lá fora morar Julião com uma filha menor, cuja mãe morrera em consequência dos acontecimentos que levaram Julião a recorrer à proteção do fazendeiro.

Tinha a pequena sete anos. Era, dizia Julião, a mulatinha mais formosa daquelas dez léguas em redor. Elisa, era o nome da pequena, completava a trindade do culto de Julião, ao lado de Pio e da memória da mãe finada.

Laborioso por necessidade e por gosto, Julião bem depressa viu frutificar o seu trabalho. Ainda assim não descansava. Queria, quando morresse, deixar um pecúlio à filha. Morrer sem deixá-la amparada era o sombrio receio que o perseguia. Podia acaso contar com a vida do fazendeiro esmoler?

Este tinha um filho, mais velho três anos que Elisa. Era um bom menino, educado sob a vigilância de seu pai, que desde os tenros anos inspirava-lhe aqueles sentimentos a que devia a sua imensa popularidade.

Carlos e Elisa viviam quase sempre juntos, naquela comunhão da infância que não conhece desigualdades nem condições. Estimavam-se deveras, a ponto de sentirem profundamente quando foi necessário a Carlos ir cursar as primeiras aulas.

Trouxe o tempo as divisões, e anos depois, quando Carlos apeou à porta da fazenda com uma carta de bacharel na algibeira, uma esponja se passara sobre a vida anterior. Elisa, já mulher, podia avaliar os nobres esforços de seu pai, e concentrara todos os afetos de sua alma no mais respeitoso amor filial. Carlos era homem. Conhecia as condições da vida social, e desde os primeiros gestos mostrou que abismo separava o filho do protetor da filha do protegido.

O dia da volta de Carlos foi dia de festa na fazenda do velho Pio. Julião tomou parte na alegria geral, como toda a gente, pobre ou remediada, dos arredores. E a alegria não foi menos pura em nenhum: todos sentiam que a presença do filho do fazendeiro era a felicidade comum.

Passaram-se os dias. Pio não se animava a separar-se de seu filho para que este seguisse uma carreira política, administrativa ou judiciária. Entretanto, notava-lhe muitas diferenças em comparação com o rapaz que, anos antes, lhe saíra de casa. Nem ideias, nem sentimentos, nem hábitos eram os mesmos. Cuidou que fosse um resto da vida escolástica, e esperou que a diferença da atmosfera que voltava a respirar e o espetáculo da vida simples e chã da fazenda o restabelecessem.

O que o magoava sobretudo é que o filho bacharel não buscasse os livros, onde pudesse, procurando novos conhecimentos, entreter uma necessidade indispensável para o gênero de vida que ia encetar. Carlos não tinha mais que uma ocupação e uma distração: a caça. Levava dias e dias a correr o mato em busca de animais para matar, e nisso fazia consistir todos os cuidados, todos os pensamentos, todos os estudos.

Ao meio-dia era certo vê-lo chegar ao sítio de Julião, e aí descansar um bocado, conversando sobranceiro com a filha do infatigável lavrador. Este chegava, trocava algumas palavras de respeitosa estima com o filho de Pio, oferecia-lhe parte do seu modesto jantar, que o moço não aceitava, e discorria, durante a refeição, sobre os objetos relativos à caça.

Passavam as coisas assim sem alteração de natureza alguma.

Um dia, ao entrar em casa para jantar, Julião notou que sua filha parecia triste. Reparou, e viu-lhe os olhos vermelhos de lágrimas. Perguntou o que era. Elisa respondeu que lhe doía a cabeça; mas durante o jantar, que foi silencioso, Julião observou que sua filha enxugava furtivamente algumas lágrimas. Nada disse; mas, terminado o jantar, chamou-a para junto de si, e com palavras brandas e amigas exigiu-lhe que dissesse o que tinha. Depois de muita relutância, Elisa falou:

— Meu pai, o que eu tenho é simples. O senhor Carlos, em quem comecei a notar mais amizade que ao princípio, declarou-me hoje que gostava de mim, que eu devia ser dele, que só ele me poderia dar tudo quanto eu desejasse, e muitas outras coisas que eu nem pude ouvir, tal foi o espanto com que ouvi as suas primeiras palavras. Declarei-lhe que não pensasse coisas tais. Insistiu; repeli-o... Então, tomando um ar carrancudo, saiu, dizendo-me:

— Hás de ser minha!

Julião estava atônito. Inquiriu sua filha sobre todas as particularidades da conversa referida. Não lhe restava dúvida acerca dos maus intentos de Carlos. Mas como de um tão bom pai pudera sair tão mau filho? perguntava ele. E esse próprio filho não era bom antes de ir para fora? Como exprobrar-lhe a sua má ação? E poderia fazê-lo? Como evitar a ameaça? Fugir do lugar em que morava o pai não era mostrar-se ingrato? Todas estas reflexões passaram pelo espírito de Julião. Via o abismo a cuja borda estava, e não sabia como escapar-lhe.

Finalmente, depois de animar e tranquilizar sua filha, Julião saiu, de plano feito, na direção da fazenda, em busca de Carlos.

Este, rodeado por alguns escravos, fazia limpar várias espingardas de caça. Julião, depois de cumprimentá-lo alegremente, disse que lhe queria falar em particular. Carlos estremeceu; mas não podia deixar de ceder.

— Que me queres, Julião? — disse depois de se afastar um pouco do grupo.

Julião respondeu:

— Senhor Carlos, venho pedir-lhe uma coisa, por alma de sua mãe!... Deixe minha filha sossegada.

— Mas que lhe fiz eu? — titubeou Carlos.

— Oh! não negue, porque eu sei.

— Sabe o quê?

— Sei da sua conversa de hoje. Mas o que passou, passou. Fico sendo seu amigo, mais ainda, se me não perseguir a pobre filha que Deus me deu... Promete?

Carlos esteve calado alguns instantes. Depois:

— Basta — disse —; confesso-te, Julião, que era uma loucura minha de que me arrependo. Vai tranquilo: respeitarei tua filha como se fosse morta.

Julião, na sua alegria, quase beijou as mãos de Carlos. Correu a casa e referiu a sua filha a conversa que tivera com o filho de *Pai de todos*. Elisa, não só por si como por seu pai, estimou o pacífico desenlace.

Tudo parecia ter voltado à primeira situação. As visitas de Carlos eram feitas nas horas em que Julião se achava em casa, e além disso, a presença de uma parenta velha, convidada por Julião, parecia tornar impossível nova tentativa de parte de Carlos.

Uma tarde, quinze dias depois do incidente que narrei acima, voltava Julião da fazenda do velho Pio. Era já perto da noite. Julião caminhava vagarosamente, pensando no que lhe faltaria ainda para completar o pecúlio de sua filha. Nessas divagações, não reparou que anoitecera. Quando deu por si, ainda se achava umas boas braças distante de casa. Apressou o passo. Quando se achava mais perto, ouviu uns gritos sufocados. Deitou a correr e penetrou no terreiro que circundava a casa. Todas as janelas estavam fechadas; mas os gritos continuavam cada vez mais angustiosos. Um vulto passou-lhe pela frente e dirigiu-se para os fundos. Julião quis segui-lo; mas os gritos eram muitos, e de sua filha. Com uma força difícil de crer em corpo tão pouco robusto, conseguiu abrir uma das janelas. Saltou, e eis o que viu:

A parenta que convidara a tomar conta da casa estava no chão, atada, amordaçada, exausta. Uma cadeira quebrada, outras em desordem.

— Minha filha! — exclamou ele.

E atirou-se para o interior.

Elisa debatia-se nos braços de Carlos, mas já sem forças nem esperanças de obter misericórdia.

No momento em que Julião entrava por uma porta, entrava por outra um indivíduo mal conceituado no lugar, e até conhecido por assalariado nato de todas as violências. Era o vulto que Julião vira no terreiro. E outros havia ainda, que apareceram a um sinal dado pelo primeiro, mal Julião entrou no lugar em que se dava o triste conflito da inocência com a perversidade.

Julião teve tempo de arrancar Elisa dos braços de Carlos. Cego de raiva, travou de uma cadeira e ia atirar-lha, quando os capangas, entrados a este tempo, o detiveram.

Carlos voltara a si da surpresa que lhe causara a presença de Julião. Recobrando o sangue-frio, cravou os olhos odientos no desventurado pai, e disse-lhe com voz sumida:

— Hás de pagar-me!

Depois, voltando-se para os ajudantes das suas façanhas, bradou:

— Amarrem-no!

Em cinco minutos foi obedecido. Julião não podia lutar contra cinco.

Carlos e quatro capangas saíram. Ficou um de vigia.

Uma chuva de lágrimas rebentou dos olhos de Elisa. Doía-lhe na alma ver seu pai atado daquele modo. Não era já o perigo a que escapara o que a comovia; era não poder abraçar seu pai livre e feliz. E por que estaria atado? Que intentava Carlos fazer? Matá-lo? Estas lúgubres e aterradoras ideias passaram rapidamente pela cabeça de Elisa. Entre lágrimas comunicou-as a Julião.

Este, calmo, frio, impávido, tranquilizou o espírito de sua filha, dizendo-lhe que Carlos poderia ser tudo, menos um assassino.

Seguiram-se alguns minutos de angustiosa espera. Julião olhava para sua filha e parecia refletir. Depois de algum tempo, disse:

— Elisa, tens realmente a tua desonra por uma grande desgraça?

— Oh! meu pai! — exclamou ela.

— Responde: se te faltasse a pureza que recebeste do céu, considerar-te-ias a mais infeliz de todas as mulheres?

— Sim, sim, meu pai!

Julião calou-se.

Elisa chorou ainda. Depois voltou-se para a sentinela deixada por Carlos e quis implorar-lhe misericórdia. Foi atalhada por Julião.

— Não peças nada — disse este. — Só há um protetor para os infelizes: é Deus. Há outro depois dele; mas esse está longe... Ó *Pai de todos*, que filho te deu o Senhor!...

Elisa voltou para junto de seu pai.

— Chega-te para mais perto — disse este.

Elisa obedeceu.

Julião tinha os braços atados; mas podia mover, ainda que pouco, as mãos. Procurou afagar Elisa, tocando-lhe as faces e beijando-lhe a cabeça. Ela inclinou-se e escondeu o rosto no peito de seu pai.

A sentinela não dava fé do que se passava. Depois de alguns minutos do abraço de Elisa e Julião, ouviu-se um grito agudíssimo. A sentinela correu aos dois. Elisa caíra completamente, banhada em sangue.

Julião tinha procurado a custo apoderar-se de uma faca de caça deixada por Carlos sobre uma cadeira. Apenas o conseguiu, cravou-a no peito de Elisa. Quando a sentinela correu para ele, não teve tempo de evitar o segundo golpe, com que Julião tornou mais profunda e mortal a primeira ferida. Elisa rolou no chão nas últimas convulsões.

— Assassino! — clamou a sentinela.

— Salvador!... salvei minha filha da desonra!

— Meu pai!... — murmurava a pobre pequena expirando.

Julião, voltando-se para o cadáver, disse, derramando duas lágrimas, duas só, mas duas lavas rebentadas do vulcão de sua alma:

— Dize a Deus, minha filha, que te mandei mais cedo para junto dele para salvar-te da desonra.

Depois fechou os olhos e esperou.

Não tardou que entrasse Carlos, acompanhado de uma autoridade policial e vários soldados.

Saindo da casa de Julião, teve a ideia danada de ir declarar à autoridade que o velho lavrador tentara contra a vida dele, razão por que teve de lutar, e conseguira deixá-lo amarrado.

A surpresa de Carlos e dos policiais foi grande. Não cuidavam encontrar o espetáculo que a seus olhos se ofereceu. Julião foi preso. Não negou o crime. Somente reservou-se para contar as circunstâncias dele na ocasião competente.

A velha parenta foi desatada, desamordaçada e conduzida à fazenda de Pio.

Julião, depois de contar-me toda a história cujo resumo acabo de fazer, perguntou-me:

— Diga-me, senhor doutor, pode ser meu advogado? Não sou criminoso?

— Serei seu advogado. Descanse, estou certo de que os juízes reconhecerão as circunstâncias atenuantes do delito.

— Oh! não é isso que me aterroriza. Seja ou não condenado pelos homens, é coisa que nada monta para mim. Se os juízes não forem pais, não me compreenderão, e então é natural que sigam os ditames da lei. Não matarás, é dos mandamentos, eu bem sei...

Não quis magoar a alma do pobre pai continuando naquele diálogo. Despedi-me dele e disse que voltaria depois.

Saí da cadeia alvoroçado. Não era romance, era tragédia o que eu acabava de ouvir. No caminho as ideias se me clarearam. Meu espírito voltou-se vinte e três séculos atrás, e pude ver, no seio da sociedade romana, um caso idêntico ao que se dava na vila de ***.

Todos conhecem a lúgubre tragédia de Virginius. Tito Lívio, Diodoro de Sicília e outros antigos falam dela circunstanciadamente. Foi essa tragédia a precursora da queda dos decênviros. Um destes, Ápio Cláudio, apaixonou-se por Virgínia, filha de Virginius. Como fosse impossível de tomá-la por simples simpatia, determinou o decênviro empregar um meio violento. O meio foi escravizá-la. Peitou um sicofanta, que apresentou-se aos tribunais reclamando a entrega de Virgínia, sua escrava. O desventurado pai, não conseguindo comover nem por seus rogos, nem por suas ameaças, travou de uma faca de açougue e cravou-a no peito de Virgínia.

Pouco depois caíam os decênviros e restabelecia-se o consulado.

No caso de Julião não havia decênviros para abater nem cônsules para levantar; mas havia a moral ultrajada e a malvadez triunfante. Infelizmente estão ainda longe, esta da geral repulsão, aquela do respeito universal.

III

Fazendo todas estas reflexões, encaminhava-me eu para a casa do amigo em que estava hospedado. Ocorreu-me uma ideia, a de ir à fazenda de Pio, autor do bilhete que me chamara da corte, e de quem eu podia saber muita coisa mais.

Não insisto em observar a circunstância de ser o velho fazendeiro quem se interessava pelo réu e pagava as despesas da defesa nos tribunais. Já o leitor terá feito essa observação, realmente honrosa para aquele deus da terra.

O sol, apesar da estação, queimava suficientemente o viandante. Ir a pé à fazenda, quando podia ir a cavalo, era ganhar fadiga e perder tempo sem proveito. Fui a casa e mandei aprontar o cavalo. O meu hóspede não estava em casa. Não quis esperá-lo, e sem mais companhia dirigi-me para a fazenda.

Pio estava em casa. Mandei-lhe dizer que uma pessoa da corte desejava falar-lhe. Fui recebido incontinente.

Achei o velho fazendeiro em conversa com um velho padre. Pareciam, tanto o secular como o eclesiástico, dois verdadeiros soldados do Evangelho combinando-se para a mais extensa prática do bem. Tinham ambos a cabeça branca, o olhar se-

O anjo das donzelas

Cuidado, caro leitor, vamos entrar na alcova de uma donzela.

A esta notícia o leitor estremece e hesita. É naturalmente um homem de bons costumes, acata as famílias e preza as leis do decoro público e privado. É também provável que já tenha deparado com alguns escritos, destes que levam aos papéis públicos certas teorias e tendências que melhor fora nunca tivessem saído da cabeça de quem as concebeu e proclamou. Hesita e interroga a consciência se deve ou não continuar a ler as minhas páginas, e talvez resolva não prosseguir. Volta a folha e passa a coisa melhor.

Descanse, leitor, não verá neste episódio fantástico nada do que se não pode ver à luz pública. Eu também acato a família e respeito o decoro. Sou incapaz de cometer uma ação má, que tanto importa delinear uma cena ou aplicar uma teoria contra a qual proteste a moralidade.

Tranquilize-se, dê-me o seu braço, e atravessemos, pé ante pé, a soleira da alcova da donzela Cecília.

Há certos nomes que só assentam em certas criaturas, e que quando ouvimos pronunciá-los como pertencentes a pessoas que não conhecemos, logo atribuímos a estas os dons físicos e morais que julgamos inseparáveis daqueles. Este é um desses nomes. Veja o leitor se a moça que ali se acha no leito, com o corpo meio inclinado, um braço nu escapando-se do alvo lençol e tendo na extremidade uma mão fina e comprida, os cabelos negros, esparsos, fazendo contraste com a brancura da fronha, os olhos meio cerrados lendo as últimas páginas de um livro, veja se aquela criatura pode ter outro nome, e se aquele nome pode estar em outra criatura.

Lê, como disse, um livro, um romance, e apesar da hora adiantada, onze e meia, ela parece estar disposta a não dormir sem saber quem casou e quem morreu.

Ao pé do leito, sobre a palhinha que forra o soalho, estende-se um pequeno tapete, cuja estampa representa duas rolas, de asas abertas, afagando-se com os biquinhos. Sobre esse tapete estão duas chinelinhas, de forma turca, forradas de seda cor-de-rosa, que o leitor jurará serem de um despojo de *Cendrillon*. São as chinelas de Cecília. Avalia-se já que o pé de Cecília deve ser um pé fantástico, imperceptível, impossível; e examinando bem pode-se até descobrir, entre duas pontas do lençol mal estendido, a ponta de um pé capaz de entusiasmar o meu amigo Ernesto C..., o maior admirador dos pés pequenos, depois de mim... e do leitor.

Cecília lê um romance. É o centésimo que lê depois que saiu do colégio, e não saiu há muito tempo. Tem quinze anos. Quinze anos! é a idade das primeiras palpitações, a idade dos sonhos, a idade das ilusões amorosas, a idade de Julieta; é a flor, é a vida, e a esperança, o céu azul, o campo verde, o lago tranquilo, a aurora que rompe, a calhandra que canta, Romeu que desce a escada de seda, o último beijo que as brisas da manhã ouvem e levam, como um eco, ao céu.

Que lê ela? Daqui depende o presente e o futuro. Pode ser uma página da lição, pode ser uma gota de veneno. Quem sabe? Não há ali à porta um índex onde se indiquem os livros defesos e os lícitos. Tudo entra, bom ou mau, edificante ou corruptor, *Paulo e Virgínia* ou *Fanny*. Que lê ela neste momento? Não sei. Todavia deve ser interessante o enredo, vivas as paixões, porque a fisionomia traduz de minuto a minuto as impressões aflitivas ou alegres que a leitura lhe vai produzindo.

Cecília corre as páginas com verdadeira ânsia, os olhos voam de uma ponta da linha à outra; não lê; devora; faltam só duas folhas, falta uma, falta uma lauda, faltam dez linhas, cinco, uma... acabou.

Chegando ao fim do livro, fechou-o e pô-lo em cima da pequena mesa que está ao pé da cama. Depois, mudando de posição, fitou os olhos no teto e refletiu.

Passou em revista na memória todos os sucessos contidos no livro, reproduziu episódio por episódio, cena por cena, lance por lance. Deu forma, vida, alma, aos heróis do romance, viveu com eles, conversou com eles, sentiu com eles. E enquanto ela pensava assim, o gênio que nos fecha as pálpebras à noite hesitou, à porta do quarto, se devia entrar ou esperar.

Mas, entre as muitas reflexões que fazia, entre os muitos sentimentos que a dominavam, alguns havia que não eram de agora, que já eram velhos hóspedes no espírito e no coração de Cecília.

Assim que, quando a moça acabou de reproduzir e saciar os olhos da alma na ação e nos episódios que acabara de ler, voltou-lhe o espírito naturalmente para as ideias antigas e o coração palpitou sob a ação dos antigos sentimentos.

Que sentimentos, que ideias seriam essas? Eis a singularidade do caso. De há muito tempo que as tragédias do amor a que Cecília assistia nos livros causavam-lhe uma angustiosa impressão. Cecília só conhecia o amor pelos livros. Nunca amara. Do colégio saíra para casa e de casa não saíra para mais parte alguma. O pressentimento natural e as cores sedutoras com que via pintado o amor nos livros, diziam-lhe que devia ser uma coisa divina, mas ao mesmo tempo diziam-lhe também os livros que dos mais auspiciosos amores pode-se chegar aos mais lamentáveis desastres. Não sei que terror se apoderou da moça; apoderou-se dela um terror invencível. O amor, que para as outras mulheres apresenta-se com aspecto risonho e sedutor, afigurou-se a Cecília que era um perigo e uma condenação. A cada novela que lia mais lhe cresciam os sustos, e a pobre menina chegou a determinar em seu espírito que nunca exporia o coração a tais catástrofes.

Provinha este sentimento de duas coisas: do espírito supersticioso de Cecília, e da natureza das novelas que lhe davam para ler. Se nessas obras ela visse, ao lado das más consequências a que os excessos podem levar, a imagem pura e suave da felicidade que o amor dá, não se teria decerto apreendido daquele modo. Mas não foi assim. Cecília aprendeu nesses livros que o amor era uma paixão invencível e funesta; que não havia para ela nem a força de vontade nem a perseverança do dever. Esta ideia calou no espírito da moça e gerou um sentimento de apreensão e de terror contra o qual ela não podia nada, antes se tornara mais impotente à medida que lia uma nova obra da mesma natureza.

Este estrago moral completava-se com a leitura da última novela. Quando Cecília levantou os olhos para o teto tinha o coração cheio de medo e os olhos traduziam o sentimento do coração. O que sobretudo a atemorizava mais era a incerteza que ela tinha de poder escapar à ação de uma simpatia funesta. Muitas das páginas que lera diziam que o destino intervinha nos movimentos do coração humano, e sem poder discernir o que teria de real ou de poético este juízo, a pobre mocinha tomou ao pé da letra o que lera e confirmou-se nos receios que nutria de muito tempo.

Tal era a situação do espírito e do coração de Cecília quando o relógio de uma igreja que ficava a dois passos da casa bateu meia-noite. O som lúgubre do sino, o silêncio da noite, a solidão em que estava, deram uma cor mais sombria às suas apreensões.

Procurou dormir para fugir às ideias sombrias que se lhe atropelavam no espírito e dar descanso ao peso e ao ardor que sentia no cérebro; mas não pôde; caiu em uma dessas insônias que fazem padecer mais em uma noite do que a febre de um dia inteiro.

De repente sentiu que se abria a porta. Olhou e viu entrar uma figura desconhecida, fantástica. Era mulher? era homem? não se distinguia. Tinha esse aspecto masculino e feminino a um tempo com que os pintores reproduzem as feições dos serafins. Vestia túnica de tecido alvo, coroava a fronte com rosas brancas e despedia dos olhos uma irradiação fantástica e impossível de descrever. Andava sem que a esteira do chão rangesse sob os passos. Cecília fitou os olhos na visão e não pôde mais desviá-los. A visão chegou-se ao leito da donzela.

— Quem és tu? — perguntou Cecília sorrindo, com a alma tranquila e os olhos vivos e alegres diante da figura desconhecida.

— Sou o anjo das donzelas — respondeu a visão com uma voz que nem era voz nem música, mas um som que se aproximava de ambas as coisas, articulando palavras como se executasse uma sinfonia do outro mundo.

— Que me queres?

— Venho em teu auxílio.

— Para quê?

O anjo pôs as mãos no peito de Cecília e respondeu:

— Para salvar-te.

— Ah!

— Sou o anjo das donzelas — continuou a visão —, isto é, o anjo que protege as mulheres que atravessam a vida sem amar, sem depor no altar dos amores uma só gota do óleo celeste com que se venera o Deus menino.

— Sim?

— É verdade. Queres que eu te proteja? Que te imprima na fronte o sinal fatídico ante o qual recuarão todas as tentativas, curvar-se-ão todos os respeitos?

— Quero.

— Queres que com um bafejo meu te fique eternamente gravado o emblema da eterna virgindade?

— Quero.

— Queres que eu te garanta em vida as palmas verdes e viçosas que cabem às que podem atravessar o lodo da vida sem salpicar o vestido branco de pureza que receberam do berço?

— Quero.

— Prometes que nunca, nunca, nunca te arrependerás deste pacto, e que, quaisquer que sejam as contingências da vida, abençoarás a tua solidão?

— Quero.

— Pois bem! Estás livre, donzela, estás inteiramente livre das paixões. Podes entrar agora, como Daniel, entre os leões ferozes; nada te fará mal. Vê bem; é a felicidade, é o descanso. Gozarás ainda na mais remota velhice de uma isenção que será a tua paz na terra e a tua paz no céu!

E dizendo isto a fantástica criatura desfolhou algumas rosas sobre o seio de Cecília. Depois tirou do dedo um anel e introduziu no dedo da moça, que não opunha a nenhum destes atos, nem resistência nem admiração, antes sorria com um sorriso de angelical suavidade como se naquele momento entrevisse as glórias perenes que o anjo lhe prometia.

— Este anel — disse o anjo — é o anel de nossa aliança; doravante és minha esposa ante a eternidade. Deste amor não te resultarão nem tormentos nem catástrofes. Conserva este anel a despeito de tudo. No dia em que o perderes, estás perdida.

E dizendo estas palavras a visão desapareceu.

A alcova ficou cheia de uma luz mágica e de um perfume que parecia mesmo hálito de anjos.

No dia seguinte Cecília acordou com o anel no dedo e a consciência do que se passara na véspera. Nesse dia levantou-se da cama mais alegre que nunca. Tinha o coração leve e o espírito desassombrado. Tocara enfim o alvo que procurara: a indiferença para os amores, a certeza de não estar exposta às catástrofes do coração... Esta mudança tornou-se cada dia mais pronunciada, e de modo tal que as amigas não deixaram de reparar.

— Que tens tu? — dizia uma. — És outra inteiramente. Aqui anda namoro!

— Qual namoro!

— Ora, decerto! — acrescentava outra.

— Namoro? — perguntava Cecília. — Isso é bom para as... infelizes. Não para mim. Não amo...

— Amas!

— Nem amarei.

— Vaidosa!...

— Feliz é que deves dizer. Não amo, é verdade. Mas que felicidade não me resulta disto?... Posso afrontar tudo; estou armada de broquel e cota de armas...

— Sim?

E as amigas desataram a rir, apontando para Cecília e jurando que ela se havia de arrepender de dizer palavras tais.

Mas passavam os dias e nada fazia notar que Cecília tivesse pago o pecado que cometera na opinião das amigas. Cada dia trazia um pretendente novo. O pretendente fazia corte, gastava tudo quanto sabia para cativar a menina, mas afinal desistia da empresa com a convicção de que nada podia fazer.

— Mas não se lhe conhece preferido? — perguntavam uns aos outros.

— Nenhum.

— Que milagre é este?

— Qual milagre! Não lhe chegou a vez... Ainda não enflorou aquele coração. Quando chegar a época da florescência há de fazer o que as mais fazem, e escolher entre tantos pretendentes um marido.

E com isto se consolavam os taboqueados.

O que é certo é que corriam os dias, os meses, os anos, sem que nada mudasse a situação de Cecília. Era a mesma mulher fria e indiferente. Quando completou vinte anos tinha adquirido fama; era corrente em todas as famílias, em todos os salões, que Cecília nascera sem coração, e a favor desta fama faziam-se apostas, levantavam-se coragens; a moça tornou-se a Cartago das salas. Os romanos de bigode retorcido e cabelo frisado juravam sucessivamente vencer a indiferença púnica. Trabalho vão! Do agasalho cordial ao amor ninguém chegava nunca, nem por suspeita. Cecília era tão indiferente que nem dava lugar à ilusão.

Entre os pretendentes um apareceu que começou por cativar os pais de Cecília. Era um doutor formado em matemáticas, metódico como um compêndio, positivo como um axioma, frio como um cálculo. Os pais viram logo no novo pretendente o modelo, o padrão, a fênix dos maridos. E começaram por fazer em presença da filha os elogios do rapaz. Cecília acompanhou-os nesses elogios, e deu alguma esperança aos pais. O próprio pretendente soube do conceito em que o tinha a moça e criou esperanças.

E, conforme a educação do espírito, tratou de regularizar a corte que fazia a Cecília, como se se tratasse de descobrir uma verdade matemática. Mas, se a expressão dos outros pretendentes não impressionou a moça, muito menos a impressionava a frieza metódica daquele. Dentro de pouco tempo a moça negou-lhe até aquilo que concedia aos outros: a benevolência e a cordialidade.

O pretendente desistiu da causa e voltou aos cálculos e aos livros.

Como este, todos os outros pretendentes iam passando, como soldados em revista, sem que o coração inflexível da moça pendesse para nenhum deles.

Então, quando todos viram que os esforços eram baldados, começou-se a suspeitar que o coração da moça estivesse empenhado a um primo que exatamente na noite da visão de Cecília embarcara para seguir até Santos e daí tomar caminho para a província de Goiás. Esta suspeita desvaneceu-se com os anos; nem o primo voltou, nem a moça mostrou-se sentida com a ausência dele. Esta conjectura com que os pretendentes queriam salvar a honra própria perdeu o valor, e os iludidos tiveram de contentar-se com este dilema: ou não tinham sabido lutar, ou a moça era uma natureza de gelo.

Todos aceitaram a segunda hipótese.

Mas que se passava nessa natureza de gelo? Cecília via a felicidade das amigas, era confidente de todas, aconselhava-as ao sentido de uma prudente reserva, mas nem procurava nem aceitava os ciúmes que lhe andavam à mão. Todavia mais de uma vez, à noite, no fundo da alcova, a moça sentia-se só. O coração solitário parece que se não acostumara de todo ao isolamento a que o votara a dona.

A imaginação, para fugir às pinturas indiscretas de um sentimento a que a moça fugia, corria às soltas no campo das criações fantásticas e desenhava com vivas cores essa felicidade que a visão lhe prometera. Cecília comparava o que perdera e o que ia ganhar, e dava a palma do gozo futuro em compensação do presente. Mas nesses rasgos de imaginação o coração palpitava-lhe com força, e mais de uma vez a moça dava acordo de si procurando com uma das mãos arrancar o anel da aliança com a visão.

Nesses momentos recuava, entrava em si e chamava no interior a visão daquela noite dos quinze anos. Mas o desejo era baldado; a visão não aparecia, e Cecília ia procurar no leito solitário a calma que não podia encontrar nas vigílias laboriosas.

Muitas vezes a aurora veio encontrá-la à janela, enlevada nas suas imaginações, sentindo um vago desejo de conversar com a natureza, embriagar-se no silêncio da noite.

Em alguns passeios que fez aos subúrbios da cidade deixava-se impressionar por tudo o que a vista lhe oferecia de novo, água ou montanha, areia ou ervaçal, parecendo que a vista se lhe comprazia nisso e esquecendo-se muitas vezes de si e dos outros.

Ela sentia um vácuo moral, uma solidão interior, e procurava na atividade e na variedade da natureza alguns elementos de vida para si. Mas a que atribuía ela essa ânsia de viver, esse desejo de ir buscar fora aquilo que lhe faltava? Ao princípio não reparou no que fazia; fazia involuntariamente, sem determinação nem conhecimento da situação.

Mas, como se prolongasse a situação, ela foi pouco a pouco descobrindo o estado do coração e do espírito. Tremeu ao princípio, mas em breve se tranquilizou; a ideia da aliança com a visão pesava-lhe no espírito, e as promessas feitas por ela de uma bem-aventurança sem igual desenhavam na fantasia de Cecília um quadro vivo e esplêndido. Isto consolava a moça, e, sempre escrava dos juramentos, ela fazia honra sua em ficar pura do coração para subir à morada das donzelas libertadas do amor.

Demais, ainda que o quisesse, parecia-lhe impossível sacudir a cadeia a que involuntariamente se prendera.

E os anos corriam.

Aos vinte e cinco inspirou uma paixão violenta a um jovem poeta. Foi uma dessas paixões como só os poetas sabem sentir. Este do meu conto depôs aos pés da bela insensível a vida, o futuro, a vontade. Regou com lágrimas os pés de Cecília e pediu-lhe como uma esmola uma centelha que fosse do amor que parecia ter recebido do céu. Tudo foi inútil, tudo foi vão. Cecília nada lhe deu, nem amor nem benevolência. Amor não tinha; benevolência podia ter, mas o poeta perdera o direito a ela desde que declarou a extensão do seu sacrifício. Isto deu a Cecília a consciência da sua superioridade, e com essa consciência certa dose de vaidade que lhe vendava os olhos e o coração.

Se lhe aparecera o anjo para tirar-lhe do coração o germe do amor, não lhe apareceu nenhum que lhe tirasse o pouco de vaidade.

O poeta deixou Cecília e foi para casa. Daí seguiu para uma praia, subiu a uma pequena eminência e atirou-se ao mar. Dai a três dias encontrou-se-lhe o cadáver, e os jornais deram do fato uma notícia lacrimosa. Entretanto encontrou-se entre os papéis do poeta a seguinte carta:

> A Cecília D...
> Morro por ti. É ainda uma felicidade que eu procuro em falta da outra que eu procurei, implorei e não alcancei.
> Não me quiseste amar; não sei se o teu coração estaria cativo, mas dizem que não. Dizem que és insensível e indiferente.
> Não quis crê-lo e fui por mim próprio averiguá-lo. Coitado de mim! o que vi bastou para dar-me a certeza de que não estava reservado para mim semelhante fortuna.
> Não te pergunto que curiosidade te levou a voltares a cabeça e transformares-te, como a mulher de Lot, em estátua insensível e fria. Se alguma coisa há nisto que eu não

compreendo, não quero sabê-lo agora que deixo o fardo da vida, e vou, por caminho escuro, procurar o termo feliz da minha viagem.

  Deus te abençoe e te faça feliz. Não te desejo mal. Se te fujo e se fugi ao mundo é por fraqueza, não é por ódio; ver-te, sem ser amado, é morrer todos os dias. Morro uma só vez e rapidamente.

  Adeus...

Esta carta causou a Cecília muita impressão. Chorou até. Mas era piedade e não amor. A maior consolação que ela mesma deu a si foi o pacto secreto e misterioso. É culpa minha? perguntava ela. E respondendo negativamente a si mesma achava nisso a legitimidade da sua indiferença.

Todavia, esta ocorrência trouxe-lhe ao espírito uma reflexão.

O anjo prometera-lhe, em troca da isenção para o amor, uma tranquilidade durante a vida que só poderia ser excedida pela paz eterna da bem-aventurança.

Ora, que encontrava ela? O vácuo moral, as impressões desagradáveis, uma sombra de remorso, eis os lucros que tivera.

Os que foram fracos como o poeta recorreram aos meios extremos ou deixaram-se dominar pela dor. Os menos fracos ou menos sinceros no amor alimentaram contra Cecília um despeito que deu em resultado levantar-se uma opinião ofensiva à moça.

Mais de um procurava na sombra o motivo da indiferença de Cecília. Era a segunda vez que se atiravam a essas investigações. Mas o resultado delas era sempre nulo, visto que a realidade era que Cecília não amava ninguém.

E os anos corriam...

Cecília chegou aos trinta e três anos. Já não era a idade de Julieta, mas era uma idade ainda poética; poética neste sentido — que a mulher, em chegando a ela, tendo já perdido as ilusões dos primeiros tempos, adquire outras mais sólidas, fundadas na observação.

Para a mulher dessa idade o amor já não é uma aspiração do desconhecido, uma tendência mal exprimida; é uma paixão vigorosa, um sentimento mais eloquente; ela já não procura a esmo um coração que responda ao seu; escolhe entre os que encontra um que possa compreendê-la, capaz de amar como ela, próprio para fazer essa doce viagem às regiões divinas do amor verdadeiro, exclusivo, sincero, absoluto.

Nessa idade era ainda bela. E pretendida. Mas a beleza continuou a ser um tesouro que a indiferença avarenta guardava para os vermes da terra.

Um dia, longe dos primeiros, muito longe, a primeira ruga desenhou-se no rosto de Cecília e alvejou um primeiro cabelo. Mais tarde, segunda ruga, segundo cabelo, e outras e outros, até que a velhice de Cecília declarou-se completa.

Mas há velhice e velhice. Há velhice feia e velhice bonita. Cecília era da segunda espécie, porque através dos sinais evidentes que o tempo deixara nela, sentia-se que fora uma criatura formosa, e, embora de outra natureza, Cecília inspirava ainda a ternura, o entusiasmo, o respeito.

Os fios de prata que lhe serviam de cabelos emolduravam-lhe o rosto rugado, mas ainda suave. A mão, que tão linda era outrora, não tinha a magreza repugnante, mas era ainda bela e digna de uma princesa... velha.

Mas o coração? Esse atravessara do mesmo modo os tempos e os sucessos sem nada deixar de si. A isenção foi sempre completa. Lutava embora contra não sei que repugnância do vácuo, não sei que horror da solidão, mas nessa luta a vontade ou a fatalidade vencia sempre, triunfava de tudo, e Cecília pôde chegar à adiantada idade em que a achamos sem nada perder.

O anel, o fatídico anel, foi o talismã que nunca a abandonou. A favor desse talismã, que era a assinatura do contrato celebrado com o anjo das donzelas, ela pôde ver de perto o sol sem se queimar.

Tinham-lhe morrido os pais. Cecília vivia em casa de uma irmã viúva. Vivia dos bens que recebera em herança.

Que fazia agora? Os pretendentes desertaram, os outros envelheceram também, mas iam ainda por lá alguns deles. Não para requestá-la decerto, mas para passar as horas ou em conversa grave e pausada sobre coisas sérias, ou à mesa de algum jogo inocente e próprio de velhos.

Não poucas vezes era assunto de conversação geral a habilidade com que Cecília conseguira atravessar os anos da primeira e da segunda mocidade sem empenhar o coração em nenhum laço de amor. Cecília respondia a todos que tivera um segredo poderoso do qual não podia fazer comunicação alguma.

E nestas ocasiões olhava amorosamente para o anel que trazia no dedo ornado de uma bela e grande esmeralda.

Mas ninguém reparava nisto.

Cecília gastava horas e horas da noite em evocar a visão dos quinze anos. Quisera achar conforto e confirmação às suas crenças, quisera ver e ouvir ainda a figura mágica e a voz celeste do anjo das donzelas.

Parecia-lhe, sobretudo, que o longo sacrifício que consumara merecia, antes da realização, uma repetição das promessas anteriores.

Entre os que frequentavam a casa de Cecília alguns velhos havia dos que, na mocidade, tinham feito roda a Cecília e tomado mais ou menos seriamente as expressões de cordialidade da moça.

Assim que, agora que se encontravam nas últimas estações da vida, mais de uma vez a conversa tinha por objeto a isenção de Cecília e as infelicidades dos adoradores.

Cada um referia os seus episódios mais curiosos, as dores que sentira, as decepções que sofrera, as esperanças que Cecília esfolhara com impassibilidade cruel.

Cecília ria ouvindo essas confissões, e acompanhava os seus adoradores de outrora no terreno das facécias que as revelações mais ou menos inspiravam.

— Ah! — dizia um. — Eu é que sofri como poucos.

— Sim? — perguntava Cecília.

— É verdade.

— Conte lá.

— Olhe, lembra-se daquela partida em casa do Avelar?

— Foi há tanto tempo!

— Pois eu me lembro perfeitamente.

— Que houve?

— Houve isto.

Todos se prepararam para ouvir a narração prometida.

— Houve isto — continuou o ex-adorador. — Estávamos no baile. Eu, nesse tempo, era um verdadeiro pintalegrete. Envergava a melhor casaca, esticava a melhor calça, derramava os melhores cheiros. Mais de uma dama suspirava em segredo por mim, e às vezes nem mesmo em segredo...

— Ah!

— É verdade. Mas qual é a lei geral da humanidade? É não aceitar aquilo que se lhe dá, para ir buscar aquilo que não poderá obter. Foi o que fiz.

Le bonheur, c'est la boule
Que cet enfant poursuit tout le temps qu'elle roule.
Et que, dès qu'elle arrête, il repousse du pied.

— Bravo!

— Vamos à história!

— Estávamos no baile. Já duas senhoras tinham-se retirado para o camarim a fim de evitar algum desmaio. Por quê? Que fazia eu? Eu derramava aos pés de dona Cecília uma torrente de madrigais, dizia-lhe do melhor modo possível que a beleza dela tinha-me inspirado um amor profundo e decisivo. Ela não prestava aos meus discursos senão uma atenção indiferente. Isto desesperava. Insistia, repetia, pedia-lhe quase o coração. Ela nada. Enfim ofereci-lhe o braço. Percorremos algumas salas. Dona Cecília estava divina de graça, de beleza, e até... de indiferença. Se fosse a indiferença somente bem estava, mas houve mais...

— Houve mais?

— Houve. Houve desengano. Eu disse-lhe que a amava perdidamente; ela respondeu-me positivamente que não me podia amar. Quase caí. Não lhe disse mais nada e voltamos para a sala.

— Não me lembro disso — observou Cecília.

— Lembro-me eu que fui a vítima. O algoz...

— À ordem! à ordem! — reclamaram os ouvintes.

O narrador continuou:

— Deixei dona Cecília na sala e saí. Fui para o jardim. Desesperado, cuidei que o ar e a solidão me aplacassem o ânimo. Vi através da rama de uns arbustos um ponto de luz. Era um charuto ao que me parecia, e com o charuto um homem. A noite estava escuríssima. Caminhei para o lugar em que me parecia estar o homem e o charuto. Pedi fogo e vi que o charuto me entrava nas mãos. Acendi um charuto e agradeci. A minha voz foi conhecida pelo meu interlocutor e eu próprio reconheci na voz que me falava um rapaz que eu conhecera aos salões.

— Abrevie a história!

— Apoiado!

— É simples. Contei ao meu interlocutor os motivos da minha presença, e estava calmo, esperando algumas palavras de consolação, quando me senti agarrado. Procurei defender-me e lutamos durante alguns minutos, ao som de uma polca que se executava no interior da casa. Todos compreendem o caso. O meu adversário era pretendente ao coração de dona Cecília; estava, como eu, desconsolado. Lutamos, como disse. Nunca mais nos falamos.

— Nunca mais?

— Nunca mais.

— Não me lembro de nada, nem me constou nada neste sentido — disse Cecília.

— Eu nunca disse nada a ninguém.

Fora escrever dois volumes e repetir os episódios trágicos, ou cômicos, ou patéticos, que os ex-adoradores de Cecília traziam para a conversação.

Em uma dessas práticas íntimas, singelas, trouxe um criado uma carta para Cecília. Era de Tibúrcio.

Quem era Tibúrcio? Era o primo de Cecília que partira da corte na noite em que Cecília fizera o contrato misterioso para independência do coração.

Tibúrcio partira moço e voltou velho. Nunca dera sinal de si. Não se sabia onde andava nem que fazia.

Tibúrcio escrevia de São Paulo. Dizia que dentro de oito dias estaria na corte. E daí a oito dias chegou.

A carta dizia:

> Minha prima. — Dentro de oito dias lá estarei. Vai aparecer-lhe um velho. Há que tempo de lá saí!
> Andei seca e meca. Ganhei, perdi, tornei a ganhar, e a experiência me serviu, porque o que ganhei conservo agora e não tenho ideia, nem ânimo de perdê-lo outra vez.
> Que é feito de nossa família? Eu de nada sei. Não procurei ninguém, não escrevi; acho que fizeram bem em me não escreverem. Com ingrato, ingrato e meio. Mas eu hei de provar que não fui ingrato.
> Adeus. Esta lhe há de ser entregue por C..., meu amigo, que parte para essa corte.
> Adeus. — TIBÚRCIO.

Tibúrcio acompanhou a carta com intervalo de alguns dias. Era um velho bonito, folgazão, opulento de carnes e de dinheiro.

Nem Tibúrcio reconhecia Cecília, nem Cecília reconheceu Tibúrcio. Tão mudados estavam!

Vieram as longas narrativas do que se houvera passado durante o longo espaço de tempo que se não viram.

É necessário dizer que Tibúrcio, quando partira da corte, amava Cecília, sem que para amá-la se fundasse em nenhum sentimento recíproco.

Cecília foi ao princípio indiferente... por indiferença. Mais tarde é que veio o pacto angélico.

Tibúrcio ouviu, com grande admiração, da boca de Cecília a notícia de que ela nunca se houvera casado.

E de sua parte declarou que também se conservara solteiro, adiantando logo a razão disso, que era não poder levar família para as trabalhosas empresas a que se entregava.

Mas a respeito de Cecília admirou-se muito. Não a deixara formosa e requestada? Não via ainda que essa beleza tarde desapareceu?

— Não quis — respondia Cecília.

— Mas por quê?...

— Não sei... não quis.

E, como sempre, Cecília olhava amorosamente para o anel. Os olhos de Tibúrcio acompanharam os de Cecília e pousaram na esmeralda que ela trazia no dedo.

— Ah! — disse ele.

E a conversa passou a outros assuntos.

Insistiram todos em que Tibúrcio referisse as suas viagens, as suas aventuras, os seus perigos, as suas fortunas.

— Fora preciso um ano — disse Tibúrcio.

Com efeito, Tibúrcio tinha vivido uma vida acidentada. Lutas, perigos, sustos, fortunas, alternativas de todo o gênero, tudo matizava o fundo do quadro da existência de Tibúrcio.

Tibúrcio adquirira parte de sua fortuna em algumas explorações de minas de ouro e de brilhantes.

Durante os dias que se seguiram ao da chegada dele em casa de Cecília, a família, os restos da família, e os convivas habituais, divertiram-se muito ouvindo as narrações de Tibúrcio sobre os acidentes das explorações mineiras.

Quando se esgotou esse capítulo, Tibúrcio referiu que uma vez fora agarrado pelos bugres perto do rio Araguaia. Quando caiu nas mãos daqueles bárbaros perdeu até a última gota de sangue. Viu a morte diante dos olhos. Já os bugres se preparavam para almoçar aquele bife, quando uma partida de soldados que andava à caça de um criminoso descobriu o fato e chegou a tempo de salvar Tibúrcio dos estômagos indígenas.

Outros perigos correra o primo de Cecília, como o de naufragar em torrentes de rios, encontrar-se com onças, e outros deste gênero.

O auditório habitual de Tibúrcio divertia-se muito com estas narrações, e ele por sua parte sabia referir os tais episódios dando-lhes as cores próprias de comover e interessar.

Tibúrcio resolvera ir morar com as duas parentas, e ali se instalou imediatamente.

Todas as noites havia uma reunião de amigos para tomar chá, conversar e jogar.

Uma noite de chuva, em mês de junho, debalde se esperaram os convivas. A chuva e o frio não consentiram que os respeitáveis anciões deixassem os conchegos do lar, nem mesmo com a sedução das boas horas que se passava em casa de Cecília.

Foram, pois, os três parentes obrigados a se privarem naquela noite da companhia dos amigos.

Tomaram chá cedo e estavam fazendo horas à mesa até que viesse a hora habitual de se recolherem.

Travou-se a seguinte conversação:

— Ora, prima — disse Tibúrcio —, ainda não lhe contei os tormentos que sofri relativamente ao coração...

— Ah!

— É verdade. Lembrei-me muito de você.

— Deveras?

— É verdade. Não se lembra que eu mais de uma vez lhe confessei o amor que alimentava?

— Lembro-me, sim.

— Pois saí da corte com as mais dolorosas impressões. Via que ia para longe e perdia de vista a mulher que eu ainda nem conhecia de coração. Padeci muito.

— Falar nisso agora não sei que me parece.

— Parece o que é, a verdade. Quis matar-me...

— Que tolice!

— Foi o que eu pensei...
— Morria e eu ficava.
— Mas o que me agrada é ver que se eu não esqueci, também você não esqueceu.
— Não, decerto.
— Mas, de certo modo?
— Que modo?
— Gentes! — disse a prima viúva. — Vocês parecem namorados!
— Mas de que modo? como apaixonada?
— Sim.
— Que loucura!
— Pelo menos tenho uma prova.
— Vamos ver a prova — disse a viúva.
— A prova não está comigo.
— Está comigo? — perguntou Cecília.
— É verdade.
— Onde?
— Aí, no dedo.

Cecília olhou para o anel.

— No dedo! — disse ela sem compreender a que podia o primo aludir.
— Esse anel — disse o primo.
— Este anel? Que tem este anel?
— Ora, afinal — disse a prima viúva —, vamos saber o que significa este misterioso anel.

Cecília estava espantada sem compreender.

Tibúrcio continuou:

— Este anel, sim. É meu. Ou por outra, é seu hoje, mas foi meu, porque o encomendei.
— Mas explique-se.
— Nas vésperas de partir da corte quis deixar-lhe uma prova de que o meu amor era verdadeiro e seria eterno. Encomendei este anel, que o ourives prontificou com o maior cuidado e zelo. Tinha dois meios de dar-lho: ou introduzir-lho no dedo, francamente, com a declaração de que era uma lembrança minha que deixara, ou depositá-lo no seu toucador para que, quando eu já estivesse fora, aquela lembrança a surpreendesse.
— É romanesco — disse a viúva.

Cecília nada disse. Tinha os olhos pregados em Tibúrcio e procurava arrancar-lhe as palavras da boca.

Tibúrcio prosseguiu:

— Preferi o segundo meio por me parecer, como diz a prima, romanesco. Mas, ao executá-lo, ocorreu-me um terceiro meio. Era o de colocar o anel no seu dedo na hora em que dormisse, de modo que a surpresa fosse ainda maior.
— Ah! e...

Esta exclamação e esta conjunção partiram da prima viúva. Cecília tão absorta estava que nada podia dizer.

— Descansem — disse Tibúrcio —, eu fiz as coisas honestamente. Peitei a mucama para que alta noite, na ocasião em que a prima dormisse depois da costumada leitura... Ah! você lia muito romance!

— Adiante!

— Para que alta noite se aproveitasse do sono em que você estivesse e lhe pusesse o anel. Assim foi. Vejo agora que conservou o anel. Mas, diga-me, a Teresa nunca lhe disse nada disto?

— Não — disse Cecília distraidamente.

— Pois foi assim. E se quer mais uma prova tire o anel... Nunca o tirou?

— Nunca.

— Pois tire o anel e veja se não estão gravadas pela parte interior as iniciais do meu nome.

Cecília hesitou entre a curiosidade de averiguar a asseveração de Tibúrcio e um resto de crença que tinha nas palavras da visão.

— Tire o anel.

— Mas...

— Tire! Que receio é esse?

— Esperem, não tiro por uma razão. Eu não creio no que diz o primo Tibúrcio.

— Por quê?

— Não creio, mas creio em outra coisa.

— Essa agora!

— É verdade.

E Cecília passou a referir aos dois parentes todas as circunstâncias da visão, o diálogo que tivera com ela, a fé em que lhe ficaram as promessas do anjo das donzelas.

— Tal foi — acrescentou Cecília — a razão por que me não casei. Tinha fé nisto. Quanto a tirar o anel, disse-me a visão que nunca o fizesse.

Tibúrcio deu uma gargalhada.

— Ora, prima — disse ele —, pois você quer contestar uma verdade com uma superstição? Ainda acredita em sonhos!

— Como, sonhos?

— É evidente. Isso da visão não passou de um sonho. Coincidiu o sonho com o fato do anel. Mas você quando acordou no dia seguinte achou-se com um anel no dedo, não devia fazer outra coisa mais do que averiguar a razão do fenômeno, e não dar crédito a uma coisa toda de imaginação.

Cecília abanou a cabeça.

— Pois não crê? Tire o anel.

Cecília hesitava. Mas Tibúrcio usou da arma do ridículo, no que foi acompanhado pela prima viúva de modo que Cecília, com alguma relutância, pálida e trêmula, arrancou o anel do dedo.

O anel tinha na parte interna gravadas estas iniciais: T. B.

Jornal das Famílias, *setembro-outubro de 1864; Max.*

Casada e viúva

I

No dia em que José de Meneses recebeu por mulher Eulália Martins, diante do altar-mor da matriz do Sacramento, na presença das respectivas famílias, aumentou-se com mais um a lista dos casais felizes.

Era impossível amar-se mais do que se amavam aqueles dois. Nem me atrevo a descrevê-lo. Imagine-se a fusão de quatro paixões amorosas das que a fábula e a história nos dão conta e ter-se-á a medida do amor de José de Meneses por Eulália e de Eulália por José de Meneses.

As mulheres tinham inveja à mulher feliz, e os homens riam dos sentimentos, um tanto piegas, do apaixonado marido. Mas os dois filósofos do amor relevaram à humanidade as suas fraquezas e resolveram protestar contra elas amando-se ainda mais.

Mal contava um mês de casado, sentiu José de Meneses, em seu egoísmo de noivo feliz, que devia fugir à companhia e ao rumor da cidade. Foi procurar uma chácara na Tijuca, e lá se encafuou com Eulália.

Ali viam correr os dias no mais perfeito descuido, respirando as auras puras da montanha, sem inveja dos maiores potentados da terra.

Um ou outro escolhido conseguiu às vezes penetrar no santuário em que os dois viviam, e de cada vez que de lá saía vinha com a convicção mais profunda de que a felicidade não podia estar em outra parte senão no amor.

Acontecia, pois, que, se as mulheres invejavam Eulália e se os homens riam de José de Meneses, as mães, as mães previdentes, a espécie santa, no dizer de E. Augier, nem riam nem se deixavam dominar pelo sexto pecado mortal: pediam simplesmente a Deus que lhes deparasse às filhas um marido da estofa e da capacidade de José de Meneses.

Mas cumpre dizer, para inspirar amor a maridos tais como José de Meneses, era preciso mulheres tais como Eulália Martins. Eulália em alma e corpo era o que há de mais puro unido ao que há de mais belo. Tanto era um milagre de beleza carnal, como era um prodígio de doçura, de elevação e de sinceridade de sentimentos. E, sejamos francos, tanta coisa junta não se encontra a cada passo.

Nenhuma nuvem sombreava o céu azul da existência do casal Meneses. Minto; de vez em quando, uma vez por semana apenas, e isto só depois de cinco meses de casados, Eulália derramava algumas lágrimas de impaciência por se demorar mais do que costumava o amante José de Meneses. Mas não passava isso de uma chuva de primavera, que, mal assomava o sol à porta, cessava para deixar aparecer as flores do sorriso e a verdura do amor. A explicação do marido já vinha sobrepossse; mas ele não deixava de dá-la apesar dos protestos de Eulália; era sempre excesso de trabalho que pedia a presença dele na cidade até uma parte da noite.

Ano e meio viveram assim os dois, ignorados do resto do mundo, ébrios da felicidade e da solidão.

A família tinha aumentado com uma filha no fim de dez meses. Todos que são pais sabem o que é esta felicidade suprema. Aqueles quase enlouqueceram. A criança era um mimo de graça angélica. Meneses via nela o riso de Eulália, Eulália achava que os olhos eram os de Meneses. E neste combate de galanteios passavam as horas e os dias.

Ora, uma noite, como o luar estivesse claro e a noite fresquíssima, os dois, marido e mulher, deixaram a casa, onde a pequena ficara adormecida, e foram conversar junto ao portão, sentados em cadeiras de ferro e debaixo de uma viçosa latada, *sub tegmine fagi*.

Meia hora havia que ali estavam, lembrando o passado, saboreando o presente e construindo o futuro, quando parou um carro na estrada.

Voltaram os olhos e viram descer duas pessoas, um homem e uma mulher.

— Há de ser aqui — disse o homem olhando para a chácara de Meneses.

Neste momento o luar deu em cheio no rosto da mulher. Eulália exclamou:

— É Cristiana!

E correu para a recém-chegada.

Os dois novos personagens eram o capitão Nogueira e Cristina Nogueira, mulher do capitão.

O encontro foi o mais cordial do mundo. Nogueira era já amigo de José de Meneses, cujo pai fora colega dele na escola militar, andando ambos a estudar engenharia. Isto quer dizer que Nogueira era já homem dos seus quarenta e seis anos.

Cristiana era uma moça de vinte e cinco anos, robusta, corada, uma dessas belezas da terra, muito apreciáveis, mesmo para quem goza uma das belezas do céu, como acontecia a José de Meneses.

Vinham de Minas, onde se haviam casado.

Nogueira, cinco meses antes, saíra para aquela província a serviço do Estado e ali encontrou Cristiana, por quem se apaixonou e a quem soube inspirar uma estima respeitosa. Se eu dissesse amor, mentia, e eu tenho por timbre contar as coisas como as coisas são.

Cristiana, órfã de pai e mãe, vivia na companhia de um tio, homem velho e impertinente, achacado de duas moléstias gravíssimas: um reumatismo crônico e uma saudade do regime colonial. Devo explicar esta última enfermidade; ele não sentia que o Brasil se tivesse feito independente; sentia que, fazendo-se independente, não tivesse conservado a forma de governo absoluto. Gorou o ovo, dizia ele, logo depois de adotada a constituição. E protestando interiormente contra o que se fizera, retirou-se para Minas Gerais, donde nunca mais saiu. A esta ligeira notícia do tio de Cristiana acrescentarei que era rico como um Potosi e avarento como Harpagão.

Entrando na fazenda do tio de Cristiana e sentindo-se influído pela beleza desta, Nogueira aproveitou-se da doença política do fazendeiro para lisonjeá-la com umas fomentações de louvor do passado e indignação pelo presente. Em um servidor do estado atual das coisas, achou o fazendeiro que era aquilo uma prova de rara independência, e o estratagema do capitão surtiu duas vantagens: o fazendeiro deu-lhe a sobrinha e mais um bom par de contos de réis. Nogueira, que só visava a primeira, achou-se felicíssimo por ter alcançado ambas. Ora, é certo que, sem as opiniões forjadas no momento pelo capitão, o velho fazendeiro não tiraria à sua fortuna um ceitil que fosse.

Quanto à Cristiana, se não sentia pelo capitão um amor igual ou mesmo inferior ao que lhe inspirava, votava-lhe uma estima respeitosa. E o hábito, desde Aristóteles todos reconhecem isto, e o hábito, aumentando a estima de Cristiana, dava à vida doméstica do capitão Nogueira uma paz, uma tranquilidade, um gozo brando, digno de tanta inveja como era o amor sempre violento do casal Meneses.

Voltando à corte, Cristiana esperava uma vida mais própria aos seus anos de moça do que a passada na fazenda mineira na companhia fastidiosa do reumático legitimista. Pouco que pudessem alcançar as suas ilusões, era já muito em comparação com o passado.

Dadas todas estas explicações, continuo a minha história.

II

Deixo ao espírito do leitor ajuizar como seria o encontro de amigos que se não veem há muito.

Cristiana e Eulália tinham muito que contar uma à outra, e, em sala à parte, ao pé do berço em que dormia a filha de José de Meneses, deram largas à memória, ao espírito e ao coração. Quanto a Nogueira e José de Meneses, depois de narrada a história do respectivo casamento e suas esperanças de esposos, entraram, um na exposição das suas impressões de viagem, o outro na das impressões que deveria ter em uma viagem que projetava.

Passaram-se deste modo as horas até que o chá reuniu a todos quatro à roda da mesa de família. Esquecia-me dizer que Nogueira e Cristiana declararam desde o princípio que, tendo chegado pouco havia, tencionavam demorar-se uns dias em casa de Meneses até que pudessem arranjar na cidade ou nos arrabaldes uma casa conveniente.

Meneses e Eulália ouviram isto pode-se dizer que de coração alegre. Foi decretada a instalação dos dois viajantes. Tarde se levantaram da mesa, onde o prazer de se verem juntos os prendia insensivelmente. Guardaram o muito que ainda havia a dizer para os outros dias e recolheram-se.

— Conhecia José de Meneses? — perguntou Nogueira a Cristiana ao retirar-se para os seus aposentos.

— Conhecia de casa de meu pai. Ele ia lá há oito anos.

— É uma bela alma!

— E Eulália!

— Ambos! ambos! É um casal feliz!

— Como nós — acrescentou Cristiana abraçando o marido.

No dia seguinte, foram os dois maridos para a cidade, e ficaram as duas mulheres entregues aos seus corações.

De volta, disse Nogueira ter encontrado casa; mas era preciso arranjá-la, e foi marcado para os arranjos o prazo de oito dias.

Os seis primeiros dias deste prazo correram na maior alegria, na mais perfeita intimidade. Chegou-se a aventar a ideia de ficarem os quatro habitando juntos. Foi Meneses o autor da ideia. Mas Nogueira alegou ter necessidade de casa própria e especial, visto como esperava alguns parentes do norte.

Enfim, no sétimo dia, isto é, na véspera de se separarem os dois casais, estava Cristiana passeando no jardim, à tardinha, em companhia de José de Meneses, que lhe dava o braço. Depois de trocarem muitas palavras sobre coisas totalmente indiferentes à nossa história, José de Meneses fixou o olhar na sua interlocutora e aventurou estas palavras:

— Não tem saudade do passado, Cristiana?

A moça estremeceu, abaixou os olhos e não respondeu.

José de Meneses insistiu. A resposta de Cristiana foi:

— Não sei; deixe-me!

E forcejou por tirar o braço do de José de Meneses; mas este reteve-a.

— Que susto pueril! Onde quer ir? Meto-lhe medo?

Nisto parou ao portão um moleque com duas cartas para José de Meneses. Os dois passavam neste momento em frente do portão. O moleque fez entrega das cartas e retirou-se sem exigir resposta.

Meneses fez os seguintes raciocínios: — Lê-las imediatamente era dar lugar a que Cristiana se evadisse para o interior da casa; não sendo as cartas de grande urgência, visto que o portador não exigira resposta, não havia grande necessidade de lê-las imediatamente. Portanto guardou as cartas cuidadosamente para lê-las depois.

E de tudo isto conclui o leitor que Meneses tinha mais necessidade de falar a Cristiana do que curiosidade de ler as cartas.

Acrescentarei, para não dar azo aos esmerilhadores de inverossimilhanças, que Meneses conhecia muito bem o portador e sabia ou presumia saber de que tratavam as cartas em questão.

Guardadas as cartas, e sem tirar o braço a Cristiana, Meneses continuou o passeio e a conversação.

Cristiana estava confusa e trêmula. Durante alguns passos não trocaram uma palavra.

Finalmente, Meneses rompeu o silêncio perguntando a Cristiana:

— Então, que me responde?

— Nada — murmurou a moça.

— Nada! — exclamou Meneses. — Nada! era então esse o amor que me tinha?

Cristiana levantou os olhos espantados para Meneses. Depois, procurando de novo tirar o braço do de Meneses, murmurou:

— Perdão, devo recolher-me.

Meneses reteve-a de novo.

— Ouça-me primeiro — disse. — Não lhe quero fazer mal algum. Se me não ama, pode dizê-lo, não me zangarei; receberei essa confissão como o castigo do passo que dei, casando minha alma que se não achava solteira.

— Que estranha linguagem é essa? — disse a moça. — A que vem essa recordação de uma curta fase da nossa vida, de um puro brinco da adolescência?

— Fala de coração?

— Pois, como seria?

— Ah! não me faça crer que um perjúrio...

— Perjúrio!...

A moça sorriu-se com desdém. Depois continuou:

— Perjúrio é isto que faz. Perjúrio é trazer enganada a mais casta e a mais digna das mulheres, a mais digna, ouve? Mais digna do que eu, que ainda o ouço e lhe respondo.

E dizendo isto Cristiana tentou fugir.

— Onde vai? — perguntou Meneses. — Não vê que está agitada? Poderia fazer nascer suspeitas. Demais, pouco tenho a dizer-lhe. É uma despedida. Nada mais, em nenhuma ocasião, ouvirá de minha boca. Supunha que através dos tempos e das adversidades tivesse conservado pura e inteira a lembrança de um passado que nos fez felizes. Vejo que me enganei. Nenhum dos caracteres superiores que eu enxergava em seu coração tinha existência real. Eram simples criações do meu espírito demasiado crédulo. Hoje que se desfaz o encanto, e que eu posso ver toda a enormidade da fraqueza humana, deixe-me dizer-lhe, perdeu um coração e uma existência que não merecia. Saio-me com honra de um combate em que não havia igualdade de forças. Saio puro. E se no meio do desgosto em que me fica a alma, é-me lícito trazê-la à lembrança, será como um sonho esvaecido, sem objeto real na terra.

Estas palavras foram ditas em um tom sentimental e como que estudado para a ocasião.

Cristiana estava aturdida. Lembrava-se que em vida de seu pai, tinha ela quinze anos, houvera entre ela e José de Meneses um desses namoros de criança, sem consequência, em que o coração empenha-se menos que a fantasia.

Com que direito vinha hoje Meneses reivindicar um passado cuja lembrança, se alguma havia, era indiferente e sem alcance?

Estas reflexões pesaram no espírito de Cristiana. A moça expô-las em algumas palavras cortadas pela agitação em que se achava, e pelas interrupções dramáticas de Meneses.

Depois, como aparecesse Eulália à porta da casa, a conversa foi interrompida.

A presença de Eulália foi um alívio para o espírito de Cristiana. Mal a viu, correu para ela, e convidou-a a passear pelo jardim, antes que anoitecesse.

Se Eulália pudesse nunca suspeitar da fidelidade de seu marido, veria na agitação de Cristiana um motivo para indagações e atribulações. Mas a alma da moça era límpida e confiante, dessa confiança e limpidez que só dá o verdadeiro amor.

Deram as duas o braço, e dirigiram-se para uma alameda de casuarinas, situada na parte oposta àquela em que ficara passeando José de Meneses.

Este, perfeitamente senhor de si, continuou a passear como que entregue a suas reflexões. Seus passos, em aparência vagos e distraídos, procuravam a direção da alameda em que andavam as duas.

Depois de poucos minutos encontraram-se como que por acaso.

Meneses, que ia de cabeça baixa, simulou um ligeiro espanto e parou.

As duas pararam igualmente.

Cristiana tinha a cara voltada para o lado. Eulália, com um divino sorriso, perguntou:

— Em que pensas, meu amor?

— Em nada.

— Não é possível — retorquiu Eulália.

— Penso em tudo.

— O que é tudo?

— Tudo? É o teu amor.

— Deveras?

E voltando-se para Cristiana, Eulália acrescentou:

— Olha, Cristiana, já viste um marido assim? É o rei dos maridos. Traz sempre na boca uma palavra amável para sua mulher. É assim que deve ser. Não esqueça nunca estes bons costumes, ouviu?

Estas palavras alegres e descuidosas foram ouvidas distraidamente por Cristiana. Meneses tinha os olhos travados na pobre moça.

— Eulália — disse ele —, parece que dona Cristiana está triste.

Cristiana estremeceu.

Eulália voltou-se para a amiga e disse:

— Triste! Já assim me pareceu. É verdade, Cristiana? Estarás triste?

— Que ideia! Triste por quê?

— Ora, pela conversa que há pouco tivemos — respondeu Meneses.

Cristiana fitou os olhos em Meneses. Não podia compreendê-lo e não adivinhava onde queria ir o marido de Eulália.

Meneses, com o maior sangue-frio, acudiu à interrogação muda que as duas pareciam fazer.

— Eu contei a dona Cristiana o assunto da única novela que li em minha vida. Era um livro interessantíssimo. O assunto é simples, mas comovente. É uma série de torturas morais por que passa uma moça a quem esqueceu juramentos feitos na mocidade. Na vida real este fato é uma coisa mais que comum; mas tratado pelo romancista toma um tal caráter que chega a assustar o espírito mais refratário às impressões. A análise das atribulações da ingrata é feita por mão de mestre. O fim do romance é mais fraco. Há uma situação forçada... uma carta que aparece... Umas coisas... enfim, o melhor é o estudo profundo e demorado da alma da formosa perjura. Dona Cristiana é muito impressível...

— Oh! meu Deus! — exclamou Eulália. — Só por isto?

Cristiana estava ofegante. Eulália, assustada por vê-la em tal estado, convidou-a a recolher-se. Meneses apressou-se a dar-lhe o braço e dirigiram-se os três para casa. Eulália entrou antes dos dois. Antes de pôr pé no primeiro degrau da escada de pedra que dava acesso à casa, Cristiana disse a Meneses, em voz baixa e concentrada:

— É um bárbaro!

Entraram todos. Era já noite. Cristiana reparou que a situação era falsa e tratou de desfazer os cuidados, ou porventura as más impressões que tivessem ficado a Eulália depois do desconchavo de Meneses. Foi a ela, com o sorriso nos lábios:

— Pois, deveras — disse ela — acreditaste que eu ficasse magoada com a história? Foi uma impressão que passou.

Eulália não respondeu.

Este silêncio não agradou nem a Cristiana, nem a Meneses. Meneses contava com a boa-fé de Eulália, única explicação de ter adiantado aquela história tão fora de propósito. Mas o silêncio de Eulália teria a significação que lhe deram os dois? Parecia ter, mas não tinha. Eulália achou estranha a história e a comoção de Cristiana; mas, entre todas as explicações que lhe ocorressem, a infidelidade de Meneses seria a última, e ela nem passou da primeira. *Sancta simplicitas!*

A conversa continuou fria e indiferente até a chegada de Nogueira. Seriam então nove horas. Serviu-se o chá, depois do que todos se recolheram. Na manhã seguinte, como disse acima, deviam partir Nogueira e Cristiana.

A despedida foi como é sempre a despedida de pessoas que se estimam. Cristiana fez os esforços maiores para que no espírito de Eulália não surgisse o menor desgosto; e Eulália, que não usava mal, mal não cuidou na história da noite anterior. Despediram-se todos com promessa jurada de se visitarem a miúdo.

III

Passaram-se quinze dias depois das cenas que narrei acima. Durante esse tempo nenhum dos personagens que nos ocupam tiveram ocasião de se falarem. Não obstante pensavam muito uns nos outros, por saudade sincera, por temor do futuro e por frio cálculo de egoísmo, cada qual pensando segundo os seus sentimentos.

Cristiana refletia profundamente sobre a sua situação. A cena do jardim era para ela um prenúncio de infelicidade, cujo alcance não podia avaliar, mas que lhe parecia inevitável. Entretanto, que tinha ela no passado? Um simples amor de criança, desses amores passageiros e sem consequências. Nada dava direito a Meneses para reivindicar juramentos firmados por corações extremamente juvenis, sem consciência da gravidade das coisas. E demais, o casamento de ambos não invalidara esse passado invocado agora?

Refletindo deste modo, Cristiana era levada às últimas consequências. Ela estabelecia em seu espírito o seguinte dilema: ou a reivindicação do passado feita por Meneses era sincera ou não. No primeiro caso era a paixão concentrada que fazia irrupção no fim de tanto tempo, e Deus sabe onde poderiam ir os seus efeitos. No segundo caso, era simples cálculo de abjeta lascívia; mas então, se mudara a natureza dos sentimentos do marido de Eulália, não mudava a situação nem desapareciam as apreensões do futuro. Era preciso ter a alma profundamente mirrada para iludir daquele modo uma mulher virtuosa tentando contra a virtude de outra mulher.

Em honra de Cristiana devo acrescentar que os seus temores eram menos por ela que por Eulália. Estando segura de si, o que ela temia era que a felicidade de Eulália se anuviasse, e a pobre moça viesse a perder aquela paz do coração que a fazia invejada de todos.

Apreciando estes fatos à luz da razão prática, se julgarmos legítimos os temores de Cristiana, julgaremos exagerada as proporções que ela dava ao ato de Meneses. O ato de Meneses reduz-se, afinal de contas, a um ato comum, praticado todos os dias, no meio da tolerância geral e até do aplauso de muitos. Certamente que isso não lhe dá virtude, mas tira-lhe o mérito da originalidade.

No meio das preocupações de Cristiana tomara lugar a carta a que Meneses aludira. Que carta seria essa? Alguma dessas confidências que o coração da adolescência facilmente traduz no papel. Mas os termos dela? Em qualquer dos casos do dilema apresentado acima Meneses podia usar da carta, a que talvez faltasse a data e sobrassem expressões ambíguas para supô-la de feitura recente.

Nada disto escapava a Cristiana. E com tudo isto entristecia. Nogueira reparou na mudança que apresentava sua mulher e interrogou-a carinhosamente. Cristiana nada lhe quis confiar, porque uma leve esperança lhe fazia crer às vezes que a consciência de sua honra teria por prêmio a tranquilidade e a felicidade. Mas o marido, não alcançando nada e vendo-a continuar na mesma tristeza, entristecia-se também e desesperava. Que podia desejar Cristiana? pensava ele. Na incerteza e na angústia da situação lembrou-se de ter com Eulália para que esta ou o informasse, ou, como mulher, alcançasse de Cristiana o segredo das suas concentradas mágoas. Eulália marcou o dia em que iria à casa de Nogueira, e este saiu da chácara da Tijuca animado por algumas esperanças.

Ora, nesse dia apresentou-se pela primeira vez em casa de Cristiana o exemplar José de Meneses. Apareceu como a estátua do comendador. A pobre moça, ao vê-lo, ficou aterrada. Estava só. Não sabia que dizer quando à porta da sala assomou a figura mansa e pacífica de Meneses. Nem se levantou. Olhou-o fixamente e esperou.

Meneses parou à porta e disse com um sorriso nos lábios:

— Dá licença?

Depois, sem esperar resposta, dirigiu-se para Cristiana; estendeu-lhe a mão e recebeu a dela fria e trêmula. Puxou a cadeira e sentou-se ao pé dela familiarmente.

— Nogueira saiu? — perguntou depois de alguns instantes, descalçando as luvas.

— Saiu — murmurou a moça.

— Tanto melhor. Tenho então tempo para dizer-lhe duas palavras.

A moça fez um esforço e disse:

— Também eu tenho para dizer-lhe duas palavras.

— Ah! sim. Ora bem, cabe às damas a precedência. Sou todo ouvidos.

— Possui alguma carta minha?

— Possuo uma.

— É um triste documento, porque, respondendo a sentimentos de outro tempo, se eram sentimentos dignos deste nome, de nada pode valer hoje. Todavia, desejo possuir esse escrito.

— Vejo que não tem hábito de argumentar. Se a carta em questão não vale nada, por que deseja possuí-la?

— É um capricho.

— Capricho, se existe algum, é o de tratar por cima do ombro um amor sincero e ardente.

— Falemos de outra coisa.

— Não; falemos disto, que é essencial.

Cristiana levantou-se.

— Não posso ouvi-lo — disse ela.

Meneses segurou-lhe em uma das mãos e procurou retê-la. Houve uma pequena luta. Cristiana ia tocar a campainha que se achava sobre uma mesa, quando Meneses deixou-lhe a mão e levantou-se.

— Basta — disse ele —; escusa de chamar seus fâmulos. Talvez que ache grande prazer em pô-los na confidência de um amor que não merece. Mas eu é que me não exponho ao ridículo depois de me expor à baixeza. É baixeza, sim; não devia mendigar para o coração o amor de quem não sabe compreender os grandes sentimentos. Paciência; fique com a sua traição; eu ficarei com o meu amor; mas procurarei esquecer o objeto dele para lembrar-me da minha dignidade.

Depois desta tirada dita em tom sentimental e lacrimoso, Meneses encostou-se a uma cadeira como para não cair. Houve um silêncio entre os dois. Cristiana falou em primeiro lugar.

— Não tenho direito, nem dever, nem vontade de averiguar a extensão e a sinceridade desse amor; mas deixe que eu lhe observe; o seu casamento e a felicidade que parece gozar nele protestam contra as alegações de hoje.

Meneses levantou a cabeça, e disse:

— Oh! não me exprobre o meu casamento! Que queria que eu fizesse quando uma pobre moça me caiu nos braços declarando amar-me com delírio? Apoderou-se de mim um sentimento de compaixão; foi todo o meu crime. Mas neste casamento não empenhei tudo; dei a Eulália o meu nome e minha proteção; não lhe dei nem o meu coração nem o meu amor.

— Mas essa carta?

— A carta será para mim uma lembrança, nada mais; uma espécie de espectro do amor que existiu, e que me consolará no meio das minhas angústias.

— Preciso da carta!

— Não!

Neste momento entrou precipitadamente na sala a mulher de Meneses. Vinha pálida e trêmula. Ao entrar trazia na mão duas cartas abertas. Não pôde deixar de dar um grito ao ver a atitude meio suplicante de Cristiana e o olhar terno de Meneses. Deu um grito e caiu sobre o sofá. Cristiana correu para ela.

Meneses, lívido como a morte, mas cheio de uma tranquilidade aparente, deu dois passos e apanhou as cartas que caíram da mão de Eulália. Leu-as rapidamente. Descompuseram-se-lhe as feições. Deixou Cristiana prestar os seus cuidados de mulher a Eulália e foi para a janela. Aí fez em tiras miúdas as duas cartas, e esperou, encostado à grade, que passasse a crise de sua mulher.

Eis aqui o que se passara.

Os leitores sabem que era aquele dia destinado à visita de Eulália a Cristiana, visita de que só Nogueira tinha conhecimento.

Eulália deixou que Meneses viesse para a cidade e mandou aprontar um carro para ir à casa de Cristiana. Entretanto, assaltou-lhe uma ideia. Se seu marido voltasse para casa antes dela? Não queria causar-lhe impaciências ou cuidados, e arrependia-se de nada lhe ter dito com antecipação. Mas era forçoso partir. Enquanto se vestia ocorreu-lhe um meio. Deixar escritas duas linhas a Meneses dando-lhe parte de que saíra, e dizendo-lhe para que fim. Redigiu a cartinha mentalmente e dirigiu-se para o gabinete de Meneses.

Sobre a mesa em que Meneses costumava trabalhar não havia papel. Devia haver na gaveta, mas a chave estava seguramente com ele. Ia saindo para ir ver papel a outra parte, quando viu junto da porta uma chave; era a da gaveta. Sem escrúpulo algum, travou da chave, abriu a gaveta e tirou um caderno de papel. Escreveu algumas linhas em uma folha, e deixou a folha sobre a mesa debaixo de um pequeno globo de bronze. Guardou o resto do papel, e ia fechar a gaveta, quando reparou em duas cartinhas que, entre outras muitas, se distinguiam por um sobrescrito de letra trêmula e irregular, de caráter puramente feminino.

Olhou para a porta a ver se alguém espreitava a sua curiosidade e abriu as cartinhas, que, aliás, já se achavam descoladas. A primeira carta dizia assim:

>   Meu caro Meneses. Está tudo acabado. Lúcia contou-me tudo. Adeus; esquece-te de mim. — MARGARIDA.

A segunda carta era concebida nestes termos:

>   Meu caro Meneses. Está tudo acabado. Margarida contou-me tudo. Adeus; esquece-te de mim. — LÚCIA.

Como o leitor adivinha, estas cartas eram as duas que Meneses recebera na tarde em que andou passeando com Cristiana no jardim.

Eulália, lendo estas duas cartas, quase teve uma síncope. Pôde conter-se, e, aproveitando o carro que a esperava, foi buscar a Cristiana as consolações da amizade e os conselhos da prudência.

Entrando em casa de Cristiana pôde ouvir as últimas palavras do diálogo entre esta e Meneses. Esta nova traição de seu marido quebrara-lhe a alma.

O resto desta simples história conta-se em duas palavras.

Cristiana conseguira acalmar o espírito de Eulália e inspirar-lhe sentimentos de perdão. Entretanto, contou-lhe tudo o que ocorrera entre ela e Meneses, no presente e no passado.

Eulália mostrou ao princípio grandes desejos de separar-se de seu marido e ir viver com Cristiana; mas os conselhos desta, que, entre as razões de decoro que apresentou para que Eulália não tornasse pública a história das suas desgraças domésticas, alegou a existência de uma filha do casal, que cumpria educar e proteger, esses conselhos desviaram o espírito de Eulália dos seus primeiros projetos e fizeram-na resignada ao suplício.

Nogueira quase nada soube das ocorrências que acabo de narrar; mas soube quanto era suficiente para esfriar a amizade que sentia por Meneses.

Quanto a este, enfiado ao princípio com o desenlace das coisas, tomou de novo o ar descuidoso e aparentemente singelo com que tratava tudo. Depois de uma mal alinhavada explicação dada à mulher a respeito dos fatos que tão evidentemente o acusavam, começou de novo a tratá-la com as mesmas carícias e cuidados do tempo em que merecia a confiança de Eulália.

Nunca mais voltou ao casal Meneses a alegria franca e a plena satisfação dos primeiros dias. Os afagos de Meneses encontravam sua mulher fria e indiferente, e se alguma coisa mudava era o desprezo íntimo e crescente que Eulália votava a seu marido.

A pobre mãe, viúva da pior viuvez desta vida, que é aquela que anula o casamento conservando o cônjuge, só vivia para sua filha.

Dizer como acabaram ou como vão acabando as coisas não entra no plano deste escrito: o desenlace ainda é mais vulgar que o corpo da ação.

Quanto ao que há de vulgar em tudo o que acabo de contar, sou eu o primeiro a reconhecê-lo. Mas que querem? Eu não pretendo senão esboçar quadros ou caracteres, conforme me ocorrem ou vou encontrando. É isto e nada mais.

Jornal das Famílias, *novembro de 1864*; Machado de Assis.

Questão de vaidade

I
Suponha o leitor que somos conhecidos velhos. Estamos ambos entre as quatro paredes de uma sala; o leitor, sentado em uma cadeira com as pernas sobre a mesa, à moda americana, eu, a fio comprido em uma rede do Pará, que se balouça voluptuosamente, à moda brasileira, ambos enchendo o ar de leves e caprichosas fumaças, à moda de toda gente.

Imagine mais que é noite. A janela aberta deixa entrar as brisas aromáticas do jardim, por entre cujos arbustos se descobre a lua surgindo em um límpido horizonte.

Sobre a mesa ferve em aparelho próprio uma pouca de água para fazer uma tintura de chá. Não sei se o leitor adora como eu a deliciosa folha da Índia. Se não, pode mandar vir café e fazer com a mesma água a bebida de sua predileção.

Não se obriga, nem se constrange ninguém nestas práticas imaginadas. Se estivéssemos na vida real, eu começaria por querer até privar-me do chá, e por sua parte o leitor dispensava o café, para ser do meu agrado. Felizmente não é assim.

Ora, como é noite, e como não há cuidados para nós, temos ambos percorrido toda a planície do passado, apanhando a folha do arbusto que secou ou a ruína do edifício que abateu.

Do passado vamos ao presente, e as nossas mais íntimas confidências se trocam com aquela abundância de coração própria dos moços, dos namorados e dos poetas.

Finalmente, nem o futuro nos escapa. Com o mágico pincel da imaginação traçamos e colorimos os quadros mais grandiosos, aos quais damos as cores de nossas esperanças e da nossa confiança.

Suponha o leitor que temos feito tudo isto e que nos apercebemos de que, ao terminar a nossa viagem pelo tempo, é já meia-noite. Seriam horas de dormir se tivéssemos sono, mas cada qual de nós, avivado o espírito pela conversação, mais e mais deseja estar acordado.

Então, o leitor, que é perspicaz e apto para sofrer uma narrativa de princípio a fim, descobre que eu também me entrego aos contos e novelas, e pede que lhe forje alguma coisa do gênero.

E eu para ir mais ao encontro dos desejos do leitor imaginoso, não lhe forjo nada, alinhavo alguns episódios de uma história que sei, história verdadeira, cheia de interesse e de vida. E para melhor convencer o meu leitor vou tirar de uma gaveta algumas cartas em papel amarelado, e antes de começar a narrativa, leio-as, para orientá-lo no que lhe contar.

O leitor arranja as suas pernas, muda de charuto, e tira da algibeira um lenço para o caso de ser preciso derramar algumas lágrimas. E, feito isto, ouve as minhas cartas e a minha narrativa.

Suponha o leitor tudo isto e tome as páginas que vai ler como uma conversa à noite, sem pretensão, nem desejo de publicidade.

II
Eduardo ao seu amigo Pedro Elói

Meu amigo,
Acendo duas velas para escrever-te. É como se eu confiasse diante de um altar as minhas penas e as minhas felicidades. Tens sido para mim o santo milagroso por excelência; nada desejo que por influxo teu não seja cumprido. E mais ainda: nas minhas atribulações é a tua palavra que me sustenta, como a voz da verdade e da justiça. Não te admires, pois, da precaução que tomei de iluminar este papel como o faria à pedra de um altar.

Ora, ainda assim não é tanto ao santo, como ao filósofo, que eu me dirijo desta vez. Talvez amanhã te vá pedir consolações, mas agora o que desejo é a solução de um fenômeno moral.

Sabes do meu amor por Maria Luísa, a interessante viuvinha que eu encontrei há dois meses e a quem parece que inspirei algum amor. Pouco falta para que este amor seja coroado de um feliz sucesso, substituindo eu o finado marido, que, seja dito neste papel, parece que era suficientemente prosaico.

Quando te comuniquei esta paixão mandaste-me bons conselhos de prudência que eu li com a maior veneração. Dizias que me não fosse enganar e tomar por amor aquilo que não passava de capricho. Acrescentavas que a tua dúvida nascia dos termos de minha carta.

Pesei as tuas palavras e gravei-as na memória. O resultado foi que estavas em puro engano. Eu amava deveras Maria Luísa.

Mas vamos ao fenômeno. Antes de entrar em outros pormenores, insisto em dizer que amava e amo a viúva. Já te disse qual a força deste amor e o que me havia inspirado. Não quero fazer repetições inúteis, mas insisto nesta observação.

Ouve agora o que me acaba de acontecer há oito dias:

Tinha eu ido passar uma noite em São Domingos em casa de dois amigos. No dia seguinte, seriam cinco horas, acordei sobressaltado com os preparativos que se faziam em casa para ir aos banhos de mar. Os meus hóspedes ficaram pesarosos de me terem acordado tão cedo; mas eu, que já de longa data tenho a minha aurora às onze horas da manhã, não fiquei descontente de poder fazer exceção à regra.

Vesti-me, como eles, e fui com eles à praia das Flechas, lugar usual dos banhos.

Diversas barracas se levantavam na praia, contra a qual se quebrava o mar agitado.

Algumas moças já andavam à flor das águas, enfronhadas nas suas camisolas do costume. Outras iam saindo, de quando em quando, do interior das barracas e tomando o caminho do mar.

Um ou outro grito, soltado no meio do susto produzido por uma vaga mais alta ou mais violenta, unia-se ao sussurro do mar.

Os maridos, pais e irmãos, que não tomavam banho, ou conversavam, ou liam, ou olhavam o ar, enquanto as garças humanas brincavam com o elemento a que Shakespeare as comparou.

Armou-se a nossa barraca e prepararam-se os meus companheiros para o banho. Eu de mim, confesso, preferia ver as damas banharem-se e rir do susto que elas tivessem. Demais, apesar de estarmos no verão, fazia nesse dia um tal frio que me arredava da água cinquenta léguas.

Os meus companheiros apresentavam-me o exemplo das damas que tão destemidamente afrontavam o tempo e o mar. Mas eu, depois de citar Shakespeare no que tocava à identidade das mulheres e do mar, citei-me a mim próprio, acrescentando que a maioria das senhoras que se banhavam o fazia por moda ou por bom-tom.

Enfim, consegui não ir à água. Enquanto os outros se banhavam fui sentar-me em uma pedra que ali estava perto. Estive contemplando as banhistas alguns minutos. Mas, como sempre acontece, os meus olhos, depois de correr todo o grupo voltavam aos primeiros, e assim via eu duas ou três vezes as mesmas caras, graciosas ou assustadiças, arrecearem-se ou brincarem com a água revolta.

Ora, uma dessas figuras, a terceira vez que passou sob o meu olhar, deteve-o alguns minutos. Estávamos a certa distância que me não permitia distinguir-lhe as feições, mas havia na temeridade, na graça, no recato com que ela se banhava, uma tal diferença das outras, que eu não pude deixar de examiná-la com mais interesse.

Não podendo distinguir-lhe, como disse, as feições, esperei que ela estivesse em terra para procurar admirá-la ou correr-me de uma ilusão.

Nisto estava, quando a moça, que parecia nada temer e arredava-se da praia mais do que era conveniente, foi engolida por uma vaga. Só flutuavam à flor d'água os longos e negros cabelos.

Houve um grito, um só, mas de todos quantos se achavam na praia e presenciavam o fato.

Alguns dos banhistas dirigiam-se para o lugar do desastre. Mas estavam um pouco longe. Eu vi que a demora era fatal. Correndo pela praia, atirei fora o paletó e lancei-me à água.

Não te conto todas as peripécias desta cena. Na praia, a família da pobre moça ajoelhara-se involuntariamente e todos pareciam depender de mim.

Ao cabo de algum tempo e de alguns esforços salvei a moça.

Avalia como fui recebido pela família. Afagavam-na com abraços e beijos.

Voltando a si do desmaio que tivera, a moça foi conduzida para casa dentro de um carro.

O que motivara a catástrofe não foi a violência com que a onda se arremessara, foi ter a pobre moça desmaiado. Uma vez desmaiada, caiu e não soube mais de si.

O pai da moça obrigou-me a ir à casa dele. Não tive remédio. Avisei os meus companheiros e parti.

Trataram-me muito bem. Pediram-me que voltasse lá algumas vezes. A moça não tirou as minhas mãos de entre as suas nem os seus olhos dos meus, dizendo-me que a mim devia a vida e que eu era o seu salvador.

Voltei lá algumas vezes. Trataram-me sempre muito bem. Mas que pensas tu que me aconteceu? Aquela franca alegria, aquela gratidão tão claramente manifestada pela moça, tudo isso fez-me apaixonado!

Mas o fenômeno? perguntas tu. O fenômeno é que, se amo a esta, não esqueci a viúva como antes: o fenômeno é que amo as duas do mesmo modo, com o mesmo ardor. Explica-me isto.

Estou de tal modo, que não posso pensar em uma só, hei de pensar em ambas; sei o que sofro, encolerizo-me comigo mesmo.

Que será isto? Escreve-me depressa, dá-me a luz e o bálsamo de que necessita o teu amigo,

EDUARDO T. B.

A resposta desta carta, escrita dois dias depois, é assim concebida:

Pedro Elói ao seu amigo Eduardo

Meu amigo,

Recebi a tua carta, e desde o dia em que a li até hoje não tenho feito mais do que pensar no teu fenômeno.

Não é que eu esteja convencido, como tu, de que é verdadeiramente um fenômeno. Pelo contrário, vejo que o que sentes é uma coisa muito natural.

Insistes em dizer que amas a viúva. Eu insisto em dizer que não a amas. E a prova está nesta dualidade de amor, falsa e impossível, verdadeiro erro de um espírito enfermo e de um coração indiscreto.

Queres tu saber o que existe na verdade? Existe um simples desejo, uma aspiração toda sensual, comum nos rapazes da tua idade e de tua educação, mas imprópria de quem quer que compreenda a elevação e castidade dos sentimentos.

Pensas que cortas toda a dificuldade pronunciando a palavra fenômeno? Repara, meu Eduardo, onde vai dar a ampliação deste sofisma. Deste modo, todos os vícios se legitimam, todos os desvios se aceitam.

É engraçada a história do banho e do desmaio no mar. Afigura-se-te que depois deste episódio romanesco só se pode sentir amor, e concluis que estás apaixonado. E como uma insaciável volúpia reúne em teu pensamento as duas mulheres em questão, concluis que estás apaixonado por ambas.

Ora, sério. Admites em toda a sua pureza moral a reunião de dois amores? Pois o amor, isto é, a mais completa fusão de duas almas, pode ter por objeto dois objetos?

Reflete, entra em ti mesmo, envergonha-te do erro em que estás. Vê bem que não amas *nem a viúva, nem a donzela. Amas a uma só criatura, és tu mesmo.* É o amor dos sentimentos que se pode dividir, que se divide, que se prostitui, que se desvaira.

Se queres uma explicação aí a tens; se queres um conselho, não perturbes a constância dessas duas mulheres, a menos que não queiras a todo o transe ser ator principal em um drama perigoso.

Adeus. Desculpa a franqueza: é a minha. Cá fico para explicar-te quantos fenômenos te apareçam e varrer-te da cabeça quantas ideias más o vento da maldade aí depuser. Adeus!

III

Eduardo leu esta carta com avidez, e releu-a para compreendê-la melhor, visto ser a primeira leitura demasiado rápida.

Quinze minutos gastou nesta operação, e outros quinze em meditar as palavras do amigo Pedro Elói. No fim de meia hora, fechou a carta e guardou-a na gaveta da secretária. Não estava convencido, estava abalado.

— Ora, por fim de contas — pensava ele —, Pedro Elói não é um papa; pode enganar-se. É talvez certo que se engane. Sou eu uma criança ou um ignorante? Não sinto eu o contrário do que ele me escreve?

Fazendo estas reflexões e outras no mesmo sentido, Eduardo vestiu-se e saiu.

Esquecia-me dizer que Eduardo residia no Rio de Janeiro e Pedro Elói em Petrópolis.

Eduardo era um dos moços mais elegantes da sociedade fluminense. Era ao mesmo tempo um *roué* de primeira força. Faltava-lhe o calção, o sapato e os mil enfeites do tempo de Luís XV. Durante os primeiros anos das suas correrias amatórias foi sempre remisso aos sentimentos de ordem elevada. Era vaidoso como um tolo e tolo como um vaidoso. Acreditava todas as mulheres mortas por ele, e algumas tiveram a desgraça de o confirmarem nessa ideia.

Um dia, levantou-se da cama com a crença original de estar apaixonado. Tinha conversado na véspera com a viúva Maria Luísa, e no dia seguinte, como tivesse sonhado com ela, julgou-se influenciado pelo deus do amor.

Feita a descoberta, correu a todos os amigos para dar-lhes conta da novidade. Receberam-no a gargalhadas. Foi esse o aguilhão maior para o espírito do nosso namorado. Declarou-se irremissivelmente apaixonado e jurou por Júpiter, como faria Alcibíades, que havia de casar com Maria Luísa.

Depois de muitos dias de uma corte continuada e crescente, conseguiu Eduardo fazer-se amado. Mas fez-se deveras. Maria Luísa entregou-se toda àquele amor que a procurava na viuvez e achou da parte de sua velha mãe o beneplácito necessário.

Estavam as coisas neste pé, quando se deu o episódio dos banhos de São Domingos. Já havia dois dias que Eduardo não via Maria Luísa, e nos dez dias que se seguiram ao referido episódio apenas lá foi uma vez.

Saindo à rua, lembrou-se Eduardo de que devia visitar a viúva, não se dispensando de visitar a donzela. A primeira residia na corte, devia ter a preferência. Eduardo encaminhou-se para a rua do Lavradio, onde morava Maria Luísa.

No Rocio, encontrou dois amigos.

— Por onde andas tu? — perguntou um deles.

— Eu sei!

— Ora, este simulado Antony não nos anda a fazer crer que se apaixonou pela tal viúva? — acrescentou o outro amigo. — É supor que comemos araras. Aquilo naturalmente é alguma destas uniões morganáticas que costumas contrair. Adeus, sê feliz!

— Zombem! zombem! — exclamou Eduardo. — O que fariam se soubessem de outras coisas! Há um fenômeno.

— Há dois — acudiu o primeiro que falara —; é a paciência de cada um de nós em ouvir-te essas patranhas. Vai, vai!

Eduardo despediu-se dos amigos e foi caminho. Estava contente de si. Produzia o efeito que desejava. Era em não ser acreditado que estava a originalidade. Não é que ele estivesse absolutamente fingindo. À força de dizer que amava, convenceu-se disso. Mas a convicção não era o amor.

Maria Luísa estava em casa com sua mãe. Estavam ambas na sala. Maria Luísa tocava e cantava ao piano. Ao subir os degraus do primeiro lanço da escada, chegaram aos ouvidos de Eduardo as palavras daquela ária deliciosa da *Favorita*: *Ó mio Fernando*...

A vaidade do rapaz era mais forte que o amor. Subindo as escadas dizia ele mentalmente: — Aquele *mio Fernando* quer dizer *mio Edoardo*.

Não quis bater palmas. A porta estava entreaberta. Adiantou a cabeça e deu com os olhos na viúva e na velha. A primeira não podia vê-lo. À velha, que logo o viu, fez Eduardo um sinal para que se calasse. Quando Maria Luísa terminou a ária, Eduardo bateu palmas e deu um bravo. Ela voltou-se e correu a recebê-lo.

Maria Luísa era realmente digna de um grande amor, mas da parte de outro homem que não fosse Eduardo. Amava-se nela tudo, até o amor que se lhe entornava dos olhos como bálsamo de um vaso demasiado cheio. Adivinhava-se que o primeiro marido não conhecera nunca o tesouro que possuíra e tomara aquela mulher pela razão que fez Abraão tomar a escrava Agar.

Era de estatura mediana. O rosto, antes cheio que magro, tinha a expressão dessas almas enérgicas e violentas que não transigem nem se sujeitam senão com a condição de se lhes dar em troca a felicidade e o bem. Os olhos eram castanhos como os cabelos. Tinha o nariz ligeiramente aquilino. A boca era das mais corretas e graciosas. Quanto ao resto do corpo, adivinhavam-se, através de um vestido de seda cor de pérola, as formas mais perfeitas que jamais sonhara Praxíteles.

Se Eduardo não estivesse tão atento a ver o efeito que produzia, poderia enxergar, quando Maria Luísa se levantou do piano, o mais delicado pé depois do da *Cendrillon*, meio escondido em um sapatinho raso de cetim.

Concebe-se que Maria Luísa, tal como a esbocei, inspirasse a Eduardo, não o amor, em que só ele acreditava, mas os desejos de que falava Pedro Elói. Para os espíritos medíocres é fácil confundir uma e outra coisa. Diante de Maria Luísa, Eduardo perguntava a si mesmo se não era realmente amor o que sentia pela viúva. Já sabemos qual era a resposta que ele mesmo dava a esta íntima interrogação.

A mãe de Maria Luísa era desses tipos de velhice respeitável e afável a um tempo com quem, sem perder a devida veneração, pode-se usar da mais franca familiaridade.

A recepção de Eduardo foi a melhor possível. A velha cumprimentou-o como se fora seu filho. Maria Luísa, com uma alegria a que se misturava certa dose de censura, disse-lhe:

— Graças a Deus! Estivemos ansiosas por vê-lo. Mamãe dizia que já se havia esquecido de nós; mas eu, não querendo acreditar isso, acreditei a verdade: melhores distrações que a nossa companhia o detiveram decerto.

— Não há tal — disse Eduardo aceitando a cadeira que a mãe de Maria Luísa lhe oferecia, e sentando-se defronte desta. — Estive meio adoentado. Quis sair, apesar de tudo, mas o médico proibiu-me expressamente.

Uma mentira desta natureza e neste sentido, mesmo que se conheça, é ouvida com agrado. A humanidade é feita deste modo. Dispensa a verdade, uma vez que lhe preguem uma mentira lisonjeira.

Em honra de Maria Luísa, devo dizer que ela aceitou as palavras de Eduardo como se foram textos evangélicos.

Eduardo, tendo feito passar a invenção da moléstia, indagou da saúde e do bem-estar das duas senhoras. A conversa demorou-se meia hora sobre assuntos indiferentes ao nosso. Finalmente, como viessem chamar a mãe de Maria Luísa, esta pôde ficar uns quinze minutos a sós com Eduardo.

Houve um instante de silêncio. Da parte de Maria Luísa, era natural enleio. Da parte de Eduardo, não era natural, mas era enleio; provinha da paixão que ele acreditava em si.

A bela viúva rompeu o silêncio.

— Sabe que lamentei a sua falta?
— Chorou?
— Não acredita, mas chorei.
— Devo crer tamanha felicidade?
— Por que não?
— Não posso. Quando me lembro, em meus sonhos de ambição, que a Providência podia dar-me a mais invejável das felicidades, ocorre-me sempre que era preciso merecê-la; e eu não mereço, desta a que aludo, nem a décima parte.

Trocou-se entre ambos um olhar. Maria Luísa levantou-se. Eduardo seguiu-a com os olhos. Ela foi a uma jarra e tirou duas pequenas rosas brancas.

— Quer uma? — perguntou a Eduardo, encaminhando-se para ele.

Eduardo estendeu a mão para aceitar a flor. Tocaram-se os dedos, e nesse contato Maria Luísa estremeceu. Eduardo segurou a mão da viúva e levou-a à boca. Maria Luísa, abandonando a mão a Eduardo, inclinou a cabeça e deixou-se possuir da felicidade que aquele beijo, dado tão ardentemente, lhe fazia entrar no coração.

Depois, passado o primeiro enlevo, a viúva retirou a mão, foi para o piano, e começou a cantar com mais viva expressão a ária da *Favorita*.

Eduardo levantou-se e foi encostar-se ao piano.

Tinham ambos os olhos confundidos, e nesse enlevo cantou Maria Luísa e Eduardo ouviu.

Às últimas notas, entrou na sala a dona da casa.

— É uma singular predileção a tua por esta ária, minha filha.
— É realmente deliciosa — disse Eduardo.
— De poucas coisas gosto tanto como disto — acrescentou Maria Luísa.

Eduardo, depois de algumas palavras mais, declarou que ia sair.

— É verdade, tenho uma visita para fazer.
— Não janta conosco?
— Desculpe, não posso.
— Ao menos, virá tomar chá, não?

— Venho.
— Com certeza?
— Com certeza.
— Olhe, não falte — acrescentou a velha, olhando com certa inteligência para a filha.
— Não falto.

Eduardo apertou a mão à velha e a Maria Luísa. Esta tinha os olhos rasos de lágrimas de felicidade, de saudade, de amor, de tudo. Eduardo olhou para ela a última vez e disse, procurando a expressão mais terna de sua voz:

— Até logo!
— Até logo! — respondeu a moça.

Eduardo saiu.

Maria Luísa foi à janela vê-lo ainda. Depois, voltando para dentro, deitou-se aos braços de sua mãe.

— Amas, não, minha filha?
— Oh! muito! muito!
— Pois eu creio que ele também te ama. Juro-te que hão de ser felizes. Ele é só. Tu podias ter obstáculo em mim, mas eu só desejo a tua felicidade.

IV

Deixando a casa de Maria Luísa, Eduardo tomou um tílburi e mandou tocar para a ponte das barcas de São Domingos. Dentro de dez minutos estava lá.

Apeou, pagou o tílburi e entrou na estação. Ali esperou a primeira barca que devia partir e que era a das duas e meia horas. Entre os passageiros que esperavam houve um que mereceu desde logo a atenção e os cumprimentos de Eduardo.

Era um homem de quarenta e cinco anos, baixo, meio gordo, fisionomia insinuante, destas que, mesmo sérias, trazem impresso inconstante sorriso.

Eduardo dirigiu-se para ele e cumprimentou-o afetuosamente, dizendo:

— O senhor Almeida dá-me um grande prazer. Não contava desde já o prazer de cumprimentá-lo.
— Por quê? — perguntou o indivíduo, dando a Eduardo lugar ao pé de si.
— Porque só daqui a três quartos de hora contava estar em sua casa.
— Ah! tanto melhor! tanto melhor!
— Toda a família está boa?
— Tudo vai indo, obrigado. Há quantos dias não vai lá?
— Creio que há dois.
— Ainda ontem Sara falou em seu nome. Ontem não, creio que foi hoje de manhã.
— Deveras? — perguntou Eduardo sem dissimular a alegria que lhe dava esta notícia.

Neste momento, chegava a barca, os dois tomaram passagem, daí a três quartos de hora estavam à porta da chácara de Almeida.

Sara, a filha deste, o objeto do segundo amor de Eduardo, veio recebê-los à porta. Mais atrás vieram o filho e o irmão de Almeida. Eduardo foi recebido por todos com verdadeiro regozijo.

Em duas palavras apresento a família de Almeida ao leitor.

Almeida, na época em que se passam estes acontecimentos, vivia do que ganhara durante uma vida laboriosa de longos anos. Não vivia com parcimônia, mas também não era pródigo. Tinha a ciência da economia doméstica, mediante a qual sabia despender utilmente, sem faltas nem sobras.

Era viúvo. No fim de oito anos de casado, morrera-lhe a mulher, deixando dois filhos, um rapaz e uma menina.

A menina era mais velha que o rapaz; contava este seis e aquela sete anos, quando morreu a mulher de Almeida.

Almeida completou por si a educação tão zelosamente começada por sua mulher. Sara cresceu sob os melhores auspícios. Aumentou em beleza e conservou até a idade de dezessete anos a inocência e a graça da infância. Era um bom coração em toda a pureza da palavra. Nenhuma nuvem negra perturbara o céu sempre claro do seu espírito.

Quanto à beleza física, imagine o leitor o que podia fazer contraste com a beleza da viúva Maria Luísa. Esta, como disse já, acusava em suas feições uma alma dada à violência das paixões, uma rara energia moral. Sara não era assim! Parecia uma criatura do outro mundo, caída por engano no mundo dos Eduardos. Era um alfenim, uma delicadeza que não parecia natural. Delgada e um tanto alta, olhos negros, cabelos alourados, porte senhoril sem altivez, elegante sem artifício, graciosa sem afetação: tal era Sara.

Se a compararmos à viúva, teremos, conforme a respectiva presença, a disposição do gênio de cada uma. Maria Luísa amava como as italianas: era ardente, apaixonada, violenta. Sara amava como as alemãs: era meiga, resignada, sentimental.

Estas duas mulheres diversas na índole, no gênio, talvez no coração, ligavam-se em um ponto: no amor por Eduardo, em quem viam, cada uma pelo prisma do seu espírito, o ideal sonhado em suas doces aspirações.

Disse acima que, após Sara, tinham ido receber Eduardo um irmão e um filho de Almeida. Não têm estas duas figuras máxima importância na nossa história, mas devo designá-las como partes integrantes da família de uma das heroínas.

O tio de Sara tinha por nome Silvério. Era um aposentado da atividade. Em moço, e até certa idade madura, fora incansável trabalhador. Agora, descansava à sombra da fortuna e da amizade fraterna do pai de Sara.

Tinha sido solicitador de causas, e deste emprego, exercido por longos anos, trouxera até a velhice um espírito chicaneiro e discutidor. Era, além disso, uma inteligência acanhadíssima, frívola, tola, rasteira. Dava-se à apreciação de quantas anedotas e dictérios ouvia ou lia. Fazia a autópsia das necedades escritas em jornais com o mesmo espírito com que outrora redigia um embargo ou uma assinação de dez dias.

Era aturado, estimado mesmo, em virtude de sua velhice, de seu grau de parentesco e de algumas virtudes que tinha.

Um espírito daquela natureza não podia fugir às seduções do jogo do xadrez, do qual dizia, creio eu a divina Staël, que para jogo era demasiado sério, e para negócio demasiado frívolo. Cito de memória.

Era, com efeito, um grande jogador de xadrez o tio Silvério. Por desgraça, Eduardo não o era menos, de modo que mal se anunciou a visita deste, correu Silvério para a porta com os braços abertos.

O filho de Almeida era um rapaz de dezesseis anos. Estudava direito em São Paulo. Durante os acontecimentos que estou narrando estava ele em férias no Rio de Janeiro.

A família Almeida recebeu Eduardo, como disse, com o mais cordial acolhimento.

Parecia um filho que chegava de longa viagem.

E para aquela gente, que estremecia tanto a formosa Sara, não era um filho aquele que a salvara da morte?

Enquanto Eduardo e Almeida descansavam do pequeno caminho que tinham feito, tratou-se dos preparativos do jantar. Sara ia e vinha com uma graça encantadora. Dizia duas palavras a Eduardo, uma ao tio Silvério, duas a seu pai, sempre com aquele recato e modéstia, que tanto agradam, quando são verdadeiros, e tanto enjoam, quando são artificiais.

Na sala, sobre a mesa, estava um livro aberto. Eduardo procurou ler o que era; levantou-se e foi saciar a curiosidade. Era *Paulo e Virgínia*. Um lenço marcado com a firma de Sara, atirado sobre as folhas abertas, para marcar a página, indicava quem estivera lendo a obra-prima de Saint-Pierre.

Eduardo pegou no livro e no lenço e foi sentar-se junto de uma janela. Sua vaidade impava de contente. Tinha diante de si um coração virgem, completamente virgem; um coração que ainda podia ler *Paulo e Virgínia*. Amar, conquistar, possuir esta menina, era surpreender a flor no botão; era ensinar o catecismo do amor, soletrar o credo do coração, a uma ignorante, a uma pura, a uma ingênua. Que mais podia ambicionar o caprichoso namorado?

Se alguma das pessoas da família tivesse olhar mais perspicaz poderia decerto descobrir no olhar e no sorriso com que Eduardo folheou o volume toda a satisfação de sua alma egoísta.

Pedro Elói, esse com certeza adivinharia tudo e diria tudo quanto pensasse. De longe, Eduardo podia desdenhar os conselhos prudentes do amigo, a quem chamava filósofo e santo milagroso; mas de perto, não seria assim. Pedro Elói tinha, de fato, certo ascendente sobre Eduardo, ao qual seria de maior proveito se lhes fosse possível conviver.

Depois de alguma espera, Sara mandou anunciar que o jantar se achava na mesa, e foi ela mesma buscar Eduardo, o pai e o tio.

— Que está lendo aí? — perguntou ela a Eduardo, entrando na sala.

— Ah! perdão! — respondeu este. — Foi uma ousadia de que me arrependo; mas este livro aberto por suas mãos, lido por seus olhos, devia ter adquirido uma virtude nova, e eu quis aspirar-lha antes que outro o fizesse. Perdoa-me?

Almeida sorriu-se ouvindo estas palavras de Eduardo; Sara tomou-lhe o livro docemente, tocando com os seus dedos nos dele, e lançando-lhe um olhar da mais franca e pura satisfação; Silvério contentou-se em tomar uma pitada, dizendo:

— E contudo este moço joga bem o xadrez!

A palavra *xadrez* fez estremecer Eduardo. Era o sinal de um perigo iminente. Todavia, como fino cavalheiro que era, ofereceu o braço a Sara, e seguiu acompanhado de todos para a mesa do jantar.

Até aquela hora um só minuto não pudera falar a sós com Sara. Durante o jantar, era impossível. O jantar foi demorado, mais que de costume. Aproximou-se a noite. Finalmente, levantaram-se todos e foram dar um passeio pelo jardim.

Aí, graças à circunstância de dar o braço a Sara, pôde Eduardo falar-lhe mais livremente, apressando ou demorando o passo, conforme as necessidades.

— Soube que tem pensado em mim — disse Eduardo a Sara, caminhando ao longo de uma cerca de roseiras. — É verdade?

— Não sei — respondeu a moça.

— Vejo que é uma confirmação.

— Quem foi o indiscreto?

— Foi seu pai, mas é verdade?

— É sim: creio que não faz mal.

— Mal? Oh! nenhum! Fez a minha felicidade.

— Só em pensar?

— Pensar é interessar-se, interessar-se é... sabe o que é?

— Não sei — respondeu Sara corando.

Eduardo queria que a confissão viesse da moça. Esta, para disfarçar a sua perturbação, voltou-se e falou ao pai acerca de algumas necessidades do jardim.

Daí a cinco minutos a conversação entre Eduardo e Sara continuou.

— Sara...

A moça estremeceu ouvindo este modo de falar.

Depois, erguendo os olhos para Eduardo, pareceu dizer-lhe naturalmente: continue!

— Sara — continuou Eduardo —, não posso, não quero, não devo ocultar-lhe por mais tempo o sentimento que a sua beleza me inspirou. Amo-a muito, muito. Desde que eu tive a ventura de salvá-la das ondas, senti que tinha achado o objeto dos meus sonhos. O ideal da minha imaginação. Para ser completamente feliz, basta que o seu coração responda aos sentimentos do meu; basta, para dizer-me desgraçado, a sua recusa ou a sua indiferença. Diga, Sara, ama-me também?

A moça estava embriagada ouvindo esta linguagem. Houve um silêncio em que ela se deleitava com a música das palavras de Eduardo.

Este repetiu a pergunta.

— Sim — respondeu a moça —, sim!

As duas mãos se procuraram. Pararam um instante; tinham os olhos embebidos. Assim se passou algum tempo, até que Silvério os foi chamar.

— Então, que é isso? É o jogo do sério?

Os dois voltaram à vida.

Caindo a noite, regressaram todos para a casa. Eduardo ia despedir-se, quando lhe surgiu, armado de um tabuleiro de xadrez, o tio Silvério. Não havia meio de recusar, não já porque o exigisse a delicadeza, mas ainda porque Silvério era dos tais que, em pedindo qualquer coisa, punha a gente num suplício.

Eduardo viu-se obrigado a aceitar a partida de xadrez.

Para a filha de Almeida era isto uma grande felicidade. A conversa do jardim decidira-lhe o coração. O que podia haver de incerto naquela natureza fraca, indecisa, naquele espírito simples e ingênuo, desaparecia diante dos sentimentos que as palavras de Eduardo despertaram. Até então, a moça sentia alguma coisa que a arrastava para aquele homem, mas nem o dizia, nem mesmo interrogava a si própria a razão do novo estado.

Agora, tinha-se-lhe clareado o horizonte. Era amor que sentia, e amor daqueles que só as almas elevadas são capazes de sentir. O admirável instinto de mulher dera-lhe o resto do que não pudera interpretar das palavras de Eduardo.

Quando Eduardo declarou aceitar a partida de xadrez a moça sentiu que o coração lhe palpitava com mais força. Ela própria foi dispor o necessário para o jogo, não sem levantar muitas vezes os olhos para Eduardo, cujo olhar, pregado nela, exercia uma como fascinação.

Adivinha-se o resto. Entre a paixão do jogo, dominante em Silvério, e os olhares instantes de Sara, viu Eduardo correr as horas sem arredar pé. O jogo deu-se por terminado à meia-noite. Apenas tinham jogado duas partidas, em que Silvério ganhou sempre. Isto, porque ele não estava apaixonado, e Eduardo, se não o estava, acreditava estar, o que não deixa de produzir algum efeito, como a moléstia imaginária fazia Órgon conservar-se na cama.

Silvério apertou afetuosamente a mão de Eduardo, prometendo-lhe ficar pronto para dar-lhe a desforra.

À despedida, Sara, em quem já dominava mais o amor que a ingenuidade infantil, colheu no jardim uma flor das roseiras, ao pé das quais tivera a conversa com Eduardo, e ofereceu-a.

Eduardo aceitou, sorrindo a um remoque paternal do velho Almeida, que ainda não calculava o estado do coração de sua filha.

Mas como fosse saindo sem nada dizer, Sara fê-lo parar, e disse-lhe em voz alta, visto não poder ser de outro modo:

— Eu cuidava que me devia retribuir a dádiva com outra... com essa flor que traz aí no peito.

Eduardo olhou a casa do paletó, viu a rosa que lhe fora dada por Maria Luísa. Tirou a flor e deu-lha.

Depois saiu.

Na rua ocorreu-lhe a lembrança que tinha prometido ir tomar chá com Maria Luísa. Lembrara-se dela algumas vezes em casa de Almeida, mas a promessa do chá varrera-se-lhe inteiramente da memória.

V

Nas cenas que até aqui tenho esboçado, tentei mostrar a leviandade e a vaidade de um homem que fazia jogo com as paixões e os sentimentos ingênuos de duas criaturas. Não há inverossimilhança nos fatos, todos concordarão, mas também não há inverossimilhança nos sentimentos de Eduardo, atendendo-se a que era um espírito para o qual nada havia fora do culto da própria personalidade.

Acreditando-se sinceramente apaixonado e não podendo distinguir a natureza do amor e a natureza dos desejos, Eduardo servia de algum modo àquele culto, armava à incredulidade; mas o assombro da novidade, os comentários, a fé que começaria a entrar nos espíritos e que se robusteceria quando ele pudesse passar do estado de solteiro para o de casado, tudo isto eram os aguilhões com o que o seu amor-próprio se sentia brioso e compelido a prosseguir na conquista.

Sara veio complicar as coisas no que dizia respeito ao casamento de Eduardo; e por esse lado afastou-o do alvo a que pretendia chegar; mas se o afastou, não foi senão para dar lugar a nova e maior extravagância, essa do amor por duas mulheres, a donzela e a viúva, na mesma intensidade e no mesmo grau.

Perguntará o leitor como é que um homem de tão bom senso como Pedro Elói parecia tão amigo de Eduardo. A resposta está contida nas duas cartas que eu já li. Pedro Elói, com um olhar de filósofo, via que não era impossível trazer Eduardo ao bom caminho. Os defeitos morais podem levar a consequências grandes, mas com a austeridade da lição e da prática são suscetíveis de desaparecer e tornar-se melhor o espírito em que eles existem. Pedro Elói tentava isto de longa data; e, como vemos, era um santo e um filósofo. Tinha conseguido tudo quanto desejara? A este respeito o procedimento de Eduardo desmente a submissão afetada da carta. Que alguma coisa tivesse feito, acredita-se, mas não fez tudo, nem muito. Vejamos agora como continuaram os dois episódios amorosos que Eduardo entretinha com tanto cuidado.

Em casa de Maria Luísa, no dia seguinte, foi Eduardo mal recebido. A viúva mostrava uma frieza e uma indiferença que não eram mais do que os véus com que se cobriam o despeito contido e a dor sufocada.

A promessa não cumprida ligava-se a outras faltas de Eduardo, e para um coração amante, sobretudo para um coração como o de Maria Luísa, não eram essas faltas facilmente desculpáveis.

Maria Luísa sentia naquilo um desdém, um sintoma de resfriamento do amor, e pressentia não sei que más novas para o futuro.

Eduardo explicou-se como pôde. Alegou a doença de um amigo, acrescentando que pouco lhe importaria perder o amigo por amor dela, mas que, instado por dois outros em tom imperativo, tivera de ceder-lhes.

Maria Luísa acreditou ou fingiu acreditar na desculpa. De um ou outro modo, é certo que ainda derramou algumas lágrimas. Não sei que haja alguém que possa resistir às lágrimas de uma mulher. Falo das lágrimas sinceras. É o que há mais poderoso para desarmar a cólera ou comover o egoísmo. É como que um protesto de fraqueza; e resistir-lhe não é de alma nobre, nem de consciência elevada.

As lágrimas tiveram efeito, mas um efeito excepcional; faltavam a Eduardo as qualidades delicadas para apreciar o valor de uma lágrima sincera. Era o amor-próprio que se comprazia em ver chorar aqueles olhos e comover-se aquela alma. Seguiram-se protestos descarados, velhos respeitos, sem sentimento nem valor.

Dizia Maria Luísa, enxugando os olhos:

— Vejo que me não ama; vejo que me não compreende... Ah! se me compreendesse e amasse...

A isto respondeu Eduardo:

— O quê?... Não a amo? Eu?! Não diga isso! mais que a vida... etc.

O leitor conhece o resto.

Enfim, a tempestade serenou. Despertou um sorriso nos lábios de Maria Luísa, como um sinal de aliança. Eduardo mostrou-se satisfeito com o desenlace e disse:

— Vê? A dor de a ver em lágrimas retinha as minhas próprias. A alegria é mais expansiva; agora, que a vejo alegre e me perdoa, sou eu quem chora!

Este rasgo tinha suas dificuldades; a maior era que chorar sem lágrimas não convencia, e Eduardo tinha os olhos secos como os do leitor, que ainda não teve, nesta história, motivo de chorar. Por isso, tirou da algibeira um lenço e levou aos olhos, conservando-se algum tempo nessa posição.

Foi despertado por um pequeno grito de exclamação de Maria Luísa. Tirou, ou antes, foi-lhe tirado o lenço da mão. Maria Luísa, depois de olhar para o lenço, fitou os olhos em Eduardo, e perguntou-lhe:

— Quem é esta Sara?

Eduardo estremeceu, olhou para o lenço, depois para Maria Luísa, depois para o teto.

— É uma prima.

— Nunca me falou nela — disse Maria Luísa.

— Isso que prova? É de uma prima. Fui ontem visitá-la e trouxe este lenço. Está com ciúmes?

— Não — respondeu a viúva.

E entregou-lhe o lenço.

Como o leitor adivinha, era o lenço de Sara, que marcava a página de *Paulo e Virgínia*.

Houve um silêncio entre ambos.

Maria Luísa refletia: — É bem possível que o lenço seja da prima; por que não? Realmente, sou exigente demais. Ele não parece mentir. Por que havia de mentir?

Depois levantou-se e disse sorrindo a Eduardo:

— Vou tocar piano!

Eduardo levantou-se e foi sentar-se ao pé do piano. Ela começou a preludiar e depois a cantar aquela canção francesa tão conhecida e que parecia adequada à situação.

> J'ai peur de croire en toi.
> Pourtant, malgré moi-même,
> Ah! je le sens, je t'aime,
> Toi, toi,
> Toi, le seul bien pour moi!
> J'ai peur, car dans mon coeur
> Mon amère souffrance,
> Toujours dans ton absence,
> Vient flétrir mon bonheur!
> Etc. etc.

Deixo ao leitor calcular quanta paixão a bela viúva empregou na execução do canto. O próprio Eduardo pareceu um tanto convencido.

Enfim, o dia passou-se sem maior novidade no céu de amor de Maria Luísa. Dissipadas as primeiras dúvidas, Maria Luísa sentia-se feliz como dantes. Eduardo estava contente de si.

VI

Três meses decorreram depois dos fatos que acabo de contar. Durante esse tempo, houve a reprodução das mesmas visitas, alternadamente a Maria Luísa e a Sara.

Nem uma nem outra suspeitou nunca a felicidade de Eduardo. O episódio do lenço foi esquecido pela viúva, em cujo coração o amor crescia tanto como no de Sara, sem que entretanto o espírito de Eduardo se apercebesse de que uma tal bigamia moral podia levar a sérias consequências.

Duas vezes, no espaço dos três meses, Maria Luísa, em conversa com Eduardo, procurou encetar o assunto do casamento. O silêncio de Eduardo parecia-lhe timidez e a coitadinha cuidava adiantar alguma coisa, iniciando uma conversação a esse respeito.

Enganara-se. Eduardo, mal pressentia que o espírito de Maria Luísa se voltava para a igreja, mudava de assunto com tão rara habilidade que a própria moça não percebia a trama.

Das apreensões às incertezas, das incertezas ao desânimo, Maria Luísa não podia atinar, nem com a natureza do amor de Eduardo, nem com os fins de sua paixão.

Quanto a Sara, sentia-se feliz e nada ousava indagar nem saber. Aquele amor eram as primícias do seu coração. Julgava-se uma Virgínia e pensava ter encontrado o seu Paulo! A pobre menina não tinha nem o tato nem o contato do mundo; o tato para conhecer o espírito de Eduardo, o contato para saber da opinião que faziam dele. Vivia isolada, no meio de sua família, julgando o resto do mundo pela vida que levava e pelos afagos sinceros que recebia.

No fim do tempo de que acima falei, em uma quinta-feira, preparava-se Eduardo para um baile que dava o conselheiro C... Não sei por que motivo ou por que pretexto, Sara devia ir, e Eduardo, cuja fome de amor por Maria Luísa já era conhecida, queria, *coram populo*, mostrar a nova paixão ou, antes, a paixão concorrente da menina Sara.

Preparava-se, disse eu, mas não era bem isso, visto que eram apenas dez horas da manhã. Preparava-se para saborear as delícias que a admiração e a inveja lhe haviam de fornecer.

— Não há dúvida — pensava ele —, sou amado por aquelas duas mulheres. Ambas me querem; adoram-me ambas. Mas por que motivo, eu, a quem tantas fortunas coube em sorte, estarei tão orgulhoso com o amor destas mulheres? É que as amo. Não há dúvida, amo-as; estremeço-as do mesmo modo. Diga lá o filósofo o que quiser, este duplo amor não é impossível; tanto não é, que existe. Oh! se existe...

Eduardo fazia estas reflexões contemplando os novelos de fumaça de um charuto havana. Tinha almoçado bem e fazia o quilo com aquele descanso dos homens que não têm cuidado no que há de ser a refeição seguinte. Estava em uma completa embriaguez dos sentidos.

Naquelas e em outras reflexões estava, quando o criado lhe trouxe uma carta que o correio acabava de entregar.

Abriu-a e leu-a rapidamente. Era de Pedro Elói. Dizia o filósofo de Petrópolis:

>Meu caro Eduardo,
>
>Resolvi mandar-te novas minhas, já que não me mandas as tuas. Esperei o que podia esperar. De duas uma: ou esqueceste o velho amigo, ou continuas embriagado nessa fatal paixão dos sentidos, dupla, segundo dizes e eu acredito.
>
>Em qualquer caso, interessa-me escrever-te.
>
>Ah! Quem me dera ter-te agora no meu chalé, preso, atado, amordaçado, vendado, inofensivo, para descanso da humanidade e para a felicidade do meu coração!
>
>Estou certo que os meus conselhos, o meu exemplo e até o meu olhar bastariam para dar-te aquela regra de conduta, própria dos homens que aspiram e têm o direito de aspirar.
>
>Mas, enfim, deixemos lamúrias e falemos, conciso e preciso, do que importa saber.

Vou apostar que as tuas duas paixões estão extintas, como já estão extintas as fogueiras que arderam no último São João. Há de ser assim. É da natureza desses assomos sensuais irem tão súbito como aparecem.

Se não é assim, deixa que te considere o mais infeliz dos homens. Dirás que não é assim que te parece. Com efeito, aos espíritos jovens, mais ou menos gastos, o futuro é nada, o presente é tudo. Não lhes falem do que pode ser consequência dos atos de hoje. O que desejam é a satisfação dos prazeres, a realização dos caprichos, sem cuidar no desenlace das coisas, nem na lógica forçada do crime.

Escrevi a palavra crime, e não foi por engano. É preciso dizer-te a verdade nua e crua. Ocultá-la é ser de algum modo cúmplice nos teus atos, e eu não quero para mim semelhante papel.

Dizes que amas a essas duas mulheres. Acreditem ou não acreditem, é certo que lhes fazes compreender a tua paixão. Supõe que elas te acreditem, e, por tuas maneiras e graças, consegues convencê-las, e mais, fazeres-te amado.

O que resulta daqui? Resulta não uma iludida, mas duas; porque, não amando nenhuma, e tendo a tua paixão mui estreito limite, ambas se acham despojadas das ilusões do futuro e da fé que as alimentava.

Que acontecerá? Qual será a consequência desse desencanto? Sabes tu a profundeza das duas almas, a quem iludes? Sabes de que serão capazes? Pressentes o fogo em que vai queimando as mãos?

Falo-te uma linguagem em vez de outra; mas é a única que podes ouvir agora. A que eu devera falar era a linguagem do dever; em vez de indicar-te as consequências dos teus atos, eu devera dizer simplesmente que os teus atos eram criminosos diante da moral eterna. Mas far-me-ia ouvir?

Se, em vez dos magníficos cabelos pretos que me adornam a cabeça, e dos olhos vivíssimos com que neste momento olho para este papel, eu tivesse honradas cãs e olhos moribundos, sei o que dirias ao ler esta carta. Sou moço, como tu; sou apto, como tu, para as paixões; mas há uma diferença: eu as domino, porque as paixões não são invencíveis, e só uma moral interesseira e egoísta pode dá-las como tais. Tenho, portanto, além do meu conselho, o meu exemplo.

Olha, por que não vens passar uns dias comigo? Eu te prometo que começarei a cura do modo mais suave.

Se não vieres, sou eu que vou, mas conforme a tua resposta. E repara bem: comigo é inútil o disfarce. Falta-te o talento de iludir a homens experimentados. Se mentires, eu cá sei como te hei de ler.

Em qualquer caso, escreve-me: terei ao menos o prazer de ver letras de um amigo. Ah! se compreendesses bem o valor desta palavra!

Adeus. Sê prudente. O Espírito Santo te ilumine.

Pedro Elói.

O tom decisivo, a linguagem nua desta carta não convenceram Eduardo. Não direi que o não abalassem. Custou-lhe engolir algumas expressões duras de Pedro Elói. Mas o que era aquilo senão o que ele próprio pedira?

Eduardo pensou na resposta. Devia negar ou dizer a verdade? A prevenção de Pedro Elói quanto à veracidade dos fatos indicara claramente que era inútil a mentira. Não havia senão isto: ou dizer a verdade ou não escrever. Eduardo refletiu alguns minutos; resolveu escrever dizendo a verdade, porém mais tarde.

Deitou a carta na secretária, e ia sair quando lhe foi anunciada a visita de Silvério.

Mandou entrar e daí a pouco o valente jogador de xadrez aparecia à porta, com ar risonho e gesto afetuoso.

Era a primeira vez que Silvério visitava Eduardo. Por isso, levou longos minutos a examinar e admirar a casa e a mobília, não se escondendo para dizer o que achava de mais gosto ou de mais delicado.

— Isto é propriamente uma casa de solteiro — dizia ele —; mas, ainda casando, não sei que haja muita mudança a fazer. Basta substituir estes quadros...

— Que quadros? — perguntou Eduardo.

— Estes — respondeu Silvério apontando para umas gravuras que pendiam na parede, representando cópias de várias estátuas célebres.

— Não me dirá por quê, senhor Silvério? — perguntou Eduardo, atirando-se a uma cadeira de junco.

— Não são próprias — respondeu modestamente o antigo solicitador.

— Mas sabe o que representam estes quadros?

— Pois não estou vendo?

Eduardo contentou-se em sorrir.

— Substituídos os quadros, creio que não há mais nada — continuou Silvério. — Ah!... sim, ainda há. É retirar esta caixa de fumo, estes cachimbos, estes charutos, enfim, tudo quanto diz respeito ao vício de fumar.

— Isto é, se eu casar devo renunciar às obras-primas da arte e às obras-primas da indústria.

— Eu lhe digo. Sara não gosta de fumo...

— Sara! — disse Eduardo, levantando-se da cadeira.

— Ah! pronunciei o nome... Não precisa vexar-se, maganão; já sabemos das suas artes... Fez-se amado!... Oh! e muito! Pois é assim! Ela não gosta de fumo, não gosta nada, mesmo nada, nada!

Eduardo estava espantado com as palavras de Silvério. Não atinava ainda com o fim daquilo. Viria sondá-lo? Viria repreendê-lo? Na dúvida, sentou-se vagarosamente na mesma cadeira e esperou que o ex-solicitador continuasse.

Silvério puxou outra cadeira e sentou-se defronte de Eduardo.

— Pois, meu caro Eduardo, é como lhe digo. Estão sabidas as suas travessuras. Sei que se amam com fervor e creio que só um receio pueril e inexplicável tem retardado, de sua parte, um pedido que só pode ser aceito com o maior alvoroço.

Eduardo, ouvindo estas palavras, calculou o pior; calculou que Silvério era comissário do pai de Sara. Em tal caso, cumpria-lhe responder de modo que nada sacrificasse. Ia falar, mas Silvério continuou:

— Não cuide — disse ele — que venho aqui por inspiração de terceiro. Venho por minha própria resolução. Mal soube do fato, corri a procurá-lo.

— E como soube? — perguntou Eduardo.

— Muito simples, por boca de Sara.

— Ah! ela contou...

— Contou tudo a mim e ao pai. Oh! é um anjo aquela menina. Se visse a simplicidade com que ela referiu os episódios do namoro, a franqueza com que exprimiu no que tocava à paixão de que estava dominada, finalmente a sinceridade com que acreditava no seu amor! Era de fazer verter lágrimas... Oh! é um anjo... Ora diga-me: ter uma sobrinha assim não é uma ventura? E ter, além disso, um sobrinho como o senhor, não é uma bem-aventurança? Que belos dias não passaremos! Ela reclinada em seu ombro, e nós dois, em face um do outro, lutando palmo a palmo, peão a peão, uma daquelas partidas que de um simples paisano se faz um general consumado!

Eduardo sorriu-se a estas palavras de Silvério. Depois, procurando dar à sua voz alguma comoção, respondeu:

— É verdade que eu amo sua sobrinha. Era impossível vê-la sem amá-la. Contudo, foi-me difícil declarar-lhe a minha paixão. Poderia parecer a exigência de uma paga de um serviço que eu fiz como faria a outra qualquer pessoa.

— Oh!... — interrompeu Silvério.

Eduardo continuou:

— Amo-a, sim, e toda a minha ventura seria poder chamá-la minha mulher.

— Mas isso é o que há de mais fácil.

— Sei. Se até agora não tenho dado um passo para isto, é porque espero que se ultimem certos negócios...

— Mas que negócios?

— Certos negócios... Não está longe, posso afiançar-lhe, e nem eu deixaria passar uma hora, apenas, sem munir-me do competente consentimento dela, e do pai. Creio que já tenho o seu.

— Tem o de todos — disse Silvério em voz de estentor.

— Muito bem! Vejo que a minha felicidade é completa!

— Pois, senhor, não sei que negócios sejam esses, mas creio que se não dependesse disso a decisão, já há muito estaria a menina pedida e concluído o casamento.

— Ah! com certeza!

— Não sabe que mulher leva...

— Sei.

— É um serafim em alma e corpo.

Aqui começou uma ode à beleza e à candura de Sara, perfeitamente dividida em estrofes, antístrofes e epodos. Meia hora depois, Silvério saía de casa de Eduardo, depois de abraçá-lo e instar com ele para que não deixasse passar a ocasião de uma fortuna.

E mal saía o ex-solicitador, entrava um moleque de Maria Luísa com uma cartinha para Eduardo. Dizia a cartinha:

> Eduardo, — vou ao baile do conselheiro C... Disseste-me que estavas convidado. Não faltes...
>
> Tua, MARIA LUÍSA

Eduardo ficou alguns momentos sem pensar coisa alguma. Depois, relendo o bilhete, pôde refletir sobre o caso. As duas mulheres iam achar-se em presença. Poderiam não saber nada uma da outra, mas era possível que um nada lhes derramasse a luz no espírito. Como evitá-lo?

Eduardo pensou em não ir ao baile; mas, além do resultado que isso trazia, ocorreu-lhe que sua presença era até necessária, visto ser já conhecido o seu amor por Maria Luísa e por Sara.

Não comparecer ao baile era fazer supor que a afeição por aquelas duas mulheres, descendo à condição dos afetos comuns, tinha acabado como acabam os afetos comuns.

E depois, se alguma coisa pudesse acontecer, não era melhor que ele lá estivesse para desfazer uma impressão má ou desmentir uma suspeita?

Tais razões e outras mais decidiram Eduardo a afrontar as consequências de um encontro entre as duas mulheres debaixo do mesmo teto.

Em consequência, preparou-se para ir ao baile.

Às nove horas da noite entrava ele nos salões do conselheiro C..., meio receoso, meio tranquilo, em todo caso orgulhoso com a circunstância especial de achar-se diante das duas mulheres que se tinham apaixonado por ele.

Depois de fazer os cumprimentos devidos aos donos da casa, indagou Eduardo se as duas tinham já chegado ao baile. Disseram-lhe que não. Com efeito, correu toda a casa sem encontrar vestígios de nenhuma pessoa das duas famílias.

Em uma das viagens que fazia em busca de Sara e Maria Luísa, Eduardo encontrou os dois amigos que tinham aparecido no Rocio, no dia em que, acompanhado por mim e pelo leitor, fizera uma visita à viúva da rua do Lavradio.

— Oh! tu por aqui! — disse um deles. — É a primeira vez que apareces depois de tamanha ausência... Bem-vindo sejas!... Mas aposto que a viúva está por cá?

— Não — respondeu secamente Eduardo.

— Não? Então é que há de vir. Muito bem... Estão mesmo uma corda e uma caçamba.

— Disseram-me no outro dia — disse o segundo moço, brincando com a corrente do relógio — que tinhas uma segunda namorada. Não quis crer...

— Por que não quiseste crer? — perguntou Eduardo.

— Ora, porque de duas uma: ou não amas deveras, e então não terás duas, terás cem; ou amas deveras, e então amar a duas é absurdo.

— Absurdo! — disse Eduardo.

— Pois não!

— Não achas? — perguntou o primeiro.

— Não acho. É coisa muito possível.

— Aposto que amas realmente as duas e deveras?

— Deixemos o terreno dos fatos. Teoricamente, posso provar...

— Teoricamente, prova-se muita coisa...

— Por exemplo, prova-se que estás corrigido, que mudaste de sistema de vida, enfim que és quase um santo; ora, não há maior falsidade...

— Por quê? — perguntou Eduardo meio sério.

— Porque essa aparência de vida modesta e honesta desculpa a dureza do coração. És o mesmo. Estás mudando o ponto de vista e os meios de ação.

Eduardo sorriu-se e perguntou, pondo a mão no ombro de ambos:

— Dar-se-á caso que vocês também se tornassem filósofos?

— Filósofos como Epicuro. Somos o que éramos dantes; somente, somos e dizemos que o somos. Tu és e dizes que não és. Eis toda a diferença.

— Deveras? — disse Eduardo.

— É certo. Anda tomar um copo de xerez. Dizem que o conselheiro oferece desse vinho delicioso aos seus convidados conhecedores. Olha que é xerez; é o vinho de Francisco I, o conhecedor de mulheres como tu, lembras-te? *Souvent femme varie...*

— Salta gaiato! — disse alegremente Eduardo apartando-se dos dois amigos.

— Anda cá — disse um deles. — Olha!

Apontando com a mão para a escadaria que ficava próxima, chamou a atenção de Eduardo para duas senhoras que entravam. Eram Maria Luísa e a mãe.

— Ah! — disse Eduardo.

E voltando-se para os amigos:

— Adeus, até logo!

Os dois rapazes afastaram-se rindo. Eduardo foi ao encontro das duas senhoras.

Maria Luísa estava radiante. Tinha na verdade um porte de grandeza natural, e quando os seus olhos se voltaram em roda dos que a cercavam, parecia uma castelã antiga contemplando os cavaleiros preparados para as justas. Trazia um vestido de seda cor de violeta com enfeites da mesma cor. Os cabelos, penteados à Stuart, moda então muito em voga, faziam realçar um fio de pérolas, cujo fecho de brilhantes em forma de estrela ficava-lhe no meio da cabeça. Trazia na mão um ramalhete de violetas. Quando Maria Luísa entrou no salão, onde as mais belas toaletes chamavam a atenção dos olhos masculinos e seus apêndices — as lunetas —, houve uma espécie de rumor admirativo.

Todas as belezas foram um momento esquecidas por aquela que entrava vestida com tanta simplicidade e tão bom gosto. Maria Luísa, com aquele instinto admirável das mulheres, reparou no efeito que produzia e não deixou de gozar amplamente o prazer que lhe dava a geral admiração.

Os que a não conheciam indagavam do seu nome e os que a conheciam respondiam aos interpelantes, repetindo-se às vezes o nome de Eduardo como o senhor e possuidor daquele coração viúvo.

Eduardo, orgulhoso e radiante, olhava para todos do alto de seus olhos e da sua felicidade, com certo arzinho de quem mofava dos outros: por serem menos venturosos ou menos lestos.

Enfim, a vida do baile começou. Anunciou-se uma valsa. Eduardo e Maria Luísa tomaram lugar entre os valsistas. Dentro de poucos minutos, pares retiravam-se para dar lugar à valsa doida, entusiasta do moço e da viúva.

Conversava eu um dia com um dos meus amigos poetas, que a morte levou, um talento que todos admiravam, um coração que muitos conheceram.

— Não sei — dizia-me Casimiro de Abreu — como se pôde inventar a valsa, a melhor de todas as danças, para dançá-la em um salão diante de cem olhos. A valsa é realmente a mais graciosa, a mais natural, a mais bela das danças, mas nenhum olho humano deve presenciá-la. Então, os dois valsantes, que se amam, que vivem um pelo outro, podem embriagar-se na valsa, viver, não a vida do mundo, mas a vida dos anjos, a vida dos sonhos, a vida do céu!

— Casimiro — objetava eu —, para dois corações que se amam, a multidão não é isolamento? E quando um par se atira à sala, aos primeiros compassos de uma valsa, não lhes desaparece tudo, não ficam eles sós, ermos, confundidos?

Casimiro adorava a valsa. Todos conhecem a bela poesia das *Primaveras* que traz este título.

A minha objeção, no caso de Eduardo e Maria Luísa, tinha meia aplicação ao *fato*; a viúva corria nos braços de Eduardo, e no meio dos cem olhos que os acompanhavam, como se estivesse em um deserto. Esqueceu-lhe tudo por Eduardo. Mas este não. Lembrou-se, e muito, que estava entre gente; calculava, adivinhava, redigia consigo mesmo os ditos, as observações, os olhares invejosos de toda aquela multidão.

Foi exatamente no fim da valsa que chegou a família de Almeida. Os rumores que sucederam à valsa de Eduardo e Maria Luísa foram dobrados com a presença de Sara.

Com efeito, se Maria Luísa tinha direito a excitar a admiração geral, não menos tinha a filha de Almeida.

Vestia de um modo simples e elegante. Um vestido de seda cinzento-pérola ocultava-lhe o corpo flexível e delgado. Os cabelos, penteados em ondas, não tinham outro enfeite mais que uma rosa branca, presa do lado esquerdo. No seio, que ondulava pelo cansaço e pela comoção, fulgurava uma simples cruzinha de ouro, enfeite que Sara usava em todas as solenidades, por ter-lhe sido dado por sua mãe.

Graças à vida retirada da família de Sara, ninguém ou muito pouca gente a conhecia. A dona da casa encarregou-se das necessárias apresentações.

Foram as duas proclamadas as rainhas do baile. Os cavalheiros dividiram-se em partidos, uns preferiam Maria Luísa, em quem viam a expressão mais completa da mulher; outros davam a palma a Sara, cuja beleza virginal e angélica inspirava ideias puramente do céu. Para uns, Maria Luísa era a estátua descida do pedestal; para outros, Sara era um anjo foragido da habitação divina.

No meio de tão divididas opiniões, Eduardo era o único que as admitia ambas, e por ambas se bateria se necessário fosse. Eduardo foi procurar Almeida, de cuja demora indagou com o maior interesse, ouvindo aliás as razões dadas por aquele com a maior indiferença. Eduardo pôde falar a Sara, fê-lo com todo o interesse de um amante saudoso. A moça parecia triste. Vinha imaginando encontrar Eduardo aflito com a sua ausência e achou-o no turbilhão de uma valsa, tão alegre ou mais que os outros. Mas este ressentimento no coração da moça era passageiro. Nem ela procurava indagar mais nada. Sabia ela acaso que Eduardo pudesse valsar com outra com a mesma efusão com que valsaria com ela? A pobre menina notava o fato, mas não tirava dele nenhum corolário. E depois, as maneiras de Eduardo convenciam tanto! No fim de dez minutos de conversação, Sara esquecera tudo, e estava feliz. Como Maria Luísa, na valsa, deixou-se ir na embriaguez da conversação e só se lembrou de que estava diante do homem que era escolhido pelo seu coração. Tinha uma singeleza adorável que Eduardo não sabia admirar, nem como amante, nem como poeta.

Não ocuparei o espírito do leitor com a narração do que se passou durante a noite do baile, e corro já ao melhor episódio, ao que importa saber em nossa história. Bem depressa se espalhou que as duas raparigas amavam Eduardo e que este parecia amá-las do mesmo modo. Aos que o interrogavam Eduardo respondia com o ar de homem que nega aquilo de que deseja convencer a todos.

Chegou a passear com ambas, uma em cada braço, conversando simbolicamente com ambas sem que elas se apercebessem de nada. Enfim, seria uma hora da noite, já o baile chegara ao ponto culminante, em que as cerimônias, sem desaparecerem de todo, dão lugar a uma respeitosa intimidade.

Sara e Maria Luísa, ou por simpatia, ou por força da fatalidade, davam-se já como duas amigas. O conselheiro convidou Sara para cantar alguma coisa. Sara estava cansada e pediu um quarto de hora. Durante este tempo retirou-se para o gabinete que servia de toalete das senhoras. Maria Luísa acompanhou-a.

— Precisava bem de um momento de descanso — disse Maria Luísa. — Como está fatigada, meu Deus!

— A falta de hábito — respondeu Sara. — Vivo sempre metida dentro de casa...

— Pois faz mal... As flores fizeram-se para o ar livre.

Sara sorriu.

— Diga-me. Isto é entre moças, pode dizer-se. De quantos rapazes tem visto hoje, nenhum lhe faz palpitar o coração?

A moça olhou para Maria Luísa e respondeu:

— Oh! sim! Um!

— Ainda bem!

— Por que se alegrou tanto?

— Por nada...

— Oh!

— Porque, se já começa a amar, deve compreender-me... Também eu amo e muito!...

— Amar é tão bom, não é? — disse Sara, com uma adorável singeleza.

— Oh! se é! — suspirou Maria Luísa.

Calaram-se ambas. No fim de alguns minutos de contemplação recíproca, as duas deitavam-se nos braços uma da outra.

— É o mais belo, mais gentil, de quantos homens estão hoje nesta sala... Oh! eu excetuo o outro...

Dizendo estas palavras Maria Luísa deu um beijo em Sara.

Sara respondeu.

— Não sei se este é o mais belo e o mais gentil, sei que o amo. Se o não amasse, devia estimá-lo, porque me salvou a vida vai para quatro meses...

— Ah! temos romance?

— Não é romance, é realidade.

— E casam-se?

— Não sei, mas não penso nisso. Eu só faço o que ele quiser. Meu amor é um amor que não manda, nem eu creio que haja outros.

Maria Luísa estava pensativa.

Sara continuou:

— Estará na sala?

— Quem? O meu?

— Sim.

— Está, creio eu.

E Maria Luísa foi à porta. Abriu uma fresta entre as cortinas e procurou Eduardo com os olhos.

— Lá está ele... Olhe!

— Onde está? — perguntou Sara.

— Ali encostado ao piano, do lado de lá, brinca com a luneta. Vê?

Sara, com os olhos colados à fresta, acompanhava a indicação de Maria Luísa. Repentinamente deram as duas um grito.

Sara tinha reconhecido Eduardo; Maria Luísa viu na mão de Sara um lenço igual, com igual firma, ao que surpreendera na mão de Eduardo. As duas mulheres olharam-se, mudas, alguns segundos. Sara levou a mão ao peito. Parecia que se lhe quebrava o coração. Maria Luísa, com o lenço nos olhos, foi cair sobre o sofá, dizendo:

— Oh! que fatalidade!

Sara, depois de alguns segundos, foi procurar uma cadeira e sentou-se. Não pôde conter-se; as lágrimas rebentaram-lhe dos olhos. Houve um grande silêncio entre ambas. Fora batiam palmas ao pianista que acabava de entusiasmar o auditório tocando um coro de *D. Juan*, de Mozart. Maria Luísa foi a primeira que se levantou e falou a Sara.

— Faz bem em chorar — disse ela. — Era inocente, acreditou no amor dele. Sei quanto sofre pelo que eu mesma sofro. Foi uma fatalidade. Ambas púnhamos nele a nossa esperança com a nossa alma, ele enganava as coitadas de nós!

Sara não respondeu. Estava pálida como a morte. Maria Luísa pensou que fosse desmaiar. Foi buscar água-de-colônia e prestou-lhe os mais fraternais cuidados.

— Obrigada, não é nada, passou — disse Sara.

Depois, enxugou os olhos e levantou-se.

Na sala, procurava-se a filha de Almeida para cantar. A dona da casa dirigiu-se ao gabinete.

— Aí vem gente — disse Maria Luísa —, vem procurá-la para cantar. Deve ir. Devemos sair juntas, para que nada desconfiem.

Abriram-se as cortinas e viu-se saírem as duas moças, pálidas como duas estátuas, com os olhos vermelhos. Sara mal podia ter-se em pé. Obrigada a cumprir a promessa, Sara cantou. Mas que canto! Não eram notas, eram palavras da alma que saíam da menina desiludida e infeliz.

Quando acabou, corriam-lhe as lágrimas.

Ao pé dela, Maria Luísa a acompanhava no sentimento e nas lágrimas silenciosas.

As duas infelizes saíram da sala no meio de aplausos comovidos.

VII

Passaram-se quinze dias depois das cenas que acabo de contar.

No dia seguinte ao do baile, Eduardo foi visitar Maria Luísa; encontrou-a na sala com a mãe. Eduardo, como sempre, entrou com o sorriso nos lábios. Maria Luísa estava magra e tinha os olhos pisados. Ia perguntar o motivo daquele abatimento, quando a viúva, dizendo-se incomodada, pediu licença e retirou-se.

Eduardo esteve meia hora na sala conversando com a mãe de Maria Luísa, que lhe respondia por monossílabos. Finalmente, despediu-se e saiu.

Estava humilhado.

— Que aconteceria? — perguntava ele. — Ontem saíram do baile sem me falarem. Hoje tratam-me deste modo. Que haverá?

De reflexão em reflexão, de recordação em recordação, Eduardo pôde atinar com o motivo do desdém que recebera em casa de Maria Luísa.

Lembrou-se de ter visto a viúva e a donzela saírem do toalete, lívidas e abatidas. Lembrou-se das lágrimas derramadas durante o canto no piano. Descobriu tudo.

— Que diabo! — pensava ele. — Como hei de desenlaçar esta meada? Convencê-las é impossível; o melhor é eludir a questão. Mas como? Irei a Sara... Mas terei lá a mesma recepção? Oh! É demais! Não! isso não! Maria Luísa não pode recusar uma carta minha. É isto. Escrevo-lhe. No papel posso dizer mais facilmente aquilo que convier; tenho a faculdade de rabiscar, alterar, adoçar, enfeitar, como me parecer, as palavras...

Eduardo entrou em casa disposto a escrever três cartas. Uma à mãe da viúva, endereçando-lhe outra para a filha, de cujo amor ela estava ciente. A terceira carta era a Pedro Elói, contando-lhe a ocorrência e pedindo-lhe um conselho. Ao mesmo tempo respondia à carta anterior.

O conteúdo das duas primeiras era uma série de frases ocas, habilmente grupadas, em que Eduardo protestava o mais respeitoso amor por Maria Luísa; quanto ao episódio do baile e ao amor de Sara, foi o mais sucinto que pôde, dando uma desastrada explicação ao sentimento alegado pela filha de Almeida.

Era, dizia ele, um serviço que prestava a uma menina, cujo coração inexperiente se deixara apaixonar por ele. Não queria desenganá-la; entretinha, por sua aquiescência, um amor sem alcance.

Mandou as cartas, mas nenhuma resposta obteve nesse dia nem nos dias seguintes. Desesperou. Passava muitas vezes em frente da casa de Maria Luísa; mas não via ninguém; as janelas estavam, as mais das vezes, cerradas.

Quanto a Sara, Eduardo com o receio de sofrer a mesma recepção, não foi lá, esperando uma visita do pai ou do tio Silvério. Embalde esperou. Era demasiado o desdém para que um coração vaidoso como o de Eduardo se resignasse. Doía-lhe o desdém, ardiam-lhe desejos de vingança. A vaidade, que até ali se empavesara com o amor das duas mulheres, doía-se, agora, ressentia-se, pedia desforra. Ora, a vaidade quando domina o coração do homem (e na maioria dos homens acontece assim) não deixa atender a nenhum sentimento mais, a nenhuma razão de justiça.

Era, assim, atado a esta fogueira interior, como Eurico atado ao próprio cadáver, que Eduardo passava os dias e as horas, sem ver nem procurar ninguém.

Quanto à carta escrita a Pedro Elói, resume-se em pouco. Ei-la:

> Meu amigo,
> Turba-se o horizonte. Aconteceu o que previas e eu não previa. As duas sabem hoje do meu amor por ambas. Zangaram-se! Era bom se fosse só isso. Creio que adoeceram. Tamanho desencanto não as podia conservar no estado normal.
> E isto tudo por um diabo, como eu. Diabo, sim; não digo brincando; mas um diabo compassivo que ainda as estima e deplora.
> Que queres? Sou feito assim. Tenho um coração evangélico; e não posso ver sofrer, e sobretudo sofrer por minha causa.
> Foi o caso. Não sei que fatalidade as levou ambas ao baile do conselheiro C... Aí, deram-se, comunicaram uma à outra os seus sentimentos e naturalmente foram além do que deviam ir, descobrindo a coroa. A coroa sou eu. E demitiram-se os meus ministros...
> Falemos sério; penalizam-me estas ocorrências.
> São duas mulheres dignas do respeito e do amor que eu lhes votava. Tenho a culpa de que as adorasse do mesmo modo e no mesmo grau? Se há culpa nisto, é da natureza.
> O que é certo é que não me querem receber e curvam-se a uma dor que me lisonjeia, mas que me entristece.
> Que devo fazer? Como reconciliar estes dois sentimentos e o meu orgulho? Porque enfim eu não quero esquecer, no meio de tais fatalidades, que recebi do berço um dever de zelar a minha própria dignidade.
> Aconselha-me e acredita-me
>
> Teu EDUARDO.

Esta carta, como as outras, não teve resposta.

Vejamos agora o que se passou nas duas mulheres a quem Eduardo bafejara com o hálito da desgraça.

Maria Luísa chorou muito durante o resto da noite do baile. E quando a manhã rompeu, Maria Luísa estava à janela, chorando ainda em silêncio. Sentia-se duas vezes viúva; legal e moralmente. Os sonhos do futuro, as esperanças de sua felicidade sem igual, fora tudo um castelo de cartas que desabou ao sopro de uma criança.

Era dia claro. Maria Luísa julgou dever curtir a sua dor e mostrou-se alegre.

Não queria magoar a mãe. Banhou os olhos o mais que pôde e deixou o quarto. Sua mãe a esperava para almoçar. Vendo-a triste, perguntou-lhe se estava doente. Respondeu que se sentia fatigada. A mãe não insistiu. Durante o almoço, a boa velha, para alegrar a filha, e distraí-la dos incômodos que dizia ter, falou-lhe de Eduardo, das comoções que ambos deviam ter tido na noite anterior, dos projetos do futuro.

O assunto não era próprio para alegrar Maria Luísa. Respondendo por monossílabos, e interrompendo a conversa com assuntos diferentes, Maria Luísa procurava desviar o espírito de sua mãe. Enfim, algumas vezes não podia deixar de enxugar furtivamente uma lágrima. A velha reparou e perguntou-lhe por que chorava.

— Por nada — respondeu a viúva.

— Não é possível.

— Por nada, afirmo-lhe.

— Não é possível. Ah! não estás cansada, estás triste; tens alguma coisa que te faz sofrer. Dize o que é... Não sou tua mãe?

— Minha mãe!

E Maria Luísa escondeu o rosto no seio da velha.

— Vamos lá! — disse esta. — O que é?

— Ah! tenho vergonha...

— Vergonha de quê?

— Eduardo não me ama!

— Ah!

— Não me ama, porque ama a outra.

— Quem?

— Sara, aquela que cantou ontem, ao pé de mim, e que a todos comoveu. Ambas nos confessamos.

Maria Luísa repetiu tudo quanto acontecera no baile. A pobre mãe estava comovida, triste, desesperada, ouvindo a narração que Maria Luísa lhe fazia entre lágrimas de desespero e de dor.

Mas, que podia fazer a mãe da pobre moça? Uma só coisa: dar-lhe uma consolação maternal e auxiliá-la em esquecer o ingrato. Quando veio a carta de Eduardo achou ela que devia responder, sobretudo porque nos termos da carta parecia estar provada a inocência de Eduardo. Maria Luísa foi inflexível; disse que não se devia dar resposta alguma. Ah! é que naquele coração, ao lado de um grande amor e de um grande desespero, havia um grande orgulho!

Quanto a Sara, eis o que passara. Não temos necessidade de ir até a casa de Almeida; o tio Silvério nos instruirá de tudo.

Um dia, de tarde, justamente quinze dias depois do baile, Eduardo estava à janela de sua casa quando viu passar o tio de Sara.

Chamou-o e fê-lo subir, apesar dos protestos de ir apressado.

— Ora tinha que ver! — disse Eduardo indo receber Silvério. — Não vê que o deixava passar sem dar dois dedos de conversa!...

— Mas é que tenho pressa.

— Qual pressa! Sente-se um pouco. Em descansando, ganha novas forças, e ei-lo que aí vai mais lesto ao seu destino.

— Vou para casa — disse Silvério aceitando a cadeira que Eduardo lhe oferecia, e fazendo uma careta à parte como homem contrariado.

— Toda a família está boa?

— Está.

— É o que se quer. Vai então tudo bem?...

— Tudo, não é exato...

— Pois há alguém doente?

— Há.

— Quem é?

— Minha sobrinha...

— Deveras?

— É verdade.

— Que doença?

— Eu sei! Adoeceu no dia seguinte ao do baile; veio um médico e a primeira coisa que fez foi obrigá-la a conservar-se de cama.

— Depois?

— Depois, examinou-a e deu não sei que nome à moléstia, mas afirmou que não era aquela a principal.

— Então há outra?

— Há.

— Qual é?

— Diz o médico que é uma doença moral. Lá levaram tempo imenso a consultá-la. Ela nada disse, isto é, não sei; não sei; não sei; só sei que aquilo é a nossa desgraça, porque, se ela nos morre, é como se nos fosse a vida, a alegria da casa... Adeus, senhor Eduardo, não posso demorar.

Eduardo ouvira estas palavras com certa comoção. Quando Silvério se levantou e se preparava para sair, Eduardo balbuciou algumas palavras. Era um anjo que o inspirava; ia talvez sanar tudo com uma promessa.

Em um instante viu ele que se constituía o remédio supremo para a enfermidade moral de Sara. Mas, enfim, o ente *gredin*, que, como diz A. Karr, todo o homem tem em si, desfez a obra do ente honesto, Eduardo estendeu a mão a Silvério e pediu que o recomendasse à família.

Silvério desceu cabisbaixo e triste as escadas da casa de Eduardo. Quando se viu só, Eduardo refletiu na situação em que se achava. Das duas mulheres que ele requestara tão seriamente e cujas esperanças honestas alimentara com tanta perseverança, uma tinha morta a alma, a outra tinha morta a alma e o corpo. Em seu coração, travou-se uma grande luta, entre o remorso e a vaidade. O dever dizia-lhe que *reparasse o maior mal, se* não podia reparar todos os males, mas um sentimento de amor-próprio, vão, cruel, imoral, retinha-lhe os sentimentos bons e os impulsos generosos.

Nesta luta, esteve toda a noite. Quis dormir, não pôde; mal fechava os olhos surgia-lhe o espectro de Sara pedindo contas do coração que iludira e da vida que estrangulara.

Enfim, sobre a madrugada pôde conciliar o sono. Eram nove horas, quando se levantou. Quem olhasse para ele, daí a meia hora, reconheceria que o sentimento do dever triunfara, ao menos momentaneamente.

Eduardo vestiu-se e saiu. Tomou um tílburi e dirigiu-se para a ponte das barcas.

Destinava-se a São Domingos. Ia decidido a falar à moça, mesmo à custa do seu amor-próprio.

A demora do vapor o contrariou. Tardava-lhe ver-se junto do leito da agonizante para dizer-lhe:

— Vive!

Ora, a agonizante estava realmente agonizante.

Mas quem a visse não suporia que a morte se avizinhava tanto dela. Tinha o rosto e os olhos serenos. Sorria mesmo ao pai, ao irmão e ao tio, mas com o sorriso de quem entrevê as glórias eternas e já as compara às glórias perecíveis desta vida.

O cortinado branco do leito parecia que amparava da luz um ente que chegava ao mundo e não um ente que se ia dele, desgostoso e desiludido.

Em uma pequena mesa ao pé da cama havia um copo d'água, uma cruz de ouro, a do baile, e uma rosa branca seca. Esta rosa era a que Eduardo dera a Sara em troca de outra à porta do jardim. Sara, de tempos em tempos, voltava os olhos para a flor, ficava muda e entrava a contemplá-la. Nessas ocasiões, o pai da doente procurava distraí-la com algum outro objeto, temendo que na contemplação da flor se lhe avivassem as lembranças do amor que a matava.

Foi em uma dessas ocasiões que Almeida se lembrou de uma notícia e disse a Sara:

— Minha filha, vais ter uma visita.

— Quem é?

— Adivinha...

— Não sei — disse Sara sorrindo.

— Dona Maria Luísa.

Este nome fez estremecer Sara. O pai dava-lhe maior sofrimento procurando tirar-lhe outro menor. Com efeito, a flor lembrava a Sara o tempo feliz dos seus amores; o nome de Maria Luísa lembrava-lhe a traição de Eduardo. Reconhecendo o que fizera, Almeida procurou diminuir o efeito.

— Verás como ela soube resignar-se... Espero que o exemplo te sirva, e que das suas palavras colhas uma lição e um conforto, e finalmente que vivas... Ouviste? que vivas!

Sara sorriu-se.

Houve um silêncio.

Depois, passando a mão pela cabeça, pediu água.

Deram-lha.

— Estás melhor, não, Sara? — perguntou Almeida. — Olha, é preciso, é preciso; fazes anos amanhã. Quero que presidas à mesa... sim?

— Estou melhor, estou, meu pai. Mas, diga-me, como sabe da visita de Maria Luísa?

— Passei ontem lá e subi. Não sabia ainda que estavas doente. Quando lho disse, ficou muito pesarosa. Depois, disse-me que viria cá fazer-te uma visita.

O resto do dia passou-se sem novidade. Sara não saía daquela serenidade, mas realmente não era para a vida, era para a morte que caminhava.

Enfim, no dia seguinte, isto é, no dia em que Eduardo resolvera ir salvar a moça, aparecem, à porta de Almeida, Maria Luísa com sua mãe.

Sara recebeu a sua rival, ou antes a sua co-mártir, como se fora uma irmã querida, por quem se espera para morrer. Maria Luísa chorou muito; e, por uma inversão dolorosa dos papéis, era Sara quem consolava a viúva.

— Mas é por ti que eu choro, meu anjo! — dizia Maria Luísa.

— Por mim?

— Sim, por ti, que não tens coragem, que te quebraste ao primeiro embate da vida...

— Não digas isso... Eu estou boa... Nada tenho... Sofri, é certo; mas passou... Olha, faço hoje anos... Hás de jantar comigo... Vou levantar-me logo... Verás... Verás... Senta-te...

Maria Luísa olhou com olhos rasos de lágrimas para a pobre moça.

— Ainda bem, minha filha — disse Almeida procurando sorrir —, ainda bem que te mostras assim. Isso é que eu quero. Não te importes com os males da vida; todos sofrem; mas faze como fazem muitos: fica sobranceira a tudo.

— Dezessete anos! — murmurava a viúva. — É a aurora da vida...

As duas conversaram largamente. A mãe de Maria Luísa e o pai de Sara deixaram o quarto; as duas podiam folgadamente falar do que as tornara infelizes. Era assim mais fácil a Maria Luísa inspirar a Sara os sentimentos de coragem e sobranceria a que ela própria devera não ter sucumbido. Chegou mesmo a aventurar uma ideia de vingança como satisfação do coração ofendido.

Mas aqueles dois corações, que concordavam em um ponto, não se entendiam naquele.

Sara não era feita para resistir a uma comoção como a que a prostrara. Ouvia sorrindo Maria Luísa, mas abanava a cabeça a tudo. E quando a viúva, para decidi-la mais, lembrava-lhe que poderia sucumbir deveras, Sara respondia que estava perfeitamente boa e não podia inspirar cuidados a ninguém. Esta resistência aos que a chamavam à vida comovia ainda mais. Só havia um meio, talvez, de salvar Sara: era a presença e o amor de Eduardo.

Esta ideia passou rápida pelo espírito de Maria Luísa. A nobre mulher não discutiu consigo nem o ato, nem as consequências, nem o seu coração. Adotou o pensamento como se fora inspiração do céu.

Maria Luísa amava realmente Eduardo. Desiludida, sofreu muito, e só deveu ao orgulho e à energia do seu coração não ter, como Sara, sucumbido ao desespero. Mas os grandes sentimentos do seu coração não eram só o do amor e o do ciúme. O ato que ia praticar era de uma alma nobre, educada no culto do dever e do sacrifício. Naquele instante, ela via diante de si uma pobre menina que sofria, e morria por aquele mesmo que a fizera sofrer. Compreendia bem a medida desse sofrimento. A viúva procurou sondar o espírito da enferma:

— Ora, dize-me, se visses Eduardo, o que farias?
— Se o visse? É impossível.
— Impossível, por quê?
— É impossível.
— Ora, não digas isso. Mas se o visses, se ele viesse agora, hoje, e te dissesse: Vive?
— Não vem e não diz...
— Por quê?
— Porque não me ama.
— Quem sabe?
— Oh! Nem me ama, nem te ama.
— Só por isso?
— E também porque nós o amamos.
— Eu não.
— Não?
— Não.

A moça abanou a cabeça murmurando: inútil.
Maria Luísa procurou meio de escrever a Eduardo; e conseguiu traçar à pressa, em um quarto de papel, as seguintes palavras:

> Quer o perdão que me pede? Sara está às portas da morte; venha, diga-lhe que a ama, peça-a e case daqui a um mês. Está perdoado.
>
> MARIA LUÍSA

O portador que levou este bilhete encontrou Eduardo na ponte das barcas da corte.

Eduardo, ao ler o bilhete da viúva, sentiu-se humilhado. Enganara duas mulheres; uma morria de pesar, outra pedia-lhe que a salvasse, sacrificando-se; entre aquelas nobres almas, a alma de Eduardo sentia-se abatida. Não se deteve mais; tomou a barca, que partiu dali a cinco minutos.

Logo depois de partir o portador do bilhete, entrou o médico na casa da doente. Achou-a muito pior, e disse-o francamente à família.

Que fazer? Tudo o que foi preciso, fez-se. Maria Luísa, ajoelhada diante de um oratório, pedia a Deus duas coisas: que prolongasse a vida de Sara por algumas horas e apressasse a chegada de Eduardo.

Foi inútil. Sobreveio uma crise à enferma, e após a crise o médico desesperou.

Entretanto, Sara, com o sorriso nos lábios e o olhar sereno, dizia alguma palavra em voz já muito fraca, mas com a segurança de quem está certa de ir para uma morada melhor.

Maria Luísa pedia-lhe que vivesse; dizia-lhe que Eduardo não tardaria; o pai a um canto não tinha forças para ver, para pedir, nem chorar; estava atônito.

— Não — dizia ela —, ele não vem. E que venha, sei que não me ama, e sem me amar não o quero.

O médico fez vir o sacerdote.

Quando este chegou, Sara, com os olhos fitos, como que vendo já abrir-se-lhe o céu, pediu a Maria Luísa que lhe desse a rosa seca que estava sobre a mesa.

Maria Luísa deu-lha.

— Desejo esta flor, porque me lembra o amor que eu supunha ter achado; é o homem de ontem que eu choro! é por ele que morro; o de hoje não é senão a sepultura do de outrora, que morreu.

Houve um silêncio.

Almeida chegou-se à filha, a fim de prepará-la para a confissão.

Sara estremeceu.

Depois, voltando-se para Almeida, disse:

— Meu pai, abençoe-me. E tu também minha irmã.

Depois, estava no céu.

VIII

Meia hora depois entrava Eduardo à porta de Almeida. Viu tudo fechado; correu-lhe um calafrio por todo o corpo. Será tarde? perguntava ele. Vacilou; entraria ou não? Se entrasse e achasse tudo perdido? Enfim, fazendo um esforço, Eduardo passou o portão que se achava perto. Atravessou a alameda das roseiras, onde pela primeira vez falara de amor à pobre Sara. O remorso começou então a aguilhoá-lo. Aquele silêncio, aquele ar fúnebre, que a casa e o jardim respiravam, incutiam-lhe certo terror. Chegou à porta e bateu.

Veio abri-la o pai de Sara.

— Sara? — perguntou ele.

— Sara morreu!

O moço tornou-se lívido. Sentiu uma vertigem; os olhos se lhe escureceram, ia cair. Segurou-se a uma cadeira.

O pai de Sara olhava fixo para Eduardo. Este não podia suportar-lhe o olhar, e baixava os olhos. Naquele momento, o pai de Sara era o remorso vivo.

Depois de um pequeno silêncio, Almeida falou:

— Era inútil tê-la salvado do mar há quatro meses, para matá-la agora. Se tal devia ser o desenlace destas coisas, melhor fora que a minha pobre filha tivesse sucumbido à primeira vez; iria assim para o outro mundo sem conhecer as misérias deste...

— Oh! basta! — interrompeu Eduardo. — Sei quanto sou culpado, não aumente a minha angústia com as suas exprobrações, aliás justas.

O velho sorriu-se tristemente, como quem ouvia duvidoso as palavras do outro.

Depois:

— Vem dar-me os pêsames, não é? — continuou ele —; muito obrigado.

E foi sentar-se no sofá, derramando silenciosas lágrimas.

Eduardo esteve alguns momentos contemplando aquela dor muda e respeitável. Depois, dirigiu os olhos para a porta do quarto mortuário. Ouviu que partiam de dentro soluços abafados. Dirigiu-se para a porta.

Maria Luísa ajoelhada aos pés da cama, contemplava, chorando, o cadáver de Sara. A morta parecia sorrir ainda: dissera-se que sonhava um sonho cor-de-rosa.

Eduardo sentiu rebentarem-lhe dos olhos as lágrimas. Ajoelhou-se silenciosamente ao pé da porta e olhou para Maria Luísa.

Não lhe viu o rosto, mas conheceu-a.

Durou muitos minutos esta cena muda. Finalmente, Eduardo levantou-se e dirigiu-se para o leito da finada. Aí, com os olhos rasos de lágrimas, disse para o cadáver:

— Perdoa-me! Adeus!

E saiu da casa, louco, desesperado.

IX

Eduardo andou muitas horas sem saber de si. Acompanhava-o o espectro de Sara. Ouvia-lhe as palavras; parecia vê-la morrer, esperando embalde por ele.

De um triste jogo, em que a sua vaidade entrara por muito, resultaram tão funestas consequências. Sua dor era sincera; seu terror verdadeiro. Até ali, de seus caprichos dom-juanescos só resultaram, quando muito, desgostos passageiros que o tempo ou outras circunstâncias atenuavam e faziam desaparecer. Mas no dia em que se deitara a amar deveras, ou antes, no dia em que desejou amar, as vítimas do seu capricho sucumbiram. Via-se autor de uma morte; e os espíritos da ordem de Eduardo podem cometer todas as ações covardes, mas não resistem a um espetáculo destes. Fazer perder-se uma donzela ou separar um casal, é uma façanha mais ou menos celebrada, mais ou menos aceita; mas impelir para a sepultura um ente a quem se enganou, eis o que faz estremecer os audazes. Eduardo, preso de remorso, apreciava toda a extensão do abismo em que caíra.

Os sentimentos vivos da dor e do remorso, as ideias tumultuárias e cruéis, encheram por longo tempo o espírito e o coração de Eduardo. Ora parecia-lhe dever fugir à vida e ir alcançar a donzela no caminho da eternidade, para pedir-lhe perdão. Ora julgava que devia ficar neste mundo, para purgar em longo sofrimento o crime que cometera.

Nesta incerteza, neste suplício moral, andou até que se achou diante do mar. Sentou-se pensativo em uma pedra. Era quase noite. Muita gente que o viu supô-lo doido.

Estava ali, havia já alguns longos minutos, quando um homem parou e procurou descobrir-lhe as feições. Eduardo tinha o rosto fechado nas mãos. Depois de alguns instantes o homem exclamou:

— Eduardo!

— Que é? — disse o moço, estremecendo.

Voltou e reconheceu o interlocutor:

— Pedro Elói!

Eduardo caiu-lhe nos braços.

Depois de alguns momentos, Pedro Elói perguntou:

— Que há?

— Sara morreu!

— A donzela?

— Sim!

— Desgraçado! É obra tua!

— Ah! não aumentes a minha dor e o meu terror; bem sei o que fiz; vejo a enormidade do meu crime.

E o moço derramava sinceras lágrimas.

Pedro Elói continuou:

— Se tivesses atendido aos meus conselhos, tinhas poupado este desgosto e este remorso. Bem te dizia eu que não iriam a bons resultados as tuas paixões simuladas. Não quiseste crer, ou antes a tua vaidade recusou-se a crer. Enfim, vê se eu tinha razão!

Houve um silêncio entre ambos.

— Está acabado tudo; agora só resta uma coisa; é seres o carrasco de ti mesmo, como aquele pai do teatro latino. Eia! se alguma coisa pode agora levantar-te aos olhos do mundo e aos teus é a volta aos deveres morais. Sirva-te a morte de Sara, tua vítima, como ponto de partida para a tua regeneração.

E dizendo isto, Pedro Elói arrastou Eduardo.

Pedro Elói, recebendo em Petrópolis a carta de Eduardo, receou pelos resultados dos acontecimentos narrados nesta carta. Logo que pôde pôs-se a caminho para ver se ainda podia fazer alguma coisa. Chegando à cidade foi procurar Eduardo; disseram-lhe que partira para São Domingos.

Como saberia ele a casa de Sara? Ninguém podia dizer-lhe em casa de Eduardo. Apesar de tudo, tomou o caminho da barca de São Domingos e dirigiu-se para lá. Foi quando encontrou Eduardo.

No sétimo dia ao da morte de Sara, Pedro Elói conseguiu levar Eduardo para Petrópolis. Eduardo não quis deixar de ir orar pela vítima, a um canto da igreja, na missa do sétimo dia. Todos viram o moço ajoelhado, com o resto coberto; foi o primeiro que entrou e o último que saiu.

X

A obra de Pedro Elói teve feliz resultado. Eduardo converteu-se ao dever, depois de um longo suplício.

Maria Luísa, cuja alma também morrera, refugiou-se no mais completo isolamento.

Quanto à família de Sara, nunca mais teve um momento das alegrias puras que a presença da querida menina lhe dava.

Eduardo, inteiramente outro do homem que fora antes, pôde desligar-se da companhia do amigo Pedro Elói sem perigo para si.

De oito em oito dias fazia uma peregrinação ao cemitério de Maruí, onde repousavam os restos daquela que o amara até a morte.

Impôs-se esta visita, não só como dever, mas até para ter sempre à memória a tragédia doméstica em que fora protagonista.

De quando em quando, os dois amigos visitavam-se, mas comunicavam-se sempre por cartas, em que um mostrava toda a sua satisfação em ter convertido um homem e o outro a maior saudade do bem que pudera ter e a esperança de que a sua conversão teria em paga na eternidade a vista eterna da alma bem-aventurada de Sara.

CONCLUSÃO

Depois de contar esta história, o leitor e eu tomamos a nossa última gota de chá ou café, e deitamos ao ar a nossa última fumaça do charuto.

Vem rompendo a aurora e esta vista desfaz as ideias, porventura melancólicas, que a minha narrativa tenha feito nascer.

Jornal das Famílias, dezembro de 1864; Machado de Assis.

Cinco mulheres

Aqui vai um grupo de cinco mulheres, diferentes entre si, partindo de diversos pontos, mas reunidas na mesma coleção, como em um álbum de fotografias.

Desenhei-as rapidamente, conforme apareciam, sem intenção de precedência, nem cuidado de escolha.

Cada uma delas forma um esboço à parte; mas todas podem ser examinadas entre o charuto e o café.

I
MARCELINA

Marcelina era uma criatura débil como uma haste de flor; dissera-se que a vida lhe fugia em cada palavra que lhe saía dos lábios rosados e finos. Tinha um olhar lânguido como os últimos raios do dia. A cabeça, mais angélica do que feminina, aspirava ao céu. Quinze anos contava, como Julieta. Como Ofélia, parecia que estava destinada a colher a um tempo as flores da terra e as flores da morte.

De todas as irmãs — eram cinco —, era Marcelina a única a quem a natureza tinha dado tão pouca vida. Todas as mais pareciam ter seiva de sobra. Eram mulheres altas e reforçadas, de olhos vivos e cheios de fogo. Alfenim era o nome que davam a Marcelina. Ninguém a convidava para as fadigas de um baile ou para os grandes passeios. A boa menina fraqueava depois de uma valsa ou no fim de cinquenta passos do caminho.

Era ela a mais querida dos pais. Tinha na sua fragilidade a razão da preferência. Um instinto secreto dizia aos velhos que ela não havia de viver muito; e como que para desforrá-la do amor que havia de perder, eles a amavam mais do que às outras filhas. Era ela a mais moça, circunstância que acrescia àquela, porque ordinariamente os pais amam o último filho mais do que os primeiros, sem que os primeiros pereçam inteiramente no seu coração.

Marcelina tocava piano perfeitamente. Era a sua distração habitual; tinha o gosto da música no mais apurado grau. Conhecia os compositores mais estimados, Mozart, Weber, Beethoven, Palestrina. Quando se assentava ao piano para executar as obras dos seus favoritos, nenhum prazer da terra a tiraria dali.

Chegara à idade em que o coração da mulher começa a interrogá-la secretamente; mas ninguém conhecia um sentimento só de amor no coração de Marcelina. Talvez não fosse a hora, mas todos que a viam acreditavam que ela não pudesse amar na terra, tão do céu parecia ser aquela delicada criatura.

Um poeta de vinte anos, virgem ainda nas suas ilusões, teria encontrado nela o mais puro ideal dos seus sonhos; mas nenhum havia na roda que frequentava a casa da moça. Os homens que lá iam preferiam a tagarelice insossa e incessante das irmãs à compleição frágil e a recatada modéstia de Marcelina.

A mais velha das irmãs tinha um namorado. As outras sabiam do namoro e o protegiam na medida dos seus recursos. Do namoro ao casamento pouco tempo mediou, apenas um mês. O casamento foi fixado para um dia de junho. O namorado era um belo rapaz de vinte e seis anos, alto, moreno, de olhos e cabelos pretos.

Chamava-se Júlio.

No dia seguinte em que se anunciou o casamento de Júlio, Marcelina não se levantou da cama. Era uma ligeira febre que cedeu no fim de dois dias aos esforços de um velho médico, amigo do pai. Mas, ainda assim, a mãe de Marcelina chorou amargamente, e não dormiu uma hora. Nunca houve crise séria na moléstia da filha, mas o simples fato da moléstia bastou para que a boa mãe perdesse a cabeça. Quando a viu de pé regou de lágrimas os pés de uma imagem da Virgem, que era a sua devoção particular.

Entretanto seguiam os preparativos do casamento. Devia efetuar-se dali a quinze dias. Júlio estava radiante de alegria, e não perdia ocasião de comunicar a todos o estado em que se achava. Marcelina ouvia-o com tristeza; dizia-lhe duas palavras de cumprimento e desviava a conversa daquele assunto, que lhe parecia penoso. Ninguém reparava, menos o médico, que um dia, em que ela se achava ao piano, disse-lhe com ar pesaroso:

— Menina, isso faz-lhe mal.

— Isso quê?

— Sufoque o que sente, esqueça um sonho impossível e não vá adoecer por um sentimento sem esperança.

Marcelina cravou os olhos nas teclas do piano e levantou-se a chorar.

O doutor saiu mais pesaroso do que estava.

— Está morta — dizia ele descendo as escadas.

O dia do casamento chegou. Foi uma alegria na casa, mesmo para Marcelina, que cobria a irmã de beijos; aos olhos de todos era a afeição fraternal que se manifestava assim num dia de júbilo para a irmã; mas a um olhar experimentado não escaparia a tristeza escondida debaixo daquelas demonstrações tão fervorosas.

Isto não é um romance, nem um conto, nem um episódio; — não me ocuparei, portanto, com os acontecimentos dia por dia. Um mês se passou depois do casamento de Júlio com a irmã de Marcelina. Era o dia marcado para o jantar comemorativo em casa de Júlio. Marcelina foi com repugnância, mas era preciso; simular uma doença era impedir a festa; a boa menina não quis. Foi.

Mas quem pode responder pelo futuro? Marcelina, duas horas depois de estar em casa da irmã, teve uma vertigem. Foi levada para um sofá, mas tornada a si achou-se doente. Foi transportada para casa. Toda a família a acompanhou. A festa não teve lugar.

Declarou-se uma nova febre.

O médico, que sabia o fundo da doença de Marcelina, procurou curar-lhe a um tempo o corpo e o coração. Os remédios do corpo pouco faziam, porque o coração era o mais doente. O médico quando empregava uma dose no corpo, empregava duas no coração. Eram os conselhos brandos, as palavras persuasivas, as carícias quase fraternais. A moça respondia a tudo com um sorriso triste — era a única resposta.

Quando o velho médico lhe dizia:

— Menina, esse amor é impossível...

Ela respondia:

— Que amor?

— Esse: o de seu cunhado.

— Está sonhando, doutor. Eu não amo ninguém.

— É debalde que procura ocultar.

Um dia, como ela insistisse em negar, o doutor ameaçou-a sorrindo que ia contar tudo à mãe.

A moça empalideceu mais do que estava.

— Não — disse ela —, não diga nada.

— Então, é verdade?

A moça não ousou responder: fez um leve sinal com a cabeça.

— Mas não vê que é impossível? — perguntou o doutor.

— Sei.

— Então por que pensar nisso?

— Não penso.

— Pensa. É por isso que está tão doente...

— Não creia, doutor; estou doente porque Deus o quer; talvez fique boa, talvez não; é indiferente para mim; só Deus é quem manda estas coisas.

— Mas sua mãe?...

— Ela irá ter comigo, se eu morrer.

O médico voltou a cabeça para o lado de uma janela que se achava meio aberta.

Esta conversa reproduziu-se muitas vezes, sempre com o mesmo resultado. Marcelina definhava a olhos vistos. No fim de alguns dias o médico declarou que era impossível salvá-la.

A família ficou desolada com esta notícia.

Júlio ia visitar Marcelina com sua mulher; nessas ocasiões Marcelina sentia-se elevada a uma esfera de bem-aventurança. Vivia da voz de Júlio. As faces se lhe coloriam e os olhos readquiriam um brilho celeste.

Depois voltava ao seu estado habitual.

Mais de uma vez quis o médico declarar à família qual era a verdadeira causa da moléstia de Marcelina; mas que ganharia com isso? Não viria daí o remédio, e a boa menina ficaria do mesmo modo.

A mãe, desesperada com aquele estado de coisas, imaginou todos os meios de salvar a filha; lembrou a mudança de ares, mas a pobre Marcelina raras vezes deixava de arder em febre.

Um dia, era um domingo de julho, a menina declarou que desejava comunicar alguma coisa ao doutor.

Todos os deixaram a sós.

— Que quer? — perguntou o médico.

— Sei que é nosso amigo, e sobretudo meu amigo. Sei quanto sente a minha doença, e como lhe dói que eu não possa ficar boa...

— Há de ficar, não fale assim...

— Qual doutor! eu sei o que sinto! Se lhe quero falar é para dizer-lhe uma coisa. Quando eu morrer não diga a ninguém qual foi o motivo da minha morte.

— Não fale assim... — interrompeu o velho levando o lenço aos olhos.

— Di-lo-á somente a uma pessoa — continuou Marcelina —; é a minha mãe. Essa sim, coitada, que tanto me ama e que vai ter a dor de me perder! Quando lhe disser, entregue-lhe então este papel.

Marcelina tirou debaixo do travesseiro uma folha de papel dobrada em quatro, e atada por uma fita roxa.

— Escreveu isto? Quando? — perguntou o médico.

— Antes de adoecer.

O velho tomou o papel das mãos da doente e guardou-o no seu bolso.

— Mas, venha cá — disse ele —, que ideias são essas de morrer? Tão moça! Começa apenas a viver; outros corações podem ainda receber os seus afetos; para que quer tão cedo deixar o mundo? Pode ainda encontrar nele uma felicidade digna da sua alma e dos seus sentimentos... Olhe cá, ficando boa iremos todos para fora. A menina gosta da roça. Pois toda a família irá para a roça...

— Basta, doutor! É inútil.

Daí em diante Marcelina pouco falou.

No dia seguinte à tarde Júlio e a mulher vieram visitá-la. Marcelina achava-se pior. Toda a família estava ao pé da cama. A mãe debruçada à cabeça chorava silenciosamente.

Quando veio a noite fechada, declarou-se a crise da morte. Houve então uma explosão de soluços; porém a menina, serena e calma, a todos procurava consolar dando-lhes a esperança de que iria orar por todos no céu.

Quis ver o piano em que tocava; mas era difícil satisfazer-lhe o desejo e ela facilmente se convenceu. Não desistiu porém de ver as músicas; quando elas lhas deram distribuiu-as pelas irmãs.

— Quanto a mim vou tocar outras músicas no céu.

Pediu algumas flores secas que tinha numa gaveta, e distribuiu-as igualmente pelas pessoas presentes.

Às oito horas expirou.

Um mês depois o velho médico, fiel à promessa que fizera à moribunda, pediu uma conferência particular à infeliz mãe.

— Sabe de que morreu Marcelina? — perguntou ele —; não foi de uma febre, foi de um amor.

— Ah!

— É verdade.

— Quem era?

— A pobre menina pôs a sua felicidade num desejo impossível; mas não se revoltou contra a sorte; resignou-se e morreu.

— Quem era? — perguntou a mãe.

— Seu genro.

— É possível? — disse a pobre mãe dando um grito.

— É verdade. Eu o descobri, e ela mo confessou. Sabe como eu era amigo dela; fiz tudo quanto pude para desviá-la de semelhante pensamento; mas tinha chegado tarde. A sentença estava lavrada; ela devia amar, adoecer e subir ao céu. Que amor, e que destino!

O velho tinha os olhos rasos de lágrimas; a mãe de Marcelina chorava e soluçava que cortava o coração. Quando ela pôde ficar um pouco calma, o médico continuou:

— A entrevista que ela me pediu nos seus últimos dias foi para dar-me um papel, disse-me então que lho entregasse depois da morte. Aqui o tem.

O médico tirou do bolso o papel que recebera de Marcelina e lho entregou intacto.

— Leia-o, doutor. O segredo é nosso.

O doutor leu em voz alta e com voz trêmula:

> Devo morrer deste amor. Sinto que é o primeiro e o último. Podia ser a minha vida e é a minha morte. Por quê? Deus o quer.
>
> Não viu *ele* nunca que era eu a quem devia amar. Não lhe dizia acaso um secreto instinto que eu carecia dele para ser feliz? Cego! foi procurar o amor de outra, tão sincero como o meu, mas nunca tão grande e tão elevado! Deus o faça feliz!
>
> Escrevi um pensamento mau. Por que me hei de revoltar contra minha irmã? Não pode ela sentir o que eu sinto? Se eu sofro por não ter a felicidade de possuí-lo não sofreria ela, se ele fosse meu? Querer a minha felicidade à custa dela, é um sentimento mau que mamãe nunca me ensinou. Que ela seja feliz e sofra eu a minha sorte.
>
> Talvez eu possa viver; e nesse caso, ó minha Virgem da Conceição, eu só te peço que me dês a força necessária para ser feliz só com a vista dele, embora ele me seja indiferente.
>
> Se mamãe soubesse disto talvez ralhasse comigo, mas eu acho que...

O papel achava-se interrompido neste ponto.

O médico acabou estas linhas banhado em lágrimas. A mãe chorava igualmente. O segredo confiado aos dois morreu com ambos.

Mas um dia, tendo morrido a velha mãe de Marcelina, e procedendo-se ao inventário, foi achado o papel pelo cunhado de Marcelina... Júlio conheceu então a causa da morte da cunhada. Lançou os olhos para um espelho, procurando nas suas feições um raio da simpatia que inspirara a Marcelina, e exclamou:

— Pobre menina!

Acendeu um charuto e foi ao teatro.

II
ANTÔNIA

A história conhece um tipo da dissimulação, que resume todos os outros, como a mais alta expressão de todos: — é Tibério. Mas nem esse chegaria a vencer a dissimulação dos Tibérios femininos, armados de olhos e sorrisos capazes de frustrar os planos mais bem combinados e enfraquecer as vontades mais resolutas.

Antônia era uma mulher assim.

Quando eu a conheci era ela casada de doze meses. O marido tinha nela a mais plena confiança. Amavam-se ambos com o amor mais ardente e apaixonado que ainda houve. Era uma alma só em dois corpos. Se ele demorava fora de casa, Antônia não só velava todo o tempo, como desfazia-se em lágrimas de saudades e de dor. Apenas ele chegava, não havia o desenlace comum das recriminações estéreis; Antônia lançava-se-lhe aos braços e tudo voltava em bem.

Onde um não ia, não ia o outro. Para quê, se a felicidade deles residia em estarem juntos, viverem dos olhos um do outro, fora do mundo e dos seus vãos prazeres?

Assim ligadas estas duas criaturas davam ao mundo o doce espetáculo de uma união perfeita. Eram o enlevo das famílias e o desespero dos mal casados.

Antônia era bela; tinha vinte e seis anos. Estava no pleno desenvolvimento de uma dessas belezas robustas e destinadas a resistir à ação do tempo. Oliveira, seu marido, era o que se podia chamar um Apolo. Via-se que aquela mulher devia amar aquele homem e aquele homem devia amar aquela mulher.

Frequentavam a casa de Oliveira alguns amigos, uns da infância, outros de data recente, alguns de menos de um ano, isto é, da data do casamento de Oliveira. A amizade é o melhor pretexto, até hoje inventado, para que um indivíduo pretenda tomar parte na felicidade de outro. Os amigos de Oliveira, que não primavam pela originalidade dos costumes, não ficaram isentos de encantos que a beleza de Antônia produzia em todos. Uns, menos corajosos, desanimaram diante do extremoso amor que ligava o casal; mas um houve, menos tímido, que assentou de si para si tomar lugar à mesa da ventura doméstica do amigo.

Era um tal Moura.

Não sei dos primeiros passos de Moura; nem das esperanças que ele pôde ir concebendo à proporção que corria o tempo. Um dia, porém, a notícia de que entre Moura e Antônia havia um laço de simpatia amorosa surpreendeu a todos.

Antônia era até então o símbolo do amor e da felicidade conjugal. Que demônio lhe soprara ao ouvido tão negra resolução de iludir a confiança e o amor do marido? Uns duvidaram, outros se irritaram, alguns esfregaram as mãos de contentes, animados pela ideia de que o primeiro erro devia ser uma arma e um incentivo para os erros futuros.

Desde que a notícia, contada à meia voz, e com a mais perfeita discrição, correu de boca em boca, todas as atenções voltaram-se para Antônia e Moura. Um olhar, um gesto, um suspiro, escapam aos mais dissimulados; os olhos mais experimentados viram logo a veracidade dos boatos; se os dois se não amavam, estavam perto do amor.

Deve-se acrescentar que ao pé de Oliveira, Moura fazia o papel de deus Pã ao pé do deus Febo. Era uma figura vulgar, às vezes ridículo, sem nada que pudesse legitimar a paixão de uma mulher bela e altiva. Mas assim aconteceu, a grande aprazimento da sombra de La Bruyère.

Uma noite uma família da amizade de Oliveira foi convidá-la para irem ao teatro Lírico. Antônia mostrou grande desejo de ir. Cantava então não sei que celebridade italiana.

Oliveira, por doente ou por enfado, não quis ir. As instâncias da família que os convidara foram inúteis; Oliveira teimou em ficar.

Oliveira insistia em ficar, Antônia em ir. Depois de muito tempo o mais que se conseguiu foi que Antônia fosse em companhia das amigas, que a trariam depois para casa.

Oliveira ficaria em companhia de um amigo.

Mas, antes de saírem todos, Antônia insistiu de novo com o marido para que fosse.

— Mas se eu não quero ir? — dizia ele. — Vai tu, eu ficarei, conversando com ***.

— É que se tu não fores — disse Antônia — o espetáculo não vale nada para mim. Anda!

— Vai, querida, eu irei em outra ocasião.

— Pois não vou!

E sentou-se disposta a não ir ao teatro.

As amigas exclamaram em coro:

— Como é isso: não ir? Que maçada! Era o que faltava! anda, anda!
— Vai, sim — disse Oliveira. — Então por que eu não vou, não te queres divertir?

Antônia levantou-se:
— Está bem — disse ela —, irei.
— De que número é o camarote? — perguntou bruscamente Oliveira.
— Vinte, segunda ordem — disseram as amigas de Antônia.

Antônia empalideceu ligeiramente.
— Então, irás depois, não é? — disse ela.
— Não, decididamente, não.
— Dize se vais.
— Não, fico, é decidido.

Saíram para o teatro Lírico.
Sob pretexto de que desejava ir ver a celebridade tomei o chapéu e fui ao teatro Lírico.

Moura estava lá!

III
CAROLINA

— Pois quê! vais casar-te?
— É verdade.
— Com o Mendonça?
— Com o Mendonça.
— Isso é impossível! Tu, Carolina, tu formosa e moça, mulher de um homem como aquele, sem nada que possa inspirar amor? Ama-o acaso?
— Hei de estimá-lo.
— Não o amas, já vejo.
— É meu dever. Que queres, Lúcia? Meu pai assim o quer, devo obedecer-lhe. Pobre pai! ele cuida fazer a minha felicidade. A fortuna de Mendonça parece-lhe uma garantia de paz e de ventura da minha vida. Como se engana!
— Mas não deves consentir nisso... Vou falar-lhe.
— É inútil, nem eu quero.
— Mas então...
— Olha, há talvez outra razão: creio que meu pai deve favores ao Mendonça; este apaixonou-se por mim, pediu-me; meu pai não teve ânimo de recusar-me.
— Pobre amiga!

Sem conhecer ainda as nossas heroínas, já o leitor começa a lamentar a sorte da futura mulher de Mendonça. É mais uma vítima, dirá o leitor, imolada ao capricho ou à necessidade. Assim é. Carolina devia casar-se daí a alguns dias com Mendonça, e era isso o que lamentava a amiga Lúcia.

— Pobre Carolina!
— Boa Lúcia!

Carolina é uma moça de vinte anos, alta, formosa, refeita. Era uma dessas belezas que seduzem os olhos lascivos, e já por aqui ficam os leitores sabendo que Mendonça é um desses, com a circunstância agravante de ter meios com que lisonjear os seus caprichos.

Bem vejo como me poderia levar longe este último ponto da minha história; mas eu desisto de fazer agora uma sátira contra o vil metal (por que metal?); e bem assim não me dou ao trabalho de descrever a figura da amiga de Carolina.

Direi somente que as duas amigas conversavam no quarto de dormir da prometida noiva de Mendonça.

Depois das lamentações feitas por Lúcia à sorte de Carolina, houve um momento de silêncio. Carolina empregou algumas lágrimas; Lúcia continuou:

— E ele?
— Quem?
— Fernando.
— Ah! esse que me perdoe e me esqueça; é tudo quanto posso fazer por ele. Não quis Deus que fôssemos felizes; paciência!
— Por isso o vi triste lá na sala!
— Triste? ele não sabe nada. Há de ser por outra coisa.
— O Mendonça virá?
— Deve vir.

As duas moças saíram para a sala. Lá se achava Mendonça em conversa com o pai de Carolina, Fernando a uma janela de costas para a rua, uma tia de Carolina conversando com o pai de Lúcia. Ninguém mais havia. Esperava-se a hora do chá.

Quando as duas moças apareceram todos voltaram-se para elas. O pai de Carolina foi buscá-las e levou-as a um sofá.

Depois, no meio do silêncio geral, o velho anunciou o casamento próximo de Carolina e Mendonça.

Ouviu-se um grito sufocado do lado da janela. Ouviu-se, digo mal — não se ouviu; Carolina foi a única que ouviu ou antes adivinhou. Quando voltou os olhos para a janela, Fernando estava de costas para a sala e tinha a cabeça entre as mãos.

O chá foi tomado no meio de geral acanhamento. Parece que ninguém, além do noivo e do pai de Carolina, aprovava semelhante consórcio.

Mas, quer aprovasse, quer não, ele devia efetuar-se daí a vinte dias.

"Entro no teto conjugal como num túmulo", escrevia Carolina na manhã do casamento à amiga Lúcia; "deixo as minhas ilusões à porta, e peço a Deus que não perca só isso".

Quanto a Fernando, a quem ela não pôde ver mais depois da noite da declaração do casamento, eis a carta que ele mandou a Carolina, na véspera de realizar-se o consórcio:

> Quis acreditar até hoje que fosse uma ilusão, ou um sonho mau semelhante casamento; agora sei que não é possível duvidar da verdade. Pois quê! tudo te esqueceu, o amor, as promessas, os castelos de felicidade, tudo, por amor de um velho ridículo, mas opulento, isto é, dono desse vil metal etc. etc.

O leitor sagaz suprirá o resto da carta, acrescentando qualquer período tirado de qualquer romance da moda.

Isto que aí fica escrito não muda em nada a situação da pobre Carolina; condenada a receber recriminações quando ia dar a mão de esposa com o luto no coração.

A única resposta dada por ela à carta de Fernando foi esta:

Esqueça-se de mim.

Fernando não assistiu ao casamento. Lúcia assistiu triste como se fora um enterro. Em geral perguntava-se que amor estranho era aquele que levava Carolina a desfolhar a sua mocidade tão viçosa nos braços de semelhante homem. Ninguém atinava com a resposta.

Como eu não quero entreter os leitores com episódios inúteis e narrações fastidiosas, salto aqui uns seis meses e vou levá-los à casa do Mendonça, numa manhã de inverno.

Lúcia, solteira ainda, está com Carolina, onde costuma ir passar alguns dias. Não se fala na pessoa de Mendonça; Carolina é a primeira a respeitá-lo; a amiga respeita esses sentimentos.

É verdade que os seis primeiros meses de casamento foram para Carolina seis séculos de lágrimas, de angústia, de desespero. De longe a desgraça parecia-lhe menor; mas desde que ela pôde tocar com o dedo o deserto árido e seco em que entrou, então não pôde resistir e chorou amargamente.

Era o único recurso que lhe restava: chorar. Uma porta de bronze separava-a para sempre da felicidade que sonhara nas suas ambições de donzela. Ninguém sabia dessa odisseia íntima, menos Lúcia, que ainda assim sabia mais por adivinhar e por surpreender as torturas menores da companheira dos primeiros anos.

Estavam, pois, as duas em conversa, quando às mãos de Carolina chegou uma carta assinada por Fernando.

Pintava-lhe o antigo namorado o estado em que tinha o coração, as dores que sofrera, as mortes de que escapara. Nessa série de padecimentos, dizia ele, nunca perdera a coragem de viver para amá-la, embora de longe.

A carta era abundante em comentários, mas eu julgo melhor conservar somente a substância dela.

Leu-a Carolina, trêmula e confusa; esteve alguns minutos calada; depois rasgando a carta em tiras muito miúdas:

— Pobre rapaz!

— Que é? — perguntou Lúcia.

— É uma carta de Fernando.

Lúcia não insistiu. Carolina indagou do escravo que lhe trouxera a carta o modo por que lhe havia chegado às mãos. O escravo respondeu que um moleque lha entregara à porta. Lúcia deu ordem para que não recebesse cartas que viessem pelo mesmo portador.

Mas no dia seguinte uma nova carta de Fernando chegou às mãos de Carolina. Outro portador a entregara.

Nessa carta Fernando pintava com cores negras a situação em que se achava e pedia dois minutos de entrevista com Carolina.

Carolina hesitou, mas releu a carta; ela parecia tão desesperada e dolorosa, que a pobre moça, em quem falava um resto de amor por Fernando, respondeu afirmativamente.

Ia mandar a resposta, mas de novo hesitou e rasgou o bilhete, protestando fazer o mesmo a quantas cartas chegassem.

Durante os cinco dias seguintes vieram cinco cartas, uma por dia, mas todas ficaram sem resposta, como as anteriores.

Enfim, na noite do quarto dia, Carolina achava-se no gabinete de trabalho, quando assomou à janela que dava para o jardim a figura de Fernando.

A moça deu um grito e recuou.

— Não grite! — disse o moço em voz baixa, podem ouvir...

— Mas, fuja! fuja!

— Não! quis vir de propósito, a fim de saber se deveras não me amas, se esqueceste aqueles juramentos...

— Não devo amá-lo!...

— Não deve! Que tem o dever conosco?

— Vou chamar alguém! Fuja! Fuja!

Fernando saltou para o quarto.

— Não, não hás de chamar!

A moça correu para a porta. Fernando travou-lhe do braço.

— Que é isso? — disse ele —; amo-te tanto, e tu foges de mim? Quem impede a nossa felicidade?

— Quem? Meu marido!

— Seu marido! Que temos nós com ele? Ele...

Carolina pareceu adivinhar um pensamento sinistro em Fernando e tapou os ouvidos. Nesse momento abriu-se a porta e apareceu Lúcia.

Fernando não pôde afrontar a presença da moça. Correu para a janela e saltou para o jardim.

Lúcia, que ouvira as últimas palavras dos dois, correu a abraçar a amiga, exclamando:

— Muito bem! muito bem!

Dias depois Mendonça e Carolina saíram para uma viagem de um ano. Carolina escrevia o seguinte a Lúcia:

> Deixo-te, minha Lúcia, mas assim é preciso. Amei Fernando, e não sei se o amo agora, apesar do ato covarde que praticou. Mas eu não quero expor-me a um crime. Se o meu casamento é um túmulo, nem por isso posso deixar de respeitá-lo. Reza por mim e pede a Deus que te faça feliz.

Foi para estas almas corajosas e honradas que se fez a bem-aventurança.

IV
CARLOTA E HORTÊNCIA

Uma fila de cinquenta carros, com um coche fúnebre à frente, dirigia-se para um dos cemitérios da capital.

O carro funerário conduzia o cadáver de Carlota Durval, senhora de vinte e oito anos, morta no esplendor da beleza.

Os que acompanhavam o enterro, apenas dois o faziam por estima à finada: eram Luís Patrício e Valadares.

Os mais iam por satisfazer a vaidade do viúvo, um José Durval, homem de trinta e seis anos, dono de cinco prédios e de uma dose de fatuidade sem igual.

Valadares e Patrício, na qualidade de amigos da finada, eram os únicos que traduziam no rosto a profunda tristeza do coração. Os outros levavam uma cara de tristeza oficial.

Valadares e Patrício iam no mesmo carro.

— Até que morreu a pobre senhora — disse o primeiro ao fim de algum silêncio.

— Coitada! — murmurou o outro.

— Na flor da idade — acrescentava o primeiro —, mãe de duas crianças tão bonitas, amadas por todos... Deus perdoe aos culpados!

— Ao culpado, que foi só ele. Quanto à outra, essa, se não fora desinquietada...

— Tens razão!

— Mas ele deve ter remorsos.

— Quais remorsos! É incapaz de os ter. Não o conheces, como eu? Ri e zomba de tudo. Isto para ele foi apenas um acidente; não lhe dá maior importância, acredita.

Este pequeno diálogo dá já ao leitor uma ideia dos acontecimentos que precederam à morte de Carlota.

Como esses acontecimentos são o objeto destas linhas destinadas a apresentar o perfil desta quarta mulher, passo a narrá-los mui sucintamente.

Carlota casara com vinte e dois anos. Não sei por que apaixonara-se por José Durval, e menos ainda no tempo de solteira, de que depois de casada. O marido era para Carlota um ídolo. Só a ideia de uma infidelidade da parte dele bastava para matá-la.

Viveram algum tempo no meio da mais perfeita paz, não que ele não desse à mulher motivos de desgosto, mas porque eram estes tão encobertos que nunca haviam chegado aos ouvidos da pobre moça.

Um ano antes Hortência B., amiga de Carlota, separava-se do marido. Dizia-se que era por motivos de infidelidade conjugal da parte dele; mas ainda que o não fosse, Carlota receberia a amiga em sua casa, tão amiga era dela.

Carlota compreendia as dores que podiam trazer a uma mulher as infidelidades do marido; por isso recebeu Hortência com os braços abertos e entusiasmo no coração.

Era o mesmo que se uma rosa abrisse o seio confiante a um inseto venenoso.

Daí a seis meses Carlota reconhecia o mal que tinha feito. Mas era tarde.

Hortência era amante de José Durval.

Quando Carlota descobriu qual era a situação de Hortência em relação a ela, sufocou um grito. Era a um tempo ciúme, desprezo, vergonha. Se alguma coisa podia atenuar a dor que ela sentia, era a covardia do ato de Hortência, que tão mal pagava a hospitalidade que obtivera de Carlota.

Mas o marido? Não era igualmente culpado? Carlota avaliou de um relance toda a hediondez do proceder de ambos, e resolveu romper um dia.

A frieza que começou a manifestar a Hortência, mais do que isso, a repugnância e o desdém com que a tratava, despertou no espírito desta a ideia de que era preciso sair de uma situação tão falsa.

Todavia, retirar-se simplesmente seria confessar o crime. Hortência dissimulou e um dia recriminou a Carlota os seus modos recentes de tratamento.

Então tudo se clareou.

Carlota, com uma cólera sufocada, lançou em rosto à amiga o procedimento que tivera em casa dela. Hortência negou, mas era negar confessando, pois que nenhum tom de sinceridade tinha a sua voz.

Depois disso era necessário sair. Hortência, negando sempre o crime de que era acusada, declarou que sairia de casa.

— Mas isso não desmente, nem remedia nada — disse Carlota com os lábios trêmulos. — É simplesmente mudar o teatro das suas loucuras.

Esta cena abalou a saúde de Carlota. No dia seguinte amanheceu doente. Hortência apareceu para falar-lhe, mas ela voltou o rosto para a parede. Hortência não voltou ao quarto, mas também não saiu da casa. José Durval impôs essa condição.

— Que dirá o mundo? — perguntava ele.

A pobre mulher foi obrigada a sofrer mais essa humilhação.

A doença foi rápida e benéfica, porque no fim de quinze dias Carlota expirava. Os leitores já assistiram ao enterro dela.

Quanto a Hortência, continuou a viver em casa de José Durval, até que se passassem os primeiros seis meses do luto, no fim dos quais casaram-se perante um concurso numeroso de amigos, ou pessoas que se davam por isso.

Supondo que os leitores terão curiosidade de saber o que sucedeu depois, aqui termino com uma carta escrita, depois de dois anos da morte de Carlota, por Valadares a L. Patrício.

  Meu amigo. Corte, 12 de... — Vou dar-te algumas notícias que te hão de alegrar, como a mim, posto que a caridade evangélica nos manda lastimar as desgraças alheias. Mas há certas desgraças que parecem um castigo do céu e a alma sente-se satisfeita quando vê o crime punido.

  Lembras-te ainda da pobre Carlota Durval, morta de desgosto pela traição do marido e de Hortência? Sabes que esta ficou a viver em casa do viúvo, e que no fim de seis meses casaram-se à face da Igreja, como duas criaturas abençoadas do céu? Pois bem, ninguém as faça que as não pague; Durval está mais do que nunca arrependido do passo que deu.

  Primeiramente, ao passo que a pobre Carlota era uma pomba sem fel, Hortência é um dragão de saias, que não deixa o marido pôr pé em ramo verde. São exigências de toda a casta, exigências de luxo, exigências de honra, porque a fortuna de Durval não podendo resistir aos ataques de Hortência, foi-se desmoronando a pouco e pouco.

  Os desgostos envelheceram o pobre José Durval. Mas se fosse apenas isso, era de agradecer a Deus. O caso, porém, tornou-se pior; Hortência, que traíra a amiga, não teve dúvida em trair o marido: Hortência tem hoje um amante!

  É realmente triste semelhante coisa, mas eu não sei por que esfreguei as mãos de contente quando soube da infidelidade de Hortência. Parece que as cinzas da Carlota deviam estremecer de alegria debaixo da terra...

  Perdoe-me Deus a blasfêmia, se acaso o é.

  Julguei que estas notícias te seriam agradáveis, a ti que estimastes aquela pobre mártir.

  Ia acabando sem contar a cena que houve entre Durval e a mulher.

  Um bilhete mandado por H. (o amante) caiu nas mãos de José Durval, não sei por que terrível acaso. Houve explosão da parte do marido; mas o infeliz não tinha forças para manter-se na sua posição; dois gritos e dois sorrisos da mulher puseram-lhe água fria na cólera.

  Daí em diante, Durval anda triste, cabisbaixo, taciturno. Emagrece a olhos vistos. Pobre homem! afinal de contas começo a ter pena...

  Adeus, meu caro, vai cultivando etc.

Esta carta era dirigida a Campos, onde se achava L. Patrício. A resposta deste foi a seguinte:

> Muito me contas, meu amigo Valadares, acerca dos algozes da Carlota. É uma paga, não deixes de crê-lo, mas no que fazes mal é em mostrares alegria por essa desgraça. Nem devemos tê-la, nem as cinzas de Carlota se regozijaram no outro mundo. Os maus, no fim de conta, são dignos de lástima, por serem tão fracos que não possam ser bons. E basta a punição para ficarmos já condoídos do pobre homem.
>
> Falemos de outra coisa. Sabes que os cafezais...

Não interessa aos leitores saber dos cafezais de L. Patrício.

O que interessa saber é que Durval morreu de desgosto dentro de pouco tempo, e que Hortência procurou na devoção de uma velhice prematura a expiação dos erros passados.

Jornal das Famílias, agosto-setembro de 1865; Job.

O oráculo

Conheci outrora um sujeito que era um exemplo de quanto pode a má fortuna quando se dispõe a perseguir um pobre mortal.

Leonardo (era o nome dele) começara por ser mestre de meninos, mas tão mal se houve que no fim de um ano perdera o pouco que possuía e achou-se reduzido a três alunos.

Tentou depois um emprego público, arranjou as cartas de empenho necessárias, chegou mesmo a dar um voto contra as suas convicções, mas quando tudo lhe sorria, o ministério, na forma do geral costume, achou contra si a maioria da véspera e pediu demissão. Subiu um ministério do seu partido, mas o infeliz tinha-se tornado suspeito ao partido por causa do voto e teve uma resposta negativa.

Auxiliado por um amigo da família, abriu uma casa de comércio; mas, tanto a sorte, como a velhacaria de alguns empregados, deram com a casa em terra, e o nosso negociante levantou as mãos para o céu quando os credores concordaram em receber uma certa quantia inferior ao débito, isto em tempo indeterminado.

Dotado de alguma inteligência e levado pela necessidade mais que pelo gosto, fundou uma gazeta literária; mas os assinantes, que eram da massa dos que preferem ler sem pagar a impressão, deram à gazeta de Leonardo uma morte prematura no fim de cinco meses.

Entretanto, subiu de novo o partido a que ele sacrificara a sua consciência e pelo qual sofrera os ódios de outro. Leonardo foi a ele e lembrou-lhe o direito que tinha à sua gratidão; mas a gratidão não é a bossa principal dos partidos, e Leonardo teve de ver-se preterido por algumas influências eleitorais de quem os novos homens dependiam.

Nesta sucessão de contratempos e azares, Leonardo não chegara a perder a confiança na Providência. Doíam-lhe os golpes sucessivos, mas uma vez recebidos, ele preparava-se para tentar de novo a fortuna, fundado neste pensamento que havia lido, não me lembra aonde: "A fortuna é como as mulheres, vence-a a tenacidade".

Preparava-se, pois, a tentar novo assalto, e para isso tinha arranjado uma viagem ao norte, quando viu pela primeira vez Cecília B..., filha do negociante Atanásio B...

Os dotes desta moça consistiam nisto: um rosto simpático e cem contos limpos, em moeda corrente. Era a menina dos olhos de Atanásio. Só constava que tivesse amado uma vez, e o objeto do seu amor era um oficial de marinha de nome Henrique Paes. O pai opôs-se ao casamento por antipatizar com o genro, mas parece que Cecília não amava muito Henrique, visto que apenas chorou um dia, acordando no dia seguinte tão fresca e alegre como se lhe não houvesse empalmado um noivo.

Dizer que Leonardo se apaixonou por Cecília é mentir à história, e eu prezo, antes de tudo, a verdade dos fatos e dos sentimentos; mas é por isso mesmo que eu devo dizer que Cecília não deixou de fazer alguma impressão em Leonardo.

O que causou profunda impressão no ânimo do nosso mal-aventurado e conquistou desde logo todos os seus afetos foram os cem contos que a pequena trazia em dote. Leonardo não hesitou em abençoar o mau destino que tanto o perseguira para atirar-lhe aos braços uma fortuna daquela ordem.

Que impressão produziu Leonardo no pai de Cecília? Boa, excelente, maravilhosa. Quanto à menina, recebeu-o indiferente. Leonardo confiou em que venceria a indiferença da filha, visto que já possuía a simpatia do pai.

Em todo o caso desfez a viagem.

A simpatia de Atanásio foi ao ponto de fazer de Leonardo um comensal indispensável. À espera do mais, o mal-aventurado Leonardo foi aceitando aqueles adiantamentos.

Dentro de pouco tempo era ele um íntimo da casa.

Um dia Atanásio mandou chamar Leonardo ao gabinete e disse-lhe com ar paternal:

— Tem sabido corresponder à minha estima. Vejo que é um bom moço, e segundo me disse tem sido infeliz.

— É verdade — respondeu Leonardo, sem poder conter um sorriso de júbilo que lhe assomou aos lábios.

— Pois bem, depois de estudá-lo tenho resolvido fazê-lo aquilo que o céu não me concedeu: um filho.

— Ah!

— Espere. Já o é pela estima, quero que o seja pelo auxílio à nossa casa. Tem, desde já, um emprego no meu estabelecimento.

Leonardo ficou um pouco enfiado; esperava que o próprio velho fosse oferecer-lhe a filha, e apenas recebia dele um emprego. Mas depois refletiu; um emprego era aquilo que depois de tanto cuidado vinha encontrar; não era pouco; e daí podia ser que lhe resultasse mais tarde o casamento.

Assim, respondeu beijando as mãos do velho:

— Oh! obrigado!

— Aceita, não?

— Oh! sem dúvida!

O velho ia levantar-se quando Leonardo, tomando subitamente uma resolução, fê-lo conservar-se na cadeira.

— Ah! meu pai! o oráculo disse que não!

— Então o oráculo — continuou Atanásio — é contrário ao teu casamento com o senhor Leonardo?

— É verdade.

— Pois sinto dizer que sou de opinião contrária ao senhor oráculo, e como a minha pessoa é conhecida enquanto a do senhor oráculo é inteiramente misteriosa, há de fazer-se o que eu quiser, mesmo apesar do senhor oráculo.

— Ah! não!

— Como, não? Queria ver isso! Se eu aceitei essa ideia de consultar bruxarias foi para brincar. Nunca me passou pela cabeça ceder lá às decisões de oráculos misteriosos. Tuas primas são de minha opinião. E demais, eu quero desde já saber que bruxarias são essas... Meus senhores, vamos descobrir o tal oráculo.

A este tempo apareceu um vulto na porta e disse:

— Não precisa!

Todos voltaram-se para ele. O vulto deu alguns passos e parou no meio da sala. Tinha um papel na mão.

Era o oficial de marinha de que falei acima, trajando casaca e luva branca.

— Que faz aqui o senhor? — perguntou o velho espumando de raiva.

— Que faço? Sou o oráculo.

— Não aturo caçoadas desta natureza. Com que direito se acha neste lugar?

Henrique Paes por única resposta deu a Atanásio o papel que trazia na mão.

— Que é isto?

— É a resposta à sua pergunta.

Atanásio chegou-se para a luz, tirou os óculos do bolso, pô-los no nariz e leu o papel.

Durante este tempo, Leonardo tinha a boca aberta sem compreender nada.

Quando o velho chegou ao meio do escrito que tinha na mão, voltou-se para Henrique e disse com o maior grau de assombro:

— O senhor é meu genro!

— Com todos os sacramentos da igreja. Não leu?

— E se isto for falso!

— Alto lá — acudiu um dos sobrinhos —, nós fomos os padrinhos, e estas senhoras as madrinhas do casamento de nossa prima dona Cecília B... com o senhor Henrique Paes, o qual se efetuou há um mês no oratório de minha casa.

— Ah! — disse o velho caindo numa cadeira.

— Mais esta! — exclamou Leonardo procurando sair sem ser visto.

EPÍLOGO

Se perdeu a noiva, e tão ridiculamente, nem por isso Leonardo perdeu o lugar. Declarou ao velho que faria um esforço, mas que ficava para corresponder à estima que o velho lhe tributava.

Mas estava escrito que a sorte tinha de perseguir o pobre rapaz.

Daí a quinze dias Atanásio foi acometido de uma congestão de que morreu.

O testamento, que fora feito um ano antes, nada deixava a Leonardo.

Quanto à casa, teve de liquidar-se. Leonardo recebeu a importância de quinze dias de trabalho.

O mal-aventurado deu o dinheiro a um mendigo e foi atirar-se ao mar, na praia de Icaraí.

Henrique e Cecília vivem como Deus com os anjos.

Jornal das Famílias, *janeiro de 1866; Max.*

Uma excursão milagrosa

Tenho uma viagem milagrosa para contar aos leitores, ou antes uma narração para transmitir, porque o próprio viajante é quem narra as suas aventuras e as suas impressões.

Se a chamo milagrosa é porque as circunstâncias em que foi feita são tão singulares, que a todos há de parecer que não podia ser senão um milagre. Todavia, apesar das estradas que o nosso viajante percorreu, dos condutores que teve e do espetáculo que viu, não se pode deixar de reconhecer que o fundo é o mais natural e possível deste mundo.

Suponho que os leitores terão lido todas as memórias de viagem, desde as viagens do Capitão Cook às regiões polares até as viagens de Gulliver, e todas as histórias extraordinárias desde as narrativas de Edgar Poe até os contos de *Mil e uma noites*. Pois tudo isso é nada à vista das excursões singulares do nosso herói, a quem só falta o estilo de Swift para ser levado à mais remota posteridade.

As histórias de viagem são as de minha predileção. Julgue-o quem não pode experimentá-lo, disse o épico português. Quem não há de ir ver as causas com os próprios olhos da cara, diverte-se ao menos em vê-las com os da imaginação, muito mais vivos e penetrantes.

Viajar é multiplicar-se.

Mas, devo dizê-lo com toda a franqueza, quando ouço dizer a alguém que já atravessou por gosto doze, quinze vezes o oceano, não sei que sinto em mim que me leva a adorar o referido alguém. Ver doze vezes o oceano, roçar-lhe doze vezes a cerviz, doze vezes admirar as suas cóleras, doze vezes admirar os seus espetáculos, não é isto gozar na verdadeira extensão da palavra?

Se em vez do oceano me falam nas florestas e contam-me mil episódios de uma viagem através do templo dos cedros e dos jequitibás, ouvindo o silêncio e a sombra, respirando os faustos daqueles palácios da natureza, gozando, vivendo, apesar dos tigres, das serpes, então o gozo pode mudar de aspecto, mas é o mesmo gozo elevado, puro, grandioso.

O mesmo se dá se a viagem por através dos cadáveres das cidades antigas, dos desertos da Arábia, dos gelos do norte. Tudo chama o espírito, e o educa, e o eleva, e o transforma.

Das viagens sedentárias só conheço duas capazes de recrear. A *Viagem à roda do meu quarto*, e a *Viagem à roda do meu jardim*, de Maistre e Alphonse Karr.

Ora, com todo este gosto pelas viagens, ainda assim eu não desejaria fazer a viagem do herói desta narrativa. Viu muita coisa, é certo; e voltou de lá com a bagagem cheia dos meios de apreciar os fracos da humanidade. Mas por tantas coisas quantos trabalhos!

* * *

Arrependera-se Catão de haver ido algumas vezes por mar quando podia ir por terra. O virtuoso romano tinha razão. Os carinhos de Anfitrite são um tanto raivosos, e muitas vezes funestos. Os feitos marítimos dobram de valia por esta circunstância, que se esquivam de navegar as almas pacatas, ou para falar mais decentemente, os espíritos prudentes e seguros.

Mas para justificar o provérbio que diz: — debaixo dos pés se levantam os trabalhos — a via terrestre não é absolutamente mais segura que a via marítima, e a história dos caminhos de ferro, pequena embora, conta já não poucos e tristes episódios.

Absorto nestas e noutras reflexões estava o meu amigo Tito, poeta aos vinte anos, sem dinheiro e sem bigode, sentado à mesa carunchosa do trabalho, onde ardia silenciosamente uma vela.

Devo proceder ao retrato físico e moral do meu amigo Tito.

Tito não é nem alto nem baixo, o que equivale a dizer que é de estatura mediana, a qual estatura é aquela que se pode chamar francamente elegante, na minha opinião. Possuindo um semblante angélico, uns olhos meigos e profundos, o nariz descendente legítimo e direto do de Alcibíades, a boca graciosa, a fronte larga como o verdadeiro trono do pensamento, Tito pode servir de modelo à pintura e de objeto amado aos corações de quinze e mesmo de vinte anos.

Como as medalhas, e como todas as coisas deste mundo de compensações, Tito tem um reverso. Oh! triste coisa que é o reverso das medalhas! Podendo ser, do colo para cima, modelo à pintura, Tito é uma lastimosa pessoa no que toca ao resto. Pés prodigiosamente tortos, pernas zambras, tais são os contras que a pessoa do meu amigo oferece a quem se extasia diante dos magníficos prós da cara e da cabeça. Parece que a natureza se dividira para dar a Tito o que tinha de melhor e o que tinha de pior, e pô-lo na miserável e desconsoladora condição do pavão que se enfeita e se contempla radioso, mas cujo orgulho se abate e desfalece quando olha para as pernas e para os pés.

No moral Tito apresenta o mesmo aspecto duplo do físico. Não tem vícios, mas tem fraquezas de caráter que quebram, um tanto ou quanto, as virtudes que o enobrecem. É bom e tem a virtude evangélica da caridade; sabe, como o divino Mestre, partir o pão da subsistência e dar de comer ao faminto com verdadeiro júbilo de consciência e de coração. Não consta, além disso, que jamais fizesse mal ao mais impertinente bicho, ou ao mais insolente homem, duas coisas idênticas, nos curtos dias da sua vida. Pelo contrário, conta-se que a sua piedade e bons instintos o levaram uma vez a ficar quase esmagado, procurando salvar da morte uma galga que dormia na rua e sobre a qual ia quase passando um carro. A galga salva por Tito afeiçoou-se-lhe tanto que nunca mais o deixou; à hora em que o vemos absorto em pensamentos vagos está ela estendida sobre a mesa a contemplá-lo grave e sisuda.

Só há que censurar em Tito as fraquezas de caráter, e deve-se crer que elas são filhas mesmo das suas virtudes. Tito vendia outrora as produções da sua musa, não por meio de uma permuta legítima de livro e moeda, mas por um meio desonroso e nada digno de um filho de Apolo. As vendas que fazia eram absolutas, isto é, trocando por dinheiro os seus versos, o poeta perdia o direito de paternidade sobre essas produções. Só tinha um freguês, era um sujeito rico, maníaco pela fama de poeta, e que sabendo da facilidade com que Tito rimava apresentou-se um dia no modesto albergue do poeta e entabulou a negociação por estes termos:

— Meu caro, venho propor-lhe um negócio da China...

— Pode falar — respondeu Tito.

— Ouvi dizer que você fazia versos... É verdade?

Tito conteve-se a custo diante da familiaridade do tratamento, e respondeu:

— É verdade.

— Muito bem. Proponho-lhe o seguinte. Compro-lhe por bom preço todos os seus versos, não os feitos, mas os que fizer de hoje em diante, com a condição de que os hei de dar à estampa como obra da minha lavra. Não ponho outras condições ao negócio: advirto-lhe, porém, que prefiro as odes e as poesias de sentimento. Quer?

Quando o sujeito acabou de falar, Tito levantou-se, e com um gesto mandou-o sair. O sujeito pressentiu que, se não saísse logo, as coisas poderiam acabar mal. Preferiu tomar o caminho da porta, dizendo entre dentes: "Há de procurar-me, deixa esta".

O meu poeta esqueceu no dia seguinte a aventura da véspera, mas os dias passaram-se e as necessidades urgentes apresentaram-se à porta com olhar suplicante e as mãos ameaçadoras. Ele não tinha recursos; depois de uma noite atribulada lembrou-se do sujeito, e tratou de procurá-lo; disse-lhe quem era, e que estava disposto a aceitar o negócio; o sujeito, rindo-se com um riso diabólico, fez o primeiro adiantamento, sob a condição de que o poeta lhe levaria no dia seguinte uma ode aos polacos.

Tito passou a noite a arregimentar palavras sem ideias, tal era o seu estado, e no dia seguinte levou a obra ao freguês, que a achou boa e dignou-se apertar-lhe a mão.

Tal é a face moral de Tito. A virtude de ser pagador em dia levava-o a mercar com os dons de Deus; e ainda assim vemos nós que ele resistiu, e só foi vencido quando se achou com a corda ao pescoço.

A mesa à qual Tito estava encostado era um traste velho e de lavor antigo, herdara-o de uma tia que lhe havia morrido fazia dez anos. Um tinteiro de osso, uma pena de ave, algum papel, eis os instrumentos de trabalho de Tito. Duas cadeiras e uma cama completavam a sua mobília. Já falei na vela e na galga. À hora em que Tito se engolfava em reflexões e fantasias era noite alta. A chuva caía com violência e os relâmpagos que de instante a instante rompiam o céu deixavam ver o horizonte pejado de nuvens negras e túmidas. Tito nada via, porque estava com a cabeça encostada nos braços, e estes sobre a mesa; e é provável que nada ouvisse, porque se entretinha em refletir nos perigos que oferecem os diferentes modos de viajar.

Mas qual o motivo destes pensamentos em que se engolfava o poeta? É isso que eu vou explicar à legítima curiosidade dos leitores. Tito, como todos os homens de vinte anos, poetas e não poetas, sentia-se afetado da doença do amor. Uns olhos pretos, um porte senhoril, uma visão, uma criatura celestial, qualquer coisa por este teor, havia influído por tal modo no coração de Tito, que o pusera, pode-se dizer, à beira da sepultura. O amor em Tito começou por uma febre; esteve três dias de cama e foi curado (da febre e não do amor) por uma velha da vizinhança, que conhecia o segredo das plantas virtuosas, e que pôs o meu poeta de pé, com o que adquiriu mais um título à reputação de feiticeira que os seus milagrosos curativos lhe haviam granjeado.

Passado o período agudo da doença, ficou-lhe esse resto de amor, que, apesar da calma e da placidez, nada perde da sua intensidade. Tito estava ardentemente apaixonado, e desde então começou a defraudar o freguês das odes, subtraindo-lhe algumas estrofes inflamadas, que dedicava ao objeto dos seus íntimos pensamentos, tal qual como aquele sr. d'Ofayel, dos amores leais e pudicos, com quem se pareceu, não na sensaboria dos versos, mas no infortúnio amoroso.

O amor contrariado, quando não leva a um desdém sublime da parte do coração, leva à tragédia ou à asneira. Era nesta alternativa que se debatia o espírito do meu poeta. Depois de haver gasto em vão o latim das musas, aventurou uma declaração oral à dama dos seus pensamentos. Esta ouviu-o com dureza de alma, e quando ele acabou de falar disse-lhe que era melhor voltar à vida real e deixar musas e amores, para cuidar do alinho da própria pessoa. Não presuma o leitor que a dama de quem lhe falo tinha a vida tão desenvolta como a língua. Era, pelo contrário, um modelo da mais seráfica pureza e do mais perfeito recato de costumes: recebera a educação austera de seu pai, antigo capitão de milícias, homem de incrível boa-fé, que, neste século desabusado, ainda acreditava em duas coisas: nos programas políticos e nas cebolas do Egito. Desenganado de uma vez nas suas pretensões, Tito não teve força de ânimo para varrer da memória a filha do militar; e a resposta crua e desapiedada da moça estava-lhe no coração como um punhal frio e penetrante. Tentou arrancá-lo, mas a lembrança, viva sempre, como ara de Vesta, trazia-lhe as fatais palavras ao meio das horas mais alegres ou menos tristes da sua vida, como aviso de que a sua satisfação não podia durar e que a tristeza era o fundo real dos seus dias. Era assim que os egípcios mandavam pôr um sarcófago no meio de um festim, como lembrança de que a vida é transitória, e que só na sepultura existe a grande e eterna verdade.

Quando, depois de voltar a si, Tito conseguiu encadear duas ideias e tirar delas uma consequência, dois projetos se lhe apresentaram, qual mais próprio a granjear-lhe a vilta de pusilânime; um concluía pela tragédia, outro pela asneira; triste alternativa dos corações não compreendidos! O primeiro desses projetos era simplesmente deixar este mundo; o outro limitava-se a uma viagem, que o poeta faria por mar ou por terra, a fim de deixar por algum tempo a capital. Já o poeta abandonava o primeiro por achá-lo sanguinolento e definitivo; o segundo parecia-lhe melhor, mais consentâneo com a sua dignidade e sobretudo com os seus instintos de conservação. Mas qual o meio de mudar de sítio? Tomaria por terra? tomaria por mar? Qualquer destes dois meios tinham seus inconvenientes. Estava o poeta nestas averiguações, quando ouviu que batiam à porta três pancadinhas. Quem seria? Quem poderia ir procurar o poeta àquela hora? Lembrou-se que tinha umas encomendas do homem das odes e foi abrir a porta disposto a ouvir resignado a muito plausível sarabanda que ele lhe vinha naturalmente pregar.

Aqui deixa de falar o autor para falar o protagonista. Não quero tirar o encanto natural que há de ter a narrativa do poeta reproduzindo as suas próprias impressões.

O poeta foi, como disse, abrir a porta.

Diz ele:

"... Mas, oh! pasmo! eis que uma sílfide, uma criatura celestial, vaporosa, fantástica, trajando vestes alvas, nem bem de pano, nem bem névoas, uma coisa entre as duas espécies, pés alígeros, rosto sereno e insinuante, olhos negros e cintilantes, cachos louros do mais leve e delicado cabelo, a caírem-lhe graciosos pelas espáduas nuas, divinas, como as tuas, ó Afrodite; eis que uma criatura assim invade o meu aposento, e estendendo a mão ordena-me que feche a porta e tome assento à mesa.

Eu estava assombrado. Maquinalmente voltei ao meu lugar sem tirar os olhos da visão. Esta sentou-se defronte de mim e começou a brincar com a galga, que dava mostras de não usado contentamento. Passaram-se nisto dez minutos; depois do que a singular criatura, cravando os seus olhos nos meus, perguntou-me com uma doçura de voz nunca ouvida:

— Em que pensas, poeta? Pranteias algum amor mal parado? Sofres com a injustiça dos homens? Dói-te a desgraça alheia ou é a própria que te sombreia a fronte?

Esta indagação era feita de um modo tão insinuante que eu, sem inquirir o motivo da curiosidade, respondi imediatamente:

— Penso na injustiça de Deus.

— É contraditória a expressão: Deus é a justiça.

— Não é. Se fosse teria repartido irmãmente a ternura pelos corações e não consentiria que um ardesse inutilmente pelo outro. O fenômeno da simpatia devia ser sempre recíproco, de maneira que a mulher não pudesse olhar com frieza para o homem quando o homem levantasse os olhos de amor para ela.

— Não és tu quem fala, poeta. É o teu amor-próprio ferido pela má paga do teu afeto. Mas de que te servem as musas? Ainda não vieram a ti, como eternas consoladoras que são? Entra no santuário da poesia, engolfa-te no seio da inspiração, esquecerás aí a dor da chaga que o mundo te abriu.

— Coitado de mim, que tenho a poesia fria, e apagada a inspiração.

— De que precisas tu para dar vida à poesia e à inspiração?

— Preciso do que me falta... e falta-me tudo.

— Tudo? É exagerado. Tens o selo com que Deus te distinguiu dos outros homens, e isso te basta. Cismavas em deixar esta terra?

— É verdade.

— Bem; venho a propósito. Queres ir comigo?

— Para onde?

— Que importa? Queres vir?

— Quero. Assim me distrairei. Partiremos amanhã. É por mar, ou por terra?

— Nem amanhã, nem por mar, nem por terra; mas hoje e pelo ar.

Levantei-me e recuei. A visão levantou-se também.

— Tens medo? — perguntou ela.

— Medo, não, mas...

— Vamos. Faremos uma deliciosa viagem.

Era de esperar um balão para a viagem aérea a que me convidava a inesperada visita; mas os meus olhos se arregalaram prodigiosamente quando viram abrirem-se das espáduas da visão duas longas e brancas asas que ela começou a agitar e das quais caía uma poeira de ouro.

— Vamos — disse a visão.

E eu maquinalmente repeti:

— Vamos.

E ela tomou-me nos braços, subimos até o teto, que se rasgou, e passamos ambos, visão e poeta. A tempestade tinha, como por encanto, cessado, estava o céu limpo, transparente, luminoso, verdadeiramente celestial, enfim. As estrelas fulgiam com a sua melhor luz, e um luar branco e poético caía sobre os telhados das casas e sobre as flores e a relva dos campos.

Subimos.

Durou a ascensão algum tempo. Eu não podia pensar; ia atordoado e subia sem saber para onde, nem a razão por quê. Sentia que o vento agitava os cabelos louros da visão, e que eles lhe batiam docemente na face, do que resultava uma exalação celeste que embriagava e adormecia. O ar estava puro e fresco. Eu, que me havia distraído algum tempo da ocupação das musas no estudo das leis físicas, contava que naquele subir contínuo breve chegaríamos a sentir os efeitos da rarefação da atmosfera. Engano meu! Subíamos sempre e muito, mas a atmosfera conservava-se sempre a mesma, e quanto mais subíamos, melhor respirávamos.

Isto passou rápido pela minha mente. Como disse, eu não pensava: ia subindo sem olhar para a terra. E para que olharia para a terra? A visão não podia conduzir-me senão ao céu.

Em breve comecei a ver os planetas fronte por fronte. Era já sobre a madrugada. Vênus, mais pálida e loura que de costume, ofuscava as estrelas com o seu clarão e com a sua beleza. Lancei um olhar de admiração para a deusa da manhã. Mas subia, subíamos sempre. Os planetas passavam à minha ilharga como se fossem corcéis desenfreados. Afinal penetramos em uma região inteiramente diversa das que havíamos atravessado naquela assombrosa viagem. Eu senti expandir-se-me a alma na nova atmosfera. Seria aquilo o céu? Não ousava perguntar, e mudo esperava o termo da viagem. À proporção que penetrávamos nessa região ia-se a minha alma rompendo em júbilo; daí a algum tempo entrávamos em um planeta; começamos a fazer o trajeto a pé.

Caminhando, os objetos, até então vistos através de um nevoeiro, tomavam aspecto de coisas reais. Pude ver então que me achava em uma nova terra, a todos os respeitos estranha; o primeiro aspecto vencia ao que oferece a poética Istambul ou a poética Nápoles. Mais entrávamos, mais os objetos tomavam o aspecto da realidade. Assim chegamos à grande praça onde estavam construídos os reais paços. A habitação régia era, por assim dizer, uma reunião de todas as ordens arquitetônicas, sem excluir a chinesa, sendo de notar que esta última fazia não mediana despesa na estrutura do palácio.

Eu quis sair da ânsia em que estava por saber em que país acabava de entrar, e aventurei uma pergunta à minha companheira.

— Estamos no país das quimeras — respondeu ela.

— No país das quimeras?

— Das quimeras. País para onde viajam três quartas partes do gênero humano, mas que não se acha consignado nas tábuas da ciência.

Contentei-me com a explicação. Mas refleti sobre o caso. Por que motivo iria parar ali? A que era levado? Estava nisto, quando a fada me advertiu de que éramos chegados à porta do palácio. No vestíbulo havia uns vinte ou trinta soldados que fumavam em grossos cachimbos de escumas do mar, e que se embriagavam, como outros tantos padixás, na contemplação dos novelos de fumo azul e branco que lhes saíam da boca. À nossa entrada houve continência militar. Subimos pela grande escadaria, e fomos ter aos andares superiores.

— Vamos falar aos soberanos — disse a minha companheira.

Atravessamos muitas salas e galerias. Todas as paredes, como no poema de Dinis, eram forradas de papel prateado e lantejoulas.

Afinal penetramos na grande sala. O gênio das bagatelas, de que fala Elpino, estava sentado em um trono de casquinha, tendo de ornamento dois pavões, um de cada lado. O próprio soberano tinha por coifa um pavão vivo, atado pelos pés a uma espécie de solidéu, maior que o dos nossos padres, o qual por sua vez ficava firme na cabeça por meio de duas largas fitas amarelas, que vinham atar-se debaixo dos reais queixos. Coifa idêntica adornava a cabeça dos gênios da corte, que correspondem aos viscondes deste mundo, e que cercavam o trono do brilhante rei. Todos aqueles pavões, de minuto a minuto armavam-se, apavoneavam-se, e davam os guinchos do costume.

Quando entrei na grande sala pela mão da visão, houve um murmúrio entre os fidalgos quiméricos. A visão declarou que ia apresentar um filho da terra. Seguiu-se a cerimônia da apresentação, que era uma enfiada de cortesias, passagens e outras coisas quiméricas, sem excluir a formalidade do beija-mão. Não se pense que fui eu o único a beijar a mão ao gênio soberano; todos os gênios presentes fizeram o mesmo, porque segundo ouvi depois, não se dá naquele país o ato mais insignificante sem que esta formalidade seja preenchida. Depois da cerimônia da apresentação perguntou-me o soberano que tratamento tinha eu na terra para dar-me um cicerone correspondente.

— Eu tenho, se tanto, uma triste Mercê.

— Só isso? Pois há de ter o desprazer de ser acompanhado pelo cicerone comum. Nós temos cá a Senhoria, a Excelência, a Grandeza, e outras mais; mas quanto à Mercê, essa tendo habitado algum tempo este país, tornou-se tão pouco útil que julguei melhor despedi-la.

A este termo a Senhoria e a Excelência, duas criaturas empertigadas, que se haviam aproximado de mim, voltaram-me as costas, encolhendo os ombros e deitando-me um olhar de través com a maior expressão de desdém e pouco caso. Eu quis perguntar à minha companheira o motivo deste ato daquelas duas quiméricas pessoas; mas a visão puxou-me pelo braço, e fez-me ver com um gesto que estava desatendendo ao gênio das bagatelas, cujos sobrolhos se contraíram, como dizem os poetas antigos que se contraíam os de Júpiter Tonante. Neste momento entrou um *bando de moçoilas frescas, lépidas, bonitas e louras...* Oh! mas de um louro que se não conhece entre nós, os filhos da terra! Entraram elas a correr com a agilidade de andorinhas que voam; e depois de apertarem galhofeiramente a mão aos gênios da corte, foram ao gênio soberano, diante de quem fizeram umas dez ou doze mesuras.

Quem eram aquelas raparigas? Eu estava de boca aberta. Indaguei da minha guia, e soube. Eram as Utopias e as Quimeras que iam da terra, onde haviam passado a noite na companhia de alguns homens e mulheres de todas as idades e condições.

As Utopias e as Quimeras foram festejadas pelo soberano, que se dignou sorrir-lhes e bater-lhes na face. Elas alegres e risonhas receberam os carinhos reais como coisa que lhes era devida; e depois de dez ou doze mesuras, repetições das anteriores, foram-se da sala, não sem abraçarem-me ou beliscarem-me, quando espantado eu olhava para elas sem saber por que me tornara objeto de tanta jovialidade. O meu espanto crescia de ponto quando ouvia a cada uma delas esta expressão muito usada nos bailes de máscaras: Eu te conheço!

Depois que saíram todos, o gênio fez um sinal, e toda a atenção concentrou-se no soberano, a ver o que ia sair-lhe dos lábios. A expectativa foi burlada, porque o gracioso soberano apenas com um gesto indicou ao cicerone comum o mísero hóspede que daqui tinha ido. Seguiu-se a cerimônia da saída, que durou longos minutos, em virtude das mesuras, cortesias e beija-mão do estilo. Os três, eu, a fada condutora e o cicerone passamos à sala da rainha. A real senhora era uma pessoa digna de atenção a todos os respeitos; era imponente e graciosa; trajava vestido de gaza e roupa da mesma fazenda, borzeguins de cetim alvo, pedras finas de todas as espécies e cores, nos braços, no pescoço e na cabeça; na cara trazia posturas finíssimas, e com tal arte, que parecia haver sido corada pelo pincel da natureza; dos cabelos recendiam ativos cosméticos e delicados óleos.

Não pude disfarçar a impressão que me causava um todo assim. Voltei-me para a companheira de viagem e perguntei como se chamava aquela deusa.

— Não a vê? — respondeu a fada. — Não vê as trezentas raparigas que trabalham em torno dela? Pois então? É a Moda, cercada de suas trezentas belas, caprichosas filhas.

A estas palavras eu lembrei-me do *Hissope*. Não duvidava já de que estava no país das quimeras; mas, raciocinei, para que Dinis falasse de algumas destas coisas é preciso que cá tivesse vindo, e voltasse como está averiguado.

Portanto, não devo recear de cá ficar morando eternamente. Descansado por este lado, passei a atentar para os trabalhos das companheiras da rainha; eram umas novas modas que se estavam arranjando para vir a este mundo substituir as antigas.

Houve apresentação com o cerimonial do estilo. Estremeci quando pousei os lábios na mão fina e macia da soberana; esta não reparou, porque tinha na mão esquerda um psichê, onde se mirava de momento a momento.

Impetramos os três licença para continuar a visita do palácio e seguimos pelas galerias e salas. Cada sala era ocupada por um grupo de pessoas, homens ou mulheres, algumas vezes mulheres e homens, que se ocupavam nos diferentes misteres de que estavam incumbidos pela lei do país, ou por ordem arbitrária do soberano. Percorria essas salas diversas com o olhar espantado, estranhando o que via, aquelas ocupações, aqueles costumes, aqueles caracteres. Em uma das salas um grupo de cem pessoas ocupava-se em adelgaçar uma massa branca, leve e balofa. Naturalmente este lugar é a ucharia, dizia comigo; estão preparando alguma iguaria singular para o almoço do rei. Indaguei do cicerone se havia acertado. O cicerone respondeu:

— Não, senhor; estes homens estão ocupados em preparar massa cerebral para um certo número de homens de todas as classes, estadistas, poetas, namorados etc.; serve também a mulheres. Esta massa é especialmente para aqueles que no seu planeta vivem com verdadeiras disposições do nosso país, aos quais fazemos presente deste elemento constitutivo.

— É massa quimérica?

— Da melhor que se há visto até hoje.

— Pode ver-se?

O cicerone sorriu-se; chamou o chefe da sala, a quem pediu um pouco da massa. Este foi com prontidão ao depósito e tirou uma porção que entregou-me. Mal a tomei das mãos do chefe desfez-se a massa como se fora composta de fumo. Fiquei confuso; mas o chefe bateu-me no ombro:

— Vá descansado — disse —; nós temos à mão matéria-prima; é da nossa própria atmosfera que nos servimos e a nossa atmosfera não se esgota.

Este chefe tinha uma cara insinuante, mas, como todos os quiméricos, era sujeito a abstrações, de modo que não pude arrancar-lhe mais uma palavra, porque ele ao dizer as últimas começou a olhar para o ar e a contemplar o voo de uma mosca. Este caso atraiu os companheiros, que se chegaram a ele e mergulharam-se todos na contemplação do alado inseto.

Os três continuamos o nosso caminho.

Mais adiante era uma sala onde muitos quiméricos à roda de mesas discutiam os diferentes modos de inspirar aos diplomatas e diretores deste nosso mundo os pretextos para encher o tempo e apavorar os espíritos com futilidades e espantalhos. Esses homens tinham ares de finos e espertos. Havia ordem do soberano para não entrar naquela sala em horas de trabalho; uma guarda estava à porta. A menor distração daquele congresso seria considerada uma calamidade pública. Continuei com o cicerone e fui ter a outra sala onde muitos quiméricos, de boca aberta, escutavam as preleções de um filósofo do país.

O filósofo falava pausado e parecia embebido na música das próprias palavras. Tinha um gesto estudado, cheio de si, como de Vadius falando a Trissotin. Detive-me aí.

Dizia o filósofo:

— Meus caros filhos, o universo é um composto de maldade e invejas. Não há talento, por mais prodigioso, que não seja ferido pela seta da calúnia e do desdém dos egoístas. Como fugir a esta triste situação? De um modo único. Que cada um começando a viver deve logo compenetrar-se de que nada há acima de si, e desta convicção própria nascerá a convicção alheia. Quem há de contestar o talento a um homem que começa por senti-lo em si e diz que o tem?

Os ouvintes alçaram a voz e num coro exclamaram:

— Muito bem.

O filósofo continuou:

— Dirão que isso é vaidade; mas se bem compreendeis a nossa natureza e a natureza dos outros deveis saber que isso que lá embaixo se chama vaidade não é entre nós outra coisa mais do que a verdadeira tensão do espírito, a consciência da nossa elevação moral.

A preleção acabou com estas palavras. O filósofo desceu do espaldar em que estava e todas as Quimeras fizeram alas para deixá-lo passar.

Continuei a minha viagem.

Andei de sala em sala, de galeria em galeria, aqui visitando um museu, ali um trabalho ou um jogo; tive tempo de ver tudo, de tudo examinar com atenção e pelo miúdo. Ao passar pela grande galeria que dava para a praça, vi que o povo, reunido embaixo das janelas, cercava uma forca. Era uma execução que ia ter lugar. Crime de morte? Não, responderam-lhe, crime de lesa-cortesia. Era um quimérico que havia cometido o crime de não fazer a tempo e com graça uma continência; este crime é considerado naquele país como a maior audácia possível e imaginável. O povo quimérico contemplou a execução como se assistisse a um espetáculo de saltimbancos, entre aplausos e gritos de prazer.

Entretanto era a hora do almoço real.

À mesa do gênio soberano só se sentavam o rei, a rainha, dois ministros, um médico, e a encantadora fada que me havia levado àquelas alturas. A fada, antes de sentar-se à mesa, implorou do rei a mercê de admitir-me ao almoço; a resposta foi afirmativa; tomei assento. O almoço foi o mais sucinto e rápido que é possível imaginar. Durou alguns segundos, depois do que todos se levantaram e abriu-se mesa para o jogo das reais pessoas; fui assistir ao jogo; em roda da sala havia cadeiras onde estavam sentadas as Utopias e as Quimeras; às costas dessas cadeiras empertigaram-se fidalgos quiméricos, com os seus pavões e as suas vestiduras de escarlate. Aproveitei a ocasião para saber como é que me conheciam aquelas assanhadas raparigas. Encostei-me a uma cadeira e indaguei da Utopia que se achava nesse lugar. Esta impetrou licença, e depois das formalidades do costume, retirou-se a uma das salas comigo, e aí perguntou-me:

— Pois deveras não sabes quem somos? Não nos conheces?

— Não as conheço, isto é, conheço-as agora, e isso dá-me verdadeiro pesar, porque quisera tê-las conhecido há mais tempo.

— Oh! sempre poeta!

— É que deveras são de uma gentileza sem rival. Mas onde é que me viram?

— Em tua própria casa.

— Oh!

— Não te lembras? À noite, cansado das lutas do dia, recolhes-te ao aposento, e aí, abrindo velas ao pensamento, deixas-te ir por um mar sereno e calmo. Nessa viagem acompanham-te algumas raparigas... somos nós, as Utopias, nós, as Quimeras.

Compreendi afinal uma coisa que se me estava a dizer há tanto tempo. Sorri-me, e cravando os meus olhos nos da Utopia que tinha diante de mim, disse:

— Ah! sois vós, é verdade. Consoladora companhia que me distrai de todas as misérias e pesares. É no seio de vós que eu enxugo as minhas lágrimas. Ainda bem. Conforta-me ver-vos a todas de face e debaixo de forma palpável.

— E queres saber — tornou a Utopia — quem nos leva a todas para a tua companhia? Olha, vê.

Voltei-me e vi a peregrina visão, minha companheira de viagem.

— Ah! é ela — respondi.

— É verdade. É a loura Fantasia, a companheira desvelada dos que pensam e dos que sentem.

A Fantasia e a Utopia entrelaçaram as mãos e olhavam para mim. Eu, como que enlevado, olhava para ambas. Durou isto alguns segundos; quis fazer algumas perguntas, mas quando ia falar reparei que as duas se haviam tornado mais delgadas e vaporosas. Articulei alguma coisa; porém vendo que elas iam ficando cada vez mais transparentes, e distinguindo-se-lhes já pouco as feições, soltei estas palavras:

— Então, que é isto? por que se desfazem assim?

Mais e mais as sombras desapareciam, corri à sala do jogo; espetáculo idêntico me esperava; era pavoroso; todas as figuras se desfaziam como se fossem feitas de névoa. Atônito e palpitante, percorri algumas galerias e afinal saí à praça; todos os objetos estavam sofrendo a mesma transformação. Dentro de pouco eu senti que me faltava o apoio aos pés e vi que estava solto no espaço.

Nesta situação soltei um grito de dor. Fechei os olhos e deixei-me ir como se tivesse de encontrar por termo de viagem a morte. Era na verdade o mais provável. Passados alguns segundos, abri os olhos e vi que caía perpendicularmente sobre um ponto negro que me parecia do tamanho de um ovo. O corpo rasgava como raio o espaço. O ponto negro cresceu, cresceu e cresceu até fazer-se do tamanho de uma grande esfera. A minha queda tinha alguma coisa de diabólica; soltava de vez em quando um gemido; o ar batendo-me nos olhos obrigava-me a fechá-los de instante a instante.

Afinal o ponto negro que havia crescido, continuava a crescer, até aparecer-me com o aspecto da terra. É a terra! disse comigo.

Creio que não haverá expressão humana para mostrar a alegria que sentiu a minha alma, perdida no espaço, quando reconheceu que se aproximava do planeta natal. Curta foi a alegria; pensava, e pensava bem, que naquela velocidade quando tocasse em terra seria para nunca mais se levantar. Tive um calafrio: vi a morte diante de mim e encomendei a minha alma a Deus. Assim fui, fui, ou antes, vim, vim, até que — milagre dos milagres! — caí sobre a praia, de pé, firme como se não houvesse dado aquele infernal salto. A primeira impressão, quando me vi em terra, foi de satisfação; depois tratei de ver em que região do planeta me achava; podia ter caído na Sibéria ou na China; verifiquei que me achava a dois passos de casa. Apressei-me a voltar aos meus pacíficos lares.

A vela estava gasta; a galga, estendida sobre a mesa, tinha os olhos fitos na porta. Entrei e atirei-me sobre a cama, onde adormeci, refletindo no que acabava de acontecer-me."

Tal é a narrativa de Tito.

Esta pasmosa viagem serviu-lhe de muito.

Desde então adquiriu um olhar de lince capaz de descobrir, à primeira vista, se um homem tem na cabeça miolos ou massa quimérica.

Não há vaidade que possa com ele. Mal a vê lembra-se logo do que presenciou no reino das bagatelas, e desfia sem preâmbulo a história da viagem.

Daqui vem que, se era pobre e infeliz, mais infeliz e mais pobre ficou depois disto.

É a sorte de todos quantos entendem dever dizer o que sabem; nem se compra por outro preço a liberdade de desmascarar a humanidade.

Declarar guerra à humanidade é declará-la a toda a gente, atendendo-se a que ninguém há que mais ou menos deixe de ter no fundo do coração esse áspide venenoso.

Isto pode servir de exemplo aos futuros viajantes e poetas, a quem acontecer a viagem milagrosa que aconteceu ao meu poeta. Aprendam os outros no espelho deste. Vejam o que lhes aparecer à mão, mas procurem dizer o menos que possam as suas descobertas e as suas opiniões.

Jornal das Famílias, *abril-maio de 1866; A.*

O que são as moças

I
Diz-se muita coisa feroz a respeito da amizade das mulheres. Ora, este conto tem por objeto a amizade de duas mulheres, tão firme, tão profunda, tão verdadeira, que as famílias respectivas, para melhor caracterizá-la, davam às duas a designação de Orestes e Pílades... de balão. Já se usava balão no tempo deste conto; isto é, as mulheres que haviam sido belas desde Eva até dez anos atrás sem o auxílio da crinolina, imaginaram que sem a crinolina já não podiam agradar.

Se outras razões não houvesse para suprimir a crinolina bastava a simples comparação entre... Mas não, leitoras, deste modo interrompo o romance e deito já em vosso espírito um germe de aversão pelo singelo escritor.

Tenho, pois, aqui a história de duas mulheres amigas e unidas como carne e unha. Razões de simpatia e de convivência longa trouxeram esta amizade, que fazia a felicidade das famílias e a admiração de toda a gente. Uma chamava-se Júlia e a outra Teresa. Esta tinha cabelos louros e era clara; aquela tinha-os castanhos e era morena. Eram estas as diferenças; no mais, igualmente belas e igualmente vestidas. Vestidas, sim, porque quando não estavam juntas, a primeira que acordava mandava perguntar à outra que vestido pretendia trajar naquele dia, e era assim que ambas sempre andavam vestidas do mesmo modo.

Imagine-se depois o resto. Nenhuma delas ia ao teatro, ao baile, ao passeio, sem a outra. À mesa de algum jantar, fosse ou não de cerimônia, o que esta comia, comia aquela, às vezes sem consulta, por simples inspiração.

Esta conformidade, tão ostensiva como era, não alterava o fundo da amizade, como acontece geralmente. Eram verdadeiramente amigas. Quando uma adoecia, a outra não adoecia, como devia ser, mas isto pela simples razão de que a doente não recebia um caldo que não fosse das mãos da outra. Talvez que esta simples circunstância influísse na cura.

Ambas contavam a mesma idade, com diferença de dias. Tinham vinte anos.

Já estou a ouvir uma pergunta da parte das leitoras, pergunta que naturalmente dará mais interesse ao meu conto, pela simples razão de que não responderei a ela.

A pergunta é esta. Aquelas duas almas, tão irmãs, tão conformes, namoravam acaso o mesmo indivíduo? A pergunta é natural e lógica, adivinho mesmo os terrores a que pode dar lugar o desenvolvimento dela; mas nada disso me demove do propósito de deixá-la sem resposta.

O mais que posso dizer é que até o momento em que a nossa história começa o coração de ambas não havia ainda palpitado por amor, coisa rara nos vinte anos, idade em que a maioria das mulheres já conserva vinte maços de cartas, correspondentes a outros tantos namorados inconstantes ou infelizes. Quero ao menos dotar as minhas heroínas destas duas singularidades.

Teresa é filha de um proprietário; Júlia é filha de um empregado público de ordem superior. Tinham as mães vivas e eram filhas únicas: não importa saber mais nada.

Teresa morava em Catumbi. Júlia nos Cajueiros. Calculem daqui a maçada que levava o moleque encarregado de ir dos Cajueiros ao Catumbi ou vice-versa para saber de que maneira se vestiam as duas amigas, que, como disse, até nisto queriam manter a mais perfeita conformidade!

Estamos no mês de junho. Faz algum frio. Júlia, retirada para o seu gabinete de trabalho, ocupa-se em terminar um bordado que destina mandar a Teresa. Tem a porta e a janela fechadas por causa do frio. Trabalha com atividade para acabar o bordado naquele mesmo dia. Mas alguém vem interrompê-la: é uma mulatinha de dez anos, cria de casa, que acaba de receber uma carta mandada por Teresa.

Júlia abre a carta e lê o seguinte:

> Minha querida Júlia. — talvez esta noite lá vá. Tenho coisas muito importantes a contar-te. Que romance, minha amiga! É para duas horas, senão mais. Prepara-te. Até logo! — Tua do coração, TERESA.

Júlia leu a carta, releu-a, e murmurou:
— Que singularidade!
Depois, escreveu as seguintes linhas em resposta a Teresa:

> Vem, minha querida. Se não viesses ia eu! Há muito que não te vejo e quero ouvir-te e falar-te. Com que ouvidos te hei de ouvir, e com que palavras te hei de falar. Nem cinco horas. O melhor é vires dormir cá. — Tua JÚLIA.

O leitor compreende facilmente que as coisas muito importantes de que falava Teresa não seriam decerto nem a alça de fundos, nem a mudança de ministério, nem mesmo a criação de bancos. Aos vinte anos só há um banco: o coração; só há um ministério: o amor. As firmezas e as infidelidades são a alça e a baixa de fundos.

Daqui concebe o leitor, que é perspicaz, o seguinte: — o negócio importante de Teresa é algum amor.

E dizendo isto o leitor prepara-se para ver despontar no horizonte daquele coração virgem a primeira alva de um sentimento puro e ardente. Não serei eu que lhe impeça o prazer, mas só lho consentirei nos posteriores capítulos; neste não. Dir-lhe-ei somente, para melhor orientá-lo, que a visita prometida por Teresa não teve lugar por causa de visitas inesperadas que foram à casa dela. A moça arrepelou-

-se, mas não era possível vencer aquele obstáculo. Vingou-se porém; não deu palavra durante a noite e deitou-se mais cedo que de costume.

II

Dois dias depois Teresa recebia de Júlia a seguinte carta:

> Minha querida Teresa. — Quiseste contar-me não sei que acontecimento; dizes-me que preparas uma carta para isso. Enquanto espero a tua carta, escrevo-te eu uma para dar-te parte de um acontecimento meu.
> Até nisto parecemos irmãs.
> Ah! se morássemos juntas seria a suprema felicidade; nós que juntas vivemos tão iguais.
> Sabes que até hoje estou como a livre borboleta dos campos; ninguém tem feito bater o meu coração. Pois bem, chegou a minha vez.
> Aí vais rir, minha cruelzinha, destas confidências; tu que não amas, vais zombar de mim que me alistei nas bandeiras do amor.
> Amo, sim, e não poderia deixar de fazê-lo, tão bela, tão interessante é a pessoa em questão.
> Quem é? perguntarás tu. Será o Oliveira? O Tavares? O Luís Bento? Nenhum desses, descansa. Nem lhe sei o nome. Não é conhecido nosso. Vi-o apenas duas vezes, a primeira há oito dias, a segunda ontem. Verdadeiramente o amor descobriu-se ontem. Que belo rapaz. Se o visses ficavas a morrer por ele. Quisera fazer-te a pintura, mas não sei. É um belo rapaz, de olhos pretos, moreno, cabelos abundantes e da cor dos olhos; um par de bigodes grossos e pretos.
> Tem passado aqui por nossa rua, às tardes, entre as cinco e seis horas. Passa sempre a cavalo. Olha, Teresa, até o cavalo me parece adorável; cuido às vezes que está ensinado, porque ao passar em frente às nossas janelas, começa a saltar, como que me cumprimenta e agradece a simpatia que o dono me inspira.
> Que tolices estou eu dizendo! Mas desculpa, minha Teresa, isto é amor. No amor sente-se muita coisa que não se sente de ordinário. Agora sei.
> Vais perguntar-me se ele gosta de mim, se repara em mim? Repara posso afirmar-te; mas se gosta não sei. Porém é acaso possível que se repare muito em alguém sem gostar? A mim parece que não. Talvez seja ilusão do meu coração e dos meus desejos.
> Não sabes como isto me tem posto a cabeça tonta. Ontem mamãe reparou e me perguntou que tinha eu; respondi que nada, mas de modo tal que ela sacudiu a cabeça e disse baixinho: Ah! amores, talvez!
> Estive para abraçá-la, mas recuei e entrei para o quarto. Tenho medo que se saiba disto; entretanto, não creio que seja crime gostar de um moço bonito e bem educado, como ele parece ser. Que dizes tu?
> Preciso dos teus conselhos. Tu és franca e és minha amiga verdadeira. Tuas palavras me servirão de muito. Se eu não tivesse uma amiga como tu, abafava com semelhante coisa.
> Escreve-me, quero palavras tuas. Se quiseres o portador esperará; em todo o caso desejo que me respondas hoje.
> Adeus, Teresa; até amanhã, porque eu e mamãe lá vamos. Escreve-me e sê sempre amiga da tua amiga, JÚLIA.

III

Teresa a Júlia:

> Minha Júlia. — Apaixonada! Que me dizes tu? Pois é possível que achasses afinal o noivo do teu coração? E assim, sem mais nem menos, como uma chuva de verão, caindo no meio de um dia claro e bonito?

Dou-te do fundo da alma os meus parabéns.

E se os dou não é simplesmente porque eu deseje a tua felicidade, é porque igualmente devo receber parabéns de tua parte. Sabes por que motivo? É porque também amo! Também, sim... *Anch'io sono pittore*! como diz o mano Gabriel.

Vê como a sorte protege nossos corações. Seria para doer que só uma de nós se apaixonasse e deixasse a outra no inteiro abandono. Mas não; Deus nos uniu e não quer que caminhemos isoladamente. Dá-nos as mãos a ambas e quer que sigamos de braço dado pela alameda do amor. Pois caminhemos, minha querida. Irás com o teu namorado e eu irei com o meu.

Ah! o meu é um belo rapaz, é a mesma figura que pintas na tua carta. Se lhe soubesse o nome mandava dizer-te aqui; mas não sei, porque mal o tenho visto passar às tardes a cavalo. Também a cavalo, como o teu; que felicidade! Belos cabelos e belos olhos. Que olhos, minha Júlia! Mais bonitos que os meus, posso jurar. Nunca vi olhos assim. Parecem mágicos; não sei por quê, mas não posso fitá-los.

Já o vi cinco vezes. A segunda estava tão embebido para mim que foi quase esbarrar contra um carro.

Fiquei tão vexada! As Avelares, que moram defronte, puseram-se a falar entre si. Parece que descobriram. A mim não me importa que se riam ou não. É de inveja, porque eu duvido que haja um rapaz de gosto que as namore, tão feias são. A mais velha parece uma lagosta; a mais moça tem cara de periquito; a do meio é periquito e lagosta ao mesmo tempo. Mano Gabriel chama aquela gente — *a família impossível*. E olha que é.

Mas aqui vou eu já longe do meu namorado e dos nossos amores, que vão par a par. É, como te disse, uma verdadeira proteção da sorte. Aceitamo-la, minha Júlia; amemos juntas, sejamos felizes à mesma hora, para que à mesma hora nos transfira para o céu.

Nada de ideias tristes.

Cá fico, minha querida Júlia, à tua espera. — Tua TERESA.

IV

Júlia a Teresa:

Até logo. Escrevi este bilhete só para dizer-te que ele passou aqui ontem à tarde. Estou cada vez mais apaixonada. Adeus. — JÚLIA.

V

À noite do dia aprazado reuniram-se as duas amigas em Catumbi. Pelas cartas que aí ficam escritas imaginem os leitores do tom em que foi a conversa. A sós, no gabinete de Teresa, puderam aquelas almas abrir-se e confiar uma à outra todos os segredos e todas as esperanças. Talvez chegassem a chorar; lágrimas naquela idade são como a chuva da primavera. Caem para deixar o céu mais belo e a terra mais jubilosa.

Dizia Teresa:

— Tu não sabes, minha Júlia, como aquele moço me deixou o coração. Não penso senão nele. Já sonhei com ele duas vezes. A primeira foi um sonho de felicidade; a segunda foi um sonho terrível.

— Ah!

— Sonhei que o vi, no mesmo cavalo, rolar por um despenhadeiro abaixo. Dei um grito e acordei. Que sonho, meu Deus!

— Felizmente era sonho.

— É verdade.

— Mas ainda não me contaste o primeiro sonho.

— O primeiro...

— Nada de vergonha; o primeiro foi um sonho de felicidade, não? Pois conta. Não sou eu também confidente de felicidades?

— Sonhei que estávamos em vésperas de casar. Ele, a sós comigo, no jardim do tio Mateus, jurava aos meus pés, pela centésima vez, que eu seria o último pensamento de sua vida. Acreditarás que chorei mesmo no sonho, e que quando acordei tinha os olhos úmidos?

— Acredito, sim.

— Foi este o primeiro sonho. E tu? Não tens sonhado? Conta-me tudo.

— Não tenho sonhado, não; mas posso dizer que vivo em perpétuo sonho. Trago presente na memória a figura dele, de noite e de dia. É o mesmo ou talvez melhor que sonhar.

— Também eu! — disse Teresa suspirando.

Júlia continuou:

— Olha, se eu fosse tão feliz que me casasse com ele, e se tu também te casasses com o teu, havíamos de morar juntas. Que vida feliz, hein?

— Oh! não fales!

— O amor de um lado e a amizade do outro. Que felicidade.

Bateram à porta do gabinete.

Teresa perguntou quem era.

— Sou eu — respondeu uma voz masculina.

— É o mano Gabriel — disse ela voltando-se para Júlia.

E foi abrir a porta.

Gabriel apareceu à porta. Era um rapaz simpático, muito parecido com a irmã. Tinha um ar de franqueza e de galhofa, sem excluir a delicadeza das maneiras, que o fazia querido das moças.

— Conversavam? Queria saber em quê. Imagino que não era sobre as sandálias de são Francisco de Paula.

— Cala a boca, herege! — disse Teresa.

— É heresia, sei, não precisa pôr mais na carta. Então sobre que conversavam as meninas?

— Quer saber? — disse Júlia. — Sobre os indiscretos.

— Passam em revista a humanidade. Pois eu aposto que não era sobre os indiscretos que falavam. Era talvez sobre amores.

— Apre lá, mano!

— Isso que tem entre moças?... A senhora minha irmã anda agora de namoro, sabe, dona Júlia?

As duas moças trocaram um olhar. Teriam sido ouvidas? Gabriel olhava para a irmã com ar de quem tinha prazer em ver aquela confusão. Teresa, depois de um minuto de silêncio, aventurou estas palavras:

— Quem lhe meteu estas coisas na cabeça?

— Ah! eu adivinho.

— Pois enganou-se na adivinhação; mas se fosse verdade?...

— Se fosse verdade era uma coisa muito natural, e por isso não sei por que motivo não havia eu de saber as coisas do teu coração.

— Deus me livre!

— Ora essa! — disse Gabriel sentando-se num pufe. — Por que não havia eu de saber? Eu compreendo que dona Júlia não me conte os seus amores. Mas tu...

— Meus amores? — disse Júlia.
— Sim, senhora, sim, os seus amores. Aposto que também não os tem?
— Nada tenho, é verdade.
— Nada, a mim é que não engana; sei que os tem, não só a senhora, como Teresa; e eu, na qualidade de irmão de uma e criado de outra, hei de saber de tudo... É a minha resolução.
— Tu ouvistes? — perguntou Teresa a Gabriel.
— Tudo.
— Ah! que curioso! — exclamaram as duas.

Gabriel ria-se para ambas e divertia-se interiormente com o embaraço em que ambas ficaram. As duas, não podendo suportar o olhar do moço, caíram nos braços uma da outra.

VI

Poucos dias depois um baile reunia as duas famílias. Era um baile de anos da filha do comendador ***.

Pouco importa saber à nossa história quem eram os convidados, nem qual era a toalete das senhoras, nem quais as mais belas, nem as mais adoráveis e adoradas.

Basta-nos saber que as duas heroínas deste conto primavam de graça e de gosto. Nisto a natureza e a arte as fizeram igualmente irmãs. Os leitores nos dispensam sem dúvida a descrição minuciosa do traje de cada uma delas.

Mesmo nos bailes poucas vezes se separavam Júlia e Teresa; em caso de força maior, resignavam-se, mas era para voltar logo a reunir-se.

Gabriel achava-se presente a esse baile.

Às dez horas da noite apareceu nos salões um cavalheiro que, por sua galharda presença e beleza original, começava a adquirir certa reputação. Era um filho de Campos; muito jovem fora à Europa, de onde voltara havia poucos dias.

Antes que o moço convidado chegasse à saleta onde se achavam as duas heroínas, lá lhes chegara a fama. Uma natural curiosidade falou em ambas as criaturas. Vê-lo, foi um pensamento que assaltou a um tempo o espírito de Júlia e Teresa; mas ambas julgaram que deviam ir ao toalete ver mais duas amigas que lá as esperavam no fundo do vidro de um espelho, muito parecidas com elas, e talvez mais amigas ainda de cada uma delas, do que elas o eram entre si.

Foram.

Uma mulher tem sempre uma fita a prender, um fio de cabelo a arranjar, quando se trata de ver um homem pela primeira vez, ou mesmo pela segunda, ou mesmo pela centésima vez.

São por assim dizer as armas que elas dispõem para entrar no duelo da casquilhice, duelo onde não há necessidade de cartel nem de testemunhas.

Arranjada a fita ou o cabelo, ou, como talvez acontecesse, porque neste ponto a tradição é obscura, feita unicamente uma simples e rápida inspeção, dispunham-se as duas amigas a voltar ao salão.

Júlia ia adiante; com uma das mãos afastou o reposteiro para sair; mas Teresa, *do outro lado*, fez o mesmo, e ambas puseram o pé fora da porta ao mesmo tempo, quando por um rápido movimento tornaram a entrar.

Olharam-se.

— Lá está ele! — disseram ambas.
— Ele quem? — perguntou Teresa.
— O meu namorado — respondeu Júlia. — E o teu também está?
— Também.

Fora, com efeito, passeavam alguns cavalheiros.

As duas amigas colaram o olho a uma fresta do reposteiro e começaram a indicar uma à outra quem era o dono do coração.

Momentos depois desta investigação feita em voz baixa, e com a respiração compressa, olharam-se com espanto:

— É o mesmo!

Esta exclamação partiu de ambas.

Em tais ocasiões há sempre um momento de silêncio, ainda quando se trata de corações tão intimamente ligados como eram aqueles dois.

Com efeito, o acaso, autor de muitos lances imprevistos, preparara às duas amigas aquela circunstância engenhosa de ambas se apaixonarem pelo mesmo indivíduo. Era naturalmente o que lhes poderia acontecer de pior.

O silêncio que houve entre as duas amigas deu lugar a que muitas reflexões fizessem ambas sobre tão extraordinária situação. Mas prolongá-lo era piorar as coisas. Foi Teresa quem falou em primeiro lugar.

— Na verdade, é preciso que a sorte nos reserve como eterno exemplo de confraternidade para que nos aconteça tão singular encontro.

— É verdade — disse Júlia.

— Era o primeiro, e por desgraça é o mesmo.

— Dizes bem, por desgraça, porque... tu o amas, não?

— Muito. E tu?

— Tanto como tu. É uma desgraça.

As duas amigas foram sentar-se tristes. Creio até que uma lágrima rolou-lhes pela face, como se já de antemão estivessem a chorar o bem que iam perder mediante um ato de suspiro.

Estiveram assim durante algum tempo.

Depois Teresa levantou-se e foi a Júlia.

— Minha querida, somos irmãs pelo coração; se o teu amor é forte, se dele depende a tua vida, seja a conquista unicamente tua. Consola o teu coração e não te importes comigo.

— Isso não — respondeu Júlia levantando-se. — Em nome do que devo eu consentir esse sacrifício? Não chorar para ver-te chorar, Teresa, prefiro morrer!

Tamanho interesse duvido eu que alguém tenha visto, sobretudo com o ar de convicção sincera daquele; era um espetáculo que eu sinto ter sido apenas observado pelos espelhos do toalete e pela pena do romancista que penetra até no íntimo do pensamento.

Todavia, se aquela luta da recusa do namorado em questão se prolongasse mais algum tempo, corria o risco de ser monótona. Parece que ambas compreenderam isto, porque trataram de pôr termo a ela.

Ocorreu, porém, a ambas uma ideia que até ali não tinha aparecido. Foi Teresa quem primeiro a enunciou.

— Mas, dize-me cá, se ele nos iludir a ambas? Não disseste que ele parecia corresponder-te?

— Correspondia.

— Também a mim.

— Enganava a ambas.

— Enganava. Isto é importante. Nós nos doíamos de amor por ele, sem sabermos que ambas fazíamos convergir o nosso espírito para um mesmo ponto, e ele, contente por contar com o coração de ambas, de ambas se ria entre si.

— Parece que é verdade isso.

— É, sem dúvida.

Juntou-se ao desgosto da situação um grão de despeito. Era o sal que faltava. Devo mesmo dizer que se não houvesse aquele despeito tão natural, o coração das duas moças sofreria dobradamente. Até então apenas tinham a idealidade de uma má fortuna contra quem exalar os seus suspiros e clamores; agora tinham diante de si um ente vivo, humano, a causa da situação aflitiva a que eram levadas.

Assim que, uma vez concordes em que o moço zombava delas, as duas moças ficaram igualmente acordes num ponto: era que ele não devia entrar nas suas preocupações, posto que tão indigno se mostrara.

Mas quem pode responder pelo coração? Era ainda o coração quem as animava contra o jovem namorado comum. Enganavam-se, talvez; venceria o amor ou a amizade? É o que as leitoras vão saber se tiverem a paciência de passar aos capítulos seguintes.

VII

Não pertenço ao número dos narradores que atribuem aos leitores uma cegueira completa para a averiguação de certos pontos das suas narrativas. Fica entendido que o leitor sabe já que o namorado de Júlia e Teresa, e o rapaz entrado às dez horas na casa do comendador ***, causando tanto abalo aos convidados, eram uma e a mesma pessoa.

Isto posto, direi mais duas palavras sobre o misterioso namorado. Já disse que chegara da Europa e que era um guapo rapaz. Acrescentarei que se chama Daniel. Tem vinte e cinco anos de idade. Profissão: duzentos contos em títulos da dívida pública e prédios inscritos nas companhias de seguro contra o fogo. Era gastador, mas gastava com certa conta; isto por experiência, visto que os duzentos contos eram já os restos de uma fortuna de oitocentos que lhe deixara o pai.

Tal é em traços largos o namorado das duas raparigas, que seria de quantas quisesse, tão próprio a inspirar amores era ele.

Júlia e Teresa tinham saído para o salão.

Não viram Daniel.

Mas, na ocasião em que se anunciava uma quadrilha, viram aproximar-se do lugar em que elas estavam Daniel e Gabriel: Daniel era míope; quando pôs a luneta e conheceu as duas raparigas fez um gesto de surpresa. Não convinha, porém, mostrar-se conhecido de nada, e para logo se acalmou. Gabriel conduziu-o, apresentou-o às duas amigas, e disse para sua irmã que dançasse com ele.

— Tenho par — murmurou Teresa.

— Tens, é verdade — disse Gabriel —, mas o teu par sou eu. Ora, eu cedo em favor de Daniel.

Não era possível recuar. Todavia, Teresa não quis decidir-se sem consultar Júlia com o olhar.

Júlia levantou simplesmente os ombros; Teresa adivinhou o movimento e tomou o braço de Daniel.

Gabriel voltou-se para Júlia e disse:

— Se não tem par, dona Júlia. O meu *vis-à-vis* é Daniel.

— Não tenho — respondeu a moça.

Nesse momento soara o sinal da quadrilha. Júlia levantou-se e aceitou o braço do irmão de Teresa. Iam tomar lugar em frente de Teresa e Daniel, quando um cavalheiro se apresentou reclamando uma quadrilha de Júlia, a qual dizia ser aquela.

— Eu me enganei; o meu par era este cavalheiro.

O moço não insistiu.

Júlia corou. Tinha faltado à verdade e acabava de cometer uma imprudência; mas apenas se achou diante do par Teresa e Daniel, a moça esqueceu tudo, e cravou na amiga um olhar inteligente e indagador.

Entretanto a quadrilha começou e seguiu o seu curso. Daniel conversava muito com Teresa; esta respondia-lhe por monossílabos; mas de certo ponto em diante parecia interessar-se menos que ao princípio.

Qual seria o motivo da conversa?

Era esta a pergunta que Júlia fazia consigo. Mas não podendo saber logo, ardia por ver a quadrilha acabada. A quadrilha acabou; apenas se achou a sós com Teresa perguntou-lhe curiosa qual o objeto do diálogo que tivera com Daniel; Teresa respondeu que ele fizera correr a conversa sobre banalidades, que era um homem aborrecido e comum.

Isto tranquilizou a outra.

Dançaram-se ainda algumas quadrilhas. Era já uma hora da noite. A família de Teresa, a instâncias desta, adiara a saída.

Gabriel apareceu de repente a Júlia levando pelo braço o seu amigo Daniel.

— O meu amigo Daniel é o melhor valsista da sala, incluindo-me eu próprio — disse ele a Júlia.

E, voltando-se para Daniel, continuou:

— Dona Júlia é a melhor valsista desta sala, incluindo minha mana.

Seguiu-se uma valsa entre Daniel e Júlia: era natural.

A valsa foi realmente digna dos elogios que dos dois valsistas fizera Gabriel.

Quando pararam Júlia estava extenuada. De fadiga ou comoção? Talvez de uma e outra coisa. O que é certo é que Daniel tanto valsava como falava ao ouvido de Júlia, palavras brandas, rápidas e incisivas.

Ora, no fim da noite eis em resumo o que Daniel havia dito a Júlia e a Teresa.

A Teresa:

— Amo-a muito; é a única que trago em meu pensamento. Um capricho levou-me a querer brincar com a sua amiga; mas eu não tenho nem quero ter outro amor que não seja este. É a minha alma, é a minha vida, é o meu futuro, é o meu céu! Ame-me, ame-me!

A Júlia:

— Amo-a muito; é a única que trago no meu pensamento. Um capricho levou-me a querer brincar com a sua amiga; mas eu não tenho, nem quero ter outro amor que não seja este. É a minha alma, é a minha vida; é o meu futuro, é o meu céu! Ame-me, ame-me!

VIII

Passaram-se alguns dias depois do baile.

Nenhum acontecimento importante mudou a ordem antiga das coisas; as duas amigas comunicaram-se com frequência; as cartas iam e vinham com presteza, e a afeição fraternal parecia não ter sofrido em coisa alguma.

Uma só coisa se notava na correspondência de Júlia e de Teresa; era um silêncio obstinado a respeito de Daniel. Esse silêncio, depois dos acontecimentos e do diálogo dos dois no baile, era natural; mas acaso a declaração de Daniel influiria no ânimo?

Vamos ver o que foi.

IX

Daniel continuava a passar todas as tardes como anteriormente em Catumbi e nos Cajueiros. À hora do costume já as duas moças se achavam à janela.

Como explicar o procedimento de Daniel? Amaria ambas? Impossível. Enganaria ambas ou uma só?

O amor, para Daniel, era simplesmente um objeto de distração; ele não amava, nem a Júlia, nem a Teresa; divertia-se com ambas, por mero passatempo.

Em tão má hora o fez, ou antes com toda a perfídia, que as duas boas moças declararam-se apaixonadas por ele.

E esta paixão foi a nuvem que cobriu o céu de amizade, até então puro e radiante.

Os dias correram do modo por que os leitores adivinham. O silêncio recíproco a respeito de Daniel deu a entender a Júlia e a Teresa que eram rivais uma da outra.

Isto devia naturalmente trazer uma explicação. Foi o que aconteceu; as duas, um dia que se achavam juntas, levaram naturalmente a conversa para o objeto comum.

Ambas declararam que amavam Daniel e comunicaram a esperança que este lhes dava. Como da primeira vez, chegaram ao conhecimento de que ambas eram enganadas. As cartas que ambas recebiam de Daniel foram igualmente comunicadas. A nova traição do rapaz foi descoberta.

No meio, porém, destas rivalidades e das nuvens que começavam a ensombrar o quadro da afeição fraternal de Júlia e de Teresa, o coração foi readquirindo os seus direitos e pôde contrabalançar o amor.

O que é certo é que um mês depois Júlia e Teresa recebiam uma da outra uma carta de desistência.

Eis a carta de Teresa a Júlia:

Minha querida Júlia. — Sei quanto sofres, sei como amas Daniel. Compreendo esse amor por ele, visto que o tenho igualmente. Mas eu posso sofrer os golpes da fatalidade e reerguer-me sã e salva. Duvido que o possas tu. Sente-se que a tua vida depende desse amor.

Assim, pois, vou fazer o que meu coração me dita. É um dever de amizade leal, como convém a quem está sincera em tudo isto.

Amo Daniel, é verdade, mas entre o meu e o teu sacrifício, prefiro o meu. Sufocarei a minha paixão. Ama-o tu sozinha e sê feliz.

Procedendo assim, estou longe de crer que mereça louvores ou agradecimentos; faço o dever. Salvar uma amiga de uma dor grave é um dever de amizade. Se a amizade não servisse para estas grandes ocasiões seria uma coisa fácil.

Quando o céu nos fez tão iguais, e o mesmo sentimento nos ligou, foi para que nos mostrássemos assim. Se hoje faço isto, amanhã farás outra coisa por mim, e teremos ambas merecido o nome de verdadeiramente amigas.

Sossega, pois, o teu coração; alimenta as tuas esperanças. Ama Daniel. Sê feliz e crê-me tua amiga, — TERESA.

Quando Júlia lia esta carta de Teresa, Teresa lia a seguinte carta de Júlia:

Minha Teresa. — Daniel é um tanto bandoleiro; mas ele pode ser firme e fiel, se um coração verdadeiramente apaixonado o contiver. Qualquer de nós lhe daria esse coração, mas de nós ambas só tu pareces mais fraca, mais exclusivamente apaixonada. Eu o estou bastante, mas agradeço restar-me um pouco de razão para ver que devo fazer um sacrifício em teu favor.

A que chegaríamos se eu insistisse em conservar o amor de Daniel? A uma luta estéril, sem resultado, a não ser o de perdermos ambas a tranquilidade do coração e a felicidade da nossa vida. Que isso me sucedesse a mim, pouco me importaria, mas tu é que não deves sofrer, e eu lastimaria do fundo da alma tão funesto resultado.

O que te digo, pois, é que o ames só e procures ganhar exclusivamente toda a afeição de Daniel. Ele pode fazer-te feliz, e pela minha parte vou pedir a Deus que coroe os teus votos.

Não te importes comigo; sou mais forte do que tu; posso lutar e vencer. Por que não? Quando me faltasse coragem, bastaria a ideia de que cumpria um dever de irmã para ganhar forças. Não será uma luta estéril, a luta do meu coração contra o amor. Mas vença o dever, e tanto basta para fazer-me contente.

Ama-o e sê feliz. Do coração to deseja a tua, — JÚLIA.

X

Estas duas cartas, chegando ao mesmo tempo e dizendo a mesma coisa, produziram idênticos efeitos.

Ambas viram que de parte a parte havia um sacrifício de amizade. Mas ambas persistiram no que haviam entendido, sem querer aproveitar o sacrifício da outra.

Novas cartas e novas recusas da parte de ambas.

E, para realizar o sacrifício oferecido, ambas deram de tábua ao gamenho Daniel.

A primeira vez que se encontraram caíram nos braços uma da outra, quase lavadas em lágrimas.

— Obrigada, minha amiga! O teu sacrifício é grande, mas em vão; não posso aceitá-lo.

— Nem eu o teu.

— Por que não?

— Por que não?

— Aceita.

— Aceita tu.

E deste modo cada uma delas tratava de ver quem seria a mais generosa que a outra.

Respondendo desta maneira, atirado de uma para outra, recusado por sentimento de magnanimidade, Daniel foi quem perdeu no tal joguinho. De onde se prova o provérbio que é sempre mau correr a duas lebres.

Mas falta à nossa história o epílogo e moralidade.

***

Quinze dias depois das cenas que se acabam de narrar, Teresa escreveu a Júlia as seguintes linhas:

> Minha Júlia. — Sei que és minha amiga e partilharás a minha felicidade. Vou ser feliz.
>
> A felicidade para nós outras reduz-se a muito pouco: encher o nosso coração e satisfazer a nossa fantasia.
>
> Vou casar. Acabo de ser pedida. O meu noivo possui o meu coração, e posso dizê-lo, sem vaidade para mim, eu possuo o dele.
>
> Perguntarás quem ele é. É natural. Não te lembras do Alfredo Soares? Pois é ele. Vi-o tantas vezes a frio; não sei por que comecei a amá-lo. Hoje se ele não me pedisse, creio que eu morreria. O amor é isto, Júlia: é problema que só a morte ou o casamento resolve.
>
> Adeus, abençoa o futuro de tua amiga, — TERESA.

Júlia leu esta carta e respondeu as seguintes linhas:

> Minha Teresa. — Estimo do fundo da alma a tua felicidade e faço votos para que sejas completamente feliz. O teu noivo merece-te; é um belo mancebo, bem educado e de boa posição.
>
> Mas não quero que te entristeças. O céu nos fez amigas e irmãs, não podia dar-nos a felicidade por meio. Também me deparou alguma coisa; e, se não estou pedida, vou sê-lo esta tarde.
>
> Não conheces o meu noivo; chama-se Carlos da Silveira, tem vinte e cinco anos, e é um coração de pomba. Ama-me como eu amo a ele.
>
> Meu pai não se poderá opor a este casamento. O que resta é que ele seja feito no mesmo dia, para que, fazendo em igual hora a nossa ventura, ratifiquemos a sorte propícia e idêntica que o céu nos deparou.
>
> Agradeçamos a Deus tanta felicidade. Até amanhã à noite. Tua, — JÚLIA.

XI

No dia seguinte reuniram-se todos, não em casa de Teresa, mas em casa de Júlia, nos Cajueiros. Estavam as duas e os dois noivos. Gabriel acompanhara a família à visita.

As duas moças comunicaram os seus projetos de felicidade. Nenhuma delas censurou à outra o silêncio que guardara até a hora do pedido em casamento, porque ambas tinham praticado a mesma coisa.

Ora, Gabriel, que soubera por sua irmã Teresa da recusa de ambas relativamente a Daniel, aproveitou uma ocasião que as acompanhou à janela e disse-lhes:

— Não há nada como a amizade. Admiro cada vez mais o ato de generosidade que ambas praticaram a respeito de Daniel.

— Ah! sabe! — disse Júlia.

— Sei.

— Fui eu quem lho disse — acrescentou Teresa.

— Mas — continuou Gabriel — são tão felizes que o céu lhes deparou logo um coração para responder aos seus.

— É verdade — disseram as duas.

Gabriel olhou para ambas, e depois, à meia voz, com intenção disse:

— Com a singularidade de que a carta de desistência do coração do primeiro foi escrita depois do primeiro olhar amoroso do segundo.

As duas moças coraram e esconderam o rosto.

Tinham de ficar vexadas.

Caía assim o véu que encobria o sacrifício e via-se que ambas haviam praticado o sacrifício no interesse pessoal; ou por outra: largavam um pássaro tendo outro em mão.

Mas as duas moças casaram-se e ficaram tão amigas como antes. Não sei se no correr dos tempos houve sacrifícios semelhantes.

Jornal das Famílias, *maio-junho de 1866; Max*.

A pianista

Tinha vinte e dois anos e era professora de piano. Era alta, formosa, morena e modesta. Fascinava e impunha respeito; mas através do recato que ela sabia manter sem cair na afetação ridícula de muitas mulheres, via-se que era uma alma ardente e apaixonada, capaz de atirar-se ao mar, como Safo, ou de enterrar-se com o seu amante, como Cleópatra.

Ensinava piano. Era esse o único recurso que tinha para sustentar-se e a sua mãe, pobre velha a quem os anos e a fadiga de uma vida trabalhosa não permitiam já tomar parte nos labores de sua filha.

Malvina (era o nome da pianista) era estimada onde quer que fosse exercer a sua profissão. A distinção de suas maneiras, a delicadeza de sua linguagem, a beleza rara e fascinante, e mais do que isso, a boa fama de mulher honesta acima de toda a insinuação, tinham-lhe granjeado a estima de todas as famílias.

Era admitida nos saraus e jantares de família, não só como pianista, mas ainda como conviva elegante e simpática, sendo que ela sabia pagar com a mais perfeita distinção as atenções de que era objeto.

Nunca se lhe desmentira a estima que em todas as famílias encontrava. Essa estima estendia-se até a pobre Teresa, sua mãe, que participava igualmente dos convites que faziam a Malvina.

O pai de Malvina morrera pobre, deixando à família a lembrança honrosa de uma vida honrada. Era um pobre advogado sem carta, que, à custa de longa prática, conseguira poder exercer as funções da advocacia com tanto sucesso como se houvera cursado os estudos acadêmicos. O mealheiro do pobre homem foi sempre um tonel das Danáides, escoando-se por um lado o que entrava por outro, graças às necessidades de honra que o mau destino lhe deparava. Quando pretendia começar a fazer pecúlio para garantir o futuro da viúva e da órfã que deixasse, deu a alma a Deus.

Tinha, além de Malvina, um filho, principal causa dos danos pecuniários que sofreu; mas esse, mal faleceu o pai, abandonou a família, e vivia, na época desta narrativa, uma vida de opróbrio.

Era Malvina o único amparo de sua velha mãe, a quem amava com um amor de adoração.

* * *

Ora, entre as famílias onde Malvina exercia as suas funções de pianista, contava-se, em 1850, a família de Tibério Gonçalves Valença.

Tenho necessidade de dizer em duas palavras quem era Tibério Gonçalves Valença para melhor compreensão da minha narrativa.

Tibério Gonçalves Valença nascera com o século, isto é, contava na época em que se passam estes acontecimentos, cinquenta anos, e na época em que a família real portuguesa chegou ao Rio de Janeiro, oito anos.

Era filho de Basílio Gonçalves Valença, natural do interior da província do Rio de Janeiro, homem de certa influência na capital, nos fins do último século. Tinha exercido, a contento do governo, certos cargos administrativos, em virtude dos quais teve ocasião de praticar com alguns altos funcionários e adquirir por isso duas coisas: a simpatia dos referidos funcionários e uma decidida vocação para adorar tudo quanto respirava nobreza de duzentos anos para cima.

A família real portuguesa chegou ao Rio de Janeiro em 1808. Nessa época Basílio Valença estava retirado da vida pública, em virtude de várias moléstias graves, das quais, todavia, já se achava restabelecido naquela época. Tomou parte ativa na alegria geral e sincera com que o príncipe regente foi recebido pela população da cidade, e por uma anomalia que muita gente não compreendeu, admirava menos o representante da real nobreza bragantina do que os diferentes figurões que faziam parte da comitiva que acompanhava a monarquia portuguesa.

Tinha queda especial para os estudos nobiliários; dispunha de uma memória prodigiosa e era capaz de repetir sem vacilar todos os graus de ascendência fidalga deste ou daquele solar. Quando a ascendência se perdia na noite dos tempos, Basílio Valença parava a narração e dizia com entusiasmo que dali só para onde Deus sabia.

E este entusiasmo era tão espontâneo, e esta admiração tão sincera, que uma vez julgou dever romper as relações de amizade com um compadre só porque este lhe objetou que muito longe que fosse certa fidalguia nunca podia ir além de Adão e Eva.

Darei uma prova da admiração de Basílio Valença pelas coisas fidalgas. Para alojar os nobres que acompanhavam o príncipe regente foi preciso, por ordem do intendente de polícia, que muitos moradores das boas casas as despejassem incontinente. Basílio Valença nem esperou que esta ordem lhe fosse comunicada; mal soube das diligências policiais a que se procedia foi de moto próprio oferecer a sua casa, que era das melhores, e mudou-se para outra de muito menor valia e de mesquinho aspecto.

E mais. Muitos dos fidalgos alojados violentamente tarde deixaram as casas e tarde satisfizeram os aluguéis respectivos. Basílio Valença não só impôs a condição de que não se lhe devolveria a casa enquanto fosse necessária, senão que declarou peremptoriamente não aceitar do fidalgo alojado o mínimo real.

Esta admiração que se traduziu por fatos era efetivamente sincera, e até morrer nunca Basílio deixou de ser o que sempre foi.

Tibério Valença foi educado nestas tradições. O pai inspirou-lhe as mesmas ideias e as mesmas simpatias. Com elas cresceu, crescendo-lhes entretanto outras ideias que o andar do tempo lhe foi inspirando. Imaginou que a longa e tradicional afeição de sua família pelas famílias afidalgadas dava-lhe um direito de penetrar no círculo fechado dos velhos brasões, e nesse sentido tratou de educar os filhos e avisar o mundo.

Tibério Valença não era lógico neste procedimento. Se não queria admitir em sua família um indivíduo que na sua opinião estava abaixo dela, como pretendia entrar nas famílias nobres de que ele se achava evidentemente muito mais baixo? Isto, que saltava aos olhos de qualquer, não era compreendido por Tibério Valença, a quem a vaidade de ver misturar o sangue vermelho das suas veias com o sangue azul das veias fidalgas era para ele o único e exclusivo cuidado.

Finalmente o tempo trouxe as necessárias modificações às pretensões nobiliárias de Tibério Valença, e em 1850 já não exigia uma linha de avós puros e incontestáveis, exigia simplesmente uma fortuna regular.

Eu não me atrevo a dizer o que penso destas preocupações de um homem que a natureza fizera pai. Indico-as simplesmente. E acrescento que Tibério Valença cuidava destes arranjos dos filhos como cuidava do arranjo de umas fábricas que possuía. Eram para ele a mesma operação.

Ora, apesar de toda a vigilância, o filho de Tibério Valença, Tomás Valença, não comungou com as ideias do pai, nem assinou os seus projetos secretos. Era moço, recebia a influência de outras ideias e de outros tempos, e podia recebê-la em virtude da liberdade plena que gozava e da companhia que escolheu. Elisa Valença, sua irmã, não estava, talvez, no mesmo caso, e muitas vezes teve de comprimir os impulsos do coração para não contrariar as ideias acanhadas que Tibério Valença lhe introduzira na cabeça.

Mas fossem ambos com as suas ideias ou não fossem absolutamente, era o que Tibério Valença não cuidava de saber. Ele tinha a respeito da paternidade umas ideias especiais; entendia que estava na sua mão regular, não só o futuro, o que era justo, mas ainda o coração dos seus filhos. Nisto enganava-se Tibério Valença.

* * *

Malvina ensinava piano a Elisa. Ali, como nas outras casas, era estimada e respeitada. Havia já três meses que contava a filha de Tibério Valença entre as suas discípulas e já a família Valença prestava-lhe um culto de simpatia e afeição.

A afeição de Elisa por ela foi mesmo muito longe. A discípula confiava à professora os segredos mais íntimos do seu coração, e para isso era levada pela confiança que lhe inspirava a mocidade e os modos sérios de Malvina.

Elisa não tinha mãe nem irmãs. A pianista era a única pessoa do seu sexo com quem a moça tinha ocasião de conversar mais frequentemente.

Assistia às lições de piano o filho de Tibério Valença. Da conversa ao namoro, do namoro ao amor decidido não mediou muito tempo. Um dia Tomás levantou-se da cama com a convicção de que amava Malvina. A beleza, a castidade da moça obravam este milagre. Malvina, que até então se conservara isenta de paixões, não pôde resistir a esta. Amou perdidamente o rapaz.

Elisa entrava no amor de ambos como confidente. Estimava o irmão, estimava a professora, e esta estima dupla fez esquecer-lhe por algum tempo os preconceitos inspirados por seu pai.

Mas o amor tem o grande inconveniente de não guardar a discrição necessária para que os estranhos não percebam. Quando dois olhares andam a falar entre si todo o mundo fica aniquilado para os olhos que os desferem; parece-lhes que têm o direito e a necessidade de viverem de si e por si.

Ora, um dia em que Tibério Valença voltou mais cedo, e a pianista demorou a lição até mais tarde, foi obrigado o sisudo pai a assistir aos progressos de sua filha. Tentado pelo que ouviu Elisa tocar, exigiu mais, e mais, e mais, até que veio notícia de que o jantar estava na mesa. Tibério Valença convidou a moça a jantar, e esta aceitou.

Foi para o fim do jantar que Tibério Valença descobriu os olhares menos indiferentes que se trocavam entre Malvina e Tomás.

Apanhando um olhar por acaso não deixou de prestar atenção mais séria aos outros, e com tanta infelicidade para os dois namorados, que desde então não perdeu um só. Quando se levantou da mesa era outro homem, ou antes era o mesmo homem, o verdadeiro Tibério, um Tibério indignado e já desonrado só com os preliminares de um amor que existia.

Despediu a moça com alguma incivilidade, e retirando-se para o seu quarto, mandou chamar Tomás. Este acudiu pressuroso ao chamado do pai, sem cuidar, nem por sombras, do que se ia tratar.

— Sente-se — disse Tibério Valença.

Tomás sentou-se.

— Possuo uma fortuna redonda que pretendo deixar aos meus dois filhos, se eles forem dignos de mim e da minha fortuna. Tenho um nome que, se se não recomenda por uma linha ininterrompida de avós preclaros, todavia pertence a um homem que mereceu a confiança do rei dos tempos coloniais e foi tratado sempre com distinção pelos fidalgos do seu tempo. Tudo isto impõe aos meus filhos uma discrição e um respeito de si mesmo, única tábua de salvação da honra e da fortuna. Creio que me expliquei e me compreendeu.

Tomás estava aturdido. As palavras do pai eram grego para ele. Olhou fixamente para Tibério Valença, e quando este com um gesto de patrício romano mandou-o embora, Tomás deixou escapar estas palavras em tom humilde e suplicante:

— Explique-se, meu pai; não o compreendo.

— Não compreende?

— Não.

Os olhos de Tibério Valença faiscavam. Parecia-lhe que tinha falado claro, não querendo sobretudo falar mais claro, e Tomás, sem procurar a oportunidade daquelas observações, perguntava-lhe o sentido das suas palavras, no tom da mais sincera surpresa.

Era preciso dar a Tomás a explicação pedida.

Tibério Valença continuou:

— As explicações que lhe tenho a dar são mui resumidas. Quem lhe deu o direito de me andar namorando a filha de um rábula?

— Não compreendo ainda — disse Tomás.

— Não compreende?

— Quem é a filha do rábula?

— É essa pianista, cuja modéstia todos são unânimes em celebrar, mas que eu descubro agora ser apenas uma rede que ela arma para apanhar um casamento rico.

Tomás compreendeu enfim de que se tratava. Tudo estava descoberto. Não compreendeu nem como nem desde quando, mas compreendeu que o seu amor, tão cuidadosamente velado, já não era segredo.

Todavia, ao lado da surpresa que lhe causaram as palavras do pai, sentiu um desgosto pela insinuação brutal de que vinha acompanhada a explicação: e, sem responder nada, levantou-se, curvou a cabeça e encaminhou-se para a porta.

Tibério Valença fê-lo parar dizendo:

— Então que é isso?

— Meu pai...

— Retirava-se sem mais nem menos? Que me diz em resposta às minhas observações? Veja lá. Ou a pianista sem a fortuna, ou a fortuna sem a pianista: é escolher. Eu não ajuntei dinheiro nem o criei com tanto trabalho para realizar os projetos atrevidos de uma mulher de pouco mais ou menos...

— Meu pai, se o que me retivesse na casa paterna fosse simplesmente a fortuna, minha escolha estava feita: o amor de uma mulher honesta bastava-me para amparar minha vida: eu saberei trabalhar por ela. Mas eu sei que acompanhando essa moça perco a afeição de meu pai, e prefiro perder a mulher a perder o pai: fico.

Esta resposta de Tomás desconcertou Tibério Valença. O pobre homem passou a mão pela cabeça, fechou os olhos, franziu a testa, e depois de dois minutos, disse, levantando-se:

— Pois sim, de um ou de outro modo, estimo que fique. Poupo-lhe um arrependimento.

E fez um gesto a Tomás para que saísse. Tomás saiu, de cabeça baixa, e dirigiu-se para o seu quarto, onde ficou encerrado até o dia seguinte.

* * *

No dia seguinte, na ocasião em que Malvina ia sair para dar as suas lições, recebeu um bilhete de Tibério Valença. O pai de Tomás dava o ensino de Elisa por acabado e mandava-lhe o saldo de contas.

Malvina não compreendeu esta despedida tão positiva e tão humilhante. A que podia atribuí-la? Em vão indagou se a memória lhe apresentava um fato que pudesse justificar ou explicar o bilhete, e não achou.

Resolveu ir à casa de Tibério Valença e ouvir da própria boca dele as causas que faziam dispensar tão bruscamente as suas lições à menina Elisa.

Tibério Valença não estava em casa. Estava só Elisa. Tomás estava, mas encerrara-se no quarto, de onde só saíra à hora do almoço por instâncias do pai.

Elisa recebeu a pianista com certa frieza que bem se via ser estudada. O coração pedia-lhe outra coisa.

À primeira reclamação de Malvina acerca do estranho bilhete que recebera, Elisa respondeu que não sabia. Mas tão mal fingiu a ignorância, tão difícil e dolorosa lhe foi a resposta, que Malvina, compreendendo que alguma coisa havia no fundo com que não queria contrariá-la, pediu positivamente a Elisa que o dissesse, prometendo nada referir.

Elisa disse à pianista que o amor de Tomás por ela estava descoberto, e que o pai levava a mal esse amor, tendo lançado mão do meio da despedida para afastá-la da casa e da convivência de Tomás.

Malvina, que amava sincera e apaixonadamente o irmão de Elisa, chorou ao ouvir esta notícia.

Mas as lágrimas que faziam? O ato estava consumado; a despedida estava feita; só havia uma coisa a fazer: sair e não pôr mais os pés na casa de Tibério Valença.

Foi o que Malvina resolveu fazer.

Levantou-se e despediu-se de Elisa.

Esta, que, apesar de tudo, tinha um fundo de afeição pela pianista, perguntou-lhe se não ficava mal com ela.

— Mal por quê? — perguntou a pianista. — Não, não fico.

E saiu enxugando as lágrimas.

***

Estava desfeita a situação que podia continuar a avassalar o coração de Tomás. O pai não parou, e procedeu, no ponto de vista em que se colocava, com uma lógica cruel. Tratou primeiramente de afastar o filho da corte por alguns meses, de maneira que a ação do tempo pudesse apagar no coração e na memória do rapaz o amor e a imagem de Malvina.

— É isto — dizia consigo Tibério Valença —, não há outro meio. Longe esquece-lhe tudo. A tal pianista não é lá essas belezas que impressionem muito.

O narrador protesta contra esta última reflexão de Tibério Valença, que, de certo, na idade que contava, já se esquecera dos predicados da beleza e dos milagres da simpatia que fazem amar às feias. E até quando as feias se fazem amar, é sempre doida e perdidamente, diz La Bruyère, porque foi de certo por filtros poderosos e vínculos desconhecidos que elas souberam atrair e prender.

Tibério Valença não admitia a hipótese de amar a uma feia, nem de amar muito tempo uma bonita. Era desta negação que ele partia, como homem sensual e positivo que era.

Resolveu, portanto, mandar o filho para fora, e comunicou-lhe o projeto oito dias depois das cenas que acima narrei.

Tomás recebeu a notícia com aparente indiferença. O pai ia armado de objeções para responder às que lhe dispensasse o rapaz, e ficou muito admirado quando este curvou-se submisso à ordem de partir.

Entretanto aproveitou a ocasião para usar de alguma cordura e generosidade.

— Fazes gosto em ir? — perguntou-lhe.

— Faço, meu pai — foi a resposta de Tomás.

Era à Bahia que devia ir o filho de Tibério.

Desde o dia desta conferência Tomás mostrou-se mais e mais triste, sem todavia manifestar a ninguém com que sentimento recebera a notícia de deixar o Rio de Janeiro.

Tomás e Malvina só se tinham encontrado duas vezes depois do dia em que esta foi despedida da casa de Tibério. A primeira foi à porta da casa dela. Tomás passava na ocasião em que Malvina ia entrar. Falaram-se. Não era preciso nenhum deles perguntar se sentiam saudades com a ausência e a separação. O ar de ambos dizia tudo. Tomás, às interrogações de Malvina, disse que passava ali sempre, e sempre via as janelas fechadas. Cuidou um dia que ela estivesse doente.

— Não estive doente: é preciso que nos esqueçamos um do outro. Se eu não puder, seja...

— Eu? — interrompeu Tomás.

— É preciso — respondeu a pianista suspirando.

— Nunca — disse Tomás.

A segunda vez que se viram foi em casa de um amigo cuja irmã recebia lições de Malvina. Estava lá o moço na ocasião em que a pianista entrou. Malvina pretextou doença, e disse que só para não ser esperada em vão tinha ido lá. Depois do que, retirou-se.

Tomás resolveu ir despedir-se de Malvina. Seus esforços, porém, foram inúteis. Em casa sempre lhe diziam que ela tinha saído, e as janelas constantemente fechadas pareciam as portas do túmulo do amor dos dois.

Na véspera de partir Tomás convenceu-se de que era impossível despedir-se da moça. Desistiu de procurá-la e resolveu-se, com mágoa, a sair do Rio de Janeiro sem dar-lhe o adeus de despedida.

— Nobre moça! — dizia ele consigo. — Não quer que do nosso encontro resulte atear-se o amor que me prende a ela.

Enfim Tomás partiu.

Tibério deu-lhe todas as cartas e ordens necessárias para que nada lhe faltasse na Bahia, e soltou do peito um suspiro de consolação quando o filho saiu à barra.

* * *

Malvina soube da partida de Tomás logo no dia seguinte. Chorou amargamente. Por que sairia? Ela acreditou que dois motivos seriam: ou resolução corajosa para esquecer um amor que lhe trouxera o desgosto do pai; ou uma intimação cruel do pai. De um ou outro modo Malvina estimava esta separação. Se ela não esquecia o rapaz, tinha esperanças de que o rapaz a esquecesse, e então não sofria com esse amor que só podia trazer desgraças ao filho de Tibério Valença.

Este nobre pensamento denota claramente o caráter elevado e desinteressado e o amor profundo e corajoso da pianista. Tanto bastava para que ela merecesse casar com o rapaz.

Quanto a Tomás, partiu com o coração apertado e o ânimo abatido. À última hora foi que ele sentiu quanto amava a moça e como nesta separação lhe sangrava o coração. Mas devia partir. Afogou a dor em lágrimas e partiu.

***

Correram dois meses.

Durante os primeiros dias de sua residência na Bahia, Tomás sentiu as grandes saudades do grande amor que nutria por Malvina. Fez-se-lhe em torno maior solidão ainda que a que já tinha. Parecia-lhe que ia morrer naquele desterro, sem a luz e o calor que lhe dava vida. Estando, por assim dizer, a dois passos do Rio de Janeiro, afigurava-se-lhe achar-se no cabo do mundo, longe, eternamente longe, infinitamente longe de Malvina.

O correspondente de Tibério Valença, previamente informado por este, procurou todos os meios de distrair o espírito de Tomás. Tudo foi em vão. Tomás olhava para tudo com indiferença, isto mesmo quando lhe era dado olhar, porque quase sempre passava os dias encerrado em casa, recusando toda a espécie de distração.

Esta mágoa tão profunda tinha eco em Malvina. A pianista sentia do mesmo modo a ausência de Tomás; não é que tivesse ocasião ou procurasse vê-lo, na época em que se achava na corte, mas é que, separados pelo mar, parecia que estavam separados pela morte, e que nunca mais tinham de ver-se.

Ora, Malvina desejava ver Tomás amando outra, estimado pelo pai, mas queria vê-lo. Este amor de Malvina, que se apascentava com a felicidade da outra, e só com a vista do objeto amado, este amor não diminuiu, cresceu na ausência, e cresceu muito. A moça nem já podia conter as suas lágrimas; vertia-as insensivelmente todos os dias.

***

Um dia Tomás recebeu uma carta de seu pai participando-lhe que Elisa se ia casar com um jovem deputado. Tibério Valença fazia do futuro genro a pintura mais lisonjeira. Era a todos os respeitos um homem distinto e digno da estima de Elisa.

Tomás aproveitou a ocasião, e na resposta que deu a essa carta apresentou a Tibério Valença a ideia de fazê-lo voltar para assistir ao casamento de sua irmã. E procurou lembrar isto no tom mais indiferente e frio deste mundo.

Tibério Valença quis responder positivamente que não; mas, forçado a dar minuciosamente as razões da negativa, e não querendo tocar no assunto, tomou a resolução de não responder senão depois de concluído o casamento, a fim de lhe tirar o pretexto de novo pedido da mesma natureza.

Tomás estranhou o silêncio do pai. Não escreveu outra carta pela razão de que a insistência fá-lo-ia desconfiar. Demais, o silêncio de Tibério Valença, que ao princípio lhe pareceu estranho, tinha uma explicação própria e natural. Essa explicação foi a verdadeira causa do silêncio. Tomás compreendeu e calou-se.

Mas, passados os dois meses, nas vésperas do casamento de Elisa, apareceu Tomás no Rio de Janeiro. Saíra da Bahia inopinadamente, sem que o correspondente de Tibério Valença pudesse obstar.

Chegando ao Rio de Janeiro foi o seu primeiro cuidado ir à casa de Malvina. Naturalmente não lhe podiam negar a entrada, visto não haver ordem neste sentido por saber-se que ele estava na Bahia.

Tomás, que dificilmente se pudera conter nas saudades que sentiu por Malvina, chegara ao estado de lhe ser impossível continuar ausente. Procurou iludir a vigilância do correspondente de seu pai, e na primeira ocasião pôs em execução o projeto concebido.

Durante a viagem, à proporção que se aproximava do porto desejado, expandia-se o coração do rapaz e nasciam-lhe ânsias cada vez maiores de pôr o pé em terra.

Como já disse, a primeira casa a que Tomás se dirigiu foi à de Malvina. O fâmulo disse que esta se achava em casa, e Tomás entrou. Quando a pianista soube que Tomás estava na sala soltou um grito de alegria, manifestação espontânea do coração, e correu ao encontro dele.

O encontro foi como devia ser o de dois corações que se amam e que tornam a ver-se depois de longa ausência. Pouco disseram, na santa efusão das almas, que falavam em silêncio e se comunicavam por esses meios simpáticos e secretos do amor.

Depois, vieram as indagações sobre as saudades de cada um. Era aquela a primeira vez que tinham ocasião de dizerem francamente o que sentiam um pelo outro.

A pergunta natural de Malvina foi esta:

— Abrandou-se a crueldade de seu pai?

— Não — respondeu Tomás.

— Como, não?

— Não. Vim sem ele saber.

— Ah!

— Não podia mais estar naquele desterro. Era necessidade para o coração e para a vida...

— Oh! fez mal...

— Fiz o que devia.

— Mas, seu pai...

— Meu pai ralhará comigo; mas paciência; acho-me disposto a afrontar tudo. Depois de consumado o fato, meu pai é sempre pai, e nos perdoará...

— Oh! nunca!

— Como, nunca? Recusa ser minha mulher?

— Essa seria a minha felicidade; mas quisera sê-lo com honra.

— Que mais honra?

— Um casamento clandestino não nos ficaria bem. Se ambos fôssemos pobres ou ricos, sim; mas a desigualdade das nossas fortunas...

— Oh! não faças essa consideração.

— É essencial.

— Não, não digas isso... Há de ser minha mulher ante Deus e ante os homens. Que valem as fortunas neste caso? Uma coisa nos iguala: é a nobreza moral, é o amor que nos liga. Não entremos nessas miseráveis considerações do cálculo e do egoísmo. Sim?

— Isto é o fogo da paixão... Dirás sempre o mesmo?

— Oh! sempre!

Tomás ajoelhou aos pés de Malvina. Tomou-lhe as mãos entre as dele e beijou-as com beijos de ternura...

Teresa entrou na sala, justamente na ocasião em que Tomás se levantava. Uns minutos antes que fosse encontraria aquele quadro de amor.

Malvina apresentou Tomás a sua mãe. Parece que Teresa já alguma coisa sabia dos amores da filha. Na conversa com Tomás deixou escapar palavras equívocas que deram lugar a que o filho de Tibério Valença expusesse à velha os seus projetos e os seus amores.

As objeções da velha foram idênticas às da filha. Também ela via na situação esquerda do rapaz em relação ao pai uma razão de impossibilidade para o casamento.

Desta primeira entrevista saiu Tomás, alegre por ver Malvina, triste pela singular oposição de Malvina e de Teresa.

***

Em casa de Tibério Valença faziam-se preparativos para o casamento de Elisa.

O noivo era um jovem deputado de província, se do norte ou do sul, não sei, mas deputado cujo talento supria os anos de prática, e que começava a influir na situação. Acrescia que era dono de uma boa fortuna pela recente morte do pai.

Tais considerações decidiram Tibério Valença. Ter por genro um homem abastado, gozando de uma certa posição política, talvez ministro dentro de pouco tempo, era um partido de grande valor. Neste ponto a alegria de Tibério Valença era legítima. E como os noivos se amavam deveras, condição que Tibério Valença dispensaria se necessário fosse, esta união tornou-se aos olhos de todos uma união natural e propícia.

A alegria de Tibério Valença não podia ser maior. Tudo lhe corria às mil maravilhas. Casava a filha ao sabor dos seus desejos, e tinha longe o filho desnaturado, que talvez àquela hora já começasse a arrepender-se das veleidades amorosas que tivera.

Preparava-se enxoval, faziam-se convites, compravam-se mil coisas necessárias à casa do pai e à da filha, e tudo esperava ansioso o dia aprazado para o casamento de Elisa.

Ora, no meio dessa satisfação plena e geral, caiu subitamente como um raio o filho desterrado, conviva que se não contara para a festa.

A alegria de Tibério Valença ficou assim um tanto aguada. Apesar de tudo não quis romper absolutamente com o filho, e, sinceramente ou não, o primeiro que falou a Tomás não foi o algoz, foi o pai.

Tomás disse que viera para assistir ao casamento da irmã e conhecer o cunhado.

Apesar desta declaração Tibério Valença determinou sondar o espírito do filho no capítulo dos amores. Guardou-se para o dia seguinte.

E no dia seguinte, logo depois do almoço, Tibério Valença deu familiarmente o braço ao filho e levou-o para uma sala retirada. Aí, depois de fazê-lo sentar, *perguntou-lhe se o casamento*, se outro motivo o trouxera tão inopinadamente ao Rio de Janeiro.

Tomás hesitou.

— Fala — disse o pai —, fala com franqueza.
— Pois bem, vim por dois motivos: pelo casamento e por outro...
— O outro é o mesmo?
— Quer franqueza, meu pai?
— Exijo.
— É...
— Está bem. Lavo as mãos. Casa-te, consinto; mas nada mais terás de mim. Nada, ouviste?

E dizendo isto Tibério Valença saiu.

Tomás ficou pensativo.

Era um consentimento aquilo. Mas de que natureza? Tibério Valença dizia que, em se casando, o filho não esperasse nada do pai. Que não esperasse os bens da fortuna, pouco ou nada era para Tomás. Mas aquele nada estendia-se a tudo, talvez à proteção paterna, talvez ao amor paterno. Esta consideração de que perderia a afeição do pai calava muito no espírito do filho.

A esperança nunca abandonou os homens. Tomás concebeu a esperança de convencer o pai com o andar dos tempos.

Entretanto, passaram-se os dias e concluiu-se o casamento da filha de Tibério Valença.

No dia do casamento, como nos outros, Tibério Valença tratou o filho com uma sequidão nada paternal. Tomás sentia-se por isso, mas a vista de Malvina, a cuja casa ia regularmente três vezes por semana, dissipava as aflições para dar-lhe novas esperanças, e novos desejos de completar a ventura que procurava.

O casamento de Elisa coincidiu com a retirada do deputado para a província natal. A mulher acompanhou o marido, e, a instâncias do pai, ficou convencionado que no ano seguinte viriam estabelecer-se definitivamente no Rio de Janeiro.

O tratamento de Tibério Valença em relação a Tomás continuou a ser o mesmo: frio e reservado. Em vão procurava o moço um ensejo para tocar de frente a questão e trazer o pai a sentimentos mais compassivos; o pai esquivava-se sempre.

Mas se era assim por um lado, por outro os desejos legítimos do amor de Tomás por Malvina cresciam mais e mais, dia por dia. A luta que se dava no coração de Tomás, entre o amor de Malvina e o respeito aos desejos de seu pai, foi fraqueando, cabendo o triunfo ao amor. Os esforços do moço eram inúteis, e finalmente um dia chegou em que foi-lhe necessário decidir entre as determinações do pai e o amor pela pianista.

E a pianista? Essa era mulher e amava perdidamente o filho de Tibério Valença. Também uma luta interna se dava no espírito dela, mas à força do amor que alimentava ligavam-se as instâncias continuadas de Tomás. Este objetava-lhe que, uma vez casados, a clemência do pai reapareceria, e tudo se terminaria em bem. Tal estado de coisas prolongou-se até um dia em que não foi mais possível a ambos recuar. Sentiram que a existência dependia do casamento.

Tomás encarregou-se de falar a Tibério. Era o ultimato.

Uma noite em que Tibério Valença pareceu mais alegre que de ordinário, Tomás deu um passo afoitamente para a questão, dizendo-lhe que, depois de vãos esforços, reconhecera que a paz da sua existência dependia do casamento com Malvina.

— Então casas-te? — perguntou Tibério Valença.

— Venho pedir-lhe...

— Já disse o que devias esperar de mim se desses semelhante passo. Não passarás por ignorante. Casa-te; mas quando te arrependeres ou a necessidade te bater à porta, escusas de voltar o rosto para teu pai. Supõe que ele está pobre e nada te pode dar.

Esta resposta de Tibério Valença agradou em parte a Tomás. Não entrava nas palavras do pai a consideração do afeto que lhe negaria, mas o auxílio que lhe não havia de prestar em caso de necessidade. Ora, este auxílio era o que Tomás dispensava, uma vez que se pudesse unir a Malvina. Contava com algum dinheiro que possuía e tinha esperanças de arranjar dentro de pouco tempo um emprego público.

Não deu outra resposta a Tibério Valença senão a de que estava determinado a realizar o casamento.

Diga-se em honra de Tomás, não foi sem algum remorso que ele tomou uma determinação que parecia contrariar os desejos e os sentimentos do pai. É certo que a linguagem deste excluía toda a consideração de ordem moral para valer-se de uns preconceitos miseráveis, mas ao filho não competia, de certo, apreciá-los e julgá-los.

Tomás hesitou mesmo depois da entrevista com Tibério Valença, mas a presença de Malvina, a cuja casa foi logo, dissipou todos os receios e pôs termo a todas as hesitações.

O casamento efetuou-se pouco tempo depois, sem comparecimento do pai, nem de parente algum de Tomás.

***

O fim do ano de 1850 não trouxe incidente algum à situação da família Valença.

Tomás e Malvina viviam no gozo da mais deliciosa felicidade. Unidos depois de tanto tropeço e hesitação, entraram na estância da bem-aventurança conjugal coroados de mirto e de rosas. Eram moços e ardentes; amavam-se no mesmo grau; tinham chorado saudades e ausências. Que melhores condições para que aquelas duas almas, no momento do consórcio legal, achassem uma ternura elevada e celeste, e se confundissem no ósculo santo do casamento?

Todas as luas de mel se parecem. A diferença está na duração. Dizem que a lua de mel não pode ser perpétua, e para desmentir este ponto não tenho o direito da experiência. Todavia, creio que a asserção é arriscada demais. Que a intensidade do amor do primeiro tempo diminua com a ação do mesmo tempo, isso creio: é da própria condição humana. Mas essa diminuição não é de certo tamanha como se afigura a muitos, se o amor subsiste à lua de mel, menos intenso é verdade, mas ainda bastante claro para dar luz ao lar doméstico.

A lua de mel de Tomás e Malvina tinha certo caráter de perpetuidade.

***

No princípio do ano de 1851 adoeceu Tibério Valença.

Foi ao princípio moléstia passageira, em aparência ao menos; mas surgiram complicações novas, e ao cabo de quinze dias declarou-se Tibério Valença gravemente enfermo.

Um excelente médico, que era de muito tempo o médico da casa, começou a tratá-lo no meio dos maiores cuidados. Não hesitou, no fim de alguns dias, em declarar que nutria receios pela vida do doente.

Apenas soube da moléstia do pai, Tomás foi visitá-lo. Era a terceira vez, depois do casamento. Nas duas primeiras Tibério Valença tratou-o com tal frieza e reserva que Tomás julgou dever deixar que o tempo, remédio a tudo, modificasse um tanto os sentimentos do pai.

Mas agora o caso era diferente. Tratava-se de uma moléstia grave e do perigo de vida de Tibério Valença. Tudo desaparecera diante deste dever.

Quando Tibério Valença viu Tomás ao pé do leito de dor em que jazia manifestou certa expressão que era sinceramente de pai. Tomás chegou-se a ele e beijou-lhe a mão. Tibério mostrou-se satisfeito com esta visita do filho.

Os dias correram e a moléstia de Tibério Valença, em vez de diminuir, lavrava e começava a destruir-lhe a vida. Houve consultas de facultativos. Tomás indagou deles sobre o estado real de seu pai, e a resposta que teve foi que se não era desesperado, era ao menos gravíssimo.

Tomás pôs em atividade tudo quanto podia [para] tornar à vida o autor dos seus dias.

Dias e dias passava junto do leito do velho, muitas vezes sem comer e sem dormir.

Um dia, em que voltava para casa, após longas horas de insônia, veio Malvina saindo-lhe ao encontro e abraçá-lo, como de costume, mas com ar de ter alguma coisa a pedir-lhe.

Com efeito, depois de abraçá-lo, e indagar do estado de Tibério Valença, pediu-lhe que desejava ir, poucas horas que fossem, cuidar como enfermeira do sogro.

Tomás acedeu a esse pedido.

No dia seguinte Tomás disse ao pai quais eram os desejos de Malvina. Tibério Valença ouviu com sinais de satisfação as palavras do filho, e, depois de este concluir, respondeu-lhe que aceitava contente a oferta dos serviços da nora.

Malvina foi no mesmo dia começar os seus serviços de enfermeira.

Tudo em casa mudou como por encanto.

A doce e discreta influência da mulher deu nova direção aos arranjos necessários à casa e à aplicação dos medicamentos.

Tinha crescido a gravidade da moléstia de Tibério Valença. Era uma febre que o trazia constantemente ou delirante, ou sonolento.

Por isso durante os primeiros dias da estada de Malvina em casa do doente, este de nada pôde saber.

Foi só depois que a força da ciência conseguiu restituir a Tibério Valença as esperanças de vida e alguma tranquilidade, que o pai de Tomás descobriu a presença da nova enfermeira.

Em tais circunstâncias os preconceitos só dominam os espíritos inteiramente pervertidos. Tibério Valença, apesar da exageração dos seus sentimentos, não estava ainda no caso. Acolheu a nora com um sorriso de benevolência e de gratidão.

— Muito obrigado — disse ele.
— Está melhor?
— Estou.

— Ainda bem.
— Há muitos dias que está aqui?
— Há alguns.
— Nada sei do que se tem passado. Parece que acordo de um longo sono. Que tive eu?
— Delírios e constantes sonolências.
— Sim?
— É verdade.
— Mas estou melhor, estou salvo?
— Está.
— Dizem os médicos?
— Dizem e vê-se logo.
— Ah! graças a Deus.

Tibério Valença respirou como um homem que aprecia a vida no grau máximo. Depois, acrescentou:
— Ora, quanto trabalho teve comigo!...
— Nenhum...
— Como nenhum?
— Era preciso haver alguém que dirigisse a casa. Bem sabe que as mulheres são essencialmente donas de casa. Não quero encarecer o que fiz; eu pouco fiz, fi-lo por dever. Mas quero ser leal declarando qual foi o pensamento que me trouxe aqui.
— A senhora tem bom coração.

Tomás entrou neste momento.
— Oh! meu pai! — disse ele.
— Adeus, Tomás.
— Está melhor?
— Estou. Sinto e dizem os médicos que estou melhor.
— Está, sim.
— Estava a agradecer à tua mulher...

Malvina acudiu logo:
— Deixemos isso para depois.

Desde o dia em que Tibério Valença teve este diálogo com a nora e o filho a cura foi-se operando gradualmente. No fim de um mês entrou Tibério Valença em convalescença.

Estava excessivamente magro e fraco. Só podia andar apoiado a uma bengala e ao ombro de um criado. Tomás substituiu muitas vezes o criado a chamado do próprio pai.

Neste ínterim foi Tomás contemplado na pretensão que tinha a um emprego público.

Progrediu a convalescença do velho, e os facultativos aconselharam uma mudança para o campo.

Faziam-se os preparativos da mudança quando Tomás e Malvina anunciaram a Tibério Valença que, dispensando-se agora os seus cuidados, e devendo Tomás entrar no exercício do emprego que obtivera, tornava-se necessária a separação.
— Então não me acompanham? — perguntou o velho.

Ambos repetiram as razões que tinham, procurando do melhor modo não ofender a suscetibilidade do pai e do enfermo.

Pai e enfermo cederam às razões e efetuou-se a separação no meio dos protestos reiterados de Tibério Valença que agradecia de alma os serviços que os dois lhe haviam prestado.

Tomás e Malvina seguiram para casa, e o convalescente partiu para o campo.

* * *

A convalescença de Tibério Valença não teve incidente algum.

No fim de quarenta dias estava pronto para outra, como se diz popularmente, e o velho com toda a criadagem voltou para a cidade.

Não fiz menção de visita alguma da parte dos parentes de Tibério Valença durante a moléstia deste, não porque eles não tivessem visitado o parente enfermo, mas porque essas visitas não trazem circunstância alguma nova no caso.

Todavia pede a fidelidade histórica que eu as mencione agora. Os parentes, últimos que restavam à família Valença, reduziam-se a dois velhos primos, uma prima e um sobrinho, filho desta. Estas criaturas foram algum tanto assíduas durante o perigo da moléstia, mas escassearam as visitas desde que tiveram ciência de que a vida de Tibério não corria risco.

Convalescente, Tibério Valença não recebeu uma só visita desses parentes. O único que o visitou algumas vezes foi Tomás, mas sem a mulher.

Estando completamente restabelecido e tendo voltado à cidade, a vida da família continuou a mesma que anteriormente à moléstia.

Esta circunstância foi observada por Tibério Valença. Apesar da sincera gratidão com que ele acolheu a nora apenas tornara a si, Tibério Valença não pôde afugentar do espírito um pensamento desonroso para a mulher do seu filho. Dava o desconto necessário às qualidades morais de Malvina, mas interiormente acreditava que o procedimento dela não fosse isento de cálculo.

Este pensamento era lógico no espírito de Tibério Valença. No fundo do enfermo agradecido havia o homem calculista, o pai interesseiro, que olhava tudo pelo prisma estreito e falso do interesse e do cálculo, e a quem parecia que não se podia fazer uma boa ação sem laivos de intenções menos confessáveis.

Menos confessáveis é paráfrase do narrador; no fundo, Tibério Valença admitia como legítimo o cálculo dos dois filhos.

Tibério Valença imaginava que Tomás e Malvina, procedendo como procederam, tinham tido mais de um motivo que os determinasse. Não eram só, no espírito de Tibério Valença, o amor e a dedicação filial; era ainda um meio de ver se lhe abrandavam os rancores, se lhe armavam à fortuna.

Nesta convicção estava, e com ela esperava a continuação dos cuidados oficiosos de Malvina. Imagine-se qual não foi a surpresa do velho, vendo que cessada a causa das visitas dos dois, causa real que ele tinha por aparente, nenhum deles apresentou o mesmo procedimento anterior. A confirmação seria se, pilhada e aberta, Malvina aproveitasse para fazer da sua presença em casa de Tibério Valença uma necessidade.

Isto pensava o pai de Tomás, e pensava, neste caso, com acerto.

***

Correram dias e dias, e a situação não mudou.

Tomás lembrara uma vez a necessidade de visitar com Malvina a casa paterna. Malvina, porém, recusou, e quando as instâncias de Tomás a obrigaram a uma declaração mais peremptória, declarou ela positivamente que a continuação das suas visitas poderia parecer a Tibério Valença uma pretensão ao esquecimento do passado e aos conchegos do futuro.

— Melhor é — disse ela — não irmos; antes passemos por descuidados que por ávidos ao dinheiro de teu pai.

— Meu pai não pensará isso — disse Tomás.

— Pode pensar...

— Creio que não... Meu pai está mudado: é outro. Ele já te reconhece; não te fará injustiça.

— Está bom, veremos depois.

E depois desta conversa nunca mais se falou nisso, sendo que Tomás não encontrou na resistência de Malvina senão um motivo mais para amá-la e respeitá-la.

***

Tibério Valença, desenganado a respeito da expectativa em que estava, resolveu ir um dia em pessoa visitar a nora.

Era isto nem mais nem menos o reconhecimento solene de um casamento que desaprovara. Esta consideração, tão intuitiva em si, não se apresentou ao espírito de Tibério Valença.

Malvina estava só quando à porta parou o carro de Tibério Valença.

Esta visita inesperada causou-lhe verdadeira surpresa.

Tibério Valença entrou com um sorriso nos lábios, sintoma de bonança do espírito, que não escapou à ex-professora de piano.

— Não me querem ir ver, venho eu vê-los. Onde está meu filho?

— Na repartição.

— Quando volta?

— Às três e meia.

— Já não posso vê-lo. Há muitos dias que ele não vai. Quanto à senhora, creio que decididamente nunca mais lá volta...

— Não tenho podido...

— Por quê?

— Ora, isso não se pergunta a uma dona de casa.

— Então tem muito que fazer?...

— Muito.

— Oh! mas nem meia hora pode dispensar? E que tanto trabalho é esse?

Malvina sorriu-se.

— Como lhe hei de explicar? Há tanta coisa miúda, tanto trabalho que não aparece, enfim coisas de casa. E se nem sempre estou ocupada, estou muitas vezes preocupada, e outras simplesmente cansada...

— Creio que um bocadinho mais de vontade...
— Falta de vontade? Não creia nisso...
— É ao menos o que parece.

Houve um momento de silêncio. Malvina, para mudar o rumo da conversação, perguntou a Tibério como se achava e se não tinha receios da recaída.

Tibério Valença respondeu, com ar de preocupação, que se achava bom e que não tinha receios de nada, antes se achava esperançado de gozar ainda longa vida e boa saúde.

— Tanto melhor — disse Malvina.

Tibério Valença, sempre que Malvina se distraía, corria os olhos em redor da sala para examinar o valor dos móveis e avaliar por eles a posição do filho.

Os móveis eram singelos e sem essa profusão e multiplicidade dos móveis das salas abastadas. O chão tinha um palmo de palhinha ou uma fibra de tapete. O que se destacava era um rico piano, presente de alguns discípulos, feito a Malvina no dia em que esta se casou.

Tibério Valença, contemplando a modéstia dos móveis da casa de seu filho, era levado a uma comparação forçada entre eles e os de sua casa, onde o luxo e o gosto davam as mãos.

Depois deste exame minucioso, interrompido pela conversação que continuava sempre, Tibério Valença deixou cair um olhar sobre uma pequena mesa ao pé da qual se achava Malvina.

Sobre essa mesa estavam umas roupas de criança.

— Cose para fora? — perguntou Tibério Valença.
— Não, por que pergunta?
— Vejo ali aquela roupa...

Malvina olhou para o lugar indicado pelo sogro.

— Ah! — disse ela.
— Que roupa é aquela?
— É de meu filho.
— De seu filho?
— Ou filha; não sei.
— Ah!

Tibério Valença olhou fixamente para Malvina, e quis falar. Mas causou-lhe tal impressão a serenidade daquela mulher cuja família se ia aumentar e que olhava tão impavidamente para o futuro, que a voz se lhe embargou e não pôde pronunciar palavra.

— Efetivamente — pensava ele —, aqui há alguma coisa especial, alguma força sobre-humana que sustenta estas almas. Será isto o amor?

Tibério Valença dirigiu algumas palavras à nora e saiu deixando lembranças para o filho e instando para que ambos fossem visitá-lo.

Poucos dias depois da cena que acabamos de contar chegaram ao Rio de Janeiro Elisa e seu marido.

Vinham estabelecer-se definitivamente na corte.

A primeira visita foi para o pai, de cuja moléstia tinham sabido na província.

Tibério Valença recebeu-os com grande alvoroço. Beijou a filha, abraçou o genro, com uma alegria infantil.

***

Nesse dia houve em casa grande jantar, para o qual não se convidou ninguém além dos que habitualmente frequentavam a casa.

O marido de Elisa, antes de pôr casa, devia ficar em casa do sogro, e quando comunicou este projeto a Tibério Valença, este acrescentou que não se iriam mesmo sem aceitar um baile.

O aditamento foi aceito.

O baile foi marcado para o sábado próximo, isto é, exatamente oito dias depois.

Tibério Valença estava contentíssimo.

Tudo andou logo na maior azáfama. Tibério Valença queria provar com o esplendor da festa o grau de estima em que tinha a filha e o genro.

Desde então filha e genro, genro e filha, tais foram os dois pólos em que volteava a imaginação de Tibério Valença.

Enfim o dia de sábado chegou.

À tarde houve um jantar dado a alguns poucos amigos, os mais íntimos, mas jantar esplêndido, porque Tibério Valença não quis que um só ponto da festa desdissesse do resto.

Entre os convidados para o jantar veio um que informou o dono da casa de que outro convidado não vinha, por ter grande soma de trabalho a dirigir.

Era exatamente um dos mais íntimos e melhores convivas.

Tibério Valença não se deu por convencido com o recado, e resolveu escrever-lhe uma carta exigindo a presença dele no jantar e no baile.

Em virtude disto foi ao gabinete, abriu a gaveta, tirou papel e escreveu uma carta que mandou incontinente.

Mas, no momento de guardar de novo o papel que tirara da gaveta, reparou que entre duas folhas se resvalara uma cartinha por letra de Tomás.

Estava aberta. Era uma carta, já antiga, que Tibério Valença recebera e atirara para dentro da gaveta. Foi a carta em que Tomás participava ao pai o dia do seu casamento com Malvina.

Essa carta, que em mil outras ocasiões lhe estivera debaixo dos olhos sem maior comoção, desta vez não deixou de impressioná-lo.

Abriu a carta e leu-a. Era de redação humilde e afetuosa.

Veio à mente de Tibério Valença a visita que fizera à mulher de Tomás.

O quadro da vida modesta e pobre daquele jovem casal apresentou-se-lhe de novo aos olhos. Comparou esse quadro mesquinho com o quadro esplêndido que apresentava a casa dele, onde um jantar e um baile iam reunir amigos e parentes.

Depois viu a doce resignação da moça que vivia contente no meio da parcimônia, só porque tinha o amor e a felicidade do marido. Esta resignação afigurou-se-lhe um exemplo raro, tanto lhe parecia impossível sacrificar o gozo e o supérfluo às santas afeições do coração.

Enfim o neto que lhe aparecia no horizonte, e para o qual Malvina já confeccionava o enxoval, tornou mais viva e decisiva ainda a impressão de Tibério Valença.

Uma espécie de remorso fez-lhe doer a consciência. A nobre moça, a quem ele tratara tão desabridamente, o filho, para quem ele fora um pai tão cruel, tinham cuidado com verdadeiro carinho do mesmo homem de quem receberam a ofensa e o desagrado.

Tibério Valença refletia tudo isto passeando no gabinete. Dali ouvia o rumor dos fâmulos que preparavam o lauto jantar. Enquanto ele e os seus amigos e parentes iam apreciar os mais delicados manjares, que comeriam naquele dia Malvina e Tomás? Tibério Valença estremeceu diante desta pergunta que lhe fazia a consciência. Aqueles dois filhos que ele expelira tão desamorosamente e que com tanta generosidade lhe haviam pago não tinham naquele dia nem a milésima parte do supérfluo da casa paterna. Mas esse pouco que tivessem era, com certeza, comido em paz, na branda e doce alegria do lar doméstico.

As ideias dolorosas que assaltaram o espírito de Tibério Valença fizeram com que ele esquecesse inteiramente os convivas que se achavam nas salas.

Isto que se operava em Tibério Valença era uma nesga da natureza, ainda não tocada pelos preconceitos, e bem assim o remorso de uma ação má que havia cometido.

Isto e mais a influência da felicidade de que atualmente era objeto Tibério Valença produziram o melhor resultado. O pai de Tomás tomou uma resolução definitiva; mandou aprontar o carro e saiu.

Foi direito à casa de Tomás.

Este sabia da grande festa que se preparava em casa do pai para celebrar a chegada de Elisa e seu marido.

Assim que a entrada de Tibério Valença em casa de Tomás causou a este grande expectação.

— Por aqui, meu pai?
— É verdade. Passei, entrei.
— Como está a mana?
— Está boa. Ainda não foste vê-la?
— Contava ir amanhã, que é dia livre.
— Ora, se eu lhes propusesse uma coisa...
— Ordene, meu pai.

Tibério Valença dirigiu-se a Malvina e tomou-lhe as mãos.

— Escute — disse ele. — Vejo que há na sua alma grande nobreza, e se nem a riqueza, nem os antepassados ilustram o seu nome, vejo que resgata estas faltas por outras virtudes. Abrace-me como pai.

Tibério, Malvina e Tomás abraçaram-se em um só grupo.

— É preciso — acrescentou o pai — que vão hoje lá a casa. E já.
— Já? — perguntou Malvina.
— Já.

Daí a meia hora apeavam os três à porta da casa de Tibério Valença.

O pai arrependido apresentava aos amigos e aos parentes, aqueles dois filhos que tão cruelmente quisera excluir da comunhão da família.

Este ato de Tibério Valença veio a tempo de reparar o mal, e assegurar a paz futura dos seus velhos anos. A conduta generosa e honrada de Tomás e de Malvina valeram esta reparação.

Isto prova que a natureza pode comover a natureza, e que uma boa ação tem a faculdade muitas vezes de destruir o preconceito e restabelecer a verdade do dever.

Não pareça improvável ou violenta esta mudança no espírito de Tibério. As circunstâncias favoreceram essa mudança, para a qual o principal motivo foi a resignação de Malvina e de Tomás.

Fibra paternal, mais desvencilhada, naquele dia, dos liames de uma consideração social mal entendida, pôde palpitar livremente e mostrar em Tibério Valença um fundo melhor do que as suas aparências cruéis. Tanto é verdade que, se a educação modifica a natureza, a natureza pode em suas exigências mais absolutas readquirir os seus direitos e manifestar a sua força.

Com a declaração de que foram sempre felizes os heróis deste conto deita-se-lhe um ponto final.

Jornal das Famílias, *setembro-outubro de 1866*; J. J.

Astúcias de marido

I

Não me admira, dizia um poeta antigo, que um homem case uma vez; admira-me que, depois de viúvo, torne a casar. Valentim Barbosa achava-se ainda no primeiro caso e já compartia a admiração do poeta pelos que se casavam duas vezes.

Não é que a mulher dele fosse um dragão ou uma fúria, uma mulher como a de Sócrates; ao contrário, Clarinha era meiga, dócil e submissa, como uma rola; nunca abrira os lábios para exprobrar ao marido uma expressão ou um gesto. Mas que faria então a desgraça de Valentim? É o que eu vou dizer aos que tiverem a paciência de ler esta história até o fim.

Valentim fora apresentado em casa de Clarinha pelo correspondente de seu pai no Rio de Janeiro. Era um rapaz de vinte e oito anos, formado em direito, mas suficientemente rico para não usar do título como meio de vida.

Era um belo rapaz, no sentido mais elevado da palavra. Adquirira nos campos rio-grandenses uma robustez que lhe ia bem com a beleza máscula. Tinha tudo quanto podia seduzir uma donzela: uma beleza varonil e uma graça de cavaleiro. Tinha tudo quanto podia seduzir um pai de família: nome e fortuna.

Clarinha era então uma interessante menina, cheia de graças e prendas. Era alta e magra, não da magreza mórbida, mas da magreza natural, poética, fascinante; era dessas mulheres que inspiram o amor de longe e de joelhos tão impossível parece que se lhes possa tocar sem profanação. Tinha um olhar límpido e uma fisionomia insinuante. Cantava e tocava piano, com a inspiração de uma musa.

A primeira vez que Valentim a viu, Clarinha saía da cama, onde a detivera, durante um mês, uma febre intermitente. Um rosto pálido e uns olhos mórbidos deixaram logo o advogado sem saber de si, o que prova que não havia nele uma alma de lorpa.

Clarinha não se inspirou de nada; gostava do rapaz, como o rapaz gostara de outras mulheres; achou-o bonito; mas não sentiu amor por ele.

Valentim não teve tempo nem força para analisar a situação. Ficou abalado pela menina e decidiu-se a apresentar-lhe as suas homenagens. Não há ninguém que tome mais facilmente intimidade do que um namorado. Valentim, aos primeiros oferecimentos do pai de Clarinha, não hesitou; volveu à casa da moça e tornou-se o mais assíduo frequentador.

Valentim conhecia a vida; metade por ciência, metade por intuição. Tinha lido o *Tratado de paz com os homens*, de Nicole, e reteve estas duas condições a que o filósofo de Port-Royal reduz o seu sistema: não opor-se às paixões, não contrariar as opiniões. O pai de Clarinha era doido pelo xadrez e não via salvação fora do partido conservador; Valentim fustigava os liberais e acompanhava o velho na estratégia do rei e dos elefantes. Uma tia da moça detestava o império e a constituição, chorava pelos minuetos da corte e ia sempre resmungando ao teatro Lírico; Valentim contrafazia-se no teatro, dançava a custo uma quadrilha e tecia loas ao regime absoluto. Enfim, um primo de Clarinha mostrava-se ardente liberal e amigo das polcas; Valentim não via nada que valesse uma polca e um artigo do programa liberal.

Graças a este sistema era amigo de todos e tinha seguro o bom agasalho.

Mas daqui resultavam algumas cenas divertidas.

Por exemplo, o velho surpreendia às vezes uma conversa entre Ernesto (o sobrinho) e Valentim a respeito de política: ambos coroavam a liberdade.

— Que é isso, meu caro? Então segue as opiniões escaldadas de Ernesto?

— Ah! — respondia Valentim.

— Dar-se-á caso que também pertença ao partido liberal?

— Sou, mas não sou...

— Como assim? — perguntava Ernesto.

— Quero dizer, não sou mas sou...

Aqui Valentim tomava a palavra e fazia um longo discurso tão bem deduzido que contentava as duas opiniões. Dizem que é isto uma qualidade para ser ministro.

Outras vezes era a tia quem o surpreendia no campo contrário, mas a habilidade de Valentim triunfava sempre.

Deste modo, concordando em tudo, nas opiniões como nas paixões — apesar das pesadas obrigações de jogar o xadrez e ouvir a velha e as histórias do outro tempo —, Valentim conseguiu na casa de Clarinha uma posição proeminente. Sua opinião tornou-se decisiva em tudo quanto concernia aos projetos do velho pai. Baile onde não fosse Valentim não ia a família. Dia em que este não fosse visitá-la podia dizer-se que corria mal.

Mas o amor caminhava ao lado da intimidade, e até por causa da intimidade. Cada dia trazia a Valentim a descoberta de uma nova prenda no objeto do seu culto. A moça estava na mesma situação do primeiro dia, mas era tão amável, tão doce, tão delicada, que Valentim, tomando a nuvem por Juno, chegou a acreditar que era amado. Talvez mesmo Clarinha não fosse completamente ingênua no engano em que fazia cair Valentim. Um olhar e uma palavra não custam, e é tão bom alargar o círculo dos adoradores!

O pai de Clarinha descobriu o amor de Valentim e aprovou-o logo antes da declaração oficial. Aconteceu o mesmo à tia. Só o primo, apenas desconfiou, declarou-se interiormente em oposição.

Para que encobri-lo mais? Não sou romancista que me alegre com as torturas do leitor, pousando, como o abutre de Prometeu, no fígado da paciência sempre renascente. Direi as coisas como elas são: Clarinha e Ernesto amavam-se.

Não era recente esse amor: datava de dois anos. De três em três meses Ernesto pedia ao velho a mão da prima, e o velho recusava-lhe dizendo que não dava a filha a quem não tinha eira nem beira. O moço não pôde arranjar um emprego, apesar de todos os esforços; mas no fim do período regular de três meses voltava à carga para receber a mesma recusa.

A última vez que Ernesto renovou o pedido, o pai de Clarinha respondeu que se lhe ouvisse mais falar nisso fechava-lhe a porta. Proibiu à filha que falasse ao primo, e comunicou tudo à irmã, que julgou oportuna a ocasião para obrigá-lo a suspender a assinatura do teatro Lírico.

Ir à casa de Clarinha sem poder falar-lhe era cruel para o jovem Ernesto. Ernesto, portanto, retirou-se amigavelmente. No fim de algum tempo voltou declarando estar curado. Pede a fidelidade que manifeste neste ponto ser a declaração de Ernesto a mais séria do mundo. O pai acreditou, e tudo voltou ao seu antigo estado; sim, ao seu antigo estado, digo bem, porque o amor que Ernesto cuidara extinto reviveu à vista da prima. Quanto a esta, ausente ou presente, nunca esqueceu o amante. Mas a vigilância prudente do pai pôs os nossos dois heróis de sobreaviso, e ambos passaram a amar em silêncio.

Foi pouco depois disto que apareceu Valentim em casa de Clarinha.

Aqui devo eu fazer notar aos leitores desta história, como ela vai seguindo suave e honestamente, e como os meus personagens se parecem com todos os personagens de romance: um velho maníaco; uma velha impertinente, e amante platônica do passado; uma moça bonita apaixonada por um primo, que eu tive o cuidado de fazer pobre para dar-lhe maior relevo, sem todavia decidir-me a fazê-lo poeta, em virtude de acontecimentos que se hão de seguir; um pretendente rico e elegante, cujo amor é aceito pelo pai, mas rejeitado pela moça; enfim, os dois amantes à borda de um abismo condenados a não verem coroados os seus legítimos desejos, e ao fundo do quadro um horizonte enegrecido de dúvidas e de receios.

Depois disto, duvido que um só dos meus leitores não me acompanhe até o fim desta história, que, apesar de tão comum ao princípio, vai ter alguma coisa de original lá para o meio. Mas como convém que não vá tudo de uma assentada, eu dou algum tempo para que o leitor acenda um charuto, e entro então no segundo capítulo.

II

Se o leitor já amou imagine qual não seria o desespero de Ernesto, descobrindo um rival em Valentim. A primeira pergunta que o pobre namorado fez a si mesmo foi esta:

— Ama-lo-á ela?

Para responder a esta pergunta Ernesto preparou-se a averiguar o estado do coração da moça.

Não o fez sem algum despeito. Um sentimento interior dizia-lhe que Valentim lhe era superior, e nesse caso suspeitava o pobre rapaz que o triunfo coubesse ao rival intruso. Neste estado fez as suas primeiras indagações. Ou fosse cálculo, ou natural sentimento, Clarinha, às primeiras interrogações de Ernesto, mostrou que era insensível ao afeto de Valentim. Nós podemos saber que era cálculo, apesar de me servir este ponto para eu atormentar um bocado os meus leitores. Mas Ernesto viveu na dúvida durante alguns dias.

Um dia, porém, convenceu-se de que Clarinha continuava a amá-lo como dantes, e que portanto o iludido era Valentim. Para chegar a esta convicção lançou mão de um estratagema: declarou que se ia matar.

A pobre moça quase chorou lágrimas de sangue. E Ernesto, que tinha tanta vontade de morrer como eu, apesar de amar doidamente a prima, pediu-lhe que jurasse que nunca amaria outro. A moça jurou. Ernesto quase morreu de alegria, e pela primeira vez, apesar de serem primos, pôde selar a sua paixão com um beijo de fogo, longo, mas inocente.

Entretanto, Valentim embalava-se nas mais enganadoras esperanças. Cada gesto da moça (e ela os fazia por garridice) parecia-lhe a promessa mais decisiva. Todavia, nunca Valentim alcançara um momento que lhe permitisse fazer uma declaração positiva à moça. Ela sabia até onde convinha ir e não dava um passo adiante.

Nesta luta íntima e secreta passaram-se muitos dias. Um dia entrou, não sei como, na cabeça de Valentim que devia sem prévia autorização pedir ao velho a mão de Clarinha. Acreditando-se amado, mas supondo que a ingenuidade da pequena era igual à beleza, Valentim julgou que tudo dependia daquele passo extremo.

O velho, que aguardava aquilo mesmo, armado de um sorriso benévolo, como um caçador armado da espingarda à espera da onça, apenas Valentim fez-lhe o pedido da mão da filha, declarou que aceitava a honra que o moço lhe fazia, e prometeu-lhe, nadando em júbilo, que Clarinha aceitaria do mesmo modo.

Consultada particularmente acerca do pedido de Valentim, Clarinha não hesitou um momento: recusou. Foi um escândalo doméstico. Interveio a tia, munida de dois conselhos e dois axiomas, para convencer a rapariga de que devia aceitar a mão do rapaz. O velho assumiu as proporções de semideus e atroava a casa; finalmente Ernesto exasperado prorrompeu em protestos enérgicos, sem poupar alguns adjetivos mais ou menos desairosos para a autoridade paternal.

Do que resultou ser o rapaz expulso de casa pela segunda vez, e ficar assentado de pedra e cal que Clarinha casaria com Valentim.

Quando Valentim foi de novo saber do resultado do pedido, o velho afirmou-lhe que Clarinha consentia em aceitá-lo por marido. Valentim manifestou logo um desejo legítimo de falar à noiva, mas o futuro sogro respondeu-lhe que ela se achava meio incomodada. O incômodo era nem mais nem menos resultante das cenas a que dera lugar o pedido de casamento.

O velho contava com a docilidade de Clarinha, e não se iludia. A pobre menina, antes de tudo, acatava o pai e recebia as ordens dele como se foram artigos de fé. Passada a primeira comoção, teve de resignar-se a aceitar a mão de Valentim.

O leitor, que ainda anda à procura das astúcias do marido, sem que ainda tenha visto nem marido, nem astúcias, ao chegar a este ponto exclama naturalmente:

— Ora, graças a Deus! já temos um marido.

E eu, para furtar-me à obrigação de narrar o casamento e a lua de mel, passo a escrever o terceiro capítulo.

III
Lua de mel!

Há sempre uma lua de mel em todos os casamentos, não a houve no casamento de Valentim. O pobre noivo viu na reserva de Clarinha um acanhamento natural do estado em que ia entrar; mas desde que, passados os primeiros dias, a moça não saía do mesmo propósito, Valentim concluiu que havia *enguia na erva*.

O autor desta novela não se viu ainda em situação igual, nem também caiu num poço de cabeça para baixo, mas acredita que a impressão deve ser absolutamente a mesma.

Valentim fez o seguinte raciocínio:

— Se Clarinha não me ama é que ama alguém; esse alguém talvez não me valha, mas tem sobre mim a grande vantagem de ser preferido. Ora, esse alguém quem é?

Desde então a questão de Otelo entrou no espírito de Valentim e fez cama aí: ser ou não ser amado, tal era o problema do infeliz marido.

Amar uma mulher moça, bela, adorável e adorada; ter a subida glória de possuí-la de poucos dias, à face da Igreja, à face da sociedade; viver por ela e para ela; mas ter ao mesmo tempo a certeza de que diante de si não existe mais do que o corpo frio e insensível, e que a alma vagueia em busca da alma do outro; transformar-se ele, noivo e amante, em objeto de luxo, em simples pessoa oficial, sem um elo do coração, sem uma centelha de amor que lhe dê a posse inteira daquela que ama, tal era a miseranda e dolorosa situação de Valentim.

Como homem de espírito e de coração, o rapaz compreendeu a sua situação. Negá-la era absurdo, confessá-la no interior era ganhar metade do caminho, porque era saber o terreno que pisava. Valentim não se deteve em suposições vãs; assegurou-se da verdade e tratou de descobri-la.

Mas como? Perguntar à própria Clarinha era inaugurar o casamento por uma desconsideração, e qualquer que fosse o direito que tivesse de resgatar o coração da mulher, Valentim não queria desprestigiá-la aos seus próprios olhos. Restava a pesquisa. Mas de que modo exercê-la? À casa dele não ia ninguém; e demais, se alguma coisa havia, devera ter começado em casa do pai. Interrogar o pai seria assisado? Valentim desistiu de toda a investigação do passado e dispôs-se simplesmente a analisar o presente.

A reserva de Clarinha não era uma dessas reservas que levam o desespero ao fundo do coração; era uma reserva dócil e submissa. E era exatamente isso o que feria o despeito e a vaidade de Valentim. A submissão de Clarinha parecia a resignação do condenado à morte. Valentim via nessa resignação um protesto mudo contra ele; cada olhar da moça parecia-lhe anunciar um remorso.

Uma tarde...

O leitor há de ter achado muito singular que eu não tenha marcado nesta novela os lugares em que se passam as diversas cenas de que ela se compõe. É de propósito que faço: limitei-me a dizer que a ação se passava no Rio de Janeiro. Fica à vontade do leitor marcar as ruas e até as casas.

Uma tarde, Valentim e Clarinha achavam-se no jardim. Se se amassem igualmente estariam àquela hora num verdadeiro céu; o sol parecia ter guardado um dos seus melhores ocasos para aquela tarde. Mas os dois esposos pareciam apenas dois conhecidos que por acaso se haviam encontrado num hotel; ela por uma reserva natural e que tinha explicação no amor de Ernesto, ele por uma reserva estudada, filha do ciúme e do despeito.

O sol morria numa das suas melhores mortes; uma aragem fresca agitava mansamente as folhas dos arbustos e trazia ao lugar onde se achavam os dois esposos o doce aroma das acácias e das magnólias.

Os dois estavam assentados em bancos de junco, colocados sobre um chão de relva; uma espécie de parede composta de trepadeiras formava por assim dizer o fundo do quadro. Perto ouvia-se o murmúrio de um regato que atravessava a chácara. Finalmente duas rolas brincavam a dez passos do chão.

Como se vê, a cena pedia uma conversação adequada em que se falasse de amor, de esperanças, de ilusões, enfim, de tudo quanto pudesse varrer da memória a boa prosa da vida.

Mas em que conversavam os dois? A descrição fez-nos perder as primeiras palavras do diálogo; mal podemos pilhar uma interrogação de Valentim.

— Mas, então, não és feliz? — perguntou ele.
— Sou — respondeu a moça.
— Como dizes isso! parece que respondes a uma interrogação da morte!

Um triste sorriso passou pelos lábios de Clarinha.

Seguiu-se um breve silêncio, durante o qual Valentim considerava as botas e Clarinha analisava a barra do vestido.

— Pois olha, não me falta vontade... — disse Valentim.
— Vontade de quê?
— De fazer-te feliz.
— Ah!
— Nem foi para outra coisa que eu te fui buscar à casa de teu pai. Amo-te muito, mas se eu soubera que tu não correspondias com o mesmo amor desistiria do meu intento, porque para mim é um duplo remorso ver o objeto de meu amor triste e desconsolado.
— Parece-te isso!
— E não é?
— Não é.

Clarinha procurou dar a esta última resposta uma expressão da maior ternura; mas se ela tivesse pedido um copo d'água teria empregado a mesmíssima expressão.

Valentim respondeu com um suspiro.

— Não sei como queres que eu te diga as coisas!
— Não quero nada; desde que eu te impusesse um modo de falar pode ser que eu me arrufasse menos, mas não era diversa a minha situação.

Clarinha levantou-se.

— Anda passear.

Valentim obedeceu, mas obedeceu maquinalmente.

— Então, ainda estás triste?
— Ah! se tu me amasses, Clarinha! — respondeu Valentim.

— Pois não te... amo?

Valentim olhou para ela e murmurou:

— Não!

Valentim deu o braço a Clarinha e foram passear pelo jardim, dos mais bem arrumados e plantados da capital; a enxada, a tesoura e a simetria ajudavam ali o nascimento das rosas. A tarde caía, o céu tomava essa cor de chumbo que inspira tanta melancolia e convida a alma e o corpo ao repouso. Valentim parecia não ver nada disso; estava diante do seu tremendo infortúnio.

Clarinha, por seu lado, procurava distrair o marido, substituindo por algumas palavras de terno interesse o amor que lhe não tinha.

Valentim respondia por monossílabos ao princípio; depois a conversa foi-se empenhando e ao cabo de meia hora já Valentim mostrava-se menos sombrio, Clarinha procurava por esse modo acalmar o espírito do marido, quando ele insistia na conversação que ouvimos há pouco.

Uma coruja que acaba de cantar agora à janela traz-me à memória que eu devia apresentar em cena neste momento a tia de Clarinha.

Entra, portanto, a tia de Clarinha. Vem acompanhada de um moleque vestido de pajem. A moça vai lançar-se-lhe aos braços, e Valentim encaminha-se para ela com passo regular, para dar tempo às efusões de amizade. Mas aquele mesmo espetáculo da afeição que ligava a tia à sobrinha, a espontaneidade com que esta correra a receber àquela, mais o entristecia, comparando o que Clarinha era há pouco e o que era agora.

Findos os primeiros cumprimentos entraram todos em casa. A boa velha vinha passar oito dias com a sobrinha; Valentim fez um gesto de desgosto; mas a moça manifestou uma grande alegria com a visita da tia.

Valentim retirou-se para o seu gabinete e deixou às duas plena liberdade.

À mesa do chá falou-se de muita coisa; Clarinha indagava de tudo quanto era da casa do pai. Este devia vir no dia seguinte jantar com o genro.

Valentim pouco falou.

Mas lá para o meio do chá, Clarinha voltou-se para a tia e perguntou com certa timidez o que era feito de Ernesto. A moça procurou dar à pergunta o tom mais inocente do mundo; mas tão mal o fez que despertou a atenção do marido.

— Ah! — respondeu a tia. — Está bom, isto é... está doente.

— Ah! de quê? — perguntou a moça empalidecendo.

— De umas febres...

Clarinha calou-se, pálida como a morte.

Valentim tinha os olhos fixos nela. Um sorriso, meio de satisfação, meio de ódio, pairava-lhe nos lábios. Enfim o marido descobrira o segredo da reserva da mulher.

Seguiu-se um longo silêncio da parte de ambos, só interrompido pelo palavreado da tia, que afinal, depois de fazer algumas perguntas aos dois sem obter resposta, decidiu-se a reclamar contra aquele silêncio.

— Estamos ouvindo, minha tia — disse Valentim.

E tão significativas foram aquelas palavras, que Clarinha olhou para ele assustada.

— Estamos ouvindo — repetiu Valentim.

— Ah! pois bem... Como ia dizendo...

A conversa continuou até o fim do chá. Às onze horas todos se recolheram aos seus aposentos. É a melhor ocasião para terminar o terceiro capítulo e deixar que o leitor acenda um novo charuto.

IV

A tia de Clarinha não se demorou oito dias em casa da sobrinha, demorou-se quinze dias. A boa velha estava encantada com o agasalho que encontrara aí.

Durante esse tempo não houve incidente algum que interesse à nossa história. O primeiro susto de Clarinha causado pelas palavras do marido desvaneceu-se à vista do procedimento posterior dele, que pareceu nada haver descoberto. Com efeito, Valentim, como homem atilado que era, entendeu que lhe não cumpria provocar uma declaração da parte de Clarinha. Julgou melhor estudar a situação e esperar os acontecimentos. Demais, ele nada tinha de positivo a alegar. Temia enganar-se e não se perdoaria nunca se fizesse a injúria de atribuir à sua mulher um delito que não existia. Deste modo, nunca fez alusão alguma nem mudou o procedimento; era o mesmo homem que no primeiro dia.

Valentim pensava ainda que a afeição que ele supunha existir em Clarinha pelo primo talvez não passasse de uma ligeira afeição da infância, própria a desaparecer diante da ideia do dever. É verdade que isto anulava um pouco a sua própria pessoa, mas Valentim, para que não ficasse só ao tempo e aos bons instintos da moça a mudança do estado das coisas, cuidou de ajudar a um e aos outros deitando na balança a sua própria influência.

Seu cálculo foi este: ao passo que Ernesto perdesse no coração de Clarinha, graças à ausência e nobreza dos sentimentos dela, ele Valentim procuraria ganhar a influência do outro e substituí-lo no coração em litígio. Estavam as coisas neste pé, quando no quinquagésimo dia apareceu em casa de Valentim... quem? o próprio Ernesto, meio enfermo ainda, cheio de uma palidez poética e fascinante.

Clarinha recebeu-o no jardim, por cuja porta Ernesto entrou.

Teve um movimento para abraçá-lo; mas recuou logo, corada e envergonhada. Baixou os olhos. Depois do casamento era a primeira vez que se viam. Ernesto aproximou-se para ela sem dizer palavra, e durante alguns minutos assim estiveram interditos, até que a tia veio pôr termo ao embaraço, entrando no jardim.

Mas, ao mesmo tempo que aquela cena se dava, Valentim, através dos vidros de uma das janelas da sala de jantar, tinha os olhos pregados em Clarinha e Ernesto. Viu tudo, o movimento dela quando Ernesto entrou e o movimento de reserva que se seguiu a esse. Quando a velha entrou Valentim desceu ao jardim.

A recepção da parte do marido foi a mais cordial e amiga; parecia que estava longe da cabeça dele a menor ideia de que os dois se amavam. Foi essa a última prova para Clarinha; mas isso a perdeu decerto, porque, confiada na boa-fé de Valentim, entregou-se demasiado ao prazer de tornar a ver Ernesto. Esse prazer contrastava singularmente com a tristeza dos dias anteriores.

Não tenho o propósito de acompanhar dia por dia os acontecimentos da família Valentim. Apenas me ocuparei com aqueles que importarem à nossa história, e neste ponto entro já nas astúcias empregadas pelo marido para libertar a mulher do amor que ainda parecia conservar pelo primo.

Que astúcias foram essas? Valentim refletiu nelas uma noite inteira. Ele tinha diversos meios para empregar: uma viagem, por exemplo. Mas uma viagem não adiantaria nada; a ausência dava até mais incremento ao amor. Valentim compreendeu isso e desistiu logo da ideia. Que meio escolheu? Um: o ridículo.

Na verdade, o que há neste mundo que resista ao ridículo? Nem mesmo o amor. O marido perspicaz compreendeu que era esse o meio mais rápido.

Todavia, não tomou o ridículo senão naquilo que ele é de convenção, naquilo que o mundo aceita como tal, sem que o seja muitas vezes. Clarinha não podia resistir a esse. Era mulher como as outras.

Um dia, pois, estando reunida a família toda em casa de Valentim, e com ela muitas visitas mais, o marido de Clarinha convidou Ernesto, que se dava por cavaleiro perfeito, a ensaiar um cavalo que havia comprado.

— Onde está ele?

— Chegou ontem... é um animal lindíssimo.

— Mas onde está?

— Vai vê-lo.

Enquanto se deram ordens de aparelhar o cavalo, Ernesto dirigia-se às senhoras e dizia-lhes com ênfase:

— Desculpem se fizer má figura.

— Ora!

— Pode ser.

— Não acreditamos; há de fazer sempre boa figura.

— Talvez não.

— Quer que o elogiemos?

Aparelhado o cavalo, saiu Ernesto a montá-lo. Todos foram vê-lo do terraço.

O cavalo era um animal fogoso e manhoso. Ernesto saltou para ele com certa graça e agilidade que adquiriu logo os aplausos das damas, inclusive Clarinha.

Mal o cavalo sentiu o destro cavaleiro em seu dorso, começou a pinotear. Mas Ernesto susteve-se, e com tanta graça que as damas aplaudiram alegremente. Mas Valentim sabia o que fazia. Contava com o resultado da cena, e olhava tranquilo o triunfo tão celebrado de Ernesto.

Esse resultado não se fez esperar. Não tardou muito que Ernesto não começasse a sentir que estava mal. Tanto bastou para que nunca mais pudesse dominar o animal. Este, como se pudesse conhecer o enfraquecimento do cavaleiro e os desejos secretos de Valentim, redobrou a violência dos seus movimentos. A cena tornou-se então mais séria. Um sorriso que pairava nos lábios de Ernesto desapareceu; o moço foi tomando uma posição grotesca quando só tinha presente a ideia de cair e não a ideia de que estava diante de mulheres, entre as quais estava Clarinha. Por mal dos pecados, se havia de cair como Hipólito, calado e nobre, começou a soltar uns gritos entrecortados. As damas assustaram-se, entre elas Clarinha, que mal podia dissimular o terror de que se achava possuída. Mas quando o cavalo, com um movimento mais violento, deitou o cavaleiro na relva, e que, depois de cair prosaicamente estendido, levantou-se sacudindo o paletó, houve uma grande gargalhada geral.

Então, Valentim, para tornar a situação de Ernesto mais ridícula ainda, mandou chegar o cavalo e montou.

— Aprende, olha, Ernesto.

E com efeito, Valentim, airoso e tranquilo, sopeava os movimentos do animal e cumprimentava as senhoras. Foi uma tríplice bateria de aplausos. Nesse dia um foi o objeto das palmas de todos, como o outro fora o objeto da pateada geral.

O próprio Ernesto, que ao princípio quis meter o caso à bulha, não pôde fugir depois à humilhação da sua derrota. Essa humilhação foi completa quando Clarinha, mais compadecida que despeitada com a situação dele, procurou consolá-lo da figura que fizera. Ele viu nas consolações de Clarinha uma confirmação à sua derrota. E não está bem o amante que inspira mais compaixão que amor.

Ernesto reconheceu por instinto esse desastroso inconveniente; mas como remediá-lo? Curvou a cabeça e protestou não cair noutra. E deste modo terminou a sua primeira humilhação como termina o nosso quarto capítulo.

V

Fazia anos o pai de Clarinha. A casa estava cheia de amigos e parentes. Havia uma festa de família com os parentes e os amigos para celebrar aquele dia.

Desde a cena do cavalo até o dia dos anos do velho, já Valentim tinha armado a Ernesto mais dois laços do mesmo gênero, cujo resultado era sempre expor o pobre rapaz ao motejo dos outros. Todavia, Ernesto não atribuía nunca intenções malignas ao primo, que era o primeiro a compungir-se dos infortúnios dele.

O dia do aniversário do sogro era para Valentim um dia excelente: mas que fazer? que nova humilhação, que novo ridículo preparar ao rapaz? Valentim, tão fértil de ordinário, não achava nada naquele dia.

O dia passou-se nos folguedos próprios de uma festa aniversária como aquela. A casa era fora da cidade. Folgava-se melhor.

À hora própria serviu-se um jantar esplêndido. O velho tomou a cabeceira da mesa, entre a filha e a irmã; seguiu-se Valentim e Ernesto, e o resto sem ordem de precedência.

No meio da conversa animada que acompanhou o jantar desde o princípio, Valentim teve uma ideia e preparou-se para praticá-la à sobremesa. Entretanto, correram as saúdes mais cordiais e mais entusiásticas.

Notou-se, porém, que Ernesto do meio do jantar em diante ficara triste.

Que seria? Todos perguntavam, ninguém sabia responder, nem mesmo ele, que teimava em recolher-se ao mais absoluto silêncio.

Valentim levantou-se então para fazer a saúde de Ernesto, e pronunciou algumas palavras de entusiasmo cujo efeito foi fulminante. Ernesto durante alguns minutos viu-se o objeto de aplausos que lhe valiam as pateadas da montaria.

Uma coisa o perdeu, e nisto estava o segredo de Valentim. Ernesto quis responder ao *speech* de Valentim. A tristeza que se lhe notara antes era o resultado de uma desastrada mistura de dois vinhos antipáticos. Forçado a responder por um capricho tomou o copo e respondeu ao primo. Daí em diante era ele o iniciador de todas as saúdes. Quando ninguém faltava para ser objeto dos seus *speechs*, fez uma saúde ao cozinheiro, que foi extremamente aplaudida.

Descreverei eu as cenas que se seguiram a esta? Fora entreter os leitores com algumas páginas repugnantes. Ernesto excedera-se no entusiasmo, e quando todos se levantavam da mesa e tomavam o caminho das outras salas, Ernesto desatou a chorar. Imaginem o efeito desta cena grotesca. Ninguém pôde conter o riso; mas também ninguém pôde estancar o pranto ao infeliz, que chorou ainda por espaço de duas horas.

VI

Uma noite havia reunião em casa de Valentim. Era puramente familiar. Meia dúzia de amigos e meia dúzia de parentes formavam toda a companhia. Às onze horas essa companhia estava reduzida a muito pequeno número.

Armou-se (para usar da expressão familiar), armou-se uma mesa de jogo em que Valentim tomou parte. Ernesto ao princípio não quis, estava amuado... Por quê? Parecia-lhe ver em Clarinha uma frieza a que não estava acostumado. Finalmente aceitou; mas procurou tomar lugar em frente da mulher de Valentim; ela, porém, ou fosse por indiferença ou fosse adrede, retirou-se para a janela com algumas amigas.

Abriu-se o jogo.

Em pouco tempo estavam os jogadores tão animados que as próprias senhoras foram-se aproximando do campo da batalha.

Os mais empenhados eram Valentim e Ernesto.

Tudo estava observando um curioso, mas tranquilo interesse, quando de repente Valentim para o jogo e diz para Ernesto:

— Não jogo mais!

— Por quê? — perguntou Ernesto.

Um primo de Valentim, de nome Lúcio, olhou igualmente para Ernesto e disse:

— Tens razão.

— Por quê? — insistiu Ernesto.

Valentim levantou-se, atirou as cartas para o lugar de Ernesto, e disse com um tom de desprezo:

— Por nada!

Lúcio e mais um dos presentes disseram:

— É caso de duelo.

Houve profundo silêncio. Lúcio olhou para Ernesto e perguntou-lhe:

— Que faz o senhor?

— Que faço?

— É caso de duelo.

— Ora, isso não está nos nossos hábitos... o que eu posso fazer é abandonar aquele senhor ao meu desprezo...

— O quê? — perguntou Valentim.

— Abandoná-lo ao desprezo, porque o senhor é um...

— Um... quê?

— O que quiser!

— Há de dar-me uma satisfação!

— Eu?

— Decerto — disse Lúcio.

— Mas, os nossos hábitos...

— Em toda a parte vinga-se a honra!

— Sou o ofendido, tenho a escolha das armas.

— A pistola — disse Lúcio.

— Ambas carregadas — acrescentou Valentim.

Durante este tempo as senhoras estavam trêmulas e embasbacadas. Não sabiam o que se presenciava. Enfim, Clarinha pôde falar, e as suas primeiras palavras foram para o marido.

Mas este parecia não atender a nada. Em poucos minutos redobrou a confusão. Ernesto insistia contra o emprego do meio lembrado para resolver a questão, alegando que ele não estava nos nossos hábitos. Mas Valentim não queria, nem admitia outra coisa.

Depois de larga discussão admitiu Ernesto o sanguinolento desenlace.

— Pois sim, venha a pistola.

— E já — disse Valentim.

— Já? — perguntou Ernesto.

— No jardim.

Ernesto empalideceu.

Quanto a Clarinha, sentiu faltar-lhe a luz e caiu desfalecida no sofá.

Aqui nova confusão.

Imediatamente prestaram-se-lhe os primeiros socorros. Tanto bastou. No fim de quinze minutos ela voltava à vida.

Estava então no quarto, onde só havia o marido e um dos convivas que era médico.

A presença do marido lembrou-lhe o que se passara. Deu um leve grito, mas Valentim tranquilizou-a imediatamente, dizendo:

— Nada houve...

— Mas...

— Nem haverá.

— Ah!

— Foi brincadeira, Clarinha, foi tudo um plano. O duelo há de haver, mas só para experimentar o Ernesto. Pois cuidas que eu faria semelhante coisa?

— Falas sério?

— Falo, sim.

O médico confirmou.

Valentim contou que as duas testemunhas já se entendiam com as duas do outro, tiradas todas dentre os que jogavam e que entravam no plano. O duelo teria lugar pouco depois.

— Ah! não acredito!

— Juro... juro por esta bela cabeça...

E Valentim inclinando-se para a cama beijou a testa da mulher.

— Oh! se tu morresses! — disse esta.

Valentim olhou para ela: duas lágrimas rolaram-lhe pelas faces. Que mais queria o marido?

Interveio o médico.

— Há um meio para crê-lo. Venham duas pistolas.

Clarinha levantou-se e foi para outra sala, que dava para o jardim e onde se achavam as outras senhoras.

Aí foram ter as pistolas. Carregaram-nas à vista de Clarinha e dispararam depois, a fim de assegurar à pobre senhora que o duelo era pura brincadeira.

Valentim desceu para o jardim. As quatro testemunhas levaram as pistolas. As senhoras, prevenidas do que havia, ficaram na sala, onde olhavam para o jardim, que foi iluminado de propósito.

Marcaram-se os passos e entregou-se a cada um dos combatentes uma pistola.

Ernesto, que até então parecia alheio à vida, mal viu diante de si uma arma, apesar de ter outra, mas tendo-lhe as testemunhas dito que ambos se achavam armados, começou a tremer.

Valentim apontou sobre ele. Ernesto fazia esforços, mas não conseguia levantar o braço. Estava ansiado. Fez sinal para que Valentim se detivesse, e tirou um lenço para enxugar o suor.

Tudo contribuía para assustá-lo, e de mais a mais as seguintes palavras que se ouviam em roda:

— O que ficar morto há de ser enterrado aqui mesmo no jardim.

— Está claro. Já se foi fazer a cova.

— Ah! que seja profunda!

Enfim, soaram as pancadas. À primeira Ernesto estremeceu, à segunda caiu-lhe o braço, e quando lhe diziam que apontasse o alvo para soar a terceira pancada, ele deixou cair a pistola no chão e estendeu a mão para o adversário.

— Prefiro dar a satisfação. Confesso que fui injusto!

— Como? prefere? — disseram todos.

— Tenho razões para não morrer — respondeu Ernesto —, e confesso que fui injusto.

As pazes foram feitas.

Uma gargalhada, uma só, mas terrível, porque foi dada por Clarinha, soou na sala. Voltaram todos para lá. Clarinha tomando as pistolas, apontou-as para Ernesto e disparou-as.

Houve então uma gargalhada geral.

Ernesto tinha o rosto mais enfiado deste mundo. Era um lacre.

Clarinha largou as pistolas e lançou-se nos braços de Valentim.

— Pois tu brincas com a morte, meu amor?

— Com a morte, pelo amor, sim!

Ernesto arranjou daí a dias uma viagem e nunca mais voltou.

Quanto aos nossos esposos, amaram-se muito e tiveram muitos filhos.

Jornal das Famílias, *outubro-novembro de 1866; Job.*

O último dia de um poeta

I

São nove horas da manhã.

Entra-me o sol vivo e ardente pelas frestas das venezianas. Parece que me convida a deixar o leito, e como que a reviver. Reviver! é esta a palavra: reviver quando estou certo de que poucos dias ou apenas horas me separam da sepultura. Não parece um escárnio da morte? Não parece que para melhor sentir o que vou perder, deixando a vida, quer a morte que eu toque pela última vez os tesouros da felicidade que me ficam na terra?

Melhor fora, decerto, para minha perfeita contrição, que a natureza me surgisse nos últimos dias com o seu aspecto mais sombrio e aflitivo. Então cuidaria, ao sair do mundo, que deixava um pesadelo e uma angústia, e que ia respirar os ares puros de uma vida sem igual.

Depois...

II

Abramos a janela.

Oh! como está bonito o dia! O céu azul, o sol afogueado, a folhagem palpitando de alegria agita-se ao sopro de um vento plácido e suave. Estas trepadeiras enchem-me o quarto de perfume; lá vejo o tanque calmo e límpido em que eu me banhava em pequeno. É o mesmo ainda. As paredes de pedra têm um aspecto mais venerável, mas tudo isso, aquela murta que o rodeia, aquelas roseiras que ali brotam e enfloram sem cuidado de ninguém, tudo isso me lembra o tempo de minha meninice.

Mais longe vejo a mangueira grande, onde eu passava as tardes, abraçado ao balanço rústico que meus irmãos impeliam no meio da gritaria geral.

A verdura, a água, a árvore, a flor, tudo me lembra a dita do tempo em que sem cuidados nem remorsos eu só cuidava em ser feliz e amar os meus.

Onde foi agora esse tempo? Passou como passaram as folhas de todos estes arbustos; mas os arbustos, se perderam umas ganharam outras, e nem houve, neste abençoado clima, espaço algum entre a queda das primeiras e o abrir das últimas. Só em mim, ilusões e esperanças que me caíram uma vez, não me renasceram mais, e eu fiquei, como tronco árido e seco, chorando o que fui, chorando o que sou, chorando o que hei de ser.

Mas o que dói é esta alegria universal, esta placidez com que a natureza vem assistir à minha morte, garrida e alegre como se fora um espetáculo. Ó mãe cruel, que não honras a morte de teus filhos com uma lágrima de dor e um suspiro de mágoa... Parece que te apraz criá-los para matá-los, produzi-los com uma ilusão, absorvê-los com um desengano, verdadeira condenação dos que não aguardavam esse desengano e acreditaram nessa ilusão...

Também eu te mereci esta ironia? também. Que outro absorveu mais essa ilusão do que eu? Que outro sorriu mais à ideia do desengano do que eu? Tens direito, ó natureza, a vestires hoje as tuas melhores galas para assistir, não a morte da alma, essa já morreu, mas a do corpo, que se vai finar miseravelmente como um inseto pisado pela dama distraída!

III
Sinto-me fraco.

Vou sentar-me.

Esta cadeira alta, forrada de couro, molde antigo, foi de meu finado avô. Feliz homem que pôde chegar à mais avançada idade e só morrer quando o mundo lhe começava a ser pesado. Todas as glórias da vida, gozou-as na plena liberdade de um espírito que se não acovardava e de um coração que não sentia o espinho da desilusão. Essa impavidez serviu-lhe de amparo; com essa segurança inteira é que atravessou os anos, sem nada deixar do que levava, porque também levava muito pouca coisa.

Tenho defronte de mim um espelho. Vejo ali refletida metade do corpo; tenho vontade de ir ver o resto. Que feições apresentarei hoje? Serão as mesmas quebradas e mortais de ontem? Serão as mesmas animadas e vivas de há três dias? Uma ou outra coisa, que importa isso? O espinho da morte sinto eu dentro de mim agudo, dilacerante, *mortal*... Que valem as feições? Esperanças ou terrores para o moribundo, sintomas ou provas para a ciência. Nada mais.

Sinto passos. Abre-se a porta. É minha mãe!

IV
— Ah! minha mãe!

— Que tens? Estás melhor?

— Não sei. Talvez que sim.

— Deixa dar-te um beijo; estás muito melhor... Olha-te ao espelho.

O espelho responde-me como minha mãe. Estou muito melhor; minhas feições são outras. Como que renasço. Principalmente esta visita de minha mãe é que me dá vida... Oh! se eu morresse longe dela! tudo se altera, tudo se corrompe, tudo se desnatura, mas o amor daqueles que nos deram o ser, esse nunca; é o amor por excelência: o amor que preside ao berço, vela na infância, ama na mocidade e consola nas desilusões como estas em que me vou do mundo.

Tudo se alegrou à entrada de minha mãe. Coitada! tem os olhos vermelhos de chorar: foi por mim. Lágrimas sinceras as que ela derramou! Nestas creio. Saltam espontâneas dos olhos quando o coração já se acha demasiado cheio; e só corações tais se podem encher desse modo.

Como ela me olha! Parece que procura adivinhar nas minhas feições a hora da nossa eterna separação! Não, não nos abandonemos à dor; a mesma separação pede agora toda a efusão dos sentimentos, toda a expansão das almas...

— Meu filho, não sentes vontade de passear?

— Não, minha mãe. Quero passar hoje o dia inteiro no meu quarto. É dia de descanso. Não é hoje Natal? Quero hoje viver no pleno repouso do espírito. Demais, esta janela põe-me em comunicação com a natureza. Como está bonito o dia! É em honra do nascimento do Salvador, não? E virá o desejado de todas as gentes. É do profeta.

Minha mãe sentou-se e fez-me sentar ao pé de si.

— Meu filho — disse-me ela —, serás capaz de viver? Deixarás de ajudar com o teu desânimo a ação da moléstia que te consome? Ah! por mim te peço, por teu pai...

— Em que ajudo eu a minha moléstia, minha mãe? Não estou alegre? Olhe, já fiz a minha saudação ao sol. É bom sinal o sol. Eu sempre o adorei como o olhar profundo de Deus. Ele basta para me dar vida. Não morrerei hoje, decerto. Hei de morrer no dia em que alguma nuvem cobrir o astro do dia. Então as sombras me levarão às sombras. Acredite...

— Oh! não fales em morrer.

— É mau?

— É triste, meu filho.

— Não é. Quero ser filósofo o meu tanto. Olhemos a morte como ela deve ser olhada: livramento e não aniquilamento. Ah! é que realmente sofro...

Minha mãe abraçou-me. Senti que duas lágrimas me corriam pelas faces. Essas lágrimas eram já resultados de uma recordação que me acabava de atravessar o espírito. Minha mãe leu em minha alma.

— Não te esquecerás disso?

Minha resposta foi muda. Levantei-me, fui a uma mesa e beijei um ramo de flores secas, o ramo dela, o ramo fatídico, o ramo destruidor. É ali que está a minha morte, ali e não na moléstia. Sinto que é assim.

Depois de alguns instantes de silêncio, minha mãe levantou-se e veio a mim.

— Meu filho — disse ela —, deixa que eu arrede por algum tempo estas flores. Quando estiveres bom dar-te-ei de novo. Mas agora de que te servem?

— Não — disse eu —, as flores ficam. Não fazem mal a ninguém.

— Fazem-te mal.

— A mim? Pobres flores!...

Minha mãe insiste, mas eu recuso. As flores ficam no meu quarto...

V

Meio-dia...

Acabo de ler duas páginas dos *Salmos* de Davi. O rei-poeta consolou minha alma. É destas consolações que eu preciso, destas que preparam o espírito para a eternidade...

Hoje de manhã acusava a natureza por vir garrida e alegre assistir talvez ao meu último dia. Como estava o meu coração! A dor desvaira e eu não sei o que penso nem o que digo. Mas a verdade é uma; a verdade é esta grande verdade. Ó infinito, é enfim para ti que eu vou, como gota de água desviada que se recolhe ao oceano! Disse há pouco para consolar minha mãe, mas disse o que realmente é: a morte é livramento, não é aniquilamento. Sinto que há dentro de mim uma coisa que anseia por livrar-se desta prisão para lançar-se na eternidade e no infinito. Grande, suave, consoladora esperança! Sem ti, que fora o passamento senão a maior dor e o maior suplício? Mas, deixar o mundo com a esperança de que aos olhos mortais se abre mundo novo, tão outro que não este, mundo em que a virtude resplandecerá e a paz eterna compensará as atribulações da vida!

Alegra-me, comove-me, alvoroça-me a ideia de que não vou todo à sepultura; e que ali, à porta do cemitério só ficará de mim o que há de pior em mim mas que o espírito, a luz desta lâmpada a que tão cedo vai escasseando o óleo, há de remontar ao foco da grande luz.

Deixarei saudades? Deixo; mas o tempo as consolará, e a esperança de que dia surgirá em que o consórcio moral das criaturas se realizará ante o trono de Deus deve ser a grande esperança dos que ficam e dos que vão.

Assim que, ó minha mãe, se em nossa passagem no mundo nos separamos um pouco, não será mais do que para costear uma montanha, até que, rasgando-se aos nossos olhos nova fonte de luz, possamos entrar para sempre unidos no seio do absoluto.

VI

Uma hora da tarde.

Creio que adormeci um pouco.

Tive um sonho.

Sonhei que assistia à minha coroação na posteridade. Foi sonho! Que fiz eu para merecer os aplausos dos homens? Gastei a minha mocidade... em quê? Aqui entra a parte sombria do meu sonho. Gastei a minha mocidade em amar, com as forças vivas do meu coração, a quem provou que me não merecia.

Embalde procuro desviar de meu espírito esta lembrança que me acabrunha e me leva à sepultura.

Pobres flores aquelas! Lembra-me o lado feliz da história da minha mocidade. São as relíquias do tempo da fé pura e da paz do espírito. Naquele tempo eu a julgava um anjo. E era-o. Não sei que demônio a perseguiu depois e fez-se-lhe introduzir no espírito. Desde aí perdi o ideal para ganhar a morte. Nem podia ser de outro modo.

Ah! Carlota!...

Tenho uma ideia. Vou fazer uma coisa que chamarei o meu testamento. É a revista dos meus papéis. Queimarei o que for inútil; deixarei o que puder dar de mim alguma ideia, não à posteridade, mas aos meus amigos. Eles não sabem talvez nada do amigo que lhes morre.

Cerremos um pouco estas cortinas. O sol queima demais. Assim é melhor. Meu Deus, como estão estas gavetas! Dissera-se que há aqui a matéria de vinte poemas... Talvez. Que sou eu próprio senão um poema trágico?

Deitemos isto fora, que não presta: cartas de alguns indivíduos que se diziam amigos meus, no princípio, no meio e no fim. Não é amigo aquele que alardeia a amizade: é traficante; a amizade sente-se, não se diz... Mas a que vem esta filosofia? Deitemos fora, simplesmente, estas cartas.

Aqui estão uns versos: *As margaridas*. Ah! foram versos que eu escrevi quando ela me deu aquelas flores... São versos do bom tempo. Devo guardá-los? Para quê? Não, não servem; eram talvez bonitos; mas cantavam a mentira, endeusavam a falsidade... Não prestam.

Mais versos... São fragmentos de um poema humorístico: *Os solidéus*. É do tempo da Academia. Diziam todos que era esta a minha veia. Talvez fosse. Mas as circunstâncias mudam tudo, o gênio, o caráter e as tendências; e o homem de ontem nem sempre é o de hoje, como o de hoje nem sempre é o de amanhã. Foi o que me sucedeu. Se eu tivesse direito a uma biografia ou a um elogio histórico dava este ponto ao escritor para estudar e desenvolver.

Este poema, se eu tivesse acabado, havia de agradar, talvez. Tem por assunto o aparecimento do solidéu e o açodamento com que toda a gente deitou-se a imitá-lo para cobrir, mesmo aos seculares, as coroas que tivessem. O padre Simão era o meu herói em cuja boca punha eu muitas coisas boas de serem lidas... Devia tê-lo acabado. Infelizmente ficou no primeiro canto. De que serve mais? Não presta...

Uma carta de Carlota. Foi das primeiras. É apaixonada. Ainda me lembra do júbilo em que fiquei quando a recebi. Parecia doido. Minha mãe não compreendia a alegria de que eu estava possuído e receava pela minha razão. Tranquilizei-a contando-lhe tudo, as minhas esperanças, os meus projetos...

Cuidas, escrevia-me Carlota, que há frieza em mim? Oh! não creias! Amo-te como nunca amei a ninguém; sinto que encontrei em ti o corpo vivo dos meus sonhos de moça infeliz. Como te não hei de amar? Fria eu? Sou reservada, porque é preciso sê-lo. Meu tio destinou-me a um homem que eu aborreço; mas teima nisso e eu não tenho querido romper de uma vez. Tenho esperança de convertê-lo à razão. Mas se julgas que por prova do meu amor devo deixar e acompanhar-te, fala, eu sou tua escrava. Acredita, meu poeta, que eu te amo como ainda não amou mulher alguma. — Tua escrava!

Esta expressão matou-me. Escrava! isto é, dependia de mim, vivia de mim, por mim, para mim. Era o amor como eu o compreendia, como a minha alma ardente o desejava: o amor escravidão, o amor que não faz valer direitos, nem vontades, nem caprichos. Viver assim um do outro, pelo outro, para o outro, tal era o modo do amor que pode resgatar a pequenez moral dos homens, em que o interesse e o cálculo frio substituíram todos os sentimentos generosos e magnânimos. Este ideal encontrara eu em Carlota; como não ficaria contente? Mas depressa...

Guardemos esta carta. Há de ficar ao lado desta outra, tão diversa, contraste tamanho que assusta e repugna, irrita e admira; reverso da medalha; face sombria depois da face brilhante; ponto corrompido depois do ponto são. Ou não: a primeira era a rede do engano: o fundo moral daquela mulher está na última, negro, repulsivo, mas verdadeiro. Era toda má.

Que me respondia ela às minhas exprobrações?

... O que deve fazer é fugir de mim. Se é real esse amor que me diz ter, dou-lhe de conselho que mude de terra, de modo que longe dos olhos fique-lhe eu longe do coração, o que será uma fortuna para nós ambos. Isto é fácil e proveitoso. Quanto aos juramentos que me recordou, respondo que eu mereceria censura se fizesse de mim tão infalível que nunca errasse. Ora, eu erro, errei. Salvo-me do erro, reconhecendo que foi erro e dizendo francamente que a leviandade é que teve parte nessas promessas tão puerilmente solenes. Pense nisto, e verá se não é assim. Console-se e anime-se, é o que lhe tenho a dizer...

A carta continua; é toda no mesmo sentido; a impudência e a crueldade. Ah! se tu soubesses, Carlota, o que me fizeste e fazes ainda sofrer!...

Sinto passos. É o médico. Fechemos a gaveta.

VII

— Bom-dia, doutor.

— Viva, meu doente.

— Como me acha?

— A julgar pelas feições, melhor. Como passou a noite?
— Assim, assim.
— Mas por que não está deitado?
— Não posso. E nem quero. Seria incivilidade esperar a minha grande visita deitado numa cama.
— Que visita?
— A morte.
— Ora!
— Com certeza. Há de dizer-me que não. É o que se diz a todos os doentes. Parece que isto os anima. Mas se os anima, descuida-os; e é exatamente o que não me acontece. Estava eu agora cuidando de arranjar uns papéis, a fim de que nada me fique por arranjar quando eu mudar de domicílio...
— Deixe essas ideias.
— Entristece-se? Que faria quando eu lhe contasse a ideia que eu tive ontem?
— Que ideia foi?
— Foi a de mandar aprontar e medir eu mesmo o meu caixão...
— Faz um favor?
— Qual? doutor.
— Não fale assim.
— É fácil.
— Não fale, porque não só isso atrasa-lhe a cura, como ainda há de entristecer sua mãe.
— Mas eu não lhe digo nada...
— Não basta não dizer. É preciso mesmo nem falar. As mães são zelosas dos filhos, porque são mães. Muitas vezes andam a ouvir às portas, para ter certeza do estado dos filhos. Querem surpreendê-los na plena confiança que lhes dá a ausência delas...
Tive uma suspeita: cuidei que minha mãe estivesse à porta. Levantei-me e fui à porta. Não estava.
O doutor esperou-me sorrindo:
— Não está, mas podia estar — disse.
Voltei a sentar-me ao lado do doutor.
— Ouça bem — continuou ele —, esta cisma constante de que há de morrer, estes trabalhos que tem e as suas forças atuais não comportam, tudo isso torna-o pior. Não vê como está ansiado...
— É a comoção.
— Já estava quando eu entrei. Ora pois, não pense mais em coisas tão lúgubres, e sobretudo não se ocupe de coisa alguma. Vamos lá: tomou os remédios?
— Tomei.
— E então?
— Ontem não senti melhoras algumas; agora estou melhor um pouco, apesar da ânsia.
— Ânsia é por culpa sua... Aposto que esteve a escrever versos.
— Não.
— Nem deve ocupar-se com isso. Há de ser bonito se escreve alguma poesia em que fale da morte e do que vai deixar, e depois de três meses fica-me aí são como um pero...

Minha resposta foi sorrir-me.

— Ande deitar-se um pouco.

— Para quê?

— Porque a minha visita é mais longa hoje que de costume, e eu não quero que se canse. Vá deitar-se, deite-se e conte-me uma história.

— Obedeço. Que história quer?

— Uma história de meninos. *As três cidras*, *O príncipe formoso*...

Refleti um pouco e respondi:

— Contar-lhe-ei uma história interessante! um pouco velha, mas instrutiva.

VIII

Conheci um rapaz, poeta como eu, e como eu crente, a mais não poder ser, nas melhores ilusões desta vida.

Não era rico, devia viver por si; todavia, pôde alcançar meio de preparar-se para uma profissão literária. Foi estudar. Tinha ao lado das ilusões grande bom senso, e a ele deveu correr os primeiros anos de seus estudos sem cair nos laços do amor. Teve algumas fantasias, mas fantasias simplesmente, que começavam e acabavam na mesma noite. A sorte preparara-lhe... Abre a boca, doutor? A história o adormece?

— Não; pode continuar.

— A sorte preparara-lhe um golpe profundo, para castigá-lo do critério com que soube fugir às tentações que encontrou. Depois de muitas circunstâncias que não vêm ao caso, achou-se diante de uma mulher. Imagine o doutor que essa mulher era bela. Imagine mais que estava em circunstâncias especialmente romanescas. Acabava de perder o marido que na idade de dezesseis anos seus pais lhe tinham obrigado a tomar. Contava então vinte e dois, e a morte daquele homem, se não lhe matou a alma, porque a alma não se achava ligada a ele, deu-lhe certa tristeza e arrancou-lhe algumas lágrimas, o que era nela um fundo de honestidade e pureza.

O que é porém certo é que, à semelhança de uma criatura que deixa a prisão em que estivera detida por longos anos, ela reapareceu ao mundo, assombrada e abatida.

Era uma viúva que se achava ainda solteira. Buscava uma alma para casar. Apareceu-lhe o poeta. Força da fatalidade os impeliu um para o outro. Parece que mesmo um para o outro se tinham conservado, ela na prisão que lhe armaram os pais, ele na torre de marfim de sua sossegada isenção. Mas viram-se e amaram-se. Naturalmente, pergunta-me, com que amor se amaram? Foi com o verdadeiro amor, o amor que consorcia desde a primeira hora as almas, as vontades e os pensamentos para nunca mais se separarem. Nunca mais! Logo mais verá que não foi assim! Vai-se embora, doutor?

— Tenho que fazer.

— Fique, eu lhe peço.

— Com uma condição.

— Qual?

— Não continue essa história.

— Incomoda-se em ouvi-la?

— Um pouco.
— Deixe disso. Não me vê calmo? É verdade que como os fatos já se passaram há longo tempo, e o meu anjo... já morreu, estou hoje mais a frio e posso contá-la sem enternecer... E demais, assim ao menos não pensarei na minha visita, a morte.
— Oh! não, não pense nisso! Vamos lá, conte. Mas antes disso tome o remédio, sim?
— Sim.

IX

Tomei o remédio e continuei:
— Amaram-se pois. É preciso observar que o poeta tinha sede de amor. Atravessara um deserto, onde as miragens sucediam-se de hora em hora, e chegava enfim ao oásis da vida, uma fonte, uma relva, uma palmeira. Determinou não ir adiante e descansou, com a longa caravana das suas ilusões, sobre a relva, à sombra da palmeira, à beira da fonte... Desculpe esta linguagem romanesca e oriental: é própria da imaginação exaltada.

Não existiam já os pais da viúva. Existia um tio que não era nem peixe nem carne; indiferente ao futuro da sua sobrinha como ao seu próprio. Tinha alguns bens da fortuna, poucos, e que ainda mais exíguos se tornavam em virtude do jogo largo e desesperado que fazia com eles nas bancas mais concorridas. A sobrinha tinha ainda menos.

O amor do poeta e da viúva prosseguiu cada vez com mais força e mais intensidade. Mil projetos, mil planos formavam ambos na doce intimidade dos seus corações. Eram duas almas sinceramente poéticas. Viam o resto do mundo pelo prisma do seu amor e da sua fantasia. O lado feio, real, positivo, da existência aparecia-lhes assim, como se fora tudo dourado pela luz do céu. Durou esta vida seis meses.

Perguntar-me-á por que se não casaram. É simples. No meio das suas imaginações não os abandonava certo critério frio e necessário. O casamento era uma obrigação para que ambos se deviam preparar. O poeta foi o primeiro a adiantar esta consideração a que a viúva se curvou convencida. Mas de novo juraram entre si fidelidade sem quebra, e o céu que os ouviu pareceu neste momento registrar aquele juramento.

Sucedeu, porém, que se apresentou diante do poeta um rival ao coração da moça. Era um homem de trinta e sete anos, seco de corpo e de espírito, inteligência acanhada, coração mesquinho, vivendo dos sentidos, e não dos sentimentos, perfeita reprodução, dizia a moça, do primeiro marido que ela teve. Chamava-se Venâncio.

Dizia ter fortuna e tinha, razão poderosa do arrojo com que entrou em liça competindo com o poeta. A moça recebeu-o, não com frieza, mas com desdém. Valeu-lhe isto uma repreensão do tio, que era amigo do pretendente e que o achava merecedor de todos os respeitos.

— Mas, meu tio — perguntou ela —, sabe que o senhor Barroso quer?
— O que é?
— Quer... amar-me.
— Quem te *disse isso?*
— Desconfio.
— Ora, desconfianças...

— Oh! não me engano; pode ficar certo de que é assim.

— Sabes que mais? — disse o tio. — Não te previnas contra esse homem, respeitável a todos os respeitos. É um caráter sério, fora dos homens do mundo, capaz de compreender as conveniências, e além disso possuidor de uma fortuna. Não te rias assim, que é indecente. Eu sei que as tuas preferências poéticas acham nesta consideração da fortuna uma consideração sem valor. Isso é criancice. A fortuna é uma das coisas mais respeitáveis.

— Meu tio — observou ela —, não parece estar muito convencido disso.

O tio riu-se e, batendo-lhe na face, acrescentou:

— Já sei por que dizes isso... Mas que queres? são coisas... Enfim, o que desejo é que não maltrates o senhor Barroso.

Tudo isso foi referido pela moça ao poeta. Riram ambos da pretensão e da proteção, e descansaram por esse lado.

Não quero, doutor, entrar nas mil particularidades do amor entre o poeta e a viúva. Cartas, versos, flores, ósculos sinceros e castos, tudo isso que se troca entre namorados, todos esses episódios romanescos e tão velhos como o mundo, tudo isso se deu entre os meus dois heróis.

Estavam próximos de pedirem o necessário consentimento para que a união legal confirmasse a união moral em que eles existiam. Marcaram dia, e o poeta dispôs-se a usar das palavras mais brandas e persuasivas que conhecesse da língua portuguesa para convencer ao tio da sua amada de que podia fazer a felicidade dela.

Era desnecessário dizer nada à própria mãe, que desde os primeiros dias do amor do poeta ficou ciente por confissão dele.

Na véspera do dia aprazado, o poeta foi ver a viúva. Achou-a muito triste. Indagou o motivo dessa tristeza a que não estava afeito, mas não conseguiu arrancar uma palavra à moça. Respondeu que tinha dores de cabeça, mas depois de muitas instâncias e com ar de quem não dizia a verdade.

Passando a falar do pedido em casamento, a viúva disse ao amante que o adiasse, e quando este lhe perguntou que razões havia para isso, ela respondeu que lhas comunicaria depois. Aconteceu logo o que era natural, um pequeno arrufo. E só arrufo, porque ela deu aquela resposta entre tantos suspiros, com um olhar tão convencido, tão sincero, que o poeta não pôde, o que lhe seria natural, experimentar maior desgosto.

O doutor sabe o que são arrufos dos namorados, é chuva miúda da primavera que tão depressa vem como vai. No fim de alguns minutos tinham voltado às boas, e o poeta despedia-se da viúva com a convicção de que só uma grande razão faria com que ela adiasse o pedido do casamento.

Era com efeito uma grande razão, como vai ver.

Desde aquele dia em diante a viúva mudou. Mais e mais fria, mais e mais reservada, trazia o espírito do poeta entre a dúvida e o desespero, entre a mágoa e a esperança. Que se teria passado? Em vão o rapaz indagava todos os motivos prováveis e possíveis; não podia atinar com a causa de semelhante transformação.

Enfim, uma noite em que se achavam na casa de uma terceira pessoa, o poeta pôde falar a sós à viúva. Expôs-lhe francamente o que sentia e fez um franco interrogatório sobre a tristeza que a moça apresentava.

As respostas da moça foram ambíguas. O poeta desesperou.

— Por que me não falarás com franqueza, Carlota?
— Quer mais franqueza?
— Oh! não zombes! Tu não calculas o que sofro, nesta incerteza em que me pões. Sê franca, prefiro isso.
— Não sei que te hei de dizer.
— Dize o que quiseres, inventa, se te parece, mas dize alguma coisa. Estas respostas ambíguas, estas evasivas transparentes não me consolam, antes me deitam em pior estado. Não me amas?
— Amo-te.
— Então?...

Esta conversa foi interrompida. Nessa noite não puderam falar mais a sós.

O poeta saiu desesperado. Sentia que algum segredo existia no fundo daquela tristeza da moça... A suspeita curvou-se-lhe à cabeceira e introduziu-lhe no espírito mil ideias negras que foram outros tantos demônios que fizeram daquela noite uma noite infernal...

O poeta não dormiu. Depois de vãos esforços levantou-se e foi... escrever versos! triste consolação dos que a natureza dotou com o gênio da poesia. No fim de uma hora de trabalho em que as estrofes lhe caíam do bico da pena como lágrimas de dor e de saudade, o poeta tinha transferido parte de sua alma para o papel. Estava mais calmo, sem estar menos triste.

Dois dias conservou-se em casa sem falar a pessoa alguma. De hora a hora esperava uma carta de Carlota. Nada. Ao terceiro dia, desesperado com o silêncio da viúva, resolveu ir, houvesse o que houvesse, pedi-la ao tio. Já estava em caminho quando lhe ocorreu a ideia de que sem completa averiguação dos motivos da tristeza da moça podia expor-se não só ao desgosto, mas ainda ao desar. Voltou para casa e escreveu uma carta à viúva pedindo-lhe explicações.

Veio a resposta. Era um desengano. Carlota respondia que não podia amá-lo, e que se esquecesse dela.

Dizer-lhe o que o poeta sofreu é contar-lhe muita coisa que deve saber de longa data. Sofreu... o que estou sofrendo. Caiu enfermo com uma febre violenta. Só daí a um mês se levantou, mas então já tinha em si o germe de uma enfermidade mais grave que depois o tomou de todo... e há de levá-lo à sepultura.

Durante a moléstia fez loucuras incríveis. Tudo o que podia agravar-lhe o estado e encaminhar-lhe a morte, fê-lo com uma alegria selvagem, mas sincera.

Enfim, restabelecido da febre, mas, como disse, doente de outra doença, o poeta levantou-se e não teve mão em si. Resolveu ir procurar a viúva. Queria a todo o transe conhecer as causas da recusa de Carlota, e sobretudo queria lançar-lhe em rosto a sua perfídia, de modo a não parecer covarde.

Carlota recebeu-o com um gesto de surpresa. Foi a ele e perguntou-lhe se já estava bom. Ele descobriu logo o fingimento daquela solicitude e quis mostrar que não se enganava. Suas exprobrações foram enérgicas e veementes. Carlota ouviu-o com uma espécie de torpor.

Depois, quando a alma do poeta derramou em palavras amargas a dor de que estava possuído, veio uma prostração moral, e o poeta, já mais brando, pediu a Carlota uma explicação da carta que esta lhe mandara.

Então, a viúva, fingindo um grande esforço, deu em pleno rosto ao namorado poeta uma resposta que equivalia a um tiro. Disse-lhe que se ia casar, e com Venâncio.

Afigurava-se ao poeta esta união como tão monstruosa, que ao princípio não quis acreditar nas palavras de Carlota. Olhou surpreso para ela, mas surpreso como o homem que não dá crédito, e intimou-lhe que falasse seriamente.

— Mais seriamente do que falo? — perguntou Carlota.
— Sim, seriamente.
— É isto.
— Pois deveras...
— É verdade.

O rapaz sentiu que lhe faltava o chão debaixo dos pés. Pareceu-lhe que ia cair em um abismo. É assim que deve ser a vertigem do náufrago. Como o náufrago, o poeta agarrou-se ao primeiro objeto que encontrou. Era um sofá. Encostou-se ao sofá e olhou fixo para Carlota.

— Sei que isto lhe há de doer, mas é necessário...
— Mas ama-o?
— Amo.
— Ah! não diga isso!
— Por que não?

E fazendo esta pergunta a moça mostrou um ar de desdém que o poeta humilhado, abatido, indignado, não pôde dizer mais palavra. Foi, com passo incerto e vacilante, buscar o chapéu que se achava sobre o piano, e cumprimentando a viúva friamente, encaminhou-se para a porta.

A moça deu alguns passos para ele e murmurou:

— Só uma coisa lhe peço.

O poeta deteve-se. Era ainda uma esperança que lhe surgia no meio daquela amargura e desespero de que enchera sua alma. Interrogou-a com o olhar. A moça, pregando os olhos no chão, disse:

— Não me queira mal.
— Que não lhe queira mal? Mas isto é zombaria... Não lhe queira mal!... Acha que me faz um benefício... Não vê que me matou?
— Ah! perdão... mas...
— Ama a outro, não? — perguntou o moço com ironia.
— Amo — respondeu ela, mas de modo que o poeta antes adivinhou do que ouviu.

X

O moço saiu desesperado da casa de Carlota.

Passaram-se os dias. O mal que o minava foi tomando proporções maiores, e dentro de pouco tempo declararam-se os tubérculos pulmonares. É a minha moléstia, como sabe, doutor.

Aos primeiros cuidados que tiveram amigos e parentes para que se curasse, o poeta recusou peremptoriamente. Ofereceu-se ocasião de ir a Buenos Aires; não quis; e para não dar a verdadeira razão desta recusa, disse que tinha esperança de curar-se na terra natal, e que além disso tinha aversão às viagens marítimas.

Queria morrer? perguntará o doutor. Queria e quer. Odiava a mulher? Não, amava-a, ainda a ama. Tudo que possa dizer e sentir contra ela não é senão amor disfarçado. Se não fosse assim, decerto que teria aceitado a vida que lhe ofereciam às mãos cheias. Mas recusou tudo; aceitou a moléstia como um bem da Providência.

Pedir-me-á a explicação deste amor por um monstro, e eu não saberei o que lhe hei de dizer.

Todavia, há um fato que me parece explicar tudo, e vem a ser: se o amor do poeta fora um desses amores fáceis ou simplesmente uma dessas afeições que tomam base na vaidade pueril, creio que a perfídia de Carlota teria ofendido a susceptibilidade, deixando intacto o coração, porque realmente o coração não se interessa em afeições tais.

Mas o amor do poeta não era esse: era o amor verdadeiro, o amor único; a traição não podia deixar de aniquilá-lo. Foi o que sucedeu. Não sou filósofo, doutor; mas afigura-se-me que as coisas se passaram assim.

Durante os primeiros tempos de sua moléstia, o poeta procurou sempre todas as ocasiões em que podia ver Carlota. A custo puderam contê-lo no dia do casamento da viúva. Ele queria, à força, ir assistir a esta cena e confundir com a sua presença os desposados.

Onde quer, porém, que pudesse encontrá-la, e em poucos lugares era, o rapaz ia e não deixava de fixar nessa mulher os olhos de dor e desespero. Depois, voltava mais doente e mais amante para casa. Houve uma ocasião em que podia falar-lhe; não quis; entendia poder vê-la; falar-lhe afigurava-se ao moço que seria condenável.

A moléstia progredia até que se declarou perigosa. A ciência foi impotente diante do princípio do mal que lavrava, até que um dia, no dia em que a Igreja celebra o nascimento do Salvador, poucas horas antes de morrer, o moço contou esta história ao sábio doutor que tratava dele.

XI
Que me diz a esta história?

— Digo que o ouvi a custo. Eu já sabia alguma coisa, mas não sabia tão completamente. Mas que necessidade tinha de me referir essas coisas. Olhe, está pior, a tosse está mais forte, vejo-o mais pálido e abatido. Foi imprudência...

— Não foi. Eu desejava que o doutor ficasse sabendo de mais uma história destas que de tão vulgares são algumas vezes tão funestas.

— Mas diga-me...

— O quê, doutor?

— Se as coisas todas que me contou tivessem uma explicação, explicação razoável, honesta; se em vez de monstro, Carlota fosse um anjo, viveria?

— Um anjo? do mal!

— Mas enfim...

— Não sei.

— Há de viver. Se alguma coisa houver que o possa fazer, visto que nem a ciência, nem os conselhos dos amigos podem fazê-lo sair desse abatimento em que está, acredite que empregarei os meus esforços para lhe dar esse remédio supremo.

— Veja sempre...

— Eu lhe prometo. Entretanto, ainda uma vez lhe peço, não se deixe perder

nessas recordações angustiosas do passado; seja homem, e principalmente seja filho!...
— Minha mãe!...
— Seja filho. Lembre-se que ela não poderá resistir...
— Sinto passos, doutor...
— É ela!
— Oh! minha mãe!

Minha mãe está mais pálida que eu. Interroga o doutor com o olhar, e este abaixa os olhos. Que haverá entre ambos?
— Onde vai, doutor?
— Vou sair. Até já.
— Volta?
— Volto. Mas espere, tome já este remédio.
— Então, doutor, como acha meu filho?
— Vou consultar alguns colegas e cá virei com eles. Talvez se possa fazer alguma coisa. Até já. Coragem, meu doente!

XII
São cinco horas da tarde.

Minha mãe foi descansar um pouco. Coitada! passou a noite em claro, e durante todo o dia de hoje não parou um instante.

O doutor ficou de voltar e voltou com mais dois médicos. Examinaram-me e resolveram que eu não estava tão perigoso como parecia. Depois assentaram no medicamento que se devia empregar. Uma das cláusulas que me impõem é ir tomar ares. Não sei se o faça. Eu creio que eles todos se enganaram acerca do meu estado.

Daqui a pouco estará findo o dia e com ele a minha vida, talvez. Estou pior. Sinto uma opressão que me incomoda; minha mãe aconselhou-me que me deitasse, mas eu não posso; quero morrer como homem.

Tenho necessidade de escrever. Quero derramar a minha última gota de poesia no papel, e deixar ao mundo ao menos uma lembrança de que fui mártir e poeta. Será este o canto do cisne.

Que direi?

Sinto a cabeça pesada; e o meu espírito mal pode aplicar-se ao que a minha vontade o solicita. Ah! já nem sou poeta! Musa ardente dos tempos da felicidade e do sossego, onde paras agora que não vens reclinar-te, como outrora, à cadeira do teu poeta infeliz?

Alguém chega... Guardemos estes papéis... Quem é? Minha mãe!...
— Eu e mais alguém, meu filho.
— Quem?
— Tens coragem?
— Por quê, minha mãe?
— Para o que vais ver?
— É a morte?
— É a vida.
— Mande entrar a vida, minha mãe.

XIII

Olhei, era... era Carlota.

— Carlota!

Recuei até a cama. Vi entrar uma mulher magra, abatida, doente; com os olhos fundos e ardentes de febre. Vê-se que o remorso dilacera aquela alma. Vê-se que ela pena os pecados em que caiu.

Parou à porta, e com as mãos magras, mas ainda belas, comprime o seio ofegante. Tem os olhos baixos como de vergonha. Parece pregada ao lugar em que ficou.

Nem eu nem ela podemos falar. Minha mãe toma-lhe a mão e trá-la para junto da janela.

— Não é uma criminosa que vem implorar perdão — disse-me Carlota.

— Pois quem é?

— Ah! eu não quero perder tempo em longas explicações... Venho dizer-lhe que se a sua vida depende da declaração de que eu o amo, pode morrer; porque eu não posso fazer essa declaração. Mas se é razão para viver a certeza de que, no dia em que o repeli, ainda o amava, e que casando com aquele que é hoje meu marido eu ainda o tinha na memória, viva; porque isto é verdade.

— Carlota!

— É verdade. Depois, a consciência do dever prevaleceu, e eu pude apesar da lembrança, ver que me podia fazer feliz, mas que, casada com outro, só podia fazer a desgraça de mim mesma.

Dizendo estas palavras Carlota parece animada por um fogo interior. Será sincera? A franqueza com que falou parece nascer de uma consciência sincera. Agora, o que me parecia remorso e vergonha, é já outra coisa; reparo mais, e como que vejo na fronte desta mulher o sinal do martírio e da dor.

Minha mãe fê-la retirar-se. Eu não sei o que faço nem onde estou; parece-me que sonho; abro os olhos mais e mais, e corro um olhar por todos os ângulos do quarto para ver se com efeito estou na realidade.

Vê-la! vê-la ainda, aqui, junto de mim, sincera, regenerada na minha consciência de um crime que lhe atribuí, oh! meu Deus! isto é quase a felicidade!

Mas, se o que ela diz é verdade, qual a explicação de todos estes fatos que tiveram tão funestas consequências?

Carlota adivinha esta interrogação íntima. Minha mãe fê-la sentar. Depois, tomando um ar de recato e modéstia, Carlota procura referir todas as circunstâncias do seu casamento.

XIV

O que ela contou resume-se assim:

Quando, nos seus sonhos de felicidade e de amor, ela contava unir-se a mim e viver uma vida nova e única, veio transtornar os seus projetos o tio de quem já falei, e cuja neutralidade nos parecia a ambos sem contestação.

Neutral seria, decerto, o bom tio, se uma circunstância não o impelisse ao *passo que deu*. Tenho certeza de que ele gostava de mim e de Carlota, mas a paixão e o vício decidiram as coisas de modo diferente.

Venâncio era um dos seus parceiros habituais do jogo. Era rico, e por essa circunstância, talvez, tinha uma felicidade rara. A água corre para o mar, diz o provérbio. O dinheiro dos parceiros corria para a algibeira farta de Venâncio.

Até então, isto é, até a hora em que o tio de Carlota conheceu Venâncio, a boa sorte tinha protegido aquele. Mas Venâncio apareceu com a sua felicidade inaudita e bem depressa os últimos recursos do velho se esgotaram. É sabido como o jogo dá certa embriaguez que mais se exalta com a má fortuna. O tio de Carlota atirou-se às últimas operações. Jogou a crédito e perdeu. Insistiu e perdeu ainda. Insistiu, insistiu e perdeu sempre. Recuou a conselho de alguns amigos.

As quantias perdidas ao jogo com Venâncio perfaziam uma soma avultada. O tio de Carlota achou-se repentinamente em uma posição difícil. Como pagar-lhe? Escasseados os recursos, nem tinha onde buscar, ainda por empréstimo, a grossa quantia de que era devedor. Em tal situação só havia um meio. Pôr termo ao vício que o arruinara e procurar no trabalho, se fosse possível, o saldo de tão enorme dívida.

Este era o meio razoável, se porventura a lei do jogo, que é uma lei arbitrária como o próprio vício em que se funda, não o obrigasse a um prazo breve e fatal.

O tio de Carlota pensou nisto e desanimou. Era um abismo que tinha diante de si. Os recursos de Carlota, que eram escassos, não podiam, no caso de generosidade da moça, servir para uma quinta parte da dívida. Era despojá-la do patrimônio sem proveito.

O desgraçado, sem saber que fazia, sem meios reais, nem recursos da imaginação, saiu um dia de manhã em direção à casa de Venâncio.

Devo dizer que, já antes do desastre que fez de Venâncio um pesadelo para o tio de Carlota, o credor frequentava a casa deste.

O tio de Carlota entrando em casa de Venâncio não tinha uma ideia a apresentar; ia conversar e apanhar a primeira ideia que lhe sugerisse a conversa, ou aceitar o projeto razoável que o credor lhe indicasse.

Venâncio recebeu o devedor com o mais amável dos sorrisos nos lábios. Isto animou o desgraçado devedor.

— A que devo a sua visita?
— Não adivinha?
— À dívida?
— É verdade.
— Vem pagá-la? Não havia pressa.
— Não, não venho pagá-la.
— Ah!

Vê-se que este introito não era dos mais animadores. O tio de Carlota calou-se e mudou de conversa, sendo acompanhado no novo assunto por Venâncio, que se porfiava em ser o mais amável deste mundo.

Depois de meia hora de conversa sobre coisas diferentes, Venâncio voltou bruscamente ao assunto da dívida.

O devedor empalideceu.

Que responder?

Os olhos de Venâncio estavam pregados nele, e quanto mais corriam os minutos, mais vazio se achava o espírito do tio de Carlota.

Enfim, como era preciso responder alguma coisa, o pobre homem disse francamente que não podia pagar, e que nem lhe ocorria o meio para isso.

Venâncio sorriu e respondeu:

— Pois é simples. Há três dias que a fortuna me desampara, e como velho jogador que é, deve saber que ela tem seus caprichos e muitas vezes abandona os antigos aliados para acompanhar outros novos. Talvez que ela hoje esteja do seu lado.

O tio de Carlota estremeceu a esta proposta. A alma do jogador despertou e sentiu-se arrastada para a banca. Ganhar em dois minutos tudo o que perdera, ver-se de um só lance aliviado de uma obrigação e de um peso no espírito, era para o devedor a suprema felicidade.

Não hesitou, senão o tempo necessário ao espanto que lhe causava a proposta, e levantando-se, com as mãos estendidas para Venâncio, declarou-lhe alvoroçado que aceitava.

Tudo se preparou para o duelo fatal.

Diante da mesa em que se ia decidir a sua sorte, o tio de Carlota cobrou novo ânimo.

Venâncio estava frio e tranquilo. Parecia que não jogava dinheiro, e dinheiro avultado.

O tio de Carlota acompanhou a partida ansioso e atordoado. Não respirava, com a mão oprimia o coração e com os olhos parecia querer arrancar do baralho a carta feliz...

Infeliz! a carta que saiu dava ganho a Venâncio.

O tio de Carlota soltou um grito.

— Quer mais? — perguntou friamente Venâncio.

— Não! não!

— Deve-me o dobro.

— Como lhe poderei pagar? Oh! meu Deus!

— Não se aflija — disse o credor. — Isto não é sangria desatada; não lhe exijo agora o pagamento; pode pagar amanhã, depois, daqui a um mês... e até...

— E até?

— Até nunca.

— Nunca!

— Nunca.

A estranheza das palavras de Venâncio e o ar frio que ele apresentava fizeram impressão no tio de Carlota.

— Explique-se — disse ele.

— É simples. Há de crer que por muito exigente que eu fosse nunca poria em sérias dificuldades um tio. A um estranho é possível, é até certo, mas a um tio... Ora, nada impede que eu seja seu sobrinho.

O tio de Carlota não compreendeu e não respondeu.

— Não compreendeu? — perguntou Venâncio.

— Meu sobrinho, como?

— Não tem uma sobrinha? — perguntou Venâncio.

— Ah!

Venâncio expôs demoradamente a sua pretensão. Pediu formalmente a mão de Carlota. O tio hesitou ainda, disse-o ao menos depois à sobrinha, mas este casamento era a sua salvação. Depois, Venâncio tivera o cuidado de convencê-lo de que ele não era indiferente à viúva. Enfim, quando saiu da casa de Venâncio, o tio de Carlota deixou-lhe prometida a mão de sua sobrinha.

Quando esta ouviu de seu tio a proposta de Venâncio, repeliu-a peremptoriamente. Mas o tio, entre as lágrimas da sua conveniência, chegou a convencer a pobre moça de que casar com Venâncio era salvá-lo da desonra. Carlota pediu dilação para refletir. A reflexão foi contrária ao coração. Carlota aceitou a proposta, não sem exprobrar a seu tio a funesta paixão que o seduzira a cometer um ato de aviltamento.

Quanto a Venâncio, ela teve o cuidado de declarar-lhe que impunha uma condição.

— Aceito todas — respondeu Venâncio.

— Faço o sacrifício da minha pessoa, mas exijo ao menos que eu não seja mulher de um jogador.

— Juro-lhe que não será.

E não foi. Uma paixão neutralizou outra. Venâncio era dessas naturezas escravas da sensualidade, que estimam as estátuas, não pelo cunho de beleza ideal que elas possam ter, mas pela vista e exuberância das formas exteriores.

XV

Tal foi a história que Carlota me contou.

Quando ela acabou tinha eu o rosto escondido nas mãos; palpitava-me o coração com uma força desusada. Minha consciência restituía à infeliz moça os créditos de elevação moral em que a tinha anteriormente aos tristes acontecimentos de que ela foi vítima. Em vez de um monstro tinha eu diante de mim uma mártir.

— Se esta simples exposição dos fatos — disse-me ela — pode torná-lo à vida, viva; eu lhe peço. Viva por sua mãe e para sua mãe. Se eu ainda o amasse, ou pudesse amá-lo, dir-lhe-ia que vivesse por mim.

— Tem razão — respondi eu.

E tomando a mão de Carlota, beijei-lhe respeitosamente. Não era um beijo de amor, era um beijo de gratidão. Depois do que ela me disse eu sentia que voltava à vida.

— Agora — disse ela —, adeus.

E saiu.

Minha mãe não a deixou sair sem cobri-la de beijos verdadeiramente maternais.

XVI

26 DE DEZEMBRO

São dez horas da manhã.

Passei uma noite tranquila. Tive sonhos felizes. Sonhei que estava bom e vivia com minha mãe em uma casa retirada do bulício e da agitação. Voltavam os meus dias de poeta, e eu cantava em estrofes inspiradas a ventura que me dava a paz do coração e da consciência.

Não sei por quê, esta perspectiva de felicidade já me não desgosta, e nem já me causa ressentimento a alegria expansiva e radiante da natureza.

Ao mesmo tempo, a ideia tão poética dessa vida sossegada e feliz é contrariada pela ideia de que perdi Carlota em virtude de um contrato fundado sobre o vício. Esta ideia traz-me à vida real, e eu olho já os sonhos do passado e o desta noite como ilusões sem realidade prática.

A prática é outra coisa. Não transigir com os desvios dos homens, mas viver preparado para eles, tal é a norma regular que se me afigura devem ter todas as consciências honestas e previdentes.

Deixar-me seduzir por novas ilusões e expor-me a novos desenganos e torturas?

É o que farei... se ficar bom.

Ficarei?

O doutor me dirá.

O doutor! É seguramente a ele que eu devo esta transformação na minha vida. Foi, sem dúvida, ele quem encaminhou aquela explicação que tão benéfica foi para mim.

Farei tudo o que puder para ficar bom.

Oh! minha mãe! minha mãe!

XVII
EPÍLOGO

Um ano depois, encontravam-se ao pé da estação do Campo, para tomar o caminho de ferro, dois homens, um moço, o outro velho. Olham-se e reconhecem-se. Depois entram, compram bilhetes e tomam lugar em um carro de primeira classe.

— Para onde vai? — pergunta o velho.

— Vou para o Rodeio.

— Também eu.

Acomodaram-se, e, enquanto esperavam a hora, e não vinha mais ninguém para o mesmo compartimento, trataram de conversar sobre coisas de sua vida.

— Que faz agora? — perguntou o moço ao velho.

— Sou um ex-médico. Vivo do que ajuntei.

— Eu sou um ex-poeta. Vivo do que aprendi.

— Fortuna por fortuna. Mas há uns bons seis meses que o não vejo. Ora, quem diria que aquele rapaz magro e quase morto se converteria neste rapagão corado, nédio, robusto... Bem lhe dizia eu.

— Devo-lhe tudo.

— A mim, não.

— Devo-lhe, sim.

— É então ex-poeta?

— Sou. Sou hoje o homem-prosa, vivo terra a terra, livre das quimeras que me atordoaram e nas quais não encontrei senão dissabores. Quis forçar a ordem das coisas e opor aos sentimentos comuns a idealidade dos meus sentimentos. Sofri as consequências desta temeridade. Hoje, se não reneguei o culto da poesia, não faço praça dele, de modo que aquele dia em que me vi tão desanimado foi, por assim dizer, o último dia de um poeta.

O doutor olhou para o moço com ar incrédulo.

— Isso é verdade? — perguntou.

— Mais que verdade.

— Não pensei que a mudança fosse radical. E dona Carlota?

— Essa vive, coitada, não sei se como eu. Nunca mais a vi. Bem sabe que uma barreira nos separava. Mas eu conservo-a comigo. Perdão, doutor... é a minha ilusão de namorado, de poeta e de rapaz... mas como vê, é inofensiva.

E o moço tirou um medalhão em que estavam as margaridas que durante a febre beijava e adorava.

— E sua mãe?

— Oh! essa é feliz! Vive comigo no Rodeio, onde nada nos perturba a felicidade santa de que gozamos. Pela felicidade que ela sente vendo-me vivo e são é que avalio a dor suprema que sentiria se eu morresse. Fiz bem em não morrer.

— Pois, meu amigo, continue a contar com a minha amizade, que agora é ainda maior. Ame e respeite sua mãe; procure esquecer os sucessos que motivaram a catástrofe de sua vida, e, sem repudiar a missão normal que Deus lhe deu, não confie de um mundo frio e egoísta as santas aspirações da sua jovem inteligência.

— Obrigado, doutor.

Neste momento entrou no carro um casal; o marido, homem de trinta e oito anos, a mulher... não se podia ver através de um véu preto que lhe cobria o rosto.

Pouco depois o carro partiu.

A moça, que até então não voltara o rosto, teve necessidade de fazê-lo para responder a uma pergunta do marido. O marido achava-se entre ela e o ex-poeta. A moça deu um pequeno grito. Interrogada por seu marido, respondeu que fora uma dor aguda no coração.

— Há de ser de cansaço — acrescentou ela.

Era Carlota, como já se adivinha.

Durante o resto da viagem nenhum incidente mais ocorreu. A mulher e o marido conversavam sossegadamente; o ex-poeta e o ex-médico conversavam do mesmo modo.

Chegando à última estação separaram-se todos. O doutor prometeu ir jantar à casa do rapaz.

Viram-se ainda muitas vezes, mas o encontro do vagão foi o último que houve entre o rapaz e Carlota.

Jornal das Famílias, *maio-junho de 1867*; Max.

Não é mel para a boca do asno

I

Era um dia de procissão de Corpus Christi, que a igreja do Sacramento preparara com certo luxo.

A rua do Sacramento, a do Hospício, o largo do Rocio estavam mais ou menos cheios de povo que aguardava o préstito religioso.

Na janela de uma casa do Rocio, atulhada de gente como todas as janelas daquela rua, havia três moças, duas das quais pareciam irmãs, não só pela semelhança das feições, mas ainda pela identidade dos vestidos.

A diferença é que uma era morena, e possuía belíssimos cabelos negros, ao passo que a outra tinha a tez clara e os cabelos castanhos.

Essa era a diferença que se podia enxergar cá debaixo, porque se as examinássemos de perto veríamos no rosto de cada uma delas os traços distintivos que separavam aquelas duas almas.

Para sabermos os seus nomes não é preciso subir à casa; basta aproximarmo-nos de dois rapazes que da esquina da rua do Conde olham para a casa, que ficava do lado da rua do Espírito Santo.

— Vês? — diz um deles ao outro levantando um pouco a bengala na direção da casa.

— Vejo; são as Azevedos. Quem é a outra?

— É uma prima delas.

— Não é feia.

— Mas é uma cabeça de vento. Queres ir lá?

— Não; vou passear.

— Passear, Meneses! Não sou tão tolo que o acredite.

— Por quê?

— Porque eu sei onde vais.

Meneses sorriu, e olhou para o interlocutor perguntando:

— É uma novidade que eu tinha vontade de saber.

— Vais para casa da tua Vênus.

— Não conheço!

— Nem eu; mas é natural...

— Ah! é natural! Adeus, Marques.

— Adeus, Meneses.

E os dois rapazes separaram-se; Marques dirigiu-se para a casa onde estavam as três moças, e Meneses seguiu caminho pelo lado da Petalógica.

Se Marques olhasse para trás, veria que Meneses, apenas chegou à esquina da rua dos Ciganos, parou de novo e lançou um último olhar para a janela em questão; no fim de alguns segundos seguiu viagem.

Marques subiu pela escada acima. As raparigas, que o tinham visto entrar, foram recebê-lo alegremente.

— Não era o doutor Meneses quem estava com o senhor? — perguntou uma das Azevedos.

— Era — respondeu Marques —; convidei-o a subir mas ele não quis... Talvez fizesse mal — continuou Marques —, a casa não é minha, não acha, dona Margarida?

D. Margarida era uma senhora que estava assentada na sala; era a dona da casa, tia das Azevedos, e mãe da terceira moça que, com estas, estava à janela.

— Ora, ande lá — disse d. Margarida —, faça agora cerimônias comigo. Bem sabe que esta casa é sua e dos seus amigos. A procissão já saiu?

— Para lhe falar a verdade, não sei; eu venho do lado do Campo.

— Passou lá por casa? — perguntou uma das Azevedos, a morena.

— Passei, dona Luizinha; estava fechada.

— É natural; papai anda passeando e nós estamos aqui.

Marques sentou-se; Luizinha foi para o piano, com a prima, e começou a tocar não sei que variações sobre motivos da *Marta*.

Quanto à irmã de Luizinha, essa foi encostar-se à janela, em posição tal que os seus dois belos olhos castanhos observavam quanto se passava na sala; o corpo estava meio voltado para a rua, mas a cabeça estava voltada para dentro.

Quando digo que ela observava quanto se passava na sala, uso de uma expressão mal cabida, porque os olhos da moça fitavam-se nos de Marques que achava meio de atender a d. Margarida e às olhadelas da jovem Hortênsia.

Era nem mais nem menos um namoro.

Hortênsia merecia bem que um rapaz se apaixonasse por ela. Não era alta, mas era esbelta, e sobretudo vestia com elegância suprema. Tinha duas coisas admiráveis: os olhos que eram rasgados e profundos, e as mãos que pareciam ter sido cortadas a alguma obra-prima da estatuária.

Comparando com ela, e atendendo-se apenas ao exterior, Marques era uma bela escolha para o coração de Hortênsia. Era bonito, mas a sua beleza não era nem efeminada, nem máscula; apenas um meio-termo; tinha coisas de uma e coisas de outra: uma fronte de deus Marte e um olhar de Ganimedes.

Era um amor já esboçado que havia entre aquelas duas criaturas. Marques, se compreendesse Hortênsia como aquele olhar estava pedindo, seria um homem feliz. Compreendia?

II

Imaginamos que a leitora já está curiosa por saber o que queriam dizer os repetidos olhares de Meneses atravessando a praça da Constituição, olhares que não estão de acordo com a recusa de não ir ver as moças.

Para satisfazer a curiosidade da leitora, convidamo-la a entrar conosco em casa de Pascoal Azevedo, pai de Luísa e Hortênsia, dois dias depois da cena que narramos no capítulo anterior.

Pascoal Azevedo era chefe de seção em uma secretaria de Estado, e com esse ordenado e mais os juros de algumas apólices sustentava a família, que se compunha de uma irmã velha e das duas filhas.

Era um homem folgazão, amigo da convivência, mas modesto no trato e na linguagem. Não dava banquetes nem bailes; mas gostava que a sala e a sua mesa, despretensiosas ambas, estivessem sempre tomadas de alguns amigos.

Entre as pessoas que lá iam notavam-se Meneses e Marques.

Marques, logo no fim de dois meses, conseguiu fazer-se objeto de um amor grande e sincero. Hortênsia queria doidamente ao rapaz. Pede a fidelidade histórica que se mencione uma circunstância, e vem a ser que Marques já era amado antes que amasse.

Uma noite reparou ele que era objeto da preferência de Hortênsia, e desta circunstância, que lhe lisonjeou o amor-próprio, começou-lhe o amor.

Marques era, então, e continuou a ser, amigo de Meneses, com quem não tinha segredos, um pouco por confiança, um pouco por estouvamento.

Uma noite, pois, ao saírem de casa de Azevedo, Marques disparou estas palavras à cara de Meneses:

— Sabes de uma coisa?
— O que é?
— Estou apaixonado pela Hortênsia.
— Ah!

— É verdade.
— E ela?
— Igualmente; morre por mim. Sabes que eu conheço as mulheres, e não me engano. Que dizes?
— Que hei de dizer? Digo que fazes bem.
— Tenho até ideias sérias; quero casar-me.
— Já!
— Pois então! Eu sou homem de resoluções rápidas; nada de esfriar. Somente, não quero dar um passo destes sem que um amigo, como tu, o aprove.
— Oh! eu — disse Meneses.
— Aprovas, não?
— Decerto.
Nisto ficou a conversa entre os dois amigos.
Marques foi para casa na firme intenção de envergar a casaca no outro dia, e ir pedir a moça em casamento.
Mas como no intervalo meteu-se o sono, Marques acordou com a ideia de adiar o pedido até alguns dias depois.
— Por que motivo precipitarei um ato destes? Reflitamos.
E entre esse dia e o dia em que o vimos entrar na casa do Rocio, havia o espaço de um mês.
Dois dias depois, amiga leitora, encontramos os dois amigos em casa de Azevedo.
Meneses é de um natural taciturno. Enquanto todos conversam animadamente, ele apenas solta de quando em quando um monossílabo, ou responde com um sorriso a qualquer dito chistoso. A prima das Azevedos chamava-o tolo; Luizinha apenas lhe supunha desmedido orgulho; Hortênsia, mais inteligente que as duas e menos estouvada, dizia que ele era um espírito severo.
Esquecia-nos dizer que Meneses tivera algum tempo o sestro de escrever versos para os jornais, o que lhe arredou a estima de alguns homens sérios.
Na noite em questão, acontecia uma vez achar-se Meneses com Hortênsia à janela, enquanto Marques conversava, com o velho Azevedo, sobre não sei que assunto do dia.
Meneses já estava à janela, com as costas para a rua, quando Hortênsia chegou-se a ele.
— Não tem medo do sereno? — disse-lhe ela.
— Não tenho — disse Meneses.
— Olhe; sempre o conheci taciturno; mas agora reparo que é mais do que costumava a ser. Algum motivo há. Há quem suponha que a mana Luizinha...
Este simples gracejo de Hortênsia, feito sem a menor intenção oculta, fez com que Meneses franzisse levemente as sobrancelhas. Houve entre os dois um momento de silêncio.
— Será? — perguntou Hortênsia.
— Não é — respondeu Meneses. — Mas quem é que supõe isso?
— Quem? Imagine que sou eu...
— Mas por que supôs?...

— Por nada... supus. Bem sabe que entre moças, quando um rapaz está calado e triste, é que está apaixonado.

— Sou exceção da regra, e não sou eu só.

— Por quê?

— Porque eu conheço outros que estão apaixonados e andam alegres.

Desta vez foi Hortênsia quem franziu as sobrancelhas.

— É que para isto de amores, dona Hortênsia — continuou Meneses —, não há regra estabelecida. Depende dos temperamentos, do grau de paixão, e mais que tudo da aceitação ou da recusa de um amor.

— Então, confessa que?... — disse Hortênsia vivamente.

— Eu não confesso nada — respondeu Meneses.

Serviu-se neste momento o chá.

Quando Hortênsia, saindo da janela, atravessava a sala olhou maquinalmente para um espelho que ficava em frente a Meneses, e viu o longo, o profundo, o doloroso olhar que este prendera nela, vendo-a afastar-se.

Insensivelmente olhou para trás.

Meneses mal teve tempo de voltar para o lado da rua.

Mas a verdade estava descoberta.

Hortênsia tinha convicção de duas coisas:

Primeiramente, que Meneses amava.

Depois, que o objeto do amor do rapaz era ela.

Hortênsia tinha um coração excelente. Apenas conheceu que era amada por Meneses, arrependeu-se das palavras que dissera, aparentemente palavras de remoque.

Quis reparar o mal redobrando de atenções com o moço; mas de que valiam elas, quando Meneses surpreendia de quando em quando os belos olhos de Hortênsia pousarem um amoroso olhar em Marques, que andava e falava radiante e ruidoso, como um homem que não tem uma só coisa que exprobrar à fortuna?

III

Uma noite Marques anunciou em casa de Azevedo que Meneses estava doente, e por isso não ia lá.

O velho Azevedo e Hortênsia sentiram a doença do moço. Luizinha recebeu a notícia com indiferença.

Indagaram da doença; mas o próprio Marques não sabia o que era.

A doença era uma febre que cedeu no fim de quinze dias à ação da medicina. No fim de vinte dias Meneses apresentou-se em casa de Azevedo, ainda pálido e magro.

Hortênsia doeu-se de o ver assim. Compreendeu que aquele amor não correspondido entrava por muito na doença de Meneses. Sem que lhe coubesse culpa por isso, Hortênsia teve remorsos de lho ter inspirado.

Era o mesmo que se a flor tivesse culpa do perfume que exala, ou a estrela do fulgor que despede de si.

Nessa mesma noite Marques disse a Hortênsia que ia pedi-la em casamento no dia seguinte.

— Autoriza-me? — perguntou ele.

— Com uma condição.
— Qual?
— É que o fará secretamente, e que nada divulgará até o dia do casamento, que deve ser daqui a alguns meses.
— Por que esta condição?
— Já me nega o direito de fazer uma condição?

Marques calou-se, sem compreender.

Era fácil, entretanto, entrar no pensamento íntimo de Hortênsia.

A moça não queria com a publicidade imediata do casamento amargurar fatalmente a existência de Meneses.

Contava ela que, pouco depois do pedido e do ajuste, alcançaria licença do pai para ir passar fora dois ou três meses.

— É quanto basta — pensava ela — para que o outro me esqueça e não sofra.

Esta delicadeza de sentimento, que revelava em Hortênsia uma rara elevação de espírito e uma alma perfeita, se Marques pudesse compreendê-la e adivinhá-la, talvez condenasse a moça.

Entretanto, Hortênsia obrava de boa-fé. Queria ser feliz, mas teria remorsos se, para sê-lo, houvesse de fazer padecer alguém.

Marques, conforme a promessa, foi no dia seguinte à casa de Azevedo, e na forma tradicional pediu a mão de Hortênsia.

O pai da moça não tinha objeção alguma; e apenas, *pro forma*, impôs a condição da aquiescência da filha, que não tardou em dá-la.

Resolveu-se que o casamento seria dali a seis meses; e logo daí a dois dias Hortênsia pediu ao pai para ir visitar o tio, que residia em Valença.

Azevedo consentiu.

Marques, apenas recebeu a resposta afirmativa de Azevedo em relação ao casamento, repetiu a declaração de que até o dia aprazado o casamento seria um inviolável segredo.

— Mas — pensou ele consigo —, para Meneses eu não tenho segredos, e este devo dizer-lho, sob pena de mostrar-me mau amigo.

O moço estava ansioso por comunicar a alguém a sua felicidade. Foi dali para a casa em que Meneses advogava.

— Grande notícia — disse ele ao entrar.
— O que é?
— Vou casar-me.
— Com a Hortênsia?
— Com a Hortênsia.

Meneses empalideceu, e sentiu que o coração batia-lhe com força. Ele esperava por aquilo mesmo; mas ouvir a declaração do fato, naturalmente próximo; adquirir a certeza de que a amada de seu coração já era de outro, não só pelo amor, como pelos laços de uma próxima e assentada aliança, era uma tortura a que ele não podia fugir nem dissimular.

A sua comoção foi tão visível, que Marques perguntou-lhe:
— Que tens?
— Nada; restos daquela moléstia. Ando muito doente. Não é nada. Então, vais casar-te? Dou-te os meus parabéns.

— Obrigado, meu amigo.
— Quando é o casamento?
— Daqui a seis meses.
— Tão tarde!
— É vontade dela. Seja como for, é coisa assentada. Ora, não sei que sinto com isto; é uma impressão nova. Custa-me a crer que eu vá casar deveras...
— Por quê?
— Eu sei lá! Também, se não fosse ela, não casava. É bonita a minha noiva, não?
— É.
— E ama-me!... Queres ver a última carta dela?

Meneses dispensava bem a leitura da carta; mas como?

Marques tirou a carta do bolso e começou a lê-la; Meneses fazia esforços para não prestar atenção ao que ouvia.

Mas era debalde.

Ouvia tudo; e cada uma daquelas palavras, cada um daqueles protestos era uma punhalada que o pobre moço recebia no coração.

Quando Marques saiu, Meneses retirou-se para casa, aturdido como se o houvessem deitado ao fundo de um grande abismo, ou como se acabasse de ouvir a sua sentença de morte.

Amava perdidamente a uma mulher que o não amava, que amava a outro e que ia casar. O fato é comum; os que o tiverem conhecido por experiência própria avaliarão a dor do pobre moço.

Daí a dias efetuou-se a viagem de Hortênsia, que foi com a irmã e a tia para Valença. Marques não dissimulou a contrariedade que sentia com semelhante viagem, cuja razão não compreendia. Mas Hortênsia facilmente o convenceu de que era necessária aquela viagem, e despediu-se dele com lágrimas.

A leitora deste romance já terá reparado que Hortênsia exercia sobre Marques uma influência que tinha causa na superioridade do seu espírito. Amava-o, como devem amar as rainhas, dominando.

Marques sentiu muito a partida de Hortênsia, e o disse a Meneses.

O noivo amava a noiva; mas cumpre dizer que a intensidade do seu afeto não era a mesma que a noiva sentia por ele.

Marques gostava de Hortênsia: é a verdadeira expressão.

Casava-se porque gostava dela, e porque era uma mulher formosa, requestada por muitos, elegante, e finalmente porque a ideia do casamento fazia-lhe o efeito de um mistério novo para ele, que já andava ao corrente de todos os mistérios mais ou menos novos.

Agora por que brinco do destino uma mulher superior apaixonou-se por um rapaz tão frívolo?

A pergunta é ingênua e ociosa.

Nada mais comum do que estas alianças entre dois corações antípodas; nada mais raro do que uma união perfeitamente acertada.

Separando-se de Marques, a filha de Azevedo não se esquecia dele um só instante. Apenas chegou a Valença, escreveu-lhe uma carta, repassada de saudades, cheia de protestos.

Marques respondeu com outra epístola igualmente ardente, e cheia de protestos análogos.

Ambos almejavam pelo dia feliz do casamento.

Ficou entendido que a correspondência seria regular e frequente.

O noivo de Hortênsia não deixava de comunicar ao amigo todas as cartas da noiva, e bem assim as respostas que lhe mandava, e que eram sujeitas à correção literária de Meneses.

O pobre advogado estava em uma posição dolorosa; mas não podia escapar-lhe sem abrir o seu coração

Era o que ele não queria; tinha a altivez do infortúnio.

V

Um dia Meneses levantou-se da cama com a resolução firme de esquecer Hortênsia.

— Por que motivo — dizia ele consigo — hei de alimentar um amor até aqui impossível, agora criminoso? Não tarda muito que os veja casados, e tudo estará acabado para mim. Preciso viver; tenho necessidade do futuro. Há um grande meio; é o trabalho e o estudo.

Desse dia em diante Meneses redobrou de esforços; dividiu-se entre o trabalho e o estudo; lia até alta noite, e procurava formar-se completamente na difícil ciência que abraçara.

Procurava conscienciosamente esquecer a noiva do amigo.

Uma noite encontrou Marques no teatro, porque devemos dizer que a fim de não ser confidente dos amores felizes de Hortênsia e Marques, o jovem advogado evitava o mais que podia achar-se com ele.

Marques, apenas o viu, deu-lhe a notícia de que Hortênsia lhe mandara lembranças na última carta.

— É uma carta de queixas, meu caro Meneses; tenho pena de a ter deixado em casa. Como eu me demorei em mandar-lhe a última carta minha, Hortênsia diz-me que eu a esqueço. Vê lá! Mas eu já mandei dizer-lhe que não; que a amo como sempre. Coisas de namorados que não te interessam a ti. Que tens feito?

— Trabalho agora muito — disse Meneses.

— Metido nos autos! que maçada!

— Não; gosto daquilo.

— Ah! gostas... há quem goste do amarelo.

— Os autos são maçantes, mas a ciência é bela.

— É um aforismo que eu dispenso. Melhor processo é aquilo.

E Marques apontou para um camarote de segunda ordem.

Meneses olhou e viu uma mulher vestida de preto, sozinha, olhando para o lado em que os dois rapazes se achavam.

— Que achas? — disse Marques.

— É bonita. Quem é?

— É uma mulher...

— Respeito o mistério.

— Não me interrompas: é uma mulher adorável e incomparável...

— Se Hortênsia te ouvisse — disse Meneses sorrindo.

— Oh! ela é mulher à parte, é a minha esposa... está fora de questão. Demais, isto são pecadilhos de pequena monta. Hortênsia há de acostumar-se a eles.

Meneses não respondeu; mas disse consigo: Pobre Hortênsia!

Marques propôs a Meneses apresentá-lo à dama em questão. Meneses recusou.

Acabado o espetáculo saíram os dois. À porta, Meneses despediu-se de Marques, mas este, depois de indagar por que lado ia ele, disse que o acompanhava. Adiante, num lugar pouco frequentado, estava um carro parado.

— É o meu carro; vou deixar-te em casa — disse Marques.

— Mas eu ainda vou tomar chá aí em qualquer hotel.

— Toma chá comigo.

E arrastou Meneses para o carro.

No fundo do carro estava a mulher do teatro.

Meneses já não podia recusar e entrou.

O carro seguiu para a casa da mulher, que Marques disse chamar-se Sofia.

Duas horas depois, Meneses seguia para casa, a pé, e meditando profundamente no futuro que ia ter a noiva de Marques.

Este não ocultara a Sofia o projeto do casamento, porque a rapariga, estando à mesa do chá, disse a Meneses:

— Que me diz, doutor, ao casamento deste senhorzinho?

— Digo que é um belo casamento.

— Que tolice! casar-se nesta idade!

Um mês depois desta cena estava Meneses no escritório, quando entrou o velho Azevedo com as feições um pouco alteradas.

— Que tem? — disse-lhe o advogado.

— Onde está o Marques?

— Não o vejo há oito dias.

— Nem o verá mais — disse Azevedo fulo de cólera.

— Por quê?

— Veja isto.

E mostrou-lhe o *Jornal do Commercio* desse dia, onde vinha, entre os passageiros para o Rio da Prata, o nome do noivo de Hortênsia.

— Partiu para o Rio da Prata... Não leu isto?

— Leio agora, porque não tenho tempo de ler tudo. Que iria lá fazer?

— Foi acompanhar esta passageira.

E Azevedo apontou para o nome de Sofia.

— Seria isso? — balbuciou Meneses, procurando desculpar o amigo.

— Foi. Eu sabia há dias que havia alguma coisa; recebi duas cartas anônimas que me diziam estar o meu futuro genro de amores com aquela mulher. Entristeceu-me o fato. A coisa era tão verdadeira que ele escasseou as suas visitas à minha casa, e a pobre Hortênsia, em duas cartas que me escreveu ultimamente, dizia ter pressentimento de que não seria feliz. Coitadinha! se ela soubesse! há de sabê-lo; é impossível que não saiba! e ela ama-o.

O advogado procurou acalmar o pai de Hortênsia, censurou o procedimento de Marques, e incumbiu-se de escrever-lhe para ver se o trazia de novo ao caminho do dever.

Mas Azevedo recusou; disse-lhe que era já impossível; e que, se nas vésperas do enlace Marques procedia assim, o que não faria quando fosse casado?

— É melhor que Hortênsia sofra de uma vez do que a vida inteira — disse ele.

Azevedo, nesse mesmo dia, escreveu à filha que viesse para a corte.

Não foi difícil convencer a Hortênsia. Ela própria, assustada com o escassear da correspondência de Marques, estava decidida a isso.

Daí a cinco dias estavam todas em casa.

VI

Azevedo procurou contar a Hortênsia o ato do noivo, de modo que a impressão não fosse grande.

Mas a precaução era inútil.

Quando uma criatura ama, como Hortênsia amava, todos os meios de poupar-lhe as comoções são nulos.

O golpe foi profundo.

Azevedo ficou desesperado; se encontrasse Marques nessa ocasião, matava-o.

Aquela família, que até então era feliz, e que estava às portas de uma grande felicidade, viu-se repentinamente atirada em profunda agonia, graças ao estouvamento de um homem.

Meneses não foi à casa de Azevedo apenas chegou Hortênsia, por dois motivos: o primeiro era deixar a infeliz moça chorar em liberdade a ingratidão do noivo; depois, era não reavivar a chama do seu próprio amor com o espetáculo daquela dor que exprimia para ele o mais eloquente dos desenganos. Ver a mulher amada chorar por outro não é a maior dor deste mundo?

VII

Quinze dias depois da volta de Hortênsia, o jovem advogado encontrou Azevedo, e perguntou-lhe notícias da família.

— Todos estão bons. Hortênsia, compreende, está triste, com a notícia daquele fato. Pobre menina! mas há de consolar-se. Apareça, doutor. Está mal conosco?

— Mal por quê?

— Então não nos abandone; apareça. Vai lá hoje?

— Talvez.

— Vá; lá o esperamos.

Meneses não queria ir; mas a retirada absoluta era impossível. Mais tarde ou mais cedo era obrigado àquela visita; foi.

Hortênsia estava divinamente pálida.

Meneses, contemplando aquela figura de martírio, sentiu que mais do que nunca a amava. Aquela dor causava-lhe ciúmes. Doía-lhe que aqueles olhos vertessem lágrimas por outro, e por outro que as não merecia.

— Há ali — pensava ele consigo —, há ali um grande coração, que torna um homem feliz só em palpitar por ele.

Meneses retirou-se às onze horas da noite para casa. Sentia que o mesmo fogo de outrora ainda lhe ardia dentro do peito. Estava um pouco coberto, mas não extinto; a presença da moça reavivou a chama.

— Mas que posso esperar? — dizia Meneses entrando em casa. — Ela sofre, é que o ama; aqueles amores não se esquecem facilmente. Sejamos fortes.

O protesto era sincero; mas a execução era difícil.

Meneses continuou a frequentar a casa de Azevedo.

Pouco a pouco, Hortênsia adquiria as antigas cores, e posto que não tivesse a mesma alegria de outro tempo, o olhar apresentava uma serenidade de bom agouro.

O pai tornava-se contente de ver aquela transformação.

Entretanto, Meneses escrevera a Marques uma carta de exprobração; dizia-lhe que o seu procedimento não era somente cruel, mas até feio, e procurava chamá-lo à corte.

A resposta de Marques foi a seguinte:

>Meu Meneses,
>Eu não sou herói de romance, nem tenho vontade disso.
>Sou um homem de resoluções súbitas.
>Cuidei que não amava a ninguém mais senão a essa bela Hortênsia; mas enganei-me; encontrei Sofia, a quem me entreguei em corpo e alma.
>Isto não quer dizer que eu não abandone Sofia; estou mesmo a ver que me prendo nos laços de alguma destas argentinas, que são as andaluzas da América.
>Variar é viver. São dois verbos que começam por v: profunda lição que nos dão a natureza e a gramática.
>Penso, logo existo, dizia creio que o Descartes.
>E vario, logo existo, digo eu.
>Não te importes, portanto, comigo.
>O pior é que Sofia já me tem comido umas boas centenas de pesos. Que estômago, meu caro!
>Até um dia.

Esta carta era eloquente.

Meneses não respondeu; guardou-a simplesmente, e lastimou que a pobre moça tivesse posto em tão indignas mãos o seu coração de vinte anos.

VII

É inútil dizer que Meneses fizera em Hortênsia, depois da volta desta à casa, a mesma impressão que antes.

A moça compreendeu que era amada por ele, em silêncio, respeitosa, resignada, desesperançadamente...

Compreendeu mais.

Meneses ia poucas vezes à casa de Azevedo; não era como antes, que lá ia todas as noites.

A moça compreendeu a delicadeza de Meneses; viu que era amada, mas que, diante da sua dor, o rapaz procurava esconder o mais que pudesse a sua pessoa.

Hortênsia, que era capaz de delicadeza igual, apreciou aquela no seu justo valor.

Que havia de mais natural que uma aproximação de duas almas tão nobres, tão capazes de sacrifícios, tão feitas para se compreenderem?

Uma noite Hortênsia disse a Meneses que as suas visitas eram raras, que ele não ia lá como antes, o que entristecia a família.

Meneses desculpou-se; disse que os seus trabalhos eram muitos.

Mas as visitas tornaram-se menos raras.

O advogado chegou a conceber a esperança de que ainda podia ser feliz, e procurou abraçar o fantasma da sua imaginação.

— Contudo — pensou ele —, é cedo demais para que ela o esqueça.

Tê-lo-á esquecido?

Nem de propósito sucedeu que nessa mesma noite em que Meneses fazia esta reflexão, uma das pessoas que frequentavam a casa de Azevedo soltou imprudentemente o nome de Marques.

Hortênsia empalideceu; Meneses olhou para ela; viu-lhe os olhos úmidos.

— Ainda o ama — disse ele.

Nessa noite Meneses não dormiu. Vira desfeita, num instante, a esperança que chegara a manter no seu espírito. Era inútil a luta.

Não escapou à moça a impressão que causara em Meneses a sua tristeza ao ouvir falar em Marques; e vendo que ele outra vez rareava as suas visitas, compreendeu que o moço estava disposto a sacrificar-se.

O que ela já sentia por ele era estima e simpatia; nada disso, nem isso tudo forma o amor. Mas Hortênsia tinha um coração delicado e uma inteligência esclarecida; compreendia Meneses; podia vir a amá-lo.

Com efeito, à proporção que os dias se passavam, sentia ela que um novo sentimento a impelia para Meneses. Os olhos começaram a falar, as ausências já lhe eram dolorosas; estava no caminho do amor.

Uma noite achavam-se os dois na sala, um pouco isolados dos mais, e com os olhos fixos um no outro, esqueciam-se de si.

Caiu o lenço da moça; ela ia apanhá-lo, Meneses apressou-se também; os dedos de ambos encontraram-se, e como se fossem duas pilhas elétricas, aquele contato fê-los estremecer.

Não disseram nada; mas tinham-se entendido.

Na seguinte noite Meneses declarou a Hortênsia que a amava, e perguntou-lhe se queria ser sua mulher.

A moça respondeu afirmativamente.

— Há muito tempo — disse ele — que eu a trago no meu coração; tenho-a amado em silêncio, como entendo que se devem adorar as santas...

— Sei — murmurou ela.

E acrescentou:

— O que eu lhe peço é que me faça feliz.

— Juro-lhe!

No dia seguinte Meneses pediu a mão de Hortênsia, e um mês depois eram casados, indo gozar a lua de mel em Petrópolis.

Dois meses depois do casamento desembarcava do Rio da Prata o jovem Marques, sem a Sofia, que lá ficara depenando os outros Marques de lá.

IX

O velho Azevedo agradeceu ao céu o ter achado um genro como ele sonhara, um genro que fosse homem de bem, inteligente, esclarecido e amado por Hortênsia.

— Agora — dizia ele no dia do casamento —, só me resta concluir o meu tempo de serviço público, pedir a minha aposentadoria, e ir passar com vocês o resto da minha vida. Digo que só espero isto, porque Luizinha é natural que se case breve.

Marques, apenas chegou à corte, lembrou-se de ir à casa de Azevedo; não o fez por achar-se fatigado.

Tendo rematado o romance da mulher que o levou ao Rio da Prata, o jovem fluminense, em cujo espírito sucediam-se os projetos com espantosa facilidade, lembrou-se de que deixara em meio um casamento, e voltou-se logo para essas primeiras ideias.

Entretanto, como a antiga casa de Meneses era no centro da cidade, e ficava-lhe, portanto, mais perto, Marques resolveu ir lá.

Encontrou um moleque que lhe respondeu simplesmente:

— Nhonhô está em Petrópolis.

— Fazendo o quê?

— Não sei, não senhor.

Eram quatro horas da tarde. Marques foi jantar projetando ir à noite à casa de Azevedo.

No hotel encontrou um amigo que, depois de abraçá-lo, despejou um alforje de notícias.

Entre elas veio a do casamento de Meneses.

— Ah! casou-se o Meneses? — disse Marques espantado. — Com quem?

— Com uma filha do Azevedo.

— A Luísa?

— A Hortênsia.

— A Hortênsia!

— É verdade; há dois meses. Estão em Petrópolis.

Marques enfiou.

Realmente ele não amava a filha de Azevedo; e o direito que poderia ter à mão dela, tinha-o destruído com a viagem misteriosa ao Rio da Prata e a carta que dirigira a Meneses; tudo isto era assim; porém Marques era essencialmente vaidoso, e aquele casamento feito em sua ausência, quando ele pensava vir achar Hortênsia lavada em lágrimas e semiviúva, feriu-lhe profundamente o amor-próprio.

Por felicidade do estômago dele só a vaidade estava ofendida, de modo que a natureza animal readquiriu logo a sua supremacia à vista de uma sopa de ervilhas e de uma maionese de peixe, fabricadas por mão de mestre.

Marques comeu como um homem que vem de bordo, onde não enjoou, e depois de comer tratou de ir fazer algumas visitas mais íntimas.

Deveria, porém, ir à casa de Azevedo? Como deveria falar ali? Que teria havido em sua ausência?

Estas e outras perguntas surgiam do espírito de Marques, que não sabia como decidir-se. Entretanto o moço refletiu que não lhe convinha mostrar-se sabedor de nada, a fim de adquirir o direito de censura, e que em todo caso era conveniente ir à casa de Azevedo.

Chamou um tílburi e foi.

Mas aí a resposta que teve foi:

— O senhor não recebe ninguém.

Marques voltou sem saber até que ponto aquela resposta era ou deixava de ser um insulto para ele.

— Em todo caso — pensou — o melhor é não voltar lá; além de que eu venho de fora, tenho o direito à visita.

Mas os dias passaram-se sem que lhe aparecesse ninguém.

Marques magoava-se com isso; mas o que sobretudo lhe doía mais era ver que a mulher se lhe escapara das mãos, e tanto mais se enraivecia quanto que a coisa era toda por culpa dele.

— Mas que papel faz Meneses em tudo isto? — dizia ele consigo. — Sabendo do meu projetado casamento foi traição aceitá-la por esposa.

De pergunta em pergunta, de consideração em consideração, Marques chegou a conceber um plano de vingança contra Meneses, e com satisfação igual à de um general que tem meditado um ataque enérgico e seguro, o jovem dândi esperou tranquilamente a volta do casal Meneses.

X

O casal voltou com efeito daí a alguns dias.

Hortênsia vinha bela como nunca; tinha na fronte o esplendor da esposa; a esposa tinha completado a donzela.

Meneses era um homem feliz. Amava e era amado. Estava no começo da vida, e ia fundar uma família. Sentia-se cheio de força e disposto a ser completamente feliz.

Poucos dias depois de chegarem à corte, Marques apareceu repentinamente no escritório de Meneses.

O primeiro encontro compreende-se que devia ser um tanto estranho. Meneses, que estava na plena consciência dos seus atos, recebeu Marques com um sorriso. Este procurou afetar uma alegria desmedida.

— Cheguei, meu caro Meneses, há quinze dias; e tive ímpetos de ir a Petrópolis; mas não pude. É inútil dizer que ia a Petrópolis para dar-te os meus sinceros parabéns.

— Senta-te — disse Meneses.

— Estás casado — disse Marques sentando-se —, e casado com a minha noiva. Se eu fosse outro zangar-me-ia; mas, graças a Deus, tenho algum juízo. Acho que fizeste muito bem.

— Creio que sim — respondeu Meneses.

— Bem pesadas as coisas eu não amava a minha noiva como convinha que ela fosse amada. Não poderia fazê-la feliz, nem o seria eu próprio. Contigo é outra coisa.

— Então recebes assim alegremente...

— Pois então! Não há entre nós uma rivalidade; nenhuma competência nos separou. Foi apenas um episódio na minha vida que eu estimo ver que tivesse este desenlace. Em suma, tu vales mais do que eu; és mais digno dela...

— Fizeste boa viagem? — atalhou Meneses.

— Magnífica.

E Marques entrou na exposição minuciosa da viagem, até que um abençoado procurador de causas veio interrompê-lo.

Meneses apertou a mão do amigo, oferecendo-lhe a casa.

— Lá irei, lá irei, mas peço que convenças a tua mulher de que não me há de receber acanhadamente. O que passou, passou: eu é que não valho nada.

— Adeus!

— Adeus!

XI

Não tardou muito que Marques fosse à casa de Meneses, onde Hortênsia lhe preparara uma recepção fria.

Contudo uma coisa era planear, outra era executar.

Depois de ter amado tão ardentemente o rapaz, a moça não podia deixar de sentir um primeiro abalo.

Sentiu, mas dominou-se.

Pela sua parte, o preterido moço, que realmente nada sentia, pôde representar tranquilamente o seu papel.

O que ele queria (por que não dizê-lo?) era reconquistar no coração da moça o terreno perdido.

Mas como?

Apenas chegado de fora do país, vendo a sua noiva casada com outro, Marques não recebe impressão alguma, e longe de fugir àquela mulher que lhe lembrava uma felicidade perdida, entra friamente por aquela casa que não é dele, e fala tranquilamente à noiva que já lhe não pertence.

Tais eram as reflexões de Hortênsia.

Entretanto, Marques persistia no seu plano, e empregava na execução dele uma habilidade que ninguém lhe supunha.

Um dia em que se achou só com Hortênsia, ou antes em que lá foi à casa dela na certeza que Meneses estava fora, Marques dirigiu a conversa para os tempos dos antigos amores.

Hortênsia não o acompanhou nesse terreno; mas ele insistiu, e como ela lhe declarasse que tudo aquilo estava morto, Marques prorrompeu nestas palavras:

— Morto! para a senhora, é possível; mas não para mim; para mim que nunca a esqueci, e se por uma fatalidade, que eu ainda hoje não posso revelar, fui obrigado a partir para fora, nem por isso a esqueci. Cuidei que houvesse feito o mesmo, e desembarquei com a doce esperança de ser seu esposo. Por que motivo não esperou por mim?

Hortênsia não respondeu; não fez o menor gesto, não disse uma palavra.

Levantou-se daí a alguns segundos, e encaminhou-se altivamente para a porta do interior.

Marques ficou na sala até que apareceu um moleque dizendo-lhe que tinha ordem de fazê-lo retirar.

A humilhação era grande. Nunca houve mais triste Sadowa nas guerras de el-rei Cupido.

— Fui um asno! — disse Marques no outro dia quando a cena lhe voltou à lembrança. — Eu devia esperar dois anos.

Quanto a Hortênsia, logo depois da saída de Marques, entrou no quarto e verteu duas lágrimas, duas apenas, as últimas que lhe restavam para chorar aquele amor tão grande e tão mal posto.

As primeiras lágrimas foram-lhe arrancadas pela dor; estas duas exprimiam a vergonha.

Hortênsia já se envergonhava de ter amado aquele homem.

De todas as derrotas do amor, esta é decerto a pior. O ódio é cruel, mas a vergonha é aviltante.

Quando Meneses voltou para casa achou Hortênsia alegre e ansiosa por vê-lo; sem nada contar-lhe, Hortênsia disse-lhe que tinha necessidade de apertá-lo ao seio, e que mais uma vez agradecia a Deus a circunstância que os levou ao casamento.

Estas palavras, e a ausência de Marques durante oito dias, fizeram compreender ao feliz marido que alguma coisa houvera.

Mas nada perguntou.

Naquele casal aliava-se tudo o que é nobre: o amor e a confiança. É este o segredo dos casamentos felizes.

Jornal das Famílias, *janeiro de 1868; Victor de Paula*.

O carro nº 13

I

A fazenda da Soledade está situada no centro de um rico município fluminense, e pertencia há dez anos ao comendador Faria, que a deixou em herança ao único filho que teve do primeiro matrimônio, e que se chama o dr. Amaro Faria. O comendador morreu em 185..., e poucos meses depois morreu a viúva, madrasta de Amaro. Não havendo filhos nem colaterais, veio o dr. Amaro a ficar senhor e possuidor da fazenda da Soledade, com trezentos escravos, moendas de cana, grandes plantações de café, e vastíssimas florestas de magníficas madeiras. Conta redonda, possuía o dr. Amaro de Faria uns dois mil contos e vinte e oito anos de idade. Tinha uma chave de ouro para abrir todas as portas.

Era formado em direito pela Faculdade de São Paulo, e os cinco anos que ali passou foram os únicos em que esteve ausente da casa paterna. Não conhecia a corte, onde apenas estivera algumas vezes de passagem. Apenas recebeu a carta de bacharel retirou-se para a fazenda, e já ali se achava havia cinco anos quando lhe faleceu o pai.

Todos supuseram, apenas morreu o comendador, que o dr. Amaro continuasse a ser exclusivamente fazendeiro sem importar-se com mais coisa alguma do resto do mundo. Efetivamente eram essas as intenções do moço; o diploma de bacharel servia-lhe apenas para mostrar em qualquer tempo, se necessário fosse, um título científico; mas ele não tinha intenção alguma de usar dele. O presidente da província, andando um dia em viagem, hospedou-se na fazenda da Soledade, e depois de uma hora de conversa ofereceu ao dr. Amaro um cargo qualquer; mas o jovem fazendeiro recusou, dando em resposta que desejava simplesmente cultivar o café e a cana sem importar-se com o resto da república. O presidente dificilmente conciliou o sono, pensando em tamanha abnegação e indiferença da parte do rapaz.

Uma das convicções do presidente era que não havia Cincinatos.

Estavam as coisas neste pé, quando apareceu na fazenda da Soledade um antigo colega de Amaro, formado ao mesmo tempo que ele e possuidor de alguma fortuna.

Amaro recebeu alegremente o companheiro, que se chamava Luís Marcondes, e vinha da corte expressamente para visitá-lo. A recepção foi como costuma ser no nosso hospitaleiro interior. Tomada a primeira xícara de café, Marcondes disparou contra o colega esta carga de palavras:

— Então, que é isto? Estás metido em corpo e alma no café e no açúcar? Disseram-me isto apenas cheguei à corte, porque, não sei se sabes, vim há poucos meses de Paris.

— Ah!

— É verdade, meu Amaro, estive em Paris, e hoje compreendo que a maior desgraça deste mundo é não ter estado naquela grande cidade. Não imaginas, meu rico, que viver é aquele! Ali não falta nada; é pedir por boca. Corridas, bailes, teatros, cafés, *parties de plaisir*, é uma coisa ideal, é um sonho, é o *chic*... É verdade que os cobres não se conservam muito tempo na algibeira. Ainda bem o correspondente não acaba de entregar os mil francos, já eles correm pela porta fora; mas vive-se. Mas, como ia dizendo, quando cheguei à corte, a primeira notícia que me deram foi que tu estavas fazendeiro. Custou-me a acreditar. Tanto teimaram, que eu quis vir examinar a coisa com os meus próprios olhos. Parece que é exato.

— É — respondeu Amaro. — Bem sabes que eu estou acostumado a isto; aqui fui educado, e, apesar de ter estado algum tempo fora, creio que em nenhuma parte estarei tão bem como aqui.

— O hábito é uma segunda natureza — disse sentenciosamente Marcondes.

— É verdade — retorquiu Amaro. — Dou-me bem, e não acho que a vida seja má.

— Que a vida seja má? Em primeiro lugar, não está provado que isto seja vida; é vegetação. Comparo-te a um pé de café; nasceste, cresceste, vives, dás fruto, e morrerás na perfeita ignorância das coisas da vida... Para um rapaz da tua idade, que é inteligente, e possui dois mil contos, semelhante viver equivale a um suicídio. A sociedade exige...

A conversa foi interrompida pelo jantar, que livrou ao fazendeiro e ao leitor de um discurso de Marcondes. Na academia o jovem bacharel era conhecido pela alcunha de *perorador*, graças à mania que ele tinha de discursar a propósito de tudo. Amaro ainda se lembrava da arenga que Marcondes pregou a um bilheteiro de teatro por uma questão de preço de bilhete.

II

A maçada estava apenas adiada.

Durante o jantar a conversa versou sobre as recordações dos tempos acadêmicos, e as novidades mais frescas da corte. No fim do jantar Marcondes consentiu em ir ver os engenhos e algumas obras da fazenda, em companhia de Amaro e do professor público da localidade, que, estando em férias de Natal, fora passar alguns dias com o jovem fazendeiro. O professor tinha a mania de citar os usos agrícolas dos antigos a propósito de cada melhoramento moderno, o que provocava um discurso de Marcondes e um bocejo de Amaro.

Chegou a noite, e o professor foi deitar-se, menos por ter sono que por fugir às perorações de Marcondes. Este e Amaro ficaram sós na sala de jantar, para onde vieram café e charutos, e entraram ambos a conversar de novo sobre os tempos da academia. Cada um deles deu notícia dos companheiros de ano, os quais andavam todos dispersados, uns juízes municipais, outros presidentes de província, outros deputados, outros advogados, muitos inúteis, entre os quais o jovem Marcondes, que dizia ser o homem mais feliz da América.

— E a receita é simples — dizia ele a Amaro —; deixa a fazenda, faze uma viagem, e verás.

— Não posso deixar a fazenda.

— Por quê? Não és bastante rico?

— Sou; mas, enfim, a minha felicidade é esta. Demais, eu aprendi com meu pai a não deixar a realidade pelo incógnito; o que eu não conheço pode ser muito bom; mas se o que eu tenho é igualmente bom, nada de arriscá-lo para investigar o desconhecido.

— Bela teoria! — exclamou Marcondes pondo no pires a xícara de café que ia levando à boca. — Desse modo, se o mundo pensasse sempre assim, ainda hoje vestíamos as peles dos primeiros homens. Colombo não teria descoberto a América; o capitão Cook...

Amaro interrompeu esta ameaça de discurso, dizendo:

— Mas eu não quero descobrir nada, nem imponho os meus sentimentos como opinião. Estou bem; por que motivo irei eu agora ver se encontro melhor felicidade, arriscando-me a não encontrá-la?

— És um carranca! Não falemos nisto.

Cessou, com efeito, a discussão. Entretanto Marcondes, ou de propósito, ou por vaidade — talvez ambos os motivos — entrou a contar a Amaro as suas intermináveis aventuras no país e no estrangeiro. A narrativa dele era uma mistura de história e de fábula, de verdade e de invenção, que entreteve largamente o espírito de Amaro até alta noite.

Marcondes conservou-se na fazenda da Soledade cerca de oito dias, e jamais cessou de conversar acerca do contraste que oferecia aquilo que ele chamava vida com o que lhe parecia simples e absurda vegetação. O caso é que no fim de oito dias tinha conseguido que Amaro fosse viajar à Europa com ele.

— Quero obsequiar-te — dizia Amaro a Marcondes.

— Hás de agradecer-me — respondia este.

Marcondes foi para a corte, esperou pelo jovem fazendeiro, que daí a um mês aí se achou, tendo entregue a fazenda a um velho amigo de seu pai. No primeiro paquete embarcaram os dois colegas da academia, caminho de Bordéus.

III

Importa-nos pouco, e mesmo nada, o saber da vida que passaram os dois viajantes na Europa. Amaro, que tinha tendências sedentárias, apenas chegou a Paris aí ficou, e como Marcondes não desejava passar além, não o importunou por mais.

Uma capital como aquela tem sempre que ver e admirar: Amaro ocupou-se com o estudo da sociedade em que vivia, dos monumentos, dos melhoramentos, dos costumes, das artes, de tudo. Marcondes, que tinha outras tendências, tratou de levar o amigo para o centro dos que ele chamava prazeres celestes. Amaro não resistiu, e foi; mas tudo cansa, e o fazendeiro não encontrou em nada daquilo a felicidade que o amigo lhe anunciara. No fim de um ano, Amaro determinou voltar para a América, com grande desgosto de Marcondes, que em vão procurou retê-lo.

Voltou Amaro aborrecido com ter gasto um ano sem vantagem alguma, a não ser o ter visto e admirado uma grande capital. Mas a felicidade que ele devia ter? Essa nem por sombra.

— Fiz mal — dizia ele consigo — em ter cedido aos conselhos. Vim em busca do desconhecido. É uma lição que me há de aproveitar.

Embarcou, e chegou ao Rio de Janeiro, com grande alegria no coração. O seu desejo era seguir logo para a fazenda da Soledade. Mas lembrou-se de que existiam na corte algumas famílias da amizade da sua, a quem cumpria ir falar antes de partir para o interior.

— Quinze dias é bastante — pensou ele.

Meteu-se num hotel, e logo no dia seguinte começou a romaria das visitas.

Uma das famílias a quem Amaro visitou era a de um fazendeiro de Minas, que em virtude de vários processos que teve por motivo de relações comerciais viu reduzidos os seus bens, e mudara-se para a corte, onde vivia com a fortuna que lhe restava. Chamava-se Carvalho.

Aí achou Amaro, como fazendo parte da família, uma moça de vinte e cinco anos, de nome Antonina. Era viúva. Estava em casa de Carvalho, porque este fora íntimo amigo do pai dela, e como este já não existisse, e ela não quisesse viver só, depois de viúva, Carvalho recebeu-a em casa, onde era tratada como filha mais velha. Antonina tinha alguma coisa de seu. Era prendada, espirituosa, elegante. Carvalho admirava sobretudo a sua penetração de espírito, e não cessava de elogiar-lhe essa qualidade, que para ele era suprema.

Amaro Faria foi lá duas vezes em três dias, como simples visita; mas no quarto dia sentiu já em si uma necessidade de lá voltar. Se tivesse partido para a fazenda era possível que não lhe lembrasse mais nada; mas a terceira visita produziu outra, e outras, até que no fim de quinze dias, em vez de partir para a roça, Amaro dispunha-se a residir largo tempo na corte.

Estava namorado.

Antonina merecia ser amada por um rapaz como Faria. Sem ser deslumbrantemente formosa, tinha umas feições regulares, uns olhos ardentes, e era muito simpática. Gozava de geral consideração.

O rapaz era correspondido? Era. A jovem correspondeu logo ao afeto do fazendeiro, com certo ardor que aliás o mancebo partilhava.

Quando Carvalho desconfiou do namoro, disse a Amaro Faria:

— Já sei que você tem namoro cá em casa.

— Eu?

— Sim, você.

— Pois sim, é verdade.

— Não há nada de mau nisto. Eu apenas quero dizer-lhe que tenho olho vivo, e nada me escapa. A rapariga merece.

— Oh! Se merece! Quer saber de uma coisa? Eu já abençoo aquele maldito Marcondes que me arrancou lá da fazenda, pois que eu venho achar aqui a minha felicidade.

— Então é decidido?

— Se é! Pensando bem, eu não posso deixar de casar-me. Quero ter uma vida calma, é o meu natural. Achando uma mulher que não exija modas nem bailes estou contente. Creio que esta é assim. Além disso é bonita...

— E mais que tudo discreta — acrescentou Carvalho.

— É o caso.

— Bravo! Posso avisá-la de que...

— Toque-lhe nisso...

Carvalho trocou estas palavras com Amaro na tarde em que este lá jantou. Na mesma noite, quando Amaro se despediu, disse-lhe Carvalho em particular:

— Toquei-lhe naquilo: a disposição é excelente!

Amaro foi para casa disposto a fazer no dia seguinte a sua proposta de casamento a Antonina.

E, com efeito, no dia seguinte apareceu Amaro em casa de Carvalho, como costumava, e aí, em conversa com a viúva, perguntou-lhe francamente se queria casar com ele.

— Ama-me então? — perguntou ela.

— Deve tê-lo percebido, porque eu também percebi que sou amado.

— É — disse ela com a voz um pouco trêmula.

— Aceita-me por marido?

— Aceito — disse ela. — Mas repita que me ama.

— Cem vezes, mil vezes, se quer. Amo-a muito.

— Não será um fogo passageiro?

— Se eu empenho a minha vida inteira!

— Todos a empenham; mas depois...

— Começa então por uma dúvida?

— Um receio natural, um receio de quem ama...

— Não me conhece ainda; mas verá que eu digo a verdade. É minha, sim?

— Perante Deus e os homens — respondeu Antonina.

IV

Estando as coisas assim tratadas, não havendo obstáculo algum, fixou-se o casamento para dali a dois meses.

Amaro já abençoava o haver saído da fazenda, e nesse sentido escreveu uma carta a Marcondes agradecendo-lhe a tentação que exercera nele.

A carta terminava assim:

> Mefistófeles do bem, eu te agradeço as tuas inspirações. Na Soledade havia tudo, menos a mulher que agora encontrei.

Como se vê, não aparecia a menor sombra no céu da vida do nosso herói. Parecia impossível que alguma coisa viesse turvá-lo.

Pois veio.

Uma tarde, entrando Amaro Faria para jantar achou uma carta com o selo do correio.

Abriu-a e leu-a.

A carta dizia isto:

> Uma pessoa que o viu há dias no teatro Lírico, num camarote da segunda ordem, é quem escreve esta carta.
>
> Há quem atribua o amor a simpatias elétricas; não tenho nada com essas investigações; mas o que me acontece faz crer que os que adotam aquela teoria tenham razão.
>
> Era a primeira vez que o via e logo, sem saber como, nem por que razão, senti-me dominada pelo seu olhar.
>
> Passei uma noite horrível.
>
> O senhor estava ao pé de duas senhoras, e conversava ternamente com uma delas. É sua noiva? é sua mulher? Não sei; mas seja o que for, bastou-me vê-lo assim, para odiar o objeto das suas atenções.
>
> Talvez que haja loucura neste passo que dou; é possível, porque eu perdi a razão. Amo-o doidamente, e bem quisera poder dizer-lhe em face. É o que nunca farei. Os meus deveres obrigam-me a esta reserva; estou condenada a amá-lo sem confessar que o amo.
>
> Basta, porém, que o senhor saiba que há uma mulher, entre todas as desta capital, que apenas o vê estremece de júbilo e de desespero, de amor e de ódio, por não poder ser sua, unicamente sua.

Amaro Faria leu e releu esta carta. Não conhecia a letra, nem podia imaginar quem fosse a autora. Soube apenas o que lhe dizia a carta; nada mais.

Passado porém esse primeiro movimento de curiosidade, o fazendeiro da Soledade guardou a carta, e foi passar a noite em casa de Carvalho, onde Antonina o recebeu com a ternura do costume.

Amaro quis referir a aventura da carta; mas receando que um fato tão inocente pudesse causar infundados ciúmes à futura esposa, não disse palavra a esse respeito.

Daí a dois dias nova carta o esperava.

Desta vez Amaro abriu a carta apressadamente, por ter visto que a letra era a mesma.

O romance começava a interessá-lo.

Dizia a carta:

> Foi inútil o meu protesto. Quis deixar de escrever-lhe mais; apesar de tudo, sinto que não posso deixar de fazê-lo. É uma necessidade fatal...
>
> Ah! os homens ignoram quanto esforço é preciso a uma mulher para conter-se nos limites do dever.
>
> Hesitei muito em escrever-lhe a primeira carta, e esta mesmo não sei se lha remeterei; mas o amor triunfou e triunfará sempre, porque eu já não vivo senão pela sua lembrança! De noite e de dia, a todas as horas, em todas as circunstâncias, a sua pessoa está sempre presente ao meu espírito.
>
> Sei o seu nome, sei a sua posição. Sei mais que é um homem de bem. O senhor é que não sabe quem eu sou, e pensará ao ler estas cartas, que eu ando em busca de um romance que me rejuvenesça o coração e as feições. Não; sou moça, e posso afirmar que sou bela. Não é porque mo digam; poderão querer lisonjear-me; mas o que não é lisonja é o murmúrio de admiração que eu ouço apenas entro numa sala ou passo em alguma rua.
>
> Desculpe se lhe falo de mim com esta linguagem.

O que importa saber é que eu o amo perdidamente, e que a ninguém mais pertenço, nem pertencerei.

Uma carta sua, uma linha, uma lembrança, para que eu tenha uma relíquia e um talismã.

Se quiser fazer esta graça em favor de uma mulher desgraçada, escreva a P. L., e mande pôr no correio, que eu lá mandarei buscar.

Adeus! adeus!

Amaro Faria não estava acostumado a romances destes, nem eles são comuns na vida.

A primeira carta produzira-lhe uma certa curiosidade, que aliás passou; mas a segunda já lhe produzira mais; sentia-se atraído para o misterioso e o desconhecido, isso a que ele fugira sempre, contentando-se com a realidade prática das coisas.

— Devo escrever-lhe? — perguntava ele consigo. — É positivo que esta mulher ama-me; não se escrevem cartas assim. É bonita, porque o confessa sem medo de prová-lo algum dia. Mas devo escrever-lhe?

Nisto batem palmas.

V

Era Luís Marcondes que chegava da Europa.

— Que é isto? já de volta? — perguntou-lhe Amaro.

— É verdade; para variar. Eu é que me admiro de achar-te na corte, quando já te fazia na fazenda.

— Não, não fui à Soledade depois que voltei; e vais espantar-te da razão; vou casar-me.

— Casar-te!

— É verdade.

— Com a mão esquerda, morganaticamente...

— Não, publicamente, e com a mão direita.

— É assombroso.

— Dizes isso porque não conheces a minha noiva; é um anjo.

— Então dou-te os meus parabéns.

— Hei de apresentar-te hoje. E para festejar a tua chegada jantas comigo.

— Sim.

À mesa do jantar, Amaro contou a Marcondes a história das cartas; e leu-lhes ambas.

— Bravo! — disse Marcondes. — Que lhe respondeste?

— Nada.

— Nada! És um grosseirão e um tolo. Pois uma mulher escreve-te, mostra-se apaixonada por ti, e tu nada lhe respondes? Não fará isso o Marcondes. Desculpa se te falo em verso... O velho Horácio...

Estava iminente um discurso. Faria, para atalhá-lo, apresentou-lhe a lista, e Marcondes passou rapidamente do velho Horácio a um assado com batatas.

— Mas — continuou o amigo de Amaro —, não me dirás por que motivo lhe não respondeste?

— Eu sei lá. Primeiramente porque não estou acostumado a esta espécie de romances vivos, começando por cartas anônimas, e depois porque vou casar...

— A isso respondo eu que uma vez é a primeira, e que o ires casar não impede nada. Indo daqui para Botafogo, não há motivo nenhum que me impeça de entrar no Passeio Público ou na Biblioteca Nacional... Queres tu ceder-me o romance?

— Isso nunca: seria uma deslealdade...

— Pois então responde.

— Mas que lhe hei de dizer?

— Dize-lhe que a amas.

— É impossível; ela não pode acreditar...

— Pateta! — disse Marcondes pondo vinho nos cálices. — Dize-lhe que a simples leitura das cartas te puseram a cabeça a arder, e que já sentes que hás de vir a amá-la, se já não a amas... e neste sentido escreve-lhe três ou quatro laudas.

— Então achas que eu devo...

— Sem dúvida alguma.

— Para falar a verdade eu tenho certa curiosidade...

— Pois avante.

Amaro escreveu nessa mesma tarde uma carta concebida nestes termos, que Marcondes aprovou integralmente:

Senhora. — Quem quer que seja, é uma alma grande e um coração de fogo. Só um grande amor pode aconselhar um passo destes tão arriscado.

Li e reli as suas duas cartas; e hoje, quer que lhe diga? penso nelas exclusivamente; fazem-me o efeito de um sonho. Eu pergunto a mim mesmo se é possível que eu inspirasse tal amor, e agradeço aos deuses o ter-me demorado aqui na corte, pois que tive ocasião de ser feliz.

Na minha solidão as suas cartas são um íris de esperança e de felicidade.

Mas eu seria mais completamente feliz se pudesse conhecê-la; se me fosse dado vê-la de perto, adorar sob a forma humana este mito que a minha imaginação está criando.

Ousarei esperá-lo?

É já grande atrevimento conceber semelhante ideia; mas espero que me perdoará, porque o amor perdoa tudo.

Em qualquer caso, fique certa de que eu sinto-me com forças para corresponder ao seu amor, e adorá-la como merece.

Uma palavra sua, e ver-me-á correr por entre os mais insuperáveis obstáculos.

A carta foi para o correio com as indicações necessárias; e Amaro, que ainda hesitou no momento de mandá-la, dirigiu-se à noite para casa da noiva em companhia de Luís Marcondes.

VI

Antonina recebeu o noivo com a mesma alegria do costume. Marcondes agradou a todas as pessoas da casa pelo gênio galhofeiro que tinha, e apesar da tendência para os discursos intermináveis.

Quando, pelas onze horas e meia da noite, saíram de casa de Carvalho, Marcondes apressou-se a dizer ao amigo:

— A tua noiva é linda.

— Não achas?

— Decerto. E parece que te quer muito...

— É por isso que eu lamento ter escrito aquela carta — disse Amaro suspirando.

— Olha que parvo! — exclamou Marcondes. — Por que motivo há de Deus dar nozes a quem não tem dentes?

— Acreditas que ela responda?

— Se responde! Eu estou traquejado nisto, meu rico!

— Que responderá ela?

— Mil coisas bonitas.

— Afinal em que dará tudo isto? — perguntou Amaro. — Eu creio que ela gosta de mim... Não te parece?

— Já te disse que sim!

— Estou ansioso por ver a resposta.

— E eu também...

Marcondes dizia consigo mesmo:

— Era bem bom que eu tomasse para mim este romance, porque o palerma estraga tudo.

Amaro percebeu que o amigo hesitava em dizer-lhe alguma coisa.

— Em que pensas? — perguntou-lhe.

— Penso que tu és um palerma; e sou capaz de continuar o teu romance por minha conta.

— Isso não! já agora deixa-me acabar. Vamos ver que resposta vem. Quero que me ajudes, sim?

— Pronto, com a condição de que não hás de ser tolo.

Separaram-se.

Amaro foi para casa, e tarde conciliou o sono. A história das cartas enchia-lhe o espírito; imaginava a mulher misteriosa, construía dentro de si uma figura ideal; dava-lhe cabelos de ouro...

VII

A próxima carta da misteriosa mulher era um hino de amor e de alegria; ela agradecia ao seu amado aquelas linhas; prometia que só deixaria a carta quando morresse.

Havia porém dois períodos que aguaram o prazer de Amaro Faria. Um dizia assim:

> Há dias vi-o passar na rua do Ouvidor com uma família. Disseram-me que o senhor vai casar com uma das moças. Sofri horrivelmente; vai casar, quer dizer que a ama... e esta certeza mata-me!

O outro período pode resumir-se a estes termos:

> Quanto ao pedido que me faz de querer ver-me, respondo-lhe que não há de ver-me nunca; nunca, ouviu? Basta que saiba que eu o amo, muito mais do que há de amá-lo a viúva Antonina. Perca a esperança de ver-me.

— Estás vendo — disse Amaro Faria a Marcondes mostrando-lhe a carta —, está tudo perdido.

— Oh! pateta! — disse-lhe Marcondes. — Tu não vês que esta mulher não diz o que sente? Pois acreditas que isto seja a expressão exata do pensamento dela?

Acho a situação excelente para responderes; trata bem o período do teu casamento, e insiste de novo no desejo de contemplá-la.

Amaro Faria aceitou facilmente este conselho; o seu espírito o predispunha para aceitá-lo.

No dia seguinte uma nova epístola do fazendeiro da Soledade foi para a caixa do correio.

Os pontos capitais da carta foram tratados por mão de mestre. O instinto de Amaro supria-lhe a experiência.

Quanto à noiva, dizia ele que era exato que ia casar-se, e que naturalmente a moça com quem o viu a sua incógnita amadora era Antonina; entretanto, se era certo que o casamento fazia-se por inclinação, não era de estranhar que um novo amor viesse substituir aquele; e a própria demora do enlace era uma prova de que o destino lhe preparava uma felicidade maior no amor da autora das cartas.

Por fim, Amaro pedia instantemente para vê-la, ainda que fosse um minuto, porque, dizia ele, queria guardar as feições que devia adorar eternamente.

A incógnita respondeu, e a carta dela era um composto de expansões e reticências, protestos e negativas.

Marcondes animava o abatido e recruta Amaro Faria, que em mais duas cartas resumiu a maior força de eloquência de que podia dispor.

A última produziu o desejado efeito. A misteriosa correspondente terminava a sua resposta com estas textuais palavras:

> Consinto em que me veja, mas apenas um minuto. Irei com a minha criada, antes amiga que criada, em um carro, no dia 15, esperá-lo na praia do Flamengo, às sete horas da manhã. Para que se não engane, o carro tem o número 13; é o de um cocheiro que já esteve ao meu serviço.

— Que te dizia eu? — perguntou Marcondes ao amigo quando este lhe mostrou esta resposta. — Se não estivesse eu aqui lá se te ia por água abaixo este romance. Meu caro, dizem que a vida é um caminho cheio de espinhos e flores; se é assim, acho tolice que um homem não apanhe as flores que encontra.

Desta vez Marcondes pôde fazer tranquilamente o discurso; porque Amaro Faria, todo entregue às emoções que a carta lhe produzia, não procurou atalhá-lo.

— Enfim, hoje são 13 — disse Marcondes —; 15 é o dia marcado. Se for bonita como diz, vê se foges com ela; o paquete do Rio da Prata sai a 23, e a tua fazenda é um quadrilátero.

— Vê que letra fina! e que perfume!

— Não tem dúvida; é uma mulher elegante. O que eu desejo é saber o resultado; no dia 15 vou esperar em tua casa.

— Sim.

VIII

Rompeu finalmente o dia 15, ansiosamente esperado por Amaro Faria.

O jovem fazendeiro perfumou-se e enfeitou-se o mais que pôde. Estava adorável. Depois de um último olhar lançado ao espelho, Amaro Faria saiu e entrou num tílburi.

Tinha calculado o tempo de lá chegar; mas, como todo o namorado, chegou um quarto de hora antes.

Deixou o tílburi a certa distância, e entrou a passear ao longo da praia.

De cada vez que assomava um carro ao longe, Amaro Faria sentia-se enfraquecer; mas o carro passava, e em vez do número feliz trazia um 245 ou 523, que o deixava em profunda tristeza.

Amaro consultava o relógio de minuto a minuto.

Afinal assoma ao longe um carro que andava vagarosamente como devem andar os carros que entram em tais mistérios.

— Será este? — disse Amaro consigo.

O carro aproximava-se com lentidão e vinha fechado, de maneira que ao passar junto de Amaro, este não pôde ver quem ia dentro.

Mas apenas passou, Amaro leu o número 13.

As letras pareceram-lhe de fogo.

Foi imediatamente atrás; o carro parou dali a vinte passos. Amaro aproximou-se e bateu na portinhola.

A portinhola abriu-se.

Havia dentro duas mulheres, ambas tinham um véu na cabeça, de maneira que Amaro não podia distinguir as suas feições.

— Sou eu! — disse ele timidamente. — Prometeu-me que eu a veria...

E dizendo isto dirigia-se alternadamente para uma e outra, pois não sabia qual delas era a misteriosa correspondente.

— Vê-la somente, e irei com a sua imagem no meu coração!

Uma das mulheres descobriu o rosto.

— Veja! — disse ela.

Amaro recuou um passo.

Era Antonina.

A viúva continuou:

— Aqui estão as suas cartas; lucrei muito. Como depois de casada não será tempo de arrepender-se, foi bom que o conhecesse agora mesmo. Adeus.

Fechou a portinhola, e o carro partiu.

Amaro ficou alguns minutos no mesmo lugar, olhando sem ver, e com ímpetos de correr atrás do carro; mas era impossível apanhá-lo o mais ligeiro tílburi, porque o carro, levado a galope, ia longe.

Amaro chamou de novo o seu tílburi e voltou para a cidade.

Apenas chegou a casa, saiu-lhe ao encontro o jovem Marcondes, com um sorriso nos lábios.

— Então, é bonita?

— É o diabo! deixa-me!

Instado por Marcondes, o fazendeiro da Soledade contou tudo ao amigo, que o consolou como pôde, mas saiu de lá rindo às gargalhadas.

IX

Amaro voltou para a fazenda.

Quando entrava pelo portão da Soledade foi dizendo consigo estas filosóficas palavras:

— Volto ao meu café; sempre que fui em busca do desconhecido dei-me mal; agora tranco as portas e viverei no meio das minhas plantações.

Jornal das Famílias, *março de 1868; Victor de Paula.*

O anjo Rafael

I

Cansado da vida, descrente dos homens, desconfiado das mulheres e aborrecido dos credores, o dr. Antero da Silva determinou um dia despedir-se deste mundo.

Era pena. O dr. Antero contava trinta anos, tinha saúde, e podia, se quisesse, fazer uma bonita carreira. Verdade é que para isso fora necessário proceder a uma completa reforma dos seus costumes. Entendia, porém, o nosso herói que o defeito não estava em si, mas nos outros; cada pedido de um credor inspirava-lhe uma apóstrofe contra a sociedade; julgava conhecer os homens, por ter tratado até então com alguns bonecos sem consciência; pretendia conhecer as mulheres, quando apenas havia praticado com meia dúzia de regateiras do amor.

O caso é que o nosso herói determinou matar-se, e para isso foi à casa da viúva Laport, comprou uma pistola e entrou em casa, que era à rua da Misericórdia.

Davam então quatro horas da tarde.

O dr. Antero disse ao criado que pusesse o jantar na mesa.

— A viagem é longa — disse ele consigo —, e eu não sei se há hotéis no caminho.

Jantou com efeito, tão tranquilo como se tivesse de ir dormir a sesta e não o último sono. O próprio criado reparou que o amo estava nesse dia mais folgazão que nunca. Conversaram alegremente durante todo o jantar. No fim dele, quando o criado lhe trouxe o café, Antero proferiu paternalmente as seguintes palavras:

— Pedro, tira de minha gaveta uns cinquenta mil-réis que lá estão, são teus. Vai passar a noite fora e não voltes antes da madrugada.

— Obrigado, meu senhor — respondeu Pedro.

— Vai.

Pedro apressou-se a executar a ordem do amo.

O dr. Antero foi para a sala, estendeu-se no divã, abriu um volume do *Dicionário filosófico* e começou a ler.

Já então declinava a tarde e aproximava-se a noite. A leitura do dr. Antero não podia ser longa. Efetivamente daí a algum tempo levantou-se o nosso herói e fechou o livro.

Uma fresca brisa penetrava na sala e anunciava uma agradável noite. Corria então o inverno, aquele benigno inverno que os fluminenses têm a ventura de conhecer e agradecer ao céu.

O dr. Antero acendeu uma vela e sentou-se à mesa para escrever. Não tinha parentes, nem amigos a quem deixar carta; entretanto, não queria sair deste mundo sem dizer a respeito dele a sua última palavra. Travou da pena e escreveu as seguintes linhas:

> Quando um homem, perdido no mato, vê-se cercado de animais ferozes e traiçoeiros, procura fugir se pode. De ordinário a fuga é impossível. Mas estes animais meus semelhantes tão traiçoeiros e ferozes como os outros, tiveram a inépcia de inventar uma arma, mediante a qual um transviado facilmente lhes escapa das unhas.
> É justamente o que vou fazer.
> Tenho ao pé de mim uma pistola, pólvora e bala; com estes três elementos reduzirei a minha vida ao nada. Não levo nem deixo saudades. Morro por estar enjoado da vida e por ter certa curiosidade da morte.
> Provavelmente, quando a polícia descobrir o meu cadáver, os jornais escreverão a notícia do acontecimento, e um ou outro fará a esse respeito considerações filosóficas. Importam-me bem pouco as tais considerações.
> Se me é lícito ter uma última vontade, quero que estas linhas sejam publicadas no *Jornal do Commercio*. Os rimadores de ocasião encontrarão assunto para algumas estrofes.

O dr. Antero releu o que tinha escrito, corrigiu em alguns lugares a pontuação, fechou o papel em forma de carta, e pôs-lhe este sobrescrito: *Ao mundo*.

Depois carregou a arma; e, para rematar a vida com um traço de impiedade, a bucha que meteu no cano da pistola foi uma folha do *Evangelho de são João*.

Era noite fechada. O dr. Antero chegou-se à janela, respirou um pouco, olhou para o céu, e disse às estrelas:

— Até já.

E saindo da janela acrescentou mentalmente:

— Pobres estrelas! Eu bem quisera lá ir, mas com certeza hão de impedir-me os vermes da terra. Estou aqui, e estou feito um punhado de pó. É bem possível que no futuro século sirva este meu invólucro para macadamizar a rua do Ouvidor. Antes isso; ao menos terei o prazer de ser pisado por alguns pés bonitos.

Ao mesmo tempo que fazia estas reflexões, lançava mão da pistola, e olhava para ela com certo orgulho.

— Aqui está a chave que me vai abrir a porta deste cárcere — disse ele.

Depois sentou-se numa cadeira de braços, pôs as pernas sobre a mesa, à americana, firmou os cotovelos, e segurando a pistola com ambas as mãos, meteu o cano entre os dentes.

Já ia disparar o tiro, quando ouviu três pancadinhas à porta. Involuntariamente levantou a cabeça. Depois de um curto silêncio repetiram-se as pancadinhas. O rapaz não esperava ninguém, e era-lhe indiferente falar a quem quer que fosse. Contudo, por maior que seja a tranquilidade de um homem quando resolve abandonar a vida, é-lhe sempre agradável achar um pretexto para prolongá-la um pouco mais.

O dr. Antero pôs a pistola sobre a mesa e foi abrir a porta.

II

A pessoa que batera à porta era um homem grosseiramente vestido. Trazia uma carta na mão.

— Que me quer? — perguntou-lhe o dr. Antero.

— Trago esta carta, que lhe manda meu amo.

O dr. Antero aproximou-se da luz para ler a carta.
A carta dizia assim:

> Uma pessoa que deseja propor um negócio ao sr. dr. Antero da Silva pede-lhe que venha imediatamente à sua casa. O portador desta o acompanhará. Trata-se de uma fortuna.

O rapaz leu e releu a carta, cuja letra não conhecia, e cujo laconismo trazia um ar de mistério.

— Quem é teu amo? — perguntou o dr. Antero ao criado.
— É o senhor major Tomás.
— Tomás de quê?
— Não sei mais nada.

O dr. Antero franziu a testa. Que mistério seria aquele? Uma carta sem assinatura, uma proposta lacônica, um criado que não sabia o nome do patrão, eis quanto bastou para despertar vivamente a curiosidade do dr. Antero. Apesar de não ter o espírito propenso às aventuras, esta o impressionara a tal ponto que esqueceu por um instante a lúgubre viagem tão friamente planeada.

Olhou para o criado atentamente; as feições eram comuns, o olhar pouco menos de estúpido. Evidentemente não era um cúmplice, se é que no fundo daquela aventura havia um crime.

— Onde mora teu amo? — perguntou o dr. Antero.
— Na Tijuca — respondeu o criado.
— Mora só?
— Com uma filha.
— Menina ou moça?
— Moça.
— Que qualidade de homem é o major Tomás?
— Não lhe posso dizer — respondeu o criado —, porque fui para lá há oito dias apenas. Quando entrei, disse-me o patrão: "José, a tua obrigação é servir muito, falar pouco e não ver nada". Até hoje tenho executado a ordem do patrão.
— Há mais criados em casa? — perguntou o dr. Antero.
— Há uma criada, que serve à filha do amo.
— Ninguém mais?
— Ninguém mais.

A ideia do suicídio já estava longe do espírito do dr. Antero. O que o prendia agora era o mistério daquela missão noturna e as singulares referências do portador da carta. Varreu-lhe do espírito igualmente a suspeita de um crime. A sua vida tinha sido tão indiferente ao resto dos homens, que não podia ter inspirado a ninguém a ideia de uma vingança.

Contudo, hesitava ainda; mas relendo o misterioso bilhete, reparou nas últimas palavras: *trata-se de uma fortuna*; palavras que nas duas primeiras leituras apenas lhe causaram uma ligeira impressão.

Quando um homem quer deixar a vida por um simples aborrecimento, a promessa de uma fortuna é razão bastante para suspender o passo fatal. No caso do dr. Antero a promessa da fortuna era razão decisiva. Se averiguarmos bem a causa principal do tédio que este mundo lhe inspirava, veremos que não é outra senão a falta de cabedais. Desde que estes lhe batiam à porta, o suicídio já não tinha razão de ser.

O doutor disse ao criado que o esperasse, e tratou de vestir-se.

— Em todo o caso — disse ele consigo —, a todo tempo é tempo; se não morrer hoje posso morrer amanhã.

Vestiu-se, e lembrando-se de que seria conveniente ir armado, meteu a pistola no bolso, e saiu acompanhado pelo criado.

Quando os dois chegaram à porta da rua, já os esperava um carro. O criado convidou o dr. Antero a entrar, e foi sentar na almofada com o cocheiro.

Conquanto os cavalos fossem a trote largo, longa pareceu a viagem ao doutor, que, apesar das circunstâncias singulares daquela aventura, tinha ânsia por ver-lhe o desfecho. Entretanto, à proporção que o carro se ia afastando do centro populoso da cidade, o espírito do nosso viajante tomava-se de certa apreensão. Era ele mais estouvado que animoso; a sua tranquilidade diante da morte não era resultado do valor de ânimo. No fundo do seu espírito havia uma extrema dose de fraqueza. Podia disfarçá-la quando dominava os acontecimentos; mas agora que os acontecimentos dominavam a ele, facilmente desaparecia o simulacro de coragem.

Enfim o carro chegou à Tijuca, e, depois de andar um grande espaço, parou diante de uma chácara completamente separada de todas as demais habitações.

O criado veio abrir a porta, e o doutor apeou-se. As pernas tremiam-lhe um pouco, e o coração pulsava-lhe apressadamente. Estavam diante de um portão fechado. A chácara era cercada por um muro um tanto baixo, por cima do qual o dr. Antero pôde ver a casa de habitação, colocada no fundo da chácara perto da encosta de uma colina.

O carro deu volta e partiu, enquanto o criado abria o portão com uma chave que trazia no bolso. Entraram os dois, e o criado fechando por dentro o portão indicou o caminho ao dr. Antero.

Não quero dar ao meu herói proporções que ele não tem; confesso que naquele momento o dr. Antero da Silva estava bem arrependido de ter aberto a porta ao importuno portador da carta. Se pudesse fugir, fugia, ainda correndo o risco de passar por covarde aos olhos do criado. Mas era impossível. O doutor fez das tripas coração, e caminhou na direção da casa.

A noite era clara, mas sem lua; soprava um vento que agitava brandamente as folhas das árvores.

O doutor caminhava por uma alameda acompanhado pelo criado; rangia a areia debaixo de seus pés. Apalpou o bolso para verificar se tinha a pistola consigo; em todo o caso era um recurso.

Quando chegaram ao meio do caminho o doutor perguntou ao criado:

— O carro não volta?

— Suponho que sim; meu amo o informará melhor.

O doutor teve uma ideia súbita: empregar o tiro no criado, saltar o muro e voltar para casa. Chegou a engatilhar a arma, mas imediatamente refletiu que o ruído despertaria a atenção, e a sua fuga tornava-se improvável.

Resignou-se, pois, à sorte, e caminhou para a casa misteriosa.

Misteriosa é o termo; todas as janelas estavam fechadas; não havia uma única réstia de luz; não se ouvia o menor rumor de fala.

O criado tirou do bolso outra chave, e com ela abriu a porta da casa, que tornou a fechar apenas o doutor entrou. Aí tirou o criado do bolso uma caixa de fósforos, acendeu um, e com ele um rolo de cera que trazia consigo.

O doutor viu então que se achava em uma espécie de pátio, tendo ao fundo uma escada comunicando para o sobrado. Perto da porta de entrada havia um cubículo tapado por um gradil de ferro, e que servia de casa a um enorme cão. O cão entrou a rosnar quando pressentiu gente; mas o criado fê-lo calar, dizendo:

— Silêncio, Dolabela!

Subiram a escada até acima, e depois de atravessarem um extenso corredor, acharam-se diante de uma porta fechada. O criado tirou do bolso uma terceira chave, e depois de abrir a porta convidou o dr. Antero a entrar, dizendo:

— Queira o senhor esperar aqui, enquanto eu vou dar parte a meu amo da sua chegada. Entretanto, deixe-me acender-lhe uma vela.

Efetivamente acendeu uma vela que se achava dentro de um castiçal de bronze em cima de uma pequena mesa redonda de mogno, e saiu.

O dr. Antero achava-se num quarto; havia a um lado uma cama alta; a mobília era de um gosto severo; o quarto tinha apenas uma janela, mas gradeada. Sobre a mesa havia alguns livros, pena, papel e tinta.

É fácil imaginar a ânsia com que o doutor esperou a resposta do seu misterioso correspondente. O que ele queria era pôr termo àquela aventura que tinha ares de um conto de Hoffmann. A resposta não se demorou. O criado voltou dizendo que o major Tomás não podia falar imediatamente ao doutor; oferecia-lhe quarto e cama, e adiava a explicação para o dia seguinte.

O doutor insistiu em falar-lhe naquela ocasião, pretextando ter importante motivo de voltar à cidade; no caso de não poder o major falar-lhe, propunha ele voltar no dia seguinte. O criado ouviu-o com todo o respeito, mas declarou que não voltaria ao patrão, cujas ordens eram imperiosas. O doutor ofereceu dinheiro ao criado; mas este recusou os presentes de Artaxerxes com um gesto tão solene, que tapou a boca ao moço.

— Tenho ordem — disse finalmente o criado — de trazer-lhe uma ceia.

— Não tenho fome — respondeu o dr. Antero.

— Nesse caso, boa noite.

— Adeus.

O criado dirigiu-se para a porta, enquanto o doutor o seguia ansiosamente com os olhos. Iria ele fechar-lhe a porta por fora? Realizou-se a suspeita; o criado fechou a porta e levou a chave consigo.

É mais fácil imaginar que narrar a noite aflitiva do dr. Antero. Os primeiros raios do sol, penetrando através das grades da janela, acharam-no vestido sobre a cama, onde só conseguira adormecer pelas quatro horas da madrugada.

III

Ora, o nosso herói teve um sonho durante o curto espaço de tempo que dormiu. Sonhou que tendo executado o seu plano de suicídio, fora levado para a cidade das dores eternas, onde Belzebu o destinava a ser perpetuamente queimado numa imensa fogueira. O infeliz fazia as suas objeções ao anjo do reino escuro; mas este, com uma única resposta, reiterava a ordem dada. Quatro chanceleres infernais lançaram mão dele e o lançaram ao fogo. O doutor deu um grito e acordou.

Saía de um sonho para entrar em outro.

Levantou-se espantado; não conhecia o quarto em que se achava, nem a casa em que dormira. Mas pouco a pouco foi-lhe reproduzindo a memória todos os incidentes da véspera. O sonho tinha sido um mal imaginário; mas a realidade era um mal positivo. O rapaz teve ímpetos de gritar; reconheceu, porém, a inutilidade do recurso; preferiu esperar.

Não esperou muito; daí alguns minutos ouviu o ruído da chave na fechadura. Entrou o criado.

Trazia na mão as folhas do dia.

— Já de pé!

— Sim — respondeu o dr. Antero. — Que horas são?

— Oito horas. Aqui tem as folhas de hoje. Olhe, ali tem um lavatório.

O doutor não havia reparado ainda no lavatório; a preocupação tinha-lhe feito esquecer a lavagem do rosto; tratou de remediar o esquecimento.

Enquanto lavava o rosto, perguntou-lhe o criado:

— A que horas almoça?

— Almoçar?

— Sim, almoçar.

— Pois eu vou ficar aqui?

— São ordens que tenho.

— Mas, enfim, estou ansioso por falar a esse major que não conheço, e que me tem preso sem que eu saiba por que motivo.

— Preso! — exclamou o criado. — O senhor não está preso; meu amo quer falar-lhe, e por isso é que eu o fui chamar; deu-lhe quarto, cama, dá-lhe um almoço; creio que isto não é tê-lo preso.

O doutor tinha enxugado o rosto, e sentou-se numa poltrona.

— Mas que me quer teu amo? — perguntou-lhe.

— Isso não sei — respondeu o criado. — A que horas quer o almoço?

— A que for do teu gosto.

— Bem — respondeu o criado. — Aqui tem as folhas.

O criado fez um respeitoso cumprimento ao doutor e saiu fechando a porta.

Cada minuto que passava era para o desgraçado moço um século de angústia. O que mais o torturava eram precisamente aquelas atenções, aqueles obséquios sem explicação possível, sem presumível desfecho. Que homem seria esse major, e que lhe queria ele? O doutor fez mil vezes esta pergunta a si mesmo sem achar resposta possível.

Do criado já sabia ele que nada poderia alcançar; além de novo na casa, parecia absolutamente estúpido. Seria honesto?

O dr. Antero fez esta última reflexão metendo a mão no bolso e tirando a carteira. Restavam-lhe ainda uns cinquenta mil-réis.

— É quanto basta — pensou ele — para conseguir deste pateta que me ponha fora daqui.

O doutor esquecia que já na véspera o criado recusara dinheiro em troca de um serviço menos importante.

Às nove horas o criado voltou trazendo numa bandeja um almoço delicado e apetitoso. Apesar da gravidade da situação, o nosso herói atacou o almoço com uma intrepidez de verdadeiro general de mesa. Dentro de vinte minutos só restavam nos pratos mortos e feridos.

Ao mesmo tempo que comia ia ele interrogando o criado.

— Dize-me cá; queres fazer-me um grande favor?

— Qual?

— Tenho aqui cinquenta mil-réis à tua disposição, e amanhã posso dar-te mais cinquenta, ou cem, ou duzentos; em troca disto peço-te que arranjes meio de me pôr fora desta casa.

— Impossível, senhor — respondeu o criado sorrindo —; eu só obedeço a meu amo.

— Sim; mas teu amo nunca virá a saber que eu te dei dinheiro; tu podes dizer-lhe que a minha fuga foi devida a um descuido, e deste modo ficamos ambos salvos.

— Eu sou honrado; não posso aceitar o seu dinheiro.

O doutor ficou desanimado com a austeridade do fâmulo; bebeu o resto do borgonha que tinha no copo, e levantou-se fazendo um gesto de desespero.

O criado não se impressionou; preparou o café para o hóspede e foi oferecer-lhe. O doutor bebeu dois ou três goles e restituiu-lhe a xícara. O criado arrumou a louça na bandeja e saiu.

No fim de meia hora voltou o criado dizendo que seu amo estava pronto para receber o dr. Antero.

Conquanto o doutor desejasse sair da situação em que se achava, e saber o fim para que o haviam mandado buscar, nem por isso o impressionou menos a ideia de ir ver enfim o terrível e desconhecido major.

Lembrou-se que podia haver algum perigo, e instintivamente apalpou a algibeira; esquecia-se de que ao deitar-se tinha posto a pistola debaixo do travesseiro. Era impossível tirá-la à vista do criado, resignou-se.

O criado fê-lo sair primeiro, fechou a porta e seguiu adiante para guiar o mísero doutor. Atravessaram o corredor por onde haviam passado na véspera; depois entraram em outro corredor que ia ter a uma pequena sala. Aí disse o criado ao doutor que esperasse enquanto ia dar parte a seu amo, e penetrando numa sala que ficava à esquerda, voltou pouco depois dizendo que o major esperava o dr. Antero.

O doutor passou à outra sala.

IV

Estava ao fundo, sentado numa poltrona de couro, um velho alto e magro, envolvido num largo chambre amarelo.

O doutor deu apenas alguns passos e parou; mas o velho, apontando-lhe para uma cadeira que lhe ficava defronte, convidou-o a sentar.

O doutor obedeceu imediatamente.

Houve um curto silêncio, durante o qual o dr. Antero pôde examinar a figura que tinha diante de si.

Os cabelos do major Tomás eram completamente brancos; a tez era pálida e macilenta. Os olhos vivos, mas encovados; dissera-se a luz de uma vela prestes a extinguir-se, e soltando do fundo do castiçal os seus últimos lampejos.

Os beiços do velho eram finos e brancos; e o nariz, curvo como um bico de águia, assentado sobre um par de bigodes da cor dos cabelos; os bigodes eram a base daquela enorme coluna.

O aspecto do major poderia causar menos desagradável impressão, se não fossem as bastas e cerradas sobrancelhas, cujas pontas internas vinham ligar-se na parte superior do nariz; além disso o velho contraía constantemente a testa, o que lhe produzia uma enorme ruga que, vista de longe, dava ares de ser uma continuação do nariz.

Independentemente das circunstâncias especiais em que o doutor se achava, a figura do major inspirava um sentimento de medo. Podia ser uma excelente pessoa; mas o seu aspecto repugnava à vista e ao coração.

O dr. Antero não ousava romper o silêncio; e limitava-se a contemplar o homem. Este olhava alternativamente para o doutor e para as unhas. As mãos do velho pareciam garras; o dr. Antero já as estava sentindo cravadas em si.

— Estou falando ao doutor Antero da Silva? — perguntou lentamente o major.

— Um seu criado.

— Criado de Deus — respondeu o major com um sorriso estranho.

Depois continuou:

— Doutor em medicina, não?

— Sim, senhor.

— Conheci muito seu pai; fomos companheiros no tempo da Independência. Era ele mais velho do que eu dois anos. Pobre coronel! ainda hoje sinto a sua morte.

O moço respirou; a conversa levava um bom caminho; o major confessava-se amigo de seu pai, e lhe falava nele. Animou-se um pouco, e disse:

— Também eu, senhor major.

— Bom velho! — continuou o major. — Sincero, alegre, valente...

— É verdade.

O major levantou-se um pouco, apoiando as mãos nos braços da poltrona, e disse com voz surda:

— E mais que tudo, era obediente àqueles que têm uma origem no céu!

O doutor arregalou os olhos; não compreendera bem o sentido das últimas palavras do major. Não podia supor que aludisse aos sentimentos religiosos de seu pai, que era tido no seu tempo como um profundo materialista.

Contudo, não quis contrariar o velho, e procurou ao mesmo tempo obter uma explicação.

— É exato — disse o rapaz —; meu pai era profundamente religioso.

— Religioso não basta — respondeu o major brincando com os cordões do chambre —; conheço muita gente religiosa que não respeita os enviados do céu. Creio que o senhor foi educado com as mesmas ideias de seu pai, não?

— Sim, senhor — balbuciou o dr. Antero aturdido com as palavras enigmáticas do major.

Este, depois de esfregar as mãos e torcer o bigode repetidas vezes, perguntou ao seu interlocutor:

— Diga-me, foi bem tratado em minha casa?

— Magnificamente.

— Pois aqui vai morar a seu gosto e o tempo que lhe parecer.

— Teria muita honra nisso — respondeu o doutor —, se pudesse dispor do meu tempo; há de consentir, pois, que eu recuse por enquanto o seu oferecimento. Apressei-me a vir ontem por causa do bilhete que me mandou. Que me quer vossa excelência?

— Duas coisas: a sua companhia e o seu casamento; dou-lhe em troca uma fortuna.

O doutor olhou espantado para o velho, e este, compreendendo o espanto do rapaz, disse-lhe sorrindo:

— De que se admira?

— Eu...

— Do casamento, não é?

— Sim, confesso que... Não sei como mereço essa honra de ser convidado para noivo mediante uma fortuna.

— Compreendo o seu espanto; é próprio de quem foi educado lá fora; eu cá procedo de modo contrário ao que se pratica nesse mundo. Mas, vamos: aceita?

— Antes de tudo, senhor major, responda: por que se lembrou de mim?

— Fui amigo de seu pai; quero prestar-lhe esta homenagem póstuma, dando ao senhor em casamento a minha única filha.

— Trata-se então de sua filha?

— Sim, senhor; trata-se de Celestina.

Os olhos do velho tornaram-se mais vivos que nunca ao pronunciar o nome da filha.

O dr. Antero olhou algum tempo para o chão e respondeu:

— Bem sabe que o amor é que faz os casamentos felizes. Entregar uma moça a um rapaz a quem ela não ama é dar-lhe um suplício...

— Suplício! Ora, aí vem o senhor com a linguagem lá de fora. Minha filha ignora até o que seja amor; é um anjo na raça e na candura.

Dizendo estas últimas palavras o velho olhou para o teto e ficou assim durante algum tempo como se contemplasse alguma coisa invisível aos olhos do rapaz. Depois, abaixando outra vez os olhos, continuou:

— A sua objeção não vale nada.

— Tenho outra; é justo que aqui dentro não exista a mesma ordem de ideias que há lá fora; mas é natural que os que são lá de fora não partilhem as mesmas ideias cá de dentro. Por outros termos, eu não desejaria casar com uma moça sem amá-la.

— Aceito a objeção; estou certo que apenas a vir ficará morrendo por ela.

— É possível.

— É certo. Ora, pois, vá para o seu quarto; à hora do jantar mandá-lo-ei chamar; jantaremos os três.

O velho levantou-se e foi a um canto da sala puxar pelo cordão de uma campainha. O dr. Antero teve ocasião de ver então a estatura do major, que era alta e até certo ponto majestosa.

Acudiu o criado e o major deu-lhe ordem de conduzir o doutor para o quarto.

V

Quando o doutor se achou só no quarto entrou a meditar na situação conforme se lhe desenhara ela depois da conversa com o major. O velho parecia-lhe singularmente extravagante, mas falava-lhe do pai, mostrava-se afável, e afinal de contas oferecia a filha e uma riqueza. O espírito do moço estava mais um pouco tranquilo.

É verdade que ele opusera objeções à proposta do velho, e parecera agarrar-se a todas as dificuldades, por menores que fossem. Mas eu não posso ocultar que a resistência do rapaz era talvez menos sincera do que ele próprio pensava. A perspectiva da riqueza disfarçou por algum tempo a singularidade da situação.

A questão agora era ver a moça; se fosse bonita; se tivesse uma fortuna, que mal havia em se casar ele com ela? O doutor aguardou a hora do jantar com uma impaciência a que já não eram estranhos os cálculos da ambição.

O criado tinha-lhe posto à disposição um guarda-roupa, e meia hora depois serviu-lhe um banho. Satisfeitas essas necessidades de asseio, o doutor deitou-se na cama e tirou à vontade um dos livros que se achavam sobre a mesa. Era um romance de Walter Scott. O rapaz, educado com o estilo de telegrama dos livros de Ponson du Terrail, adormeceu logo à segunda página.

Quando acordou era tarde; recorreu ao relógio, e achou-o parado; esquecera-se de lhe dar corda.

Receava que o criado o tivesse vindo chamar, e se retirasse por encontrá-lo a dormir. Era estrear mal a sua vida na casa de um homem que talvez fizesse dele aquilo de que já nem tinha esperanças.

Imagine-se, pois, a ansiedade com que ele esperou as horas.

Valia-lhe, porém, que, apesar dos receios, a sua imaginação trabalhava sempre; e era de ver o quadro que ela desenhava no futuro, os castelos que construía no ar; credores pagos, casas magníficas, salões, bailes, carros, cavalos, viagens, mulheres enfim, porque nos sonhos do dr. Antero havia sempre uma ou duas mulheres.

O criado veio enfim chamá-lo.

A sala do jantar era pequena, mas ornada com muito gosto e simplicidade.

Quando o doutor entrou não havia ninguém; mas pouco depois entrou o major, já vestido com uma sobrecasaca preta abotoada até o pescoço e contrastando com a cor branca dos seus cabelos e bigodes e a tez pálida do rosto.

O major sentou-se à cabeceira da mesa, e o doutor à esquerda; a cadeira da direita estava reservada para a filha do major.

Mas onde estava a moça? O doutor quis fazer a pergunta ao velho; mas reparou a tempo que a pergunta seria indiscreta.

E sobre indiscreta, seria inútil, porque alguns minutos depois abriu-se uma porta que ficava fronteira ao lugar em que o doutor estava sentado, e apareceu uma criada anunciando a chegada de Celestina.

O velho e o doutor levantaram-se.

A moça apareceu.

Era uma figura delgada e franzina, nem alta nem baixa, mas extremamente airosa. Não andou, deslizou da porta à mesa; seus pés deviam ser asas de pomba.

O doutor ficou profundamente surpreendido com a aparição; até certo ponto contava com uma rapariga nem bonita nem feia, uma espécie de fardo que só podia ser carregado aos ombros de uma fortuna. Pelo contrário, tinha diante de si uma verdadeira beleza.

Era, com efeito, um rosto angélico; transluzia-lhe no semblante a virgindade do coração. Os olhos serenos e doces pareciam feitos para a contemplação; os cabelos louros e caídos em cachos naturais assemelhavam-se a uma auréola. A tez era alva e finíssima; todas as feições eram de uma harmonia e correção admiráveis. Rafael podia copiar dali uma das suas virgens.

Vestia de branco; uma fita azul, presa à cintura, delineava-lhe o talhe elegante e gracioso.

Celestina dirigiu-se ao pai e beijou-lhe a mão: depois cumprimentou sorrindo ao dr. Antero, e sentou-se na cadeira que lhe estava destinada.

O doutor não tirava os olhos dela. No espírito superficial daquele homem entrava a descobrir-se uma profundidade.

Pouco depois de sentar-se, a moça voltou-se para o pai e perguntou-lhe:

— Este senhor é o que vai ser meu marido?

— É — respondeu o maior.

— É bonito — disse ela sorrindo para o rapaz.

Havia tanta candura e simplicidade na pergunta e na observação da moça, que o doutor voltou instintivamente a cabeça para o major, com ímpetos de perguntar-lhe se devia acreditar nos seus ouvidos.

O velho compreendeu o espanto do rapaz, e sorriu maliciosamente. O doutor olhou outra vez para Celestina, que o contemplava com uma admiração tão natural e tão sincera, que o rapaz chegou... a corar.

Começaram a jantar.

A conversa começou tolhida e esquerda, por causa do doutor, que caminhava de espanto em espanto; mas dentro de pouco tornou-se expansiva e franca.

Celestina era a mesma afabilidade do pai, realçada pelas graças da juventude, e mais ainda por uma singeleza tão agreste, tão nova, que o doutor se julgava transportado a uma civilização desconhecida.

Quando acabaram o jantar passaram à sala da sesta. Chamava-se assim uma espécie de galeria de onde se descortinavam os arredores da casa. Celestina deu o braço ao doutor sem que este lhe oferecesse e seguiram os dois adiante do major, que ia resmungando uns salmos de Davi.

Na sala da sesta sentaram-se os três; era a hora do crepúsculo; as montanhas e o céu começavam a despir os véus da tarde para vestir os da noite. A hora era propícia aos enlevos; o dr. Antero, posto que educado em outra ordem de sensações, sentia-se arrebatado nas asas da fantasia.

A conversa versou sobre mil coisas de nada; a moça disse ao doutor que tinha dezessete anos, e perguntou a idade dele. Depois, contou por menor todos os hábitos da sua vida, as suas prendas e seu gosto pelas flores, o seu amor às estrelas, tudo isso com uma graça que tirava um pouco da juventude e um pouco da infância.

Voltou-se ao assunto do casamento, e Celestina perguntou se o rapaz tinha dúvida em casar com ela.

— Nenhuma — disse ele —; pelo contrário, tenho sumo prazer... é uma felicidade para mim.

— Que lhe disse eu? — perguntou o pai de Celestina. — Eu já sabia que bastava vê-la para ficá-la amando.

— Então posso contar que seja meu marido, não?

— Sem dúvida — disse o doutor sorrindo.

— Mas o que é marido? — perguntou Celestina, depois de alguns instantes.

A esta pergunta inesperada, o rapaz não pôde reprimir um movimento de surpresa. Olhou para o velho major; mas este, encostado na larga poltrona em que se achava sentado, começava a adormecer.

A moça repetia com os olhos a pergunta feita com os lábios. O doutor envolveu-a com um olhar de amor, talvez o primeiro que teve em sua vida; depois pegou docemente na mão de Celestina e levou-a aos lábios.

Celestina estremeceu toda e soltou um pequeno grito, que fez acordar sobressaltado o major.

— Que é? — disse este.

— Foi meu marido — respondeu a moça —, que tocou com a boca dele na minha mão.

O major levantou-se, olhou severamente para o rapaz, e disse à filha:

— Está bem, vai para o teu quarto.

A moça ficou um pouco surpreendida com a ordem do pai, mas obedeceu imediatamente, despedindo-se do rapaz com a mesma descuidosa simplicidade com que lhe falara pela primeira vez.

Quando os dois ficaram sós, o major pegou no braço do doutor, e disse-lhe:

— Meu caro senhor, respeite as pessoas do céu; quero um genro, não quero um tratante. Ora, cuidado!

E saiu.

O dr. Antero ficou atônito com as palavras do major; era a terceira vez que lhe falava em pessoas ou enviados do céu. Que queria dizer com aquilo?

Pouco depois veio o criado com ordem de acompanhá-lo até o quarto; o doutor obedeceu sem fazer objeção.

VI

A noite foi má para o dr. Antero; acabara de assistir a cenas tão estranhas, ouvira palavras tão misteriosas, que o pobre moço perguntou a si mesmo se não era vítima de um sonho.

Infelizmente não era.

Aonde iria dar aquilo tudo? Qual o resultado da cena da tarde? O rapaz temia, mas já não ousava pensar na fuga; a ideia da moça começava a ser um vínculo.

Dormiu tarde e mal; foram-lhe agitados os sonhos.

No dia seguinte levantou-se cedo, e recebeu do criado as folhas do dia. Enquanto não vinha a hora do almoço, quis ler as notícias do mundo, do qual parecia estar separado por um abismo.

Ora, eis aqui o que encontrou no *Jornal do Commercio*:

> *Suicídio.* — Anteontem, à noite, o dr. Antero da Silva, depois de dizer ao seu criado que saísse e só voltasse de madrugada, encerrou-se no quarto da casa que ocupava à rua da Misericórdia, e escreveu a carta que os leitores encontrarão adiante.
>
> Como se vê dessa carta, o dr. Antero da Silva declarava a sua intenção de matar-se; mas a singularidade do caso é que, voltando o criado para casa de madrugada, encontrou a carta, mas não encontrou o amo.
>
> O criado deu imediatamente parte à polícia, que empregou todas as diligências a ver se obtinha notícia do jovem doutor.

Com efeito, depois de bem combinadas providências, encontrou-se na praia de Santa Luzia um cadáver que se reconheceu ser o do infeliz moço. Parece que, apesar da declaração de que empregaria a pistola, o desgraçado procurou outro meio menos violento de morte.

Supõe-se que uma paixão amorosa o levou a cometer este ato; outros querem que fosse por fugir aos credores. A carta entretanto reza de outros motivos. Ei-la.

Aqui seguia a carta que vimos no primeiro capítulo.

A leitura da notícia produziu no dr. Antero uma impressão singular; estaria ele morto deveras? Teria já saído do mundo da realidade para o mundo dos eternos sonhos? Era tão extravagante tudo o que lhe acontecia desde a antevéspera, que o pobre rapaz sentiu por um instante vacilar-lhe a razão.

Mas pouco a pouco voltou à realidade das coisas; interrogou a si e a tudo o que o rodeava; releu atentamente a notícia; a identidade reconhecida pela polícia, que ao princípio o impressionara, fê-lo sorrir depois; e não menos o fez sorrir um dos motivos que se dava ao suicídio, o motivo da paixão amorosa.

Quando o criado voltou, pediu-lhe o doutor notícia circunstanciada do major e de sua filha. A moça estava boa; quanto ao major, disse o criado que lhe ouvira de noite alguns soluços, e que de manhã se levantara abatido.

— Admira-me isto — acrescentou o criado — porque não sei que tivesse motivo para chorar, e além disso o amo é um velho alegre.

O doutor não respondeu; sem saber por quê, atribuía-se a causa daqueles soluços do velho; foi a ocasião do seu primeiro remorso.

O criado disse-lhe que o almoço o esperava; o doutor dirigiu-se para a sala de jantar onde achou o major realmente um pouco abatido. Foi direito a ele.

O velho não se mostrou ressentido; falou-lhe com a mesma bondade da véspera. Pouco depois chegou Celestina, bela, descuidosa, inocente como da primeira vez; beijou a testa do pai, apertou a mão ao doutor e sentou-se no seu lugar. O almoço correu sem incidente; a conversa nada teve de notável. O major propôs que na tarde desse dia Celestina executasse ao piano alguma composição bonita, para que o doutor pudesse apreciar os seus talentos.

Entretanto a moça quis mostrar ao rapaz as suas flores, e o pai deu-lhe licença para isso; a um olhar do velho a criada de Celestina acompanhou os dois futuros noivos.

As flores de Celestina estavam todas em meia dúzia de vasos, postos sobre uma janela do seu gabinete de leitura e trabalho. Chamava ela aquilo o seu jardim. Bem pequeno era ele, e pouco tempo exigia para o exame; ainda assim, o doutor tratou de prolongá-lo o mais que pôde.

— Que me diz a estas violetas? — perguntou a moça.

— São lindíssimas! — respondeu o doutor.

Celestina arranjou as folhas com sua mãozinha delicada; o doutor adiantou a sua mão para tocar nas folhas também; os dedos de ambos se encontraram; a moça estremeceu, e baixou os olhos; um leve rubor coloriu-lhe as faces.

O rapaz receou que daquele involuntário encontro pudesse nascer algum motivo de remorso para ele, e tratou de retirar-se. A moça despediu-se, dizendo:

— Até logo, sim?

— Até logo.

O doutor saiu do gabinete de Celestina, e já entrava a pensar como daria com o caminho para o seu quarto, quando encontrou à porta o criado, que se preparou para acompanhá-lo.

— Tu pareces a minha sombra — disse-lhe o doutor sorrindo.

— Sou apenas um criado do senhor.

Entrando no quarto ia o rapaz cheio de vivas impressões; a pouco e pouco sentia-se transformado pela moça; até os receios se lhe dissipavam; parecia-lhe que ao pé dela não devia recear coisa nenhuma.

Os jornais estavam ainda em cima da mesa; perguntou ao criado se seu amo costumava a lê-los. O criado respondeu que não, que ninguém os lia em casa, e tinham sido assinados só por causa dele.

— Só por minha causa?

— Só.

VII

O jantar e a música reuniram os três convivas durante perto de quatro horas. O doutor estava no sétimo céu; já começava a enxergar a casa como sua; a vida que levava era para ele a melhor vida deste mundo.

— Um minuto mais tarde — pensava ele — e eu tinha perdido esta felicidade.

Com efeito, pela primeira vez o rapaz amava seriamente; Celestina aparecera-lhe como a personificação da ventura terrestre e das santas efusões do coração. Contemplava-a com respeito e ternura. Podia viver ali eternamente.

Entretanto a conversa sobre o casamento não se repetiu; o major esperava que o rapaz se declarasse, e o rapaz aguardava oportunidade para fazer a sua declaração ao major.

Quanto a Celestina, apesar de seu angélico estouvamento, evitava falar do assunto. Seria recomendação do pai? O doutor chegou a supô-lo; mas a ideia varreu-se-lhe do espírito ante a consideração de que era tudo tão franco naquela casa que uma recomendação desta ordem só podia ter por causa um grande acontecimento. O ósculo na mão da moça não lhe pareceu acontecimento de tanta magnitude.

Cinco dias depois da sua estada ali, o major disse-lhe ao almoço que desejava falar-lhe, e com efeito, apenas se acharam os dois a sós, o major tomou a palavra, e expressou-se nestes termos:

— Meu caro doutor, já deve ter percebido que eu não sou um homem vulgar; nem sou mesmo um homem. Gosto do senhor porque tem respeitado a minha origem celeste; se eu fugi ao mundo é porque ninguém me queria respeitar.

Conquanto já tivesse ouvido do major algumas palavras dúbias nesse sentido, o dr. Antero ficou assombrado com o pequeno discurso, e não achou resposta que lhe desse. Arregalou muito os olhos e abriu a boca; todo ele era um ponto de admiração e interrogação ao mesmo tempo.

— Eu sou — continuou o velho —, eu sou o anjo Rafael, mandado pelo Senhor a este vale de lágrimas a ver se colho algumas boas almas para o céu. Não pude cumprir a minha missão, porque apenas disse quem era fui tido em conta de impostor. Não quis afrontar a ira e o sarcasmo dos homens; retirei-me a esta morada, onde espero morrer.

O major dizia tudo com uma convicção e serenidade que, dado o caso de falar a um homem menos mundano, vê-lo-ia logo ali a seus pés. Mas o dr. Antero não viu na origem celeste do major mais do que uma monomania pacífica. Compreendeu que era inútil e perigoso contestá-lo.

— Fez bem — disse o moço —, fez bem em fugir ao mundo. Que há aí no mundo que valha um sacrifício verdadeiramente grande? A humanidade já se não regenera; se Jesus aparecesse hoje é duvidoso que lhe deixassem fazer o discurso da montanha; matavam-no logo no primeiro dia.

Brilharam os olhos do major ouvindo as palavras do doutor; quando ele acabou, o velho saltou-lhe ao pescoço.

— Disse pérolas — exclamou o velho. — Isso é que é ver as coisas. Bem vejo, sai a seu pai; jamais ouvi daquele amigo palavra que não fosse de veneração para mim. Tem o mesmo sangue nas veias.

O dr. Antero correspondeu como pôde à efusão do anjo Rafael, por cujos olhos saiam chispas de fogo.

— Ora, pois — continuou o velho sentando-se outra vez —, é isso mesmo o que eu desejava encontrar; um rapaz de bom caráter, que pudesse fazer de minha filha aquilo que ela merece, e não duvidasse da minha natureza nem da minha missão. Diga-me, gosta de minha filha?

— Muito! — respondeu o rapaz. — É um anjo...

— Pudera! — atalhou o major. — Que queria então que ela fosse? Há de casar com ela, não?

— Sem dúvida.

— Bom — disse o major olhando para o doutor com um olhar cheio de tão paternal ternura, que o moço sentiu-se comovido.

Nesse momento, a criada de Celestina atravessou a sala, e passando por trás da cadeira do major abanou a cabeça com ar de compaixão; o doutor apanhou o gesto que a criada fizera só para si.

— O casamento há de ser breve — continuou o major quando os dois se acharam sós — e, como lhe disse, dou-lhe uma riqueza. Quero que acredite; vou mostrar-lhe.

O dr. Antero recusou ir ver a riqueza, mas pede a verdade que se diga que a recusa era simples formalidade. A atmosfera angélica da casa já o tinha melhorado em parte, mas havia nele ainda uma parte do homem, e do homem que passara metade da vida em dissipações de espírito e sentimento.

Como o velho insistisse, o doutor declarou-se pronto a acompanhá-lo. Passaram dali a um gabinete onde o major tinha a biblioteca; o major fechou a porta com a chave; depois disse ao doutor que tocasse uma mola que desaparecia no lombo de um livro fingido, no meio de uma estante.

O doutor obedeceu.

Toda aquela fileira de livros era simulada; ao toque do dedo do doutor abriu-se uma portinha que dava para um vão escuro onde se achavam cinco ou seis caixinhas de ferro.

— Nessas caixas — disse o major — tenho eu cem contos de réis: são seus.

Os olhos do dr. Antero faiscaram; via diante de si uma fortuna, e só dependia dele possuí-la.

O velho mandou que fechasse outra vez o esconderijo, processo que lhe ensinou também.

— Fique sabendo — acrescentou o major — que é o primeiro a quem mostro isto. Mas é natural; já o considero como filho.

Com efeito, foram para a sala da sesta, aonde Celestina foi ter pouco depois; a vista da moça produziu no rapaz a boa impressão de fazer-lhe esquecer as caixas de ferro e mais os cem contos.

Ali mesmo se marcou o dia do casamento, que devia ser um mês depois.

O doutor estava disposto a tudo de tão boa vontade, que a reclusão forçada terminou logo; o major permitiu-lhe sair; mas o doutor declarou que não sairia dali senão depois de casado.

— Depois será mais difícil — disse o velho major.

— Pois bem, não sairei.

A intenção do rapaz era sair depois de casado, e para isso inventaria algum meio; por enquanto, não queria comprometer a sua felicidade.

Celestina estava contentíssima com o casamento; era uma diversão na monotonia de sua vida.

Separaram-se depois do jantar, e já então o doutor não encontrou o criado para o conduzir ao quarto; tinha a liberdade de ir aonde quisesse. O doutor foi direito ao quarto.

A sua situação tomava um novo aspecto; não se tratava de um crime nem de uma emboscada; tratava-se de um monomaníaco. Ora, por felicidade do moço, esse monomaníaco exigia dele exatamente aquilo que ele estava disposto a fazer; tudo bem considerado, entrava-lhe pela porta uma felicidade inesperada, que nem era lícito sonhar quando se está à beira do túmulo.

No meio de belos sonhos o rapaz adormeceu.

VIII

O dia seguinte era um domingo.

O rapaz, depois de ler as notícias dos jornais e alguns artigos políticos, passou aos folhetins. Ora, aconteceu que um deles tratava precisamente do suicídio do dr. Antero da Silva. A carta póstuma servia de assunto para as considerações galhofeiras do folhetinista.

Um dos períodos dizia assim:

> Se não fosse o suicídio do homem, eu não tinha assunto ameno para tratar hoje. Felizmente lembrou-se de morrer a tempo, coisa que nem sempre acontece a um marido, nem a um ministro de Estado.
>
> Mas morrer era nada; morrer e deixar uma carta desfrutável como a que o público leu, isso é que é ter compaixão de um escritor *aux abois*.
>
> Desculpe o leitor o termo francês; vem do assunto; eu estou convencido que o dr. Antero (que pelo nome não perca) leu algum romance parisiense em que viu o original daquela carta.
>
> Salvo se nos quis provar que não era simplesmente um espírito medíocre, mas também um formidável tolo.
>
> Tudo é possível.

O doutor amarrotou o jornal quando acabou de ler o folhetim; mas depois sorriu filosoficamente; e acabou achando razão no autor do artigo.

Com efeito, aquela carta, que ele escrevera com tanta alma, e que contava fizesse impressão no público, parecia-lhe agora uma famosa tolice.

Dera talvez uma das caixas de ferro do major para não tê-la escrito.

Era tarde.

Mas o desgosto do folhetim não foi o único; adiante encontrou um convite para uma missa por sua alma. Quem convidava para a missa? os seus amigos? Não; o criado Pedro, que, ainda comovido com a dádiva dos cinquenta mil-réis, achou que cumpria um dever sufragando a alma do amo.

— Bom Pedro! — disse ele.

E assim como tinha tido naquela casa o primeiro amor, e o primeiro remorso, teve ali a primeira lágrima, uma lágrima de gratidão pelo fiel criado.

Chamado para almoçar, o doutor foi ter com o major e Celestina. Já então a chave do quarto ficava com ele mesmo.

Sem saber por quê, achou Celestina mais celeste que nunca, e também mais séria do que costumava. A seriedade quereria dizer que o rapaz já lhe não era indiferente? O dr. Antero pensou que sim, e eu, na qualidade de romancista, direi que pensava bem.

Contudo a seriedade de Celestina não excluía a sua afabilidade, nem ainda o seu estouvamento; era uma seriedade intermitente, uma espécie de enlevo e cisma, a primeira aurora do amor, que enrubesce a face e cerca a fronte de uma espécie de auréola.

Como já houvesse liberdade e confiança, o doutor pediu a Celestina, no fim do almoço, que fosse tocar um pouco. A mocinha tocava deliciosamente.

Encostado ao piano, com os olhos postos na moça, e a alma embebida nas harmonias que os dedos dela desferiam do teclado, o dr. Antero esquecia-se do resto do mundo para viver só daquela criatura que dentro de pouco tempo ia ser sua mulher.

Durante esse tempo o major passeava, com as mãos cruzadas sobre as costas, e gravemente pensativo.

O egoísmo do amor é implacável; diante da mulher que o seduzia e atraía, o moço nem tinha um olhar para aquele pobre velho demente que lhe dava mulher e fortuna.

O velho de quando em quando parava e exclamava:

— Bravo! bravo! Assim tocarás um dia nas harpas do céu!

— Gosta de me ouvir tocar? — perguntou a moça ao doutor.

— Valia a pena morrer ouvindo esta música.

No fim de um quarto de hora, o major saiu, deixando os dois noivos na sala.

Era a primeira vez que ficavam a sós.

O rapaz não ousava reproduzir a cena da outra tarde; podia haver um novo grito da moça e tudo estava perdido para ele.

Mas os seus olhos, esquecidamente embebidos nos da moça, falavam melhor que todos os ósculos deste mundo. Celestina olhava para ele com essa confiança da inocência e do pudor, essa confiança de quem não suspeita o mal e só conhece o bem.

O doutor compreendeu que era amado; Celestina não compreendeu, sentiu que estava presa àquele homem por alguma coisa mais forte que a palavra do pai. A música cessara.

O doutor sentou-se defronte da moça, e disse-lhe:

— Casa-se comigo por vontade?

— Eu? — respondeu ela. — Certamente que sim; gosto do senhor; além disso, meu pai quer, e quando um anjo quer...

— Não zombe assim — disse o doutor —; não é culpa...

— Zombar de quê?

— De seu pai.

— Ora essa!

— É um desgraçado.

— Não conheço anjos desgraçados — respondeu a moça com uma graça tão infantil e um ar de tanta convicção que o doutor franziu a testa com um gesto de espanto.

A moça continuou:

— Bem feliz que ele é; quem me dera ser anjo como ele! é verdade que filha dele devo ser também... e, na verdade, sou também angélica...

O doutor ficou pálido, e levantou-se com tanta precipitação, que Celestina não pôde reprimir um gesto de susto.

— Ah! que tem?

— Nada — disse o rapaz passando a mão pela testa —; foi uma vertigem.

Nesse momento entrou o major. Antes que tivesse tempo de perguntar nada, a filha correu a ele e disse que o doutor se achava incomodado.

O moço declarou achar-se melhor; mas pai e filha foram de opinião que devia ir descansar um pouco. O doutor obedeceu.

Quando chegou ao quarto atirou-se à cama e esteve alguns minutos sem movimento, mergulhado em reflexões. As palavras incoerentes da moça diziam-lhe que não havia naquela casa só um doido; tanta graça e beleza nada valiam; a infeliz estava nas condições do pai.

— Coitada! também é louca! Mas por que singular acordo de circunstâncias ambos eles estão de acordo nesta monomania celestial?

O doutor fazia esta e mil outras perguntas a si mesmo, sem achar resposta plausível. O que havia de certo é que o edifício da sua ventura acabava de esboroar-se.

Só lhe restava um recurso; aproveitar a licença concedida pelo velho e sair daquela casa, que parecia encerrar uma história sombria.

Com efeito, ao jantar o dr. Antero declarou ao major que tinha intenção de ir à cidade ver uns papéis, no dia seguinte de manhã; voltaria de tarde.

No dia seguinte, logo depois do almoço, preparou-se o rapaz para ir embora, não sem ter prometido a Celestina que voltaria o mais cedo que pudesse. A moça pedia-lhe com alma; ele hesitou por um momento; mas que fazer? era melhor fugir dali quanto antes.

Estava já pronto, quando sentiu bater-lhe à porta muito ao de leve; foi abrir; era a criada de Celestina.

IX

Esta criada, que se chamava Antônia, representava ter quarenta anos de idade. Não era feia nem bonita; tinha umas feições comuns e irregulares. Mas bastava olhá-la para ver nela o tipo da bondade e da dedicação.

Antônia entrou precipitadamente, e ajoelhou-se aos pés do doutor.

— Não vá! senhor doutor! não vá!

— Levante-se, Antônia — disse o rapaz.

Antônia levantou-se e repetiu as mesmas palavras.

— Que eu não vá? — perguntou o doutor. — Mas por quê?

— Salve aquela menina!

— Pois quê! ela está em perigo?

— Não; mas é preciso salvá-la. Pensa que eu não adivinhei o seu pensamento? O senhor quer ir-se embora de uma vez.

— Não; prometo...

— Quer, e eu lhe peço que não vá... pelo menos até amanhã.

— Mas não me explicará...

— Agora, é impossível; pode vir gente; mas esta noite; olhe, à meia-noite, quando ela já estiver dormindo, eu virei aqui e lhe explicarei tudo. Mas promete que não vai?

O rapaz respondeu maquinalmente.

— Prometo.

Antônia saiu precipitadamente.

No meio daquela constante alternativa de boas e más impressões, naquele desenrolar de emoções diversas, de mistérios diferentes, era de admirar que o espírito do rapaz não ficasse abalado, tão abalado como o do major. Parece que chegou a recear de si.

Logo depois que saiu Antônia, sentou-se o doutor, e entrou a conjecturar que perigo seria aquele de que era preciso salvar a pequena. Mas não atinando com ele, resolveu ir ter com ela ou com o major, e já se preparava para isso, quando o futuro sogro lhe entrou pelo quarto.

Vinha alegre e lépido.

— Ora, guarde-o Deus — disse ele ao entrar —; é a primeira vez que o visito no seu quarto.

— É verdade — respondeu o doutor. — Queira sentar-se.

— Mas também o motivo que me traz aqui é importante — disse o velho assentando-se.

— Ah!

— Sabe quem morreu?

— Não.

— O diabo.

Dizendo isto deu uma gargalhada nervosa que fez estremecer o doutor; o velho continuou:

— Sim, senhor, morreu o diabo; o que é grande fortuna para mim, porque me dá a maior alegria da minha vida. Que lhe parece?

— Parece-me que é uma felicidade para nós todos — disse o dr. Antero —; mas como soube da notícia?

— Soube por carta que recebi hoje do meu amigo Bernardo, também amigo de seu pai. Não vejo o Bernardo há doze anos; chegou agora do norte, e apressou-se a escrever-me para dar esta agradável notícia.

O velho levantou-se, passeou pelo quarto sorrindo, murmurando algumas palavras sozinho, e parando de quando em quando para contemplar o hóspede.

— Não acha — disse ele numa das vezes que parou —, não acha que esta notícia é a melhor festa que posso ter por ocasião de casar minha filha?

— Com efeito, assim é — respondeu o rapaz levantando-se —; mas, visto que o inimigo da luz morreu, não falemos mais nele.

— Tem muita razão; não falemos mais nele.

O doutor dirigiu a conversa para assuntos diversos; falou de campanhas, de literatura, de plantações, de tudo quanto afastasse o major dos assuntos angélicos ou diabólicos.

Finalmente saiu o major dizendo que esperava o coronel Bernardo, seu amigo, para jantar, e que teria sumo prazer em apresentar-lhe.

Mas a hora do jantar chegou sem que chegasse o coronel, de maneira que o doutor ficou convencido de que o coronel, a carta e o diabo não passavam de criações do major. Devia estar convencido desde o princípio; e se estivesse convencido estaria em erro, porque o coronel Bernardo apresentou-se em casa às ave-marias.

Era um homem cheio de corpo, robusto, vermelho, olhos vivos, falando apressadamente, um homem sem cuidados nem remorsos. Representava quarenta anos e tinha cinquenta e dois; vestia uma sobrecasaca militar.

O major abraçou o coronel com uma satisfação ruidosa, e apresentou-o ao dr. Antero como um dos seus melhores amigos. Apresentou o doutor ao coronel declarando ao mesmo tempo que ia ser seu genro; e finalmente mandou chamar a filha, que não tardou muito a chegar à sala.

Quando o coronel pôs os olhos em Celestina arrasaram-se-lhe os olhos de lágrimas; tinha-a visto pequena e achava-a moça feita, e moça bonita. Abraçou-a paternalmente.

Durou a conversa entre os quatro uma meia hora, tempo em que o coronel, com uma volubilidade que contrastava com a frase pausada do major, contou mil e uma circunstâncias da sua vida de província.

No fim desse tempo, o coronel declarou que queria falar em particular ao major; o doutor retirou-se para o seu quarto, deixando Celestina, que poucos minutos depois retirou-se também.

O coronel e o major fecharam-se na sala; ninguém ouvia a conversa, mas o criado viu que só à meia-noite saiu da sala o coronel, dirigindo-se para o quarto que lhe haviam preparado.

Quanto ao doutor, apenas entrou no quarto viu sobre a mesa uma carta, com sobrescrito para ele. Abriu e leu o seguinte:

> Meu noivo, escrevo-lhe para dizer que não se esqueça de mim, que sonhe comigo, e que goste de mim como eu gosto do senhor. — Sua noiva, C͟ᴇʟᴇsᴛɪɴᴀ.

Nada mais.

Era uma cartinha de amores pouco parecida com as que se escrevem em casos tais, uma carta simples, ingênua, audaz, sincera.

O rapaz releu-a, beijou-a e levou-a ao coração.

Depois preparou-se para receber a visita de Antônia, que, como os leitores se devem lembrar, estava marcada para a meia-noite.

Para matar o tempo o rapaz abriu um dos livros que estavam sobre a mesa. Acertou de ser *Paulo e Virgínia*; o doutor nunca havia lido o celeste romance; o seu ideal e a sua educação o afastavam daquela literatura. Mas agora tinha o espírito preparado para apreciar páginas tais; sentou-se e leu rapidamente metade da obra.

X

À meia-noite ouviu bater à porta; era Antônia.

A boa mulher entrou com preparação; receava que o menor ruído a comprometesse. O rapaz fechou a porta, e fez com que Antônia se sentasse.

— Agradeço-lhe o ter ficado — disse ela sentando-se —, e vou dizer-lhe que perigo ameaça a minha pobre Celestina.

— Perigo de vida? — perguntou o doutor.

— Mais do que isso.

— De honra?

— Menos que isso.

— Então...

— O perigo da razão; eu receio que a pobre moça fique louca.

— Receia? — disse o doutor sorrindo tristemente. — Está certa de que ela já o não está?

— Estou. Mas pode vir a ficar, tão louca como o pai.

— Esse...

— Esse está perdido.

— Quem sabe?

Antônia abanou a cabeça.

— Deve estar, porque há doze anos que perdeu a razão.

— Sabe o motivo?

— Não sei. Eu vim para esta casa há cinco anos; a menina tinha dez; era, como hoje, uma criaturinha viva, alegre e boa. Mas nunca tinha saído daqui; é provável que não tenha visto em sua vida mais de dez pessoas. Ignora tudo. O pai, que já então estava convencido de que era o anjo Rafael, como ainda hoje diz, repetia-o à filha constantemente, de maneira que ela acredita firmemente ser filha de um anjo. Tentei dissuadi-la disso; mas ela foi contar ao major, e este ameaçou-me de mandar-me embora se eu inculcasse más ideias à filha. Era má ideia dizer à menina que ele não era o que dizia e simplesmente um desgraçado doido.

— E a mãe dela?

— Não conheci; perguntei por ela a Celestina; e soube que ela também a não conhecera, pela razão de que não tivera mãe. Referiu-me ter sabido, por boca de seu pai, que ela viera ao mundo por obra e graça do céu. Bem vê que a menina não está louca; mas aonde irá ter com estas ideias?

O doutor estava pensativo; compreendia agora as palavras incoerentes da moça ao piano. A narração de Antônia era verossímil. Cumpria salvar a moça levando-a para fora dali. Para isso o casamento era o melhor meio.

— Tens razão, boa Antônia — disse ele —, salvaremos Celestina; descansa em mim.

— Jura?

— Juro.

Antônia beijou a mão ao rapaz, derramando algumas lágrimas de contentamento. É que Celestina era para ela mais do que ama, era uma espécie de filha criada na solidão.

Saiu a criada, e o doutor deitou-se, não só porque a hora era adiantada, como porque o seu espírito pedia algum repouso ao cabo de tantas e novas emoções.

No dia seguinte falou ao major na necessidade de abreviar o casamento, e por consequência na de arranjar os papéis.

Concordou-se que o casamento seria na capela de casa, e o major concedeu licença para que um padre os casasse; isto pela consideração de que, se Celestina, como filha de um anjo, estava acima de um padre, não acontecia o mesmo com o doutor, que era simplesmente um homem.

Quanto aos papéis, levantou-se uma dúvida relativamente à declaração do nome da mãe da moça. O major declarou peremptoriamente que Celestina não tinha mãe.

Mas o coronel, que estava presente, interveio no debate, dizendo ao major estas palavras, que o doutor não compreendeu, mas que lhe fizeram impressão:

— Tomás! lembra-te de ontem à noite.

O major calou-se imediatamente. Quanto ao coronel, voltando-se para o dr. Antero disse-lhe:

— Tudo se há de arranjar: descanse.

A conversa ficou nisto.

Mas houve quanto bastasse para que o doutor descobrisse nas mãos do coronel Bernardo o fio daquela meada. O rapaz não hesitou em aproveitar a primeira ocasião para entender-se com o coronel a fim de o informar acerca dos mil e um pontos obscuros daquele quadro que há dias tinha diante dos olhos.

Celestina não assistira à conversa; estava na outra sala tocando piano. O doutor lá foi ter com ela, e achou-a triste. Perguntou-lhe por quê.

— Eu sei! — respondeu a moça. — Está-me parecendo que o senhor não gosta de mim; e se me perguntar por que a gente gosta dos outros, não sei.

O moço sorriu, pegou-lhe na mão, apertou-a entre as suas, e levou-a aos lábios. Desta vez, Celestina não gritou, nem resistiu; ficou a olhar embebida para ele, pendente dos seus olhos, pode-se dizer que pendente da sua alma.

XI

Na noite seguinte, o dr. Antero passeava no jardim, justamente por baixo da janela de Celestina. A moça não sabia que ele se achava ali, nem o rapaz quis por modo nenhum chamar a atenção dela. Contentava-se em olhar de longe, vendo de quando em quando desenhar-se na parede a sombra daquele delicado corpo.

Havia lua e o céu estava sereno. O doutor, que até ali não conhecia nem apreciava os mistérios da noite, aprazia-se agora em conversar com o silêncio, a sombra e a solidão.

Quando se achava mais embebido com os olhos na janela, sentiu que alguém lhe batia no ombro.

Estremeceu, e voltou-se rapidamente.

Era o coronel.

— Olá, meu caro doutor — disse o coronel. — Faz um idílio antes do casamento?

— Estou tomando fresco — respondeu o doutor —; a noite está magnífica e lá dentro está calor.

— Isto é verdade; eu também vim tomar fresco. Passeamos, se lhe não interrompo as reflexões.

— Pelo contrário, e eu até estimo...

— Ter-me encontrado?

— Justo.

— Pois então melhor.

O rumor das palavras trocadas pelos dois foi ouvido no quarto de Celestina. A moça chegou à janela e procurou ver se descobria de quem eram as vozes.

— Lá está ela — disse o coronel. — Olhe!

Os dois homens aproximaram-se, e o coronel disse para Celestina:

— Somos nós, Celestina; eu e o teu noivo.

— Ah! que andam fazendo?

— Bem vês; tomando fresco.

Houve um silêncio.

— Não me diz nada, doutor? — perguntou a moça.

— Contemplo-a.

— Faz bem — respondeu ela —; mas como o ar pode fazer-me mal, boa noite.

— Boa noite!

Celestina entrou, e pouco depois fechou-se a janela.

Quanto aos dois homens, dirigiram-se para um banco de pau que ficava na outra extremidade do jardim.

— Diz então que estimava encontrar-me?

— É verdade, coronel; peço-lhe uma informação.

— E eu vou dar-lhe.

— Sabe o que é?

— Adivinho.

— Tanto melhor; evita-me um discurso.

— Quer saber quem é a mãe de Celestina?

— Em primeiro lugar.

— Pois que mais?

— Quero saber depois qual a razão desta loucura do major.

— Não sabe nada?

— Nada. Eu estou aqui em consequência de uma aventura singularíssima que lhe vou narrar.

O doutor repetiu ao coronel a história da carta e do recado que o chamara ali, sem ocultar que o convite do major chegara justamente na ocasião em que ele se achava disposto a romper com a vida.

O coronel ouviu atentamente a narração do moço; ouviu também a confissão de que a entrada naquela casa fizera do doutor um bom homem, quando não passava de um homem inútil e mau.

— Confissão por confissão — disse o doutor —; venha a sua.

O coronel tomou a palavra.

— Fui amigo de seu pai e do major; seu pai morreu há muito; ficamos eu e o major como dois sobreviventes dos três irmãos Horácios, nome que nos davam os homens do nosso tempo. O major era casado, eu solteiro. Um dia, por motivos que não vêm ao caso, o major suspeitou que sua mulher lhe era infiel, e expulsou-a de casa. Eu também acreditei na infidelidade de Fernanda, e aprovei, em parte, o ato do major. Digo-lhe em parte, porque a pobre mulher no dia seguinte não tinha de comer; e foi de minha mão que recebeu alguma coisa. Protestou ela por sua inocência com as lágrimas nos olhos; eu não acreditei nas lágrimas nem nos protestos. O major ficou louco, e veio para esta casa com a filha, e nunca mais saiu. Acontecimentos imprevistos me obrigaram a ir pouco depois para o norte, onde estive até há pouco. E não teria voltado se...

O coronel estacou.

— Que é? — perguntou-lhe o doutor.

— Não vê um vulto ali?

— Aonde?

— Ali.

Com efeito encaminhava-se um vulto para os dois interlocutores; a alguns passos reconheceram ser o criado José.

— Senhor coronel — disse o criado —, ando à sua procura.

— Por quê?

— O amo quer falar-lhe.

— Bem; lá vou.

O criado retirou-se, e o coronel continuou:

— Não teria voltado se não adquirisse a certeza de que as suspeitas do major eram todas infundadas.

— Como?

— Fui encontrar, depois de tantos anos, na província em que me achava, a esposa do major servindo de criada em uma casa. Tinha tido uma vida exemplar; as informações que obtive confirmavam as asseverações dela. As suspeitas fundavam-se numa carta achada em poder dela. Ora, essa carta comprometia uma mulher, mas não era Fernanda; era outra, cujo testemunho ouvi no ato de morrer. Compreendi que era talvez o meio de chamar o major à razão vir contar-lhe isso tudo. Vim, com efeito, e expus-lhe o que sabia.

— E ele?

— Não acredita; e quando parece ir-se convencendo das minhas asseverações, volta-lhe a ideia de que ele não é casado, porque os anjos não casam; enfim, o mais que o senhor sabe.

— Então está perdido?

— Creio que sim.

— Nesse caso cumpre salvar-lhe a filha.

— Por quê?

— Porque o major educou Celestina na mais absoluta reclusão possível, e desde pequena incutiu-lhe a ideia de que anda possuído, de maneira que eu tenho medo de que a pobre moça sofra igualmente.

— Descanse; o casamento será feito quanto antes; e o senhor a levará daqui; em último caso, se não pudermos convencê-lo, sairão sem que ele o saiba.

Levantaram-se os dois, e ao chegarem perto da casa, saiu-lhes ao encontro o criado, trazendo um novo recado do major.

— Parece-me que está doente — acrescentou o criado.

— Doente?

O coronel apressou-se a ir ter com o amigo, enquanto o doutor foi para o quarto esperar notícias dele.

XII

Quando o coronel entrou no quarto do major achou-o muito aflito. Passeava de um lado para outro, agitado, proferindo palavras incoerentes, com o olhar desvairado.

— Que tens, Tomás?

— Ainda bem que vieste — disse o velho —; sinto-me mal; veio aqui há pouco um anjo buscar-me; disse-me que eu estava fazendo falta no céu. Creio que me vou embora desta vez.

— Deixa-te disso — respondeu o coronel —; foi caçoada do anjo; descansa, tranquiliza-te.

O coronel conseguiu fazer com que o major se deitasse. Apalpou-lhe o pulso, e sentiu-lhe febre. Entendeu que era conveniente mandar buscar um médico, e deu ordem ao criado nesse sentido.

Acalmou-se a febre do major, que conseguiu dormir um pouco; o coronel mandou preparar uma cama no mesmo quarto, e depois de ir dar parte ao doutor do que acontecera, voltou para o quarto do major.

No dia seguinte o doente levantou-se melhor; o médico, tendo chegado sobre a madrugada, não chegou a aplicar-lhe nenhum remédio, mas lá ficou para o caso de ser preciso.

Quanto a Celestina, nada soube do que havia acontecido; e acordou alegre e viva como nunca.

Mas sobre a tarde voltou a febre ao major, e desta vez de um modo violento. Dentro de pouco tempo declarou-se a proximidade da morte.

O coronel e o doutor tiveram cuidado de afastar Celestina, que não sabia o que era morrer, e podia sofrer com a vista do pai moribundo.

O major, cercado pelos dois amigos, pedia-lhes com instância que lhe fossem buscar a filha; mas eles não consentiram nisso. Então, o pobre velho instou com o doutor que não deixasse de casar com ela, e ao mesmo tempo repetiu a declaração de que lhe deixava uma fortuna. Enfim sucumbiu.

Ficou assentado entre o coronel e o doutor que a morte do major seria participada à filha depois de feito o enterro, e que este teria lugar com a maior discrição possível. Assim se fez.

A ausência do major ao almoço e ao jantar do dia seguinte foi explicada a Celestina como proveniente de uma conferência em que ele estava com pessoas de sua amizade.

De maneira que, ao passo que do outro lado da casa se achava o cadáver do pai, a filha ria e conversava à mesa como nos seus melhores dias.

Mas feito o enterro era preciso dizê-lo à filha.

— Celestina — disse-lhe o coronel —, tu vais casar brevemente com o doutor Antero.
— Mas quando?
— Daqui a dias.
— Dizem-me isso há que tempo!
— Pois agora é de uma vez. Teu pai...
— Que tem?
— Teu pai não volta por enquanto.
— Não volta? — disse a moça. — Pois onde foi ele?
— Teu pai foi para o céu.

A moça ficou pálida ouvindo a notícia; não lhe ligava nenhuma ideia fúnebre; mas o coração adivinhava que por trás daquela notícia havia uma catástrofe.

O coronel procurou distraí-la.

Mas a moça, vertendo duas lágrimas, duas só, mas que valiam por cem, disse com profunda amargura:

— Papai foi para o céu e não se despediu de mim!

Depois recolheu-se ao quarto até o dia seguinte.

O coronel e o doutor passaram a noite juntos.

Declarou o doutor que a fortuna do major estava por trás de uma estante, na biblioteca, e que ele sabia o meio de abri-la. Assentaram os dois no meio de apressar o casamento de Celestina sem prejuízo dos atos da justiça.

Cumpria, porém, antes de tudo, arrancar a moça daquela casa; o coronel indicou a casa de uma parenta sua, para onde a levariam no dia seguinte. Assentados estes pormenores, o coronel perguntou ao doutor:

— Ora, diga-me; não crê agora que haja uma Providência?
— Sempre acreditei.
— Não minta; se acreditasse não teria recorrido ao suicídio.
— Tem razão, coronel; dir-lhe-ei até: eu era um pouco de lodo, hoje sinto-me pérola.
— Compreendeu-me bem; eu não queria aludir à fortuna que veio encontrar aqui, mas a essa reforma de si mesmo, a essa renovação moral, que obteve com este ar e na contemplação daquela formosa Celestina.
— Diz bem, coronel. Quanto à fortuna, estou pronto a...
— A quê? a fortuna é de Celestina; não deve desfazer-se dela.
— Mas podem supor que o casamento...
— Deixe supor, meu amigo. Que lhe importa ao senhor que suponham? Não tem a sua consciência, que lhe não argui coisa nenhuma?
— É verdade; mas a opinião...
— A opinião, meu caro, não é mais do que uma opinião; não é a verdade. Acerta às vezes; outras calunia, e quer a desgraça que mais vezes calunie do que acerte.

O coronel em matéria de opinião pública era um perfeito ateu; negava-lhe a autoridade e a supremacia. Umas das suas máximas era esta: "A opinião pública é *um muro em branco*: aceita tudo quanto escrevem em cima, quer venha da mão de um garoto, quer da de um homem de bem".

Foi difícil ao doutor e ao coronel convencer a Celestina de que deveria sair daquela casa; mas enfim alcançaram levá-la para a cidade de noite. A parenta do coronel, prevenida a tempo, recebeu-a em casa.

Arranjadas as coisas de justiça, tratou-se de realizar o casamento.

Antes porém de chegar a esse ponto tão almejado pelos dois noivos, foi preciso habituar Celestina à vida nova que começava a viver e que ela não conhecia. Educada entre as paredes de uma casa isolada, longe de todo o rumor, e sob direção de um homem enfermo da razão, Celestina entrou num mundo que jamais sonhara, nem dele tinha notícia.

Tudo para ela era objeto de curiosidade e espanto. Cada dia trazia-lhe uma emoção nova.

Admirava a todos que, apesar da singular educação que tivera, soubesse tocar tão bem; ela tivera com efeito um mestre chamado pelo major, que desejava, dizia ele, mostrar que um anjo, e principalmente o anjo Rafael, sabia fazer as coisas como os homens. Quanto à leitura e escritura, foi ele mesmo quem lhe ensinou.

XIII

Logo depois que voltou à cidade, o dr. Antero teve cuidado de escrever a seguinte carta aos seus amigos:

> O dr. Antero da Silva, recentemente suicidado, tem a honra de participar a você que voltou do outro mundo, e se acha ao seu dispor no hotel de ***.

Encheu-se-lhe a sala de gente que correra a vê-lo; alguns incrédulos supuseram simples caçoada de algum homem amigo de pregar peças aos outros. Foi um concerto de exclamações:

— Não morreste!

— Pois quê! estás vivo!

— Mas que foi isto!

— Aqui houve milagre!

— Qual milagre — respondia o doutor —; foi simplesmente um meio engenhoso de ver a impressão que causaria a minha morte; já soube quanto quisera saber.

— Oh! — disse um dos presentes. — Foi profunda; pergunta ao César.

— Quando soubemos do desastre — acudiu César —, não quisemos crer; corremos à tua casa; era infelizmente verdade.

— Que marreco! — exclamava um terceiro. — Fazer-nos chorar por ele, quando talvez se achasse perto de nós... Nunca te hei de perdoar aquelas lágrimas.

— Mas — disse o doutor —, a polícia parece que chegou a reconhecer o meu cadáver.

— Disse que sim, e eu acreditei.

— Eu também.

Nesse momento entrou na sala um novo personagem; era o criado Pedro.

O doutor rompeu por entre os amigos e foi abraçar o criado, que entrou a derramar lágrimas de contentamento.

Aquela efusão em relação a um criado, comparada à frieza relativa com que o doutor os recebera, incomodou aos amigos que ali se achavam. Era eloquente.

Saíram os amigos pouco depois declarando que o contentamento de vê-lo lhes inspirava a ideia de lhe dar um jantar. O doutor recusou o jantar.

No dia seguinte, os jornais declararam que o dr. Antero da Silva, que se julgava morto, se achava vivo e aparecera; e logo nesse dia recebeu o doutor a visita dos credores, que, pela primeira vez, viam ressuscitar uma dívida já sepultada.

Quanto ao folhetinista de um dos jornais que tratara da morte do doutor e da carta que ele deixara, encabeçou o seu artigo do próximo sábado assim:

> Dizem que reapareceu o autor de uma carta com que me ocupei ultimamente. Será verdade? Se voltou não é autor da carta; se é autor da carta não voltou.

A isto respondeu o ressuscitado:

> Voltei do outro mundo, e apesar disso sou o autor da carta. Do mundo de que venho trago uma boa filosofia: ter em nenhuma conta a opinião dos meus contemporâneos, e em menos ainda a dos meus amigos. Trouxe mais alguma coisa, mas isso importa pouco ao público.

XIV

Efetuou-se o casamento três meses depois.

Celestina estava outra; perdera aquele estouvamento ignorante que era o principal traço do seu caráter, e com ele as ideias extravagantes que o major lhe incutira.

O coronel assistiu ao casamento.

Um mês depois o coronel foi despedir-se dos noivos, voltava para o norte.

— Adeus, meu amigo — disse-lhe o doutor —; nunca esquecerei o que fez por mim.

— Eu não fiz nada; ajudei a boa sorte.

Celestina despediu-se do coronel com lágrimas.

— Por que choras, Celestina? — disse o velho. — Eu volto breve.

— Sabe por que ela chora? — perguntou o doutor — eu já lhe disse que sua mãe estava no norte; ela sente não poder vê-la.

— Vê-la-á, porque eu vou buscá-la.

Quando o coronel saiu, Celestina pôs os braços à roda do pescoço do marido, e disse com um sorriso entre lágrimas:

— Ao pé de ti e de minha mãe, que mais quero eu na terra?

No ideal da felicidade da moça já não entrava o coronel. Ó amor! ó coração! ó egoísmo humano!

Jornal das Famílias, outubro-dezembro de 1869; Victor de Paula.

O capitão Mendonça

I

Estando um pouco arrufado com a dama dos meus pensamentos, achei-me eu uma noite sem destino nem vontade de preencher o tempo alegremente, como convém em tais situações. Não queria ir para casa porque seria entrar em luta com a solidão e a reflexão, duas senhoras que se encarregam de pôr termo a todos os arrufos amorosos.

Havia espetáculo no teatro de São Pedro. Não quis saber que peça se representava; entrei, comprei uma cadeira e fui tomar conta dela, justamente quando se levantava o pano para começar o primeiro ato. O ato prometia; começava por um homicídio e acabava por um juramento. Havia uma menina, que não conhecia pai nem mãe, e era arrebatada por um embuçado que eu suspeitei ser a mãe ou o pai da menina. Falava-se vagamente de um marquês incógnito, e aparecia a orelha de um segundo e próximo assassinato na pessoa de uma condessa velha. O ato acabou com muitas palmas.

Apenas caiu o pano houve a balbúrdia do costume; os espectadores marcavam as cadeiras e saíam para tomar ar. Eu, que felizmente estava em lugar onde não podia ser incomodado, estendi as pernas e entrei a olhar para o pano da boca, no qual, sem esforço da minha parte, apareceu a minha arrufada senhora com os punhos fechados e ameaçando-me com olhos furiosos.

— Que lhe parece a peça, senhor Amaral?

Voltei-me para o lado de onde ouvira proferir o meu nome. Estava à minha esquerda um sujeito, já velho, vestido com uma sobrecasaca militar, e sorrindo amavelmente para mim.

— Admira-se de lhe saber o nome? — perguntou o sujeito.

— Com efeito — respondi eu —; não me lembro de o ter visto...

— A mim nunca me viu; cheguei ontem do Rio Grande do Sul. Também eu nunca o tinha visto, e no entanto conheci-o logo.

— Adivinho — respondi —; dizem-me que me pareço muito com meu pai. Conheceu-o, não?

— Pudera! fomos companheiros de armas. O coronel Amaral e o capitão Mendonça passavam no exército por ser a imagem da perfeita amizade.

— Agora me recordo que meu pai me falava muito no capitão Mendonça.

— Sou eu.

— Falava-me com muito interesse; dizia que era o seu melhor e mais fiel amigo.

— Era injusto o coronel — disse o capitão abrindo a caixa de rapé —, eu fui mais que isso, fui o único amigo fiel que ele teve. Mas seu pai era cauteloso; talvez não quisesse ofender ninguém. Era um tanto fraco seu pai; a única rixa que tivemos foi por eu uma noite chamar-lhe tolo. O coronel reagiu, mas convenceu-se finalmente... Quer uma pitada?

— Obrigado.

Admirou-me que o mais fiel amigo de meu pai tratasse tão desdenhosamente a sua memória, e entrei logo a suspeitar da amizade que os ligara no exército.

Confirmou-me esta suspeita a lembrança de que meu pai, quando falava no capitão Mendonça, dizia ser um excelente homem... com uma aduela de menos.

Contemplei o capitão enquanto ele sorvia a pitada e sacudia com o lenço a camisa ligeiramente maculada por um clássico e legítimo pingo. Era um homem de boa presença, gesto militar, olhar um tanto vago, barba de fonte a fonte, passando por baixo do queixo, como convém a um militar que se respeita. A roupa era toda nova, e o velho capitão mostrava estar acima das necessidades da vida.

A expressão da cara não era má; mas o olhar vago e as sobrancelhas espessas e salientes transtornavam o rosto.

Conversamos do passado; o capitão contou-me a campanha contra Rosas, e a parte que nela tomou com meu pai. A sua conversa era animada e pitoresca; lembrava-se de muitos episódios, entremeava tudo com anedotas engraçadas.

Ao cabo de vinte minutos o público começou a inquietar-se com a extensão do intervalo e a orquestra dos tacões executou a sinfonia do desespero.

Justamente neste momento veio um sujeito chamar o capitão para ir a um camarote. O capitão quis adiar a visita para outro intervalo, mas, instando o sujeito, cedeu e apertou-me a mão dizendo:

— Até já.

Fiquei outra vez só; os tacões cederam lugar às rabecas, e ao cabo de alguns minutos começou o segundo ato.

Como aquilo para mim não era distração nem ocupação, acomodei-me o melhor que pude na cadeira e cerrei os olhos ouvindo um monólogo do protagonista, que cortava o coração e a gramática.

Não tardou que fosse despertado pela voz do capitão. Abri os olhos e vi-o de pé.

— Quer saber de uma coisa? — perguntou ele. — Eu vou cear; acompanha-me?

— Não posso; queira desculpar-me — respondi.

— Não admito desculpa; faça de conta que eu sou o coronel e digo: Pequeno, vamos cear!

— Mas é que eu espero...

— Não espera ninguém!

O diálogo provocou alguns murmúrios à roda de nós. Vendo a disposição anfitriônica do capitão, achei prudente acompanhá-lo para não dar lugar a uma manifestação pública.

Saímos.

— Cear a esta hora — disse o capitão — não é próprio de um rapaz como o senhor; mas eu cá sou velho e militar.

Não repliquei.

A falar verdade eu não tinha nenhuma preferência pelo teatro nem por coisa nenhuma; queria passar o tempo. Conquanto não me arrastasse nenhuma simpatia para o capitão, a maneira por que me tratava e a circunstância de ter sido companheiro de armas de meu pai, faziam com que a companhia dele fosse naquele momento mais aceitável que a de outro qualquer.

Além destas razões todas, a vida que eu levava era tão monótona que a diversão do capitão Mendonça devia encher uma boa página com matéria nova. Digo a diversão do capitão Mendonça, porque o meu companheiro tinha não sei quê no gesto e nos olhos que me parecia excêntrico e original. Encontrar um original ao meio de tantas cópias de que anda farta a vida humana, não é uma fortuna?

Acompanhei, portanto, o meu capitão, que continuou a falar durante o caminho todo, arrancando-me apenas de longe em longe um monossílabo.

No fim de algum tempo paramos defronte de uma casa velha e escura.

— Vamos entrar — disse Mendonça.

— Que rua é esta? — perguntei eu.

— Pois não sabe? Oh! como anda com a cabeça a juros! Esta é a rua da Guarda Velha.

— Ah!

O velho bateu três pancadas; daí a alguns segundos *rangia a porta nos gonzos* e nós entrávamos num corredor escuro e úmido.

— Então não trouxeste luz? — perguntou Mendonça a alguém que eu não via.

— Vim com pressa.

— Bem; fecha a porta. Dê cá a mão, senhor Amaral; esta entrada é um pouco esquisita, mas lá em cima estaremos melhor.

Dei-lhe a mão.

— Está trêmula — observou o capitão Mendonça.

Eu tremia, com efeito; pela primeira vez surgiu-me no espírito a suspeita de que o pretendido amigo de meu pai não fosse mais que um ladrão, e aquilo uma ratoeira armada aos néscios.

Mas era tarde para retroceder; qualquer demonstração de medo seria pior. Por isso, respondi alegremente:

— Se lhe parecer que não há de tremer quem entre por um corredor como este, o qual, haja de perdoar, parece o corredor do inferno.

— Quase acertou — disse o capitão, guiando-me pela escada acima.

— Quase?

— Sim; não é o inferno, mas é o purgatório.

Estremeci ao ouvir estas últimas palavras; todo o meu sangue precipitou-se para o coração, que começou a bater apressado. A singularidade da figura do capitão, a singularidade da casa, tudo se acumulava para encher-me de terror. Felizmente chegamos acima e entramos para uma sala iluminada a gás, e mobiliada como todas as casas deste mundo.

Para gracejar e conservar toda a independência do meu espírito, disse sorrindo:

— Está feito, o purgatório tem boa cara; em vez de caldeiras tem sofás.

— Meu rico senhor — respondeu o capitão, olhando fixamente para mim, coisa que pela primeira vez acontecia, porque o seu olhar era sempre vesgo —; meu rico senhor, se pensa que desse modo arranca o meu segredo está muito enganado. Convidei-o para cear; contente-se com isto.

Não respondi; as palavras do capitão desvaneceram as minhas suspeitas acerca da intenção com que ele ali me trouxera, mas criaram outras impressões; suspeitei que o capitão estivesse doido; e o menor incidente confirmava-me a suspeita.

— Moleque! — disse o capitão; e, quando o moleque apareceu, continuou: — prepara a ceia; tira vinho da caixa número vinte e cinco; vai; quero tudo pronto em um quarto de hora.

O moleque foi executar as ordens de Mendonça. Este, voltando-se para mim, disse:

— Sente-se e leia alguns destes livros. Vou mudar de roupa.
— Não volta ao teatro? — perguntei eu.
— Não.

II

Poucos minutos depois caminhávamos para a sala de jantar, que ficava nos fundos da casa. A ceia era farta e apetitosa; no centro campeava um soberbo assado frio; pastelinhos, doces, velhas botelhas de vinho, completavam a ceia do capitão.

— É um banquete — disse eu.
— Qual! é uma ceia ordinária... não vale nada.

Havia três cadeiras.

— Sente-se aqui — disse-me ele indicando a do meio, e sentando-se ele próprio na que ficava à minha esquerda. Compreendi que havia mais um conviva, mas não perguntei. Também não era preciso; daí a poucos segundos saía de uma porta em frente uma moça alta e pálida, que me cumprimentou e se dirigiu para a cadeira que ficava à minha direita.

Levantei-me, e fui apresentado pelo capitão à menina, que era filha dele, e acudia ao nome de Augusta.

Confesso que a presença da moça me tranquilizou um pouco. Não só deixara de estar a sós com um homem tão singular como o capitão Mendonça, mas também a presença da moça naquela casa indicava que o capitão, se era doido como eu suspeitava, era ao menos um doido manso.

Tratei de ser amável com a minha vizinha, enquanto o capitão trinchava o peixe com uma habilidade e destreza que bem indicavam a sua proficiência nos misteres da boca.

— Devemos ser amigos — disse eu a Augusta —, pois que nossos pais o foram também.

Augusta levantou para mim dois belíssimos olhos verdes. Depois sorriu e abaixou a cabeça com ar de casquilhice ou de modéstia, porque ambas as coisas podiam ser. Contemplei-a nessa posição; era uma formosa cabeça, perfeitamente modelada, um perfil correto, uma pele fina, cílios longos, e cabelos cor de ouro, áurea coma, como os poetas dizem do sol.

Durante esse tempo Mendonça tinha concluído a tarefa; e começava a servir-nos. Augusta brincava com a faca, talvez para mostrar-me a finura da mão e o torneado do braço.

— Estás muda, Augusta? — perguntou o capitão servindo-a de peixe.
— Qual, papai! estou triste.
— Triste? Então que tens?
— Não sei; estou triste sem causa.

Tristeza sem causa traduz-se muitas vezes por aborrecimento. Eu traduzi assim o dito da moça, e senti-me ferido no meu amor-próprio, aliás sem razão fundada. Para alegrar a moça tratei de alegrar a situação. Esqueci o estado do espírito do pai, que me parecia profundamente abalado, e entrei a conversar como se estivesse entre amigos velhos.

Augusta pareceu gostar da conversa; o capitão também entrou a rir como um homem de juízo; eu estava num dos meus melhores dias; acudiam-me os ditos engenhosos e as observações de algum chiste. Filho do século, sacrifiquei ao trocadilho, com tal felicidade que inspirei o desejo de ser imitado pela moça e pelo pai.

Quando a ceia acabou reinava entre nós a maior intimidade.

— Quer voltar ao teatro? — perguntou-me o capitão.

— Qual! — respondi.

— Quer dizer que prefere a nossa companhia, ou antes... a companhia de Augusta.

Esta franqueza do velho pareceu-me um pouco indiscreta. Estou certo de que fiquei rubro. Não aconteceu o mesmo a Augusta, que sorriu dizendo:

— Se assim é, não lhe devo nada, porque eu também prefiro agora a sua companhia ao melhor espetáculo deste mundo.

A franqueza de Augusta admirou-me ainda mais que a de Mendonça. Mas não era fácil mergulhar-me em reflexões profundas quando os belos olhos verdes da moça estavam pregados nos meus, parecendo dizer-me:

— Seja amável como até agora.

— Vamos para a outra sala — disse o capitão levantando-se.

Fizemos o mesmo. Dei o braço a Augusta, enquanto o capitão nos guiava para outra sala, que não era a de visitas. Sentamo-nos, menos o velho, que foi acender um cigarro numa das velas do candelabro, enquanto eu lançava um olhar rápido pela sala, que me pareceu de todo ponto estranha. A mobília era antiga, não só no molde, senão também na idade. No centro havia uma mesa redonda, grande, coberta com um tapete verde. Numa das paredes havia pendurados alguns animais empalhados. Na parede fronteira a essa havia apenas uma coruja, também empalhada, e com olhos de vidro verde, que, apesar de fixos, pareciam acompanhar todos os movimentos que a gente fazia.

Aqui voltaram os meus sustos. Olhei, entretanto, para Augusta, e esta olhou para mim. Aquela moça era o único laço que havia entre mim e o mundo, porque tudo naquela casa me parecia realmente fantástico; e eu já não duvidava do caráter purgatorial que me fora indicado pelo capitão.

Estivemos silenciosos alguns minutos; o capitão fumava o cigarro passeando com as mãos atrás das costas, posição que pode indicar a meditação de um filósofo ou a taciturnidade de um néscio.

De repente parou defronte de nós, sorriu, e perguntou-me:

— Não acha formosa esta pequena?

— Formosíssima — respondi.

— Que lindos olhos, não são?

— Lindíssimos, com efeito, e raros.

— Faz-me honra esta produção, não?

Respondi com um sorriso aprovador. Quanto a Augusta, limitou-se a dizer com adorável simplicidade:

— Papai é mais vaidoso do que eu; gosta de ouvir dizer que sou bonita. Quem não sabe disso?

— Há de notar — disse-me o capitão sentando-se — que esta pequena é franca demais para o seu sexo e idade...

— Não lhe acho defeito...

— Nada de evasivas; a verdade é essa. Augusta não se parece com as outras moças que pensam muito bem de si, mas sorriem quando lhes fazem algum cumprimento, e franzem o sobrolho quando não lhos fazem.

— Direi que é uma adorável exceção — respondi eu sorrindo para a moça, que me agradeceu sorrindo também.

— Isso é — disse o pai —; mas exceção completa.

— Uma educação racional — continuei eu —, pode muito bem...

— Não só a educação — tornou Mendonça —, mas até a origem. A origem é tudo, ou quase tudo.

Não entendi o que queria dizer o homem. Augusta parece que entendeu, porque entrou a olhar para o teto sorrindo maliciosamente. Olhei para o capitão; o capitão olhava para a coruja.

Reanimou-se a conversa por espaço de alguns minutos, ao cabo dos quais o capitão, que parecia ter uma ideia fixa, perguntou-me:

— Então acha esses olhos bonitos?

— Já lho disse; são tão formosos quanto raros.

— Quer que lhos dê? — perguntou o velho.

Inclinei-me dizendo:

— Seria muito feliz em possuir tão raras prendas; mas...

— Nada de cerimônias; se quer, dou-lhos; senão, limito-me a mostrar-lhos.

Dizendo isto, levantou-se o capitão e aproximou-se de Augusta, que inclinou a cabeça sobre as mãos dele. O velho fez um pequeno movimento, a moça ergueu a cabeça, o velho apresentou-me nas mãos os dois belos olhos da moça.

Olhei para Augusta. Era horrível. Tinha no lugar dos olhos dois grandes buracos como uma caveira. Desisto de descrever o que senti; não pude dar um grito; fiquei gelado. A cabeça da moça era o que mais hediondo pode criar imaginação humana; imaginem uma caveira viva, falando, sorrindo, fitando em mim os dois buracos vazios, onde pouco antes nadavam os mais belos olhos do mundo. Os buracos pareciam ver-me; a moça contemplava o meu espanto com um sorriso angélico.

— Veja-os de perto — dizia o velho diante de mim —; palpe-os; diga-me se já viu obra tão perfeita.

Que faria eu senão obedecer-lhe? Olhei para os olhos que o velho tinha na mão. Aqui foi pior; os dois olhos estavam fitos em mim, pareciam compreender-me tanto quanto os buracos vazios do rosto da moça; separados do rosto, não os abandonara a vida; a retina tinha a mesma luz e os mesmos reflexos. Daquele modo as duas mãos do velho olhavam para mim como se foram um rosto.

Não sei que tempo se passou; o capitão tornou a aproximar-se de Augusta; esta abaixou a cabeça, e o velho introduziu os olhos no seu lugar.

Era horrível tudo aquilo.

— Está pálido! — disse Augusta, obrigando-me a olhar para ela, já restituída ao estado anterior.

— É natural... — balbuciei eu —; vejo coisas...

— Incríveis? — perguntou o capitão esfregando as mãos.

— Efetivamente, incríveis — respondi —; não pensava...

— Isto é nada! — exclamou o capitão —; e eu folgo muito que ache incríveis essas coisas poucas que viu, porque é sinal de que eu vou fazer pasmar o mundo.

Tirei o lenço para limpar o suor que me caía em bagas. Durante esse tempo Augusta levantou-se e saiu da sala.

— Vê a graça com que ela anda? — perguntou o capitão. — Aquilo tudo é obra minha... é obra do meu gabinete.

— Ah!

— É verdade; é por ora a minha obra-prima; e creio que não há que dizer-lhe; pelo menos o senhor parece estar encantado...

Curvei a cabeça em sinal de assentimento. Que faria eu, pobre mortal sem força, contra um homem e uma rapariga que me pareciam dispor de forças desconhecidas aos homens?

Todo o meu empenho era sair daquela casa; mas por maneira que os não molestasse. Desejava que as horas tivessem asas; mas é nas crises terríveis que elas correm fatalmente lentas. Dei ao diabo os meus arrufos, que foram a causa do encontro com semelhante sujeito.

Parece que o capitão adivinhara aquelas minhas reflexões, porque continuou, depois de algum silêncio:

— Deve estar encantado, ainda que um tanto assustado e arrependido da sua condescendência. Mas isso é puerilidade; nada perdeu em vir aqui, antes ganhou; fica sabendo coisas que só mais tarde saberá o mundo. Não lhe parece melhor?

— Parece — respondi sem saber o que dizia.

O capitão continuou:

— Augusta é a minha obra-prima. É um produto químico; gastei três anos para dar ao mundo aquele milagre; mas a perseverança vence tudo, e eu sou dotado de um caráter tenaz. Os primeiros ensaios foram maus; três vezes saiu a pequena dos meus alambiques, sempre imperfeita. A quarta foi esforço de ciência. Quando aquela perfeição apareceu caí-lhe aos pés. O criador admirava a criatura!

Parece que eu tinha pintado o pasmo nos olhos, porque o velho disse:

— Vejo que se espanta de tudo isto, e acho natural. Que poderia o senhor saber de semelhante coisa?

Levantou-se, deu alguns passos, e sentou-se outra vez. Nesse momento entrou o moleque trazendo café.

A presença do moleque fez-me criar alma nova; imaginei que fosse ali dentro a única criatura verdadeiramente humana com quem me pudesse entender. Entrei a fazer-lhe sinais, mas não consegui ser entendido. O moleque saiu, e fiquei a sós com o meu interlocutor.

— Beba o seu café, meu amigo — disse-me ele, vendo que eu hesitava, não por medo, mas porque realmente não tinha vontade de tomar coisa nenhuma.

Obedeci como pude.

III
Augusta tornou à sala.

O velho voltou-se para contemplá-la; nenhum pai olhou ainda para sua filha com mais amor do que aquele. Via-se bem que o amor era realçado pelo orgulho; havia no olhar do capitão uma certa altivez que em geral não acompanha a ternura paterna.

Não era um pai, era um autor.

Quanto à moça, parecia também orgulhosa de si. Sentia bem quanto o pai a admirava. Conhecia que todo o orgulho do velho estava nela, e por compensação todo o orgulho dela estava no autor dos seus dias. Se a *Odisseia* tivesse a mesma forma, teria o mesmo sentir, quando Homero a contemplasse.

Coisa singular! Impressionava-me aquela mulher, apesar da sua origem misteriosa e diabólica; eu sentia ao pé dela uma sensação nova, que não sei se era amor, se admiração, se fatal simpatia.

Quando fitava os olhos dela dificilmente podia afastar os meus, e contudo já tinha visto os seus lindíssimos olhos nas mãos do pai, já tinha contemplado com terror os buracos vazios como os olhos da morte.

Ainda que lentamente, adiantava-se a noite; ia amortecendo o ruído de fora; entrávamos no silêncio absoluto que tão tristemente quadrava com a sala em que me eu achava e os interlocutores com quem me entretinha.

Era natural retirar-me; levantei-me e pedi licença ao capitão para sair.

— Ainda é cedo — respondeu.

— Mas eu voltarei amanhã.

— Voltará amanhã e quando quiser; mas por hoje é cedo. Nem sempre se encontra um homem como eu; um irmão de Deus, um deus na terra, porque eu também posso criar como ele; e até melhor, porque eu fiz Augusta e ele nem sempre faz criaturas como esta. Os hotentotes, por exemplo...

— Mas — disse eu — tenho pessoas que me esperam...

— É possível — disse o capitão sorrindo —, mas por agora não há de ir...

— Por que não? — interrompeu Augusta. — Acho que pode ir, com a condição de que volta amanhã.

— Voltarei.

— Jura-me?

— Juro.

Augusta estendeu-me a mão.

— Está dito! — disse ela. — Mas se faltar...

— Morre — acrescentou o pai.

Senti um calafrio ao ouvir a última palavra de Mendonça. Entretanto, saí, despedindo-me o mais alegre e cordialmente que pude.

— Venha à noite — disse o capitão.

— Até amanhã — respondi.

Quando cheguei à rua respirei. Estava livre. Acabara-se-me aquela tortura que nunca havia imaginado. Apressei o passo e entrei em casa, meia hora depois.

Foi-me impossível conciliar o sono. A cada instante via o meu capitão com os olhos de Augusta nas mãos, e a imagem da moça flutuava entre o nevoeiro da minha imaginação como uma criatura de Ossian.

Quem eram aquele homem e aquela menina? A menina era realmente um produto químico do velho? Ambos mo haviam afirmado, e até certo ponto tive a prova disso. Podia supô-los doidos, mas o episódio dos olhos desvanecia essa ideia. *Estaria eu ainda no mundo dos vivos, ou começara já a entrar na região dos sonhos e do desconhecido?*

Só a fortaleza do meu espírito resistiu a tamanhas provas; outro, que fosse mais fraco, teria enlouquecido. E seria melhor. O que tornava a minha situação mais dolorosa e impossível de suportar era justamente a perfeita solidez da minha razão. Do conflito da minha razão com os meus sentidos resultava a tortura em que me eu achava; os meus olhos viam, a minha razão negava. Como conciliar aquela evidência com aquela incredulidade?

Não dormi. No dia seguinte saudei o sol como um amigo ansiosamente esperado. Vi que estava no meu quarto; o criado trouxe-me o almoço, que era todo composto de coisas deste mundo; cheguei à janela e dei com os olhos no edifício da Câmara dos Deputados; não tinha que ver mais; eu estava ainda na terra, e na terra estava ainda aquele maldito capitão e mais a filha.

Então refleti.

Quem sabe se eu não podia conciliar tudo? Lembrei-me de todas as pretensões da química e da alquimia. Ocorreu-me um conto fantástico de Hoffmann em que um alquimista pretende ter alcançado o segredo de produzir criaturas humanas. A criação romântica de ontem não podia ser a realidade de hoje? E se o capitão tinha razão não era para mim grande glória denunciá-lo ao mundo?

Há em todos os homens alguma coisa da *mosca do carroção*; confesso que, prevendo o triunfo do capitão, lembrei-me logo de ir agarrado às abas da sua imortalidade. Era difícil crer na obra do homem; mas quem acreditou em Galileu? quantos não deixaram de crer em Colombo? A incredulidade de hoje é a sagração de amanhã. A verdade desconhecida não deixa de ser verdade. É verdade por si mesma, não o é pelo consenso público. Ocorreu-me a imagem dessas estrelas que os astrônomos descobrem agora sem que elas tenham deixado de existir muitos séculos antes.

Razões de coronel ou razões de cabo de esquadra, o certo é que eu as dei a mim próprio e foi em virtude delas, não menos que pela fascinação do olhar da moça, que eu lá me apresentei em casa do capitão à rua da Guarda Velha apenas anoiteceu.

O capitão estava à minha espera.

— Não saí de propósito — disse-me ele —; contava que viesse, e queria dar-lhe o espetáculo de uma composição química. Trabalhei o dia todo para preparar os ingredientes.

Augusta recebeu-me com uma graça verdadeiramente adorável. Beijei-lhe a mão como se fazia antigamente às senhoras, costume que se trocou pelo aperto de mão, aliás digno de um século grave.

— Tive saudades suas — disse-me ela.

— Sim?

— Aposto que as não teve de mim?

— Tive.

— Não acredito.

— Por quê?

— Porque eu não sou filha bastarda. Todas as outras mulheres são filhas bastardas, eu só posso gabar-me de ser filha legítima, porque sou filha da ciência e da vontade do homem.

Não me admirava menos a linguagem que a beleza de Augusta. Evidentemente era o pai quem lhe incutia semelhantes ideias. A teoria que ela acabava de expor era tão fantástica como o seu nascimento. O certo é que a atmosfera daquela casa já me punha no mesmo estado que os dois habitantes dela. Foi assim que alguns segundos depois repliquei:

— Conquanto eu admire a ciência do capitão, lembro-lhe que ainda assim ele não fez mais do que aplicar elementos da natureza à composição de um ente que até agora parecia excluído da ação dos reagentes químicos e dos instrumentos de laboratório.

— Tem razão até certo ponto — disse o capitão —; mas acaso sou eu menos admirável?

— Pelo contrário; e nenhum mortal até hoje pode gabar-se de ter ombreado com o senhor.

Augusta sorriu agradecendo-me. Notei mentalmente o sorriso, e parece que a ideia transluziu no meu rosto, porque o capitão, sorrindo também, disse:

— A obra saiu perfeita, como vê, depois de muitos ensaios. O penúltimo ensaio era completo, mas faltava uma coisa à obra; e eu queria que ela saísse tão completa como a que o *outro* fez.

— Que lhe faltava então? — perguntei eu.

— Não vê — continuou o capitão — como Augusta sorri de contente quando lhe fazem alguma alusão à beleza?

— É verdade.

— Pois bem, a penúltima Augusta que me saiu do laboratório não tinha isso; esquecera-me incutir-lhe a vaidade. A obra podia ficar assim, e estou que seria, aos olhos de muitos, mais perfeita do que esta. Mas eu não penso assim; o que eu queria era fazer uma obra igual à do *outro*. Por isso, reduzi outra vez tudo ao estado primitivo, e tratei de introduzir na massa geral uma dose maior de mercúrio.

Não creio que o meu rosto me traísse naquele momento; mas o meu espírito fez uma careta. Estava disposto a crer na origem química de Augusta, mas hesitava ouvindo os pormenores da composição.

O capitão continuou, olhando ora para mim, ora para a filha, que parecia extasiada ouvindo a narração do pai:

— Sabe que a química foi chamada pelos antigos, entre outros nomes, ciência de Hermes. Acho inútil lembrar-lhe que Hermes é o nome grego de Mercúrio, e mercúrio é o nome de um corpo químico. Para introduzir na composição de uma criatura humana a consciência, deita-se no alambique uma onça de mercúrio. Para fazer a vaidade dobra-se a dose do mercúrio, porque a vaidade, segundo a minha opinião, não é mais que a irradiação da consciência; à contração da consciência chamo eu modéstia.

— Parece-lhe então — disse eu — que homem vaidoso é aquele que recebeu uma grande dose de mercúrio no seu organismo?

— Sem dúvida nenhuma. Nem pode ser outra coisa; o homem é um composto de moléculas e corpos químicos; quem os souber reunir tem alcançado tudo.

— Tudo?

— Tem razão; tudo, não; porque o grande segredo consiste em uma descoberta que eu fiz e constitui por assim dizer o princípio da vida. Isso é que há de morrer comigo.

— Por que não o declara antes para adiantamento da humanidade?

O capitão levantou os ombros desdenhosamente; foi a única resposta que obtive.

Augusta tinha-se levantado e foi ao piano tocar alguma coisa que me pareceu ser uma sonata alemã. Eu pedi licença ao capitão para fumar um charuto, enquanto o moleque veio receber ordens relativas ao chá.

IV

Acabado o chá, disse-me o capitão:

— Doutor, preparei hoje uma experiência em honra sua. Sabe que o diamante não é mais que o carvão de pedra cristalizado. Há tempos tentou um sábio químico reduzir o carvão de pedra a diamante, e li num artigo de revista que conseguiria apenas compor um pó de diamante, e nada mais. Eu alcancei o resto; vou mostrar-lhe um pedaço de carvão de pedra e transformá-lo em diamante.

Augusta bateu palmas de contente. Admirado dessa alegria súbita, perguntei-lhe sorrindo a causa.

— Gosto muito de ver uma operação química — respondeu ela.
— Deve ser interessante — disse eu.
— E é. Não sei até se papai era capaz de me fazer uma coisa.
— O que é?
— Eu lhe direi depois.

Daí a cinco minutos estávamos todos no laboratório do capitão Mendonça, que era uma sala pequena e escura, cheia dos instrumentos competentes. Sentamo-nos, Augusta e eu, enquanto o pai preparava a transformação anunciada.

Confesso que, apesar da minha curiosidade de homem de ciência, dividia a minha atenção entre a química do pai e as graças da filha. Augusta tinha efetivamente um aspecto fantástico; quando entrou no laboratório respirou largamente e com prazer, como quando se respira o ar embalsamado dos campos. Via-se que era o seu ar natal. Travei-lhe da mão, e ela com esse estouvamento próprio da castidade ignorante, puxou a minha mão para si, fechou-a entre as suas, e pô-las no regaço. Nesse momento passou o capitão ao pé de nós; viu-nos e sorriu à socapa.

— Vê — disse-me ela inclinando-se ao meu ouvido —, meu pai aprova.
— Ah! — disse eu, meio alegre, meio espantado de ver aquela franqueza da parte de uma menina.

No entanto, o capitão trabalhava ativamente na transformação do carvão de pedra em diamante. Para não ofender a vaidade do inventor fazia-lhe eu de quando em quando alguma observação, a que ele respondia sempre. A minha atenção, porém, estava toda voltada para Augusta. Não era possível ocultá-lo; eu já a amava; e por cúmulo de ventura era amado também. O casamento seria o desenlace natural daquela simpatia. Mas deveria eu casar-me, sem deixar de ser bom cristão? Esta ideia transtornou um pouco o meu espírito. Escrúpulos de consciência!

A moça era um produto químico; seu único batismo foi um banho de súlfur. A ciência daquele homem explicava tudo; mas a minha consciência recuava. E por quê? Augusta era tão bela como as outras mulheres — talvez mais bela —, pela mesma razão que a folha da árvore pintada é mais bela que a folha natural. Era um produto de arte; o saber do autor despojou o tipo humano de suas incorreções para criar um tipo ideal, um exemplar único. Ah triste! era justamente essa idealidade que nos separaria aos olhos do mundo!

Não sei dizer que tempo gastou o capitão na transformação do carvão; eu deixava correr o tempo olhando para a moça e contemplando os seus belos olhos em que havia todas as graças e vertigens do mar.

De repente o cheiro acre do laboratório começou a aumentar de intensidade; eu que não estava acostumado senti-me um pouco incomodado, mas Augusta pediu-me que ficasse ao pé dela, sem o que teria saído.

— Não tarda! não tarda! — exclamou o capitão com entusiasmo.

A exclamação era um convite que nos fazia; eu deixei-me estar ao pé da filha. Seguiu-se um silêncio prolongado. Fui interrompido no meu êxtase pelo capitão, que dizia:

— Pronto! aqui está!

E efetivamente trouxe um diamante na palma da mão, perfeitíssimo e da melhor água. O volume era metade do carvão que servira de base à operação química. Eu, à vista da criação de Augusta, já me não admirava de nada. Aplaudi o capitão; quanto à filha, saltou-lhe ao pescoço e deu-lhe dois apertadíssimos abraços.

— Já vejo, meu caro senhor capitão, que deste modo deve ficar rico. Pode transformar em diamante todo o carvão que lhe parecer.

— Para quê? — perguntou-me ele. — Aos olhos de um naturalista o diamante e o carvão de pedra valem a mesma coisa.

— Sim, mas aos olhos do mundo...

— Aos olhos do mundo o diamante é a riqueza, bem sei; mas é a riqueza relativa. Suponha, meu rico senhor Amaral, que as minas de carvão do mundo inteiro, por meio de um alambique monstro, se transformam em diamante. De um dia para outro o mundo caía na miséria. O carvão é a riqueza; o diamante é o supérfluo.

— Concordo.

— Faço isto para mostrar que posso e sei; mas não o direi a ninguém. É segredo que fica comigo.

— Não trabalha então por amor à ciência?

— Não; tenho algum amor à ciência, mas é um amor platônico. Trabalho para mostrar que sei e posso criar. Quanto aos outros homens, importa-me pouco que saibam ou não. Chamar-me-ão egoísta; eu digo que sou filósofo. Quer este diamante como prova da minha estima e amostra do meu saber?

— Aceito — respondi.

— Aqui o tem; mas lembre-se sempre que esta pedra rutilante, tão procurada no mundo, e de tanto valor, capaz de lançar a guerra entre os homens, esta pedra não é mais que um pedaço de carvão.

Guardei o brilhante, que era lindíssimo, e acompanhei o capitão e a filha que saíam do laboratório. O que naquele momento me impressionava mais que tudo era a moça. Eu não trocaria por ela todos os diamantes célebres do mundo. Cada hora que passava ao pé dela aumentava a minha fascinação. Sentia invadir-me o delírio do amor; mais um dia e eu estaria unido àquela mulher irresistivelmente; separar-nos seria a morte para mim.

Quando chegamos à sala, o capitão Mendonça perguntou à filha, batendo uma pancada na testa:

— É verdade! Não me disseste que tinhas de pedir-me uma coisa?
— Sim; mas agora é tarde; amanhã. O doutor aparece, não?
— Sem dúvida.
— Afinal — disse Mendonça —, o doutor há de acostumar-se aos meus trabalhos... e acreditará então...
— Já creio. Não posso negar a evidência; quem tem razão é o senhor; o resto do mundo não sabe nada.

Mendonça ouvia-me radiante de orgulho; o seu olhar, mais vago que nunca, parecia refletir a vertigem do espírito.

— Tem razão — disse ele, depois de alguns minutos —; eu estou muito acima dos outros homens. A minha obra-prima...
— É esta — disse eu apontando para Augusta.
— Por ora — respondeu o capitão —; mas eu medito coisas mais pasmosas; por exemplo, creio que descobri o meio de criar gênios.
— Como?
— Pego num homem de talento, notável ou medíocre, ou até num homem nulo, e faço dele um gênio.
— Isso é fácil...
— Fácil, não; é apenas possível. Aprendi isto... Aprendi? não, descobri isto, guiado por uma palavra que encontrei num livro árabe do século décimo sexto. Quer vê-lo?

Não tive tempo de responder; o capitão saiu e voltou daí a alguns segundos com um livro in-fólio na mão, grosseiramente impresso em caracteres árabes feitos com tinta vermelha. Explicou-me a sua ideia, mas por alto; eu não lhe prestei grande atenção; os meus olhos estavam embebidos nos de Augusta.

Quando saí era meia-noite. Augusta com voz suplicante e terna disse-me:
— Vem amanhã?
— Venho!

O velho estava de costas; eu levei a mão dela aos meus lábios e imprimi-lhe um longo e apaixonado beijo.

Depois saí correndo: tinha medo dela e de mim.

V

No dia seguinte recebi um bilhete do capitão Mendonça, logo de manhã.

Grande notícia! Trata-se da nossa felicidade, da sua, da minha e da de Augusta. Venha à noite sem falta.

Não faltei.

Fui recebido por Augusta, que me apertou as mãos com fogo. Estávamos sós; ousei dar-lhe um beijo na face. Ela corou muito, mas retribuiu-me imediatamente o beijo.

— Recebi hoje um bilhete misterioso de seu pai...
— Já sei — disse a moça —; trata-se com efeito da nossa felicidade.

Passava-se isto no patamar da escada.

— Entre! entre! — gritou o velho capitão.

Entramos.

O capitão estava na sala fumando um cigarro e passeando com as mãos nas costas, como na primeira noite em que o vira. Abraçou-me, e mandou que me sentasse.

— Meu caro doutor — disse-me ele depois que nos sentamos ambos, ficando Augusta de pé encostada à cadeira do pai —; meu caro doutor, raras vezes a fortuna cai a ponto de fazer a completa felicidade de três pessoas. A felicidade é a mais rara coisa deste mundo.

— Mais rara que as pérolas — disse eu sentenciosamente.

— Muito mais, e de maior valia. Dizem que César comprou por seis milhões de sestércios uma pérola, para presentear Sevília. Quanto não daria ele por essa outra pérola, que recebeu de graça, e que lhe deu o poder do mundo?

— Qual?

— O gênio. A felicidade é o gênio.

Fiquei um pouco aborrecido com a conversa do capitão. Eu cuidava que a felicidade de que se tratava para mim e Augusta era o nosso casamento. Quando o homem me falou no gênio, olhei para a moça com olhos tão aflitos, que ela veio em meu auxílio dizendo ao pai:

— Mas, papai, comece pelo princípio.

— Tens razão; desculpa se o sábio faz esquecer o pai. Trata-se, meu caro amigo — dou-lhe este nome —, trata-se de um casamento.

— Ah!

— Minha filha confessou-me hoje de manhã que o ama loucamente e é igualmente amada. Daqui ao casamento é um passo.

— Tem razão; amo loucamente sua filha, e estou pronto a casar-me com ela, se o capitão consente.

— Consinto, aplaudo e agradeço.

Preciso acaso dizer que a resposta do capitão, ainda que prevista, encheu de felicidade o meu coração ambicioso? Levantei-me e apertei alegremente a mão do capitão.

— Compreendo! compreendo! — disse o velho. — Já passaram por mim essas coisas. O amor é quase tudo na vida; a vida tem duas grandes faces: o amor e a ciência. Quem não compreender isto [não] é digno de ser homem. O poder e a glória não impedem que a caveira de Alexandre seja igual à caveira de um truão. As grandezas da terra não valem uma flor nascida à beira dos rios. O amor é o coração, a ciência a cabeça; o poder é simplesmente a espada...

Interrompi esta enfadonha preleção acerca das grandezas humanas dizendo a Augusta que desejava fazer a sua felicidade e ajudar com ela a tornar tranquila e alegre a velhice do pai.

— Lá por isso não se incomode, meu genro. Eu hei de ser feliz, quer queiram quer não. Um homem de minha têmpera nunca é infeliz. Tenho a felicidade nas mãos, não a faço depender de vãos preconceitos sociais.

Poucas palavras mais trocamos neste assunto, até que Augusta tomou a palavra dizendo:

— Mas, papai, ainda lhe não falou das nossas condições.

— Não te impacientes, pequena; a noite é grande.

— De que se trata? — perguntei eu.

Mendonça respondeu:

— Trata-se de uma condição lembrada por minha filha; e que o doutor naturalmente aceita.

— Pois não!

— Minha filha — continuou o capitão — deseja uma aliança digna de si e de mim.

— Não lhe parece que eu possa?...

— É excelente para o caso, mas falta-lhe uma pequena coisa...

— Riqueza?

— Ora, riqueza! isso tenho eu de sobra... se quiser. O que lhe falta, meu rico, é justamente o que me sobra.

Fiz um gesto de compreender o que ele dizia, mas simplesmente por formalidade, porque eu não compreendia nada.

O capitão tirou-me do embaraço.

— Falta-lhe gênio — disse.

— Ah!

— Minha filha pensa muito bem que a descendente de um gênio, só de outro gênio pode ser esposa. Não hei de entregar a minha obra às mãos grosseiras de um hotentote; e posto que, na planta geral dos outros homens, o senhor seja efetivamente um homem de talento, aos meus olhos não passa de um animal muito mesquinho, pela mesma razão de que quatro candelabros alumiam uma sala e não poderiam alumiar a abóbada celeste.

— Mas...

— Se lhe não agrada a figura, dou-lhe outra mais vulgar: a mais bela estrela do céu nada vale desde que aparece o sol. O senhor será uma bonita estrela, mas eu sou o sol, e diante de mim vale tanto uma estrela como um fósforo, como um vagalume.

O capitão dizia isto com um ar diabólico, e o olhar mais vago que nunca. Receei que realmente o meu capitão, apesar de sábio, tivesse um acesso de loucura. Como sair-lhe das garras? e teria eu ânimo de fazê-lo diante de Augusta, a quem me prendia uma simpatia fatal?

Interveio a moça.

— Bem sabemos de tudo isto — disse ela ao pai —; mas não se trata de dizer que ele nada vale; trata-se de dizer que há de valer muito... tudo.

— Como assim? — perguntei.

— Introduzindo-lhe o gênio.

Apesar da conversa que a este respeito tivemos na noite anterior, não compreendi logo a explicação de Mendonça; mas ele teve a caridade de me expor claramente a sua ideia.

— Depois de profundas e pacientes investigações, cheguei a descobrir que o talento é uma pequena quantidade de éter encerrado numa cavidade do cérebro; o gênio é o mesmo éter em porção centuplicada. Para dar gênio a um homem de talento basta inserir na referida cavidade do cérebro mais noventa e nove quantidades de éter puro. É justamente a operação que vamos fazer.

Deixo a imaginação do leitor calcular a soma de espanto que me causou este feroz projeto do meu futuro sogro; espanto que redobrou quando Augusta disse:

— É uma verdadeira felicidade que papai houvesse feito esta descoberta. Faremos hoje mesmo a operação, sim?

Seriam dois loucos? ou andaria eu num mundo de fantasmas? Olhei para ambos; ambos estavam risonhos e tranquilos como se houvessem dito a coisa mais natural deste mundo.

Tranquilizou-se-me o ânimo a pouco e pouco; refleti que era um homem robusto, e que não seria um velho e uma moça débil que me haviam de forçar a uma operação que eu considerava um simples e puro assassinato.

— A operação será hoje — disse Augusta depois de alguns instantes.

— Hoje, não — respondi —; mas amanhã a esta hora com toda a certeza.

— Por que não hoje? — perguntou a filha do capitão.

— Tenho muito que fazer.

O capitão sorriu com ar de quem não engolia a pílula.

— Meu genro, eu sou velho e conheço todos os recursos da mentira. O adiamento que nos pede é uma evasiva grosseira. Pois não é muito melhor ser hoje um grande luzeiro da humanidade, um êmulo de Deus, do que ficar até amanhã simples homem como os outros?

— Sem dúvida; mas amanhã teremos mais tempo...

— Eu apenas lhe peço meia hora.

— Pois bem, será hoje; mas eu desejo simplesmente dispor agora de uns três quartos de hora, findos os quais volto e fico à sua disposição.

O velho Mendonça fingiu aceitar a proposta.

— Pois sim; mas para ver que eu não me descuidei do senhor, ande cá ao laboratório ver a soma de éter que pretendo introduzir-lhe no cérebro.

Fomos ao laboratório; Augusta ia pelo meu braço; o capitão caminhava adiante com uma lanterna na mão. O laboratório estava iluminado com três velas em forma de triângulo. Noutra ocasião perguntaria eu a razão daquela disposição especial das velas; mas naquele momento todo o meu desejo era estar longe de semelhante casa.

E contudo uma força me prendia, e dificilmente poderia eu arrancar-me dali; era Augusta. Aquela moça exercia sobre mim uma pressão a um tempo doce e dolorosa; sentia-me escravo dela, a minha vida como que se fundia na sua; era uma fascinação vertiginosa.

O capitão sacou de um caixão de madeira preta um frasco contendo éter. Disse-me ele que havia no frasco, porque eu não vi coisa nenhuma, e fazendo esta observação, respondeu-me ele:

— Pois precisa ver o gênio? Afirmo-lhe que há aqui dentro noventa e nove doses de éter, as quais, juntas à única dose que a natureza lhe deu, formarão cem doses perfeitas.

A moça pegou no frasco e o examinou contra a luz. Pela minha parte, limitei-me a convencer o homem por meio da minha simplicidade.

— Afirma-me — disse-lhe eu — que é gênio de primeira ordem?

— Afirmo-lho. Mas por que se há de fiar em palavras? O senhor vai saber o que é.

Dizendo isto puxou-me pelo braço com tamanha força que eu vacilei. Compreendi que era chegada a crise fatal. Procurei desvencilhar-me do velho, mas senti cair-me na cabeça três ou quatro gotas de um líquido gelado; perdi as forças, fraquearam-me as pernas; caí no chão sem movimento.

Aqui não poderei descrever cabalmente a minha tortura; eu via e ouvia tudo sem poder articular uma palavra nem fazer um gesto.

— Queria lutar comigo, maganão? — dizia o químico. — Lutar com aquele que te vai fazer feliz! Era ingratidão antecipada; amanhã tu me hás de abraçar contentíssimo.

Voltei os olhos para Augusta; a filha do capitão preparava um longo estilete, enquanto o velho tratava de introduzir sutilmente no frasco um finíssimo tubo de borracha destinado a transportar o éter do frasco para o interior do meu cérebro.

Não sei que tempo durou a preparação do meu suplício; sei que ambos se aproximaram de mim; o capitão trazia o estilete e a filha o frasco.

— Augusta — disse o pai —, toma cuidado [para que] não se derrame éter nenhum; olha, traz aquela luz; bem; senta-te aí no banquinho. Eu vou furar-lhe a cabeça. Apenas sacar o estilete, introduze-lhe o tubo e abre a pequena mola. Bastam dois minutos; aqui tens o relógio.

Ouvi aquilo tudo banhado em suores frios. De repente os olhos foram-se-me enterrando; as feições do capitão assumiram proporções descomunais e fantásticas; uma luz verde e amarela enchia todo o quarto; pouco a pouco os objetos iam perdendo as formas, e tudo em volta de mim ficou mergulhado numa penumbra crepuscular.

Senti uma dor agudíssima no alto do crânio; o corpo estranho penetrou até o interior do cérebro. Não sei de mais nada. Creio que desmaiei.

Quando dei acordo de mim o laboratório estava deserto; pai e filha tinham desaparecido. Pareceu-me ver em frente de mim uma cortina. Uma voz forte e áspera soou aos meus ouvidos:

— Olá! acorde!
— Que é?
— Acorde! quem tem sono dorme em casa, não vem ao teatro.

Abri de todo os olhos; vi em frente de mim um sujeito desconhecido; eu achava-me sentado numa cadeira no teatro de São Pedro.

— Ande — disse o sujeito —, quero fechar as portas.
— Pois o espetáculo acabou?
— Há dez minutos.
— E eu dormi esse tempo todo?
— Como uma pedra.
— Que vergonha!
— Realmente, não fez grande figura; todos que estavam perto riam de o ver dormir enquanto se representava. Parece que o sono foi agitado...
— Sim, um pesadelo... Queira perdoar; vou-me embora.

E saí protestando não recorrer, em casos de arrufo, aos dramas ultra-românticos: são pesados demais.

Quando ia pôr o pé na rua, chamou-me o porteiro, e entregou-me um bilhete do capitão Mendonça. Dizia assim:

Meu caro doutor. — Entrei há pouco e vi-o dormir com tão boa vontade que achei mais prudente ir-me embora pedindo-lhe que me visite quando quiser, no que me dará muita honra.

10 horas da noite.

Apesar de saber que o Mendonça da realidade não era o do sonho, desisti de o ir visitar. Berrem os praguentos, embora — tu és a rainha do mundo, ó superstição.

Jornal das Famílias, *abril-maio de 1870;* Machado de Assis.

O rei dos caiporas

Os acontecimentos humanos são regidos por um destino cego e caprichoso? Há estrelas propícias e estrelas funestas? Tem fundamento a crença popular de que certas criaturas são felizes porque choraram no ventre materno, e outras desgraçadas porque não choraram nem riram?

Questão é esta que não me atrevo a deslindar. A filosofia diz que os homens dependem de si; o vulgo aponta mil casos em que todos os esforços de um homem vão esbarrar diante de uma força invisível que o não deixa dar um passo adiante. A filosofia é uma boa senhora, e o vulgo é um sujeito prático; seria parcialidade inclinar-me a qualquer deles. Atento-me a ambos.

O que vou contar alude a esta questão de fatalidade e destino. O vulgo inventou uma palavra para indicar a fatalidade de um homem; chama-lhe Caiporismo. Os dicionários ainda não trazem o termo, mas ele corre já pelas salas e ruas e adquiriu direito de cidade.

João das Mercês era o tipo do homem caipora. O destino com todas as suas legiões de auxiliares tinha tomado a pessoa de João das Mercês por alvo de seus tiros. João das Mercês se caísse de costas tinha toda a certeza de quebrar o nariz.

Choveram-lhe desde o berço as contrariedades. Entrou no mundo com o pé esquerdo. É mister ler esta expressão com a sua significação literal e real. A mãe de João das Mercês não resistiu aos trabalhos cirúrgicos e faleceu horas depois de vir à luz o filho.

Foi-se buscar à pressa uma ama. Encontrou-se ao cabo de algumas horas uma preta que alimentou o pequeno durante cinco dias e morreu de erisipela em um joelho. A segunda ama era uma mulher livre que tinha a mania de jogar na loteria, e que ao fim de um mês tirou a sorte grande: saiu da casa para ir abrir uma loja de costuras. A terceira entrou a amar o irmão mais velho do pequeno, com violência tal, que o pai julgou acertado mandá-la embora. Veio quarta ama que era dorminhoca e deixava o pequeno berrar toda a santa noite; a quinta ama era respondona; a sexta dividia os afetos entre o menino e um permanente; a sétima foi aturada até o fim do tempo da amamentação, a despeito de uma voz de soprano que irritava os nervos do dono da casa, cantando modinhas do norte todo o santíssimo dia.

Parece que esta variedade de leite e de amas influiu poderosamente em João das Mercês. Logo nos primeiros anos verificou-se nele uma tendência pronunciada para o sono, influxo da quarta ama. Aos cinco anos nada o alegrava mais que ver passar a tropa na rua, gosto que lhe ficou naturalmente do leite que bebeu à namorada do permanente. Aos sete anos cantava sofrivelmente, aos oito teve uma erisipela, aos doze furtou ao pai cinco mil-réis para comprar um quarto de loteria; aos quinze começou a namorar uma prima e aos dezesseis foi posto fora de casa por seus atrevimentos.

Aqui temos nós João das Mercês na rua, com dezesseis anos, sem vintém na algibeira, nem pouso certo. Felizmente a prima que ele namorava ainda tinha mãe e pai, que eram muito amigos de João das Mercês e haviam até brigado com o pai dele a propósito de umas palmatoadas que este aplicara no filho. João encaminhou-se para lá.

— Meu pai deitou-me fora de casa — disse ele a d. Angélica —; venho ver se me dão pouso e mesa, porque não tenho outro recurso.

— Fica João — respondeu a sra. d. Angélica —; fizeste bem em te lembrares que ainda tens uma tia; aqui não te há de faltar nada, ao menos enquanto eu e o Gaspar vivermos.

Marianinha apareceu na sala e soube das desgraças do jovem primo. Ao mesmo tempo teve notícia de que ele ia morar lá. Marianinha que era o tipo da inocência, bateu palmas e apertou a mão do primo, com uma efusão tal que não escapou à perspicácia da sra. d. Angélica.

D. Angélica tinha muitas razões para patrocinar os amores da filha e do sobrinho. Bem sabia ela que João das Mercês não tinha herança nem emprego; mas em compensação Marianinha tinha uma perna mais curta que a outra. Arranjado o rapaz, bem se lhe podia dar a pequena e tudo ficava em casa.

Gaspar aprovou todas as decisões da mulher, com tanta maior benevolência quanto que, se as não aprovasse, seria a mesma coisa. Durante vinte anos de casamento, não constava que Gaspar tivesse jamais iniciado alguma coisa em casa, nem sequer desaprovado a mulher. D. Angélica teve sempre o comando do exército doméstico, e devo acrescentar com a fidelidade de um romancista sincero que d. Angélica exercia esse comando com uma severidade digna de um general.

A boa velha era caprichosa; o marido era o tipo da obediência. Um dia acordou d. Angélica com a ideia de que o esposo devia usar suíças. Gaspar que trazia a barba toda, desde que ela achou que era a única moda respeitável, ia ao barbeiro e punha abaixo metade do pelo. Dois meses depois, Angélica adotava o sistema dos bigodes, por se ter namorado de um retrato de Napoleão III. O marido voltava para casa com uma faixa de soldado francês. Suspeitava-se que o corte das calças inexplicáveis de Gaspar era produção de d. Angélica.

Aqui temos, em duas palavras, a nova família de João das Mercês. Sabendo com que amor o tratavam, o nosso João imaginou que ia levar uma vida regalada. Infelizmente foi ilusão que durou pouco. D. Angélica disse um dia à mesa que era preciso arranjar algum emprego para o sobrinho. Gaspar não se fez esperar. Foi dali a um cavalheiro com que andara na escola e que ocupava então o lugar de ministro da Guerra. Pediu-lhe um emprego. Gaspar foi notável durante toda a sua vida pelo aferro com que sempre acompanhara o ministério atual. Obteve o emprego.

João das Mercês obedeceu à intimação da sua tia e foi ocupar o lugar no Arsenal de Guerra, tendo obtido antes consentimento do pai.

Marianinha amava o primo, com toda a força de seus quinze anos. Era uma rapariga assaz bonita, assaz faceira, dotada de um excelente coração. João das Mercês que era estouvado e mal-educado não deixava de ter igualmente um coração digno de apreço. Amavam-se estas duas criaturas com o aferro de um primeiro amor. D. Angélica alimentava esta chama que, segundo ela, devia ser legitimada na igreja.

João das Mercês também nutria essas esperanças; e tratava de as comunicar à prima.

— Quando formos casados — dizia ele—, havemos de ser felizes.
— Casados?
— Sim.
— Quando há de ser?
— Um dia, quando eu tiver mais idade.
— Ah! se fosse já!...

Gaspar ouviu um dia esta conversa, e não se pôde ter de furor.

— Casar! — exclamou ele. — Pois vocês já falam em casar? Onde é que se viu isto? Que diria tua mãe, quando souber que já a minha filha fala em casamento? E tu, meu pirralho, que ideias andas metendo na cabeça de tua prima? Ora esperem!

Marianinha tremia; João murmurava uma resposta ao tio, quando este chegando-se à porta gritou para dentro:

— Oh! senhora dona Angélica!
— Que temos? — gritou de dentro a esposa de Gaspar.
— Queira vir até cá — respondeu o marido com voz macia.
— Não me faltava mais nada! venha cá você.

Gaspar fez um gesto de ameaça aos pequenos e foi ter com a mulher a que expôs o que acabava de ouvir.

— E que tem você com isso? — disse-lhe a mulher. — Se os pequenos gostam um do outro, fazem muito bem; e eu até estimo isso, porque já andava com ideias de os unir. Você veio atrapalhar tudo; ora vai, vai tranquilizar os pequenos.

Gaspar engoliu dificilmente a pílula. Atravessou o corredor como se passasse pelas forcas caudinas; e voltou à sala onde os namorados tremiam pelo desfecho da cena.

— O amor, meus filhos — disse ele —, é uma coisa santa, se vocês se amam com seriedade, sou o primeiro a aprovar esse sentimento que nos eleva aos nossos próprios olhos; o que eu combato, e que todos os bons pais devem combater, é o namoro sem fim, o passatempo indigno de jovens bem formados. Quando eu e a respeitável dona Angélica (aqui levantou muito a voz) nos amamos foi...

— Deixe-se de estar contando essas coisas aos pequenos — clamou de dentro a sra. d. Angélica.

— Foi seriamente — continuou Gaspar em voz baixa.

Tudo favorecia os amores de João das Mercês; mas ele não contava com o destino.

André das Mercês, pai do nosso João, arrependeu-se um dia de ter posto o filho fora de casa, e foi ter com a irmã para obter a volta de João das Mercês.

D. Angélica opôs-se vivamente à saída do sobrinho. Disse francamente ao irmão que o seu projeto era insensato; que, já que tinha praticado um erro, devia aguentar com todas as consequências dele.

André era tão esturrado como a irmã; respondeu-lhe rispidamente; ela insistiu; insistiu; e depois de uma longa discussão em que ambos mostraram toda a solidez da respectiva língua, saiu André disposto a proceder violentamente.

Em caminho refletiu que não era conveniente dar um escândalo, e que podia alcançar tudo por bons modos.

— Talvez ela hoje estivesse de mau humor — pensou ele.

Encontrou o cunhado e expôs-lhe a questão.

— Meu amigo — disse-lhe Gaspar —, eu aprovo o procedimento de minha mulher, sem deixar de aprovar as suas louváveis intenções...

— Louváveis, tem razão — acudiu André —; o que eu quero é receber meu filho em casa. Assiste-me o direito...

— Não contesto.

— A mana está teimosa; mas se você intervier, pode ser que eu consiga alguma coisa...

— Acha então que eu...

— Sem dúvida, venha comigo.

— Vamos. Minha mulher atende muito ao que eu digo. Com duas palavras minhas estou que arranjarei tudo. O caso é que o senhor não estrague tudo com as suas insistências... Deixe-me falar só.

— Estou por tudo; eu não desejo brigar com ela.

— Está visto. O que se quer é fazer-lhe ouvir a razão. Sabe o que são senhoras; caprichosas, intolerantes; mas deixe-me, eu farei tudo... Espere-me aqui um bocadinho, que eu vou ali à esquina comprar rapé, que tenho a caixa vazia.

— Eu vou também.

— Não; deixe-me ir só; o homem não gosta de vender rapé à vista de gente. São três minutos.

Gaspar voltou à esquina e meteu-se em um corredor. André, depois de passear perto de um quarto de hora, foi à esquina e perguntou no armarinho pelo cunhado.

— Aqui só veio um preto comprar uma vela de cera — respondeu o caixeiro.

André ficou furioso, mas compreendeu tudo. Sabia que a irmã dominava o marido, mas não calculava que chegasse a tanto.

Resolveu, portanto, fazer as coisas por si.

No dia seguinte apareceu em casa de Angélica (não ouso dizer em casa de Gaspar) e de novo insistiu na entrega do pequeno; a missão não teve nenhum efeito. André resolveu ir esperar à porta do arsenal de guerra que o pequeno saísse e deitar-lhe a mão em cima.

João das Mercês não escapou ao laço.

Nesse mesmo dia foi morar para casa do pai com ordem de não sair nem para o emprego nem para casa da tia.

Imaginem o furor de d. Angélica e a dor de Marianinha. Gaspar fez cem projetos de vingança, sem que a mulher lhe aceitasse nenhum.

Separado da jovem namorada, João das Mercês ficou entregue ao mais profundo desespero. Correram os meses sem que se avistassem os dois. Ao cabo de um ano, André arranjou para o filho um emprego, e foi a primeira vez que o mísero pôde pisar a rua. Seu primeiro cuidado foi ir à casa da tia.

Achou-se na sala toda a família e mais um rapaz de casaca e luvas brancas. Marianinha empalideceu um pouco, mas logo lhe passou essa manifestação de remorso. Remorso digo, porque o sujeito de luvas brancas e casaca, como o leitor há de ter percebido, vinha pedir a moça em casamento.

D. Angélica acabava um discurso acerca dos deveres do casamento e do amor das mães aos filhos, discurso que Gaspar ouvia com aprovação de cabeça, e o noivo com abrimentos de boca.

João das Mercês não resistiu à dor. Saiu furioso acusando os céus e a terra das suas desgraças. Complicaram-se estas com a morte do pai. João das Mercês ficou no mundo sozinho. Era preciso trabalhar; o rapaz entrou a trabalhar como um mouro.

Houve entretanto não sei que pretendente ao lugar dele; parece que o pretendente tinha jus ao lugar, porque um dia de manhã o chefe da repartição mandou chamar João das Mercês e deu-lhe a triste notícia de que estava demitido.

Nessa triste posição esteve João das Mercês uns quinze dias que foi quanto lhe durou o resto do ordenado. Ao fim desse tempo não tinha que comer. O estômago é engenhoso e tem boa memória. João lembrou-se que havia, em uma casa de pasto do seu conhecimento, um caixeiro a quem emprestara dez mil-réis em ocasião em que se achava desempregado. Correu para lá.

O caixeiro conheceu o credor, e acudiu a servi-lo. João das Mercês pediu alguma coisa para almoçar, e fingindo ler a lista declarou ao caixeiro que não tinha dinheiro naquela ocasião.

O caixeiro era bom rapaz e não deixou de o servir. Foi pelo mesmo teor o jantar e a ceia. No dia seguinte não havendo outra vela no horizonte culinário, João das Mercês recorreu ainda ao caixeiro, que não deixou de lhe fiar o comer; mas pensando que a penúria de João das Mercês era temporária, limitou-se a afiançar ao dono da casa a capacidade do freguês.

Ao fim de duas semanas, quando João das Mercês se assentava para comer o seu décimo quinto almoço, o dono da casa foi-lhe levar uma conta que fez empalidecer o pobre rapaz.

— Amanhã lhe pago isto — respondeu ele pondo a conta no bolso, e com tanta confiança que parecia estar à espera de algum legado. Ignora-se como comeu ele no dia seguinte e nos outros. Um mês depois achamo-lo empregado em copiar certidões e outros papéis em casa de um tabelião. Era ativo no trabalho e sério no procedimento; infelizmente o tabelião padecia de moléstias que o enchiam de mau humor certas manhãs, mormente se comia na véspera carne cozida. Um dia em que o tabelião entrou no cartório afinadíssimo, João das Mercês teve a desgraça de copiar mal um papel. O tabelião revoltou-se contra o escrevente, e mandou fazer outra cópia, a qual, não saindo capaz, levou o tabelião às nuvens. Por desgraça, João das Mercês abalroou na mesa e entornou-lhe o tinteiro sobre uma procuração.

Foi demitido.

Tentou João das Mercês entrar no comércio, e alcançou ser admitido como sócio de indústria em um armarinho. O armarinho era afreguesado e João das Mercês julgou ter enfim dado o último golpe no caiporismo. Daí a um ano reconheceu que andava iludido com a aparente vitória.

O caiporismo é a hidra de Lerna.

O sócio disse-lhe um dia de manhã que ia buscar um primo em Sapopemba e partiu acompanhado de uma pequena mala.

João das Mercês ficou em casa só.

Mas os dias correram sem que o sócio voltasse; até que João fosse surpreendido com uma letra de quinhentos mil-réis. Recorreu à burra e não achou vintém. Deu parte à polícia; mas nem por isso escapou da correição.

Foi solto depois de um laborioso processo em que ficou provada a sua completa inocência. Os credores tomaram conta dos bens, e João das Mercês ficou no meio da rua com as algibeiras vazias e nenhuma esperança de melhora.

Não tinha as algibeiras vazias de todo; depois de as revolver muito achou seis mil-réis.

— Que tempo me durará isto? — perguntou ele a si mesmo. — Nem três dias; é preciso comer e dormir. Acabado este dinheiro estou como antes. Que farei?

Aqui teve uma dessas inspirações que salvam impérios.

— Gasto dez tostões em alguma coisa, e com os cinco mil-réis de resto compro um quarto de loteria.

Já sabemos que ele tinha esta mania que lhe deixara uma das sete amas.

Assim fez.

Depois de comer tranquilamente um almoço sucinto e modesto, encaminhou-se para a rua da Quitanda e comprou o bilhete.

— 1441 — disse ele —, bom número; tenho fé.

Tinha uma esperança mas não tinha jantar nem cama. Felizmente a roda corria no dia seguinte. João das Mercês entrou a passear pelas ruas, disposto a sofrer filosoficamente a fome e o mais na esperança dos vinte contos.

Casualmente encontrou o tio Gaspar.

— Como estás? — perguntou-lhe o tio.

— Bom.

— Já te livraste do processo?

— Já.

— Tão depressa?

— Acha que foi depressa?

— Sim, essas coisas costumam ser mais longas. Eu quis fazer alguma coisa por ti; mas tua tia que é uma senhora de muito bem pensar, disse: "Era bom ir socorrer o Joãozinho; mas o crime é tão feio que não é bom a gente meter-se nisto; que pensas tu Gaspar?". "Que hei de pensar mulher? Penso que o rapaz é inocente e que foi atraiçoado; mas as aparências enganam... e nesse caso é minha vontade que não nos metamos nisto."

— Faz bem.

— Onde estás agora?

— Aqui na rua.

— Mas qual é o teu emprego?

— Passear.

— Que dizes?

— A verdade.

Gaspar, que não era mau homem, ficou penalizado com a situação do sobrinho. Quis fazer alguma coisa por ele; mas não ousava.

— Já comeste?

— Hoje comi; amanhã não sei.

— Olha — disse Gaspar com um belo movimento de generosidade —, toma lá; eu fui agora mesmo receber um dinheiro; toma dez mil-réis.

João das Mercês aceitou os dez mil-réis e abraçou o tio.

— Bem! — disse ele. — A sorte começa a ceder. Já tenho com que dormir hoje e comer amanhã.

Era não contar com o caiporismo e d. Angélica. Esta senhora pediu ao marido contas do dinheiro que fora cobrar. Gaspar contou-lhe francamente o estado em que achara João das Mercês e o procedimento que tivera. D. Angélica irritou-se contra o marido e o sobrinho e exigiu a imediata entrega do dinheiro. Por honra dela, devo dizer que a sua intenção era simplesmente mortificar o marido. Mas este, acostumado a obedecer-lhe, tomou à letra a ordem e saiu desesperado em busca de alguém que lhe emprestasse dez mil-réis.

Esse alguém foi o sobrinho.

João das Mercês viu de longe o tio e aproximou-se dele. Achou-o triste e taciturno, perguntou-lhe o que tinha.

— Nada — disse Gaspar.

— Alguma coisa tem meu tio; vamos diga o que é.

Gaspar não disse palavra.

Então lembrou-se João das Mercês do domínio que a tia exercia no ânimo do marido, e calculou que a tristeza de Gaspar se prendesse ao generoso presente dos dez mil-réis.

— Qual! — disse Gaspar, quando João das Mercês lhe comunicou a suspeita. — Angélica não era capaz de semelhante coisa; estima-te e respeita-te. A verdadeira causa de minha tristeza é que esse dinheiro não era meu, e eu dei-te os dez mil-réis por engano.

João das Mercês entregou o dinheiro ao tio.

Gaspar sentiu-lhe borbulhar-lhe uma lágrima nos olhos. Apertou a mão ao sobrinho e foi para casa. Entrava triunfante com os dez mil-réis, quando d. Angélica, franzindo o sobrolho, perguntou-lhe de onde os houvera. Gaspar confessou-lhe a verdade.

— Quê! — exclamou a esposa. — Pois tu tiveste ânimo de ir tirar estes pobres dez mil-réis ao rapaz que nem comer tinha?

— Mas tu...

— Eu, o quê? Eu disse aquilo por dizer. Vai, vai entregar este dinheiro ao pobre rapaz.

— Onde o encontrarei agora?

Gaspar saiu e não achou o sobrinho. Às ave-marias voltou para casa, mas receando que a mulher lhe revistasse as algibeiras, coisa que nunca deixava de fazer todas as noites, tratou de gastar os dez mil-réis como pôde.

João das Mercês passou a noite na rua; no dia seguinte almoçou com um ou-

Mendonça respondeu:

— Trata-se de uma condição lembrada por minha filha; e que o doutor naturalmente aceita.

— Pois não!

— Minha filha — continuou o capitão — deseja uma aliança digna de si e de mim.

— Não lhe parece que eu possa?...

— É excelente para o caso, mas falta-lhe uma pequena coisa...

— Riqueza?

— Ora, riqueza! isso tenho eu de sobra... se quiser. O que lhe falta, meu rico, é justamente o que me sobra.

Fiz um gesto de compreender o que ele dizia, mas simplesmente por formalidade, porque eu não compreendia nada.

O capitão tirou-me do embaraço.

— Falta-lhe gênio — disse.

— Ah!

— Minha filha pensa muito bem que a descendente de um gênio, só de outro gênio pode ser esposa. Não hei de entregar a minha obra às mãos grosseiras de um hotentote; e posto que, na planta geral dos outros homens, o senhor seja efetivamente um homem de talento, aos meus olhos não passa de um animal muito mesquinho, pela mesma razão de que quatro candelabros alumiam uma sala e não poderiam alumiar a abóbada celeste.

— Mas...

— Se lhe não agrada a figura, dou-lhe outra mais vulgar: a mais bela estrela do céu nada vale desde que aparece o sol. O senhor será uma bonita estrela, mas eu sou o sol, e diante de mim vale tanto uma estrela como um fósforo, como um vagalume.

O capitão dizia isto com um ar diabólico, e o olhar mais vago que nunca. Receei que realmente o meu capitão, apesar de sábio, tivesse um acesso de loucura. Como sair-lhe das garras? e teria eu ânimo de fazê-lo diante de Augusta, a quem me prendia uma simpatia fatal?

Interveio a moça.

— Bem sabemos de tudo isto — disse ela ao pai —; mas não se trata de dizer que ele nada vale; trata-se de dizer que há de valer muito... tudo.

— Como assim? — perguntei.

— Introduzindo-lhe o gênio.

Apesar da conversa que a este respeito tivemos na noite anterior, não compreendi logo a explicação de Mendonça; mas ele teve a caridade de me expor claramente a sua ideia.

— Depois de profundas e pacientes investigações, cheguei a descobrir que o talento é uma pequena quantidade de éter encerrado numa cavidade do cérebro; o gênio é o mesmo éter em porção centuplicada. Para dar gênio a um homem de talento basta inserir na referida cavidade do cérebro mais noventa e nove quantidades de éter puro. É justamente a operação que vamos fazer.

Deixo a imaginação do leitor calcular a soma de espanto que me causou este feroz projeto do meu futuro sogro; espanto que redobrou quando Augusta disse:

— É uma verdadeira felicidade que papai houvesse feito esta descoberta. Faremos hoje mesmo a operação, sim?

Seriam dois loucos? ou andaria eu num mundo de fantasmas? Olhei para ambos; ambos estavam risonhos e tranquilos como se houvessem dito a coisa mais natural deste mundo.

Tranquilizou-se-me o ânimo a pouco e pouco; refleti que era um homem robusto, e que não seria um velho e uma moça débil que me haviam de forçar a uma operação que eu considerava um simples e puro assassinato.

— A operação será hoje — disse Augusta depois de alguns instantes.

— Hoje, não — respondi —; mas amanhã a esta hora com toda a certeza.

— Por que não hoje? — perguntou a filha do capitão.

— Tenho muito que fazer.

O capitão sorriu com ar de quem não engolia a pílula.

— Meu genro, eu sou velho e conheço todos os recursos da mentira. O adiamento que nos pede é uma evasiva grosseira. Pois não é muito melhor ser hoje um grande luzeiro da humanidade, um êmulo de Deus, do que ficar até amanhã simples homem como os outros?

— Sem dúvida; mas amanhã teremos mais tempo...

— Eu apenas lhe peço meia hora.

— Pois bem, será hoje; mas eu desejo simplesmente dispor agora de uns três quartos de hora, findos os quais volto e fico à sua disposição.

O velho Mendonça fingiu aceitar a proposta.

— Pois sim; mas para ver que eu não me descuidei do senhor, ande cá ao laboratório ver a soma de éter que pretendo introduzir-lhe no cérebro.

Fomos ao laboratório; Augusta ia pelo meu braço; o capitão caminhava adiante com uma lanterna na mão. O laboratório estava iluminado com três velas em forma de triângulo. Noutra ocasião perguntaria eu a razão daquela disposição especial das velas; mas naquele momento todo o meu desejo era estar longe de semelhante casa.

E contudo uma força me prendia, e dificilmente poderia eu arrancar-me dali; era Augusta. Aquela moça exercia sobre mim uma pressão a um tempo doce e dolorosa; sentia-me escravo dela, a minha vida como que se fundia na sua; era uma fascinação vertiginosa.

O capitão sacou de um caixão de madeira preta um frasco contendo éter. Disse-me ele que havia no frasco, porque eu não vi coisa nenhuma, e fazendo esta observação, respondeu-me ele:

— Pois precisa ver o gênio? Afirmo-lhe que há aqui dentro noventa e nove doses de éter, as quais, juntas à única dose que a natureza lhe deu, formarão cem doses perfeitas.

A moça pegou no frasco e o examinou contra a luz. Pela minha parte, limitei-me a convencer o homem por meio da minha simplicidade.

— Afirma-me — disse-lhe eu — que é gênio de primeira ordem?

— Afirmo-lho. Mas por que se há de fiar em palavras? O senhor vai saber o que é.

Dizendo isto puxou-me pelo braço com tamanha força que eu vacilei. Compreendi que era chegada a crise fatal. Procurei desvencilhar-me do velho, mas senti tro companheiro do cartório; e à hora do costume foi para a Misericórdia ver correr a roda.

— Tenho um pressentimento — disse ele consigo — de que hoje venço o destino.

Chegou; dez minutos depois o número 1441 era aclamado como tendo obtido os vinte contos de réis.

João das Mercês desmaiou.

Deram-lhe os prontos socorros. Tornou a si, apalpou as algibeiras; e achou o abençoado bilhete.

Graças a este recurso inesperado foi à antiga casa de pasto, cuja dívida estava paga, e apresentou o bilhete.

— Tenho aqui a sorte grande; dê-me de jantar que eu depois de amanhã lhe satisfaço a conta do que for.

Foi prontamente obedecido. Jantou como um príncipe. No fim pediu ao caixeiro conhecido, sempre sobre a base do bilhete, alguns charutos que só tinham o defeito de não serem de Havana; no mais não prestavam para nada.

Mas naquela situação tudo o que se fuma é bom. Qualquer homem fumará alegremente couro de boi, se tiver a certeza de que no dia seguinte lhe metem na algibeira vinte contos de réis.

Acabava ele de acender um charuto, quando um sujeito que lhe ficara fronteiro, e tinha ouvido a conversa com o dono da casa, lhe disse com familiaridade:

— Com que então tirou a sorte grande?

— É verdade — respondeu João das Mercês, com a indiscrição de um homem feliz após tantas desgraças. — Tirei a sorte grande e ainda estou admirado disso.

— Por quê? — disse o sujeito, levantando-se com a xícara de café na mão e indo assentar-se à mesa do rapaz.

— Porque fui sempre muito caipora. Nunca comprei bilhete que me saísse sequer o mesmo dinheiro. Desta vez porém acertei...

— Homem, eu também fui sempre caipora. Joguei dois anos com o mesmo número e nunca tirei mais de 40$000. Um dia porém, saiu o diabo detrás da porta e caiu-me a bicha em casa.

— Sim? Quando foi isso?

— Foi há seis meses.

— Um quarto ou bilhete inteiro?

— Meio bilhete. Recebi dez contos.

— Talvez não precisasse deles...

— Quase que lhe posso dizer isso. Graças a Deus ainda que não viessem os dez contos, tinha com que passar. Acontece-lhe o mesmo?

— Infelizmente não — disse João das Mercês seduzido com a maneira e a confiança do interlocutor.

— Mais uma razão para que eu o felicite.

O desconhecido apertou a mão a João das Mercês e ofereceu-lhe um charuto.

— Estes charutos daqui não prestam, tome este.

João das Mercês acendeu o charuto depois de pôr o seu fora, e reclinou-se sobre a mesa a conversar com o desconhecido.

Ao fim de uma hora saíram de braço dado. O desconhecido disse chamar-se Viana; João das Mercês deu também o seu nome. Saíram como dois amigos velhos. Passearam todo o tempo; Viana levou a benevolência ao ponto de o convidar a tomar um sorvete no Carceller.

Perto da noite, disse Viana para João das Mercês:

— Vou levá-lo até a sua casa.

João das Mercês fez uma careta.

— Isso agora há de ser mais difícil — disse ele depois de alguns instantes.

— Por quê?

— Porque...

— Seja franco.

— Pois bem, meu caro, eu não tenho casa!

— Não tem casa?

João das Mercês contou fielmente ao amigo a sua posição. Viana ouviu a narração com visíveis sinais de simpatia.

— Pois se isto o não incomoda nem ofende, ofereço-lhe por hoje um hospício. Amanhã já não será preciso porque receberá o dinheiro.

— Aceito.

Dirigiram-se para a rua da Misericórdia. Viana morava ali em um primeiro andar mobiliado com algum asseio.

— A casa não está arranjada — disse ele —, mas é porque eu mais me entendo com a desordem que com a ordem.

— Está excelente — disse João das Mercês. — Ah! meu caro senhor Viana, creio que sou agora verdadeiramente feliz. No dia em que me entra o dinheiro pela porta, entra-me um amigo pelo coração. Pela porta é metáfora — acrescentou ele rindo.

Viana apertou-lhe a mão comovido.

— Tive um amigo da sua idade; era a mesma alma franca e aberta aos sentimentos generosos; permita-me a ilusão de que o encontrei agora...

— Espero que não seja ilusão — exclamou João das Mercês.

Conversaram até alta noite. À uma hora João das Mercês disse que estava com sono.

— Eu também — disse Viana. — Vamos dormir. Tenho sempre esta outra cama pronta para o que der e vier. Olhe, gosto de acordar cedo.

— Homem, nestas alturas não se me dera acordar mais tarde — respondeu João das Mercês que, como sabemos, adquirira de uma das suas amas o modo de dormir demais.

— É que eu tenho de sair cedo, para levar um papel à estrada de ferro. Às nove horas estarei de volta.

— A minha madrugada será às nove horas.

— Veja lá se perdeu o bilhete.

— Nada, cá está no bolso do colete.

Dormiram.

No dia seguinte, seriam onze horas quando João das Mercês abriu os olhos. Viana ainda não tinha voltado. O rapaz costumava a estar na cama acordado ainda um quarto de hora. Ao fim desse tempo levantou-se, lavou-se e vestiu-se.

Não tendo relógio não sabia que horas eram. O sol estava encoberto. João das Mercês chegou à janela a ver se via o dono da casa.

Não viu ninguém.

Pouco depois deram os sinos meio-dia.

— Meio-dia — disse ele. — Onde estará este homem.

Começou a sentir fome e a arrepelar-se com a demora, quando instintivamente levou a mão ao bolso do colete.

Não achou o bilhete!...

— Roubado! — exclamou ele com desespero.

Chegou à janela, gritou, acudiu gente à porta que o deram por maluco. Do segundo andar desceram algumas pessoas, e depois de ouvirem as queixas do mísero rapaz, foram chamar a autoridade.

Quando o rapaz conseguiu achar-se na rua eram já duas horas. Seu primeiro pensamento foi ir à casa de loteria.

Correu para lá.

Ó desgraça! todos os quartos da sorte grande estavam pagos. Deu os sinais de Viana e eram os mesmos de um sujeito que lá fora cobrar um quarto.

Não se pode descrever o desespero de João das Mercês. Faltava-lhe aquele golpe mais terrível que todos, o de ter a fortuna na mão e senti-la voar como um pássaro esquivo.

Não hesitou; a ideia de morrer entrou-lhe na cabeça como uma solução às suas desgraças.

No fundo do bolso ainda achou um cartão de barca. Dirigiu-se à ponte e tomou passagem para São Domingos.

No meio da viagem, aproveitou o descuido das pessoas que se achavam perto dele e atirou-se ao mar.

Houve logo a bordo o rebuliço que um caso destes produz. A barca parou e a bordo se empregaram todos os esforços para salvar o infeliz.

João das Mercês veio à tona d'água quando lhe atiraram uma corda; ele repeliu-a com energia.

Seu pensamento era morrer.

Não contava com o caiporismo.

Os esforços empregados em favor de uma criatura que não queria nada da vida foram coroados de sucesso, João das Mercês foi salvo.

Passado esse triste acontecimento, João das Mercês dispôs a lutar violentamente com a sorte; pareceu-lhe esta sorrir. Alcançou o rapaz um emprego que lhe dera com que viver pobremente.

Alugou uma casinha na Cidade Nova, e assim passou alguns meses.

Um dia reparou que havia defronte uma velha que não deixava de sorrir quando ele entrava ou saía de casa. João das Mercês cumprimentava-a cortesmente, mas não julgava que o riso fosse com ele.

A casa da velha era a melhor casa da rua, e a moradora passava por ser rica.

Quando João das Mercês descobriu que o riso era com ele, começou a prestar maior atenção à vizinha. Esta redobrou de demonstrações e seria enfadonho contar aqui miudamente os acontecimentos que se deram depois. Basta saber que João das Mercês entrou a frequentar a casa da vizinha, e esta declarou-lhe francamente o amor que o moço lhe havia inspirado.

Não devendo esperar que a própria velha oferecesse aquilo que era um favor para ele, João das Mercês exclamou um dia:

— E se nós nos casássemos?

— Essa é a minha intenção — disse Margarida —, se acha que eu o posso fazer feliz.

— Oh! mais que feliz!

A velha tinha duzentos contos.

Era mais que a sorte grande.

Marcou-se o dia do casamento, correram os pregões, João das Mercês mandou fazer a roupa nova e convidou Gaspar para ser padrinho.

— Sem dúvida, meu rapaz — respondeu o tio —, mas quem é a madrinha?

— Eu tinha-me lembrado de minha tia...

— Conta com ela; vou agora mesmo avisá-la.

Margarida não cabia em si de contente; dizia que apesar da idade que tinha, sentia em si mais amor do que nunca tivera ao defunto marido.

João das Mercês disse a mesma coisa. Amara muitas vezes, mas nunca com tanta força.

— Sei o que é — acrescentava ele —, é que eu amei sempre a umas deslambidas sem gravidade nem as graças que só se podem ter em certa idade.

Margarida não tinha parente nenhum com exceção de um primo remoto, que fez todos os esforços para impedir o casamento, e que nada tendo alcançado, resolvera aceitar o convite para ser padrinho, não podendo brigar com a parenta rica.

Raiou enfim a véspera do casamento.

Por conselho da noiva, João das Mercês tinha desistido do emprego, aliás com repugnância, porque não queria parecer que ia viver às sopas da mulher. A coisa era isso mesmo, mas ele não queria a aparência da coisa.

Terníssimos foram os adeuses dos noivos na véspera do casamento. João das Mercês já tinha fechado a porta, e Margarida ainda acenava com o lenço.

Alta noite foi João das Mercês acordado por violentas pancadas na porta. Levantou-se sobressaltado e foi ver o que era.

Era um escravo de Margarida.

Vinha dizer que a senhora estava mal; e que o mandava chamar.

A primeira frase de dor do rapaz foi toda egoísta: Ah! meu caiporismo! exclamou ele enfiando as calças.

Margarida estava realmente às portas da morte. Quis ver o noivo; este chegou; ela apertou-lhe a mão com ternura.

Depois chamando o primo declarou que desejava fazer o seu testamento, mas ainda não tinha acabado de falar que expirou.

João das Mercês teve um ataque.

Quando voltou a si, o pobre rapaz lembrou-se outra vez de morrer. Mas tantos sucessos lhe tinham embotado a energia.

Nunca raiou dia de felicidade para este infeliz. Tem sido sucessivamente agente de procurador, copista de advogado, porteiro de teatro, vendedor de bilhetes de loteria, negociante de charutos, sempre perseguido pela fatalidade.

Ele mesmo diz com resignação evangélica:
— Sou o rei dos caiporas!

Jornal das Famílias, *setembro-outubro de 1870; Job.*

Aires e Vergueiro

Era muito alva, cheia de corpo, assaz bonita e elegante, a esposa de Luís Vergueiro. Chamava-se Carlota. Contava vinte e dois anos e parecia destinada a envelhecer muito tarde. Não sendo franzina, não tinha nenhuma ambição de parecer vaporosa, pelo que era dada à boa mesa, e detestava o princípio de que uma moça para parecer bonita deve comer pouco. Carlota comia sofrivelmente, mas em compensação só bebia água, uso que, na opinião do marido, era causa de se lhe não afoguearem as faces como convinha a uma beleza robusta.

Requestada por muitos rapazes no ano da Maioridade, deu ela a preferência ao sr. Luís Vergueiro que, posto não fosse mais bonito que os outros, tinha qualidades que o punham muito acima de todos os rivais. Destes se podia dizer que os movia a ambição; tinham geralmente pouco mais que nada; Vergueiro não era assim. Iniciava um negociozinho de fazendas que lhe ia dando esperanças de enriquecer, ao passo que a amável Carlota apenas tinha aí uns dez contos, dote feito pelo padrinho.

Caiu a escolha em Vergueiro, e o casamento foi celebrado com alguma pompa, sendo padrinhos um deputado maiorista e um coronel do tempo da revolução de Campos.

Nunca houve casamento mais falado que aquele; a beleza da noiva, a multiplicidade dos rivais, a pompa da cerimônia, tudo deu que falar durante uns oito dias antes e depois, até que a vadiação do espírito público achou novo alimento.

Vergueiro alugou a casa que ficava por cima da sua loja, e para lá levou a mulher, satisfazendo assim as obrigações públicas e privadas, consorciando facilmente a bolsa e o coração. A casa era na rua de São José. Daí a pouco tempo comprou a casa, e isto fez dizer que o casamento, longe de lhe pôr um cravo na roda da fortuna, veio antes ajudá-lo.

Tinha Vergueiro uma irmã casada no interior. Morre-lhe o marido, e a irmã veio para o Rio de Janeiro onde foi recebida pelo irmão com todas as demonstrações de afeto. As duas cunhadas simpatizaram logo uma com a outra, e esta presença de uma estranha (para recém-casados todos são estranhos) não alterou a felicidade doméstica do casal Vergueiro.

Luísa Vergueiro não era bonita, mas tinha uma graça especial, uns modos todos seus, uma coisa que se não explica, e esse misterioso dom, essa qualidade indefinível encadeou para sempre o coração de Pedro Aires, rapaz de trinta anos perfeitos, morador na vizinhança.

Digam-lhe lá o que pode fazer uma pobre viúva ainda moça, que apenas esteve casada dois anos. Luísa não era da massa das Artemisas. Tinha chorado o esposo, e se tivesse talento, podia escrever uma excelente biografia dele, honrosa para ambos. Mas isso era tudo que se podia exigir dela; não possuía um túmulo no coração, possuía um ninho; e um ninho deserto é a coisa mais triste deste mundo.

Não foi Luísa insensível aos olhares requebrados de Pedro Aires, e serei justo dizendo que ocultou quanto pôde a impressão que o moço fazia nela. Aires pertencia àquela raça de namoradores que não abatem armas logo à primeira resistência. Insistiu nos olhares entremeados com alguns sorrisos; chegou a interrogar miudamente um moleque da casa, cuja discrição não pôde resistir a uma moeda de prata. O moleque foi além; aceitou uma carta para a viuvinha.

A viuvinha respondeu.

Daqui em diante correram as coisas com aquela celeridade natural entre dois corações que se querem, que são livres, que não podem viver um sem o outro.

Carlota percebeu o namoro, mas respeitou a discrição da cunhada, que nenhuma confissão lhe fez. Vergueiro estava no extremo oposto da perspicácia humana; e além disso as suas ocupações não lhe davam tempo para perceber os namoros da irmã.

Não obstante, sorriu complacentemente quando Carlota lhe disse o que sabia.

— Pensas que eu ignoro isso? — perguntou o marido brincando com a corrente do relógio.

— Alguém to contou? — perguntou a mulher.

— Ninguém me contou nada, mas para que tenho eu olhos senão para ver o que se passa à roda de mim? Sei que esse rapaz anda cá a namorar a Luísa, estou a ver em que param as coisas.

— É fácil de ver.

— Casamento, não?

— Que dúvida!

Vergueiro coçou a cabeça.

— Nesse caso — disse ele —, acho bom indagar alguma coisa da vida do pretendente; pode ser algum tratante...

— Eu já indaguei tudo.

— Tu?

Carlota passou-lhe os braços à roda do pescoço.

— Eu, sim! As mulheres são curiosas; vi o Tobias entregar uma cartinha à Luísa; interroguei o Tobias, e ele disse-me que o rapaz é um moço sério e tem alguma coisa de seu.

— Tem, tem — disse Vergueiro. — Que achas?

— Que os devemos casar.

— Entende-te tu com ela, e conta-me o que souberes.

— Bem.

Carlota cumpriu fielmente a ordem do marido, e Luísa nada lhe ocultou do que se passava em seu coração.

— Queres então casar com ele?

— Ele deseja isso mesmo.

— E estão calados! Parecem-me aprendizes.

Carlota era sincera no prazer que tinha em ver casada a irmã do marido, sem se preocupar com o resultado disso, que era tirar-lhe a companhia a que já se acostumara.

Vergueiro refletiu na inconveniência de confiar nas informações de um moleque ignorante, que devia ter a respeito da probidade e da distinção ideias sumamente vagas. Para suprir esta inconveniência, lembrou-se de ir em pessoa falar com Pedro Aires, e assentou que o faria no domingo próximo. A mulher aprovou a resolução, mas o pretendente cortou-lhe as vazas, indo ele mesmo no sábado à casa de Vergueiro, expor os seus desejos e títulos.

Pedro Aires era homem bem apessoado; tinha grandes suíças e um pequeno bigode. Vestia com certa elegância, e tinha os gestos desembaraçados. Algum severo juiz podia achar-lhe um inexplicável horror à gramática; mas nem Vergueiro, nem Carlota, nem Luísa, estavam em melhores relações com a mesma senhora, de maneira que este pequeno senão passou completamente despercebido.

Aires deixou a melhor impressão em toda a família. Desde logo ficou assentado que se esperasse algum tempo, a fim de completar o prazo do luto. Isso, porém, não embaraçou as vindas de Aires à casa da noiva; começou indo lá três vezes por semana, e acabou indo todos os dias.

Ao cabo de poucas semanas, já Vergueiro dizia:

— Ó Aires, queres mais açúcar?

E Aires respondia:

— Dá cá mais um pouco, Vergueiro.

Estreitou-se a amizade entre ambos. Eram necessários um para o outro.

Quando Aires não ia à casa de Vergueiro, este passava a noite mal. Aires detestava o jogo; mas a amizade que tinha a Vergueiro bastou para que depressa aprendesse e jogasse o gamão, a ponto que chegou a vencer o mestre. Nos domingos, Aires jantava com Vergueiro; e dividia a tarde e a noite entre o gamão e Luísa.

As duas moças, longe de se zangarem com este namoro dos dois, pareciam contentes e felizes. Viam nisso uma fiança de futura concórdia.

Um dia entrou Aires na loja de Vergueiro e pediu-lhe uma conferência particular.

— Que temos? — disse Vergueiro.

— Daqui a dois meses — respondeu Aires —, é o meu casamento; vou ficar indissoluvelmente ligado à tua família. Tive uma ideia...

— Uma ideia tua deve ser excelente — observou Vergueiro abaixando o colete que havia fugido insolentemente do seu lugar.

— Tenho uns contos de réis. Queres-me para sócio? Ligaremos deste modo o sangue e a bolsa.

A resposta de Vergueiro foi menos circunspecta do que convinha em casos tais. Levantou-se e caiu nos braços do amigo, exatamente como faria um sujeito falido a quem lhe oferecessem uma tábua de salvação. Mas nem Aires teve semelhante suspeita, nem acertaria se a tivesse. Vergueiro nutria pelo futuro cunhado um sentimento de entusiástica amizade, e achou naquela ideia um documento da afeição do outro.

No dia seguinte deram os passos necessários para organizar a sociedade, e dentro de pouco tempo foi chamado um pintor para traçar nos portais da loja estes dois nomes, já agora indissoluvelmente ligados: Aires & Vergueiro.

Vergueiro insistiu em que o nome do amigo estivesse antes do seu.

No dia desta pintura, houve jantar em casa, e a ele assistiram algumas pessoas íntimas, todas as quais ficaram morrendo de amores pelo sócio de Vergueiro.

Estou a ver o meu leitor aborrecido com esta singela narração de ocorrências prosaicas e vulgares, sem nenhum interesse romanesco, sem que apareça nem de longe a orelha de uma peripécia dramática.

Tenha paciência.

É verdade que, feita a sociedade, e casado o novo sócio, a vida de toda esta gente não poderá oferecer interesse nenhum que valha dois caracóis. Mas aqui intervém uma personagem nova, a qual vem destruir tudo o que o leitor pode imaginar. Não é só uma personagem; são duas, irmãs ambas poderosas: a Doença e a Morte.

A doença entrou por casa de nosso amigo Vergueiro e prostrou na cama durante dois longos meses a viúva-noiva. Não se descreve o desespero de Aires vendo o estado grave daquela a quem ele amava mais que tudo. Esta circunstância de ver o amigo desesperado, aumentou a dor de Vergueiro, que já devia sentir bastante com os padecimentos da irmã.

Do que era a moléstia, divergiram os médicos; e todos eles com sólidas razões. O que não provocou nenhuma divergência da parte dos médicos, nem das pessoas da casa, foi o passamento da moça que se verificou às quatro horas da madrugada de um dia de setembro.

A dor de Aires foi tremenda; atirou-se ao caixão quando os convidados o vieram buscar para o coche, e não comeu um pedaço de pão durante três dias.

Vergueiro e Carlota recearam pela saúde e até pela vida do malfadado noivo, pelo que foi assentado que ele se mudaria para a casa de Vergueiro, onde seria vigiado de mais perto.

Seguiu-se à expansão daquele imenso infortúnio um abatimento prolongado; mas a alma readquiriu as forças perdidas, e o corpo com ela se foi restabelecendo. No fim de um mês já o sócio de Vergueiro assistia ao negócio e dirigia a escrituração.

Com verdade se diz que é nos grandes infortúnios que se conhecem as verdadeiras amizades. Aires encontrou da parte do sócio e da mulher a mais sublime dedicação. Carlota foi para ele uma verdadeira irmã; ninguém levou mais longe e mais alto a solicitude. Aires comia pouco; arranjou-lhe ela comidas próprias para lhe vencer o fastio. Conversava com ele longas horas, ensinava-lhe alguns jogos, lia-lhe o *Saint-Clair das ilhas*, aquela velha história de uns desterrados da ilha da Barra. Pode-se afiançar que a dedicação de Carlota foi o principal medicamento que restituiu à vida o nosso Pedro Aires.

Vergueiro aplaudia *in petto* o procedimento de sua mulher. Quem meu filho beija, minha boca adoça, diz um adágio; Vergueiro tinha para com o sócio extremos de pai; tudo o que se fizesse ao Aires, era agradecido por ele do fundo da sua grande alma.

Nascida da simpatia, criada no infortúnio comum, a amizade de Aires e Vergueiro assumiu as proporções do ideal. Na vizinhança, já ninguém recorria às expressões proverbiais para significar uma amizade íntima; não se dizia de dois amigos: são unha e carne; dizia-se: Aires com Vergueiro. Diógenes teria achado ali um homem, e realmente ambos formavam uma só criatura.

Ditas estas palavras com outra sintaxe que eu não reproduzo por vergonha, o desditoso Aires sufocou dois ou três soluços e fitou os olhos no ar; depois coçou o nariz e olhou para Vergueiro:

— Olha, eu não me considero solteiro; não importa que tua irmã morresse; estou casado com ela; separa-nos apenas o túmulo.

Vergueiro apertou com entusiasmo as mãos do sócio e aprovou a nobreza daqueles sentimentos.

Quinze dias depois desta conversa, Vergueiro chamou Aires e disse que era necessário pôr termo ao plano.

— É verdade — disse Aires —, as fazendas estão quase todas vendidas.
— Subamos.

Subiram e foram ter com Carlota.

— Vou para Buenos Aires — começou Vergueiro.

Carlota empalideceu.

— Para Buenos Aires? — perguntou Aires.

— Crianças! — exclamou Vergueiro. — Deixem-me acabar. Vou para Buenos Aires com o pretexto de negócios comerciais; vocês demoram-se aqui um a dois meses; vendem o resto, põem o dinheiro a bom recado, e partem para lá. Que lhes parece?

— A ideia não é má — observou Aires —, mas está incompleta.

— Como?

— A nossa ida deve ser pública — explicou Aires —; eu declararei a todos que tu estás doente em Buenos Aires e que mandas buscar tua mulher. Como alguém há de acompanhá-la, irei eu, prometendo voltar daí a um mês; a casa fica aí com o caixeiro, e... o resto... creio que não preciso dizer o resto.

— Sublime! — exclamou Vergueiro. — Isto é que se chama estar adiante do século.

Assentado isto, anunciou-se aos amigos e credores que uma operação comercial o levava ao Rio da Prata; e tomando passagem no brigue *Condor* deixou para sempre as plagas da Guanabara.

Não direi aqui as saudades que sentiram aqueles dois íntimos amigos, quando se separaram, nem as lágrimas que verteram, lágrimas dignas de inspirar mais adestradas penas do que a minha. A amizade não é um nome vão.

Carlota não menos sentiu aquela separação, posto fosse de pequeno prazo. Os amigos da firma Aires & Vergueiro viram bem o que era um quadro de verdadeira afeição.

Aires não era peco, apressou a venda das fazendas, realizou em boa prata o dinheiro da caixa, e antes de seis semanas recebeu de Buenos Aires uma carta em que Vergueiro dizia que estava de cama, e pedia a presença de sua querida mulher.

A carta terminava assim: "Quem escreve esta é o criado da hospedaria onde eu me acho; apenas tenho forças para deitar-lhe minha assinatura".

O plano era excelente, e Vergueiro, lá em Buenos Aires, esfregava as mãos de prazer saboreando os aplausos que receberia do amigo e sócio pela ideia de disfarçar a letra.

Aires aplaudiu efetivamente a ideia, e não menos a aplaudiu a amável Carlota. Determinaram, entretanto, não sair com a publicidade assentada no primeiro plano, em vista da qual o sagaz Vergueiro escrevera a referida carta. Talvez mesmo já esse projeto fosse anterior.

O certo é que daí a dez dias, Aires, Carlota e o dinheiro saíram furtivamente... para a Europa.

Jornal das Famílias, *janeiro de 1871*; J. J.

Mariana

Voltei de Europa depois de uma ausência de quinze anos. Era quanto bastava para vir achar muita coisa mudada. Alguns amigos tinham morrido, outros estavam casados, outros viúvos. Quatro ou cinco tinham-se feito homens públicos, e um deles acabava de ser ministro de Estado. Sobre todos eles pesavam quinze anos de desilusões e cansaço. Eu, entretanto, vinha tão moço como fora, não no rosto e nos cabelos, que começavam a embranquecer, mas na alma e no coração que estavam em flor. Foi essa a vantagem que tirei das minhas constantes viagens. Não há decepções possíveis para um viajante, que apenas vê de passagem o lado belo da natureza humana e não ganha tempo de conhecer-lhe o lado feio. Mas deixemos estas filosofias inúteis.

Também achei mudado o nosso Rio de Janeiro, e mudado para melhor. O jardim do Rocio, o bulevar Carceller, cinco ou seis hotéis novos, novos prédios, grande movimento comercial e popular, tudo isso fez em meu espírito uma agradável impressão.

Fui hospedar-me no hotel Damiani. Chamo-lhe assim para conservar um nome que tem para mim recordações saudosas. Agora o hotel chama-se Ravot. Tem defronte uma grande casa de modas e um escritório de jornal político. Dizem-me que a casa de modas faz mais negócio que o jornal. Não admira; poucos leem, mas todos se vestem.

Estava eu justamente a contemplar o espetáculo novo que a rua me oferecia quando vi passar um indivíduo cuja fisionomia me não era estranha. Desci logo à rua e cheguei à porta quando ele passava defronte.

— Coutinho! — exclamei.

— Macedo! — disse o interpelado correndo a mim.

Entramos no corredor e aí demos aberta às nossas primeiras expansões.

— Que milagre é este? por que estás aqui? quando chegaste?

Estas e outras perguntas fazia-me o meu amigo entre repetidos abraços. Convidei-o a subir e a almoçar comigo, o que aceitou, com a condição porém de que iria buscar mais dois amigos nossos, que eu estimaria ver. Eram efetivamente dois excelentes companheiros de outro tempo. Um deles estava à frente de uma grande casa comercial; o outro, depois de algumas vicissitudes, fizera-se escrivão de uma vara cível.

Reunidos os quatro na minha sala do hotel, foi servido um suculento almoço, em que aliás eu e o Coutinho tomamos parte. Os outros limitavam-se a fazer a razão de alguns brindes e a propor outros.

Quiseram que eu lhes contasse as minhas viagens; cedi francamente a este desejo natural. Não lhes ocultei nada. Contei-lhes o que havia visto desde o Tejo até o Danúbio, desde Paris até Jerusalém. Fi-los assistir na imaginação às corridas de Chantilly e às jornadas das caravanas no deserto; falei do céu nevoento de Londres e do céu azul da Itália. Nada me escapou; tudo lhes referi.

Cada qual fez as suas confissões. O negociante não hesitou em dizer tudo quanto sofrera antes de alcançar a posição atual. Deu-me notícia de que estava casado, e tinha uma filha de dez anos no colégio. O escrivão achou-se um tanto envergonhado quando lhe tocou a vez de dizer a sua vida; todos nós tivemos a delicadeza de não insistir nesse ponto.

Coutinho não hesitou em dizer que era mais ou menos o que era outrora a respeito da ociosidade; sentia-se entretanto mudado e entrevia ao longe ideias de casamento.

— Não te casaste? — perguntei eu.
— Com a prima Amélia? — disse ele. — Não.
— Por quê?
— Porque não foi possível.
— Mas continuaste a vida solta que levavas?
— Que pergunta! — exclamou o negociante. — É a mesma coisa que era há quinze anos. Não mudou nada.
— Não digas isso; mudei.
— Para pior? — perguntei eu rindo.
— Não — disse Coutinho —, não sou pior do que era; mudei nos sentimentos; acho que hoje não me vale a pena cuidar de ser mais feliz do que sou.
— E podias sê-lo, se te houvesse casado com tua prima. Amava-te muito aquela moça; ainda me lembro das lágrimas que lhes vi derramar em um dia de entrudo. Lembras-te?
— Não me lembra — disse Coutinho ficando mais sério do que estava —; mas creio que deve ter sido isso.
— E o que é feito dela?
— Casou.
— Ah!
— É hoje fazendeira; e dá-se perfeitamente com o marido. Mas não falemos nisto — acrescentou Coutinho, enchendo um cálice de conhaque —; o que lá vai, lá vai!

Houve alguns instantes de silêncio, que eu não quis interromper, por me parecer que o nome da moça trouxera ao rapaz alguma recordação dolorosa.

Rapaz é uma maneira de dizer. Coutinho contava já seus trinta e nove anos e tinha alguns fios brancos na cabeça e na barba. Mas apesar desse evidente sinal do tempo, eu aprazia-me em ver os meus amigos pelo prisma da recordação que levara deles.

Coutinho foi o primeiro que rompeu o silêncio.

— Pois que estamos aqui reunidos — disse ele —, ao cabo de quinze anos, deixem que, sem exemplo, e para completar as nossas confidências recíprocas, eu lhes confesse uma coisa, que nunca saiu de mim.

— Bravo! — disse eu. — Ouçamos a confidência de Coutinho.

Acendemos nossos charutos. Coutinho começou a falar:

— Eu namorava a prima Amélia, como sabem; o nosso casamento devia efetuar-se um ano depois que daqui saíste. Não se efetuou por circunstâncias que ocorreram depois, e com grande mágoa minha, pois gostava dela. Antes e depois amei e fui amado muitas vezes; mas nem depois nem antes, e por nenhuma mulher fui amado jamais como fui...

— Por tua prima? — perguntei eu.

— Não; por uma cria de casa.

Olhamos todos espantados um para outro. Ignorávamos esta circunstância, e estávamos a cem léguas de semelhante conclusão. Coutinho não pareceu atender ao nosso espanto; sacudia distraidamente a cinza do charuto e parecia absorto na recordação que o seu espírito evocava.

— Chamava-se Mariana — continuou ele alguns minutos depois — e era uma gentil mulatinha nascida e criada como filha da casa, e recebendo de minha mãe os mesmos afagos que ela dispensava às outras filhas. Não se sentava à mesa, nem vinha à sala em ocasião de visitas, eis a diferença; no mais era como se fosse pessoa livre, e até minhas irmãs tinham certa afeição fraternal. Mariana possuía a inteligência da sua situação, e não abusava dos cuidados com que era tratada. Compreendia bem que na situação em que se achava só lhe restava pagar com muito reconhecimento a bondade de sua senhora.

A sua educação não fora tão completa como a de minhas irmãs; contudo, Mariana sabia mais do que outras mulheres em igual caso. Além dos trabalhos de agulha que lhe foram ensinados com extremo zelo, aprendera a ler e a escrever. Quando chegou aos quinze anos teve desejo de saber francês, e minha irmã mais moça lho ensinou com tanta paciência e felicidade, que Mariana em pouco tempo ficou sabendo tanto como ela.

Como tinha inteligência natural, todas estas coisas lhe foram fáceis. O desenvolvimento do seu espírito não prejudicava o desenvolvimento de seus encantos. Mariana aos dezoito anos era o tipo mais completo da sua raça. Sentia-se-lhe o fogo através da tez morena do rosto, fogo inquieto e vivaz que lhe rompia dos olhos negros e rasgados. Tinha os cabelos naturalmente encaracolados e curtos. Talhe esbelto e elegante, colo voluptuoso, pé pequeno e mãos de senhora. É impossível que eu esteja a idealizar esta criatura que há tanto me desapareceu dos olhos; mas não estarei muito longe da verdade.

Mariana era apreciada por todos quantos iam a nossa casa, homens e senhoras. Meu tio, João Luís, dizia-me muitas vezes: "Por que diabo está tua mãe guardando aqui em casa esta flor peregrina? A rapariga precisa de tomar ar".

Posso dizer, agora que já passou muito tempo, esta preocupação do tio nunca me passou pela cabeça; acostumado a ver Mariana bem tratada parecia-me ver nela uma pessoa da família, e além disso, ser-me-ia doloroso contribuir para causar tristeza a minha mãe.

Amélia ia lá a casa algumas vezes; mas era o princípio, e antes que nenhum namoro houvesse entre nós. Cuido, porém, que foi Mariana quem chamou a atenção da moça para mim. Amélia deu-mo a entender um dia. O certo é que uma tarde, depois de jantar, estávamos a tomar café no terraço, e eu reparei na beleza de Amélia com uma atenção mais demorada que de costume. Fosse acaso ou fenômeno magnético, a moça olhava também para mim. Prolongaram-se os nossos olhares... ficamos a amar um ao outro. Todos os amores começam pouco mais ou menos, assim.

Acho inútil contar minuciosamente este namoro de rapaz, que vocês em parte conhecem, e que não apresentou episódio notável. Meus pais aprovaram a minha escolha; os pais de Amélia fizeram o mesmo. Nada se opunha à nossa felicidade. Preparei-me um dia de ponto em branco e fui pedir a meu tio a mão da filha. Foi-me ela concedida, com a condição apenas de que o casamento seria efetuado alguns meses depois, quando o irmão de Amélia tivesse completado os estudos, e pudesse assistir à cerimônia com a sua carta de bacharel.

Durante este tempo Mariana estava em casa de uma parenta nossa que no-la foi pedir para costurar uns vestidos. Mariana era excelente costureira. Quando ela voltou para casa, estava assentado o meu casamento com Amélia; e, como era natural, eu passava a maior parte do tempo em casa da prima, saboreando aquelas castas efusões de amor e ternura que antecedem o casamento. Mariana notou as minhas prolongadas ausências, e, com uma dissimulação assaz inteligente, indagou de minha irmã Josefa a causa delas. Disse-lho Josefa. Que se passou então no espírito de Mariana? Não sei; mas no dia seguinte, depois do almoço quando eu me dispunha a ir vestir-me, Mariana veio encontrar-me no corredor que ia ter ao meu quarto, com o pretexto de entregar-me um maço de charuto que me caíra do bolso. O maço fora previamente tirado da caixa que eu tinha no quarto.

— Aqui tem — disse ela com voz trêmula.
— O que é? — perguntei.
— Estes charutos... caíram do bolso de senhor moço.
— Ah!

Recebi o maço de charutos e guardei-o no bolso do casaco; mas durante esse tempo, Mariana conservou-se diante de mim. Olhei para ela; tinha os olhos postos no chão.

— Então, que fazes tu? — disse eu em tom de galhofa.
— Nada — respondeu ela levantando os olhos para mim. Estavam rasos de lágrimas.

Admirou-me essa manifestação inesperada da parte de uma rapariga que todos estavam acostumados a ver alegre e descuidosa da vida. Supus que houvesse cometido alguma falta e recorresse a mim para protegê-la junto de minha mãe. Nesse caso a falta devia ser grande, porque minha mãe era a bondade em pessoa, e tudo perdoava às suas amadas crias.

— Que tens, Mariana? — perguntei.

E como ela não respondesse e continuasse a olhar para mim, chamei em voz alta por minha mãe. Mariana apressou-se a tapar-me a boca, e esquivando-se às minhas mãos fugiu pelo corredor fora.

Fiquei a olhar ainda alguns instantes para ela, sem compreender nem as lágrimas, nem o gesto, nem a fuga. O meu principal cuidado era outro; a lembrança do incidente passou depressa, fui vestir-me e saí.

Quando voltei a casa não vi Mariana, nem reparei na falta dela. Acontecia isso muitas vezes. Mas depois de jantar lembrou-me o incidente da véspera e perguntei a Josefa o que haveria magoado a rapariga que tão romanescamente me falara no corredor.

— Não sei — disse Josefa —, mas alguma coisa haverá porque Mariana anda triste desde anteontem. Que supões tu?

— Alguma coisa faria e tem medo da mamãe.

— Não — disse Josefa —, pode ser antes algum namoro.

— Ah! tu pensas quê?

— Pode ser.

— E quem será o namorado da senhora Mariana? — perguntei rindo. — O copeiro ou o cocheiro?

— Tanto não sei eu; mas seja quem for, será alguém que lhe inspirasse amor; é quanto basta para que se mereçam um ao outro.

— Filosofia humanitária!

— Filosofia de mulher — respondeu Josefa com um ar tão sério que me impôs silêncio.

Mariana não me apareceu nos três dias seguintes. No quarto dia, estávamos almoçando, quando ela atravessou a sala de jantar, tomou a bênção a todos e foi para dentro. O meu quarto ficava além da sala de jantar e tinha uma janela que dava para o pátio e enfrentava com a janela do gabinete de costura. Quando fui para o meu quarto, Mariana estava nesse gabinete ocupada em preparar vários objetos para uns trabalhos de agulha. Não tinha os olhos em mim, mas eu percebia que o seu olhar acompanhava os meus movimentos. Aproximei-me da janela e disse-lhe:

— Estás mais alegre, Mariana?

A mulatinha assustou-se, voltou a cara para diversos lados, como se tivesse medo de que as minhas palavras fossem ouvidas, e finalmente impôs-me silêncio com o dedo na boca.

— Mas que é? — perguntei eu dando à minha voz a moderação compatível com a distância.

Sua única resposta foi repetir-me o mesmo gesto.

Era evidente que a tristeza de Mariana tinha uma causa misteriosa, pois que ela receava revelar nada a esse respeito.

Que seria senão algum namoro como minha irmã supunha? Convencido disto, e querendo continuar uma investigação curiosa, aproveitei a primeira ocasião que se me ofereceu.

— Que tens tu, Mariana? — disse eu. — Andas triste e misteriosa. É algum namorico? Anda, fala; tu és estimada por todos cá de casa. Se gostas de alguém poderás ser feliz com ele porque ninguém te oporá obstáculos aos teus desejos.

— Ninguém? — perguntou ela com singular expressão de incredulidade.

— Quem teria interesse nisso?

— Não falemos nisso, nhonhô. Não se trata de amores, que eu não posso ter amores. Sou uma simples escrava.

— Escrava, é verdade, mas escrava quase senhora. És tratada aqui como filha da casa. Esqueces esses benefícios?

— Não os esqueço; mas tenho grande pena em havê-los recebido.

— Que dizes, insolente?

— Insolente? — disse Mariana com altivez. — Perdão! — continuou ela voltando à sua humildade natural e ajoelhando-se a meus pés. — Perdão, se disse aquilo; não foi por querer: eu sei o que sou; mas se nhonhô soubesse a razão estou certa que me perdoaria.

Comoveu-me esta linguagem da rapariga. Não sou mau; compreendi que alguma grande preocupação teria feito com que Mariana esquecesse por instantes a sua condição e o respeito que nos devia a todos.

— Está bom — disse eu —, levanta-te e vai-te embora; mas não tornes a dizer coisas dessas que me obrigas a contar tudo à senhora velha.

Mariana levantou-se, agarrou-me na mão, beijou-a repetidas vezes entre lágrimas e desapareceu.

Todos estes acontecimentos tinham chamado a minha atenção para a mulatinha. Parecia-me evidente que ela sentia alguma coisa por alguém, e ao mesmo tempo que o sentia, certa elevação e nobreza. Tais sentimentos contrastavam com a fatalidade da sua condição social. Que seria uma paixão daquela pobre escrava educada com mimos de senhora? Refleti longamente nisto tudo, e concebi um projeto romântico: obter a confissão franca de Mariana e, no caso em que se tratasse de um amor que a pudesse tornar feliz, pedir a minha mãe a liberdade da escrava.

Josefa aprovou a minha ideia, e incumbiu-se de interrogar a rapariga e alcançar pela confiança aquilo que me seria mais difícil obter pela imposição ou sequer pelo conselho.

Mariana recusou dizer coisa nenhuma a minha irmã. Debalde empregou esta todos os meios de sedução possíveis entre uma senhora e uma escrava. Mariana respondia invariavelmente que nada havia que confessar. Josefa comunicou-me o que se passara entre ambas.

— Tentarei eu — respondi —; verei se sou mais feliz.

Mariana resistiu às minhas interrogações repetidas, asseverando que nada sentia e rindo de que se pudesse supor semelhante coisa. Mas era um riso forçado, que antes confirmava a suspeita do que a negativa.

— Bem — disse eu, quando me convenci de que nada podia alcançar —; bem, tu negas o que te pergunto. Minha mãe saberá interrogar-te.

Mariana estremeceu.

— Mas — disse ela —, por que razão sinhá velha há de saber disto? Eu já disse a verdade.

— Não disseste — respondi eu —; e não sei por que recusas dizê-la quando tratamos todos da tua felicidade.

— Bem — disse Mariana com resolução —, promete que se eu disser a verdade não me interrogará mais?

— Prometo — disse eu rindo.

— Pois bem; é verdade que eu gosto de uma pessoa...

— Quem é?

— Não posso dizer.

— Por quê?

— Porque é um amor impossível.

— Impossível? Sabes o que são amores impossíveis?

Roçou pelos lábios da mulatinha um sorriso de amargura e dor.

— Sei! — disse ela.

Nem pedidos, nem ameaças conseguiram de Mariana uma declaração positiva a este respeito. Josefa foi mais feliz do que eu; conseguiu não arrancar-lhe o segredo, mas suspeitar-lho, e veio dizer-me o que lhe parecia.

— Que seja eu o querido de Mariana? — perguntei-lhe com um riso de mofa e incredulidade. — Estás louca, Josefa. Pois ela atrever-se-ia!

— Parece que se atreveu.

— A descoberta é galante; e realmente não sei o que pense disto...

Não continuei; disse a Josefa que não falasse em semelhante coisa e desistisse de maiores explorações. Na minha opinião o caso tomava outro caráter; tratava-se de uma simples exaltação de sentidos.

Enganei-me.

Cerca de cinco semanas antes do dia marcado para o casamento, Mariana adoeceu. O médico deu à moléstia um nome bárbaro, mas na opinião de Josefa era doença de amor. A doente recusou tomar nenhum remédio; minha mãe estava louca de pena; minhas irmãs sentiam deveras a moléstia da escrava. Esta ficava cada vez mais abatida; não comia, nem se medicava; era de recear que morresse. Foi nestas circunstâncias que eu resolvi fazer um ato de caridade. Fui ter em Mariana e pedi-lhe que vivesse.

— Manda-me viver? — perguntou ela.

— Sim.

Foi eficaz a lembrança; Mariana restabeleceu-se em pouco tempo. Quinze dias depois estava completamente de pé.

Que esperanças concebera ela com as minhas palavras, não sei; cuido que elas só tiveram efeito por lhe acharem o espírito abatido. Acaso contaria ela que eu desistisse do casamento projetado e do amor que tinha à prima, para satisfazer os seus amores impossíveis? Não sei; o certo é que não só se lhe restaurou a saúde como também lhe voltou a alegria primitiva.

Confesso, entretanto que, apesar de não competir de modo nenhum os sentimentos de Mariana, entrei a olhar para ela com outros olhos. A rapariga tornara-se interessante para mim, e qualquer que seja a condição de uma mulher, há sempre dentro de nós um fundo de vaidade que se lisonjeia com a afeição que ela nos vote. Além disto, surgiu em meu espírito uma ideia que a razão pode condenar, mas que nossos costumes aceitam perfeitamente. Mariana encarregara-se de provar que estava acima das veleidades. Um dia de manhã fui acordado pelo alvoroço que havia em casa. Vesti-me à pressa e fui saber o que era. Mariana tinha desaparecido de casa. Achei minha mãe desconsoladíssima: estava triste e indignada ao mesmo tempo. Doía-lhe a ingratidão da escrava. Josefa veio ter comigo.

— Eu suspeitava — disse ela — que alguma coisa acontecesse. Mariana andava alegre demais; parecia-me contentamento fingido para encobrir algum plano. O plano foi este. Que te parece?

— Creio que devemos fazer esforços para capturá-la, e uma vez restituída à casa, colocá-la na situação verdadeira do cativeiro.

Disse isto por me estar a doer o desespero de minha mãe. A verdade é que, por simples egoísmo, eu desculpava o ato da rapariga.

Parecia-me natural, e agradava-me ao espírito, que a rapariga tivesse fugido para não assistir à minha ventura, que seria realidade daí a oito dias. Mas a ideia de suicídio veio aguar-me o gosto; estremeci com a suspeita de ser involuntariamente causa de um crime dessa ordem; impelido pelo remorso, saí apressadamente em busca de Mariana.

Achei-me na rua sem saber o que devia fazer. Andei cerca de vinte minutos inutilmente, até que me ocorreu a ideia natural de recorrer à polícia; era prosaica a intervenção da polícia, mas eu não fazia romance; ia simplesmente em cata de uma fugitiva.

A polícia nada sabia de Mariana; mas lá deixei a nota competente; correram agentes em todas as direções: fui eu mesmo saber nos arrabaldes se havia notícia de Mariana. Tudo foi inútil; às três horas da tarde voltei para casa sem poder tranquilizar minha família. Na minha opinião tudo estava perdido.

Fui à noite à casa de Amélia, aonde não fora de tarde, motivo pelo qual havia recebido um recado em carta a uma de minhas irmãs. A casa de minha prima ficava em uma esquina. Eram oito horas da noite quando cheguei à porta da casa. A três ou quatro passos estava um vulto de mulher cosido com a parede. Aproximei-me: era Mariana.

— Que fazes aqui? — perguntei eu.

— Perdão, nhonhô; vinha vê-lo.

— Ver-me? mas por que saíste de casa, onde eras tão bem tratada, e donde não tinhas o direito de sair, porque és cativa?

— Nhonhô, eu saí porque sofria muito...

— Sofrias muito! Tratavam-te mal? Bem sei o que é; são os resultados da educação que minha mãe te deu. Já te supões senhora e livre. Pois enganas-te; hás de voltar já, e já, para casa. Sofrerás as consequências da tua ingratidão. Vamos...

— Não! — disse ela. — Não irei.

— Mariana, tu abusas da afeição que todos temos por ti. Eu não tolero essa recusa, e se me repetes isso...

— Que fará?

— Irás à força; irás com dois soldados.

— Nhonhô fará isso? — disse ela com voz trêmula. — Não quero obrigá-lo a incomodar os soldados; iremos juntos, ou irei só. O que eu queria, é que nhonhô não fosse tão cruel... porque enfim eu não tenho culpa se... Paciência! vamos... eu vou.

Mariana começou a chorar. Tive pena dela.

— Tranquiliza-te, Mariana — disse-lhe —; eu intercederei por ti. Mamãe não te fará mal.

— Que importa que faça? Eu estou disposta a tudo... Ninguém tem que ver com as minhas desgraças... Estou pronta; podemos ir.

— Saibamos outra coisa — disse eu —, alguém te seduziu para fugir?

Esta pergunta era astuciosa; eu desejava apenas desviar do espírito da rapariga qualquer suspeita de que eu soubesse dos seus amores por mim. Foi desastrada a astúcia. O único efeito da pergunta foi indigná-la.

— Se alguém me seduziu? — perguntou ela. — Não, ninguém; fugi porque eu o amo, e não posso ser amada, eu sou uma infeliz escrava. Aqui está por que eu fugi. Podemos ir; já disse tudo. Estou pronta a carregar com as consequências disto.

Não pude arrancar mais nada à rapariga. Apenas quando lhe perguntei se havia comido, respondeu-me que não, mas que não tinha fome.

Chegamos a casa eu e ela perto das nove horas da noite. Minha mãe já não tinha esperanças de tornar a ver Mariana; o prazer que a vista da escrava lhe deu foi maior que a indignação pelo seu procedimento. Começou por invectivá-la. Intercedi a tempo de acalmar a justa indignação de minha mãe e Mariana foi dormir tranquilamente.

Não sei se tranquilamente. No dia seguinte tinha os olhos inchados e estava triste. A situação da pobre rapariga interessara-me bastante, que era natural, sendo eu a causa indireta daquela dor profunda. Falei muito nesse episódio em casa de minha prima. O tio João Luís disse-me em particular que eu fora um asno e um ingrato.

— Por quê? — perguntei-lhe.

— Porque devias ter posto Mariana debaixo da minha proteção, a fim de livrá-la do mau tratamento que vai ter.

— Ah! não, minha mãe já lhe perdoou.

— Nunca lhe perdoará como eu.

Falei tanto em Mariana que minha prima entrou a sentir um disparatado ciúme. Protestei-lhe que era loucura e abatimento ter zelos de uma cria de casa, e que o meu interesse era simples sentimento de piedade. Parece que as minhas palavras não lhe fizeram grande impressão.

Extremamente leviana, Amélia não soube conservar a necessária dignidade, quando foi a minha casa. Conversou muito na necessidade de tratar severamente as escravas, e achou que era dar mau exemplo mandar-lhes ensinar alguma coisa.

Minha mãe admirou-se muito desta linguagem na boca de Amélia e redarguiu com aspereza o que lhe dava direito a sua vontade. Amélia insistiu; minhas irmãs combateram as suas opiniões: Amélia ficou amuada. Não havia pior posição para uma senhora.

Nada escapara a Mariana desta conversa entre Amélia e minha família; mas ela era dissimulada e nada disse que pudesse trair os seus sentimentos. Pelo contrário redobrou de esforços para agradar a minha prima; desfez-se em agrados e respeitos. Amélia recebia todas essas demonstrações com visível sobranceria em vez de as receber com fria dignidade.

Na primeira ocasião em que pude falar a minha prima, chamei a sua atenção para esta situação absurda e ridícula. Disse-lhe que, sem o querer, estava a humilhar-se diante de uma escrava. Amélia não compreendeu o sentimento que me ditou estas palavras, nem a procedência das minhas palavras. Viu naquilo uma defesa de Mariana; respondeu-me com algumas palavras duras e retirou-se para os aposentos de minhas irmãs onde chorou à vontade. Finalmente tudo se acalmou e Amélia voltou tranquila para casa.

Quatro dias antes do dia marcado para o meu casamento, era a festa do Natal. Minha mãe costumava dar festas às escravas. Era um costume que lhe deixara minha avó. As festas consistiam em dinheiro ou algum objeto de pouco valor. Mariana recebia ambas as coisas por uma especial graça. De tarde tiveram gente em casa para jantar: alguns amigos e parentes. Amélia estava presente. Meu tio João Luís era grande amador de discursos à sobremesa. Mal começavam a entrar os doces, quando ele se levantou e começou um discurso que, a julgar pelo introito, devia ser extenso. Como ele tinha suma graça, eram gerais as risadas desde que empunhou o copo. Foi no meio dessa geral alegria que uma das escravas veio dar parte de que Mariana havia desaparecido.

Este segundo ato de rebeldia da mulatinha produziu a mais furiosa impressão em todos. Da primeira vez houve alguma mágoa e saudade de mistura com a indignação. Desta vez houve indignação apenas. Que sentimento devia inspirar a todos a insistência dessa rapariga em fugir de uma casa onde era tratada como filha? Ninguém duvidou mais que Mariana era seduzida por alguém, ideia que da primeira vez se desvaneceu mediante uma piedosa mentira da minha parte; como duvidar agora?

Tais não eram as minhas impressões. Senhor do funesto segredo da escrava, sentia-me penalizado por ser causa indireta das loucuras dela e das tristezas de minha mãe. Ficou assentado que se procuraria a fugitiva e se lhe daria o castigo competente. Deixei que esse movimento de cólera se consumasse, e levantei-me para ir procurar Mariana.

Amélia ficou desgostosa com esta resolução, e bem o revelou no olhar; mas eu fingi que a não percebia e saí.

Dei os primeiros passos necessários e usuais. A polícia nada sabia, mas ficou avisada e empregou meios para alcançar a fugitiva. Eu suspeitava que desta vez ela tivesse cometido suicídio; fiz neste sentido as diligências necessárias para ter alguma notícia dela viva ou morta.

Tudo foi inútil.

Quando voltei a casa eram dez horas da noite; todos estavam à minha espera, menos o tio e a prima que já se haviam retirado.

Minha irmã contou-me que Amélia saíra furiosa, porque achava que eu estava dando maior atenção do que devia a uma escrava, embora bonita, acrescentou ela.

Confesso que naquele momento o que me preocupava mais era Mariana; não porque eu correspondesse aos seus sentimentos por mim, mas porque eu sentia sérios remorsos de ser causa de um crime. Fui sempre pouco amante de aventuras e lances arriscados e não podia pensar sem algum terror na possibilidade de morrer alguém por mim.

Minha vaidade não era tamanha que me abafasse os sentimentos de piedade cristã. Neste estado as invectivas da minha noiva não me fizeram grande impressão, e não foi por causa delas que eu passei a noite em claro.

Continuei no dia seguinte as minhas pesquisas, mas nem eu nem a polícia fomos felizes.

Tendo andado muito, já a pé, já de tílburi, achei-me às cinco horas da tarde no largo de São Francisco de Paula, com alguma vontade de comer; a casa ficava um pouco longe e eu queria continuar depois as minhas averiguações. Fui jantar a um hotel que então havia na antiga rua dos Latoeiros.

Comecei a comer distraído e ruminando mil ideias contrárias, mil suposições absurdas. Estava no meio do jantar quando vi descer do segundo andar da casa um criado com uma bandeja onde havia vários pratos cobertos.

— Não quer jantar — disse o criado ao dono do hotel que se achava no balcão.

— Não quer? — perguntou este. — Mas então... não sei o que faça... reparaste se... Eu acho bom ir chamar a polícia.

Levantei-me da mesa e aproximei-me do balcão.

— De que se trata? — perguntei eu.

— De uma moça que aqui apareceu ontem, e que ainda não comeu até hoje...

Pedi-lhe os sinais da pessoa misteriosa. Não havia dúvida. Era Mariana.

— Creio que sei quem é — disse eu — e ando justamente em procura dela. Deixe-me subir.

O homem hesitou; mas a consideração de que não lhe podia convir continuar a ter em casa uma pessoa por cuja causa viesse a ter questões com a polícia, fez com que me deixasse o caminho livre.

Acompanhou-me o criado, a quem incumbi de chamar por ela, porque se conhecesse a minha voz, supunha eu que me não quisesse abrir.

Assim se fez. Mariana abriu a porta e eu apareci. Deu um grito estridente e lançou-se-me nos braços. Repeli aquela demonstração com toda a brandura que a situação exigia.

— Não venho aqui para receber-te abraços — disse eu —, venho pela segunda vez buscar-te para casa, donde pela segunda vez fugiste.

A palavra *fugiste* escapou-me dos lábios; todavia, não lhe dei importância senão quando vi a impressão que ela produziu em Mariana. Confesso que devera ter alguma caridade mais; mas eu queria conciliar os meus sentimentos com os meus deveres, e não fazer com que a mulher não se esquecesse de que era escrava. Mariana parecia disposta a sofrer tudo dos outros, contanto que obtivesse a minha compaixão. Compaixão tinha-lhe eu; mas não lho manifestava, e era esse todo o mal.

Quando a fugitiva recobrou a fala, depois das emoções diversas por que passara desde que me viu chegar, declarou positivamente que era sua intenção não sair dali. Insisti com ela dizendo-lhe que poderia ganhar tudo procedendo bem, ao passo que tudo perderia continuando naquela situação.

— Pouco importa — disse ela —; estou disposta a tudo.

— A matar-te, talvez? — perguntei eu.

— Talvez — disse ela sorrindo melancolicamente —; confesso-lhe até que a minha intenção era morrer na hora do seu casamento, a fim de que fôssemos ambos felizes, nhonhô casando-se, eu morrendo.

— Mas desgraçada, tu não vês que...

— Eu bem sei o que vejo — disse ela —; descanse; era essa a minha intenção, mas pode ser que o não faça...

Compreendi que era melhor levá-la pelos meios brandos; entrei a empregá-los sem esquecer nunca a reserva que me impunha a minha posição. Mariana estava resolvida a não voltar. Depois de gastar cerca de uma hora, sem nada obter, declarei-lhe positivamente que ia recorrer aos meios violentos, e que já lhe não era possível resistir. Perguntou-me que meios eram; disse-lhe que eram os agentes policiais.

— Bem vês, Mariana — acrescentei —, sempre hás de ir para casa; é melhor que me não obrigues a um ato que me causaria alguma dor.

— Sim? — perguntou ela com ânsia. — Teria dor em levar-me assim para casa?

— Alguma pena teria decerto — respondi —; porque tu foste sempre boa rapariga; mas que farei eu se continuas a insistir em ficar aqui?

Mariana encostou a cabeça à parede e começou a soluçar; procurei acalmá-la; foi impossível. Não havia remédio; era necessário empregar o meio heroico. Saí ao corredor para chamar pelo criado que tinha descido logo depois que a porta se abriu.

Quando voltei ao quarto, Mariana acabava de fazer um movimento suspeito. Parecia-me que guardava alguma coisa no bolso. Seria alguma arma?

— Que escondeste aí? — perguntei eu.

— Nada — disse ela.

— Mariana, tu tens alguma ideia terrível no espírito... Isso é alguma arma...

— Não — respondeu ela.

Chegou o criado e o dono da casa. Expus-lhes em voz baixa o que queria; o criado saiu, o dono da casa ficou.

— Eu suspeito que ela tem alguma arma no bolso para matar-se; cumpre arrancar-lha.

Dizendo isto ao dono da casa, aproximei-me de Mariana.

— Dá-me o que tens aí.

Ela contraiu um pouco o rosto. Depois, metendo a mão no bolso, entregou-me o objeto que lá havia guardado.

Era um vidro vazio.

— Que é isto, Mariana? — perguntei eu, assustado.

— Nada — disse ela —; eu queria matar-me depois de amanhã. Nhonhô apressou a minha morte; nada mais.

— Mariana! — exclamei eu aterrado.

— Oh! — continuou ela com voz fraca. — Não lhe quero mal por isso. Nhonhô não tem culpa: a culpa é da natureza. Só o que eu lhe peço é que não me tenha raiva, e que se lembre algumas vezes de mim...

Mariana caiu sobre a cama. Pouco depois entrava o inspetor. Chamou-se à pressa um médico; mas era tarde. O veneno era violento; Mariana morreu às oito horas da noite.

Sofri muito com este acontecimento; mas alcancei que minha mãe perdoasse à infeliz, confessando-lhe a causa da morte dela. Amélia nada soube, mas nem por isso deixou o fato de influir em seu espírito. O interesse com que eu procurei a rapariga, e a dor que a sua morte me causou, transtornaram a tal ponto os sentimentos da minha noiva, que ela rompeu o casamento dizendo ao pai que havia mudado de resolução.

Tal foi, meus amigos, este incidente da minha vida. Creio que posso dizer ainda hoje que todas as mulheres de quem tenho sido amado, nenhuma me amou mais do que aquela. Sem alimentar-se de nenhuma esperança, entregou-se alegremente ao fogo do martírio; amor obscuro, silencioso, desesperado, inspirando o riso ou a indignação, mas no fundo, amor imenso e profundo, sincero e inalterável.

Coutinho concluiu assim a sua narração, que foi ouvida com tristeza por todos nós. Mas daí a pouco saíamos pela rua do Ouvidor fora, examinando os pés das damas que desciam dos carros, e fazendo a esse respeito mil reflexões mais ou menos engraçadas e oportunas. Duas horas de conversa tinha-nos restituído a mocidade.

Jornal das Famílias, *janeiro de 1871*; J. J.

Almas agradecidas

I

Havia representação no Ginásio. A peça da moda era então a célebre *Dama das camélias*. A casa estava cheia. No fim do quarto ato começou a chover um pouco; do meio do quinto ato em diante, a chuva redobrou de violência.

Quando acabou o espetáculo, cada família entrou no seu carro; as poucas que não tinham esperavam uma estiada, e, mediante os guarda-chuvas, lá saíram com as saias arregaçadas,

> aos olhos dando,
> O que às mãos cobiçosas vão negando.

Os homens abriam os seus guarda-chuvas; outros chamavam tílburis; e pouco a pouco se foi despejando o saguão, até que só ficaram dois rapazes, um dos quais abotoara até o pescoço o paletó, e esperava maior estiada para sair, porque além de não ter guarda-chuva, não via nenhum tílburi no horizonte.

O outro também abotoara o paletó, mas tinha guarda-chuva; não parecia, entretanto, disposto a abri-lo. Olhava de esguelha para o primeiro, que fumava tranquilamente um charuto.

Já o porteiro havia fechado as duas portas laterais e ia fazer o mesmo à porta central, quando o rapaz do guarda-chuva dirigiu ao outro estas palavras:

— Para que lado vai?

O interpelado compreendeu que o companheiro lhe ia oferecer abrigo e respondeu, com palavras de agradecimento, que morava na Glória.

— É muito longe — disse ele —, para aceitar o abrigo que naturalmente me quer oferecer. Eu esperarei aqui um tílburi.

— Mas a porta vai fechar-se — observou o outro.

— Não importa, esperarei do lado de fora.

— Não é possível — insistiu o primeiro —; a chuva ainda está forte e pode aumentar mais. Não lhe ofereço abrigo até casa porque moro na Prainha, que é justamente do lado oposto; mas posso cobri-lo até o Rocio, onde encontraremos um tílburi.

— É verdade — respondeu o rapaz que não tinha guarda-chuva —; não me havia ocorrido isto, aceito com prazer.

Saíram os dois rapazes e foram até o Rocio. Nem sombra de tílburi ou caleça.

— Não admira — disse o rapaz do guarda-chuva —; foram todos com gente do teatro. Daqui a pouco haverá algum de volta...

— Mas eu não quisera dar-lhe o incômodo de o reter mais tempo aqui à chuva.

— Cinco ou dez minutos, talvez; esperaremos.

A chuva veio contrariar estes bons desejos do rapaz, caindo com furor. Mas o desejo de servir tem mil maneiras de se manifestar. O rapaz do guarda-chuva propôs um meio excelente de escapar à chuva e esperar condução: era ir tomar chá ao hotel que mais à mão lhes ficasse. O convite não era mau; tinha só o inconveniente de vir de um desconhecido. Antes de lhe responder, o rapaz sem guarda-chuva deitou um rápido olhar ao seu companheiro, espécie de exame prévio da condição social da pessoa. Parece que a achou boa, porque aceitou o convite.

— É levar muito longe a sua bondade — disse ele — mas eu não posso deixar de abusar dela; a noite está inclemente.

— Eu também costumo esquecer o guarda-chuva, e amanhã estarei nas suas mesmas circunstâncias.

Foram para o hotel e daí a pouco tinham diante de si um excelente pedaço de rosbife frio, acompanhado de não menos excelente chá.

— Há de desculpar a minha curiosidade — disse o rapaz sem guarda-chuva —; mas eu desejaria saber a quem devo a obsequiosidade com que sou tratado há vinte minutos.

— Não somos inteiramente desconhecidos — respondeu o outro —; a sua memória é que é menos conservadora do que a minha.

— De onde me conhece?

— Do colégio. Andamos juntos no colégio Rosa...

— Andei lá, é verdade, mas...

— Não se lembra do Oliveira? Aquele que trocava as réguas por laranjas? Aquele que desenhava com giz o retrato do mestre nas costas dos outros meninos?

— Que me diz? É o senhor?

— De carne e osso; eu mesmo. Acha-me mudado, não?

— Oh! muito!

— Não admira; eu era naquele tempo uma criança rechonchuda e vermelha; hoje como vê, estou quase tão magro como d. Quixote; e não foram trabalhos, porque eu não os tenho tido; nem desgostos, que eu ainda não os experimentei. O senhor, porém, é que não mudou; se não fosse esse pequeno bigode, pareceria o mesmo daquele tempo.

— E todavia não me hão faltado desgostos — acudiu o outro —; minha vida tem sido atribulada. A natureza tem destas coisas.

— Casou-se?

— Não; e o senhor?

— Também não.

A pouco e pouco começaram as confidências pessoais; cada um narrou aquilo que podia narrar, por maneira que, ao fim da ceia, pareciam tão íntimos como no tempo do colégio.

Sabemos destas revelações mútuas que Oliveira era bacharel em direito, e começava a advogar com pouco êxito. Herdara alguma coisa da avó, última parenta que conservara até então, tendo-lhe morrido os pais antes de entrar na adolescência. Estava com certo desejo de entrar na vida política e contava com a proteção de alguns amigos de seu pai, para ser eleito deputado à assembleia provincial fluminense.

Magalhães era o nome do outro; não herdara de seus pais dinheiro, nem amigos políticos. Aos dezesseis anos, achou-se só no mundo; exercera vários empregos de caráter particular, até que conseguira obter uma nomeação para o Arsenal de Guerra, onde estava atualmente. Confessou que esteve a ponto de enriquecer, casando com uma viúva rica; mas não revelou as causas que lhe impediram essa mudança de fortuna.

A chuva cessara de todo. Já uma parte do céu se havia descoberto deixando aparecer o rosto da lua cheia, cujos raios pálidos e frios brincavam nas pedras e nos telhados úmidos.

Saíram os nossos dois amigos.

Magalhães declarou que iria a pé.

— Não chove mais — disse ele —; ou, pelo menos, nesta meia hora; vou a pé até a Glória.

— Pois bem — respondeu Oliveira —; já lhe disse o número da minha casa e do meu escritório; apareça lá algumas vezes; folgarei de reatar as nossas relações da meninice.

— Também eu; até breve.

Despediram-se na esquina da rua do Lavradio, e Oliveira enfiou pela de São Jorge. Ambos foram pensando um no outro.

— Parece ser um excelente rapaz este Magalhães — dizia o jovem advogado consigo —; no colégio, foi sempre um menino sério. Ainda o é agora, e até parece um pouco reservado, mas é natural porque sofreu.

II

Três dias depois, apareceu Magalhães no escritório de Oliveira; falou na sala a um porteiro que lhe pediu o cartão.

— Não tenho cartão — respondeu Magalhães envergonhado —; esqueci-me de o trazer; diga-lhe que é o Magalhães.

— Queira esperar alguns minutos — tornou o porteiro —; ele está conversando com uma pessoa.

Magalhães assentou-se numa cadeira de braços, enquanto o porteiro assoava silenciosamente o nariz e tomava uma pitada de rapé, que lhe não ofereceu. Magalhães examinou detidamente as cadeiras, as estantes, os quadros de gravuras, os capachos e as escarradeiras. A sua curiosidade era minuciosa e sagaz; parecia estar avaliando o gosto ou a riqueza de seu ex-colega.

Minutos depois, ouviu-se um rumor de cadeiras, e não tardou que viesse da sala do fundo um velho alto e empertigado, vestido com certo apuro, a quem o porteiro fez largos cumprimentos até o patamar da escada.

Magalhães não esperou que o porteiro fosse avisar Oliveira; atravessou o corredor que separava as duas salas e foi ter com o amigo.

— Ora, viva! — disse este apenas o viu entrar. — Estimo que não lhe houvesse esquecido a promessa. Sente-se; chegou a casa com chuva?

— Começou a chuviscar quando eu me achava a dois passos da porta — respondeu Magalhães.

— Que horas são?

— Pouco mais de duas, creio eu.

— O meu relógio está parado — disse Oliveira, lançando o olhar de esguelha para o colete de Magalhães, que não tinha relógio. — Naturalmente, ninguém mais me procurará hoje; e, ainda que venham, quero descansar.

Oliveira tocou a campainha apenas acabou de proferir estas palavras. Veio o porteiro.

— Se vier alguém — disse Oliveira — não estou cá.

O porteiro inclinou-se e saiu.

— Estamos livres de importunos — disse o advogado apenas o porteiro virou as costas.

Todas estas maneiras e palavras de simpatia e cordialidade foram angariando a confiança de Magalhães, que começou a parecer alegre e franco com o seu ex-colega.

Longa foi a conversa, que durou até as quatro horas da tarde. Às cinco jantava Oliveira; mas o outro jantava às três, e se o não disse, era talvez por deferência, se não fosse por cálculo. Um jantar copioso e escolhido não era melhor que o ramerrão culinário de Magalhães? Fosse uma ou outra coisa, Magalhães suportou a fome com admirável denodo. Eram quatro horas da tarde, quando Oliveira deu acordo de si.

— Quatro horas! — exclamou ele, ouvindo as badaladas de um sino próximo. — Naturalmente, já você perdeu a hora do jantar.

— Assim é — respondeu Magalhães —; eu costumo jantar às três horas. Não importa; adeus.

— Isso é que não; há de ir jantar comigo.

— Não; obrigado...

— Ande cá, jantaremos no hotel mais próximo, porque a minha casa é longe. Eu ando com ideia de mudar de casa; estou muito fora do centro da cidade. Vamos aqui ao hotel de Europa.

Os vinhos eram bons; Magalhães gostava de vinhos bons. No meio do jantar, tinha-se-lhe desenvolvido completamente a língua. Oliveira fazia quanto podia para tirar ao amigo da infância toda espécie de acanhamento. Isto e o vinho deram excelente resultado.

Desta ocasião em diante foi que Oliveira começou a apreciar o ex-colega. Era Magalhães um rapaz de agudo espírito, boa observação, conversador ameno, um pouco lido em obras fúteis e correntes. Tinha além disso o dom de ser naturalmente insinuante. Com estas prendas juntas não era difícil, era antes facílimo angariar as boas graças de Oliveira, que, à sua extrema bondade, reunia uma natural confiança, ainda não diminuída pelos cálculos da vida madura. Demais Magalhães tinha sido infeliz; esta circunstância era aos olhos de Oliveira um realce. Finalmente, o seu ex-colega já lhe confiara no trajeto do escritório ao hotel, que não contava um amigo debaixo do sol. Oliveira queria ser esse amigo.

Qual importa mais à vida, ser d. Quixote ou Sancho Pança? O ideal ou o prático? A generosidade ou a prudência? Oliveira não hesitava entre esses dois opostos papéis; nem sequer pensara neles. Estava no período do coração.

Apertaram-se os laços da amizade entre os dois colegas. Oliveira mudou-se para a cidade, o que deu azo a que os dois amigos se encontrassem mais vezes. A frequência veio a uni-los ainda mais.

Oliveira apresentou Magalhães a todos os seus amigos; levou-o a casa de alguns. A sua palavra afiançava o hóspede que, dentro em pouco tempo, captava as simpatias de todos.

Nisto era Magalhães superior a Oliveira. Não faltava ao advogado inteligência, nem maneiras, nem dom para se fazer estimado. Mas os dotes de Magalhães superavam os dele. A conversa de Magalhães era mais picante, mais variada, mais atraente. Há muito quem prefira a amizade de um homem sarcástico, e Magalhães tinha seus longes de sarcástico.

Não se magoava com isto Oliveira, antes parecia ter certa glória em ver que seu amigo obtinha por seu mérito a estima dos outros.

Facilmente acreditará o leitor que estes dois amigos se fizessem confidentes de todas as coisas, principalmente de coisas de amores. Nada esconderam a este respeito um ao outro, com a diferença de que Magalhães, não tendo amores atuais, confiou ao amigo apenas algumas proezas antigas, ao passo que Oliveira, a braços com algumas aventuras, não dissimulou nenhuma delas, e tudo contou a Magalhães.

E foi bem que o fizesse, porque Magalhães era homem de bom conselho, dava ao amigo pareceres sensatos, que ele ouvia e aceitava com grande proveito seu e para maior glória da recíproca amizade.

A dedicação de Magalhães ainda se manifestava por outro modo. Não era raro vê-lo desempenhar um papel de conciliador, auxiliar uma inocente mentira, ajudar o amigo em todas as dificuldades que o amor depara aos seus alunos.

III

Um dia de manhã leu Oliveira, ainda na cama, a notícia da demissão de Magalhães, impressa no *Jornal do Commercio*. Grande foi a sua mágoa, mas ainda maior que a mágoa foi a raiva que esta notícia lhe causou. Demitir Magalhães! Oliveira mal podia compreender este ato do ministro. O ministro era necessariamente tolo ou tratante.

Havia patronato naquilo. Não seria pagamento a algum eleitor solícito?

Estas e outras conjecturas preocuparam o advogado até a hora do almoço. Almoçou pouco. O estômago acompanhava a dor do coração.

Magalhães devia ir nesse dia ao escritório de Oliveira. Com que ansiedade esperou este a hora marcada! Esteve a ponto de faltar a um depoimento de testemunhas. Mas a hora chegou e Magalhães não apareceu. Oliveira estava sobre brasas. Qual a razão da falta? Não atinava com ela.

Eram quatro horas quando saiu do escritório, e sua resolução imediata foi meter-se num tílburi e seguir para a Glória.

Assim o fez.

Quando lá chegou, estava Magalhães lendo um romance. Não parecia abatido pelo golpe ministerial. Todavia, não estava alegre. Fechou o livro lentamente e abraçou o amigo.

Oliveira não podia conter a sua cólera.

— Lá vi hoje — disse ele — a notícia da tua demissão. É uma patifaria sem nome...

— Por quê?

— Ainda o perguntas?

— Sim; por quê? O ministro é senhor dos seus atos e responsável por eles; podia demitir-me e fê-lo.

— Mas fez mal — disse Oliveira.

Magalhães sorriu tristemente.

— Não podia deixar de o fazer — disse ele —; um ministro é muitas vezes um amanuense do destino, que só parece ocupar-se em me perturbar a vida e multiplicar todos os esforços. Que queres? Eu já estou acostumado, não resisto; dia virá em que estes golpes terão um termo. Dia virá em que eu possa vencer a má fortuna de uma vez para sempre. Tenho o remédio nas mãos.

— Deixa-te de tolices, Magalhães.

— Tolices?

— Mais que tolices; sê forte!

Magalhães abanou a cabeça.

— Não custa aconselhar fortaleza — murmurou ele —; mas quem tem sofrido como eu...

— Já não contas com os amigos?

— Os amigos não podem tudo.

— Muito obrigado! Eu te mostrarei se podem.

— Não te iludas, Oliveira; não te esforces a favor de um homem que a sorte condenou.

— Histórias!

— Sou um condenado.

— És um fracalhão.

— Acreditas que eu...

— Acredito que és um fracalhão, e que não pareces aquele mesmo Magalhães que sabe conservar o sangue-frio em todas as ocasiões graves. Descansa, eu tirarei desforra brilhante. Antes de quinze dias estarás empregado.

— Não creias...

— Desafias-me?

— Não; bem conheço de que é capaz teu coração nobre e generoso... mas...

— Mas o quê?

— Receio que a má fortuna seja mais forte do que eu.

— Verás.

Oliveira deu um passo para a porta.

— Nada disso impede que venhas jantar comigo — disse ele, voltando-se para Magalhães.

— Obrigado; já jantei.

— Anda ao menos comigo para ver se te distrais.

Magalhães recusou; mas Oliveira insistiu com tão boa vontade que não havia recusar.

Durante a noite seguinte meditou Oliveira acerca do negócio de Magalhães. Tinha amigos importantes, os mesmos que forcejavam por lhe abrir carreira política. Oliveira pensou neles como os mais próprios para levar a cabo a obra de seus desejos. O grande caso para ele era empregar Magalhães, em cargo tal que despicasse da prepotência ministerial. O substantivo *prepotência* era a exata expressão de Oliveira.

Não lhe ocultaram os amigos que o caso não era fácil; mas prometeram que a dificuldade seria vencida. Não se dirigiram ao ministro da Guerra, mas a outro; Oliveira pôs em campo o recurso feminino. Duas senhoras de seu conhecimento foram em pessoa falar ao ministro, em favor do feliz candidato.

Não negou o digno membro do poder executivo a dificuldade de criar um lugar para dar ao pretendente. Seria cometer a injustiça de tirar o pão a empregados úteis ao país.

Instavam porém os padrinhos, audiências e cartas, pedidos de toda sorte; nada ficou por empregar em favor de Magalhães.

Depois de cinco dias de lutas e solicitações diárias, declarou o ministro que poderia dar um bom emprego a Magalhães na Alfândega de Corumbá. Já era boa vontade da parte do ministro, mas os protetores de Magalhães recusaram a graça.

— O que se deseja de vossa excelência — disse um deles — é que o nosso afilhado seja empregado aqui mesmo na corte. Vai nisso uma questão de honra, e uma questão de comodidade.

Tinha boa vontade o ministro, e entrou a cogitar no meio de acomodar o pretendente. Havia em uma das repartições a seu cargo um empregado que durante o ano faltava muitas vezes ao ponto, e na última peleja eleitoral votara contra o ministro. Caiu-lhe uma demissão em casa, e para evitar empenhos mais fortes, no mesmo dia em que apareceu a demissão do empregado vadio, apareceu a nomeação de Magalhães.

Foi o próprio Oliveira que levou a Magalhães o desejado decreto.

— Dá-me cá um abraço — disse ele —, e reza aí um *mea culpa*. Venci o destino. Estás nomeado.

— Quê! será possível?

— Aqui tens o decreto!

Magalhães caiu nos braços de Oliveira.

A gratidão de quem recebe um benefício é sempre menor que o prazer daquele que o faz. Magalhães exprimia todo seu reconhecimento pela dedicação e perseverança de Oliveira; mas a alegria de Oliveira não tinha limites. A explicação desta diferença está talvez neste fundo de egoísmo que há em todos nós.

Em todo caso, a amizade dos dois ex-colegas ganhou com isso maior solidez.

IV

O novo emprego de Magalhães era muito melhor que o primeiro em categoria e lucro, de maneira que a demissão, longe de lhe ser um golpe funesto do destino, foi um lance de melhor fortuna.

Passou Magalhães a ter melhor casa e a alargar um pouco mais a bolsa, pois que a tinha agora mais farta que dantes; Oliveira observava esta mudança e regozijava-se com a ideia de que contribuíra para ela.

A vida de ambos continuaria por este teor, plácida e indiferente, se um acontecimento não a viesse perturbar de repente.

Um dia, achou Magalhães que Oliveira parecia preocupado. Perguntou-lhe francamente o que era.

— Que há de ser? — disse Oliveira. — Eu sou um miserável nessas coisas de amores; estou apaixonado.

— Queres que te diga uma coisa?

— O quê?

— Acho que fazes mal em diluir o teu coração com essas mulheres.

— Que mulheres?

— Essas.

— Não me compreendes, Magalhães; a minha atual paixão é séria; amo uma menina honesta.

— Que mágoas então são essas? Casa com ela.

— Esse é o ponto. Creio que ela não me ama.

— Ah!

Houve um silêncio.

— Mas não te resta esperança nenhuma? — perguntou Magalhães.

— Não posso dizer isso; não penso que ela seja sempre esquiva ao meu sentimento; mas por ora nada há entre nós.

Magalhães entrou a rir.

— Pareces-me calouro, homem! — disse ele. — Quantos anos tem ela?

— Dezessete.

— A idade da inocência; suspiras em silêncio e queres que ela te adivinhe. Nunca chegarás ao cabo. Tem-se comparado o amor à guerra. Assim é. No amor, querem-se atos de bravura como na guerra. Avança afoitamente e vencerás.

Oliveira ouvia estas palavras com a atenção de um homem sem iniciativa, a quem todo conselho serve. Confiava no juízo de Magalhães e o parecer dele era razoável.

— Parece-te então que eu devo expor-me?

— Sem dúvida.

O advogado referiu depois todas as circunstâncias do seu encontro com a moça em questão. Pertencia a uma família com quem esteve em casa de terceiro; o pai era um excelente homem, que o convidou a frequentar a casa, e a mãe uma excelente senhora, que ratificou o convite do marido. Oliveira não tinha ido lá depois disso, porque, segundo imaginava, a moça não correspondia à sua afeição.

— És um tolo — disse Magalhães quando o amigo acabou a narração. — Vês a rapariga num baile, ficas gostando dela, e só porque ela não te caiu logo nos braços, desistes de lhe frequentar a casa. Oliveira, tem juízo: vai à casa dela, e dir-me-ás daqui a pouco tempo se te não aproveita o conselho. Queres casar, não?

— Oh! podias pôr em dúvida?...

— Não; é uma pergunta. Não é casamento romântico?

— Que queres dizer com isso?

— Ela é rica?

Oliveira franziu a testa.

— Não te zangues — disse Magalhães. — Eu não sou nenhum espírito rasteiro; também conheço as delicadezas do coração. Nada vale mais que um amor verdadeiro e desinteressado. Não se me há de censurar, porém, que eu procure ver o lado prático das coisas; um coração de ouro vale muito; mas um coração de ouro com ouro vale mais.

— Cecília é rica.
— Pois tanto melhor!
— Afianço-te, porém, que essa consideração...
— Não precisas afiançar nada; eu bem sei o que vales — disse Magalhães apertando as mãos de Oliveira. — Anda, meu amigo, não te detenho; procura a tua felicidade.

Animado por estes conselhos, tratou Oliveira de sondar o terreno para declarar a sua paixão. Omiti de propósito a descrição de Cecília feita por Oliveira ao seu amigo Magalhães. Não desejava exagerar aos olhos dos leitores a beleza da moça, que a um namorado parece sempre maior do que realmente é. Mas Cecília era realmente formosa. Era uma beleza, uma flor em toda a extensão da palavra. Todas as forças e fulgores da mocidade estavam nela, que apenas saía da adolescência e parecia anunciar longa e esplêndida juventude. Não era alta, mas também não era baixa. Era acima de meã. Era muito corada e viva; tinha uns olhos brilhantes e buliçosos, olhos de namorada ou namoradeira; era talvez um pouco afetada, mas deliciosa; tinha certas exclamações que lhe ficavam bem nos seus lábios finos e úmidos.

Oliveira não viu logo todas estas coisas na noite em que lhe falou; mas não tardou que ela se lhe revelasse assim, desde que começou a frequentar a casa dela.

Nisto era Cecília ainda um pouco criança; não sabia dissimular nem era difícil captar-lhe a confiança. Mas, através das aparências de frivolidade e volubilidade, descobria-lhe Oliveira sólidas qualidades de coração. O contato redobrou o seu amor. No fim de um mês, Oliveira parecia perdido por ela.

Magalhães continuava a ser o conselheiro de Oliveira e o seu único confidente. Um dia, pediu-lhe o namorado que fosse com ele a casa de Cecília.

— Tenho medo — disse Magalhães.
— Por quê?
— Sou capaz de precipitar tudo, e isso não sei se será conveniente antes de conhecer bem o terreno. Em qualquer caso, não é mau que eu vá examinar por mim mesmo as coisas. Irei quando quiseres.
— Amanhã?
— Seja amanhã.

No dia seguinte, Oliveira apresentou Magalhães em casa do comendador Vasconcelos.

— É o meu melhor amigo — disse Oliveira.

Na casa de Vasconcelos, já estimavam o advogado; esta apresentação bastava para recomendar Magalhães.

V

O comendador Vasconcelos era um velho folgazão. Estouvado na mocidade, não o era menos na velhice. O estouvamento na velhice é, por via de regra, um senão; todavia, o estouvamento de Vasconcelos tinha um toque peculiar, um caráter todo seu, por modo que era impossível compreender aquele velho sem aquele estouvamento.

Contava já seus cinquenta e oito anos, e andaria lépido como um rapaz de vinte anos, se não fosse uma volumosa barriga que, desde os quarenta anos, lhe começara a crescer com grave desdouro das suas graças físicas, que as tinha, e sem as quais era duvidoso que a sra. d. Mariana houvesse casado com ele.

D. Mariana, antes de casar, professava um princípio seu: o casamento é um estado vitalício; cumpre não precipitar a escolha do noivo. Pelo que rejeitou três pretendentes que, apesar de suas boas qualidades, tinham um defeito físico importante: não eram bonitos. Vasconcelos alcançou o seu Austerlitz onde os outros haviam achado Waterloo.

Salvante a barriga, Vasconcelos era ainda um belo velho, uma ruína magnífica. Não tinha paixões políticas: votara alternadamente com os conservadores e os liberais para contentar os amigos que tinha em ambos os partidos. Conciliava as opiniões sem arriscar as amizades.

Quando o acusavam deste ceticismo político, respondia com uma frase que, se não discriminava as suas opiniões, abonava o seu patriotismo:

— Somos todos brasileiros.

Quadrava o gênio de Magalhães com o de Vasconcelos. A intimidade não tardou muito. Já sabemos que o amigo de Oliveira tinha a grande qualidade de se fazer querido com pouco trabalho. Vasconcelos morria por ele; achava-lhe imensa graça e sólido juízo. D. Mariana chamava-lhe a alegria da casa; Cecília não tinha mais condescendente conversador.

Para os fins de Oliveira era excelente.

Não se descuidou Magalhães de sondar o terreno, a ver se podia animar o amigo. Achou o terreno excelente. Falou uma vez à moça a respeito do amigo e ouviu-lhe palavras de animadora esperança. Parece-me ser, disse ela, um excelente coração.

— Afirmo que o é — disse Magalhães —; conheço-o há muito tempo.

Quando Oliveira soube destas palavras, que não eram muita coisa, ficou muito animado.

— Creio que posso ter esperanças — disse ele.

— Nunca te disse outra coisa — respondeu Magalhães.

Magalhães nem sempre podia servir aos interesses do amigo, porque Vasconcelos, a quem caíra em graça, confiscava-o horas inteiras, ou palestrando, ou jogando o gamão.

Um dia, Oliveira perguntou ao amigo se era conveniente arriscar uma carta.

— Ainda não, deixa-me preparar a coisa.

Oliveira acedeu.

A quem ler estas páginas muito por alto, parecerá inverossímil da parte de Oliveira semelhante necessidade de um cicerone.

Não é.

Oliveira nenhuma demonstração dera até ali à moça, que se conservava ignorante do que se passava dentro dele; e se assim praticava, era por um excesso de timidez, fruto de suas proezas com mulheres de outra classe.

Nada intimida mais a um conquistador de mulheres fáceis do que a ignorância e a inocência de uma donzela de dezessete anos.

Acresce que, se Magalhães era de opinião que ele não se demorasse em expor os seus sentimentos, já agora pensava que era melhor não arriscar golpe sem certeza do resultado.

A dedicação de Magalhães também parecerá condescendente aos espíritos severos. Mas a que se não expõe a verdadeira amizade?

Na primeira ocasião que se lhe deparou, tratou Magalhães de perscrutar o coração da moça.

Era de noite; havia gente em casa. Oliveira estava ausente. Magalhães conversava com Cecília a respeito de um chapéu com que uma senhora idosa entrara na sala.

Magalhães fazia a respeito do chapéu mil conjecturas burlescas.

— Aquele chapéu — dizia ele — parece-me um ressuscitado. Houve naturalmente alguma epidemia de chapéus em que morreu aquele, acompanhado de outros seus irmãos. Aquele ressuscitou, para vir dizer a este mundo o que é o paraíso dos chapéus.

Cecília reprimia uma risada.

Magalhães continuava:

— Eu, se fosse aquele chapéu, pedia uma pensão como inválido e como raridade.

Isto era mais burlesco que picante, mais estúrdio que engraçado; todavia, fazia rir Cecília. Repentinamente, Magalhães ficou sério e consultou o relógio.

— Já se vai embora? — perguntou a moça.

— Não, senhora — disse Magalhães.

— Guarde então o relógio.

— Admira-me que Oliveira ainda não viesse.

— Virá mais tarde. Os senhores são muito amigos?

— Muito. Conhecemo-nos desde crianças. É uma bela alma.

Houve um silêncio.

Magalhães cravou os olhos na moça, que olhava para o chão, e disse:

— Feliz aquela que o possuir.

A moça não revelou a menor impressão ao ouvir estas palavras de Magalhães. Ele repetiu a frase, e ela perguntou se não seriam horas de tomar chá.

— Já amou, dona Cecília? — perguntou Magalhães.

— Que pergunta é essa?

— É uma curiosidade.

— Nunca amei.

— Por quê?

— Sou muito criança.

— Criança!

Outro silêncio.

— Conheço alguém que a ama muito.

Cecília estremeceu e ficou muito corada; não respondeu nem se levantou. Para sair, porém, da situação em que as palavras de Magalhães a deixara, disse rindo:

— Essa pessoa... quem é?

— Quer saber o nome?

— Quero. É seu amigo?

— É.

— Diga o nome.

Outro silêncio.

— Promete não ficar zangada comigo?
— Prometo.
— Sou eu.

Cecília esperava ouvir outra coisa; esperava ouvir o nome de Oliveira. Qualquer que fosse a sua inocência, havia percebido naqueles últimos dias que o rapaz tinha queda por ela. Da parte de Magalhães, não esperava semelhante declaração; todavia, o seu espanto não foi de cólera, apenas surpresa.

A verdade é que ela não amava nenhum deles.

Não tendo a moça respondido logo, Magalhães disse com um sorriso benévolo:

— Já sei que ama outro.
— Que outro?
— Oliveira.
— Não.

Era a primeira vez que Magalhães apresentava um aspecto grave; penalizada com a ideia de que lhe houvesse com o silêncio causado alguma tristeza, que ela adivinhava, posto que não sentisse, Cecília disse ao fim de alguns minutos:

— O senhor está brincando comigo?
— Brincando! — disse Magalhães. — Tudo quanto quiser, menos isso; não se brinca com o amor ou o sofrimento. Já lhe disse que a amo; responda-me francamente se posso nutrir alguma esperança.

A moça não respondia.

— Não poderei viver ao pé da senhora sem uma esperança, embora remota.
— O papá é quem decide de mim — disse ela desviando a conversa.
— Pensa que eu sou desses corações que se contentam com o consentimento paterno? O que eu desejo possuir primeiro é o seu coração. Diga-me: posso esperar essa fortuna?
— Talvez — murmurou a menina, levantando-se envergonhada dessa singela palavra.

VI

Era a primeira declaração que Cecília ouvia da boca de um homem. Não estava preparada para ela. Tudo o que ouvira lhe causara um inexplicável alvoroço.

Posto que não amasse nenhum dos dois, apreciava ambos os rapazes, e não seria difícil que cedesse ao pedido de um deles e viesse a amá-lo apaixonadamente.

Dos dois rapazes, o que mais depressa conseguiria vencer, dado o caso que se declarassem ao mesmo tempo, era sem dúvida Magalhães, cujo espírito galhofeiro e presença insinuante deviam influir mais no espírito da moça.

Minutos depois da cena narrada no capítulo anterior, já os olhos de Cecília procuravam os de Magalhães, mas rapidamente, sem se demorar neles; todos os sintomas de um coração que não se demorará em ceder.

Magalhães tinha a vantagem de conservar todo o sangue-frio no meio da situação que se lhe apresentava, e isso era excelente para não descobrir aos olhos estranhos o segredo que ele tinha interesse em conservar.

Pouco depois, entrou Oliveira. Magalhães deu-se pressa em o chamar de parte.

— Que há? — perguntou Oliveira.

— Boas notícias.
— Falaste-lhe?
— Positivamente não; mas encaminhei o negócio de maneira que talvez em poucos dias tenha a tua situação mudado completamente.
— Mas que houve?
— Falei-lhe de amores; ela pareceu indiferente a essas ideias; disse-lhe então gracejando que a amava...
— Tu?
— Sim. De que te admiras?
— E que disse ela?
— Riu-se. Então perguntei-lhe velhacamente se amava alguém. E ela a isto respondeu que não, mas por modo que me parecia uma afirmativa. Deixa o caso por minha conta. Amanhã, desfaço a meada; digo-lhe que eu estava brincando... Mas paremos aqui, que aí vem o comendador.

Efetivamente, Vasconcelos chegara à janela onde os dois estavam. Uma das manias de Vasconcelos era comentar durante o dia todas as notícias que os jornais publicavam de manhã. Os jornais daquele dia falavam de um casal encontrado morto num quarto da casa em que residia. Vasconcelos desejava saber se os dois amigos optavam pelo suicídio, circunstância esta que o levaria a adotar a hipótese do assassinato.

Foi esta conversa uma completa diversão ao assunto amoroso, e Magalhães aproveitou o debate entre Oliveira e Vasconcelos para ir conversar com Cecília.

Falaram de coisas indiferentes, mas Cecília estava menos expansiva; Magalhães supôs a princípio que fosse um sintoma de esquivança; não era. Bem o notou ele quando, ao sair, Cecília correspondeu energicamente ao seu apertado aperto de mão.

— Pensas que serei feliz, Magalhães? — perguntou Oliveira apenas se acharam na rua.
— Penso.
— Não imaginas que dia passei hoje.
— Não hei de imaginar!
— Olha, nunca pensei que esta paixão pudesse dominar tanto a minha vida.

Magalhães animou o rapaz, que o convidou a cear, não porque o amor lhe deixasse largo campo às exigências do estômago, senão porque havia jantado pouco.

Eu peço perdão aos meus leitores, se entro nestas explicações a respeito da comida.

Quer-se um herói romântico, acima das necessidades vulgares da vida humana; mas não posso deixar de as mencionar, não por sistema, mas por ser fiel à história que estou contando.

A ceia foi alegre, porque Magalhães e a tristeza eram incompatíveis. Oliveira, apesar de tudo, comeu pouco, Magalhães largamente. Entendia que lhe cumpria pagar a ceia; mas o amigo não consentiu nisso.

— Olha, Magalhães — disse Oliveira ao despedir-se dele. — A minha felicidade está nas tuas mãos; és capaz de dar conta dela?
— Não se devem prometer coisas tais; o que eu te afirmo é que não pouparei esforços.

— E pensas que serei feliz?
— Quantas vezes queres que to diga?
— Adeus.
— Adeus.

No dia seguinte, Oliveira mandou dizer a Magalhães que estava um pouco incomodado. Magalhães foi visitá-lo.

Achou-o de cama.

— Estou com alguma febre — disse o advogado —; dize isto mesmo ao comendador, a quem eu prometi de ir lá hoje.

Magalhães cumpriu o pedido.

Era a ocasião de se manifestar a dedicação de Magalhães. Não faltou este moço a tão sagrado dever. Passava com Oliveira a tarde e as noites e só se separava dele para ir, às vezes, à casa de Vasconcelos, que era isso mesmo o que Oliveira lhe pedia.

— Fala-lhe sempre de mim — dizia Oliveira.
— Não faço outra coisa.

E assim era. Magalhães não cessava de dizer que vinha ou ia para casa de Oliveira, cuja doença ia tomando um aspecto grave.

— Que amigo! — murmurava consigo d. Mariana.
— O senhor é um bom coração — dizia Vasconcelos apertando as mãos de Magalhães.
— O senhor Oliveira deve querer-lhe muito — dizia Cecília.
— Como a um irmão.

A doença de Oliveira era grave; durante todo o tempo que durou, não se desmentiu nunca a dedicação de Magalhães.

Oliveira admirava-o. Via que o benefício que lhe fizera não caíra em má terra. Grande foi a sua alegria quando, ao começar a convalescença, Magalhães lhe pediu duzentos mil-réis, com promessa de os pagar no fim do mês.

— Quanto quiseres, meu amigo. Tira-os ali da secretária.
— Acredita que isto me vexa imensamente — disse Magalhães, metendo na algibeira duas notas de cem mil-réis. — Nunca te pedi dinheiro; agora, menos que nunca, devia pedir-to.

Oliveira compreendeu o pensamento do amigo.

— Não sejas tolo; a nossa bolsa é comum.
— Oxalá que esse belo princípio possa ser realizado literalmente — disse Magalhães rindo.

Oliveira não lhe falou nesse dia a respeito de Cecília. Foi o próprio Magalhães que encetou a respeito dela uma conversa.

— Queres ouvir uma coisa? — disse ele. — Apenas saíres, manda-lhe uma carta.
— Por quê? Crês que...
— Creio que é a hora do golpe.
— Só para a semana poderei sair.
— Não importa, virá a tempo.

Para compreender bem a situação singular em que se achavam estes personagens todos, é mister transcrever aqui as palavras com que nessa mesma noite se despediram Magalhães e Cecília à janela da casa desta:

— Até amanhã — disse Magalhães.
— Virás cedo?
— Venho às oito horas.
— Não faltes.
— Queres que te jure?
— Não precisa; adeus.

VII

Quando entrou a semana seguinte, já na véspera do dia em que Oliveira se dispunha a sair e visitar o comendador, recebeu uma carta de Magalhães.
Leu-a com pasmo:

> Meu querido amigo, dizia Magalhães; desde ontem tenho a cabeça fora de mim. Aconteceu-me a maior desgraça que podia cair sobre nós. Com mágoa e vergonha to anuncio, meu prezadíssimo amigo, a quem tanto devo.
> Prepara o teu coração para receber o golpe que já me feriu, e por muito que ele te faça sofrer, não sofrerás mais do que eu já sofri...

Saltaram duas lágrimas dos olhos de Oliveira.
Adivinhava mais ou menos o que seria. Cobrou forças e continuou a leitura:

> Descobri, meu querido amigo, que Cecília (como direi?), que Cecília me ama! Não imaginas como me fulminou esta notícia. Que ela não te amasse, como ambos desejávamos, era já doloroso; mas que se lembrasse de consagrar os seus afetos ao último homem que ousaria opor-se ao seu coração, é uma ironia da fatalidade. Não te contarei meu procedimento; facilmente o adivinharás. Prometi não voltar lá mais.
> Queria ir eu mesmo comunicar-te isto; mas não ouso contemplar a tua dor, nem te quero dar o espetáculo da minha.
> Adeus, Oliveira. Se a fatalidade ainda consentir que nos vejamos (impossível!), até um dia; se não... Adeus!

Adivinha o leitor o golpe que esta carta descarregou no coração de Oliveira. Mas é nas grandes crises que o espírito do homem se mostra grande. A dor do apaixonado superada pela dor do amigo. O final da carta de Magalhães aludia vagamente a um suicídio; Oliveira deu-se pressa em ir impedir esse ato de nobre abnegação. Demais, que coração tinha ele, a quem confiasse todos os seus desesperos?
Vestiu-se apressadamente e correu à casa de Magalhães.
Disseram-lhe que não estava em casa.
Oliveira ia subindo:
— Perdão — disse o criado —; eu tenho ordem de não deixar subir ninguém.
— Razão demais para eu subir — respondeu Oliveira, afastando o criado.
— Mas...
— Trata-se de uma grande desgraça!
E subiu apressadamente a escada.
Na sala, não havia ninguém. Oliveira entrou afoitamente no gabinete. Achou Magalhães sentado à secretária inutilizando alguns papéis.
Perto dele, havia um copo com um líquido vermelho.
— Oliveira! — exclamou ele, quando o viu entrar.

— Sim, Oliveira, que vem salvar a tua vida, e dizer-te quanto és grande!
— Salvar-me a vida? — murmurou Magalhães. — Quem te disse que eu?...
— Tu, na tua carta — respondeu Oliveira. — Veneno! — continuou ele, vendo o copo. — Oh! nunca!

E despejou o copo na escarradeira.

Magalhães parecia atônito.

— Eia! — disse Oliveira. — Dá cá um abraço! Este amor infeliz foi ainda um lance de felicidade, porque conheci bem que coração de ouro é esse que te bate no peito.

Magalhães estava de pé; caíram nos braços um do outro. O abraço comoveu Oliveira, que só então deu largas à sua dor. O amigo consolou-o como pôde.

— Bem — disse Oliveira —, tu que foste causa indireta da minha desgraça, deves ser agora o remédio que me há de curar. Sê eternamente meu amigo.

Magalhães suspirou.

— Eternamente! — disse ele.

— Sim.

— Minha vida é curta, Oliveira; eu devo morrer; se não for hoje, sê-lo-á amanhã.

— Mas isso é uma loucura.

— Não é: eu não te disse tudo na carta. Falei-te do amor que Cecília me tem; não te falei do amor que lhe tenho eu, amor que me nasceu sem eu pensar. Brinquei com fogo; queimei-me.

Oliveira curvou a cabeça.

Houve um longo silêncio entre os dois amigos.

Ao cabo de um longo quarto de hora, Oliveira ergueu os olhos vermelhos de lágrimas e disse a Magalhães, estendendo-lhe a mão:

— Sê feliz, que o mereces; não tens culpa disto. Procedeste honradamente; compreendo que era difícil estar ao pé dela sem sentir o fogo da paixão. Casa com Cecília, pois que se amam, e fica certo de que serei sempre o mesmo amigo.

— Oh! tu és imenso!

Magalhães não ajuntou nenhum substantivo a este adjetivo. Não nos é dado perscrutar o seu pensamento interior. Caíram os dois amigos nos braços um do outro com grandes exclamações e protestos.

Uma hora depois de ali haver entrado, saía Oliveira triste mas consolado.

— Perdi um amor — dizia ele consigo —, mas ganhei um verdadeiro amigo, que já o era antes.

Magalhães veio logo atrás dele.

— Oliveira — disse ele —, passaremos o dia juntos; receio que faças alguma loucura.

— Não! o que me ampara nesta queda és tu.

— Não importa; passaremos o dia juntos.

Assim aconteceu.

Neste dia, não foi Magalhães à casa do comendador.

No dia seguinte, apenas lá apareceu, disse-lhe Cecília:

— Estou zangada contigo; por que não vieste ontem?

— Tive de sair da cidade em serviço público e por lá fiquei a noite.

— Como passaste?
— Bem.

Seis semanas depois uniam eles os seus destinos. Oliveira não compareceu à festa com grande admiração de Vasconcelos e de d. Mariana, que não compreendiam essa indiferença da parte de um amigo.

Nunca houve a menor sombra de dúvida entre Magalhães e Oliveira.

Foram amigos até a morte, posto que Oliveira não frequentasse a casa de Magalhães.

Jornal das Famílias, *março-outubro de 1871; Machado de Assis.*

O caminho de Damasco

I
TRÊS AMIGOS

Eram duas horas da tarde de um dia de junho, dia de magnífico inverno, nem frio, nem chuva, nem sol. Nem sol, é maneira de dizer; o astro-rei dominava o céu com todo o esplendor dos seus raios; mas os raios eram temperados e brandos. Não era certamente um sol para aquecer lagartixas, mas não o podia haver melhor para quem atravessasse pedestremente o campo da Aclamação.

A rua do Ouvidor tinha, então, o movimento do costume. Gente parada em frente ou sentada dentro das lojas, gente que descia, que subia, homens, senhoras, de quando em quando uma vitória ou um tílburi, tudo isso dava à principal rua do Rio de Janeiro um aspecto animado e luzido. Viam-se aqui e ali alguns deputados, trocando notícias políticas ou admirando as senhoras que passavam, coisa muito mais deliciosa que uma discussão a respeito do orçamento da guerra, assunto em que, nesse momento, estava falando o respectivo ministro na câmara. Também ali estava uma grande parte da áurea juventude — *la jeunesse dorée* — comentando o acontecimento do dia ou encarecendo a beleza da moda. Estranharia aquela designação quem reparasse que entre os rapazes havia também algumas suíças grisalhas e outras totalmente brancas. Mas essas suíças podiam responder-lhe que a mocidade não é um aspecto, mas um fato interior, e que o gelo pode cobrir a cumeada da serra sem descer à planície. Planície, neste caso, é sinônimo de coração.

Perto da rua da Quitanda, entre a livraria Garnier e o escritório do *Jornal do Commercio*, três moços elegantemente vestidos trocavam algumas últimas palavras. Um deles tinha de seguir para baixo, outro para cima, e o terceiro ia entrar num tílburi, que o estava esperando. O primeiro usava suíças pretas; o segundo a barba toda; o terceiro apenas tinha um bigode castanho esmeradamente encaracolado.

— Está assentado — disse o das suíças — às dez horas à porta do Alcazar.

— Quem chegar primeiro, espera — observou o da barba toda.

— Sim — tornou o primeiro —, mas não é bom que, fiado nisso, algum de vocês se demore muito.

O do bigode aprovou esta emenda, mas acrescentou que pedia alguma exceção para si.

— É-me necessário ter cuidado com a velha — disse ele.

O das suíças abanou a cabeça com impaciência.

— Realmente, Aguiar, não sei o que quer dizer essa tua obediência passiva. És um homem feito, e vives como uma freira!

O da barba toda, que conhecia bem o profundo abismo que medeava entre o amigo e uma freira, não pôde deixar de sorrir a este reparo do rapaz das suíças, aliás tão informado como ele das façanhas de Aguiar.

Aguiar explicou como pôde a situação em que se achava para com a velha, e de novo prometeram todos se acharem à porta do Alcazar, às dez horas da noite.

Justamente no momento em que ia despedir-se, entrou na rua do Ouvidor, vindo da rua da Quitanda, uma vitória puxada por um cavalo castanho e governada por cocheiro ainda rapaz, *bianco vestito*. O desdém com que este indivíduo ia olhando para os peões poderia fazer crer que levava no carro a rainha Cleópatra, pelo menos, ou o filho de Peleu; tal ilusão, porém, não podia durar desde que se lançasse um olhar para dentro do carro e se visse molemente recostada uma mocinha loura e magra, cujas feições pareciam vir do céu, mas cujo exterior e aparato estavam delatando o mais delicioso purgatório.

Naturalmente as lágrimas dos pecadores eram ali cristalizadas, porque a dama trazia nas orelhas, no colo e nos dedos umas fulgentíssimas pedras com que ia mui galante e concertada. Olhava preguiçosamente para as pessoas que passavam à esquerda do carro, mas sem mover a cabeça, e com um ar tão friamente aristocrático, que justificava bem a arrogância do cocheiro e a curiosidade dos passantes.

Quando ela viu os três amigos de que há pouco falamos, sorriu e inclinou levemente a cabeça, enquanto o das suíças pretas parecia fazer um sinal convencionado. A dama respondeu com um gesto; tudo isto sem que o carro parasse.

— Bem; a Candinha está avisada — disse o das suíças —; é inútil mandar lá.

E depois de uma nova promessa, cada um dos amigos tomou a direção em que ia.

Dos três, é Aguiar o que mais nos interessa acompanhar. Vai de tílburi, mas não importa; chegaremos a tempo de entrar com ele em casa.

II
O PONTO NEGRO

Jorge Aguiar, no tempo em que se passa esta narrativa, contava os seus vinte e três anos de idade. No ano anterior, voltara de São Paulo com um diploma de bacharel na algibeira e uns amores no coração. Poderia dizer que trazia também alguma ciência jurídica na cabeça, se o meu intento não fosse uma escrupulosa fidelidade histórica. Aguiar aprendeu apenas o necessário para de todo em todo não atar as mãos aos lentes; mas o pouco que aprendeu ficou na serra de Cubatão, sem lhe deixar saudades. Os amores ainda os trouxe até a barra do Rio de Janeiro, mas com certeza não desembarcou com eles. Também não valiam a pena; eram amores bem pouco sérios para virem acolher-se à sombra da família.

Bem desventurado seria ele se tivesse de ganhar o pão com o que aprendera na academia. Mas a fortuna, que uns dizem ser cega, naquele caso teve uma vista de lince, adivinhando que era necessário afiançar a vida a quem não era capaz de ganhá-la. A família de Jorge tinha de sobra com que lhe manter a existência e satisfazer os caprichos. Desta maneira podia ele dormir tranquilamente e acordar em paz.

Nem tudo, porém, eram rosas na existência de Aguiar. Havia um ponto negro na limpidez do céu azul. Não era o pai. O pai de Jorge tinha-lhe aquele amor cego que não vê senões no objeto querido e era a seu respeito um tanto dr. Pangloss: achava uma tal ou qual necessidade nos desvarios do rapaz. Além disso, acariciava o sonho, aliás plausível, de o ver ministro de Estado. Para isso, disse ele, era necessário dar alguns meses à vida livre; depois do que, chamá-lo-ia à razão e buscaria encartá-lo na primeira assembleia provincial que lhe ficasse a jeito.

Tais eram os planos e sentimentos do velho Silvestre Aguiar, cuja mocidade parecia não ter sido inteiramente capuchinha.

O ponto negro era a mãe de Jorge. D. Joaquina era uma senhora austera e respeitável, mas impertinente, rusguenta e despótica, além de ser dotada de uma energia que não dizia muito com os seus cinquenta e dois anos. Não havia memória em casa de Aguiar de que a sra. d. Joaquina estivesse algum dia calada durante uma hora inteira. Calava-se quando dormia, mas como dormia pouco, e acordava às cinco horas da manhã, dava apenas uma escassa trégua à família.

Não se precisava ter olhos muito perspicazes para conhecer que a sra. d. Joaquina era o verdadeiro dono da casa. Silvestre pertencia àquela raça de homens pacatos para quem este mundo é uma ante-sala do céu. Não se irritava nunca, não conhecia o que fosse impaciência ou tédio. Amou a muitas mulheres, rezavam as crônicas, mas nenhuma lhe captou tanto afeto como "a sua gorda Pachorra".

— A natureza — dizia ele — tem rios impetuosos e plácidos ribeiros. Se todos fôssemos rios, não havia ribeiros na espécie humana. É bom que haja uma e outra coisa. A Providência quis que, ao pé de uma cachoeira despenhada como a Joaquina, houvesse um regato manso como eu. Nisto é que está a harmonia.

Devo dizer que Silvestre, quando casou com d. Joaquina, não lhe conhecia a facúndia nem a impetuosidade. E é possível que ainda nesse tempo a boa senhora não tivesse desenvolvida a vocação. Foi um namoro começado por ocasião das festas da coroação. Um parente de Silvestre deu um jantar onde se encontraram as duas famílias, a dele e a de Joaquina. Era fama que esta moça não casaria nunca, porque andavam já por cinco ou seis os pretendentes que ela despedira com uma rispidez anunciadora dos seus hábitos futuros. Grande foi, pois, a admiração dos pais, quando três meses depois, indo Silvestre pedir-lhes a mão de d. Joaquina, receberam dela uma resposta afirmativa.

— Hão de ser felizes — dizia a mãe —; ela que até agora recusou todos os casamentos, é porque Deus lhe guardava este.

Efetivamente foram felizes. Silvestre dava-se perfeitamente com o gênio da mulher. D. Joaquina irritava-se às vezes com a impassibilidade do marido, e soltava contra ele os seus discursos; mas, como Silvestre não articulava sequer uma queixa ou censura, a sra. d. Joaquina acabava, como ele mesmo dizia consigo, por "meter a viola no saco".

Esta d. Joaquina, pois, era o ponto negro da vida de Jorge. Às dez horas, quando muito, devia o rapaz recolher-se a casa. Silvestre advogava a causa do filho. Observava que o rapaz não podia ter uma vida de freira; mas a palavra *freira*, tão indiferente na boca de outra pessoa, na de d. Joaquina dava um discurso de dez páginas in-fólio. O marido calava-se e a ordem da sra. d. Joaquina prevalecia.

Jorge obedeceu durante muito tempo às ordens da mãe; mas os conselhos dos amigos foram pervertendo o seu espírito reto e casto. Jorge entrou um dia às onze horas da noite; a mãe, que até então se não deitara, veio em pessoa abrir-lhe a porta.

— Oh! mamã! — exclamou ele, espantado.

D. Joaquina não disse palavra, fechou a porta e subiu silenciosamente adiante dele. Foi o único lance em que deixou de falar, e realmente nunca fora mais sublime em sua vida.

Daí em diante não ousou Jorge transgredir as ordens da mãe; mas como os passeios, teatros e festas não se podiam combinar com esta obediência, o jovem bacharel arranjou uma chave sua, e por meio dela, batia a linda plumagem.

Além disso, alcançava facilmente convite para saraus e bailes, objeto em que a boa velha consentia na ausência do filho.

Com esses e outros pretextos, que em circunstâncias especiais lhe ocorriam, conseguira o nosso Jorge Aguiar iludir a vigilância e as ordens da velha. Quem se não enganava era o pai, que o via sair muitas vezes, e enxergava a verdadeira razão dos seus numerosos convites; mas o bom Silvestre aplaudia os escrúpulos do filho e tirava deles um bom agouro para a vida política do rapaz.

III
CLARINHA

Quando Jorge Aguiar chegou a casa, d. Joaquina dava as suas últimas ordens para uma grande porção de doce de coco, e tomava conhecimento da tarefa que dera de manhã a duas crias empregadas em costurar. Silvestre jogava o gamão com o padre Barroso, enquanto Clarinha tocava ao piano umas variações alemãs.

Esta Clarinha, que entra em cena sem se fazer anunciar, era uma sobrinha de d. Joaquina, e portanto prima de Jorge. Era ainda criança quando perdera a mãe; e o pai, que dois anos antes se apaixonara por uma italiana que viera ao Rio de Janeiro, com o infundado pretexto de que era cantora, acompanhou a dama dos seus pensamentos, e andava agora pela Itália em sua companhia. Tanto valia estar morto para a pobre órfã. D. Joaquina recebeu em casa a sobrinha e tratava-a como se fora filha sua.

Tinha esta moça uma não vulgar formosura, a que dava realce um ar de profunda melancolia. A melancolia era natural; nascida para viver em tal ou qual abastança, vira o pai esbanjar os cabedais herdados, e perdera a mãe na idade em que mais precisava dela. Depois, foi estouvadamente abandonada pelo pai e obrigada a receber os favores dos tios. Isto, reunido à índole da moça, fazia que raras vezes lhe assomasse aos lábios um riso prazenteiro.

Clarinha vingara-se dos golpes que lhe dava o seu mau destino, instruindo-se e aprendendo a trabalhar com uma docilidade que encantava a sra. d. Joaquina. Esta boa senhora dizia que a sobrinha havia de ser a herdeira da sua competência na arte de governar a casa. Efetivamente, era difícil achar em tão verdes anos — dezoito contava ela — tanta seriedade, prudência, atividade e ordem. Os momentos vagos, dava-os a moça ao estudo da música e da língua francesa, porque o seu fim era poder lecionar algum dia, e achar nessa profissão os meios de subsistência de que viesse a carecer.

D. Joaquina aprovava esta previsão da sobrinha, mas procurava dissipar-lhe tais receios, dizendo que enquanto ela vivesse, e ainda depois que se finasse, a sobrinha não precisaria de nada. Além disso, estava moça, e um casamento viria pô-la ao abrigo de toda a necessidade.

— Um casamento? — dizia Clarinha, com ar triste. — Isso não é para mim!
— Por quê?
— Quem quererá casar comigo?
— Quem não for tolo — dizia a boa velha. — Vejam lá se é fácil achar uma esposa como tu hás de ser!

Clarinha abanava a cabeça e ficava pensativa.

O procedimento da moça confirmava as suas disposições celibatárias. Parecia indiferente a todos os homens, não se enfeitava para ir aos bailes, quando ia a eles não dançava, raras vezes chegava à janela, e era de todo surda aos louvores que a sua beleza lhe granjeava. Usava ordinariamente roupas escuras por lhe parecerem cores tristes; os modos eram modestos e acanhados; falava pouco, e, como disse, raras vezes ria.

Estava ela a tocar piano na sala, a pedido do padre Barroso, que era doido por música, e dizia com aquele ar que a natureza só concede aos gamonistas intrépidos, que era bom suavizar musicalmente as derrotas do comendador Aguiar. O certo é que o dono da casa ganhava poucas partidas ao padre.

— Dois e ás — disse o comendador, lançando os dados e batendo numa das tábulas do padre.
— Tire o cavalo da chuva! — respondeu o padre, chocalhando os dados no copo. — Agora é que vai ver o que são elas. Preciso de umas quadras.
— Homem, jogue e deixe-se de conversa.

O padre lançou os dados.

— Quadras! — disse ele.

Silvestre Aguiar coçou o nariz, enquanto o implacável padre, depois de lhe bater em duas tábulas, empalmava o lenço encarnado na mão, e assoava-se com estrépito.

— Isto sem rapé não vai — observou ele.
— O moleque ainda não viria? — disse Aguiar. — Não sei que descuido foi este meu de não ter comprado ontem.

Clarinha cessou de tocar; ia a levantar-se para saber se efetivamente o moleque não tinha voltado, mas o tio disse-lhe que não era preciso.

Nesse momento, entrou Jorge na sala; beijou a mão ao pai, apertou a do padre Barroso, e foi cumprimentar a prima.

— Então? — disse o padre a Silvestre em voz baixa. — Por que não casam estes dois?
— Se eles quiserem, não lhes ponho dúvidas — respondeu Silvestre —; mas são coisas que se não obrigam. Creio que não se namoram. Demais, o rapaz anda a desasnar-se.
— Há de me perdoar — disse o padre —, cuido que anda a perder-se. Olhe, que estes hábitos de mocidade rara vez se perdem. Coíba os desvarios de Jorge; não lhe hão de dar bom proveito.

— Eu fui o que ele vai sendo — respondeu Silvestre —, e todavia ninguém me vence em bom comportamento. Deixe estar, padre, que ele há de seguir os exemplos do pai.

Jorge trocou algumas palavras com a prima, e retirou-se para o seu aposento, enquanto a moça continuava a tocar e os dois velhos decidiam a partida.

Entrou então na sala um novo personagem: o dr. Marques, homem de seus quarenta e quatro anos, corado, vigoroso, um tanto grisalho de barba e dos cabelos. Era o médico da família; conhecia o comendador quase desde a infância, e entretinha laços de nunca desmentida amizade. Ele e o padre eram os dois mais íntimos da casa.

— Chega a propósito — disse o padre. — Traz a caixa?

— Pois não — disse o recém-chegado depois de ir apertar a mão a Clarinha.

— Graças a Deus; venha de lá uma pitada.

— Duas, duas! — emendou Silvestre. — Há de sofrer dois ataques, um por bombordo e outro por estibordo.

Ambos os gamonistas esfregaram os dedos no lenço, e sacaram da boceta do dr. Marques duas grossas pitadas. O padre inseria a sua em ambas as ventas, e com o lenço sacudia o pó que lhe caíra na camisa, enquanto o comendador, carregando com o dedo polegar na venta direita, introduzia toda a pitada na venta esquerda.

Marques deixou os dois velhos entregues ao gamão e dirigiu-se ao piano, na ocasião em que a moça se ia levantar para deixar a sala.

— Não quer tocar mais? — perguntou Marques.

— Tenho que fazer... — murmurou Clara em voz baixa e sem levantar os olhos.

Marques lançou um rápido olhar para os dois gamonistas, e vendo que estavam entretidos com os dados, murmurou ao ouvido da moça:

— E a resposta?

— Deixe-me sair... — respondeu Clarinha.

E caminhando rapidamente para a porta, desapareceu da sala. Marques ficou ao pé do piano com o ar embaçado que o leitor naturalmente imagina, enquanto o padre Barroso, deitando os dados, exclamava alegremente:

— Coitadinho, comendador, coitadinho!

IV
UM CONSELHO

Marques foi ter com Jorge. Encontrou o filho do comendador a ler um romance de Feydeau. Fechou a porta do gabinete, puxou uma cadeira e foi sentar-se junto de Jorge. Este marcou a página com uma conta do alfaiate e sem mudar de posição, disse ao hóspede:

— Temos novidade?

— Nenhuma — respondeu Marques —, e é justamente o pior.

— Que há?

— Perguntei-lhe agora pela resposta, e ela não me disse nada; mas saiu da sala com um modo que me tira toda a esperança. Creio que o seu conselho de escrever a carta foi mau.

— Mau! — disse Jorge. — Em nenhum caso podia sê-lo; uma carta não prova nada contra o senhor; podia, e pode dar um bom resultado. Quer que lhe diga uma coisa?

— Que é?

— Não desanime. A prima há de ceder, porque não pode encontrar melhor marido que o senhor... O senhor é capaz de a fazer feliz. Se ela não lhe respondeu é por excesso de reserva. Tem medo de que lhe levem a mal. Olhe, por que não fala a minha mãe?

— A sua mãe?

— Sim, ela obedece-lhe muito; estou que é um bom caminho. Vá, fale, e a coisa tomará bom caminho.

Marques levantou-se, tomou uma pitada, deu alguns passos no gabinete, concertou as suíças a um espelho e voltou a assentar ao pé do sofá.

— Mas está certo — disse ele — de que não há outro namoro?

— Certo, não lhe digo que esteja, mas tudo faz crer que não. Clarinha é muito metida consigo, e passa a vida ocupada nos arranjos da casa. Estas coisas mais ou menos se sabem ou desconfiam. Nada me consta a respeito dela... Tome o meu conselho; fale com minha mãe.

— Está dito! — exclamou Marques. — Tomo o seu conselho.

Trata-se, como se vê, de um amor que o médico da casa dedicava à sobrinha de Silvestre Aguiar. Este amor, não o quero dar como uma dessas paixões infrenes e fogosas da juventude, nem como um desses amores tardios que nascem com a maturidade. Era uma afeição branda, temperada, refletida. Marques nunca fora casado; o celibato fora o programa de toda a sua vida, e sê-lo-ia até o dia da morte, se as qualidades de Clarinha, a sua aplicação ao trabalho, os seus hábitos inocentes e graves, lhe não tivessem influído no ânimo a ponto de lhe despertar a ideia do matrimônio.

O espetáculo de uma vida plácida no meio da família começou a seduzir-lhe o coração. A razão veio auxiliar este impulso natural; comparou o que seria uma velhice solitária com uma velhice cercada dos cuidados de uma esposa digna desse nome. Clarinha parecia reunir as qualidades necessárias para o papel de sua companheira, e o médico, que tinha intimidade com Jorge, confiou-lhe tudo. Jorge aconselhou-lhe a arma epistolar e Marques, com a docilidade de quem está disposto a tudo, arriscou logo a primeira carta à moça.

A esta carta é que aludia. Já sabemos que a moça, não só não lhe respondera, mas até parecia fugir ao pretendente. Isto podia ser algum namoro, como sugerira a Jorge, mas também podia ser natural reserva de Clarinha, que observava rigorosamente as rígidas doutrinas de d. Joaquina. Na opinião desta boa senhora, a noiva só devia conhecer o noivo no dia do casamento.

— E já é conceder muito — acrescentava ela.

Certamente a esposa do velho Aguiar já se não lembrava das festas da coroação, nem do namoro travado naquele tempo com o futuro comendador. Era natural; cada qual tem as ideias da sua idade; aos cinquenta anos não se compreendem muito as loucuras dos vinte. Aos vinte parece esquisita a austeridade dos cinquenta.

Clarinha deixava-se guiar pelas ideias da tia; era provável que a sua reserva fosse apenas o resultado desta influência.

O certo é que Marques nada havia adiantado, quando Jorge lhe sugeriu a ideia de ir falar à mãe, ideia que o médico aceitou e resolveu pôr em prática no dia seguinte.

Não se pense, entretanto, que o conselho de Jorge de algum modo exprimisse interesse pela causa do pretendente. Era-lhe de todo indiferente que a prima casasse com este ou com aquele. Daria o mesmo conselho a qualquer pessoa que lho pedisse. O principal cuidado do filho do comendador era gozar a vida ao ar livre, sem preocupações de espécie alguma. A dama que passara na rua do Ouvidor, quando ele conversava com os dois amigos, merecia-lhe mais (é duro de dizê-lo) que a prima. Em duas palavras, Jorge estava já adiantado na carreira da libertinagem.

Apenas o médico saiu do gabinete, Jorge continuou a leitura do romance. Daí a pouco vieram chamá-lo para jantar; jantou, dormiu um pouco, à noite simulou que tomava chá, recolheu-se ao quarto, e às dez e meia, quando a mãe supunha que toda a casa repousava no regaço das suas boas doutrinas, abria o nosso Jorge a porta e corria afoitamente ao prazo dado.

V
COMO SE PERDE UM RAPAZ

Eu creio que o leitor dispensa uma descrição da festa em que Jorge figurou como um dos mais destacados. Foi uma das primeiras ceias que se têm dado nos hotéis desta cidade. Acabou quando a aurora anunciava os primeiros albores, e os varredores das ruas concluíam a sua tarefa.

Jorge deixou-se entrar alguma coisa pelo vinho, e foi para casa um tanto perturbado da razão. Felizmente ninguém o viu entrar; dirigiu-se para a cama, onde dormiu até meio-dia, tendo tido cuidado de ordenar ao criado, confidente das suas aventuras, que dissesse à velha que ele havia passado mal a noite. A boa senhora ficou muito aflita quando o criado lhe transmitiu esta notícia, mas ordenou que o não fossem acordar; era esse justamente o desejo do filho.

Essas aventuras foram muitas e muitas vezes repetidas. Jorge completou a sua educação com tal arte que adquiriu logo um respeitável nome entre os mais tresloucados da terra fluminense. Não havia banquete, passeio, loucura, em que Jorge Aguiar não tivesse parte conspícua.

O pai dava-lhe algum dinheiro; Jorge não se detinha em o gastar às mãos largas. Nos primeiros dias, ainda o dinheiro podia ocorrer às necessidades, mas não tardou que a receita ficasse muito abaixo da despesa. Quando este fenômeno se dá, quer nas finanças de um indivíduo, quer nas de um Estado, surge uma coisa que se chama *deficit*. Jorge achou-se senhor de um *deficit*. Tinha dois recursos: o trabalho, ou o crédito. O crédito tinha a grande vantagem de dispensar o trabalho. Jorge consertou as suas finanças deixando algumas dívidas em aberto ou recorrendo à bolsa de alguns usurários.

Desta maneira, conseguiu não perder a posição brilhante que adquirira nem os afagos desinteressados de algumas damas do tempo. O processo destas damas era geralmente uniforme. Manifestavam por ele uma louca e desenfreada paixão, e durante quinze ou vinte dias falavam-lhe de uma vida celeste e romântica, de uns amores puros e recatados. Não hesitavam em sacrificar-lhe antigos adoradores e modernos pretendentes. Jorge subia ao sétimo céu. Em tese, não acreditava no amor, nem delas nem de ninguém; mas, na hipótese, lisonjeava-se de ter fixado uma borboleta volúvel e doida.

Essa crença, toda gratuita, sofria algum abalo no vigésimo primeiro dia, quando a borboleta fisgada enviava ao namorado uma conta da *Notre Dame*, uma letra vencida, ou um simples pedido de aluguéis atrasados. Jorge pagava largamente esta desilusão.

Não pagava só estas. Na sociedade em que ele ocupava um dos primeiros lugares, havia também uma casta de homens, cujas doutrinas comunistas tinham o único defeito de só se aplicarem às algibeiras alheias. A de Jorge era uma algibeira fácil e pronta; além disso, o filho do comendador tinha certo amor-próprio, e por nenhum preço queria que lhe chamassem pinga.

Esses e outros golpes, quem os sofria era o pai, que pagava as contas, as letras e as leviandades do filho. No fim de alguns meses achou o comendador que a aprendizagem de Jorge já lhe ia custando caro; em todo o caso, devia estar feita.

— Bem — disse ele consigo —, agora já ele há de estar enfadado da vida solta, e pode cuidar das coisas sérias. É um grande erro querer meter os rapazes em coisas sérias antes de eles se terem enfadado das coisas frívolas: quem não erra na mocidade, erra na velhice. Tratemos de o arranjar.

Era tarde.

Jorge estava calejado no vício; tinha andado mais em poucos meses do que outros em muitos anos. Era impossível chamá-lo à razão. Silvestre arranjou os meios brandos, mas nada fez; lançou mão dos meios enérgicos, e a resistência que encontrou fez-lhe conhecer todo o mal da situação que ele mesmo criara.

D. Joaquina não deixou escapar a ocasião de fazer ao marido ásperas e merecidas censuras. O rapaz já não lhe obedecia; a boa senhora achou a causa desta resistência na docilidade com que Silvestre suportou os primeiros erros do filho. Eu poderia dar um extrato do discurso com que d. Joaquina descreveu esta situação perante o marido abatido e envergonhado; mas arriscava-me a não acabar o conto, do mesmo modo que ela não acabou o discurso, porque só se calou quando lhe faltou o ar.

VI
O CASAMENTO

Durante estes meses de loucuras de Jorge a situação do dr. Marques pouco tinha adiantado, mas adiantara alguma coisa. O pretendente expusera à tia de Clarinha os seus desejos depois de dois meses de hesitação, e a boa senhora, aprovando as intenções do médico, só impôs a condição de que a sobrinha o amasse.

— Ah! minha senhora — disse Marques —, a este respeito não posso afiançar nada. Não sei se sou ou não amado: dona Clarinha é tão acanhada que não deixa campo a investigações deste gênero.

— Pois bem — redarguiu d. Joaquina —, eu tomo a mim a incumbência de consultar-lhe o coração. Imponho esta condição, porque conheço bem Clarinha; sei que é uma rapariga de muito juízo, e digna de escolher o seu próprio esposo. Em circunstâncias diversas, eu é que lhe havia de dar o noivo.

D. Joaquina cumpriu a palavra. Perguntou a Clarinha se ela nunca havia pensado em casar.

— Casar? eu? — perguntou a sobrinha.

— Sim, tu.

— Não, nunca pensei.

Clarinha disse estas palavras em tom frio e indiferente; todavia, pareceu a d. Joaquina que esta ideia a entristecera.

— Dar-se-á caso que já o ame? — disse a velha consigo mesma.

Correram alguns minutos de silêncio.
— Sabes que alguém deseja casar contigo? — disse enfim a mulher de Aguiar.
— Casar comigo? — perguntou a moça, abrindo muito os olhos.
— Sim, contigo.
— Titia está brincando.
— Brincando por quê? Não mereces ser pretendida por alguém?
Clarinha não respondeu.
— E essa pessoa é muito nossa conhecida.
— Ah!
— Já reparaste?
Clarinha levou a mão ao coração.
— Não — murmurou ela.
— Não adivinhas quem seja?
— Não posso adivinhar.
— O doutor Marques.

Clarinha empalideceu. A boa velha não tirava os olhos dela para ver se lhe lia no rosto os sentimentos do coração. Mas verdade, verdade, d. Joaquina não sabia traduzir fisionomias. A comoção de Clarinha, qualquer que fosse a causa, pareceu-lhe que era de bom agouro para o médico.

— Ama-o, não tem dúvida — disse ela consigo. — Tudo está arranjado.

Clarinha recobrou a palavra no fim de dez minutos.

— Titia — murmurou ela —; a senhora sabe o que me convém, e eu estou às suas ordens.

— Ordens, não — disse d. Joaquina —; isto não é uma ordem; é uma consulta.

— O doutor Marques — disse Clarinha — é um excelente homem...

— E um excelente marido? — concluiu d. Joaquina rindo.

Clarinha não respondeu.

O silêncio da moça foi interpretado como um assentimento, e a esposa do comendador imediatamente deu parte ao médico do resultado da sua missão.

Clarinha, apenas ficou só, correu ao quarto e debulhou-se em lágrimas — lágrimas silenciosas e sufocadas, para que ninguém lhas ouvisse nem suspeitasse sequer. Depois, tirou de uma gaveta um retrato, contemplou-o longo tempo, e beijou-o repetidas vezes. Quando reapareceu na sala tinham desaparecido os vestígios das lágrimas. Estava triste; mas como esse era o natural estado da moça, ninguém procurava saber-lhe a causa.

Quando Marques soube do resultado da missão de d. Joaquina não pôde esconder o seu regozijo.

— Acho, porém, conveniente — disse a mulher de Aguiar — que o senhor ouça da própria boca de Clarinha a confissão, da qual eu só alcancei metade.

Não hesitou Marques em sondar por si próprio o coração de Clarinha. Era ele um homem honesto e de nenhum modo queria casar com ela sem ter a certeza de que ela não o faria obrigada.

O resultado desta nova experiência foi mais satisfatório ainda que o da primeira. A moça não lhe confessou amor com os termos de um coração apaixonado; mas teve palavras tão afetuosas para o médico, que o casamento foi logo decidido por parte da sra. d. Joaquina.

Silvestre Aguiar teve participação de que o casamento da sobrinha devia realizar-se dentro de um mês e meio. Pediu-se-lhe o consentimento apenas como uma formalidade, porque a decisão de d. Joaquina era bastante para o caso. Aguiar nada tinha que opor; aplaudiu, pelo contrário, a união.

— Eu sempre dizia — observou ele — que este doutor era um grande velhacão. Esta habilidade com que nos bifa a pequena é prova de que você nasceu com um sentido de mais.

Não ouviu tão alegremente o padre Barroso, que era considerado pessoa da família, esta notícia, que lhe foi dada com o pedido de aprovação.

— Eu não tenho nada que desaprovar — disse o padre —, mas... a Clarinha gosta dele?

— Isso não se pergunta! — exclamou d. Joaquina.

O padre olhou para a sobrinha do comendador; e no rosto dela leu uma satisfação tão pronunciada, que não fez mais do que encolher os ombros e dar os parabéns à noiva e aos tios.

Mas nessa mesma tarde, achando-se a sós com a moça, perguntou-lhe o padre:

— Que é isso, Clarinha? então aquele amor?...

— Aquele amor morreu — respondeu a moça tristemente —; era um amor sem esperança, e amores destes, ou morrem ou matam. Era talvez melhor que me matasse; mas Deus quis que morresse. Não me queixo; obedeço ao meu destino.

O padre abanou a cabeça.

— Não, Clarinha — disse ele —, esse amor não morreu: tu ainda o sentes e isso é mau, minha filha; é mau que cases com um homem, amando a outro...

— Oh! não! não! — disse Clarinha. — Afirmo-lhe que morreu; e se não morreu, juro-lhe que há de morrer.

— Juras! pobre criança! sabes o que estás jurando?

Duas lágrimas rebentaram dos olhos da moça. Viu-lhas o padre; e cingiu-a ao peito.

— Isso nunca! — disse Clarinha. — De que me serviria ser mulher de um homem que não me ama nem pode amar?

— Sim, Jorge está perdido — murmurou o velho sacerdote com ar triste.

— Vou casar com um homem sério — continuou a moça —; não lhe tenho amor, é verdade; mas tenho-lhe certo afeto e respeito; estou que serei feliz, tanto quanto o pode ser uma pessoa desgraçada. Peço-lhe que nada diga a este respeito; far-nos-ia mal a todos.

Barroso abraçou a moça.

— Clarinha, tu és uma boa alma. Merecias ser feliz! A culpa disto é de teu pai. Se ele não te abandonasse, talvez não viesses a amar teu primo, porque esse amor nasceu da convivência. Teu pai...

— Perdoe-lhe — disse a moça —; meu pai tem má cabeça, mas é bom coração. Vamos; promete que não tentará desfazer este casamento?

— Se o quer, prometo.

— Obrigada! — disse a moça, beijando a mão ao padre.

Foi este quem celebrou o casamento. O bom velho tremia na ocasião de proferir as palavras sagradas. Depois, quando a cerimônia acabou, disse ao noivo em voz baixa e procurando reter uma lágrima que lhe tremia na pálpebra:

— Faça-a feliz, que ela o merece.

Jorge assistiu ao casamento, fez um cumprimento banal à noiva, disse quatro ou cinco graças chulas a alguns dos rapazes que assistiam à cerimônia, e foi acabar a noite no Alcazar.

* * *

Saltemos agora uns onze meses. Todos os personagens desta história estão ainda vivos. O comendador continua a jogar o gamão com o padre; a facúndia de d. Joaquina tem perdido com os anos; quanto a Jorge, desfruta a reputação de libertino criada à custa do pai. Silvestre procurou todos os meios de arrancar o filho à carreira funesta em que ele mesmo o lançara, mas era impossível; a obra estava feita.

Alguma coisa havia conseguido Aguiar; conseguira dar-lhe um emprego, a ver se ele contraía hábitos de trabalhar. O rapaz viu no emprego mais uma fonte de renda e apenas lhe concedia algumas horas vagas. Assinava o ponto às nove horas (o que já era uma correção) e retirava-se da repartição às onze. Não faria isso sempre, para não acostumar mal o Estado; deixava de lá ir muitas vezes. Não constava, porém, que nessas folgas estivesse incluído o dia primeiro do mês.

Marques era feliz; encontrara na mulher o ideal que havia sonhado: uma boa caseira, afetuosa, cheia de desvelo e respeito. Clarinha não era feliz; mas também não era desgraçada. O marido era um homem honesto, que vivia por ela e para ela, e procurava todos os meios de lhe fazer uma vida de rosas. Doía-lhe, é verdade, uns longes de melancolia que a moça nunca pudera apagar da fronte; mas isso, dizia ele, era natureza.

— Fui sempre assim; é meu modo. Nunca me conheceu outra, creio eu.

— É verdade que não — respondia o médico —; mas se eu pudesse vencer esse modo...

— Eu sou feliz — dizia a moça com um sorriso triste.

Uma noite, o comendador Aguiar, que raríssimas vezes ia ao teatro, e tinha neste assunto as mesmas ideias de 1840, resolveu ir ver uma peça no Ginásio. A mulher não foi; detestava o teatro. Aguiar comprou o competente bilhete e entrou para a plateia. No fim do ato, saiu ao saguão e encontrou um amigo.

— Tu aqui? — disse este. — É coisa rara.

— É verdade — respondeu o velho. — Também sou gente; quis ver estas coisas novas. E tu?

— Eu ainda me não aposentei. Onde estás?

— Nas cadeiras.

— Vem ao meu camarote.

Aguiar foi para o camarote do amigo que era na segunda ordem. Levantou-se o pano e a peça continuou. No meio do ato, abre-se a porta do camarote contíguo àquele em que estava o comendador, e entra uma mulher. Pelo desgarre das maneiras e aparato do luxo, não era difícil reconhecer nela uma das damas da moda. Voltaram-se para ela todos os olhos, assestaram-se os binóculos e lunetas, e durante uns cinco minutos o espetáculo não esteve no palco, mas na sala. Inútil dizer que a dama anônima não tinha outro juízo, entrou no meio do ato para chamar a atenção de todos: era uma vaidadezinha inocente, que seria ridícula, se não fosse um recurso de ofício.

Silvestre olhou para ela como toda a gente. Logo atrás da dama entrou um rapaz elegante, com o rosto avermelhado, e meio trôpego.

Aguiar reteve um grito.

Era Jorge.

Trêmulo e fulo de raiva, Silvestre levantou-se e cravou os olhos no filho. Este, porém, não vira o movimento do vizinho; correu os olhos pelos camarotes fronteiros e sentou-se ao lado da dama, mas encoberto por ela.

Era o mais que ele podia conceder ao decoro.

O comendador continuava de pé, com os olhos no filho, que ficou justamente em frente dele. Jorge, depois de assestar o binóculo à cena e a alguns camarotes, assentou-se preguiçosamente na cadeira, e foi então que viu o pai.

Estremeceu.

Silvestre não lhe tirava os olhos de cima. Duas vezes, Jorge afastou os seus, mas duas vezes os dirigiu de novo ao pai, até que, levantando-se, pegou no chapéu e saiu.

Aguiar não esperou que acabasse o espetáculo.

Voltou para casa, perguntou se o filho já havia chegado; responderam-lhe que sim. Mandou-o chamar ao seu quarto, e o rapaz não se deteve; foi ter com o pai e arrojou-se-lhe aos pés.

O comendador lançou-lhe em rosto o seu procedimento, e declarou-lhe que, se não mudasse de vida, era obrigado a pô-lo fora de casa.

O rapaz retirou-se para o quarto envergonhado, irritado, mas ainda não arrependido. Não acusava a fatalidade que o levou a encontrar o pai no teatro, onde nunca ia. Imaginou se seria denúncia de algum desafeto, fez mil planos e dormiu profundamente até a hora do almoço.

O velho Aguiar referiu ao padre a cena do teatro, e pediu-lhe conselho para o caso em que o filho se não emendasse.

O padre refletiu alguns instantes.

— Não sei que conselho te dê — disse ele —; o melhor é ver se o estroina se emenda. Queres que eu lhe fale?

— Sim, fala-lhe.

— A culpa é tua, comendador; tu mesmo o perdeste com as tuas facilidades. Não te disse muita vez, que essa ideia de o deixar viver à rédea solta era má? O resultado foi este.

O padre Barroso mandou dizer a Jorge que o esperava em casa. O recado causou algum espanto ao rapaz: que lhe teria de dizer o padre? Suspeitou logo a verdade.

Apesar da resolução que tomou de não aceder ao convite do padre, Jorge foi a casa dele. O padre já o esperava há muito. A casa era modesta; os móveis singelos e encanecidos no serviço.

O padre estava diante de uma escrivaninha, sentado numa velha cadeira de couro, de alto espaldar; em frente, tinha aberto um volume in-fólio, que o bom velho lia com atenção e recolhimento. Não se moveu quando entrou na sala o filho do comendador, conduzido pelo criado. Fez um gesto a este, que se retirou, e continuou a ler até o fim da página.

Depois, fechou o livro, convidou o rapaz a sentar-se ao pé dele, e perguntou-lhe:

— Jorge, até quando quer continuar esta vida?

Jorge não respondeu. O padre contava com o silêncio, e continuou:

— Seu pai fundava muitas esperanças no senhor. Desvelou-se em lhe dar um meio de vida e uma posição na sociedade. Tudo isto lhe desfez o senhor, entregando-se a uma vida libertina. Quando seu pai conheceu o mal, este era quase irremediável. Seu pai, entretanto, não supunha que o senhor chegasse ao ponto de dar o espetáculo de ontem à noite. Imagine, se pode, a dor e a vergonha que lhe causou.

Calou-se o padre, por alguns instantes, e continuou:

— Ainda é tempo; nem tudo está perdido. Pode salvar-se; deve salvar-se.

— Senhor padre Barroso — disse Jorge —, eu não nego que a minha vida tem sido um pouco livre; mas eu não faço nada do outro mundo.

— Bem sei, bem sei — redarguiu o padre —; tudo o que o senhor faz é deste mundo; e neste mundo é que se fazem as piores coisas...

— Mas eu não faço nada que mereça emenda...

O padre fez um gesto de impaciência.

— E o escândalo de ontem à noite? — disse ele.

— O que houve ontem à noite foi um acaso.

— Um homem sério não se expõe a estes acasos.

Jorge franziu a testa.

— Oh! escusa de fazer gestos de estranheza; eu sou velho, sou rude e sou sacerdote; tenho o direito de lhe dizer a verdade. O senhor é um homem doido, e é o menos que lhe posso dizer.

O padre proferiu estas palavras em voz alta e intimativa. Jorge sentiu, a seu pesar, a influência da autoridade do bom velho. Não lhe respondeu. Barroso insistiu em obter dele a promessa de que procuraria carreira e triunfaria dos maus hábitos contraídos.

Jorge refletiu algum tempo e respondeu:

— Pois bem, prometo emendar-me.

— É de coração?

Jorge hesitou.

— É — disse ele depois de algum tempo.

Não era de coração, mas o bom padre era um homem sincero; acreditava firmemente na sinceridade dos outros.

— Tanto melhor — disse ele. — Emende-se, Jorge; verá que ganha com isso. Calcule a alegria que dará a seus pais. Quando me lembra...

O velho suspirou.

— Quando se lembra? — repetiu Jorge.

— Quando me lembra — continuou Barroso — que você podia ser hoje um homem feliz ao lado de uma mulher feliz... de uma mulher que o amou...

— Uma mulher? — perguntou Jorge. — Quem era?

O padre ia a dizer o nome de Clarinha; mas lembrou-se repentinamente o perigo que podia haver nessa declaração, em vista do atual estado da moça.

Calou-se.

— Quem é essa mulher? — repetiu Jorge.

O velho levantou-se sem responder.

Jorge olhava para ele e procurava na memória algum vestígio que lhe indicasse a mulher a quem o padre aludia. Não se lembrou de ninguém. Insistiu com o padre para que lho dissesse.

— De que serviria isso? — respondeu o velho sacerdote. — O bem que ela lhe podia fazer é já impossível...

— Impossível?

— Sim, impossível.

— Por quê?...

— Porque... morreu.

Jorge não acreditou que a pessoa de quem se tratava houvesse morrido, segundo dizia o padre.

— Mas se morreu — objetou ele —, que mal há em dizer-me o nome dela? Espere... trata-se... querem ver... que essa moça é... Clarinha?

O padre abanou a cabeça.

— Não, não me engano — disse consigo o estroina —, é ela!

— Não importa saber quem seja — disse Barroso —; voltemos ao nosso ponto; o que lá vai, lá vai. Prometeu-me já emendar-se; está disposto a emendar-se?

Jorge teve o pudor de não repetir uma promessa que não estava disposto a cumprir; mas estendeu-lhe a mão com um gesto que parecia corresponder à pergunta do padre.

— Deus o ilumine — disse este. — Vamos, faça que eu não morra sem o ver reabilitado. Fui eu que o batizei; não me deixe morrer com a ideia de que não pude salvar pela segunda vez uma alma que me foi confiada.

O padre disse estas palavras com paternal brandura, Jorge correspondeu a elas com uma aparência de humildade. Estava ansioso por sair. Despediu-se e saiu.

VII
BATALHA CAMPAL

Não saiu convertido, como pensava o austero velho; os conselhos e as promessas não lhe deixaram vestígios na memória. Dentre tudo o que lhe havia dito o padre Barroso, uma coisa flutuava no espírito de Jorge: era a ideia de que a Clarinha o amara.

Se lho houvessem dito noutro tempo, é provável, é quase certo que Jorge levantaria os ombros e iria contar o caso aos amigos mais íntimos. Ser amado por ela queria dizer um casamento, uma vida menos solta, obrigações sérias, coisas que Jorge achava inconciliáveis com a sua razão. Mas agora mudava o caso de figura; a ideia de que uma senhora casada o havia amado em solteira, abria aos olhos de Jorge uma perspectiva de esperanças e dava à sua vida um aspecto novo.

— Na verdade — dizia ele consigo — esta vida já me enfada. É bom descansar um pouco; achar-lhe-ei depois mais sabor. Um amor de romance tem toda a vantagem de ser uma coisa nova para mim. A Clarinha amou-me; quem sabe se me não amará ainda?

Nestas e outras reflexões do mesmo teor, gastou Jorge a noite inteira. Meter-se numa aventura de romance, apaixonar-se pela prima, tinha até a vantagem de lhe dar aparências de reabilitação, pois forçosamente havia de consagrar a isso o tempo que era agora aplicado às loucuras da mocidade.

Com estas ideias, acordou no dia seguinte. Achou o pai ainda severo; e para começar a ilusão que premeditava não saiu de casa nesse dia. Recolheu-se ao gabinete, onde a mãe o foi encontrar a ler. Desse dia em diante adotou um programa de vida, que de todo ponto iludiu a família e o padre. Silvestre recobrava a alegria que o sucesso do teatro lhe fizera perder, enquanto o padre, cheio de sincero regozijo, perdoava de coração as loucuras do rapaz. A felicidade ia renascendo naquela casa.

Até então, quando Clarinha ia visitar os tios não encontrava o primo em casa, o que era para ela uma grande felicidade. A primeira vez que lá foi, depois dos acontecimentos que acabo de referir, não só o achou em casa, mas até lhe pareceu mudado o tom das relações entre ele e os pais. Antes falavam dele com lástima, agora rejubilavam-se ao pé do filho pródigo. Marques não hesitou em manifestar o seu pasmo ao vê-lo restituído ao lar doméstico.

— Que quer? — respondeu Jorge. — Estou curado.

— Para sempre?

— Para sempre.

Marques alegrou-se com esta alteração inesperada. Não pensou assim Clarinha, que vira na presença de Jorge um obstáculo às suas relações com os tios, não porque ainda o amasse, não porque temesse por si, mas porque ele era uma recordação viva de um passado ainda recente.

Jorge adquiriu hábitos de dissimulação que não diziam com a sua idade ainda verde. Houve-se, em relação à prima, apenas com a afabilidade ordinária; mas nem por gestos nem por palavras manifestou o menor conhecimento ou suspeita do amor que ela lhe tivera.

Não lhe escapou, entretanto, a reserva de Clarinha, a comoção que a sua pessoa lhe causava, vagos indícios de que realmente o amara antes de casar com o médico.

— Muito bem, doutor — dizia Jorge consigo —; eis-te entrado em nova e melhor campanha. Até aqui tudo foram escaramuças e recontros. Ofereço-te a batalha campal: é necessário vencer ou morrer.

Jorge começou a frequentar a casa do médico; Clarinha, ao princípio, não lhe aparecia; mas o primo era sagaz e astucioso; deu-se um dia por convidado a jantar. A moça não pôde deixar de lhe aparecer. A reserva continuou por parte dela, mas era difícil conservá-la diante das maneiras respeitosas, da linguagem afetuosa do rapaz. O pecador parecia arrependido e glorificado no céu.

De mais, Clarinha fez um raciocínio singular e perigoso, conquanto nascesse da sua consciência honrada e pura. Imaginou que este fugir ao primo era uma prova de fraqueza, um receio vergonhoso, e que mais servia os deveres conjugais afrontando a pessoa que amara do que fugindo-lhe. Fugir-lhe era reconhecer um resto de poder que ela vira estar já extinto.

Não tardou, pois, que entre os dois se estabelecesse a intimidade antiga, intimidade que aliás fora sempre aparente e superficial. Jorge iludiu-se a respeito do pensamento da moça; julgou que o amor lhe havia renascido, e que ela dava o primeiro passo para ele. Ainda assim, não julgou prudente arriscar um passo que podia ser fatal.

— Cansemos o inimigo — refletia ele —; é uma tática boa, tática de guerra.

E com este pensamento deixou correr os dias sem romper o silêncio que se impusera.

Jorge notava o desvelo da moça pelo marido, o afeto que lhe manifestava, a paz que reinava entre ambos, e invejava a sorte do primo. Pode-se dizer que só então lhe começou a raiar, tenuíssimo embora, um raio de redenção. O espetáculo da felicidade alheia convidou-o a buscar a própria felicidade, mas ele reconheceu que a única possível era aquela, e aquela estava perdida para ele.

Um dia de manhã, entre o charuto e o café, fez consigo a seguinte reflexão:

— Mas que estou eu a fazer? Isto não pode continuar nesta situação; é preciso sair da inação. A rapariga já há de fazer de mim uma tristíssima ideia.

Nesse mesmo dia, estando a conversar com a prima, disparou-lhe à queima-roupa uma declaração de amor.

Clarinha levantou-se indignada, e respondeu com um silêncio de desprezo à declaração do primo; saiu da sala e deixou-o só.

Não desanimou o rapaz. Deixou de lá ir alguns dias; mas voltou com a família. Clarinha não pôde deixar de vir à sala. Jorge compreendeu que a prima não havia de referir ao médico o que se passara entre ambos.

— Bem — pensou ele —, nem tudo está perdido.

Com o tempo, foi renovando a situação anterior. Um dia, escreveu uma carta à moça, e deixou-lha sobre o piano na ocasião em que ela tocava. Clarinha debalde chamou por ele.

— Há de abrir a carta — disse Jorge.

Não a abriu. Quando ele lá foi entregou-lha intacta:

— Primo — disse ela —; reconheça na minha bondade uma prova do afeto de parente que lhe tenho; porque é bondade ter ouvido da sua boca palavras insultantes e de eu não ter, como devera, comunicado a meu marido. Se alguma coisa, entretanto, pode reparar o seu erro, é esquecer-se de que eu existo e não voltar a minha casa.

— Mas por que razão é assim cruel comigo? — disse Jorge, procurando dar à voz um tom de lástima e desespero.

Clarinha não respondeu.

— E todavia — continuou Jorge — houve um tempo...

A moça levantou a cabeça e cravou nele um olhar de espanto.

— Houve um tempo em que o seu coração palpitou por mim.

— Está dizendo uma loucura — respondeu Clarinha empalidecendo —; tratei-o sempre com estima; mas... aí vem meu marido; ouse repetir diante dele a afronta que me faz.

Marques vinha efetivamente no corredor e entrou logo na sala. Clarinha levantara a voz nas últimas palavras para que ele as ouvisse; preferia uma solução violenta; Marques, entretanto, não ouvira as palavras da mulher; entrou alegremente na sala, e apertou com efusão a mão de Jorge.

Jorge deixou de lá ir três dias; no quarto dia entrou pela sala com a franqueza que a intimidade lhe dava, e que Marques estabelecera como uma condição das relações entre as famílias.

Marques estava no sofá; Clarinha, sentada em um banquinho a seus pés, olhava para ele com uma expressão tão suave de afeição e respeito, que o moço curvou insensivelmente a cabeça. Mas foi então que, pela primeira vez, a serpente do ciúme lhe mordeu no coração.

— Entre — disse o médico, vendo que o primo parara à porta —; não se assuste: são duas criaturas felizes, e felizes um pouco por sua causa.

Clarinha olhou para o marido.

— Admiras-te? — disse Marques à mulher. — Foi ele quem me animou quando eu apenas ousava querer-te em silêncio. A ideia de escrever a primeira carta, à qual não deste resposta, foi do nosso amigo Jorge.

— Ah! — disse a moça.

E estendendo a mão ao primo, acrescentou:

— Obrigada!

A expressão de felicidade com que ela fez este gesto e disse esta palavra, encheu de júbilo o marido; enquanto Jorge, despeitado e picado de ciúme, mal tocara os dedos da moça.

Esta, porém, ficara pensativa.

— Não sabia então nada naquele tempo — dizia ela consigo —; mas quem lhe confiara o meu coração? O padre... Impossível!... E contudo ninguém mais o sabia; foi ele, foi. Com que fim?

VIII
DE MAL A PIOR

Não é bom brincar com fogo. Jorge conheceu dentro de pouco tempo esta verdade comezinha; ardeu na chama de que tão pouco caso fizera.

Mas esse fogo, bom é que se saiba, não era o que purifica; o amor de Jorge não fora aceso no céu. Era fogo da terra ou do inferno; paixão ardente, voluptuosa, insensata — mistura de capricho, sensualidade e loucura...

A situação, porém, tinha mudado. Jorge percebeu que o médico o tratava com extrema frieza.

— Ela contou-lhe tudo — disse ele consigo.

Procurou indagar a verdade, mas como? Podia arrancá-la à própria moça, mas ela não lhe dava ocasião para isso. Não o recebia, quando estava só; falava-lhe em presença do marido.

Jorge indagava um meio de resolver a crise em que se achava o seu espírito. A intolerância das paixões criminosas revelou-se nele com toda a força; exprobrava a prima, odiava o primo; odiaria o mundo inteiro, se o mundo inteiro lhe opusesse um veto à sua lastimável ambição.

Um domingo, estando no seu quarto a revolver estas ideias no espírito, apareceu-lhe à porta o padre Barroso. Levantou-se para ir falar-lhe. O padre encaminhou-se para uma cadeira. Franziu o rosto severo e os olhos torvos.

Jorge quis gracejar do aspecto do padre; mas este o interrompeu dizendo:

— Jorge, não venho para rir, mas para exortar, e, se preciso for, castigar. Não se admire; eu posso castigá-lo referindo tudo a seu pai, que é um homem honesto. A mansidão é apenas a crosta do meu caráter; no âmago está a justa indignação contra tudo o que ofende a moral e a virtude.

— Mas eu já sou outro...

— Não — disse o padre —, está pior do que estava. Antes nunca se emendasse.

Jorge compreendeu que o padre aludia à sua atual paixão, e no fundo da consciência confessou que realmente a emenda, naquele caso, era pior que o soneto.

O padre esteve alguns instantes silencioso.

— Sei tudo — disse ele.

— Tudo, o quê?

— Sei que o senhor ousou levantar olhos para uma pessoa que devia merecer-lhe todo o respeito. Receio ter sido eu a causa involuntária disto, mas o seu ato não se purifica ainda assim: fica sempre infame! Ela contou-me tudo, e pediu-me conselho. Disse-lhe que referisse tudo ao seu marido. Não quis; era envergonhá-lo sem necessidade, disse ela. Curvei-me à sua opinião; mas eu tinha a minha, e ouvia a consciência; contei-lhe tudo.

— O senhor! — exclamou Jorge, levantando-se de súbito.

— Eu, sim; pois que tem? — redarguiu o velho com placidez. — Entendi que era o meu dever; escutei a minha consciência.

Jorge mordia os beiços, cheio de cólera.

O padre Barroso continuou:

— Ao mesmo tempo, pedi-lhe que não fizesse escândalo; primeiramente, por si e por ela; depois, por seus pais que são duas honradas criaturas. A sua pessoa não pesou nada neste pedido. Prometeu e cumpriu; limitou-se a desprezá-lo.

— Mas, enfim? — disse Jorge com um gesto de impaciência.

— Ela não aprovou o meu passo, a princípio; receou que o conhecimento da verdade perturbasse a sua paz doméstica e a felicidade de seus tios. Mas quando eu lhe afiancei, e ela via, que nada disso acontecia, agradeceu-me a iniciativa. Bem vejo que isso o mortifica; mas tenha paciência. Clarinha é uma pessoa digna de ser adorada como um anjo; reúne todas as virtudes de uma senhora. Perdeu o senhor aquele tesouro... sim, posso dizê-lo agora, já que o sabe; perdeu-o, porque ela o amava em silêncio e o senhor nada viu, tão cego andava aí por esse mundo de amores comprados, e fúteis prazeres.

Isto era revolver o punhal na ferida. Jorge estava humilhado e irritado. Quis falar, mas o padre não lho consentiu.

— Venho pois pedir-lhe — disse ele —, ou melhor, venho intimá-lo para que não volte à casa de sua prima, e que a esqueça. Há de fazer isto quer queira quer não queira. Afirmo-lhe que estou disposto a tudo para defendê-la.

— Defendê-la? — disse afinal Jorge. — Mas ela não precisa de defesa: eu não lhe faço nenhum mal. Tenho eu culpa se a amo?

O padre interrompeu-o.

— Não falemos de amor, falemos de dever. Está disposto a não voltar lá, a não pensar mais nela?

— Pois bem — disse Jorge —; estou disposto a não ir lá; quanto a pensar nela...

— Filho — tornou o padre, com brandura —; também se peca por pensamentos. Apague-a da sua memória, e será melhor que tudo. Quer um conselho?

— Qual?

— Vá para fora algum tempo. Depois, estou certo de que virá abraçar-me; porque saberá então de que abismo o salvei.

IX
IDA E REGRESSO

A missão do padre irritou o jovem namorado; mas algumas horas de reflexão bastaram para que ele visse realmente a inutilidade dos seus esforços. Tinha tudo e todos contra si; era uma luta de antemão condenada.

Ao mesmo tempo, a ideia de que a prima o amara, e o despeito de a não haver compreendido, vinham lançar no espírito de Jorge um novo germe de desgosto.

O mais prudente era abandonar a empresa.

A vaidade, porém, meteu-se no meio, e este grande motor das ações humanas pode muita vez mais que todas as razões de consciência ou impulsos de coração. Jorge perguntou a si mesmo se conviria abater as armas diante do perigo, só porque era grande, e confessar uma dessas aberrações das sociedades polidas julgava mais vergonhoso que tudo mais. A vaidade respondeu que não. Mas como a vaidade pedia uma coisa, e a realidade indicava outra, Jorge achou um meio-termo, e adotou justamente a ideia do padre.

— Em lhe constando que eu me retiro por causa dela — pensou o moço —, que vou para fora abafar a minha dor, há de crer nela e a minha causa ganhará com isso, porque ela já me amou, e não há de ter esquecido esse tempo.

Jorge saiu da corte no fim de alguns dias, depois de ter obtido uma licença do emprego. Alegou ao pai que estava sofrendo de fraqueza e precisava de restaurar as forças. Aguiar não lhe deu muito crédito ao pretexto; mas o padre teve meio de fazer que o comendador e a mulher aceitassem as razões do filho.

— Vá, meu filho — disse o padre na véspera da partida —, vejo que me ouviu e que a voz da sua consciência ainda não estava extinta.

Pobre padre! Se ele soubesse que isto era apenas uma arma! Um meio de tornar interessante o namorado repelido!

Jorge partiu.

— Diga-me cá, padre; acredita que meu filho esteja definitivamente curado?

A esta pergunta do comendador que se preparava para jogar o gamão, na noite do dia em que Jorge partira, respondeu o velho Barroso:

— Creio que sim; estava muito mal; mas o coração é bom; emendou-se; respondo por ele.

Clarinha, que naqueles últimos tempos parecia mais melancólica que de costume, quase ficou alegre com a partida do primo. A sua afeição ao marido redobrou então de intensidade, e a causa disto era mais que tudo a inalterável confiança que o médico mostrara durante os acontecimentos esboçados acima.

A moça consultou o coração; nada havia em relação ao primo.

Minto; havia alguma coisa; havia uma sombra de desgosto, uma lembrança amarga, que o coração honesto da esposa não poderia perdoar. A moça comparou a afeição respeitosa do marido, os carinhos de que a cercava, com a fria e criminosa paixão do primo, e a comparação foi toda em favor do médico.

Nestes termos estavam as coisas, quando o dr. Marques adoeceu gravemente. Desde os primeiros dias a moléstia revelou logo o seu caráter mortal. Longo foi o padecimento, talvez ainda maior no espírito de Clarinha, a quem uma voz secreta dizia que ia perder o consorte. A fim de a prepararem melhor para o golpe, foi necessário dizer-lho. Clarinha teve coragem para ouvir a verdade, mas era evidente a sua dor profunda. Aguiar e a mulher foram para lá; o padre acompanhou o enfermo com a assiduidade que lhe permitiam a sua idade e os seus trabalhos.

Um dia, porém, quando menos se esperava apareceu Jorge. Soubera da moléstia do primo, e correra a toda a pressa à corte. Foi a explicação que deu, mas não foi a verdadeira. A verdadeira era que as saudades o ralavam.

Quando chegou à cidade, soube da moléstia do médico; foi a casa, onde não achou a família; mas soube então que a situação do enfermo era grave.

Correu para lá.

O espetáculo influiu no ânimo do estroina mais do que ele pensara. Junto da cama do enfermo estava a moça, triste, mas resignada, indiferente ao que se passava em torno dela.

O doente olhou para Jorge e conheceu-o.

Estendendo-lhe a mão descarnada e trêmula, que o primo apertou, estendendo-a depois à sua prima, Clarinha não viu o gesto do moço, ou não quis amargurar a alma do doente. Este abriu nos lábios um ligeiro sorriso.

Jorge retirou-se.

A doença de Marques era mortal, como disse; os médicos davam-lhe apenas cinco ou seis dias de existência. O próprio doente conhecia o seu estado e preparava-se para morrer.

Este espetáculo, porém, por mais triste que fosse, não pôde abafar no espírito de Jorge a influência da moça. Mas então começou para ele uma sensação nova. A presença da morte como que lhe ia purificando a paixão. Ao ver a pobre esposa quase viúva, toda entregue aos cuidados de acompanhar até o último suspiro o companheiro de sua vida; ao contemplar a dedicação e zelo com que o servia, as lágrimas silenciosas que derramava, as vigílias, as palavras de consolação, os afagos, tudo isso como que lhe acordou uma fibra adormecida do coração, e o rapaz renasceu em si a casta flor dos dezoito anos.

Algumas vezes, cabia-lhe fazer quarto ao doente, e nessas condições achou-se muita vez a sós com a prima. Ajudavam-se mutuamente nos cuidados que o enfermo exigia; mas quando este fechava os olhos para dormir, ficavam ambos silenciosos, ela com os olhos pregados no marido, ele com os olhos nela.

Não foi sem custo, ainda assim, que a moça consentiu na presença do primo; mas o tio insistiu e foi necessário ceder.

O padre também não viu com bons olhos a presença do rapaz; mas foi este mesmo quem lhe disse, logo no dia seguinte àquele em que chegara:

— Há de reparar na minha estada aqui.

— Sim — disse o padre.

— Juro-lhe que...

— Não jure nada — tornou o padre —; respeite a morte; é só o que lhe peço.

A última hora chegou enfim. Marques expirou nos braços da esposa. O desespero e as lágrimas da mísera viúva faziam cortar o coração; todos tiveram força para consolá-la; Jorge não a teve; saiu da casa e só voltou no dia seguinte.

X
O CAMINHO DE DAMASCO

Três meses depois, estando o padre Barroso em casa apareceu-lhe Jorge. Vinha alegre e respeitoso como nunca.

— Senhor padre — disse ele —; venho alegre, e posso ir daqui triste. Tudo depende do senhor.

— De mim?

— Do senhor.

— Vejamos.

Jorge sentou-se.

— Disse-lhe uma vez — começou ele — que estava curado das minhas loucuras.

— É verdade.

— Mentia.

— Fez mal.

— Mentia, senhor padre. Que quer? Eu supunha então que os conselhos da razão eram apenas ruins preconceitos, e que eu só tinha razão contra todos. Agora, senhor padre, afirmo-lhe que venho curado.

O padre sorriu.

— Bem vê — disse ele — que o senhor mesmo me dá o direito de não acreditar.

— Sei, mas eu espero convencê-lo desta vez.

E continuou:

— Quando eu adotei a resolução de ir para fora, levava ainda um pensamento mau no coração. Aparentemente cedia aos seus conselhos; mas, no fundo da minha alma, era guiado por um interesse. Voltei inopinadamente, porque a lembrança de... da pessoa que o senhor sabe, me dominava o espírito.

— Adivinhei-o — observou o padre.

— Mas quando cheguei — continuou Jorge —, quando vi aquela divina criatura, aflita, melancólica, junto de seu marido quase expirante, a prodigalizar-lhe todos os carinhos que a natureza, que a religião lhe inspiravam, quando aquele solene espetáculo me apareceu aos olhos, posso jurar-lhe, senhor padre, que nesse momento todo o meu passado se desvaneceu e que um homem novo começa a palpitar em mim.

— Quê! — disse consigo o velho. — Será este o mesmo Jorge!

Jorge continuou:

— Não lho disse então; quis ver se me não enganava; se realmente amava aquela moça com o fervor da pureza que ela merece. Lá vão três meses; sinto ainda hoje o mesmo que então sentia... Amo-a, e peço-lhe que interceda por mim.

— Quer então? — perguntou o padre.

— Casar com ela.

— Deveras?

— Juro-lho!

O padre levantou-se e abriu os braços ao moço.

— Muito bem! — disse ele. — Muito bem. Conte comigo, Jorge! Eu serei o advogado da sua causa. Bem dizia eu, ainda há coração nesse peito. Nem tudo estava perdido...

Jorge correspondeu a esta efusão do velho amigo, contando-lhe todas as suas esperanças e incertezas; disse-lhe também que receava não ser atendido.

— Por quê?

— Eu sei! Ela talvez me não perdoe o que lhe fiz...

— Há de perdoar — disse o padre —; não o amará talvez; mas amá-lo-á mais tarde. Faça o senhor por si... deixe tudo a Deus, que ama os arrependidos.

Jorge saiu da casa do padre Barroso entre receoso e esperançado. Confiava, porém, no velho padre, e sabia a influência que ele tinha no ânimo da moça. Demais, seu pai e sua mãe, quando conhecessem a situação, influiriam em favor dele.

Não queria Jorge um casamento sem que o precedesse a aliança do coração; mas o que lhe parecia essencial era convencer a prima de que ele desejava ser amado.

Amá-lo-ia ela depois? *There is the rub*, como diz Hamlet.

Jorge foi direito para casa. Em caminho, encontrou alguns amigos. Todos eles se espantaram da mudança do companheiro.

— Adeus, anacoreta! — dizia-lhe um.

— Até que enfim! — exclamava outro a alguma distância.

— Por quê?

— Estás pálido. Já sei; amores...

Alguns — os que lhe deviam algumas somas — passavam de largo. Jorge nem os via; um só pensamento o levava: a moça.

Não admira, pois, que a mesma dama, já vista de relance no primeiro capítulo desta história, passasse por ele, e o cumprimentasse sem que Jorge tirasse o chapéu. A dama sentiu-se ferida no seu amor-próprio, e à noite, entre dois conhecidos, no Alcazar, rezou uma triste oração pelo estroina.

— Lembra-te — disse um dos conhecidos —, lembra-te que foi ele quem te deu a vitória em que andas.

— Águas passadas não movem moinhos — respondeu filosoficamente a dama. — Desse o que desse, é um grosseirão.

O padre cumpriu a sua promessa; foi ter com Clarinha. A bela viúva recebeu o seu velho amigo com a efusão de uma alma verdadeiramente afetuosa. Havia já uma semana que ele lá não ia; supondo que estaria doente, ia mandar lá.

— Felizmente apareceu — concluiu ela.

— Doente não estou — disse o padre —; pelo contrário, nunca estive tão bom de saúde. Sabe por quê?

— Por quê?

— Porque estive ontem com seu primo Jorge.

Clarinha não respondeu.

— Está salvo, está curado, está homem de bem. Só lhe pesa uma coisa: é que você lhe não perdoasse, Clarinha. Há de perdoá-lo.

— Perdoo-lhe tudo.

— Não é assim; há de perdoá-lo sinceramente, com efusão, porque ele está verdadeiramente arrependido, e só precisa do seu perdão para ser feliz como era, como devia ser ainda hoje se não fora sua má cabeça. Perdoa, sim?

— Bem sabe — disse Clarinha — que eu não posso desobedecer-lhe. Dou-lhe o perdão que me pede.

— De coração?

— De coração.

— Trata-se — disse o padre — de salvar uma alma. Qualquer recusaria intervir num assunto destes; eu sou sacerdote; o meu dever é contribuir para a cessação do pecado. Jorge está regenerado; mas qualquer coisa pode pervertê-lo outra vez e para sempre.

Clarinha adivinhou o resto.

— Há três meses que morreu meu marido — interrompeu a moça —; dê-me o tempo necessário para chorar o melhor dos homens. Quanto a Jorge, é uma alma que se não salva mais. Perdoei-lhe; eis tudo.

A moça conservou-se inflexível nesta resolução. Jorge não soube do resultado da conversa do velho sacerdote, porque este não julgou acertado comunicar-lhe. Era talvez um resto de melindre. Em todo caso, procurou consolá-lo.

O velho Aguiar insistia para que a sobrinha viesse morar com ele; ela não quis, seria estar perto do primo.

Jorge, entretanto, não perdeu ocasião de a encontrar e ver. A presença, o respeito, as provas de dedicação, a vida exemplar do moço, e além do mais, certa reminiscência que ficara no coração da moça, tudo isso fez que se precipitasse o desenlace natural da situação.

Um ano depois da morte do dr. Marques, casavam-se os dois primos. A notícia não causou grande espanto na sociedade equívoca, em que Jorge educara a sua mocidade.

— Meio perdido já estava ele — disse galhofeiramente a dama a quem ele acompanhara no Ginásio na noite que lá o viu o comendador.

Quem o casou foi o padre Barroso. Não se pode imaginar a alegria do bom velho. Parecia aquilo obra sua. E era, na verdade.

Um mês depois, estando ele em casa de Jorge, contou este a impressão profunda que recebera nos cinco dias em que assistira à agonia do médico.

— Foi só então — concluiu ele — que eu comecei a amar.

O padre sorriu.

— *Nihil sub sole novum* — disse ele. — Há dezenove séculos aconteceu o mesmo a um homem ilustre que perseguia os cristãos. No caminho de Damasco, uma visão o converteu. Esse homem era são Paulo. Uniu-se à melhor das noivas, a Igreja, e oxalá vocês se amem tanto, como aqueles dois se amaram. Deus me perdoará a comparação, porque amar é estar perto do céu.

Jornal das Famílias, *novembro-dezembro de 1871; Job.*

Rui de Leão

I

Consta de crônicas inéditas e secretas que, ali pelos anos de 1630, vivia no interior do Brasil, um fidalgo chamado Rui de Leão, varão de boas prendas, extremado na língua do país e aparentado com uma família *tamoia*, por ter casado com uma das suas mais belas filhas.

Rui de Leão contava nesse tempo cerca de quarenta anos. Era robusto, corado, ativo, tão enérgico na alma como no corpo. Tinha no rosto uns longes de melancolia que se dissipavam muita vez sem que de todo se extinguissem. Parece que a causa dessa desconhecida tristeza prendia com infortúnios que sofrera em Portugal, e que o trouxeram ao Brasil em um dos régios galeões. O certo é que o nosso fidalgo, esquecendo totalmente a grandeza da sua raça, não duvidou em unir-se pelos laços do matrimônio à filha de um velho pajé.

Matrimônio, digo eu, unicamente para usar de um termo corrente; mas a verdade é que não se deve ligar a esta palavra a ideia cristã que lhe damos. O matrimônio do fidalgo consistiu nas cerimônias indígenas. Debalde o padre Pires tentou converter a esposa do fidalgo e santificar a união. Rui de Leão respondia que, de ora em diante, era tamoio, pois que sua mulher o era, e mandou embora o padre.

Tamoio ficou o nosso fidalgo, menos no traje, que o conservou civilizado e português. Mas até isso veio a perder daí a poucos anos, por conselho do pajé que um dia lhe disse:

— Carão branco, tu és a nossa lua, tu és o nosso irmão, mas só uma coisa te falta. O caju é igual ao caju; o coco é igual ao coco; só tu carão branco, em vez de seres igual a todos nós, usas de umas roupas semelhantes às dos nossos inimigos. Por que recusas vestir como nós as plumas da arara e as cores do jenipapo?

— Pajé — respondeu Rui de Leão —, a pele do carão branco não está afeita ao clima do teu país.

O pajé sorriu, contemplou o céu, inseriu o dedo mínimo no canto do olho esquerdo e ejaculou resposta filosófica:

— A água bate na pedra e fura a pedra: o costume reforma a natureza.

Rui de Leão estremeceu ouvindo estas palavras na boca do pajé; não lhe parecia que ele as tirasse do seu cérebro. O sogro entristeceu, insistiu no pedido, e Rui de Leão depois de meia hora de conferência cedeu, e despiu-se dos calções, do gibão e dos sapatos.

Grande foi a festa que seguiu à encarnação do fidalgo no vestuário do deserto.

Nanavi, sua esposa, fez um esplêndido cocar de plumas com que ele se adornou garridamente.

Entre Rui de Leão e Júlio César nenhum ponto de contato havia; mas uma circunstância ligava estes dois grandes homens: eram ambos calvos como a ocasião.

Imaginem o prazer com que o fidalgo recebeu o cocar; foi por assim dizer a sua coroa de louros cesariana. Na tarde desse famoso dia houve reunião na cabana do pajé.

Peitos de papagaio, costeletas de tatu, e outras viandas saborosas serviram de pasto aos convivas. Quando o sol começou a ficar triste, todos os convivas entraram a bailar, e bailaram até que o cansaço e o vinho os prostraram no mais profundo sono.

Extrema era a confiança da tribo no fidalgo, que logo se habituou aos mais duros exercícios.

Não havia guerra em que não colhesse imarcescíveis louros, nem matança de vítima a que não levasse um par de famintos queixos.

A primeira vez que figurou numa destas festas, era a vítima um galhardo mancebo indígena, que, segundo o uso, fora engordado previamente por uma velha de seus oitenta janeiros bem puxados.

Convocou-se toda a gente da vizinhança, e Rui de Leão teve a glória de ser escolhido para dar o golpe mortal no rapaz.

Não se pode descrever a alegria do fidalgo, quando lhe foi conferida essa honra suprema.

Quando ele apareceu à porta da cabana com a maça mortífera em punho, e o colar de dentes humanos ao pescoço (ordem honorífica daqueles povos bárbaros), houve um geral murmúrio de admiração.

A única coisa com que os filhos do deserto embirraram, foi com o nariz de Rui de Leão, nariz cristianíssimo, verdadeiro contraste com os narizes da gentilidade.

Rezam as crônicas que esta diferença nasal esteve a ponto de provocar um levantamento no povo; mas a influência do pajé e a presença da graciosa Nanavi mataram em flor todo o projeto de insurreição.

Bizarro entrou na praça o nosso Rui de Leão, e logo se encaminhou para a espécie de palanque onde a vítima devia ser imolada.

Imediatamente apareceu o condenado tirado por dois robustos rapazes, e rodeado por uma meia dúzia de velhos tocando nos seus alguidares, ao passo que uma orquestra executava em tíbias humanas ásperas variações dos Rossinis do tempo.

Rui de Leão levantou a maça e começou a atordoar a vítima levemente, no meio dos aplausos da multidão, até que, com um golpe em cheio, lhe reduziu o crânio a migalhas.

Houve então a repartição da carne da vítima.

Rui de Leão obteve larga parte e é fama que lhe achou melhor gosto do que outrora nos guisados da civilização.

Tais foram as grandes estreias antropófagas de Rui de Leão, que nos outros exercícios desbancava ao mais pintado.

Apanhar um papagaio no ar com a flecha ou um peixe no rio; atirar ao arco com pés e mãos, tudo isso nada era para o nosso fidalgo.

Como os tamoios eram amigos de vagabundear, depressa o nosso Rui de Leão perdeu o gosto de fazer ninho, tão pronunciado nos povos civilizados, e era de ver a presteza com que ele construía e desfazia sua cabana.

A tudo se afez o esposo de Nanavi. Entretanto é difícil que um homem civilizado perca de todo a sua tendência propagandista.

Rui de Leão, posto que achasse bons os costumes do deserto, teve ideia de introduzir neles alguns usos da Europa.

Inúteis foram os seus esforços.

Os índios recusaram toda inovação política ou social nos seus hábitos.

Rui de Leão ficou com a sua vontade.

Aqui temos pois o nosso herói, na época em que começa esta história, provada em documentos de incontestável autenticidade.

Justamente no ano de 1630, dois séculos antes da revolução do campo da Aclamação, estava Rui de Leão conversando com o pajé, a respeito das últimas águas, quando Nanavi apareceu à porta da cabana e comunicou ao esposo a agradável notícia de que dentro de pouco tempo seria pai.

Rui de Leão ardia por ver algum fruto da sua união com a tamoia.

Levantou-se e exclamou:

— Ainda bem Nanavi: a mangueira não ficou estéril.

— Não — respondeu a índia.

— Bem-vinda seja essa criança que há de receber a herança de seu pai e a bênção de seu avô.

— Ai, não! — exclamou o pajé. — Quando teu filho aparecer no mundo, já eu estarei morto.

O pajé disse estas palavras com tom profético.

Rui de Leão estremeceu e involuntariamente procurou as algibeiras dos calções, que já não usava, para meter-lhe as mãos dentro. Nanavi entrou a chorar.

O pajé consolou a família com uma dissertação filosófica a respeito da sorte; comparou a vida à luz fugaz do pirilampo: comparação de que os poetas começaram a usar mais tarde; e concluiu pedindo alguma coisa que comer.

Adivinhara o pajé. Dois meses antes de vir à luz o rebentão da ilustre raça dos Ruis de Leão, o pajé adoeceu gravemente.

Chamaram-se os físicos da localidade. Era um deles o ilustre *Urumbeba*, profundo conhecedor do corpo humano e seus achaques; e o outro o não menos ilustre *Mandijbiyuruçu*, versado no conhecimento das plantas e raízes.

Entraram estas duas glórias da Academia do sertão com a gravidade própria do caso.

Examinaram o enfermo, e declararam que era necessária uma conferência entre si, pelo que se retiraram as mais pessoas.

Quando os dois físicos ficaram sós, rompeu o silêncio de *Urumbeba*:

— O rio está crescendo muito — disse ele.

— Já reparei nisso; parece que alagará tudo como na lua passada.

— Além disso eu tive um sonho.

— Ah!

— Sonhei que uma cobra imensa desenvolvendo-se pela terra, enrolara a tribo toda.

— Uma cobra?

Urumbeba percebeu que o colega não atinava com o sentido do sonho.

— Sim, uma cobra — disse *Urumbeba* — e essa cobra é a imagem do rio que nos cercará a todos nós.

Mandijbiyuruçu ficou muito assustado com o sonho de *Urumbeba*, e concordou na necessidade de levantar as tendas.

Conversaram largamente nesse assunto até que, passada uma hora, um gemido do pajé veio lembrar-lhes o objeto principal da conferência.

Na opinião de *Urumbeba* o doente devia tomar um cozimento de aipim, dado em quatro porções de uma cuia cada uma; ao passo que *Mandijbiyuruçu* optou por uma aplicação de inimbói cozido e dado em duas partes com fomentações de caataia.

Divididas as opiniões, foi necessário que as discutissem.

Mas o doente piorara, e Rui de Leão veio dizer aos médicos que o pajé estava mal.

Foram os médicos ter com o enfermo e conheceram que era chegada a última hora; mas como o pajé padecia muito, resolveram que o melhor remédio era dar-lhe uma cacetada na cabeça — extrema-unção daqueles povos incultos.

O pajé compreendeu a situação e pediu para falar particularmente ao genro.

Quando se acharam sós, disse o pajé:

— Quero dar-te um presente, o melhor presente que um mortal pode dar a outro, porque o recebi eu mesmo das mãos de Tupã.

Rui de Leão arregalou os olhos.

— Eu tenho ainda vida até o sol que vem. Quando vier a noite sairemos ao terreiro; quero ir contigo a um lugar secreto.

Prometeu Rui de Leão acudir ao convite do pajé. Efetivamente quando veio a noite, saiu o pajé encostado ao genro, e a seis ou sete passos da cabana, mandou o pajé que Rui de Leão cavasse certo montículo de terra. Cavou o fidalgo, e não tardou que aparecesse um vaso hermeticamente tapado.

— Isto — disse o pajé — é um segredo que me acompanha sempre. Quando me mudo de um lugar para outro, levo o vaso comigo e enterro-o atrás da cabana.

Rui de Leão contemplava o vaso, sem poder adivinhar o que continha.

Veio em auxílio dele o pajé.

— Era uma noite em que eu, não podendo dormir, fui sentar-me à beira do mar contemplando as estrelas. Estava ali já havia muito tempo, quando me apareceu um vulto cheio de luz e me disse: "Pajé, queres que eu te dê a imortalidade?". "Quero", respondi eu, beijando a terra. "Toma este vaso; aqui tens um licor que te dará a imortalidade; bebe-o quando quiseres, serás imortal."

Rui de Leão teve um movimento generoso.

— Ah! — disse ele. — Bebe depressa.

O pajé empurrou levemente o genro.

— Não! se eu quisesse ser imortal, não o teria já bebido? Aceitei o licor com alegria e guardei-o para beber mais tarde. Profundos desgostos me amarguraram a vida; não quero ser imortal. Tu sim; és feliz; podes ser imortal. Dou-to; é para ti. Mas agora enterra o vaso; ninguém deve saber disto.

Rui de Leão enterrou o vaso.

A noite estava escura; uma coruja piou em cima de uma árvore; o pio da coruja e o murmurar do rio eram os únicos sons que se ouviam. Quando Rui de Leão se levantou, viu que o pajé tremia, segurou-o para não cair. Era tarde; o pajé expirou.

Grande foi a dor de Nanavi, quando soube da morte do pai. A cerimônia fúnebre impressionou a todos, porque a palavra do pajé era respeitada e adorada, e todos sabiam que se perdia nele uma glória da raça tamoia.

II

Rui de Leão voltou ao lugar onde se achava enterrado o vaso do elixir. Desenterrou-o, tirou-lhe a tampa e examinou atentamente o conteúdo. Era um líquido amarelo, com seus reflexos azuis quando recebia os raios do sol.

A porção não era muita, nem para o fim proposto era preciso mais.

O cheiro do líquido era uma mistura de almíscar e canela.

O esposo de Nanavi enterrou o vaso e sentou-se sobre uma pedra que lhe ficava ao pé.

Não se pode saber que tempo gastou Rui de Leão nas profundas reflexões em que se mergulhou o seu espírito. Apenas sabemos que, quando Rui de Leão levantou a cabeça, tinha um sorriso nos lábios.

— Ilusão! — exclamou ele. — Isto é impossível. Por que motivo não vi logo que o pajé era vítima de um sonho, ou desejava impor a sua privança com Tupã? Imortalidade! só Deus poderia dá-la, mas esse não a dá com certeza: a verdade é esta. Eia, Rui de Leão, evoca o teu bom senso; não sejas tamoio em tudo. O pajé podia iludir aos outros, mas a mim!...

Levantou-se, deu dois passos e parou contemplando o lugar onde estava enterrado o precioso vaso.

— E contudo — disse ele — era tão bom possuir a imortalidade! Ver correr os séculos uns após os outros; ver passar as gerações; o nascimento e a queda dos impérios, e ficar sobranceiro a tudo; zombar do tempo e dos homens!... Oh! seria uma grande ventura, e se realmente o elixir do pajé...

Ouviu uns passos. Era Nanavi.

— Pensas no teu país? — perguntou a indígena.

— O meu país é o teu, Nanavi, a minha pátria é o teu amor. Que teria eu lá mais do que tenho aqui? O sol é o mesmo; pisa-se a mesma terra; respira-se o mesmo ar. Vive-se a mesma vida; morre-se da mesma morte.

Nanavi lançou os braços à roda do pescoço de Rui de Leão; este beijou-a ternamente na testa.

— Andas pensativo... que tens?

— Nada; saudades do pajé.

— Pobre pai!

Rui de Leão sentou-se sobre uma pedra.

— Era um grande homem teu pai — disse ele.

— Era um sábio.

— Sim, era.

— Ninguém melhor do que ele — continuou Nanavi — sabia ler no céu, nem combinar as raízes da terra.

Rui estremeceu.

— Que tens?

— Nada. Teu pai conhecia as virtudes das raízes?

— Quem as não conhece entre os filhos de Tupã?

— Tens razão.

— Meu pai era mais sábio que todos os outros; mas não o dizia a ninguém.

Rui de Leão ficou pensativo.

— Quem sabe — dizia ele consigo —, quem sabe se o pajé não combinou este elixir por meios secretos, e modestamente o atribuiu à origem divina?

Não sem admirar a modéstia do pajé, Rui de Leão demorou-se nesta ideia e concluiu que, em todo o caso, não sendo provável que o sogro lhe quisesse mal, a bebida se não lhe desse a imortalidade, também não daria a morte.

Dois meses depois veio à luz um amável pimpolho, fruto da união do fidalgo com a indígena.

Segundo o uso, Rui de Leão meteu-se na cama, tomou os caldos, recebeu as visitas, ao passo que a mulher foi cuidar dos arranjos da casa. *Urumbeba* foi visitar assiduamente a Rui, não porque ele carecesse dos seus serviços médicos, mas porque era conversador e alegre nas horas de bom humor.

Numa das ocasiões, disse-lhe que havia chegado àquela região um padre da nação de Rui, homem apessoado e de falas de mel.

— Onde está? — perguntou Rui.

— Anda perto; foi visto na foz do rio.

Daí a dias apareceu efetivamente o padre Norberto, que andava em missão. Disseram-lhe que havia ali um homem seu compatriota; foi vê-lo. Eram conhecidos.

O frade Norberto falou de Portugal e da família de Rui. Disse-lhe que os seus parentes se achavam mortos com exceção de um primo que fora meter uma lança em África.

— Pouco me importa saber, frade Norberto, do que vai lá pela minha família, nem se são vivos ou mortos. Hoje a minha família é Nanavi e meu filho.

Justamente nessa ocasião acordou o pequerrucho; o frade Norberto viu o fruto do amor da indígena com o europeu; e disse ao fidalgo.

— Vamos batizá-lo?

— Não.

— Pois quê! não quer?

— Não.

— Meu Deus! — continuou o frade Norberto. — Será isso possível! dir-se-á que estes gentios nascidos e criados sem a luz da fé são mais fáceis de converter que vossa mercê, nascido e criado no seio da Igreja.

O argumento não tinha resposta; por isso mesmo o fidalgo tentou sofismá-lo. O digno frade ouviu-o silencioso.

Quando o fidalgo acabou disse o frade:

— Peço a Deus que não faça cair sobre vossa mercê a justa pena deste ato...

E saiu.

Logo nessa noite, teve Rui de Leão uma intensa febre; no dia seguinte piorou. Nenhuma raiz, nenhuma folha pôde abrandar o mal do pobre Rui. Esgotou-se a farmacopeia do deserto; a doença tinha todos os sinais de ser mortal. Três dias durou esta luta entre a natureza e a ciência. Ao cabo desse tempo resolveu-se que, se o último remédio não produzisse efeito, devia recorrer-se ao medicamento eleitoral do cacete.

Rui não sabia que já estava condenado, mas suspeitava-o bem, porque o remédio que lhe deram como definitivo nenhum efeito produzira. Viu a morte diante de si; lembrou-se das palavras do frade Norberto; contemplou o filho, apenas nascido, a mulher ainda no viço dos anos. Todas estas coisas juntas fizeram com que Rui reunisse todas as suas forças (que bem poucas eram), e tentasse de noite ir ao elixir da imortalidade.

Fê-lo a muito custo; logo à porta da cabana teve um desmaio. Conseguiu levantar-se sem despertar ninguém. Caminhou lentamente para o montículo onde estava enterrado o vaso; cavou a terra com as unhas; arrancou o vaso e bebeu parte do conteúdo.

No dia seguinte amanheceu melhor. Os parentes de Nanavi, que já preparavam os ventres para o condigno enterro do estrangeiro ilustre, ficaram agradavelmente surpresos quando viram a rápida melhora que naturalmente atribuíram ao remédio que tomara.

Restabeleceu-se Rui de Leão da moléstia, e grande alegria houve por isso, pois o fidalgo era realmente a luz daquela gente e o melhor conselho dos casos difíceis.

Certeza de que estava imortal, não a tinha ainda Rui de Leão; mas certeza de que o elixir curasse febres teimosas, essa adquiriu logo. Esperemos o resto, dizia ele consigo.

E esperou.

Não tardou que se admirasse toda a gente daquelas paragens da robustez crescente de Rui de Leão; era o segundo efeito do elixir. Multiplicaram-se-lhe as forças e a atividade, coisa que sumamente agradava a Nanavi, pois naquele tempo e entre aqueles povos, a glória não estava em agitar um junco parisiense, mas em brandir uma pesada maça de guerra.

Com os anos cresceram as esperanças de Rui. O tempo nenhuma ação tinha nele; não só os poucos cabelos que tinha continuaram a ficar pretos, senão que lhe nasceram outros, e dentro em pouco tempo tinha o homem uma verdadeira floresta na cabeça, a qual floresta, atenta à falta de pentes no sertão, era uma verdadeira floresta virgem. Nenhuma ruga lhe afeiou o rosto: nenhum abalo lhe fraqueou o pulso.

Tinha Rui sessenta anos e era o mesmo homem dos quarenta. Não eram isto indícios da imortalidade? Rui adquiriu a plena certeza de que tinha vencido a morte.

Não aconteceu o mesmo à pobre Nanavi, que andando um dia a colher frutas no mato, recebeu em cima da cabeça um tronco que a levou desta para melhor. Ficou a criança, rapazote de largas esperanças, único fruto dos amores de Rui e Nanavi.

Como o frade Norberto continuasse em missão, encontrou-o um dia o nosso neotamoio e travou conversa com ele.

Sem descobrir o segredo do pajé disse-lhe que tinha meios de fazer uma conversão em larga escala durante longos decorreres de anos; que para isso ajudaria com dedicação os frades da companhia não somente com as luzes que tinha da língua do Brasil como também pela autoridade moral que adquirira entre os índios; finalmente que por prova de que servia sinceramente a Igreja, dava a batizar o filho de Nanavi.

— De boa razão é vosso procedimento senhor Rui de Leão e eu estou que a fé colherá grande proveito com o auxílio de vossa pessoa. Suspeitar de vossa sinceridade fora além de injustiça, erro grosseiro, porquanto entrais no corpo da Igreja passando a porta preciosa e precedendo ao inocente filho que nos dais para batizar e iniciar na fé. Onde está a mãe?

— A mãe morreu.

— Culpa vossa, senhor Rui de Leão; perdeu-se uma alma pela obstinação com que vossa mercê se houve...

— Estou arrependido, padre Norberto — disse Rui ajoelhando aos pés do frade.

Foi batizado o pequeno e iniciado nos preceitos da fé cristã, ao passo que o pai incumbido de arrebanhar a gentilidade, saiu pelo sertão acompanhado pelo frade Norberto e outro.

Longo tempo andou nessa missão. Colheu a Igreja preciosos frutos dela e quando voltaram todos três para o asilo dos frades houve grande e preciosa festa em honra de todos e principalmente de Rui. Os frades asseveraram à porfia que a piedade do fidalgo fora exemplar e os seus esforços incessantes.

Notaram todos, porém, que se os frades voltaram alquebrados pelas fadigas e perigos, Rui estava tão sadio e robusto como fora. Maior admiração houve quando o fidalgo confessou ter mais de sessenta anos.

— Não admira — respondeu o fidalgo rindo —; eu adquiri o privilégio desta gente que vive geralmente até os cem anos.

Ficou o nosso Rui no convento acompanhando os frades. Uma noite veio do sertão uma horda de índios, e atacou o asilo monástico com desusado vigor. A defesa foi quase toda nula contra os ferozes índios. Após uma luta porfiada, Rui conseguiu fazer ouvir a sua voz e acalmar os ânimos. Os índios foram embora deixando dois cadáveres dos seus. Dos frades tinham morrido dois às envenenadas flechas do inimigo. A todos admirou, porém, que Rui recebesse uma flecha nas costas, que a arrancasse, e não morresse como acontecera aos outros.

— Que mistério é esse irmão? — perguntou-lhe um frade.

— Nenhum — respondeu Rui —; provavelmente a flecha não vinha ervada.

Correram os anos; os frades estavam substituídos à proporção que iam morrendo; e assim se chegou aos anos de 1730, sem que Rui perdesse sequer um dos traços de sua vigorosa pessoa.

Toda a gente ficava pasmada diante de semelhante prodígio. Prodígio havia decerto porque de cem anos por cima é impossível não ter já todos os sinais da velhice; porém não... nunca Rui deixou de ter a mesma cara.

Foi em 1730 que um oficial régio tendo sabido da maravilhosa mocidade de Rui, ofereceu-se para levá-lo à corte de Lisboa a fim de apresentá-lo ao rei que era então d. João V. Partiram.

III

É incrível que nenhuma história publicada daquele tempo mencione a chegada deste prodigioso sujeito à corte de Lisboa e dos casos que aí houve.

Rui não foi apresentado ao rei, não se sabe bem por que razão; mas andou por toda a parte; figurou nos solares da fidalguia como nas casas dos mesteirais; espantou damas, condes e burgueses; falou de coisas acontecidas um século antes; causou em suma o mesmo assombro que o célebre conde de Saint-Germaine em Paris, ainda que este misterioso personagem não possuísse o dom da imortalidade achado pelo pajé.

Sabido é que às mulheres agrada o misterioso e o raro. Uma d. Beatriz, formosíssima fidalga daquele tempo, veio a enamorar-se do nosso Rui que também se enamorou dela. Como a moça estivesse para casar com d. Álvaro, marquês de P... saiu este paladino a campo e desafiou Rui por um combate singular.

Não era homem de recusar duelo o nosso Rui; aceitou o repto do fidalgo, que o não era mais que ele, e bateram-se à espada nas imediações de Lisboa.

Infelizmente o uso da flecha desabituara o viúvo de Nanavi ao uso da espada. O marquês era esperto jogador desta arma. O combate era desigual. Todavia, não aceitou Rui o conselho dos que lhe diziam que fizesse um estudo prévio.

Durou o duelo uns vinte minutos de angústia para os padrinhos de Rui; ao cabo desse tempo, d. Álvaro varou o nosso homem de meio a meio. Correram todos ao ferido que imediatamente caiu no chão lavado em sangue.

— Está morto! — exclamaram todos.

— Ainda não — disse Rui —; não estou morto.

E com a própria mão estancou o sangue, enquanto um físico, adrede convidado, lhe administrou os primeiros socorros.

— Morre daqui a duas horas — disse tristemente o cirurgião aos padrinhos de Rui.

Duas horas depois, Rui aparecia nas ruas de Lisboa, com grande espanto do povo que ouvira falar no duelo e nos resultados dele.

— Sabem que mais? — dizia o cirurgião. — Aquele homem é o diabo.

Naqueles tempos de fé uma descoberta desta ordem equivalia ao exílio perpétuo do homem. Rui viu fecharem-se-lhe as portas dos palácios, as hospedarias, as casas todas enfim; e compreendeu que estava abandonado.

Ajuntou algum dinheiro que tinha, guardou na algibeira um frasco contendo o resto do elixir de imortalidade, e partiu para Espanha.

Ali deixou de dizer quem era, nem a idade que tinha; viveu desconhecido. Mas não deixou de lhe ser proveitoso o incógnito. Jogou a sorte nas casas em que isso se fazia e ganhou somas fabulosas.

— Que farei agora? — perguntava Rui a si mesmo.

Partiu para a Alemanha e dispôs-se a estudar. Com o dinheiro que tinha ganho nas tavolagens de Castela, pôde o nosso célebre Rui de Leão ocorrer às despesas do estudo.

Ao cabo de longos anos, era ele doutor em teologia, filosofia, matemática, direito, medicina, profundo antiquário, extremado nas ciências físicas e químicas; em suma o doutor dos doutores, a expressão mais alta da ciência humana. Aprendeu o latim, o grego, o árabe, o armênio, o turco, o hebraico. Traduziu para várias línguas as obras de santo Agostinho e santo Tomás; fundou uma academia arqueológica e um liceu de filosofia; comentou os atos dos apóstolos, escreveu uma história dos mártires, fez descobertas arqueológicas em Roma, anunciou dois cometas e espantou toda a Europa científica não menos pela profundidade e variedade dos seus conhecimentos, como pelo prodigioso número de acontecimentos antigos a que presenciara.

Graças à riqueza que facilmente adquiriu, casou o nosso homem com uma fidalga de Espanha cinco vezes marquesa e rica de mais a mais. Durou pouco o casamento; a mulher faleceu dois anos depois, e foi essa a maior dor de sua vida, posto que a morta lhe deixara uma grande riqueza nas mãos.

De novo se entregou aos estudos da ciência, com redobrado ardor. Mas apesar da admiração que o mundo científico lhe votara, apesar da espécie de infalibilidade que adquirira perante as sociedades e academias, o nosso Rui entrou a sofrer de um incurável aborrecimento. Tinha quase dois séculos e a vida já lhe pesava; o mundo não lhe oferecia espetáculo novo; a ciência perdera o prestígio do princípio: o imortal começou a desejar a morte.

Mas era tarde.

Como acharia ele a morte?

Rui recorreu ao suicídio; sabia que era um crime perante Deus e os homens; mas não tinha outro recurso. Achava-se então em Lisboa, mas como já muitos dos que o conheceram antes tinham morrido, ninguém viu nele o mesmo Rui de Leão e ele teve o cuidado de trazer nome suposto.

Ali resolveu acabar os seus dias. Foi ao Tejo e atirou-se à água; em ocasião em que não podia ser socorrido. Sabia nadar, mas não quis usar do que sabia. Debalde! o corpo voltou à tona e desceu até esbarrar num galeão, de onde foi visto e pescado.

De outra vez recorreu à faca mas o mais que conseguiu foi abrir no pescoço uma ferida que se curou rapidamente.

Era impossível morrer.

Imagine quem puder o suplício deste homem condenado a ser imortal, a ver os mesmos dias, as mesmas comédias — este Tântalo da morte, ambicionando aquilo que os outros receiam — pedindo ao céu como a suprema felicidade uma cova para dormir.

A situação é de si tão patética que eu não preciso lacrimejar o estilo; basta dizer a coisa para que ela seja compreendida.

Depois de estudar tudo e tudo ver; depois de passear pelas várias partes do mundo, sem encontrar novidade que lhe divertisse o ânimo; depois de ser assíduo espectador de tudo quanto pudesse despertar a curiosidade de um homem enfadado como, por exemplo, o homem de botas de cortiça, o boneco jogador de xadrez e outros, determinou Rui de Leão voltar ao Brasil nos princípios deste século ali pelos anos de mil oitocentos e tantos, estando ainda cá o rei.

Efetivamente aqui aportou no Rio de Janeiro o imortal Rui. A cidade não oferecia então o aspecto que hoje tem. A rua do Ouvidor não era a via elegante da capital; nem o Rocio estava transformado no jardim que aí vemos. Eram os belos tempos de Vidigal e seus granadeiros, de cujas proezas tão habilmente falou o nosso chorado dr. Manuel de Almeida, talento como poucos.

Rui tratou de encobrir-se o mais que pôde; entrou como verdadeiro desconhecido. Contudo a presença de um homem tão sábio e tão rico não era coisa que passasse despercebida ao povo nem à corte. Não tardou que fosse convidado para as melhores casas e os vários fidalgos de respeito do rei porfiaram em recebê-lo à sua sala. Era parceiro obrigado no *whist* dos velhos fidalgos, grande par do minueto, excelente cavaleiro do garfo, em suma a flor da boa roda.

Mas esse recreio durou pouco. No fim de dois meses voltou Rui de Leão às suas mágoas antigas.

Foi então que lhe aconteceu um caso decisivo na sua vida.

Entre as damas que mais apreciavam o saber e os dotes do ilustre Rui, havia uma d. Madalena de Sousa e Pedroiça, criatura tão notável pela graça do semblante, quanto pelas virtudes fidalgas da vida. Rui ficara sempre com um grande pendor às mulheres, o que era naturalmente um corretivo da imortalidade, porquanto ser imortal e aborrecer as mulheres seria estar no pior de todos os infernos deste mundo e do outro.

Agradou-lhe d. Madalena, mas esta, posto que o apreciasse muito, não lhe aceitou o coração. Coração repelido é o ideal da pertinácia. Rui multiplicou as suas armas galantes, a ver se colhia a esquiva dama, e esta, sempre isenta, dava de tábua às seduções do namorado.

Durou esta luta cerca de dois anos.

Uma noite, vindo recolher-se para casa o nosso Rui, surdiu-lhe em frente um sujeito e lhe disse:

— Quer saber por que razão dona Madalena lhe recusa a mão?
— Quero.
— Ama a outro.
— Impossível.
— É verdade!

O sujeito tinha a cara meio coberta com uma das abas do capote. Descobriu-se então e Rui pedindo a lanterna ao criado que tinha com ele, pôde reconhecer a um parente de Madalena.

Passava-se esta cena nos Cajueiros e o nosso Rui morava perto do Valongo: convidou o parente da moça para acompanhá-lo a casa.

Quando lá chegaram, tomou palavra o parente da moça, d. Martim, e disse:
— Dona Madalena ama o licenciado Álvares e quer casar com ele; o pai opõe-se ao casamento e já a ameaçou com o convento. É essa a razão por que não aceita o seu amor.
— Mas — disse Rui — eu não sei que diabo achou ela no licenciado...
— Nem eu, mas a verdade é esta.

Rui refletiu na dificuldade de sua posição.
— Deste modo — disse ele — perco o meu tempo...
— Como eu perdi — replicou d. Martim —; também eu a amei mas nada pude conseguir. O licenciado transtornou-lhe a cabeça. Que lhe havemos de fazer?
— Dar uma lição ao licenciado.

D. Martim piscou o olho, via-se-lhe no rosto que ele não vinha para outra coisa.
— Como lhe daremos a lição?
— Como?
— É verdade que ele costuma a falar com a prima às escondidas...
— A horas mortas?
— Sim. Chega ao portão e ela fala de cima da janela que dá para o jardim.
— Basta.
— Qual é o seu plano? — perguntou d. Martim arranjando o capote.
— Esganá-lo.
— Mas isso é perigoso; o intendente da polícia não é de graças.
— Qual intendente! — exclamou Rui. — Pois eu cá vou consultar intendente para esganar um patife?

Saiu d. Martim exultando de contente, e Rui deitou-se meditando na vingança que devia tomar do rival.

Na subsequente noite não apareceu Rui de Leão em casa da família de d. Madalena, e foi esperar o licenciado no sítio indicado por d. Martim. A noite era escura, e ameaçava temporal. Rui saíra de casa sem criado nem lampião. Armou-se com uma faca, encostou-se à parede e esperou que batesse a hora da vingança.

Ao cabo de longo tempo, que é sempre longo para quem espera, Rui de Leão ouviu passos ao longe na direção do ponto em que se achava. Ao mesmo tempo abriu-se a janela de Madalena e o vulto da moça apareceu como Julieta quando esperava Romeu e a escada.

Era a hora suprema.

Coseu-se o doutor dos doutores com a parede e esperou o feliz rival que se aproximava cautelosamente. Mal o pobre namorado soltava as primeiras palavras, saltou-lhe acima o fidalgo e enterrou-lhe no estômago uma comprida faca. O licenciado apenas deu um gemido e tentou murmurar o nome de Madalena. Caiu. Rui afastou-se rapidamente do teatro do crime.

No dia seguinte de manhã apareceu a polícia, levantou o cadáver, fez-lhe os exames precisos, e começou as indagações para ver de onde partia o crime.

A primeira suspeita recaiu sobre o pai de Madalena cuja oposição ao licenciado era conhecida; mas o pai, vendo contra si a espada da lei, declarou que talvez fosse antes o crime praticado por um indivíduo que igualmente pretendia Madalena, homem de boa presença, formado em várias matérias e conhecido em toda a cidade.

Houve da parte do intendente tão virtuosa repulsa ao ouvir tão negra suspeita, que o nosso Rui se lha visse, devia votar-lhe eterna gratidão.

Todavia, como a justiça não podia deixar de averiguar tudo, mandou-se chamar Rui de Leão, que apenas chegou negou o crime. Entretanto deu-se-lhe busca em casa, e achou-se-lhe a faca ensanguentada, que por um incrível descuido Rui esquecera de lavar ou deitar fora. Interrogada a criadagem, confessou que o amo saíra de casa à noite, sem escudeiro, embuçado num capote e escondendo alguma coisa.

Todos os indícios eram contra o assassino.

A justiça d'el-rei tomou conta do réu; abriu-se processo em regra e ao cabo de algum tempo foi condenado Rui de Leão a morrer de morte natural na forca.

Madalena, que até então estimara a prisão e o processo do réu, teve pena dele quando soube que ia morrer enforcado.

Não deixara de lembrar-se que a causa daquele crime era ela. Rui aparecia aos olhos da moça com um aspecto tão interessante que ela lhe daria a mão de esposa se tanto fosse preciso para livrá-lo da forca.

Pobre licenciado!...

Marcado o dia para execução, levantou-se no largo de Moura a forca, e o cortejo saiu da cadeia com o juiz, o padre, o carrasco e o pregoeiro. Troava a campa à frente, lia o pregoeiro a sentença da relação em cada esquina, e lá ia o nosso Rui recebendo do sacerdote as consolações que o carrasco lhe não podia dar.

Grande número de povo enchia o largo da execução, mas quem pensa o leitor que estava entre os espectadores? D. Martim mais pálido que a morte, vítima do remorso e da curiosidade, causa indireta do crime e da desgraça. Queria ele ouvir as últimas palavras do condenado, de que receava alguma revelação relativa à sua pessoa.

Subiu Rui as escadas da forca, colocou-se em posição conveniente, abriu a boca para fazer um discurso, mas os tambores cobriram a voz do orador.

Imediatamente entrou o carrasco nas honrosas funções que a lei lhe conferia em nome do evangelho, e o corpo de Rui de Leão ficou pendente da forca.

A pouco e pouco foi saindo o povo aterrado com o espetáculo; e em todas as boticas e casas de barbeiro da cidade foi comentado o crime do defunto.

Quando veio a noite foi o carrasco tirar da forca o cadáver do réu acompanhado do respectivo ajudante. Cortou a corda e o corpo foi à terra.

— Ai! — disse Rui, atordoado com a queda.

— Que foi? — perguntou o carrasco ajudante.

— Não sei; foi um gemido de cão.

Aproximaram-se do corpo; mas qual não foi o seu espanto? Rui desatava tranquilamente o laço da corda e dizia:

— Levem-me a uma hospedaria que tenho fome.

O carrasco e o ajudante não ouviram mais do que a palavra — *levem-me*; viram o gesto de Rui e deitaram a correr. Toda a cidade ficou em alarma. Só falava do enforcado que ressuscitara.

— Estava inocente! — gritavam uns.
— É um santo! — diziam outros.

Entretanto o ex-enforcado procurou tranquilamente coisa que comesse e cama em que dormisse.

IV

O desenleio maravilhoso e misterioso deste acontecimento assustou o pai de d. Madalena. A superstição foi grande arma em favor de Rui de Leão, que alguns dias depois ousou apresentar-se em casa da moça e pedi-la em casamento.

A leitora aplaude já a recusa de Madalena. Madalena aceitou.

Previamente perdoado do crime cometido, Rui de Leão casou com Madalena, e confiou que ao menos teria durante alguns anos uma vida feliz; até que de novo o tomasse o tédio da vida.

Entretanto, d. Martim, descontente com o desenlace do caso, explicou a seu modo a ressurreição do rival.

— Foi naturalmente — dizia ele a um oficial —, foi naturalmente acordo entre o réu e o carrasco. Deu-lhe este um laço fraco, e o homem pôde ressuscitar...

— Mas se eu vi o contrário — respondia o oficial.
— Viu mal...

Jurou d. Martim vingar-se de Rui. Como?

Cogitou um meio seguro; estreitou relações com o marido de Madalena. Era para ele grandíssima dor e profundíssimo despeito ver o rival ao lado daquela a quem ele amava apesar de tudo. Mas o ciúme suporta tudo.

Quando julgou que as relações estivessem firmadas entre ambos e banida do ânimo de Rui qualquer suspeita contra ele, d. Martim tratou de comprar um dos criados do rival e a poder de patacões conseguiu que o criado se prestasse ao crime.

Costumava Rui tomar uma xícara de chá uma hora depois do jantar. Uma tarde achando-se todos três na sala, achou-se Rui afrontado; tinha comido muito e a digestão era laboriosa.

— Que sentes mais? — perguntou Madalena.
— Nada mais. Eu já sei qual é o remédio; mande vir o chá mais cedo.

Deu ordem, e o criado trouxe a xícara de chá. D. Martim olhou para o criado, e este fez-lhe sinal de que o veneno estava dentro.

Quem olhasse então para d. Martim veria a expressão de triunfo que lhe transluzia no olho.

— Enfim — disse ele consigo.

Rui tomou tranquilamente o chá, conversou pouco, estendeu-se na cadeira de couro e adormeceu.

D. Martim ficou a sós com Madalena.

— Madalena! — disse ele.

— Que ousadia é essa? — disse a moça.
— Ousadia, não. Ouça-me, eu ainda a amo...
— Dom Martim, não me parece de cavalheiro o seu proceder.
— Por quê? — perguntou d. Martim com um sorriso infernal.
— Não vê quem ali está?
— Ali?
— Sim.
— Ali está um cadáver.
— Um cadáver? — perguntou a moça ficando pálida.
— Quase. Daqui a dez minutos é um cadáver.
— Explique-se, dom Martim, por quem é!
— Ah! pensa que eu não teria a minha vingança?

D. Martim estava fora de si; ajoelhou-se aos pés de Madalena; esta fugiu para o interior.

No entanto, acordou Rui, bocejou, levantou-se e deu com os olhos em d. Martim, que estava no fundo da sala mais branco que uma toalha.

— Que tem você? D. Martim...
— Eu nada... — disse d. Martim sem tirar os olhos do rival.
— Pois, senhor — continuou este —, o chá precipitou a digestão, sinto-me melhor. Onde está Madalena?

A moça ouvira a voz do marido e correu à sala.

D. Martim esperava a todo momento ver cair fulminado o nosso fidalgo e já se arrependera das palavras que dissera nesse sentido a Madalena.

Esta perguntou ao marido como se achava; e ele respondeu que muito melhor.

— Proponho que joguemos alguma coisa para passar a noite que promete ser fria. O primo fica... não?
— Eu... não... mais.
— Fica decerto.

Jogaram até tarde; tomaram chá; e Rui não morreu como o outro esperava.

— Foi naturalmente o patife do criado — pensou d. Martim.

Mas o criado estava igualmente espantado. Olhava para d. Martim, e não sabia explicar aquele mistério.

Quando d. Martim de lá saiu, foi acompanhado pelo cúmplice que lhe jurou ter posto no chá a dose de veneno convencionada.

— Mas então que foi aquilo?
— Eu sei lá, senhor... Creio que um tiro...
— E prometes ajudar-me na empresa?...
— Prometo.
— Bem; iremos ao tiro.

Prepararam emboscada ao invencível Rui de Leão; deu-se o caso na rua do Piolho, em noite de tormenta, estando a rua mais deserta que um Saara. O criado armou-se com o arcabuz do crime; e desfechou o tiro na cara de Rui. A vítima soltou um espirro e continuou tranquilamente a viagem.

O criado desmaiou.

Rui compreendia que d. Martim lhe preparava golpes sobre golpes; mas confiado no elixir do pajé, mostrava-se indiferente às emboscadas e ao veneno do rival.

A única questão seria a infidelidade da mulher.

Mas esta era um modelo de amor e constância. Amava-o com ardor apesar de ir já longe a lua de mel.

Por isso mesmo durou pouco a felicidade.

Madalena faleceu de uma pneumonia aguda.

— Quê! — exclamou o pobre imortal. — Pois eu hei de ver morrer todos aqueles a quem amo e hei de arrastar este castigo de vida?

Enterrou-se a mulher de Rui com a pompa digna da riqueza do marido. Aborrecido por estar no lugar onde lhe morrera a esposa, Rui determinou partir para a Europa e assim o fez em 1825 depois de declarar a sua intenção de ficar brasileiro.

D. Martim foi para Angola, onde morreu de desgostos.

Correram os anos.

Em 1835 aportou outra vez ao Rio de Janeiro o invencível Rui de Leão, disposto a não viajar mais e a esperar aqui o dia do juízo final. Achou o espírito público agitado com a política. Não havia loja em que se não conversava da coisa pública; e os nomes tais e tais eram citados como modelos do estadista, conforme pertenciam a esta ou aquela cor política.

É difícil estar entre políticos muito tempo sem adquirir a febre que os devora. Além disso Rui de Leão não tinha ensaiado esse gênero de distração. Nem a ciência, nem o amor, nem o jogo, lhe apresentavam pasto suficiente ao seu espírito sedento de ocupação.

Para se calcular bem a situação do nosso herói basta ter em lembrança o tédio de um dia em que não temos nada que fazer. Multipliquemos esse dia pela eternidade e aí teremos a tortura moral deste verídico sujeito escolhido pelo destino para ser o exemplo único de uma aborrecida imortalidade.

A política correspondeu aos desejos de Rui de Leão.

Desde que entrou em comunicação com os chefes de um dos partidos, viu logo que aquilo era turbilhão para uns trinta ou quarenta anos.

— Ao menos — disse ele consigo — passarei este tempo mais satisfeito até que descubra outro meio que me substitua a política.

Fundou logo uma gazeta denominada *A Alvorada* cujo programa era vago como a hora que o título fazia lembrar. Um dos períodos mais práticos era este:

> Reunir todos os elementos de prosperidade em favor da liberdade, consubstanciar a ordem nas aspirações do país, transformar o torpor em atividade, eis o programa da imprensa independente e é o meu.

Os leitores gostaram deste programa; mas o jornal adverso, que se denominara *O Grito da Nação,* atacou os princípios da *Alvorada* com esta simples pergunta:

> Onde é que o colega viu que a liberdade prática, única, resoluta, firme, invencível pode, abraçando elementos contrários, ostentar princípios, ideias, melhoramentos, que, simbolizando a honra de uma época, destruam a poeira de um passado recente?

Tal foi o começo de uma polêmica estrondosa que ainda hoje existiria se a morte igual para os homens e as gazetas não tivesse destruído o *Grito* e a *Alvorada*, dentro de alguns meses.

Os talentos de jornalista de nosso Rui de Leão foram apreciados por amigos e adversários: efetivamente, Rui tinha a capacidade especial que se exige na imprensa política. *O Grito da Nação* andou atrapalhado durante a existência da *Alvorada* que dias pouco lhe sobreviveu.

O partido de Rui esperou a primeira ocasião para apresentá-lo candidato por uma das províncias, o que aconteceu pouco tempo antes da morte da gazeta. A candidatura foi aceita pelos caudilhos da localidade. A *Alvorada* mencionou o fato como a aurora de uma grande vida política, pois o digno Rui de Leão era, nem mais nem menos, um homem de Plutarco.

— Quem é este Rui de Leão? — perguntaram uns.

— Não sei — respondiam outros —, mas parece que é um grande homem.

— Parece que sim.

Onde quer que se falasse de Rui, manifestavam-se logo grandes esperanças em favor dele.

Se ele passava, era apontado como um grande político, um Pitt, um Pombal.

De maneira que, antes de entrar no parlamento, já o nosso Rui de Leão tinha a reputação feita. Se morresse logo, morria em cheiro de santidade.

Mas como morreria o imortal? Foi eleito.

Os leitores me dispensarão de dizer o que houve quando a pessoa deste ilustre doutor penetrou no recinto da Cadeia Velha. Cumprimentado e abraçado por amigos, olhado com desconfiança por adversários, Rui de Leão era o homem da situação, a esfinge que daria a palavra do futuro.

Quando algum deputado orava não deixava de aludir delicadamente ao redator da *Alvorada*, como um dos homens mais eminentes do país e da Câmara.

Numerosos *apoiados* acolhiam estas palavras de justiça.

Durante uns trinta dias esteve calado o novo representante da nação, com grave desgosto dos seus amigos, que atribuíam grande poder de palavra a um homem tão insigne no uso da pena.

Os adversários que tinham a mesma opinião, estimaram aquele silêncio e só desejavam que continuasse do mesmo modo.

Um dia, porém, no meio do grande barulho da assembleia, pediu a palavra o nosso Rui de Leão. Fez-se imediatamente profundo silêncio; os deputados correram a fazer grupo a volta do orador; o povo das galerias debruçou-se mais para não perder nada, e o próprio presidente, pondo a mão em forma de concha na orelha, preparou-se para ouvir a estreia parlamentar do redator da *Alvorada*.

Modesto e moderado em suas aspirações, Rui de Leão começou assim o seu discurso:

> Senhor presidente. Das pessoas que o país mandou representá-lo, eu sou, sem dúvida, o mais humilde e o menos competente (*Não apoiados*). Vejo, senhor presidente, que me rodeiam as capacidades do país não só entre os meus amigos como entre os meus adversários (*Muito bem!*) porque eu, senhores, quando contemplo os talentos, apreço as opiniões (*Sensação*). Nada valho, senhores...

Muitas vozes: — Não apoiado!

O sr. X: — Vale muito...

O orador: — Nada valho, mas sinto em mim que posso ajudar o edifício da grandeza nacional, não como o arquiteto que traça o plano, mas como o servente que carrega a pedra (*Aplausos*).

> Para construir esse edifício, senhores, que tem feito o governo? Onde estão os seus planos? Que materiais possui? Com que operários conta? Não aparece nada disto. Agarrados às pastas, os nobres ministros só apreciam o poder pelos prazeres que ele dá, prazeres frívolos e indignos de cidadãos de um grande país, em vez de se consagrarem todos, e a todas as horas, e com todas as forças, ao desenvolvimento da herança que receberam, senhores, e que deverão passar aos nossos filhos!

Aqui houve uma tal explosão de protestos e aplausos, que o orador foi obrigado a calar-se algum tempo, e o presidente a agitar a campainha, verdadeira inutilidade no parlamento, porque, quando todos gritam, a campainha tem pouca força moral para acalmar a tempestade.

Serenada aquela, depois de trocados alguns ditos mais ou menos enérgicos, continuou o nosso orador, e daí em diante não houve cena igual, porque a eloquência de Rui de Leão arrebatava amigos e adversários, e todos estavam pendentes dos lábios do novo Demóstenes.

Não resisto à tentação de transcrever das memórias secretas (porque os anais não trazem os discursos de Rui), a peroração do famoso discurso.

Ei-la:

> Tenho vivido muito, senhores, e conheço profundamente os homens e as coisas. A ciência dos Estados não é uma vã palavra; estudei-as nas obras dos homens públicos e no estudo pessoal dos acontecimentos. Aquele grande e imortal Catão é para mim o tipo da probidade política, o modelo dos partidários, a consolação das causas vencidas, a lição dos povos, o espantalho dos déspotas, o espelho dos cidadãos (*bravo!*), a glória da humanidade, o emblema do passado que desmoronou, a esperança do futuro que se levanta! (*Aplausos*.)
>
> Dir-me-eis, talvez, senhores, que eu devia imitar aquele grande homem recorrendo à morte? (*Não! não!*) Não o faço, não, não poderia fazê-lo! De mais a causa da verdade estará assim perdida? Eu vejo sentados nas cadeiras ministeriais homens que traem os seus deveres e são capazes de vender a consciência por um prato de lentilhas (*Sussurros!*); mas, senhores, não nos iludamos; por ser Catão, é preciso resistir ao despotismo de César, e onde está César? Alguém conhece entre os seus adversários um César? (*Ouçam! ouçam!*)
>
> Descansemos, pois; não recorramos a um exemplo que seria funesto, porque a causa da verdade está salva, desde que houver entre nós e a oposição, a força e a união necessárias para vencer estes carregadores de pastas! (*Aplausos*.)
>
> Senhores, vou concluir. Os hebreus atravessaram o deserto guiados por uma coluna de fogo. Somos os hebreus da política; a coluna de fogo é a verdade; ali nas cadeiras ministeriais está a terra de promissão. Emboquemos as trombetas da franqueza, avancemos com as tropas da vontade, empunhemos a espada da decisão, e aqueles cairão; aqueles homens serão cadáveres políticos porque, senhores, pouco dista de um moribundo a um cadáver.

Esta monumental peroração, que os professores deviam dar aos seus alunos de retórica, causou imensa impressão na Câmara.

Os ministros quiseram responder; mas era impossível. Só havia atenção para o vulto impudente do nosso Rui que, sendo cumprimentado por grande número de senhores deputados, recebeu no dia seguinte convite para um jantar que lhe deu a Câmara, sem distinção de partidos.

— Que discurso! — dizia um.
— Um monumento!
— É Mirabeau!
— É Cícero!
— Nunca ouvimos tal...
— É o Demóstenes moderno.
— Está fundada a eloquência brasileira.

Tais eram as conversações do povo e da Câmara acerca do discurso de Rui de Leão.

Ainda no jantar que lhe deram, o ilustre orador teve ocasião de assombrar a todos com um soberbíssimo *speech*, no qual, aludindo à circunstância de estarem ali amigos e adversários, proferiu esta frase tão imortal como o autor:

> Estou aqui como os mortos no cemitério: a terra e o jantar nivelam as condições e as opiniões: o estômago é eclético.

Seria longo enumerar os prodígios de eloquência do nosso Rui e dizer que serviços importantes prestou ele à causa do partido. Bastará mencionar que dentro de pouco foi ele constituído chefe do partido e aclamado o primeiro homem do parlamento.

Mas cedo se aborreceu da posição e da vida política.

Tendo concluído a legislatura, o nosso homem declarou que se retirava à vida privada.

Gastaram-se muitas ferraduras e pedras das ruas em visitas à casa de Rui, a fim de ver se alcançaria que ele desistisse do intento.

Impossível.

Rui persistiu na intenção de deixar a vida pública.

— Mas nós!...
— Não desisto do meu plano.
— Por quem é...
— Impossível.

Retirou-se para o norte, e lá se escondeu arrastando uma vida que lhe era odiosa.

Um belo dia cai a notícia de que rompera a guerra com o ditador López.

Rui alistou-se como capitão de voluntários e partiu para o sul. Fez proezas incríveis, colocou-se à frente das balas, queria a morte a todo custo.

Impossível.

A morte respeitava-o.

Um dia, saindo fora do acampamento, encontrou um oficial paraguaio.

— Senhor — disse ele —, sou inimigo: mate-me.

O paraguaio disparou-lhe um tiro, que lhe não fez mal nenhum. Acudiu a companhia de Rui e o trouxe para o acampamento.

Desesperado, voltou o homem à corte e aqui ficou, até que se deu o acontecimento que vou resumir e com o qual se conclui a história.

Travou Rui conhecimento com um médico homeopata, Álvares Melo; era excelente conhecedor da ciência e Rui gostava de conversar sobre medicina.

Um dia conversando em casa de Bernardes disse Rui ao dr. Álvares:

— Nunca pude compreender o princípio homeopático.

— Por quê?

— Acho ele contraditório.

— Não é — disse Álvares —; os maiores luminares da alopatia escreveram máximas que apoiam o princípio homeopático.

— Acho isso um sofisma.

— Não é, e vai ver.

Álvares entrou a explicar detidamente o sistema homeopático ao amigo; acumulou exemplos; raciocinou com calma e ciência, pois era homem que sabia o que dizia.

Rui ficou um tanto abalado.

Foi para casa e estudou o sistema homeopático com o afinco que lhe era peculiar, sempre que queria saber profundamente uma coisa.

Dentro de pouco estava convencido.

Mas então que disse ele?

— Tupã! és tudo; mas erraste. Fizeste-me imortal; mas deste ao mundo a homeopatia. Venço-te com as tuas armas. *Similia similibus curantur*; estás vencido.

Bebeu o resto do elixir do pajé. No dia seguinte morreu.

Assim acabou este grande homem, após quase três séculos de existência, tendo colhido louros na guerra, na ciência e no parlamento; feliz no jogo e nos amores; mimoso da fortuna; homem, enfim, que provou praticamente que a morte, longe de ser um mal, é um corretivo necessário aos aborrecimentos da vida.

Imitemo-lo nas façanhas e no amor ao estudo; não no desejo de ser imortal; e convencemo-nos de que o melhor elixir de imortalidade não vale os sete palmos de terra de Caju.

Jornal das Famílias, *janeiro-março de 1872; Max.*

Quem não quer ser lobo...

I
A CARTEIRA PERDIDA

Na última noite de carnaval do ano de 1863, houve em um dos hotéis desta boa cidade do Rio de Janeiro uma lauta ceia que durou até o raiar do dia. Os convivas saíram a pouco e pouco, e foram uns a pé, outros de carro, a caminho do respectivo domicílio.

O último que saiu do hotel era um rapaz magro, alto, franzino na aparência, mas dotado de grande vigor de pulso, como alguns durante a noite e o baile tiveram ocasião de experimentar. Saiu um tanto trôpego, já pelo cansaço, já pelo vinho, e aos olhos espantados das quitandeiras que passavam para o mercado, dos varredores das ruas e dos entregadores de jornais, foi tomando a direção da casa, que era no fim da rua da Ajuda.

Justamente no ponto em que se cruzam as ruas da Ajuda, Ourives, São José e Parto, o nosso tardio conviva deu com o pé num objeto; abaixou-se para ver o que era; era uma carteira. Olhou em volta de si; as ruas estavam desertas; nas lojas abertas, ninguém havia que o pudesse ver. Meteu a carteira no bolso e seguiu para casa.

O moleque já o esperava acordado, depois de ter dormido em santa paz a noite anterior. O moço subiu as escadas lentamente, despiu-se, e antes de se entregar às delícias do sono, examinou a carteira e o conteúdo.

A carteira era de couro da Rússia e fechada por uma fita de borracha. Abriu-a sofregamente e inventariou os objetos que continha:

Dois recibos de cabeleireiro.
Um de alfaiate.
Duas contas sem recibo.
Uma flor seca.
Dois cartões da barca Ferry.
Uma letra por encher.
Três advertências amargas de credores.
Três notas de dois mil-réis.
Uma carta de namoro.

Aparentemente eram outras tantas indicações para saber quem era o dono do achado, que não valia a pena guardar.

Engano.

As contas estavam rasgadas justamente no lugar onde devera estar o nome, e as cartas dos credores e de namoro não tinham sobrescrito.

— Leve o diabo o dono disto! — exclamou o rapaz —, que me fez construir tantos castelos no ar... Devia tê-lo adivinhado. O destino não me faz senão destas. José!

Veio o moleque.

— Acorda-me amanhã às onze horas; preciso sair.

Dada esta ordem, meteu-se o rapaz nos lençóis, e o leitor pode fazer o mesmo se me está lendo de noite. Ao capítulo seguinte, saberá quem era o rapaz e o que saiu da carteira.

II
Z. Y.

Coelho era o nome do mancebo que festejara tão lautamente o carnaval na última noite, que saíra por último do hotel, que encontrara a carteira na rua de São José e ficara logrado nas suas esperanças.

Tinha vinte e seis anos e exercia o emprego que lhe dava para comer, vestir, e gozar a vida, desde que não quisesse ir além dos limites razoáveis que a posição lhe impunha.

Nesse ponto, é que pegava o carro.

Coelho tinha mais ambições que dinheiro, e não há pior situação que a de um homem cujo espírito está acima das algibeiras. Ter a algibeira acima do espírito, dizem os poetas que não é coisa de todo desejável: estou que falam teoricamente.

Em todas as loterias, comprava um meio bilhete que lhe saía invariavelmente branco. Um dia, conseguiu tirar quarenta mil-réis, fato que coincidiu com a queda do ministério de Caxias e a morte de um parente chegado. Gastou os vinte mil-réis recebidos no aluguel do carro, na compra de luvas para ir ao enterro, e deu o resto a um pobre.

Casamento rico era uma das suas ambições, mas em vão alongava os olhos pela cidade; não aparecia noiva que lhe ficasse à mão.

Coelho desistiu do intento.

Ultimamente, parecia resignado à sorte. Começou a viver solitário, e desse programa só o carnaval o arrancou por três dias. Foi muito festejado pelos amigos e respectivas damas e fez coisas do arco-da-velha. Mas aquela exceção acabou com o último dia: na quarta-feira de Cinzas, reatou o fio à regra.

O achado da carteira pareceu-lhe providencial, e desde o lugar onde se deparara o misterioso objeto, até o fim da rua da Ajuda foi fazendo mil castelos no ar.

Já sabemos como se lhe dissiparam todos. Ao dia seguinte, tão pobre estava como na véspera.

Só uma grande e excepcional dedicação aos negócios públicos poderia fazer que um rapaz fosse à repartição depois de uma terça-feira de carnaval. Coelho levantou-se da cama, à hora em que o criado foi cumprir a ordem de o acordar.

Almoçou pouco e tratou de vestir-se para sair. Antes disso, olhou de relance a carteira que estava sobre a secretária.

— José! — disse ele.

— Senhor.

— Hás de levar um anúncio ao *Jornal do Commercio*.

E olhando a carteira:

— Se tu soubesses, miserável objeto, as ilusões que me deste ontem! E com as ilusões os terríveis desenganos que sofri... Por que não trouxeste em teu bojo uns vinte contos pelo menos? Era pouco, mas era alguma coisa...

Dizendo isto, foi maquinalmente abrindo a carteira. Inventariou de novo os papéis que havia dentro; abriu de novo todos os escaninhos; nada! Ia já deitá-la a um canto com um gesto de desespero, quando, entre duas notas de dois mil-réis, descobriu um papelinho dobrado.

— Que é isto? — dizia ele.

O papel era fino, azulado e perfumado. Cheirava a amores. Coelho desdobrou-o rapidamente com a ansiedade própria de quem fareja mistérios. A letra era bem talhada e segura; poucas linhas eram, e diziam assim:

> 18 de fevereiro.
> Meu C...
> Meu tio vai amanhã para a Tijuca, e minha tia há de ter visitas. Vem amanhã ao jardim; estarei na janela do fundo, e contar-te-ei o que se passou.
> Tua L...

Eu faltaria à verdade e às regras mais elementares do romance se não dissesse que o rapaz leu e releu esta carta muitas vezes. Não faltaria tanto às regras do romance, mas faltaria com certeza à verdade, se não contasse que à sexta ou sétima leitura o nosso herói deu dois pulos no gabinete, pregou os olhos no teto e chegou a carta aos lábios.

A causa dessa alegria, na aparência inverossímil, sabê-la-á o leitor desde que eu lhe disser que o papel da carta era marcado, e que a marca constava de duas iniciais, Z. Y., que estas duas iniciais eram as de Zózimo Ypsilanti, e que este nome arrevesado era de um grego que naquele tempo negociava nesta praça.

— É dela, não há dúvida — dizia o rapaz consigo —; creio que em nenhuma outra língua há quem se chame Z. Y. Não; Z. Y. tem um perfume helênico. Trata-se da sobrinha de Ypsilanti; é preciso tirar daqui as vantagens possíveis. Exploremos o assunto.

Toda esta cena se passara em frente do moleque, que, desde que viu o senhor dar pulos na sala, concluiu logicamente que estaria nas fronteiras da demência. Consequentemente, deu dois passos para a porta com ideia de fugir apenas visse da parte do Coelho algum gesto menos pacífico, e ir logo dar parte ao inspetor do quarteirão, medida aliás inteiramente inútil, porque o inspetor só estava em casa das ave-marias em diante.

— José — disse Coelho —, não é preciso ir levar o anúncio ao *Jornal do Commercio*. Viste-me dar dois pulos há pouco?

— Vi, sim, senhor.

— Foi de alegria, José; recebi uma carta de meu irmão que está na Bahia. Fizemos as pazes, e é por isso que estou alegre. Recomendo-te, porém, não digas isto a ninguém; toma estes seis mil-réis.

E deu-lhe as três notas que achara na carteira.

— Sim, senhor, obrigado.

José saiu do gabinete mais tranquilo, contente com a explicação e o dinheiro.

III

L. Coelho não saiu de casa antes das cinco horas. Gastou todo o tempo a investigar um meio de tirar vantagem da misteriosa carta, e tão depressa organizava um programa, como o achava impraticável. Se os reunisse todos em cinco atos e sete quadros, teria produzido um excelente melodrama.

Aqui perguntará naturalmente o leitor se valia a pena gastar tanto tempo com uma carta que aparentemente não dizia nada. Perdoo à ignorância do leitor esta pergunta infundada, e passo a resumir as razões que justificam no meu herói as longas horas de meditação a que se entregou.

Lúcia Soares era uma moça de vinte e dois anos, sobrinha da mulher de Zózimo Ypsilanti, e universal herdeira de ambos. Ypsilanti passava por ter uma grande fortuna; aparentemente, tinha muito pouco, e havia quem lhe não desse quinze contos por tudo; mas a maioria do povo dizia que Ypsilanti era senhor de duzentos contos bem puxados. Os hábitos de avarento davam alguma verossimilhança a este boato; vestia mal e grosseiramente; gastava pouco, regateava muito e não dava nada a ninguém. Se fosse pobre, se ao menos a opinião o julgasse tal, aquilo seria refletida economia; mas, com a fama de rico de que ele gozava, a economia era pura avareza.

Ora, se a riqueza fazia de Lúcia uma das três Graças, a natureza tinha-a feito uma das três Fúrias. Uma testa curtinha, uns olhos vesgos, pequenos e apagados, um lábio superior oblíquo, umas faces grossas, tais eram os dotes negativos que recebera do berço. A inteligência era como os olhos, vesga, pequena e apagada. A educação, porém, fora algum tanto esmerada. Lúcia tocava piano, sabia muitas coisas de costura, desenhava bem e falava corretamente a língua francesa.

Deram-lhe tais prendas os pais, que desse modo quiseram emendar a natureza, e deixar-lhe alguma herança real. Era órfã desde a idade de dezessete anos, e vivia com os tios, que a amavam e procuravam fazê-la feliz.

Coelho já a conhecia de algum tempo; estivera com ela numa reunião em que lhe disseram que Lúcia seria senhora algum dia do melhor de duzentos contos de réis. Infelizmente, estava o nosso mancebo à busca de outra herança de algarismo igual, com a diferença que a dona em questão era excepcionalmente bonita.

Coelho sabia perfeitamente que a riqueza deve rimar com a beleza, e ainda não compreendia naquele tempo o verso solto. Agora, porém, que se achava desenganado de achar o casamento, já se contentava com uma toante e a sobrinha do grego era justamente o que lhe convinha.

De que maneira, porém, conseguiria ele, com o auxílio de uma carta, entrar na posse dos bens de Ypsilanti?

A sua primeira ideia foi menos ambiciosa. Sabendo que o tio de Lúcia era um velho irritável e severíssimo, lembrou-se de ir ameaçar o namorado de Lúcia, e restituir-lhe a carta mediante recompensa. Este meio, porém, pareceu-lhe indigno, e foi posto de lado.

Às cinco horas, nada tinha resolvido; saiu para jantar no hotel; e teve a felicidade de não encontrar conhecido. Enquanto comia, pensava no caso. Ao meio do jantar, trouxe-lhe o criado um jornal para ler.

Recusou.

— Quer alguma ilustração?

— Não quero nada.

Dizendo isto, arredou os jornais com a mão. Nesse momento, porém, leu o título de um capítulo do folhetim que um dos jornais estava publicando.

O título era: — *De noite, todos os gatos são pardos.*

— Ah!

Este grito soltado por Coelho chamou a atenção dos fregueses e dos criados da casa. Um destes correu assustado para ele e perguntou se se engasgara com algum osso. Coelho observou-lhe que, estando a comer ervas, era humanamente impossível engasgar-se com um osso, e pediu-lhe polidamente que o deixasse acabar de jantar.

A razão do grito é clara: o provérbio era um raio de luz.

— De noite, todos os gatos são pardos — repetia ele consigo —; irei ao jardim de Lúcia em lugar do namorado... e o resto à sorte.

Tendo adotado um plano, dispôs-se a jantar com mais tranquilidade. Comeu e bebeu à larga, pediu charutos e café, recostou-se na cadeira, e esperou que a digestão se fizesse em boa paz.

IV

NO JARDIM

Às ave-marias, estava Coelho em casa pronto e preparado para ir à entrevista. Não sabia bem o que lhe aconteceria nessa noite, mas tinha uma tal ou qual confiança no resultado da aventura.

Quase a pôr o pé na rua, surgiram-lhe no espírito duas dúvidas.
Primeiro:
Seria tarde ou cedo a hora da entrevista?
Segundo:
Não iria ele encontrar-se com o outro, visto que a carta já estava aberta, o que era sinal de que ele a houvesse lido?

Durante um quarto de hora, esteve o nosso Coelho indeciso. A empresa chegou a parecer-lhe extravagante.

— O que estou fazendo é absurdo — dizia ele sentando-se no sofá —; não se faz isto na vida real, em 1863, na cidade do Rio de Janeiro. Estou simplesmente doido. Isso contado não se acredita.

Mas com estas ideias lhe foram aparecendo outras. Uma voz secreta dizia-lhe que tentasse a empresa, porque o desenlace seria completo. Coelho ainda procurou chamar a razão em seu auxílio, mas era tarde: o destino havia-se apoderado dele.

O jardim tinha uma porta para a rua. Eram oito horas da noite; e, posto que a rua não fosse muito frequentada, era ainda cedo para poder impunemente penetrar no jardim.

Coelho encostou-se ao muro, e estando a porta aberta, enfiou o olhar para dentro. Descobriu duas janelas, uma fechada e outra aberta; no interior, havia luz.

Entretanto, nem no jardim, nem na casa havia o menor vestígio de gente.

— Naturalmente, está ela na sala — pensava Coelho —; o diabo é eu não saber a hora; pode vir alguém e descobrir-me... E se me fecham a porta? O outro talvez tenha alguma chave...

Nesse ponto, ouviu passos na calçada. Um vulto aproximava-se costeando o muro.

— É ele — pensou Coelho.

Sua primeira ideia foi recuar, ou passar para o lado oposto; mas refletiu que esta mesma prevenção podia descobrir o seu intento.

O vulto veio andando, andando, andando, até que enfrentou com ele.

Parou.

Coelho estremeceu.

— Estou perdido! — disse ele consigo.

O vulto meteu a mão no bolso sem tirar os olhos de Coelho, sacou um objeto que ele não viu, mas que supôs ser um ferro; tirou o chapéu e disse polidamente:

— Faz favor do fogo?

Coelho respirou.

Deu-lhe o charuto em que o homem acendeu o seu e prosseguiu viagem, sem voltar os olhos para trás.

— Sempre sou um medroso! — disse Coelho consigo. — Creio que se o homem me lança a mão, eu morreria de medo. Mas também o caso é arriscado; se o meu rival se apresenta, estou perdido; pelo menos, entro em uma luta desagradável.

Neste caminho das suas reflexões, Coelho passou do medo ao terror. Parecia-lhe ver já diante de si o desconhecido namorado, munido de um cacete, ou de um punhal, e ele morto ou espancado, na sala da polícia, interrogado pela autoridade, examinado pelos médicos; e no dia seguinte, o seu nome impresso em todas as folhas, e o caso contado com todos os pormenores.

Quis fugir.

Mas, de repente, sentiu um rumor no jardim.

Era a moça que chegava com estrépito, sem dúvida para dar sinal ao namorado, caso ele estivesse nas imediações.

Coelho não pôde resistir.

Deitou um olhar à rua; ninguém o via nesse momento. Persignou-se e entrou no jardim.

Lúcia viu aparecer à porta o vulto e fez um sinal com o lenço. Coelho aproximou-se cautelosamente da janela, que ficava elevada. A ideia da existência de algum cão atravessou-lhe o espírito:

— Oh! meu Deus! — disse ele.

E estacou.

Mas a moça estava presente e não havia recuar. Continuou a andar na direção da janela.

— És tu, Carlos? — perguntou a moça.

— Sou eu — disse Coelho, com voz fraca.

— Não pude vir mais cedo — disse Lúcia — porque minha tia quis por força que eu ficasse na sala. Agora pude sair sem que ela reparasse. A nossa conversa não pode ser longa. Ninguém te viu?

— Ninguém — murmurou Coelho, que não queria ser descoberto pela voz.

— Sabes o que tem acontecido?

— Não.

— Meu tio anda desconfiado do nosso amor.

— Ah!

— Ouvi-o no domingo conversando com minha tia e dizendo que havia de saber quem era o brejeiro que andava a namorar-me, e que lhe havia de quebrar as costelas.

Ouviu-se um suspiro; ele pensou que era alguém de casa, mas reparou que era ela mesma.

— Não te parece que estamos mal? — perguntou a moça.

— Sim — disse Coelho.

— Mas que tens hoje? — disse ela. — Estás tão calado! Não me respondes senão com palavras soltas. Sofres alguma coisa?

— Oh!

— É aquela dor de peito que te continua a dar?

— É.

— Pobre Carlos!

Neste momento, ouviu-se um rumor. Era um pisar mansinho na areia do jardim.

— Que será? — pensou Coelho.

— Guardei uma flor para ti — disse a moça. — Queres?

— Quero — grunhiu Coelho.

— Lá vai.

E Lúcia debruçando-se na janela atirou a flor, que Coelho apanhou e levou aos lábios.

— Céus! que é isto? — murmurou a moça.

Era a voz de um cão que se ouvira, e a voz de alguém que animava o cão.
— Há alguém?
— Há — disse Coelho mais morto que vivo.
— Há de ser o preto.
E olhou na direção do latido.
Coelho não queria saber se era ou não o preto; a sua ideia definitiva era dirigir-se à porta e pôr-se ao fresco.
Nesse sentido, começou a recuar; mas o latido do cão aproximava-se e dentro de pouco tempo um vulto de homem e um vulto de cão se apresentaram em frente de Coelho.
O cão parou e pareceu consultar o homem. Este fez um sinal e chegou-se a Coelho.
Coelho encomendou a alma a Deus.
Um grito ouviu-se da janela. Era Lúcia, que desapareceu imediatamente.
— Quem é o senhor? — disse o vulto.
— Eu... — balbuciou Coelho.
— Sim... diga!
— Eu...
— Eu quem?
E como Coelho não respondesse, o vulto pegou-lhe no braço e procurou arrastá-lo para dentro. Coelho resistiu.
— Vou dizer tudo — gritou ele.
— Venha cá dentro; estaremos mais a gosto.
Era impossível resistir; Coelho acompanhou o vulto.

V
O VULTO

Ao rés do chão, e por baixo das janelas, havia uma sala, com uma mesa e poucas cadeiras, iluminada por um bico de gás.
Aí entraram o vulto, Coelho e o cão.
Este foi acocorar-se a um canto com os olhos em Coelho à espera de um sinal do vulto.
Coelho e o vulto encararam-se antes de se sentarem.
— Ah! — exclamou o vulto.
— Ah! — exclamou Coelho.
— Pois é o senhor?
— Eu...
— Temos o *eu* outra vez — disse o vulto, que era nem mais nem menos Ypsilanti.
— Vou explicar-lhe tudo — disse Coelho, resolvido a contar a história da carteira, o mau pensamento que tivera, e obter assim o perdão do que acabava de fazer.
— Sente-se — disse Ypsilanti
Coelho obedeceu. Ypsilanti sentou-se em frente dele, do outro lado.
— O senhor sabe — disse o velho tio de Lúcia — que acaba de fazer uma coisa muito feia.
— Sei, sim, senhor.

— Uma coisa horrível, que eu não lhe perdoarei jamais?

Coelho estendeu a mão:

— Se me quiser ouvir — disse ele.

— Ouvi-lo? Mas que me dirá o senhor para justificar o que acaba de fazer? É desse modo que pretende haver alguma coisa que possuo? Está em minhas mãos, e eu posso fazer do senhor o que quiser. Que diria o senhor se eu o denunciasse à polícia como ratoneiro?

— Senhor!

— E ratoneiro é o senhor, porque tirar um par de galinhas de um quintal e um par de contos da algibeira de um homem honesto, é a mesma coisa; só difere o meio. O senhor quis tirar-me um par de contos...

— Enfim — disse Coelho ansioso por explicar tudo, e chamar o furor do velho para o verdadeiro ratoneiro, como ele disse —, enfim, eu espero convencê-lo de que não sou tão culpado como pareço.

— Há de ser difícil.

— Não é.

— Estou ouvindo.

Ypsilanti tirou um charuto do bolso, acendeu e começou a fumar tranquilamente, enquanto Coelho começava a narração do achado da carteira e do pensamento que tivera: não lhe ocultou que a circunstância de não ter dinheiro, que a ambição de possuir alguma coisa o levara àquele erro.

— Tal é, senhor Ypsilanti, o motivo que aqui me trouxe. Foi um erro de que eu me envergonho, mas o senhor pode ver na franqueza com que eu confesso tudo, o arrependimento que já tenho do que fiz. Agora, só me resta pedir o seu perdão... ou expor-me ao que o senhor quiser fazer.

Ypsilanti soltou uma gargalhada.

Coelho enfiou.

— De que se ri? — disse ele.

— De que me hei de rir? Da sua imaginação fecunda. Em tão pouco tempo, criou o senhor um romance, que eu poderia aceitar se já não tivesse estes cabelos brancos.

— Pois crê...

— Não creio em nada do que o senhor me disse...

Coelho encolheu os ombros.

— Então, não sei o que lhe hei de dizer...

— A verdade.

— Já a disse.

— Não; a outra.

— Não há senão esta.

— Quero ouvir a outra verdade, que é a única verdadeira. E não é melhor ser franco? Por que não me confessa que ama minha sobrinha, que esta lhe corresponde, e que o senhor nutre a esperança de casar com ela?

Ypsilanti disse estas palavras com um modo tão brando que Coelho começou a ver as coisas por outra face. Esperava encontrar um tigre, e achou-se diante de um cordeiro.

Cordeiro não o era ele tanto, porque logo depois das palavras acima transcritas, rompeu nestas:

— Vamos! fale, meu atrevido! meu sedutor de donzelas!

— Eu já lhe disse a verdade.

— Não disse. A verdade é que o senhor namora a pequena há alguns meses, que tem vindo algumas vezes ao jardim, segundo me consta, que lhe escreve e é correspondido.

Coelho fez um gesto para falar.

Ypsilanti continuou:

— E pensa que não sei a razão por que me não tem falado? É porque receia que eu lha recuse. Sabe que eu tenho fama de severo e que só admitirei casamento em condições vantajosas... Esta é a verdade.

Ypsilanti estava outra vez com o modo brando, e Coelho de novo se animou a tirar proveito da situação.

— Ora, conquanto eu deseje para minha sobrinha um noivo rico, não faço disso questão principal. Pode ser pobre e honesto. Se está nessas condições, por que não me fala? Era melhor; não daria que falar.

Luziu nos olhos de Coelho a posse de algumas dezenas de contos de réis. Era argumento melhor que todos os raciocínios. A disposição de Ypsilanti o animou a dar mais um passo.

— Pois, senhor Ypsilanti — disse Coelho —; tudo confesso; é verdade, eu amo sua sobrinha e peço-lha em casamento. A ocasião não é talvez própria, mas...

— Própria é — disse Ypsilanti —; mas confesse que procedeu muito indignamente até hoje, e que, se eu não fosse uma boa alma, o senhor devia estar morto a esta hora.

Dizendo isto, bateu o velho com a mão na mesa; o cão grunhiu do seu lugar; e Coelho cuidou seriamente que ainda não estava salvo.

Mas tudo passou depressa.

— Pois, senhor, venha amanhã pedi-la oficialmente. E prometa desde já que a há de fazer feliz.

— Juro! — disse Coelho. — E peço-lhe que acredite, senhor Ypsilanti, que não é a ideia da sua riqueza que me fez amar sua sobrinha, mas...

Ypsilanti sorriu.

— Bem sei, bem sei — disse ele.

Depois acompanhou-o até à porta do jardim.

— Até amanhã.

— Até amanhã.

VI
MISTÉRIO

Fechou-se a porta do jardim. Coelho parou na rua, atônito. Durante um quarto de hora, não pôde dar um passo.

Tudo lhe parecia um sonho.

De duas uma:

Ou tinha de ser metido numa terrível embrulhada, de que era incerto que saísse bem, ou então, a sua felicidade era certa.

Mas como supor a segunda hipótese?

Enganar o tio era possível; mas a sobrinha? Quando esta o visse reconheceria perfeitamente o engano e teria franqueza para dizer ao velho que o seu namorado não era ele mas outro. O velho perdoaria aos dois, e descarregaria sobre ele todo o furor.

Coelho caminhou lentamente para casa meditando no que acabava de ocorrer. Cada vez se lhe entranhava mais no espírito a convicção de que a situação era para ele terrível; e ao mesmo tempo perguntava a si mesmo como pudera crer que fosse possível conseguir alguma coisa nas condições em que lhe apareceu a carta.

— Eu estava doido, sem dúvida. — dizia consigo Coelho — Supor que poderia dali sair alguma coisa boa era realmente ter perdido o juízo.

Quando chegou a casa estava resolvido a abrir mão da sobrinha de Ypsilanti.

— Mas será isso possível? — perguntava Coelho a si mesmo — depois do que se passou, conhecendo-me ele, ainda que pouco, é impossível deixar a empresa. Em rigor, eu devo-lhe uma satisfação. Não há remédio. Em que situação me fui colocar!

Depois a ideia dos contos de réis de novo lhe apareceu com todo o seu cortejo de gozos e fantasias.

— Rico — dizia ele —, rico! Oh! isto é um sonho! Eu posso estar rico daqui a um mês. Foi a minha estrela que me levou lá; está dito. — E poderia satisfazer a sua ânsia de fazer figura.

Pelas quatro horas, conseguiu fechar os olhos.

Mas os sonhos continuaram os cálculos; e o nosso Coelho acordou tarde, bem disposto, risonho e quase rico; pelo menos, rico de imaginação.

O moleque começou a experimentar a feliz mudança operada no ânimo do senhor. Não recebeu o pontapé matinal de costume, e teve o gosto de assobiar uma ária sem medo de interrupção.

Coelho mandou comprar um par de luvas brancas, e encomendar um carro, preparou-se, perfumou-se, e ensaiou-se para a arriscada empresa. Enquanto não saía de casa, tudo parecia ir facilmente, mas apenas se meteu no carro, e este começou a rodar pelas ruas da cidade na direção da casa do grego, tudo se foi alterando no espírito do rapaz.

— Mas eu estou vivendo em pleno romance de ontem para cá — dizia o mísero —; isto é uma loucura. A rapariga vai reconhecer-me, adivinhará tudo, ou antes, não adivinhará nada, mas compreenderá ao menos que não sou eu o namorado, e tudo se desfaz e eu estou em pior posição do que ontem. O velho, apesar da confissão que lhe fiz, não me há de perdoar a audácia, desde que souber que eu efetivamente a pratiquei. Tudo isso é rematada loucura.

E o carro ia andando.

Então voltava à mente de Coelho a ideia do dinheiro, e esta doce imaginação o seduzia e lançava uma espécie de véu sobre os perigos que ele antevia. Imaginava um belo prédio, carros, bailes, joias, passeios, todos os sonhos de um homem que não tem e quer possuir.

Mas, como o carro andava sempre, e o momento decisivo ia se aproximando, Coelho tornava aos seus terrores, e de novo hesitava se devia ir à casa do velho ou voltar para trás.

No meio dessas alternativas lembrou-lhe um meio que conciliava as esperanças com os receios.

— Entro — pensava ele —; o velho recebe-me; faço o meu pedido. Mandam vir a pequena, e apenas esta aparecer, antes que saiba do assunto, faço-lhe um gesto para que se não oponha, como quem lhe explicará o caso depois. Ela imaginará que estou de acordo com o namorado, e aguardará a explicação. Quando vier a ocasião, procurarei expor a verdade. Sim, este é o verdadeiro meio.

Com este pensamento foi até a casa de Ypsilanti. O velho já o esperava com ansiedade; recebeu-o cortesmente, ainda que não sem um ar severo, que aliás lhe era peculiar.

Feitos os cumprimentos e presente a tia de Lúcia, expôs Coelho o objeto da sua visita, proferindo um pequeno discurso análogo ao ato, que o velho ouviu com um significativo meneio de cabeça.

— Pela minha parte — disse este —, consinto no pedido que faz; mas é mister que minha sobrinha consinta também. Vou mandar chamá-la.

D. Manuela, esposa de Ypsilanti, dignou-se aprovar a resposta do marido e mandou chamar Lúcia. Não tardou que a sobrinha aparecesse à porta, convenientemente vestida, e com os olhos baixos.

Coelho estremeceu.

Não contara com este gesto de modéstia, tão natural da moça que é pedida para casar, e não sabia como fazer o gesto que devia salvar a situação.

Lúcia aproximou-se lentamente do grupo.

— Meu tio — murmurou ela.

— Senta-te, Lúcia — disse d. Manuela.

Lúcia sentou-se, sempre com os olhos pregados no chão.

Coelho estava em suores frios. Debalde olhava para ela, a moça não levantava os olhos. Começou a tossir para ver se ela levantava os olhos. Ypsilanti, vendo a insistência da tosse, mandou fechar a janela que ficara por trás de Coelho.

Tudo estava perdido.

— Lúcia — disse o velho tio —, este senhor vem pedir-te em casamento. Aceitas o seu pedido?

Houve um silêncio.

— Vai olhar para mim — pensou Coelho —, tudo está acabado.

— Então? — disse d. Manuela.

— Aceito.

— Tudo está arranjado — disse Ypsilanti —; resta marcar o dia do casamento.

Outro silêncio.

Lúcia não levantara os olhos do chão. Coelho estava em brasas. Esperava o momento em que ela ia levantar os olhos e soltar um grito de surpresa.

Como ela insistia em não olhar para ele, achou ele que o mais prudente era esquivar-se quanto antes e, por meio de uma carta, explicar-lhe tudo.

Ia já a levantar-se, quando Ypsilanti lhe disse:

— Toma chá conosco, senhor Coelho?

Coelho! O nome próprio do homem! Era impossível que, ao ouvir o nome de Coelho, a moça não levantasse os olhos com pasmo.

Nada!

Esta surpresa foi a maior sensação que o nosso herói tivera até aquele momento.

— Será surda? — perguntou ele. — Mas não; ontem ouvia perfeitamente os meus monossílabos.

— Então, senhor Coelho? — repetiu Ypsilanti. — Não toma chá conosco?

— Peço desculpas.

— E eu não lhas dou — acudiu d. Manuela —; há de tomar chá.

— Minha senhora, é-me impossível — disse Coelho com os olhos pregados em Lúcia —; tenho um objeto imperioso que me impede de aceitar este gracioso convite.

Coelho disse estas palavras com voz clara e firme. Lúcia moveu a cabeça para ele.

Coelho nem teve tempo de respirar; fez um gesto com os olhos, enquanto a moça, parecendo não reparar no gesto, volvia a cabeça para o tio e a tia, e mostrava-se completamente senhora de si.

— Não entendo — concluiu entre si o rapaz.

Conversaram ainda algum tempo, até que o pretendente se despediu sem que a noiva lhe desse o menor sinal de surpresa. Parecia que o amava há muito tempo.

— Que mistério será este? — dizia ele no carro. — Seja o que for, a moça está caída; vou enfim ser rico.

VII
A SOMBRA DE BANQUO

Coelho abençoou o acaso e o carnaval, autores do achado da carteira anônima e da misteriosa carta que o levou à fortuna.

Começou a frequentar a casa de Ypsilanti, logo no dia seguinte, à espera de uma ocasião em que pudesse esclarecer o mistério que parecia estar envolvido na indiferença com que Lúcia o ouviu e aceitou.

Durante oito dias, não pôde ter a ocasião desejada.

No nono dia, porém, alcançou ensejo de falar a sós com a noiva, e desde as primeiras palavras notou que ela, em vez de lhe dizer alguma coisa a respeito da situação em que se achava, conversou placidamente dos seus planos futuros.

— Lúcia — disse ele —, aproveito esta ocasião para explicar-te a nossa situação.

— Que situação?

— A situação em que me coloquei para contigo. Naquela noite em que fui ao jardim conversar...

— Ah! eras tu? — perguntou ela admirada.

Mais admirado, porém, ficou o nosso Coelho. Eras tu! Então ela confessa que dez dias antes, supunha ter falado ao outro namorado, e apesar disso ia casar com ele, sem nenhum escrúpulo nem resistência?

Havia aí um mistério. Como descobri-lo?

— De um modo simples — disse Coelho consigo mesmo —; pergunto-lho.

E depois de um silêncio:

— Lúcia, pergunto-lhe; admiras-te de que fosse eu quem naquela noite estava no jardim; supunhas então que era o outro... Quem?

Lúcia franziu a testa, levantou a cabeça, mediu o rapaz de alto a baixo e saiu da janela.

— Está tudo perdido — pensou Coelho —; lá se me vai a pequena, e com ela... Reparemos o erro.

O erro não era difícil reparar. Lúcia parece que esperava por isso mesmo.

— Olhe — disse ela —, há um mistério aparente, mas uma coisa muito natural, que eu só lhe explicarei depois de casada.

E disse isto com um ar tão mimoso, que por um triz não endireita a boca.

Coelho deu-se por satisfeito.

Foi marcado o dia do casamento e começaram a correr os banhos. Lúcia estava mais alegre que a mais alegre moça deste mundo; Ypsilanti dignou-se abrir um riso prazenteiro; e Coelho fez grandes promessas aos seus credores.

Dez dias antes do casamento, estava Coelho em casa devaneando e construindo os mais soberbos castelos, quando o moleque veio dizer-lhe que um sujeito mal-encarado o procurava.

— Conheces quem seja?

— Nunca o vi, não, senhor.

— Manda-o entrar.

Daí a pouco chegava Coelho à sala e dava com um homem alto, vestido de preto, sobrecasaca abotoada, cabelos em desordem e olhar ameaçador.

Coelho pôs-se em guarda.

— Que me quer?

Silêncio.

— Que me quer? — repetiu ele.

— Tenho a honra de falar ao senhor Coelho?

— Sim, senhor.

— Queria dar-lhe duas palavras.

— Pode falar.

Sentaram-se.

— Chamo-me Carlos...

— Ah!

— Ah?

Coelho estremeceu.

O homem continuou:

— Carlos Alves da Anunciação. Já ouviu alguma vez pronunciar o meu nome?

— Não me lembra...

— Lúcia devia casar comigo.

— Ah!

— Ah?

Coelho tornou a estremecer.

— E foi o senhor que me arrancou a felicidade das mãos, quem me lançou no abismo de todas as misérias, porque eu...

Não pôde continuar; tapou a cara com as mãos, e pareceu — pareceu ao menos — chorar à larga.

Coelho ficou comovido.

— Peço-lhe — disse este — que não me acuse...

— Não o acuso de nada — respondeu Alves —, eu apenas digo que foi o senhor quem me fez desgraçado, não por vontade própria, mas por irrisão da minha sorte. Seja o que Deus quiser...

Alves parecia mais calmo.

— Falei-lhe um pouco exaltadamente, mas é a dor que me obriga a estes arrebatamentos. Se soubesse como eu sofro!

— Mas que lhe poderei eu fazer agora? — disse Coelho.

O homem pareceu não ouvir essas palavras.

— Às vezes, cuido que estou doido. Sinto um fogo em mim; uma ardência... Ah!...

E, dizendo isto, começou a passear pela sala com grandes passos e sacudimentos de cabeça.

De repente, parou o homem.

— Senhor Coelho — disse ele —, eu quero perdoar-lhe e não posso.

— Perdoar-me? Mas que culpa...

Coelho estacou.

Estaria o homem informado da entrevista no jardim, e teria assim descoberto o achado da carteira? Nesse caso, era positivo que a noiva estava de acordo com o antigo namorado.

Coelho perdia-se num mar de conjecturas.

— Perdoar-me o quê?

— Perdoar-lhe a minha morte.

— A sua morte?

— Sim, porque eu vou morrer.

— Não! não deve morrer! Mas, em todo caso, já lhe disse, que tenho eu com isso? Que me quer o senhor?

Alves encarou-o, pôs o chapéu na cabeça e saiu.

VIII
A INDENIZAÇÃO

Coelho ficou atônito.

A entrada e a saída daquele homem seria inexplicável se ele não estivesse doido. Só a loucura podia explicar semelhante procedimento.

Coelho deu graças a Deus de se ver livre do doido, e deu ordem ao moleque de nunca mais abrir a porta àquele sujeito.

A ordem era inútil.

O homem reapareceu à porta da sala.

— Ainda aqui! — exclamou Coelho.

— É verdade — respondeu Alves. — Venho propor-lhe um meio de nos reconciliarmos.

Coelho fez um gesto de impaciência.

— Mas, senhor, nós nunca estivemos conciliados, nem brigados. Não sei que haja necessidade...

— Há — respondeu tranquilamente o homem. — Quer ouvir-me?

— Fale.

— Eu disse-lhe há pouco que amava a sobrinha de Ypsilanti.

Coelho fez um gesto afirmativo.

— Era mentira — disse Alves.

— Ah!

— É verdade, era mentira, não a amava; o meu fim era fazer um bom casamento, isto é, um casamento rico.

— Ainda bem que o confessa — disse Coelho, respirando.

— Confesso.

Coelho levantou-se.

— Nesse caso — disse ele —, se o senhor tem a impudência de confessar que não amava a pessoa em questão, se confessa que queria um casamento rico, por que razão está aqui?

— Estou aqui por uma razão bem simples — disse tranquilamente o homem.

— Qual?

— Porque o senhor...

E parou.

— Porque eu... — disse Coelho.

O homem cravou os olhos nele.

— Porque eu... — repetiu Coelho.

— Porque o senhor também a não ama.

— O quê? — disse Coelho espantado.

— O senhor também a não ama...

— Essa agora!...

— O seu fim é também fazer um casamento de dinheiro... — concluiu calmamente o homem.

Coelho estava estupefato.

— De que se admira? — perguntou Alves.

— Da sua audácia.

— Em que consiste a minha audácia?

— Meu caro senhor, isto é ridículo — disse Coelho encolerizado —; a ninguém dou o direito de duvidar dos meus sentimentos.

— Não digo que o senhor dê esse direito a ninguém — retorquiu Alves sentando-se sossegadamente —, mas eu é que o tomo por minhas mãos.

— Mas enfim que quer o senhor?

Alves assumiu um ar melancólico, e respondeu:

— Que o senhor me indenize da perda que sofro em não casar com aquele anjo.

Coelho não podia cair em si. Alves falava com tanta segurança, que era impossível não supor nele uma resolução inabalável.

— Então, quer liquidar esse negócio comigo?

— Creio que o senhor não fala sério.

— Muito sério.

Coelho começou a refletir. Não lhe convinha ter por inimigo um homem cuja audácia se manifestara já tão singularmente. Tratou de ladear a questão.

— Eu não hesitaria em socorrê-lo — disse ele —, caso o senhor precisasse, mas confesso que não possuo nada.

Alves sorriu.

— Há de possuir.

— Mas...

— Eu não venho pedir-lhe socorro, mas uma indenização. Saibamos de uma coisa antes de tudo: adota essa indenização em princípio?

— Em princípio, nego-lha.

— Ah!

Houve um silêncio.

— Está bem — disse Alves —, deixemos os princípios; vamos aos fatos. Está pronto a dar-ma?

— Mas, senhor, isto é uma ladroeira — disse Coelho, levantando a voz para que o moleque o ouvisse.

— Não, senhor, é uma indenização.

— Pois bem — disse Coelho, depois de alguns instantes de reflexão. — Vejamos as suas condições.

— Bravo! vejo que nos entendemos. As minhas condições são: dez contos de réis pagos dois meses depois do seu casamento.

— Dez contos! — exclamou Coelho.

— Sem lhe rebater um real; é largar ou pegar. Não é mau; o senhor deve entrar na posse de uns cem contos de réis pelo menos, além das esperanças; e nega uns pobres dez contos a quem lhe cede o lugar?

— Nada, não lhe dou um vintém — disse resolutamente Coelho.

— Sério?

— Sério.

— Olhe lá.

— Já disse; não lhe dou um vintém. Isto seria ridículo se não fosse infame. Peço-lhe que se retire.

Alves soltou uma gargalhada, pôs o chapéu na cabeça, cumprimentou o dono da casa e saiu dizendo:

— Até a vista.

IX

Ah!

Coelho respirou apenas se viu só. Repetiu ao moleque a ordem que lhe havia dado e preparou-se para dar boas notícias à noiva.

Logo nessa noite, estando com ela, falou na estranha visita que lhe fizera Alves.

— Sabes quem foi hoje à minha casa?

— Quem foi?

— O Carlos Alves.

— Ah! — disse ela empalidecendo.

— Não a recrimino por isso; sei que foi o teu primeiro namorado. Quero só dizer-te que escapaste de uma infâmia.

— Como?

— Aquele homem não era digno de ser teu marido — continuou Coelho —; era um infame. Se soubesses o que praticou comigo...

Lúcia estava perturbada com o assunto da conversa.

— Falemos de outra coisa — disse ela.

— Compreendo o teu melindre, e respeito-o. Depois de casado, contar-te-ei tudo. Não imaginas... Queria casar contigo por interesse.

Lúcia arregalou os olhos.

— Deveras? — disse ela.

— É verdade; teve o descaramento de o confessar; é um cínico. Eu te contarei tudo depois.

A conversa não passou além.

Correram os dias sem novidade. Aproximou-se o dia do casamento. Ypsilanti queria dar um banquete, que o noivo aprovou, mas a mulher e a sobrinha foram de opinião que o casamento à capucha era melhor.

— Pois vá à capucha — disse o grego.

Na véspera do casamento o noivo deu parte a dois ou três amigos íntimos, e foi dar a última vista de olhos na casa. A casa estava ornada com certo luxo, para o qual teve Coelho de pedir algumas somas emprestadas. De noite, foi à casa da noiva, mas voltou cedo para descansar e dar umas últimas providências.

Não se admirou pouco de ver a sala com luz, coisa que não havia durante a sua ausência.

— Há de ser alguma visita — pensou ele.

Subiu as escadas.

Céus!

Era Alves!

O ex-namorado de Lúcia estava assentado no sofá brincando com uma bengala. Defronte dele, estava o moleque pedindo-lhe que saísse.

— Entra a propósito — disse Alves —, o seu moleque conhece pouco os deveres de hospitalidade. Quer pôr-me fora daqui. Diga-lhe que é uma grosseria.

Coelho fez um sinal ao moleque, que se retirou.

Apenas ficou só com o ex-rival, disse:

— Senhor Alves, há de convir que isto vai passando os limites, não estou disposto a sofrer as suas importunações, já lhe disse que...

— O senhor disse-me que não me daria os dez contos de réis, cuidei que estava brincando, porque, na situação em que o senhor se acha, só por brincadeira pode dizer uma monstruosidade de tal calibre. Os dez contos hão de vir ter às minhas mãos.

— Ameaça-me?

— Não ameaço; discuto. Não quer pagar-me a indenização que lhe peço? É um desejo impossível de satisfazer. Vou dizer a razão.

E metendo a mão no bolso tirou um papel.

— Sabe o que é isto?

— Não.

— É uma carta.

Coelho levantou os ombros.

— Uma carta de sua noiva.

— Ah!

— Se o senhor me não der o dinheiro, publico-a.

— Mas isto é uma...

— É uma defesa. Quer ler a carta?

Coelho fez um gesto de recusa.

— Há de confessar — disse este — que o senhor é muito infame!

— Mais talvez do que o senhor pensa — disse tranquilamente Alves —; não tenho só esta carta; tenho mais trinta e sete cartas, cada qual mais ardente. Imagine o efeito desse regimento epistolar em letra redonda. É coruscante.

— Basta — disse Coelho —; sacrifico-me, já que é preciso. Que condições quer?

— Já lhe disse: dez contos de réis a pagar daqui a dois meses. Trago a letra.

— É previdente.

— A previdência é a mãe da vitória.

Alves tirou do bolso uma letra, que ali mesmo encheu, e Coelho assinou trêmulo de raiva.

— Adeus, meu caro senhor Coelho. Ainda havemos de ser amigos.

Coelho não disse palavra.

Alves saiu saltitante e alegre.

A noite do pobre noivo foi atribulada.

O dia seguinte, porém, desfez as más impressões da noite. Sorria-lhe a ideia de que a fortuna mudava enfim. A felicidade foi mais completa; logo de manhã recebeu a visita do Alves, ia dizer-lhe que apenas recebesse os dez contos de réis, receberia as trinta e sete cartas de Lúcia.

A cerimônia do casamento passou-se sem novidade. Todos estavam alegres como é de costume nesses dias. O velho Ypsilanti parecia haver recobrado a pouca alegria que tinha outrora; estava brando como uma cera, esfregando as mãos, piscava os olhos, todo ele era ventura e prazer.

Que direi eu da noiva, que não seja sabido por quantos têm assistido a um casamento? Estava acanhada, modesta, reservada, mas no fundo do seu coração era imensa a alegria.

Não menos feliz estava Coelho. A mulher era positivamente um dragão, mas em compensação era herdeira de um bom par de contos de réis. Este era o principal objeto do amor do rapaz.

Não admira, pois, que todo entregue às delícias do noivado, o nosso Coelho de todo esquecesse o seu singular credor. Correram as semanas sem ele dar por elas. No fim de dois meses, bateu-lhe Alves à porta.

Coelho estremeceu quando o viu entrar.

— Venho para cobrar a letra que me deve, e que se vence amanhã.

— Bem — disse Coelho —, venha amanhã.

— A que horas?

— Às dez horas.

— Cá estarei. Passe bem.

— Passe bem.

E saiu Alves.

Coelho correu à casa do sogro.

Explicou-lhe com franqueza que devia pagar uma letra.

Ypsilanti respondeu:

— Não lhe posso dar o dinheiro que me pede.

— Mas, senhor...

— Não lhe posso dar o dinheiro que me pede.

Coelho começou a irritar-se.

— Mas, senhor, esta dívida de honra, fi-la para salvar o decoro do seu nome.

E explicou-lhe tudo.

— Céus! — exclamou o velho. — Será verdade isso que me diz?

— Puríssima verdade.

Ypsilanti levantou os braços com desespero:

— Oh! meu Deus! meu Deus!

— Que é?

— Mas eu não tenho dinheiro; não sou rico como o senhor pensa; todos os meus haveres andam por oito contos.

— Ah! — exclamou o rapaz petrificado.

Imagina-se o desespero do pobre rapaz quando soube do logro em que caíra.

E o logro era talvez o menos; o risco em que se achava com a dívida que contraíra era o pior — sem falar na que fez para montar a casa.

Correu para a casa furioso; a mulher foi a primeira que pagou as favas.

Tudo se arranjou entretanto. Alves, sabedor das desgraças de Coelho, pela confissão que este lhe fez, houve por bem perdoar-lhe a dívida.

— Pago com dez contos — disse ele —, o risco de que o senhor me livrou.

Coelho estava desesperado; julgou ter dado um grande golpe na má sorte financeira, e fora vencido por ela; estava mais pobre que dantes. Ficara-lhe só o amor.

Um dia, seis meses depois de casado, e feliz, contou ele à mulher toda a cena da carteira, e perguntou-lhe por que razão o aceitara tão facilmente para marido, sabendo que não era ele o namorado.

Lúcia respondeu ingenuamente:

— Porque você era mais bonito.

Jornal das Famílias, *abril-maio de 1872*; J. J.

Uma loureira

I

Havia grande agitação em casa do comendador Nunes, em certa noite de abril de 1860.

Não era comendador o sr. Nicolau Nunes, era apenas oficial da Ordem da *Rosa*, mas todos lhe davam o título de comendador, e o sr. Nunes não resistia a esta deliciosa falsificação. A princípio reclamou sorrindo contra a liberdade dos amigos, que desta maneira emendaram a parcimônia do governo. Mas os amigos insistiam no tratamento, e até hoje ainda se não descobriu o meio de recusarmos uma coisa que desejamos do fundo da alma. Ora, o sr. Nunes desejava do fundo da alma ser comendador, e quando falou ao seu compadre, o conselheiro F., foi com a mira na comenda. O conselheiro empenhou-se com o ministro, e este apenas consentiu em dar o hábito ao sr. Nunes. Graças aos empenhos, pôde o candidato obter o oficialato.

Era ele um homem de quarenta e cinco anos, um tanto calvo, bem apessoado, nariz não vulgar, se atendermos no tamanho, mas vulgaríssimo se lhe estudarmos a expressão. O nariz é um livro, até hoje pouco estudado pelos romancistas, que aliás se presumem grandes analistas da pessoa humana. Eu, quando vejo alguém pela primeira vez, não lhe estudo a boca nem os olhos, nem as mãos; estudo-lhe o nariz. Mostra-me o nariz, e eu direi quem és.

O nariz do comendador Nunes era a coisa mais vulgar deste mundo; não exprimia coisa nenhuma de jeito, nem de elevação. Era um promontório, nada mais. E, todavia, o comendador Nunes tirava grande vaidade do nariz, por lhe haver dito um sobrinho que era nariz romano. Havia, é verdade, uma corcova no meio da extensa linha nasal do comendador Nunes, e naturalmente foi por zombaria que o sobrinho chamou àquilo romano. A corcova era um acervo de protuberâncias irregulares e impossíveis. Em suma, podia-se dizer que a cara do comendador Nunes era composta de dois Estados divididos por uma cordilheira extensa.

Fora destas circunstâncias nasais, nada havia que dizer da pessoa do comendador Nunes. Era boa figura e boa alma.

Dizer quais eram os seus meios de vida, e o seu passado, importa pouco para a nossa história. Basta dizer que se quisesse deixar de trabalhar, já tinha que comer, e deixar aos filhos e à esposa.

A esposa do comendador Nunes era uma rechonchuda senhora de quarenta e seis anos, relativamente fresca, pouco amiga de brilhar fora de casa, e toda dada aos cuidados do governo doméstico. O seu casamento com o comendador Nunes foi feito contra a vontade do pai, pela razão de que, nesse tempo, Nunes não tinha vintém. Mas o pai era boa alma, e apenas soube que o genro ia fazendo fortuna, fez as pazes com a filha. Morreu nos braços de ambos.

Amaram-se muito os dois esposos, e os frutos desse amor foram nada menos de dez filhos, dos quais apenas escaparam três, Luísa, Nicolau e Pedrinho.

Nicolau tinha vinte anos, Pedrinho sete, e apesar desta notável diferença de idade não se pode dizer quem tinha mais juízo, se Pedrinho, se Nicolau.

Desejoso de o ver em boa posição literária, Nunes mandara o filho passar alguns anos na Academia de São Paulo, e realmente ele os passou ali, até obter uma carta de bacharel. O diploma dado ao jovem Nicolau podia fazer crer que ele de fato sabia alguma coisa; mas era completa ilusão. Nicolau saiu sabendo pouco mais ou menos o que sabia antes de lá entrar.

Em compensação, ninguém era mais versado no esticado das luvas, no talhado da casaca, no apertado da bota, e outras coisas assim, em que Nicolau era mais que bacharel, era doutor de borla e capelo.

Luísa tinha dezoito anos, e podia-se dizer que era a flor da família. Baixinha e delgada, um tanto pálida e morena, Luísa inspirava facilmente simpatia, e mais do que simpatia a quem a visse pela primeira vez. Vestia bem, mas aborrecia o luxo. Tocava piano, mas aborrecia a música. Alguns caprichos tinha que, à primeira vista, poderiam desagradar à gente, mas, bem pesadas as coisas, as suas qualidades venciam os caprichos; o que era uma grande compensação.

D. Feliciana tinha na filha todas as suas esperanças de imortalidade. Dizia ela que a sua ascendência era uma linha não interrompida de donas de casa. Queria que a filha fosse uma digna descendente de tão preclaro sangue, e continuasse a tradição que recebera. Luísa dava esperança disso.

Tal era a família Nunes.

II

Como ia dizendo, grande era a agitação em casa do comendador Nunes em certa noite de abril de 1860.

A causa desta agitação era nada menos que a apresentação de um rapaz, recentemente chegado do norte, parente remoto dos Nunes e indigitado noivo da menina Luísa.

Chamava-se Alberto o rapaz, e tinha seus vinte e sete anos feitos. A natureza o dotara de uma excelente figura e de um bom coração. Não escrevi à toa estes qualificativos; o coração de Alberto era bom, mas a figura era muito melhor.

O pai do candidato escrevera dois meses antes ao comendador Nunes uma carta em que lhe anunciava a vinda do filho, aludia às conversas que tiveram ambos os velhos acerca do enlace matrimonial dos pequenos.

O comendador recebeu esta carta logo depois do jantar, e não a leu, porque era regra sua não ler nada depois do jantar, sob pretexto de que lhe perturbaria a digestão.

Pedrinho, que tinha tanto juízo como o irmão bacharel, achou a carta em cima da mesa, fê-la em pedaços para arranjar canoas de papel e armar assim uma esquadra dentro de uma bacia. Quando deram por esta travessura três quartas partes da carta já estavam em nada, porque o pequeno vendo que alguns navios não navegavam bem, de todo os destruiu.

Os pedaços que ficaram eram apenas palavras soltas, e com algum sentido... mas que sentido! Só restavam palavras vagas e terríveis: *teus... amores... Luísa... ele... flor em botão... lembras-te?*

Quando a sra. d. Feliciana leu essas perguntas misteriosas sentiu que o sangue lhe subia todo ao coração, e depois à cabeça; estava iminente um ataque apoplético. Acalmou-se felizmente, mas ninguém pôde estancar-lhe as lágrimas.

Durante o longo tempo de casados nunca a sra. d. Feliciana duvidara uma vez sequer do marido, que aliás foi sempre o mais refinado hipócrita que o diabo mandou a este mundo. Aquele golpe, no fim de tantos anos, foi tremendo. Debalde o comendador Nunes alegava que de fragmentos nenhum sentido se poderia tirar; a esposa ofendida persistia nas recriminações e repetia as palavras soltas da carta.

— Queridinha — disse o comendador —, esperemos outra carta, e tu verás a minha inocência mais pura que a de uma criança de berço.

— Ingrato!

— Feliciana!

— Vai-te, monstro!

— Mas, minha filha...

— *Flor em botão*!

— É uma frase vaga.

— *Teus amores*!...

— Duas palavras soltas; pode ser que ele quisesse dizer: "Como vão teus filhos, esses dois amores...". Já vês...
— *Lembras-te?*
— Que tem isso? Que há nessa palavra que possa encerrar um crime?
— *Ele!*
E nisto passaram longas horas e longos dias.

Afinal, Feliciana se foi acalmando com o tempo, e ao cabo de um mês veio nova carta do pai de Alberto dizendo que impreterivelmente o rapaz estava aqui daí a um mês.

Por felicidade do comendador Nunes, o pai do noivo não tinha a musa fértil, e a segunda carta era mais ou menos do mesmo teor da primeira, e a sra. d. Feliciana, já convencida, esqueceu completamente os rigores do marido.

Comunicada a notícia ao objeto dela, que era a menina Luísa, nenhuma objeção fez esta ao casamento, e disse que estaria por tudo o que o pai quisesse.

— Isso não — disse o comendador —, eu não te obrigo a casar com ele. Se gostares do rapaz, serás sua esposa; no caso contrário, fá-lo-ei voltar com as mãos abanando.

— Hei de gostar — respondeu Luísa.
— Tens algum namoro? — perguntou Nunes com alguma hesitação.
— Nenhum.

Suspeitando que podia haver alguma coisa, que a menina não ousaria confiar-lhe, Nunes incumbiu a mulher de sondar o coração da pequena.

Revestiu-se a sra. d. Feliciana daquela meiga severidade, que tanto quadrava com o seu caráter, e interrogou francamente a filha.

— Luísa — disse ela —, eu fui feliz no meu casamento porque amei muito teu pai. Só há uma coisa que faça uma noiva feliz, é o amor. O que é amor, Luísa?
— Não sei, mamãe.

Feliciana suspirou.

— Não sabes? — disse ela.
— Não sei.
— É incrível!
— É verdade.
— E serei eu com os meus quarenta e seis anos, que te ensine o que é o amor? Estás zombando comigo. Nunca sentiste nada por algum rapaz?

Luísa hesitou.

— Ah! — disse a mãe. — Vejo que sentiste já.
— Senti uma vez palpitar-me o coração — disse Luísa —, ao ver um rapaz, que logo no dia seguinte me escreveu uma carta...
— E tu respondeste?
— Respondi.
— Desgraçada! Nunca se respondem a estas cartas sem ter certeza das intenções do autor delas. Teu pai... Mas deixemos isto. Respondeste só uma vez?...
— Respondi vinte e cinco vezes.
— Jesus!
— Mas ele casou com outra, segundo soube depois...
— Aí está. Vê que imprudência...

— Mas nós trocamos as cartas.
— Foi só esse, não?
— Depois veio outro...
D. Feliciana pôs as mãos na cabeça.
— A esse escrevi só quinze.
— Só quinze! E veio mais outro?
— Foi o último.
— Quantas?
— Trinta e sete.
— Santo nome de Jesus!
D. Feliciana estava louca de surpresa. Luísa, a muito custo conseguiu acalmá-la.
— Mas em suma — disse a boa mãe —, ao menos agora não amas nenhum?
— Agora nenhum.
D. Feliciana respirou, e foi tranquilizar o marido acerca do coração da filha. Luísa contemplou a mãe com verdadeiro amor, e foi para o quarto responder à quinta carta do alferes Coutinho, amigo íntimo do bacharel Nunes.

III

Repito, e agora será a última vez, grande era a agitação em casa do comendador Nunes nesta noite de abril de 1860.

Luísa já estava vestida de ponto em branco e encostada à janela conversava com uma amiga que morava na vizinhança e costumava ir lá tomar chá com a família.

D. Feliciana, também preparada, dava as ordens convenientes para que o futuro genro recebesse uma boa impressão quando lá chegasse.

O comendador Nunes estava fora; o paquete do norte havia chegado perto das ave-marias, e o comendador foi a bordo receber o viajante. Acompanhava-o Nicolau. Quanto a Pedrinho, travesso como um milhão de diabos, ora puxava o vestido da irmã, ora tocava tambor no chapéu do Vaz (pai da amiga de Luísa), ora surripiava um doce.

O sr. Vaz, a cada travessura do pequeno, ria com aquele riso amarelo de quem não acha graça nenhuma; e por duas vezes esteve tentado a dar-lhe um beliscão. Luísa não reparava no irmão, tão entretida estava nas suas confidências amorosas com a filha do Vaz.

— Mas você está disposta a casar com esse sujeito a quem não conhece? — perguntava a filha do Vaz a Luísa, encostadas ambas à janela.

— Ora Chiquinha, você parece tola — respondia Luísa. — Eu disse que casava, mas isso depende das circunstâncias. O Coutinho pode roer-me a corda como já roeu à Amélia, e não é bom ficar desprevenida. Além disso, pode ser que o Alberto me agrade mais.

— Mais do que o Coutinho?
— Sim.
— É impossível.
— Quem sabe? Eu gosto de Coutinho, mas estou certa de que ele não é a flor de todos os homens. Pode haver outros mais bonitos...

— Isso há — concordou maliciosamente a Chiquinha.
— Por exemplo, o Antonico.
Chiquinha fez um sinal afirmativo.
— Como vai ele?
— Está bom. Pediu-me uma trança de cabelos anteontem...
— Sim!
— E eu respondi que depois, quando estivesse mais certa de seu amor.

Neste ponto do diálogo, o Vaz que estava na sala fungou uma pitada. Luísa reparou que era feio deixá-lo só, e saíram ambas da janela.

Entretanto, a sra. d. Feliciana dera as últimas ordens e veio para a sala. Bateram sete horas, e o viajante não aparecia. A esposa do comendador Nunes estava ansiosa por ver o genro, e a futura noiva sentia uma coisa que se parecia com a curiosidade. Chiquinha fazia os seus cálculos.

— Se ela não o quiser — pensava esta dócil criatura — e se ele me agradar sacrifico o Antonico.

Vinte minutos depois houve um rumor na escada, e d. Feliciana correu ao patamar para receber o candidato.

Entraram efetivamente na sala os três personagens esperados, o Nunes, o filho e Alberto. Todos os olhos se cravaram neste, e durante dois minutos, ninguém viu mais ninguém na sala.

Alberto compreendeu facilmente que era objeto da atenção geral, e não se perturbou. Pelo contrário, subiram-lhe à cabeça uns fumos de soberba, e esta boa impressão lhe desatou a língua e deu livre curso aos cumprimentos.

Era um rapaz como qualquer outro. Apresentava-se bem, e não falava mal. Nada tinha em suas feições que fosse notável, exceto um certo modo de olhar quando alguém lhe falava, um certo ar de impaciência. Isto mesmo ninguém lho notou então, nem depois naquela casa.

Passaremos por alto as primeiras horas da conversa, que foram empregadas em narrar a viagem, a referir as notícias que mais ou menos podiam interessar às duas famílias.

Às dez horas vieram dizer que o chá estava na mesa, e não era chá, e sim uma esplêndida ceia preparada com o esmero dos grandes dias. Alberto deu o braço a d. Feliciana, que já estava cativa das maneiras dele, e todos se encaminharam para a sala de jantar.

A situação daquelas diferentes pessoas já estava muito modificada; a ceia acabou por estabelecer entre Alberto e os outros uma discreta familiaridade.

Entretanto, apesar da extrema amabilidade do rapaz, parecia que Luísa não estava contente. O comendador Nunes sondava com os olhos a fisionomia da filha, e estava inquieto por não ver nela o menor vestígio de alegria. Feliciana toda enlevada nos modos e palavras de Alberto não dera fé daquela circunstância, ao passo que Chiquinha, descobrindo no rosto de Luísa uns sinais de despeito, parecia alegrar-se com isto, e sorrir-lhe a ideia de sacrificar desta vez o Antonico.

Reparava nestas coisas o Alberto? Não. A preocupação principal do candidato, durante a ceia, era a ceia, e nada mais. Outras qualidades podiam faltar ao rapaz, mas uma já lhe notava o pai da Chiquinha: a voracidade.

Alberto era capaz de comer a ração de um regimento.

Vaz reparou nesta circunstância, como já tinha reparado em outras. Nem parece que o pai de Chiquinha viesse a este mundo para outra coisa. Tinha olho fino e língua afiada. Ninguém podia escapar ao seu terrível binóculo.

Alberto tinha deixado a mala em um hotel onde alugou sala e quarto. O comendador, não desejando que o rapaz se sacrificasse mais aquela noite, que pedia descanso, pediu a Alberto que não fizesse cerimônia, e apenas julgasse que eram horas se fosse embora.

Alberto, entretanto, parecia disposto a não usar tão cedo da faculdade que lhe dava Nunes. Amável, conversado e prendado, o nosso Alberto entreteve a família até muito tarde; mas por fim saiu, com grande pena de d. Feliciana e grande satisfação de Luísa.

Por que motivo esta satisfação? Tal era a pergunta que a si mesmo fazia o comendador quando Alberto se retirara.

— Sabes que mais, Feliciana? — disse o Nunes apenas se achou no quarto com a mulher. — Creio que a rapariga não simpatizou com o Alberto.

— Não?

— Não tirei os olhos dela, e posso afiançar que parecia extremamente aborrecida.

— Pode ser — observou d. Feliciana —, mas isso não é uma razão.

— Não é?

— Não é.

Nunes abanou a cabeça.

— Raras vezes se pode vir a gostar de uma pessoa de que se não gostou logo — disse ele sentenciosamente.

— Oh! isso não! — respondeu logo a mulher. — Também eu quando te vi antipatizei solenemente contigo, e entretanto...

— Sim, mas isso é raro.

— Menos do que pensas.

Houve um silêncio.

— E contudo este casamento era muito do meu agrado — suspirou o marido.

— Deixa estar que eu arranjo tudo.

Com estas palavras de d. Feliciana terminou a conversa.

IV

Qual era a causa da tristeza ou aborrecimento de Luísa?

Quem a adivinhou foi Chiquinha. A causa foi um despeito de moça bonita. Alberto era amável demais, amável com todos, olhando para ela com a mesma indiferença com que olhava para as outras pessoas.

Luísa não queria ser olhada assim.

Imaginava ela que um rapaz, que fizera uma viagem para vir apresentar-se candidato à sua mão, devia prestar-lhe alguma homenagem, em vez de a tratar com a mesma delicadeza que dispensava aos outros.

No dia seguinte estas impressões de Luísa estavam mais dissipadas. O sono foi a causa disso, e também a reflexão.

— Talvez que ele não ousasse... — pensava ela.

E esperou que ele lá fosse nesse dia.

Pouco depois do almoço recebeu Luísa uma carta do alferes Coutinho. O namorado já tinha notícia do pretendente, e escrevera a epístola meio lacrimosa, meio ameaçadora. Era notável o seguinte período:

> ... Podes, mulher ingrata, calcar a teus pés o meu coração, cujo crime foi amar-te com todas as suas forças, e palpitar por ti a todas as horas!... Mas o que tu não podes, o que ninguém poderia nem Deus, é fazer com que eu te não ame agora e sempre, e até debaixo da fria campa!... E um amor destes merece desprezo, Luísa?...

A epístola do alferes impressionou a moça.

— Este ama-me — pensava ela —, e o outro!...

O outro chegou pouco depois, já reformado na roupa, já mais cortesão com a moça. Um quarto de hora bastou para que Luísa modificasse a sua opinião a respeito do rapaz.

Alberto aproveitou as liberdades que lhe davam com ela para lhe dizer que a achava mais bela do que a sua imaginação sonhara.

— E de ordinário — acrescentou ele —, a nossa imaginação nos ilude. Se desta vez estive abaixo da realidade, a causa disto é que a sua beleza está além da imaginação humana.

Neste sentido fez o noivo um discurso obscuro, oco e mal alinhavado, que ela ouviu com delícias.

— Veio de tão longe para zombar de mim? — perguntou ela.

— Zombar! — disse Alberto ficando sério.

— Oh! perdão — disse ela —, eu não queria ofendê-lo; mas creio que isso só por zombaria se poderia dizer...

— Oh! nunca! — exclamou Alberto apertando docemente a mão de Luísa.

O comendador surpreendeu esta cena, e a sua alegria não conheceu limites. Todavia era conveniente dissimulá-la, e assim o fez.

— Tudo caminha bem — dizia ele consigo. — O rapaz não é peco.

E não era. Nessa mesma tarde perguntou ele a Luísa se queria aceitá-lo por esposo. A moça não contava com esta pergunta à queima-roupa e não soube que lhe responder.

— Não quer? — perguntou o rapaz.

— Eu não disse isso.

— Mas responda.

— Isso é com meu pai.

— Com seu pai? — perguntou Alberto espantado. — Mas ele governa então o seu coração?...

Luísa nada respondeu, nem podia responder. Houve um longo silêncio; Alberto foi o primeiro que falou.

— Então — disse ele —, que me responde?

— Deixe-me refletir.

Alberto fez uma careta.

— Refletir? — perguntou ele. — Mas o amor é uma coisa e a reflexão é outra.

— É verdade — respondeu a moça —, e neste caso, deixe que eu o ame.

Não contando com esta resposta, Alberto empalideceu, e viu bem que era uma espécie de castigo que ela queria dar-lhe por causa da sua intempestiva reflexão. Pareceu-lhe que fora esquisito falar de amor a uma moça a quem via pela primeira vez.

Luísa não se arrependeu da pequena lição dada ao pretendente, e pareceu-lhe conveniente conservá-lo na incerteza durante alguns dias, a fim de o castigar ainda mais.

Não contava ela porém com o golpe que lhe preparava o alferes Coutinho.

Já sabemos que este alferes era íntimo amigo de Nicolau. Várias vezes o filho de Nunes o convidara para ir à casa do pai; mas Coutinho sempre recusara o convite delicadamente, e parece que o fazia justamente para se não aproximar de Luísa.

Como?

É verdade. Na opinião de Coutinho, o amor não vive só de mistério, vive também de distância.

A máxima poderia ser excelente, mas no caso atual não prestava para nada. Coutinho compreendeu isto perfeitamente, e com destreza conseguiu ser convidado nessa noite por Nicolau para lá ir.

De maneira que, no meio de seus devaneios poéticos, ouvindo as narrações que Alberto fazia diante da família encantada com o narrador, Luísa viu assomar à porta a figura do irmão e a do alferes.

Luísa reteve um grito.

Nicolau apresentou o amigo a toda a família, e a conversa um pouco esfriou com a chegada do novo personagem; mas não tardou que continuasse no mesmo tom.

Luísa não ousava olhar para um nem para outro. Alberto nada percebeu nos primeiros momentos; mas Coutinho tinha os olhos cravados nela com tanta insistência, que era impossível não ver nele, senão um rival feliz, ao menos um pretendente resoluto.

— Veremos! — disse ele consigo.

— Quem vencerá? — perguntava a si mesmo o alferes Coutinho olhando a furto para o candidato do norte.

V

Ao passo que o Nunes e d. Feliciana se davam por felizes julgando bem encaminhadas as coisas, e Chiquinha premeditava trocar o Antonico pelo Alberto, uma luta se travava no espírito de Luísa.

Uma luta neste caso era já probabilidade de vitória para Alberto, visto que o outro era o namorado antigo, aceito e amado. O coração de Luísa parecia feito para estas situações dúbias em que a vaidade de moça toma as feições do amor, com tanta habilidade que ilude os mais.

Alberto tinha qualidades brilhantes, ainda que não sólidas; mas Coutinho era já o namorado aceito, e sempre deixava saudades.

Demais Alberto era um bom casamento, mas a moça sentia que ele queria *dominá-la depois*, e já pressentia nele alguns sintomas de vontade imperiosa; ao passo que o alferes, exceto alguns rompantes sem consequência, era um verdadeiro paz de alma.

Estas razões pesava-as a moça no seu interior, e ora se inclinava a um, ora a outro dos dois namorados.

Às vezes adotava-os ambos, porque, ao mesmo tempo que trocava palavras de esperança com Alberto, escrevia cartas apaixonadas ao alferes.

Nesta situação decorreram alguns dias, sem que o comendador visse apontar no horizonte uma esperança. Ora a filha parecia dada ao namoro do Alberto, ora a achava fria, reservada, indisposta contra ele.

Alberto compreendeu a figura que estava fazendo, e determinou dar um golpe definitivo.

Uma noite, em que conversava com ela um pouco retirado dos outros, Alberto perguntou à moça, quando ela menos esperava:

— Então? Há longos dias espero uma resposta; confio que ma dará hoje.

Luísa não respondeu logo, mas quando ia abrir a boca, interrompeu-a Alberto dizendo:

— Já sei a causa da sua esquivança...

— Já sabe? — perguntou a moça rindo.

Alberto fez com a cabeça um sinal afirmativo.

— Já sei — acrescentou ele.

— E qual é, não me dirá?

— A senhora namora outro.

Luísa ficou séria.

— Não se zangue — continuou Alberto —; eu sei que namora a outro, e desejava que de uma vez por todas se decidisse ou por um ou por outro.

Luísa ia responder ao rapaz, e já preparava uma dose de indignação necessária no caso, quando a aparição do comendador Nunes veio interromper a cena.

Nunes reparou no acanhamento dos dois, e ficou triste; mas não tardou que lhe voltasse a alegria, ao ver as maneiras afáveis com que ambos se tratavam em presença dele.

Tão contente ficou que não hesitou em aludir ali mesmo ao projeto do casamento sem reparar na inconveniência do caso.

Luísa não combateu a ideia do pai nem também se mostrou solícita em aceitá-la; ouviu-o apenas.

Quando o comendador ficou a sós com Alberto disse:

— Homem, você parece-me palerma.

— Por quê?

— Ora, por quê! Há tanto tempo para obter uma resposta. Não consegue fazer-se amar estando só em campo.

— Eis o seu engano.

— Como assim?

Alberto fez um gesto pedindo silêncio, e foram para o gabinete do comendador. Este fechou a porta e ambos ficaram a sós.

— Então, que temos? — perguntou Nunes.

— Há mouro na costa — segredou Alberto.

— Então é recente, porque até agora...

— Não, é antigo.

— Antigo?

— Sim, já existia antes da minha vinda.

Nunes ficou aturdido com a notícia.

— E quem é esse peralta? — disse ele bufando de raiva.

— Não lho posso dizer — respondeu discretamente o candidato.

O comendador entrou a passear aflito, sem atender às rogativas de Alberto que lhe recomendava silêncio.

— Vou saber quem é — disse ele caminhando para a porta.

— Como? — perguntou Alberto.

— Vou interrogar Luísa.

Alberto travou-lhe do braço e fê-lo sentar.

— Meu caro sogro — disse Alberto —, chamo-lhe assim porque estou certo da vitória final, não convém nunca proceder por meios violentos. Desde que alguma coisa possa dar ao meu rival a auréola da perseguição estou perdido. Deixe o negócio por minha conta.

Nunes concordou com estas razões de Alberto e viu nelas o indício de uma grande cabeça.

Abraçou-o e saiu a passeio.

VI

Nicolau, que era um estouvado, nada compreendeu da situação em que se achava a irmã, e ignorava absolutamente o namoro do Coutinho, porque este, conhecendo a leviandade do amigo, nunca lhe confiou nada.

Não acontecia, porém, o mesmo a um primo deles, o jovem Gonçalves, filho de um irmão de d. Feliciana, e chegado poucos dias antes de Minas, onde o pai tinha uma fazendola.

Gonçalves compreendeu logo que Alberto e Coutinho namoravam a prima Luísa, e que esta os namorava a ambos.

Era tanto mais de admirar que Gonçalves fizesse esta descoberta, quanto que dificilmente se acharia outro mais papalvo que ele. Talvez por isso mesmo não procurasse Luísa à vista dele encobrir o jogo que estava fazendo.

Qualquer que fosse a razão, Gonçalves descobriu a coisa e achou-a muito engraçada. Neste sentido fez uma alusão à prima.

— Prima — disse ele —, você é muito fina...

— Por quê? — inquiriu esta muito espevitada.

— Porque acendeu vela a dois santos — respondeu Gonçalves tranquilamente.

Luísa deu de ombros e saiu.

Mas desde esse dia tratou de se não expor aos olhos terríveis do sonso Gonçalves. E como pudesse acontecer que o Coutinho, fiado na palermice de Gonçalves, não dissimulasse convenientemente a sua chama, Luísa tratou de o avisar.

— Cuidado com Gonçalves.

— Por quê?

— Pode descobrir-nos.

— Ora, é um tolo.

— Não, é um sonso.

Alberto não teve o benefício deste aviso; mas Luísa já lhe ia dando mais corda, e se lhe não disse tão claramente como a Coutinho o que pensava do primo Gonçalves, deu-o a entender.

A situação de Alberto melhorara, mas não era ainda igual à de Coutinho. Se Luísa desse mostras de o desprezar era provável que o candidato desistisse das suas pretensões; mas como ela aceitava em princípio a sua corte, estava Alberto resolvido a pleitear a causa.

Além disso, as cartas do pai eram instantes a respeito do assunto que o trouxera ao Rio de Janeiro, e o próprio rapaz estava ansioso por voltar à província natal.

Nestes termos, lembrou-se de dar um golpe desusado, e próprio de romance: ir entender-se com o rival.

O caso era difícil; era necessário muito tino para não cair no ridículo. Convinha, porém, deslindar a dificuldade e fugir ao prolongamento de uma situação insuportável para os dois êmulos.

Apenas assentou nisto foi Alberto procurar Coutinho. Achou-o em casa. Como se conheciam da casa do comendador era-lhes fácil disfarçar algum tanto a situação singular em que se achavam um para com o outro.

Coutinho, além disso, posto parecesse impetuoso nos seus afetos — era-o ao menos nas suas cartas — tinha hábitos de sociedade e sabia dissimular perfeitamente.

As primeiras palavras foram indiferentes; Coutinho compreendeu, porém, que algum motivo trazia Alberto à casa dele, e esse motivo não podia deixar de ser a pessoa e a mão de Luísa.

— Quererá que eu lhe ceda as minhas vantagens mediante alguma partícula do dote? — dizia ele.

Pela sua parte Alberto também reflexionava:

— Por onde chegarei ao terrível assunto? O sujeito não me parece de boa avença. Vamos, coragem!

E de repente, quando o Coutinho menos esperava, dispara-lhe em cheio esta pergunta:

— O senhor ama dona Luísa?

Coutinho estremeceu com a pergunta, posto houvesse percebido que a namorada era o assunto exclusivo da visita. Durante alguns minutos não soube que responder.

Alberto repetiu a pergunta.

Coutinho tirou charutos da algibeira, ofereceu a Alberto, que o não aceitou, e enquanto se preparava para acender outro, respondeu à pergunta com outra pergunta:

— E o senhor também a ama?

— Porque o hei de negar se o senhor o sabe, e porque o negará o senhor se eu o sei? — respondeu Alberto.

— Nesse caso — redarguiu Coutinho com finura —, não foi para dizermos um ao outro aquilo que ambos sabemos que o senhor cá veio.

— Não.

— Queira falar.

— Agora aceito o seu charuto — disse amigavelmente Alberto.

Acendeu o charuto e começou a falar.

VII

— Quando eu cheguei do norte — disse Alberto —, já o senhor namorava a pessoa em questão. Eu só o soube depois. Antes, porém, de o saber, não pude ser insensível às graças daquela moça e comecei a amá-la.

Coutinho fez um ar de riso.

— De que se ri? — perguntou Alberto.

— De que há de ser? — disse Coutinho sacudindo a cinza do charuto. — Da sua discrição. O senhor veio justamente para casar com ela.

Alberto mordeu o beiço.

— Não o nego — disse ele —, mas é tão pouco interessante para o nosso caso que fosse esse o fim da minha vinda, que o não quis dizer. Se essa, porém, é a dúvida di-lo-ei francamente. Este casamento, antes de ser um desejo do meu coração, era um desejo de nossas famílias.

— Sem consulta da pessoa em questão?

— Isto vai além do objeto da minha visita. Não vim aqui para discutir com o senhor o acerto de pessoas respeitáveis, que podem errar certamente, mas cujo fim é a felicidade de seus filhos.

— Desculpe-me — disse Coutinho —; não queria magoá-lo nem ofendê-lo; continue e sejamos breves.

Alberto continuou:

— Ambos respeitamos a pessoa de que se trata; nenhum de nós deseja outra coisa não seja a felicidade dela. Estamos conformes?

Coutinho fez um gesto afirmativo.

— Ora bem — disse Alberto —; de que se trata? De afiançar e apressar a felicidade dela; e para isso é necessário que um de nós deixe o campo livre ao outro. Isto é o que venho propor com toda a sinceridade de que sou capaz.

— Acho excelente a sua proposta — respondeu Coutinho depois de alguns momentos de silêncio —; mas se me é dado comparar as palavras com as ações, cuido que não é proposta mas uma ordem que me dá! Um de nós deve abandonar o campo, diz o senhor. Se o senhor quisesse abandonar tê-lo-ia feito sem me dizer nada; mas não é isso; o senhor vem ter comigo, declara que ama dona Luísa e propõe que um de nós ceda o campo ao outro. Claro é que sou eu o condenado a ceder.

— O senhor não me deixou acabar — observou Alberto.

— Acabe.

— Eu não desejo que um de nós se resolva desde já a deixar o campo; o que eu proponho é que cada um de nós procure saber se tem elementos para se fazer eleger noivo da moça de que se trata. Isto só pode saber apresentando cada um de nós o seu ultimato. Ela escolherá em conformidade do seu coração e o vencido retirar-se-á para as tendas.

Leitor desconfiado, não digas que isto é impossível; eu estou contando um fato autêntico; e posto não esteja isto de acordo com as regras da arte, eu conto o caso, como o caso foi.

Coutinho fez algumas objeções à proposta do rival. Alegou a primeira razão de todas, a singularidade da situação que se ia criar entre ambos a respeito de uma moça, que ambos deviam respeitar.

— Não esqueçamos que ela tem alguma coisa — disse ele — e isto pode parecer um jogo em que o ganho consiste precisamente no dote de dona Luísa.

— Eu também tenho alguma coisa — respondeu Alberto com altivez.

— Bem sei — disse Coutinho —, mas eu não tenho nada, e a meu respeito a objeção fica de pé. Espero que me acredite que eu neste negócio não tenho em mim os bens daquele anjo, e que só o coração me arrasta sabe Deus a que drama íntimo!

Se Alberto fosse mais penetrante, ou Coutinho menos dissimulado, descobrir-se-ia que este pretexto de Coutinho era mais teatral que verdadeiro. Amava sem dúvida a moça, mas não a amaria talvez se não tivesse nada de seu.

Coutinho expôs ainda outras objeções que a seu ver eram valiosas, mas todas as desfez Alberto com algumas razões suas, e ao cabo de duas horas ficou assentado que os dois campeões mediriam as suas forças e procurariam obter de d. Luísa a resposta decisiva. O preferido comunicaria logo ao outro o resultado da campanha, e o outro abateria as armas.

— Mas que prazo lhe parece melhor? — perguntou Alberto.

— Quinze dias — respondeu Coutinho.

Despediram-se.

VIII

O comendador Nunes estava ansioso por falar à filha e resolver a crise por um meio violento; mas Alberto fez com que ele prometesse neutralidade.

— Deixe que eu arranjo tudo — disse o candidato do norte.

— Mas...

— Fie-se em mim. Disse alguma coisa à senhora dona Feliciana?

— Nada.

— Pois não convém que ela saiba nada.

Entraram os dois campeões na luta suprema. As condições eram aparentemente diversas, mas bem apreciadas eram iguais. Se Coutinho não ia lá com tanta frequência, em compensação era o candidato para quem ela mais pendia; se Alberto tinha a facilidade de lhe falar mais vezes e estar mais assiduamente com ela, em compensação era o menos aceito dos dois.

Coutinho tinha o recurso das cartas, e entrou a usar dele com todas as forças. Nunca o vocabulário de Cupido subiu a maior grau de calor e entusiasmo; Coutinho empregava todas as tintas da palheta: o cor-de-rosa da felicidade conjugal, o sombrio e negro dos desesperos, o sanguíneo das revoluções últimas; tudo fez o seu papel nas epístolas do pretendente fluminense.

Alberto compreendeu que a epístola devia acompanhar os seus meios de campanha, e usou dela com descomunal liberalidade.

Luísa ignorava todas as circunstâncias acima referidas, e o redobrar de esforços da parte dos dois candidatos não fez mais do que alimentar-lhe a natural vaidade de moça bonita.

Entretanto, veio uma carta do pai de Alberto instante por uma resolução definitiva; Alberto resolveu dar o grande golpe e dirigiu-se à esquiva moça:

— Dona Luísa — disse-lhe ele —, já sabe que eu ardo, que eu sinto dentro de mim um terrível fogo que me há de consumir.

— Mas...

— Ouça-me. Era meu interesse conservar as ilusões em vez de me expor a um desengano certo; mas há situações que não comportam dúvidas; eu prefiro uma cruel franqueza; farei depois o que me inspirar o desespero.

Luísa sorria-se sem dizer palavra.

— Zomba comigo, já vejo — disse melancolicamente Alberto.

— Oh! não!

— Então fale!

— Pois bem...

Hesitou.

— Diga, ama-me? — instou Alberto.

— Amo — respondeu Luísa deitando a fugir.

O paraíso de Maomé, com todas as delícias prometidas no Alcorão, não chega aos pés da felicidade que a simples resposta da moça introduziu na alma do pobre candidato.

Alberto saiu para a rua.

Precisava de ar.

De tarde foi ter com o rival.

— Enfim! — disse ele ao entrar.

— Que há? — perguntou Coutinho tranquilamente.

— Tudo está decidido — respondeu Alberto.

— Derrota?

— Vitória! Perguntei-lhe se me amava; disse-me claramente que sim. Não pode imaginar o prazer que eu senti quando ouvi de seus lábios a mais doce palavra que os homens inventaram.

— Imagino tanto mais esse prazer — redarguiu fleumaticamente o Coutinho — quanto que eu mesmo ouvi essa palavra a meu respeito.

Alberto enfiou.

— Quando?

— Ontem de noite.

— É impossível! — clamou Alberto furioso.

— E já depois disso — continuou Coutinho finamente — recebi esta carta que é a confirmação do que ontem lhe ouvi.

Dizendo isto apresentou a Alberto uma carta de Luísa.

— De maneira que... — balbuciou Alberto.

— De maneira que — concluiu Coutinho — estamos na situação em que nos achamos antes.

— Olhe, eu teria deixado o campo se não me parecesse covardia, e se não sofresse horrivelmente com a separação, porque eu amo-a com todas as forças de minha alma.

— Como eu — disse Coutinho.

— Que faremos? — perguntou Alberto depois de uma pausa.

— Insistir.

— Como?

— Cada um de nós lhe perguntará se ela quer casar e nos escolhe para noivo. A isto não é possível que ela dê a mesma resposta a ambos; há de decidir-se por um.

Dando este conselho, Coutinho procedia velhacamente porque justamente alguns minutos antes de entrar Alberto tinha mandado uma carta à moça perguntando se podia ir pedir-lhe a mão ao pai, e esperava que a resposta chegasse logo e pusesse termo ao conflito.

Mas a resposta não veio.

Ficou convencionado que dentro de oito dias tudo estaria resolvido, e um deles seria o vencedor.

Luísa disse à noite ao Coutinho que não mandara resposta à carta por não ter podido escrever.

— Mamãe anda muito desconfiada — disse ela.

— Bem, mas que me responde agora? — perguntou Coutinho.

— Oh! deixe-me escrever — disse a moça —, eu quero dizer-lhe tudo o que sinto... espere, sim?

Coutinho declarou que esperava.

— Contudo... — disse ele.

— O quê?

— Se não fosse agradável a resposta, se não fosse a vida que eu espero e me é necessária?

Isto era ver se obtinha logo a resposta.

Luísa respondeu:

— Não seja desanimado...

— Então?

— Olhe, mamãe que está com os olhos em mim.

Oito dias se passaram nestas dúvidas até que os dois candidatos, por comum acordo, mandaram uma carta à moça, um verdadeiro ultimato.

Era uma sexta-feira, dia aziago, e além disso 13 do mês. Os míseros pretendentes não repararam nisso, e atreveram-se a lutar com a fortuna em dia de tamanha desgraça.

Coutinho foi então à casa de Alberto.

— Mandei a minha carta — disse o fluminense.

— E eu a minha.

— Esperemos a resposta.

— Que lhe parece? — perguntou Alberto.

— Parece-me... Não sei que me há de parecer — respondeu o Coutinho —; eu tenho todas as provas de ela me amar loucamente.

— Tanto não digo eu — observou Alberto —; loucamente não creio que me ame, mas cuido que sou amado.

O fim evidente de cada um destes personagens era assustar o adversário, caso este ficasse vitorioso. Entraram a alegar cartas apaixonadas, flores, tranças de cabelo, e o Coutinho chegou até a confessar um beijo na mão.

De repente abre-se a porta.

Entra o comendador Nunes pálido e trêmulo.

— Que é isto? — disseram os dois.

Nunes deixou-se cair em uma cadeira, e com a voz trêmula e o olhar desvairado, confessou a sua desgraça.

Luísa fugira com o primo!

Jornal das Famílias, *maio-junho de 1872; Lara.*

Uma águia sem asas

I

Era uma tarde de agosto. Caía o sol, e soprava um vento fresco e brando, como para compensar o dia, que estivera extremamente calmoso. A noite prometia ser excelente.

Se a leitora quer ir comigo ao Rio Comprido, entraremos juntos na chácara do sr. James Hope, comerciante inglês desta praça, como se diz em linguagem técnica.

James Hope viera para o Brasil em 1830, com pouco mais de vinte anos, e começou imediatamente uma brilhante carreira comercial. Casou pouco depois com a filha de um compatriota, já nascida aqui, e mais tarde fez-se cidadão brasileiro, não só no papel, como no coração. Do seu matrimônio, teve Carlos Hope, que seguia a carreira do pai, e contava vinte e seis anos ao tempo em que começa este romance; a filha recebeu o nome de Sara e tinha vinte e dois anos.

Sara Hope era solteira. Por quê? A sua beleza era incontestável; reunia a graça brasileira à gravidade britânica, e em tudo parecia destinada a dominar os homens; a voz, o olhar, as maneiras, tudo possuía um misterioso condão fascinador. Além disto, era rica e ocupava uma invejável posição na sociedade. Dizia-se à boca pequena que algumas paixões havia já inspirado a interessante moça; mas não constava que ela as houvesse tido em sua vida.

Por quê?

Esta pergunta todos a faziam, até o pai que, apesar de robusto e sadio, previa algum acontecimento que viesse a deixar a família sem chefe, e desejava ver casada a sua querida Sara.

Na tarde em que começa esta narrativa, estavam todos assentados no jardim, em companhia de mais três rapazes da cidade que tinham ido jantar em casa de James Hope. Dispensem-me de lhes pintar as visitas do velho comerciante. Bastará dizer que um deles, o mais alto, era advogado principiante, dispondo de algum dinheiro do pai; chamava-se Jorge; o segundo, cujo nome era Mateus, era comerciante, sócio de um tio que dirigia uma grande casa; o mais baixo não era coisa nenhuma, tinha algum pecúlio, e chamava-se Andrade. Estudara medicina, mas não tratava doentes, por glória da ciência e sossego da humanidade.

James Hope estava extremamente alegre e bem disposto, e todos os mais pareciam gozar o mesmo beatífico estado. Quem entrasse subitamente no jardim, sem ser pressentido, podia descobrir que os três rapazes procuravam obter as boas graças de Sara, tão visivelmente que, não só os pais da moça o percebiam, mas até não podiam encobrir eles mesmos, uns aos outros, as suas pretensões.

Se isto era assim, escusado é dizer que a mesma Sara conhecia o jogo dos três rapazes, porque em geral a mulher sabe que é amada por um homem, antes mesmo que ele o perceba.

Longe de parecer incomodada com o fogo dos três exércitos, Sara os tratava com tanta bondade e graça que parecia indicar uma criatura coquete e frívola. Mas quem atentasse alguns minutos, conheceria que ela era mais irônica que sincera, e, por isso mesmo que os igualava, os desprezava a todos.

James Hope acabava de contar uma anedota da sua mocidade, ocorrida em Inglaterra. A anedota era interessante, e o James sabia narrar, talento difícil e raro.

Entusiasmado com os vários pormenores de costumes ingleses a que James Hope teve de aludir, o advogado manifestou o grande desejo que nutria de ver a Inglaterra, e em geral o desejo de viajar toda a Europa.

— Há de gostar — disse Hope. — As viagens deleitam muito; e além disso, nunca devemos desprezar as coisas estranhas. Eu iria de boa vontade à Inglaterra, durante alguns meses, mas creio que já não posso viver sem o nosso Brasil.

— É o que me acontece — acudiu Andrade —; acredito que lá fora haja muita coisa melhor do que cá; mas nós aqui temos coisas melhores do que lá. Umas compensam as outras; e por isso não valeria a pena de uma viagem.

Mateus e Jorge não foram absolutamente desta ideia. Ambos protestaram que dariam algum dia um pulo ao velho mundo.

— Mas por que não faz isso que diz, senhor Hope? — perguntou Mateus. — Ninguém melhor do que o senhor pode realizar esse desejo.

— Sim, mas há um obstáculo...

— Não sou eu — acudiu rindo Carlos Hope.

— Não és tu — disse o pai —; é Sara.

— Ah! — disseram os rapazes.

— Eu, meu pai? — perguntou a moça.

— Três vezes tenho tentado a viagem, mas Sara opõe sempre algumas razões, e não vou. Creio que descobri a causa da resistência dela.

— E qual é? — perguntou Sara, rindo.

— Sara tem medo do mar.

— Medo! — exclamou a moça, franzindo as sobrancelhas.

O tom com que ela proferiu esta simples exclamação impressionou o auditório. Bastava aquilo para pintar um caráter. Houve alguns segundos de silêncio, durante os quais contemplavam a bela Sara, cujo rosto pouco a pouco readquiriu a calma habitual.

— Ofendi-te, Sara? — perguntou James.

— Ah! isso não se diz, meu pai! — exclamou a moça com todas as harmonias de sua voz. — Não podia haver ofensa; houve apenas uma tal ou qual impressão de espanto, quando ouvi falar de medo. Meu pai sabe que eu não tenho medo...

— Sei que não, e já me deste provas disso; mas uma criatura pode ser valorosa e ter medo ao mar...

— Pois não é esse o meu caso — interrompeu Sara —; se lhe dei algumas razões, é porque me pareceram aceitáveis...

— Pela minha parte — interrompeu Andrade —, penso que foi um erro que o senhor Hope aceitasse tais razões. Era conveniente, e mais do que conveniente, era indispensável, que a Inglaterra visse que flores pode dar uma planta sua, quando transplantada às regiões americanas. Miss Hope seria lá o mais brilhante símbolo desta aliança de duas raças vivaces...

Miss Hope sorriu ouvindo este cumprimento, e a conversa tomou diverso caminho.

II

Nessa mesma noite, foram os três rapazes cear no hotel Provençaux, depois de terem passado duas horas no Ginásio. Havia já dois ou três meses que andavam naquela campanha sem se comunicarem uns aos outros as impressões ou as esperanças que tinham. Estas, porém, se alguma vez as tiveram, começavam a diminuir, pelo que não tardaria muito que os três pretendentes se abrissem francamente e dissessem todas as suas ideias a respeito de Sara.

Aquela noite foi tacitamente escolhida pelos três para as confidências recíprocas. Estavam numa sala particular, onde ninguém os perturbaria. As revelações começaram por alusões vagas, mas não tardou que assumissem um ar de franqueza.

— Por que negaremos a verdade? — disse Mateus, depois de alguns remoques recíprocos. — Todos três gostamos dela; é claríssimo. E o que também me parece claro é que ela ainda não se manifestou por nenhum.

— Nem se manifestará — respondeu Jorge.

— Por quê?

— Porque é uma namoradeira e nada mais; gosta que lhe façam a corte, e não passa disso. É uma mulher de gelo. Que te parece, Andrade?

— Não concordo contigo — acudiu este. — Não me parece namoradeira. Pelo contrário, cuido que é uma mulher superior, e que...

Estacou. Entrou nesse momento um criado trazendo umas costeletas pedidas. Quando o criado saiu, os outros dois rapazes insistiram para que Andrade concluísse o pensamento.

— E quê? — disseram eles.

Andrade não deu resposta.

— Conclui a tua ideia, Andrade — insistiu Mateus.

— Creio que ela ainda não encontrou um homem como imagina — explicou Andrade. — É romanesca, e só se casará com alguém que lhe realize um tipo ideal; toda a questão é saber que tipo é esse; porque, desde que o soubéssemos, tudo estava decidido. Cada um de nós procuraria ser a reprodução material dessa idealidade desconhecida...

— Talvez tenhas razão — observou Jorge —; bem pode ser isso; mas, nesse caso, estamos nós em pleno romance.

— Sem nenhuma dúvida.

Mateus discordou dos outros.

— Talvez não seja assim — disse ele —; o Andrade terá razão em parte. Creio que o meio de lhe vencer a esquivança é corresponder, não a um tipo ideal, mas a um sentimento próprio, a um traço de caráter, a uma expressão de temperamento. Neste caso, o vencedor será aquele que melhor disser com o gênio dela. Por outras palavras, cumpre saber se ela quer ser amada por um poeta, se por um homem de ciência etc.

— Isso ainda pior — observou Andrade.

— Pior será, creio, mas grande vantagem é sabê-lo. Que lhes parece a minha opinião?

Concordaram os dois com esta opinião.

— Ora bem — continuou Mateus —, pois que assentamos nisto, sejamos francos. Se algum de nós sente uma paixão exclusiva por ela, deve dizê-lo; a verdade antes de tudo...

— Paixões — respondeu Jorge —, eu já as conheci; amei aos dezesseis anos. Hoje, tenho o coração frio como uma lauda das Ordenações. Desejo casar para descansar, e se há de ser com uma mulher vulgar, melhor é que seja com uma formosa e inteligente criatura... Isto quer dizer que nenhum ódio votarei àquele que for mais feliz do que eu.

— Minha ideia é outra — disse Andrade —; caso por curiosidade. Uns dizem que o casamento é delicioso, outros que aborrecido; e todavia os casamentos não acabam nunca. Tenho curiosidade de saber se é mau ou bom. O Mateus é que me parece verdadeiramente apaixonado.

— Eu? — disse Mateus deitando vinho no cálice. — Nem por sombras. Confesso, porém, que lhe tenho alguma simpatia e certa coisa a que chamamos adoração...

— Nesse caso... — disseram os dois.

— Oh! — continuou Mateus. — Nada disto é amor, pelo menos amor como eu imagino...

Dizendo isto, bebeu de um trago o cálice de vinho.

— Estamos pois concordes — disse ele. — Cada um de nós deve estudar o caráter de Sara Hope, e aquele que atinar com as suas preferências será o feliz...

— Fazemos um *steeple-chase* — disse Andrade.

— Não fazemos só isto — observou Mateus —; ganhamos tempo e não nos prejudicamos uns aos outros. Aquele que se julgar vencedor, declare-o logo; e os outros deixarão o campo livre. Assim entendidos, conservaremos a nossa recíproca estima.

Concordes neste plano, os nossos rapazes gastaram o resto da noite em assuntos diferentes, até que cada um se foi para casa, disposto a morrer ou vencer.

III

Algum leitor achará este pacto romanesco demais, e um pouco fora dos nossos costumes. Todavia, o fato é verdadeiro. Não direi quem mo referiu, porque não quero fazer mal a um cidadão honrado.

Celebrado o pacto, cada um dos nossos heróis procurou descobrir o ponto vulnerável de Sara.

Jorge foi o primeiro que supôs tê-lo descoberto. Miss Hope lia muito e era entusiasta dos grandes nomes literários da época. Quase se pode dizer que nenhum livro, mais ou menos falado, lhe era desconhecido. E não só lia, discutia, criticava, analisava, exceto as obras poéticas.

— A poesia — dizia ela — não se analisa, sente-se ou esquece-se.

Seria esse o ponto vulnerável da moça?

Jorge procurou sabê-lo e não esqueceu nenhum meio necessário para isso. Conversaram de literatura longas horas, e Jorge dava largas a um entusiasmo poético mais ou menos real. Notou Sara esse prurido literário do rapaz, mas sem indagar as causas dele, tratou de o aproveitar no sentido das suas preferências.

Sem nenhuma ofensa à pessoa de Jorge, posso dizer que ele não era grande conhecedor em matéria literária, pelo que não poucas vezes lhe acontecia tropeçar desastradamente. Por outro lado, sentia necessidade de alguma fórmula mais elevada para o seu entusiasmo e andou catando na memória aforismos deste jaez:

"— A poesia é a linguagem dos anjos."

"— O amor e as musas nasceram no mesmo dia."

"— A poesia e o amor são os dois olhos de Deus."

E outras coisas mais que a moça ouvia sem admirar muito o espírito inventivo do jovem advogado.

Aconteceu que um domingo de tarde, andando os dois passeando no jardim, um pouco separados do resto da família, Sara pregou os olhos no céu tingido com as rubras cores do ocaso.

Esteve assim calada durante longo tempo.

— Contempla a sua pátria? — perguntou-lhe com meiguice Jorge.

— A minha pátria? — disse a moça sem perceber a ideia do rapaz.

— É a bela hora do poente — continuou este —, a hora melancólica da saudade e do amor. O dia é mais alegre, a noite mais terrível; só a tarde é a verdadeira hora das almas melancólicas... Ah! tarde! Oh! poesia! oh! amor!

Sara conteve o riso que esteve a ponto de lhe rebentar dos lábios ao ouvir o tom e ao ver a atitude com que Jorge proferiu aquelas palavras.

— Gosta então muito da tarde? — perguntou ela com um tom irônico que não escaparia a outro.

— Ah! muito! — respondeu Jorge. — A tarde é a hora em que a natureza parece convidar os homens ao amor, à meditação, à saudade, ao arroubo, aos suspiros, a cantar com os anjos, a conversar com Deus. Posso dizer com o grande poeta, mas variando um pouco a sua fórmula: tirai a tarde ao mundo, e o mundo será um ermo.

— Isto é sublime! — exclamou a moça, batendo palmas.

Jorge parecia contente de si. Deitou à moça um olhar lânguido e amoroso e foi o único agradecimento que deu ao elogio de Sara.

A moça compreendeu que a conversa podia seguir um caminho menos agradável. Parecia-lhe ver já dançando nos lábios do rapaz uma confissão intempestiva.

— Creio que meu pai me chama — disse ela —; vamos.

Jorge foi obrigado a acompanhar a moça, que se aproximou da família.

Os outros dois pretendentes viram o ar alegre de Jorge, e concluíram que ele estava no caminho da felicidade. Sara, entretanto, não mostrava a confusão própria de uma moça que acaba de ouvir uma confissão de amor. Olhava muitas vezes para Jorge, mas era com uns longes de ironia, e em todo caso perfeitamente tranquila.

— Não tem que ver — dizia Jorge consigo —, acertei-lhe com a corda; a rapariga é romanesca; tem vocação literária; gosta de exaltações poéticas...

Não se deteve o jovem advogado; a essa descoberta, seguiu-se logo uma carta ardente, poética, nebulosa, carta que nem um filósofo alemão chegaria a entender.

Poupo aos leitores a íntegra desse documento; mas não resisto à intenção de lhes transcrever aqui um período, que bem o merece:

> ... Sim, minha loura estrela da noite, a vida é uma aspiração constante para a região serena dos espíritos, um desejo, uma ambição, uma sede de poesia! Quando duas almas da mesma índole se encontram, como as nossas, já isto não é terra, é céu, céu puríssimo e diáfano, céu que os serafins povoam de encantadas estrofes!... Vem, meu anjo, passemos uma vida assim! Inspira-me, e eu serei maior que Petrarca e Dante, porque tu vales mais que Laura e Beatriz!...

E cinco ou seis páginas neste gosto.

Esta carta foi entregue, num domingo, à saída do Rio Comprido, sem que a moça tivesse ocasião de perguntar o que aquilo era.

Digamos a verdade toda.

Jorge passou a noite sobressaltado.

Sonhou que entrava com miss Hope em um riquíssimo castelo de ouro e esmeraldas, cuja porta era guardada por dois arcanjos de longas asas abertas; depois, sonhou que o mundo inteiro, por meio de uma comissão, o coroava poeta, rival de Homero. Sonhou muitas coisas neste sentido, até que veio a sonhar com um chafariz, que deitava, em vez de água, espingardas de agulha, verdadeiro disparate que só Morfeu sabe criar.

Três dias depois foi procurado pelo irmão de Sara.

— Minha demora é pequena — disse o rapaz —, venho por parte de minha mana.

— Ah!

— E peço-lhe que não veja nisto nada de ofensivo.

— Nisto quê?

— Minha mana quis por força que eu viesse restituir-lhe esta carta; e que lhe dissesse... Em suma, isto é bastante; aqui tem a carta. Ainda uma vez, não há ofensa, e a coisa fica entre nós...

Jorge não achava palavra para responder. Estava pálido e vexado. Carlos não poupou expressões nem carícias para provar ao rapaz que não desejava a menor alteração na amizade que se votavam um ao outro.

— Minha mana é caprichosa — dizia ele —, é por isso...

— Concordo que foi um ato de loucura — disse enfim Jorge, animado pelas maneiras do irmão de Sara —; mas o senhor compreenderá que um amor...

— Compreendo tudo — disse Carlos —; e é por isso que lhe peço esqueça isto, e ao mesmo tempo posso afirmar-lhe que Sara não tem nenhum ressentimento disto... Portanto, amigos como dantes.

E saiu.

Jorge ficou só.

Estava acabrunhado, envergonhado, desesperado.

Não lamentava tanto a derrota como as circunstâncias dela. Entretanto, era preciso mostrar boa cara à sua fortuna, e o rapaz não hesitou em confessar a derrota aos dois adversários.

— Safa! — disse Andrade. — Essa agora é pior! Se ela está disposta a devolver todas as cartas pelo irmão, é provável que o rapaz se não empregue em outra coisa.

— Não sei disto — respondeu Jorge —; confesso-me vencido, eis tudo.

Durante esta curta batalha, dada pelo jovem advogado, os outros pretendentes não estavam ociosos, e cada qual por si procurava descobrir o ponto fraco na couraça de Sara.

Qual deles acertaria?

Vamos sabê-lo nas páginas que nos restam.

IV

Mais curta foi a campanha de Mateus; imaginara ele que a moça amaria loucamente a quem lhe desse sinais de bravura. Concluía isto da exclamação que lhe ouvira, quando James Hope disse que ela tinha medo do mar.

Tudo empregou Mateus para seduzir miss Hope por esse lado. Em vão! a moça parecia cada vez mais recalcitrante.

Não houve proeza que o candidato não referisse como glória sua, e algumas fê-las ele mesmo com sobrescrito para ela.

Sara era uma rocha.

A nada cedia.

Arriscar uma carta seria loucura, depois do fiasco de Jorge; Mateus julgou prudente abater as armas.

Restava Andrade.

Teria ele descoberto alguma coisa? Parecia que não. Todavia, era dos três o mais atilado, e se a causa de isenção da moça fosse a que eles apontavam não havia dúvida de que Andrade atinaria com ela.

Durante esse tempo, ocorreu uma circunstância que vinha transtornar os planos do rapaz. Sara, acusada pelo pai de ter medo do mar, o induzira a uma viagem à Europa.

James Hope participou alegre esta notícia aos três moços.

— Mas vão já? — perguntou Andrade, quando o pai de Sara lhe disse isto na rua.

— Daqui a dois meses — respondeu o velho.

— Valha-nos isso! — pensou Andrade.

Dois meses! Devia vencer ou morrer dentro daquele prazo.

Andrade auscultava o espírito da moça com perseverança e solicitude; nada lhe era indiferente; um livro, uma frase, um gesto, uma opinião, tudo Andrade ouvia com atenção religiosa, tudo examinava cuidadosamente.

Um domingo em que lá se achavam na chácara todos, em companhia de algumas moças da vizinhança, falava-se de modas e cada uma dava a sua opinião.

Andrade conversava alegremente e também discutia o assunto da conversa, mas o seu olhar, a sua atenção estavam voltados para a bela Sara.

A distração da moça era evidente.

Em que pensaria ela?

De repente, entra pelo jardim o filho de James, que ficara na cidade para aviar uns negócios do paquete.

— Sabem a novidade? — disse ele.

— Que é? — perguntaram todos.

— Caiu o ministério.

— Deveras? — disse James.

— Que temos nós com o ministério? — perguntou uma das moças.

— O mundo caminha bem sem o ministério — observou outra.

— Oremos pelo ministério — acrescentou piedosamente uma terceira.

Não se falou mais nisto. Aparentemente, era uma coisa insignificante, um incidente sem resultado, na vida aprazível daquela abençoada solidão.

Assim seria para os outros.

Para Andrade foi um raio de luz — ou pelo menos um indício veemente.

Notou ele que Sara ouvira a notícia com atenção profunda demais para o seu sexo, e depois ficara algum tanto pensativa.

Por quê?

Tomou nota do incidente.

Noutra ocasião, foi surpreendê-la a ler um livro.
— Que livro será esse? — perguntou ele sorrindo.
— Veja — respondeu ela apresentando-lhe o livro.
Era uma história de Catarina de Médicis.
Isto seria insignificante para outro; para o nosso candidato era um vestígio preciosíssimo.
Com os apontamentos que tinha, já Andrade podia conhecer a situação; mas, como era prudente, buscou esclarecê-la melhor.
Um dia mandou uma cartinha a James Hope, concebida nestes termos:

> Empurraram-me alguns bilhetes de teatro: é um espetáculo em benefício de um homem pobre. Sei como o senhor é caridoso, e por isso aí lhe remeto um camarote. A peça é excelente.

A peça era o *Pedro*.
No dia aprazado, lá estava Andrade no Ginásio. Hope não faltou, com a família, ao espetáculo anunciado.
Nunca Andrade sentira tanto a beleza de Sara. Estava esplêndida, mas o que aumentava a beleza e o que lhe inspirava adoração maior, era o concerto de louvores que ele ouvira à roda de si. Se todos gostavam dela, não era natural que ela só lhe pertencesse a ele?
Pela razão de beleza, como por causa das observações que Andrade queria fazer, não tirou os olhos da moça durante a noite inteira.
Foi ao camarote dela no fim do segundo ato.
— Venha — disse-lhe Hope —, deixe-me agradecer-lhe a ocasião que me proporcionou de ver Sara entusiasmada.
— Ah!
— É um excelente drama este *Pedro* — disse a moça apertando a mão de Andrade.
— Excelente só? — perguntou ele.
— Diga-me — perguntou James —, este Pedro sobe sempre até o fim?
— Não o disse ele no primeiro ato? — respondeu Andrade. — Subir! subir! subir! Quando um homem sente em si uma grande ambição, não pode deixar de realizá-la, porque justamente nesse caso é que se deve aplicar o *querer é poder*.
— Tem razão — disse Sara.
— Pela minha parte — continuou Andrade —, nunca deixei de admirar este caráter soberbo, natural, grandioso, que me parece falar ao que há de mais íntimo em minha alma! Que é a vida sem uma grande ambição?
Este arrojo de vaidade produziu o desejado efeito, eletrizou a moça, a cujos olhos parecia que Andrade se havia transfigurado.
Bem o percebeu Andrade, que coroava assim os seus esforços.
Adivinhara tudo.
Tudo o quê?
Adivinhara que miss Hope era ambiciosa.

V

Eram duas pessoas diferentes até aquele dia; daí a pouco, pareciam entender-se, harmonizar-se, completar-se.

Tendo compreendido e sondado a situação, Andrade não deixou de prosseguir no ataque em regra. Sabia para onde iam as simpatias da moça; foi com elas, e tão cauteloso, e ao mesmo tempo tão audaz, que inspirou ao espírito de Sara pouco disfarçável entusiasmo.

Entusiasmo, digo, e era esse o sentimento que devia inspirar quem pretendesse o coração de miss Hope.

Amor é bom para as almas angélicas.

Sara não era assim; a ambição não se contenta com flores e horizontes curtos. Não pelo amor, mas pelo entusiasmo, é que ela devia ser vencida.

Sara via Andrade com olhos de admiração. Ele soubera, a pouco e pouco, convencê-la de que era um homem essencialmente ambicioso, confiado na sua estrela, e seguro dos seus destinos.

Que mais queria a moça?

Ela era efetivamente ambiciosa e sedenta de honras e eminências. Se tivesse nascido nas imediações de um trono, poria esse trono em perigo.

Para que ela amasse alguém, era necessário que esse pudesse competir com ela no gênio, e lhe afiançasse a vinda de glórias futuras.

Andrade compreendera isso.

E tão hábil se houve que conseguira fascinar a moça.

Hábil, digo eu, e nada mais; porque, se houve jamais criatura desambiciosa neste mundo, espírito mais tímido, gênio menos desejoso de mando e poderio, esse foi sem dúvida o nosso Andrade.

A paz era para ele o ideal.

E a ambição não existe sem perpétua guerra.

Como conciliar, pois, este gênio natural com as esperanças que inspirara à ambiciosa Sara?

Deixava ao futuro?

Desenganá-la-ia, quando fosse conveniente?

A viagem à Europa foi ainda uma vez adiada, porque Andrade, competentemente autorizado pela moça, pediu-a em casamento ao honrado comerciante James Hope.

— Perco ainda uma vez a minha viagem — disse o velho —, mas desta vez por um motivo legítimo e agradável; faço minha filha feliz.

— Parece-lhe que eu... — murmurou Andrade.

— Ande lá — disse Hope batendo no ombro do futuro genro —; minha filha morre pelo senhor.

O casamento foi celebrado dentro de um mês. Os noivos foram passar a lua de mel na Tijuca. Cinco meses depois, estavam ambos na cidade, ocupando uma casa poética e romanesca em Andaraí.

Até então a vida foi um caminho semeado de flores. Mas o amor não podia tudo numa aliança iniciada pela ambição.

Andrade estava satisfeito e feliz. Simulou enquanto pôde o caráter que não tinha; mas *le naturel chassé, revenait au galop.* A pouco e pouco iam manifestando-se as preferências do rapaz por uma vida calma e pacífica, sem ambições, nem ruído.

Sara começou a notar que a política e todas as grandezas do Estado aborreciam sobremaneira o marido. Lia alguns romances, alguns versos, e nada mais, aquele homem que, pouco antes de casar, parecia destinado a mudar a face do globo. Política era para ele sinônimo de dormideira.

Tarde conheceu Sara quanto se havia enganado. Grande foi a sua desilusão. Como possuísse realmente uma alma ávida de grandeza e poderio, sentiu amargamente este desengano.

Quis disfarçá-lo, mas não pôde.

E um dia disse a Andrade:

— Por que razão a águia perdeu as asas?

— Qual águia? — perguntou ele.

Andrade compreendeu a intenção dela.

— A águia era apenas uma pomba — disse ele, passando-lhe o braço à roda da cintura.

Sara recuou e foi encostar-se à janela.

Caía, então, a tarde; e tudo parecia convidar aos devaneios do coração.

— Suspiras? — perguntou Andrade.

Não teve resposta.

Houve longo silêncio, interrompido apenas pelo tacão de Andrade, que batia compassadamente no chão.

Afinal, levantou-se o rapaz.

— Olha, Sara — disse ele —, vês este céu dourado e esta natureza tranquila?

A moça não respondeu.

— Isto é a vida, isto é a verdadeira glória — continuou o marido. — Tudo mais é manjar de almas doentias. Gozemos isto, que deste mundo é o melhor.

Deu-lhe um beijo na testa e saiu.

Sara ficou longo tempo pensativa, à janela; e não sei se a leitora achará ridículo que ela vertesse alguma lágrima.

Verteu duas.

Uma pelas ambições abatidas e desfeitas.

Outra pelo erro em que estivera até então.

Porquanto, se o espírito parecia magoado e entorpecido com o desenlace de tantas ilusões, dizia-lhe o coração que a verdadeira felicidade de uma mulher está na paz doméstica.

Que mais lhe direi para completar a narrativa?

Sara disse adeus às ambições dos primeiros anos, e voltou-se toda para outra ordem de desejos.

Quis Deus que ela os realizasse. Quando morrer não terá página na história; mas o marido poderá escrever-lhe na sepultura: Foi boa esposa e teve muitos filhos.

Jornal das Famílias, *setembro-outubro de 1872*; J. J.

Qual dos dois?

I

A rua do Ouvidor é a gazeta viva do Rio de Janeiro. Ali se fazem planos políticos e candidaturas eleitorais; ali correm as notícias; ali se discutem as grandes e as pequenas coisas: o artigo de fundo dá o braço à mofina, o anúncio vive em santa paz com o folhetim.

Não é, pois, de admirar que ali comece este romance, que é ao mesmo tempo o romance do dr. Daniel C..., rapaz de vinte e oito anos, formado aos vinte e dois, e regressado há pouco da Europa. Daniel é formado em direito, mas até a idade em que o vemos aparecer não pleiteou um só processo, e, a julgar pelo gênero de vida que leva, não promete ser coisa que preste na ordem judicial. E, no entanto, não lhe falta talento, nem amigos, nem protetores, três elementos capazes de levantar um homem quando ele não tem má estrela. Mas apesar de todas essas vantagens, Daniel não tinha nem gosto nem profissão de advogado, e estava mais longe dela do que o pólo ártico está do pólo antártico.

Falemos verdade: o grande obstáculo que havia em Daniel, não só para a vida forense como para qualquer outra vida ativa, era a preguiça, o poderoso móvel do espírito humano descoberto por La Rochefoucauld, isso que Madame de Schönberg dizia ser *"un sentiment si caché et si véritable"*. A preguiça quebrava-lhe os arrojos, como lhe arrancava as paixões; e como felizmente ele possuía bens de fortuna, podia afoitamente dispensar-se de tentar qualquer carreira trabalhosa, ou que simplesmente lhe exigisse atenção.

Indiferente ao movimento público, a queda de um ministério valia para ele tanto como a extinção de um charuto. Nunca lera um discurso parlamentar. Conhecia a Constituição por tê-la lido na academia. Não votava nunca, nem tinha disposição de fazê-lo.

Nenhuma grande ordem de ideias chamava a sua atenção; tinha em pouco as fadigas do gênero humano por bens que lhe pareciam nulos, sem que desse a razão por quê, operação que lhe exigiria certa atividade, que não tinha.

— A vida é um ônibus — dizia ele —; cada um paga a sua passagem e desce do veículo na primeira cova que encontra. Ora, num ônibus, anda-se quieto; deixem-me andar quieto.

Vê-se que o sentimento da preguiça aliava-se um pouco a certa filosofia apática, resultando deste consórcio a mais perfeita tranquilidade de ânimo que jamais entrou num peito daquela idade.

A sua vida era, pois, serena, plana e uniforme. Nem tinha as grandes tempestades que agitam o mar, nem os aspectos sombrios de um terreno cercado de montanhas. Era a quietação do lago e a regularidade da planície. Pode ser que houvesse dentro dele o germe das grandes paixões, mas faltava fecundá-lo.

Vivia Daniel na rua do Ouvidor; os seus horizontes não passavam da casa do Bernardo ou da livraria Garnier. Fazia algumas excursões a Andaraí, a Botafogo ou à Tijuca, do mesmo modo que se faz a viagem a Buenos Aires ou a Lisboa; mas o seu país natal era a rua do Ouvidor. Se a rua do Ouvidor não existisse, dizia ele, era preciso inventá-la. Depois da rua do Ouvidor, só uma coisa lhe merecia cultos: a alcova em que dormia.

Era elegante por indiferença; vestia o que lhe davam os alfaiates. Ia ao teatro por matar o tempo; entrava sem curiosidade e saía sem comoções.

Não havia memória de que se houvesse zangado alguma vez, nem com os escravos, nem com os amigos, que ele aliás confundia até o ponto de dizer que via um amigo em cada escravo e um escravo em cada amigo.

Não consta que depois de formado concluísse a leitura de um livro, qualquer que fosse, nem que soubesse o título dos que lia à noite para chamar o sono.

Tinha, entretanto, talento, como disse, e podia ser alguma coisa, na política, no foro, nas letras e até no amor, porque era um tipo singularmente belo, um desses rapazes com que sonham as meninas de quinze anos. Mas não amava, nem era amado.

Vivia com o pai; e completavam ambos toda a família. O contraste era expressivo; tão apático era um, quão ativo era o outro. O velho Marcos era negociante desde longa data; ganhara no comércio todos os seus cabedais; agora, trabalhava para não vadiar. Entendia que o trabalho não era um meio, mas um fim. Quando o filho se dava algumas vezes ao escopo de provar o contrário, o bom do velho limitava-se a sorrir e a responder:

— Tens razão, meu peralta; tens razão, porque eu não posso admitir que não tenhas razão, mas deixa-me continuar no erro.

Outro contraste: Marcos era sempre folgazão; Daniel ria poucas vezes, menos por misantropia que por indolência. Mas, como não se zangava, também, não apresentava nenhum contraste.

Tinha ido a dois ou três saraus em toda a sua vida; não dançou, nem jogou, nem ceou; limitou-se a olhar, a fumar e a trocar algumas palavras. Não se demorou em nenhum deles mais de uma hora.

Tal é o dr. Daniel a quem os leitores vão ver na rua do Ouvidor, à porta de uma loja de modas.

II

Era há cinco anos, e na época das câmaras. A rua do Ouvidor é nessa época o grande pasmatório da capital; ali vão ter os deputados e os curiosos, os políticos por ofício e por devoção. À porta da loja em que vemos Daniel estão dois deputados conversando; trata-se de uma interpelação para o dia seguinte. Daniel, encostado ao mostrador, do lado da rua, fuma negligentemente um charuto, e olha distraído algumas mulheres que vão passando.

De quando em quando lhe chegam aos ouvidos algumas palavras truncadas da conversa política; a única impressão que produz no rapaz é um sorriso.

No fim de algum tempo, parou diante de Daniel um rapaz baixinho, representando ter trinta anos, nem bonito nem feio, mas elegantemente vestido. Eu diria que era um dândi, se a novíssima expressão francesa *petit crevé* não correspondesse melhor ao tipo do recém-chegado.

— Adeus, Daniel! — disse este.

— *Como estás, Valadares? Que fazes?*

— Faço horas para jantar. São três e meia, não? Queres tu vir jantar comigo?

— Pois sim.

Valadares encostou-se também ao mostrador, cavalgou o *pince-nez*, e pôs-se a olhar para quem passava. Houve entre ambos um silêncio de alguns minutos.

No entanto, a conversa dos deputados tornara-se animada, a ponto que Daniel voltou rapidamente a cabeça, justamente na ocasião em que um deles tirava do bolso um papel que ia ler ao outro.

Daniel sorriu.

— Quem são estes dois sujeitos? — perguntou Valadares.

— Deputados.

Novo silêncio, interrompido por Valadares:

— Sabes que o Abreu fugiu? — disse ele.

— Por quê?

— Achou-se alcançado na caixa do patrão; e não querendo expor-se a alguma vergonha, achou mais prudente retirar-se da cena.

A resposta de Daniel foi sacudir a cinza do charuto.

Valadares continuou:

— Nem sabes a causa disto?

— A Mariquinhas?

— Justo.

— Era previsto. Quando fugires também...

— Eu?

— Tu.

— Mas se eu tenho caixa à minha disposição...

— Não se foge só do Rio de Janeiro, foge-se também do mundo.

— Um suicídio?

— Isso mesmo.

— Assim era eu tolo!

— Quando fugires do planeta, eu saberei logo que é por causa da Luisinha.

— Não digas mal da pequena...

— Bem sei que é um anjo — disse Daniel —; mas isso não impede que lhe sacrifiques a vida; acho até natural...

— Com que cara ficarás quando eu te der uma notícia...

— Que notícia?

— Vou casar.

— Com ela?

— Pateta! vou casar com uma conhecida nossa: uma das Seabra.

— Qual delas?

— A Amélia.

— Creio que são minhas primas remotas.

— Vê lá se um homem, às portas do casamento, pode lá matar-se por...

Daniel sorriu batendo com a bengala na ponta do pé, e replicou:

— Mas isso e o que eu digo é a mesma coisa. Casar é fugir ao mundo; a bênção nupcial não é mais do que uma encomendação em regra. Ora, se tu te metes na sepultura do casamento, é justamente por causa da Luisinha, cujos caprichos já não estão de acordo com os teus sentimentos.

Pode-se afirmar que esta meia dúzia de palavras produziu o maior discurso que Daniel fez em toda a sua vida. Por isso mesmo, apenas as proferiu, recolheu-se ao silêncio e não respondeu mais às mil razões que Valadares lhe dava relativamente ao casamento com a Amélia e ao rompimento com a Luísa.

Desculpem-me se resumo no mesmo período estes dois nomes: o de uma noiva e o de uma cortesã. Estavam unidas também na memória do rapaz, andam por aí ligados na vida; eu não faço mais do que copiar.

Valadares acabava de dar as mil razões do seu casamento, quando à porta da loja parou um carro; o lacaio foi abrir a portinhola e saíram de dentro duas senhoras: uma velha, ainda conservada, e uma rapariga de cerca de vinte anos.

Um dos deputados que estavam à porta conhecera-as apenas parou o carro e foi oferecer-lhes a mão. Saiu primeiramente a velha, e depois a rapariga; entraram ambas na loja.

Daniel tinha, como um amigo meu, a mania de examinar os pés às mulheres.

— A mulher — dizia ele — é um livro; o pé é o índice do livro.

E já por aqui vê o leitor que Daniel tinha outra mania, que era a dos aforismos e sentenças.

Com a mania de examinar o pé às mulheres, Daniel não soube se a rapariga era bonita ou feia, morena ou clara; soube, apenas, que tinha um bonito pé. Quando quis olhar-lhe para a cara, já ela havia entrado na loja. Mas nem procurou vê-la através da vidraça; limitou-se a voltar-se para Valadares e perguntar:

— Que gente é esta?

— É da família do B...

B... era um deputado do norte.

Valadares olhou pela vidraça.

— Vê, Daniel, vê, como é bonita!

Daniel voltou o rosto e viu com efeito que a pequena era bonita; mas não soltou nenhuma exclamação.

As duas senhoras pouco tempo se demoraram; alguns minutos depois, chegaram à porta para entrar no carro. A moça ficou justamente ao lado de Daniel. Este olhou para ela, a fim de confirmar a primeira opinião, e deu com os olhos dela que, por acaso, se cravaram nele. À claridade, a moça pareceu-lhe mais bonita do que a princípio; mas não teve tempo de admirá-la, porque ela, fazendo com a boca um gesto de desdém, voltou-lhe as costas e encaminhou-se para o carro, cuja portinhola estava aberta.

A velha entrou depois e o carro partiu logo; Daniel olhou para dentro: a moça ia conversando com a velha, e sem prestar atenção a coisa alguma.

Toda esta cena, aliás rápida, escapou a Valadares; Daniel, um pouco despeitado com o gesto da moça, sorriu-se e tirou o relógio do bolso dizendo:

— Vamos jantar?

— Vamos — disse Valadares.

Na ocasião em que iam descer para o hotel Inglês (onde Valadares jantava habitualmente), Daniel viu na calçada uma liga, abaixou-se e apanhou-a.

— Será a liga da pequena? — perguntou Valadares.

— *Honni soit qui mal y pense*! — respondeu Daniel sorrindo e guardando a liga no bolso.

Foram jantar.

Durante o jantar, não se conversou mais do episódio da liga, nem da moça do norte. Apenas, quando veio o café, Daniel perguntou onde morava aquela família, e soube que em Matacavalos. A conversa não passou disso.

A verdade histórica pede que se diga que ainda durante essa tarde a lembrança da dona da liga perturbou um pouco o espírito de Daniel; mas posso afirmar que à noite ele de nada mais se lembrava.

Quando voltou a casa, atirou a liga para dentro de uma secretária, e nisto ficou tudo.

III

As senhoras do carro moravam em Matacavalos.

A velha era irmã de um deputado do Norte; chamava-se Madalena e era viúva de um oficial do exército. Augusta, sua filha, contava perto de vinte anos, e era, no dizer dos que a conheciam, a mais bela cara da província. Mas não se lhe notavam somente as feições; Augusta distinguia-se principalmente pela graça e elegância das maneiras, a que dava realce um certo ar de altivez.

Tendo sido eleito deputado, o dr. B..., irmão da velha e tio da moça, entendeu que aproveitaria o ensejo de ver a capital do império, trazendo consigo as duas senhoras. A proposta foi aceita com entusiasmo por Madalena e simples agrado por Augusta.

Efetuou-se a viagem e na época em que começa esta narrativa já eles aqui se achavam havia dois meses, tendo vindo um mês antes da abertura das câmaras.

Augusta fez sensação nas salas em que apareceu; a beleza, a graça, as maneiras da moça a todos impressionavam e todavia eram comuns essas coisas na vida fluminense; mas em Augusta tudo isso trazia um ar característico, um cunho pessoal, que distinguia a moça das demais mulheres.

Impressionado pela distinção de Augusta, um desalmado rapaz disse-lhe uma noite que não supunha a província capaz de produzir obra tão prima, e que ela era com certeza a fênix das provincianas.

— A natureza compensa tudo — respondeu Augusta —; é possível que na província as senhoras como eu sejam raras, mas os homens como o senhor com certeza são raríssimos.

Esta resposta foi ouvida por um amigo do rapaz, que não tardou em espalhá-la, e dentro de pouco tempo foram comentadas as palavras da bela provinciana.

— De mais a mais tem espírito — observou um sujeito.

— Parece.

A vítima do dito estava presente, e disse:

— É pena, porque é bonita.

— É um realce — acudiu o primeiro —; e para resumir na mesma designação as suas graças e as suas arranhaduras, chamar-se-á a onça de Médicis.

O nome não pegou, porque dos cinco rapazes então presentes, apenas o autor da ideia sabia da existência de uma Vênus de Médicis, condição essencial para compreender o dito; contudo, foi este acolhido com o riso dos circunstantes, um desses risos esquerdos que não querem dizer coisa nenhuma.

A reputação de Augusta ficou firmada com mais um ou dois repentes iguais ao primeiro, de maneira que, quando a gente a encontrava, se sentia tomada por dois sentimentos diversos: a fascinação e o temor. Admirava-se a moça como se admirava uma bela pantera.

Nenhum destes antecedentes era conhecido pelos dois rapazes com quem travamos conhecimento na rua do Ouvidor; Valadares, o único que conhecia a família, só a conhecia de vista, por tê-la encontrado em casa de terceiro.

Mas, se em vez de seguirem para o hotel Inglês, tivessem entrado na loja, depois da partida do carro, ouviriam este diálogo dos dois deputados a meia-voz:

— Como vão os seus negócios com a Augusta? — perguntou o mais velho dos dois.

— Na mesma — respondeu o mais moço.

— Então, nenhuma esperança?

— Esperança sempre. Já lhe disse uma vez e repito: eu tenho a ambição de ser ministro de Estado, ou embaixador ou qualquer outra coisa por este gênero; não tanto porque esses cargos pudessem legitimamente seduzir a ambição política; mas principalmente porque talvez assim obtenha as boas graças de Augusta.

— Disse-me isso uma vez — respondeu o outro —; mas cuidei que fosse simplesmente gracejo; há de lembrar-se que o disse rindo. Desta vez, fala-me com seriedade. Será certo que as suas ambições têm por principal esse motivo?

— Estou apaixonado.

O interlocutor sorriu e replicou:

— Espécie nova: político por amor. Há de ser bonito num romance, mas no parlamento é...

— Ridículo, bem sei.

— Justamente.

— E, no entanto, é verdade.

Houve um instante de silêncio.

— Luís — disse o interlocutor do namorado —, deixe-me dar-lhe este nome: tenho o direito da idade. Como contaremos com você, se o seu procedimento depende todo do capricho de uma moça?

— Nem por isso deixei de ser até hoje aliado fiel e ativo. Cuida que quando subo à tribuna não vou levado por uma convicção sincera? Vou; mas, se emprego às vezes demasiado ardor, confesso que uma parte dele é o resultado da intenção em que estou de fundar uma posição dominante... por causa dela.

— Mas não vejo...

— Vejo eu. Cuido que desse modo poderei vencer-lhe o orgulho.

O velho abanou a cabeça e franziu os lábios com um gesto de desagrado.

Mas a conversa parou aqui.

Luís saiu para o hotel em que morava; o velho foi jantar com um dos chefes da oposição.

Ao despedirem-se, disse o velho ao rapaz:

— Então, amanhã é a interpelação.

— Amanhã.

IV

Oito dias depois destas cenas, estando Daniel almoçando em casa, e só, porque eram onze horas e o velho Marcos almoçava às oito, apareceu Valadares alegre e rubicundo.

Daniel ofereceu-lhe o almoço.

— Aceito, porque ainda não almocei, e confesso que não pretendia fazê-lo por não ter vontade nenhuma. Mas pode ser que a tua companhia me abra o apetite. O velho está cá?

— Não.

Valadares sentou-se à mesa e começou a almoçar.

Durante os primeiros minutos, apenas trocaram raros monossílabos.

Daniel acabou primeiro e acendeu um charuto.

— Que novidade há? —perguntou ele.

— Uma grande novidade — respondeu Valadares.

— Imagino.

— Verás: uma novidade incrível e entretanto verdadeira, uma novidade, que não o é para ti, porque já te dei parte dela, mas então foi um pouco vagamente.

— Vamos ver o que é.

— Caso-me.

— Ah!

— Caso-me daqui a um mês.

— Estimo muito.

Valadares cruzou o talher e recebeu a xícara de café que lhe ofereceu o servente.

— Caso-me com a Amélia Seabra, e deste modo fico aparentado contigo. Ora, queres que te diga? por muito superior que seja um homem, esta ideia de casamento é sempre uma grande preocupação. De cada vez que me levanto da cama pergunto a mim mesmo se é certo que dentro de pouco tempo estarei eternamente unido a uma mulher. Eternamente! eu que nunca dei ao amor mais de dois meses de vida. Que te parece?

— Nada.

Valadares engoliu rapidamente o café, recuou a cadeira, e acendeu também um charuto.

— Dou um baile, sabes? — disse ele a Daniel. — E peço-te por especial obséquio que assistas a ele.

Daniel fez um gesto de assentimento.

— Creio que terei muita gente — continuou Valadares —; conto já com dois ministros e quatro senadores; são convites de meu sogro. Eu apenas me encarrego de convidar os rapazes. A propósito, lá teremos a pequena da liga.

— Que pequena?

— Ora, aquela que deixou cair a liga na rua do Ouvidor... não te lembras?

— Ah!

Daniel recordou-se então do incidente da rua do Ouvidor.

— Que fizeste da liga? — perguntou Valadares.

— Creio que a pus na secretária.

Levantaram-se da mesa.

Indo para o seu gabinete, Daniel abriu a secretária e encontrou ainda a liga perdida por Augusta.

— Maganão! — disse Valadares. — Guardaste-a!

— Por distração... — respondeu Daniel.

E tornou a fechar a secretária.

Depois do encontro com Augusta, era a primeira vez que ela lhe voltava ao pensamento. Daniel recordava-se do gesto de supremo desdém e indiferença com que ela desviara os olhos e entrara no carro.

Se a preguiça, como quer o moralista, destrói todas as paixões, confessemo-lo que o faz lentamente e não de um lance. Daniel ainda tinha em si uma boa dose de orgulho que resistia à ação do elemento dissolvente. A lembrança de Augusta foi de orgulho ofendido. O seu amor-próprio sofreu naquele momento com a evocação da cena da rua do Ouvidor.

— Com que então a moça da liga vai ao teu baile...

— Vai; é também convite de meu sogro. Sogro! Acho uma novidade nisto; parece-me que vou mudar da terra. Meu sogro! não pensei nunca que tivesse de dar este nome a alguém. E no entanto... É o que te há de acontecer.

Daniel levantou os ombros.

— A mim? — disse ele. — Se toda a humanidade esperar por mim para casar, podemos dar por extinta a raça humana.

— Era justamente o que eu dizia...

— Importa-me pouco o que tu dizias...

— Verás... verás...

Valadares saiu pouco depois e foi direitinho, não para a casa da noiva, mas para a casa de alguém já indicada neste romance.

Hão de ter notado que Valadares em toda a conversa sobre casamento só de passagem aludira à mulher. Contrário a todos os noivos, a futura esposa não lhe merecera cinco minutos de atenção nas suas expansões com um amigo. Nem mais nem menos, tratava-se de um desses mercados a que, por cortesia, se chama — casamento de conveniência —, dois vocábulos inimigos que a civilização aliou.

Valadares tinha chegado naquele ponto em que se bifurca a estrada da vida de um estroina: de um lado, o casamento de conveniência, do outro a perdição completa. É difícil naquela situação encontrar uma mulher que se disponha a dar a mão ao estroina; achou-a Valadares.

Estas mesmas reflexões fê-las consigo Daniel, apenas se separou do outro, e, fazendo-as, comentou-as por modo que eu estenderia muito estas páginas se quisesse desenvolver as suas reflexões.

Não se davam com Daniel as circunstâncias de Valadares. Daniel era mais que tudo um homem extremamente pessoal. O casamento impor-lhe-ia uma preocupação que ele não queria ter; quanto aos prazeres do lar doméstico, eram coisa frívola para ele.

Quando o velho Marcos, ouvindo dele a notícia de que Valadares ia casar, insinuou ao filho que o exemplo era bom de seguir:

— Pois não fosse! — respondeu Daniel, oferecendo um charuto ao pai.

V

O casamento de Valadares produziu grande impressão dans un certain monde, não acreditaram nele à primeira notícia, mas afinal não havia contestação que o boêmio, o estroina, o desalmado Valadares ia tomar estado.

A alguns parecia um sacrilégio, outros acharam que era simplesmente um milagre.

— Com que direito — dizia a Luisinha já citada —, com que direito nos arrancam as pérolas do nosso adereço?

Havia um adereço em que Valadares era pérola.

Os rapazes já enraizados no país de Citera davam o noivo por maluco, posto que, no ânimo de alguns, o casamento era natural à vista dos bens da noiva.

Enfim, apesar de mil comentários e algumas apostas, Valadares casou.

Foi excelente a reunião em casa do sogro. Lá se achou, como prometera, o misantropo Daniel e mais o pai, que foi um dos padrinhos do casamento.

A noiva de Valadares era uma rapariga bonita, mas extremamente faceira, e apesar da especialidade do dia, em que todas as mulheres se parecem, era fácil adivinhar nela uma casquilha de primeira ordem. Via-se que era uma menina que casara para adquirir a liberdade de arruar. Caía em boas mãos.

Daniel, segundo o seu costume, não dançava; divertia-se em ver dançar os outros.

A família do deputado B... entrou às dez horas; acompanhava-a Luís, o interpelante oposicionista que já encontramos na rua do Ouvidor.

Augusta estava radiante; a sua beleza, que reunia magnificamente a graça e a severidade, era dessas que centuplicam com as luzes da sala e perdem com a luz do dia. Quer isto dizer que, se Daniel a achara bonita na rua do Ouvidor, achou-a divinamente bela no salão dos Seabras.

Quando ela entrou, fez sensação. Todos se curvavam involuntariamente por onde ela passava, semelhante à Vênus clássica, cuja divindade se percebia simplesmente pelo andar. Daniel achava-se encostado a uma porta por onde Augusta entrou na sala da dança. Não se curvou, nem deu sinal de si. Augusta pareceu recordar-se das feições do rapaz, e demorou-se alguns segundos a olhar para ele, mas para logo retirou os olhos, repetindo o mesmo gesto de desdém que tanto impressionara o filho do velho Marcos.

— Por que este gesto? — perguntava Daniel a si mesmo. Nunca a tinha visto, nem pretendido. De onde vinha essa espécie de prevenção contra ele? A curiosidade e o amor-próprio do rapaz estavam sofrivelmente aguçados.

Augusta entrou na sala pelo braço do tio; Luís dava o braço a Madalena.

Quando Valadares a viu entrar, foi ter com Daniel.

— Tive uma ideia — disse ele ao amigo.

— No dia de hoje, nenhuma ideia pode ser boa.

— Pois é. Casa com Augusta.

A dança interrompeu o diálogo.

Daniel colocou-se de modo que visse Augusta; esta dançava com Valadares. Durante a maior parte da quadrilha, os olhos de Daniel não se encontraram com os de Augusta; mas no fim, por simples acaso, a moça olhou para o rapaz, e sustentou por alguns instantes o olhar dele. Pareciam interrogar um ao outro. Desta vez, foi Daniel o primeiro que afastou os olhos, e retirou-se.

Saiu dali, foi para uma sala intermediária, e ali atirou-se a um divã.

Estava só.

Consultou o relógio, olhou para o teto, examinou as luvas, consertou a gravata, levantou-se, deu alguns passos, e tornou a sentar-se até que a quadrilha acabou.

A sala foi invadida por alguns pares.

Posto que fosse perfeito homem de sociedade, nada o aborrecia mais que o frufru das sedas, o estalar dos leques, o murmúrio das conversações, todos esses rumores de uma festa alegre, que destoavam com o seu espírito reservado e solitário.

O fastio começou a invadi-lo; dentro de uma hora, se lhe não tivessem mão, estaria entre os lençóis.

Levantou-se e ia dirigir-se para a outra sala, quando lhe apareceu o pai, dando o braço a Madalena. Marcos chamou-o. Daniel aproximou-se; o velho apresentou o filho à mãe de Augusta.

Daniel recebeu a apresentação com frieza; porém, Madalena foi tão amável que era impossível esquivar-se-lhe. Consequentemente, conversaram os três durante algum tempo.

O grupo foi aumentado daí a alguns minutos com a chegada de Valadares que trazia Augusta pelo braço. Nova apresentação e desta vez mais solene para os dois apresentados. Nenhuma palavra foi trocada além do simples cumprimento que Daniel dirigiu a Augusta e que esta ouviu inclinando levemente a cabeça e olhando-lhe para os pés.

Não tinha que ver: aquelas duas criaturas antipatizavam uma com a outra. Não se casava a altivez de uma com o orgulho do outro. Era o caso do provérbio: duro com duro...

Mas se ambos antipatizavam a tal ponto, nem por isso Daniel deixava de admirar a beleza de Augusta, e Augusta a desdenhosa severidade de Daniel; e essa mesma admiração os afastava mais; porque a admiração é um preito; e nas poucas e curtas vezes que se haviam encontrado, claramente se percebia em cada um deles a consciência da superioridade.

Não era entretanto do mesmo modo que Augusta olhava para Luís; para este olhava com certa compaixão. Parecia ter pena dele. Quando este lhe falava, ela respondia com bondade e doçura, mas a doçura e a bondade de quem trata com um inferior, o que contrastava com o respeito do namorado político. E, no entanto, o crime dele era simplesmente gostar dela, e havê-la pedido em casamento, ao que ela se escusou, dizendo que era melhor ficarem simples amigos.

Luís não dançava; tinha, como Daniel, a opinião de que a dança é um prazer dos olhos.

No fim, porém, de meia hora, Valadares foi ter com Daniel insistindo para que ele dançasse ao menos uma quadrilha, ao que ele recusou. Como estivessem a discutir este importantíssimo ponto, passou Augusta, e Valadares interrompeu-a para dizer-lhe oficiosamente:

— O doutor Daniel incumbiu-me de lhe pedir esta quadrilha para ele.

Daniel mordeu os beiços.

Augusta respondeu olhando para Valadares.

— Mas eu não danço mais.

— Por quê?

— Estou cansada.

Daniel interveio.

— O Valadares — disse ele — pediu-lhe espontaneamente uma honra que eu não ousava desejar, nem esperar.

— Estou cansada — repetiu secamente Augusta, a quem Valadares deu o braço, escapando assim a uma repreensão do amigo.

Daí a um quarto de hora, Daniel desapareceu do baile.

VI

Despontava-lhe já uma espécie de ódio contra Augusta. Seria esse o caminho do amor?

Quinze dias depois dos acontecimentos que acabamos de narrar, achava-se Augusta sentada ao piano na casa de Matacavalos, quando lhe entrou pela sala dentro a mulher de Valadares.

Começava a moça a usar da liberdade que procurara no casamento.

— Tua mãe? — perguntou ela a Augusta, depois dos primeiros beijos.

— Está lá dentro; vou mandá-la chamar.

— Creio que o moleque já lhe foi dizer que eu estava aqui.

— Anda senta-te.

Amélia sentou-se e disse sorrindo para Augusta:

— Não me perguntas por meu marido?

— Ia fazê-lo.

— Está na repartição. A primeira coisa em que concordamos é que eu saísse a passeio quando me parecesse. Eu não sou criança para andar agarrada a meu marido. Na Europa, não se usa isso. Demais, tenho toda a confiança nele. Acho-te pálida hoje...

— Dormi pouco.

— Alguma preocupação?

— Uma enxaqueca.

— Que calor!

— Com efeito, o dia está quente.

Amélia agitou o leque, lançando pelos móveis da casa esse olhar de curiosidade indiscreta que tanta gente emprega numa casa onde entra pela primeira vez, sintoma de uma grosseria sem-par.

Augusta olhava para ela sorrindo.

Nesse momento, entrou Madalena.

— Já de passeio! — disse ela, beijando a mulher de Valadares.

— Não é cedo.

— Seu marido está bom?

— Está.

— São felizes, creio.

— Completamente. Ah! o casamento foi a melhor invenção deste mundo. Por que razão não casa sua filha?

— Porque não encontrou noivo.

— Isso é fácil.

— Não tanto — acudiu Augusta —; além de que não tenho pressa.

— Pois quanto mais cedo melhor — disse Amélia.

— Augusta — disse Madalena — terá um noivo quando quiser. Agora mesmo...

— Ah! algum apaixonado?...

Augusta levantou-se e foi buscar o lenço ao piano.

— Não falemos nisso — disse ela.

Amélia levantou-se também.

— Já se vai? —perguntou Madalena.

— Já; tenho de ir escolher uns vestidos. Quer dona Augusta ir comigo?

— Não posso.

— Então, adeus. Olhe, dou-lhe um conselho: não seja cruel.

— Por que não vem tomar chá conosco esta noite? — perguntou Augusta.

— Não posso — respondeu a moça —, tenho de ir com meu marido visitar o velho Marcos. Conhece, não?

— É aquele homem que me apresentou na noite de seu casamento? — perguntou Madalena.

— Justamente; somos parentes. Está muito mal.

— Parecia vender saúde.

— O filho foi lá hoje à nossa casa dar-nos parte da moléstia do pai.

— O doutor Daniel?

— Sim. Adeus!

Amélia saiu.

Depois do baile, era a primeira vez que Augusta ouvia o nome do rapaz, e qualquer que fosse a razão, não pôde ouvi-lo sem algum abalo.

Ficando só na sala, Augusta foi sentar-se ao piano e começou a dedilhar não sei que composição alemã. Mas evidentemente o seu pensamento estava ausente. Algum tempo depois, entrou em casa o tio, acompanhado de Luís.

Depois da recusa que fora dada na província, era a primeira vez que Luís aceitava um convite de B... para jantar em casa dele. Era um escrúpulo pueril, se querem; mas o moço tinha esse escrúpulo e obedecia-lhe involuntariamente. Mas, como resistir às instâncias do velho? E sobretudo como recusar o prazer de respirar o mesmo ar que a moça?

Quando os dois deputados entraram na sala, Augusta levantara-se do piano.

O jantar foi imediatamente posto na mesa.

Depois do jantar, Luís esteve algum tempo a sós com Augusta. Conversaram de coisas indiferentes. A moça felicitou-o pelos aplausos que lhe deram como orador. Luís recebia-os com um ar de modéstia que não escondia completamente o sentimento de satisfação que lhe dava aquele elogio vindo da boca de Augusta.

Depois, acrescentou:

— Todos esses aplausos têm para mim uma única vantagem: adiantar a minha posição.

— Tem ambição política?

— Não; bem sabe qual é a minha ambição.

A moça ficou séria.

Luís contemplou-a com um sorriso de dor; depois procurou pegar-lhe na mão, que ela retirou apressada, dizendo:

— Perdão! tenho que fazer...

E como desse um passo para fora, Luís adiantou-se e disse-lhe:

— Engana-se, dona Augusta, eu não venho falar-lhe de coisas em que não posso tocar. Queria simplesmente pedir-lhe desculpas se alguma vez a ofendo com alusões a um sentimento de que não tenho culpa.

— Nem eu, creio.

— Voluntariamente, não.

A moça recuou e foi sentar-se.

— Olhe — disse ela —; disse-lhe uma vez que podíamos ser bons amigos. Quer assim?

— Aceito, e já é muito; mas creio que me é lícito esperar o seu amor.

— Esperança inútil.

— Inútil? será, mas espero.

Augusta sorriu.

— Ambiciosa — disse consigo Luís.

Mas ao mesmo tempo, como que arrependido desta exclamação interior, o namorado entrou a sorrir para ela — sorriso de súplica e de contrição.

Augusta não reparou nisso.

No entanto, a tarde caía, e a melancolia da hora servia de fundo àquele quadro já de si tão triste: um coração de fogo ao pé de um coração de rocha, um destino inteiro nas mãos de uma mulher indiferente, a vida ou a morte de um homem dependente do olhar compassivo de uma mulher.

Uns terão simpatia pela posição de Luís; outros tédio. Depende dos caracteres. Os altivos julgarão que nenhum homem deve aspirar à mão de uma mulher, quando esta lha recusa. São leis boas para o papel. Quem conhece o coração humano compreende, lastimando embora, essas situações humilhantes em que o amor pode colocar um homem, aliás brioso e digno de si.

Não poucas vezes, Luís discutira consigo mesmo a situação em que se achava, e nunca o seu espírito lavrou uma sentença de abandono que lha não reformasse o coração, juiz em última instância nestas matérias de amor.

Todavia, a cena daquela tarde impressionara singularmente o moço. Pareceu-lhe que a insistência seria já degradação; resolveu lutar e esperar.

Despediu-se de Augusta pouco depois e saiu.

Augusta, quando se achou só, respirou; era evidente que a presença de Luís a importunava.

VII

A doença de Marcos foi mortal; dois dias depois da visita de Amélia o bom velho faleceu, deixando saudades a todos quantos o conheciam.

Na vida de Daniel, foi um vácuo. Não se costumara à ideia de que viria a perder o pai; era a única família que tinha, e provavelmente o único ente a quem estimava neste mundo.

Os amigos deram-lhe as consolações do costume; alguns discursos foram proferidos na ocasião de dar-se o cadáver à sepultura; mas discursos, nem consolações podiam distrair o moço da dor que acabava de sofrer.

Para os outros pais foi um fausto acontecimento; era o noivo rico que convinha prender de algum modo. Por isso foi grande a afluência de senhoras à missa do sétimo dia.

Lá estavam Madalena e Augusta.

Quando, no fim da missa, começou a cerimônia dos pêsames, Daniel recebia-os maquinalmente e sem dar sinal de si. Não aconteceu o mesmo quando Augusta se aproximou dele e murmurou algumas palavras de consolação; não contava que ela estivesse na igreja.

Todavia, nem o estado dele, nem o lugar eram próprios para maiores espantos. A moça seguiu a mãe, e Daniel ouviu as consolações do resto dos assistentes.

Valadares convidou Daniel para ir passar alguns dias em casa dele; apesar das recusas, tanto instou que Daniel cedeu, e para lá foi mesmo dali.

A morte do velho Marcos punha nas mãos de Daniel uma magnífica fortuna. Não contando com ela tão cedo, o rapaz não sabia em que empregá-la. A mulher de Valadares aconselhou-lhe uma viagem à Europa como coisa de maior proveito. Este conselho provocou entre o marido e a mulher uma pequena discussão que ia terminando por um ataque de nervos, desenlace seguro de muitas tragédias domésticas.

A ideia de viagem também não agradou a Daniel.

— Afinal — disse ele —, a minha situação é a mesma, a diferença é que eu hoje administro aquilo que outrora fruía simplesmente.

— Por isso, digo eu — atalhou Amélia —, como os trabalhos de administração são enfadonhos, procure uma companheira. Olhe, eu creio que tenho uma... que não se lhe dava de...

— Quem é? — perguntou Daniel.

— A Augusta B...

Daniel franziu a testa. Acreditou que a solicitude da moça, indo à missa, era simplesmente um cálculo. Figurava-lhe um espírito altivo, e saía-lhe uma mulher interesseira. Acaso a mulher de Valadares adivinhou esta impressão de Daniel? O certo é que imediatamente acrescentou:

— Mas repare que isto é lembrança minha; ela não me disse coisa alguma. Creio que até não seria coisa fácil; porque me parece orgulhosa demais...

— Parece-lhe isso?

— Sim. No entanto, se quiser que eu lhe fale...

— Oh! não! não tenho vontade de casar.

De casar, creio que Daniel não tinha vontade nenhuma, mas nem por isso a lembrança de Augusta deixava de preocupá-lo. Havia naquela moça um mistério que ele queria aprofundar. A ocasião era boa para aproximar-se dela. Já haviam decorrido vinte dias depois da missa fúnebre. Daniel resolveu ir visitar a família de Augusta para agradecer-lhe a presença no ato religioso, tanto mais agradecer quanto não se ligavam por estreitos laços de amizade.

Só as duas senhoras estavam em casa, quando se anunciou a visita de Daniel. Augusta desapareceu da sala pouco antes de entrar o rapaz, que apenas encontrou Madalena, com quem travou uma conversa de cerca de meia hora. Durante esse tempo todo, Augusta não apareceu na sala. O rapaz esperou ainda alguns minutos, mas vendo que não chegava, levantou-se para sair.

— *Espero* — disse Madalena — que não será esta a última vez que nos honre com a sua visita.

Daniel curvou a cabeça, agradecendo.

Depois, apertou a mão de Madalena e dirigiu-se para a porta, justamente no momento em que Augusta entrava na sala.

Cumprimentaram-se friamente.

Daniel saiu.

VIII

— Por que não vieste à sala mais cedo? — perguntou Madalena a Augusta.

— Tive uma vertigem; não podia vir — respondeu a moça.

— Foi pena, porque este moço é muitíssimo amável; passei meia hora agradavelmente.

— Foi pena! — murmurou a moça, disfarçando um sorriso que lhe estava a brincar nos lábios.

Não disfarçou tanto que a mãe o não percebesse.

— Há alguma coisa — pensou ela.

Augusta não lhe disse mais nada; mas quem pudesse penetrar no seu espírito, ouviria a seguinte reflexão:

— São todos os mesmos!

Reflexão que aliás não esclarece muito a situação. É provável que pelo romance adiante compreendamos essas palavras interiores de Augusta.

IX

O casamento é a perfeita união de duas existências; e mais do que a união, é a fusão completa e absoluta. Se o casamento não é isto, é um encontro fortuito de hospedaria; apeiam-se à mesma porta, escolhem o mesmo aposento, comem à mesma mesa, nem mais, nem menos.

Este é o casamento mais comum. O outro, o legítimo, o raro, esse é outra coisa que não isto. A religião santifica o casamento, mas supõe sempre a existência anterior de um elo tão sagrado como o do altar.

Não se parecia com este o casamento de Valadares. Casou o rapaz por motivos alheios ao coração: primeiramente, por interesse, depois por novidade. O casamento foi para ele uma espécie de passeio ao Corcovado. Ora, todos são de acordo que do Corcovado se goza uma vista magnífica, mas a ninguém lembrou ainda a ideia de lá fundar uma cidade. Ninguém lá fica; sobe-se, goza-se, desce-se.

Valadares começava a sentir a necessidade de descer do Corcovado; a ideia de que estava ligado para sempre era um verdadeiro pesadelo que lhe sufocava o espírito. Verdade é que a sua liberdade não estava tolhida; os *boudoirs* célebres que frequentara outrora começaram a festejar a volta do filho pródigo. Mas era sempre um vínculo, o pobre já sentia que este o apertava. Podia ser de rosas; mas achou-o de ferro.

Amélia casara com Valadares como casaria com outro qualquer; simples mudança de estado. Comprou a liberdade sob a forma de uma prisão. Contratou um braceiro para os dias em que lhe conviesse sair a pé; e um protetor para abrigar a sua existência, a sua reputação. Com estas condições, qualquer noivo lhe servia. O que estava mais à mão foi o escolhido.

Imaginem já por aqui qual era alegria conjugal daquelas duas criaturas.

Não tardou que o aborrecimento viesse sentar-se no lugar que o amor não ocupava; em vez de dois entes unidos por um grande sentimento achavam-se como dois condenados ligados pela mesma calceta, com a diferença que a comunhão do infortúnio e do crime estabelece certa simpatia entre os dois condenados, a qual debalde se procuraria entre Valadares e a filha de Seabra.

Começava a dissolver-se a forma conjugal; não se precisava ser águia para adivinhar que, dentro de pouco tempo, a casa liquidaria e os dois achariam na separação um remédio aos seus males.

Ora, este espetáculo e esta previsão desagradavam profundamente a Daniel, que morava com os dois, segundo se disse acima. Um dia de manhã, resolveu mudar-se, e assim o declarou aos donos da casa.

— Mudar-se? — exclamou Amélia. — E por quê?

— Porque devo morar só; além disso, está com o meu gênio.

— Se assim é — observou Valadares —, não te obrigo ao contrário. Mas hás de vir jantar comigo todos os dias...

— Todos os dias, não sei — respondeu Daniel.

— Já tem casa? — perguntou Amélia.

— O meu procurador — respondeu Daniel — disse-me ter encontrado uma em Matacavalos.

— Ah!

A mulher de Valadares sorriu maliciosamente; o marido, por imitação, sorriu também.

Daniel viu os sorrisos e pareceu-lhe compreender.

— Mas que tem isso? — perguntou ele.

— Nada — acudiu Amélia —, quer dizer que está mais perto.

— De quem?

— Ora de quem! dela!

— Não conheço!

— Augusta.

— Ora!

Daniel respondeu com uma expressão que simulava indiferença; mas, se devo confessar a verdade, não o era. Quando o procurador lhe trouxe a notícia de que havia casa na rua de Matacavalos, o rapaz estimou a notícia e aceitou a casa.

— O fato é — disse Amélia — que ela pensa no senhor.

— Em mim?

— Cuido que sim, porque há dias, indo eu lá, duas vezes me perguntou se estava bom. Quando me perguntou a segunda vez sorri, como há pouco fiz, e ela protestou calorosamente, mas debalde; via-se que era um protesto aparente.

Daniel ouviu atento as palavras de Amélia.

— E que não fosse! — disse ele. — Como eu não vou para lá por causa dela...

— Creio — respondeu Amélia —, mas o fogo ao pé da pólvora...

— Eu não sou pólvora, nem fogo...

A conversa ficou aqui. Daniel, daí a dias, estava completamente mudado.

A casa de Daniel ficava do lado oposto ao da casa de Augusta, e um pouco distante, mas ainda assim podiam ver-se de uma janela; e ele a viu no primeiro dia, depois, nunca mais a viu. Seria fortuito ou expressivo? Não sabia.

X
No fim de quinze dias, recebeu Daniel um bilhete do tio de Augusta convidando-o a ir passar a noite com ele.

Deveria ir? Sem dúvida que sim. Não queria parecer que se metia à cara da moça. O orgulho lutava nele por dois modos; lutava, retendo-o para não parecer que a adulava; lutava, impelindo-o para lá, a ver se triunfava dela. É difícil que, de uma luta colocada neste terreno, venha bom resultado.

Daniel só pela tarde adiante resolveu ir à casa de Augusta.

Era uma reunião íntima; conversou-se e tocou-se; não se dançou.

O tio de Augusta desejou que Daniel considerasse a casa como sua; que se não prendesse por simples consideração de cerimônias enfadonhas. Posto que Daniel tivesse em pouco a conversa das salas, não por desprezo reflexivo, mas por gênio e educação, todavia, não ficava na sombra desde que lhe fosse necessário desempenhar-se como cavalheiro polido. Tinha natural espírito; sua conversa era fácil, brilhante, sem ser profunda, coisa que agrada absolutamente às mulheres. Além disso, o rapaz queria impor-se no espírito da moça; e como fazê-lo senão por meio desses triunfos de eloquência familiar?

Mas Augusta parecia conhecer todas essas armas e a intenção com que eram manejadas; tratou Daniel como a todos os outros, em perfeito pé de igualdade. Nem lhe concedeu desta vez a distinção do desdém, que tanto agrada a certos caracteres; nivelou-o com as demais pessoas.

Numa ocasião, pediu um dos amigos da casa que a moça cantasse a cavatina da *Norma*, justamente na ocasião em que Daniel, por entabular intimidade, lhe pedia um pedaço de *Lúcia*.

Colocada entre os dois pedidos, Augusta observou:

— Não posso executar ambas as coisas ao mesmo tempo. Uma há de ser primeira. Qual delas? Resolvam entre si.

Enquanto o sujeito, que pedira a *Norma*, inclinava-se diante de Daniel, cedendo-lhe a vez, Augusta com ar distraído e indiferente brincava com as tranças de uma amiga que se lhe aproximara e que ia acompanhá-la ao piano.

Arranjara as coisas de modo que, nem mostrava preferência, nem desdém por Daniel, o que aconteceria (pensava ela) se cantasse primeiro ou depois o trecho reclamado pelo rapaz.

Estes e outros incidentes produziram em Daniel o efeito natural; o orgulho foi-se pouco a pouco transformando; quando dali saiu, naquela noite, já se pode dizer que no coração do rapaz rompia a aurora do amor.

E, coisa singular, esse amor não era, como em outros casos, um resultado de simpatia, mas sim antipatia de duas criaturas, que, se se odiassem alguma vez, seriam mortais inimigos.

XI
Não é minha intenção apresentar Augusta como um caráter excepcional, nem como um espírito superior. Os sentimentos da moça eram, em resumo, os mesmos das outras mulheres. O que a dominava, porém, era uma certa frieza de temperamento que a tornava incompetente para os grandes afetos. Acrescente-se a isto uma tal ou qual vaidade de sua beleza, e aí temos o que era a filha de Madalena.

Educada pela mãe com uma perfeita independência de espírito, Augusta adquiriu certa aspereza que lhe fazia o caráter antipático. Era imperiosa, altiva, às vezes bondosa, mas bondosa por orgulho, não acreditando muito nem pouco na violência dos sentimentos; o amor para ela era simplesmente uma coisa que ela não compreendia, nem desejava compreender. Parecia-lhe melhor o triunfo numa sala que num coração.

Nem Luís nem Daniel compreendiam isto; a indiferença da moça era apreciada por eles diversamente do que cumpria ser, e daí vinha a esperança de um e o capricho de outro. O verdadeiro triunfo seria abandonar o campo; talvez que o despeito produzisse nela o resultado favorável. Quem sabe? seria talvez a primeira a dar um passo para o esquivo namorado.

Luís supunha que podia fascinar a moça pela grandeza de posição; algumas circunstâncias lhe davam razão para crer assim; mas eram simples circunstâncias.

Quanto a Daniel, um pouco picado em seu amor-próprio, assentou que de uma luta pertinaz poderia resultar ser um bom general em vez de diplomata fino. Afigurava-lhe que a espada de Condé tinha para o caso mais virtude que a pena de Metternich.

Com estas impressões saiu da casa de Augusta.

Era a primeira vez que no espírito do moço a vontade anunciava um papel ativo. Não era decerto o amor, senão o amor-próprio que o inspirava assim. Mas neste caso, amor-próprio já não era um sintoma do próprio amor? Daniel não percebeu isto; atirou-se à luta.

Começou a frequentar a casa de Augusta na qualidade de amigo e vizinho. A moça foi com ele e com todos os outros atenciosa e polida, mas fria; distribuía a sua atenção com igualdade. Não dava direito a queixas nem esperanças; valia tanto para ela Daniel como Luís.

Luís frequentava pouco a casa; nem se podia dizer que a frequentava; ia lá de longe em longe; conversava meia hora e saía logo.

Posto que Daniel não entrasse nunca nas campanhas do namoro, e apenas contasse em toda a vida alguns fáceis triunfos do tempo da academia, todavia houve-se desde princípio como um verdadeiro cabo de guerra.

Foi difícil à moça resistir aos primeiros ímpetos da força arregimentada do rapaz. Aos tiros de artilharia, isto é, os olhares, resistiu ela com facilidade; ninguém tinha maior expressão de desdém do que ela, quando se tratava de repelir os olhares de um cortesão.

Mas quando, depois de seus primeiros tiros, Daniel aproveitou uma situação adequada e atirou contra a fortaleza as massas compactas da infantaria, isto é, quando ele fez uma declaração em regra, Augusta não foi tão fácil na defesa, e, se repeliu o inimigo, foi com sensíveis perdas de sua parte.

Daniel acabava de declarar que a amava.

— Não creia — disse ele — que se trata de um amor de poeta. Eu não tenho nada de poeta; nem é coisa que me penalize. O meu amor vem um pouco da razão. Sou um homem temperado. Confesso que as suas graças me impressionaram bastante; mas creia que, se não achasse digna de ser minha mulher, não lhe falava nisso. Estou que o amor duraria pouco mais que as rosas de Malherbe. Quer ser minha mulher?

Esta declaração, em que misturava a sinceridade com a insolência, foi dita com volubilidade, sem fogo nem lágrimas na voz, no meio de tudo com certa graça. Augusta, tão fácil em responder, se encontrasse um homem louco de amores, não achou logo uma palavra para opor à pergunta e ao pedido de Daniel.

A moça tinha encontrado um sapato para o seu pé.

A conversa que estou mencionando dava-se a um canto da sala; as demais pessoas estavam entretidas em grupos distintos.

Augusta desejou que ali chegasse alguém, cuja presença interrompesse a conversação; mas ninguém apareceu.

— Que me responde? — perguntou Daniel.

— Respondo — disse Augusta — que não posso aceitar o seu amor, nem o seu pedido.

— Por quê?

Augusta olhou para ele espantada com a pergunta; mas como visse o olhar do moço, sereno e fixo, respondeu sorrindo:

— Formalmente, porque o não amo.

— Isso não é razão muito forte...

— No entanto...

— O amor viria com o tempo; bastava que me tivesse alguma afeição. Não tem?

— Não tenho.

— Que é preciso fazer para vir a tê-la?

— Isso não sei — respondeu Augusta.

Daniel tirou o relógio do bolso e depois de consultá-lo, tornou a guardá-lo silenciosamente. Na indiferença do rapaz, havia um tanto de cálculo, mas um tanto de sincero. Apenas guardou o relógio:

— Pois eu acho, dona Augusta — disse ele —, que dificilmente poderia encontrar marido mais conveniente do que eu.

— Tem boa opinião em si — disse a moça sorrindo.

— A melhor opinião deste mundo — acudiu Daniel. — Convencido de que os outros homens hão de ter sempre a meu respeito uma péssima opinião, eu compenso esse juízo infundado, pensando a meu respeito as melhores coisas possíveis. Por exemplo, a sua observação quer dizer que me julga fátuo; eu penso justamente o contrário a meu respeito.

— É uma compensação — observou Augusta.

— Então confessa?...

— Confesso, que estou com muito calor — disse Augusta, levantando-se.

Daniel mordeu os beiços; mas levantou-se e ofereceu-lhe o braço.

— Vamos para a janela?

Augusta aceitou sem repugnância, nem vontade.

— Com efeito, aqui faz menos calor — disse Daniel apenas chegara à janela.

— E a noite está bonita.

— Está bonita — repetiu Augusta —; mas se lá está calor, aqui está frio.

— Não tanto, não tanto. Estou a ver uma coisa, dona Augusta.

— O que é?

— É que tudo lhe parece exagerado. Nem lá faz tanto calor, nem aqui tanto frio. Por que esta maneira de apreciar as coisas? Não lhe parece que isso há de levá-la muita vez a ser injusta?

— Quando assim seja — disse Augusta —, eu creio que a primeira vítima da injustiça serei eu.

— Perdão! nem sempre assim acontece; e é justamente por isso que a justiça me parece uma bela coisa. Queira meditar bem nestas palavras, dona Augusta: não julgue nunca pelos olhos do seu capricho.

Daniel dizia todas estas palavras com uma graça tão respeitosa que desarmava a moça; e no entanto já tinha o direito de deixá-la à janela e voltar à sala.

Quando ele lhe falou nos olhos do capricho, Augusta olhou espantada para ele; depois, respondeu:

— Os olhos do meu capricho podem ser maus; em todo caso, porém, não usarei dos óculos do seu despeito.

A alusão era clara; Daniel não contava com esta carga de baioneta.

— O meu despeito? — disse ele. — Já sei ao que alude. Eu poderia calar-me, mas acaso é digno de nós deixar sem resposta uma alusão tão graciosamente feita? Dona Augusta, eu repito o que lhe disse; amo-a, quisera recebê-la em casamento; mas a sua recusa é para mim tão sagrada que eu nem quero discuti-la; e inspira-me o mesmo sentimento que inspiraria a Virgem Maria se eu lhe pedisse uma graça e ela ma negasse; resigno-me sem pensar mais nisto.

Foi uma felicidade que entrassem neste momento Valadares e a mulher. Augusta foi abraçar Amélia, enquanto Daniel adiantou-se para ir apertar a mão a Valadares.

XII
Protestos de resignação em amor são como sentenças escritas na areia; desfazem-se ao primeiro vento. Daniel, que era o tipo da indiferença, começava a sentir a dolorosa convicção de que lhe seria difícil viver sem aquela mulher. Quando chegou a casa, recordou todos os episódios da noite, repetiu entre si as palavras trocadas com Augusta, arrependeu-se das que proferira; por um instante, teve ideia de ir-lhe pedir perdão. O tiro da peça ainda o achou acordado.

Se durante esse tempo, Daniel pudesse estar no quarto de Augusta, veria a luz da vela confundir-se com os raios da manhã. A moça dormiu apenas duas horas e ainda o seu sono foi sobressaltado. Seriam as mesmas impressões? Eu poderia, no interesse do romance, deixar em claro este ponto; mas prefiro dizer francamente aos leitores os sentimentos dos meus personagens.

Augusta não velara pelo mesmo motivo que Daniel. Era despeito. A orgulhosa Augusta sentia-se envergonhada com a cena que se passara durante a noite. Humilhara-se com a fácil resignação de Daniel; era a sua primeira derrota.

O seu primeiro pensamento foi um pensamento vulgar; lembrou-se de vingar-se do moço, vendo-o a seus pés. Mas, para alcançá-lo, não seria preciso conceder-lhe esperanças, e estas não exprimiam a confissão de um triunfo, que lhe parecia odioso?

Cálculos inúteis, dirá o leitor de boa-fé, os desta moça provinciana, que fazia do amor um jogo de xadrez. Que importa? eu narro a verdade. Confesso que era mais bonito, mais juvenil, mais digno, resolver simplesmente pelo coração, amar ou dar de tábua ao pretendente, conforme lhe falasse o sentimento. Mas, se assim fosse, o romance acabaria e seria outra coisa que não a história que estou relatando.

Quando Augusta se levantou tinha os olhos pesados; a vigília deixara-lhe impressos os seus vestígios. E eram belos os seus olhos, não sei até se mais poéticos, com a languidez do cansaço, do que com a viveza natural. Direi mais: aquele aspecto tornara-a mais mulher, porque Augusta tem no olhar e nas feições um quê de enérgico e severo, que indicava antes um caráter masculino.

Passaram-se dias sem que os dois se encontrassem: nem Daniel foi à casa de Augusta, nem esta se mostrou à janela.

Numa segunda-feira, apareceu Valadares em casa de Daniel.

Convidou-o para um passeio à Tijuca, em companhia de várias famílias.

— A Augusta vai — disse ele.

— Que tenho eu com isso? — perguntou Daniel.

Valadares sorriu.

— Que tens com isto? cuidei que tinhas alguma coisa... Não se amam?

— Ela tem-me ódio.

— É caminho para o amor, ouvi dizer; e tu?

— Desprezo.

— Dizem que também é um atalho que vai ter à grande cidade do *conjugo vobis*.

— Para a tua cidade! — disse Daniel, sorrindo maliciosamente.

Valadares suspirou.

— Para a minha cidade, tens razão! Mas antes não fosse!

— A coisa vai mal?

— Vai o pior possível.

— Hão de acomodar-se... Tu tratarás de ver uma compensação fora das fronteiras conjugais; e ela contentar-se-á com as modas novas... Escusas de franzir a testa; é esta a tua convicção e a minha. O casamento, meu caro Valadares, é uma loteria; o teu bilhete saiu branco. É dinheiro perdido, ou antes dinheiro ganho, porque ainda que percas tudo, ainda te fica o dinheiro...

Valadares engoliu dificilmente a observação de Daniel, falou outra vez no passeio à Tijuca e assentou-se que Daniel iria.

O passeio fez-se daí a oito dias.

Entre outras pessoas, achavam-se lá Augusta e Luís.

Daniel ignorava os sentimentos de Luís em relação a Augusta; demais, conhecia-o pouco.

Na primeira ocasião que pôde alcançar, Daniel perguntou a Augusta se estava com a mesma resolução em relação a ele.

— A mesma — respondeu Augusta.

Daniel inclinou-se e começou a falar da beleza do sítio em que se achava.

Augusta ouviu-o não sem espanto.

— Tem grande amor à natureza? — perguntou ela.

— Imenso. A natureza não fala.

— Os poetas dizem o contrário — retorquiu a moça sorrindo.

— E dizem bem; a natureza fala, mas fala como uma alma deve falar a outra, sem intermédio dos lábios. Ora, eu tenho notado que o falar é perigoso para as nossas ilusões; uma palavra destrói às vezes um mundo.

Augusta mordeu os lábios.

— Veja — disse Daniel, colhendo uma flor agreste que lhe ficava ao alcance da mão —, há nada mais do que isto? Esta flor diz mil coisas justamente porque não pode articular o que me diz: o perfume é a sua linguagem; esta cor branca ligada com esta cor azul formam uma frase que eu compreendo sem explicar. A coitadinha desta flor não pode fazer mal; mas, se eu por um capricho qualquer, achasse na sua linguagem alguma coisa que me ofendesse, tinha o remédio nas mãos; destruí-la-ia assim...

E Daniel esmagou a flor entre os dedos.

Augusta olhou para a flor e para Daniel. Nem um gesto de surpresa ou de despeito; apenas sorriu, dizendo:

— Mas, ainda esmagada entre as suas mãos, essa flor vale mais que o senhor, porque...

Luís aproximou-se do grupo quando Augusta ia continuar.

— Dona Augusta — disse ele —, sua mãe quer falar-lhe.

Augusta foi ter com a mãe.

— Está um bonito dia — disse Luís a Daniel.

— Está — respondeu o rapaz distraído.

E voltou os olhos para Augusta que se afastava.

Luís viu o gesto e procurou adivinhar o olhar de Daniel. Palpitou-lhe o coração mais fortemente; que haveria entre eles?

Alguns minutos durou o silêncio; no fim deles, Daniel voltou-se para Luís e encetou uma conversa; Luís respondeu por monossílabos ao interlocutor, até que o jantar veio pôr termo à situação esquerda em que se achavam os dois.

XIII

Daniel levantou-se um dia com a ideia de fazer uma viagem a Minas.

Sentia que Augusta já o prendia mais do que convinha ao seu coração; nasciam-lhe forças até então ignoradas. A indiferença da moça fazia-lhe supor que lutava em vão; temia o desgosto. Resolveu viajar.

Valadares recebeu uma manhã a seguinte carta:

> Valadares,
> Vou para Minas amanhã. Não sei se terei tempo de ir fazer-te as minhas despedidas. Recomenda-me à tua senhora. Teu do coração,
>
> DANIEL

Apenas Valadares recebeu a carta, foi imediatamente ter com o amigo.

— Vais para Minas?

— É verdade.

— Que tempo te demoras lá?

— Uns cinco meses. Queres alguma coisa?

— Estava capaz de ir contigo.

— E tua mulher?

— Fica.

— Pois tens ânimo?

— Pois então! Eu te digo; tenho até necessidade de ver-me livre por algum tempo de semelhante algoz...

— Valadares, isso não é bonito...

— Seja bonito ou não, eu vou contigo; mas só te peço uma coisa.

— O que é?

— Que adiemos a viagem para a semana que vem.

— Impossível.

— Por quê?

— Tenho minhas razões.

Valadares fez uma careta de desgosto; insistiu, mas Daniel resistiu ao convite.

— Então, não poderei ir — disse Valadares.

— Não sei por quê.

— Ora! ir só é aborrecido. Contigo, a coisa era outra. Olha lá; e se fôssemos a Paris?

— Isso mais tarde.

A conversa durou pouco mais. Valadares saiu desconsolado. Daniel continuou a dar as suas ordens precisas para a viagem.

Foi nessa mesma tarde à casa de Augusta despedir-se da família e oferecer-lhe os seus préstimos em Minas. A mãe de Augusta agradeceu-lhos e ao mesmo tempo participou que, acabada a sessão do Parlamento, partiriam para o norte; e, portanto, só no ano seguinte se poderiam encontrar.

— Até para o ano — disse Daniel tranquilamente.

Augusta não manifestou surpresa, nenhum desgosto com a notícia da viagem de Daniel; conversou alegremente com ele sobre coisas inúteis; tocou um pouco de piano e despediu-se dele como se tivesse de vê-lo no dia seguinte.

Às seis horas, estava Daniel em casa, de volta da casa de Augusta.

Mas daí a cinco minutos, parava-lhe um carro à porta.

— Quem é? — perguntou ele ao criado.

O criado foi ver e voltou.

— É uma senhora, vem subindo.

Pouco depois entrou-lhe na sala Amélia Valadares.

— Desculpe se venho assim sozinha à casa de um homem solteiro.

— Desculpar? — disse Daniel, convidando Amélia a sentar-se. — Não há que desculpar; há que agradecer.

— Então, como vai de saúde?

— Assim, assim... creio que preciso fazer uma viagem a Minas Gerais, e já mandei fazer-lhe minhas despedidas por intermédio de Valadares.

— Ele me disse isso, e é justamente por causa desta viagem que eu venho aqui.

Amélia sorriu-se com ar sonso.

Daniel não atinou com a ligação da viagem a Minas e a visita da mulher de Valadares.

— Venho reforçar — disse Amélia — um pedido de meu marido.

Daniel já se não lembrava que pedido era.

— Um pedido? — disse ele. — Qual?

— Valadares entrou agora lá em casa muito triste; perguntei-lhe o que tinha e contou-me que, desejando ir a Minas com o senhor, não pudera obter que o senhor adiasse a viagem até a semana que vem. Ora, é isso justamente o que lhe venho pedir.

Desta vez, foi Daniel quem sorriu.

— Não podia — respondeu ele — adiar a viagem há tanto preparada; mas, à vista do pedido, não posso recusar o adiamento. Diga a Valadares que pode contar comigo.

— Agradeço-lhe o obséquio — disse Amélia muito satisfeita —, e creia que favorece a meu marido.

— É favorecer a vossa excelência, creio — interrompeu Daniel. — Pode dizer que conte comigo.

A mulher de Valadares levantou-se para se despedir, e nesse ato fez o que fizera ao princípio, segundo costumava, correu por toda a sala olhos minuciosos.

— Desculpe — disse Daniel —, desculpe o desarranjo em que isto se acha... Estou em véspera de viagem; e bem vê...

— Pois não; desculpo tudo — disse Amélia aproximando-se de uma mesa. — São lindos estes objetos de bronze; são principalmente de bom gosto... O senhor tem bom gosto.

— Creio que sim...

— Por exemplo, a Augusta...

E calou-se.

— Que tem a Augusta? — perguntou Daniel.

— A Augusta é bonita; e o senhor mostra que tem bom gosto...

— Maliciosa! bem sabe que...

— Sei que o senhor gosta dela.

— Perdão, gostei dela.

Amélia sorriu, mas não respondeu. Não teria acreditado? Daniel suspeitou-o; e quando ia continuar a conversa para deixar-lhe bem claro no espírito que já nada havia dele para com Augusta, a mulher de Valadares chamou a atenção para não sei que volume que estava sobre a mesa.

Como ele lhe explicasse o que era o livro, ela continuou no exame dos objetos que viu sobre a mesa.

Amélia era naturalmente indiscreta e leviana. A visita à casa de Daniel era já um ato de sofrível leviandade; a demora, e a bisbilhotice com que examinava a sala tinha mais graves consequências. Que pensaria Daniel se não conhecesse o espírito frívolo da moça?

De repente, Amélia, indo levantar um álbum, viu debaixo um objeto que lhe chamou a atenção; era uma liga. Daniel estava voltado para um espelho e não viu o gesto da moça. Amélia examinou a liga e viu duas iniciais; as iniciais de Augusta.

O leitor lembra-se do episódio da rua do Ouvidor.

Quando Daniel se voltou para Amélia, viu-a sorrir; aproximou-se e reparou que ela estava com a liga nas mãos. Não lhe ocorrendo a circunstância das iniciais (circunstâncias bem próprias de romance), Daniel arriscou a seguinte observação:

— Fez mal em descobrir isso: é um despojo de vencido.

— Ah! — disse Amélia.

E mostrou as iniciais de Augusta.

Daniel empalideceu.

Amélia olhou para ele, atirou a liga sobre a mesa, e disse, caminhando para o espelho:

— Não se assuste; eu sou de segredo.

Daniel tinha recobrado o sangue-frio.

— Assustar-me de quê? — perguntou ele.

— Não sei — respondeu Amélia, consertando o chapéu.

— Além de que, não é segredo.

— Ah! não é segredo? Eu cuidei que era... Não me disse há pouco que já não gostava dela?

— Perdão — disse Daniel aproveitando a aberta que lhe davam essas palavras —, eu creio que está enganada.

— Estarei enganada, e o Luís também.

— Quem é o Luís?

— O deputado — respondeu Amélia rindo.

E apertando a mão de Daniel acrescentou:

— Adeus, adeus! tenho pressa. Tenho a sua palavra; só irá na semana que vem.

E antes que Daniel lhe oferecesse o braço ou procurasse detê-la, saiu da sala e desceu as escadas.

Daí a pouco, partiu o carro.

XIV

Daniel não pôde conter um gesto de despeito, apenas Amélia saiu.

Tinha vontade de ir agarrá-la e castigá-la de toda a leviandade com que procedeu entrando em sua casa. O incidente da liga, e as meias palavras com que ela o encerrou, tudo estava fervendo no espírito até há pouco tranquilo de Daniel.

— Que leviana! — dizia consigo. — Vir à casa de um homem solteiro por um modo tão singular; fazer-me o singular pedido de ir com o marido para fora; revolver os meus móveis; caluniar pessoas a quem abraça... Ai, Valadares, que mulherzinha te caiu nos braços!

XV

Valadares era menos exigente que Daniel.

O que lhe parecia mal em Amélia eram as impertinências da mulher faceira, os caprichos, as imposições, de maneira que tudo acabaria se estivesse algum tempo fora dela... a espairecer.

Cuidou que a viagem a Minas era boa ocasião; mas Daniel não quis adiar a sua viagem para esperá-lo. Amélia soube disso e foi ajudá-lo nos seus desejos pedindo esse favor ao próprio Daniel.

Quando no dia seguinte, de manhã, Valadares encontrou a mulher à mesa do almoço, disse-lhe ela:

— Já preparaste as malas?

— Para quê?

— Para a viagem a Minas.

— Só, não vou.

— Vai com o Daniel.

— Mas ele não quer adiar...
— Quer.
— Como sabes?
— Pedi-lho eu.

Valadares tomou a liberdade de abraçar entusiasticamente a mulher diante da criada, cujo pudor lhe aconselhou imediatamente uma excursão à cozinha.

— Não sabes como te agradeço o que fizeste por mim.
— Ah! tens muito prazer em ir a Minas? Queres esquecer-me?
— Eu, lindinha? Nem por sombras. Quero estudar a província, e além disso preciso de tomar ares. O Valadão diz que eu estou caminhando para a cova, e que preciso reforçar a minha constituição. Sabe Deus que saudades levo de ti! Mas tu não queres ir.
— Bem sabes que não posso.

O almoço terminou alegremente; parecia que aqueles dois galés já saboreavam a felicidade de se separarem durante algum tempo.

Daniel resolveu responder às tolices de Amélia com partida imediata, sem embargo da promessa anteriormente feita. Ao princípio, repugnou-lhe o ato que era descortês; mas venceu o aborrecimento que Amélia lhe causara na tarde em que foi visitá-lo.

E justamente quando Valadares agradecia à mulher os esforços que fizera em favor dele, estava Daniel em caminho para Minas, acompanhado de um simples criado.

Valadares saíra de casa para ajustar objetos de que precisava para a viagem. Às duas horas, lembrou-lhe ir ter com Daniel.

— Onde está o amo? — perguntou a um criado que lá encontrou.
— Saiu — respondeu o criado.
— Volta?
— Foi para Minas.
— Para Minas...

Valadares ficou contrariadíssimo com a notícia.

— Parece — disse o criado — que eu tenho aqui uma carta para o senhor.
— Para mim? Dá cá.

O criado foi buscar a carta e entregou-a a Valadares.

A carta dizia assim:

> Valadares,
>
> Prometi à tua mulher que adiaria a viagem; mas sinto não poder cumprir a palavra prometida a tão gentil senhora, porque entrou-me por casa uma fúria, uma bisbilhoteira, uma mulher sem pinga de juízo que pôs a minha sala e o meu espírito em desordem. Para esquecer esta hóspede inesperada só me resta o recurso de precipitar a viagem. Até lá ou até a volta.
>
> Teu Daniel

Valadares leu a carta e não a entendeu muito bem.

Quando Amélia soube que Daniel, a despeito da promessa que lhe fizera, havia partido, sentiu-se um pouco humilhada; mas como as impressões da moça eram passageiras, o ressentimento não lhe durou mais de um quarto de hora. Ficou, porém, despeitada com o bilhete de despedida de Daniel. Aquilo que Valadares não compreendia, Amélia o compreendia demais. Achou-se injuriada com as expressões da carta e mais ainda porque fora sem dúvida escrita na previsão de ser lida por ela.

Valadares resolveu seguir viagem na época escolhida por ele; mas um acontecimento estranho à nossa história impediu que a viagem fosse executada. Achando-se numa ceia com rapazes e moças, Valadares sentiu-se preso pelas algemas do amor, e sacrificou a viagem a Minas nas aras de uma Laís de contrabando.

Nunca mais falou em viajar.

Amélia ainda tentou mandá-lo tomar ares; e Valadares, que em todas as ocasiões, era o tipo do esposo maricas, desta vez resistiu violentamente, prova de que amava profundamente... a outra.

XVI

Quando Augusta soube realmente que Daniel partira para Minas, sentiu uma decepção; apesar da despedida solene que este lhe fizera e à família, Augusta acreditava que a viagem nunca seria executada.

Não supunha, note-se, que Daniel estivesse a fazer comédia, quando se despediu deles; mas acreditava que lhe seria difícil deixar a corte. É que, apesar de tudo, Augusta estava convencida de que Daniel amava-a loucamente.

O advérbio era demais.

Daniel amava a rapariga, e justamente para acabar com esse germe, que já começava a desenvolver-se no coração, é que ele fazia aquela viagem. Ouvira dizer que as viagens são excelentes contra o reumatismo do coração.

Augusta sentiu-se ferida; o despeito pôde muito naquela ocasião.

A sua esperança foi que, demorando um último olhar na janela da casa dela, Daniel não pudesse seguir viagem e tornasse a entrar para casa, dispondo-se a encadear a existência ali a seus pés.

A esperança foi iludida.

Mas para que desejava Augusta isso, se o não amava?

Não sei; desejava-o.

Madalena procurou sondar o coração da filha, depois da partida de Daniel.

— Que sentes tu a respeito desta ida súbita do doutor Daniel? — perguntou-lhe uma tarde.

— Eu, nada — respondeu Augusta. — Acha que devo sentir alguma coisa?

— Não; era simples pergunta. Sabes que ele gostava de ti.

Nenhuma palavra mais se conseguia arrancar a Augusta relativamente a este negócio.

Um dia, Luís estando com ela anunciou que voltava para a província, e que estava disposto a abandonar a carreira política. Acrescentou que até então tivera alguma esperança, mas que essa mesma se desvanecera.

— Pensei — disse Augusta —, pensei que já não houvesse esperanças para o senhor.

— Havia uma...

— Qual?

— A de ser amado quando já todos se houvessem esquecido de mim!

— Perdeu essa esperança? — disse Augusta. — Olhe que não perdeu grande coisa.

— Perdi, porque ela era fundada numa base falsa. Eu acreditava até agora que o seu coração era mudo.

— Ah!

— Mas sei que não; o seu coração falou.

— Que disse ele?

Augusta estava disposta a gracejar; as suas últimas palavras foram ditas com um riso de escárnio, cujo segredo só ela possuía.

— Disse que ama a um ausente...

Augusta levantou-se ao ouvir isto; olhou fixamente para Luís e disse:

— Ou é ilusão sua ou calúnia de alguém! Demais, creio que pouco lhe deve importar o sentimento do meu coração...

— Importa-me muito, dona Augusta. Não quero falar-lhe de amor, pois que já mo proibiu; mas permita que lhe pergunte só por que razão eu...

Augusta lançou-lhe um olhar de profundo escárnio e desprezo, voltou-lhe as costas e saiu.

— É demais! — disse Luís.

Pegou no chapéu e retirou-se.

— Que é isto? Por que motivo nutro eu uma esperança vã? Para ser insultado todos os dias? Aquela mulher é uma estátua; não tem sangue, nem alma. É feita de um pedaço de mármore. Amar para quê? para ter neste amor o meu tormento e a minha humilhação? Não! é demais! tudo precisa de um termo.

Desse dia em diante, Luís não voltou à casa de Madalena.

XVII

O procedimento de Augusta era objeto da curiosidade de todos.

— Por que motivo esta moça recusa todos os pretendentes? — diziam as mães de família. — Parece que não quer casar. Quererá ficar para tia?

O argumento era singular; devia ocorrer a todos que Augusta recusava os pretendentes justamente por que não gostava de nenhum.

Mas a reflexão das mães de família era que um casamento nunca se recusa, salvo circunstâncias especiais.

Madalena respeitava os escrúpulos da filha; queria vê-la feliz e entendia que o melhor meio era casá-la com quem lhe falasse ao coração.

Mas onde estava esse fênix, visto que nenhum até agora lhe agradara?

Augusta conservava-se na sua torre de marfim, pouco disposta a ceder às instâncias, nem de Luís, nem de Daniel. Viu partir um e outro sem a menor emoção. Quem teria razão? Os que esperavam que chegasse a Augusta a hora do amor ou os que a julgavam uma simples estátua de mármore?

Tinham já corrido dois meses depois da partida de Daniel para Minas Gerais, quando Augusta encontrou Amélia na rua da Quitanda, indo a primeira com a mãe ver umas fazendas, e *vindo* Amélia de um passeio com Valadares. Era raro que os dois andassem juntos; Valadares gracejara muito por essa circunstância apenas encontrou as duas senhoras.

— Não repare, dona Madalena; o sol e a lua ao pé um do outro é sinal evidente de eclipse.

Depois de alguns minutos de conversa, Amélia seguiu com Madalena e a filha, ao passo que Valadares foi a outras ocupações. Amélia jantaria com as amigas e voltaria à noite para casa. Valadares escusou-se, dizendo que tinha um jantar diplomático. Com efeito, ao jantar a que ele assistiu, estiveram presentes alguns secretários e adidos de legação; mas o caráter do festim tinha mais de guerra que de diplomacia. Notas, se as havia, não eram de embaixada.

— Já sabe que a nossa partida está próxima? — disse Madalena a Amélia, apenas chegaram a casa.

— Ah!

— Apenas se fecharem as câmaras — continuou Madalena —, vou deixar o seu Rio de Janeiro.

Amélia olhou para Augusta com uma insistência que a moça não compreendeu.

— Vai deixar o meu Rio de Janeiro — disse Amélia depois de alguns instantes. — Não gosta dele?

— Muito, decerto.

— É magnífico — disse Augusta —; mas a nossa província...

— Amor de bairro — respondeu Amélia sorrindo.

— Será, será, mas não somos todos assim?

— Conforme. Às vezes, muda-se de sentimento, conforme os afetos que encontramos nos lugares novos.

— Isso não sei.

— Não achou cá alguma coisa?

— Coisa nenhuma.

Augusta disse isto com tanta frieza e firmeza, que Amélia não pôde reprimir um gesto de espanto.

— Pois olhe, disseram-me...

— O quê? — perguntou Madalena.

Amélia hesitou alguns instantes.

— Estou gracejando — disse ela.

Mas daí a algum tempo, achando-se a sós com Augusta, disse-lhe:

— Disseram-me que estavas apaixonada pelo Daniel.

— Eu? Qual!

— Disseram-me... Juras que não é verdade?

— Juro.

— Então, toma cuidado!...

— Por quê?

— Porque podem dizê-lo e então...

— Que importa que o digam? — disse Augusta.

— Perdão; importa muito. Se disserem, por exemplo, que fizeste presente de uma liga ao Daniel, como se fosse uma flor ou um botão de camisa...

— Dirão uma tolice.

— Mas se disserem que ele possui esse objeto?

— Que ele possui? Ora essa! Estás brincando, Amélia.

Amélia contou-lhe o episódio da casa de Daniel.

XVIII

No fim de uma ausência de quatro meses, voltou Daniel ao Rio de Janeiro.

A viagem foi uma verdadeira restauração. Daniel achou-se como sempre fora, tendo perdido o menor vestígio do parêntese que se dera em sua existência.

A falar verdade, Daniel achava agora que fora ridículo durante os dias em que se sentiu apaixonado por Augusta. O caráter indiferente do rapaz, por um momento agitado, voltou a ser o que era.

Entrou em casa de noite, e não tendo prevenido a ninguém, ninguém foi esperá-lo à chegada.

Ao entrar em casa, não pôde deixar de olhar para a casa de Augusta. Ignorava se ainda ali moravam ou se haviam partido para a província. A casa estava silenciosa.

O criado, que o recebeu, deu-lhe notícia de que a família de Augusta ainda morava na mesma casa.

— Mas quem te perguntou por isso? — disse Daniel.

— Eu lhe digo, meu amo; é que, de quando em quando, mandavam saber de lá quando é que meu amo chegava.

— Sim?

— É verdade. E há coisa de três dias recebi uma carta com ordem de entregar-lha apenas chegasse.

— Uma carta?

— Sim, senhor; está no seu gabinete.

— Deixa-me ir descalçar as botas.

Noutro tempo, Daniel teria ido ver a carta primeiro; agora, preferia descalçar as botas. Sirva isto de termômetro; quando um homem procura antes de tudo ler uma carta, ama; quando descalça as botas antes, já não ama. É receita que lhes dou de graça.

Descalçadas as botas, Daniel foi ler a carta.

Era de Augusta.

Dizia assim:

> Apenas chegar, peço-lhe que venha a nossa casa. Desejo falar-lhe.
>
> AUGUSTA

— Olé! — disse Daniel em voz alta. — Dar-se-á caso que a menina mudasse de opinião? Que diabo me quererá ela? Se vem falar de amores, estou disposto a não admitir conversa neste ponto; é capítulo acabado. Amanhã, veremos a coisa.

E reparando que o criado ouvira este solilóquio, voltou-se para ele rindo:

— João, ouviste o que eu disse agora?

— Eu só ouço o que meu amo quiser — respondeu o criado sorrindo maliciosamente.

— Ainda bem. Dá-me de comer.

Daniel comeu tranquilamente como um homem que chega de uma viagem de recreio.

— Veio alguém procurar-me?

— Veio o senhor Valadares duas vezes. Parece que tem graves acontecimentos para comunicar-lhe.

— A mim?

— Disse-me isto.

— Vai dizer-lhe que eu voltei e o espero hoje mesmo.

O criado saiu.

Daniel releu o bilhete de Augusta, e não podia furtar-se ao espanto que lhe causava a sem-cerimônia da moça, escrevendo e assinando um bilhete que podia comprometê-la.

— Tudo é natural naquele gênio excêntrico — dizia ele consigo.

Cerca de uma hora depois, chegou Valadares.

Depois de um apertado abraço de boas-vindas, Valadares sentou-se e pediu a Daniel a sua mais profunda atenção.

— Estava ansioso por ver-te — disse ele.

— Aqui estou. Tua mulher?

— Não me fales dela.

— Por quê?

— Quero propor ação de divórcio.

— Eu já contava com isso — disse Daniel tranquilamente. — Dizem que dois gênios iguais não fazem liga; parece que o adágio é certo, visto que vocês ambos eram o tipo da frivolidade...

— Daniel!

— Desculpa a franqueza; é um direito de amigo. Até hoje, não descobri outro mérito num amigo senão o de dizer coisas desagradáveis ao outro amigo, sob pretexto de que a franqueza é um dever do coração. Portanto, sustento que vocês dois não se podiam ligar, pois eram e são dois espíritos frívolos.

— E tu, queres passar por um homem grave?

— Deus me defenda! Eu não sou grave, nem frívolo, sou indiferente. São dois extremos. Eu estou entre estes dois pólos do espírito humano. O caráter é como a gravata; uns usam por gravata uma fitinha preta, são os frívolos; outros um lenço de dois palmos de altura, são os graves. A primeira constipa, a segunda sufoca; eu uso gravata regular.

Valadares soltou do peito um ruidoso suspiro.

— Bem; esquece os meus defeitos para atender somente aos meus infortúnios... Não posso viver com Amélia, devo separar-me a todo custo.

— É resolução assentada? Então o meu conselho é inútil.

— Nem eu te peço conselho. Quero simplesmente que me defendas, quando me acusarem.

— Isso não!

— Por quê?

— Não quero intervir em negócios de família.

A resposta de Daniel foi tão fria que Valadares não achou objeção razoável.

— É a tua última palavra? — perguntou ele.

— A última.

Seguiu-se a isto um longo silêncio.

Valadares levantou-se, deu alguns passos, acendeu um charuto, enquanto Daniel punha em ordem alguns papéis.

— Como te foste de viagem? — perguntou Valadares.

— Bem.

— E quando eu penso que podia ter ido contigo... A propósito, continuou Valadares, que me querias tu dizer na carta que me mandaste e que eu não entendi?

— Ah! queria dizer que não podia esperar.

— Mas há certas palavras...

— Isso não vale a pena. Tua mulher leu a carta?

— Leu. Ah! se eu tivesse ido contigo! Mas aquilo por lá é muito aborrecido?

— Conforme — disse Daniel —; para quem gosta da corte e da rua do Ouvidor, deve ser aborrecido; eu acomodo-me bem em toda a parte.

— É verdade que se eu fosse perdia muita coisa.

— Sim?

— Coisas do arco-da-velha. Sabes que temos gente nova?

— Onde?

— No Alcazar. A rapaziada agora anda muito animada. Eu estreei ontem este paletó num grande jantar na Tijuca... jantar de Citera. Como achas o paletó?

— Acho bom.

— Manda fazer um, porque a moda é isto agora. Tenho pena de não ter trazido os figurinos; os cortes das calças são excelentes. Estas que eu tenho já passaram da moda; trouxe-as, porque vim depressa e é noite. E os padrões?

Valadares continuou neste gosto até que bateram dez horas. Daniel alegou que estava cansado e precisava dormir. Valadares saiu, prometendo voltar no dia seguinte, a fim de ver se obtinha uma resposta dele.

— Sobre o divórcio ou sobre as calças?

— Uma e outra coisa — disse Valadares descendo a escada.

XIX

No dia seguinte, à noite, Daniel foi visitar a família de Augusta.

O rapaz tinha curiosidade de saber que impressão lhe produziria a moça. Posto que não sentisse mais nada por ela, queria ver se o simples aspecto do rosto ex-amado teria força de despertar as recordações extintas.

Entrou firme e tranquilo na sala.

Madalena esperou-o à porta; Augusta estava no sofá, e levantou-se apenas Daniel apareceu.

Feitos os cumprimentos do estilo, depois de uma longa viagem, Daniel disse que não cuidava encontrá-las no Rio de Janeiro, visto estarem fechadas as câmaras e ter o irmão de Madalena necessidade de voltar à província.

— A necessidade desapareceu por enquanto — disse Augusta —; meu tio demora-se algum tempo...

— O que é um prazer para nós todos — disse Madalena.

Daniel curvou-se em sinal de assentimento.

A conversa tomou outra direção até que chegaram algumas visitas mais.

Daniel pôde ficar algum tempo a sós com Augusta, no canto de uma janela.

— Recebeu uma carta minha? — perguntou a moça.

— Um simples bilhete.

— Isso mesmo. Não me julga leviana?

— Não; apenas audaz.

— É um sinônimo neste caso. Seja o que for; o certo é que recebeu a carta... e veio.

— Viria em todo caso — observou Daniel —; mas o seu bilhete apressou a minha visita.

— Sabe o que lhe quero?
— Não adivinho.
— Lembra-se o que me disse há tempos?
— Disse-lhe que a amava.
— Pois bem, proponho-lhe uma coisa. Quer casar comigo?

Daniel ficou espantado com a franqueza desta pergunta. Fez-lhe o mesmo efeito de uma bala em cheio no estômago. Não atinando com a resposta, murmurou um monossílabo. Quem visse os dois julgaria que os papéis estavam trocados. Daniel assemelhava-se a uma donzela tímida, e Augusta a um cavalheiro amante e solícito, querendo arrancar da amada a resposta decisiva.

No fim de alguns segundos, disse Augusta:
— Não responde?
— Quer que lhe responda? — perguntou Daniel, readquirindo o seu sangue-frio. — É tão singular esta pergunta feita por vossa excelência.
— Singular? Não acho.
— Singular por dois motivos. O primeiro é que essa pergunta costuma sempre ser feita por nós outros; aqui os papéis estão trocados; o segundo é que, depois do que me disse há tempos, aí...
— Mudei de opinião.
— De opinião? — perguntou Daniel, sorrindo.
— De sentimento, queria eu dizer — respondeu Augusta. — Não exijo a resposta imediatamente; basta que a mande amanhã.

E retirou-se da janela.

Daniel ainda ali ficou algum tempo, aturdido com o que acabara de ouvir. Tudo lhe parecia estranho naquela moça. Para supô-la leviana encontrava um desmentido no seu caráter, que estudara outrora; seria o que ele lhe disse a ela mesma, apenas uma audaciosa?

Daniel meditou nessa noite na resposta que lhe havia de dar, ou antes na forma de resposta, porque a resposta era negativa. Consultou o coração e reconheceu que nada sentia por ela. Estava frio. Enganá-la, seria baixeza; mais valia ser franco.

Mas como dizer-lhe, sem que lhe ofendesse os brios, esta revelação inesperada?

No dia seguinte, depois de muito meditar escreveu a carta seguinte:

> Minha senhora,
>
> A singularidade da nossa situação só pode ter uma solução singular. Convidado a casar por uma moça bonita, prendada, que a todos os respeitos é a ambição de um homem, é singular que esse homem, não tendo outros compromissos, recuse o convite. Pois é justamente a minha resposta; tomo a liberdade de recusar.
>
> Não me acuse, porém, antes de meditar bem nas considerações que me obrigam a recusar o seu convite. Aceitá-lo-ia, quando eu a amava; hoje, que o sentimento que lhe votava desapareceu de todo, não posso fazê-la feliz, porque casar sem amor é desgraçar uma senhora.

Tudo isto é singular; a maior parte dos casamentos fazem-se independentemente do amor. Mas, que quer? Eu, profundamente cético, a respeito de tudo, tenho a veleidade de crer no amor, ainda que raro, e quero que o amor seja a única razão do casamento.

À vista destas razões, o meu procedimento, recusando, é tão nobre e digno como vil seria se aceitasse. Creia-me, entretanto, seu amigo e respeitador.

Fechou a carta e mandou-a.
Que impressão produziria ela no ânimo de Augusta?

XX

Augusta não se mostrou irritada com a resposta de Daniel; conteve a irritação; revelar-se, era contrário ao seu orgulho; não queria fazê-lo e não fez.

Mas, poucos dias depois, notavam-se as visitas repetidas de Luís à casa de Madalena; as pessoas que frequentavam a casa notavam, também, que as relações entre o deputado e Augusta eram muito mais cordiais do que antes.

Madalena quando percebeu isto, estimou muito que a situação tivesse tomado aquele caráter; preferia vê-la casada com um homem que parecia merecer toda a confiança.

E seria namoro?
Alguns afirmavam que sim; outros que não.
Todos concordavam, porém, que a situação entre ambos tinha-se modificado muito.

Luís, pela sua parte, já se acreditava mais feliz; não é que ela desse esperanças positivas; mas todo o seu procedimento dava a entender isso mesmo.

Daniel, depois da carta que escreveu a Augusta, hesitou em frequentar a casa; mas, ao mesmo tempo curioso por ver o efeito da carta, resolveu lá ir, e com efeito apareceu ali quinze dias depois do último em que lá estivera.

Como o recebeu Augusta?

Daniel ia atravessando um corredor e encontrou Augusta que vinha de uma sala interior. A moça apenas o viu foi mais depressa para ele, com um sorriso nos lábios, a ponto que o rapaz, contando com um gesto de despeito ou ao menos de indiferença, ficou como dizem, desapontado.

Trocaram alguns cumprimentos, depois dos quais Daniel perguntou a Augusta:

— Perdoou-me?
— Perdoei-o.

Augusta disse estas palavras com tanta graça que Daniel sentiu-se arrependido de ter mandado a carta.

Nessa noite, lá esteve Luís como de costume.

Madalena recebeu Daniel com um sorriso de piedade. Ignorava a troca de cartas, mas o sorriso queria dizer:

— O que perdeu o senhor! Vai outro ser feliz!

Daniel mostrou-se amável com todos. Augusta não demonstrou o menor sintoma de desagrado em relação ao rapaz.

— Será isto natural? ou é simplesmente hipocrisia? — perguntava Daniel consigo.

Luís estava radiante de amor. Já para ele não havia dúvida de que triunfava finalmente a sua perseverança.

A presença de Daniel que, em outra época, o incomodara, já agora lhe era indiferente.

Por sua parte, Daniel conhecia pelo ar de Luís que a situação estava toda a seu favor.

Não quis disputar-lha.

Somente, refletiu um pouco sobre a facilidade com que Augusta passava de um a outro namoro.

A coisa não seria de admirar noutra mulher; mas na orgulhosa Augusta!

XXI

Daniel ao entrar em casa recebeu uma carta que lá deixara Valadares.

Desta vez, o janota ia divorciar-se da mulher.

Daniel sorriu e atirou a carta a um lado; mas no dia seguinte de manhã, apenas saiu à rua, recebeu a notícia como certa.

Tinham-se finalmente separado aquelas duas almas que não foram feitas para ser unidas, apesar da conformidade das tendências que se notava entre ambas.

O próprio Valadares veio confirmar a notícia.

Daniel encontrou-o no Rocio, junto à esquina do Clube Fluminense.

— Sabes, meu rico Daniel?

— O quê?

— Que eu vou pôr a sela à margem, a sela é minha mulher.

— Tu és o burro — disse Daniel rindo.

— Com três erres.

— Mas eu ouvi dizer que já estavam separados?

— Já me mudei de casa; agora vamos tratar judicialmente do divórcio.

— Mas já pensaste nisto maduramente?

— Já pensei demais; se me não separo tão depressa, iria para o hospício.

— Se lá estivesses há mais tempo, não te casavas.

— Isso é verdade...

Despediram-se. Daniel foi rindo interiormente da situação de Valadares.

Na primeira vez em que se achou em casa de Augusta, encontrou lá Amélia.

A mulher de Valadares estava alegre como se não se houvesse dado na sua vida acontecimento de grande monta.

Daniel não lhe disse nada; mas Amélia, na primeira ocasião em que se achou com ele mais separada dos outros, contou-lhe a mesma coisa que o marido, com a diferença de que desta vez a vítima era ela e não ele.

Daniel ouviu como amigo a narração que Amélia lhe fazia, mas absteve-se de dar resposta nenhuma.

— Tudo isto — pensava ele consigo, voltando para casa — são argumentos para não casar nunca!

Anunciou-se um grande baile dado pelo tio de Augusta que se retirava com toda a família para a província. O velho deputado não era dado a essas coisas; mas, a pedido da sobrinha, fez tudo o que ela lhe indicou.

Augusta queria ter na corte um último triunfo.

Com efeito, na noite do baile esteve esplêndida. Tinha o condão de ser elegante, com simplicidade. Sobrava-lhe gosto. E tudo quanto podia fazer, fê-lo para aquela noite, que devia ser a sua última campanha.

Luís ficou deslumbrado, quando a viu entrar na sala, e não menos deslumbrado ficou Daniel.

A moça aceitou Daniel para seu primeiro par.

— Sabe que está deslumbrante? — disse-lhe o rapaz, tomando o lugar na quadrilha.

— Deveras?

— É o que lhe digo. Demais, já todos os olhos lhe estão dizendo isto mesmo.

Depois dos antecedentes havidos entre Daniel e Augusta, era impossível que fossem mais familiares.

Posto que Luís tivesse já grandes esperanças, com visos de certeza, de dominar completamente o coração de Augusta, todavia estava um pouco incomodado com as atenções que a moça tinha para com Daniel.

Tudo, porém, desapareceu, quando Augusta o aceitou para par da seguinte quadrilha.

— Não tive a satisfação de dançar a primeira — disse Luís —, mas espero que me conceda a segunda.

— Não nos compromete isso? — disse Augusta.

— Por quê?

— Dizem que a segunda quadrilha é dos namorados.

Luís sorriu cheio de satisfação.

— Dizem, é verdade — respondeu ele sem saber bem o que dizia.

No correr da quadrilha, desapareceu a menor sombra de susto de Luís. Augusta estava mais do que nunca amável com ele.

XXII

Justamente no fim da quadrilha, entrou na sala Amélia Valadares, sem o marido.

Já sabemos que Amélia era bonita; sabia vestir-se, exagerando um pouco as modas, é verdade; naquela noite, vinha bem; não havia exageração e havia, portanto, elegância.

Poucas pessoas sabiam até então da resolução tomada entre ela e o marido para se separarem. Por isso, foi-lhe fácil responder aos que lhe perguntavam por Valadares:

— Foi a um jantar político. Virá logo.

Desculpem a leviandade da rapariga; ela não dava mais de si.

Quando Amélia entrou, viu Augusta pelo braço de Luís, conversando amigavelmente com ele; pela noite adiante, reparou nessa intimidade maior que a que até então existia.

— Será amor? — perguntou ela consigo.

Na primeira ocasião que teve para conversar mais largamente com Augusta, aproveitou-a. Foram para uma pequena sala de descanso, e aí, enquanto se dançava uma valsa, sentaram-se as duas num sofá.

— Dou-lhe os meus parabéns — disse Amélia.
— Por quê?
— Está de namoro e casamento pronto.
— Nem namoro, nem casamento — respondeu Augusta.
— Mas há esperanças de união?
— Isso sim.
— Logo...
— Quer que lhe diga uma coisa? É natural que eu acabe casando com o Luís, mas não é por amor dele...

Amélia, neste ponto, pensou em Valadares.

— Caso-me por duas razões: a primeira é para acabar com os pretendentes à minha mão — continuou Augusta.
— E os pretendentes ao coração?
— Oh! esses!
— A segunda razão qual é?
— A segunda razão — continuou Augusta — é que o melhor meio de esquecer...

A moça hesitou.

— Acaba! — disse Amélia.
— Escute, minha amiga; é um segredo que só aqui ficará. Sabe a quem é que eu amava e amo deveras?
— Ao Daniel?
— Sim.
— Eu desconfiava.
— Só aquele orgulho misturado de indiferença podia domar a minha indiferença e o meu orgulho.
— Mas então?...
— Então, é que tendo recusado sempre o que ele pediu, que era a minha mão e meu coração, cheguei um dia a oferecer-lhos.
— E ele?
— Recusou.
— Pelintra!
— Não; era justo; a culpada fui eu. Mas agora é preciso carregar a minha cruz. Quero ir para o norte já e ver se esqueço isto...
— O Luís há de ajudá-la a esquecer o amor de Daniel.
— Qual! — disse Augusta com um gesto de tanta indiferença que seria capaz de gelar o Vesúvio em horas de explosão.
— Acabou-se a valsa, vamos passear — disse Amélia.

E saíram da sala.

Apenas transpuseram a soleira, saiu de um gabinete contíguo um homem que ali se achava, algum tempo antes de lá entrarem as duas raparigas.

Era Luís.

O gabinete era o lugar em que trabalhava ou lia o tio de Augusta. Precisando escrever um bilhete, Madalena o levou ali, onde se achava quando as duas moças chegaram.

Quando entrou na salinha, estava lívido.

Tinha ouvido a verdade mais cruel de todas; uma mulher que fingia gostar dele, sendo indiferente; que se casaria com ele para escapar aos pretendentes, e que, casando-se, levava no coração a lembrança e o amor de outro.

Luís ficou atordoado com o que ouvira; a sua primeira ideia foi aparecer no meio das duas moças, quando elas confidenciavam; mas reconheceu que isso apenas o exporia ao ridículo.

Quando percebeu que elas tinham saído, fugiu do gabinete, onde abafava. As duas moças, como disse, tinham já saído; Luís ainda viu de longe a formosa cabeça de Augusta, dominando as outras como a de uma rainha.

Deu alguns passos cambaleando; depois atravessou a sala grande, e, sem que ninguém o percebesse, foi-se embora.

Durante a primeira meia hora, não se reparou na ausência dele. Mas, afinal, descobriu-se que Luís tinha saído.

— Sem dizer-mo! — pensou Augusta. — É singular!

No dia seguinte, Luís amanheceu doente; uma febre grave se declarou que o prostrou de cama oito dias. Mas era robusto e o organismo resistiu triunfante ao mal.

Quando se levantou, escreveu o seguinte bilhete a Augusta:

> Minha senhora,
> Ouvi tudo por simples acaso; é-me impossível satisfazer-lhe o desejo de casar por esquecer. Adeus.
>
> Luís

A carta não produziu grande comoção em Augusta; mas esta sentiu-se. Pela primeira vez, achou-se humilhada; arguia-lhe a consciência.

XXIII

Repelindo os que a amavam, leviana em suas ações, dotada de um caráter orgulhoso e altivo, Augusta teve o castigo dos próprios erros.

A carta de Luís inspirou-lhe a ideia de não casar mais.

E cumpriu a resolução.

Ninguém deve imitar Augusta; é um desses tipos raros, extravagantes, que nunca podem ser a esposa amante, nem a mãe carinhosa; em suma, é a mulher sem nenhum traço augusto.

Jornal das Famílias, setembro-dezembro de 1872 e janeiro de 1873; J. J.

Quem conta um conto...

I
Eu compreendo que um homem goste de ver brigar galos ou de tomar rapé. O rapé dizem os tomistas que alivia o cérebro. A briga de galos é o Jockey Club dos pobres. O que eu não compreendo é o gosto de dar notícias.

E todavia quantas pessoas não conhecerá o leitor com essa singular vocação? O noveleiro não é tipo muito vulgar, mas também não é muito raro. Há família numerosa deles. Alguns são mais peritos e originais que outros. Não é noveleiro quem quer. É ofício que exige certas qualidades de bom cunho, quero dizer as mesmas que se exigem do homem de Estado. O noveleiro deve saber quando lhe convém dar uma notícia abruptamente, ou quando o efeito lhe pede certos preparativos: deve esperar a ocasião e adaptar-lhe os meios.

Não compreendo, como disse, o ofício de noveleiro. É coisa muito natural que um homem diga o que sabe a respeito de algum objeto; mas que tire satisfação disso, lá me custa a entender. Mais de uma vez tenho querido fazer indagações a este respeito; mas a certeza de que nenhum noveleiro confessa que o é tem impedido a realização deste meu desejo. Não é só desejo, é também necessidade; ganha-se sempre em conhecer os caprichos do espírito humano.

O caso de que vou falar aos leitores tem por origem um noveleiro. Lê-se depressa, porque não é grande.

II
Há coisa de sete anos vivia nesta boa cidade um homem de seus trinta anos, bem apessoado e bem falante, amigo de conversar, extremamente polido, mas extremamente amigo de espalhar novas.

Era um modelo do gênero.

Sabia como ninguém escolher o auditório, a ocasião e a maneira de dar a notícia. Não sacava a notícia da algibeira como quem tira uma moeda de vintém para dar a um mendigo.

Não, senhor.

Atendia mais que tudo às circunstâncias. Por exemplo: ouvira dizer, ou sabia positivamente, que o ministério pedira a demissão ou ia pedi-la. Qualquer noveleiro diria simplesmente a coisa sem rodeios. Luís da Costa, ou dizia a coisa simplesmente, ou adicionava-lhe certo molho para torná-la mais picante.

Às vezes entrava, cumprimentava as pessoas presentes, e se entre elas alguma havia metida em política, aproveitava o silêncio causado pela sua entrada, para fazer-lhe uma pergunta deste gênero:

— Então, parece que os homens...

Os circunstantes perguntavam logo:

— Que é? que há?

Luís da Costa, sem perder o seu ar sério, dizia singelamente:

— É o ministério que pediu demissão.

— Ah! sim? quando?

— Hoje.
— Sabe quem foi chamado?
— Foi chamado o Zózimo.
— Mas por que caiu o ministério?
— Ora, estava podre.
Etc. etc.
Ou então:
— Morreram como viveram.
— Quem? quem? quem?
Luís da Costa puxava os punhos e dizia negligentemente:
— Os ministros.
Suponhamos agora que se tratava de uma pessoa qualificada que devia vir no paquete: Adolfo Thiers ou o príncipe de Bismarck.
Luís da Costa entrava, cumprimentava silenciosamente a todos, e em vez de dizer com simplicidade:
— Veio no paquete de hoje o príncipe de Bismarck.
Ou então:
— O Thiers chegou no paquete.
Voltava-se para um dos circunstantes:
— Chegaria o paquete?
— Chegou — dizia o circunstante.
— O Thiers veio?
Aqui entrava a admiração dos ouvintes, com que se deliciava Luís da Costa, razão principalmente do seu ofício.

III

Não se pode negar que este prazer era inocente e quando muito singular.
Infelizmente não há bonito sem senão, nem prazer sem amargura. Que mel não deixa um travo de veneno? perguntava o poeta da *Jovem cativa*, e eu creio que nenhum, nem sequer o de alvissareiro.
Luís da Costa experimentou um dia as asperezas do seu ofício.
Eram duas horas da tarde. Havia pouca gente na loja do Paula Brito, cinco pessoas apenas. Luís da Costa entrou com o rosto fechado como homem que vem pejado de alguma notícia.
Apertou a mão a quatro das pessoas presentes; a quinta apenas recebeu um cumprimento, porque não se conheciam. Houve um rápido instante de silêncio, que Luís da Costa aproveitou para tirar o lenço da algibeira e enxugar o rosto. Depois olhou para todos, e soltou secamente estas palavras:
— Então fugiu a sobrinha do Gouveia? — disse ele rindo.
— Que Gouveia? — disse um dos presentes.
— O major Gouveia — explicou Luís da Costa.
Os circunstantes ficaram muito calados e olharam de esguelha para o quinto personagem, que por sua parte olhava para Luís da Costa.
— *O major Gouveia da Cidade Nova?* — perguntou o desconhecido ao noveleiro.
— Sim, senhor.

Novo e mais profundo silêncio.

Luís da Costa, imaginando que o silêncio era efeito da bomba que acabava de queimar, entrou a referir os pormenores da fuga da moça em questão. Falou de um namoro com um alferes, da oposição do major ao casamento, do desespero dos pobres namorados, cujo coração, mais eloquente que a honra, adotara o alvitre de saltar por cima dos moinhos.

O silêncio era sepulcral.

O desconhecido ouvia atentamente a narração de Luís da Costa, meneando com muita placidez uma grossa bengala que tinha na mão.

Quando o alvissareiro acabou, perguntou-lhe o desconhecido:

— E quando foi esse rapto?
— Hoje de manhã.
— Oh!
— Das oito para as nove horas.
— Conhece o major Gouveia?
— De nome.
— Que ideia forma dele?
— Não formo ideia nenhuma. Menciono o fato por duas circunstâncias. A primeira é que a rapariga é muito bonita...
— Conhece-a?
— Ainda ontem a vi.
— Ah! A segunda circunstância...
— A segunda circunstância é a crueldade de certos homens em tolher os movimentos do coração da mocidade. O alferes de que se trata dizem-me que é um moço honesto, e o casamento seria, creio eu, excelente. Por que razão queria o major impedi-lo?
— O major tinha razões fortes — observou o desconhecido.
— Ah! conhece-o?
— Sou eu.

Luís da Costa ficou petrificado. A cara não se distinguia da de um defunto, tão imóvel e pálida ficou. As outras pessoas olhavam para os dois sem saber o que iria sair dali. Deste modo correram cinco minutos.

IV

No fim de cinco minutos, o major Gouveia continuou:

— Ouvi toda a sua narração e diverti-me com ela. Minha sobrinha não podia fugir hoje de minha casa, visto que há quinze dias se acha em Juiz de Fora.

Luís da Costa ficou amarelo.

— Por essa razão ouvi tranquilamente a história que o senhor acaba de contar com todas as suas peripécias. O fato, se fosse verdadeiro, devia causar naturalmente espanto, porque, além do mais, Lúcia é muito bonita, e o senhor o sabe porque a viu ontem...

Luís da Costa tornou-se verde.

— A notícia, entretanto, pode ter-se espalhado, continuou o major Gouveia, e eu desejo liquidar o negócio pedindo-lhe que me diga de quem a ouviu...

Luís da Costa ostentou todas as cores do íris.

— Então? — disse o major passados alguns instantes de silêncio.

— Senhor major — disse com voz trêmula Luís da Costa —, eu não podia inventar semelhante notícia. Nenhum interesse tenho nela. Evidentemente alguém ma contou.

— É justamente o que eu desejo saber.

— Não me lembro...

— Veja se se lembra — disse o major com doçura.

Luís da Costa consultou sua memória; mas tantas coisas ouvia e tantas repetia, que já não podia atinar com a pessoa que lhe contara a história do rapto.

As outras pessoas presentes, vendo o caminho desagradável que as coisas podiam ter, trataram de meter o caso à bulha; mas o major, que não era homem de graças, insistiu com o alvissareiro para que o esclarecesse a respeito do inventor da balela.

— Ah! agora me lembra — disse de repente Luís da Costa —, foi o Pires.

— Que Pires?

— Um Pires que eu conheço muito superficialmente.

— Bem, vamos ter com o Pires.

— Mas, senhor major...

O major já estava de pé, apoiado na grossa bengala, e com ar de quem estava pouco disposto a discussões. Esperou que Luís da Costa se levantasse também. O alvissareiro não teve remédio senão imitar o gesto do major, não sem tentar ainda um:

— Mas, senhor major...

— Não há mas, nem meio mas. Venha comigo; porque é necessário deslindar o negócio hoje mesmo. Sabe onde mora esse tal Pires?

— Mora na praia Grande, mas tem escritório na rua dos Pescadores.

— Vamos ao escritório.

Luís da Costa cortejou os outros e saiu ao lado do major Gouveia, a quem deu respeitosamente a calçada e ofereceu um charuto. O major recusou o charuto, dobrou o passo e os dois seguiram na direção da rua dos Pescadores.

V

— O senhor Pires?

— Foi à secretaria da Justiça.

— Demora-se?

— Não sei.

Luís da Costa olhou para o major ao ouvir estas palavras do criado do sr. Pires. O major disse fleumaticamente:

— Vamos à secretaria da Justiça.

E ambos foram a trote largo na direção da rua do Passeio. Iam-se aproximando as três horas, e Luís da Costa, que jantava cedo, começava a ouvir do estômago uma lastimosa petição. Era-lhe porém impossível fugir às garras do major. Se o Pires tivesse embarcado para Santos, é provável que o major o levasse até lá antes de jantar.

Tudo estava perdido.

Chegaram enfim à secretaria, bufando como dois touros.

Os empregados vinham saindo, e um deles deu notícia certa do esquivo Pires; disse-lhes que saíra dali, dez minutos antes, num tílburi.

— Voltemos à rua dos Pescadores — disse pacificamente o major.

— Mas, senhor...

A única resposta do major foi dar-lhe o braço e arrastá-lo na direção da rua dos Pescadores.

Luís da Costa ia furioso. Começava a compreender a plausibilidade e até a legitimidade de um crime. O desejo de estrangular o major pareceu-lhe um sentimento natural. Lembrou-se de ter condenado, oito dias antes, como jurado, um criminoso de morte, e teve horror de si mesmo.

O major, porém, continuava a andar com aquele passo rápido dos majores que andam depressa. Luís da Costa ia rebocado. Era-lhe literalmente impossível apostar carreira com ele.

Eram três e cinco minutos quando chegaram defronte do escritório do sr. Pires. Tiveram o gosto de dar com o nariz na porta.

O major Gouveia mostrou-se aborrecido com o fato; como era homem resoluto, depressa se consolou do incidente.

— Não há dúvida — disse ele —, iremos à praia Grande.

— Isso é impossível! — clamou Luís da Costa.

— Não é tal — respondeu tranquilamente o major —; temos barca e custa-nos um cruzado a cada um: eu pago a sua passagem.

— Mas, senhor, a esta hora...

— Que tem?

— São horas de jantar — suspirou o estômago de Luís da Costa.

— Pois jantaremos antes.

Foram dali a um hotel e jantaram. A companhia do major era extremamente aborrecida para o desastrado alvissareiro. Era impossível livrar-se dela; Luís da Costa portou-se o melhor que pôde. Demais, a sopa e o primeiro prato foram começo da reconciliação. Quando veio o café e um bom charuto, Luís da Costa estava resolvido a satisfazer o seu anfitrião em tudo o que lhe aprouvesse.

O major pagou a conta e saíram ambos do hotel. Foram direitos à estação das barcas de Niterói; meteram-se na primeira que saiu e transportaram-se à imperial cidade.

No trajeto, o major Gouveia conservou-se tão taciturno como até então. Luís da Costa, que já estava mais alegre, cinco ou seis vezes tentou atar conversa com o major; mas foram esforços inúteis. Ardia entretanto por levá-lo até a casa do sr. Pires, que explicaria as coisas como as soubesse.

VI

O sr. Pires morava na rua da Praia. Foram direitinhos a casa dele. Mas se os viajantes haviam jantado, também o sr. Pires fizera o mesmo; e como tinha por costume ir jogar o voltarete em casa do dr. Oliveira, em São Domingos, para lá seguira vinte minutos antes.

O major ouviu esta notícia com a resignação filosófica de que estava dando provas desde as duas horas da tarde. Inclinou o chapéu mais à banda e olhando de esguelha para Luís da Costa, disse:

— Vamos a São Domingos.
— Vamos a São Domingos — suspirou Luís da Costa.
A viagem foi de carro, o que de algum modo consolou o noveleiro.
Na casa do dr. Oliveira passaram pelo dissabor de bater cinco vezes, antes que viessem abrir.
Enfim vieram.
— Está cá o senhor Pires?
— Está, sim, senhor — disse o moleque.
Os dois respiraram.
O moleque abriu-lhes a porta da sala, onde não tardou que aparecesse o famoso Pires, *l'introuvable*.
Era um sujeitinho baixinho e alegrinho. Entrou na ponta dos pés, apertou a mão a Luís da Costa e cumprimentou cerimoniosamente ao major Gouveia.
— Queiram sentar-se.
— Perdão — disse o major —, não é preciso que nos sentemos; desejamos pouca coisa.
O sr. Pires curvou a cabeça e esperou.
O major voltou-se então para Luís da Costa e disse:
— Fale.
Luís da Costa fez das tripas coração e exprimiu-se nestes termos:
— Estando eu hoje na loja do Paula Brito contei a história do rapto de uma sobrinha do senhor major Gouveia, que o senhor me referiu pouco antes do meio-dia. O major Gouveia é este cavalheiro que me acompanha, e declarou que o fato era uma calúnia, visto sua sobrinha estar em Juiz de Fora, há quinze dias. Intenta contudo chegar à fonte da notícia e perguntou-me quem me havia contado a história; não hesitei em dizer que fora o senhor. Resolveu então procurá-lo, e não temos feito outra coisa desde as duas horas e meia. Enfim, encontramo-lo.
Durante este discurso, o rosto do sr. Pires apresentou todas as modificações do espanto e do medo. Um ator, um pintor ou um estatuário teria ali um livro inteiro para folhear e estudar. Acabado o discurso, era necessário responder-lhe, e o sr. Pires o faria de boa vontade, se se lembrasse do uso da língua. Mas não; ou não se lembrava, ou não sabia que uso faria dela. Assim correram uns três a quatro minutos.
— Espero as suas ordens — disse o major, vendo que o homem não falava.
— Mas, que quer o senhor? — balbuciou o sr. Pires.
— Quero que me diga de quem ouviu a notícia transmitida a este senhor. Foi o senhor quem lhe disse que minha sobrinha era bonita?
— Não lhe disse tal — acudiu o sr. Pires —; o que eu disse foi que me constava ser bonita.
— Vê? — disse o major voltando-se para Luís da Costa.
Luís da Costa começou a contar as tábuas do teto.
O major dirigiu-se depois ao sr. Pires:
— Mas vamos lá — disse —; de quem ouviu a notícia?
— Foi de um empregado do Tesouro.
— Onde mora?
— Em Catumbi.

O major voltou-se para Luís da Costa, cujos olhos, tendo já contado as tábuas do teto, que eram vinte e duas, começavam a examinar detidamente os botões do punho da camisa.

— Pode retirar-se — disse o major —; não é mais preciso aqui.

Luís da Costa não esperou mais; apertou a mão do sr. Pires, balbuciou um pedido de desculpa, e saiu. Já estava a trinta passos, e ainda lhe parecia estar colado ao terrível major. Ia justamente a sair uma barca; Luís da Costa deitou a correr, e ainda a alcançou, perdendo apenas o chapéu, cujo herdeiro foi um cocheiro necessitado.

Estava livre.

VII

Ficaram sós o major e o sr. Pires.

— Agora — disse o primeiro —, há de ter a bondade de me acompanhar à casa desse empregado do Tesouro... Como se chama?

— O bacharel Plácido.

— Estou às suas ordens; tem passagem e carro pago.

O sr. Pires fez um gesto de aborrecimento, e murmurou:

— Mas eu não sei... se...

— Se?

— Não sei se me é possível nesta ocasião...

— Há de ser. Penso que é um homem honrado. Não tem idade para ter filhas moças, mas pode vir a tê-las, e saberá se é agradável que tais invenções andem na rua.

— Confesso que as circunstâncias são melindrosas; mas não poderíamos...

— O quê?

— Adiar?

— Impossível.

O sr. Pires mordeu o lábio inferior; meditou alguns instantes, e afinal declarou que estava disposto a acompanhá-lo.

— Acredite, senhor major — disse ele concluindo —, que só as circunstâncias especiais deste caso me obrigariam a ir à cidade.

O major inclinou-se.

O sr. Pires foi despedir-se do dono da casa, e voltou para acompanhar o implacável major, em cujo rosto se lia a mais franca resolução.

A viagem foi tão silenciosa como a primeira. O major parecia uma estátua; não falava e raras vezes olhava para o seu companheiro.

A razão foi compreendida pelo sr. Pires, que matou as saudades do voltarete, fumando sete cigarros por hora.

Enfim chegaram a Catumbi.

Desta vez foi o major Gouveia mais feliz que da outra: achou o bacharel Plácido em casa.

O bacharel Plácido era o seu próprio nome feito homem. Nunca a pachorra tivera mais fervoroso culto. Era gordo, corado, lento e frio. Recebeu os dois visitantes com a benevolência de um Plácido verdadeiramente plácido.

O sr. Pires explicou o objeto da visita.

— É verdade que eu lhe falei de um rapto — disse o bacharel —, mas não foi nos termos em que o senhor o repetiu. O que eu disse foi que o namoro da sobrinha do major Gouveia com um alferes era tal que até já se sabia do projeto de rapto.

— E quem lhe disse isso, senhor bacharel? — perguntou o major.

— Foi o capitão de artilharia Soares.

— Onde mora?

— Ali em Mata-porcos.

— Bem — disse o major.

E voltando-se para o sr. Pires:

— Agradeço-lhe o incômodo — disse —; não lhe agradeço, porém, o acréscimo. Pode ir embora; o carro tem ordem de o acompanhar até a estação das barcas.

O sr. Pires não esperou novo discurso; despediu-se e saiu. Apenas entrou no carro deu dois ou três socos em si mesmo e fez um solilóquio extremamente desfavorável à sua pessoa.

— É bem feito — dizia o sr. Pires —; quem me manda ser abelhudo? Se só me ocupasse com o que me diz respeito, estaria a esta hora muito descansado e não passaria por semelhante dissabor. É bem feito!

VIII

O bacharel Plácido encarou o major, sem compreender a razão por que ficara ali, quando o outro fora embora. Não tardou que o major o esclarecesse. Logo que o sr. Pires saiu da sala, disse ele:

— Queira agora acompanhar-me a casa do capitão Soares.

— Acompanhá-lo! — exclamou o bacharel mais surpreendido do que se lhe caísse o nariz no lenço de tabaco.

— Sim, senhor.

— Que pretende fazer?

— Oh! nada que o deva assustar. Compreende que se trata de uma sobrinha, e que um tio tem necessidade de chegar à origem de semelhante boato. Não crimino os que o repetiram, mas quero haver-me com o que o inventou.

O bacharel recalcitrou: a sua pachorra dava mil razões para demonstrar que sair de casa às ave-marias para ir a Mata-porcos era um absurdo. A nada atendia o major Gouveia, e com o tom intimador que lhe era peculiar, antes intimava do que persuadia o gordo bacharel.

— Mas há de confessar que é longe — observou este.

— Não seja essa a dúvida — acudiu o outro —; mande chamar um carro que eu pago.

O bacharel Plácido coçou a orelha, deu três passos na sala, suspendeu a barriga e sentou-se.

— Então? — disse o major ao cabo de algum tempo de silêncio.

— Refleti — disse o bacharel —; é melhor irmos a pé; eu jantei há pouco e preciso digerir. Vamos a pé...

— Bem, estou às suas ordens.

O bacharel arrastou a sua pessoa até a alcova, enquanto o major, com as mãos nas costas, passeava na sala meditando e fazendo, a espaços, um gesto de impaciência.

Gastou o bacharel cerca de vinte e cinco minutos em preparar a sua pessoa, e saiu enfim à sala, quando o major ia já tocar a campainha para chamar alguém.

— Pronto?
— Pronto.
— Vamos!
— Deus vá conosco.

Saíram os dois na direção de Mata-porcos.

Se uma pipa andasse seria o bacharel Plácido; já porque a gordura não lho consentia, já porque desejara pregar uma peça ao importuno, o bacharel não ia sequer com passo de gente. Não andava: arrastava-se. De quando em quando parava, respirava e bufava; depois seguia vagarosamente o caminho.

Com este era impossível o major empregar o sistema de reboque que tão bom efeito teve com Luís da Costa. Ainda que o quisesse obrigar a andar era impossível, porque ninguém arrasta oito arrobas com a simples força do braço.

Tudo isto punha o major em apuros. Se visse passar um carro, tudo estava acabado, porque o bacharel não resistiria ao seu convite intimativo; mas os carros tinham-se apostado para não passar ali, ao menos vazios, e só de longe em longe um tílburi vago convidava, a passo lento, os fregueses.

O resultado de tudo isto foi que, só às oito horas, chegaram os dois a casa do capitão Soares. O bacharel respirou à larga, enquanto o major batia palmas na escada.

— Quem é? — perguntou uma voz açucarada.
— O senhor capitão? — disse o major Gouveia.
— Eu não sei se já saiu — respondeu a voz —; vou ver.

Foi ver, enquanto o major limpava a testa e se preparava para tudo o que pudesse sair de semelhante embrulhada. A voz não voltou senão dali a oito minutos, para perguntar com toda a gentileza:

— O senhor quem é?
— Diga que é o bacharel Plácido — acudiu o indivíduo deste nome, que ansiava por arrumar a católica pessoa em cima de algum sofá.

A voz foi dar a resposta e daí a dois minutos voltou a dizer que o bacharel Plácido podia subir.

Subiram os dois.

O capitão estava na sala e veio receber à porta o bacharel e o major. A este conhecia também, mas eram apenas cumprimentos de chapéu.

— Queiram sentar-se.

Sentaram-se.

IX

— Que mandam nesta sua casa? — perguntou o capitão Soares.

O bacharel usou da palavra:

— Capitão, eu tive a infelicidade de repetir aquilo que você me contou a respeito da sobrinha do senhor major Gouveia.
— Não me lembra; que foi? — disse o capitão com uma cara tão alegre como a de homem a quem estivessem torcendo um pé.
— Disse-me você — continuou o bacharel Plácido — que o namoro da sobrinha do senhor major Gouveia era tão sabido que até já se falava de um projeto de rapto...

— Perdão! — interrompeu o capitão. — Agora me lembro que alguma coisa lhe disse, mas não foi tanto como você acaba de repetir.

— Não foi?

— Não.

— Então que foi?

— O que eu disse foi que havia notícia vaga de um namoro da sobrinha de vossa senhoria com um alferes. Nada mais disse. Houve equívoco da parte do meu amigo Plácido.

— Sim, há alguma diferença — concordou o bacharel.

— Há — disse o major deitando-lhe os olhos por cima do ombro.

Seguiu-se um silêncio.

Foi o major Gouveia o primeiro que falou.

— Enfim, senhores — disse ele —, ando desde as duas horas da tarde na indagação da fonte da notícia que me deram a respeito de minha sobrinha. A notícia tem diminuído muito, mas ainda há aí um namoro de alferes que incomoda. Quer o senhor capitão dizer-me a quem ouviu isso?

— Pois não — disse o capitão —; ouvi-o ao desembargador Lucas.

— É meu amigo!

— Tanto melhor.

— Acho impossível que ele dissesse isso — disse o major levantando-se.

— Senhor! — exclamou o capitão.

— Perdoe-me, capitão — disse o major caindo em si. — Há de concordar que ouvir a gente o seu nome assim maltratado por culpa de um amigo...

— Nem ele disse por mal — observou o capitão Soares. — Parecia até lamentar o fato, visto que sua sobrinha está para casar com outra pessoa...

— É verdade — concordou o major. — O desembargador não era capaz de injuriar-me; naturalmente ouviu isso a alguém.

— É provável.

— Tenho interesse em saber a fonte de semelhante boato. Acompanhe-me à casa dele.

— Agora!

— É indispensável.

— Mas sabe que ele mora no Rio Comprido?

— Sei; iremos de carro.

O bacharel Plácido aprovou esta resolução e despediu-se dos dois militares.

— Não podíamos adiar isso para depois? — perguntou o capitão logo que o bacharel saiu.

— Não, senhor.

O capitão estava em sua casa; mas o major tinha tal império na voz ou no gesto quando exprimia a sua vontade, que era impossível resistir-lhe. O capitão não teve remédio senão ceder.

Preparou-se, meteram-se num carro e foram na direção do Rio Comprido, onde morava o desembargador.

O desembargador era um homem alto e magro, dotado de excelente coração, mas implacável contra quem quer que lhe interrompesse uma partida de gamão.

Ora, justamente na ocasião em que os dois lhe bateram à porta, jogava ele o gamão com o coadjutor da freguesia, cujo dado era tão feliz que em menos de uma hora lhe dera já cinco gangas. O desembargador fumava... figuradamente falando, e o coadjutor sorria, quando o moleque foi dar parte de que duas pessoas estavam na sala e queriam falar com o desembargador.

O digno sacerdote da justiça teve ímpetos de atirar o copo à cara do moleque; conteve-se, ou antes traduziu o seu furor num discurso furibundo contra os importunos e maçantes.

— Há de ver que é algum procurador à procura de autos, ou à cata de autos, ou à cata de informações. Que os leve o diabo a todos eles.

— Vamos, tenha paciência — dizia-lhe o coadjutor. — Vá, vá ver o que é, que eu o espero. Talvez que esta interrupção corrija a sorte dos dados.

— Tem razão, é possível — concordou o desembargador, levantando-se e dirigindo-se para a sala.

X

Na sala teve a surpresa de achar dois conhecidos.

O capitão levantou-se sorrindo e pediu-lhe desculpa do incômodo que lhe vinha dar. O major levantou-se também, mas não sorria.

Feitos os cumprimentos foi exposta a questão. O capitão Soares apelou para a memória do desembargador a quem dizia ter ouvido a notícia do namoro da sobrinha do major Gouveia.

— Recordo-me ter-lhe dito — respondeu o desembargador — que a sobrinha de meu amigo Gouveia piscara o olho a um alferes, o que lamentei do fundo da alma, visto estar para casar. Não lhe disse, porém, que havia namoro...

O major não pôde disfarçar um sorriso, vendo que o boato ia a diminuir à proporção que se aproximava da fonte. Estava disposto a não dormir sem dar com ela.

— Muito bem — disse ele —; a mim não basta esse dito; desejo saber a quem ouviu, a fim de chegar ao primeiro culpado de semelhante boato.

— A quem o ouvi?

— Sim.

— Foi ao senhor.

— A mim!

— Sim, senhor; sábado passado.

— Não é possível!

— Não se lembra que me disse na rua do Ouvidor, quando falávamos das proezas da...

— Ah! mas não foi isso! — exclamou o major. — O que eu lhe disse foi outra coisa. Disse-lhe que era capaz de castigar a minha sobrinha se ela, estando agora para casar, deitasse os olhos a algum alferes que passasse.

— Nada mais? — perguntou o capitão.

— Mais nada.

— Realmente é curioso.

O major despediu-se do desembargador, levou o capitão até Mata-porcos e foi direito para casa praguejando contra si e todo o mundo.

Ao entrar em casa estava já mais aplacado. O que o consolou foi a ideia de que o boato podia ser mais prejudicial do que fora. Na cama ainda pensou no acontecimento, mas já se ria da maçada que dera aos noveleiros. Suas últimas palavras antes de dormir foram:

— Quem conta um conto...

Jornal das Famílias, *fevereiro-março de 1873*; J. J.

Tempo de crise

Queres tu saber, meu rico irmão, a notícia que achei no Rio de Janeiro, apenas pus pé em terra? Uma crise ministerial. Não imaginas o que é uma crise ministerial na cidade fluminense. Lá na província chegam as notícias amortecidas pela distância, e além disso completas; quando sabemos de um ministério defunto, sabemos logo de um ministério recém-nato. Aqui a coisa é diversa; assiste-se à morte do agonizante, depois ao enterro, depois ao nascimento do outro, o qual muitas vezes, graças às dificuldades políticas, só vem à luz depois de uma operação cesariana.

Quando desembarquei estava o C... à minha espera na praia dos Mineiros, e as suas primeiras palavras foram estas:

— Caiu o ministério!

Tu sabes que eu tinha razões para não gostar do gabinete, depois da questão de meu cunhado, de cuja demissão ainda ignoro a causa. Todavia, senti que o gabinete morresse tão cedo, antes de dar todos os seus frutos, principalmente quando o negócio do meu cunhado era justamente o que me trazia cá. Perguntei ao C... quem eram os novos ministros.

— Não sei — respondeu — nem te posso afirmar se os outros caíram; mas desde manhã não corre outra coisa. Vamos saber notícias. Queres comer?

— Sem dúvida — respondi —, vou residir no hotel de Europa, se houver lugar.

— Há de haver.

Seguimos para o hotel de Europa que é na rua do Ouvidor; lá me deram um aposento e um almoço. Acendemos charutos e saímos. À porta perguntei-lhe eu:

— Onde saberemos notícias?

— Aqui mesmo na rua do Ouvidor.

— Pois então na rua do Ouvidor é quê?

— Sim; a rua do Ouvidor é o lugar mais seguro para saber notícias. A casa do Moutinho ou do Bernardo, a casa do Desmarais ou do Garnier, são verdadeiras estações telegráficas. Ganha-se mais em estar aí comodamente sentado do que em andar pela casa dos homens da situação.

Ouvi silenciosamente as explicações do C... e segui com ele até um pasmatório político, onde apenas encontramos um sujeito fumando, e conversando com o caixeiro.

— A que horas esteve ela aqui? — perguntava o sujeito.

— Às dez.

Ouvimos estas palavras entrando. O sujeito calou-se imediatamente e sentou-se numa cadeira por trás de um mostrador, batendo com a bengala na ponta do botim.

— Trata-se de algum namoro, não? — perguntei eu baixinho ao C...

— Curioso! — respondeu-me ele. — Naturalmente é algum namoro, tens razão; alguma rosa de Citera.

— Qual! — disse eu.

— Por quê?

— Os jardins de Citera são francos; ninguém espreita as rosas por fora...

— Provinciano! — disse o C... com um daqueles sorrisos que só ele tem. — Tu não sabes que, estando as rosas em moda, há certa honra para o jardineiro... Anda sentar-te.

— Não; fiquemos um pouco à porta; quero conhecer esta rua de que tanto se fala.

— Com razão — respondeu o C... — Dizem de Shakespeare que, se a humanidade perecesse, ele só poderia compô-la, pois que não deixou intacta uma fibra sequer do coração humano. *Aplico el cuento*. A rua do Ouvidor resume o Rio de Janeiro. A certas horas do dia, pode a fúria celeste destruir a cidade; se conservar a rua do Ouvidor, conserva Noé, a família e o mais. Uma cidade é um corpo de pedra com um rosto. O rosto da cidade fluminense é esta rua, rosto eloquente que exprime todos os sentimentos e todas as ideias...

— Continua, meu Virgílio.

— Pois vai ouvindo, meu Dante. Queres ver a elegância fluminense? Aqui acharás a flor da sociedade, as senhoras que vêm escolher joias ao Valais ou sedas a Notre Dame, rapazes que vêm conversar de teatros, de salões, de modas e de mulheres. Queres saber da política? Aqui saberás das notícias mais frescas, das evoluções próximas, dos acontecimentos prováveis; aqui verás o deputado atual com o deputado que foi, o ministro defunto e às vezes o ministro vivo. Vês aquele sujeito? É um homem de letras. Deste lado, vem um dos primeiros negociantes da praça. Queres saber do estado do câmbio? Vai ali ao *Jornal do Commercio*, que é o *Times* de cá. Muita vez encontrarás um cupê à porta de uma loja de modas: é uma Ninon fluminense. Vês um sujeito ao pé dela, dentro da loja, dizendo um galanteio? Pode ser um diplomata. Dirás que eu só menciono a sociedade mais ou menos elegante? Não; o operário para aqui também para ter o prazer de contemplar durante minutos uma destas vidraças rutilante de riqueza, porquanto, meu caro amigo, a riqueza tem isto de bom consigo, é que a simples vista consola.

Saiu-me o C... tamanho filósofo que me espantou. Ao mesmo tempo agradeci ao céu tão precioso encontro. Para um provinciano, que não conhece bem a capital, é uma felicidade encontrar um cicerone inteligente.

O sujeito que estava dentro chegou à porta, demorou-se alguns instantes, e saiu acompanhado por outro, que então passava.

— Cansou de esperar — disse eu.

— Sentemo-nos.

Sentamo-nos.

— Fala-se então de tudo aqui?

— De tudo.

— Bem e mal?

— Como na vida. É a sociedade humana em ponto pequeno. Mas por enquanto o que nos importa é a crise; deixemos de moralizar...

Interessava-me tanto a conversa, que pedi ao C... a continuação das suas lições, tão necessárias a quem não conhecia a cidade.

— Não te iludas — disse ele —, a melhor lição deste mundo não vale um mês de experiência e de observação. Abre um moralista; encontrarás excelentes análises do coração humano; mas se não fizeres a experiência por ti mesmo pouco te valerá o teres lido. La Rochefoucauld aos vinte anos faz dormir; aos quarenta é um livro predileto...

Estas últimas palavras revelaram no C... um desses indivíduos doentes que andam a ver tudo a cor da morte e do sangue. Eu que vinha para divertir-me não queria estar a braços com um segundo volume de nosso padre Tomé, espécie de Timon cristão, a quem darás a ler esta carta, acompanhada de muitas lembranças minhas.

— Sabes que mais? — disse eu ao meu cicerone. — Vim para divertir-me, e por isso acho-te razão; tratemos da crise. Mas por enquanto nada sabemos, e...

— Aqui vem o nosso Abreu, que há de saber alguma coisa.

O dr. Abreu que entrou nesse momento era um homem alto e magro, longo bigode, colarinho em pé, paletó e calças azuis. Fomos apresentados um ao outro. O C... perguntou-lhe o que sabia da crise.

— Nada — respondeu misteriosamente o dr. Abreu —; apenas ouvi ontem de noite que os homens não se entendiam...

— Mas eu já hoje ouvi dizer na praça que havia crise formal — disse o C...

— É possível — disse o outro. — Saí agora mesmo de casa, e vim logo para aqui... Houve Câmara?

— Não.

— Bem; isso é um indício. Estou capaz de ir à Câmara...

— Para quê? Aqui mesmo saberemos.

O dr. Abreu tirou um charuto de uma charuteira de marroquim encarnado, e fitando muito os olhos no chão, como quem está seguindo um pensamento, acendeu quase maquinalmente o charuto.

Soube depois que era um meio inventado por ele para não oferecer charutos aos circunstantes.

— Mas que lhe parece? — perguntou-lhe o C... passando algum tempo.

— Parece-me que os homens caem. Nem podia deixar de ser assim. Há mais de um mês que andam brigados.

— Mas por quê? — perguntei eu.

— Por várias coisas; e a principal é justamente a presidência da sua província...

— Ah!

— O ministro do Império quer o Valadares, e o da fazenda insiste pelo Robim. Ontem houve conselho de ministros, e o do Império apresentou definitivamente a nomeação do Valadares... Que faz o colega?

— Ora, vivam! Então já sabem da crise?

Esta pergunta era feita por um sujeito que entrou pela loja mais rápido que um foguete. Trazia na cara uns ares de gazeta noticiosa.

— Crise formal? — perguntamos todos.

— Completa. Os homens brigaram ontem de noite; e foram hoje de manhã a São Cristóvão...

— É o que dizia — observou o dr. Abreu.

— Qual o verdadeiro motivo da crise? — perguntou o C...

— O verdadeiro motivo foi uma questão da guerra.

— Não creia nisso!

O dr. Abreu disse estas palavras com um ar de tão altiva convicção, que o recém-chegado replicou um pouco enfiado:

— Sabe então o verdadeiro motivo mais do que eu que estive com o cunhado do ministro da Guerra?

A réplica pareceu decisiva; o dr. Abreu limitou-se a fazer aquele gesto com que a gente costuma dizer: Pode ser...

— Seja qual for o motivo — disse o C... —, a verdade é que temos crise ministerial; mas será aceita a demissão?

— Eu creio que é — disse o sr. Ferreira (era o nome do recém-chegado).

— Quem sabe?

Ferreira tomou a palavra:

— A crise era prevista; eu há mais de quinze dias anunciei ali em casa do Bernardo, que a crise não podia deixar de estar iminente. A situação não podia prolongar-se; se os ministros não concordassem, a Câmara os obrigaria a sair. Já a deputação da Bahia tinha mostrado os dentes, e até sei (posso dizê-lo agora) sei que um deputado do Ceará estava para apresentar uma moção de desconfiança...

Ferreira disse estas palavras em voz baixa, com o ar misterioso que convém a certas revelações. Nessa ocasião ouvimos um carro. Corremos à porta; era efetivamente um ministro.

— Mas então não estão todos em São Cristóvão? — observou o C...

— Este vai naturalmente para lá.

Ficamos à porta; e o grupo foi-se pouco a pouco aumentando; antes de um quarto de hora éramos oito. Todos falavam na crise; uns sabiam a coisa de fonte certa; outros por ouvir dizer. O Ferreira saiu pouco depois dizendo que ia à Câmara saber o que havia de novo. Nessa ocasião apareceu um desembargador e indagou se era exato o que se dizia relativamente à crise ministerial.

Afirmamos que sim.

— Qual seria a causa? — perguntou ele.

O Abreu, que dera antes como causa a presidência lá da província, declarou agora ao desembargador que uma questão da guerra produzira o desacordo entre os ministros.

— Está certo disso? — perguntou o desembargador.

— Certíssimo; soube-o hoje mesmo do cunhado do ministro da Guerra.

Nunca vi maior facilidade em mudar de opinião, nem maior descaro em colher as afirmações alheias. Interroguei depois o C... que me respondeu:

— Não te espantes; em tempo de crise é sempre bom mostrar que se anda bem informado.

Dos presentes eram quase todos oposicionistas, ou pelo menos faziam coro com o Abreu, que fazia diante do cadáver ministerial o papel de Bruto diante do cadáver de César. Alguns defendiam a vítima, mas como se defende uma vítima política, sem grande calor nem excessiva paixão.

Cada personagem novo trazia uma confirmação ao trato; já não era trato; evidentemente havia crise. Grupos de políticos e politicões estavam parados às portas das lojas, conversando animadamente. De quando em quando surgia ao longe um deputado. Era logo cercado e interrogado; e só se colhia a mesma coisa.

Vimos ao longe um homem de trinta e cinco anos, meão na altura, suíças, luneta pênsil, olhar profundo, acompanhando uma influência política.

— Graças a Deus! agora vamos ter notícias frescas — disse o C... — Ali vem o Mendonça; há de saber alguma coisa.

A influência política não pôde passar de outro grupo; o Mendonça veio ao nosso.

— Venha cá; você que lambe os vidros por dentro há de saber o que há?
— O que há?
— Sim.
— Há crise.
— Bem; mas os homens saem ou ficam?

Mendonça sorriu, depois ficou sério, corrigiu o laço da gravata, e murmurou um: *não sei*; assaz parecido com um: *sei demais*.

Olhei atentamente para aquele homem que parecia estar senhor dos segredos do Estado, e admirei a discrição com que os ocultava de nós.

— Diga o que sabe, senhor Mendonça — disse o desembargador.
— Eu já disse a vossa excelência o que há — interrompeu o Abreu —; pelo menos tenho razão para afirmá-lo. Não sei o que sabe lá o senhor Mendonça, mas creio que não estará comigo...

Mendonça fez um gesto de quem ia falar. Foi cercado por todos. Ninguém ouviu com mais atenção o oráculo de Delfos.

— Sabem que há crise; a causa é muito secundária, mas a situação não podia prolongar-se.
— Qual é a causa?
— A nomeação de um juiz de direito.
— Só!
— Só.
— Já sei o que é — disse Abreu sorrindo. — Era negócio pendente há muitas semanas.
— Foi isso. Os homens lá foram ao paço.
— Será aceita a demissão? — perguntei eu.

Mendonça abaixou a voz.

— Creio que é.

Depois apertou a mão ao desembargador, ao C... e ao Abreu e retirou-se com a mesma satisfação de um homem que acaba de salvar o Estado.

— Pois, senhores, eu creio que esta versão é a verdadeira. O Mendonça anda informado.

Passa defronte um sujeito.

— Anda cá, Lima — gritou Abreu.

O Lima aproximou-se.

— Estás convidado para o ministério?

— Estou; você quer alguma pasta?

Não penses que este Lima era alguma coisa; o dito de Abreu era um gracejo que se renova em todas as crises.

A única preocupação do Lima eram umas senhoras que passavam. Ouvi dizer que eram as Valadares — a família do indigitado presidente. Pararam à porta da loja, conversaram alguma coisa com o C... e o Lima, e seguiram viagem.

— São lindas estas moças — disse um dos circunstantes.

— Eu era capaz de as nomear para o ministério.

— Sendo eu presidente do conselho.

— Também eu.

— A mais gorda devia ser ministro da Marinha.

— Por quê?

— Porque parece mesmo uma fragata.

Ligeiro sorriso acolheu este diálogo entre o desembargador e o Abreu. Viu-se ao longe um carro.

— Quem será? Algum ministro?

— Vejamos.

— Não; é a A...

— Como vai bonita!

— Pudera!

— Ela já tem carro?

— Há muito tempo.

— Olhem, ali vem o Mendonça.

— Vem com outro. Quem é?

— É um deputado.

Passaram os dois juntos de nós. O Mendonça não nos cumprimentou; ia conversando baixinho com o deputado.

Houve outra trégua na conversa política. E não te admires. Nada mais natural do que entremear aqui uma discussão sobre crise política com as sedas de uma dama do tom.

Finalmente surgiu de longe o já citado Ferreira.

— Que há? — perguntamos quando ele chegou.

— Foi aceita a demissão.

— Quem é o chamado?

— Não se sabe.

— Por quê?

— Dizem que os homens ficam com as pastas até segunda-feira. Dizendo estas palavras, o Ferreira entrou, e foi sentar-se. Outros o imitaram; alguns se foram embora.

— Mas donde sabe isso? — disse o desembargador.

— Soube na Câmara.

— Não me parece natural.

— Por quê?

— Que força moral deve ter um ministério já demitido e ocupando as pastas?

— Realmente, a coisa é singular; mas eu ouvi ao primo do ministro da Fazenda.

Ferreira tinha a particularidade de andar informado pelos parentes dos ministros; pelo menos, assim o dizia.

— Quem será chamado?

— Naturalmente o N...

— Ou o P...

— Já hoje de manhã se dizia que era o K...

Entrou o Mendonça; o caixeiro deu-lhe uma cadeira, e ele sentou-se ao lado do Lima, que nesse momento descalçava as luvas, ao mesmo tempo que o desembargador oferecia rapé aos circunstantes.

— Então, senhor Mendonça, quem é o chamado? — perguntou o desembargador.

— O B...

— Com certeza?

— É o que se diz.

— Eu ouvi que só na segunda-feira se organizará ministério novo.

— Qual! — insistiu Mendonça — afirmo-lhe que o B... foi ao paço.

— Viu-o?

— Não; mas disseram-mo.

— Pois acredite que até segunda-feira...

A conversa ia-me interessando; eu já tinha esquecido o interesse que ligava à mudança dos ministros, para atender simplesmente ao que se passava diante de mim. Não imaginas o que é formar um ministério na rua antes que ele esteja formado no paço.

Cada qual expôs a sua conjectura; vários nomes foram lembrados para o poder. Às vezes aparecia um nome contra o qual se apresentavam objeções; então replicava o autor da combinação:

— Está enganado; pode o F... ficar com a pasta da Justiça, o M... com a da Guerra, K... Marinha, T... Obras Públicas, V... Fazenda, X... Império, e C... Estrangeiros.

— Não é possível; o V... é que deve ficar com a pasta de Estrangeiros.

— Mas o V... não pode entrar nessa combinação.

— Por quê?

— É inimigo do F...

— Sim; mas a deputação da Bahia?

Aqui coçava o outro a orelha.

— A deputação da Bahia — respondia ele — pode ficar bem metendo o N...

— O N... não aceita.

— Por quê?

— Não quer ministério de transição.

— Chama a isto ministério de transição?

— Pois que é mais?

Este diálogo em que todos tomavam parte, inclusive o C..., e que era repetido sempre que um dos circunstantes apresentava uma combinação nova, foi interrompido pela chegada de um deputado.

Desta vez íamos ter notícias frescas.

Efetivamente soubemos pelo deputado que o V... tinha sido chamado ao paço e estava organizando gabinete.

— Que dizia eu? — exclamou Ferreira. — Nem era de ver outra coisa. A situação é do V...; o seu último discurso foi o que os franceses chamam *discurso-ministro*. Quem são os outros?

— Por ora — disse o deputado —, só há dois ministros na lista: o da Justiça e o do Império.

— Quem são?

— Não sei — respondeu o deputado.

Não me foi difícil ver que o homem sabia, mas era obrigado a guardar segredo. Compreendi que aquele é que lambia os vidros por dentro, expressão muito usada em tempo de crise.

Houve um pequeno silêncio. Conjecturei que cada qual estivesse a adivinhar quem seriam os nomeados; mas, se alguém os descobriu, não os nomeou.

O Abreu dirigiu-se ao deputado.

— Vossa excelência acredita que o ministério fique organizado hoje?

— Creio que sim; mas daí pode ser que não...

— A situação não é boa — observou Ferreira.

— Admira-me que vossa excelência não seja convidado...

Estas palavras, naquela ocasião inconvenientes, foram pronunciadas pelo Lima, que trata a política como trata as mulheres e os cavalos. Cada um de nós procurou disfarçar o efeito de semelhante tolice, mas o deputado respondeu direitamente à pergunta:

— Pois não me admira nada disso; deixo o lugar aos componentes. Estou pronto a servir como soldado... Não passo disso.

— Perdão, é muito digno!

Entrou um homem esbaforido. Fiquei surpreso. Era um deputado. Olhou para todos, e dando com os olhos no colega, disse:

— Podes dar-me uma palavra?

— Que é? — perguntou o deputado levantando-se.

— Vem cá.

Foram até a porta, depois despediram-se de nós e seguiram apressadamente para cima.

— Estão ambos ministros — exclamou Ferreira.

— Acredita? — perguntei eu.

— Sem dúvida.

Mendonça foi da mesma opinião; e foi a primeira vez que o vi adotar uma opinião alheia.

Eram duas horas da tarde quando saíram os dois deputados. Ansiosos por saber mais notícias, saímos todos e descemos a rua vagarosamente. Grupos de quatro e cinco se entretinham com o assunto do dia. Parávamos; combinávamos as versões; mas não retificavam as dos outros. Num desses grupos já estavam os três ministros nomeados; outro acrescentava os nomes dos dois deputados, pela única razão de os ter visto entrar num carro.

Às três horas já corriam versões de todo o gabinete, mas era tudo vago.

Determinamos não voltar para casa sem saber do resultado da crise, salvo se a notícia não viesse até as cinco horas, pois era de mau gosto (disse-me o C...) andar na rua do Ouvidor às cinco horas da tarde.

— Mas qual será o meio de saber? — perguntei eu.

— Eu vou ver se colho alguma coisa — disse Ferreira.

Vários incidentes nos iam detendo a marcha: algum amigo que passava, uma mulher que saía de uma loja, uma joia nova em uma vidraça, um grupo tão curioso como o nosso etc.

Nada se soube nessa tarde.

Voltei para o hotel de Europa a fim de descansar e jantar; o C... jantou comigo. Conversamos muito do tempo da academia, dos nossos amores, das nossas travessuras, até que a noite veio e resolvemos voltar à rua do Ouvidor.

— Não era melhor irmos a casa do V..., pois que é ele o organizador do gabinete? — perguntei.

— Primeiramente, não temos tamanho interesse que justifique esse passo — respondeu o C...—; depois, é natural que ele não nos possa falar. Organizar um gabinete não é coisa simples. Finalmente, apenas o gabinete estiver organizado cá saberemos na rua qual ele é.

A rua do Ouvidor é lindíssima à noite. Estão os rapazes às portas das lojas, vendo passar as moças, e como tudo está iluminado, não imaginas o efeito que faz.

Confesso que me esqueceu o ministério e a crise. Havia então menos quem cuidasse de política; a noite da rua do Ouvidor pertence exclusivamente à *fashion*, que é menos dada aos negócios do Estado que os frequentadores de dia. Todavia, achamos alguns grupos onde se dava como certa a organização do gabinete, mas não se sabia ao certo quem eram os ministros todos.

Encontramos os mesmos amigos da manhã.

Ora, justamente quando o Mendonça se dispunha a ir colher alguma coisa certa, apareceu o desembargador com o rosto alegre.

— Que há?

— Está organizado.

— Mas quem são?

O desembargador tirou do bolso uma lista.

— São estes.

Lemos os nomes à luz do lampião de um mostrador. O Mendonça não gostou do gabinete; o Abreu achou-o excelente; o Lima, fraco.

— Mas isto é certo? — perguntei eu.

— Deram-me agora esta lista; creio que é autêntica.

— O que é? — perguntou por trás de mim uma voz.

Era um sujeito moreno e bigode grisalho.

— Sabe quem são? — perguntou-lhe o Abreu.

— Tenho uma lista.

— Vejamos se combina com esta.

Costearam-se as listas; havia engano num nome.

Mais adiante encontramos outro grupo lendo outra lista. Divergiam em dois nomes. Alguns sujeitos que não tinham lista copiavam uma delas, deixando de copiar os nomes duvidosos, ou escrevendo-os todos com uma cruz à margem.

Corriam assim as listas até que apareceu uma com ares de autêntica; outras foram aparecendo no mesmo sentido e às nove horas da noite sabíamos positivamente, sem arredar pé da rua do Ouvidor, qual era o gabinete.

O Mendonça ficou alegre com o resultado da crise. Perguntaram-lhe por que razão.

— Tenho dois compadres no ministério! — respondeu ele.

Aqui tens o quadro infiel de uma crise ministerial no Rio de Janeiro. Infiel digo, porque o papel não pode conter os diálogos, nem as versões, nem os comentários, nem as caras de um dia de crise. Ouvem-se, contemplam-se; não se descrevem.

Jornal das Famílias, *abril de 1873; Lara.*

Decadência de dois grandes homens

Os antigos frequentadores do café Carceller hão de recordar-se de um velho que ali ia todas as manhãs às oito horas, almoçava, lia os jornais, fumava um charuto, dormia cerca de meia hora e saía. Estando de passagem no Rio de Janeiro, aonde viera para tratar questões políticas com os ministros, atirei-me ao prazer de estudar todos os originais que encontrava, e não tenho dúvida em confessar que até então só tinha encontrado cópias. O velho apareceu a tempo; tratei de analisar o tipo.

Era meu costume — costume das montanhas mineiras — acordar cedo e almoçar cedo. Ia fazê-lo ao Carceller, justamente à hora do velho, dos empregados públicos e dos escreventes de cartório. Sentava-me à mesa que enfrentava com a do velho, e que era a penúltima do lado esquerdo contando do fundo para a rua. Era ele homem de seus cinquenta anos, barbas brancas, olhos encovados, cor amarela, algum abdômen, mãos ossudas e compridas. Comia vagarosamente algumas fatias de pão de ló e uma chávena de chocolate. Durante o almoço não lia; mas apenas acabado o chocolate, acendia um charuto que tirava do bolso, que era sempre do mesmo tamanho, e que no fim de certo tempo tinha a virtude de o fazer adormecer e deixar cair das mãos o jornal que estivesse lendo. Encostava então a cabeça à parede, e dormia plácido e risonho como se algum sonho agradável lhe estivesse dançando no espírito; às vezes abria os olhos, contemplava o vácuo, e continuava a dormir tranquilamente.

Indaguei do caixeiro quem era aquele freguês.

— Não sei — respondeu —; almoça aqui há quatro anos, todos os dias, à mesma hora.

— Tem ele por aqui algum conhecido?

— Nenhum; aparece só e retira-se só.

Aguçava-me a curiosidade. Ninguém conhecia o velho; era mais uma razão para conhecê-lo eu. Procurei travar conversa com o desconhecido, e aproveitei uma ocasião em que ele acabava de engolir o chocolate e procurava com os olhos algum jornal.

— Aqui está este — disse-lhe eu, indo levar-lhe.

— Obrigado — respondeu-me o homem sem levantar os olhos e abrindo a folha.

Não obtendo mais nada, quis travar conversa por outro modo.

— Traz hoje um magnífico artigo sobre a guerra.

— Ah! — disse o velho com indiferença.

Nada mais.

Voltei ao meu lugar disposto a esperar que o velho lesse, dormisse e acordasse. Paciência de curioso, que ninguém a tem maior, nem mais fria. Ao cabo do tempo do costume tinha o homem lido, fumado e dormido. Acordou, pagou o almoço e saiu. Acompanhei-o imediatamente; mas o homem tendo chegado à esquina, voltou e foi até a outra esquina, aonde se demorou, seguiu por uma rua, tornou a parar e a voltar, a ponto que eu desisti de saber onde iria ele ter, tanto mais que nesse dia devia entender-me com um dos membros do governo, e não podia perder a ocasião.

Quando no dia seguinte, eram quinze de março, voltei ao Carceller, encontrei lá com o meu homem, assentado no lugar do costume; estava acabando de almoçar, almocei também; mas desta vez guardou-me o misterioso velho uma surpresa; em vez de pedir um jornal e fumar um charuto, encostou a cara nas mãos e começou a olhar para mim.

— Bom — disse eu —; está amansado. Naturalmente vai dizer-me alguma coisa. — Mas o homem nada disse e continuou a olhar para mim. A expressão dos olhos, que de ordinário era morta e triste, nessa ocasião tinha um quê de terror. Supondo que ele quisesse dizer-me alguma coisa, fui o primeiro a dirigir-lhe a palavra.

— Não lê hoje os jornais?

— Não — respondeu-me ele com voz sombria —; estou pensando...

— Em quê?

O velho fez um movimento nervoso com a cabeça e disse:

— São chegados os idos de março!

Estremeci ouvindo esta singular resposta, e o velho, como se não visse o movimento, continuou:

— Compreende, não? É hoje um tristíssimo aniversário.

— A morte de César? — perguntei eu rindo.

— Sim — respondeu o velho com voz cavernosa.

Não tinha que ver; era algum homem maníaco; mas que haveria de comum entre ele e o vencedor das Gálias? A curiosidade cresceu; e aproveitei a disposição em que o velho estava de travar conhecimento. Levantei-me e fui sentar-me à mesa dele.

— Mas que tem o senhor com a morte de César?

— O que tenho com a morte daquele grande homem? Tudo.

— Como assim?

O velho abriu a boca e ia responder, mas a palavra ficou-lhe no ar e o homem voltou à taciturnidade habitual. Ocupei esse tempo em contemplá-lo mais detidamente e de perto. Olhava ele para a mesa, com as mãos postas debaixo das orelhas; *os músculos do rosto estremeciam de quando em quando*, e os olhos rolavam dentro das órbitas como favas nadando em prato de molho. No fim de algum tempo olhou para mim, e eu aproveitei a ocasião para dizer-lhe:

— Quer um charuto?

— Obrigado; eu só fumo dos meus; são charutos opiados, grande recurso para quem quer esquecer um grande crime. Quer um?

— Não tenho crimes.

— Não importa; colherá prazer em fumá-lo.

Aceitei o charuto, e guardei-o.

— Consente que o guarde?

— Pois não — respondeu ele.

Outro silêncio mais prolongado. Vi que o homem não estava para conversa; a fronte se lhe entristecia cada vez mais como a Tijuca quando está para cair temporal. Ao cabo de alguns minutos, disse-lhe eu:

— Simpatizo muito com o senhor, quer que eu seja seu amigo?

Luziram os olhos do homem.

— Meu amigo? — disse ele. — Oh! por que não? preciso de um, mas de um amigo verdadeiro.

Estendeu-me a mão, que eu lhe apertei com afeto.

— Como se chama? — perguntei eu.

Sorriu o velho, soltou das cavernas do peito um longo e magoadíssimo suspiro, e respondeu-me:

— Jaime. E o senhor?

— Miranda, doutor em medicina.

— É brasileiro?

— Sim, senhor.

— Meu patrício então?

— Creio.

— Meu patrício!...

E dizendo isto o velho teve um sorriso tão infernal, tão sombrio, tão lúgubre, que eu tive ideia de me ir embora. Reteve-me a curiosidade de chegar ao fim. Jaime não prestava atenção ao que se passava ali; e exclamava de quando em quando:

— Os idos de março! os idos de março!

— Olhe, meu amigo senhor Jaime, quer ir dar um passeio comigo?

Aceitou sem dizer palavra. Quando nos achamos na rua perguntei-lhe se preferia algum lugar.

Respondeu-me que não.

Andamos ao acaso; eu procurava travar conversa a fim de distrair o homem dos idos de março; e consegui a pouco e pouco que se tornasse mais conversador. Era então apreciável. Não falava sem gesticular com o braço esquerdo, com a mão fechada, e o dedo polegar aberto. Contava anedotas de mulheres e mostrava-se grande apreciador do sexo amável; era exímio na descrição da beleza feminina. A conversa passou à história, e Jaime exaltou os tempos antigos, a virtude romana, as páginas de Plutarco, Tito Lívio e Suetônio. Sabia o Tácito de cor e dormia com Virgílio, disse ele. Seria um doido, mas conversava com muito juízo.

Sobre a tarde tive fome e convidei-o a jantar.

— Comerei pouco — respondeu Jaime —; estou indisposto. Ai! os idos de março!

Jantamos em hotel, e eu quis acompanhá-lo a casa, que era na rua da Misericórdia. Consentiu nisso com verdadeira explosão de alegria. A casa dizia com o dono. Duas estantes, um globo, vários alfarrábios espalhados no chão, uma parte sobre uma mesa, e uma cama antiga.

Eram seis horas da tarde quando entramos. Jaime tremia quando chegou à porta da sala.

— Que tem? — perguntei-lhe eu.

— Nada, nada.

Mal entrávamos na sala, pulou da mesa, onde se achava acocorado, um enorme gato preto. Não fugiu; saltou aos ombros de Jaime. Este tremeu todo e procurou aquietar o animal passando-lhe a mão pelo lombo.

— Sossega, Júlio! — dizia ele, enquanto eu com o olhar inspecionava o albergue do homem e procurava cadeira onde me sentasse.

O gato pulou depois à mesa e fitou em mim dois grandes olhos verdes, fulminantes, interrogadores; compreendi o susto do velho. O gato era modelo na espécie; tinha certo ar de ferocidade da onça, de que era miniatura acabada. Era todo preto, pernas compridas, longas barbas; gordo e alto, tendo uma extensa cauda que brincava no ar dando saltos caprichosos. Tive sempre antipatia aos gatos; aquele causava-me horror. Parecia-me que ia saltar sobre mim e esganar-me com as largas patas.

— Mande o seu gato embora — disse eu a Jaime.

— Não faz mal — respondeu-me o velho. — Júlio César, não é verdade que tu não fazes mal a este senhor?

O gato voltou-se para ele; e Jaime beijou repetidas vezes a cabeça do gato. Do susto passara à efusão. Compreendi que seria pueril assustar-me quando o animal era tão manso, ainda que não compreendi o medo do velho quando entrou. Haveria alguma coisa entre aquele homem e aquele bicho? Não pude explicá-lo. Jaime acariciou o gato enquanto eu por me distrair lia o título das obras que estavam nas estantes. Um dos livros tinha no lombo este título: *Metempsicose*.

— Acredita na metempsicose? — perguntei eu.

O velho, que estava ocupado em tirar o paletó e vestir um chambre de chita amarela, interrompeu aquele serviço, para dizer-me:

— Se acredito? Em que queria o senhor que eu acreditasse?

— Um homem instruído, como o senhor, não devia crer em tolices desta ordem — respondi abrindo o livro.

Jaime acabou de vestir o chambre, e veio a mim.

— Meu caro senhor — disse ele —, não zombe assim da verdade; nem zombe nunca de filosofia nenhuma. Toda filosofia pode ser verdadeira; a ignorância dos homens é que faz de uma ou de outra crença da moda. Contudo para mim, que as conheci todas, só uma é a verdadeira, e é essa a que alude o senhor com tanto desdém.

— Mas...

— Não me interrompa — disse ele —; quero convencê-lo.

Levou-me a uma poltrona de couro e obrigou-me a sentar ali. Depois foi sentar-se ao pé da mesa, em frente a mim e começou a desenvolver a sua teoria, que eu ouvi sem pestanejar. Jaime tinha a palavra fácil, ardente, impetuosa; animavam-se-lhe os olhos, tremia-lhe o lábio, e a mão, a famosa mão esquerda, agitava no ar o dedo polegar aberto e curvo como um ponto de interrogação.

Ouvi o discurso do homem, e não ousei contestar-lhe. Era evidentemente um doido; e ninguém discute com homem doido. Jaime acabou de falar e caiu numa espécie de prostração. Cerrou os olhos e ficou insensível alguns minutos. O gato saltou à mesa, entre mim e ele, e começou a passar a mão pela cara de Jaime, o que o fez despertar daquele abatimento.

— Júlio! Júlio! — exclamava ele beijando o gato. — Será hoje? será hoje?

Júlio não parecia entender a pergunta; alteou o lombo, descreveu com a cauda algumas figuras geométricas no ar, deu dois saltos e pulou ao chão.

Jaime acendeu um lampião, enquanto eu me levantava para me ir embora.

— Não se vá, meu amigo — disse-me Jaime —; peço-lhe um favor.
— Qual?
— Fique comigo até a meia-noite.
— Não posso.
— Por quê? não imagina que favor me faria!
— Tem medo?
— Hoje tenho: são os idos de março.

Consenti em ficar.

— Não me dirá — perguntei eu — que tem o senhor com os idos de março?
— Que tenho? — disse Jaime com os olhos em fogo. — Não sabe quem sou?
— Pouco sei.
— Não sabe nada.

Jaime inclinou-se sobre a mesa e disse-me ao ouvido:

— Sou Marco Bruto!

Por mais extravagante que estas palavras pareçam ao frio leitor, confesso que me causaram profunda sensação. Recuei a cadeira e contemplei a cabeça do velho. Pareceu-me que a iluminava a virtude romana. Os olhos tinham fulgores de padre conscrito; o lábio parecia estar fazendo uma oração à liberdade. Durante alguns minutos saboreou ele silenciosamente a minha silenciosa admiração. Depois, sentando-se outra vez:

— Marco Bruto sou — disse —, ainda que esta revelação lhe cause espanto. Sou aquele que encabeçou a momentânea vitória da liberdade, o assassino (em que me pese o nome!), o assassino do divino Júlio.

E voltando os olhos para o gato, que estava sobre uma cadeira, entrou a contemplá-lo com uma expressão de arrependimento e dor. O gato fitou nele os olhos verdes, redondos, e nesta contemplação recíproca ficaram até que eu para obter maior explicação do que presenciava, perguntei ao velho:

— Mas, senhor Bruto, se é aquele grande homem que assassinou César por que receia os idos de março? César não voltou cá.

— A causa do meu receio ninguém a sabe; mas eu lhe direi francamente, pois é o único homem que tem mostrado interesse por mim. Receio os idos de março, porque...

Estacou; enorme trovão rolou nos ares e pareceu abalar a casa até os alicerces. O velho ergueu os braços e os olhos para o teto e fez mentalmente uma prece a algum deus do paganismo.

— Será a hora? — perguntou ele baixinho.
— De quê? — perguntei.

— Do castigo. Ouça, mancebo; o senhor é filho de um século sem fé nem filosofia; não conhece o que é a cólera dos deuses. Também eu nasci neste século; mas trouxe comigo as virtudes da minha primeira aparição na terra: corpo de Jaime, alma de Bruto.

— Então já morreu antes de ser Jaime?

— Sem dúvida; é sabido que morri; ainda que eu desejasse negá-lo, aí estaria a história para dizer o contrário. Morri; séculos depois, voltei ao mundo com esta forma que vê; agora voltarei a outra forma e...

Aqui o velho começou a chorar. Consolei-o como pude, enquanto o gato, trepando à mesa, veio acariciá-lo com uma afeição bem contrária à índole de uma onça. O velho agradeceu as minhas consolações, e as carícias de Júlio. Aproveitei a ocasião para lhe dizer que efetivamente eu imaginava que o ilustre Bruto devia ter aquela figura.

O velho sorriu.

— Estou mais gordo — disse ele —; naquele tempo eu era magro. Coisa natural; homem gordo não faz revolução. Bem o compreendia César quando dizia que não temia a Antônio e Dolabela, mas sim àqueles dois sujeitos amarelos e magros e éramos Cássio e eu...

— Pensa então o senhor que...

— Penso que homem gordo não faz revolução. O abdômen é naturalmente amigo da ordem; o estômago pode destruir um império; mas há de ser antes de jantar. Quando Catilina encabeçou a célebre conjuração a quem foi procurar? Foi procurar a gente que não tinha um sestércio de seu; a turba dos clientes, que vivia de espórtulas, não os que viviam pomposamente em Túsculo ou Baias.

Achei curiosa a doutrina e disse a propósito algumas palavras que nos distraíram do assunto principal.

O genro de Catão continuou:

— Não lhe contarei, pois sabe a história, a conjuração dos idos de março. Apenas lhe direi que eu entrara naquela sinceramente, porquanto, como muito bem disse um poeta inglês, que depois me meteu em cena, eu matei César, não por ódio a César, mas por amor da República.

— Apoiado!

— O senhor é deputado? — perguntou o velho sorrindo.

— Não, senhor.

— Pensei. Aproveito a ocasião para dizer-lhe que a tática parlamentar de tomar tempo com discursos até o fim das sessões não é nova.

— Ah!

— Foi inventada por meu ilustre sogro, o incomparável Catão, quando César, voltando vencedor da Espanha, queria o triunfo e o consulado. A assembleia inclinava-se a favor do pretendente; Catão não teve outro meio: subiu à tribuna e falou até a noite, falou sem parar um minuto. Os ouvintes ficaram estafados com a arenga, e César vendo que não podia ceder a um homem daquele calibre, dispensou o triunfo, e veio pleitear o consulado.

— De maneira que hoje quando um orador toma o tempo até o fim da hora?...

— Está na altura de Catão.

— Tomo nota.

— Ah! meu rico senhor, a vida é uma eterna repetição. Todos inventam o inventado.

— Tem razão.

— Matamos o divino Júlio, e mal lhe posso dizer o assombro que se seguiu ao nosso crime... Crime lhe chamo porque reconheço hoje que o era; mas sou obrigado a dizer que o ilustre César ofendera a majestade romana. Eu não fui o inventor da conjuração; toda a gente estava inspirada dos meus desejos. Eu não podia entrar no senado que não achasse essa cartinha: *"Dormes, Bruto?"*, ou então: *"Ai, Bruto que já o não és"*. De toda a parte me instigaram. Uniram-se todos os ódios ao meu, e o mundo presenciou aquela tremenda catástrofe...

Jaime ou Bruto, que eu realmente não sei como lhe chame, concentrou um pouco o seu espírito; depois levantou-se, foi à porta, espiou, deu uma carreirinha e veio sentar-se defronte de mim.

— Há de ter lido que a sombra de César me apareceu depois duas vezes, sendo que, da segunda, veio silenciosa e silenciosa foi. É um erro. Da segunda vez foi que eu ouvi tremendo segredo que lhe vou revelar. Não o disse a ninguém por medo, e medo do que se dissesse de mim. Vá, abra os ouvidos...

Nesse momento o gato começou a dar saltos vertiginosos.

— Que diabo é isto? — disse eu.

— Não sei; creio que está com fome. São horas de cearmos.

Jaime-Bruto foi buscar a ceia do gato, e trouxe para a mesa um assado frio, pão, queijo inglês, e vinho italiano e figos secos.

— Os vinhos italianos são uma recordação de minha vida anterior — disse ele. — Quanto aos figos, se não são de Túsculo, ao menos os fazem lembrar.

Comemos tranquilamente; eram então oito horas, e o velho estava ansioso que batessem as doze. Ao cabo de meia hora acendeu ele um charuto, e eu o mesmo que ele me havia dado de manhã, e continuamos a falar de César.

— Apareceu-me a sombra — disse ele —, e desenrolou um libelo dos males que eu havia feito à República com a morte dele, e ao mesmo tempo acrescentou que o meu crime nada salvara, pois era inevitável a decadência da República. Como eu respondesse um pouco irritado, a sombra soltou estas fatídicas palavras: "Bruto, os deuses querem punir-te da minha morte. Voltaremos ao mundo outra vez debaixo da forma humana, e depois, imediatamente depois, minha alma passará ao corpo de um gato. Daí em diante, Bruto, teme sempre os idos de março, porque a um desses aniversários serás transformado em rato, e engolido por mim".

Tirei o charuto da boca, e contemplei a cara do meu interlocutor. Era impossível que não estivesse próximo um acesso de loucura; mas o olhar do homem conservava a mesma inteligência e serenidade. Ele respirava a fumaça com delícias e olhava, ora para o teto, ora para o gato.

— É um doido manso — pensei eu —, e continuei a fumar enquanto o velho continuou:

— Compreende o senhor por que motivo receio esses malditos idos de março, aniversário do meu crime?

Atirou fora o charuto.

— Não fuma? — perguntei eu.
— Destes não fumo hoje.
— Quer dos meus?
— Aceito.

Dei-lhe um charuto, que ele acendeu, e eu continuei a fumar o dele, que me fazia sentir delícias inefáveis. Ia-se-me o corpo ficando mole; estendi-me na poltrona e prestei ouvidos ao anfitrião.

Este passeava vagarosamente, gesticulando, rindo sem motivo, outras vezes chorando, tudo como quem tem alguma mania na cabeça.

— Não me dirá — perguntei eu — se é neste gato que está a alma de Júlio?

— Sem dúvida, é neste bicho que se meteu a alma daquele grande homem, o primeiro do universo.

O gato não pareceu reparar nessa adulação póstuma do nobre Bruto, e foi colocar-se no sofá em ação de querer dormir. Pus os olhos no animal, e admirei o que eram os destinos humanos. César estava reduzido à condição de animal doméstico! Aquele gato, que estava ali diante de mim, tinha escrito os Comentários, subjugado os Gauleses, vencido Pompeu, destruído a República. Saciava-se agora com uma simples ceia, quando outrora queria dominar todo o universo.

Jaime veio tirar-me das minhas cogitações.

— Poderia eu ter alguma dúvida acerca da identidade deste animal — disse ele —; mas tudo me prova que é ele o meu divino Júlio.

— Como?

— Apareceu-me aqui uma noite sem que a porta estivesse aberta e começou a olhar para mim. Quis pô-lo fora; impossível. Então lembrou-me a ameaça da sombra. "Júlio César", disse eu, chamando o gato; e imediatamente começou ele a fazer-me festas. Era fado ou ocasião: mais tarde ou mais cedo o meu túmulo é o ventre deste nobre animal.

— Acho que não tem razão de crer...

— Ah! meu caro doutor... é razão e mais que razão. Quer ver? Júlio César!

O gato, apenas ouviu este nome, pulou do sofá e começou a dar saltos mortais por cima de um Niágara imaginário, a ponto de me obrigar a sair da cadeira e ir para o sofá.

— Aquieta-te, Júlio! — disse o velho.

O gato sossegou; trepou para uma poltrona e ali arranjou como a seu gosto.

Quanto a mim, sentindo no corpo um delicioso torpor, estendi-me no sofá e continuei a pasmar ouvindo a narração do meu Jaime-Bruto. Durou esta ainda uma boa meia hora; falou-me o homem das coisas da República, da timidez de Cícero, da versatilidade do povo, da magnanimidade de César, da política de Otávio. Elogiou muito a antiga esposa de quem conservava eternas saudades; e por fim calou-se.

Nenhum rumor, o trovão não trouxera chuva; as patrulhas andavam por longe; nenhum caminhante feria as pedras da rua. Eram mais de dez horas. O meu anfitrião, sentado na cadeira de couro, olhava para mim, abrindo dois grandes olhos e eis que estes começam a crescer lentamente, e já ao fim de alguns minutos pareciam no tamanho e na cor as lanternas dos bondes de Botafogo. Depois, começaram a diminuir até ficarem muito abaixo do tamanho natural. A cara foi-se-lhe alongando e tomando proporções de focinho; caíram as barbas; achatou-se o nariz; diminuiu o corpo, assim como as mãos; as roupas desapareceram; as carnes tomaram uma cor escura; saiu-lhe uma extensa cauda, e eis o ilustre Bruto, a saltar sobre a mesa, com as formas e as visagens de um rato.

Senti os cabelos eriçados; tremia-me o corpo; batia-me o coração.

No mesmo instante, o gato saltou à mesa e avançou para ele. Fitaram-se alguns instantes, o que me trouxe à memória aqueles versos de Lucano, que o sr. Castilho José nos deu magistralmente assim:

> Nos altos, frente a frente, os dois caudilhos,
> Sôfregos de ir-se às mãos, já se acamparam.

Após curto silêncio, o gato avançou para o rato; o rato pulou ao chão, e o gato atrás dele. Subiu o rato ao sofá, e o gato também. Onde Bruto se escondesse, lá se metia César, às vezes o primeiro encarava de frente o segundo, mas este não se assustava com isso, e avançava sempre. Gemidos e roncos ferozes eram a orquestra desta dança infernal. Exausto de uma luta impossível, o rato deixou-se cair arquejante, e o gato pôs-lhe a pata em cima.

Que pena descreveria o olhar triunfante de César quando viu debaixo de si o miserando Bruto? Não conheço nada em poesia ou pintura — nem sequer na música chamada imitativa —, nada conheço que produza a impressão que me produziu aquele grupo e aquele olhar. De uma rivalidade secular, que lutou à luz do sol e da história, passava-se ali o último ato, dentro de uma sala obscura, tendo por espectador único um provinciano curioso.

O gato tirou a pata de cima do rato; este deu alguns passos; o gato tornou a pegá-lo; repetiu a cena uma porção de vezes; e se isto era natural de um gato, não era digno de César. Acreditando que me ouvissem, exclamei:

— Não o tortures mais!

O gato olhou para mim e pareceu compreender-me; efetivamente atirou-se ao rato com uma ânsia de quem esperava há muito aquela ocasião. Vi — que horror! — vi o corpo do nobre Bruto passar todo ao estômago do divino César, vi isto, e não lhe pude valer, porque eu tinha a presunção de que as armas da terra nada podiam contra aquela lei do destino.

O gato não sobreviveu à vingança. Apenas comeu o rato, caiu trêmulo, miou alguns minutos e faleceu.

Nada mais restava daqueles dois homens de Plutarco.

Contemplei o quadro algum tempo; e fiz tais reflexões acerca das evoluções históricas e das grandezas humanas, que bem podia escrever um livro que faria a admiração dos povos.

De repente, duas luzes surgiram dos restos miserandos daquele par da Antiguidade; duas luzes azuis, que subiram lentamente até o teto; o teto abriu-se e eu vi distintamente o firmamento estrelado. As luzes subiram no espaço.

Força desconhecida me levantou também do sofá, e eu acompanhei as luzes até meio caminho. Depois seguiram elas, e eu fiquei no espaço, contemplando a cidade iluminada, tranquila e silenciosa. Fui transportado ao oceano, onde vi uma concha à minha espera, uma verdadeira concha mitológica. Entrei nela e comecei a andar na direção do oeste.

Prossegui esta amável peregrinação de um modo verdadeiramente mágico. De repente senti que o meu nariz crescia desmesuradamente; admirei o sucesso, mas uma voz secreta me dizia que os narizes são sujeitos a transformações inopinadas — razão pela qual não me admirei quando o meu apêndice nasal assumiu sucessivamente a figura de um chapéu, de um revólver e de uma jaboticaba. Voltei à cidade; e entrei nas ruas espantado, porque as casas me pareciam todas voltadas com os alicerces para cima, coisa sumamente contrária à lei das casas, que devem ter os alicerces embaixo. Todos me apertavam a mão e perguntavam se eu conhecia a ilha das chuvas, e como eu respondesse que não, fui levado à dita ilha que era a praça da Constituição e mais o seu jardim pomposamente iluminado.

Nesta preocupação andei até que fui levado outra vez à casa onde se passara a tragédia referida acima. A sala estava só; nem vestígio dos dois homens ilustres. O lampião estava a expirar. Saí aterrado e desci as escadas até chegar à porta onde achei a chave. Não dormi nessa noite; a madrugada veio surpreender-me com os olhos abertos, contemplando de memória o miserando caso da véspera.

Fui almoçar ao Carceller.

Qual não foi o meu espanto quando lá encontrei vivo e são aquele que eu supunha na eternidade?

— Venha cá, venha cá! — disse ele. — Por que saiu ontem de casa sem falar?

— Mas... o senhor... pois César não o engoliu?

— Não. Esperei a hora fatal, e apenas ela passou, dei gritos de alegria e quis acordá-lo; mas o senhor dormia tão profundamente que achei melhor ir fazer o mesmo.

— Céus! pois eu...

— Efeitos do charuto que lhe dei. Teve belos sonhos, não?

— Todos, não; sonhei que o gato o engolia...

— Ainda não... Agradeço-lhe a companhia; agora esperarei o ano que vem. Quer almoçar?

Almocei com o homem; no fim do almoço ofereceu-me ele um charuto, que eu recusei dizendo:

— Nada, meu caro; vi coisas terríveis esta noite...

— Falta de costume...

— Talvez.

Saí triste. Procurava um homem original e achei um maluco. Os de juízo são todos copiados uns dos outros. Consta-me até que aquele mesmo homem de Plutarco, freguês do Carceller, curado por um hábil médico, está agora tão comum como os outros. Acabou a originalidade com a maluquice. *Tu quoque, Brute?*

Jornal das Famílias, *maio de 1873; Max.*

Um homem superior

I

Após uma noite de insônia, saiu Clemente Soares da casa em que morava, à rua da Misericórdia, e entrou a caminhar à toa pelas ruas da cidade.

Eram quatro horas da manhã.

Os homens do gás começavam a apagar os lampiões, e as ruas, ainda não bem alumiadas pela aurora, que apontava apenas, apresentavam um aspecto lúgubre. Clemente caminhava lento e pensativo. De quando em quando abalroava nele uma quitandeira que se dirigia para as praças do mercado com o cesto ou o tabuleiro à cabeça, acompanhada de um preto que levava outro cesto e a barraca. Clemente parecia despertar dos seus devaneios, mas recaía logo neles até nova interrupção.

À proporção que o céu clareava, abriam-se as portas dos botequins, para fazer concorrência aos vendedores de café ambulantes que desde a meia-noite percorriam a cidade em todos os sentidos. Ao mesmo tempo começavam a passar os trabalhadores dos arsenais atroando as ruas com os seus grossos tamancos. Não poucos entravam nos botequins e aqueciam o estômago.

Os entregadores dos jornais concluíam a sua tarefa com aquela precisão de memória que sempre invejei a esses funcionários da imprensa. As tavernas abriam as suas portas e ornavam os portais com as amostras do uso. Daí a pouco era completamente dia; já a cidade começava a levantar-se toda; numerosas pessoas transitavam a rua; as lojas de todo gênero abriam as suas portas... Era dia.

Clemente Soares não deu fé de toda esta gradual mudança; continuou a andar à toa, até que, cansado, foi ter à praia de Santa Luzia, e aí ficou a olhar para o mar.

Em qualquer outra circunstância é muito provável que Clemente Soares admirasse o quadro que se lhe apresentava ante os olhos. Mas naquela ocasião o pobre rapaz olhava para dentro. Tudo à roda dele lhe era indiferente; um grande pensamento o preocupava.

Que pensamento?

Não era novo; era um pensamento quase tão velho como o mundo, um pensamento que só há de acabar quando acabarem os séculos.

Não era bonito; era um pensamento feio, repelente, terrível, capaz de trazer à mais bela alma a mais completa demência, e fazer de um gênio um idiota.

Não era obscuro; era um pensamento claro, evidente, incontestável, diáfano, um pensamento simples, que dispensava toda e qualquer demonstração.

Clemente Soares não tinha dinheiro.

Só o muito amor que tenho aos leitores me dispensa de fazer aqui a longa dissertação que este assunto está pedindo. Demais, para alguns deles seria inútil a dissertação. A maior parte dos homens há de ter compreendido, ao menos uma vez na vida, o que é não ter dinheiro. A moça que vê o namorado distraído, o amigo que vê o amigo passar por ele sem lhe tirar o chapéu, antes de fazer qualquer juízo temerário, deve perguntar consigo: estará ele sem dinheiro?

Clemente Soares, pois, estava nessa precária situação. Não tinha dinheiro, nem esperanças de o ter, posto fosse um rapaz engenhoso e cheio de recursos.

Não era contudo tão grande a falta que não pudesse almoçar. Introduzindo na algibeira do colete o indicador e o polegar, como quem tira uma pitada, arrancou de lá dois cartões da barca Ferry; e era quanto bastava para um almoço no Carceller.

Desceu pela rua da Misericórdia, entrou em casa para pesquisar as gavetas a ver se encontrava um charuto esquecido; teve a fortuna de encontrar dois cigarros, e foi almoçar. Duas horas depois estava em casa almoçado e fumado. Tirou de uma velha estante um volume de Balzac e dispôs-se a esperar o jantar.

E de onde viria o jantar?

O jantar não preocupava muito a Clemente Soares. Costumava obter esse elemento da vida na casa comercial de um amigo, aonde não ia almoçar, a fim de não parecer que não tinha com quê. Não se diria o mesmo do jantar, porque o dito amigo lhe dissera uma vez que lhe faria grande obséquio em ir lá jantar todos os dias. Do almoço não disse o mesmo; por isso Clemente Soares não se atrevia a lá ir.

Clemente era orgulhoso.

E não são incompatíveis a necessidade e o orgulho! O desditoso mortal a quem a natureza e a fortuna deram estes dois flagelos, pode dizer que é a mais triste de todas as criaturas.

II

A casa de Clemente Soares não tinha o aspecto miserável que a algibeira do rapaz fazia crer. Via-se que era casa onde já houvera alguma coisa, embora pouca. Era casa de rapaz solteiro, adornada com certo gosto, no tempo em que o dono gozava de sofrível ordenado.

Alguma coisa lhe faltava, mas não era do necessário; senão do supérfluo. Clemente vendera, apenas, alguns livros, dois ou três vasos, uma estatueta, uma charuteira e poucas coisas mais, que não faziam grande falta. E quem o visse ali, estendido no sofá, metido em um chambre, lendo um volume encadernado em Paris, diria que o bom rapaz era um estudante rico, que havia falhado a aula e enchia com alguma distração as horas, até receber uma carta da namorada.

Namorada! Havia efetivamente na vida de Clemente Soares uma namorada, mas já pertencia aos exercícios findos. Era uma menina galante como uma das Graças, mas que na opinião de Clemente ficou tão feia como uma das Fúrias, desde que soube que o pai apenas teria umas cinco apólices.

Clemente Soares não tinha coração tão mesquinho que se deixasse vencer por cinco apólices. Demais, não a namorava muito disposto ao casamento; foi uma espécie de aposta com outros rapazes. Trocou algumas cartinhas com a moça e precipitou o desenlace da comédia fazendo uma retirada airosa.

Carlotinha não era felizmente moça de grandes enlevos. Deu dois murros no ar quando adquiriu certeza da retirada do rapaz, e travou namoro com outro que lhe andava a rondar a porta.

Fora esse o único amor, ou coisa que o valha, do nosso Clemente, que daí em diante não procurou outras aventuras.

E como o faria agora, que se achava desempregado, sem vintém, cheio de ambições, vazio de meios?

Nem pensava nisso.

Era perto das três horas da tarde, quando recebeu um bilhetinho do amigo em cuja casa costumava jantar.

Dizia assim:

> Clemente. Não deixes de vir hoje. Temos um negócio. Teu Castrioto.

A recomendação era inútil; Clemente não deixaria de lá ir, mas a segunda parte do bilhete era rutilante de promessas.

Daí a pouco estava em casa de Castrioto, honrado negociante de fazendas, que o recebeu com duas ou três graças de boa intimidade e o levou para o fundo da loja onde lhe propôs um emprego.

— O Medeiros — disse ele —, está sem guarda-livros. Quer você ir para lá?

Isso era um raio de sol que alumiava a alma do mísero Clemente; todavia, como na gratidão entra sempre um tanto de diplomacia, recebeu Clemente a notícia e a oferta com ar de calculada indiferença.

— Não duvido ir — disse ele —, mas...
— Mas o quê?
— Você bem sabe que eu já estive em casas que...
— Já sei — interrompeu Castrioto —, fala do ordenado.
— Justo.
— Três contos e seiscentos, serve?

Clemente estremeceu dentro de si; mas achou conveniente fazer uma pergunta:

— Com comida?
— E casa, se quiser — respondeu Castrioto.
— Serve. Obrigado.

E dizendo isto, apertou Clemente Soares as mãos do amigo, desta vez com todas as mostras de entusiasmo, o que alegrou muito a Castrioto, que o estimava deveras.

— Eu já tinha alguma coisa em vista — disse Clemente depois de alguns instantes —; mas era precário e inferior ao que você me oferece.

— Pois vá lá amanhã — disse Castrioto —; ou melhor, iremos logo depois do jantar.

Assim se fez.

Logo depois do jantar conduziu Castrioto o amigo a casa do Medeiros, que recebeu com extremo prazer o novo guarda-livros. E no dia seguinte entrou Clemente Soares no exercício das suas novas funções.

III

Em dois simples capítulos vimos um rapaz desarranjado e arranjado, pescando um cartão de barca no bolso do colete e ganhando três contos e seiscentos mil-réis por ano.

Não se pode andar mais depressa.

Mas por que fui eu tão longe, quando podia apresentar Clemente Soares já empregado, poupando à piedade dos leitores o espetáculo de um rapaz sem almoço certo?

Fi-lo para que o leitor, depois de presenciar as finezas do negociante Castrioto, se admirasse, como lhe vai acontecer, de que Clemente Soares ao cabo de dois meses esquecesse de tirar o chapéu ao ex-anfitrião.

Por quê?

Pela razão simples de que o excelente Castrioto teve a infelicidade de falir, e alguns amigos começaram a desconfiar de que falira fraudulentamente.

Castrioto ficou assaz magoado quando lhe aconteceu esta aventura; mas era homem filósofo e tinha quarenta anos feitos, idade em que só um homem de singular simplicidade pode ter ilusões a respeito da gratidão humana.

Clemente Soares tinha o seu emprego e o desempenhava com extrema solicitude. Alcançou não ter hora certa para entrar no escritório e, com esta, outras mais facilidades que lhe deu o dono da casa.

Já nesse tempo não havia aquele rigor antigo, que não permitia aos empregados de uma casa comercial certos usos da vida gamenha. Usava pois o nosso Clemente Soares tudo quanto a moda prescrevia. No fim de um ano, Medeiros elevou-lhe o ordenado a quatro contos e seiscentos mil-réis, com a esperança de interesse na casa.

Clemente Soares ganhou depressa a estima do dono da casa. Era solícito, zeloso, e sabia levar os homens. Dotado de inteligência aguda, e instruído, resolvia todas as dúvidas que estavam acima do entendimento de Medeiros.

Não tardou, pois, que fosse considerado pessoa necessária no estabelecimento, verdadeiro alvo de seus esforços.

Ao mesmo tempo tratou de se descartar de certos conhecimentos do tempo em que tinha o almoço casual e a ceia incerta. Clemente Soares professava o princípio de que a um pobre não se tira chapéu em nenhuma hipótese, salvo se se encontram num beco deserto, e ainda assim sem grandes mostras de intimidade, a fim de não dar confiança.

Desejoso de subir, não faltou Clemente Soares ao primeiro convite que lhe fez Medeiros para um jantar que dava em casa a um diplomata estrangeiro. O diplomata simpatizou com o guarda-livros, que daí a oito dias lhe fez uma visita.

Com estas e outras traças foi o nosso Clemente penetrando na sociedade que convinha ao seu gosto, e não tardou que lhe chovessem em casa os convites de bailes e jantares. Cumpre dizer que já nesse tempo o guarda-livros tinha um interesse na casa de Medeiros, que o apresentava orgulhosamente como seu sócio.

Nesta situação só lhe faltava uma noiva elegante e rica.

Não lhe faltava onde escolher; mas não era isso tão fácil como o resto.

As noivas ou eram ricas demais ou pobres demais para ele. Mas Clemente confiava na sua estrela, e esperava.

Saber esperar é tudo.

Uma tarde, passando pela rua da Quitanda, viu apear-se de um carro um velho e pouco depois uma linda rapariga, que ele conheceu imediatamente.

Era Carlotinha.

A moça trajava como quem possuía, e o velho tinha um ar que cheirava a riqueza a cem léguas de distância.

Era marido? padrinho? tio? protetor?

Clemente Soares não pôde resolver este ponto. O que lhe pareceu foi que o velho era homem de serra-acima.

Tudo isto pensou ele enquanto tinha os olhos cravados em Carlotinha, que estava esplêndida de beleza.

Entrou o par numa loja conhecida de Clemente, que também lá entrou para ver se a moça o reconhecia.

Carlota reconheceu o antigo namorado, mas nenhuma fibra do rosto se lhe contraiu; comprou o que ia buscar, e entrou com o velho no carro.

Clemente ainda teve ideia de chamar um tílburi, mas desistiu da ideia, e seguiu direção oposta.

Durante toda a noite pensou na gentil menina que ele havia deixado em outro tempo. Entrou a perguntar a si mesmo se aquele velho seria marido dela, e se ela havia enriquecido com o casamento. Ou seria um padrinho rico, que resolvera deixá-la por herdeira de tudo? Todas estas ideias galoparam na cabeça de Clemente Soares, até que o sono se apoderou dele.

De manhã tudo estava esquecido.

IV

Dois dias depois, quem lhe havia de aparecer no escritório?

O velho.

Clemente Soares apressou-se a servi-lo com toda a solicitude e zelo.

Era um fazendeiro, freguês da casa de Medeiros e morador de serra-acima. Chamava-se o comendador Brito. Tinha sessenta anos e uma dor reumática na perna esquerda. Possuía grandes cabedais e excelente reputação.

Clemente Soares captou as boas graças do comendador Brito nas poucas vezes que ele lá foi. Fez-lhe mil obséquios de pequena monta, cercou-o de todas as atenções, fascinou-o com discursos, a ponto que o comendador mais de uma vez lhe teceu grandes elogios em conversa com Medeiros.

— É um excelente moço — respondia Medeiros —, muito discreto, inteligente, serviçal; é uma pérola...

— Tenho notado isso mesmo — dizia o comendador. — Nas condições dele ainda não achei pessoa que mereça tanto.

Aconteceu um dia deixar o comendador em cima da escrivaninha de Clemente Soares a boceta do rapé, que era de ouro.

Clemente viu a boceta apenas o comendador voltou as costas, mas não quis incomodá-lo, e deixou-o ir adiante. Na véspera acontecera o mesmo com o lenço, e Clemente teve o cuidado de lho ir levar à escada. O comendador Brito era tido e havido por um dos homens mais esquecidos do seu tempo. Ele mesmo dizia que não esquecia o nariz na cama por tê-lo pregado na cara.

À hora do jantar, disse Clemente Soares ao patrão:

— O comendador esqueceu cá a boceta.

— Sim? É preciso mandá-la. Ó José!...

— Mandar uma boceta de ouro por um preto, não me parece seguro — objetou Clemente Soares.

— Mas o José é fidelíssimo...

— Quem sabe? a ocasião faz o ladrão.

— Não creia nisso — respondeu Medeiros sorrindo —; vou mandá-la já.

— Além disso, o comendador é um homem respeitável; não será bonito mandar assim a boceta por um preto...

— Vai um caixeiro.

— Não, senhor, vou eu mesmo...

— Pois quer?...

— Que tem isso? — retorquiu Clemente Soares rindo. — Não é coisa do outro mundo...

— Pois faça o que lhe parecer. Nesse caso leve-lhe também aqueles papéis.

Clemente Soares informado da casa do comendador, meteu-se num tílburi e mandou tocar para lá.

O comendador Brito vinha passar alguns meses na corte; tinha alugado uma bela casa, e deu à mulher (porque Carlotinha era sua mulher) a direção no arranjo e escolha dos móveis, no que ela se houve com extrema perícia.

Não nascera aquela moça entre brocados nem fora educada entre as paredes de casa rica; tinha, porém, um instinto do belo e um grande dom de observação, mediante o que conseguira habituar-se facilmente ao mundo novo em que entrara.

Eram seis horas da tarde quando Clemente Soares chegou à casa do comendador, onde foi recebido com todos os sinais de simpatia.

— Aposto que o Medeiros lhe deu todo este incômodo — disse o comendador Brito —, para me mandar uns papéis...

— Trago, com efeito, esses papéis — respondeu Clemente —, mas não é esse o principal objeto da minha visita. Trago-lhe a caixa de rapé, que vossa excelência esqueceu lá.

E dizendo isto tirou do bolso o aludido objeto, que o comendador recebeu com alvoroço e reconhecimento.

— Eu havia de jurar que tinha deixado na casa de João Pedro da Veiga, onde fui comprar uns bilhetes para serra-acima. Agradeço-lhe muito a sua fineza; mas por que veio pessoalmente? por que tomou este incômodo?

— Quando fosse incômodo — respondeu Clemente —, e está longe disso, ficaria bem pago com a honra de ser recebido por vossa excelência.

O comendador gostava de ouvir finezas como todos os mortais que vivem debaixo do sol. E Clemente Soares sabia-as dizer de modo especial. De maneira que já essa noite passou-a Clemente em casa do comendador, de onde saiu depois de prometer que voltaria lá mais vezes.

Trouxe boas impressões do comendador; não assim de Carlotinha que parecia extremamente severa com ele. Debalde o rapaz a cercava de atenções e respeitos, afetando não a ter conhecido, quando aliás podia alegar um beijo que lhe dera uma vez, a furto, entre duas janelas, no tempo do namoro...

Mas não era Clemente Soares homem que envergonhasse ninguém, muito menos uma moça que ainda podia fazê-lo feliz. Por isso não saiu dos limites do respeito, convencido de que a pertinácia vence tudo.

V

E venceu.

Ao cabo de um mês já a esposa do comendador não se mostrava arisca e o tratava com vivos sinais de estima. Clemente supôs que estava perdoado. Redobrou de atenções, tornou-se um verdadeiro escudeiro da moça. O comendador morria por ele. Era o ai-jesus da casa.

Carlotinha estava mais bela do que nunca; antigamente não podia realçar as graças pessoais com os inventos da indústria elegante; mas agora, que lhe sobravam meios, a boa moça tratava quase exclusivamente de pôr em relevo o seu airoso porte, tez morena, olhos negros, testa elevada, boca de Vênus, mãos de fada, e o mais que a imaginativa dos namorados e dos poetas costuma dizer em casos tais.

Estaria Clemente apaixonado por ela?

Não.

Clemente antevia que os dias do comendador não eram longos, e se havia de ir tentar alguma empresa, mais duvidosa e arriscada, não era melhor continuar aquela já começada alguns anos antes?

Ignorava ele por que concurso de circunstâncias Carlotinha tinha escolhido aquele marido, cujo único mérito, para ele, era ter uma grande riqueza. Mas concluía de si para si que ela seria essencialmente vaidosa, e para captar-lhe as boas graças, fez e disse tudo o que pode seduzir a vaidade de uma mulher.

Um dia ousou fazer uma alusão ao passado.

— Lembra-se — disse ele — da rua das Mangueiras?

Carlotinha franziu a testa e saiu da sala.

Clemente ficou fulminado; meia hora depois estava reposto na sua habitual indolência e mais disposto que nunca a perscrutar o coração da moça. Julgou, porém, que era prudente deixar passar algum tempo e procurar outros meios.

Passeava uma tarde com ela no jardim, enquanto o comendador discutia com Medeiros debaixo de uma mangueira sobre alguns assuntos de comércio.

— Que me disse outro dia o senhor a respeito da rua das Mangueiras? — perguntou repentinamente Carlotinha.

Clemente estremeceu.

Houve um silêncio.

— Não falemos nisso — disse ele sacudindo a cabeça. — Deixemos o passado que morreu.

Não respondeu a moça e os dois continuaram a passear silenciosamente até que se acharam assaz distantes do comendador.

Clemente rompeu o silêncio:

— Por que me esqueceu tão depressa? — disse ele.

Carlotinha levantou a cabeça com um movimento de surpresa; depois sorriu-se com ironia e disse:

— Por que o esqueci?

— Sim.

— Não foi o senhor quem me esqueceu?

— Oh! não! Eu recuei diante de uma impossibilidade. Era infeliz nesse tempo; não tinha os meios necessários para desposá-la; e preferi o desespero... Sim, o desespero! Nunca a senhora há de ter ideia do que sofri nos primeiros meses da nossa separação. Sabe Deus que lágrimas de sangue chorei no silêncio... Mas era necessário. E bem vê que foi obra do destino, porque a senhora é hoje feliz.

A moça deixou-se cair em um banco.

— Feliz! — disse ela.

— Não é?

Carlotinha abanou a cabeça.

— Por que se casou então com...

Estacou.

— Acabe — disse a moça.

— Oh! não! perdoe-me!

Foram interrompidos por Medeiros, que vinha de braço com o comendador, e disse em voz alta:

— Sinto dizer, minha senhora, que preciso do meu guarda-livros.

— E eu estou às suas ordens — respondeu Clemente rindo, mas um pouco despeitado.

No dia seguinte já Carlotinha não pôde ver o rapaz sem corar um pouco, excelente sintoma para quem prepara uma viúva.

Quando lhe pareceu conveniente, expediu Clemente Soares uma carta flamejante à moça, que lhe não respondeu, mas que também não se zangou.

Neste meio-tempo ocorreu que o comendador terminara alguns negócios que o trouxeram à corte, e teve de partir para a fazenda.

Foi um golpe nos projetos do rapaz.

Poderia ele continuar a entreter aquela esperança que a sua boa estrela lhe deparara?

Assentou de dar batalha campal. A moça, que parecia sentir inclinação para ele, não opôs grande resistência e confessou que sentia renascer-lhe a simpatia de outro tempo, acrescentando que se não esqueceria dele.

Clemente Soares era um dos mais perfeitos comediantes que têm escapado ao teatro. Simulou algumas lágrimas, expectorou alguns soluços e despediu-se de Carlotinha como se tivesse por ela a maior paixão deste mundo.

Quanto ao comendador, que era o mais sincero dos três, sentiu separar-se de um cavalheiro tão distinto como Clemente Soares, ofereceu-lhe os seus serviços, e pediu com instância que não deixasse de o ir visitar à fazenda.

Clemente agradeceu e prometeu.

VI

Quis a desgraça de Medeiros que os negócios lhe corressem mal; duas ou três catástrofes comerciais o puseram às portas da morte.

Clemente Soares fez quanto pôde para salvar a casa de que dependia o seu futuro, mas nenhum esforço era possível contra um desastre marcado pelo destino, que é o nome que se dá à tolice dos homens ou ao concurso das circunstâncias.

Achou-se sem emprego nem dinheiro.

Castrioto compreendeu a situação precária do rapaz pelo cumprimento que este lhe fez nesse tempo, justamente porque Castrioto, tendo sido julgada casual a sua falência, alcançara proteção e meios para continuar o negócio.

No pior da sua posição, recebeu Clemente uma carta em que o comendador o convidava a ir passar algum tempo na fazenda.

Sabedor da catástrofe de Medeiros, queria o comendador naturalmente dar a mão ao rapaz. Este não esperou que repetisse o convite. Escreveu logo dizendo que daí a um mês se poria em marcha.

Efetivamente um mês depois saía Clemente Soares em caminho do município de ***, onde era a fazenda do comendador Brito.

O comendador esperava-o ansioso. E não menos ansiosa estava a moça, não sei se porque já lhe tivesse amor, se porque ele fosse uma distração no meio da monótona vida rural.

Recebido como amigo, tratou Clemente Soares de pagar a hospitalidade, fazendo-se conviva alegre e divertido.

Ninguém o poderia melhor do que ele.

Dotado de grande perspicácia, compreendeu em poucos dias como entendia o comendador a vida do campo, e tratou de o lisonjear por todos os modos.

Infelizmente, dez dias depois da sua chegada à fazenda, adoeceu gravemente o comendador Brito, por maneira que o médico poucas esperanças deu à família.

Era ver o zelo com que Clemente Soares servia de enfermeiro do doente, procurando por todos os meios suavizar-lhe os males. Passava noites em claro, ia aos povoados quando era necessário fazer alguma coisa mais importante, consolava o doente já com palavras de esperanças, já com animada conversa, cujo fim era distraí-lo de pensamentos lúgubres.

— Ah! — dizia o pobre velho. — Que pena que eu o não conhecesse há mais tempo! Bem vejo que é um verdadeiro amigo.

— Não me elogie, comendador — dizia Clemente Soares —, não me elogie, que é tirar o mérito, se o há, destes deveres agradáveis ao meu coração.

O procedimento de Clemente influiu no ânimo de Carlotinha, que nesse desafio de solicitude soube mostrar-se esposa dedicada e reconhecida. Ao mesmo tempo fez com que em seu coração se desenvolvesse o germe de afeto que Clemente de novo lhe lançara.

Carlotinha era uma moça frívola; mas a doença do marido, a perspectiva da viuvez, o desvelo do rapaz, tudo fez nela uma profunda revolução.

E mais que tudo, a delicadeza de Clemente Soares, que, durante esse tempo de tão graves preocupações para ela, nenhuma palavra de amor lhe dirigiu.

Era impossível que o comendador escapasse à morte.

Na véspera desse fatal dia, chamou os dois a si, e disse com voz fraca e comovida:

— Tu, Carlota, pela afeição e respeito que me tiveste durante a nossa vida de casados; tu, Clemente, pela verdadeira dedicação de amigo, que me tens provado, sois ambos as duas únicas criaturas de quem levo saudades deste mundo, e a quem devo gratidão nesta e na outra vida...

Um soluço de Clemente Soares cortou a palavra ao moribundo.

— Não chores, meu amigo — disse o comendador com voz terna —, a morte na minha idade, não é só inevitável, é também necessária.

Carlota estava banhada em lágrimas.

— Ora, pois — continuou o comendador —, se me querem fazer o último favor, ouçam-me.

Passou um relâmpago pelos olhos de Clemente Soares. O rapaz inclinou-se sobre a cama. O comendador tinha os olhos fechados.

Houve um longo silêncio, no fim do qual o comendador abriu os olhos e continuou:

— Consultei novamente a minha consciência e Deus, e ambos aprovam o que vou fazer. São ambos moços e merecem-se. Se se amarem, juram casar-se?

— Oh! não fale assim — disse Clemente.

— Por que não? Eu já tenho os pés na sepultura; não me fica mal dizer isto. Quero deixar felizes as pessoas a quem mais devo...

Foram as suas últimas palavras. No dia seguinte, às oito horas da manhã, deu a alma a Deus.

Algumas pessoas da vizinhança ainda assistiram aos últimos instantes do fazendeiro. Fez-se o enterro no dia seguinte, e pela tarde pediu o nosso Clemente Soares um cavalo, despediu-se da jovem viúva, e tomou caminho da corte.

Não veio, porém, até a corte. Deixou-se estar nas imediações da fazenda, e no fim de oito dias apareceu lá em busca de não sei que objeto que lhe havia esquecido.

Carlotinha, quando soube que o rapaz estava na fazenda, teve um momento de regozijo, de que logo se arrependeu em respeito à memória do marido.

Curta foi a conversa dos dois. Mas foi quanto bastou para fazer a felicidade de Clemente.

— Vá — disse ela —, que eu bem compreendo a grandeza de sua alma nesta separação. Mas prometa que voltará daqui a seis meses...

— Juro.

VII

Pedira o comendador aquilo que os dois desejavam ardentemente.

Seis meses depois eram casados o jovem Clemente Soares e a gentil viúva; não houve nenhuma escritura de separação de bens, pela simples razão de que o noivo foi o primeiro que propôs a ideia. Verdade é que se a propôs, é porque tinha a certeza de que não seria aceita.

Não era Clemente homem que se encafuasse numa fazenda e se contentasse com a paz doméstica.

Dois meses depois de casado, vendeu a fazenda e os escravos, e veio estabelecer vivenda na corte, onde hoje foi conhecida a sua aventura.

Nenhuma casa lhe fechou as portas. Um dos primeiros que o visitou foi o negociante Medeiros, ainda em tristes circunstâncias, e por tal modo que chegou a lhe pedir algum dinheiro emprestado.

Clemente Soares fez a felicidade da mulher durante um ano ou pouco mais. Mas não passou daí. Dentro de pouco tempo, Carlotinha estava arrependida do casamento; era tarde.

Soube a moça de algumas aventuras amorosas do marido, e censurou-lhe esses atos de infidelidade; mas Clemente Soares motejou do caso, e Carlotinha recorreu às lágrimas.

Clemente levantou os ombros.

Começou uma série de desgostos para a moça, que ao fim de três anos de casada estava magra e doente, e ao fim de quatro expirou.

Fez-lhe Clemente um pomposo enterro a que assistiram até alguns ministros de Estado. Vestiu-se de preto durante um ano, e quando acabou o luto foi viajar para se distrair da perda, dizia ele.

Quando voltou, encontrou os mesmos afetos e considerações. Algumas pessoas diziam ter queixas dele, a quem chamavam ingrato. Mas Clemente Soares não se importava do que a gente dizia.

Aqui acaba a história.

Como! E a moralidade? A minha história é isto. Não é uma história, é um esboço, menos que um esboço, é um traço. Não me proponho a castigar ninguém, salvo Carlotinha, que se achou bem punida de ter amado outro homem em vida do marido.

Quanto a Clemente Soares nenhuma punição teve, e eu não hei de inventar no papel aquilo que se não dá na vida. Clemente Soares viveu festejado e estimado por todos, até que morreu de apoplexia, no meio de muitas lágrimas, que não eram mais sinceras do que ele foi durante sua vida.

Jornal das Famílias, *agosto-setembro de 1873*; Job.

Nem uma nem outra

I

Uma tarde do mês de março de 1860, entrava no hotel Ravot um velho mineiro, que, nesse mesmo dia, chegara de Mar de Espanha. Trazia um camarada consigo e alojou-se num dos aposentos do hotel, tendo o cuidado de restaurar as forças com um excelente jantar.

O velho representava ter cinquenta anos, e eu peço perdão aos homens que têm essa idade sem todavia estarem velhos. O viajante de quem se trata, posto viesse de um clima conservador, estava todavia alquebrado. Via-se pela cara que não era homem inteligente, mas tinha nos traços severos do rosto os sinais positivos de uma grande vontade. Era alto, um pouco magro, tinha os cabelos todos brancos. No entanto, era alegre, e desde que chegou à corte divertia-se muito com os espantos do criado que pela primeira vez saía da sua província para vir ao Rio de Janeiro.

Quando acabaram de jantar, amo e criado entraram a conversar amigavelmente e com aquela boa franqueza mineira tão apreciada pelos que conhecem a província. Depois de rememorarem os incidentes da viagem, depois de comentarem o pouco que o criado conhecia do Rio de Janeiro, entraram ambos no principal assunto que trouxera o amo ao Rio de Janeiro.

— Amanhã, José — disse o amo —, precisamos ver se descobrimos meu sobrinho. Não vou daqui sem levá-lo comigo.

— Ora, senhor capitão — respondia o criado —, eu acho bem difícil encontrar seu sobrinho numa cidade tamanha. Só se ficarmos aqui um ano inteiro.

— Qual um ano! Basta anunciar no *Jornal do Commercio*, e se não for bastante vou à polícia, mas hei de achá-lo. Tu lembras-te dele?

— Não me lembro nada. Vi-o só uma vez e há tanto tempo...

— Mas não o achas um bonito rapaz?
— Naquele tempo era...
— Há de estar melhor.

O capitão sorriu depois de pronunciar estas palavras; mas o criado não lhe viu o sorriso, nem lho perceberia, que é justamente o que acontece aos leitores.

A conversa parou nisto.

No dia seguinte, a primeira coisa em que o capitão Ferreira cuidou, logo depois do almoço, foi em levar um anúncio ao *Jornal do Commercio*, concebido nos seguintes termos:

> Deseja-se saber onde mora o senhor Vicente Ferreira para negócio do seu interesse.

Apenas deixou o anúncio, descansou o nosso capitão e ficou a esperar uma resposta.

Mas, contra a expectativa, não apareceu resposta nenhuma no dia seguinte, e o capitão foi obrigado a repetir o anúncio.

A mesma coisa.

O capitão fez repetir o anúncio durante oito dias, sem adiantar um passo, mandou pô-lo em grandes tipos; mas continuava o mesmo silêncio. Convenceu-se por fim que o sobrinho não estava no Rio de Janeiro.

— Fizemos a viagem inutilmente — disse o capitão ao criado —; voltemos para Mar de Espanha.

O criado alegrou-se com a ideia de voltar; mas o velho estava triste.

Para distrair-se de sua tristeza, saiu o capitão a dar um passeio depois do almoço, e dirigiu-se para os lados do Passeio Público.

Justamente na rua do Passeio pareceu ver entrar em uma casa um sujeito que de longe lhe pareceu o sobrinho.

O velho apressou o passo e chegou à porta do corredor por onde entrara o vulto, mas não achou ninguém. Quem quer que era tinha já subido a escada.

Que fazer?

Lembrou-se de ficar na porta à espera; mas podendo ser que se houvesse enganado, a espera seria, sobre fastidiosa, inútil. O capitão lembrou-se de bater palmas.

Com efeito, subiu o primeiro lanço da escada e bateu palmas. Pouco depois veio abrir-lhe a cancela um moço representando ter vinte e cinco anos de idade, a quem o capitão, apenas o viu, gritou com toda a força dos seus pulmões.

— Vicente!
— Quem é?

O capitão subiu os degraus sem responder e chegou ao patamar gritando:

— Pois não me conheces, sobrinho ingrato?

Dizer isto e atirar-se-lhe aos braços foi a mesma coisa. O rapaz abraçou ternamente o tio, não sem um pouco de acanhamento em que o capitão não reparou.

— Entre cá para a sala, meu tio — disse Vicente.

Entraram na sala, e se os olhos do tio fossem mais indiscretos teriam visto que, justamente no momento em que ele entrava na sala, saiu por um corredor interno um vestido de mulher.

Mas o capitão Ferreira ia tão embebido no sobrinho e tão contente por tê-lo finalmente encontrado, que não reparou em coisa alguma.

— Ora, graças a Deus que te encontro! — disse ele sentando-se numa cadeira que lhe oferecia o rapaz.

— Quando chegou?

— Há dez dias. Não sabendo onde moravas, anunciei no *Jornal do Commercio* todos os dias, e sempre em vão. Não leste o anúncio?

— Meu tio, eu não leio jornais.

— Tu não lês jornais?

— Não, senhor.

— Homem, fazes bem; mas ao menos agora seria conveniente que houvesses lido; mas para isso era preciso que eu te avisasse, e eu não sabia da casa...

— Já vê... — disse Vicente sorrindo.

— Pois, senhor, acho-te bem disposto. Estás muito melhor do que a última vez que lá foste à fazenda; creio que há já cinco anos.

— Pouco mais ou menos.

— Tudo por lá ficou bom, mas com saudades de ti. Por que diabo não apareces?

— Meu tio, ando tão ocupado...

— Sim, creio que estás aprendendo a tocar piano — disse o capitão olhando para o instrumento que via na sala.

— Eu? — disse o rapaz. — Não, não sou eu, é um amigo.

— Que mora contigo?

— Justo.

— Vocês moram bem; e estou capaz de vir para aqui uns dias antes de voltar para Minas.

O rapaz empalideceu, e por muito pouca perspicácia que tenha o leitor há de compreender que esta palidez está ligada à fuga do vestido de que lhe falei acima.

Não respondeu coisa alguma à proposta do tio, e este foi o primeiro a romper a dificuldade, dizendo:

— Mas para quê? demoro-me tão pouco tempo que não vale a pena; e além disso, pode o teu amigo não gostar...

— Ele é um pouco esquisito.

— Ora aí está! E eu sou muito esquisito, e portanto, não podemos fazer conciliação. O que eu quero, Vicente, é falar-te sobre um importantíssimo negócio, único que me traz ao Rio de Janeiro.

— Um negócio?

— Sim; mas agora não temos tempo; adiemos para outra ocasião. Apareces no Ravot hoje?

— Lá irei.

— Olha, vai jantar comigo, sim?

— Vou, meu tio.

— Anda daí.

— Agora não me é possível; tenho de esperar o meu companheiro; mas pode ir que eu lá estarei para jantar.

— Ora, bem, não me faltes.

— Não, senhor.

O capitão abraçou outra vez o sobrinho e saiu radiante de alegria.

Apenas o tio chegou à porta da rua, Vicente, que tinha voltado à sala e estava à janela, sentiu que lhe tocavam por trás.

Voltou-se.

Uma moça — a do vestido — estava por trás dele, e lhe perguntava sorrindo:

— De onde te veio este tio?

— De Minas; não contava agora com ele, tenho de lá ir jantar.

— Ora...

— Desculpa; é um tio.

— Vá — disse ela sorrindo —, faço o sacrifício ao tio. Mas, olha, vê se mo envias depressa para Minas.

— Descansa; o mais depressa que me for possível.

II

Vicente foi exato na promessa.

O capitão Ferreira que já estava impaciente, apesar de não ser tarde, andava da sala para a janela, olhando para todos os lados, a ver se descobria sinais do sobrinho. Ora, o sobrinho entrou justamente numa ocasião em que ele estava na sala; um criado do hotel levou-o ao aposento do capitão, aonde Vicente entrou justamente na ocasião em que o capitão ia para a janela, de maneira que foi uma grande surpresa para o tio ver o sobrinho repimpado numa cadeira quando menos o esperava.

— Por onde diabo entraste tu?

— Pela porta.

— É singular; não te senti entrar. Ora, ainda bem que vieste; são horas de jantar, e é bom que jantemos antes, a fim de termos tempo para conversarmos a respeito do negócio de que te falei.

Vicente estava alegre e ruidoso como era do seu natural. A entrada inesperada do tio na casa da rua do Passeio é que o tinha tornado acanhado e hesitante; agora, porém, que já não tinha motivos para hesitações nem acanhamento, deu o rapaz largas ao seu gênio folgazão.

A surpresa foi agradável para o capitão Ferreira, que não tinha a insuportável mania de querer moços velhos, e aceitava o gênio de todas as idades e de todos os temperamentos.

Acabando o jantar, o capitão foi com o sobrinho para o seu aposento e aí começou a conversa importante que o trouxera à corte.

— Primeiramente — disse o velho —, deixa-me puxar-te as orelhas pela tua prolongada ausência lá de casa, onde ias ao menos uma vez por ano. Que diabo andas fazendo aqui?

— Meu tio, ando muito ocupado.

— Graves negócios, não?

— Não graves, porém, maçantes.

— Sim? Imagino. Estás empregado?

— Numa casa comercial, onde ganho alguma coisa, e isso junto com o pouquinho que me ficou de minha mãe...

— Eram uns vinte contos, não pode ser muito, talvez não seja nada.

— Isso está intacto.

— Confesso — disse o velho —, que não te supunha tão econômico. Mas por que razão não arranjaste uma licença para ires ver-me à fazenda?

— No comércio é difícil.

— Pois mandava-se o emprego ao diabo; lá em casa há um canto para um parente.

Vicente não respondeu; o velho continuou:

— E é justamente para isto que eu vim falar-te.

— Ah! — disse Vicente arregalando os olhos.

— Aposto que recusas?

— Recusar? Mas...

— Estás com pouca vontade, e eu no teu caso faria o mesmo; mas não se trata só de abandonar a corte para ires encafuar-te numa fazenda. Para um rapaz a mudança há de ser difícil. A carne é dura de roer, mas eu trago-te o molho.

Dizendo isto, o capitão fitava os olhos do rapaz cuidando ver neles uma curiosidade misturada de alegria. Viu a curiosidade, mas não viu a alegria. Não se perturbou, e continuou:

— Teu pai, que era meu irmão, incumbiu-me de velar por ti, e fazer-te feliz. Até aqui tenho cumprido o que prometi, porque sendo mais feliz na corte, não te forcei a ir viver comigo na fazenda; e quando quiseste ter um emprego, esse que tens agora, hás de lembrar-te que alguém to ofereceu.

— É verdade.

— Pois bem, foi por iniciativa minha.

— Ah! foi meu tio?

— Pois então? — disse o velho, batendo-lhe na perna a rir — cuidavas que eu ignorava o teu emprego? Se eu mesmo to dei; e mais, tenho indagado do teu comportamento na casa, e sei que é exemplar. Já por três vezes mandei dizer ao teu patrão que te desse licença por algum tempo, e ele mesmo, segundo me consta, falou-te nisso, mas tu recusaste.

— É verdade, meu tio — respondeu Vicente —; e eu não sei como lhe agradeça...

— O haveres recusado visitar-me?

— Confesso que...

— Compreendo o motivo; os rapazes da corte, as delícias de Cápua, como diz o vigário Tosta, eis a causa.

Vicente caía das nuvens com todas estas notícias que lhe dava o capitão, ao passo que o capitão ia desenrolando-se sem intenção de afrontar nem censurar o rapaz... O capitão era um bom velho; compreendia a mocidade, e desculpava-lhe tudo.

— Ora bem — continuou ele —, quem fez tanto por ti, entende que é chegado o momento de fazer-te feliz de outra maneira.

— Qual maneira? — perguntou Vicente curioso e ao mesmo tempo assustado com o gênero de felicidade que lhe anunciava o tio.

— De uma maneira tão velha como Adão e Eva, o casamento.

Vicente empalideceu; esperava tudo, menos o casamento. E que casamento seria? O velho não disse mais nada; Vicente gastou alguns minutos em formular uma resposta, que seria ao mesmo tempo *une fin de non recevoir*.

— Que achas? — perguntou finalmente o velho.

— Acho — respondeu resolutamente o rapaz —, que meu tio é em extremo bondoso comigo em me propor o casamento para minha felicidade. Com efeito, parece que o casamento é o remate natural da vida, e por isso aceito com braços abertos a sua ideia.

O velho sorria de contentamento, e ia já abraçá-lo quando o sobrinho acabou o discurso.

— Mas — acrescentou Vicente —, a dificuldade está na esposa, e eu por enquanto não amo a ninguém.

— Não amas a ninguém? — disse o velho deitando-se. — Mas então cuidas que eu vinha à corte só para te propor um casamento? Trago duas propostas — a do casamento e a da mulher. Não amas a mulher? Hás de vir a amá-la, porque ela já te ama.

Vicente estremeceu; a questão agora tornava-se mais complicada. Ao mesmo tempo a ideia de ser amado sem que ele soubesse nem tivesse feito nenhum esforço, era uma coisa que lhe sorria à vaidade. Entre estes dois sentimentos contrários, o rapaz achou-se embaraçado para dar uma resposta qualquer.

— A mulher que te destino e que te ama é minha filha Delfina.

— Ah! a prima? Mas ela é criança...

— Era há cinco anos; agora está com dezessete anos, e creio que a idade é própria para um consórcio. Aceitas, não?

— Meu tio — respondeu Vicente —, eu aceitaria com muito prazer a sua ideia; mas, posto que eu reconheça toda a vantagem desta união, contudo, não quero fazer uma moça infeliz, e é o que pode acontecer se eu não amar minha mulher.

— Dar-lhe-ás pancadas?

— Oh! perdão! — disse Vicente, não sem esconder um sentimento de indignação que lhe provocara a pergunta do velho. — Mas não amando a uma pessoa que me ama, é fazê-la infeliz.

— Histórias da vida! — disse o velho levantando-se e passeando pela sala. — Isto de amor em casamento é uma burla; basta que se estimem e se respeitem; é o que eu exijo e nada mais. Vê lá; em troca disso, dou-te a minha fortuna toda; bem sei que isto é o menos para ti; mas ter mulher bonita (porque Delfina é uma joia), meiga, dócil, é uma fortuna que só um pateta pode recusar...

— Eu não digo que...

— Um pateta, ou um estouvado, como tu; um estouvado, que abandonou a casa de comércio, em que se achava, por um capricho, uma simples desinteligência com o dono da casa... Olhas espantado para mim? É verdade, meu rico; soube de tudo isso: e é essa a razão de não saberes tu quando aqui cheguei. Creio ao menos que estarás empregado?

— Estou — balbuciou o moço.

O capitão estava já zangado com as recusas do sobrinho, e não se pôde conter; disse-lhe o que sabia. Vicente, que o cuidava iludido acerca da saída da casa em que estivera, recebeu a notícia como uma bala de cento e cinquenta.

O velho continuou a passear silencioso. Vicente deixou-se estar assentado sem dizer palavra.

No fim de alguns minutos, voltou o capitão à sua cadeira e acrescentou:

— Não me sejas palerma; atende que eu venho fazer a tua felicidade. Tua prima suspira por ti. Só o soube quando o filho do coronel Vieira foi lá pedi-la em casamento. Disse-me ela então que só se casaria contigo; e eu que a estremeço, quero fazer-lhe a vontade. Vamos; não posso esperar; decide-te.

— Meu tio — disse Vicente depois de alguns instantes —, não posso dar-lhe uma resposta definitiva; mas afirmo que o que eu puder fazer estará feito.

— Boa confiança devo eu ter nas tuas palavras!

— Por quê?

— Queres saber por quê? é porque eu suponho que andarás por aí perdido, que sei eu? Como se perdem os rapazes de hoje.

— Oh! quanto a isso, juro...

— Não quero juramentos, quero uma resposta.

O capitão Ferreira era um homem de vontade; não admitia recusas, nem sabia propor coisas daquelas, quando lhe não assistia direito legal. Vicente até então vivera independente do tio; era natural que nunca contasse com a fortuna dele. Querer impor-lhe o casamento por aquele modo, era arriscar a negociação, afrontando o orgulho do moço. O velho não reparava nisso, ficou muito admirado quando o sobrinho respondeu secamente às últimas palavras dele:

— Pois bem, a minha resposta é simples: não me caso.

Seguiu-se a estas palavras um profundo silêncio; o velho ficou fulminado.

— Não te casas? — perguntou ele no fim de longos minutos.

O rapaz fez um sinal negativo.

— Reparaste bem na resposta que me deste?

— Reparei.

— Adeus.

E dizendo isto, o velho levantou-se e dirigiu-se para o quarto sem lhe dirigir um olhar sequer.

Vicente compreendeu que estava despedido e saiu.

Quando chegou a casa, achou a moça que já tivemos ocasião de ver no primeiro capítulo, a qual o recebeu com um abraço que era ao mesmo tempo um ponto de interrogação.

— Briguei com meu tio — disse o moço sentando-se.

— Ah!

— Adivinha o que ele queria?

— Mandar-te para fora daqui?

— Casar-me com a filha dele e fazer-me seu herdeiro.

— Recusaste?

— Recusei.

A moça ajoelhou-se diante de Vicente e beijou-lhe as mãos.

— Que é isto, Clara?

— Obrigada! — murmurou ela.

Vicente levantou-a e beijou-lhe por sua vez as mãos.

— Tolinha! Pois há nisto motivo para me agradeceres? E chorando! Clara, deixa-te de lágrimas! Eu não gosto de ver uma moça chorona... Vamos! ri-te.

Clara sentou-se calada; via-se-lhe a alegria no rosto, mas uma alegria misturada de tristeza.

— Quem sabe? — disse ela no fim de algum tempo. — Quem sabe se fizeste bem recusando?

— Essa agora!

— Recusaste por minha causa, e eu...

— Já vejo que fiz mal em falar-te nisto. Ora, vamos... nada de tolices; anda passear.

Vicente Ferreira, desde que lhe morrera a mãe, deixara o interior da província de São Paulo, aonde vivera, e estabeleceu-se na corte com o pouco que herdara; algum tempo empregou-se, e já sabemos que por influência do tio, que deveras o estimava. Era um rapaz um tanto orgulhoso, e imaginava que viver com o tio era mostrar-se adulador da fortuna dele, ideia esta de que fugia sempre. Quando estava em São Paulo visitara muitas vezes o tio; mas, depois que viera para a corte, nunca mais o fez. Além dos sentimentos que já apontamos acima, não queria deixar a casa ainda que com licença do patrão, que aliás era o primeiro a oferecer-lha; e finalmente a Clara da rua do Passeio tinha grande parte na decisão do rapaz.

Por que essa influência e como começara ela?

Apressemo-nos a tirar do espírito do leitor uma ideia que porventura já lhe tenha surgido, e vem a ser a de que a nossa Clara é uma Margarida Gauthier lavando-se nas águas do amor das culpas passadas.

Clara tinha sido raptada de casa de seus pais por um amigo de Vicente, ou pelo menos o sujeito que andava com ele — e abandonada no fim de um mês pelo tratante, que embarcou para Buenos Aires.

A moça achou-se só um dia de manhã, sem arrimo nenhum, nem esperança dele. A primeira ideia que teve foi matar-se; nessa resolução entrou por muito o amor que ainda tinha pelo rapaz. Mas o medo, a educação religiosa que lhe haviam dado depressa lhe arredaram do espírito semelhante ideia.

No meio da sua aflição lembrou-se de Vicente, que lá fora à casa dela, uma vez, em companhia do fugitivo Enéas. Mandou-o chamar e contou-lhe a sua situação. Vicente ainda não sabia da fuga do amigo, e ficou admirado que ele houvesse cometido semelhante ato de covardia. Mas, sabendo que pelo lado da justiça o raptor nada temia, admirou-se da fuga sem outro motivo aparente além da questão do rapto, motivo que não era motivo, porque um homem que furta uma moça tem sempre ânimo para conservá-la durante algum tempo, até que possa a fuga completar a obra do rapto: a audácia coroada pela covardia.

Ora, esse tempo nunca é simplesmente um mês.

Outra causa devia haver, e Vicente tratou de indagar nesse mesmo dia sem nada obter; no dia seguinte, porém, a gazetilha do *Jornal do Commercio* tirou todas as dúvidas: noticiava a fuga do homem com alguns contos de réis.

Para acabar já com a história deste sujeito, acrescentarei que, depois de longos trabalhos do mesmo gênero, em Buenos Aires, fugiu ele para o Chile, onde consta que é atualmente empregado em umas obras das estradas.

A moça contou a Vicente qual era a sua posição, e pediu-lhe por esmola o seu auxílio.

Vicente tinha bom coração; achou que naquele estado não devia fazer à moça um discurso inútil sobre o seu ato; cumpria-lhe socorrê-la. Tirou, portanto, um conto de réis do pecúlio que tinha e deu a Clara os primeiros auxílios necessários; alugou-lhe casa e uma criada; preparou-lhe uma mobília e despediu-se.

Clara recebeu agradecida e envergonhada os auxílios de Vicente; mas ao mesmo tempo não via nos atos do rapaz mais do que um sentimento de interesse.

No fim de quinze dias, Vicente foi à casa de Clara e disse-lhe que, não podendo adiantar-lhe tudo quanto ela precisasse e não devendo ela ficar exposta aos perigos da sua situação, era conveniente que procurasse trabalhar, e para isso escolhesse o que mais lhe conviesse.

Clara achou justas as observações de Vicente, e ficou assentado que a moça trabalharia de costureira em casa de alguma modista.

Daí a dias estava a moça empregada.

Entretanto, Vicente não voltou lá mais; de quando em quando recebia um recado de Clara, mas era sempre em assunto que lhe dispensava uma visita pessoal.

O procedimento do moço não deixou de influir na rapariga, que já se arrependia do seu primeiro juízo.

Um dia adoeceu Vicente, e Clara apenas o soube, obteve licença da modista e foi tratar do enfermo com a dedicação e zelo de uma irmã. A doença de Vicente durou dez ou doze dias; durante esse tempo não se desmentiu a solicitude da moça.

— Obrigado — disse Vicente à rapariga, quando se levantou da cama.

— Por quê? Sou eu quem lhe deve.

— Já pagou de sobra.

— Oh! nunca! — disse Clara. — O senhor livrou-me a vida, é verdade; mas não fez só isto, livrou-me de entrar numa carreira fatal... e mais...

— E mais nada — disse Vicente.

A moça voltou o rosto e enxugou uma lágrima.

— Por que chora? — perguntou Vicente.

Clara não respondeu, mas levantou os olhos para ele rasos d'água, e parece que nesse momento deviam eles ter uma expressão muito eloquente, porque o rapaz sorriu dizendo estas palavras:

— Ama-me, não?

A moça beijou-lhe a mão.

No dia seguinte Clara despedia-se da modista, e os dois ficaram morando na casa da rua do Passeio, onde já o vimos.

Pede a verdade que se diga que Vicente não amou desde logo a rapariga; mas o amor veio lentamente como um vento fresco da noite, que começa mais débil que o hálito de um infante e acaba em forte viração.

Clara era bonita e tinha excelente coração; o caráter de Vicente estava de perfeito acordo com o dela; ambos punham a felicidade na tranquilidade interior, na mútua afeição, no trabalho e na mediania. Tinham achado tudo isso; por que abandoná-lo?

III

O incidente do tio capitão foi passageira nuvem na vida de Vicente. Quinze dias depois estava inteiramente esquecido. A própria Clara, apesar da tristeza que lhe produzira a proposta do capitão, não se lembrava já dele. Tudo parecia ter voltado ao antigo tempo.

Assim foi com efeito durante três meses; mas, no fim de junho, Vicente recebeu uma carta pedindo-lhe que a saúde de Delfina exigia a presença dele na fazenda. A carta não tinha ar de ordem nem de súplica: era um simples pedido.

Vicente ficou impressionado com a carta do tio. Sentia-se com remorsos do que porventura tivesse acontecido; era-lhe necessário reprimir o mal, se mal havia. Tal foi, com efeito, a sua resolução.

Mas essa resolução não durou muito tempo; posto que o rapaz visse a gravidade do caso, não podia esquecer-se de que havia uma proposta em pé, talvez que a presença dele na fazenda não fizesse mais do que acelerar a realização de uma ideia que lhe era mortal.

Vicente desistiu de ir à fazenda.

Desta vez, porém, não comunicou a Clara o que havia, e tudo pareceu continuar no mesmo estado, até que muitos dias depois, entrando Vicente em casa, achou Clara triste e com vestígios de haver chorado.

— Que tens tu? — perguntou-lhe.
— O que tenho?
— Sim, pareces triste.
— Estou triste, sim; parece que já não mereço confiança.
— Por quê?
— Recebeste uma carta de teu tio e não me disseste nada.
— É verdade; não queria mortificar-te. Como soubeste disso?
— Achei hoje a carta.
— Pois sim — continuou Vicente —, recebi a carta e para te não afligir não te participei coisa alguma. E vês que pouco me importou, visto que não parti.
— Fizeste mal.
— Fiz mal?
— Devias ter ido à fazenda.

Vicente franziu a testa.

— Clara — disse ele —, não me amas?
— Eu? ah! injusto que tu és! Amo-te, sim, e muito; mas que tem isso com o simples pedido de um pai que te pede a salvação de uma filha?
— A salvação? É romanesco demais.
— Incrédulo!
— Devo sê-lo, Clara, em não crer que uma moça, que eu vi menina pela última vez, tamanho amor criasse por mim que venha a morrer dele.
— O coração tem mistérios.
— Falemos de outra coisa.
— Não — disse Clara —, falemos disto. Tu vais a Minas.

Vicente fez um gesto de impaciência.

— Não te zangues — continuou a moça —; vais a Minas, e lá te demoras o tempo preciso para acalmar essa pobre moça; voltarás depois. Vai, sim?

Vicente fitou em Clara olhos desconfiados; através daquela insistência ia uma intenção oculta, e pela primeira vez sentiu ciúmes.

Parece que a moça o compreendera logo, porque levantou-se da cadeira em que se achava e lançou ao rapaz um olhar tão soberano e tão sincero, que ele sentiu-se envergonhado.

— Bem sei, Clara, qual é a tua ideia. Sentes que eu não vá por tua causa; não queres ter o remorso de haver feito sofrer ninguém.

— Quando assim fosse?... — perguntou a moça.

— Era bonito da tua parte.

Clara sorriu tristemente.

— Achas bonito? Eu acho que é simplesmente justo. Que direito tenho eu de fazer sangrar o coração de uma pobre menina?

— Clara, tu não me amas, porque o amor é menos filantropo.

A conversa ficou nisto.

O jantar foi triste, ambos estavam preocupados.

A verdade é que as palavras da moça não deixaram de impressionar o rapaz; compreendia ele que não o haviam de casar à força ao passo que a presença dele na fazenda podia influir beneficamente no ânimo da prima.

De noite assentou que iria a Mar de Espanha.

Fixou a viagem para daí a dois dias.

Clara alegrou-se com a notícia.

— Que dor me tiras tu — disse ela —; vai, e eu prometo que rogarei a Deus por ti, por ela, e pela nossa felicidade.

No dia seguinte, Vicente entrou a fazer os preparativos de viagem; comprou mala necessária, e já ia com ela atravessando a rua do Ouvidor, para ir a casa, quando viu à porta do hotel de Europa, na rua do Carmo, um homem falando para dentro de um carro.

Era o capitão.

Vicente parou, e viu daí a instantes sair de dentro uma moça alta, mas débil e pálida, em quem reconheceu Delfina.

A moça entrou para o hotel acompanhada do pai. Vicente conservou-se alguns instantes parado, e depois seguiu viagem para a rua do Passeio acompanhado do preto que lhe levava a já inútil mala.

Contou o caso a Clara. A moça estremeceu desta vez como se visse o perigo perto e iminente. Contudo, disse-lhe:

— Pois melhor; em vez de ires a Mar de Espanha, vais ao hotel de Europa; é mais perto, e eu tenho o prazer de saber hoje em que param as coisas.

Era o alvitre mais natural; Vicente foi ao hotel.

Quando lá chegou, ainda Delfina repousava da viagem; mas o capitão recebeu-o tranquilo, senão alegre.

— Meu tio — disse Vicente —, eu ia partir amanhã, vinha com a mala, há pouco, quando o vi entrar aqui, e mais a prima.

— Há tanto tempo que te escrevi! — observou o velho tristemente.

— É verdade; mas eu não pude ir logo como queria. Cresceram-se os trabalhos, e só agora... Onde está a prima?

A pergunta relativa à prima era uma necessidade, visto que Vicente mentira por uma triste necessidade da sua situação. O velho achou natural a pergunta e respondeu:

— Está descansando.

— Vem doente? — perguntou Vicente depois de alguns instantes.

— Vem; quero consultar um médico.

A posição do rapaz tornava-se embaraçada; armara-se de argumentos para paliar os projetos do tio, e achava o velho a cem léguas do assunto, evitando tocar nele.

Depois de um silêncio, que era de espinhos para Vicente, apareceu finalmente Delfina.

Estava pálida e desfeita; via-se nela os sinais de um sofrimento íntimo e longo. No entanto, via-se-lhe a beleza em todo o esplendor da virgindade; e a palidez como que lhe completava as graças, porque assim como as cores vivas são essenciais a certos tipos de mulher, outros há cujo realce provém do descorado do rosto.

Tinha uns belos olhos negros, agora um pouco empanados, mas ainda assim serenos e expressivos. Os cabelos que eram da mesma cor, estavam penteados com graça, e emolduravam uma testa alta e inteligente.

Quando Delfina entrou na sala, Vicente fez um pequeno gesto de espanto, que era não somente produzido pelo aspecto doentio da prima, mas também pela beleza desenvolvida que ele jamais suspeitara na criança que vira havia cinco anos.

Quanto a Delfina, não pôde conter um grito. O pai correu para ela, e Vicente que se tinha levantado foi direito à prima e estendeu-lhe a mão. A moça apertou-lhe com força e fitou nele os seus belíssimos olhos em que havia tudo, exprobração, agradecimento, amor.

Durou esta cena alguns segundos.

— Anda sentar-te — disse por fim o capitão à filha.

O autor de um romance tem obrigação de conhecer profundamente os seus personagens. Direi de Vicente, que, se ele tivesse o coração livre, ali mesmo diria:

— Prima, aqui estou; sou seu esposo.

Quanto a mim, esta declaração valeria mais que uma consulta do Valadão ou do Pertence.

Mas o rapaz não tinha o coração livre; para que tais palavras lhe pudessem sair da boca, era necessário que não tivesse dentro de si um pensamento absoluto e constante: o amor de Clara.

Delfina, porém, que, como todos os naufragados, atirava-se à primeira ponta de rochedo, encheu-se toda com a esperança de que finalmente o seu amor ia ter uma recompensa.

Vicente jantou lá nesse dia, entre o tio e a prima, alegre porque era mister consolar a enferma, mas preocupado com a situação que o acaso ou o destino lhe proporcionara.

O capitão, apesar de não crer nem esperar nada da parte do sobrinho, pensou por um instante que era possível salvar tudo.

— Se a dúvida do rapaz — pensava ele — é não amar a rapariga, estou que pode vir a amá-la, desde que a vir mais vezes e habituar-se a contemplá-la. Nem tudo está perdido.

Esta disposição de espírito tornou suportáveis as horas passadas entre os três. À noite, Vicente despediu-se, dizendo que voltaria no dia seguinte.

Ao sair encontrou um amigo íntimo, a quem confiava todos os fatos de sua vida, e que partilhava com Clara de sua inteira confiança.

— Estás agora morando no hotel de Europa? — perguntou-lhe o amigo.

— Não; vim ver meu tio e minha prima.

— Chegaram de Minas?
— Hoje mesmo.

Seguiram os dois de braço dado pela rua do Ouvidor, e como Vicente parecesse triste, o amigo sacudiu-lhe o braço.

— Que diabo tens tu hoje? Parece que viste alguma bruxa?
— Correia — respondeu Vicente —, estou numa situação de espinhos.

Correia esticou o ouvido.

Vicente contou-lhe tudo. O amigo Correia ouviu a narração atentamente e concordou com Vicente que a situação era das mais graves que podem surgir na vida de um rapaz.

— Que me aconselhas tu?
— Diversas coisas; primeiramente o casamento...
— Isso não — atalhou Vicente.
— Nesse caso — continuou Correia —, nova recusa peremptória.
— Seria matá-la.
— Terceiro alvitre: não respondas nada, não afirmes nada, não prometas nada. Supõe que estás feito embaixador e que o teu governo te manda ordem de escrever uma resma de papel em notas diplomáticas que não digam coisa nenhuma. É o caso.
— Isso é o que é difícil.
— Confesso que sim; mas se fosse fácil, tu não vinhas aconselhar-te comigo. Vai com isto, e dir-me-ás o resultado.
— Por outro lado — disse Vicente —, Clara está a insistir comigo em favor da prima.
— Quer que te cases?
— Não, mas interessa-se tanto pela sorte da outra, que eu tenho medo de contar-lhe a realidade.
— Não lhe contes nada, é muito melhor. Isto de mulheres deitam tudo a perder. É capaz de fazer alguma.

Os dois amigos chegaram à rua do Passeio, e estando perto de casa, Correia foi tomar chá com Vicente. Clara indagou do estado de Delfina e do resultado da entrevista. Vicente teve o cuidado de dizer que a doença da prima parecia-lhe mais imaginária que real. Quanto aos sentimentos por ele, não acreditava que fossem o que supusera. Não passava de um capricho de moça.

Correia, como bom cireneu, comentou a exposição do amigo com algumas pilhérias relativas ao desejo que as meninas têm de casar, e com isso acabou a noite e acabou o capítulo.

IV

O capitão Ferreira deixou o hotel de Europa e foi morar na rua dos Inválidos. Ao mesmo tempo mandou chamar o médico para tratar da filha. Não posso, porém, ocultar que o capitão confiava mais que tudo na presença do sobrinho para o restabelecimento de Delfina; e ao mesmo tempo contava que a moça influísse no espírito do rapaz uma boa resolução, e deste modo tudo previa alcançado sem pau nem pedra.

Vicente não deixou de visitar frequentemente a família; lá se demorava horas inteiras, jantava muitas vezes e retirava-se para casa alta noite, e ao passo que deixava em casa do tio a alegria e a satisfação, ia encontrar igual satisfação e alegria na casa dele. Clara era a primeira a insistir com ele para que não deixasse de visitar com frequência a casa do tio.

O desinteresse da moça, posto que magoasse o amor-próprio do rapaz, não deixava de lhe parecer heroico. Ora, justamente estas duas impressões contrárias constituíam da parte de Vicente a principal força para resistir aos encantos da prima, ao sentimento de piedade que o estado dela inspirava, e às solicitações do capitão. Clara contara com isso? É de crer que sim, porque a ideia de perder Vicente não a mortificava nunca, e parecia tão longe dela como um polo está do outro polo.

Uma noite, Vicente, por simples brincadeira, disse a Clara:

— Sabes, Clara? Vou casar com a prima.

A moça empalideceu, e como o rapaz lhe visse nos olhos duas lágrimas, prestes a cair, bebeu-as com dois beijos, e tudo acabou bem como nas comédias.

Correia, porém, nutria alguma desconfiança de que Vicente viesse a casar com a prima, e disse-lho francamente uma vez.

— Não — respondeu Vicente —, é coisa decidida, não me caso. E Clara... devia acaso abandonar essa pobre moça?

— É verdade que há essa dificuldade — respondeu Correia —, mas quem pode ter mão ao coração? Tua prima parece-me furiosamente bonita. Vi-a outro dia, quando lá passei por casa dela; a mesma doença dá-lhe um encanto novo. Sabes se podes vê-la sempre com esses olhos frios?

— Posso.

— Duvido. Não se resiste a uma moça bonita. Que olhar que tua prima tem!

Vicente opôs-se a todos os receios do amigo, e a sua ternura por Clara crescia à proporção que o Correia se mostrava receoso.

Não é que Vicente desconhecesse a influência da beleza de Delfina. Uma noite em que lá se demorara até onze horas, saiu dizendo consigo:

— É pena que eu não esteja livre. Delfina seria uma excelente esposa. Que alma e que beleza! que ternura e que graça!

Estas mesmas expressões usava o moço quando falava a Clara de sua prima; um dia, porém, ou porque quisesse mortificá-la, ou por qualquer outro motivo, Vicente deixou de falar nesse sentido, e daí a dias até deixou de tocar no nome de Delfina ou de coisa que lhe dissesse respeito.

Os leitores facilmente adivinham a verdade. A doente começava a influir alguma coisa no espírito do rapaz. Era natural; não se resiste ao influxo de uma beleza que nos ama e adoece por nós. A vaidade interessa-se primeiro; depois o coração.

Cumpre dizer, porém, em honra da lealdade do rapaz, que, apenas entrou a sentir essa diferença em si, resolveu cortar a intimidade com o capitão; para ele era uma questão de honra resistir aos encantos da amável prima.

Clara devia sentir a diferença de Vicente pela ternura demasiada e desusados carinhos com que ele lhe falava apenas voltava para casa. Parecia que cada vez que saía da casa da prima tinha um erro a expiar, e fazia-o com sinceridade, porque o seu amor ainda estava todo com a primeira mulher que soubera apoderar-se-lhe do coração.

Entretanto, Delfina ia melhorando a olhos vistos; no fim de um mês estava completamente restituída à saúde; e a alegria, que por tanto tempo se ausentara dela, voltou-lhe inteira e absoluta.

É que Delfina acreditava sinceramente na possibilidade de casar com o primo. As maneiras com que este a tratava não podiam deixar de confirmar aquela esperança, principalmente depois da certeza que o rapaz tinha de ser amado por ela.

Também acreditava assim o capitão, que até chegou a tocar nisso em presença da filha.

— Vicente, quando será o dia?

Delfina fitou os olhos no rapaz, e este, surpreso com a pergunta, receoso pelo efeito de uma recusa, e mais que tudo sem saber o que havia de dizer, respondeu:

— Talvez... breve...

A moça palpitou de alegria.

É inútil dizer que o rapaz não referiu esta cena a Clara, mas referiu-a a Correia, que sorriu maliciosamente.

— Por que sorris? — perguntou-lhe Vicente.

— Porque me anunciaste o teu casamento.

— Não creio nisso.

— Vê-lo-ás.

— Respondi aquilo por não saber o que havia de dizer; mas afianço que não posso casar com a prima.

— Queres tu que eu me case?

— Importa-me pouco — respondeu Vicente.

— Dizes isso com um ar...

— Ora, um ar!

— Não és capaz de apresentar-me lá?

— Hoje mesmo.

— Está dito?

— Está dito.

Nessa noite, Correia foi apresentado em casa do capitão, que o recebeu com extrema cordialidade. Delfina não simpatizou nada com ele, e teve a franqueza de dizê-lo ao primo.

Sejamos exatos: Vicente estimou muito a antipatia da moça.

Entretanto, achou que era comprometê-lo, se o dissesse ao amigo. Este, porém, que tinha admirável penetração, logo no dia seguinte, disse a Vicente:

— Tua prima antipatizou comigo.

— Não creias nisso!

— É o que te digo.

Vicente admirou a sagacidade do amigo e ao mesmo tempo deu-se por feliz ao ver que ele lhe dava aquela notícia com a mais perfeita indiferença.

Com efeito, Correia parecia importar-se tanto com a antipatia de Delfina, como se importaria com a primeira camisa de Carlos Magno, dado que não fosse amante de curiosidades históricas.

Era um caráter singular o amigo de Vicente; parecia não ter alma, nem sentimento de espécie alguma; e entretanto, o sobrinho do capitão tirou dele provas de verdadeira dedicação. Há muita gente assim; capaz de sacrificar-se por outrem, fria e indiferentemente, sem nenhuma dessas expansões que são o verdadeiro toque das grandes almas. O sentimento de afeição não é um castelão encerrado numa torre antiga; a sua primeira necessidade é abrir asas por esse espaço fora, comunicar-se a todo o mundo, e, como os pássaros da floresta, segredar a todos os ecos as alegrias do seu canto.

Correia parecia estimar igualmente a Clara, por causa do afeto que a prendia a Vicente, e todavia nunca este viu da parte dele a menor demonstração de semelhante estima.

Um dia teve a franqueza de dizer-lho.

Correia sorriu e respondeu:

— Estimo a vocês ambos; mas não sei que por isso seja necessário, nem de bom gosto, andar abraçados a cada instante.

V

O capitão sentia-se feliz.

Dia por dia, a moça ia melhorando, e a presença de Vicente já lhe não parecia totalmente indiferente.

— O bicho começa a morder o coração do rapaz — disse o velho.

A sua convicção era tal que chegou a marcar a época do casamento de Vicente com Delfina. Era contar muito com o futuro; e pela sua parte, Vicente jurava entre si que não casaria nunca com a prima. A verdade, porém, é que já sentia alguma tristeza quando não estava em casa do tio.

Delfina tinha a mesma confiança do pai. E os motivos de sua confiança eram outros e mais poderosos. Era bonita, e tinha a consciência da beleza; além disso, era completa mulher; sabia como se prende um homem a quem se ama — não porque lho houvessem ensinado, mas simplesmente por intuição.

Nas relações criadas na corte, encontrou uma amiga, moça, solteira como ela, a quem comunicava todos os pensamentos.

Júlia era o nome da outra, e tinha um namorado também. A diferença é que com Júlia dava-se o contrário do que acontecia a Delfina. O doutor Castrioto amava Júlia e esta não se importava com ele, isto é, dizia que não se importava, o que é muito diferente.

É curioso transcrever aqui duas cartas de Júlia e Delfina, cheias dessa confiança que dá a situação de duas moças casadeiras.

A primeira carta é de Delfina e era assim:

> Meu bem,
> Sonhei esta noite com ele. Sonhei que nos casávamos, e confesso-te que tive um prazer enorme nisto. Infelizmente, foi simples sonho.
> Tanto eu como papai acreditamos que o resultado de tudo será o meu casamento com o primo. Ele vem cá todas as noites, e algumas vezes de dia também; conversamos muito, e sobre tudo falo pouco, porque gosto de ouvi-lo.
> Ontem, aconteceu que, achando-nos sós, ficamos algum tempo calados. Por fim, Vicente suspirou.
> — Onde vai esse suspiro? — perguntei eu.
> — A parte nenhuma.
> — Cuidei que ia a alguma parte.
> — Eu nem sei se suspirei.

Vê tu que velhaco; suspirou e disse não saber se havia suspirado.

A conversa ficou nisto; mas eu suponho que o suspiro veio com direção a mim. Que dizes?

Tua Delfina

A resposta de Júlia não se fez esperar.
Dizia assim:

Sempre és muito tola, Delfina. Pois que te importam lá os suspiros e os amores do primo? Faze como eu com o Castrioto, que tanto suspira por que eu o ame, quanto eu suspiro por ver-me livre dele.

Não há nada como ser solteira, minha amiga; é a liberdade. Estes senhores pilhando-se casados fazem o diabo, e nós padecemos.

Tenho exemplos disto; e você diz: quem vê as barbas do vizinho arder põe as suas de molho.

Eu cá já as pus...

É verdade que se papai insistir em que eu case com o doutor Castrioto, não terei remédio senão casar; mas com uma condição: é que ele não há de escrever uma linha sequer. Não sabes? O Castrioto é escritor; deu em romancista. Às vezes aparece cá em casa com uns rolos de papel e lê aquilo tudo na sala, que é um aborrecimento, exceto para o papai que acha que ele é um grande talento.

Será bonito, acredito; mas por escrever... antes o Alexandre Dumas.

Vem jantar cá domingo. Dançaremos.

Tua Júlia

A carta de Júlia está indicando na moça um desses espíritos galhofeiros, incapazes de tomar a vida a sério. O pobre Castrioto, se viesse a casar com ela, faria uma grande tolice... se é que não era ele mesmo um grande tolo, coisa que veremos pelo romance adiante.

O jantar de domingo reuniu em casa de Júlia a família do capitão Ferreira, Vicente e Correia. Este, porém, retirou-se logo depois do jantar, dizendo que se achava doente.

O pai de Júlia era um velho bem apessoado, lhano, expansivo, mas com pouca instrução e nenhum gosto, razão pela qual acreditava no talento de Castrioto.

No fim do jantar, foram todos para a sala, e conversou-se alegremente sobre os sucessos do dia. O capitão contava anedotas; Delfina conversava com Vicente; Castrioto suspirava a um canto. Júlia ia de um a outro grupo, alegre e descuidada, sem dar sequer pelo namorado.

De repente, Alvarenga (era o pai da amiga de Delfina) diz em voz alta a Castrioto:

— Doutor, vamos à obra.

Castrioto levantou-se.

— O doutor Castrioto — continuou Alvarenga — vai regalar-nos com a leitura de um romance. É um grande talento, capitão; os seus romances são magníficos.

— Que grande maçada! — disse Júlia aproximando-se de Delfina e Vicente.

— Olha que ele te ama! — observou Delfina.

— Importa-me pouco!

— É assim tão cruel? — perguntou Vicente.

— Com um maçante, sou.

— Não zombe, minha senhora — disse Vicente sorrindo.

No entanto, Castrioto meteu a mão na algibeira e tirou um rolo de papel. Júlia soltou um profundo suspiro; uma tia dela, que gostava imensamente dos romances do rapaz, abriu um sorriso de contentamento; Alvarenga sorveu uma pitada, e convidou Castrioto a sentar-se em posição de ser ouvido por todos.

Houve grande rumor de cadeiras, de vestidos e de sapatos. Júlia, com grande má vontade, não achava lugar capaz e agitava-se toda. Por fim sentou-se dizendo a Delfina:

— Deixa estar que eu o curo.

Acomodaram-se todos.

Castrioto desenrolou as tiras, fato este que produziu um calafrio em Vicente.

— Como se chama este novo romance? — perguntou Alvarenga.

— Chama-se: *Os primeiros amores de um rapaz ou os destinos escritos*.

— Bonito! — disse Júlia com um sorriso de escárnio.

Castrioto não compreendeu a intenção e agradeceu com a cabeça.

Depois tossiu e leu o que se segue:

Aquele dia acordei cedo. Trouxe-me o moleque à cama uma cartinha delicadamente fechada e recendendo a baunilha. Pensaram que era de alguma dama? Não; era de meu amigo Oliveira: antes de conhecer-lhe a letra, tinha-lhe conhecido o perfume.

A carta dizia assim:

"Adiou-se a ceia de hoje: fica para quinta-feira. Mas não chores, temos compensação. Meu tio, o desembargador, dá hoje uma partida e quer por força que venhas passar a noite conosco. Tanto lhe falava em ti que o velho ficou com vontade de conhecer-te. Contamos contigo. Adeus. Oliveira."

Tinha eu então vinte anos. Nessa idade não se discute o prazer; aceita-se sob todas as formas. A partida compensava a ceia. Verdade é que a ceia tinha para mim um atrativo singular, o atrativo da curiosidade. Até então contentava-me eu em fazer pequenas excursões à famosa terra: aportava de manhã e fazia-me ao largo de tarde; outras vezes dava à navegação o sentido inverso. Mas que era isso para conhecer tamanho mundo e tão variada gente?

Afora esta curiosidade, toda infantil, a ceia não valia para mim mais do que a partida.

Preparei-me à noite e fui à casa do desembargador, que era na rua dos Inválidos.

Havia pouca gente; via-se que a assembleia tinha um caráter íntimo.

As moças orçavam por vinte, e eram todas elegantes e bonitas. Havia alguns rapazes e poucos velhos, todos mais ou menos aparentados com o desembargador.

Oliveira esperava por mim com ansiedade, posto não fosse tarde.

Vendo-me entrar risonho, exclama:

— Bravo! cuidei que viesses triste.

— Por quê?

— Por causa da transferência.

— Ora!

Oliveira levou-me ao desembargador. Era um bom velho, uma dessas velhices que indicam ter havido tranquila mocidade. O desembargador apertou-me as mãos com efusão; disse-me que o sobrinho lhe falara de mim por modo que lhe espicaçara a curiosidade.

— Por quê? — perguntei eu sorrindo.

— Porque adivinho que o senhor é um moço.

Esta frase, que eu teria compreendido agora, confesso que não a compreendi então. Mas sempre me pareceu que o velho me fazia um elogio e agradeci inclinando a cabeça.

— Deixe-me apresentá-lo a estas moças.

O desembargador deu-me o braço e foi apresentar-me primeiramente às filhas, e depois a todas as outras damas. Depois de apresentar-me à última, voltou-se para o sobrinho, que se achava perto e disse-lhe:

— Falta uma!

— Falta dona Helena — respondeu Oliveira. — Está tardando. Querem ver que não vem?

A Helena em questão chegou daí a meia hora pelo braço de um velho calvo e baixinho. O velho era o pai da moça. Soubemos então que a demora tinha sido por causa da ausência do pai, que era jurado e nesse dia entrara no conselho que julgara um crime de estelionato, processo célebre.

Como o desembargador me havia apresentado ao pai e à filha, deixei que o pai narrasse ao desembargador as peripécias do tribunal, e fui conversar com a filha e Oliveira, que nesse momento tinham passado a uma saleta, onde havia outras moças entretidas em mil importantíssimas inutilidades.

Oliveira, inebriante de baunilha, tinha-a nos cabelos, no lenço e nas mãos. Creio até que a tinha nas palavras. A conversa, quando eu cheguei, versava justamente sobre o perfume favorito de Oliveira. Afirmava este que o primeiro perfume da criação era a baunilha; uma prima dele optava pela violeta; eu manifestei francamente a minha preferência pelo sândalo.

Helena não dava opinião.

Como eu lhe perguntasse diretamente o que pensava daquele conflito, respondeu-me:

— Pela minha parte gosto de todos os perfumes; acho-os todos bons...

Estas palavras disse-as ela sorrindo, e eu sorrindo as ouvi, ainda que já me não agradasse a universalidade do seu gosto. Pareceu-me que ela desdenhava aquele gênero de conversa. A suspeita feriu-me os brios, e eu entrei com ardor na defesa da opinião que havia manifestado. O sândalo levou-me naturalmente a falar do Oriente, e creio que disse coisas bonitas porque os ouvintes tiveram a bondade de interromper-me com demonstrações de agrado.

Quanto a Helena, ouviu-me silenciosamente, e como o piano, apenas eu acabara de falar, começava o prelúdio de uma quadrilha, a única manifestação de aplauso que ela me deu foi voltar-se para Oliveira e dizer-lhe:

— É a nossa.

Oliveira voltou-se para mim dizendo:

— És meu *vis-à-vis*.

Fui ver um par, e a quadrilha começou.

Nisto...

A leitura do romance foi interrompida. Júlia tivera um ataque de nervos que durou alguns minutos; quando veio a si, estava a moça pálida e mais interessante do que era.

Castrioto, que como autor que era não perdoaria a interrupção, perdoou-a à moça por ser quem era.

Quando Júlia ficou boa, todos se alegraram; e como Delfina fosse abraçá-la, ela disse-lhe ao ouvido:

— Isto não foi ataque; foi só para acabar com a tal leitura.

Vicente ouviu as palavras de Júlia.

— É muito cruel — disse-lhe ele —; não se paga assim a quem ama.

— Então como é? — perguntou a filha de Alvarenga.

Vicente não respondeu, mas olhou para Delfina que nesse momento olhou para ele.

Aquele olhar decidiu o destino.

VI

Vicente comunicara a Clara todos os incidentes de sua vida; entretanto, a pouco e pouco já não lhe contava mais o que se passava em casa do tio.

A moça não reparou nisso ao princípio; mas o prolongado silêncio fez-lhe entrar a suspeita no coração.

Quando ela perguntava ainda pelos amores de Vicente com a prima, Vicente respondia que não pensasse em semelhante coisa, mas não acrescentava mais nada.

Clara cada vez suspeitava mais.

E tinha razão.

As carícias de Vicente já não eram as mesmas; as suas ausências eram cada vez mais frequentes. Algumas vezes saía de manhã às sete horas e só voltava à uma da noite.

No espírito de Clara ia-se formando a convicção de que o amor de Vicente por ela estava acabado.

A convicção completou-se numa noite em que lá apareceu Correia.

— Já sei que Vicente não está cá — disse ele entrando.

— É verdade — respondeu Clara folheando o livro em que lia quando Correia apareceu na sala.

— Há de estar na casa do tio.

E sentou-se. Houve um silêncio. Foi Clara que o rompeu:

— Tenho pena da prima de Vicente — disse ela.

— Por quê? — perguntou Correia.

— Aquele amor...

— Há de ter bom pago.

— Não zombe dela — disse Clara.

— Pelo contrário, não zombo; digo que há de ter bom pago, porque há de vencer. O Vicente mais tarde ou mais cedo está casado.

— Com ela?

— Salvo se for comigo.

Clara empalideceu.

— Mas que espera, você, de tudo isto, Clara? — perguntou Correia. — Era natural; ser amado por uma rapariga bonita, e vê-la todos os dias, é coisa a que se resiste?

— Mas por que não me disse ele isso? — perguntou Clara com lágrimas na voz.

— Coitado! — exclamou Correia. — Sabe Deus o que lhe custará a ele.

Correia continuou as suas confidências deste modo, concluindo como todos os intrigantes:

— Não diga que eu lhe falei nisto.

— Não — respondeu Clara.

Com efeito, Clara nada disse a Vicente; apenas quando ele chegou achou-a um pouco mudada; e digo achou-a, porque esse era o estado dela, não que ele reparasse nisso.

A indiferença do rapaz foi o pior de todos os golpes.

No espírito de Clara o seu romance tinha chegado ao último capítulo.

Ao começar um novo amor, Vicente nem sentia os remorsos de ter esquecido aquela que lhe enchera os primeiros dias de mocidade.

Egoísmo do coração humano!

A lei é fatal; o amor é isto: um sentimento exclusivo, que nada reconhece diante de si, capaz de grandes dedicações mas também capaz de grandes ingratidões.

Clara reconhecia-o agora.

Cuidava que a sua felicidade seria eterna, e via finalmente que nada é eterno nas coisas humanas.

Cumpre dizer que estes primeiros desencantos se passaram antes da cena em casa de Júlia e do olhar trocado entre Vicente e Delfina. Aquele olhar foi a data verdadeira do amor entre os dois primos.

Quando se deu esta cena, Clara parecia reconciliada com o destino. De triste que andara fizera-se alegre como antigamente.

Vicente, que não havia reparado na tristeza, reparou na alegria. Explique quem quiser o fenômeno; o certo é que foi ao voltar a alegria da moça que ele reparou que ela andava melancólica.

Por que a súbita tristeza? por que a súbita alegria?

A tristeza, essa explicava-a Vicente; era naturalmente o fruto de suas prolongadas ausências. Mas a alegria súbita, sem que ele houvesse mudado o seu procedimento, e pelo contrário, quando começava a amar verdadeiramente a outra? Que causa teria isto?

Vicente interrogou a moça.

Interrogou não é o termo.

Sondou o terreno.

— Andas muito alegre, Clara — disse ele um dia de manhã, indo almoçar.

— Por que não?

— Tens algum motivo?

— Que pergunta? Não tendo motivo para estar triste, é natural que esteja alegre. É o meu estado habitual.

A resposta não satisfez o rapaz. Imaginou que algum motivo haveria estranho à casa. Qual?

Conquanto amasse já a prima, Vicente sentira-se mordido pelo ciúme. Mas como era um espírito fraco, incapaz de resolver por si, consultou o amigo Correia, o qual lhe respondeu simplesmente:

— Se tens alguma suspeita, não percas a rapariga de vista. Não te deixes enganar. Mas, para isso, é mister não andares por fora, e isso...

— É impossível!

— Quando te casas?

Vicente sorriu e não respondeu palavra.

Nessa noite, o capitão disse ao sobrinho que era necessário separar-se de Clara, no caso de amar Delfina, o que lhe parecia coisa certa e definitiva.

O sobrinho corou, mas não contestou.

Separar-se de Clara! Vicente não pensara nesta condição, aliás naturalíssima. Nesse momento, travou-se-lhe no espírito uma grande luta. Começou a reparar que não se quebram facilmente laços tão longamente formados.

— Devo fazê-lo — dizia ele consigo —; mas terei forças para tanto? E ela? coitadinha!

Pensando nisto, voltou para casa mais cedo; e querendo causar uma surpresa à rapariga entrou pé ante pé na sala de visitas.

Clara estava lendo uma carta aberta sobre as páginas de um livro.

Apenas o viu soltou um pequeno grito, e fechou o livro com a carta dentro.

Vicente empalideceu.

Mas ela o recebeu tão amavelmente, pareceu tão isenta de culpa, que o rapaz julgou dever mostrar-se sem nenhuma suspeita, e rir como se nada houvesse.

Riu alegremente.

Mas nem os olhos dele nem os dela perdiam de vista o livro fechado sobre a mesa.

Vicente quis tentar uma experiência e pôs a mão sobre o livro olhando fixamente para Clara.

Esta empalideceu.

Não há dúvida.

— Que tens? — perguntou Vicente.

— Nada; uma dor repentina. Vai buscar-me um pouco de água-de-colônia lá no toucador.

Vicente levantou-se, e sem deixar o livro foi ao toucador buscar a água-de-colônia.

A presumida dor de Clara passou pouco depois e Vicente, posto não houvesse necessidade, quis ir levar o frasco da água para o toucador.

Quando lá chegou abriu o livro, tirou a carta e voltou para a sala, pondo o livro em cima da mesa.

A moça respirou.

Mas quando ela abriu o livro, não achou coisa nenhuma.

— Vicente — disse ela —, tu guardaste um papel que estava aqui?

A audácia desarmara o rapaz.

— Guardei — disse ele —, tirando a carta da algibeira, e confesso que o fiz por ter curiosidade de ver o que estavas lendo com tanta atenção.

Abriu a carta e leu; era uma declaração, mas em letra visivelmente disfarçada.

— Que te parece? — perguntou Clara.

— De quem é esta carta?

— Não sei. Mandaram-me há pouco. Não achas engraçado este sujeito, quem quer que é?

Vicente não respondeu nada; mas a suspeita lá ficou como dantes.

Quem explicará todas estas inconsequências do coração humano? Vicente, quase noivo de Delfina, teve ciúmes de Clara; o amor passou ao segundo plano; agora, tratava-se de uma ofensa que ele supunha aviltante.

De maneira que, não só cuidou na inevitável separação para o seu casamento, como até começou a rarear as visitas à casa do tio.

Debalde o capitão perguntava a Correia os motivos da ausência do sobrinho e das curtas visitas que lhe fazia.

Correia respondia que ignorava tudo.

Às vezes a sua resposta era simplesmente abanar a cabeça.

Delfina também recorria ao amigo de Vicente para indagar dele, e Correia, com a discrição própria dos indiscretos, respondia com um sorriso ou um monossílabo.

Mas quando a filha do capitão o incumbia de alguma missão delicada, como a de ir buscar o moço, dissuadi-lo de ideias contrárias ao casamento, que porventura ele tivesse etc., Correia desempenhava-se sempre por modo que conquistava a gratidão da moça.

De maneira que, um belo dia, o antipático Correia era simplesmente o homem mais simpático do Rio de Janeiro.

Era com ele que Delfina conversava mais vezes, por ser amigo íntimo de Vicente. Além dele, só Júlia recebia as íntimas confidências do coração. Quanto ao pai, não as recebia todas.

Júlia, que era um verdadeiro diabrete, teve um dia a desastrosa ideia de dizer a Delfina:

— Admira-se esse amor por teu primo!
— Por quê? — perguntou a moça.
— Aparece tão poucas vezes!
— Sim, há dias. Naturalmente tem que fazer; mas que tem isso? Eu sei que ele me ama.
— Não creio.
— Por quê?
— Porque se te amasse não deixaria de estar ao pé de ti, adivinhar os teus desejos, obedecer-te em tudo como, por exemplo, o Correia...
— O Correia?
— Viste algum rapaz mais atencioso que ele? Quem não soubesse, pensaria que o noivo era ele e não esse fugitivo Vicente... Por que te não casas com o Correia?
— Credo! — exclamou Delfina.
— Por que não? É repugnante?
— Pelo contrário, é um belo rapaz... mas...
— Mas...
— Eu amo ao outro.
— Isso de amar ao outro, quando o outro não se importa contigo... é tolice.

Quando nessa noite Correia apareceu em casa do capitão, as primeiras palavras que proferiu foram que Vicente não podia vir.

Delfina ficou triste.

Mas Correia tratou-a com todas as atenções, procurou distraí-la com tanta delicadeza, que a rapariga reparou então no que Júlia lhe havia dito.

Havia com efeito nas maneiras e na assiduidade de Correia alguma coisa que contrastava com a ausência e o proceder incompreensível de Vicente.

— Quem sabe — pensou Delfina — se ele não me ama?

Era preciso que a moça estivesse muito absorvida no amor por Vicente, para não reparar nisso, caso fosse exato o amor de Correia.

Mas parece que era, ou parecia sê-lo, visto que ela assim se convenceu depois de um exame de dois dias.

É impossível que uma mulher, nas condições de Delfina, tenha ódio a um homem só pelo crime de amá-la.

É crime que se perdoa.

Delfina perdoou ao rapaz.

— Mas não basta o perdão — disse-lhe Júlia quando ela lhe falou a respeito de Correia.

— Então que mais? — perguntou Delfina.

— É preciso amá-lo.

— Estás tola!

Vicente continuava a ir à casa do tio, mas sempre triste e preocupado; em casa dele sentia-se o mesmo. De Roma chorava Tibur; de Tibur chorava Roma.

A preocupação do rapaz, as suas frequentes distrações, as prolongadas ausências, tudo isso foram outras tantas causas de esfriamento entre ele e Delfina. A moça sonhara de longe outro primo; aquele saíra-lhe um tanto fantástico, já desvelado, já esquecido, sem estabilidade nenhuma.

Ao lado dele, Correia sempre pressuroso e delicado, pronto sempre para adivinhar-lhe os pensamentos. A comparação não podia deixar de ser contrária ao primo.

Em suma, no fim de dois meses estava entabulado o mais formidável namoro entre Correia e Delfina.

Aqui, o leitor há de ficar admirado de ver uma moça que quase morre de amores por um rapaz, apaixonar-se rapidamente por outro.

Que quer? A coisa passou-se assim; eu estou contando a história de pessoas que conheço, não acrescento nem suprimo nada.

VII

O que se terá passado entre Vicente e Clara?

As suspeitas de Vicente não tiveram para alimentar-se nenhum acontecimento positivo; mas a verdade é que continuavam a existir no espírito dele, e as reiteradas carícias da moça longe de dissuadi-lo mais o confirmavam.

Quando se encontrava com Correia, este sempre perguntava:

— E Clara?

— Está boa.

— Estão bem vocês?

— Assim, assim...

— Continuam as tuas suspeitas...

— Infelizmente.

Correia suspirava e respondia:

— Isto de mulheres!...

Apertava a mão de Vicente com ar de homem que dá pêsames e retirava-se.

Vicente, dedicado, terno, meigo no amor, era brutal no ciúme. Clara sentia-o agora. Longe de receber as suas carícias com boa cara, Vicente maltratava a rapariga com palavras duras e inconvenientes.

O menor gesto de Clara era para ele objeto de suspeita; um sorriso à janela, um recado a alguma amiga, um papel que lesse, tudo enfim lhe parecia sintoma de outro amor estranho ao seu.

A pouco e pouco este procedimento de Vicente foi tornando o coração de Clara mais indiferente ao amor dele.

Mas a verdade é que os ciúmes de Vicente teriam causado profunda alegria na alma de Clara, porque eram prova cabal de ter cessado o amor pela prima, se não fosse uma circunstância importante do romance, a saber: que a carta, a célebre carta que a moça estava lendo na noite em que Vicente entrou repentinamente em casa, essa carta era justamente uma declaração de amor.

A pessoa que a escrevera tinha escrito outras mais que chegaram às mãos de Clara, a despeito da extrema vigilância de Vicente.

Clara sentia-se presa a outro pelos mesmos laços que a prenderam a Vicente.

Este tinha apenas o amigo Correia com quem desabafar as suas mágoas. Ora, Correia, à noite, era sempre encontrado em casa do capitão, de maneira que muitas vezes Vicente lá ia com o único fim de ver Correia.

E tanto não o dissimulava que algumas noites a sua visita limitava-se a conversar uma larga meia hora com Correia e sair pouco depois.

O conselho de Correia era que convinha redobrar de vigilância.

O capitão Ferreira não só notou as ausências prolongadas e as curtas visitas de Vicente, mas também reparou nas visitas multiplicadas e longas de Correia.

O velho estimava muito o sobrinho e quisera favorecê-lo, cedendo aos desejos da filha; mas, desde que reparou no namoro de Delfina, entendeu que convinha auxiliá-lo, a fim de concluir depressa um casamento que, entre outras felicidades, tinha a de fazê-lo voltar à fazenda.

Por sua parte, Júlia intercedia em favor dos namorados, e o velho capitão, que gostava da moça, prometia-lhe tudo quanto esta lhe pedia.

Os amores de Correia e Delfina eram definitivos. Correia uma noite perguntou positivamente a Delfina se podia ir pedi-la ao pai.

Ela respondeu que sim.

Quando Júlia soube disso bateu palmas de contente.

— Mas por que estás contente agora, e não estavas quando se tratava de casar-me com o Vicente?

— Porque este implorou o teu amor; e eras tu quem imploravas o do outro.

— Só por isso?

— Só.

— Criança!

— E a prova é que eu estou disposta a consentir que o Castrioto peça a minha mão. Já implorou bastante.

Júlia assim o fez, e eu deixo à imaginação dos leitores calcular a alegria do fecundo romancista.

— Ah! — disse ele. — Isto vai dar-me assunto para umas bonitas páginas!

— Menos isso — disse Júlia. — Casará comigo se não escrever romances.

— Mas, se é uma vocação! — replicou Castrioto.

— Ah! — disse Júlia. — O senhor ama perfeitamente bem, mas escreve perfeitamente mal!

Assentado esse ponto, Castrioto pediu a mão de Júlia que lhe foi concedida imediatamente.

Nesse dia o nosso romancista não jantou.

VIII

O leitor já há de ter notado o procedimento ambíguo e obscuro de Correia: ora animava o namoro de Delfina e Vicente; ora aconselhava ao amigo que não perdesse Clara de vista.

Quando estava com Clara, lançava-lhe no espírito o germe da suspeita.

Finalmente, por vontade ou não, fizera com que Delfina se apaixonasse por ele; e um belo dia resolvera ir pedi-la ao pai.

Eu podia dispensar-me de dar as razões deste procedimento do rapaz. Não era ele amigo de Vicente? A utilidade de um amigo, em geral, não é outra. Entretanto, convém dar dois motivos capitais.

O primeiro era a riqueza de Delfina, herdeira única do capitão Ferreira; a outra era uma ofensa praticada por Vicente contra a pessoa de Correia.

Ofensa grave, questão de honra? Não; uma simples ofensa de amor-próprio. Correia nunca lha perdoou. O momento era azado para vingar-se.

Quando Correia pediu ao capitão a mão de Delfina, este não se mostrou surpreso; adivinhara o amor dos dois, e, visto que a filha se dispunha a casar com o outro, abandonou a causa do sobrinho, que aliás não o interessava.

— Ela gosta do senhor — disse o capitão.

— Não sei.

— Gosta que eu sei. Pela minha parte não me oponho; casem-se e sejam felizes.

Unicamente, para aceder à fórmula, mandou chamar a filha e declarou-lhe o pedido que Correia lhe fizera. A menina baixou os olhos; é do programa; e murmurou um sim tão sumido que parecia não vir de dentro da alma quando não vinha doutra parte.

— Meu caro genro — disse o capitão sentenciosamente —, guardado está o bocado para quem o há de comer. Vim à corte para que Delfina casasse com Vicente, e vou para a roça com o genro que não esperava nem conhecia. Digo isto porque eu volto para a roça e não posso separar-me de Delfina.

— Acompanhá-lo-ei — respondeu Correia.

O capitão achou conveniente participar a Vicente o casamento da filha, mas desde logo viu o que havia de delicado naquilo, não porque cuidasse ferir-lhe o coração, já livre de uma momentânea impressão, mas porque sempre lhe seria ferir o amor-próprio.

Havia três dias que Vicente não aparecia.

— Ia escrever-te — disse o capitão.

— Por quê?

— Dar-te uma notícia de que te vais admirar.

— Qual?

— Delfina casa-se.

— A prima?

— Sim.

Houve um pequeno silêncio; a notícia abalou o rapaz, que ainda gostava da moça, apesar dos ciúmes por Clara.

O velho esperou alguma observação por parte de Vicente, e vendo que ela não aparecia, continuou:

— É verdade, casa-se daqui a dois meses.
— Com quem? — perguntou Vicente.
— Com o Correia.

Quando Vicente perguntou pelo noivo de Delfina, já o desconfiara, por se lembrar de que uma noite reparara em certos olhares trocados entre os dois.

Mas a declaração do tio não deixou de o abalar profundamente; um pouco de amor e um pouco de despeito causaram essa impressão.

A conversa ficou neste ponto; Vicente saiu.

Compreende-se a situação do rapaz.

Quando saiu da casa do tio, mil ideias lhe tumultuavam na cabeça. Queria ir brigar com o rival, reclamar de Delfina a promessa tácita que lhe fizera, mil projetos, todos mais extravagantes uns que outros.

Na posição em que se achava, o silêncio era a melhor solução. Tudo mais era ridículo.

Mas o despeito é um mau conselheiro.

Agitado por esses sentimentos, entrou Vicente em casa, onde ao menos encontrava o amor de Clara.

A moça com efeito estava cada vez mais fria e indiferente ao amor de Vicente. Não se alegrava com as suas alegrias, nem se entristecia com as suas tristezas.

Vicente passou uma noite de desespero.

Preparava-se, entretanto, o casamento.

Vicente achou que não devia voltar à casa do tio, nem procurar o feliz rival. Mas oito dias depois de saber oficialmente do casamento de Delfina, recebeu ele de Correia a seguinte carta:

> Meu Vicente,
> Tenho hesitado em participar-te uma notícia de que aliás já estás inteirado; caso-me com tua prima. Eu nunca teria pensado em semelhante coisa, se não visse que tu, depois de um ligeiro namoro, ficaste indiferente ao destino da moça.
> É claro que já te não importas com ela.
> O fato de não a amares abriu a porta ao meu coração, que desde muito se sentia impressionado.
> Amamo-nos ambos, e o casamento será daqui a cinquenta dias.
> Espero que o aproves.
> Já era teu amigo; agora fico sendo teu parente.
> Não precisava isto para apertar os laços de amizade que nos unem.
> Teu CORREIA

Vicente leu pasmado esta carta em que a audácia da hipocrisia não podia ir mais longe.

Não respondeu.

— Deste modo — pensou Vicente —, ele compreenderá que o desprezo e virá talvez pedir-me uma explicação.

Nisto enganou-se o rapaz.

Correia não pedira explicações, nem esperava resposta à carta. A carta era mais um ato de insolência que de hipocrisia. O rapaz queria machucar completamente o amigo.

Vicente esperou debalde uma visita de Correia.

A indiferença exasperou-o ainda mais.

Acrescente-se a isto a situação dele em relação a Clara, que era cada vez pior. Dos arrufos tinham passado às grandes rixas, e a última fora revestida de graves circunstâncias.

Chegou finalmente o dia do casamento de Delfina.

Júlia escolheu também esse dia para casar-se.

Os dois casamentos se fizeram na mesma igreja.

Estas circunstâncias, além de outras, aproximaram Correia de Castrioto. Os dois noivos trataram juntos dos preparativos da festa dupla em que eles eram heróis.

Na véspera do casamento, Castrioto foi dormir em casa de Correia.

— Conversemos das nossas noivas — disse Correia ao romancista.

— Apoiado — respondeu este.

Com efeito, lá se apresentou às dez horas, depois de sair da casa de Alvarenga, onde se despedira da namorada pela última vez, para cumprimentá-la no dia seguinte como noiva.

— Com que então amanhã — disse Correia — estamos casados.

— É verdade — respondeu Castrioto.

— Ainda me parece um sonho.

— E a mim! Pois há seis meses que namoro esta moça sem esperança de conseguir nada. O senhor é que andou depressa. Tão feliz não fui eu, apesar dos meus esforços.

— É verdade; amamo-nos depressa; e muito. Quer que lhe diga? É um pouco esquisito isto de dormir solteiro e acordar noivo. Que lhe parece?

— É verdade — respondeu Castrioto, em voz surda.

— Que tem, amigo? Parece que isso lhe traz ideias sombrias... Vejo-o pensativo... Que tem?

Depois de algum silêncio Castrioto respondeu:

— Eu lhe digo. Minha noiva casa-se comigo mediante uma condição.

— Uma condição?

— Dolorosa.

— Meu Deus! que será?

— A de não escrever mais romances.

— Oh! mas parece que a noiva vale a condição — disse Correia sustando uma gargalhada.

— Vale — respondeu Castrioto —, e por isso aceitei-a.

— E depois lá para diante...

— Não; aceitei a condição, hei de cumpri-la. E é por isso que eu, nesta hora solene em que me despeço da vida de solteiro, quero ler-lhe o meu último romance.

Dizendo isto, Castrioto tirou do bolso um formidável rolo de papel, cujo aspecto fez empalidecer o hóspede.

Batiam onze horas.

A leitura do rolo não levava menos de duas horas.

Correia achou-se num destes momentos supremos em que toda a coragem é necessária ao homem.

Mas de que valia a maior coragem deste mundo contra um mau escritor que está disposto a ler uma obra?

Castrioto desenrolou o romance, dizendo:
— O título deste é: *Os perigos do amor ou a casa misteriosa*.
Correia não podia escapar ao perigo da leitura.
Entretanto, para servi-lo, pediu licença a Castrioto para pôr-se à fresca e deitar-se no sofá.
Feito isto, deu sinal a Castrioto para começar.
O romancista tossiu e entrou a ler o romance.
Quando acabou o primeiro capítulo, voltou-se para Correia e perguntou-lhe:
— Que lhe parece este capítulo?
— Excelente — respondeu Correia.
Começou o segundo capítulo com entusiasmo.
— Que lhe parece este capítulo?
Nenhuma resposta.
Castrioto aproximou-se do hóspede; dormia a sono solto.
— Miserável! — disse o romancista, indo deitar-se na cama de Correia.

IX

O dia seguinte era o grande dia.
Para os noivos levantou-se o sol como nunca; para Vicente jamais a luz do sol lhe pareceu tão irônica e zombeteira.
A felicidade de Correia aumentava o despeito do rapaz e dava maiores proporções ao desdém com que o rival o tratava.
Por compensação, aliás fraca em tais circunstâncias — Clara mostrava-se nesse dia mais solícita e amável que nunca. Acordou cantando e rindo. Com o humor da rapariga diminuiu um pouco o aborrecimento de Vicente.
Vicente resolveu não sair nesse dia, e entregar-se todo à companhia de Clara. Mas, de repente, pareceu-lhe que a alegria da moça era um insulto ao seu despeito, imaginou que ela zombara dele.
Disse-lho.
Clara ouviu a censura com altivez e silêncio.
Depois sorrindo desdenhosamente:
— És um extravagante...
Vicente arrependeu-se; quis pedir perdão à moça da suspeita, mas isso seria complicar o ridículo da situação.
Preferiu calar-se.
— Afinal de contas — disse ele —, que me importa a mim o casamento? Não casei porque não quis...
E atirou-se a um livro para ler.
Não leu; folheou páginas conduzindo os olhos maquinalmente.
Fechou o livro.
Acendeu dois charutos e apagou-os logo.
Pegou em outro livro e acendeu outro charuto, e repetiria a cena se não viesse o almoço dar-lhe uma distração.
Ao almoço mostrou-se alegre.
— Sabes que estou com grande apetite? — disse ele a Clara.
— Sim?

— É verdade!

— Por quê?

— Feliz — continuou Vicente —, porque depois de tantos trabalhos estou ao pé de ti, e só a ti pertenço.

A moça sorriu.

— Duvidas? — perguntou ele.

— Não duvido.

Vicente continuou:

— Confesso-te que durante algum tempo estive quase obedecendo ao tio, tais eram as insistências dele para que eu me casasse com a deslambida da prima. Felizmente ela namorou-se do outro; estou livre.

— Olha que rompes o guardanapo...

Vicente com efeito dera grande puxão no guardanapo...

A tranquilidade de Clara contrastava com a agitação de Vicente, e era essa tranquilidade um pouco cômica, que o despeitava ainda mais.

O dia passou-se do mesmo modo.

Depois de jantar Vicente dispôs-se a dormir.

— Dormir! — exclamou Clara. — Há de fazer-te mal.

— Qual!

— Olha, vai dar um passeio; é melhor...

— Queres ver-me pelas costas?

— Se cuidas que é isso, fica.

— Estou brincando.

Vicente estava morto por sair.

Ao chegar à rua fez mil projetos. O primeiro foi ir à casa do tio; mas arrependeu-se logo, antevendo o ridículo da cena.

Achou melhor ir a Botafogo.

Já ia entrar num tílburi, quando o projeto lhe pareceu insuficiente.

— Nada; é melhor ir à igreja; assistirei ao casamento, e ameaçarei o Correia; porque aquele patife há de pagar-me!

Encaminhou-se para a freguesia de Santo Antônio, mas parou no caminho.

— Que irei lá fazer?

Nestas alternativas escoou-se a hora.

À noite encaminhou-se para a rua dos Inválidos, onde morava e logo de longe viu a casa iluminada.

Vicente teve um movimento de furor; levantou o punho fechado e atirou à rua o chapéu de um sujeito que passava.

— Maluco!

Vicente, que estava desesperado por descarregar em alguém a raiva que tinha dentro de si, voltou-se para o sujeito e perguntou-lhe a quem dirigia aquele epíteto.

— Ao senhor! — respondeu o indivíduo.

Vicente agarrou-lhe a gola da casaca, e já fervia o soco quando algumas pessoas intervieram e os separaram.

Apaziguado o conflito e dadas as explicações, seguiu Vicente pela rua adiante e deu acordo de si em frente da casa do tio.

A casa estava cheia.

De longe viu sentados em um sofá Correia e Delfina. A moça estava radiante de beleza.

Vicente mordeu o lábio até deitar sangue.

Contemplou aquela cena durante alguns instantes e seguiu adiante absorto em suas meditações.

Justamente na ocasião em que principiou ele a andar, bateu-lhe em cheio a luz de um lampião, e Correia disse baixinho à noiva:

— O primo passou agora ali.
— Deveras? — perguntou ela.
— Veio ver-nos.
— Vê um par feliz — disse a moça.
— Felicíssimo! — exclamou Correia.

A festa do casamento foi esplêndida; durou até alta noite.

Vicente não quis saber mais nada; dirigiu-se para casa.

Ia triste, abatido, envergonhado. O pior mal era não poder atirar a culpa para cima de ninguém: o culpado era ele.

Entrou em casa pelas dez horas da noite.

Contra o costume, Clara não o esperava na sala, posto houvesse luz. Vicente vinha morto por cair-lhe aos pés e dizer-lhe:

— Sou teu eternamente, porque tu és a única mulher que me tiveste amor!

Não a encontrando na sala, foi à alcova e não a viu. Chamou e ninguém lhe apareceu.

Andou a casa toda e não viu ninguém.

Voltou à sala de visitas e achou um bilhete, assim concebido:

Meu caro, não sirvo para irmã de caridade de corações aflitos. Viva!

Deixo ao espírito do leitor o cuidado de imaginar o furor de Vicente; de um só lance perdera tudo.

Um ano depois as situações dos personagens deste romance eram as seguintes:

Correia, a mulher e o sogro estavam na fazenda; todos felizes. O capitão por ver a filha casada; a filha por amar o marido; e Correia porque tendo alcançado a desejada fortuna pagara-a com ser bom marido.

Júlia e Castrioto também eram felizes; neste casal o marido era governado pela mulher que se tornara uma rainha em casa. O único desafogo que o marido tinha era escrever furtivamente alguns romances e colaborar num jornalzinho literário que se chamava: *O Girassol*.

Quanto a Vicente, julgando a regra pelas exceções, e lançando à conta de todos as culpas suas, não queria mais amigos nem amores. Escrevia numa casa comercial, e vivia como um anacoreta. Ultimamente consta que tenciona casar com uma velha... de duzentos contos.

Um amigo, que o encontrou, interrogou-o a esse respeito.

— É verdade — respondeu ele —, creio que se efetua o casamento.
— Mas uma velha...

— É melhor; é a hipótese de ser feliz, porque as velhas têm uma fidelidade incomparável e sem exemplo.
— Qual?
— A fidelidade da ruína.

Jornal das Famílias, *agosto-outubro de 1873*; J. J.

Os óculos de Pedro Antão

Três causas diversas podem aconselhar o uso dos óculos. A primeira de todas é a debilidade do órgão visual, causa legítima, menos comum do que parece e mais vulgar do que devia ser. Vê-se hoje um rapaz entrado na puberdade e já adornado com um par de óculos, não por gosto, senão por necessidade. A natureza conspira para estabelecer o reinado dos míopes.

Outra causa do uso destes auxílios da vista é a moda, o capricho, ou, como diz Rodrigues Lobo, a galantaria. O ameno escritor exprime-se deste modo: "Assim é que até os óculos, que se inventaram para remediar defeitos da natureza, vi eu já trazer alguns por galantaria". Efetivamente quem quiser passar por verdadeiro homem de tom deve trazer, não direi óculos fixos que é só próprio de sábios e estadistas, mas estas famosas *lunetas-pênseis*, que são úteis, cômodas e graciosas, dão bom aspecto, fascinam as mulheres, servem para os casos difíceis e duram muito.

Da terceira causa quem nos dá notícia é nem mais nem menos o gravíssimo Montesquieu. Diz ele: "Os óculos fazem ver demonstrativamente que o homem que os traz é consumado nas ciências, por modo que um nariz ornado com eles deve ser tido sem contestação por nariz de um sábio". Conclui-se disto que a natureza é uma causa secundária dos estragos da vista e que o desejo de parecer ou de brilhar produz o maior número dos casos em que é necessária a arte dos Reis.

Está já o leitor um pouco atrapalhado com este introito que lhe parece mais de folhetim que de romance ou então pergunta consigo mesmo a qual destas coisas atribuí eu os óculos de Pedro Antão. Isto não é folhetim, nem romance: é uma narração fiel do que me aconteceu há cerca de três anos: é crônica. Quanto a Pedro Antão é positivo que os seus óculos deviam ter por causa o enfraquecimento da vista; mas ainda assim não lhe posso afirmar nada, porque Pedro Antão, que eu não conheci, foi o homem mais singular das tais crônicas, viveu recluso durante a vida inteira e mal consta alguma coisa dos seus primeiros anos.

Há cerca de três anos, como dizia, recebi a seguinte carta do meu amigo Mendonça:

Pedro. Recebi hoje as chaves da casa de meu tio; vou abri-la. Queres acompanhar-me? Não penses que é por medo de lá entrar só; é porque eu sei que tu tens interesse e gosto em penetrar nos negócios misteriosos: e nada mais misterioso que a casa do famoso tio. Vem ao meio-dia.

Teu MENDONÇA.

A minha resposta foi a seguinte:

> *José*. Vou, mas não ao meio-dia. Entrar em casa misteriosa, quando o sol está no zênite, é anacronismo. Irei às onze horas da noite, e à meia-noite em ponto entraremos na casa do defunto.
>
> Teu PEDRO.

Perto das onze horas, depois de ter dito à família que ia ver um doente grave, por eu ser médico e costumo ver doentes à noite, investi para casa de Mendonça, que era na rua do Areal.

Mendonça estava ceando; comi com ele um pouco de fiambre e de assado frio, engoli dois cálices de Madeira, tomei uma xícara de chá saboroso como aquele chá da comédia de Garção, e à meia-noite menos vinte minutos, saímos para ir ver a casa de Pedro Antão.

Pedro Antão tinha morrido dez meses antes; achou-se-lhe um testamento em que deixava a casa, os livros e mais objetos ao sobrinho Mendonça — com a condição de que só tomaria conta da casa dez meses depois. Mendonça estava então no bulevar dos Italianos, único sítio de Paris que conheceu e conhece a fundo, quando recebeu esta notícia. Riu muito da singularidade do tio, e veio ao Rio de Janeiro expressamente para tomar conta da casa. Aguardou religiosamente o termo da posse, e no dia 23 de março de manhã recebeu oficialmente as chaves que ansioso esperava.

A chave e a fechadura resistiram com força aos esforços que o Mendonça e eu fazíamos para abrir a porta. Felizmente vinha conosco um latagão, criado de Mendonça, sujeito que se gabava de não encontrar porta nem mulher que lhe resistisse. Arremeteu o sujeito com um denodo raro, e a porta gemeu e daí a alguns minutos estávamos no corredor. Aí despedimos o criado, depois de alguma oposição de Mendonça, que afirmava ser necessário ter mais alguém conosco. O criado saiu, e eu encostei a porta. Acendemos então uma das velas que trazíamos para o caso, e subimos uma escada velha e úmida que ia ter ao primeiro andar.

Não foi fácil a subida, porque, de quando em quando, surgia de um lado um rato, que esbarrava em nossas pernas e duas ou três baratas, assustadas com os inquilinos, voaram de um lado para outro, indo esbarrar nas paredes, e escorregando depois até o chão. Além disso, sentíamos aquele mau odor que exala de uma casa fechada durante muito tempo. Felizmente, Mendonça tivera a precaução de trazer consigo plantas e pós aromáticos, que queimamos na sala de visitas apenas lá entramos.

Mendonça achou-se mal ali dentro. Era um elegante de primeira classe, amigo do conforto, ao passo que eu, sem deixar de amar a comodidade e o asseio, estava disposto a aproveitar aquela página de romance tétrico que se me afigurava ver no interior da casa misteriosa.

— Vê lá — disse Mendonça —, onde queres que nos sentemos?
— Nestas cadeiras.
— Sujas como estão?
— Limpam-se.
— Quem as há de limpar?

— Eu.

Mendonça levantou os ombros; eu tirei da algibeira dois lenços e com eles limpei o melhor que pude duas cadeiras das que ali se achavam.

Mendonça viu-me fazer esta operação com um sorriso de homem resignado a tudo.

— A casa não é má — disse eu, sentando-me em uma das cadeiras para lhe dar exemplo —, e a mobília pode ser restaurada. Teu tio tinha gosto.

— Vamos ver o resto da casa — disse Mendonça.

— Espera.

— Esperar o quê? ficaremos agora a contemplar a sala?

— Pareces-me tolo — respondi —, tu queres a herança do tio, e eu quero conhecer o homem. A sala é um primeiro indício. Vês este painel sobre a mesa?

Mendonça aproximou-se da mesa.

— Vejo — disse ele —, é a *Madona da cadeira*.

— Cópia de Rafael. Já por aqui sabemos que o homem amava as artes. A cópia não é má, e a moldura é severa.

— Cá temos outro painel — disse Mendonça apontando para a parede.

Subi ao sofá e aproximei a luz do quadro.

— Não conheço este — disse eu.

— É um Velásquez — disse Mendonça —, vi um igual em casa do conde de Chantilly.

— Que conde é esse?

— Não era conde — respondeu Mendonça acendendo um charuto —, chamavamo-lo assim por ser um dos primeiros heróis das corridas de Chantilly.

— Aposto que morava no bulevar...

— Dos Italianos.

Acendi também um charuto enquanto Mendonça me contava uma aventura parisiense em que entravam ele, o conde e uma estrela do bosque de Bolonha. Deixei que a conversa levasse esse caminho, porque era o meio de reter o meu companheiro.

— Já vês — disse eu voltando ao meu assunto —, já vês que teu tio tinha gosto; Rafael e Velásquez são alguma coisa. Vamos ver o resto da casa.

Seguia-se outra sala menor que a primeira, onde nada havia que seja digno de nota. Apenas vimos sobre uma mesa um cachimbo alemão, que necessariamente devia ter pertencido ao cavaleiro Teodoro Hoffmann, pois a sua forma era de todo fantástica. Representava uma figura do diabo, com chapéu de três bicos, cruzando as pernas, que eram de cabra.

— Olé! — disse Mendonça. — O tio fumava!

— Parece que sim; e o cachimbo não me parece ortodoxo.

— Pelo contrário — respondeu Mendonça —, não pode ser mais ortodoxo do que é; meter fogo na cabeça do diabo não te parece digno de um servo de Deus?

— Tens razão! — disse eu sorrindo.

Mendonça readquiria o seu bom humor e era isso justamente o que eu queria. Se não fosse assim, era provável que nos fôssemos embora dentro de dez minutos. Agora estava tranquilo; quando Mendonça estava de bom humor obedecia a tudo.

Depois de examinarmos o cachimbo que além daquela não oferecia nenhuma particularidade, seguimos por um corredor e fomos ter à sala de jantar. Esta, como outras salas e quartos da casa, nada tinha que se parecesse com mistério. Passando por um dos corredores vimos uma escada que ia ter a um sótão. Subimos. No meio da escada, Mendonça estacou; ouvira um rumor em cima.

— São ratos — disse-lhe eu.

— Serão? — perguntou Mendonça empalidecendo um pouco.

— Querias que fosse a alma do Antão?

Subi afoitamente; Mendonça, envergonhado, subiu também. A coragem de muita gente não tem outra explicação. Não é sempre por valentia que os homens são valentes, diz La Rochefoucauld.

Vasto era o sótão. Compunha-se de uma sala de estudo e de escrita, uma alcova na frente, e uma vasta sala no fundo. Era por assim dizer um segundo andar.

O que primeiro examinamos foi a sala da frente cuja mobília se compunha de algumas cadeiras, uma secretária, duas estantes, um sofá, tudo como qualquer mortal pode ter. Havia sobre a secretária dois bustos de mármore, e aqui começa o fantástico: uma era a cabeça de Cristo, outra a de Satanás. Cristo estava à direita, Satanás à esquerda.

— Bravo! — exclamei. — Vou penetrando no homem. Achas ainda alguma ortodoxia nesta aproximação de bustos?

Mendonça, que estava enlevado no primor da escultura, respondeu:

— Toda.

— Explica-te.

— O tio juntava-os para emblema da vida humana, que se compõe do mal e do bem; o bem está aqui para corrigir o mal. É o *ceci tuera cela*, de Victor Hugo.

— Está feito; tu explicas tudo. Mas é porque aqui a simetria das coisas te favorece. Cristo e Satanás ao lado um do outro é uma simetria de poeta; mas eu creio que Pedro Antão era outra coisa. Olha aqui para o chão; vês esta reunião de coisas extravagantes? Um par de chinelas, uma imagem da Virgem, uma trança de cabelos amarelos, um baralho de cartas, uma cruz, uma página de hebraico; vês?...

À proporção que eu ia inventariando os objetos encontrados no chão, ia o Mendonça examinando atentamente, tendo previamente calçado um par de luvas a fim de não macular as mãos.

Abri uma janela a fim de que o ar penetrasse nos aposentos. Depois, sacudindo o pó de duas cadeiras, sentei-me numa delas, e disse a Mendonça:

— Sabes que mais? Já não vou daqui sem que me contes alguma coisa do tio. Que idade tinha ele?

— Quarenta anos.

— Viveu sempre recluso?

— Desde muito tempo. Nos últimos cinco anos nem saía de casa. Era um criado que lhe trazia o que precisava. Esse mesmo criado morreu na véspera de morrer o tio.

— Qual foi o motivo da morte do criado?

— Não sei; creio que uma apoplexia.

— Quem sabe? Talvez a morte do criado explique a morte do seu tio. Estou a ver aqui um assassinato e um suicídio. De que morreu o tio?

— De uma queda.

— Dentro de casa?

— Sim.

— Bem digo eu; aqui há coisa. Estes objetos dizem claramente que Pedro Antão era feiticeiro.

Mendonça sorriu com desdém; posto que fosse supersticioso e timorato, Mendonça não acreditava em sortilégios. Eu era então um pouco dado a essas crenças, e ainda hoje não deixo de as ter. Depois que os filósofos modernos, com a mania de destruir tudo, afirmaram que o criador era uma invenção dos homens, eu, que não dou ao acaso as honras de ter criado o universo, substituí Deus por um grande feiticeiro, autor de todas as coisas, e nem por isso sou mais absurdo que os filósofos.

— Que quer dizer — continuei eu —, esta madeixa de cabelos amarelos?

— É uma madeixa de cabelos — respondeu Mendonça —; amareleceram com o tempo.

— E esta página de hebraico não quer dizer alguma coisa?

— Não sei se é hebraico ou siríaco.

— Deve ser hebraico. Eu não conheço essas línguas, mas conheço os caracteres; estes são hebraicos. Quanto a esta cruz metida entre um baralho de cartas, creio que não dirás ser o bem e o mal, emblema da vida humana. Mas deixemos isto; que houve de notável na vida do tio?

— Coisa nenhuma. Viveu aqui recluso sem procurar a família; nem recebê-la em casa. Ao princípio, correu que o tio tinha alguma beleza escondida, e meu pai procurou saber disso conversando com o criado, mas o criado disse que não havia ninguém. Verdade é que o primo Antônio disse que uma noite, passando por aqui, viu da rua uma sombra de mulher passeando na sala de visitas; mas eu o convenci logo de que seria o mesmo tio, embrulhado em um lençol.

— Que diziam os vizinhos?

— Apenas um afirmou ter ouvido uma noite gemidos lúgubres cá dentro; no dia seguinte, não sei se por humanidade, se por curiosidade, mandou o vizinho saber o que era; o tio correu o portador a pau. Queres que te diga a minha opinião?

— Não, não digas. Veremos se eu descubro...

— Não tens nada que descobrir: creio que o tio era doido.

— É o que te parece. Veremos isso. Talvez esta secretária nos diga alguma coisa; mas está fechada. Como abri-la?

— Arrombe-se amanhã.

— Pois sim; mas vamos ver o resto do sótão.

Peguei na vela e encaminhamo-nos para o interior. No corredor que separava as duas salas, bati com o pé num objeto que foi parar três passos adiante.

Era um par de óculos de ouro.

Examinamos os óculos que nada particular indicavam; tinham asas grossas e vidros azuis sem grau. Conheci que era uma quarta espécie de óculos; usava-os Pedro Antão para abrandar os raios da luz quando trabalhasse ou lesse de noite. Um dos vidros estava rachado.

Seguimos levando os óculos.

Nenhuma mobília tinha a sala do fundo. Ao fundo havia uma janela que dava para o telhado. Estava fechada com uma pequena aldraba.

— Aqui não há que ver — disse Mendonça querendo voltar.
— Pelo contrário — disse eu.
— Que é?
— Vês isto?

O objeto que eu mostrava a Mendonça era uma escada de seda atirada a um canto. Estava gasta pelo uso e estragada pelo desuso.

— Creio que isto é alguma. Vejamos a janela.

Abri a janela, que era baixa. Dava para o telhado da própria casa. Olhei em redor; todas as casas eram baixas, exceto uma que ficava à esquerda, que era um sobrado e tinha uma janela que dava para o telhado. Junto da janela do sótão havia algumas telhas quebradas.

Fechei a janela, e disse rindo a Mendonça:

— Já me não escapa o homem!
— És um visionário — foi a única resposta de Mendonça.

Quando íamos a sair, Mendonça deu um grito.

— Que é?
— Vê.

Olhei e vi a um canto da sala dois olhos verdes fitos sobre nós. Quis aproximar-me; Mendonça agarrou-me pelas abas do paletó. Fiz um esforço e fui até o canto ver o que eram aqueles olhos.

Dei uma gargalhada.

Era um gato preto que ali se achava, o qual, assustado com a gargalhada, deitou a correr, desceu a escada e não apareceu mais.

— Começo a tremer — disse Mendonça —; que quer dizer este gato aqui em cima?

— Uma destas duas coisas; ou era companheiro do homem nos sortilégios; ou é um gato da vizinhança que se acostumou a vir aqui passar a noite em procura de ratos.

— Será, será.

— Inclino-me à segunda hipótese, porque ainda que eu suponha teu tio amante de feitiçarias, creio que não é essa a parte mais importante da vida dele.

— Qual será então?

— Meu caro, temos já todos os elementos de que compor um romance; vamos para a outra sala.

Quando ali chegamos, sentei-me tranquilamente, acendi um charuto, e brincando com os óculos de Pedro Antão, comecei a falar.

— Viste aqui uma casa velha, trastes velhos, ares velhos, nada mais. Eu vi aqui dentro uma história misteriosa. Organizar no vácuo não é coisa que todos possam fazer. Vejamos se não me achas razão.

Mendonça sentou-se e eu comecei:

— Sabes a razão da reclusão do tio?
— Não — respondeu o meu companheiro.

— Foi uma paixão. Não te rias. Eu imagino que teu tio se apaixonou por alguma dama formosa. Sabes donde concluo isto? Do gosto pelas artes. As artes substituem os amores, quando estes são impossíveis. Amou, e não querendo ou não podendo casar com ela, retirou-se por aqui. A solidão e a paixão começaram a atuar na sua imaginação. Olha os livros que ele lia; vê estes dois bustos de Cristo e de Satanás; olha estes objetos de feitiçaria esparsos no chão; tudo isto quer dizer que a religião nem a filosofia bastavam à alma do tio e quando a filosofia e a religião não podem triunfar de uma alma, triunfa a superstição. Que te parece?

— Um conto para passar o tempo.

— Ouve o resto. Ao cabo de um ou dois anos, Pedro Antão recebeu uma pequena cartinha...

— Ah! onde está?

— Não sei; mas recebeu. Talvez a encontremos dentro desta secretária. O bilhete era da mulher amada, e dizia provavelmente que tendo ele fugido, vinha ela em busca dele.

— E veio?

— Veio morar na vizinhança, naquele sobrado cujos fundos vimos pela janela do sótão. O tio não respondeu à carta; a dama, que eu chamarei Cecília, esperou debalde a resposta. Nova carta: novo silêncio. Cecília, no furor da paixão, veste-se um dia com uma mantilha e entra por aqui a pretexto de vir buscar esmolas para os indigentes da paróquia. — Mande entrar quem é, disse Pedro Antão. A rapariga entrou, e quando se achou a sós com o tio, descobriu o rosto. — Céus! és tu! — Sim sou eu; vim porque me recusavas; amo-te... — Mas desgraçada! não sabes que o teu ato é uma loucura e um crime? — É uma virtude pois que amo. O tio pôs o rosto nas mãos; estava desesperado.

— Compreendo. E depois?

— Procurou dissuadi-la dos planos que ela concebera; a única coisa que conseguiu foi dar sua palavra de que iria vê-la a casa ou ao menos conversar de fora. — Mas eu não sei como possa lá ir, objetou Pedro Antão. — A janela do teu salão dá para os fundos da minha casa. Sobe ao telhado e eu conversarei da janela. — Pois sim, respondeu teu tio.

— Supões que ele respondeu assim?

— Com certeza.

— O tio cumpriu então a promessa?

— Cumpriu. Quando toda a vizinhança estava recolhida, trepava ele ao telhado e ia conversar por baixo da janela de Cecília até que vinha a madrugada e Pedro Antão voltava para casa com o coração mais tranquilo...

— E uma constipação no lombo.

— Não te rias, Mendonça; és um espírito fútil. Ouve o resto, e verás que tudo se explica; eu aprendi a arte de interpretar as coisas mais insignificantes. Ora, atende; atende e concordarás comigo.

— Continua.

— Assim se passaram os dias, as semanas, os meses; era um idílio *renouvelé de Roméo*. Um dia provavelmente o pai da moça percebeu que alguém costumava perlustrar os telhados, e tendo ouvido conjugar o verbo amar todas as noites sempre no indicativo do tempo presente, resolveu pôr em cena um quinto ato de *Crebillon*; comprou uma pistola...

— E matou o tio?

— Não!

— Felizmente.

— Pôs-se de emboscada; apenas apareceu um vulto, disparou a pistola... Dois gritos agudos acompanharam o som do tiro; Pedro Antão correu a meter-se em casa. Cecília caiu redondamente no chão.

— Morta?

— Desmaiada. Acudiu toda a família. O pai acudiu também; mandou chamar um médico e deram-se à pequena os primeiros cuidados que a situação exigia. Albuquerque (deve ser o nome do pai) era homem de costumes severos; guardou uma repreensão para a filha depois que ficasse boa. A menina ficou no quarto com a mãe e uma escrava velha, a tia Mônica. Aqui não te posso dizer quanto tempo esteve ela gravemente enferma; o que te afirmo é que, apenas tornou em si, e pôde lembrar-se do episódio do tiro, disse que tivera um grande pesadelo, e a isso devera o desmaio. A mãe engoliu a pílula; o pai achou-a amarga demais. Passaram-se os dias; Cecília, sempre de cama, ficava então só com a escrava. Uma noite, disse-lhe a escrava: — Por que razão, sinhá-moça, quer sempre que eu vá à janela de noite? — Cecília fitou nela os olhos, e com voz fraca disse: — Tia Mônica, você é capaz de guardar um segredo? — Sou, respondeu a preta. Cecília contou então tudo; e quando acabou, disse: — Eis aqui por que eu te mando à janela: é para ver se vês o meu querido Antão; morreria ele? — Não, sinhá, respondeu Mônica; está vivo. A moça respirou. Depois ouvindo rumor no telhado, disse à preta que fosse ver o que era. — É ele, disse Mônica. — Ah! diz-lhe que eu estou de cama, mas que preciso falar-lhe. A preta deu conta do recado; Pedro Antão voltou para casa. Meditou nos meios de subir à casa de Cecília e vê-la um minuto que fosse. Por honra dele, devo dizer que hesitou muito tempo em cumprir a promessa...

Mendonça neste ponto inclinou-se mais para mim e disse:

— Não ouves?

— O quê?

— Um rumor?

— São ratos. Deixa-te de vãos temores. Ouve a narração. Não te parece exata?

— Sim; parece. Tens uma penetração rara! Quem não dirá que isso não é a verdade?

— Ninguém pode dizê-lo.

— Continua.

— Assentou Pedro Antão em ir ver a enferma; para isso era preciso subir; para subir era necessário ter uma escada; e a escada só podia ser de seda. Por quem mandaria comprar uma escada de seda? Podia dizê-lo ao criado; mas isso era impossível; seria a vergonha. Pedro Antão resolveu sair ele mesmo...

— Sair?

— Foi a única vez que saiu depois da sua voluntária reclusão. Saiu, e foi encomendar uma escada de seda, a qual ficou pronta e veio daí a dias por mão do criado, mas enrolada de modo que o criado não soube o que era.

— Sim, o tio era prudente.

— Na primeira noite em que Pedro Antão subiu à casa houve na sua alma uma verdadeira luta. Eram os últimos lampejos da virtude; digo virtude, porque o ato de escalar uma janela constitui um crime para qualquer, quanto mais para um homem daquela força! Mas a paixão e a piedade venceram; teu tio atravessou o telhado com a escada debaixo do braço. A fiel Mônica lá estava e ajudou a preparar a escada; depois subiu Pedro Antão mais lesto que um menino trepando por uma mangueira acima. Não se descreve a cena do encontro dos dois amantes ao cabo de tanto tempo. Cecília estava mais pálida que o linho dos lençóis; o tio ajoelhou e derramou lágrimas de dor... Que cena aquela! oh! os que amaram sabem o que é aquilo!

Creio que fui tão patético nesta descrição, que o próprio Mendonça ficou comovido. Pela minha parte não o estava menos; davam então duas horas; tudo em volta de nós contribuía para a emoção de que nos achávamos possuídos.

— Vamos para casa — disse Mendonça.

— Ouve o resto. A visita do tio foi repetida nos seguintes dias. Parece que isso mesmo apressou o restabelecimento da moça. No dia em que Cecília ficou perfeitamente boa, disse-lhe Pedro Antão que era aquela a última visita. Cecília entrou a chorar. — Não chores, disse teu tio; eu te amarei sempre; mas bem vês que é impossível a minha volta aqui. A tua doença explicava a minha audácia; a tua saúde... — Que temes tu? Disse a moça; a opinião, quando vier a saber que nos amamos? Pois bem; Mônica assistirá as nossas entrevistas... Teu tio mostrou-se severo e resoluto. A única coisa que lhe concedeu foi que viria conversar à janela: ficando ele pendurado na escada.

— Por que supões isto? — perguntou-me Mendonça.

— Saberás adiante. Tudo o que até aqui tenho dito é a verdade; do estudo destes objetos que vemos a conclusão que tiro é que só a minha narração pode explicar a vida de Pedro Antão.

— Continua.

— A promessa do tio foi cumprida. Todas as noites saía o homem de casa, levando a escada que era posta convenientemente para que ele subisse e fosse conversar com Cecília na posição em que Romeu e Julieta se separaram dando o último beijo e ouvindo o rouxinol... Queres ouvir o diálogo da despedida de Romeu?

— Não, vamos ao tio.

— Não descansou o pai de Cecília enquanto não lhe arranjou um casamento. Apresentou-lhe um dia um rapaz dizendo que era o seu noivo. Imagina o coração da pobre moça ao saber de semelhante notícia. Não ousou dizer abertamente ao pai que não queria o noivo; mas pediu para refletir três dias; e comunicou isso a teu tio. Imagina a dor do homem. Que luta aquela! O amor e o dever — luta terrível à qual teu tio teria sucumbido se não fora a grande alma que Deus lhe deu. Que diria à moça?

— Eu carregava com ela.

— Bem, mas ele hesitou; pareceu-lhe que não podia santificar uma união condenada pela sociedade. Não queria perturbar o destino da moça que talvez fosse melhor do que se lhe afigurava a ela. Que fez então? disse-lhe que se casasse. Cecília recusou o conselho; teu tio insistiu; ela chorou. Que fazer diante das lágrimas de uma mulher? O homem pediu um adiamento de vinte e quatro horas. Terrível foi a noite e o dia que se seguiram a esta entrevista. Jogava-se o destino de Antão e de Cecília. Raptando a moça, ele ia constituir-se réu perante Deus e os homens. O momento era solene. A crise da vida chegara ao seu auge. Sobre a tarde tomou ele uma resolução suprema; raptar a moça, isto é, salvá-la das garras de um noivo a quem ela não amava, e dar-lhe a felicidade que ela almejava neste mundo. Comunicou o seu plano à rapariga; e assentou-se que daí a três dias se executaria o plano. A moça dormiu alegre como se no dia seguinte devesse entrar na bem-aventurança. Oh! o amor é capaz de grandes coisas! e quanta vez se cometeu crime com alma alegre só porque é o amor que nos impele para o mal!

— Bonito! — murmurou Mendonça.

Irritou-me a interrupção e levantei-me.

— Onde vais?

— Não me queres ouvir.

— Quero; continua. Aplaudi a tua exclamação. Quero saber em que parou tudo isso.

— Quando o tio voltou para casa, encontrou junto à janela o criado. Todo o corpo lhe tremeu; estava descoberto. O criado tinha ouvido bulha e supondo serem ladrões subiu ao sótão, viu a janela aberta, e espantado, viu um vulto ao longe, e esperou. Quando descobriu que era o tio, compreendeu que alguma coisa havia, e arrependeu-se de ter subido. Quanto ao tio, passado o primeiro momento, voltou em si, desceu tranquilamente e disse ao criado que se fosse deitar. O criado desceu sem dizer palavra; o teu tio veio tranquilamente para esta sala e entrou a meditar no que devia fazer. Era forçoso confessar tudo ao criado; estando descoberto, já lhe não aparentava a discrição; antes tê-lo por amigo mostrando confiança. Assentou nisso. Mas daí a pouco entrou o receio a torturar-lhe a alma. Podia acaso contar com a discrição do criado, ainda quando lhe mostrasse confiança? O medo de ver-se descoberto lhe obumbrou a razão; o crime chama o crime. O relâmpago do crime lhe fuzilou na alma...

— Que fez?

— Decretou a morte do criado. Quem poderá dizer que longos foram os instantes passados naquela combinação de um crime que era o primeiro na escala dos crimes futuros! Ao cabo de uma hora, tomou uma vela, desceu a escada de mansinho, encaminhou-se ao quarto do criado. Este dormia profundamente; Pedro Antão lembrou-se de que o melhor meio era sufocá-lo; subiu outra vez e foi buscar um travesseiro. Desceu; o criado ainda dormia. Teu tio pôs-lhe o travesseiro sobre o pescoço e calcou com todas as forças. Surpreendido no sono com este ataque, o criado procurou defender-se; quis lutar; impossível... por um movimento enérgico Pedro Antão concluiu a morte começada.

— Onde viste sinais desse crime?

— Não vi sinais; mas é um crime lógico. Por que razão morreria o criado logo na véspera do rapto? Teu tio quis arredar uma testemunha ou um cúmplice; mas vai ouvindo.

— Triste morte foi essa!

— Terrível; teu tio subiu, atirou-se à cama, mas não dormiu; a noite foi cruel; quando chegou a madrugada ele respirou; podia ao menos afastar a memória do fato terrível da véspera. Do quintal chamou um vizinho, e pediu-lhe que fosse cuidar do enterro do criado. À tarde foi este enterrado, levando para a sepultura o segredo do crime...

— Mas, Pedro, é impossível que tu não saibas disto por outro modo que não o conjectural. Estás falando de maneira que pareces ter assistido a tudo... Sabias alguma coisa?

— Nada.

— Mas então não compreendo.

— Meu amigo; chama-se a isto penetrar além da superfície dos fatos. Vai ouvindo. A noite do enterro do criado era a noite do rapto de Cecília. Tudo estava preparado. Pedro Antão aguardou silenciosamente a hora marcada por ele, isto é, meia-noite. O leitor facilmente calculará...

— Que leitor?

— Foi engano. Quero dizer que tu facilmente calcularás as emoções do namorado antes de cometer o rapto. Entretanto chegou a hora; Pedro Antão, que estava lendo para passar o tempo, apenas ouviu bater meia-noite, foi ao quarto, pegou na escada... Aqui entram os óculos de Pedro. Estava lendo, e para ler punha os óculos a fim de quebrar os raios da luz. Com a pressa e a preocupação do ato que ia cometer nem se lembrou de tirar os óculos; foi com eles até a outra sala, abriu a janela, saltou ao telhado e aproximou-se da casa de Cecília. Tudo estava silencioso; nenhum sinal de vida. Que aconteceria? Estaria descoberto o plano? Adoeceria a moça? Nesta incerteza esteve Pedro Antão durante dez mortais minutos. Abriu-se finalmente a janela, e a cabeça da moça apareceu. Teu tio deu sinal de que ele ali estava, e a preta disse-lhe que esperasse um pouquinho enquanto a ama completava os preparativos. Pedro Antão indagou a razão da demora. A preta respondeu que houvera visitas em casa, e que em virtude disso, Cecília não pôde sair da sala. Entrou a preta e teu tio esperou.

— Vê se pões a pequena cá para baixo.

— Ouve. Esperou teu tio outros dez minutos, ao cabo dos quais voltou a preta e o homem atirou a extremidade da escada que foi convenientemente presa em cima. Cecília apareceu e a vista da moça deu ânimo ao namorado. Disse-lhe ela que, para melhor efetuar a descida vestira umas calças do primo; e atirou para baixo duas trouxas. Continham roupa e vários objetos. Pedro Antão pôs as trouxas de lado, e disse à pequena que descesse. Ora, justamente quando a moça se preparava a descer, ouviu-se uma voz que dizia: "Miserável!". Cecília deu um grito e entrou fechando a janela. Ficou embaixo Pedro Antão a procurar com os olhos de onde vinha a voz, até que um vulto se lhe aproximou. Era nem mais nem menos o pai de Cecília.

— De onde surgiu ele?

— Tinha percebido que a pequena tramava alguma coisa; foi espreitar pelo buraco da fechadura, e viu-a preparar as trouxas; desceu ao quintal e de lá ouviu a voz de teu tio; por meio de uma escada de mão trepou ao telhado no momento em que a moça ia pôr o pé fora da casa. Avalie-se o drama que se passou ali no telhado. O pai, armado com uma pistola, apontou-a ao peito de Pedro Antão; este viu iminente o seu fim. Quem poderia salvá-lo? "Eu!" Gritou uma voz no meio das sombras.

— Quem era?

— Espera. O vulto desarmou o pai de Cecília e intimou-lhe a retirada; o velho quis recalcitrar, mas teve de obedecer à voz imperiosa do salvador de Pedro Antão. Tendo escapado por milagre à morte que o esperava, o homem voltou-se para o vulto e agradeceu-lhe aquela intervenção providencial. Depois pediu que entrasse com ele em casa para lhe explicar a razão de achar-se ali. Pedro Antão meditava uma mentira. O vulto respondeu simplesmente. "Eu sei tudo!" "Sabe tudo? Quem é o senhor?" "Ninguém."

— Parodiou o Garrett.

— Convidou teu tio ao vulto para ir descansar alguns minutos em casa. O vulto aceitou. Atravessaram o telhado e entraram pela janela. Como estivesse escuro, Pedro Antão tomou um fósforo, que levara consigo para a volta e à luz quem havia ele de ver?

— Quem?
— Adivinha.
— Não sei.
— O criado?
— Sim.
— O defunto?
— Nem mais nem menos, o defunto.
— Essa agora!...
— Imagina o rosto do pobre homem, deu um grito e correu; o criado segurou-o ainda pelas abas do paletó; Pedro Antão fez um esforço, escapou-se-lhe das mãos, caíram-lhe os óculos; e ele foi rolando pela escada abaixo até cair morto.
— Que horror!
— Aqui tens, concluí eu nem mais nem menos a história do tio, dos seus motivos de reclusão, e da sua morte desastrosa; aí tens explicados os óculos no corredor, a escada de seda na outra sala. Queres mais claro?
— Realmente — disse Mendonça —, falas com uma segurança que pareces ter visto tudo isto!!
— Para que serviria a perspicácia, então?
— Safa! Eras capaz de provar que eu ontem matei um homem!
— Questão de perspicácia; nada mais. Queres apostar uma coisa?
— O quê?
— Queres apostar que eu acho nesta secretária algum indício do que estive a referir?
— Então sabias alguma coisa?
— Eu, nada. Mas tenho um pressentimento de que aqui dentro acharei coisa que nos guie e me prove a veracidade do que te acabei de contar. Vamos abri-la.
— Com quê?
— Não tens nada?
— Nada. Sabes que mais? Vamos embora. Amanhã, abriremos isto.
— Não, agora mesmo.
— Qual! olha; são três horas quase. Vamos dormir; amanhã voltarei contigo e de manhã, virá conosco um homem que entenda disto...
— Pois sim.

Saímos da casa de Pedro Antão; e eu confesso que não dormi a noite inteira, porque o pouco que dela restava, gastei-a eu a pensar na história do homem. Se eu achasse na secretária alguma coisa, uma cartinha de amores, uma lembrança de mulher, tinha ganho a glória de ter adivinhado uma história que ninguém descobriria nem exporia com tanta lucidez.

No dia seguinte às dez horas da manhã fui ter com o meu amigo Mendonça que ainda estava dormindo; esperei que acordasse e almoçasse, depois do que fomos buscar um ferreiro, encarregado de arrombar a secretária de Pedro Antão.

A fechadura não resistiu muito tempo.

Quando nos achamos sós, entramos a examinar o conteúdo daquele velho móvel, testemunha insuspeita da vida do tio.

Muitos objetos íamos encontrando que não serviam para o caso: papéis velhos, cartas de amigos, contas de credores, notas de leitura etc.

Nada vimos que servisse ao caso.

— É impossível — disse eu —; vejamos nas gavetinhas.

Nas gavetinhas também nada se encontrou que pudesse ter relação com a minha versão da morte de Pedro Antão.

De repente, disse-me Mendonça ter achado uns cabelos.

— Ah! — exclamei. — Enfim!

— Mas são cabelos brancos — acrescentou Mendonça.

Em resumo, nada encontramos que nos pudesse guiar no assunto, e eu senti deveras porque o menor indício era naquele caso uma prova; ao menos eu assim o entendia.

No meio do trabalho em que estávamos, não demos por uma gaveta escondida por trás de uma tabuinha.

Abriu-se a gaveta por si e graças a um acaso. Querendo eu arrancar um folheto, apertei uma mola e a gaveta abriu-se.

Dentro havia um rolo fino de papel com esta nota por fora: *"Para ser entregue a meu sobrinho Mendonça"*.

— Vejamos.

Mendonça abriu o rolo. Continha uma folha de papel com as seguintes palavras:

Meu sobrinho. Deixo o mundo sem saudades. Vivo recluso tanto tempo para me acostumar à morte. Ultimamente li algumas obras de filosofia da história, e tais coisas vi, tais explicações encontrei de fatos até aqui reconhecidos, que tive uma ideia excêntrica. Deixei aí uma escada de seda, uns óculos verdes, que eu nunca usei, e outros objetos, a fim de que tu ou algum pascácio igual inventassem a meu respeito um romance, que toda a gente acreditaria até o achado deste papel. Livra-te da filosofia da história.

Calcule agora o leitor o efeito deste escrito, espécie de dedo invisível que me deitava por terra o edifício da minha interpretação!

Daí para cá não interpretei à primeira vista todas as aparências.

Jornal das Famílias, *maio-julho de 1874*; J. J.

Um dia de entrudo

Era no tempo em que ao *carnaval* se chamava *entrudo*, o tempo em que em vez das máscaras brilhavam os limões de cheiro, as caçarolas d'água, os banhos, e várias graças que foram substituídas por outras, não sei se melhores se piores.

Dois dias antes de chegar o entrudo já a família de d. Angélica Sanches estava entregue aos profundos trabalhos de fabricar limões de cheiro. Era de ver como as moças, as mucamas, os rapazes e os moleques, sentados à volta de uma grande mesa, compunham as laranjas e limões que deviam no domingo próximo molhar o paciente transeunte ou confiado amigo da casa.

D. Angélica tinha nessa época seus cinquenta e nove anos. Nascera mais ou menos no tempo da conjuração de Tiradentes. Criada por um lavrador de Minas, d. Angélica adquiriu certos princípios liberais, mas perdeu-os em 1808, quando veio ao Rio de Janeiro e assistiu à entrada da corte real. Ainda que esta mudança nos princípios políticos de d. Angélica foi resultado de uma paixão por um arqueiro ou quer que seja da guarda real, d. Angélica pertencia, fisicamente falando, a essa classe de mulheres capazes de matar um porco de uma cajadada. Além de possuir um par de espáduas atléticas, tinha um gênio de arremeter contra qualquer obstáculo e vencê-lo. Parece que o namorado desdenhava as mulheres alfenins, as criaturas quebradiças e moles. Gostava de uma robustez que indicava saúde e disposição para trabalhar. Angélica resumia tudo isso. Amaram-se e no fim de algum tempo celebrou-se o casamento, com aplauso de amigos e conhecidos. Pouco importa saber que fim levou o sr. Tomás Sanches no tempo em que se passam as cenas que vou relatar. Basta saber que morreu quando de todo se lhe extinguiu a vida, coisa que provavelmente não lhe aconteceu sem perder a saúde. Demais, não é bom falar do finado Tomás Sanches ao pé de d. Angélica; a pobre senhora ainda hoje o chora. Mas não lhe falem de homem que mereça o respeito, o amor e a consideração, porque d. Angélica cita logo um caso do marido que, entre parênteses, enriqueceu em pouco tempo.

Não ficou estéril a aliança de Sanches e Angélica. Cinco foram os frutos de tão abençoada união, dois do sexo masculino e três do sexo feminino.

Carlos e Benjamim se chamaram os rapazes; as raparigas receberam os nomes de Teresa, Ermelinda e Joana. Os sinais particulares desta prole eram os seguintes: Joana tinha o nariz muito comprido, Ermelinda era muito pequena, Teresa era alta e cheia. Quanto aos rapazes, a única diferença entre Carlos e Benjamim era que o primeiro ria à cara do segundo regularmente uma vez por semana, sem que o outro tirasse nunca desforra de semelhante afronta.

Ultimamente a afronta tinha sido tal que Benjamim achou prudente deixar de falar ao irmão. Havia já cinco dias que reinava entre ambos essa interrupção de relações diplomáticas, quando a festa do entrudo veio reconciliar tudo. No momento em que tomamos conhecimento com a família Sanches estão eles em boa harmonia despejando cera dentro das formas de limões ou enchendo os que já estão prontos com água de cheiro.

Fora injustificável esquecimento deixar de mencionar entre os fabricantes de limões o jovem Batista, rapaz alegre e magro, dono de um armarinho na mesma rua em que moravam os Sanches, amigo de moças e até, dizem, namorado de Teresa. Citarei do mesmo modo uma prima de d. Angélica (quarenta e dois anos) e uma sobrinha da dita (vinte e seis), sendo que esta (d. Lucinda) era filha daquela (d. Maria).

Vinham para a mesa as caçarolas cheias de cera derretida, e todos aqueles operários mergulhavam nelas os limões e as laranjas, ou despejavam cera dentro de formas de pau.

— Olhe, prima; este saiu bem bom — diz Lucinda.
— Já viu os meus? — pergunta Teresa.

— Quantos tem você?
— Doze.
— Eu tenho nove.
— Eu cá já fiz vinte e quatro — exclama Carlos. — O Benjamim só fez cinco.
— Mas é que eu não sei o que tem a minha forma — redarguiu o pobre Benjamim envergonhado.
— És um desastrado! não passas disto!
— Carlos! que é isso? Eu não quero bulha.

Estas palavras foram ditas por d. Angélica que nesse momento, tendo vindo de dentro com a prima d. Maria, contava-lhe não sei que história de legumes e escravos.

— Tia Maria hoje não tem feito nada — exclamam as raparigas Sanches.
— Pois já não fiz dois limões?
— Dois só! está bem aviada!
— Está bom, raparigas, deem cá uma forma, não quero parecer que sou vadia.

D. Maria sentou-se e fez vagarosamente alguns limões. Houve algum tempo de silêncio, só interrompido pelo andar das escravas, a campainha da cancela da escada, o som do nariz do Batista que estava endefluxado, e nada mais.

D. Angélica, que andava de um lado para outro, aproximou-se da mesa e disse:
— Bem, acabem com isso por enquanto, que é preciso pôr a mesa.
— Já, mamãe! — exclamaram as filhas.
— Pois então? são duas horas e meia.

Carlos aprovou *in petto* a ideia de pôr a mesa, e d. Maria, que costumava jantar à uma hora, achou a resolução de d. Angélica acertadíssima.

— Tem razão, prima, se deixarmos estas meninas aqui, são capazes de ficar até amanhã.
— Não é conveniente — disse Batista com uma voz entrecortada pelas urgências do defluxo —, não é conveniente interromper o trabalho enquanto há cera líquida. A cera é um produto que...
— Que não dá de jantar! — interrompeu brutalmente Carlos pondo a forma de lado e levantando-se da mesa.

As moças insistiram e ficaram ainda um quarto de hora fazendo limões. Benjamim queria levantar-se também, mas um olhar de Lucinda o deteve e desde já qualquer leitor, ainda que não seja mais perspicaz que um chapéu, terá compreendido que os dois jovens se amavam.

A saída de Carlos agradou geralmente à sociedade, o filho mais velho de d. Angélica era um verdadeiro perturbador de festas. Ausente, reinou mais tranquilidade; Batista pôde olhar mais vezes para Teresa, e Benjamim piscar mais livremente os olhos a Lucinda. Se Carlos estivesse presente, não hesitaria em dizer:
— Temos namoro! não?... Que é isso, senhor Batista?... Olá prima, então?...
— Dizia eu que em sete de abril...

E outras frases como estas reduziam as faces dos culpados a verdadeiras inflamações de vergonha.

Batista sentiu-se até mais livre da voz, e proferiu a propósito do entrudo dois ou três axiomas, um dos quais declarou tê-lo ouvido de um padre, que era o homem mais sensato que conhecera.

— Sensato era o meu Tomás — acudiu d. Angélica —; que juízo tinha ele! que cabeça de homem! Deus lhe fale na alma. Contarei o seguinte caso. No tempo do sete de abril...

Nesse instante entrou na sala o esfomeado Carlos, e vendo iminente uma história que provavelmente já conhecia, exclamou:

— Oh! mamãe? não se janta hoje?

— Eu sei — respondeu d. Angélica —, estas meninas ainda aqui estão.

— Pois acabem com isso...

Carlos atirou-se à mesa e tal bulha fez que impediu o trabalho e a anedota. D. Angélica adiou a prova do bom juízo do finado Tomás Sanches, as moças deixaram a mesa, e a mucama veio pôr a mesa do jantar.

Aproveitando o intervalo, pois aceitara o oferecimento de d. Angélica para jantar, foi Batista alguns instantes ao armarinho para saber se havia novidade. Teresa foi logo à janela e trocou um sorriso com o namorado.

D. Maria sentou-se com Ermelinda a um canto para indagar se alguma coisa havia entre Teresa e Batista.

— Eu creio que há alguma coisa. Tu não sabes nada?

Ermelinda respondeu:

— Eu nada, titia.

— Mas é impossível que não haja, e se é exato falarei disto a tua mãe.

— Por quê? — perguntou Ermelinda sobressaltada.

— Não convém que tua irmã se case com um dono de armarinho... um *pax vobis*, uma posição inferior.

Ermelinda calou-se prometendo a si mesma ir contar tudo à irmã.

Carlos passeava pela sala de jantar, atirando de quando em quando bolas de papel ao irmão, que, por prudência, fingia estar contando as tábuas do assoalho.

Joana contava a Lucinda um namoro que tivera com um rapaz da rua do Piolho, enquanto a prima lançava de quando em quando um olhar a Benjamim.

— Muito custa a vir este jantar. Parece que nunca mais se acaba de pôr esta mesa. Tia Maria já há de estar com uma fome!

Carlos dizia estas palavras tirando da mesa um pedaço de pão e mastigando para enganar o estômago.

— Não te pareça! — disse d. Maria. — Por certo que estou com fome...

Finalmente ficou o jantar na mesa.

— Bem, vamos entrar em serviço.

— Não, senhor! — disse d. Angélica. — Esperemos o Batistinha.

— Onde foi ele?

— Foi a casa.

— Esta agora! Havemos de estar em casa à espera de um estranho! e logo quem!

— Carlos! — exclamou a mãe. — Tu hás de ser sempre um...

D. Angélica mastigou o epíteto. Carlos pondo as mãos nos bolsos da calça entrou a passear como um homem chegado ao último grau do desespero.

— Estou capaz de ir jantar a uma casa de pasto.

— Pois vai!

Nesse momento ouviram-se passos na escada.

— Graças! — disse Carlos. — Chega o desejado.

Não era o desejado. Era o sr. Tibúrcio Mendes, negociante de negros novos, homem taludo e bojudo, vermelho e asseado.

— Dá licença, dona Angélica? — disse ele parando na escada.

— Entre, senhor Tibúrcio. Bons olhos o vejam.

Na entrada o sr. Tibúrcio foi cumprimentando rasgadamente a companhia.

— Faltava este cágado! — disse entre si Carlos.

E já ruminava seriamente o projeto, anteriormente indicado, de ir jantar à casa de pasto, quando apareceu o dono do armarinho. Batista explicou a demora dizendo que a causa fora uma altercação com um sujeito a propósito de agulhas nº 5, coisa que não interessava absolutamente a ninguém, mas que todos ouviram com paciência cristã.

O jantar nada ofereceu de notável; os dois namoros continuaram como antes, isto é, dirigidos sempre com a máxima precaução por causa do grande desmancha-prazeres da casa. A única coisa que causou certa estranheza a Batista, que pela primeira vez se encontrava com Tibúrcio, foi a voracidade que este sujeito desenvolveu, a ponto de o deixar sem assado nem arroz.

Foi por ocasião do jantar que Tibúrcio declarou que fazia anos na terça-feira do entrudo, e, como fosse solteiro, d. Angélica convidou-o a festejar o dia jantando lá em casa. Tibúrcio não viu um olhar trocado entre Carlos e as irmãs. Prometeu que viria jantar.

Toda a tarde, a manhã e a tarde do dia seguinte foram consagradas ao fabrico dos limões de cheiro. Tibúrcio assistiu até a noite ao trabalho das moças e dos rapazes. Como ele era amigo de conversar com mulheres, dificilmente se despregou da sala de trabalho. Foi muito contra a vontade que cedeu ao convite de d. Angélica que tinha a mania de jogar o solo. D. Maria também jogava e aceitou o convite. A mesa foi posta ao pé da mesa dos limões de cheiro.

Jogava-se o solo a grãos de milho, que é para os jogadores de profissão, o mesmo que, para os bêbados, beber água simples.

— Mas eu peço licença — disse Tibúrcio — para retirar-me às nove horas.

— É a hora em que tomamos chá — respondeu d. Angélica dando as cartas.

Passaram todos naquela mão. Como todos conversavam, o diálogo apresentava alguma curiosidade.

— Bolo?

— Pode vir!

— Dá cá cera!

— Dê-me o ás de paus.

— Onde está a forma?

— É furado?

— É seguro.

— Mano, não me quebre o limão.

— Corto.

— Olha, Lucinda, que bonito limão saiu este!...

— Rei...

— Água de cheiro?

— Valete...

— Não me pise os pés, senhor Batista.
— É dama... Paguem!
— Dá cá o tabuleiro.
— Quem dá cartas?
— Pois eu cuidei que o solo estivesse furado — dizia Tibúrcio no fim deste diálogo. — Os ouros estavam com a senhora dona Maria, e se não se descarta do valete, bem podia ser que eu o encontrasse em quarto, e estava perdido.
— A prima jogou mal — dizia d. Angélica. — Devia esperá-lo nos ouros.
— Eu esperava nas copas.
— As copas estavam seguras.

Às nove horas terminou o jogo, serviu-se o chá, saiu Tibúrcio, e todos foram dormir.

Amanheceu o dia de domingo com um belíssimo sol; era um verdadeiro dia de entrudo. Desde manhã puseram-se os tabuleiros em ordem para a batalha. Carlos e Benjamim preparavam as caldeiradas d'água e duas panelas que mandaram para a cocheira. Nessa ocasião houve uma pequena altercação entre os dois irmãos; Carlos acabou puxando as orelhas a Benjamim, o qual, por dizer alguma coisa, disse que lhe daria uma facada, o que lhe valeu outro puxão de orelhas do irmão.

Triste inspiração foi a de Batista que marcou esse dia para pedir a mão de d. Teresa. A moça entendia que se devia aproveitar um dia alegre para achar d. Angélica de bom humor — verdadeiro engano porque d. Angélica, conquanto não jogasse o entrudo, achava prazer em ver brincar as raparigas e não prestava grande atenção a outras coisas.

O dia começou bem; alguns sujeitos que passavam foram alvo de meia dúzia de limões de cheiro que os deixaram um tanto úmidos; e mais nada.

Jantou-se mais cedo.

Às três horas e meia estavam as moças vestidas e prontas à janela; a sala estava cheia de tabuleiros com limões-de-cheiro.

Os rapazes ausentaram-se.

Correu assim uma hora sem incidente notável. Constante fogo de água trazia a rua agitada. Os gamenhos munidos de limões iam atirando às senhoras que estavam às janelas, e estas correspondiam ao ataque com um vigor nunca visto.

Havia em casa de d. Angélica cerca de mil e duzentos limões; imaginem se o combate podia fraquear.

Ao cabo de uma hora de combate, desapareceu Lucinda pelo interior da casa. D. Maria e d. Angélica que estavam assentadas na sala conversavam sobre os sucessos da sua mocidade. De quando em quando algum limão ia bater numa e noutra, o que as fazia rir.

D. Maria quis ir ao interior da casa e saiu por alguns instantes. Daí a pouco voltou espavorida.

— Jesus! Acuda-me prima Angélica! Credo! Vingança!

Surpresa geral. As moças voltaram-se para dentro e os rapazes vendo aquela muralha de costas fizeram uma descarga em regra.

— Que é? — perguntou d. Angélica espantada. — Será o canhoto?

— Qual, canhoto! quero vingança! que desaforo!
— Mas que é?

D. Maria estava sufocada; sentou-se, bebeu um pouco d'água e falou:

— Ia eu agora lá dentro, quando encontrei na sala de jantar a um canto, adivinhem o quê? Encontrei seu filho Benjamim quebrando limões no ombro de minha filha! Que desaforo! Fiquei sem saber de mim... Isto se atura, prima? Cão! Ter o atrevimento de... Prima, manda dar uma sova no seu pequeno...

Neste tempo já Lucinda tinha entrado na sala e ouviu a narração da mãe com um espanto tão fingido que parecia um diplomata.

— Estás aí!... — exclamou d. Maria. — Deixe estar que me pagarás lá em casa!
— Mas que é?...

D. Angélica mandou chamar Benjamim.

O rapaz que estava na cocheira, correu ao chamado da mãe.

— Que é isso, Benjamim? pois então tu tens o desaforo, o atrevimento de não respeitar tua tia nem a minha casa...

Benjamim ficou mais admirado que se visse a cascata de Paulo Afonso; olhou para todos que tinham os olhos nele e perguntou:

— Mas que é mamãe? eu não sei de que fala.

D. Angélica referiu a acusação que lhe fazia d. Maria; o rapaz negou alegando que não saíra debaixo e apelou para o testemunho de um moleque, o qual, como era o portador das cartas entre os dois namorados, não teve dúvida em dizer que o jovem Benjamim desde que descera para a cocheira, não saíra de lá ocupado como estava em seringar os homens que passavam.

D. Angélica voltou-se para a prima.

— Você enganou-se, prima.
— Mas se eu vi!...

Carlos tinha subido também, e, ou para salvar o irmão a quem não tinha raiva, ou para terminar um incidente que perturbaria a festa, confirmou o dito do moleque.

Mas d. Maria, que tinha visto, insistia e punha em dúvida a asserção dos sobrinhos e do moleque.

— Foi engano! — diziam uns.
— Titia estava preocupada e pareceu-lhe ver...
— Qual engano nem preocupação! Pois eu vi.

Entrara no meio desta bulha o jovem Batista, trajando casaca, luvas de pelica, e gravata branca. Veio de sege para chegar intacto, apesar de morar perto. Ouviu a discussão, informou-se do que era e concluiu que devia ser engano de d. Maria. Esta insistiu na afirmativa.

— Dá-se muitas vezes — disse Batistinha sentenciosamente — que a nossa imaginação figura objetos reais quando eles são simplesmente hipotéticos... A história tem um exemplo: Bruto dizem que viu a sombra de César. Foi naturalmente a impressão imaginária que lhe produziu a espécie de presença real. O órgão visual tem fenômenos extravagantes; os recentes trabalhos da ciência...

As moças voltaram as costas e foram para a janela, exceto Teresa que ficou ouvindo o discurso do namorado. Os rapazes desceram à cocheira.

Batista continuou o discurso. Como tinha lido uns livros de ciência, explicou às senhoras qual a organização do nervo óptico, e como por acaso falasse em olhos bonitos, lembrou-se d. Angélica de contar uma anedota acerca dos olhos do finado Sanches em 1834.

O incidente acabou assim, d. Maria convencida de que realmente fora imaginação sua.

— Agora, se dona Angélica quiser dar-me a honra de uma palavra em particular — disse Batista —, ficar-lhe-ei sumamente penhorado.

— Agora reparo — disse d. Angélica. — Que trajo para dia de entrudo!

— Minha senhora — respondeu Batista —, os grandes sentimentos não conhecem entrudo!

— Fala muito bem este moço — pensou d. Maria.

A dona da casa foi com Batista para o interior.

— Minha senhora — disse Batista arrestando-se na sala diante de d. Angélica —, muito há que eu nutro, dentro do meu coração, um destes sentimentos que, mal aplicados, podem produzir não só os infortúnios domésticos como até a ruína dos impérios, e, bem aplicados, são a verdadeira bem-aventurança deste mundo. O amor, minha senhora, é o que o bordão é para os cegos, o vento para os navegantes, a saúde para os enfermos, o espaço para os passarinhos...

— Então, ama?

— Loucamente. Seria um inferno este amor se não fosse retribuído. O que é um amor sem retribuição? É o abutre de Prometeu. Sou recompensado com igual amor ao meu: *amor amore*, diz a sentença latina.

— Que deseja de mim?

— A luz. A senhora tem a minha luz nas suas mãos; pode dar-ma se quiser. Amo sua filha dona Teresa, e desejo unir-me a ela pelos laços matrimoniais...

D. Angélica tinha percebido algum namoro entre a filha e o Batista, mas não cuidou que estivessem tão próximos do casamento. O que sobretudo a fez pasmar foi a escolha do dia. A este respeito observou Batista que, vindo a palavra *entrudo* do latim *entroito*, que quer dizer entrada, estava ele de acordo com o dia desejando entrar na família. O trocadilho despertou as recordações conjugais da sra. d. Angélica, que citou mais uma anedota do finado Tomás Sanches.

— Quanto ao que me pede — concluiu ela — se Teresa quiser, não tenho razão que opor a uma união que desejo ver feliz e tranquila.

— A senhora chega ao sublime! — disse Batista.

Depois abrindo os braços:

— Minha mãe! — exclamou ele.

D. Angélica abraçou-o cerimoniosamente, porque achava o rapaz romântico demais.

— Quando poderei ter resposta definitiva?

— Já, se quer; mas é melhor logo...

— Quando lhe...

Neste momento ouviu-se um grande grito, depois outro e outro; depois um barulho infernal. D. Angélica correu à sala para saber o que era; Batista foi atrás dela.

Na sala ninguém sabia a causa do barulho.

O barulho vinha da cocheira.

— Há de ser algum sujeito que os rapazes meteram no banho. — disse d. Angélica trêmula — Ah! meu Deus! estes pequenos ainda me hão de dar algum desgosto grande!

Quis descer; mas Batista a impediu alegando gravemente que uma senhora nunca deve descer.

Os gritos continuaram ainda algum tempo. Depois cessaram; ouviu-se uma voz trêmula de frio lançar uma imprecação aos rapazes.

— Ah! meu Deus! que rapazes! que desgostos!

Subiu alguém a escada; daí a alguns segundos, entrava na sala o sr. Tibúrcio, vestido de branco, mas todo molhado como se saísse do mar. Entrou respingando a sala toda.

— Jesus! que é isso?

— Ah! minha senhora, eis o estado em que me puseram os seus rapazes! Veja se isto não é um desaforo! Entrei com toda a confiança em sua casa, e os seus meninos, sem que eu lhes houvesse feito mal, agarram-me, metem-me dentro de uma gamela e despejam-me um barril de água por cima, ajudados por dois moleques!

A narração fez enraivecer d. Angélica e rir as raparigas. Efetivamente a figura do Tibúrcio era mais para rir que outra coisa. O homem bufava que parecia uma baleia.

Batista agradeceu ao céu ter vindo em ocasião em que encontrou os rapazes em cima, escapando assim a alguma caçoada.

Assentou-se o Tibúrcio, enquanto d. Angélica ia ver se havia roupa em casa que lhe servisse para mudar aquela.

Tibúrcio contava as suas impressões do banho a d. Maria, e Batista conversava com d. Teresa a quem deu a agradável notícia de que tudo estava arranjado.

De repente aparece Carlos à porta da sala, armado de uma grande seringa de folha-de-flandres, pede silêncio às moças com um sinal, e deita um esguicho à nuca do Tibúrcio.

Tibúrcio soltou um grito, pegou na cadeira e removeu como pôde o corpo até a porta da sala; mas Carlos, que sabia o sistema dos antigos Partos, fugiu dando-lhe mais um esguicho pela cara.

— Não se zangue — disse d. Maria acalmando Tibúrcio que prometeu desancar o rapaz —; isto afinal são brincadeiras de rapazes... Todos eles o respeitam muito.

— Não está mau o respeito!

D. Angélica voltou à sala.

— Senhor Tibúrcio, vá lá para o quarto da sala de costura; já lá mandei pôr alguma roupa.

Tibúrcio obedeceu.

D. Angélica mandou ordem terminante aos filhos que subissem.

Subiram.

— Que desaforo é esse, rapazes? — disse ela.

— O que é mamãe? — perguntaram ambos.

— Pois então vocês não respeitam um homem velho e sério, que nos visita? Isto é bonito?

— Mas foi uma brincadeira.

— Pois eu não quero mais essa brincadeira... Brinquem lá com quem quiserem mas não com as pessoas que vêm a minha casa.

Interveio o futuro genro de d. Angélica.

— Minha senhora, eu estou convencido que estes dignos moços brincam como todos os da nossa idade, sem nenhuma intenção de ofensa. São jovens dignos de toda a estima; incapazes de ofender a quem quer que seja, mormente às pessoas que têm a honra de frequentar esta casa.

— É verdade! — disse Carlos...

— Portanto — continuou o advogado dos rapazes —, releve-se-lhes um ato próprio do dia.

— Muito bem! — exclamaram os dois rapazes aproximando-se de Batista para lhe agradecer a defesa. Batista estendeu-lhes a mão.

Mas quando menos o esperava, viu-se agarrado pelos quatro braços vigorosos dos rapazes e levado pela sala fora e depois pela escada abaixo. O pobre moço gritava e protestava contra a perfídia e a ingratidão dos seus clientes, mas embalde! A voz de d. Angélica perdeu-se no meio do barulho; Teresa deitou a chorar; d. Maria benzeu-se; e no meio do tumulto apareceu na sala Tibúrcio; apertadíssimo numas calças de Carlos que lhe ficavam acima do tornozelo e numa jaqueta de Benjamim que lhe batia pelo meio das costas.

A figura fez rir ainda mais do que quando Tibúrcio apareceu molhado da cabeça até os pés.

— Que há de novo? Alguma nova travessura?

— Ah! senhor Tibúrcio — exclamou d. Angélica —; o senhor me há de embarcar estes dois rapazes que me põem doida; meta-os na presiganga!

— Pois não, dona Angélica! Mas que fizeram eles agora?

— Levaram para baixo o senhor Batista.

— Quê! pois tiveram também a audácia? Não admira! não me meteram no banho?

Tibúrcio sentiu uma espécie de satisfação em ver que não era a única vítima.

Pouco tempo depois subiu Batista, e, sem ousar aparecer na sala, pediu a d. Angélica que lhe desse alguma roupa que vestir.

Foi satisfeito.

D. Angélica mandou vir o bacalhau com que se castigavam os escravos e foi abaixo em pessoa.

— Andem! lá para cima! quando não... vai tudo a vergalho.

Os rapazes obedeceram.

D. Angélica não era só mulher de prometer; era mulher de cumprir.

A tarde caía; os rapazes adiaram a festa para os dias seguintes. Mudaram também de roupa e deixaram-se ficar na sala de jantar.

Batista voltou à sala um pouco envergonhado. Tibúrcio já estava mais calmo; d. Maria começou a rir e d. Angélica encaixou uma anedota a respeito de Sanches. As moças sentaram-se também.

— Gastaram todos os limões? — perguntou d. Maria sem ver dois tabuleiros cheios.

— Todos, não — disse Ermelinda —; ainda temos para amanhã.

— Isso, sim — disse Tibúrcio —, isso é brincadeira que eu aprovo; o limão é delicado e diverte a gente.

— Diz muito bem — assentiu Batista.

— Mas o banho!

— É selvagem!

— É brutal!

— Deve acabar!

— E há de acabar!

— A civilização não comporta...

— Apoiado!

Os rapazes voltaram à sala. Tibúrcio dirigiu-se a d. Maria para dizer alguma coisa que o impedisse de olhar para os seus algozes; ao passo que Batista tirou o relógio, trouxe-o ao ouvido, deu-lhe corda etc. tudo para evitar o primeiro olhar dos filhos de d. Angélica.

Ninguém reparou que os rapazes traziam as mãos nos bolsos grandes dos paletós de brim.

Sentaram-se ambos a conversar. Ao princípio nem Tibúrcio nem Batista lhes dirigiram a palavra; mas, convindo evitar o ridículo do amuo depois do banho, pouco a pouco foram conversando com eles e restabeleceu-se a confiança.

Não tardou porém que Carlos pregasse em Tibúrcio um rabo de papel, e Benjamim outro em Batista. O de Batista não foi visto logo pelas outras pessoas. Mas como Tibúrcio estava de costas para o grupo das moças, viram estas logo o apêndice posto por Carlos e riram alegremente. Tibúrcio desconfiou. Olhou para Carlos; este ficou sério.

— De que se riem as moças? — perguntou Tibúrcio.

— Não sei — respondeu Carlos —; deixe ver. Ah! é uma mancha de cal no seu paletó, deixe limpá-la.

Tibúrcio consentiu de boa-fé; e Carlos fingindo que limpava o paletó, quebrou-lhe um ovo nas costas.

Sentiu Tibúrcio que o rapaz não o limpava, antes o sujava, a gema entornou-se parte no chão, d. Angélica correra para Carlos, este correu pela sala, levantou-se Batista para intervir, mas arrastando também um rabo de papel; Benjamim aproveitou a ocasião e quebrou um ovo nas costas de Batista.

Não tenho forças para descrever o barulho que se seguiu a esta cena. O tumulto foi geral; só se acalmou indo os dois rapazes para um quarto onde d. Angélica os fechou a chave.

Com a noite veio o descanso. As visitas se foram embora, exceto d. Maria e a filha que resolveram ficar até Quarta-feira de Cinzas.

Pelas nove horas da noite, d. Angélica foi soltar os prisioneiros. Achou-os jogando as cartas. Anunciou-se o chá, e eles vieram para mesa, onde foram recebidos com um olhar furibundo da parte de Teresa, cujo namorado fora vítima das suas travessuras.

Quando se iam deitar, o moleque, que servia de intermediário entre Benjamim e Lucinda, foi aos dois rapazes e disse-lhes que precisava dizer uma coisa.

Levado ao quarto, disse que Batista tinha por costume pular de noite os quintais até o da casa de d. Angélica e conversar aí para a janela onde a sinhá-moça Teresa ficava até muito tarde.

Esta comunicação inesperada tinha a seguinte explicação.

O moleque servia também de corretor entre Teresa e Batista; mas não tendo obtido deste as vantagens que esperava, e principalmente tendo-lhe ele recusado uma jaqueta nova que lhe pedira, entendeu que devia vingar-se assim.

Realmente, Batista podia dar-lhe uma ou duas jaquetas; mas como era muito econômico, enteteve o moleque na esperança e esse foi o seu mal.

Carlos ficou espantado com a notícia.

— Será verdade? — perguntou ele a Benjamim.

— É, nhonhô — insistiu o moleque —, ele quer casar com sinhá-moça Teresa, mas é um sovina...

— Virá ele hoje?

— Parece que vem.

Ideia infernal surdiu no espírito de Carlos. Era esperar o Romeu dos quintais e pregar-lhe nova peça.

— Um banho! — disse o moleque quando Carlos consultava o irmão.

— Sim, um banho! — disse Benjamim.

— Não — disse Carlos —, coisa melhor; pensemos nisso.

Enquanto os dois estavam em conciliábulo, as raparigas foram deitar-se.

Dormiam no mesmo quarto Lucinda e Teresa.

— Estou muito zangada com o Benjamim — disse Lucinda —; não gostei que fizesse aquilo no teu... noivo.

— Cala a boca! não fales alto! Não foi ele só, foi o Carlos, que é sempre o autor destas ideias.

— Amanhã hei de passar uma sarabanda nos dois.

— Não digas nada, é melhor.

— Por quê?

— Porque...

— Vais casar, bem sei.

Teresa sorriu.

— Depende de mim — disse ela.

— Titia já te perguntou alguma coisa?

— Nada.

— Mas há de falar...

— Amanhã, talvez.

— Sim, amanhã...

— Que é isto?

— Isto o quê?

— Não ouviste um grito?

— Não; é uma coruja; estás medrosa.

— Pareceu-me.

As duas sentaram-se na cama.

— Que é que tu hás de dizer quando titia te perguntar se queres casar com o Batistinha?

— Velhaca! — disse Teresa sorrindo.

— Por quê, meu Deus?
— Quero saber também o que hás de dizer quando...
— Quando o quê?
— Quando tua mãe te perguntar se queres casar com Benjamim...
— Ora, qual!... Mas vamos lá, dize...
— Eu responderei que é de meu gosto.
— Só isso?
— Pois então?
— Mas isso só não é bonito; é preciso dizer: Com toda a minha alma!
— Deixemos disso; é romântico demais.

Desta vez ouviu-se um sussurro no quintal. As duas chegaram à janela mas não viram ninguém.

— Não é nada — disse Lucinda.

Entraram outra vez e continuaram a conversar. No fim de dez minutos ouviu-se um assobio.

Teresa estremeceu.

— É ele!

Lucinda começou a despir-se.

— Pois então — disse ela —, vai conversar enquanto eu me deito.

Teresa chegou à janela e agitou um lenço branco; Batista, que já vinha pulando o último quintal, saltou à terra, aproximou-se do poço e começou a conversar debaixo com a namorada.

— Por que veio hoje? — perguntou Teresa.
— Acha que fiz mal? — disse Batista.
— Deve estar cansado.
— De quê?

Teresa quis aludir ao banho mas receou envergonhar o rapaz. Por isso, sem responder à pergunta continuou:

— Mamãe ainda me não falou.
— Quando falará?
— Talvez amanhã.
— Que pretende dizer?
— Ora! que sim! diga-me outra vez; está certo de que foi bem recebido por ela?
— Perfeitamente; vi que ela compreendeu o meu amor; e como não, se é essa alma digna, essa alma celeste, toda cheia dos perfumes do paraíso?

Esta rajada lírica produziu um riso sufocado, que Batista atribuiu a Teresa, e esta a Lucinda. Mas Lucinda já dormia nessa ocasião.

— Riu-se de mim? — perguntou Batista.
— Que pergunta!
— Parece...
— Ah! não insulte aquela que vai ser sua esposa.
— Insultá-la? jamais... Não; eu daria o meu sangue para vingar aquele que a insultasse... Mas diga-me, Teresa, você está contente casando comigo?
— Oh! muito feliz!
— Eu também! Havemos de ter uma bela vida!
— Eu espero.

— Contanto que nos não visitem indiscretos, ah! principalmente seus irmãos. Que par de pelintras!

— Deixe-os.

— Oh! se os deixo! São dois pelintras sem iguais. Não compreendem que a dignidade da vida humana é respeitar os outros, porque o homem é feito à imagem de Deus, e quem insulta um homem e o desconceitua, ofende a Deus. Não acha, dona Teresa?

— Parece que sim — disse a moça já um pouco aborrecida com o ar tétrico que o namorado ia dando à conversa.

— Mas eu perdoo a esses rapazes; só o que desejo é que me não visitem...

— Será o que você quiser...

— Teresa, você me ama?

— Muito.

— Para sempre?

— Para sempre. E você?

— Oh! eu! pergunta ao mar se ama a praia; ao zéfiro se ama a flor; à abelha se ama...

Não acabou a frase. Um esguicho anônimo lhe inundou a cara. Batista deu um pulo.

— Que é? — perguntou a moça.

— Não sei... — respondeu ele suspeitando estar descoberto.

— Mas que foi?

Batista não respondeu; imaginou logo que estava espiado e achou conveniente não dizer palavra e safar-se. Infelizmente, a noite estava escura e podia ele esbarrar-se com algum dos rapazes.

— Meu Deus! — exclamou a moça. — Que é?

— Nada...

— Alguma coisa há de ser.

— Descanse. Foi um espirro. Como ia dizendo este momento, aqueles seus manos são moços alegres mas dignos... Que galante ideia tiveram de me meter no banho!

— Isso é irônico — disse Teresa.

— Qual! é sincero! eu só me zango no momento; mas depois, reconheço logo que não há intenção de caçoar comigo...

Desta vez recebeu um esguicho por trás.

— Ai! — disse ele.

— Mas que tem você? — perguntou a namorada aflita...

— Nada! é um calo. São excelentes aqueles moços...

Outro esguicho nas pernas.

— São excelentes — continuou Batista tremendo de frio e de medo. — Eu, se os encontrasse agora, abraçava-os.

Desta vez foram dois grandes esguichos. Batista teve ideia de pedir perdão; mas por um resto de pudor, não quis fazer figura triste diante da namorada.

Esta cada vez compreendia menos o rapaz. Os esguichos continuaram; ele falava entrecortando as frases; ela chegou a suspeitar que ele estivesse doido.

— Há de perdoar-me — disse ele —, está fazendo um frio; vou-me embora.

— Já?
— Já.
— Adeus.
— Adeus!
— Até amanhã.

Teresa fechou a janela; Batista olhou à roda de si, não viu ninguém e procurou aproximar-se do muro para saltar.

Nesse momento caiu-lhe sobre as costas uma caldeirada d'água.

— Ai! ai! — gritou ele.

E saltou o muro.

Mas antes que pudesse segurar-se bem, sentiu as pernas presas por quatro braços vigorosos. Caiu arranhando as mãos no muro.

— Que me quereis? — disse ele tremendo.

Abriu-se a janela e apareceu Teresa.

O rapaz foi arrastado berrando para uma grande gamela, já cheia d'água. A moça entrou dando um grito. Acordou Lucinda e ambas foram acordar o resto da família.

— Hão de ser os endiabrados! Que pecado cometi eu? — exclamou d. Angélica saltando fora da cama.

Dentro de pouco tempo estavam todos a pé, com velas acesas na mão, e dirigiram-se para o fundo, abrindo as janelas que davam para o quintal.

D. Angélica desceu munida de um vergalho e apareceu no quintal onde se passava a tragicomédia.

Batista esperneava dentro da gamela. Os dois irmãos o prendiam enquanto o moleque lhe despejava baldes d'água.

— Que é isto? — perguntou d. Angélica.

E avançou brandindo o vergalho.

O perigo era iminente.

Os dois rapazes agarraram em Batista.

Carlos sentiu uma vergalhada nas costas; outra vergalhada foi diretamente a Benjamim. Que fazer? Os dois pegaram do corpo de Batista e fizeram dele escudo, de maneira que as vergalhadas que d. Angélica, cega de furor, cuidava dar nos filhos, quem as apanhava era o futuro genro.

Teresa desceu abaixo; e suspendeu o braço da mãe, quando já Batista sentira todo o peso do braço da viúva Sanches.

Cessou a pancadaria; Batista foi levado para cima, e d. Angélica perguntou como é que os dois rapazes tinham podido pilhar Batista no quintal para maltratá-lo assim.

Aqui estava o nó da situação.

Batista, não querendo confessar que fora conversar com a futura noiva, e temendo as revelações dos rapazes, disse que fora lá para tratar com eles uma caçoada, e que aquilo era uma brincadeira.

Ao mesmo tempo dirigiu um olhar suplicante aos moços, que confirmaram a história, escapando assim a uma infalível correção.

Nessa noite todos dormiram mal.

Quando no dia seguinte, Tibúrcio soube do fato, sorriu dizendo que também o Batista merecia a presiganga.

Acabou o entrudo, felizmente para o Batista, e a quaresma felizmente para ele e a noiva, que se casaram e dão-se muito bem.

Batista vendeu o armarinho, e joga o gamão numa botica todas as tardes.

Jornal das Famílias, *junho-agosto de 1874; Lara.*

Muitos anos depois

I

Tinha vinte e sete anos o padre Flávio, quando começou a carreira de pregador para a qual se sentia arrastado por uma vocação irresistível. Teve a felicidade de ver começada a sua reputação desde as primeiras prédicas, que eram ouvidas com entusiasmo por homens e mulheres. Alguns inimigos que a fortuna lhe dera por confirmação do seu mérito diziam que a eloquência do padre era insossa e fria. É pena dizer que esses adversários do padre vinham da sacristia, e não da rua.

Bem pode ser que entre os admiradores do padre Flávio alguns fossem mais entusiastas das suas graças que dos seus talentos — para ser justo, gostavam de ouvir a palavra divina proferida por uma graciosa boca. Efetivamente o padre Flávio era uma soberba figura; a sua cabeça tinha uma forma escultural. Se a imagem não ofende os ouvidos católicos, direi que parecia Apolo convertido ao Evangelho. Tinha magníficos cabelos pretos, olhos da mesma cor, nariz reto, lábios finos, a testa lisa e polida. O olhar, ainda que sereno, tinha uma expressão de severidade, mas sem afetação. Aliavam-se naquele rosto a graça profana e a austeridade religiosa, como duas coisas irmãs, dignas igualmente da contemplação divina.

O que o padre Flávio era no aspecto, era-o também no caráter. Pode-se dizer que era cristão e pagão ao mesmo tempo. A sua biblioteca constava de três grandes estantes. Numa estavam os livros religiosos, os tratados de teologia, as obras de moral cristã, os anais da Igreja, os escritos dos Jerônimos, dos Bossuets e dos Apóstolos. A outra continha os produtos do pensamento pagão, os poetas e os filósofos das eras mitológicas, as obras de Platão, de Homero, de Epíteto e Virgílio. Na terceira estante estavam as obras profanas que não se ligavam essencialmente àquelas duas classes, e com que ele se deleitava nas horas vagas que lhe deixavam as outras duas. Na classificação dos seus livros, o padre Flávio viu-se algumas vezes perplexo; mas resolvera a dificuldade de um modo engenhoso. O poeta Chénier, em vez de ocupar a terceira estante, foi colocado na classe do paganismo, entre Homero e Tíbulo. Quanto ao Telêmaco de Fénelon, resolveu o padre deixá-lo sobre a mesa de trabalho; era um arcebispo católico que falava do filho de Ulisses; exprimia de algum modo a feição intelectual do padre Flávio.

Seria puerilidade supor que o padre Flávio, consorciando assim os escritos de duas inspirações opostas, fizesse dos dois cultos um só, e abraçasse do mesmo modo os deuses do templo antigo e as imagens da Igreja cristã. A religião católica era a da sua fé, ardente, profunda, inabalável; o paganismo representava a sua religião literária. Se encontrava no discurso da montanha consolações para a consciência, tinha nas páginas de Homero deliciosos prazeres ao seu espírito. Não confundia as odes de Anacreonte com o *Cântico dos cânticos*, mas sabia ler cada livro a seu tempo, e tinha para si (coisa que mesmo lhe perdoara o padre Vilela) que entre as duas obras havia alguns pontos de contato.

II

O padre Vilela que entrou por incidente no período acima, tinha uma grande parte na vida do padre Flávio. Se este abraçara a vida religiosa foi por conselho e direção do padre Vilela, e em boa hora o fez porque, dos seus contemporâneos, nenhum honrou melhor o hábito sagrado.

Educado pelo padre Vilela, Flávio achou-se aos dezoito anos com todos os conhecimentos que podiam prepará-lo para as funções religiosas. Contudo estava resolvido a seguir outra carreira, e tinha já em vista o curso jurídico. O padre Vilela esperava que o moço escolhesse livremente a profissão, não querendo comprar mediante uma condescendência do rapaz o futuro arrependimento. Uma circunstância que interessa à história fez com que Flávio abraçasse a profissão sacerdotal a que já o dispunham, não somente a instrução do espírito, mas também a severidade dos costumes.

Quando num dia de manhã, à mesa do almoço, Flávio declarou ao padre que queria servir à Igreja, este que era sincero servidor dela sentiu imenso júbilo e abraçou o moço com efusão.

— Eu não podia pedir — disse Vilela — melhor profissão para o meu filho.

O nome de filho era o que lhe dava o padre e com razão lhe dava, porque se Flávio não lhe devia o ser, devia-lhe a criação e a educação.

Vilela fora muitos anos antes vigário em uma cidade de Minas Gerais; e aí conhecera um lindo menino que uma pobre mulher educava como podia.

— É seu filho? — perguntou-lhe o padre.
— Não, reverendíssimo, não é meu filho.
— Nem afilhado?
— Nem afilhado.
— Nem parente?
— Nem parente.

O padre não perguntou mais nada, suspeitando que a mulher ocultava coisa que não podia dizer. Ou fosse por essa circunstância, ou porque o menino lhe inspirava simpatia, o fato é que o padre não perdeu de vista aquela pobre família composta de duas pessoas. Naturalmente caridoso, não poucas vezes o padre ajudava a mulher nas necessidades de sua vida. A maledicência não deixou de abocanhar a reputação do padre com respeito à proteção que dava à mulher. Mas ele tinha uma filosofia singular: olhava por cima do ombro os caprichos da opinião.

Como o menino já tivesse oito anos, e não soubesse ler, quis o padre Vilela começar a educação dele e a mulher agradecida aceitou os obséquios do padre.

A primeira coisa que o mestre admirou no discípulo foi a docilidade com que ele ouvia as lições e o afinco e zelo com que as estudava. É natural da criança preferir os brincos aos labores do estudo. O menino Flávio fazia do aprender uma regra e do brincar uma exceção, isto é, primeiro decorava as lições que o mestre lhe dava, e só depois de as ter sabidas é que se ia divertir com os outros rapazes seus companheiros.

Com este merecimento, tinha o menino outro ainda maior, era o de uma inteligência clara, e imediata compreensão, de maneira que ia entrando nos estudos com pasmosa rapidez e inteira satisfação do mestre.

Um dia, adoeceu a mulher, e foi caso de verdadeira aflição para as duas criaturas a quem ela mais estimava, o padre e o pequeno. Agravou-se a moléstia a ponto de ser necessário aplicarem-se os sacramentos. Flávio, já então de doze anos, chorava que fazia dó. A mulher expirou beijando o menino:

— Adeus, Flávio — disse ela —, não te esqueças de mim.

— Minha mãe! — exclamou o pequeno abraçando a mulher.

Mas ela já o não podia ouvir.

Vilela pôs-lhe a mão sobre o coração, e voltando-se para Flávio disse:

— Está com Deus.

Não tendo ninguém mais neste mundo, o menino ficara à mercê do acaso, se não fosse Vilela que imediatamente o levou consigo. Como já havia intimidade entre os dois, não foi difícil ao pequeno a mudança; contudo nunca se lhe varria da memória a ideia da mulher que ele, não só chamava mãe, como até a tinha por isso, visto que não conhecera outra.

A mulher, na véspera de morrer, mandou pedir ao padre que lhe viesse falar. Quando ele chegou, mandou sair o pequeno e disse-lhe:

— Vou morrer, e não sei o que há de ser de Flávio. Não ouso pedir-lhe, reverendíssimo, que o tome para si; mas quisera que fizesse alguma coisa por ele, que o recomende a algum colégio da caridade.

— Descanse — respondeu Vilela —; eu me incumbo do rapaz.

A mulher olhou agradecida para ele.

Depois fazendo um esforço tirou debaixo do travesseiro uma carta lacrada e entregou-a ao padre.

— Esta carta — disse ela — foi-me entregue com este menino; é escrita por sua mãe; tive ordem de lhe entregar quando ele completasse vinte e cinco anos. Não quis Deus que eu tivesse o gosto de cumprir a recomendação. Quer vossa reverendíssima incumbir-se dela?

O padre pegou na carta, leu o sobrescrito que dizia assim: *A meu filho*.

Prometeu entregar a carta no prazo indicado.

III

Flávio não desmentiu as esperanças do padre. Os seus progressos eram espantosos. Teologia, história, filosofia, línguas, literatura, tudo isso estudou o rapaz com pasmosa atividade e zelo. Não tardou que excedesse ao mestre, porquanto este era apenas uma inteligência medíocre e Flávio possuía um talento superior.

Como boa alma que era, o velho mestre tinha orgulho na superioridade do discípulo. Conhecia perfeitamente que, de certo tempo em diante, os papéis estavam trocados: era ele quem teria de aprender com o outro. Mas a própria inferioridade fazia a sua glória.

— Os olhos que descobrem um brilhante — dizia o padre consigo — não fulgem mais que ele, mas alegram-se com tê-lo achado e dado ao mundo.

Não vem ao caso referir os sucessos que deslocaram o padre da sua freguesia em Minas para a corte. Veio o padre residir aqui quando Flávio contava já dezessete anos. Tinha alguma coisa de seu e podia viver independente, em companhia de seu filho espiritual, única família sua, mas quanto bastava aos afetos do seu coração e aos hábitos intelectuais.

Flávio já não era então o pobre menino de Minas. Era um elegante rapaz, belo de feições, delicado e severo de maneiras. A educação que tivera em companhia do padre dera-lhe uma gravidade que realçava a pureza de suas feições e a graça do seu gesto. Mas por cima de tudo isso havia um véu de melancolia que tinha duas causas: o próprio caráter dele, e a lembrança incessante da mulher que o criara.

Vivendo em casa do padre, com a subsistência que permitiam as posses deste, instruído, admirado, cheio de esperanças e de futuro, Flávio recordava sempre a vida de pobreza que tivera em Minas, os sacrifícios que a boa mulher fizera por ele, as lágrimas que algumas vezes derramaram juntos quando chegava a faltar-lhes o pão. Não esquecera nunca o amor que aquela mulher lhe consagrara até a morte, e o zelo extremo com que o tratara. Em vão procurara na memória alguma palavra mais ríspida da parte de sua mãe: só conservava a lembrança de afagos e amores.

Apontando aqui estas duas causas permanentes da sua melancolia, não quero exagerar o caráter do rapaz. Pelo contrário, Flávio era um conversador ameno e variado. Sorria frequentemente, com ingenuidade, com satisfação. Gostava da discussão; a sua palavra era quase sempre animada; tinha entusiasmo na conversação. Havia nele uma feliz combinação de dois sentimentos, por modo que nem a melancolia o tornava enfadonho, nem a alegria insuportável.

Profundamente observador, o discípulo do padre Vilela aprendeu cedo a ler estes livros que se chamam corações antes de os estimar e aplaudir. A sagacidade natural não estava ainda apurada pela experiência e pelo tempo. Aos dezoito anos julga-se mais pelo coração que pela reflexão. Nessa idade acontece sempre pintarmos um caráter com as cores dos nossos próprios afetos. Flávio não podia escapar absolutamente a esta lei comum, que uns dizem ser má e outros querem que seja excelente. Mas o moço ia-se pouco a pouco acostumando ao trato dos homens; a vida retirada que vivera desenvolveu-lhe o gosto da solidão. Quando começou a travar relações não contava uma só que lhe fosse imposta por nenhuma intimidade passada.

O padre Vilela, que tinha por si a experiência da vida, gostava de ver no rapaz esse caráter temperado de entusiasmo e reserva, de confiança e receio. Parecia ao padre, em cujo espírito já rolava a ideia de ver o discípulo servo da Igreja, que o resultado daquilo seria distanciar-se o rapaz do século e aproximar-se do sacerdócio.

Mas o padre Vilela não contava com esta crise necessária da juventude chamada amor, que o rapaz não conhecia também a não ser pelos livros do seu gabinete. Quem sabe? Talvez esses livros lhe fizessem mal. Acostumado a ver o amor com a lente da fantasia, deleitando-se com as sensações poéticas, com as criações ideais, com a vida da imaginação, Flávio não tinha a menor ideia da coisa prática tanto se absorvia na contemplação da coisa ideal.

Semelhante ao homem que só houvesse vivido no meio de figuras esculpidas em mármore, e que supusesse nos homens o original completo das cópias artísticas, Flávio povoava a sua imaginação de Ofélias e Marílias, ansiava por encontrá-las, amava-as antecipadamente, em solitárias chamas. Como era natural, o moço exigia mais do que poderia dar a natureza humana.

Foi então que se produziu a circunstância que lhe abriu mais depressa as portas da Igreja.

IV

Não é preciso dizer de que natureza foi a circunstância; os leitores já o terão adivinhado.

Flávio fazia poucas visitas e não conhecia gente. Ia de quando em quando a duas ou três casas de família onde o padre o apresentara e aí passava algumas horas que no dizer das pessoas da casa eram minutos. A hipérbole era sincera; Flávio possuía o dom de conversar bem, sem demasia nem parcimônia, equilibrando-se entre o que era fútil e o que era pesado.

Uma das casas a que ia era a de uma d. Margarida, viúva de um advogado que enriquecera no foro e deixara à família boa e larga riqueza. A viúva tinha duas filhas, uma de dezoito anos, e outra de doze. A de doze era uma criança querendo ser moça, um lindo prefácio de mulher. Qual seria o livro? Flávio não fez nem respondeu a esta pergunta.

A que desde logo lhe chamou a atenção foi a mais velha, criatura que lhe aparecia com todos os encantos imaginados por ele. Chamava-se Laura; estava no pleno desenvolvimento da mocidade. Era diabolicamente bela; o termo será impróprio, mas exprime perfeitamente a verdade. Era alta, bem formada, mais imponente que delicada, mais soberana que graciosa. Adivinhava-se-lhe um caráter imperioso; era dessas mulheres que, emendando a natureza, que as não fez nascer no trono, fazem-se rainhas por si mesmas. Outras possuem a força da fraqueza; Laura não. Seus lábios não eram feitos para a súplica, nem seus olhos para a meiguice. Lhe fosse preciso adquirir uma coroa — quem sabe? — Laura seria *lady* Macbeth.

Semelhante caráter sem a beleza, seria quase inofensivo. Laura era formosa, e sabia que o era. Sua beleza era dessas que arrastam logo à primeira vista. Possuía os mais belos olhos do mundo, grandes e negros, olhos que despendiam luz e nadavam em fogo. Os cabelos, igualmente negros e abundantes, trazia-os penteados com arte especial, por modo que lhe dessem à cabeça uma espécie de diadema. Coroavam assim uma testa branca, larga, inteligente. A boca, se o desdém não existisse, inventava-o certamente. Toda a figura tinha uma expressão de desdenhosa gravidade.

Lembrara-se Flávio de ficar namorado daquela Semíramis burguesa. Como o seu coração era ainda virgem, caiu logo do primeiro golpe, e não tardou que a serenidade da sua vida se transformasse em tempestade desfeita. Tempestade é o verdadeiro nome, porque à medida que os dias iam passando, o amor crescia, e crescia o receio de se ver repelido ou talvez menoscabado.

Flávio não tinha ânimo de se declarar à moça, e esta parecia estar longe de lhe adivinhar os sentimentos. Não estava longe; adivinhara-o logo. Mas o mais que o seu orgulho concedeu ao mísero amador foi perdoar-lhe a paixão. No rosto nunca se lhe traiu o que sentia. Quando Flávio olhava para ela, embebido e esquecido do resto do universo, Laura sabia tão bem disfarçar que nunca traía a sua sagacidade.

Vilela reparou na tristeza do rapaz; mas como ele não lhe dizia nada, teve a prudência de lhe não perguntar por isso. Imaginou que seriam amores; e como desejava vê-lo no sacerdócio, a descoberta não deixou de o aborrecer.

Havia porém uma coisa pior do que não ser sacerdote, era ser infeliz, ou ter empregado mal o fogo do seu coração. Vilela pensou nisto e mais aborrecido ainda ficou. Flávio andava cada vez mais melancólico e até lhe pareceu que emagrecia, donde o bom padre concluiu logicamente que devia ser paixão incurável, atentas as relações íntimas em que estão a magreza e o amor, na teoria romântica.

Vendo aquilo, e prevendo que o resultado podia ser funesto ao seu amigo, Vilela estabeleceu de si para si um prazo de quinze dias, findo os quais, se Flávio não lhe fizesse confissão voluntária do que sentia, ele lha arrancaria à força.

V

Daí a oito dias teve ele a ventura inefável de ouvir da própria boca de Flávio que queria seguir a carreira sacerdotal. O rapaz dizia aquilo com tristeza, mas resoluto. Vilela recebeu a notícia como eu tive já ocasião de dizer aos leitores, e tudo se preparou para que o neófito fizesse as primeiras provas.

Flávio resolvera adotar a vida eclesiástica depois que da própria Laura teve o desengano. Repare a leitora que eu não digo ouviu, mas teve. Flávio não ouviu nada. Laura não lhe falou quando ele timidamente confessou que a adorava. Seria uma concessão. Laura não fazia concessões. Olhou para ele, ergueu a ponta do lábio e começou a contar as varetas do leque. Flávio insistiu; ela retirou-se com um ar tão frio e desdenhoso, mas sem um gesto, sem nada mais que indicasse a menor impressão, ainda que fora de ofensa. Era mais que despedi-lo, era esmagá-lo. Flávio curvou a cabeça e saiu.

Agora saltemos a pés juntos alguns pares de anos e vamos encontrar o padre Flávio no princípio da sua carreira, tendo justamente pregado o seu primeiro sermão. Vilela não cabia em si de contente; os cumprimentos que Flávio recebia era como se ele os recebesse; revia-se na sua obra; aplaudia-se no talento do rapaz.

— Minha opinião, reverendo — dizia-lhe ele um dia ao almoço —, é que irás longe...

— À China? — perguntou sorrindo o outro.

— Longe é para cima — replicou Vilela —; quero dizer que hás de subir, e que ainda terei o gosto de te ver bispo. Não tens ambições?

— Uma.

— Qual?

— A de viver sossegado.

Esta disposição não agradava muito ao reverendo padre Vilela, que, sendo pessoalmente despido de ambições, desejava para o seu filho espiritual um elevado lugar na hierarquia da Igreja. Não quis porém combater o desprendimento do rapaz e limitou-se a dizer que não conhecia ninguém mais apto para ocupar uma sede episcopal.

No meio dos seus encômios foi interrompido por uma visita; era um rapaz quase da mesma idade do padre Flávio e seu antigo companheiro de estudos. Atualmente tinha um emprego público, era alferes porta-bandeira de um batalhão da Guarda Nacional. A estas duas qualidades juntava a de ser filho de um negociante de grosso trato, o sr. João Aires de Lima, de cujos sentimentos políticos dissentia radicalmente, visto que estivera no ano anterior com os revolucionários de Sete de Abril, enquanto o pai era muito inclinado aos restauradores.

Henrique Aires não fizera grande figura nos estudos; não fez sequer figura medíocre. Era doutor apenas, mas bom coração e rapaz de bons costumes. O pai quisera casá-lo com a filha de um negociante seu amigo; mas Henrique, tendo dado imprudentemente o coração à filha de um escrivão de agravos, opôs-se com todas as forças ao casamento. O pai, que era bom homem, não quis obrigar o coração do rapaz, e desistiu da empresa. Aconteceu então que a filha do negociante casou com outro e a filha do escrivão começou a dar corda a um segundo pretendente com quem veio a casar pouco tempo depois.

Estas particularidades são necessárias para explicar o grau de intimidade entre Henrique e Flávio. Foram eles naturalmente confidentes um do outro, e falaram (outrora) muito e muito dos seus amores e esperanças com a circunstância usual entre namorados que cada um deles era o ouvinte de si mesmo.

Os amores foram-se; a intimidade ficou. Apesar dela, desde que Flávio tomara ordens, e já antes nunca mais Henrique lhe falara de Laura, conquanto suspeitasse que a lembrança da moça não se lhe apagara no coração. Adivinhara até que a repulsa da moça o atirara ao sacerdócio.

Henrique Aires foi recebido como um íntimo da casa. O padre Vilela gostava dele, principalmente porque era amigo de Flávio. Além disso, Henrique Aires era um rapaz alegre, e o padre Vilela gostava de rir.

Desta vez, entretanto, não vinha alegre o alferes. Trazia os olhos desvairados e a cara sombria. Era um rapaz bonito, elegantemente vestido à maneira do tempo. Contava um ano menos que o padre Flávio. Tinha o corpo muito direito, em parte porque a natureza o fizera assim, em parte porque andava, ainda à paisana, como se levasse a bandeira na mão.

Vilela e Flávio perceberam logo que o recém-chegado tinha alguma coisa que o preocupava; nenhum deles, entretanto, o interrogou. Trocaram-se algumas palavras friamente, até que Vilela, percebendo que Henrique Aires desejaria conversar com o amigo, deixou a mesa e saiu.

VI

Henrique, apenas ficou só com Flávio, atirou-se-lhe aos braços e pediu que o salvasse.

— Salvar-te! — exclamou Flávio. — De quê?

Henrique sentou-se outra vez sem responder e pôs a cabeça nas mãos. O padre insistiu com ele para que dissesse o que havia, fosse o que fosse.

— Cometeste algum...

— Crime? sim, cometi um crime — respondeu Henrique —; mas, descansa, não foi nenhum roubo nem morte; foi um crime que felizmente se pode reparar..

— Que foi então?

— Foi...

Henrique hesitou. Flávio instou para que confessasse tudo.

— Eu gostava muito de uma moça e ela de mim — disse enfim o alferes —; meu pai, que sabia do namoro, creio que o não desaprovava. O pai dela, entretanto, opunha-se ao nosso casamento... Noutro tempo tu já saberias destas coisas; mas agora, não me atrevi nunca a falar-te nisso.

— Continua.

— O pai opunha-se; e apesar da posição que meu pai ocupa, dizia à boca cheia que nunca me admitiria em sua casa. Efetivamente nunca lá entrei; falávamos poucas vezes, mas escrevíamos a miúdo. As coisas iriam assim até que o ânimo do pai se voltasse a nosso favor. Uma circunstância, porém, ocorreu e foi o que me precipitou a um ato de loucura. O pai queria casá-la com um deputado que chegou há pouco do norte. Ameaçados disso...

— Ela fugiu contigo — concluiu Flávio.

— É verdade — disse Henrique sem ousar encarar o amigo.

Flávio esteve algum tempo calado. Quando abriu a boca foi para censurar o ato de Henrique, lembrando-lhe o desgosto que iria causar a seus pais, não menos que à família da moça. Henrique ouviu silenciosamente as censuras do padre. Afirmou-lhe que estava disposto a tudo, mas que o seu maior desejo era evitar o escândalo.

Flávio pediu todas as informações precisas e dispôs-se a reparar o mal pelo melhor modo que pudesse. Soube que o pai da moça era um juiz da casa da suplicação. Saiu logo a dar os passos necessários. O intendente da polícia tinha já as informações do caso e corriam agentes seus em todas as direções. Flávio obteve o auxílio do padre Vilela, e tudo andou tão a tempo e com tão boa feição, que antes das ave-marias as maiores dificuldades ficaram aplanadas. Foi o padre Flávio quem teve o gosto de casar os dois jovens pássaros, depois do que dormiu em plena paz com a consciência.

Nunca o padre Flávio tivera ocasião de frequentar a casa do sr. João Aires de Lima, ou simplesmente do sr. João Lima, que era o nome corrente. Andara entretanto em todo aquele negócio com tanto zelo e amor, mostrara tamanha gravidade e circunspeção, que o sr. João Lima ficou morrendo por ele. Se perdoou ao filho foi unicamente por causa do padre.

— Henrique é um maroto — disse João Lima — que devia assentar praça, ou ir ali viver alguns meses no Aljube. Mas não podia escolher melhor advogado, e é por isso que eu lhe perdoei a tratantice.

— Verduras da mocidade — obtemperou o padre Flávio.

— Verduras, não, reverendo; loucuras é o verdadeiro nome. Se o pai da rapariga não queria dar-lhe, a dignidade, não menos que a moralidade, o obrigava a um procedimento diverso do que teve. Enfim, Deus lhe dê juízo!

— Há de dar, há de dar...

Conversavam assim os dois no dia seguinte ao do casamento de Henrique e Luísa, que era o nome da pequena. A cena passava-se na sala de visitas da casa de João Lima à rua do Valongo, defronte de uma janela aberta, ambos sentados em cadeiras de braços de jacarandá, tendo de permeio uma mesa pequena com duas xícaras de café em cima.

João Lima era um homem sem cerimônias e muito fácil de criar amizade a alguém. Flávio pela sua parte era extremamente simpático. A amizade criou raízes dentro em pouco tempo.

Vilela e Flávio frequentavam a casa de João Lima, com quem moravam o filho e a nora na mais doce intimidade.

Doce intimidade é uma maneira de falar.

A intimidade durou apenas alguns meses e não foi de toda a família. Uma pessoa havia em quem o casamento de Henrique produziu desagradável impressão; foi a mãe dele.

VII

D. Mariana Lima era uma senhora agradável na conversa, mas única e simplesmente na conversa. O coração era esquisito; é o menos que se pode dizer. O espírito era caprichoso, voluntarioso e ambicioso. Ambicionava um casamento mais elevado para o filho. Os amores de Henrique e o seu imediato casamento foram um desastre para os planos de futuro.

Quer isto dizer que d. Mariana desde o primeiro dia começou a odiar a nora. Escondeu-o o mais que pôde, e só pôde esconder durante os primeiros meses. Afinal o ódio fez explosão. Foi impossível no fim de certo tempo viverem juntas. Henrique foi morar em casa sua.

Não bastava à sra. d. Mariana odiar a nora e aborrecer o filho.

Era-lhe preciso mais.

Soube e viu a parte que teve o padre Flávio no casamento do filho, e não só o padre Flávio como de algum modo o padre Vilela.

Naturalmente criou-lhes ódio.

Não o manifestou entretanto logo. Ela era profundamente dissimulada; tratou de disfarçar o mais que pôde. Seu fim era expeli-los de casa.

Eu disse que d. Mariana era agradável na conversa. Era-o também na fisionomia. Ninguém diria que aquele rosto amável escondia um coração de ferro. Via-se que tinha sido formosa; ela mesma falava da sua beleza passada com um resto de orgulho. A primeira vez que o padre Flávio a ouviu falar assim, teve má impressão. Notou-lhe d. Mariana e não se conteve que lhe não dissesse:

— Reprova-me?

O padre Flávio conciliou seu amor à verdade com a consideração que devia à esposa do amigo.

— Minha senhora — murmurou ele —, eu não tenho direito para tanto...

— Tanto vale dizer que me reprova.

Flávio calou-se.

— Cuido, entretanto — continuou a esposa de João Lima —, que não me gabo de nenhum crime; ter sido bonita não é coisa que ofenda a Deus.

— Não é — disse gravemente o padre Flávio —; mas a austeridade cristã pede que não façamos caso nem tenhamos orgulho das nossas graças físicas. As próprias virtudes não nos devem ensoberbecer...

Flávio estacou. Reparou que estava presente João Lima e não quis continuar a conversa por extremo desagradável. Mas o marido de d. Mariana nadava em contentamento. Interveio na conversa.

— Continue, padre — disse ele —; isso não ofende e é justo. A minha santa Eva gosta de recordar o tempo da sua beleza; já lhe tenho dito que é melhor deixar o louvor aos outros; e ainda assim fechar os ouvidos.

D. Mariana não quis ouvir o resto; retirou-se da sala.

João Lima deitou a rir.

— Assim, padre! nunca as mãos lhe doam.

Flávio estava profundamente incomodado com o que se passara. Não queria de nenhum modo contribuir para um desaguisado de família. Demais, já percebera que a mãe de Henrique não gostava dele, mas não podia atinar com a causa. Fosse qual fosse, julgou prudente afastar-se da casa, e assim o disse ao padre Vilela.

— Não creio que tenhas razão — disse este.

— E eu creio que tenho — retorquiu o padre Flávio —; em todo caso nada perdemos em afastarmo-nos por algum tempo.

— Não, não me parece razoável — disse Vilela —; que culpa tem João Lima nisto? Como explicar a nossa ausência?

— Mas...

— Demos tempo ao tempo, e se as coisas continuarem do mesmo modo.

Flávio aceitou o alvitre do seu velho amigo.

Costumavam eles passar quase todas as tardes em casa de João Lima, onde tomavam café e onde conversavam das coisas públicas ou praticavam de assuntos pessoais. Às vezes dava-lhe João Lima para ouvir filosofia, e nessas ocasiões era o padre Flávio quem falava exclusivamente.

D. Mariana, desde a conversa que acima deixo referida, mostrara-se cada vez mais fria com os dois padres. Sobretudo com Flávio, as suas demonstrações eram mais positivas e solenes.

João Lima não reparava em nada. Era um bom homem que não podia supor houvesse alguém a quem desagradassem os seus dois amigos.

Um dia porém, ao saírem de lá, disse Flávio a Vilela:

— Não lhe parece que o João Lima está um pouco mudado hoje?

— Não.

— Creio que sim.

Vilela abanou a cabeça, e disse rindo:

— Andas visionário, Flávio!

— Não sou visionário; percebo as coisas.

— As coisas que ninguém percebe.

— Verá.

— Quando?

— Amanhã.

— Pois verei!

No dia seguinte houve um inconveniente que os impediu de ir à casa de João Lima. Foram em outro dia.

João Lima mostrou-se efetivamente frio com o padre Flávio; com o padre Vilela não alterou o seu modo. Vilela notou a diferença e deu razão ao amigo.

— Na verdade — disse ele ao saírem os dois do Valongo, onde morava João Lima —, pareceu-me que o homem hoje não te tratou como de costume.

— Do mesmo modo que anteontem.

— Que haverá?

Flávio calou-se.

— Dize — insistiu Vilela.

— Que nos importa isso? — disse o padre Flávio depois de alguns instantes de silêncio — Gostou de mim algum tempo; hoje não gosta; não o censuro por isso, nem me queixo. É conveniente que nos acostumemos às variações do espírito e do coração. Pela minha parte não mudei a seu respeito; mas...

Calou-se.

— Mas? — perguntou Vilela.

— Mas não devo voltar lá.

— Ah!

— Sem dúvida. Acha bonito que frequente uma casa onde não sou bem-aceito? Seria afrontar o dono da casa.

— Bem; não iremos mais lá.

— Não iremos?

— Sim, não iremos.

— Mas por que razão há de vossa reverendíssima...

— Porque sim — disse resolutamente o padre Vilela. — Onde tu não fores recebido com prazer, eu não posso decentemente meter os pés.

Flávio agradeceu mais esta prova de afeição que lhe dava o seu velho amigo; e procurou demovê-lo do propósito em que se achava; mas foi em vão; Vilela persistia na resolução anunciada.

— Bem — disse Flávio —, irei lá como dantes.

— Mais essa agora...

— Não quero privá-los da sua pessoa, padre-mestre.

Vilela procurou convencer ao amigo de que não devia ir se tinha escrúpulo nisso. Flávio resistiu a todas as razões. O velho padre coçou a cabeça e depois de meditar algum tempo, disse.

— Pois bem, eu irei só.

— É o melhor acordo.

Vilela mentia; sua resolução era não ir mais lá, desde que o amigo não ia; mas ocultava esse plano, pois que era impossível fazê-lo aceitar por ele.

VIII

Decorreram três meses depois do que acabo de narrar. Nem Vilela nem Flávio voltaram à casa de João Lima; este foi uma vez à casa dos dois padres com a intenção de perguntar a Vilela por que razão deixara de o visitar. Achou-o só em casa; disse-lhe o motivo da sua visita. Vilela desculpou-se com o amigo.

— Flávio anda melancólico — disse —; e eu que sou tão amigo dele, não o quero deixar só.

João Lima franziu o sobrolho.

— Anda melancólico? — perguntou ele no fim de algum tempo.

— É verdade — continuou Vilela. — Não sei que tem; pode ser moléstia; em todo o caso não o quero deixar só.

João Lima não insistiu e retirou-se.

Vilela ficou pensativo. Que quereria dizer o ar com que o negociante lhe falara a respeito da melancolia do amigo? Interrogou as suas reminiscências; conjecturou à larga; nada concluiu nem encontrou.

— Tolices! — disse ele.

A ideia porém não lhe saiu mais do espírito. Tratava-se do homem a quem mais amava; era razão para que o preocupasse. Dias e dias gastou em espreitar o misterioso motivo; mas nada alcançou. Zangado consigo mesmo, e preferindo a tudo a franqueza, Vilela resolveu ir diretamente a João Lima.

Era de manhã. Flávio estava a estudar no seu gabinete, quando Vilela lhe disse que ia sair.

— Deixa-me só com a minha carta?
— Que carta?
— A que me deu, a misteriosa carta de minha mãe.
— Vais abri-la?
— Hoje mesmo.

Vilela saiu.

Ao chegar à casa de João Lima ia este sair.

— Preciso falar-lhe — disse-lhe o padre. — Vai sair?
— Vou.
— Tanto melhor.
— Que ar sério é este? — perguntou Lima rindo.
— O negócio é sério.

Saíram.

— Sabe o meu amigo que eu não tenho sossegado desde que desconfiei de uma coisa...
— De uma coisa!
— Sim, desde que desconfiei que o meu amigo tem alguma coisa contra o meu Flávio.
— Eu?
— O senhor.

Vilela olhou fixamente para João Lima; este baixou os olhos. Foram andando assim silenciosamente durante algum tempo. Era evidente que João Lima queria ocultar alguma coisa ao padre-mestre. O padre é que não estava disposto a que se lhe escondesse a verdade. Ao fim de um quarto de hora Vilela rompeu o silêncio.

— Vamos lá — disse ele —; diga-me tudo.
— Tudo o quê?

Vilela fez um gesto de impaciência.

— Para que procura negar que há alguma coisa entre o senhor e o Flávio. É isso que eu desejo saber. Sou amigo dele e seu pai espiritual; se ele errou desejo castigá-lo; se o erro é seu, peço licença ao senhor para castigá-lo.
— Falemos de outra coisa...
— Não; falemos disto.
— Pois bem — disse João Lima com resolução —; dir-lhe-ei tudo, com uma condição.
— Qual?
— É que há de ocultar tudo a ele.
— Para quê, se merecer corrigi-lo?
— Porque é necessário. Não desejo que transpire nada desta conversa; é tão vergonhoso isto!...
— Vergonhoso!
— Desgraçadamente, é vergonhosíssimo.
— É impossível! — exclamou Vilela não sem alguma indignação.
— Verá.

Seguiu-se um novo silêncio.

— Eu era amigo de Flávio e admirador das suas virtudes como dos seus talentos. Era capaz de jurar que nunca um pensamento infame lhe entraria no espírito...

— E então? — perguntou Vilela trêmulo.

— E então — repetiu João Lima com placidez —; esse pensamento infame entrou-lhe no espírito. Infame seria em qualquer outro; mas em quem traz vestes sacerdotais... Não respeitar nem o seu caráter, nem o estado alheio; cerrar os olhos aos laços sagrados do matrimônio...

Vilela interrompeu a João Lima exclamando:

— Está doido!

Mas João Lima não se molestou; referiu placidamente ao padre-mestre que o seu amigo ousara desrespeitar-lhe a esposa.

— É uma calúnia! — exclamou Vilela.

— Perdão — disse João Lima —, disse-me quem podia asseverar.

Vilela não era naturalmente manso; conteve-se a custo ao ouvir estas palavras do amigo. Não lhe foi difícil perceber a origem da calúnia: era a antipatia de d. Mariana. Admirou-se que descesse a tanto; no seu íntimo resolveu dizer tudo ao jovem sacerdote. Não deixou porém de observar a João Lima:

— Isso que me diz é impossível; houve certamente equívoco, ou... má vontade; acho que seria principalmente má vontade. Não hesito em responder por ele.

— Má vontade por quê? — perguntou João Lima.

— Não sei; mas alguma havia em que eu já reparara ainda antes do que se deu ultimamente. Quer que seja inteiramente franco?

— Peço-lhe.

— Pois bem, todos temos defeitos; sua senhora, entre boas qualidades que possui, tem alguns e graves. Não se zangue se lhe falo assim; mas é preciso dizer tudo quando se trata de defender como eu a inocência de um amigo.

João Lima não dizia palavra. Ia cabisbaixo ouvindo as palavras do padre Vilela. Ele sentia que o padre não estava longe da verdade; conhecia a mulher, sabia por onde pecava o seu espírito.

— Eu creio — disse o padre Vilela — que o casamento de seu filho influiu na desafeição de sua esposa.

— Por quê?

— Talvez não fosse muito do agrado dela, e ao Flávio se deve o bom desfecho que teve aquele negócio. Que lhe parece?

Não respondeu o interlocutor. As palavras de Vilela trouxeram-lhe à memória algumas que ouvira à mulher em desabono do padre Flávio. Era bom e fraco; arrependia-se facilmente. O tom decisivo com que falou Vilela profundamente o abalou. Não tardou que ele mesmo dissesse:

— Não desconheço que é possível um equívoco; o espírito suscetível de Mariana podia errar, era mais natural que ela se esquecesse de que tem um resto das suas graças para só se lembrar de que é uma matrona... Perdão, falo-lhe como amigo; releve-me estas expansões em tal assunto.

Vilela dirigiu a João Lima no caminho em que entrava. No fim de uma hora estavam quase de acordo. João Lima encaminhou-se para casa acompanhado de Vilela; iam já então calados e pensativos.

IX

Ao chegarem à porta quis Vilela retirar-se. Souberam porém que Flávio estava em cima. Os dois olharam um para o outro, Vilela atônito, João Lima fulo de cólera.

Subiram.

Na sala estavam d. Mariana e o padre Flávio; ambos de pé, em frente um do outro, Mariana com as mãos de Flávio entre as suas.

Os dois estacaram à porta.

Seguiu-se um longo e profundo silêncio.

— Meu filho! meu amigo! — exclamou Vilela dando um passo para o grupo.

D. Mariana tinha soltado as mãos do jovem sacerdote e deixara-se cair numa cadeira; Flávio tinha os olhos baixos.

João Lima adiantou-se calado. Parou em frente de Flávio e encarou-o friamente. O padre ergueu os olhos; havia neles uma grande dignidade.

— Senhor — disse Lima.

D. Mariana levantou-se da cadeira e atirou-se aos pés do esposo.

— Perdão! — exclamou ela.

João Lima empurrou-a com um braço.

— Perdão; é meu filho!

Eu deixo ao leitor imaginar a impressão deste lance de quinto ato de melodrama. João Lima esteve cerca de dez minutos sem poder articular palavra. Vilela olhava espantado para todos.

Enfim rompeu a palavra o negociante. Era natural pedir uma explicação; pediu-a; foi-lhe dada. João Lima exprimiu toda a sua cólera contra Mariana.

Flávio lastimara do fundo da alma a fatalidade que o levou a produzir aquela situação. No delírio de conhecer sua mãe, não se lembrara de mais nada; apenas leu a carta que lhe fora entregue pelo padre Vilela, correra à casa de d. Mariana. Ali tudo se explicara; Flávio preparava-se para sair e não voltar ali mais se fosse preciso, e em todo caso não divulgar o segredo nem ao padre Vilela, quando este e João Lima os surpreenderam.

Tudo estava perdido.

D. Mariana recolheu-se ao convento da Ajuda onde faleceu no tempo da guerra de Rosas. O padre Flávio obteve uma vigaria no interior de Minas, onde veio a falecer de tristeza e saudade. Vilela quis acompanhá-lo, mas o jovem amigo não o consentiu.

— De tudo o que me poderias pedir — disse Vilela — é isso o que mais me dói.

— Paciência! — respondeu Flávio. — Eu preciso da solidão.

— Tê-la-ás?

— Sim; preciso da solidão para meditar nas consequências que o erro de um pode trazer a muitas existências.

Tal é a moralidade desta triste história.

Jornal das Famílias, *outubro-novembro de 1874; Lara.*

Miloca

I

D. Pulquéria da Assunção era uma senhora de seus sessenta anos, arguta, devota, gorda, paciente, crônica viva, catecismo ambulante. Era viúva de um capitão de cavalaria que morrera em Monte Caseros deixando-lhe uma escassa pensão e a boa vontade de um irmão mais moço que possuía alguma coisa. Rodrigo era o nome desse único parente a quem o capitão Lúcio confiara d. Pulquéria na ocasião de partir para o Rio da Prata. Era bom homem, generoso e franco; d. Pulquéria não sentiu muito por esse lado a morte do marido.

Infelizmente, o cunhado não era tão remediado como parecia à viúva, e além disso não tinha meios nem tino para fazer crescer os poucos cabedais que ajuntara durante longos anos no negócio de armarinho. O estabelecimento de Rodrigo, excelente e afreguesado em outros tempos, não podia competir com os muitos estabelecimentos modernos que outros comerciantes abriram no mesmo bairro. Rodrigo vendia de vez em quando algum rapé, lenços de chita, agulhas e linhas, e outras coisas assim; sem poder oferecer ao freguês outros gêneros que aquele ramo de negócio havia adotado. Quem lá ia procurar um corte de vestido, uma camisa feita, uma bolsa, um sabonete, uns brincos de vidrilho, tinha o desgosto de voltar com as mãos vazias. Rodrigo estava atrás do seu tempo; a roda começou a desandar-lhe.

Além deste inconveniente, Rodrigo era generoso e franco, como disse acima, de maneira que, se por um lado não lhe crescia a bolsa, por outro ele próprio a desfalcava.

D. Pulquéria resolveu ir viver com o cunhado e foi uma felicidade para este, que tinha uma filha e precisava de lhe dar uma mãe. Ninguém melhor para esse papel do que a viúva do capitão, que, além de parenta da menina, era um símbolo de ordem e austeridade.

Miloca tinha dezessete anos. Até os quinze ninguém diria que viria a ser bela; mas, dessa idade em diante enfeitou muito, como dizia d. Pulquéria. Era a mais formosa cara do bairro e a mais elegante figura da Cidade Nova. Não tinha porém a viveza das moças da sua idade; era séria e empertigada demais. Quando saía olhava para diante de si sem volver a cabeça para nenhum lado nem se preocupar com os olhares de admiração que os rapazes lhe deitavam. Parecia ignorar ou desdenhar a admiração dos outros.

Esta circunstância, não menos que a beleza, tinha dado à filha de Rodrigo uma celebridade real. Os rapazes chamavam-lhe *Princesa*; as moças puseram-lhe a alcunha de *Pescoço de pau*. A inveja das outras explorou o mais que pôde o orgulho de Miloca; mas se ela desdenhava a admiração, parecia também desdenhar a inveja.

D. Pulquéria reconhecia na sobrinha essa altivez singular e procurava persuadi-la de que a modéstia é a primeira virtude de uma moça; perdoava-lhe porém o defeito, por ver que em tudo mais a sobrinha era um modelo.

Havia já cinco anos que a viúva do capitão Lúcio morava com a família do cunhado, quando este foi procurado por um rapaz desconhecido que lhe pediu meia hora de conversa particular.

— Chamo-me Adolfo P... — disse o moço quando se achou a sós com Rodrigo — e sou empregado no Tesouro. Pode informar-se do meu comportamento. Quanto ao meu caráter, espero que com o tempo conhecerá. Pretendo...

Aqui estacou o rapaz. Rodrigo, que era homem sagaz, percebeu qual era a pretensão de Adolfo. Não o auxiliou entretanto; preferiu saborear-lhe a perplexidade.

— Pretendo — repetiu Adolfo ao cabo de alguns segundos de silêncio —, pretendo... ouso pedir-lhe a mão de sua filha.

Rodrigo ficou alguns instantes calado. Adolfo continuou:

— Repito; pode informar-se a meu respeito...

— Como pai, reconheço que me cumpre velar pelo futuro de minha filha — disse Rodrigo —, mas a primeira condição de um casamento é a afeição recíproca. Tem autorização dela para...?

— Nunca nos falamos — disse Adolfo.

— Então... escrevem-se? — perguntou Rodrigo.

— Nem isso. Duvido até que ela me conheça.

Rodrigo deu um salto na cadeira.

— Mas então — disse ele —, que vem o senhor fazer à minha casa?

— Eu lhe digo — respondeu o pretendente. — Amo sua filha apaixonadamente, e não há dia em que não procure vê-la; infelizmente, ela parece ignorar que eu existo no mundo. Até hoje, nem por distração, recebi um olhar dela. Longe de me desagradar esta indiferença, dou-me por feliz em achar tamanha discrição numa idade em que geralmente as moças gostam de ser admiradas e requestadas. Sei que não sou amado, mas não acho impossível vir a sê-lo. Seria porém impossível se continuasse a situação em que ambos nos achamos. Como saberia ela que eu a adoro, se nem suspeita que eu existo? Depois de refletir muito neste assunto, tive a ideia de vir pedir-lhe a mão de sua filha, e no caso de que o senhor não me achasse indigno dela, pediria para ser apresentado à sua família, caso este em que eu poderia saber se realmente...

— Paremos aqui — interrompeu Rodrigo. — O senhor pede-me uma coisa singular; pelo menos não conheço semelhantes usos. Estimaria muito que o senhor fosse feliz, mas não me presto a isso... por semelhante modo.

Adolfo insistiu no pedido; mas o pai de Miloca cortou a conversa levantando-se e estendendo a mão ao pretendente.

— Não lhe quero mal — disse ele —; faça-se amado e volte. Nada mais lhe concedo.

Adolfo saiu de cabeça baixa.

Nesse mesmo dia procurou Rodrigo sondar o espírito da filha, a fim de saber se ela, ao contrário do que parecia a Adolfo, tinha dado fé do rapaz. Pareceu-lhe que não.

— Tanto pior para ele — disse Rodrigo consigo.

No domingo seguinte estava ele à janela com a cunhada, quando viu passar Adolfo, que lhe tirou o chapéu.

— Quem é aquele moço? — perguntou d. Pulquéria.

Um leve sorriso foi a resposta de Rodrigo — quanto bastou para aguçar a curiosidade de d. Pulquéria.

— Você ri-se — disse ela. — Que mistério é esse?

— Mistério nenhum — disse Rodrigo.

Insistiu a velha; e o cunhado não hesitou em lhe contar a conversa e o pedido do rapaz, acrescentando que, na sua opinião, Adolfo era um palerma.

— E por quê? — disse d. Pulquéria.

— Porque a um rapaz como ele não faltam meios de se fazer conhecido da dama de seus pensamentos. Eu vendo muito papel bordado e muita tinta azul, e onde a palavra não chega, chega uma carta.

— Não faltava mais nada! — exclamou d. Pulquéria. — Mandar cartas à rapariga e transtornar-lhe a cabeça... Seu irmão nunca se atreveu a tanto comigo...

— Meu irmão era um maricas em tempo de paz — observou Rodrigo sorvendo uma pitada.

D. Pulquéria protestou energicamente contra a opinião do cunhado, e este foi obrigado a confessar que o irmão era pelo menos um homem prudente. Passada essa questão incidente, voltou d. Pulquéria ao assunto principal e condenou a resposta que Rodrigo dera a Adolfo, dizendo que era talvez um excelente marido para Miloca.

— Miloca — acrescentou a velha — é uma rapariga muito metida consigo. Pode ser que não ache casamento tão cedo, e nós não havemos de viver sempre. Quer você que ela aí fique sem proteção no mundo?

— Não, decerto — retorquiu Rodrigo —, mas que devia eu fazer?

— O que devia fazer era informar-se do rapaz, e se lhe parecesse digno dela, apresentá-lo cá. Eu aqui estou para velar por ela.

D. Pulquéria desenvolveu este tema com a autoridade de uma senhora convencida. Rodrigo não deixou de lhe achar alguma razão.

— Pois bem — disse ele —, eu indagarei do procedimento do rapaz, e se vir que merece, cá o trago... Mas isso é impossível, agora reparo; não acho bonito, nem decente que eu vá agora buscá-lo; parecerá que lhe meto a rapariga à cara.

— Tem razão — concordou a cunhada. — E a culpa da dificuldade é toda sua. Em suma, é bom indagar; depois veremos o que se há de fazer.

As informações foram excelentes. Adolfo gozava de excelente reputação; era econômico, morigerado, laborioso, a pérola da repartição, o beijinho dos superiores. Nem com uma lanterna se encontraria marido daquela qualidade, tão à mão.

— Bem me dizia o coração — ponderou d. Pulquéria — que este rapaz era cá enviado pela Providência Divina. E você estragou tudo. Mas Deus é grande; esperemos que ele nos favoreça.

II

Não confiava debalde na Providência Divina a sra. d. Pulquéria da Assunção. Cinco dias não eram passados quando um acontecimento desastroso veio atar as relações entre Adolfo e a família de Miloca.

Rodrigo era um dos mais extremos partidários da escola romântico-estragada. Ia ver algum drama de senso comum só por comprazer à família. Mas sempre que podia assistir a um daqueles matadouros literários tão em moda há vinte anos — e ainda hoje — vingava-se da condescendência a que o obrigava às vezes o amor dos seus. Estava então fazendo bulha um drama em seis ou oito quadros e outras tantas mortes, obra que o público aplaudia com delírio. Rodrigo tinha ido ver o drama, e viera para casa entusiasmadíssimo, a tal ponto que d. Pulquéria também se entusiasmou e ficou assentado que iriam no dia seguinte ao teatro.

Miloca tentou impedir a resolução, mas não teve força para o conseguir. De tarde caiu sobre a cidade uma daquelas trovoadas de que o nosso clima vai perdendo a tradição, e Rodrigo, que em tempo seco preferia andar de carro, com mais razão desta vez mandou vir um e lá foi a família ver a peça da moda.

Não nos interessa saber que impressões trouxeram de lá as duas senhoras; ambas começaram a dormir apenas entraram no carro, e se em Miloca era talvez aborrecimento, em d. Pulquéria era evidentemente cansaço. A boa velha já não era para dramas tão compridos nem paixões tão fortes. Encostou a cabeça e começou a ressonar.

Rodrigo ficou reduzido a um completo monólogo. Elogiava ele o drama, soltava exclamações, interrogava inutilmente as senhoras, e parecia engolfado na ideia de tudo que vira quando sentiu que o carro descambava docemente para o lado esquerdo. O cocheiro passara a casa e dera uma volta com o fim de chegar mais à porta; nessa ocasião as rodas da frente ficaram debaixo e isto produziu a queda suave do veículo.

Os três passageiros deram um grito, que foi o prelúdio de muitos outros gritos, principalmente de d. Pulquéria que misturava atrapalhadamente preces e pragas. Felizmente havia na vizinhança um baile, e os cocheiros de outros carros acudiram depressa para impedir que os burros disparassem. Esta providência era de todo ponto inútil porque os burros, em cujo ânimo parece que também influíra o drama, aproveitaram a queda para dormir completamente.

O cocheiro saltou no chão e tratou de salvar os náufragos; mas já encontrou junto da portinhola que ficara voltada para cima um rapaz desconhecido, que parecia ter a mesma ideia.

Dizer-lhes que esse rapaz era Adolfo seria supor que os leitores nunca leram romances. Adolfo não passara por acaso; estava ali havia muito aguardando a volta de Miloca para ter a satisfação de a ver de longe. Quis a fortuna dele que houvesse o desastre do carro. Levado por um duplo sentimento de humanidade e de egoísmo, o bom rapaz atirou-se ao veículo e começou a pescar as vítimas.

A primeira pessoa que saiu foi d. Pulquéria, que apenas se achou sã e salva, deu graças a Nossa Senhora e descompôs em termos brandos o cocheiro. Enquanto ela falava, estendia Adolfo a mão para dentro do carro, para tirar Miloca. A moça estendeu-lhe a mão, e o rapaz estremeceu. Daí a dois minutos saía ela do carro, e Adolfo tirava a terceira vítima, que gemia com a dor de uma ferida no nariz. Miloca apenas teve uma contusão no rosto. D. Pulquéria parece que por ser gorda ofereceu mais resistência ao choque.

Rodrigo estancava o sangue com o lenço; Miloca entrara no corredor da casa, o cocheiro tratava de levantar o carro ajudado por alguns colegas, quando d. Pulquéria, que já durante alguns minutos tinha os olhos pregados em Adolfo, exclamou:

— Foi o senhor quem nos salvou! Ó mano Rodrigo, aqui está a pessoa que nos salvou... Olhe!

— Mas não me salvou o nariz! — objetou Rodrigo com mau humor. — Pois quê! é o senhor! — continuou ele aproximando-se do rapaz.

— É verdade — respondeu modestamente Adolfo.

Rodrigo estendeu-lhe a mão.

— Oh! fico-lhe muito obrigado!

— Devemos-lhe a vida — observou d. Pulquéria —, e creio que lhe seremos eternamente gratos. Quer descansar?

— Obrigado, minha senhora.

— Mas ao menos prometa que há de vir à nossa casa — disse d. Pulquéria.

— Se me permitem essa honra...

— Não permitimos, exigimos — disse Rodrigo.

— O meu serviço não vale nada — respondeu Adolfo —; fiz o que faria outra qualquer pessoa. Todavia, se me permite, virei saber da saúde do senhor...

— Da saúde do meu nariz — emendou galhofeiramente Rodrigo —; venha que nos dará grande prazer. Deixe-me apresentá-lo a minha filha...

Era tarde. Miloca, menos grata que os dois velhos, ou mais necessitada de descanso que eles, tinha subido havia já cinco minutos.

Adolfo despediu-se de Rodrigo e de d. Pulquéria e foi esperar na esquina a passagem do carro. Chamou o cocheiro e deu-lhe uma nota de cinco mil-réis.

— Aqui está o que você perdeu quando o carro tombou.

— Eu? — perguntou o cocheiro que sabia não ter um vintém na algibeira.

— É verdade — disse Adolfo.

E sem mais explicações foi andando.

O cocheiro era sagaz como bom cocheiro que era. Sorriu e guardou o dinheiro no bolso.

Adolfo não era tão pouco fino que fosse logo apresentar-se em casa de Rodrigo. Esperou quarenta e oito horas antes que desse sinal de si. E não foi à casa da família, mas à loja de Rodrigo, que já lá estava com um pequeno emplastro no nariz. Rodrigo agradeceu outra vez o serviço que lhe prestara assim como à sua família na noite do desastre e procurou estabelecer desde logo uma salutar familiaridade.

— Não sabe — lhe disse ele quando o rapaz se dispunha a sair —, não sabe como minha cunhada ficou morrendo pelo senhor...

— Parece ser uma excelente senhora — disse Adolfo.

— É uma pérola — respondeu Rodrigo. — E se quer que lhe fale franco, eu estou sendo infiel à promessa que lhe fiz.

— Como assim?

— Prometi a minha cunhada que o levaria lá em casa apenas o encontrasse, e separo-me do senhor sem desempenhar a minha palavra.

Adolfo curvou levemente a cabeça.

— Muito agradeço essa prova de bondade — disse ele —, e sinto realmente não poder corresponder ao desejo de sua cunhada. Estou pronto porém a lá ir apresentar-lhe os meus respeitos no dia e hora que me designar.

— Quer que lhe diga uma coisa? — disse alegremente o comerciante. — Eu não sou homem de etiqueta; sou cá do povo. Simpatizo com o senhor, e sei a simpatia que minha cunhada lhe tem. Faça uma coisa: venha jantar conosco domingo.

Adolfo não pôde conter a sua alegria. Evidentemente não contava com tamanha maré de felicidade. Agradeceu e aceitou o convite de Rodrigo e saiu.

No domingo seguinte, apresentou-se Adolfo em casa do comerciante. Ia de ponto em branco, sem que esta expressão se deva entender no sentido da alta elegância fluminense. Adolfo era pobre e vestia com apuro relativamente à sua classe. Estava longe porém do rigor e da opulência aristocrática.

D. Pulquéria recebeu o pretendente com aquelas carícias que as velhas de bom coração costumam ter. Rodrigo desfez-se em solícitos cumprimentos. Só Miloca parecia indiferente. Estendeu-lhe a ponta dos dedos, e nem olhou para ele enquanto o mísero namorado murmurou algumas palavras relativas ao desastre. O introito foi mau. D. Pulquéria percebeu isso, e tratou de animar o rapaz, falando-lhe com animada familiaridade.

Nunca a filha de Rodrigo parecera tão formosa aos olhos de Adolfo. A mesma severidade lhe dava um ar distinto e realçava a incomparável beleza das suas feições. Mortificava-o, é verdade, a indiferença; mas podia ele esperar mais alguma coisa logo da primeira vez?

Miloca tocou piano a convite do pai. Era excelente pianista, e entusiasmou deveras o pretendente, que não pôde disfarçar a sua impressão e murmurou um respeitoso cumprimento. Mas a moça limitou-se a um gesto de cabeça, acompanhado de um olhar que parecia dizer:

— O senhor entende disso?

Durante o jantar, a velha e o cunhado fizeram galhardamente as honras da casa. Adolfo ia perdendo a pouco e pouco as maneiras cerimoniosas, conquanto a atitude de Miloca lhe acanhasse o espírito. Era inteligente, polido e galhofeiro; a boa vontade dos olhos e as qualidades reais dele venceram em pouco tempo grande caminho. No fim do jantar era um conhecido velho.

— Tenho uma ideia — disse Rodrigo quando chegaram à sala. — Vamos dar um passeio?

A ideia foi aceita por todos, exceto por Miloca que declarou estar incomodada, pelo que a ideia ficou sem execução.

Adolfo saiu de lá mal impressionado; e teria desistido da empresa, se o amor não fosse engenhoso em derrubar imaginariamente todas as dificuldades deste mundo. Continuou a frequentar a casa de Rodrigo, onde era recebido com verdadeira satisfação, menos por Miloca que parecia cada vez mais indiferente ao namorado.

Vendo que a situação do rapaz não melhorava, e parecendo-lhe que a sobrinha não acharia melhor marido do que ele, interveio d. Pulquéria, não por meio da autoridade, mas com as armas dóceis da persuasão.

— Acho singular, Miloca, a maneira por que tratas o senhor Adolfo.

— De que maneira o trato? — perguntou a moça mordendo os beiços.

— Secamente. E não compreendo isto porque ele é um excelente moço, muito bem-educado, e além disso já nos prestou um serviço em ocasião séria.

— Tudo isso é verdade — respondeu Miloca —, mas eu não sei como quer que o trate. Meu modo é esse. Não posso afetar o que não sinto; e a sinceridade creio que é uma virtude.

— É também a virtude do senhor Adolfo — observou d. Pulquéria sem parecer abalada com a sequidão da sobrinha —; devias ter reparado que é um moço muito sincero, e eu...

Aqui parou d. Pulquéria por um artifício que lhe pareceu excelente: esperou que a curiosidade de Miloca lhe pedisse o resto. Mas a sobrinha parecia completamente ausente dali, e não deu mostras de querer saber o resto do período.

D. Pulquéria fez um gesto de despeito, e não disse palavra, enquanto Miloca folheava os jornais em todos os sentidos.

— Não acho casa — disse ela depois de algum tempo.

— Casa? — perguntou d. Pulquéria admirada.

— É verdade, minha tia — disse Miloca sorrindo —, eu pedi a papai para que nos mudássemos daqui. Acho isto muito feio: não faria mal que morássemos em algum bairro mais bonito. Papai disse que sim, e eu ando a ler os anúncios...

— Ainda agora sei disso — disse d. Pulquéria.

— Casas aparecem muitas — continuou a moça —, mas as ruas não prestam. Se fosse no Catete...

— Estás doida? — perguntou d. Pulquéria. — Lá as casas são mais caras do que aqui, e além disso transtornaria o negócio de teu pai. Admira como ele consente em semelhante coisa!

Miloca pareceu não atender às objeções da tia. Esta, que era sagaz, e vivia com a sobrinha havia muito tempo, atinava com a razão do recente capricho. Levantou-se e pôs a mão na cabeça da moça.

— Miloca, por que hás de ser assim?

— Assim como?

— Por que hás de olhar tanto para cima?

— Se titia está de pé — respondeu maliciosamente a moça —, eu hei de por força olhar para cima.

D. Pulquéria achou graça à resposta evasiva que a sobrinha lhe deu e não pôde reter um sorriso.

— Tonta! — lhe disse a boa velha.

E acrescentou:

— Tenho pensado muito em ti.

— Em mim? — perguntou ingenuamente Miloca.

— Sim; nunca pensaste no casamento?

— Nunca.

— E se aparecesse um noivo digno de ti?

— Digno de mim? Conforme; se eu o amasse...

— O amor vem com o tempo. Há bem perto de nós alguém que te ama, um moço digno de toda a estima, laborioso, grave, um marido como não há muitos.

Miloca desatou a rir.

— E titia viu isso primeiro que eu? — perguntou ela. — Quem é esse achado?

— Não adivinhas?

— Não posso adivinhar.

— O Adolfo — declarou d. Pulquéria depois de um minuto de hesitação.

Miloca franziu o sobrolho; depois deu uma nova risada.

— De que te ris?

— Acho engraçado. Com que então o senhor Adolfo dignou-se olhar para mim? Não tinha percebido; não podia esperar tamanha felicidade. Infelizmente, não o amo... e por mais digno que seja o noivo, se eu o não amar vale para mim o mesmo que um vendedor de fósforos.

— Miloca — disse a velha contendo a indignação que lhe causavam estas palavras da sobrinha —, o que acaba de dizer não é bonito, e eu...

— Perdão, titia — interrompeu Miloca —, não se dê por ofendida; respondia gracejando a uma notícia que também me pareceu gracejo. A verdade é que eu não desejo casar-me. Quando vier a minha hora, saberei tratar seriamente o noivo que o céu me destinar. Creio porém que não há de ser o senhor Adolfo, um pé-rapado...

Aqui a boa velha cravou um olhar de indignação na sobrinha, e saiu. Miloca levantou os ombros e foi tocar umas variações de Thalberg.

III

A causa de Adolfo estava condenada, e parece que ele ajudava o seu triste destino. Já vemos que Miloca aborrecia nele a sua não brilhante condição social, que era aliás um ponto de contato entre ambos, coisa que a moça não podia compreender. Adolfo, entretanto, além desse pecado original, tinha a mania singular de fazer discursos humanitários, e mais do que discursos, ações; perdeu-se de todo.

Miloca não era cruel; pelo contrário, tinha sentimentos caridosos; mas, como ela mesma disse um dia ao pai, nunca se deve dar esmola sem luvas de pelica, porque o contato da miséria não aumenta a grandeza da ação. Um dia, em frente da casa, caiu uma preta velha ao chão, abalroada por um tílburi; Adolfo, que ia a entrar, correu à infeliz, levantou-a nos braços e levou-a à botica da esquina, onde a deixou curada. Agradeceu ao céu o ter-lhe proporcionado o ensejo de uma bela ação diante de Miloca que estava à janela com a família, e subiu alegremente as escadas. D. Pulquéria abraçou o herói; Miloca mal lhe estendeu a ponta dos dedos.

Rodrigo e d. Pulquéria conheciam o caráter da moça e procuravam modificá-lo por todas as maneiras, lembrando-lhe que o nascimento dela não era tão brilhante que pudesse ostentar tamanho orgulho. A tentativa era sempre inútil. Duas causas havia para que ela não mudasse de sentimentos: a primeira era proveniente da natureza; a segunda da educação. Rodrigo estremecia a filha, e buscou dar-lhe uma educação esmerada. Fê-la entrar como pensionista em um colégio, onde Miloca ficou em contato com as filhas das mais elevadas senhoras da capital. Afeiçoou-se a muitas delas, cujas famílias visitou desde a infância. O pai tinha orgulho em ver que a filha era assim tão festejada nos primeiros salões, onde aliás ele nunca passou de um intruso. Miloca bebeu assim um ar que não era precisamente o do armarinho da Cidade Nova.

Que vinha pois fazer o mísero Adolfo nesta galera? Não era assim o marido que a moça sonhava; a imaginação da orgulhosa dama aspirava a maiores alturas. Podia não exigir tudo quanto quisera ter, um príncipe ou um duque se os houvesse cá disponíveis; mas entre um príncipe e Adolfo a distância era enorme. Donde resultava que a moça não se limitava a um simples desdém; tinha ódio ao rapaz porque a seus olhos era grande afronta, não já nutrir esperanças, mas simplesmente amá-la.

Para completar esta notícia do caráter de Miloca, é mister dizer que ela sabia do amor de Adolfo muito antes que o pai e a tia tivessem conhecimento dele. Adolfo estava persuadido que a filha de Rodrigo nunca tinha reparado nele. Iludia-se. Miloca possuía essa qualidade excepcional de ver sem olhar. Percebeu que o rapaz gostava dela, quando o via na igreja ou em alguma partida em casa de amizade no mesmo bairro. Perceber isto foi condená-lo.

Ignorando todas estas coisas, Adolfo atribuía à sua má ventura o não ter ganho a menor polegada de terreno. Não ousava comunicar as suas impressões ao comerciante nem à cunhada, posto descobrisse que ambos eram favoráveis ao seu amor. Meditou longamente no caso, e resolveu dar um golpe decisivo.

Um ex-comerciante abastado da vizinhança casou uma filha, e convidou a família de Rodrigo para as bodas. Adolfo também recebeu convite e não deixou de comparecer, disposto a espreitar ali uma ocasião de falar a Miloca, o que não lhe fora possível nunca em casa dela. Para os amantes, *multidão* quer dizer solidão. Não acontece o mesmo com os pretendentes. Mas Adolfo tinha um plano feito; alcançaria dançar com ela, e nessa ocasião soltaria a palavra decisiva. A fim de obter uma concessão que julgava difícil na noite do baile, pediu-lhe uma quadrilha, na véspera, em casa dela, em presença da tia e do pai. A moça concedeu-lha sem hesitação, e se o rapaz pudesse penetrar no espírito dela, não teria aplaudido, como fez, a sua resolução.

Miloca estava deslumbrante na sala do baile, e ofuscou completamente a noiva, objeto da festa. Se Adolfo estivesse nas boas graças dela, teria sentido legítimo orgulho ao ver a admiração que ela despertava em torno de si. Mas para um namorado repelido não há pior situação do que ver desejado um bem que lhe não pertence. A noite foi pois um suplício para o rapaz.

Afinal chegou a quadrilha concedida. Adolfo atravessou a sala trêmulo de comoção e palpitante de incerteza, e estendeu a mão a Miloca. A moça levantou-se com a graça do costume e acompanhou o par. Durante as primeiras figuras, Adolfo não ousou dizer palavra sobre coisa nenhuma. Ao ver porém que o tempo corria, e era necessário uma decisão, dirigiu-lhe algumas palavras banais como são as primeiras palavras de um homem pouco afeito a tais empresas.

Pela primeira vez Miloca encarou o namorado, e, longe do que se poderia supor, não havia em seu gesto a menor sombra de aborrecimento; pelo contrário, parecia animar o novel cavalheiro a mais positivo ataque.

Animado com esse introito, Adolfo foi direto ao coração do assunto.

— Talvez, dona Emília — disse ele —, talvez tenha notado que eu...

E parou.

— Que o senhor... o quê? — perguntou a moça que parecia saborear a perplexidade do rapaz.

— Que eu sinto...

Nova interrupção.

Era chegada a *chaîne des dames*. Miloca deixou o rapaz meditar nas dificuldades da sua posição.

— Sou um asno — dizia Adolfo consigo. — Por que razão me arrisquei a deixar para depois uma explicação que vai em tão bom caminho? Ela parece disposta...

No primeiro intervalo reatou a conversação.

— Dir-lhe-ei tudo de uma vez... Amo-a.

Miloca fingiu-se admirada.

— A mim? — perguntou ela ingenuamente.

— Sim... atrevi-me a... Perdoa-me?

— Com uma condição.

— Qual?

— Ou antes, com duas condições. A primeira é que se há de esquecer de mim; a segunda é que não há de voltar lá a casa.

Adolfo olhou espantado para a moça e durante alguns segundos não achou resposta que lhe dar. Preparou-se para tudo, mas aquilo ia além dos seus cálculos. A única coisa que lhe pôde dizer foi esta pergunta:

— Fala sério?

Miloca fez um gesto de cólera, que reprimiu logo; depois sorriu e murmurou:

— Que se atreva a amar-me, é muito, mas injuriar-me, é demais!

— Injúria pede injúria — retorquiu Adolfo.

Miloca desta vez não olhou para ele. Voltou-se para o cavalheiro que ficava próximo e disse:

— Quer conduzir-me ao meu lugar?

Deu-lhe o braço e atravessou a sala, no meio do pasmo geral. Adolfo humilhado, vendo-se alvo de todas as vistas, procurou esquivar-se. D. Pulquéria não viu o que se passou; estava conversando com a dona da casa em uma saleta contígua; Rodrigo jogava nos fundos da casa.

Aquele misterioso lance teatral foi o assunto das palestras durante o resto da noite. Impossível foi porém saber a causa dele. O dono da casa, sabedor do acontecimento, pediu desculpa dele à filha de Rodrigo, pois julgava ter parte indireta nele pelo fato de haver convidado Adolfo. Miloca agradeceu a atenção, mas nada revelou do que se passara.

Nem o pai nem a tia souberam de nada; no dia seguinte porém recebeu Rodrigo uma longa carta de Adolfo relatando o sucesso da véspera e pedindo desculpa ao velho de ter dado causa a um escândalo. Nada ocultou do que se passara, mas absteve-se de moralizar a atitude da moça. Rodrigo conhecia o defeito da filha e não lhe foi difícil perceber que a causa primordial do acontecimento fora ela. Todavia não lhe disse nada. D. Pulquéria porém foi menos discreta na primeira ocasião que se lhe ofereceu, disse amargas verdades à sobrinha, que lhas ouviu sem replicar.

IV

Felizes aqueles cujos dias correm com a insipidez de uma crônica vulgar. Geralmente os dramas da vida humana são mais toleráveis no papel que na realidade.

Poucos meses depois da cena que deixamos relatada, a família de Miloca sofreu um grave revés pecuniário; Rodrigo perdeu o pouco que tinha, e não tardou que a este acontecimento sucedesse outro não menos sensível: a morte de d. Pulquéria. Reduzido à extrema pobreza e achacado de moléstias, Rodrigo viveu ainda alguns meses atribulado e aborrecido da vida.

Miloca mostrou nesses dias amargos uma grande força de ânimo, maior do que se podia esperar daquele espírito quimérico. Bem sabia ela que o seu futuro era negro e nenhuma esperança poderia vir animá-lo. Todavia, parecia completamente alheia a essa ordem de considerações.

Rodrigo faleceu repentinamente uma noite em que parecia começar a recobrar a saúde. Era o último golpe que vinha ferir a moça, e esse não o suportou ela com a mesma coragem até ali manifestada.

Uma família da vizinhança ofereceu-lhe asilo logo na noite do dia em que se enterrou o pai. Miloca aceitou o favor, disposta a dispensá-lo por qualquer maneira razoável e legítima.

Não tinha muito que escolher. Só uma carreira lhe estava aberta: a do professorado. A moça resolveu-se a ir ensinar em algum colégio. Custava-lhe isto ao orgulho, e era com certeza a morte de suas esperanças aristocráticas. Mas segundo ela disse a si mesma, era isso menos humilhante do que comer as sopas alheias. Verdade é que as sopas eram servidas em pratos modestos...

Nesse projeto estava — apesar de combatido pela família que tão afetuosamente lhe abrira as portas — quando apareceu em cena um anjo enviado do céu. Era uma de suas companheiras de colégio, casada de fresco, que vinha pedir-lhe o obséquio de ir morar com ela. Miloca recusou o pedido com alguma resolução; mas a amiga vinha disposta a esgotar todos os argumentos possíveis até vencer as repugnâncias de Miloca. Não lhe foi difícil; a altiva órfã cedeu e aceitou.

Leopoldina era o nome da amiga que lhe aparecera como um *deus ex machina*, acompanhada pelo marido, jovem deputado do norte, governista inabalável e aspirante a ministro. Quem conversava com ele durante meia hora, nutria logo algumas dúvidas sobre se os negócios do Estado ganhariam muito em que ele os dirigisse. Dúvida realmente frívola, que ainda não fechou a ninguém as avenidas do poder.

Leopoldina era o contraste de Miloca; tanto uma tinha de altiva, imperiosa e seca, quanto a outra de dócil, singela e extremamente afável. E não era esta a única diferença. Miloca era sem dúvida uma moça distinta; mas era mister estar só. A sua distinção precisava não ser comparada com outra. Nesse terreno também Leopoldina lhe levava muita vantagem. Tinha uma distinção mais própria, mais natural, mais inconsciente. Onde porém Miloca lhe levava a melhor era nos dotes físicos, o que não quer dizer que Leopoldina não fosse bela.

Para ser exato devo dizer que a filha de Rodrigo não aceitou alegremente, nos primeiros dias, a hospitalidade de Leopoldina. Orgulhosa como era, doía-lhe a posição dependente em que se achava. Mas isso durou pouco, graças à extrema habilidade da amiga, que empregou todos os esforços para disfarçar a aspereza das circunstâncias, colocando-a na posição de pessoa de família.

Alcançara Miloca os seus desejos. Vivia numa sociedade bem diferente daquela em que vivera a família. Já não via todas as tardes o modesto boticário da esquina ir jogar o gamão com o pai; não suportava as histórias devotas de d. Pulquéria; não via à mesa uma velha doceira amiga de sua casa; nem parava à porta do armarinho quando voltava da missa nos domingos. Era muito outra sociedade, era a única que ela ambicionava e compreendia. Aceitaram todos a posição em que Leopoldina tinha a amiga; muitas das moças que lá iam foram suas companheiras de colégio; tudo lhe correu fácil, tudo se lhe tornou brilhante.

Uma só coisa, porém, vinha de quando em quando escurecer o espírito de Miloca. Ficaria ela sempre naquela posição, que apesar de excelente e brilhante tinha a desvantagem de ser equívoca? Esta pergunta, cumpre dizê-lo, não lhe surgia no espírito por si mesma, mas como prelúdio de outra ideia, capital para ela. Por outras palavras, o que a agitava principalmente era o problema do casamento. Casar-se, mas casar-se bem, eis o fim e a preocupação de Miloca. Não faltava onde escolher. Iam à casa de Leopoldina muitos rapazes bonitos, elegantes, distintos, e não poucos ricos. Talvez Miloca ainda não sentisse amor verdadeiro por nenhum deles; mas essa circunstância era puramente secundária no sistema adotado por ela.

Parece que Leopoldina também pensara nisso, porque mais de uma vez tocara nesse assunto com a liberdade que lhe dava a afeição. Miloca respondia evasivamente, mas não repelia de todo a ideia de um consórcio feliz.

— Por ora — acrescentava ela —, ainda o meu coração não bateu; e o casamento sem amor é uma coisa terrível, penso eu; mas quando vier o amor, espero em Deus que serei feliz. Sê-lo-ei?

— Sê-lo-ás — respondeu comovida a amiga hospitaleira. — Nesse dia conta que eu te ajudarei.

Um beijo terminava estas confidências.

Infelizmente para Miloca, estes desejos pareciam longe da realização. Dos rapazes casadeiros nenhum contestava a beleza da moça; mas corria entre eles uma teoria de que a mais bela mulher deste mundo precisa de não vir com as mãos abanando.

Ao cabo de dois anos de inúteis esperanças, Miloca transigiu com a sua altivez, trocou o papel de praça que pede assédio pelo de exército sitiador.

Um primo segundo de Leopoldina foi o seu primeiro objetivo. Era um jovem bacharel, formado poucos meses antes em São Paulo, rapaz inteligente, alegre e franco. Os primeiros fogos das baterias de Miloca produziram efeito; sem ficar apaixonado de todo, começou a gostar da rapariga. Infelizmente para ela, coincidiu este ataque de frente com um ataque de flanco, e a praça foi tomada por uma rival mais feliz.

Não desanimou a moça. Dirigiu os seus tiros para outro ponto, desta vez não pegaram as bichas, o que obrigou a bela pretendente a lançar mão de terceiro recurso. Com mais ou menos felicidade, andou Miloca nesta campanha durante um ano, sem alcançar o seu máximo desejo.

A derrota não lhe quebrou o orgulho; antes lhe deu um toque de azedume e hipocondria, que a fez um tanto insuportável. Mais de uma vez pretendeu deixar a casa da amiga e ir professar em algum colégio. Mas Leopoldina resistia sempre a esses projetos, já mais veementes que ao princípio. O despeito parecia aconselhar à bela órfã o completo esquecimento de seus planos matrimoniais. Compreendia agora que, talvez pela mesma razão com que ela recusara o amor de Adolfo, recusavam-lhe agora o amor dela. A punição, dizia ela consigo, fora completa.

A imagem de Adolfo surgiu então em seu espírito atribulado e abatido. Não se arrependeu do que fizera; mas lamentou que Adolfo não estivesse em posição cabal de lhe realizar os seus sonhos e ambições.

— Se assim fosse — pensava Miloca — eu seria feliz hoje, porque esse amava-me.

Tardias queixas eram aquelas. O tempo corria, e a moça com o seu orgulho se definhava na solidão povoada da sociedade a que aspirava desde os tempos da sua mediania.

V

Uma noite, estando no teatro, viu em um camarote fronteiro duas moças e dois rapazes; um dos rapazes era Adolfo. Miloca estremeceu involuntariamente, não de amor, não de saudade, mas de inveja. Seria uma daquelas moças esposa dele? Ambas eram distintas, elegantes; ambas formosas. Miloca perguntou a Leopoldina se conhecia os dois rapazes; o marido da amiga foi quem lhe respondeu:

— Só conheço um deles; o mais alto.

O mais alto era Adolfo.

— Parece-me que também o conheço — disse Miloca —, e foi por isso que lho perguntei. Não é um empregado do Tesouro?

— Talvez fosse — respondeu o deputado —; agora é um amável vadio.

— Como assim?

— Herdou do padrinho — explicou o deputado.

Leopoldina que tinha assentado o binóculo para ver as moças perguntou:

— Será casado com alguma daquelas moças?

— Não; é amigo da família — respondeu o deputado —; e parece que não está disposto a casar.

— Por quê? — aventurou Miloca.

— Dizem que teve um amor infeliz outrora.

Miloca estremeceu de alegria, e pôs o binóculo para o camarote de Adolfo. Este pareceu perceber que era objeto das indagações e conversas das três personagens, e já havia conhecido a antiga amada; todavia, disfarçou e conversou alegremente com as moças do seu camarote.

Depois de algum silêncio, disse Miloca:

— Parece que o senhor acredita em romances; pois há quem conserva assim um amor a ponto de não querer casar?

E como se se arrependesse desta generalidade, emendou: — Nos homens é difícil encontrar tamanha constância às afeições passadas.

— Nem eu lhe disse que ele conservava essa afeição — observou o deputado —; esse amor infeliz do meu amigo Adolfo...

— É teu amigo? — perguntou Leopoldina.

— É — respondeu o marido. E continuou: — Esse amor infeliz do meu amigo Adolfo serviu para lhe dar uma triste filosofia a respeito de amores. Jurou não casar...

— E onde escreveu esse juramento?

— Não acredita que ele o cumpra? — perguntou sorrindo o marido de Leopoldina.

— Francamente, não — respondeu Miloca.

Dias depois levou o deputado a casa o seu amigo Adolfo e o apresentou às duas senhoras. Adolfo falou a Miloca como pessoa de seu conhecimento, mas nenhuma palavra ou gesto revelou aos donos da casa o sentimento que ele tivera outrora. A mesma Miloca compreendeu que tudo estava extinto no coração do rapaz; mas não era fácil reviver a chama apagada? Miloca contava consigo, e reuniu todas as suas forças para uma luta suprema.

Infelizmente era verdade o que dissera o marido de Leopoldina. Adolfo parecia ter mudado completamente. Já não era o rapaz afetuoso e tímido de outro tempo; mostrava-se agora gelado em coisas do coração. Não só o passado estava extinto, como nem era possível criar-lhe nenhum presente. Miloca compreendeu isto no fim de alguns dias, e todavia não desanimou.

Animou-a nesse propósito Leopoldina, que percebeu a tendência da amiga para o rapaz sem todavia conhecer uma sílaba do passado que havia entre ambos. Miloca negou a princípio, mas conveio-lhe dizer tudo, e mais do que isso, não pôde resistir, porque ela começava a amar deveras o rapaz.

— Não desanimes — lhe disse a amiga —; estou que hás de triunfar.

— Quem sabe? — murmurou Miloca.

Esta pergunta foi triste e desanimada. Era a primeira vez que ela amava, e isto lhe pareceu uma espécie de castigo que a Providência lhe infligia.

— Se ele me não corresponder — pensava Miloca —, sinto que serei a mais desgraçada de todas as mulheres.

Adolfo percebeu o que se passava no coração da moça, mas pensou que era menos sincero o afeto que ela nutria. Quem lhe pintou claramente a situação foi o marido de Leopoldina, a quem esta havia contado tudo, com a certeza talvez da indiscrição dele.

Se Adolfo ainda a amasse, seriam ambos felicíssimos; mas sem o amor dele que esperança teria a moça? Digamos a verdade toda; Adolfo era em toda a extensão da palavra um rapaz cínico, mas cobria o cinismo com uma capa de seda, que o fazia apenas indiferente; de maneira que se algum raio de esperança podia entrar no ânimo de Miloca bem depressa se lhe devia esvaecer.

E quem arrancará a esperança de um coração que ama? Miloca continuava a esperar, e de certo tempo em diante alguma coisa lhe fazia crer que a esperança não seria vã. Adolfo parecia começar a reparar nela, e a ter alguma simpatia. Estes sintomas foram crescendo a pouco e pouco, até que Miloca teve um dia certeza de que o dia da sua felicidade estava próximo. Contara com a sua admirável beleza, com os vivos sinais do seu afeto, com algum germe do passado não de todo extinto no coração de Adolfo. Um dia acordou confiada de que todas estas armas lhe haviam dado o triunfo.

Não tardou que começasse o período epistolar. Seria coisa fastidiosa reproduzir aqui as cartas que os dois namorados trocaram durante um mês. Qualquer das minhas leitoras (sem ofensa de ninguém) conhece mais ou menos o que se diz nesse gênero de literatura. Copiarei todavia dois trechos interessantes de ambos. Seja o primeiro de Adolfo:

... Como poderia crer que eu houvesse esquecido o passado? Doloroso foi ele para mim, mas ainda mais que doloroso, delicioso; porque o meu amor me sustentava naquele tempo, e eu era feliz, posto não fosse amado. A ninguém mais amei senão a ti; mas confesso que até há pouco, o mesmo amor que te votei outrora já havia desaparecido. Tiveste o condão de reavivar uma chama já apagada. Fizeste um milagre, que eu tinha por impossível. E confesso hoje, confesso sem hesitação, que tu vieste acordar um coração morto, e morto por ti mesma. Bem hajas tu! teu, serei teu até a morte!...

A estas calorosas expressões, respondia Miloca com igual ardor. De uma de suas cartas, a quinta ou sexta, copio estas palavras:

... Obrigada, meu Adolfo! tu és generoso, tu soubeste perdoar, porque soubeste amar outra vez aquela a quem devias ter ódio. Bem cruel fui eu em não conhecer a grandeza de tua alma! Hoje que te compreendo, choro lágrimas de sangue, mas ao mesmo tempo agradeço ao céu o ter-me dado a maior ventura desta vida, que é lograr a ventura que uma vez se repeliu... Se tu soubesses como eu te amo, escrava, pobre, mendiga, castigada por ti e desprezada por ti, amo-te, amar-te-ei sempre! etc. etc.

Numa situação como esta, o desenlace parecia claro; nada obstava que se casassem dali a um mês. Miloca era maior e não tinha nenhum parente. Adolfo era livre. Tal era a solução prevista por Leopoldina e seu marido; tal era a de Miloca.

Mas quem sabe o que nos guarda o futuro? E a que desvairamentos não arrasta o amor quando os corações são fracos? Um dia de manhã Leopoldina achou-se só; Miloca tinha desaparecido. Como, e por quê, e de que modo? Ninguém o soube. Com quem desaparecera, soube-se logo que fora Adolfo, que não voltou à casa do deputado.

Deixando-se arrastar pelo rapaz a quem amava, Miloca apenas consultou o seu coração; quanto a Adolfo, nenhuma ideia de vingança o dominara; cedeu a sugestões de libertinagem.

Durante cerca de um ano, ninguém soube dos dois fugitivos. A princípio soube-se que estavam na Tijuca; depois desapareceram dali sem que Leopoldina alcançasse a notícia deles.

Um ano depois do acontecimento narrado acima, reapareceu na corte o fugitivo Adolfo. Correu logo que vinha acompanhado da interessante Miloca. Casados? Não; e esse passo dado no caminho do erro foi funesto à ambiciosa moça. Que outra coisa podia ser? O mal engendra o mal.

Adolfo parecia estar aborrecido da aventura; e todavia Miloca ainda o amava como no princípio. Iludiu-se a respeito dele, nesses últimos tempos, mas afinal compreendeu que entre a atual situação e o fervor dos primeiros dias havia um abismo. Ambos arrastaram a cadeia durante um ano mais, até que Adolfo embarcou para Europa sem dar notícia de si à infeliz moça.

Miloca desapareceu tempos depois. Uns dizem que se fora à cata de novas aventuras; outros que se matara. E havia razão para ambas estas versões. Se morreu, a terra lhe seja leve!

Jornal das Famílias, *novembro-dezembro de 1874 e janeiro-fevereiro de 1875*; J. J.

Valério

I

Valério era fluminense; veio à luz com a revolução de 1831. O pai estava no campo, enquanto ele nascia humildemente, entre as lágrimas de sua mãe e os cuidados de uma velha comadre. Quando o pai voltou a casa, encontrou esse aumento na família. Beijou o filho, consolou a mulher, comeu alguma coisa, e foi passar a noite num dos clubes do tempo.

A paternidade é anterior à sociedade; mas os amores novos fazem esquecer os velhos, e a paixão política domina, em certos casos, os primeiros instintos da natureza.

Nascido entre lágrimas, foi Valério criado entre penas. O pai, que era um pobre militar, não tinha recursos de sobra para deixar à família, e morreu pouco depois da revolução. A mãe educou como pôde o pequeno até a idade de sete anos; a pobre senhora morreu sem poder vê-lo num colégio. Valério passou então à casa do padrinho, que era um general conhecido naquele tempo por suas façanhas e mentiras, mas no fim de contas boa alma e amigo de servir. O general mandou ensinar ao afilhado os primeiros rudimentos da língua e um pouco de latim. Vendo os progressos do pequeno, determinou mandá-lo estudar direito, e nesse propósito estava quando faleceu sem testamento. Os poucos bens que tinha caíram nas mãos dos parentes, e Valério ficou senhor das calçadas da rua, na idade de catorze anos.

Como não é nossa intenção contar dia por dia a vida do rapaz, corramos um véu sobre os acontecimentos da sua adolescência até encontrá-lo em 1861, com trinta anos de idade, sem mais fortuna do que quando nascera, nem recurso certo para ocorrer às necessidades da vida. Tentara estudar direito, mas não conseguira alcançar os meios precisos para um curso regular. Não tinha ofício nenhum, e tinha coisa pior, que era ser incapaz de adotar qualquer ofício manual não só porque não o arrastava para aí a vocação, como porque, sentindo-se apto para uma carreira literária, temia perder a sua utilidade no mundo, adotando um meio de vida em que nada podia fazer.

Desistiu do intento de estudar direito; fechou os livros numa caixa, e contentando-se com o pouco que sabia de latim, geografia e história, entregou-se todo aos dois empregos de que tirava escassos recursos: escrevente de cartório e revisor de provas de tipografia.

Não consta em memória de homem que estes dois empregos tenham dado grandes rendas a quem os exerce. Valério vivia pobremente; recebia um mesquinho ordenado da tipografia e cobrava pela rasa o trabalho do cartório. De quando em quando algum translado de inventário lá lhe dava com que comprar um paletó. Mas, como nem sempre havia translado, nem sempre havia paletó novo. Os cotovelos, amigos da liberdade, operavam-lhe às vezes soluções de continuidade nas mangas. Nem era raro ver um botão solitário na cintura, tendo o outro caído de velhice.

Uma das coisas que Valério estudara com proveito era a gramática portuguesa. Por isso, sabendo que vagara uma cadeira de gramática num colégio público, Valério propôs-se à cadeira, e foi pedi-la ao funcionário competente. A cadeira foi dada a outro peticionário que escrevera nestes termos ao diretor: "Não consta-me que haja candidato sério ao lugar que vagou nesta escola. Desejava consultar vossa excelência a respeito".

Valério contentou-se com a tipografia e o cartório. Dividia o tempo entre esses dois empregos, e o pouco que lhe restava mal chegava para dormir. Ocupava um aposento numa casa da rua das Flores e facilmente se imaginará que o aposento não primava pelo luxo. O mesmo espaço servia de sala e alcova; a mobília era escassa e pobre.

Tal era a vida de Valério aos trinta anos; abundância de apetite e escassez de jantares, isso e a segunda classe de Chamfort; muito trabalho e pouquíssimos recursos. Nulo passado, escasso presente, tristíssimo porvir. Quando Valério meditava sobre as condições da sua existência, a sua mocidade sem risos, o seu futuro sem esperanças, lançava um olhar melancólico para o suicídio, como a solução razoável do problema da vida, e perguntava entre si se a moral que desarma o braço do homem não era simplesmente uma moral de convenção. Imediatamente, porém, volvia a sentimentos melhores; encarava severamente a responsabilidade que lhe corria de carregar a vida dignamente, sem violência nem rebeldia; adiava o suicídio para o próximo desânimo.

Contribuíam para esta filosofia severa algumas horas de ambição e devaneio, em que Valério esquecia provas e translados, e lançava o espírito por esses espaços fora em busca de felicidades sonhadas e imaginadas grandezas. Não tinha objeto sua ambiciosa imaginação: ora vivia uma vida de amores, ora ocupava um trono de glória; agora imaginava-se Petrarca, mais tarde acreditava-se Pitt; construía castelos no ar, embriagava-se com perfumes do Oriente, dominava as turbas pasmadas, vivia um romance e repousava na história.

Quando descia dessas alturas vertiginosas, Valério tinha ao menos esquecido a miséria atual, porque sonhar é esquecer, e esquecer é muita vez toda a felicidade da vida.

II

Costuma a fortuna complicar estas misérias com amores impossíveis; desta vez foi propícia, arredando do rapaz qualquer dessas aventuras que pudessem agravar-lhe o mal. Além disso, Valério era um tanto artista e poeta na maneira de apreciar as mulheres; amaria Safo, porque era musa — desdenharia a princesa de Talleyrand, apesar de formosa, porque era parva. Queria as mulheres inteligentes e instruídas — não as mulheres sabichonas, que é a pior casta de mulheres deste mundo, e Valério odiava o pedantismo, qualquer que fosse o seu sexo.

Odiar o pedantismo é entrar em luta com uma boa parte da gente que neste mundo dá cartas. Valério conheceu praticamente esse mal uma vez que sorriu à socapa, ouvindo no Carceller, onde almoçava, um doutor entre doutores. O orador de café percebeu o sorriso do estranho, levantou-se e disse-lhe dois impropérios literários, que Valério suportou com uma paciência mais estoica que evangélica, porque não era humilde, senão filósofo.

O incidente não alterou as opiniões do escrevente de cartório; pelo contrário, confirmou-lhas.

Não encontrara até então nenhuma mulher nas condições em que ele a desejava, e se encontrasse seria o remate do seu infortúnio. Ainda quando viesse a ser amado por ela, que futuro podia oferecer-lhe um pobre rapaz sem eira nem beira, sem proteção nem amizade neste mundo?

Pensava em tudo isto Valério, e, se tinha em si mundos de ternura, recalcava-os no mais íntimo do coração. Como não frequentava nenhuma casa, não tinha ocasião de ser tentado pelo amor.

Aconteceu uma vez que o escrivão do cartório onde ele trabalhava, reunindo em casa algumas pessoas para jantar e dançar, convidou os seus escreventes, entre os quais o nosso Valério, que recusou o convite. Ofendido no seu melindre de anfitrião, o escrivão franziu a testa e murmurou:

— Está bem.

Compreendeu o pobre escrevente a causa daquele movimento, e não convindo zangar-se com o homem que lhe dava meios de vida, confessou ingenuamente que a causa da recusa era simplesmente uma questão de sapateiro. O escrivão desrugou a testa, meteu a mão no bolso, tirou dez mil-réis e entregou-os ao escrevente, dizendo-lhe:

— Podia dizê-lo logo; sabe que não sou unhas de fome, e além disso temos contas entre nós. Descontaremos isto no translado de falência que lá tem consigo.

Saiu Valério com os dez mil-réis no bolso e dirigiu-se a um sapateiro para munir-se de um par de botas que substituísse os sapatos velhos que fingiam calçar-

-lhe os pés. Ia pensando no aborrecimento que lhe causaria passar a tarde e a noite em casa do escrivão, sem conhecer ninguém, quando foi detido por um indivíduo que lhe disse:

— Ia agora mesmo procurá-lo. Quando me dá aquela continha?

A continha de que falava o sujeito era o resto de um paletó que Valério comprara quinze dias antes: cinco mil-réis.

Valério balbuciou algumas palavras de desculpa, e o indivíduo acostumado a ouvi-las de muita gente não se abalou com elas, e insistiu na pergunta. No fim de dez minutos, o devedor não tinha conseguido abalar o credor, puxou do bolso a nota de dez mil-réis e com ela pagou os cinco que devia.

Estava, pois, reduzido a cinco mil-réis. Não era difícil comprar com esse dinheiro um par de sapatos, nem os seus eram de maior preço. Dirigiu-se a um sapateiro de décima classe, e aí mercou um par de sapatos de bezerra, que o sapateiro afirmava serem novos, mas que Valério supôs terem já alguma experiência do mundo e das calçadas. Com um bilhete de gôndola, perdido no bolso do colete, pagou Valério a um barbeiro que lhe limpou a cara; depois foi vestir-se como pôde, e às quatro horas estava em casa do escrivão.

Sabem todos com que cara aparece um homem quando vai pela primeira vez *dans le monde*. O acanhamento é visível; não dá um passo que não olhe para todos; esconde-se voluntariamente e sempre que pode. Valério estava nessa situação, acrescendo que o seu vestuário aumentava o contraste da sua pessoa no meio da sociedade em que se achava. Não havia luxo nem elegância nas pessoas convidadas pelo escrivão; a reunião era familiar, e o escrivão não estava em grandes relações com Botafogo. Mas, apesar de tudo, havia entre a sociedade e Valério um abismo. O escrivão recebeu o rapaz com certa afabilidade de superior, que mostrava da parte do homem um vício de educação ou de caráter — porquanto o escrevente do cartório era um convidado da casa, e, como tal, estava nivelado com os outros. Nem o escrivão notava essa diferença nem Valério deu por ela; o cumprimento do escrivão causou grande prazer ao rapaz, que já estava embaraçadíssimo quando se viu alvo dos olhares das moças e dos rapazes.

O jantar foi animado, e Valério achava-se satisfeito vendo a alegria dos outros. Dentro de uma hora cederam os estômagos a palavras e às línguas, e começou uma série de brindes ao dono da casa que foi designado por várias metáforas descabeladas, entre outras a de um funcionário municipal que lhe chamou camarista de Têmis. O escrivão sorriu com um ar de quem ignorava o que era Têmis; mas a palavra camarista soou-lhe bem ao ouvido. O orador de sobremesa é um tipo universal; entre nós tem já alcançado uma posição sólida e brilhante. Valério que não conhecia o tipo, admirou muito a loquela dos oradores e a compridez dos *speechs*, e mais ainda os aplausos e risadas dos circunstantes, conforme os discursos fossem patéticos ou gaiatos. Todos tiveram parte nas saúdes; e o último brinde foi levantado pelo escrivão, que falou nestes termos:

— Meus senhores! Se há na vida de um homem instantes de felicidade é certamente este em que os amigos se reúnem à roda de nós, para cumprimentar-nos e partilhar conosco as afeições sinceras e profundas. (*Muito bem!*) Folgo de ver-vos esquecer outros cuidados para entregar-vos todos a festejar o meu dia, que, como é natural e usual na sociedade, é o primeiro dia da existência, desta existência, senhores, que apesar de amaldiçoada, é sempre cara ao nosso coração, cara, repito, principalmente quando os amigos nos servem de lenitivo. Eu bebo aos meus amigos.

Cada um bebeu à sua saúde e preludiou-se a debandada. Seguiu-se mais tarde um pequeno concerto em que um flautista arrebatou o auditório tocando umas variações sobre o já secante *Carnaval de Veneza*; e às nove horas começou a primeira quadrilha.

Valério foi simples espectador do baile; não sabia dançar, nem que soubesse não dançaria logo da primeira vez que se achava em sociedade. Encostou-se a uma porta que dava para a sala e contemplou os movimentos de toda aquela gente alegre. A única pessoa, que, apesar de tudo, estava um tanto inquieta, era o dono da casa. Esperava um convidado que não viera. Um convidado que era a verdadeira cúpula do edifício festival, o coronel Borges, militar reformado, ex-deputado, ex-quase-ministro, figura que devia impor à reunião e levantá-lo muito alto no ânimo dos convidados.

O tempo corria com essa rapidez máxima que costuma ter em certas ocasiões, e o escrivão, semelhante à célebre esposa do conto, perguntava à irmã Ana, que era neste caso um moleque, se não via *rien venir là-bas*.

Nesta ânsia foram ouvidas as dez horas.

III

Às dez e meia apareceu o coronel Borges acompanhado da família, que se compunha da mulher, senhora de quarenta e cinco outonos, e de uma filha, menina de dezoito primaveras. O coronel pertencia a essa classe indefinível de homens que estão entre a primavera e o outono, nem velhos, nem moços, mistura de Saturno e Antínous.

O escrivão recebeu o coronel com vivas demonstrações de amizade e respeito, às quais o coronel respondeu com esse ar solene e grave das capacidades e das nulidades. A entrada dos novos convidados fez impressão na sala; sentia-se a superioridade social do homem que, além do mais, tinha a ventura de ser pai de uma formosíssima filha. Os rapazes sufocaram na garganta um grito de admiração; e as moças disfarçaram um gesto de despeito.

Valério deu lugar a que passasse a família; a filha do coronel passou rente com ele. Ia cheia de perfumes e bálsamos; o rapaz respirou-lhos sem querer, e pela primeira vez sentiu a vertigem que pode causar uma mulher quando sabe escolher os aromas do seu uso. Não lhe escapou a pasmosa beleza da moça. Acompanhou com os olhos aquela figura elegante como uma palmeira, flexível como um junco, temperada com a graça do gesto e a soberania do porte. A moça sentou-se entre a mãe e a senhora do escrivão. Pôde ser contemplada a gosto por todos. Era excessivamente clara, uma dessas brancuras de mármore, aspecto de estátua onde se não supõe haver coração. Tinha olhos negros, plácidos, embora rutilantes, resguardados por longos cílios que ela às vezes apertava, menos por defeito de vista que por sestro. Penteava-se segundo a moda do tempo, mas sem afetação. Sorria discretamente, e quanto bastava para mostrar duas ordens de dentes corretos e alvos. O seu vestuário não exagerava a moda corrente, mas era luxuoso e perfeitamente acomodado à elegância das suas formas.

Valério contemplava admirado a beleza da moça e o mesmo faziam os demais rapazes, que já se preparavam para suplicar-lhe a honra de dançar uma polca ou uma quadrilha. Parece que a rapariga estava acostumada àqueles triunfos, porque apenas se sentou, correu os olhos pela sala sorrindo com um ar de satisfação íntima; a mãe também se alegrou, e quanto ao pai, depois de conversar um pouco com alguns sujeitos a quem conhecia, foi para o interior da casa a convite do escrivão, que queria obrigá-lo a comer uns acepipes expressamente preparados para esse fim.

Não tardou que a filha do coronel dançasse, e Valério pôde admirar-lhe a graça, a reserva, a elegância dos seus movimentos. O pobre escrevente não lhe tirava os olhos de cima; duas ou três vezes encontraram-se os seus com os dela; Valério corava de vexado, como se o surpreendessem a cometer um crime. Quanto à moça, não se perturbava nem parecia zangar-se; olhava também para Valério com um olhar longo e tranquilo. O rapaz chegou a supor que era um movimento de simpatia, e Deus sabe que sonhos não lhe passavam então pelo espírito atordoado; a verdade, porém, é que a moça gostava de ser admirada; era uma dessas belezas capazes de vender o patrimônio do amor por um prato de admirações.

À meia-noite foi servida uma ceia volante; Valério deixou discretamente o seu posto e foi para dentro descansar e comer alguma coisa. Confessou de si para si que estava com fome. Sentou-se ao pé de uma mesa pequena, recebeu de um criado uns pastelinhos, e começou a ruminar tranquilamente. Cumpre acrescentar que ao bom do rapaz repugnou ver comer a jovem rainha da noite. Era escrúpulo de calouro. É mais poético não assistir à operação dos queixos quando se ama a uma mulher, mas — ai triste! — nem por isso fica suprimida a operação. O estômago não tem sexo; e a natureza tem exigências fatais. Aqueles lábios, que nos parecem exclusivamente feitos para risos e beijos, são a entrada indispensável de covilhetes e pastéis. É possível que na próxima edição da obra, o autor da criação corrija esse gravíssimo ponto; mas por enquanto a obra há de ser lida assim... ou morre de traça nos livreiros.

Perto do escrevente estavam algumas pessoas, ocupadas também em dar que fazer ao estômago, exceto o coronel, que tendo já comido, conversava paternalmente com o escrivão e mais dois sujeitos.

— E quando se publica esse folheto? — perguntou o escrivão.

— Creio que breve — respondeu o coronel —; o autor, que, como lhe disse, é meu amigo íntimo, promete que dentro de uma semana estará à venda.

— Estou ansioso por ver isso! — exclamou um velho com feições de militar — ataca o governo?

— Se eu lhe digo que é uma filípica! — tornou o coronel. — É um opúsculo de fazer época.

— Disso precisamos nós.

Os ímpetos de oposicionista do militar não agradavam ao escrivão, que tinha filho em não sei que secretaria de Estado. Por isso tratava de desviar a conversa do assunto do opúsculo.

— Sempre queria vê-lo dançar, coronel!

— Qual! já não é para mim.

— Como se chama o opúsculo? — perguntou o militar.

— Não sei se devo confiar tanta coisa; o autor não me autorizou... mas... é verdade que daqui uma semana... chama-se o opúsculo: *Abaixo as máscaras!*

— Magnífico! magnífico título! — exclamou o militar.

Ouvindo o título do opúsculo, Valério estremeceu, e prestou à conversa mais atenção do que até ali. O velho militar continuou a elogiar o título, e insistiu com o coronel para que dissesse onde poderia ir comprar o opúsculo quando ele aparecesse.

— Suponho que em todas as livrarias; mas, se quer eu lhe arranjarei um e mandar-lho-ei antes de publicado.

— Tanto favor! A obra é bem escrita?

— Dizem que sim; eu não entendo de estilos.

Sem medir todo o alcance da inconveniência, Valério interrompeu a conversa dizendo:

— Entendo eu um pouco; e acho que o estilo do opúsculo de que se trata é excelente.

Houve um súbito silêncio logo depois das palavras do escrevente. O escrivão fez uma careta de desgosto vendo que Valério se intrometia aonde ninguém o chamara; e o coronel, disfarçando quanto podia um sorriso delator, perguntou ao vizinho quem era aquele sujeito; o vizinho disse que o não conhecia. O coronel voltou-se para Valério.

— Conhece então a obra? — perguntou-lhe.

— Conheço.

— Conhece o autor?

— Não, senhor.

— Então, houve traição...

— Não, senhor; eu sou revisor de provas na tipografia onde se está imprimindo o folheto.

Novo silêncio e mais prolongado. O escrivão tinha a cara mais vermelha que um pimentão; se um olhar fulminasse, Valério já não era gente, pois o que o escrivão lhe lançou continha raios de raiva, despeito, nojo. Traduzido em vulgar, o olhar do escrivão queria dizer:

— Pois este pelintra vem ter a honra de jantar comigo, ver dançar os outros, estar aqui confundindo com pessoas de certa ordem, e se há de ouvir e calar, responde quando ninguém lhe pergunta, e por fim de contas, confessa-se revisor das provas!

Valério não viu o olhar do escrivão, nem compreendeu o silêncio de todos.

— Gosto imenso do estilo do folheto, e creio que há de fazer época.

— Eu assim penso — disse o coronel sorrindo para Valério —; mas, quem assim fala e julga, não é decerto um simples revisor...

— Sou também escrevente no cartório do senhor Z.

— Ah! Escrevente e revisor! mas não é isso bastante; vejo que tem humanidades... estudou...

— Muito pouco... e há muito tempo.

— Mas tem o gosto apurado...

— Não sei; eu digo o que me parece.

— Descontaremos a modéstia — disse o coronel —; vejo que tem certos estudos... Quer um charuto?...

— Não fumo...

— É um vício; corrija-se dele. Charutos, meus senhores?... Hoje fuma-se por toda a parte... Pensa então que o folheto tem bom estilo?

— Excelente.

— É a opinião de algumas pessoas que leram o folheto; eu confesso, de estilos não sei.

— Nem eu — disse o militar.

A situação de Valério estava um pouco salva; a bondade com que o coronel tratava ao escrevente teve o dom de acalmar os furores do escrivão que já trocava palavras com o rapaz; e quando viu levantar-se o coronel de braço com Valério, a indiferença do escrivão tornou-se em viva simpatia.

Valério pôde contemplar ainda durante meia hora a interessante filha do coronel, que durante essa noite dançara alegremente como quem não tem cuidados no futuro nem saudades do passado.

Depois de despedir-se do escrivão, o coronel apertou a mão do escrevente, dizendo-lhe:

— Não se esquece?

— Não, senhor.

— Número catorze.

Ninguém ouviu estas palavras do coronel ao rapaz; mas o escrivão adivinhou que alguma coisa íntima se passara entre o rapaz e o coronel.

— Cultive esta amizade — disse o escrivão a Valério, quando o coronel saiu —; é um excelente homem e dotado de uma inteligência brilhante; frequente esta roda, que vai bem.

IV

O coronel Borges possuía alguns cabedais, bastante para sustentar a casa e deixar patrimônio à família. A sua principal paixão era a política; era esse verdadeiro pão cotidiano que ele pedia a Deus com heroica humildade. Se lhe tirassem a política do mundo, o mundo ficaria um ermo. A política era para ele o sol do mundo moral; quando a política desaparecesse começaria a morte. Nesse caso, dizia ele, poderei dormir. Pessoas de algum juízo afirmavam que, antes que a morte viesse, o coronel dormiria, e essa realidade era a maior dor que ele poderia ter.

Não nos enganemos, entretanto. A política do coronel não existe nos livros de Montesquieu nem Maquiavel; tinha outros códigos; a outras leis obedecia. A política do coronel começava no subdelegado e acabava no coronel. Uma remoção de comarca valia para ele um princípio. A Guarda Nacional e a polícia eram para ele toda a opinião pública. Sorria com desdém quando lhe falavam de outras coisas que não fossem estas coisas práticas. Escudado no axioma que diz que a política é uma ciência de aplicação, o coronel tinha mais respeito a um juiz municipal que a um artigo de lei, porquanto a lei era o tema e o juiz municipal a imagem da aplicação.

Na câmara fez um papel de mudo; mas o seu ar de gravidade era respeitado como um sintoma de sabedoria. Aplicava muitas vezes esta resposta de Sólon a Pariandro: "Não sabes tu que é impossível ao tolo calar-se durante um festim?". O parlamento, no juízo dele, era o festim da opinião, e se era verdade, como ele dizia, que a opinião estava na política, podemos sem afronta da lógica compará-lo a um covilhete. Covilhete sou, responderia o homem, mas para a boca dos meus adversários, que me hão de engolir quer queiram quer não.

Não falava nem escrevia. Os amigos políticos ofereceram-lhe um lugar numa gazeta; recusou. Estranharam-lhe a recusa; por que motivo recusava ele a tribuna e a imprensa? Explicou-se, dizendo que não tinha os talentos requeridos. Ninguém aceitou a explicação; atribuíram-lhe a virtude da modéstia. O deputado sorriu. O sorriso é a elasticidade aplicada à conversação; diz tudo e nada; isto e aquilo; o mau e o bom; confessa e nega; aceita e recusa.

Deixou o parlamento sem fazer manifestação nenhuma; mas ficou-lhe a reputação de homem de bom conselho, qualidades políticas, gravidade de pensar, e recolheu-se à tenda, como Aquiles, disposto a não sair dela sem que lhe matassem um Pátroclo. Aconteceu justamente que um parente da mulher recebeu garrote do governo, e o sangue dessa vítima, que gozava de perfeita saúde, reclamou vingança imediata. Pegou na pena e escreveu um livro de duzentas páginas em que dizia coisas do arco-da-velha ao governo e ao país. Quis conservar o mais restrito incógnito; mandou o folheto à imprensa por mão de seu sobrinho, a quem confiou a direção do preparo tipográfico; e aguardava ansioso o dia em que aparecesse a obra e fizesse pasmar o mundo literário.

— Olha lá, meu André — dizia-lhe a esposa —, não te vás meter em trabalhos...

— Que trabalhos, Luísa?

— Eu sei! Descompor o governo! Não te podes arriscar a ser preso?

— Isso não me há de acontecer, por desgraça minha! Obter a palma do martírio! Não, não sou tão feliz!

Benzeu-se a esposa, que era temente a Deus e à polícia, enquanto o coronel mandava para a tipografia as provas que o sobrinho lhe trouxe.

Aguardava-se a publicação da obra, que, na opinião do autor, era uma colubrina de bronze coado, quando se deu o sarau do escrivão e o encontro de Valério. O escrevente prometera lá ir à casa do coronel no dia seguinte, e assim o fez, depois dos trabalhos da imprensa, que terminaram pelas sete ou oito horas.

No cumprimento exato da promessa, influiu acaso a filha do foliculário? Indo à casa do coronel, Valério levava a esperança de avistar-se com a moça? Para ser verdadeiro, devo dizer que não. Era talvez mais poético que assim fosse; mas não era a ideia do rapaz. Valério fazia justiça à sua posição, que era nenhuma. Não nutria a esperança de merecer da moça um momento de atenção; demais a impressão da noite anterior, conquanto fosse viva, passara depressa, do mesmo modo que se esvoam os sonhos da sorte grande ao proletário que não tem com que comprar um bilhete.

Digamos a verdade toda.

Valério foi exato na execução da sua palavra pela esperança de que o coronel viesse a protegê-lo, e as palavras do escrivão influíram também para isso. Na situação em que se achava, queria mão que o levantasse, amigo que o protegesse. Não tinha mão nem amigo. O coronel pareceu-lhe homem talhado para ajudar um rapaz laborioso e pobre. Valério não quis repelir aquele auxílio da fortuna.

Recebeu-o alegremente o coronel.

— Bem-vindo seja, meu amigo — disse-lhe ele, convidando-o a entrar para a sala. — Cuidei que não viesse.

— Bem sei que é um pouco tarde — respondeu o escrevente —, mas só agora acabei o trabalho.

— Não é por isso... Pensei que não viesse, porque não supunha que um pedido meu pudesse trazê-lo cá tão cedo.

Valério fez um gesto; o coronel interrompeu-lho:

— Já sei o que me vai dizer, e eu, por exceção, creio no seu protesto. Não falemos nisso. Diga-me: toma chá comigo, não?

— Não posso, senhor coronel.

— Por quê?

— Tenho um trabalho urgente.

— Ainda hoje?

— Sim, senhor.

— Trabalha muito!

— Assim é preciso.

— Pois trabalhará até mais tarde; mas por hoje é meu.

Valério não respondeu, ainda que contrariado com o obséquio. Quanto ao ex-deputado, entrou logo a falar no opúsculo que devia aparecer dentro de oito dias, e de novo perguntou se o achava bem escrito. Ouvida a confirmação de Valério, o coronel não se deteve; e confessou-lhe que era o autor. Valério já devera tê-lo percebido, mas o rapaz, apesar dos trinta anos feitos, era de uma ingenuidade pueril. Cumprimentou o coronel pela obra, e o coronel sorriu com ar de satisfação.

Entrou a conversa pela política dentro. Valério de política apenas sabia alguma coisa que lia nos jornais do Carceller quando lá ia almoçar. Mas era fácil conversar com o coronel; fazia-se o papel de confidente. Tão reservado era o ex-deputado na rua e na câmara, como expansivo em casa, principalmente quando o auditório não lhe parecia nímio instruído.

Veio uma mucama dizer que o chá estava pronto.

Quando Valério e o coronel entraram na sala de jantar, já lá estavam sentadas a sra. d. Luísa e a menina Hélvia. O coronel fez uma apresentação geral do conviva, que não deixou de estremecer quando encontrou os olhos da moça. Esta fitou tranquilamente os seus no rapaz, e pareceu conhecê-lo; fez um esforço de memória e lembrou-se de tê-lo visto na véspera na casa do escrivão.

Nenhum incidente perturbou este chá patriarcal entremeado de observações políticas do coronel e vagos suspiros da filha. A sra. d. Luísa, sabendo, na conversa, que Valério nascera no dia da revolução de abril, contou uma anedota do tempo, e o coronel aproveitou o ensejo para dizer a sua opinião sobre a revolução. Hélvia pouco falou; comeu um biscoito, bebeu uma xícara de chá, olhou três vezes para Valério e pediu licença à mãe para levantar-se por ter dor de cabeça. Concedeu-lha a boa senhora, enquanto o coronel sorria maliciosamente à parte.

Pouco depois retirou-se Valério, mas só depois de prometer ao coronel que o iria ver no dia seguinte de manhã. Foi com efeito no dia seguinte à casa do coronel; eram oito horas da manhã.

— Sabe o que eu desejo? Conheci que o senhor é moço inteligente; queria incumbi-lo da leitura das últimas provas do meu folheto... dando-lhe autorização para emendar o que lhe parecer, porque eu escrevi aquilo à pressa, e agora tenho muitas coisas que me tomam o tempo.

— Com muito prazer — respondeu Valério —, mas eu não creio que se deva emendar mais nada.

— Pode haver, pode haver — insistiu o coronel. — Eu tinha encarregado desse trabalho aquele moço que lá ia, e que é meu sobrinho; mas houve um desacordo de família, e agora... Estamos entendidos?

— Estamos.

V

No dia em que o folheto apareceu, o coronel passou toda a manhã na rua do Ouvidor, conversando com algumas pessoas a respeito do acontecimento do dia. O acontecimento até então estava na imaginação do autor da obra; nas vidraças do Garnier e do Laemmert alguns exemplares, ainda virgens, solicitavam os dois mil-réis dos passantes; o título era auspicioso; os exemplares começaram a correr o mundo. Mas poucos tinham tido tempo de folhear apenas algumas páginas.

Valério viu de longe o coronel, que conversava num grupo; o coronel viu-o também; o rapaz sorriu e caminhou para lá, mas o foliculário ocultou a cara e encostou a boca ao ouvido de um dos circunstantes.

Valério passou sem parar.

Quando à noite, segundo promessa anterior, o revisor se apresentou em casa do coronel, disse-lhe este:

— Olhe, hoje vi-o de longe, e fingi que o não via. Não é conveniente que pareça conhecer-me; eu estou vendido aos deuses infernais.

— Mas que me importa que saibam da honra que vossa excelência me dá? Eu não tenho nada com o governo...

O coronel abanou a cabeça.

— Quem pode afirmar isso? — disse ele. — Aceite o meu conselho; quando me vir, finja que me não conhece; senão pode ficar comprometido.

Valério prometeu por condescendência. No meio da conversa suspeitou que o conselho do coronel fosse uma evasiva, e que o único desejo dele fosse não manifestar em público as relações que tinha com o escrevente revisor de provas. Mas achou pueril esta razão.

O folheto fez alguma impressão; daí a seis ou sete dias apareceram dois artigos no *Jornal do Commercio* refutando as asserções do folheto. O autor esfregou as mãos; a mulher abanou a cabeça com tristeza. Quando Valério lá apareceu, disse-lhe o coronel:

— Viu como me esfolam hoje?

— Vi, senhor coronel. Vossa excelência responde?

— Sem dúvida; e estava justamente agora a acabar umas notas para lhe dar, porque eu ando tão ocupado... Vou dar-lhe as notas, e veja se por elas me faz uma resposta. Realmente é uma maçada... Eu tenho tanto que fazer!... Anda cá ao gabinete.

As notas dadas pelo coronel não valiam coisa nenhuma; mas tendo dito que daria resposta aos dois artigos, foi Valério para casa, trabalhar, depois de tomar chá com o foliculário.

A resposta saiu boa; fez impressão; replicou o escritor governista; treplicou o coronel por boca de Valério; e durante quinze dias teve o público fluminense o seu manjar favorito, que é uma mofina anônima.

Não tardou que Valério compreendesse a causa da amizade do coronel. Evidentemente o homem não escrevia nada, e com certeza não era o autor do folheto. O sobrinho, com quem brigara, era naturalmente o seu secretário; e foi uma ventura encontrar à mão o revisor de provas, porque, em tão melindroso mister, só um homem necessitado e discreto pode substituir um parente amigo.

Tudo isto compreendera Valério, mas para logo refletiu que isso aumentaria a probabilidade de merecer o reconhecimento do coronel, e era justamente o que ele desejava. Refletia mal o rapaz, se contava só com o reconhecimento; era preciso contar também com o medo. Mas Valério não pensou nisso.

Valério encontrara-se muitas vezes com a filha do coronel, e fora dissimulação negar que as graças da moça influíam cada vez mais no ânimo do rapaz. A moça não o amava certamente, nem talvez consentira que ele lho dissesse; mas não recuava quando o rapaz fitava nela os olhos, nem deixava de lhe falar com afabilidade até certo ponto animadora. Hélvia não desprezava nenhum feudo de nenhum regato incógnito.

Este nome de Hélvia, que algum leitor terá achado de mau gosto, fora-lhe posto depois de grave luta entre o pai e a mãe. Queria esta que a rapariga se chamasse Rita, em virtude da devoção que nutria por esse ornamento da corte celeste. O pai, cujos talentos guerreiros não cediam aos talentos políticos, achou que satisfaria a sua consciência dando à filha um nome que resumisse certo caráter belicoso — Joana — em memória da donzela de Orléans. Dizia a mãe que Joana era nome de velha, preconceito este imitado por alguns autores de comédias e romances que só dão às suas velhas uma certa ordem de nomes, como se uma velha não começasse por ser moça e até por ser criança. O pai replicou que, se Joana era nome de velha, Rita era nome de preta. Discutido este gravíssimo ponto, e não chegando os dois a um acordo, foi consultado o padrinho, que serviu de moderador entre as duas opiniões, recusando-as ambas.

— O verdadeiro nome que se lhe há de dar, há de ser Hélvia — disse ele.

— Pior! — exclamou a comadre. — Este nem é nome de gente.

O padrinho era um velho advogado; sorriu com ar de desdém e compaixão, e replicou:

— Não é nome de gente?

Seguiu-se a esta pergunta um movimento oratório de tamanha altura e grandeza, que eu sinto não poder consignar aqui para memória eterna. A conclusão do legista foi a seguinte:

— Hélvia se há de chamar a rapariga, porque foi o nome da maior mulher que honrou a raça humana, mulher imortal que devia ter o busto em todas as cidades e em todos os parlamentos, pois foi ela a autora da maior obra que os séculos ainda conheceram, foi a mãe de Cícero.

D. Luísa não entendeu a tolice do compadre, e achou que nem Cícero nem sua honrada mãe, que Júpiter guarde, vinha nada ao caso da pequena. Todavia, calou-se. Quanto ao coronel não perdeu tão boa ocasião de mostrar a sua eloquência doméstica, e assombrar a mulher com um elogio do orador romano.

Assentou-se que se chamaria Hélvia, e assim se batizou a menina na igreja de Santa Rita. Que dúvida teremos de aceitar o nome da rapariga, se já aceitamos os escritos do pai?

VI

Valério convenceu-se um dia de que não era indiferente à rapariga. Foi o caso que, estando ela uma noite a tocar uma melodia assaz triste, o moço disse ao pai que achava a música lindíssima, e o pai, à mesa do chá, comunicou a opinião à rapariga, que sorriu e concordou com Valério. No dia seguinte, achando-se Valério em casa do coronel, a moça foi logo ao piano e tocou a mesma coisa, e assim o fez mais duas ou três vezes.

A única coisa que fazia espanto ao rapaz era a melancolia da moça. Hélvia falava e ria pouco, e tendo a mãe notado isso em voz alta, compreendeu Valério que a melancolia era recente e alguma coisa havia de ter.

Seria amor por ele? Valério começou a sentir essa doce ilusão, e cem outros incidentes, como o do piano, vieram dar alento ao coração ambicioso do rapaz, sem audiência do juízo que lhe poria veto às esperanças.

Valério entretanto julgava que, se a rapariga lhe aceitasse o amor, fácil seria obter o consentimento do pai. O coronel revelava a todos os instantes que prestava à opinião e ao juízo do moço uma homenagem de respeito. Sem intenção de o dominar, Valério influía no espírito do coronel, a ponto de causar ciúme à mulher, que via levantar-se em frente de si uma autoridade estranha e ilegítima.

Valério era o oráculo de Delfos do coronel, que o consultava a respeito de todas as coisas, até as mais minuciosas. Admirava-se de não ter sido um espírito daqueles aproveitado pelos partidos que acham sempre auxiliares deste gênero, e os empregam com proveito de ambas as partes.

Naturalmente a gravidade muda do ex-deputado foi a sarça ardente que o escondeu aos olhos profanos; e a maleabilidade do homem atravessou incógnita o parlamento.

Resolvera o coronel escrever segundo opúsculo, e Valério foi convidado a redigir as notas esparsas do autor que, a julgar pelo trabalho alegado, era o indivíduo mais laborioso das duas Américas.

— Desta vez — disse o coronel — não é admitido que me recuse pagar-lhe; já não se trata só de artigos, trata-se de um folheto que lhe há de levar tempo.

— Se é com essa condição — respondeu Valério —, não lhe faço o trabalho.

— Mas...

— Tenho dito.

O coronel apertou-lhe a mão com aquela energia de um homem que, inesperadamente, faz uma economia de cem ou duzentos mil-réis.

— O senhor é um homem admirável — disse ele ao rapaz.

— Não me disse que me quer por amigo?

— Sem dúvida.

— Pois deixe-me colher o fruto da amizade, que é servir os amigos.

Começou o rapaz a redigir o novo opúsculo. Valério tinha algumas qualidades de estilo, posto não tivesse estilo feito, nem podia tê-lo, que só o trabalho e a meditação podem provar as prendas literárias. No entanto, era sóbrio, enérgico, claro e animado quando escrevia, e para um folheto político estas qualidades são preciosas. O trabalho ia adiantado, e o coronel já tinha ouvido dois capítulos que julgara excelentes.

Uma tarde, saindo da casa do coronel, aonde fora de passagem, Valério encontrou junto à porta da sala a menina Hélvia, que lhe disse:

— Venha antes de cá estar o papai.

Admirado com estas palavras, Valério não respondeu logo. Contemplava a moça e procurava certificar-se se estava acordado ou sonhando.

Ela repetiu com voz doce e melancólica:

— Vem, sim?

— Venho.

Estendeu-lhe a mão; ela lhe estendeu a sua; apertaram-se com força. Valério desceu a escada como se descesse das nuvens. Quando tornou a si, estava na esquina da rua.

Não era paixão que sentisse pela moça. Alguma simpatia, sim; esboço de amor. No entanto, ouvindo aquelas palavras, viu apresentar-se-lhe uma visão de felicidade; imaginou que a moça ardia por ele; e que há de melhor neste mundo do que ser amado? A vida é tão curta, os homens tão maus, os acontecimentos tão incertos, que uma criatura que nos ama é a imagem da misericórdia de Deus. De quantos ódios, invejas, malquerenças, calúnias não consola o amor de uma mulher? Tudo isso anteviu o espírito de Valério, que foi à tipografia mais leve que um pássaro e cheio de confiança no futuro.

No dia seguinte procurou Valério a hora em que o coronel não estivesse em casa, e, para melhor certificar-se, postou-se à esquina desde as oito horas da manhã. Ali esperou duas longas horas. Tamanha paciência só um amante a teria, a não ser um credor. Às dez horas viu sair o coronel de cabeça alta e brandindo com gesto, que pretendia ser gracioso, uma bengala mais grave que o dono. Valério investiu para a casa.

No corredor estacou.

Qualquer que fosse mais corajoso estacaria também; não se acode a tais entrevistas sem um grande abalo, e não há coragem de Aquiles que não abata as armas ao aproximar-se de uma menina que parece querer amar.

Hesitou se devia subir; a consciência disse-lhe que era talvez inconveniente. Era uma formalidade da consciência; ela bem sabia que não é forte quando está doente do coração. O coração disse ao rapaz que subisse.

O rapaz subiu.

Hélvia, que da janela o vira entrar, já o esperava no patamar.

— Papai saiu agora mesmo — disse ela, entrando com Valério na sala.

— Vi-o sair — respondeu o moço corando muito.

Daquelas duas criaturas a que estava tranquila era Hélvia; a que estava comovida e envergonhada era Valério. Trocavam-se os papéis.

Depois que se sentaram, disse Hélvia:

— Já amou?

A alma de Valério deu um pulo ao ouvir estas palavras. O moço não soube que responder. Fitou os olhos da moça, abaixou-os depois como a donzela que ouve uma confissão de amor. Ela repetiu a pergunta. Valério murmurou:

— Amo.

— Ainda bem! — disse ela. — Compreender-me-á então; só quem amou, compreenderá o passo que dei.

— É inútil defender-se — disse Valério —, eu agradeço-lhe até esse passo.
— Tanto melhor! Obrigada!

Hélvia soltou estas palavras com voz trêmula; duas lágrimas começaram a tremer-lhe nos olhos, eram as avançadas de uma legião de lágrimas que estavam a saltar-lhe e não se detiveram.

Valério levantou-se e correu a Hélvia, quando esta, pondo a cara nas mãos, chorava e soluçava como se uma grande dor lhe apertasse o coração. Animava-se a estátua; aquela que parecia de gelo era de fogo.

Houve um prolongado silêncio. A moça enxugou os olhos, e Valério sentou-se triste. Triste, porque as lágrimas de Hélvia queriam dizer que não se tratava de um amor nascente, mas talvez de um amor contrariado. Compreendeu de um lance que era chamado como salvador; outro talvez se sentisse humilhado; Valério, não. Deixou que a moça pudesse falar e disse-lhe:

— Que posso fazer para que seja feliz?
— Tudo.
— Juro-lhe que o farei.

Hélvia contou então ao rapaz que amava o primo, e era amada por ele; mas que, tendo o pai brigado com ele, lhe proibira voltar a casa e ela perdera a esperança de que o pai consentisse jamais no casamento. Queria que Valério interviesse para que o primo voltasse a casa e se reconciliasse com o coronel. O resto viria por si.

— Há muito que lhe queria falar; mas era impossível. Aproveitei a indisposição de mamãe, que desde ontem está na cama, para lhe dizer isto.

— Por que não me escreveu?

— Não podia, e, ainda que pudesse, não tinha certeza de convencê-lo com algumas palavras frias escritas num papel.

Valério prometeu interceder em favor do namorado proscrito. Para isso tomou informações a respeito do rapaz para ir à casa dele. Depois mudou de plano. Advertiu que entender-se com ele era dar à intervenção um caráter de serviço pouco delicado, e achou melhor servir unicamente à moça, o que lhe parecia mais próprio.

VII

O coronel resistiu ao primeiro ataque.

— Pede-me por um pelintra — disse ele a Valério —, não conhece aquela bisca; é um peralta que me não respeita, e até chegou a ter a petulância de amar-me cá a pequena.

— Está feito, ele é rapaz.

— Pois será, será; mas eu não dou minha filha a um valdevinos daquela laia.

— Mas eu desejava...

— Servi-lo-ei noutra ocasião, isto não.

Valério calou-se; achou melhor adiar o ataque para mais tarde. O coronel ainda falou a respeito do sobrinho, e vendo que Valério nada mais dizia, calou-se também.

Ao cabo de cinco dias resolveu falar-lhe outra vez; mas dessa vez, foi o coronel quem primeiro tocou no assunto.

— Ainda pensa no tratante do meu sobrinho?

— Ainda. E o senhor?

— Eu estou na mesma.

— Perdão, senhor coronel; eu não creio que seu sobrinho mereça ódio; fez algumas extravagâncias de rapaz, mas... é um caráter... quero dizer, é um sobrinho, um parente.

— Veja lá; nem o senhor se atreve a elogiá-lo; apenas o desculpa. Conhece-o bem?

Valério hesitou; o coronel, que fizera a pergunta com intenção de perscrutar de onde vinha o empenho, compreendeu logo que Valério estava influenciado pela filha.

— Conheço-o alguma coisa — disse finalmente Valério —; e não acho que seja um rapaz perdido.

— Há de lá chegar. Não falemos mais nisto.

Valério compreendeu a necessidade de falar ao rapaz, a fim de não comprometer a moça, caso alcançasse a reconciliação. Jaime recebeu-o com alguma indiferença; estimou entretanto que a rapariga tivesse pedido por ele, e disse que a amava loucamente. Este *loucamente* foi dito com a mesma tranquilidade com que ele diria: — Está muito calor!

— Pobre moça! — disse Valério consigo.

O coronel foi o primeiro a renovar o assunto. Outro mais sagaz que Valério, ou mais experimentado, teria compreendido que o coronel estava disposto a reconciliar-se com o sobrinho, e apenas recusava para ser vencido.

Foi o que aconteceu no fim de um mês. O coronel consentiu na reconciliação; e Valério atribuiu isso ao prazer que lhe causou o novo folheto político que lhe levara pronto. Foi Valério quem conduziu Jaime à casa do coronel e assistiu à reconciliação do tio com o sobrinho que foi glacial e indiferente.

Hélvia apertou-lhe a mão com reconhecimento:

— Devo-lhe a vida! — disse ela.

— Eu devo-lhe a felicidade de a ter feito feliz — respondeu Valério.

O moço dizia a verdade. Tinha certa inclinação pela moça; mas os seus sentimentos generosos venceram tudo; e o seu amor nascente desapareceu diante da glória e do prazer de tornar a moça feliz.

Hélvia não perdeu tempo. Disse ao primo que a pedisse ao pai; e este, depois de alguma recusa, mais aparente que real, concedeu-lha.

Nesse ínterim, adoeceu Valério. O casamento efetuou-se quando ele se achava de cama, e no meio da impressão produzida pelo folheto, que ninguém deixou de atribuir ao coronel.

A doença de Valério foi longa e dolorosa; durou uns dois meses; uns vizinhos cuidaram dele e um médico o curou de graça. Quando o rapaz se levantou da cama, foi ao cartório onde lhe disse o escrivão, que tendo admitido outro escrevente por necessidade de serviço, não podia nesse momento admiti-lo, mas que esperasse algum tempo. A tipografia ainda lhe deu algumas provas para ler.

Admirou-se Valério de que o coronel não o procurasse, mas pensou que talvez não soubesse da sua moléstia e o supusesse até indiferente, pois sem razão deixara a casa. Foi procurar o coronel. Achou-o aborrecido e zangado; disse-lhe que estivera doente, ao que o coronel não atendeu muito, sem dúvida por estar preocupado.

A existência do moço tinha agora um caráter sério. Como prover a todas as suas despesas, com o mesquinho ordenado que obtinha da imprensa? Por felicidade disseram-lhe que o coronel aderira ao programa ministerial, mediante o emprego do sobrinho e alguns favores mais. Valério lembrou-se de procurá-lo e dizer-lhe em que posição se achava.

Justamente no dia em que se preparava para isso, um dos vizinhos se lhe apresentou em casa dizendo que fizera alguma despesa com a moléstia de Valério e desejava ser embolsado. Coincidiu isto com a entrada do caixeiro da botica que lhe foi levar uma conta. Ambas as dívidas orçavam por duzentos mil-réis. Onde os iria buscar o rapaz? Prometeu que pagaria as dívidas da moléstia e saiu para imaginar um meio.

Nenhum lhe ocorreu.

O rapaz estava só no mundo.

Só? Lembrou-lhe de repente o coronel; e afoitamente se encaminhou para lá. Expôs-lhe a situação e a escassez de seu emprego, e ao mesmo tempo pediu duzentos mil-réis adiantados.

— Duzentos mil-réis não os tenho comigo — respondeu o coronel. — O casamento de minha filha obrigou-me a muitas despesas; mas daqui a uma semana apareça cá. Quanto ao emprego, falarei ao ministro, mas creio que não é fácil. O governo quer sinceramente economias (o folheto dissera justamente o contrário), e só dificilmente se pode abrir ensejo a um serviço destes. Contudo, confie em mim. Vou ver se lhe posso fazer alguma coisa.

Valério saiu um pouco desanimado, mas, por outro lado, consolado. Tinha certeza de receber os duzentos mil-réis para ocorrer à dívida imediatamente.

No fim de uma semana voltou lá.

O coronel não estava em casa.

Voltou de noite; o coronel mandara dizer que dormia fora.

Zangou-se o rapaz contra o destino; mas resignou-se e no dia seguinte foi à casa do coronel. Não o encontrou. O mesmo aconteceu nos cinco dias seguintes; Valério suspeitou que o coronel não lhe quisesse falar.

Ao cabo de seis dias, encontrou-o no Rocio.

— Que é feito? — disse-lhe o coronel.

— Tenho ido a sua casa, mas não tenho tido a felicidade de encontrá-lo — respondeu Valério.

— Não me tenho esquecido do senhor — disse o coronel —; falei a um dos ministros e prometeu-me que veria isso. Tenha paciência, espere; pode esperar alguns meses, mas eu confio que se pode fazer alguma coisa. Adeus!

Valério ficou a olhar para ele sem articular palavra. Dos duzentos mil-réis não disse o coronel coisa nenhuma. Valério entendeu que não devia falar neles. Quanto ao emprego, viu o moço que era tão problemático como os duzentos mil-réis. Abriu-se-lhe um sorriso triste nos lábios, ainda pálidos da doença e seguiu cabisbaixo para casa.

Desesperando de achar meio de pagar as dívidas como queria, propôs aos dois credores, que lhes daria uma diminuta mensalidade, tirada do pouco que fazia como revisor de provas. Os credores franziram a testa, mas aceitaram; era o meio de não perder o dinheiro.

Entregou-se Valério todo ao trabalho, e começou a cumprir à risca a promessa que fizera. Dois golpes acabaram, entretanto, por lhe abater completamente o ânimo. Um foi o incêndio na tipografia. Estava Valério em casa quando soube do desastre; eram dez horas da manhã. Seguiu para o lugar; achou a casa em ruínas. Os tipos ficaram todos fundidos; o dono do estabelecimento estava quase doido.

Abatido, desvairado, Valério deixou o lugar do sinistro e entrou a andar ao acaso. Na rua do Cano viu de longe a menina Hélvia com o marido. Aproximou-se como se visse uma tábua de salvação. Aquela felicidade dos dois consortes era obra dele; na aflição em que estava, podia, sem afronta para si, receber o salário da obra. Não reparou que estava, comparativamente, um tanto maltrapilho.

Apressou o passo e ia articular uma palavra, quando os dois, olhando para ele, voltaram impertubavelmente a esquina.

Valério, que cometera outras tolices na sua vida, coroou a obra indo atirar-se ao mar.

Jornal das Famílias, *dezembro de 1874 e janeiro-março de 1875; Job.*

Antes que cases...

I

Era um dia um rapaz de vinte e cinco anos, bonito e celibatário, não rico, mas vantajosamente empregado. Não tinha ambições, ou antes tinha uma ambição só; era amar loucamente uma mulher e casar sensatamente com ela. Até então não se apaixonara por nenhuma. Estreara algumas afeições que não passaram de namoricos modestos e prosaicos. O que ele sonhava era outra coisa.

A viveza da imaginação e a leitura de certos livros lhe desenvolveram o germe que a natureza lhe pusera no coração. Alfredo Tavares (é o nome do rapaz) povoara o seu espírito de Julietas e Virgínias, e aspirava noite e dia viver um romance como só ele o podia imaginar. Em amor a prosa da vida metia-lhe nojo, e ninguém dirá certamente que ela seja uma coisa inteiramente agradável; mas a poesia é rara e passageira — a poesia como a queria Alfredo Tavares —, e não viver a prosa, na esperança de uma poesia incerta, era arriscar-se a não viver absolutamente.

Este raciocínio não o fazia Alfredo. É até duvidoso que ele raciocinasse alguma vez. Alfredo devaneava e nada mais. Com a sua imaginação, vivia às vezes séculos, sobretudo de noite à mesa do chá, que ele ia tomar no Carceller. Os castelos que ele fabricava entre duas torradas eram obras-primas de fantasia. Seus sonhos oscilavam entre o alaúde do trovador e a gôndola veneziana, entre uma castelã da idade média e uma fidalga da idade dos doges.

Não era isto só; era mais e menos.

Alfredo não exigia especialmente um sangue real; muita vez ia além da castelã, muita vez vinha aquém da filha dos doges, sonhava com Semíramis e com Ruth ao mesmo tempo. O que ele pedia era o poético, o delicioso, o vago; uma mulher bela e vaporosa, delgada se fosse possível, em todo o caso vaso de quimeras, com quem iria suspirar uma vida mais do céu que da terra, à beira de um lago ou entre duas colinas eternamente verdes. A vida para ele devia ser a cristalização de um sonho. Essa era nem mais nem menos a sua ambição e o seu desespero.

Alfredo Tavares adorava as mulheres bonitas. Um leitor menos sagaz achará nisto uma vulgaridade. Não é; admirá-las, amá-las, que é a regra comum; Alfredo adorava-as literalmente. Não caía de joelhos porque a razão lhe dizia que seria ridículo; mas se o corpo ficava de pé, o coração ajoelhava. Elas passavam e ele ficava mais triste que dantes, até que a imaginação o levasse outra vez nas asas, além e acima dos paralelepípedos e do Carceller.

Mas se a sua ambição era amar uma mulher, por que razão não amara uma de tantas que adorava assim de passagem? Leitor, nenhuma delas lhe tocara o verdadeiro ponto do coração. Sua admiração era de artista; a bala que o devia matar, ou não estava fundida, ou não fora disparada. Não seria porém difícil que uma das que ele simplesmente admirava, lograsse dominar-lhe o coração; bastava-lhe um quebrar de olhos, um sorriso, um gesto qualquer. A imaginação dele faria o resto.

Do que vai dito até aqui não se conclua rigorosamente que Alfredo fosse apenas um habitante dos vastos intermúndios de Epicuro, como dizia o Diniz. Não; Alfredo não vivia sempre das suas quimeras. A *outra* viajava muito, mas a *besta* comia, passeava, londreava, e até (ó desilusão última!), e até engordava. Alfredo era refeito e corado devendo ser pálido e magro, como convinha a um sonhador da sua espécie. Vestia com apuro, regateava as suas contas, não era raro cear nas noites em que ia ao teatro, tudo isto sem prejuízo dos seus sentimentos poéticos. Feliz não era, mas também não torcia o nariz às necessidades vulgares da vida. Casava o devaneio com a prosa.

Tal era Alfredo Tavares.

Agora que o leitor o conhece, vou contar o que lhe aconteceu, por onde verá o leitor como os acontecimentos humanos dependem de circunstâncias fortuitas e indiferentes. Chame a isto acaso ou providência; nem por isso a coisa deixa de existir.

II
Uma noite, era em 1867, subia Alfredo pela rua do Ouvidor. Eram oito horas; ia aborrecido, impaciente, com vontade de se distrair, mas sem vontade de falar a ninguém. A rua do Ouvidor oferecia boa distração, mas era um perigo para quem não queria conversar. Alfredo reconheceu isto mesmo; e chegando à esquina da rua da Quitanda parou. Seguiria pela rua da Quitanda ou pela rua do Ouvidor? *That was the question*.

Depois de hesitar uns dez minutos, e de tomar ora por uma, ora por outra rua, Alfredo seguiu enfim pela da Quitanda na direção da de São José. Sua ideia era subir depois por esta, entrar na da Ajuda, ir pela do Passeio, dobrar a dos Arcos, vir pela do Lavradio até o Rocio, descer pela do Rosário até a Direita, onde iria tomar chá ao Carceller, depois do que se recolheria a casa estafado e com sono.

Foi neste ponto que interveio o personagem que o leitor pode chamar dom Acaso ou madre Providência, como lhe aprouver. Nada mais fortuito que ir por uma rua em vez de ir por outra, sem nenhuma necessidade que obrigue a seguir por esta ou por aquela. Pois este ato assim fortuito é o ponto de partida da aventura de Alfredo Tavares.

Havia em frente de uma loja, que ficava adiante do extinto *Correio Mercantil*, um carro parado. Esta circunstância não chamou a atenção de Alfredo; ele ia cheio de seu próprio aborrecimento, de todo alheio ao mundo exterior. Mas uma mulher não é um carro, e a coisa de seis passos da loja, Alfredo via assomar à porta uma mulher, vestida de preto, a esperar que um criado lhe abrisse a portinhola.

Alfredo parou.

A necessidade de esperar que a senhora entrasse no carro, justificava este ato; mas a razão dele era pura e simplesmente a admiração, o pasmo, o êxtase em que ficou o nosso Alfredo ao contemplar, de perfil e à meia-luz, um rosto idealmente belo, uma figura elegantíssima, gravemente envolvida em singelas roupas pretas, que lhe realçavam mais a alvura dos braços e do rosto. Eu diria que o rapaz ficara embasbacado, se o permitisse a nobreza dos seus sentimentos e o asseio do escrito.

A moça desceu a calçada, pôs um pé quase invisível no estribo do carro e entrou; fechou-se a portinhola, o criado subiu a almofada e o carro partiu. Alfredo só se moveu quando o carro começou a andar. A visão desaparecera, mas o rosto dela ficara-lhe na memória e no coração. O coração palpitava com força. Alfredo apressou o passo atrás do carro, mas muito antes de chegar à esquina da rua da Assembleia, já o carro subia por esta acima. Quis a sua felicidade que um tílburi viesse atrás dele e vazio. Alfredo meteu-se no tílburi e mandou tocar atrás do carro.

A aventura sorria-lhe. O fortuito do encontro, a corrida de um veículo atrás de outro, ainda que não fossem coisas raras, davam-lhe sempre um ponto de partida para um romance. Sua imaginação estava já além deste primeiro capítulo. A moça devia ser uma Lélia perdida na realidade, uma Heloísa ignota da sociedade fluminense, de quem ele seria, salvo algumas alterações, o apaixonado Abelardo. Neste caminho de invenção Alfredo tinha já mentalmente escrito muitos capítulos do seu romance, quando o carro parou em frente de uma casa da rua de Matacavalos, chamada hoje de Riachuelo.

O tílburi parou a alguns passos.

Não tardou que a moça saísse do carro e entrasse na casa, cuja aparência indicava certa abastança. O carro voltou depois pelo mesmo caminho, a passo lento, enquanto o tílburi também a passo lento seguia para diante. Alfredo tomou nota da casa, e de novo mergulhou-se nas suas reflexões.

O cocheiro do tílburi que até então guardara um inexplicável silêncio, entendeu que devia oferecer os seus bons ofícios ao freguês.

— Vossa senhoria ficou entusiasmada por aquela moça — disse ele com ar sonso. — É bem bonita!

— Parece que sim — respondeu Alfredo —; vi-a de relance. Morará ali mesmo?

— Mora.

— Ah! o senhor já ali foi...

— Duas vezes.

— Foi naturalmente levar o marido.

— É viúva.

— Sabe disso?

— Sei, sim, senhor... Onde pus eu o meu charuto?...

— Tome um.

Alfredo ofereceu um charuto de Havana ao cocheiro, que o aceitou com muitos sinais de reconhecimento. Aceso o charuto, o cocheiro continuou.

— Aquela moça é viúva e luxa muito. Muito homem anda aí mordido por ela, mas parece que ela não quer casar.

— Como sabe disso?

— Eu moro ali na rua do Resende. Não viu como o cavalo queria quebrar a esquina?

Alfredo esteve um instante calado.

— Mora só? — perguntou ele.

— Mora com uma tia velha e uma irmã mais moça.

— Sozinhas?

— Há também um primo.

— Moço?

— Trinta e tantos anos.

— Solteiro?

— Viúvo.

Alfredo confessou a si mesmo que este primo era carta desnecessária no baralho. Palpitou-lhe que seria um obstáculo às suas venturas. Se fosse um pretendente? Era natural, se não estava morto para as paixões da terra. Uma prima tão bonita é uma Eva tentada e tentadora. Alfredo fantasiava já assim um inimigo e as forças dele, antes de conhecer a disposição da praça.

O cocheiro deu-lhe algumas informações mais. Havia umas partidas na casa da formosa dama, mas só de mês a mês, as quais eram frequentadas por algumas poucas pessoas escolhidas. Ângela, que assim dizia ele chamar-se a moça, tinha alguns haveres, e viria a herdar da tia, que já estava muito velha.

Alfredo recolheu carinhosamente as informações todas do cocheiro, e o nome de Ângela para logo lhe ficou entranhado no coração. Inquiriu do número do tílburi, o lugar onde estacionava e o número da cocheira na rua do Resende, e mandou voltar para baixo. Ao passar em frente à casa de Ângela, Alfredo deitou para lá os olhos. A sala estava alumiada, mas nenhum vulto de mulher ou de homem lhe apareceu. Alfredo recostou-se molemente e o tílburi partiu a todo o galope.

III

Alfredo estava contente consigo e com a fortuna. Deparara-lhe esta uma mulher como aquela senhora, teve ele a ideia de a seguir, as circunstâncias o ajudaram poderosamente; sabia agora onde morava a bela, sabia que era livre, e enfim, e mais que tudo, amava.

Amava, sim. Aquela primeira noite foi toda dedicada à lembrança da visão ausente e passageira. Enquanto ela talvez dormia no silêncio da sua alcova solitária, Alfredo pensava nela e fazia já de longe mil castelos no ar. Um pintor não compõe na imaginação o seu primeiro painel com mais amor do que ele delineava os incidentes da sua paixão e o feliz desenlace que ela não podia deixar de ter. Escusado é dizer que não entrava no espírito do solitário amador a ideia de que Ângela fosse uma mulher vulgar. Era impossível que uma mulher tão bela não fosse igualmente, em espírito, superior ou, melhor, uma imaginação etérea, vaporosa, com aspirações análogas às dele, que eram de viver como se poetisa. Isto devia ser Ângela, sem o que não se cansaria a natureza a dar-lhe tão aprimorado invólucro.

Com estas e outras reflexões foi passando a noite, e já a aurora tingia o horizonte sem que o nosso aventuroso herói tivesse dormido. Mas era preciso dormir e dormiu. O sol já ia alto quando ele acordou. Ângela foi ainda o seu primeiro pensamento. Ao almoço pensou nela, pensou nela durante o trabalho, nela pensou ainda quando se sentou à mesa do hotel. Era a primeira vez que se sentia tão fortemente abalado; não tinha que ver; era chegada a sua hora.

De tarde foi a Matacavalos. Não achou ninguém à janela. Passou três ou quatro vezes por diante da casa sem ver o menor vestígio da moça. Alfredo era naturalmente impaciente e frenético; este primeiro revés da fortuna o pôs de mau humor. A noite desse dia foi pior que a anterior. A tarde seguinte, porém, alguma compensação lhe deu. Ao avistar a casa deu com um vulto de mulher à janela. Se não lho dissessem os olhos, dizia-lhe claramente o coração que a mulher era Ângela. Alfredo ia pelo lado oposto, com os olhos pregados na moça e tão apaixonados os levava, que se ela os visse, não deixaria de lhes ler o que andava no coração do pobre rapaz. Mas a moça, ou porque alguém a chamasse de dentro, ou porque já estivesse aborrecida de estar à janela, entrou rapidamente, sem dar fé do nosso herói.

Alfredo nem por isso ficou desconsolado.

Tinha visto outra vez a moça; tinha verificado que era realmente uma formosura notável; sentia o coração cada vez mais preso. Isto era o essencial. O resto seria objeto de paciência e de fortuna.

Como era natural, amiudaram-se os passeios a Matacavalos. A moça ora estava, ora não estava à janela; mas ainda ao cabo de oito dias não reparara no paciente amador. No nono dia Alfredo foi visto por Ângela. Não se admirou de que ele já de longe viesse a olhar para ela, porque isso era o que faziam todos os rapazes que ali passavam; mas a expressão com que ele olhava é que lhe chamou a atenção. Desviou contudo os olhos por não lhe parecer conveniente que atendia ao desconhecido. Não tardou porém que de novo olhasse; mas como ele não houvesse desviado os seus dela, Ângela retirou-se.

Alfredo suspirou.

O suspiro de Alfredo tinha dois sentidos.

Era o primeiro uma homenagem do coração.

O segundo era uma confissão de desânimo.

O rapaz via claramente que o coração da bela não fora tomado de assalto, como ele supunha. Todavia não tardou que reconhecesse a possibilidade de pôr as coisas em bom caminho, com o andar do tempo, e bem assim a obrigação que tinha Ângela de não parecer namoradeira deixando-se ir ao sabor da ternura que naturalmente havia de ter lido nos olhos dele.

Daí a quatro dias Ângela tornou a ver o rapaz; pareceu reconhecê-lo, e mais depressa que da primeira vez, deixou a janela. Alfredo desta vez enfiou. Um monólogo triste e à meia-voz entrou a correr-lhe dos lábios fora, monólogo em que ele acusava a sorte e a natureza, culpadas de não terem feito e dirigido os corações de modo que quando um amasse ao outro se afinassem pela mesma corda. Queria ele dizer na sua que as almas deviam descer aos pares cá a este mundo. O sistema era excelente, agora que ele amava a bela viúva; se amasse alguma velha desdentada e tabaquista, o sistema seria detestável.

Assim vai o mundo.

Cinco ou seis semanas correram assim, ora a vê-la e ela a fugir-lhe, ora a não vê-la absolutamente e a passar noites atrozes. Um dia, estando em uma loja na rua do Ouvidor ou dos Ourives, não sei bem onde foi, viu-a entrar acompanhada da irmã mais moça, e estremeceu. Ângela olhou para ele; se o conheceu não o disse no rosto, que se mostrou impassível. De outra vez indo a uma missa fúnebre na Lapa, deu com os olhos na formosa esquiva; mas foi o mesmo que se olhasse para uma pedra; a moça não se moveu; uma só fibra do rosto não se lhe alterou.

Alfredo não tinha amigos íntimos a quem confiasse estas coisas de coração. Mas o sentimento era mais forte, e ele sentia a necessidade de derramar o que sentia no coração de alguém. Deitou os olhos a um companheiro de passeios, com quem aliás não andava desde a aventura da rua da Quitanda. Tibúrcio era o nome do confidente. Era um sujeito magro e amarelo, que se andasse naturalmente podia apresentar uma figura sofrivelmente elegante, mas que tinha o sestro de contrariar a natureza dando-lhe um jeito particular e perfeitamente ridículo. Votava todas as senhoras honestas ao maior desprezo; e era muito querido e festejado na roda das que o não eram.

Alfredo reconhecia isto mesmo; mas olhava-lhe algumas qualidades boas, e sempre o considerara seu amigo. Não hesitou portanto em dizer tudo a Tibúrcio. O amigo ouviu lisonjeado a narração.

— É de fato bonita?
— Oh! não sei como a descreva!
— Mas é rica?...
— Não sei se o é... sei que por ora tudo é inútil; pode ser que ame alguém e esteja até para casar com o tal primo, ou com outro qualquer. O certo é que eu estou cada vez pior.
— Imagino.
— Que farias tu?
— Eu insistia.
— Mas se nada alcançar?
— Insiste sempre. Já arriscaste uma carta?
— Oh! não!

Tibúrcio refletiu.

— Tens razão — disse ele —; seria inconveniente. Não sei que te diga; eu nunca naveguei nesses mares. Ando cá por outros, cujos parcéis conheço, e cuja bússola é conhecida por todos.

— Se eu pudesse esquecer-me dela — disse Alfredo que nenhuma atenção prestara às palavras do amigo —, já tinha deixado isto de mão. Às vezes penso que estou fazendo figura ridícula, porque enfim ela é pessoa de outra sociedade...

— O amor iguala as distâncias — disse sentenciosamente Tibúrcio.
— Então parece-te?...
— Parece-me que deves continuar como hoje; e se daqui a algumas semanas mais nada houveres adiantado, fala-me porque eu terei meio de te dar algum conselho bom.

Alfredo apertou fervorosamente as mãos do amigo.

— Entretanto — continuou este —, seria bom que eu a visse; talvez que, não estando namorado como tu, possa conhecer-lhe o caráter e saber se é frieza ou soberba o que a faz até agora esquiva.

Interiormente Alfredo fez uma careta. Não lhe parecia conveniente passar por casa de Ângela acompanhado de outro, o que tiraria ao seu amor o caráter romântico de um padecimento solitário e discreto. Era entretanto impossível recusar nada a um amigo que se interessava por ele. Convieram em que iriam nessa mesma tarde a Matacavalos.

— Acho bom — disse o namorado alegre com uma ideia súbita —, acho bom que não passemos juntos; tu irás adiante e eu um pouco atrás.

— Pois sim. Mas estará ela à janela hoje?

— Talvez; estes últimos cinco dias tenho-a visto sempre à janela.

— Oh! isso é já um bom sinal.

— Mas não olha para mim.

— Dissimulação!

— Aquele anjo?

— Eu não creio em anjos — respondeu filosoficamente Tibúrcio —, não creio em anjos na terra. O mais que posso conceder neste ponto é que os haja no céu; mas é apenas uma hipótese vaga.

IV

Nessa mesma tarde foram os dois a Matacavalos, na ordem convencionada. Ângela estava à janela, acompanhada da tia velha e da irmã mais moça. Viu de longe o namorado, mas não fitou os olhos nele; Tibúrcio pela sua parte não desviava os seus da formosa dama. Alfredo passou como sempre.

Os dois amigos foram reunir-se quando já não podiam estar ao alcance dos olhos dela. Tibúrcio fez um elogio à beleza da moça que o amigo ouviu encantado, como se lhe estivessem a elogiar uma obra sua.

— Oh! hei de ser muito feliz! — exclamou ele num acesso de entusiasmo.

— Sim — concordou Tibúrcio —; creio que hás de ser feliz.

— Que me aconselhas?

— Mais alguns dias de luta, uns quinze, por exemplo, e depois uma carta...

— Já tinha pensado nisso — disse Alfredo —; mas receava errar; precisava da opinião de alguém. Uma carta, assim, sem nenhum fundamento de esperança, sai fora da norma comum; por isso mesmo me seduz. Mas como hei de mandar a carta?

— Isto agora é contigo — disse Tibúrcio —; vê se tens meio de travar relações com algum criado da casa, ou...

— Ou o cocheiro do tílburi! — exclamou triunfalmente Alfredo Tavares.

Tibúrcio exprimiu com a cara o último limite do assombro ao ouvir estas palavras de Alfredo; mas o amigo não se deteve em explicar-lhe que havia um cocheiro de tílburi meio confidente neste negócio. Tibúrcio aprovou o cocheiro; ficou assentado que o meio da carta seria aplicado.

Os dias correram sem incidente notável. Perdão; houve um notável incidente.

Alfredo passava uma tarde por baixo das janelas de Ângela. Ela não olhava para ele. De repente Alfredo ouve um pequeno grito e vê passar-lhe por diante dos olhos alguma coisa parecida com um lacinho de fita.

Era efetivamente um lacinho de fita que caíra no chão. Alfredo olhou para cima; já não viu a viúva. Olhou em roda de si, abaixou-se, apanhou o laço e guardou-o na algibeira.

Dizer o que havia dentro da sua alma naquele venturoso instante é tarefa que pediria muito tempo e mais adestrado pincel. Alfredo mal podia conter o coração. A vontade que tinha era beijar ali mesmo na rua o laço, que ele já considerava uma parte da sua bela. Reprimiu-se contudo; foi até o fim da rua; voltou por ela; mas, contra o costume daqueles últimos dias, a moça não apareceu.

Esta circunstância era suficiente para fazer crer na casualidade da queda do laço. Assim pensava Alfredo; ao mesmo tempo porém perguntava se não era possível que Ângela, envergonhada da sua audácia, quisesse agora evitar a presença dele e não menos as vistas curiosas da vizinhança.

— Talvez — dizia ele.

Daí a um instante:

— Não, não é possível tamanha felicidade. O grito que soltou foi de sincera surpresa. A fita foi casual. Nem por isso a adorarei menos...

Apenas chegou a casa, Alfredo tirou o laço, que era de fita azul, e devia ter estado no colo ou no cabelo da viúva. Alfredo beijou-o cerca de vinte e cinco vezes e, se a natureza o tivesse feito poeta, é provável que naquela mesma ocasião expectorasse dez ou doze estrofes em que diria estar naquela fita um pedaço da alma da bela; a cor da fita serviria para fazer bonitas e adequadas comparações com o céu.

Não era poeta o nosso Alfredo; contentou-se em beijar o precioso despojo, e não deixou de referir o episódio ao seu confidente.

— Na minha opinião — disse este —, é chegada a ocasião de lançar a carta.

— Creio que sim.

— Não sejas mole.

— Há de ser já amanhã.

Alfredo não contava com a instabilidade das coisas humanas. A amizade na terra, ainda quando o coração a mantenha, está dependente do fio da vida. O cocheiro do tílburi não se teria provavelmente esquecido do seu freguês de uma noite; mas tinha morrido no intervalo daquela noite ao dia em que Alfredo o foi procurar.

— É demais! — exclamou Alfredo. — Parece que a sorte se compraz de multiplicar os obstáculos com que eu esbarro a cada passo! Aposto que esse homem não morria se eu não precisasse dele. O destino persegue-me... Mas nem por isso hei de curvar a cabeça... Oh! não!

Com esta boa resolução se foi o namorado em busca de outro meio. A sorte trouxe-lhe um excelente. Vagou a casa contígua à de Ângela; era uma casa pequena, elegantezinha, própria para um ou dois rapazes solteiros... Alfredo alugou a casa e foi dizê-lo triunfalmente ao seu amigo.

— Fizeste muito bem! — exclamou este. — O golpe é de mestre. Estando ao pé é impossível que não chegues a algum resultado.

— Tanto mais que ela já me conhece — disse Alfredo —; deve ver nisso uma prova de amor.

— Justamente!

Alfredo não se demorou em fazer a mudança; dali a dois dias estava na sua casa nova. É escusado dizer que o laço azul não foi em alguma gaveta ou caixinha; foi na algibeira dele.

V

Tanto a casa de Ângela como a de Alfredo tinham um jardim no fundo. Alfredo quase morreu de contentamento quando descobriu esta circunstância.

— É impossível — pensava ele — que aquela moça tão poética, não goste de passear no jardim. Vê-la-ei desta janela do fundo, ou por cima da cerca se for baixa. Será?

Alfredo desceu à cerca e verificou que a cerca lhe dava pelo peito.

— Bom! — disse ele. — Nem de propósito!

Agradeceu mentalmente à sorte que ainda há poucos dias amaldiçoava e subiu para pôr os seus objetos em ordem e dar alguns esclarecimentos ao criado.

Nesse mesmo dia de tarde, estando à janela, viu a moça. Ângela encarou com ele como quem duvidava do que via; mas passado esse momento de exame, pareceu não lhe dar atenção.

Alfredo, cuja intenção era cumprimentá-la, com o pretexto da vizinhança, esqueceu-se completamente da formalidade. Em vão procurou nova ocasião. A moça parecia alheia à sua pessoa.

— Não faz mal — disse ele consigo —; o essencial é que eu esteja aqui ao pé.

A moça parecia-lhe agora ainda mais bonita. Era uma beleza que ainda ganhava mais quando examinada de perto. Alfredo reconheceu que era de todo impossível pensar em outra mulher deste mundo ainda que aquela devesse fazê-lo desgraçado.

No segundo dia foi mais feliz. Chegou à janela repentinamente na ocasião em que ela e a tia estavam à sua; Alfredo cumprimentou-as respeitosamente. Elas corresponderam com um leve gesto.

O conhecimento estava travado.

Nem por isso adiantou o namoro, porque durante a tarde os olhos de ambos não se encontraram e a existência de Alfredo parecia ser a última coisa de que Ângela se lembrava.

Oito dias depois, estando Alfredo à janela, viu chegar a moça sozinha, com uma flor na mão. Ela olhou para ele; cumprimentaram.

Era a primeira vez que Alfredo alcançava alguma coisa. A sua alma voou ao sétimo céu.

A moça recostou-se na grade com a flor na mão, a brincar distraída, não sei se por brincar, se por mostrar a mão ao vizinho. O certo é que Alfredo não tirava os olhos da mão. A mão era digna irmã do pé, que Alfredo entrevira na rua da Quitanda.

O rapaz estava fascinado.

Mas quando ele quase perdeu o juízo foi na ocasião em que ela, indo retirar-se da janela, encarou outra vez com ele. Não havia severidade nos lábios; Alfredo viu-lhe até uma sombra de sorriso.

— Sou feliz! — exclamou Alfredo entrando. — Enfim, consegui já alguma coisa.

Dizendo isto deu alguns passos na sala, agitado, rindo, mirando-se ao espelho, completamente fora de si. Dez minutos depois chegou à janela; outros dez minutos depois chegava Ângela.

Olharam-se ainda uma vez.

Era a terceira naquela tarde, depois de tantas semanas da mais profunda indiferença.

A imaginação de Alfredo não o deixou dormir nessa noite. Pelos seus cálculos dentro de dois meses iria pedir-lhe a mão.

No dia seguinte não a viu e ficou desesperado com esta circunstância. Felizmente o criado, que já havia percebido alguma coisa, achou meio de lhe dizer que a família da casa vizinha saíra de manhã e não voltara.

Seria uma mudança?

Esta ideia veio fazer da noite de Alfredo uma noite de angústias. No dia seguinte trabalhou mal. Jantou às pressas e foi para casa. Ângela estava à janela.

Quando Alfredo apareceu à sua e a cumprimentou, viu que ela tinha outra flor na mão; era um malmequer.

Alfredo ficou logo embebido a contemplá-la; Ângela começou a desfolhar o malmequer, como se estivesse consultando sobre algum problema do coração.

O namorado não se deteve mais; correu a uma gavetinha de segredo, tirou o laço de fita azul, e veio para a janela com ele.

A moça tinha desfolhado toda a flor; olhou para ele e viu o lacinho que lhe caíra da cabeça.

Estremeceu e sorriu.

Daqui em diante compreende o leitor que as coisas não podiam deixar de caminhar.

Alfredo conseguiu vê-la um dia no jardim, assentada dentro de um caramanchão, e já desta vez o cumprimento foi acompanhado de um sorriso. No dia seguinte ela já não estava no caramanchão; passeava. Novo sorriso e três ou quatro olhares.

Alfredo arriscou a primeira carta.

A carta era escrita com fogo; falava de um céu, de um anjo, de uma vida toda de poesia e amor. O moço oferecia-se para morrer a seus pés se fosse preciso.

A resposta veio com prontidão.

Era menos ardente; direi até que não havia ardor nenhum; mas simpatia sim, e muita simpatia, entremeada de algumas dúvidas e receios, e frases bem dispostas para espertar os brios de um coração que todo se desfazia em sentimento.

Travou-se então um duelo epistolar que durou cerca de um mês antes da entrevista.

A entrevista verificou-se ao pé da cerca, de noite, pouco depois das ave-marias, tendo Alfredo mandado o criado ao seu amigo e confidente Tibúrcio com uma carta em que lhe pedia que detivesse o portador até as oito horas ou mais.

Convém dizer que esta entrevista era perfeitamente desnecessária.

Ângela era livre; podia escolher livremente um segundo marido; não tinha de quem esconder os seus amores.

Por outro lado, não era difícil a Alfredo obter uma apresentação em casa da viúva, se lhe conviesse entrar primeiramente assim, antes de lhe pedir a mão.

Todavia, o namorado insistiu na entrevista do jardim, que ela recusou a princípio. A entrevista entrava no sistema poético de Alfredo, era uma leve reminiscência da cena de Shakespeare.

VI

— Juras então que me amas?
— Juro.
— Até a morte?
— Até a morte.
— Também eu te amo, minha querida Ângela, não de hoje, mas há muito, apesar dos teus desprezos...
— Oh!
— Não direi desprezos, mas indiferença... Oh! mas tudo lá vai; agora somos dois corações ligados para sempre.
— Para sempre!
Neste ponto ouviu-se um rumor na casa de Ângela.
— Que é? — perguntou Alfredo.
Ângela quis fugir.
— Não fujas!
— Mas...
— Não é nada; algum criado...
— Se dessem por mim aqui!
— Tens medo?
— Vergonha.
A noite encobriu a mortal palidez do namorado.
— Vergonha de amar! — exclamou ele.
— Quem te diz isso? Vergonha de me acharem aqui, expondo-me às calúnias, quando nada impede que tu...
Alfredo reconheceu a justiça.
Nem por isso deixou de meter a mão nos cabelos com um gesto de aflição trágica, que a noite continuava a encobrir aos olhos da formosa viúva.
— Olha! o melhor é vires à nossa casa. Autorizo-te a pedir a minha mão.
Conquanto ela já houvesse indicado isto nas cartas, era a primeira vez que formalmente o dizia. Alfredo viu-se transportado ao sétimo céu. Agradeceu a autorização que lhe dava e respeitosamente beijou-lhe a mão.
— Agora, adeus!
— Ainda não! — exclamou Alfredo.
— Que imprudência!
— Um instante mais!
— Ouves? — disse ela prestando o ouvido ao rumor que se fazia na casa.
Alfredo respondeu apaixonada e literariamente:
— Não é a calhandra, é o rouxinol!
— É a voz de minha tia! — observou a viúva prosaicamente. — Adeus...
— Uma última coisa te peço antes de ir à tua casa.
— Que é?
— Outra entrevista neste mesmo lugar.
— Alfredo!
— Outra e última.
Ângela não respondeu.
— Sim?

— Não sei, adeus!

E libertando a sua mão das mãos do namorado que a retinha com força, Ângela correu para casa.

Alfredo ficou triste e alegre ao mesmo tempo.

Ouvira a doce voz de Ângela, tivera nas suas a sua mão alva e macia como veludo, ouvira jurar que o amava, enfim estava autorizado a pedir-lhe solenemente a mão.

A preocupação porém da moça a respeito do que pensaria a tia afigurou-se-lhe extremamente prosaica. Quisera vê-la toda poética, embebida no seu amor, esquecida do resto do mundo, morta para tudo o que não fosse o bater do seu coração.

A despedida sobretudo pareceu-lhe repentinamente demais. O adeus foi antes de medo que de amor, não se despediu, fugiu. Ao mesmo tempo esse sobressalto era dramático e interessante; mas por que não conceder-lhe segunda entrevista?

Enquanto ele fazia estas reflexões, Ângela pensava na impressão que lhe teria deixado e na mágoa que por ventura lhe ficara da recusa de uma segunda e última entrevista.

Refletiu longo tempo e resolveu remediar o mal, se mal se podia aquilo chamar.

No dia seguinte, logo cedo, recebeu Alfredo um bilhetinho da namorada.

Era um protesto de amor, com uma explicação da fuga da véspera e uma promessa de outra entrevista na seguinte noite, depois da qual ele iria pedir-lhe oficialmente a mão.

Alfredo exultou.

Nesse dia a natureza pareceu-lhe melhor. O almoço foi excelente apesar de lhe terem dado um filé tão duro como sola e de estar o chá frio como água. O patrão nunca lhe pareceu mais amável. Todas as pessoas que encontrava tinham cara de excelentes amigos. Enfim, até o criado ganhou com os sentimentos alegres do amo: Alfredo deu-lhe uma boa molhadura pela habilidade com que lhe escovara as botas, que, entre parênteses, nem sequer levavam graxa.

Verificou-se a entrevista sem nenhum incidente notável. Houve os costumados protestos:

— Amo-te muito!

— E eu!

— És um anjo!

— Seremos felizes.

— Deus nos ouça!

— Há de ouvir-nos.

Estas e outras palavras foram o estribilho da entrevista que durou apenas meia hora.

Nessa ocasião Alfredo desenvolveu o seu sistema de vida, a maneira por que ele encarava o casamento, os sonhos de amor que haviam realizar, e mil outros artigos de um programa de namorado, que a moça ouviu e aplaudiu.

Alfredo despediu-se contente e feliz.

A noite que passou foi a mais deliciosa de todas. O sonho que ele procurara durante tanto tempo ia enfim realizar-se; amava a uma mulher como ele a queria e imaginava. Nenhum obstáculo se oferecia à sua ventura na terra.

No outro dia de manhã entrando no hotel, encontrou o amigo Tibúrcio; e referiu-lhe tudo. O confidente felicitou o namorado pelo triunfo que alcançara e deu-lhe logo um aperto de mão, não podendo dar-lhe, como quisera, um abraço.

— Se soubesses como vou ser feliz!
— Sei.
— Que mulher! que anjo!
— Sim! é bonita.
— Não é só bonita. Bonitas há muitas. Mas a alma, a alma que ela tem, a maneira de sentir, tudo isso e mais, eis o que faz uma criatura superior.
— Quando será o casamento?
— Ela o dirá.
— Há de ser breve.
— Dentro de três a quatro meses.

Aqui fez Alfredo um novo hino em louvor das qualidades eminentes e raras da noiva e pela centésima vez defendeu a vida romanesca e ideal. Tibúrcio observou gracejando que lhe era necessário primeiro suprimir o bife que estava comendo, observação que Alfredo teve a franqueza de achar descabida e um pouco tola.

A conversa porém não teve incidente desagradável e os dois amigos separaram-se como dantes, não sem que o noivo agradecesse ao confidente a animação que lhe dera nos piores dias do seu amor.

— Enfim, quando a vais pedir?
— Amanhã.
— Coragem!

VII

Não é minha intenção nem vem ao caso referir ao leitor todos os episódios de Alfredo Tavares.

Até aqui foi necessário contar alguns e resumir outros. Agora que o namoro chegou ao seu termo e que o período do noivado vai começar, não quero fatigar a atenção do leitor com uma narração que nenhuma variedade apresenta. Justamente três meses depois da segunda entrevista recebiam-se os dois noivos, na igreja da Lapa, em presença de algumas pessoas íntimas, entre as quais o confidente de Alfredo, um dos padrinhos. O outro era o primo de Ângela, de quem falara o cocheiro do tílburi, e que até agora não apareceu nestas páginas por não ser preciso. Chamava-se Epaminondas e tinha a habilidade de desmentir o padre que tal nome lhe dera, pregando a cada instante a sua peta. A circunstância não vem ao caso e por isso não insisto nela.

Casados os dois namorados foram passar a lua-de-mel na Tijuca, onde Alfredo escolhera casa adequada às circunstâncias e ao seu gênio poético.

Durou um mês esta ausência da corte. No trigésimo primeiro dia, Ângela viu anunciada uma peça nova no Ginásio e pediu ao marido para virem à cidade.

Alfredo objetou que a melhor comédia deste mundo não valia o aroma das laranjeiras que estavam florindo e o melancólico som do repuxo do tanque. Ângela encolheu os ombros e fechou a cara.

— Que tens, meu amor? — perguntou-lhe daí a vinte minutos o marido.

Ângela olhou para ele com um gesto de lástima, ergueu-se e foi encerrar-se na alcova.

Dois recursos restavam a Alfredo.
1º Coçar a cabeça.
2º Ir ao teatro com a mulher.
Alfredo curvou-se a estas duas necessidades da situação.
Ângela recebeu-o muito alegremente quando ele lhe foi dizer que iriam ao teatro.

— Nem por isso — acrescentou Alfredo —, nem por isso deixo de sentir algum pesar. Vivemos tão bem estes trinta dias.
— Voltaremos para o ano.
— Para o ano!
— Sim, alugaremos outra casa.
— Mas então esta?...
— Esta acabou. Pois querias viver num desterro?
— Mas eu pensei que era um paraíso — disse o marido com ar melancólico.
— Paraíso é coisa de romance.

A alma de Alfredo levou um trambolhão. Ângela viu o efeito produzido no esposo pelo seu reparo e procurou suavizá-lo, dizendo-lhe algumas coisas bonitas com que ele algum tempo mitigou as suas penas.

— Olha, Ângela — disse Alfredo —, o casamento, como eu imaginei sempre, é uma vida solitária de dois entes que se amam... Seremos nós assim?
— Por que não?
— Juras então...
— Que seremos felizes.

A resposta era elástica. Alfredo tomou-a ao pé da letra e abraçou a mulher.
Naquele mesmo dia vieram para a casa da tia e foram ao teatro.
A nova peça do Ginásio aborreceu tanto o marido quanto agradou à mulher. Ângela parecia fora de si de contente. Quando caiu o pano no último ato, disse ela ao esposo:

— Havemos de vir outra vez.
— Gostaste?
— Muito. E tu?
— Não gostei — respondeu Alfredo com evidente mau humor.

Ângela levantou os ombros, com o ar de quem dizia:
— Gostes ou não, hás de cá voltar.
E voltou.
Este foi o primeiro passo de uma carreira que parecia não acabar mais.
Ângela era um turbilhão.
A vida para ela estava fora de casa. Em casa morava a morte, sob a figura do aborrecimento. Não havia baile a que faltasse, nem espetáculo, nem passeio, nem festa célebre, e tudo isto cercado de muitas rendas, joias e sedas, que ela comprava todos os dias, como se o dinheiro nunca devesse acabar.
Alfredo esforçava-se por atrair a mulher à esfera dos seus sentimentos românticos; mas era esforço vão.
Com um levantar de ombros, Ângela respondia a tudo.
Alfredo detestava principalmente os bailes, porque era quando a mulher menos lhe pertencia, sobretudo os bailes dados em casa dele.

Às observações que ele fazia nesse sentido, Ângela respondia sempre:

— Mas são obrigações da sociedade; se eu quisesse ser freira metia-me na Ajuda.

— Mas nem todos...

— Nem todos conhecem os seus deveres.

— Oh! a vida solitária, Ângela! a vida para dois!

— A vida não é um jogo de xadrez.

— Nem um arraial.

— Que queres dizer com isso?

— Nada.

— Pareces tolo.

— Ângela...

— Ora!

Levantava os ombros e deixava-o sozinho.

Alfredo era sempre o primeiro a fazer as pazes. A influência que a mulher exercia nele não podia ser mais decisiva. Toda a energia estava com ela; ele era literalmente um fâmulo da casa.

Nos bailes a que iam, o suplício além de ser grande em si mesmo, era aumentado com os louvores que Alfredo ouvia fazer à mulher.

— Lá está Ângela — dizia um.

— Quem é?

— É aquela de vestido azul.

— A que se casou?

— Pois casou?

— Casou, sim.

— Com quem?

— Com um rapaz bonachão.

— Feliz mortal!

— Onde está o marido?

— Caluda! está aqui: é este sujeito triste que está consertando a gravata...

Estas e outras considerações irritavam profundamente Alfredo. Ele via que era conhecido por causa da mulher. A pessoa dele era uma espécie de cifra. Ângela é que era a unidade.

Não havia meio de se recolher cedo. Ângela entrando num baile só se retirava com as últimas pessoas. Cabia-lhe perfeitamente a expressão que o marido empregou num dia de mau humor:

— Tu espremes um baile até o bagaço.

Às vezes estava o mísero em casa, descansando e alegremente conversando com ela, abrindo todo o pano à imaginação, Ângela, ou por aborrecimento, ou por desejo invencível de passear, ia vestir-se e convidava o marido a sair. O marido já não recalcitrava; suspirava e vestia-se. Do passeio voltava ele aborrecido, e ela alegre, além do mais porque não deixava de comprar um vestido novo e caro, uma joia, um enfeite qualquer.

Alfredo não tinha forças para reagir.

O menor desejo de Ângela era para ele uma lei de ferro; cumpria-a por gosto e por fraqueza.

Nesta situação, Alfredo sentiu necessidade de desabafar com alguém. Mas esse alguém não aparecia. Não lhe convinha falar ao Tibúrcio, por não querer confiar a um estranho, embora amigo, as suas zangas conjugais. A tia de Ângela parecia apoiar a sobrinha em tudo. Alfredo lembrou-se de pedir conselho a Epaminondas.

VIII

Epaminondas ouviu atentamente as queixas do primo. Achou-as exageradas, e foi o menos que lhe podia dizer, porque no seu entender eram verdadeiros despropósitos.

— O que você quer é realmente impossível.

— Impossível?

— Decerto. A prima está moça, quer naturalmente divertir-se. Por que razão há de viver como freira?

— Mas eu não peço que viva como freira. Quisera vê-la mais em casa, menos aborrecida quando está só comigo. Lembra-se da nossa briga do domingo?

— Lembro-me. Você queria ler-lhe uns versos e ela respondeu que não a aborrecesse.

— Que tal?...

Epaminondas recolheu-se a um eloquente silêncio.

Alfredo esteve também algum tempo calado. Enfim:

— Estou resolvido a usar da minha autoridade de marido.

— Não caia nessa.

— Mas então devo viver eternamente nisto?

— Eternamente já vê que é impossível — disse Epaminondas sorrindo. — Mas veja bem o risco que corre. Eu tive uma prima que se vingou do marido por uma dessas. Parece incrível! Cortou a si mesma o dedo mínimo do pé esquerdo e deu-lhe a comer com batatas.

— Está brincando...

— Estou falando sério. Chamava-se Lúcia. Quando ele reconheceu que efetivamente tinha devorado a carne da sua carne, teve um ataque.

— Imagino.

— Dois dias depois expirou de remorsos. Não faça tal; não irrite uma mulher. Dê tempo ao tempo. A velhice há de curá-la e trazê-la a costumes pacíficos.

Alfredo fez um gesto de desespero.

— Sossegue. Também eu fui assim. Minha finada mulher...

— Era do mesmo gosto?

— Do mesmíssimo. Quis contrariá-la. Ia-me custando a vida.

— Sim?

— Tenho aqui entre duas costelas uma cicatriz larga; foi uma canivetada que Margarida me deu estando eu a dormir muito tranquilamente.

— Que me diz?

— A verdade. Mal tive tempo de lhe segurar no pulso e arrojá-la para longe de mim. A porta do quarto estava fechada com o trinco mas foi tal a força com que a empurrei que a porta se abriu e ela foi parar ao fim da sala.

— Ah!

Alfredo lembrou-se a tempo do sestro do primo e deixou-o falar a gosto. Epaminondas engendrou logo ali um ou dois capítulos de romance sombrio e ensanguentado. Alfredo, aborrecido, deixou-o só.

Tibúrcio encontrou-o algumas vezes cabisbaixo e melancólico. Quis saber da causa, mas Alfredo conservou prudente reserva.

A esposa deu ampla liberdade aos seus caprichos. Fazia recepções todas as semanas, apesar dos protestos do marido que, no meio da sua mágoa, exclamava:

— Mas então eu não tenho mulher! tenho uma locomotiva!

Exclamação que Ângela ouvia sorrindo sem lhe dar a mínima resposta.

Os cabedais da moça eram poucos; as despesas muitas. Com as mil coisas em que se gastava o dinheiro não era possível que ele durasse toda a vida. Ao cabo de cinco anos, Alfredo reconheceu que tudo estava perdido.

A mulher sentiu dolorosamente o que ele lhe contou.

— Sinto isto deveras — acrescentou Alfredo —; mas a minha consciência está tranquila. Sempre me opus a despesas loucas...

— Sempre?

— Nem sempre, porque te amava e amo, e doía-me ver que ficavas triste; mas a maior parte delas opus-me com todas as forças.

— E agora?

— Agora precisamos ser econômicos; viver como pobres.

Ângela curvou a cabeça.

Seguiu-se um grande silêncio.

O primeiro que o rompeu foi ela.

— É impossível!

— Impossível o quê?

— A pobreza.

— Impossível, mas necessária — disse Alfredo com filosófica tristeza.

— Não é necessária; eu hei de fazer alguma coisa; tenho pessoas de amizade.

— Ou um Potosí...

Ângela não se explicou mais; Alfredo foi para a casa de negócio que estabelecera, não descontente com a situação.

— Não estou bem — pensava ele —; mas ao menos terei mudado a minha situação conjugal.

Os quatro dias seguintes passaram sem novidade.

Houve sempre uma novidade.

Ângela estava muito mais carinhosa com o marido do que até então. Alfredo atribuía esta mudança às circunstâncias atuais e agradeceu à boa estrela que tão venturoso o tornara.

No quinto dia Epaminondas foi falar a Alfredo propondo-lhe ir pedir ao governo uma concessão e privilégio de minas em Mato Grosso.

— Mas eu não me meto em explorador de minas.

— Perdão; vendemos o privilégio.

— Está certo disso? — perguntou Alfredo tentado.

— Certíssimo.

E logo:

— Temos além disso outra empresa: uma estrada de ferro no Piauí. Vende-se a empresa do mesmo modo.

— Tem elementos para ambas as coisas?

— Tenho.

Alfredo refletiu.

— Aceito.

Epaminondas declarou que alcançaria tudo do ministro. Tantas coisas disse que o primo, sabedor dos carapetões que ele pregava, começou a desconfiar.

Errava desta vez.

Pela primeira vez Epaminondas falava verdade; tinha elementos para alcançar as duas empresas.

Ângela não perguntou ao marido a causa da preocupação com que ele nesse dia entrou em casa. A ideia de Alfredo era tudo ocultar à mulher, pelo menos enquanto pudesse. Confiava no resultado dos seus esforços para trazê-la a melhor caminho.

Os papéis andaram com uma prontidão rara em coisas análogas. Parece que uma fada benfazeja se encarregava de adiantar o negócio.

Alfredo conhecia o ministro. Duas vezes fora convidado para lá tomar chá e tivera além disso a honra de o receber em casa algumas vezes. Nem por isso julgava ter direito à pronta solução do negócio. O negócio, porém, corria mais veloz que uma locomotiva.

Não se haviam passado dois meses depois da apresentação do memorial quando Alfredo, ao entrar em casa, foi surpreendido por muitos abraços e beijos da mulher.

— Que temos? — disse ele todo risonho.

— Vou dar-te um presente.

— Um presente?

— Que dia é hoje?

— Vinte e cinco de março.

— Fazes anos.

— Nem me lembrava.

— Aqui está o meu presente.

Era um papel.

Alfredo abriu o papel.

Era o decreto de privilégio das minas.

Alfredo ficou literalmente embasbacado.

— Mas como veio isto?...

— Quis causar-te esta surpresa. O outro decreto há de vir daqui a oito dias.

— Mas então sabia que eu...?

— Sabia tudo.

— Quem te disse?...

Ângela titubeou.

— Foi... foi o primo Epaminondas.

A explicação satisfez Alfredo durante três dias.

No fim desse tempo abriu um jornal e leu com pasmo esta mofina:

"Mina de caroço,

Com que então os cofres públicos já servem para nutrir o fogo no coração dos ministros?

Quem pergunta quer saber.

Alfredo rasgou o jornal no primeiro ímpeto.

Depois...

IX

— Mas em suma que tens? — disse Tibúrcio ao ver que Alfredo não se atrevia a falar.

— O que tenho? Fui à cata de poesia e acho-me em prosa chata e baixa. Ah! meu amigo quem me mandou seguir pela rua da Quitanda?

Jornal das Famílias, *julho-setembro de 1875*; B. B. e Lara.

Brincar com fogo

I

Lúcia e Maria chamavam-se as duas moças. A segunda era antes conhecida pelo diminutivo Mariquinhas que neste caso estava perfeitamente com a estatura da pessoa.

Mariquinhas era pequenina, refeitinha e bonitinha; tinha a cor morena, os olhos pretos, ou quase pretos, mãos e pés pouco menos invisíveis. Entrava nos seus dezoito anos, e contava já cerca de seis namoros consecutivos. Atualmente não tinha nenhum.

Lúcia era de estatura meã, tinha olhos e cabelos castanhos, pés e mãos regulares e proporcionados ao tamanho do corpo, e a tez clara. Deitava já pelas costas os dezoito e entrava nos dezenove. Namoros extintos: sete.

Tais eram as duas damas de cuja vida vou contar um episódio original, que servirá de aviso às que se acharem em iguais circunstâncias.

Lúcia e Mariquinhas eram muito amigas e quase parentas. O parentesco não vem ao caso, e por isso bastará saber que a primeira era filha de um velho médico — velho em todos os sentidos, porque a ciência para ele estava no mesmo ponto em que ele a conheceu em 1849. Mariquinhas já não tinha pai; vivia com sua mãe, que era viúva de um tabelião.

Eram íntimas amigas como disse acima, e sendo amigas e moças, eram naturais confidentes uma da outra. Namoro que uma encetasse era logo comunicado à outra. As cartas eram redigidas entre ambas, quando se achavam juntas ou simplesmente comunicadas por cópia no caso contrário. Algum beijo casual e raro que uma delas houvesse colhido ou concedido não deixava de ser contado à outra, que fazia o mesmo em idênticas circunstâncias.

Os namoros de que falo não eram com intenções casamenteiras. Nenhuma delas se sentia inclinada ao matrimônio — pelo menos, com os indivíduos escolhidos. Eram passatempos, namoravam para fazer alguma coisa, para ocupar o espírito ou simplesmente debicar o próximo.

Um dia a coisa seria mais grave, e nesse caso as confidências seriam menos frequentes e completas. Tal dia porém não chegara ainda, e as duas moças passavam pelas mais atrevidas roedoras de corda que a natureza pôs no bairro dos Cajueiros. Lúcia morava na rua da Princesa, e Mariquinhas na do Príncipe.

II

Como se visitavam a miúdo, e passavam dias e dias uma em casa da outra, aconteceu que pela Páscoa do ano de 1868 estavam ambas à janela da casa de Lúcia, quando viram ao longe uma cara nova. Cara nova quer dizer petimetre novo, ainda não explorador daquele bairro.

Efetivamente era a primeira vez que o sr. João dos Passos penetrava naquela região, conquanto nutrisse há muito tempo esse desejo. Naquele dia, ao almoço resolveu que iria aos Cajueiros. A ocasião não podia ser mais própria. Recebera do alfaiate a primeira calça da última moda, fazenda finíssima, e comprara na antevéspera um chapéu fabricado em Paris. Estava no trinque. Tinha certeza de causar sensação.

Era João dos Passos um rapaz de vinte e tantos anos, estatura regular, bigode raro e barba rapada. Não era bonito nem feio; era assim. Tinha alguma elegância natural, que ele exagerava com uns meneios e jeito que dava ao corpo na ideia de que ficaria melhor. Era ilusão, porque ficava péssimo. A natureza tinha-lhe dado uma vista agudíssima; a imitação deu-lhe uma luneta de um vidro só, que ele trazia pendente de uma fita larga ao pescoço. Fincava-a de quando em quando no olho esquerdo, sobretudo quando havia moças à janela.

Tal foi a cara nova que as duas amigas lobrigaram ao longe.

— Há de ser meu! — dizia uma rindo.

— Não, senhora, aquele vem destinado à minha pessoa — reclamava a outra.

— Fique-se lá com o Abreu!

— E você, porque não se fica com o Antonico?

— Pois seja à sorte!

— Não, há de ser a que ele preferir.

— Caluda!

João dos Passos aproximava-se. Vinha pela calçada oposta, com a luneta assestada na janela em que as duas moças estavam. Quando viu que não eram desagradáveis, antes mui simpáticas e galantes, aperfeiçoou o jeitinho que dava ao corpo e entrou a fazer com a bengala de junco passagens difíceis e divertidas.

— Bravíssimo! — dizia Mariquinhas à amiga.

— Que tal? — perguntava Lúcia.

E ambas cravavam os olhos em João dos Passos, que, pela sua parte, tendo o olho direito desimpedido da luneta, podia ver claramente que as duas belas olhavam para a sua pessoa.

Foi passando e olhando sem que elas tirassem dele os olhos, o que sobremaneira comoveu o petimetre a ponto que o obrigou a voltar a cabeça cinco ou seis vezes. Na primeira esquina, que ficava um pouco distante, João dos Passos parou, tirou o lenço e enxugou a cara. Não havia necessidade disso, mas era conveniente dizer uma espécie de adeus com o lenço, quando o fosse guardar na algibeira. Feito isso, continuou João dos Passos o seu caminho.

— É comigo! — dizia Mariquinhas a Lúcia.

Lúcia reclamava:

— Boas! Aquilo é comigo. Eu bem vi que ele não tirava os olhos de mim. É um bonito rapaz...

— Talvez seja...

— Um pouco tolo?

— Não te parece?

— Talvez... Mas bonito é.

— Escusa de estar dizendo isso, porque ele é meu...

— Não senhora, é meu.

E as duas amigas reclamavam com ardor, e a rir, a pessoa do adventício gamenho, cuja preferência ainda estava por declarar. Nesse debate gastaram cerca de vinte minutos quando viram apontar ao longe a figura de João dos Passos.

— Lá vem ele!

— Está filado!

João dos Passos vinha outra vez pelo lado oposto; a meio caminho porém atravessou a rua, com o fim evidente de contemplar de perto as duas belas que teriam ao mesmo tempo ocasião de o examinar melhor. Atrevo-me a dizer isto, porque João dos Passos não duvidava da sua influência pessoal.

— Agora veremos com quem é a coisa — disse Lúcia.

— Veremos — assentiu Mariquinhas.

João dos Passos aproximava-se com os olhos na janela e bengala no ar. As duas moças não tiravam os olhos dele. O momento era decisivo. Cada uma delas buscava chamar exclusivamente a atenção do rapaz, mas a verdade é que ele olhava ora para uma, ora para outra, com a mesma expressão.

Na ocasião, porém, em que ele passava justamente por baixo das janelas da casa, que era assobradada, Mariquinhas com o ar sonso das namoradeiras de profissão, perguntou à outra:

— Você amanhã há de ir lá passar o dia na rua do Príncipe; sim?

A resposta de Lúcia foi dar-lhe um beliscão, sem que uma nem outra desviassem os olhos de João dos Passos, o qual, chegando a dez passos de distância, deixou cair a bengala, para ter ocasião de olhar ainda uma vez para as duas moças. Na próxima esquina, lencinho fora, adeus disfarçado, e movimento giratório de bengala, até que de todo desapareceu no horizonte.

III

Lúcia disse coisas muito feias a Mariquinhas, por causa da habilidade com que esta indicara ao rapaz a rua em que morava. Mariquinhas repeliu dignamente as censuras de Lúcia, e ambas ficaram de acordo em que João dos Passos era pouco menos que desfrutável.

— Se a coisa for comigo — dizia Mariquinhas —, eu prometo trazê-lo de canto chorado.

— E eu também, se a coisa for comigo — acudiu Lúcia.

Ficou assentado esse plano.

No dia seguinte Mariquinhas voltou para casa, mas nem na rua do Príncipe nem na da Princesa apareceu a figura de João dos Passos. Aconteceu o mesmo nos outros dias, e já uma e outra das duas amigas tinham perdido a esperança de o tornarem a ver, quando no domingo próximo surgiu ele na rua do Príncipe. Só Lúcia estava à janela, mas nem por isso deixou de haver o cerimonial do domingo anterior.

— É comigo — pensou Lúcia.

E não se demorou em dar conta do ocorrido a Mariquinhas num bilhete que às pressas lhe escreveu e remeteu por uma negrinha. A negrinha partiu, e mal teria tempo de chegar à casa de Mariquinhas, quando um moleque da casa desta entregava a Lúcia uma cartinha da sinhá-moça.

Dizia assim:

A coisa é comigo! Passou agora mesmo, e... não te digo mais nada.

A carta de Lúcia dizia pouco mais ou menos a mesma coisa. Imagina-se facilmente o efeito deste caso; e sabido o caráter galhofeiro das duas amigas facilmente se acreditará que na primeira ocasião assentassem de caçoar com o petimetre, até então anônimo para elas.

Assim foi.

Na forma dos anteriores namoros ficou assentado que as duas comunicariam uma à outra o que se fosse passando com o namorado. Desta vez era a coisa ainda mais picante; a comparação das cartas apaixonadas do mesmo homem devia ser coisa muito para divertir as duas amigas.

A primeira carta de João dos Passos às duas moças começava assim: "Desde o afortunado instante em que meus olhos vos encontraram, logo senti que o meu coração ficava eternamente cativo da vossa beleza". Falava-lhes da cor dos cabelos, única parte em que a carta sofreu modificação. Quanto à ideia de matrimônio, havia um período em que alguma coisa transluzia, sendo a linguagem a mesma, e igualmente apaixonada.

A primeira ideia de Mariquinhas e Lúcia foi dar idêntica resposta ao novo namorado; mas a consideração de que semelhante recurso o desviaria, fez com que repelissem a ideia, limitando-se ambas a declarar a João dos Passos que alguma coisa sentiam por ele, e animando-o a persistir na campanha.

João dos Passos não era homem de recusar namoro. A facilidade que encontrara nas duas moças foi para ele uma grande animação. Começou então um verdadeiro entrudo epistolar. João dos Passos respondia pontualmente às namoradas; às vezes não se contentava com uma só resposta, e mal despedira uma carta, logo carregava e disparava outra, todas elas fulminantes e mortais. Nem por isso as moças deixavam de gozar perfeita saúde.

Um dia — duas semanas depois da inauguração do namoro — João dos Passos a si mesmo perguntou se não era arriscado escrever com a mesma letra às duas namoradas. Sendo amigas íntimas era natural que mostrassem as cartas uma à outra. Refletiu porém que se já houvessem mostrado as cartas teriam descoberto o estratagema. Logo, não eram tão íntimas como pareciam.

E se até agora não mostraram as cartas, continuou João dos Passos, é provável que nunca mais as mostrem.

Qual era o fim de João dos Passos entretendo este namoro? perguntará naturalmente o leitor.

Casar?

Passar tempo?

Uma e outra coisa.

Se dali surdisse um casamento, João dos Passos o aceitaria de boa vontade, apesar de não lhe dar muito o emprego que tinha na Casa da Misericórdia.

Se não surdisse casamento ficava ele ao menos com a satisfação de haver passado alegremente o tempo.

IV

O namoro prosseguiu assim durante alguns meses.

As duas amigas comunicavam regularmente as cartas e redigiam prontas as respostas. Às vezes divertiam-se em dificultar-lhe a situação. Por exemplo, uma dizia que iria ver tal procissão da rua tal número tantos, e que o esperava à janela às tantas horas, ao passo que a outra marcava a mesma hora para o esperar à janela de sua casa. João dos Passos arranjava como podia o caso, sem escapar nunca aos arrufos de uma delas, coisa que o lisonjeava sobremaneira.

As expressões amorosas das cartas de Mariquinhas e Lúcia eram contrastadas pelas boas caçoadas que faziam do namorado.

— Como vai o bobo?

— Cada vez melhor.

— Ontem, voltou-se tanto para trás, que esteve quase a esbarrar com um velho.

— Pois lá na rua do Príncipe escapou de cair.

— Que pena!

— Não cair?

— Decerto.

— Tens razão. Tinha vontade de vê-lo de pernas para o ar.

— E eu!

— E o andar dele, já reparaste?

— Ora!

— Parece um boneco de engonço.

— Imposturando com a luneta.

— É verdade; aquilo há de ser impostura.

— Pode ser que não... porque ele tem realmente a vista curta.

— Isso tem; curtíssima.

Tal era a opinião real que as duas moças faziam dele, mui diferente da que exprimiam nas cartas que João dos Passos recebia com o maior prazer deste mundo.

Quando estavam juntas e o viam vir ao longe, a linguagem delas era sempre do mesmo gênero. Mariquinhas, cujo espírito era tão buliçoso como o corpo, rompia sempre o diálogo.

— Olha! olha!

— É ele?

— O cujo... Como vem engraçado!

— É verdade. Olha o braço esquerdo!

— E o jeitinho do ombro?

— Jesus! que rosa tamanha no peito!
— Já vem rindo.
— É para mim.
— É para mim.

E João dos Passos aproximava-se nadando num mar de delícias, e satisfeito de si mesmo, visto estar convencido de que realmente embaçava as duas moças.

Durou esta situação, como disse, alguns meses, creio que três. Era tempo suficiente para aborrecer a comédia; ela porém continuava, com uma modificação apenas.

Qual seria?

A pior de todas.

As cartas de João dos Passos começaram a não ser comunicadas entre as duas amigas. Lúcia foi a primeira que disse não receber cartas de João dos Passos, e não tardou que a outra dissesse a mesma coisa. Ao mesmo tempo já a pessoa do namorado lhes não causava riso, e sendo ele a princípio o objeto quase exclusivo da conversa de ambas, dessa data em diante foi assunto interdito.

A razão, como o leitor adivinha, é que as duas amigas, estando a brincar com fogo, vieram a queimar-se. Nenhuma delas, entretanto, lendo no seu próprio coração, chegou a perceber que igual coisa se passava no coração da outra. Estavam convencidas de que se enganavam muito habilmente.

E ainda mais.

Lúcia refletia assim:

— Ele, que já lhe não escreve e continua a escrever-me, é porque me ama.

Mariquinhas discorria deste modo:

— Não tem que ver. Ele acabou com o gracejo de escrever a Lúcia, e a razão naturalmente é que só eu domino no seu coração.

Um dia, a Mariquinhas arriscou esta pergunta:

— Então João dos Passos nunca mais te escreveu?

— Nunca mais.

— Nem a mim.

— Naturalmente perdeu a esperança.

— Há de ser isso.

— Tenho pena!

— E eu também.

E no seu interior a Lúcia ria da Mariquinhas, e a Mariquinhas ria da Lúcia.

V

João dos Passos, entretanto, fazia consigo a reflexão seguinte:

— Onde irá isto parar? Ambas gostam de mim, e eu, por ora, gosto de ambas. Como só me devo casar com uma delas, tenho de escolher a melhor, e aqui começa a dificuldade.

O petimetre comparou em seguida as qualidades das duas namoradas.

O tipo de Lúcia era para ele excelente; gostava das mulheres claras e de estatura regular. Mas o tipo de Mariquinhas dominava igualmente em seu coração, porque amara a muitas baixinhas e moreninhas.

Vacilava na escolha.

E por isso mesmo que vacilava na escolha, é que não amava verdadeiramente a nenhuma delas, e não amando verdadeiramente a nenhuma delas, era natural adiar a escolha para as calendas gregas.

As cartas continuavam a ser apaixonadíssimas, o que lisonjeava extremamente a João dos Passos.

O pai de Lúcia e a mãe de Mariquinhas, que até agora não entraram no conto, nem entrarão daqui em diante, por não serem precisos, admiravam-se da mudança que notavam nas filhas. Ambas estavam mais sérias do que nunca. Há namoro, concluíram eles, e cada um por sua parte procurou sondar o coração que lhe dizia respeito.

As duas moças confessaram que efetivamente amavam a um mancebo dotado de eminentes qualidades e merecedor de entrar na família. Obtiveram consentimento para fazer com que o mancebo de eminentes qualidades chegasse à fala.

Imagine o leitor o grau de contentamento das duas moças. Logo nesse dia cada uma delas tratou de escrever a João dos Passos dizendo que podia ir pedi-la em casamento.

Tenha paciência o leitor e continue a imaginar a surpresa de João dos Passos quando recebeu as duas cartas contendo a mesma coisa. Um homem que, ao partir um ovo cozido visse sair de dentro um elefante, não ficaria mais assombrado do que o nosso João dos Passos.

Sua primeira ideia foi uma suspeita. Desconfiou que ambas lhe armassem uma cilada, de acordo com as famílias. Repeliu porém a suspeita, refletindo que em nenhum caso o pai de uma e a mãe de outra consentiriam no meio empregado. Compreendeu que era amado igualmente de uma e outra, explicação que o espelho confirmou eloquentemente quando ele lhe lançou um olhar interrogativo.

Que faria ele em tal situação?

Era a ocasião da escolha.

João dos Passos considerou o assunto por todos os lados. As duas moças eram as mais belas do bairro. Não tinham dinheiro, mas essa consideração desaparecia desde que ele pudesse meter inveja a meio mundo. A questão era saber a qual delas daria a preferência.

A Lúcia?

A Mariquinhas?

Resolveu estudar o caso mais detidamente; mas como era necessário mandar imediata resposta, escreveu duas cartas, uma para Mariquinhas, outra para Lúcia, pretextando uma demora indispensável.

As cartas foram.

A que ele escreveu a Lúcia dizia assim:

> Minha querida Lúcia.
> Não imaginas o contentamento que me deste com a tua carta. Vou enfim obter a maior graça do céu, a de poder chamar-te minha esposa!
> Vejo que estás mais ou menos autorizada por teu pai, esse honrado ancião, de quem serei filho amante e obediente.
> Obrigado!
> Devia ir hoje mesmo à tua casa e pedir-te em casamento. Uma circunstância, porém, me impede de o fazer. Apenas ela desapareça, e nunca irá além de uma semana, corro à ordem que o céu me envia pela mão de um dos seus anjos.

Ama-me como eu te amo.
Adeus!

Teu etc.

A carta dirigida a Mariquinhas era deste teor:

Minha Mariquinhas do meu coração.
Faltam-me palavras para dizer o júbilo que me deu a tua carta. Eu era um desgraçado até há poucos meses. Repentinamente a felicidade começou a sorrir-me, e agora (oh! céus!) lá me acena com a maior ventura da terra, a de ser teu esposo.
Estou certo de que a tua respeitável mãe de algum modo te insinuou o passo que deste. Boa e santa senhora! Anseio por chamá-la mãe, por adorá-la de joelhos!
Não posso, como devia, ir hoje mesmo à tua casa.
Há uma razão que mo impede.
Descansa, que é razão passageira Antes de oito dias lá estarei, e se Deus nos não tolher o passo, dentro de dois meses estaremos esposos.
Oh! Mariquinhas, que felicidade!
Adeus!

Teu etc.

Ambas estas cartas traziam um *post-scriptum*, marcando a hora em que nessa noite ele passaria pela casa delas. A hora de Lúcia era às sete, a de Mariquinhas às oito.

As cartas foram entregues ao portador e levadas ao seu destino.

VI

Neste ponto da narrativa, qualquer outro que não prezasse a curiosidade da leitora, intercalaria um capítulo de considerações filosóficas, ou diria alguma coisa a respeito do namoro na antiguidade.

Eu não quero abusar da curiosidade da leitora. Minha obrigação é dizer que desenlace teve esta complicada situação.

As cartas foram, mas foram erradas; a de Lúcia foi entregue a Mariquinhas, e a de Mariquinhas a Lúcia.

Não tenho forças para pintar o desapontamento, a raiva, o desespero das duas moças, e muito menos os faniquitos que sobrevieram à crise, coisa indispensável em tal situação.

Se se achassem debaixo do mesmo teto é possível que o obituário fosse enriquecido com os nomes das duas belas moças. Felizmente cada uma delas estava em sua casa, pelo que tudo se passou menos tragicamente.

Os nomes que elas chamaram ao ingrato e pérfido gamenho podiam escrever-se se houvesse papel suficiente. Os que elas disseram uma da outra orçavam pela mesma quantidade. Nisto gastaram os oito dias de prazo marcado por João dos Passos.

Notou este, logo na primeira noite, que nenhuma delas o esperou à janela conforme fora marcado. No dia seguinte sucedeu a mesma coisa.

João dos Passos indagou o que havia. Soube que as duas moças estavam incomodadas e de cama. Ainda assim não atinou com a causa, e limitou-se a mandar muitas lembranças, que os portadores aceitaram docilmente, apesar de terem ordem positivamente de não receberem nenhum recado mais. Há casos porém em que um portador de cartas desobedece; um deles é o caso de remuneração e foi esse o caso de João dos Passos.

No fim de oito dias ainda João dos Passos não tinha feito a sua escolha; mas o acaso, que governa a vida humana, quando a Providência se cansa de a dirigir, trouxe à casa do petimetre uma prima da roça, cuja riqueza consistia em dois belos olhos e cinco excelentes prédios. João dos Passos era doido por olhos bonitos mas não desdenhava os prédios. Os prédios e os olhos da prima decidiram o nosso perplexo herói, que nunca mais voltou aos Cajueiros.

Lúcia e Mariquinhas casaram mais tarde, mas apesar da ingratidão de João dos Passos, e do tempo que decorreu, nunca mais se deram. Os esforços dos parentes foram baldados. Nenhuma delas seria capaz de casar em nenhuma hipótese com João dos Passos; e isto poderia levá-las a se estimarem como dantes. Não foi assim; tudo perdoaram, exceto a humilhação.

Jornal das Famílias, *julho-agosto de 1875*; *Lara*.

A mágoa do infeliz Cosme

I

Imensa e profunda foi a mágoa do infeliz Cosme. Depois de três anos de não interrompida ventura, faleceu-lhe a mulher, ainda na flor da idade, e no esplendor das graças com que a dotara a natureza. Uma rápida moléstia a arrebatou aos carinhos do esposo e à admiração de quantos tiveram a honra e o prazer de praticar com ela. Quinze dias apenas esteve de cama; mas foram quinze séculos para o infeliz Cosme. Por cúmulo de desgraças, expirou longe dos olhos dele; Cosme saíra para ir buscar a solução de um negócio; quando chegou a casa achou um cadáver.

Dizer a aflição em que este acontecimento lançou o infeliz Cosme pediria outra pena que não a minha. Cosme chorou logo no primeiro dia todas as suas lágrimas; no dia seguinte tinha os olhos exaustos e secos. Os seus numerosos amigos contemplavam com tristeza o rosto do infeliz e ao lançarem a pá de terra sobre o caixão já depositado no fundo da cova mais de um recordou os dias que passara ao pé dos dois esposos, tão queridos um do outro, tão venerados e amados dos seus íntimos.

Cosme não se limitou ao encerramento usual dos sete dias. A dor não é costume, dizia ele aos que o iam visitar; sairei daqui quando puder arrastar o resto dos meus dias. Ali ficou durante seis semanas, sem ver a rua nem o céu. Os seus empregados iam prestar-lhe contas, a que ele, com incrível esforço, prestava religiosa atenção. Cortava o coração ver aquele homem ferido no que havia de mais caro para ele discutir às vezes um erro de soma, uma troca de algarismos. Uma lágrima às vezes vinha interromper a operação. O viúvo lutava com o homem do dever.

Ao cabo de seis semanas resolveu sair à rua o infeliz Cosme.

— Não estou curado — dizia ele a um compadre —; mas é preciso obedecer às necessidades da vida.

— Infeliz! — exclamou o compadre apertando-o nos braços.

II

Na véspera de sair foi visitá-lo um moço de vinte e oito anos, que podia ser seu filho, porque o infeliz Cosme contava quarenta e oito. Cosme conhecera o pai de Oliveira e fora seu companheiro nos bons tempos da mocidade. Oliveira afeiçoou-se ao amigo de seu pai, e frequentava-lhe a casa ainda antes do casamento.

— Sabe que vou casar? — disse um dia Cosme a Oliveira.

— Sim? Com quem?

— Adivinhe.

— Não posso.

— Com dona Carlota.

— Aquela moça a quem me apresentou ontem no teatro?

— Justo.

— Dou-lhe meus parabéns.

Cosme arregalou os olhos de contente.

— Não lhe parece que faço boa escolha?

— Uma excelente moça: formosa, rica...

— Um anjo!

Oliveira puxou duas fumaças do charuto e observou:

— Mas como arranjou isso? Nunca me falou em tal. Verdade é que sempre o conheci discreto; e meu pai costumava dizer que o senhor era uma urna inviolável.

— Por que motivo andaria eu a bater com a língua nos dentes?

— Tem razão...

— Este casamento há de dar que falar, porque eu já estou um pouco maduro.

— Oh! não parece.

— Mas estou; cá tenho já os meus quarenta e cinco. Não os mostro, bem sei; apuro-me no vestir, e não tenho um fio de cabelo branco.

— E conta ainda um mérito mais: é experiente.

— Dois méritos: experiente e sossegado. Não estou na idade de andar correndo a via-sacra e dando desgosto à família, que é o defeito dos rapazes. Parece-lhe então que seremos felizes?

— Como dois eleitos do céu.

Cosme, que ainda não era o infeliz Cosme, esfregou as mãos de contentamento e manifestou a opinião de que o seu jovem amigo era um espírito sensato e observador.

Efetuou-se o casamento com assistência de Oliveira, que, apesar da mudança de estado do amigo de seu pai, não deixou de lhe frequentar a casa. De todos os que lá iam era o que tinha maior intimidade. Suas boas qualidades lhe davam jus à estima e veneração.

Desgraçadamente era moço e Carlota era bela. Oliveira, ao cabo de alguns meses, sentiu-se loucamente apaixonado. Era honrado e viu a gravidade da situação. Quis evitar o desastre; deixou de frequentar a casa de Cosme. Cerca de cinquenta dias deixou de lá ir, até que o amigo o encontrou e a viva força o levou a jantar.

A paixão não estava morta nem caminhava para isso; a vista da bela Carlota não fez mais do que converter em incêndio o que já era braseiro.

Eu desisto de contar as lutas em que andou o coração de Oliveira durante todo o tempo que viveu a esposa de Cosme. Evitou ele manifestar nunca à formosa dama o que sentia por ela; um dia, porém, tão patente era o seu amor, que ela claramente lho percebeu. Uma leve sombra de vaidade fez com que Carlota não descobrisse com maus olhos o amor que inspirara ao rapaz. Não tardou, porém, que a reflexão e o sentimento da honra lhe mostrassem todo o perigo daquela situação. Carlota mostrou-se severa com ele, e este recurso fez ainda mais aumentar as disposições respeitosas em que se achava Oliveira.

— Tanto melhor! — disse ele consigo.

A exclamação de Oliveira queria dizer duas coisas. Era, primeiramente, uma homenagem de respeito à amada do seu coração. Era também uma esperança. Oliveira nutria a doce esperança de que Carlota enviuvasse mais cedo do que supunha o marido, e nesse caso podia ele apresentar a sua candidatura, com certeza de que recebia uma mulher provadamente virtuosa.

Os acontecimentos dissiparam todos esses castelos; Carlota foi a primeira a sair deste mundo, e a dor de Oliveira não foi menor que a dor do infeliz Cosme. Nem teve ânimo de ir ao enterro; foi à missa, e a muito custo pôde reter as lágrimas.

Agora que seis semanas haviam decorrido depois da terrível catástrofe, Oliveira procurou o infeliz viúvo na véspera do dia em que este saía à rua, como eu tive a honra de lhes dizer.

III

Cosme estava assentado diante da escrivaninha examinando melancolicamente alguns papéis. Oliveira assomou à porta do gabinete. O infeliz viúvo voltou o rosto e encontrou os olhos do amigo. Nenhum deles se moveu; a sombra da moça parecia ter surgido entre ambos. Enfim, o infeliz Cosme levantou-se e atirou-se aos braços do amigo.

Não se sabe bem o tempo que eles gastaram nesta magoada e saudosa atitude. Quando se desprenderam, Oliveira enxugou furtivamente uma lágrima; Cosme levou o lenço aos olhos.

A princípio, evitaram falar da moça; mas o coração trouxe naturalmente aquele assunto de conversa.

Cosme era incansável nos louvores que tecia à finada esposa, cuja perda, dizia ele, não era só irreparável, havia de ser-lhe mortal. Oliveira procurava dar-lhe algumas consolações.

— Oh! — exclamou o infeliz Cosme. — Para mim não há consolações. Isto agora já não é viver, é vegetar, é arrastar o corpo e a alma sobre a terra, até o dia em que Deus se compadeça de ambos. A dor que eu sinto cá dentro é um germe da morte; sinto que não posso durar muito tempo. Tanto melhor, meu caro Oliveira, mais depressa irei ter com ela.

— Estou muito longe de lhe censurar esse sentimento — observou Oliveira procurando disfarçar a comoção. — Não conheci eu durante três anos o que valia aquela alma?

— Nunca a houve mais angélica!

Cosme proferiu estas palavras levantando as mãos para o teto, com uma expressão mesclada de admiração e saudade, que abalaria as próprias cadeiras se tivessem ouvidos. Oliveira concordou plenamente com o juízo do amigo.

— Era efetivamente um anjo — disse ele. — Nenhuma mulher teve ainda tantas qualidades juntas.

— Oh! meu bom amigo! Se soubesse que satisfação me está dando! Neste mundo de interesses e vaidades, ainda há um coração puro, que sabe apreciar os dotes do céu. Carlota era isso mesmo que o senhor está dizendo. Era ainda muito mais. A alma dela ninguém a conheceu nunca como eu. Que bondade! que ternura! que graça infantil! Além destes dons, que severidade! que singeleza! E, enfim, se passarmos, melhor direi, se descermos a outra ordem de virtudes, que amor da ordem! que amor do trabalho! que economia!

O infeliz viúvo levou as mãos aos olhos e ficou algum tempo acabrunhado ao peso de tão doces e amargas recordações. Oliveira também estava comovido. O que ainda mais o entristecia foi reparar que estava sentado na mesma cadeira em que Carlota costumava passar as noites, a conversar com ele e o marido. Cosme levantou enfim a cabeça.

— Perdoe-me — disse ele — estas fraquezas. São naturais. Eu seria um monstro se não chorasse aquele anjo.

Chorar, naquela ocasião, era uma figura poética. O infeliz Cosme tinha os olhos secos.

— Nem já lágrimas tenho — continuou ele traduzindo em prosa o que acabava de dizer. — As lágrimas ao menos são um desabafo; mas este sentir interior, esta tempestade que não rompe, mas que se concentra no coração, isto é pior que tudo.

— Tem razão — disse Oliveira —, deve ser assim, e é natural que seja. Não me tenha entretanto por um consolador banal; é necessário, não digo esquecê-la, que seria impossível, mas voltar-se para a vida, que é uma necessidade.

Cosme esteve algum tempo calado.

— Já tenho dito isso mesmo — respondeu ele —, e sinto que assim acontecerá mais cedo ou mais tarde. Vida é que nunca hei de ter; daqui até à morte é apenas um vegetar. Mas, enfim, isso mesmo é preciso...

Oliveira continuou a dizer-lhe algumas palavras de consolação, que o infeliz Cosme ouvia distraído, com os olhos ora no teto, ora nos papéis que tinha diante de si. Oliveira, entretanto, precisava também de quem o consolasse, e não pôde falar muito tempo sem comover-se a si próprio. Seguiu-se um curto silêncio, que o infeliz Cosme foi o primeiro a romper.

— Sou rico — disse ele —, ou antes, corre que o sou. Mas de que me servem os bens? A riqueza não me substitui o tesouro que perdi. Mais ainda; essa riqueza ainda aumenta a minha saudade, porque parte dela foi Carlota que ma trouxe. Bem sabe que eu a receberia com um vestido de chita...

— Ora! — disse Oliveira levantando os ombros.

— Bem sei que me faz justiça; mas há invejosos ou caluniadores para quem estes sentimentos são apenas máscaras de interesse. Lastimo essas almas. Esses corações são podres.

Oliveira concordou plenamente com a opinião do infeliz Cosme.

O viúvo continuou:

— Demais, ainda que eu fosse um homem de interesse, a minha boa Carlota devia tornar-me um amigo. Nunca vi mais nobre desinteresse que o dela. Alguns dias antes de morrer quis fazer testamento. Baldei todos os esforços para impedi-la; ela foi mais forte do que eu. Tive de ceder. Nesse testamento constituiu-me ela seu herdeiro universal. Ah! eu daria toda a herança por uma semana mais de existência para ela. Uma semana? que digo? por uma hora mais!

IV

Os dois amigos foram interrompidos por um escravo que trazia uma carta. Cosme leu a carta e perguntou:

— Esse homem está aí?

— Está na sala.

— Lá vou.

O escravo saiu.

— Veja, senhor! Não se pode durante uma hora falar ao coração; a prosa da vida aí vem. Permite-me?

— Pois não.

Cosme saiu e foi à sala; Oliveira ficou só no gabinete, onde tudo lhe recordava os tempos de outrora. Estava ainda ao pé da escrivaninha o banquinho onde Carlota pousava os pés; Oliveira teve ímpetos de beijá-lo. Tudo ali, até as gravuras de que Carlota gostava tanto, tudo ali parecia ter impressa a viva imagem da moça.

No meio das reflexões foi interrompido pelo infeliz Cosme.

— Perdão! — disse este. — Venho buscar uma coisa; volto já.

Cosme abriu uma gaveta, tirou de dentro algumas caixas de joias, e saiu. Oliveira teve curiosidade de saber para que fim o viúvo levava as joias, mas ele não lhe deu tempo de o interrogar.

Nem era preciso.

O próprio Cosme veio dizer-lho cerca de dez minutos depois.

— Meu amigo — disse ele —, isto é insuportável.

— Que há?

— Lá se foi parte da minha existência. As joias de minha mulher...

Não pôde acabar; caiu sobre uma cadeira e pôs a cabeça nas mãos.

Oliveira respeitou aquela explosão de dor, que ele não compreendia. Ao cabo de algum tempo, Cosme levantou a cabeça; tinha os olhos vermelhos. Esteve ainda alguns segundos calado. Enfim:

— O homem a quem fui falar veio buscar as joias de minha mulher. Obedeço a uma expressa vontade dela.

— Vontade dela?

— Um capricho, talvez, mas um capricho digno do seu coração. Carlota pediu-me que não me tornasse a casar. Era inútil o pedido, porque depois de ter perdido aquele anjo, é claro que eu não tornaria ligar a minha existência à de nenhuma outra mulher.

— Oh! decerto!

— Todavia, exigiu que lho jurasse. Jurei. Não se contentou com isso.

— Não?

— "Tu não sabes o que pode acontecer no futuro", disse-me ela; "quem sabe se o destino não te obrigará a esquecer este juramento que me fizeste? Exijo uma coisa mais, exijo que vendas as minhas joias, a fim de que outra mulher não as ponha sobre si".

O infeliz Cosme terminou esta revelação com um suspiro. Oliveira estava interiormente dominado por um sentimento de inveja. Não era inveja somente, eram também ciúmes. Pobre Oliveira! era completa a sua desgraça! A mulher que ele amava tanto se desfazia em provas de amor com o marido na hora solene em que se despedia da terra.

Estas reflexões fazia o triste namorado, enquanto o infeliz Cosme, todo entregue à doce imagem da esposa extinta, interrompia o silêncio com suspiros que vinham diretamente do coração.

— Vendi as joias — disse Cosme depois de algum tempo de meditação —, e o senhor pode avaliar a mágoa com que me desfiz delas. Bem vê que foi ainda uma prova de amor que dei à minha Carlota. Todavia, exigi profundo silêncio do joalheiro e o mesmo exijo do senhor... Sabe por quê?

Oliveira fez sinal que não entendia.

— É porque eu não vou contar a todos a cena que se passou unicamente entre mim e ela. Achariam ridículo, alguns nem lhe dariam crédito. De maneira que eu não poderia escapar à reputação de avaro e mau homem, que nem uma doce lembrança sabia guardar da mulher que o amou.

— Tem razão.

O infeliz Cosme tirou melancolicamente o lenço da algibeira, assoou-se e prosseguiu:

— Mas teria razão o mundo, ainda quando aquele anjo me não houvesse pedido o sacrifício que acabo de fazer? Vale mais uma lembrança representada por pedras de valor do que a lembrança representada na saudade que fica no coração? Com franqueza, eu detesto esse materialismo, esse aniquilamento da alma, em proveito de coisas passageiras e estéreis. Bem fraco deve ser o amor que precisa de objetos palpáveis e sobretudo valiosos, para não ser esquecido. A verdadeira joia, meu amigo, é o coração.

Oliveira respondeu a esta teoria do infeliz Cosme com um desses gestos que não afirmam nem negam, e que exprimem o estado duvidoso do espírito. Efetivamente, o mancebo estava perplexo ao ouvir as palavras do viúvo. Era claro para ele que a saudade existe no coração, sem necessidade de recordações externas, mas não admitia de todo que o uso de guardar alguma lembrança das pessoas mortas fosse um materialismo, como dizia o infeliz Cosme.

Estas mesmas dúvidas expôs ele ao amigo, depois de alguns minutos de silêncio, e foram ouvidas com um sorriso benévolo da parte deste.

— O que o senhor diz é exato — observou Cosme —, se atendermos unicamente à razão; mas tão entranhado se acha o sentimento no coração do homem, que eu vendi tudo, menos uma coisa. Quis que, ao menos isso me ficasse até a morte; tão certo é que o coração tem seus motivos e argumentos especiais...

— Oh! sem dúvida! — disse Oliveira. — Metade das coisas deste mundo são regidas pelo sentimento. Em vão procuramos furtar-nos a ele... Ele é mais forte do que os nossos débeis raciocínios.

Cosme fez uma leve inclinação de cabeça, e ia metendo a mão na algibeira do paletó, para tirar a joia aludida, quando um escravo veio anunciar que o jantar estava na mesa.

— Vamos jantar — disse Cosme —; à mesa lhe mostrarei o que é.

V

Saíram do gabinete para a sala de jantar. A sala de jantar ainda mais entristeceu o amigo do infeliz Cosme. Tantas vezes jantara ali em companhia dela, tantas contemplara ali os seus olhos, tantas ouvira as suas palavras!

O jantar era farto, como de costume. Cosme deixou-se cair numa cadeira, enquanto Oliveira tomava assento ao pé dele. Um criado serviu a sopa, que o infeliz viúvo comeu apressadamente, não sem observar ao amigo, que era a primeira vez que realmente tinha vontade de comer.

Não era difícil de crer que assim devia de ser após seis semanas de quase total abstinência, ao ver a celeridade com que o infeliz Cosme varria os pratos que lhe punham diante dele.

Terminada a sobremesa, Cosme ordenou que o café fosse levado ao gabinete, onde Oliveira teve ocasião de ver a joia que a saudade de Cosme impedira de ser vendida como as outras.

Era um alfinete de esmeralda perfeito; mas a perfeição da obra não era o que lhe dava todo o valor, como observou o infeliz Cosme.

Oliveira não pôde reter um grito de surpresa.

— O que é? — perguntou o dono da casa.

— Nada.

— Nada?

— Uma lembrança.

— Diga o que é.

— Esse alfinete quis eu comprar, no ano passado, em casa de Farani. Não foi lá que o comprou?

— Foi.

— Que singularidade!

— Singularidade?

— Sim; eu quis comprá-lo justamente para dar à minha irmã no dia em que fazia anos. Disseram-me que estava vendido. Era ao senhor.

— Era a mim. Não me custou barato; mas que me importava isso, se era para ela?

Oliveira continuou a examinar o alfinete. De repente exclamou.

— Ah!

— Que é?

— Lembra-me ainda outra circunstância — disse Oliveira. — Eu já sabia que este alfinete tinha sido comprado pelo senhor.

— Disse-lho ela?

— Não, minha irmã. Um dia em que aqui estivemos, minha irmã viu este alfinete no peito de dona Carlota, e gabou-o muito. Ela disse-lhe então que o senhor lho dera um dia em que foram à rua dos Ourives, e ela ficara encantada com esta joia... Se soubesse como eu praguejei nessa ocasião contra o senhor!

— Não lhe parece muito bonito?

— Oh! lindíssimo!

— Ambos nós gostávamos muito dele. Pobre Carlota! Nem por isso deixava de amar a simplicidade. A simplicidade era o seu principal dote; este alfinete, de que tanto gostava, só o pôs duas vezes, creio eu. Um dia altercamos por causa disso; mas, já se vê, altercação de namorados. Eu disse-lhe que era melhor não comprar joias, se ela as não havia de trazer, e acrescentei, brincando, que me daria muito gosto, se mostrasse que tinha bens de fortuna. Gracejos, gracejos, que ela ouvia a rir e acabávamos ambos alegres... Pobre Carlota!

Durante este tempo, Oliveira contemplava e admirava o alfinete, com o coração palpitante, como se tivesse ali um pedaço do corpo que se fora. Cosme olhava atentamente para ele. Seus olhos faiscavam às vezes; outras vezes pareciam apagados e sombrios. Seriam ciúmes póstumos? O coração do viúvo adivinharia o amor culpado, ainda que respeitoso, do amigo?

Oliveira surpreendeu o olhar do infeliz Cosme e prontamente lhe entregou o alfinete.

— Ela queria muito à sua irmã — disse o desventurado viúvo depois de alguns instantes de silêncio.

— Oh! muito!

— Conversávamos muita vez a respeito dela... Tinham a mesma idade, penso eu?

— Dona Carlota era mais moça dois meses.

— Pode-se dizer que era a mesma idade. Às vezes pareciam-se duas crianças. Quantas vezes ralhei graciosamente com ambas; riam-se e zombavam de mim. Se soubesse com que satisfação as via brincar! Nem por isso era Carlota menos grave, e sua irmã, também, quando convinha que o fossem.

O infeliz Cosme continuou assim a elogiar ainda uma vez os dotes da finada esposa, com a diferença que, desta vez, acompanhava o discurso com movimentos rápidos do alfinete que tinha na mão. Um raio de sol poente vinha brincar na pedra preciosa, de onde Oliveira quase não podia arrancar os olhos. Com o movimento que lhe dava a mão de Cosme, parecia a Oliveira que o alfinete era uma coisa viva, e que parte da alma de Carlota ali brincava e sorria para ele.

O infeliz Cosme interrompeu os louvores que fazia à amada do seu coração e olhou também para o alfinete.

— É realmente bonito! — disse ele.

Oliveira olhava para o alfinete, mas via mais do que ele, via a moça; não admira pois que respondesse maquinalmente:

— Oh! divino!

— É pena que tenha este defeito...

— Não vale nada — acudiu Oliveira.

A conversa prosseguiu ainda algum tempo a respeito do alfinete e das virtudes da finada Carlota. A noite veio interromper essas doces efusões do coração de ambos. Cosme anunciou que provavelmente saía no dia seguinte para recomeçar a lida, mas já sem o ânimo que tivera nos três anos anteriores.

— Todos nós — disse ele —, ainda os que não somos poetas, precisamos de uma musa.

Separaram-se pouco depois.

O infeliz Cosme não quis que o amigo fosse sem levar uma lembrança da pessoa a quem tanto estimara, e que o prezava deveras.

— Tome lá — disse o infeliz Cosme —, tome esta flor de grinalda com que ela se casou; leve esta outra para sua irmã.

Oliveira quis beijar as mãos do amigo. Cosme recebeu-o nos braços.

— Nenhuma lembrança dei ainda a ninguém — observou o viúvo depois de o apertar nos braços —; nem sei se alguém receberá tanto, como estas que lhe acabo de dar. Eu sei distinguir os grandes amigos dos amigos comuns.

VI
Oliveira saiu da casa de Cosme com a alegria de um homem que acabasse de tirar a sorte grande. De quando em quando tirava as duas flores secas, quase desfeitas, metidas numa caixinha, e olhava para elas e tinha ímpetos de as beijar.

— Oh! posso fazê-lo! — exclamava ele consigo. — Não me punge nenhum remorso. Saudades, sim, e muitas, mas respeitosas como foi o meu amor.

Depois:

— Infeliz Cosme! Como ele a ama! Que coração de ouro! Para aquele homem já não há gozos na terra. Ainda que não fosse seu amigo de longo tempo, a afeição que ele ainda hoje tem à sua pobre esposa era bastante para que o adorasse. Bem haja o céu que me poupou um remorso!

No meio destas e outras reflexões Oliveira chegou a casa. Então beijou à vontade as flores da grinalda de Carlota, e acaso verteu sobre elas uma lágrima; depois do quê, foi levar à irmã a flor que lhe pertencia.

Nessa noite teve sonhos de ouro.

No dia seguinte estava a almoçar quando recebeu uma carta de Cosme. Abriu-a com a sofreguidão própria de quem se achava ligado àquele homem por tantos laços.

— Não vem só a carta — disse o escravo.

— Que há mais?

— Esta caixinha.

Oliveira leu a carta.

A carta dizia:

> Meu bom e leal amigo,
> Vi ontem o entusiasmo que lhe causou o alfinete que desejava dar à sua irmã e que eu tive a fortuna de comprar primeiro.
> Tanta afeição lhe devo que não posso nem quero privá-lo do prazer de oferecer essa joia à sua interessante irmã.
> Apesar das circunstâncias em que ela se acha nas minhas mãos, refleti, e entendi que devo obedecer aos desejos de Carlota.
> Cedo-lhe a joia, não pelo custo, mas com dez por cento de diferença. Não vá imaginar que lhe faço um obséquio: o abatimento é justo.
> Seu infeliz amigo
>
> COSME

Oliveira leu a carta três ou quatro vezes. Há fundadas razões para crer que não almoçou nesse dia.

Jornal das Famílias, *agosto-setembro de 1875*; Job.

A última receita

A viúva Lemos adoecera; uns dizem que dos nervos, outros que de saudades do marido. Fosse o que fosse, a verdade é que adoecera, em certa noite de setembro, ao regressar de um baile. Morava então no Andaraí, em companhia de uma tia surda e devota. A doença não parecia coisa de cuidado; todavia era necessário fazer alguma coisa. Que coisa seria? Na opinião da tia um cozimento de alteia e um rosário a não sei que santo do céu eram remédios infalíveis. D. Paula (a viúva) não contestava a eficácia dos remédios da tia, mas opinava por um médico.

Chamou-se um médico.

Havia justamente na vizinhança um médico, formado de pouco, recente morador na localidade. Era o dr. Avelar, sujeito de boa presença, assaz elegante e médico feliz. Veio o dr. Avelar na manhã seguinte, pouco depois das oito horas. Examinou a doente e reconheceu que a moléstia não passava de uma constipação grave. Teve entretanto a prudência de não dizer o que era, como aquele médico da anedota do bicho no ouvido, anedota que o povo conta, e que eu contaria também, se me sobrasse papel.

O dr. Avelar limitou-se a torcer o nariz quando examinou a enferma, e a receitar dois ou três remédios, dos quais só um era útil; o resto figurava no fundo do quadro.

D. Paula tomou os remédios como quem não queria deixar a vida. Havia razão. Apenas dois anos fora casada, e contava apenas vinte e quatro anos. Havia já treze meses que lhe morrera o marido. Apenas entrara no pórtico do matrimônio.

A esta circunstância é justo acrescentar mais duas; era bonita e tinha alguma coisa de seu. Três razões para agarrar-se à vida como náufrago a uma tábua de salvação.

Uma única razão haveria para que ela aborrecesse o mundo: era se tivesse realmente saudades do marido. Mas não tinha. O casamento fora um arranjo de família e dele próprio; Paula aceitou o arranjo sem murmurar. Honrou o casamento, mas não deu ao marido nem estima nem amor. Viúva dois anos depois, e ainda moça, é claro que a vida para ela começava apenas. A ideia de morrer seria para ela não só a maior de todas as calamidades, mas também a mais desastrada de todas as tolices.

Não quis morrer nem caso o era de morte.

Os remédios foram tomados pontualmente; o médico mostrou-se assíduo; dentro de poucos dias, três a quatro, estava restabelecida a interessante enferma.

De todo? Não.

Quando o médico voltou no quinto dia, achou-a sentada na sala, envolvida em grande roupão, com os pés numa almofada, o rosto extremamente pálido, e muito mais ainda por causa da pouca luz.

O estado era natural em quem se levantava da cama; mas a viuvinha alegou ainda umas dores de cabeça, a que o médico chamou nevralgia, e uns tremores, que foram classificados no capítulo dos nervos.

— Serão graves moléstias? — perguntou ela.

— Oh! não, minha senhora — respondeu Avelar —, são achaques aborrecidos, mas não graves, e geralmente próprios de doentes formosas.

Paula sorriu com um ar tão triste que fazia duvidar do prazer com que ouviu estas palavras do médico.

— Dá-me porém remédios, não? — perguntou ela.

— Sem dúvida.

Avelar receitou efetivamente alguma coisa e prometeu voltar no dia seguinte.

A tia era surda, como sabemos, não ouvia nada da conversa entre os dois. Mas não era tola; começou a reparar que a sobrinha ficava mais doente quando se aproximava a chegada do médico. Além disso nutria dúvidas sérias acerca da aplicação exata dos remédios. O certo é porém que Paula, tão amiga de bailes e passeios, parecia realmente doente porque não saía de casa.

Notou igualmente a tia que, pouco antes da hora do médico, a sobrinha fazia uma aplicação mais copiosa de pó de arroz. Paula era morena; ficava muito branca. A meia-luz da sala, os xales, o ar mórbido tornavam-lhe a palidez extremamente verossímil.

A tia não parou nesse ponto; foi ainda além. Não era médico o Avelar? Naturalmente devia saber se realmente estava enferma a viúva. Interrogado o médico, asseverou que a viúva estava muito mal, e prescreveu-lhe o mais absoluto repouso.

Tal era a situação da enferma e do facultativo.

Um dia em que este entrou achou-a folheando um livro. Estava com a palidez de costume e o mesmo ar abatido.

— Como vai a minha doente? — disse familiarmente o dr. Avelar.

— Mal.

— Mal?

— Horrorosamente mal... Que lhe parece o pulso?

Avelar examinou-lhe o pulso.

— Regular — disse ele. — A tez está um tanto pálida, mas os olhos parecem bons... Houve algum ataque?

— Não; mas sinto-me desfalecida.

— Deu o passeio que lhe aconselhei?

— Não tive ânimo.

— Fez mal. Não passeou e está lendo...

— Um livro inocente.

— Inocente?

O médico pegou no livro e examinou-lhe a lombada.

— Um livro diabólico! — disse ele atirando-o para cima da mesa.

— Por quê?

— Livro de poeta, livro para namorados, minha senhora, que é uma casta de doentes terríveis. Não se curam eles; ou raramente se curam; mas há pior, que é adoecerem os sãos. Peço-lhe licença para confiscar o livro.

— Uma distração! — murmurou Paula com uma doçura capaz de vencer um tirano.

Mas o médico mostrou-se firme.

— Uma perversão, minha senhora! Em ficando boa pode ler se quiser todos os poetas do século; antes, não.

Paula ouviu esta palavra com singular, mas disfarçada alegria.

— Parece-lhe então que estou muito doente? — disse ela.

— Muito, não digo; tem ainda um resto de abalo que só pode desaparecer com o tempo e um regime severo.

— Severo demais.

— Mas necessário...

— Duas coisas lastimo sobre todas.

— Quais?

— A pimenta e o café.

— Oh!

— É o que lhe digo. Não tomar café nem pimenta é o limite da paciência humana. Quinze dias mais deste regime ou desobedeço ou expiro.

— Nesse caso, expire — disse Avelar sorrindo.

— Acha melhor?

— Acho igualmente mau. O remorso, porém, será meu só, enquanto se vossa excelência desobedecer terá os seus últimos instantes amargurados por um tardio arrependimento. Melhor é morrer vítima que culpada.

— Melhor é não morrer nem culpada nem vítima.

— Nesse caso não tome pimenta nem café.

A leitora que acaba de ler esta conversa, admirar-se-ia muito se visse a nossa doente nesse mesmo dia ao jantar: teve pimenta à farta e bebeu excelente café no fim. Não admira porque era o seu costume. A tia admirava-se com razão de uma doença que consentia tais liberdades; a sobrinha não se explicava cabalmente a este respeito.

Choviam convites de jantares e bailes. A viuvinha recusava-os todos por causa do seu mau estado de saúde.

Foi uma verdadeira calamidade.

Entraram a chover as visitas e bilhetes. Muitas pessoas achavam que a doença devia ser interna, muito interna, profundamente interna, visto que lhe não apareciam sinais no rosto. Os nervos (eternos caluniados!) foram a explicação que geralmente se deu à singular moléstia da moça.

Três meses correram assim, sem que a doença de Paula cedesse uma linha aos esforços do médico. Os esforços do médico não podiam ser maiores; de dois em dois dias uma receita. Se a doente se esquecia do seu estado e entrava a falar e a corar como quem tinha saúde, o médico era o primeiro a lembrar-lhe o perigo, e ela obedecia logo entregando-se à mais prudente inação.

Às vezes zangava-se.

— Todos os senhores são uns bárbaros — dizia ela.

— Uns bárbaros... necessários — respondia Avelar sorrindo.

E acrescentava:

— Eu não direi o que são as doentes.

— Diga sempre.

— Não digo.

— Caprichosas?

— Mais.

— Rebeldes?

— Menos.
— Impertinentes?
— Sim. Algumas são impertinentes e amáveis.
— Como eu.
— Naturalmente.
— Já o esperava — dizia a viúva Lemos sorrindo. — Sabe por que razão lhe perdoo tudo? É porque é médico. Um médico tem carta branca para gracejar conosco; isso mesmo nos dá saúde.

Neste ponto levantou-se.
— Parece-me até que já estou melhor.
— Parece e está... quero dizer, está muito mal.
— Muito mal?
— Não, muito mal, não; não está boa...
— Meteu-me um susto!

Seria realmente zombar do leitor o explicar-lhe que a doente e o médico estavam a pender um para o outro; que a doente sofria tanto como o Corcovado, e que o médico conhecia cabalmente a sua perfeita saúde. Gostavam um do outro sem se atreverem a dizer a verdade, simplesmente pelo receio de se enganarem. O meio de se falarem todos os dias era aquele.

Mas gostavam eles já antes da fatal constipação do baile? Não. Até então ignoravam a existência um do outro. A doença favoreceu o encontro; o encontro o coração; o coração favorecia desde logo o casamento, se tivessem caminhado em linha reta, em vez dos rodeios em que andavam.

Quando Paula ficou boa da constipação adoeceu do coração; não tendo outro recurso fingiu-se doente. O médico que pela sua parte desejava isso mesmo exagerou ainda as invenções da suposta enferma.

A tia, sendo surda, assistia inutilmente aos diálogos da doente com o médico. Um dia escreveu a este pedindo-lhe que apressasse a cura da sobrinha. Avelar desconfiou da carta a princípio. Seria uma despedida? Podia ser pelo menos uma desconfiança. Respondeu que a moléstia de d. Paula era aparentemente insignificante, mas podia tornar-se grave sem um regime severo, que ele lhe recomendava sempre.

A situação, entretanto, prolongava-se. A doente estava cansada da doença, e o médico da medicina. Ambos eles começaram a desconfiar que não eram mal aceitos. O negócio entretanto não caminhava muito.

Um dia Avelar entrou triste em casa da viúva.
— Jesus! — exclamou sorrindo a viúva. — Ninguém dirá que é o médico. Parece o doente.
— Doente de lástima — disse Avelar abanando a cabeça —; por outros termos, é a lástima que me dá este ar enfermo.
— Lástima de quê?
— De vossa excelência.
— De mim?
— É verdade.

A moça riu-se consigo mesma; todavia esperou a explicação.
Houve um silêncio.
No fim dele:

— Sabe — disse o médico —, sabe que está muito mal?
— Eu?
Avelar fez um gesto afirmativo.
— Já o sabia — suspirou a doente.
— Não digo que tudo esteja perdido — continuou o médico —, mas nada se perde em prevenir.
— Então...
— Coragem!
— Fale.
— Mande chamar o padre.
— Aconselha-me a confissão?
— É indispensável.
— Perderam-se todas as esperanças?
— Todas. Confissão... e banhos.
A viúva soltou uma risada.
— E banhos?
— Banhos de igreja.
Outra risada.
— Aconselha-me então o casamento?
— Justo.
— Imagino que está gracejando.
— Estou falando muito sério. O remédio não é novo nem desprezível. Todas as semanas lá vão muitos enfermos, e dão-se bem alguns deles. É um específico inventado desde muitos séculos e que provavelmente só acabará no último dia do mundo. Pela minha parte nada mais tenho que fazer.

Quando a viuvinha menos esperava, Avelar levantou-se e saiu. Falava sério ou gracejava? Dois dias se passaram sem que o médico voltasse. A doente estava triste; a tia aflita; houve ideia de mandar chamar outro médico. Recusou-a a doente.

— Então só um médico acertou com a tua moléstia?
— Talvez.

No fim de três dias recebeu a viúva Lemos uma carta do médico. Abriu-a. Dizia assim:

> É absolutamente impossível esconder por mais tempo o que sinto por vossa excelência.
> Amo-a.
> Sua moléstia precisa de uma última receita, verdadeiro remédio para quem ama — sim, porque vossa excelência também me ama. Que razão obrigaria a negá-lo? Se a sua resposta for afirmativa haverá mais dois entes felizes neste mundo. Se negativa...
> Adeus!

A carta foi lida com explosão de entusiasmo; o médico foi chamado a toda a pressa, para receber e dar saúde. Casaram-se os dois daí a quarenta dias.

Tal é a história da *última receita*.

Jornal das Famílias, *setembro de 1875*; J. J.

Um esqueleto

I

Eram dez ou doze rapazes. Falavam de artes, letras e política. Alguma anedota vinha de quando em quando temperar a seriedade da conversa. Deus me perdoe! parece que até se fizeram alguns trocadilhos.

O mar batia perto na praia solitária... estilo de meditação em prosa. Mas nenhum dos doze convivas fazia caso do mar. Da noite também não, que era feia e ameaçava chuva. É provável que se a chuva caísse ninguém desse por ela, tão entretidos estavam todos em discutir os diferentes sistemas políticos, os méritos de um artista ou de um escritor, ou simplesmente em rir de uma pilhéria intercalada a tempo.

Aconteceu no meio da noite que um dos convivas falou na beleza da língua alemã. Outro conviva concordou com o primeiro a respeito das vantagens dela, dizendo que a aprendera com o dr. Belém.

— Não conheceram o doutor Belém? — perguntou ele.

— Não — responderam todos.

— Era um homem extremamente singular. No tempo em que me ensinou alemão usava duma grande casaca que lhe chegava quase aos tornozelos e trazia na cabeça um chapéu-do-chile de abas extremamente largas.

— Devia ser pitoresco — observou um dos rapazes. — Tinha instrução?

— Variadíssima. Compusera um romance, e um livro de teologia e descobrira um planeta...

— Mas esse homem?

— Esse homem vivia em Minas. Veio à corte para imprimir os dois livros, mas não achou editor e preferiu rasgar os manuscritos. Quanto ao planeta comunicou a notícia à Academia das Ciências de Paris; lançou a carta no correio e esperou a resposta; a resposta não veio porque a carta foi parar a Goiás.

Um dos convivas sorriu maliciosamente para os outros, com ar de quem dizia que era muita desgraça junta. A atitude porém do narrador tirou-lhe o gosto do riso. Alberto (era o nome do narrador) tinha os olhos no chão, olhos melancólicos de quem se rememora com saudade de uma felicidade extinta. Efetivamente suspirou depois de algum tempo de muda e vaga contemplação, e continuou:

— Desculpem-me este silêncio; não me posso lembrar daquele homem sem que uma lágrima teime em rebentar-me dos olhos. Era um excêntrico, talvez não fosse, não era decerto um homem completamente bom; mas era meu amigo; não direi o único mas o maior que jamais tive na minha vida.

Como era natural, estas palavras de Alberto alteraram a disposição de espírito do auditório. O narrador ainda esteve silencioso alguns minutos. De repente sacudiu a cabeça como se expelisse lembranças importunas do passado, e disse:

— Para lhes mostrar a excentricidade do doutor Belém basta contar-lhes a história do esqueleto.

A palavra esqueleto aguçou a curiosidade dos convivas; um romancista aplicou o ouvido para não perder nada da narração; todos esperaram ansiosamente o esqueleto do dr. Belém. Batia justamente meia-noite; a noite, como disse, era escura; o mar batia funebremente na praia. Estava-se em pleno Hoffmann.

Alberto começou a narração.

II

O dr. Belém era um homem alto e magro; tinha os cabelos grisalhos e caídos sobre os ombros; em repouso era reto como uma espingarda; quando andava curvava-se um pouco. Conquanto o seu olhar fosse muitas vezes meigo e bom, tinha lampejos sinistros, e às vezes, quando ele meditava, ficava com olhos como de defunto.

Representava ter sessenta anos, mas não tinha efetivamente mais de cinquenta. O estudo o abatera muito, e os desgostos também, segundo ele dizia, nas poucas vezes em que me falara do passado, e era eu a única pessoa com quem ele se comunicava a esse respeito. Podiam contar-se-lhe três ou quatro rugas pronunciadas na cara, cuja pele era fria como o mármore e branca como a de um morto.

Um dia, justamente no fim da minha lição, perguntei-lhe se nunca fora casado. O doutor sorriu sem olhar para mim. Não insisti na pergunta; arrependi-me até de lha ter feito.

— Fui casado — disse ele, depois de algum tempo —, e daqui a três meses posso dizer outra vez: sou casado.

— Vai casar?

— Vou.

— Com quem?

— Com a dona Marcelina.

D. Marcelina era uma viúva de Ouro Preto, senhora de vinte e seis anos, não formosa, mas assaz simpática, possuía alguma coisa, mas não tanto como o doutor, cujos bens orçavam por uns sessenta contos.

Não me constava até então que ele fosse casar; ninguém falara nem suspeitara tal coisa.

— Vou casar — continuou o doutor — unicamente porque o senhor me falou nisso. Até cinco minutos antes nenhuma intenção tinha de semelhante ato. Mas a sua pergunta faz-me lembrar que eu efetivamente preciso de uma companheira; lancei os olhos da memória a todas as noivas possíveis, e nenhuma me parece mais possível do que essa. Daqui a três meses assistirá ao nosso casamento. Promete?

— Prometo — respondi eu com um riso incrédulo.

— Não será uma formosura.

— Mas é muito simpática, decerto — acudi eu.

— Simpática, educada e viúva. Minha ideia é que todos os homens deviam casar com senhoras viúvas.

— Quem casaria então com as donzelas?

— Os que não fossem homens — respondeu o velho —, como o senhor e a maioria do gênero humano; mas os homens, as criaturas da minha têmpera, mas...

O doutor estacou, como se receasse entrar em maiores confidências, e tornou a falar da viúva Marcelina cujas boas qualidades louvou com entusiasmo.

— Não é tão bonita como a minha primeira esposa. — disse ele — Ah! essa... Nunca a viu?

— Nunca.

— É impossível.

— É a verdade. Já o conheci viúvo, creio eu.

— Bem; mas eu nunca lha mostrei? Ande vê-la...

Levantou-se; levantei-me também. Estávamos assentados à porta; ele levou-me a um gabinete interior. Confesso que ia ao mesmo tempo curioso e aterrado. Conquanto eu fosse amigo dele e tivesse provas de que ele era meu amigo, tanto medo inspirava ele ao povo, e era efetivamente tão singular, que eu não podia esquivar-me a um tal ou qual sentimento de medo.

No fundo do gabinete havia um móvel coberto com um pano verde; o doutor tirou o pano e eu dei um grito.

Era um armário de vidro, tendo dentro um esqueleto. Ainda hoje, apesar dos anos que lá vão, e da mudança que fez o meu espírito, não posso lembrar-me daquela cena sem terror.

— É minha mulher — disse o dr. Belém sorrindo. — É bonita, não lhe parece? Está na espinha, como vê. De tanta beleza, de tanta graça, de tanta maravilha que me encantaram outrora, que a tantos mais encantaram, que lhe resta hoje? Veja, meu jovem amigo; tal é última expressão do gênero humano.

Dizendo isto, o dr. Belém cobriu o armário com o pano e saímos do gabinete. Eu não sabia o que havia de dizer, tão impressionado me deixara aquele espetáculo.

Viemos outra vez para as nossas cadeiras ao pé da porta, e algum tempo estivemos sem dizer palavra um ao outro. O doutor olhava para o chão; eu olhava para ele. Tremiam-lhe os lábios, e a face de quando em quando se lhe contraía. Um escravo veio falar-lhe; o doutor saiu daquela espécie de letargo.

Quando ficamos sós parecia outro; falou-me risonho e jovial, com uma volubilidade que não estava nos seus usos.

— Ora bem, se eu for feliz no casamento — disse ele — ao senhor o deverei. Foi o senhor quem me deu esta ideia! E fez bem, porque até já me sinto mais rapaz. Que lhe parece este noivo?

Dizendo isto, o dr. Belém levantou-se e fez uma pirueta, segurando nas abas da casaca, que nunca deixava, salvo quando se recolhia de noite.

— Parece-lhe capaz o noivo? — disse ele.

— Sem dúvida — respondi.

— Também ela há de pensar assim. Verá, meu amigo, que eu meterei tudo num chinelo, e mais de um invejará a minha sorte. É pouco; mais de uma invejará a sorte dela. Pudera, não? Não há muitos noivos como eu.

Eu não dizia nada, e o doutor continuou a falar assim durante vinte minutos. A tarde caíra de todo; e a ideia da noite e do esqueleto que ali estava a poucos passos de nós, e mais ainda as maneiras singulares que nesse dia, mais do que nos outros, mostrava o meu bom mestre, tudo isso me levou a despedir-me dele e a retirar-me para casa.

O doutor sorriu-se com o sorriso sinistro que às vezes tinha, mas não insistiu para que ficasse. Fui para casa aturdido e triste; aturdido com o que vira; triste com a responsabilidade que o doutor atirava sobre mim relativamente ao seu casamento.

Entretanto, refleti que a palavra do doutor podia não ter pronta nem remota realização. Talvez não se case nunca, nem até pense nisso. Que certeza teria ele de desposar a viúva Marcelina daí a três meses? Quem sabe até, pensei eu, se não disse aquilo para zombar comigo?

Esta ideia enterrou-se-me no espírito. No dia seguinte levantei-me convencido de que efetivamente o doutor quisera matar o tempo e juntamente aproveitar a ocasião de me mostrar o esqueleto da mulher.

— Naturalmente — disse eu comigo — amou-a muito, e por esse motivo ainda a conserva. É claro que não se casará com outra; nem achará quem case com ele, tão aceita anda a superstição popular que o tem por lobisomem ou quando menos amigo íntimo do diabo... ele! o meu bom e compassivo mestre!

Com estas ideias fui logo de manhã à casa do dr. Belém. Achei-o a almoçar sozinho, como sempre, servido por um escravo da mesma idade.

— Entre, Alberto — disse o doutor apenas me viu à porta. — Quer almoçar?
— Aceito.
— João, um prato.

Almoçamos alegremente; o doutor estava como me parecia na maior parte das vezes, conversando de coisas sérias ou frívolas, misturando uma reflexão filosófica com uma pilhéria, uma anedota de rapaz com uma citação de Virgílio.

No fim do almoço tornou a falar do seu casamento.

— Mas então pensa nisso deveras?... — perguntei eu.
— Por que não? Não depende senão dela; mas eu estou quase certo de que ela não recusa. Apresenta-me lá?
— Às suas ordens.

No dia seguinte era apresentado o dr. Belém em casa da viúva Marcelina e recebido com muita afabilidade.

— Casar-se-á deveras com ela? — dizia eu a mim mesmo espantado do que via, porque, além da diferença da idade entre ele e ela, e das maneiras excêntricas dele, havia um pretendente à mão da bela viúva, o tenente Soares.

Nem a viúva nem o tenente imaginavam as intenções do dr. Belém; daqui podem já imaginar o pasmo de d. Marcelina quando ao cabo de oito dias perguntou-lhe o meu mestre se ela queria casar com ele.

— Nem com o senhor nem com outro — disse a viúva —; fiz voto de não casar mais.

— Por quê? — perguntou friamente o doutor.
— Porque amava muito a meu marido.
— Não tolhe isso que ame o segundo — observou o candidato sorrindo.

E depois de algum tempo de silêncio:

— Não insisto — disse ele —, nem faço aqui uma cena dramática. Eu amo-a deveras, mas é um amor de filósofo, um amor como eu entendo que deviam ser todos. Entretanto deixe-me ter esperança; pedir-lhe-ei mais duas vezes a sua mão. Se da última nada alcançar consinta-me que fique sendo seu amigo.

III

O dr. Belém foi fiel a este programa. Dali a mês pediu outra vez a mão da viúva, e teve a mesma recusa, mas talvez menos peremptória do que a primeira. Deixou passar seis semanas, e repetiu o pedido.

— Aceitou? — disse eu apenas o vi vir da casa de d. Marcelina.

— Por que havia de recusar? Eu não lhe disse que me casava dentro de três meses?

— Mas então o senhor é um adivinho, um mágico?...

O doutor deu uma gargalhada, das que ele guardava para quando queria motejar de alguém ou de alguma coisa. Naquela ocasião o motejado era eu. Parece que não fiz boa cara porque o doutor imediatamente ficou sério e abraçou-me dizendo:

— Oh! meu amigo, não desconfie! Conhece-me de hoje?

A ternura com que ele me disse estas palavras tornava-o outro homem. Já não tinha os tons sinistros do olhar nem a fala *saccadée* (vá o termo francês, não me ocorre agora o nosso) que era a sua fala característica. Abracei-o também, e falamos do casamento e da noiva.

O doutor estava alegre; apertava-me muitas vezes as mãos agradecendo-me a ideia que lhe dera; fazia seus planos de futuro. Tinha ideias de vir à corte, logo depois do casamento; aventurou a ideia de seguir para a Europa; mas apenas parecia assentado nisto, já pensava em não sair de Minas, e morrer ali, dizia ele, entre as suas montanhas.

— Já vejo que está perfeitamente noivo — disse eu —; tem todos os traços característicos de um homem nas vésperas de casar.

— Parece-lhe?

— E é.

— De fato, gosto da noiva — disse ele com ar sério —; é possível que eu morra antes dela; mas o mais provável é que ela morra primeiro. Nesse caso, juro desde já que irá o seu esqueleto fazer companhia ao outro.

A ideia do esqueleto fez-me estremecer. O doutor, ao dizer estas palavras, cravara os olhos no chão, profundamente absorto. Daí em diante a conversa foi menos alegre do que a princípio. Saí de lá desagradavelmente impressionado.

O casamento dentro de pouco tempo foi realidade. Ninguém queria acreditar nos seus olhos. Todos admiraram a coragem (era a palavra que diziam) da viúva Marcelina, que não recuava àquele grande sacrifício.

Sacrifício não era. A moça parecia contente e feliz. Os parabéns que lhe davam eram irônicos, mas ela os recebia com muito gosto e seriedade. O tenente Soares não lhe deu os parabéns; estava furioso; escreveu-lhe um bilhete em que lhe dizia todas as coisas que em tais circunstâncias se podem dizer.

O casamento foi celebrado pouco depois do prazo que o dr. Belém marcara na conversa que tivera comigo e que eu já referi. Foi um verdadeiro acontecimento na capital de Minas. Durante oito dias não se falava senão no *caso impossível*; afinal, passou a novidade, como todas as coisas deste mundo, e ninguém mais tratou dos noivos.

Fui jantar com eles no fim de uma semana; d. Marcelina parecia mais que nunca feliz; o dr. Belém não o estava menos. Até parecia outro. A mulher começava a influir nele, sendo já uma das primeiras consequências a supressão da singular casaca. O doutor consentiu em vestir-se menos excentricamente.

— Veste-me como quiseres — dizia ele à mulher —; o que não poderás fazer nunca é mudar-me a alma. Isso nunca.

— Nem quero.

— Nem podes.

Parecia que os dois estavam destinados a gozar uma eterna felicidade. No fim de um mês fui lá, e achei-a triste.

— Oh! — disse eu comigo. — Cedo começam os arrufos.

O doutor estava como sempre. Líamos então e comentávamos à nossa maneira o *Fausto*. Nesse dia pareceu-me o dr. Belém mais perspicaz e engenhoso que nunca. Notei, entretanto, uma singular pretensão: um desejo de se parecer com Mefistófeles.

Aqui confesso que não pude deixar de rir.

— Doutor — disse eu —, creio que o senhor abusa da amizade que lhe tenho para zombar comigo.

— Sim?

— Aproveita-se da opinião de excêntrico para me fazer crer que é o diabo...

Ouvindo esta última palavra, o doutor persignou-se todo, e foi a melhor afirmativa que me poderia fazer de que não ambicionava confundir-se com o personagem aludido. Sorriu-se depois benevolamente, tomou uma pitada e disse:

— Ilude-se, meu amigo, quando me atribui semelhante ideia, do mesmo modo que se engana quando supõe que Mefistófeles é isso que diz.

— Essa agora!...

— Noutra ocasião lhe direi as minhas razões. Por agora vamos jantar.

— Obrigado. Devo ir jantar com meu cunhado. Mas, se me permite ficarei ainda algum tempo aqui lendo o seu *Fausto*.

O doutor não pôs objeção; eu era íntimo da casa. Saiu dali para a sala do jantar. Li ainda durante vinte minutos, findos os quais fechei o livro e fui despedir-me do dr. Belém e sua senhora.

Caminhei por um corredor fora que ia ter à sala do jantar. Ouvia mover os pratos, mas nenhuma palavra soltavam os dois casados.

— O arrufo continua — pensei eu.

Fui andando... Mas qual não foi a minha surpresa ao chegar à porta? O doutor estava de costas, não me podia ver. A mulher tinha os olhos no prato. Entre ele e ela, sentado numa cadeira, vi o esqueleto. Estaquei aterrado e trêmulo. Que queria dizer aquilo? Perdia-me em conjeturas; cheguei a dar um passo para falar ao doutor, mas não me atrevi; voltei pelo mesmo caminho, peguei no chapéu, e deitei a correr pela rua fora.

Em casa de meu cunhado todos notaram os sinais de temor que eu ainda levava no rosto. Perguntaram-me se havia visto alguma alma do outro mundo. Respondi sorrindo que sim; mas nada contei do que acabava de presenciar.

Durante três dias não fui à casa do doutor. Era medo, não do esqueleto, mas do dono da casa, que se me afigurava ser um homem mau ou um homem doido. Todavia, ardia por saber a razão da presença do esqueleto na mesa do jantar. D. Marcelina podia dizer-me tudo; mas como indagaria isso dela, se o doutor estava quase sempre em casa?

No terceiro dia apareceu-me em casa o dr. Belém.

— Três dias! — disse ele. — Há já três dias que eu não tenho a fortuna de o ver. Onde anda? Está mal conosco?

— Tenho andado doente — respondi eu, sem saber o que dizia.

— E não me mandou dizer nada, ingrato! Já não é meu amigo.

A doçura destas palavras dissipou os meus escrúpulos. Era singular como aquele homem, que por certos hábitos, maneiras e ideias, e até pela expressão física, assustava a muita gente e dava azo às fantasias da superstição popular, era singular, repito, como me falava às vezes com uma meiguice incomparável e um tom patriarcalmente benévolo.

Conversamos um pouco e fui obrigado a acompanhá-lo a casa.

A mulher ainda me pareceu triste, mas um pouco menos que da outra vez. Ele tratava-a com muita ternura e consideração, e ela se não respondia alegre, ao menos falava com igual meiguice.

IV

No meio da conversa vieram dizer que o jantar estava na mesa.

— Agora há de jantar conosco — disse ele.

— Não posso — balbuciei eu —, devo ir...

— Não deve ir a nenhuma parte — atalhou o doutor —; parece-me que quer fugir de mim. Marcelina, pede ao doutor Alberto que jante conosco.

D. Marcelina repetiu o pedido do marido, mas com um ar de constrangimento visível. Ia recusar de novo, mas o doutor teve a precaução de me agarrar no braço e foi impossível recusar.

— Deixe-me ao menos dar o braço a sua senhora — disse eu.

— Pois não.

Dei o braço a d. Marcelina que estremeceu. O doutor passou adiante. Eu inclinei a boca ao ouvido da pobre senhora e disse baixinho:

— Que mistério há?

D. Marcelina estremeceu outra vez e com um sinal impôs-me silêncio.

Chegamos à sala de jantar.

Apesar de já ter presenciado a cena do outro dia não pude resistir à impressão que me causou a vista do esqueleto que lá estava na cadeira em que o vira com os braços sobre a mesa.

Era horrível.

— Já lhe apresentei minha primeira mulher — disse o doutor para mim —; são conhecidos antigos.

Sentamo-nos à mesa; o esqueleto ficou entre ele e d. Marcelina; eu fiquei ao lado desta. Até então não pude dizer palavra; era porém natural que exprimisse o meu espanto.

— Doutor — disse eu —, respeito os seus hábitos; mas não me dará a explicação deste?

— Este qual? — disse ele.

Com um gesto indiquei-lhe o esqueleto.

— Ah!... — respondeu o doutor. — Um hábito natural; janto com minhas duas mulheres.

— Confesse ao menos que é um uso original.

— Queria que eu copiasse os outros?

— Não, mas a piedade com os mortos...

Atrevi-me a falar assim porque, além de me parecer aquilo uma profanação, a melancolia da mulher parecia pedir que alguém falasse duramente ao marido e procurasse trazê-lo a melhor caminho.

O doutor deu uma das suas singulares gargalhadas, e estendendo-me o prato de sopa, replicou:

— O senhor fala de uma piedade de convenção; eu sou pio à minha maneira. Não é respeitar uma criatura que amamos em vida, o trazê-la assim conosco, depois de morta?

Não respondi coisa nenhuma a estas palavras do doutor. Comi silenciosamente a sopa, e o mesmo fez a mulher, enquanto ele continuou a desenvolver as suas ideias a respeito dos mortos.

— O medo dos mortos — disse ele — não é só uma fraqueza, é um insulto, uma perversidade do coração. Pela minha parte dou-me melhor com os defuntos do que com os vivos.

E depois de um silêncio:

— Confesse, confesse que está com medo.

Fiz-lhe um sinal negativo com a cabeça.

— É medo, é, como esta senhora que está ali transida de susto, porque ambos são dois maricas. Que há entretanto neste esqueleto, que possa meter medo? Não lhes digo que seja bonito; não é bonito segundo a vida, mas é formosíssimo segundo a morte. Lembrem-se que isto somos nós também; nós temos de mais um pouco de carne.

— Só? — perguntei eu intencionalmente.

O doutor sorriu-se e respondeu:

— Só.

Parece que fiz um gesto de aborrecimento, porque ele continuou logo:

— Não tome ao pé da letra o que lhe disse. Eu também creio na alma; não creio só, demonstro-a, o que não é para todos. Mas a alma foi-se embora; não podemos retê-la; guardemos isto ao menos, que é uma parte da pessoa amada.

Ao terminar estas palavras, o doutor beijou respeitosamente a mão do esqueleto. Estremeci e olhei para d. Marcelina. Esta fechara os olhos. Eu estava ansioso por terminar aquela cena que realmente me repugnava presenciar. O doutor não parecia reparar em nada. Continuou a falar no mesmo assunto, e por mais esforços que eu fizesse para o desviar dele era impossível.

Estávamos à sobremesa quando o doutor, interrompendo um silêncio que durava já havia dez minutos perguntou:

— E segundo me parece, ainda lhe não contei a história deste esqueleto, quero dizer a história de minha mulher?

— Não me lembra — murmurei.

— E a ti? — disse ele voltando-se para a mulher.

— Já.

— Foi um crime — continuou ele.

— Um crime?

— Cometido por mim.

— Pelo senhor?

— É verdade.

O doutor concluiu um pedaço de queijo, bebeu o resto do vinho que tinha no copo, e repetiu:

— É verdade, um crime de que fui autor. Minha mulher era muito amada de seu marido; não admira, eu sou todo coração. Um dia porém suspeitei que me houvesse traído; vieram dizer-me que um moço da vizinhança era seu amante. Algumas aparências me enganaram. Um dia declarei-lhe que sabia tudo, e que ia puni-la do que me havia feito. Luísa caiu-me aos pés banhada em lágrimas protestando pela sua inocência. Eu estava cego; matei-a.

Imagina-se, não se descreve a impressão de horror que estas palavras me causaram. Os cabelos ficaram-me em pé. Olhei para aquele homem, para o esqueleto, para a senhora, e passava a mão pela testa, para ver se efetivamente estava acordado, ou se aquilo era apenas um sonho.

O doutor tinha os olhos fitos no esqueleto e uma lágrima lhe caía lentamente pela face. Estivemos todos calados durante cerca de dez minutos.

O doutor rompeu o silêncio.

— Tempos depois, quando o crime estava de há muito cometido, sem que a justiça o soubesse, descobri que Luísa era inocente. A dor que então sofri foi indescritível; eu tinha sido o algoz de um anjo.

Estas palavras foram ditas com tal amargura que me comoveram profundamente. Era claro que ainda então, após longos anos do terrível acontecimento, o doutor sentia o remorso do que praticara e a mágoa de ter perdido a esposa.

A própria Marcelina parecia comovida. Mas a comoção dela era também medo; segundo vim a saber depois, ela receava que no marido não estivessem íntegras as faculdades mentais.

Era um engano.

O doutor era, sim, um homem singular e excêntrico; doido lhe chamavam os que, por se pretenderem mais espertos que o vulgo, repeliam os contos da superstição.

Estivemos calados algum tempo e dessa vez foi ainda ele que interrompeu o silêncio.

— Não lhes direi como obtive o esqueleto de minha mulher. Aqui o tenho e o conservarei até a minha morte. Agora naturalmente deseja saber por que motivo o trago para a mesa depois que me casei.

Não respondi com os lábios, mas os meus olhos disseram-lhe que efetivamente desejava saber a explicação daquele mistério.

— É simples — continuou ele —; é para que minha segunda mulher esteja sempre ao pé da minha vítima, a fim de que se não esqueça nunca dos seus deveres, porque, então como sempre, é mui provável que eu não procure apurar a verdade; farei justiça por minhas mãos.

Esta última revelação do doutor pôs termo à minha paciência. Não sei o que lhe disse, mas lembra-me que ele ouviu-me com o sorriso benévolo que tinha às vezes, e respondeu-me com esta simples palavra:

— Criança!

Saí pouco depois do jantar, resolvido a lá não voltar nunca.

V

A promessa não foi cumprida.

Mais de uma vez o dr. Belém mandou à casa chamar-me; não fui. Veio duas ou três vezes instar comigo que lá fosse jantar com ele.

— Ou, pelo menos, conversar — concluiu.

Pretextei alguma coisa e não fui.

Um dia porém recebi um bilhete da mulher. Dizia-me que era eu a única pessoa estranha que lá ia; pedia-me que não a abandonasse.

Fui.

Eram então passados quinze dias depois do célebre jantar em que o doutor me referiu a história do esqueleto. A situação entre os dois era a mesma; aparente afabilidade da parte dela, mas na realidade medo. O doutor mostrava-se afável e terno, como sempre o vira com ela.

Justamente nesse dia, anunciou-me ele que pretendia ir a uma jornada dali a algumas léguas.

— Mas vou só — disse ele —, e desejo que o senhor me faça companhia a minha mulher vindo aqui algumas vezes.

Recusei.

— Por quê?

— Doutor, por que razão, sem urgente necessidade, daremos pasto às más línguas? Que se dirá...

— Tem razão — atalhou ele —; ao menos, faça-me uma coisa.

— O quê?

— Faça com que em casa de sua irmã possa Marcelina ir passar as poucas semanas de minha ausência.

— Isso com muito gosto.

Minha irmã concordou em receber a mulher do dr. Belém, que daí a pouco saía da capital para o interior. Sua despedida foi terna e amigável para com ambos nós, a mulher e eu; fomos os dois, e mais minha irmã e meu cunhado, acompanhá-lo até certa distância, e voltamos para casa.

Pude então conversar com d. Marcelina, que me comunicou os seus receios a respeito da razão do marido. Dissuadi-a disso; já disse qual era a minha opinião a respeito do dr. Belém.

Ela referiu-me então que a narração da morte da mulher já ele lha havia feito, prometendo-lhe igual sorte no caso de faltar aos seus deveres.

— Nem as aparências te salvarão — acrescentou ele.

Disse-me mais que era seu costume beijar repetidas vezes o esqueleto da primeira mulher e dirigir-lhe muitas palavras de ternura e amor. Uma noite, estando a sonhar com ela, levantou-se da cama e foi abraçar o esqueleto pedindo-lhe perdão.

Em nossa casa todos eram de opinião que d. Marcelina não voltasse mais para a companhia do dr. Belém. Eu era de opinião oposta.

— Ele é bom — dizia eu —, apesar de tudo; tem extravagâncias, mas é um bom coração.

No fim de um mês recebemos uma carta do doutor, em que dizia à mulher fosse ter ao lugar onde ele se achava, e que eu fizesse o favor de a acompanhar.

Recusei ir só com ela.

Minha irmã e meu cunhado ofereceram-se porém para acompanhá-la.

Fomos todos.

Havia entretanto uma recomendação na carta do doutor, recomendação essencial; ordenava ele à mulher que levasse consigo o esqueleto.

— Que esquisitice nova é essa? — disse meu cunhado.

— Há de ver — suspirou melancolicamente d. Marcelina —, que o único motivo desta minha viagem são as saudades que ele tem do esqueleto.

Eu nada disse, mas pensei que assim fosse.

Saímos todos em demanda do lugar onde nos esperava o doutor.

Íamos já perto, quando ele nos apareceu e veio alegremente cumprimentar-nos. Notei que não tinha a ternura de costume com a mulher, antes me pareceu frio. Mas isso foi obra de pouco tempo; daí a uma hora voltara a ser o que sempre fora.

Passamos dois dias na pequena vila em que o doutor estava, dizia ele, para examinar umas plantas, porque também era botânico. Ao fim de dois dias dispúnhamos a voltar para a capital; ele porém pediu que nos demorássemos ainda vinte e quatro horas e voltaríamos todos juntos.

Acedemos.

No dia seguinte de manhã convidou a mulher a ir ver umas lindas parasitas no mato que ficava perto. A mulher estremeceu, mas não ousou recusar.

— Vem também? — disse ele.

— Vou — respondi.

A mulher cobrou alma nova e deitou-me um olhar de agradecimento. O doutor sorriu à socapa. Não compreendi logo o motivo do riso; mas daí a pouco tempo tinha a explicação.

Fomos ver as parasitas, ele adiante com a mulher, eu atrás de ambos, e todos três silenciosos.

Não tardou que um riacho aparecesse aos nossos olhos; mas eu mal pude ver o riacho; o que eu vi, o que me fez recuar um passo, foi um esqueleto.

Dei um grito.

— Um esqueleto! — exclamou d. Marcelina.

— Descansem — disse o doutor —, é o de minha primeira mulher.

— Mas...

— Trouxe-o esta madrugada para aqui.

Nenhum de nós compreendia nada.

O doutor sentou-se numa pedra.

— Alberto — disse ele —, e tu, Marcelina. Outro crime devia ser cometido nesta ocasião; mas tanto te amo, Alberto, tanto te amei, Marcelina, que eu prefiro deixar de cumprir a minha promessa...

Ia interrompê-lo; mas ele não me deu ocasião.

— Vocês amam-se — disse ele.

Marcelina deu um grito; eu ia protestar.

— Amam-se que eu sei — continuou friamente o doutor —; não importa! É natural. Quem amaria um velho estúrdio como eu? Paciência. Amem-se; eu só fui amado uma vez; foi por esta.

Dizendo isto abraçou-se ao esqueleto.

— Doutor, pense no que está dizendo...

— Já pensei...

— Mas esta senhora é inocente. Não vê aquelas lágrimas?

— Conheço essas lágrimas; lágrimas não são argumentos. Amam-se, que eu sei; desejo que sejam felizes, porque eu fui e sou teu amigo, Alberto. Não merecia certamente isso...

— Oh! meu amigo — interrompi eu —, veja bem o que está dizendo; já uma vez foi levado a cometer um crime por suspeitas que depois soube serem infundadas. Ainda hoje padece o remorso do que então fez. Reflita, veja bem se eu posso tolerar semelhante calúnia.

Ele encolheu os ombros, meteu a mão no bolso, e tirou um papel e deu-mo a ler. Era uma carta anônima; soube depois que fora escrita pelo Soares.

— Isto é indigno! — clamei.

— Talvez — murmurou ele.

E depois de um silêncio:

— Em todo o caso, minha resolução está assentada — disse o doutor. — Quero fazê-los felizes, e só tenho um meio: é deixá-los. Vou com a mulher que sempre me amou. Adeus!

O doutor abraçou o esqueleto e afastou-se de nós. Corri atrás dele; gritei; tudo foi inútil; ele metera-se no mato rapidamente, e demais a mulher ficara desmaiada no chão.

Vim socorrê-la; chamei gente. Daí a uma hora, a pobre moça, viúva sem o ser, lavava-se em lágrimas de aflição.

VI

Alberto acabara a história.

— Mas é um doido esse teu doutor Belém! — exclamou um dos convivas rompendo o silêncio de terror em que ficara o auditório.

— Ele, doido? — disse Alberto. — Um doido seria efetivamente se porventura esse homem tivesse existido. Mas o doutor Belém não existiu nunca, eu quis apenas fazer apetite para tomar chá. Mandem vir o chá.

É inútil dizer o efeito desta declaração.

Jornal das Famílias, *outubro-novembro de 1875; Victor de Paula.*

Onze anos depois

I

— Alves!

— Moreira!

Soltados estes dois gritos, os dois indivíduos, a quem pertenciam aqueles nomes, trocaram um formidável abraço, com palmadas nas costas, a despeito de se passar a cena na rua do Ouvidor, às duas horas da tarde. Abraçados e palmejados os dois amigos (eram evidentemente amigos) tornaram a exclamar:

— Ora o Alves!
— Ora o Moreira!
— Há dez anos... Dez ou onze? Onze, creio eu, onze anos que nos não víamos... Foi em 1860 que eu saí daqui... e fui...
— Gozar a vida, maganão!
— Oh! um pouco! — disse Moreira suspirando... — Posso dizer que nada.
— Impossível!
— É a pura verdade. Alguma coisa me diverti, é certo; nem é possível que um homem, a não ser um misantropo, deixe de se divertir na Europa... Mas se soubesses a causa que me levou daqui...
— Que foi?
— Saberás depois. Por agora, dize-me: estás casado?
— Há cinco anos.
— Tens algum filho?
— Não.
— Livre! livre, e não foste ainda à Europa.
— Ainda não posso, mas não estou longe disso. Sabes que um advogado, que não herdou bens de fortuna, precisa primeiro acumular algum cabedalzinho; trato disso agora... Que calor! Anda tomar alguma coisa...
— Conversar apenas contigo — respondeu Moreira dando o braço ao amigo e dirigindo-se com ele para a casa do Carceller.

Ambos eles iam contentes e palreiros. Regulavam pela mesma idade, trinta a trinta e três anos; eram igualmente magros, não muito, e quase de igual altura. Moreira vestia mais apuradamente que Alves, trazia certo cunho parisiense, que de todo faltava ao amigo.

Moreira nada tomou no Carceller enquanto Alves sorvia deliciosamente um sorvete de ananás. Veio cada um deles com a história daqueles anos em que se não tinham visto. Alves tinha menos que contar; o principal assunto foi o casamento, que se passou de uma maneira singular, porque não precedeu nenhum namoro entre ele e a mulher. A mulher era uma moça, assaz bonita, que vivia retiradamente, com a mãe, e parecia ter jurado não comungar nunca nos altares do matrimônio. Alves frequentava a casa, como advogado da mãe, num processo em que um sujeito possuidor de quinhentos contos queria tirar-lhe uma casa que valia vinte, e a que ele tinha tanto direito como o grão-turco. Alves venceu o processo, e não foi esse o único triunfo obtido, porque a mãe, no dia em que ele lhe foi levar a notícia da sentença final, chamou-o de parte e disparou-lhe estas palavras:

— Doutor, se os laços da família nos ligarem, como já nos ligam os do coração...

Alves recuou. D. Mariana olhava para ele como quem esperava uma resposta; o advogado não teve remédio senão dizer alguma coisa.

— Minha senhora — murmurou ele —, eu não teria dúvida nenhuma em corresponder ao que me propõe se o meu coração já não estivesse ligado a outra pessoa...

D. Mariana suspirou.

— Bem sabe que estas coisas — continuou Alves — exigem como condição indispensável o concurso do coração.

Parou, cobrou ânimo e prosseguiu:

— No entanto, o seu afeto podia fazer muito em meu favor; e se eu não posso ter a honra de ser seu marido...

Aqui as sobrancelhas de d. Mariana descreveram a figura de dois acentos circunflexos, a boca assumiu a forma de um O, e o dr. Alves, pasmado daquele pasmo, deu à sua fisionomia um ar de ponto de interrogação.

Deste ponto de interrogação passou a um ponto de admiração, quando d. Mariana lhe explicou que não era para ela que propunha o casamento, mas para sua filha, pois notara que o advogado alguma simpatia lhe votava, e ela por outro lado desejava vê-la feliz.

O dr. Alves respirou e confirmou a simpatia a que aludira a sra. d. Mariana, acrescentando que a maior fortuna da sua vida seria desposar a formosa d. Eulália.

— Nem está longe disso — respondeu a mãe.

— Deveras?

— Parece-me que sim.

A boa velha calou-se alguns instantes, abriu as asas a um suspiro, que naturalmente ficou vagabundando no ar, e a despeito da cabeleira postiça que trazia e da tosse que a mortificava, fez ao futuro genro estas revelações:

— Fez mal em atribuir-me um pensamento que não tive; eu não me propunha a casar, nem me casarei jamais, enquanto me restar memória do meu prezado Tibúrcio, que está no céu. Propostas tive, decerto, e mais de uma, e não há muitos meses, mas uma viúva de quarenta anos não deve casar (ela tinha cinquenta e oito). De que me serviria agora unir os meus dias a um mancebo? Cedo envelheceria e ele aí ficava na força da idade a pagar com desprezos o amor que eu lhe tivesse...

O dr. Alves lembrava-se apenas deste resumo do discurso que lhe fizera d. Mariana, o qual não durou menos de dezoito minutos. A razão era clara; todo ele era agora Eulália; amava a moça em segredo, e nunca chegara a declarar-se por ver que ela se mostrava fria com ele. Seu propósito era, apenas acabasse o processo, não frequentar mais a casa; imagina-se facilmente o alvoroço com que ele ouviu a proposta de d. Mariana no momento em que todas as suas mal-nascidas esperanças haviam morrido em botão.

Dois dias depois, a boa velha deu parte ao dr. Alves de que Eulália estava disposta a casar com ele.

— Não te direi — disse Alves, concluindo a história que acabo de resumir, e que ele contou ao amigo, à mesa da casa de Carceller —, não te direi que Eulália se mostrasse loucamente apaixonada por mim. Não havia sequer paixão. Havia, porém, boa vontade; o meu amor fez o resto; casamo-nos, e hoje creio que sou feliz. Minha sogra morreu alguns meses depois, e, como boa alma que era, agradeceu-me o ter dado à filha a felicidade de que era digna, e pediu-me que fosse sempre esposo exemplar.

Ouviu Moreira toda esta história com a natural curiosidade que inspiram os acontecimentos da vida de um amigo, com quem a gente se encontra no fim de onze anos. Não teve de referir nenhuma história de casamento; mas falou de amores fortuitos, de que fora herói durante a viagem na Europa.

Não quer isto dizer que não tivesse também a sua página séria no livro da vida. Uma teve, mas anterior à viagem.

— Qual? — perguntou Alves.

— Coisas que lá vão.

— Não me contaste nada desse tempo...

— Não pude contar; tinha então a dor no coração. Foi essa página, séria e triste, a causa da minha saída do Brasil.

— Ah!

Um silêncio.

— Mas que foi?

— Que seria? Amores.

— Amores, tu!

— Pois então? — disse Moreira. — Alguma vez me havia de chegar. Gostava de uma moça, quase uma menina de dezessete anos incompletos.

— E ela?

— Morria por mim. Minha intenção era casar-me; assim o disse a meu tio e a minha mãe. Opuseram-se ambos, pela razão de que me destinavam uma prima. Insisti; resistiram ambos; até que, para ver-me livre da situação em que me achava, entendi que era melhor abrir as asas e correr mundo.

— Aposto eu que, ao pisar terras de Europa, nunca mais te lembraste dela?

— Oh! não! ainda me lembrei uns quinze dias; depois vieram acontecimentos estranhos e de todo a esqueci... De todo, repara bem, porque se perguntares o nome dela, não sei se te posso dizer.

— Sempre o mesmo!

— Não; muito outro; acho-me de todo mudado.

A conversa continuou por este teor até muito mais tarde do que os dois amigos imaginavam ali ficar. Foram desenterrados muitos episódios do passado, tanto por um como por outro, e ambos tinham muita coisa que dizer. Afinal separaram-se, não sem custo, porque Alves queria a todo transe que Moreira fosse jantar com ele e Moreira igualmente tinha vontade disso. Havia, porém, uma circunstância: o tio de Moreira, o comendador Pinto, esperava-o em casa. Foram obrigados a separar-se.

— Mas irás ver-me hoje de noite?

— Talvez.

— Em todo caso, jantas amanhã comigo?

— Sim.

— Até logo.

— Até logo.

II

Alves foi para casa sinceramente alegre por ter encontrado um amigo de tantos anos. Moreira sentiu o mesmo durante dez ou doze minutos, porque, ao cabo desse tempo, indo já a entrar a um tílburi, bateu com a mão na cabeça e exclamou:

— Eulália! mas parece que ela era também Eulália! A descrição da mãe, a tristeza da moça... Será a mesma?

O cocheiro, ouvindo este monólogo do freguês, que apenas tinha um pé no estribo e outro no chão, entendeu que tratava com um alienado; e ia já tocar o cavalo, quando Moreira entrou de todo no carro e sentou-se na almofada, dizendo:

— Aterrado!

O cocheiro tinha razões para não conduzir malucos; quis murmurar uma desculpa, mas não teve ânimo; o receio de irritar o freguês tapou-lhe a boca. Lançou-lhe um olhar de esguelha e chicoteou o animal.

Moreira ficava todo entregue a uma nova ordem de ideias. Teve prazer em ver o amigo; mas a ideia de ir ver de novo a antiga namorada foi para ele prazer maior. Acrescentarei até que mil planos formulou ele na fantasia, cada qual mais atrevido e menos fiel à amizade. Quando deu acordo de si estava no fim do Aterrado, e ele morava nas imediações do Gás; teve de retroceder; entrou em casa, jantou com o tio, e pois que está fazendo a digestão, deixamo-lo em paz durante algumas linhas.

Alves foi para casa, onde a mulher já o esperava havia muito para jantar. No meio do jantar entendeu Alves que devia explicar à mulher a causa da demora, e falou de um amigo que não via há onze anos, e que chegara da Europa no último paquete.

— Quis que ele viesse jantar conosco — disse Alves —, mas não pôde; afirmou-me, porém, que virá amanhã, e que hoje de noite talvez nos visite.

Eulália ouviu todas estas explicações do marido com algum sobressalto; mas qual não foi o sobressalto quando ele disse:

— Hás de gostar muito do Moreira!

Moreira! onze anos! Europa! Estas três expressões dizem ao leitor que a moça era efetivamente a namorada do nosso viajante, pois se o não fosse não se sobressaltaria. Quis todavia saber o nome todo do amigo de Alves, e quando o ouviu, se alguma dúvida tivera, nenhuma lhe ficou.

Seria ela bonita aos dezessete anos? É provável; aos vinte e oito, que agora tinha, era extremamente formosa. Tinha-se desenvolvido toda a mulher. A sua beleza era dessas que muito ganham com a severidade do gesto, e Eulália era quase sempre severa, ou melhor, triste, metida consigo. Fora sempre dócil para o marido, meiga às vezes, mas nunca se mostrou apaixonada nem alegre.

Alves não reparou na impressão que causou na mulher com as suas notícias a respeito de Moreira. Continuou a falar dele com o mesmo entusiasmo e volubilidade. Nada lhe disse, todavia, acerca da paixão; foi ela que encaminhou a conversa para esse lado.

— Mas por que motivo esteve ele tanto tempo fora? — perguntou.

— Naturalmente porque se deu bem — respondeu Alves partindo uma pêra e acompanhando com os olhos o movimento da faca, e portanto sem ver a expressão de ansiosa curiosidade da mulher.

Houve um silêncio.

— A causa que o levou é que foi curiosa — disse ele repentinamente.

— Que foi?

— Uma paixão.

— Ah!

— Mas paixão que acabou logo, ao que parece — disse Alves.

— Fraca devia ser.

— Coisas da mocidade.

Eulália não fez nenhuma outra observação. Alves não deu fé da impressão que as suas palavras haviam causado na mulher. A tarde passou-se sem novidade; de noite apareceu Moreira, conforme havia prometido.

Não é preciso dizer ao leitor que, apesar dos onze anos passados e da mudança que parecia ter-se operado no espírito de Moreira, alguma coisa devia ele sentir ao transpor a soleira da porta do advogado. Não era amor, era antes curiosidade. A curiosidade porém não foi tão prontamente satisfeita como ele quisera, porque Eulália não apareceu na sala. Durante meia hora a conversa entre os dois amigos foi a mais aborrecida do mundo, não por culpa do advogado, que fazia largamente as despesas dela, mas por causa de Moreira que apenas contribuía com monossílabos.

Enfim apareceu Eulália.

Se nenhum deles estivesse prevenido, é provável que se desse algum desses lances de teatro que são o sinal de inesperadas catástrofes; ambos eles, porém, estavam prevenidos; o encontro não produziu nenhuma exclamação.

O que houve, sim, foi uma grande impressão em ambos, maior nela que nele, ou antes diferente, porque em Eulália falou principalmente a lembrança do passado, em Moreira falou a admiração do presente. A gentil menina que ele deixara aparecia-lhe agora formosa e imponente mulher.

Esta impressão dominou tudo mais. Isto, e certo interesse que tinha o ex-namorado em se mostrar acabrunhado, fez com que o Moreira da noite não parecesse o mesmo da manhã. Alves notou a diferença e atribuiu-a ao natural acanhamento a que o obrigava a presença da mulher.

Nem por isso deixou Moreira de contar alguns episódios (imaginários) da sua viagem pela Europa, os quais tendiam todos não só a dar a melhor ideia dos seus costumes, mas também a mostrar à moça que a imagem dela o acompanhou a toda a parte.

Alves notou essa diferença de estilo e de história; mas, ainda aqui, era ela natural. Poderia ele contar em presença da esposa as aventuras de que lhe falou no café de manhã?

Evidentemente não.

— Patife! — murmurou-lhe uma vez ao ouvido em ocasião em que Eulália se levantara. — Quem te ouvir, pensará que és um santarrão.

E nunca melhor nome assentou num homem do que o que lhe dera o advogado. Moreira era verdadeiramente um patife, um gentil patife se quiserem; mas, em todo caso, patife. Em tão pouco tempo mostrou ele aos olhos do leitor que nem amara a moça como parecera, nem era amigo do seu amigo. Patife embora, ou por isso mesmo, aceitou tomar uma xícara de chá, e prometeu ir lá jantar no dia seguinte.

No dia seguinte foi tão alvoroçado, mais alvoroçado do que na véspera. A razão era que lhe pareceu não estar de todo extinto no coração da moça o fogo que ele lhe acendera outrora. A leitora curiosa deseja naturalmente saber se Moreira se enganava. Não lhe sei dizer senão que nesse dia Eulália não apareceu absolutamente ao ex-namorado; pretextou uma dor de cabeça e meteu-se na cama.

O jantar, já se vê, não foi tão alegre como os dois amigos esperavam que fosse. Não o foi o jantar; mas foi-o com certeza a sobremesa. Encetavam a sobremesa quando Eulália apareceu na sala de jantar, com grande espanto de um e de outro, e ainda mais alegria que espanto. Moreira entendeu que alguma faísca, adormecida na cinza, de novo se ateara no coração da moça.

Seria isso?

Naquele dia era temerário julgá-lo; mas quinze dias depois estaria na verdade quem dissesse que os onze anos de ausência não haviam de todo vencido o primeiro amor de Eulália. Leu-lho o namorado nos olhos e muito antes havia-o ela lido no seu próprio coração.

A luta não podia ser mais cruel para uma moça honesta como ela, que assaz discreta para ver que o esposo a amava como no primeiro dia e que antes de tudo estavam os seus deveres. Longos e cruéis foram os padecimentos íntimos de Eulália. Ninguém os suspeitou contudo; porque o seu ar de costume não era alegre, e ela esforçava-se por mostrar boa cara a todos e guardava-se para sofrer na solidão.

III

Cerca de dois meses depois do jantar em casa de Alves, fazia Moreira consigo as seguintes reflexões, à proporção que ia engolindo o café em casa do tio, no Aterrado:

— É evidente que eu gosto dela alguma coisa, não muito, um gostar frio que me não tira a razão, nem a serenidade. Ela não desgosta de mim; creio até que gosta muito, quase tanto como no outro tempo, e é claro que se casou só por fazer a vontade à mãe. Se não houvesse casado, é duvidoso que eu tomasse tal encargo; já agora não me caso mais, salvo por negócio. Mas quem me pode impedir que a ame, que seja amado, que sejamos felizes?

Aqui saboreou um gole de café e continuou:

— O Alves não há de certamente gostar disto; mas também não é necessário dizer-lho; é até prudente não lhe dizer nada. A minha consciência...

Outro gole de café.

— A minha consciência está a dizer-me que ele é meu amigo, e que fui e sou talvez amigo dele; mas há um rifão que diz: amigos, amigos, negócios à parte. Ele é que errou em casar com uma moça de quem eu gostava; tudo isto é agora uma mera consequência.

Moreira esvaziou a xícara, acendeu um charuto, e pensou seriamente em escrever uma carta a Eulália. Fechou a porta do quarto, travou da pena e escreveu o rascunho da carta que se vai ler:

Eulália,
Quem diria que onze anos depois nos havíamos de encontrar em semelhante situação? Foram onze séculos de martírio para mim, que vaguei tão longe do lugar onde tu vivias, onde vivia a minha única felicidade. Poupo-te a história aflitiva desse longo prazo de amarguras; calcula pelo que padeceste também. Sim, ouso afirmar que padeceste, porque leio nos teus olhos, porque o meu coração me diz que ainda me amas, e que, assim como eu me não esqueci de ti, assim tu te não esqueceste de mim.

Oh! se assim não fora! se ao cabo de tanto tempo de estranhas e irreparáveis mágoas, meu coração viesse achar o teu coração gelado e sem o mínimo vestígio de amor, juro-te, Eulália, que me mataria. Era muito que o destino nos separasse; era muito, mas podia sofrer-se. O que, porém, está acima de todas as forças humanas, das minhas forças pelo menos, era que tu me esquecesses! Odeia-me, se queres, mas lembra-te de mim!

Bem vejo que a nossa situação é hoje melindrosa e singularmente infeliz; mas um raio de luz me basta. Nada mais quero para ser o mais venturoso dos mortais, do que a certeza do teu afeto e um sincero olhar de benevolência.

Ama aquele que sempre te amou.
Teu até a morte.

M.

Releu Moreira esta epístola e achou-a boa para o caso. Não é preciso apontar ao leitor a diferença do monólogo e da epístola: ele a terá notado por si.

Não se demorou Moreira em copiar a carta; fê-lo com a sua letra mais trêmula e comovida; fechou-a, e acabava de a pôr na carteira, quando lhe foi anunciada a visita de Alves.

Foi recebê-lo com a maior alegria no rosto.

— Não achas novidade que eu aqui viesse depois de tantas promessas inúteis? — perguntou o advogado logo que viu assomar à porta a figura do amigo.

— Novidade decerto que é.

— Uma ideia.

— Ah! vejamos.

— Vamos para Petrópolis sábado. Queres vir conosco?

— Sábado?

— Sim.

— Não sei se posso; em todo caso, farei os esforços possíveis...

— Esforços! — disse Alves encolhendo os ombros. — Quem te ouvir, dirá que tens graves negócios em mão.

— Talvez.

— Imagino.

— Pois bem, iremos todos no sábado — disse Moreira depois de alguns instantes de reflexão.

— Vou apenas estar uns quinze dias; aproveito as férias — explicou Alves levantando-se e pegando no chapéu.

— Já?

— Já. Vou a São Cristóvão; aproveitei esta ocasião para fazer-te a visita e o pedido. Vais lá de noite?

— É provável.

Era definitivo, leitor; ele não tinha outro projeto senão ir lá de noite, e quanto à viagem a Petrópolis, achou desde o princípio que era uma grande fortuna. Os três dias passaram-se depressa; às duas horas da tarde de sábado estavam os três na barca; a barca saiu, chegou a Mauá, saiu o trem, fez-se enfim a viagem até a cidade sem notável incidente.

Perdão; houve um incidente.

Na estação do caminho de ferro, vendo Moreira que o amigo conversava com um amigo, entregou a Eulália o lenço que lhe havia caído.

A moça agradeceu com uma leve inclinação de cabeça; pegou no lenço e sentiu um corpo estranho. Era papel; era naturalmente uma carta; fez-se vermelha e foi ao braço do marido.

Durante a viagem Moreira procurou muitas vezes, com os olhos, os olhos de Eulália; apenas uma vez os encontrou, mas tão medrosos eram, que para logo fugiram para se cravarem no marido. Este sorriu, com a benevolência e o amor do costume; a felicidade de Alves estava toda na mulher; vê-la feliz e contente era a sua maior fortuna.

No dia seguinte ao da chegada a Petrópolis, foram os três, logo de manhã, dar um passeio de carro. A manhã estava deliciosa. Mas o que fez espantar o namorado não foi a manhã, foi Eulália. A moça parecia singularmente alegre, alegre como a não vira desde que de novo a encontrara Esta mesma mudança fazia admirar não menos ao marido; mas a admiração deste era mesclada de ainda maior contentamento que a de Moreira. As férias começavam bem; todos pareciam felizes.

Tão feliz que Alves tornou por vezes a ser o que fora no tempo de solteiro: palrador e amavelmente indiscreto.

— Que estás tu a olhar para aquelas moças? — perguntou ele ao amigo, cujos olhos disfarçadamente observavam um rancho de damas.

— Eu? — disse Moreira, olhando ao mesmo tempo para Eulália.

— Que tem? Não é natural? — perguntou esta, sorrindo-se para o seu antigo namorado.

Moreira embasbacou.

Que era aquilo? Um remoque? Uma queixa? Moreira perdia-se em conjecturas. O passeio foi assim cortado de incidentes mais ou menos enigmáticos. A tarde, entretanto, foi melhor; a moça mostrou-se com ele muito amena e afetuosa, o que, no parecer do namorado, fez subir as suas ações cento por cento.

Mas a resposta da carta?

— É impossível — pensou Moreira — que a resposta dela não passe destes agradinhos, muito bons decerto, mas insuficientes para eu saber se ela efetivamente aceita o que lhe disse... Preciso a todo transe de uma resposta.

Pensar isto e escrever um bilhetinho foi tudo a mesma coisa. A nova missiva continha apenas estas palavras:

> Minha vida! Que resposta me dás? Devo eu morrer ou viver? Venha a morte, embora, mas sem torturas... Teu, sempre teu
>
> M.

Este bilhete foi deitado de passagem no regaço da moça, que, de novo, estremeceu e corou. Alves estava então de costas e nada viu. Moreira foi ter com ele e perguntou-lhe se havia já lido o *Jornal do Commercio* desse dia. Travou então conversa a respeito de um artigo que lá vinha acerca de não sei que negócio ministerial, coisa que não interessava absolutamente a Moreira, mas que ele parecia discutir com muito ardor.

Estavam nisto quando Eulália soltou um pequeno grito. Alves voltou-se rapidamente e foi ter com a mulher.

— Que foi?

— Nada; uma pontada.

Alves ajoelhou-se diante dela, levou-lhe a mão ao coração, que batia algum tanto agitado.

— Estás melhor? — perguntou ele.

— Estou.

— Anda descansar.

— Não; passou.

Dizendo isto, a moça cravou os olhos no marido, cuja aflição estava expressa no rosto.

— Não é nada — repetiu.

E para mostrar que não era nada, levantou-se e deu-lhe o braço. Saíram até o jardim; Moreira acompanhou-os ao lado e mostrando como podia o interesse que lhe causava a saúde da moça, mas um tanto surpreso com o incidente. A carta nada continha que lhe pudesse causar abalo; a primeira sim. Demais a carta estava já guardada, porque ele a não viu na mão de Eulália.

No fim de uma hora, voltaram para casa; Eulália foi para os seus aposentos; Alves acompanhou-a; Moreira retirou-se para o hotel onde alugara um aposento.

— Que diabo seria aquilo? — pensava ele. — Natural não me parece que fosse; a causa é que eu não posso atinar qual seja. Esperemos a resposta; é impossível que se demore muito.

A tarde passou sem carta.

IV

Na manhã seguinte, logo depois do almoço, Moreira foi visitar o advogado. Alves tinha saído; Moreira encontrou Eulália na sala.

A moça estremeceu.

— Eulália! — disse ele com voz tímida.

E ia naturalmente continuar este discurso que prometia ser ardente e impetuoso, quando apareceu à porta uma senhora; era uma amiga de Eulália.

Moreira mandou interiormente a tal amiga a todos os diabos, e saiu logo depois. Uma hora depois, voltou à casa de Alves; achou-o lá, e recebeu a notícia de que este tencionava voltar para a corte no dia seguinte.

— Já! — exclamou Moreira, naturalmente admirado da alteração do programa.

— É preciso; tenho um negócio urgente — disse o advogado. — Tu ficas?

— Talvez.

— Em todo caso, preciso falar-te.

— Estou às tuas ordens.

— Será logo à tarde.

Moreira saiu daí a pouco.

— A rapariga é mais fina do que eu julgava — ia pensando Moreira —, ou eu sou o mais feliz dos homens. Naturalmente ela fica; tem aqui pessoas de amizade. Eu também sou pessoa de amizade, e cá fico.

Sobre esta frágil base de uma conjectura, edificou Moreira um castelo de esperanças; falou distraidamente a quantas pessoas encontrou, e meteu-se em casa à espera do amigo.

O amigo não se demorou.

Estava justamente Moreira a pensar nele quando a figura de Alves apareceu à porta do quarto.

— Entra.

— Ninguém nos ouve?

— Ninguém.

Alves fechou a porta do quarto com a chave e pô-la no bolso. Moreira olhou para ele espantado, e ia naturalmente perguntar-lhe a causa daquele fato, quando o advogado lhe tirou de todo a voz com outro gesto ainda mais significativo: tirou um revólver da algibeira e pô-lo ao pé de si na mesa. Sentou-se e começou a falar.

Antes, porém, de dizer o que disse Alves ao seu amigo Moreira, voltemos um pouco atrás e digamos ao leitor o acontecimento que deu causa ao outro que vai principiar.

Na véspera, logo depois de se retirar a seus aposentos, Eulália mandou chamar o marido. Este ia justamente para lá.

— Que queres? — perguntou Alves com solicitude.

Eulália caiu-lhe nos braços lavada em lágrimas.

— Que tens? — perguntou o marido ansioso.

Eulália não pôde falar. Alves estava aflito.

— Vamos, não chores, que tens? — disse ele.

— Deixa-me chorar — murmurou a moça —; estas lágrimas são de alegria.

— De alegria?

— Sim; amo-te.

Alves perguntou-lhe sorrindo:

— Só agora?

— Não; mas só agora o sei — respondeu Eulália, enxugando os olhos. — Amo-te deveras; não o tinha compreendido até hoje. És bom, amante, generoso, como nenhum outro homem.

Alves sentiu-se comovido e desviou o rosto.

— Oh! não te escondas! — exclamou ela. — Eu sei o que vales.

— Mas por que razão?...

— Vais saber tudo — disse a moça, sentando-se e convidando-o a sentar-se ao pé de si.

Alves sentou-se ao pé da mulher.

— Não me casei contigo por amor, sabes — disse ela —; conquistaste-me depois o coração a pouco e pouco. Não que eu o soubesse; eu mesma não esperava a vitória que ias obtendo. A razão por que me não casei por amor foi que circunstâncias estranhas me haviam separado de um homem com quem eu então desejava unir-me. Daí veio a tristeza em que eu vivia sempre, que minha mãe não podia explicar, e que tu buscaste apagar por todos os meios que a tua generosidade e o teu amor te sugeriam.

— Esse homem?...

— Esse homem é o teu amigo Moreira.

Alves deu um salto da cadeira em que se achava sentado. Eulália fez-lhe um gesto para que se sentasse de novo.

— Mas a que vem esta história? — perguntou Alves.

— Antes de dizer mais nada, promete que me hás de obedecer.

— Mas...

— Prometes?

— Prometo.

— Pois bem, esse homem voltou da Europa e tu trouxeste-o à nossa casa. Onze anos eram passados depois que ele havia partido. Era teu amigo e eu não lhe era estranha ao coração: dois motivos que, juntos, deviam servir de barreira entre ele e a nossa porta. Veio contudo à nossa casa, muitas vezes; devia respeitar-me; não me respeitou...

Dizendo isto, abriu Eulália uma caixinha e tirou de dentro uma carta, a primeira de Moreira, que entregou aberta ao marido.

Alves atirou-se com sofreguidão ao fatal papel; leu-o, machucou-o entre as mãos, levantou-se exasperado. Eulália pediu-lhe que se sentasse outra vez.

— Não lhe respondi — disse ela —; era claro que não devia responder. Devia mostrar-te a carta logo ou rasgá-la; não tive ânimo de ta mostrar, nem me pareceu conveniente rasgá-la; podia ter necessidade de dizer tudo. Ele insistiu na resposta, e ontem, na nossa sala, atirou-me este bilhete. Foi a indignação que me causou a perfídia do homem que tão serenamente conversava contigo, quando buscava atraiçoar-te, foi essa indignação que me fez soltar aquele grito.

Alves leu o bilhete de Moreira, que nada adiantava depois da carta, apenas a reincidência e a pertinácia de um aparente amigo. Houve naturalmente uma explosão de cólera; Eulália buscou tranquilizá-lo e o conseguiu.

— Devo antes agradecer — disse ela — a indignidade daquele homem; foi ela que me deixou ver claro no meu coração; minha virtude era bastante; mas a certeza de que eu te amava deveras, o teu verdadeiro amor, a superioridade do teu caráter, tudo isso junto realçou as forças da minha virtude...

A resposta de Alves foi abraçá-la com ternura. Em seguida caminhou para a porta.

— Onde vais? — perguntou Eulália.

Alves parou.

— Prometeste obedecer-me — observou a moça.

— Impossível! — bradou Alves.

— Oh! eu nada te diria se não tivesse certeza de que evitarias alguma catástrofe. Por Deus te peço; basta o nosso desprezo...

Alves resistiu; Eulália rogou; ambos chegaram finalmente a um acordo: Alves evitaria qualquer lance sanguinolento. Foi depois desta cena que o advogado foi ter com Moreira.

V

Moreira ficou naturalmente assombrado quando viu o gesto do advogado.

— Que é isto? — disse enfim.

— Nada; apenas precauções — respondeu Alves pacificamente.

Moreira compreendera tudo; preparou-se para a negativa. Mas até que ponto estaria Alves informado dos seus atos? esta era a dúvida. Entretanto começou Alves a falar:

— Sabes que opinião fiz de ti desde longos anos?

Moreira fez um gesto afirmativo.

— Sabes que opinião formo hoje? Hoje, penso que és um miserável.

Moreira estremeceu e fez um gesto para se levantar.

Alves apontou-lhe o revólver.

— Senta-te — disse-lhe.

E continuou:

— És um miserável, como poucos. Estás convencido disso; não me demoro em recordar as tuas ações. Venho por outra coisa.

Moreira estava pálido; dissuadira-se da ideia de que ele vinha assassiná-lo; mas ocorreu-lhe a de que ele viria obrigá-lo a um duelo sem testemunhas, e Moreira tinha ideia e temperamento de todo o ponto opostos ao duelo.

Alves continuou:

— Vais escrever e assinar um papel assim concebido: "Reconheço que devo a vida à misericórdia de Fernando Alves, cuja honra pretendi em vão macular como um miserável infame que sou".

— É impossível! — clamou Moreira levantando-se de um pulo.

Alves sorriu-se.

— Nesse caso morres — disse ele —, porque eu não saio daqui sem obter uma destas duas coisas: ou o papel ou a tua vida.

Moreira deu alguns passos agitados, trêmulo de medo e cólera. De repente uma ideia lhe passou pela cabeça: atirar-se ao amigo e esganá-lo, com tal ímpeto que não lhe desse tempo de resistir, e menos ainda de o atacar. Relanceou um olhar para o advogado, e aproximando-se vagarosamente da mesa, deu um salto sobre o inimigo.

Alves previra aquilo mesmo, de maneira que Moreira antes de o segurar como queria, foi obrigado a recuar diante do revólver encostado ao peito.

Moreira soltou um rugido.

— Afadigas-te sem proveito — observou tranquilamente o advogado —; nada podes obter senão uma das duas cláusulas que te propus. Escolhe.

Moreira era antes de tudo covarde. A hesitação dele não provinha de outra coisa senão do medo que lhe causava o efeito da declaração que se lhe pedia. Uma vez, porém, adquirida a certeza de que a morte seria a punição da recusa, era claro que ele escreveria o papel.

Entretanto, lançou-se aos pés do Alves, confessou-lhe tudo, pediu-lhe perdão. Alves mostrou-se inflexível. Era forçoso ceder: Moreira cedeu. Com a mão trêmula, lançou mão da pena e escreveu o que lhe ditou o advogado, assinou o escrito e entregou-lho.

— Muito bem — disse Alves —; a letra está um pouco trêmula, mas logo se reconhece o medo que tinhas no coração. Agora, miserável, à primeira tentativa posso desonrar-te e matar-te.

Alves abriu a porta e saiu.

Moreira ficou abatido durante meia hora; veio depois uma reação, levantou-se da cadeira, quebrou uma cadeira, ameaçou, lastimou-se... mas tudo em vão. O mal estava feito e a punição era absoluta.

Jornal das Famílias, *outubro-novembro de 1875; Machado de Assis.*

O sainete

Um dos problemas que mais preocupavam a rua do Ouvidor, entre as da Quitanda e Gonçalves Dias, das duas às quatro horas da tarde, era a profunda e súbita melancolia do dr. Maciel. O dr. Maciel tinha apenas vinte e cinco anos, idade em que geralmente se compreende melhor o *Cântico dos cânticos* do que as *Lamentações de Jeremias*. Sua índole mesma era mais propensa ao riso dos frívolos do que ao pesadume dos filósofos. Pode-se afirmar que ele preferia um dueto da grã-duquesa a um teorema geométrico, e os domingos do Prado Fluminense aos domingos da Escola da Glória. Donde vinha pois a melancolia que tanto preocupava a rua do Ouvidor?

Pode o leitor coçar o nariz, à procura da explicação; a leitora não precisa desse recurso para adivinhar que o dr. Maciel ama, que uma "seta do deus alado" o feriu mesmo no centro do coração. O que a leitora não pode adivinhar, sem que eu lho diga, é que o jovem médico ama a viúva Seixas, cuja maravilhosa beleza levava após si os olhos dos mais consumados pintalegretes. O dr. Maciel gostava de a ver como todos os outros; amou-a desde certa noite e certo baile, em que ela, andando a passear pelo seu braço, perguntou-lhe de repente com a mais deliciosa languidez do mundo:

— Doutor, por que razão não quer honrar a minha casa? Estou visível todas as quintas-feiras para a turbamulta; os sábados pertencem aos amigos. Vá lá aos sábados.

Maciel prometeu que iria no primeiro sábado, e foi. Pulava-lhe o coração ao subir as escadas. A viúva estava só.

— Venho cedo — disse ele, logo depois dos primeiros cumprimentos.

— Vem tarde demais para a minha natural ansiedade — respondeu ela sorrindo.

O que se passou na alma de Maciel excede a todas as conjecturas. Num só minuto pôde ele ver juntas todas as maravilhas da terra e do céu — todas concentradas naquela elegante e suntuosa sala cuja dona, a Calipso daquele Telêmaco, tinha cravado nele um par de olhos, não negros, não azuis, não castanhos, mas dessa rara cor, que os homens atribuem à mais duradoura felicidade do coração, à esperança. Eram verdes, de um verde igual ao das folhas novas, e de uma expressão ora indolente, ora vivaz, arma de dois gumes, que ela sabia manejar como poucas.

E não obstante aquele introito, o dr. Maciel andava triste, abatido, desconsolado. A razão era que a viúva, depois de tão amáveis preliminares, não cuidou mais das condições em que seria celebrado um tratado conjugal. No fim de cinco ou seis sábados, cujas horas eram polidamente bocejadas a duo, a viúva adoeceu semanalmente naquele dia, e o jovem médico teve de contentar-se com a turbamulta das quintas-feiras.

A quinta-feira em que nos achamos é de endoenças. Não era dia próprio de recepção. Contudo, Maciel dirigiu-se a Botafogo, a fim de pôr em execução um projeto, que ele ingenuamente supunha ser fruto do mais profundo maquiavelismo, mas que eu, na minha fidelidade de historiador, devo confessar que não passava de verdadeira infantilidade. Notara ele os sentimentos religiosos da viúva; imaginou que, indo fazer-lhe naquele dia a declaração verbal do seu amor, por meio de invocações pias, alcançaria facilmente o prêmio de seus trabalhos.

A viúva achava-se no toucador. Acabara de vestir-se; e de pé, calçando as luvas, em frente do espelho, sorria para si mesma, como satisfeita da toalete. Não ia passear, como se poderia supor; ia visitar as igrejas. Queria alcançar por sedução a misericórdia divina.

Era boa devota aquela senhora de vinte e seis anos, que frequentava as festas religiosas, comia peixe durante toda a quaresma, acreditava alguma coisa em Deus, pouco no diabo e nada no inferno. Não acreditando no inferno, não tinha onde meter o diabo; venceu a dificuldade, agasalhando-o no coração. O demo assim alojado fora algum tempo o nosso melancólico Maciel. A religião da viúva era mais elegante que outra coisa. Quando ela se confessava era sempre com algum padre moço; em compensação só se tratava com médico velho. Nunca escondeu do médico o mais íntimo defluxo, nem revelou ao padre o mais insignificante pecado.

— O doutor Maciel? — disse ela lendo o cartão que a criada lhe entregou. — Não o posso receber; vou sair. Espera — continuou depois de relancear os olhos para o espelho —; manda-o entrar para aqui.

A ordem foi cumprida; alguns minutos depois fazia Maciel a sua entrada no toucador da viúva.

— Recebo-o no santuário — disse ela sorrindo logo que ele assomou à porta —; prova de que o senhor pertence ao número dos verdadeiros fiéis.

— Oh! não é da minha fidelidade que eu duvido; é...

— E recebo-o de pé! Vou sair; vou visitar as igrejas.

— Sei; conheço os seus sentimentos de verdadeira religião — disse Maciel com a voz a tremer-lhe —; vim até com receio de não a encontrar. Mas vim; era preciso que viesse, neste dia, sobretudo.

A viúva recolheu a abazinha de um sorriso que indiscretamente ia traindo o seu pensamento, e perguntou friamente ao médico que horas eram.

— Quase oito. Sua luva está calçada, falta só abotoá-la. É o tempo necessário para lhe dizer, neste dia tão solene, que eu sinto...

— Está abotoada. Quase oito, não? Não há tempo de sobra; é preciso ir a sete igrejas. Quer fazer o favor de acompanhar-me até o carro?

Maciel tinha espírito em quantidade suficiente para não perdê-lo todo com a paixão. Calou-se, e respondeu à viúva com um gesto de assentimento. Saíram do toucador e desceram, ambos silenciosos. No trajeto planeou Maciel dizer-lhe uma só palavra, mas que contivesse todo o seu coração. Era difícil; o lacaio, que abrira a portinhola do cupê, ali estava como um emissário do seu mau destino.

— Quer que o leve até a cidade? — perguntou a viúva.

— Obrigado — respondeu Maciel.

O lacaio fechou a portinhola e correu a tomar o seu lugar; foi nesse rápido instante que o médico, inclinando o rosto, disse à viúva:

— Eulália...

Os cavalos começaram a andar; o resto da frase perdeu-se para a viúva e para nós.

Eulália sorriu da familiaridade e perdoou-lhe. Reclinou-se molemente nos coxins do veículo e começou um monólogo que só acabou à porta de São Francisco de Paula.

— Pobre rapaz! — dizia ela consigo. — Vê-se que morre por mim. Não desgostei dele a princípio... Mas tenho eu culpa de que seja um maricas? Agora sobretudo, com aquele ar de moleza e abatimento, é... não é nada... é uma alma de cera. Parece que vinha disposto a ser mais atrevido; mas a alma faltou-lhe com a voz, e ficou apenas com as boas intenções. Eulália! Não foi mau este começo. Para um coração daqueles... Mas qual! *c'est le genre ennuyeux*!

Esta é a glosa mais resumida que posso dar do monólogo da viúva. O cupê estacionou na praça da Constituição; Eulália, seguida do lacaio, encaminhou-se para a igreja de São Francisco de Paula. Ali, depositou a imagem de Maciel nas escadas, e atravessou o adro toda entregue ao dever religioso e aos cuidados de seu magnífico vestido preto.

A visita foi curta; era preciso ir a sete igrejas, fazendo a pé todo o trajeto de uma para outra. A viúva saiu sem preocupar-se mais com o jovem médico, e dirigindo-se para a igreja da Cruz.

Na Cruz achamos uma personagem nova, ou antes duas, o desembargador Araújo e sua sobrinha d. Fernanda Valadares, viúva de um deputado deste nome, que falecera um ano antes, não se sabe se da hepatite que os médicos lhe acharam, se de um discurso que proferiu na discussão do orçamento. As duas viúvas eram amigas; seguiram juntas na visitação das igrejas. Fernanda não tinha tantas acomodações com o céu, como a viúva Seixas; mas a sua piedade estava sujeita, como todas as coisas, às vicissitudes do coração. Em vista do que, logo que saíram da última igreja, disse ela à amiga que no dia seguinte iria vê-la e pedir-lhe uma informação.

— Posso dar já — respondeu Eulália. — Vá embora, desembargador; eu levo Fernanda no meu carro.

No carro, disse Fernanda:

— Preciso de uma informação importante. Sabes que estou um pouco apaixonada?

— Sim?

— É verdade. Eu disse um pouco, mas devia dizer muito. O doutor Maciel...

— O doutor Maciel? — interrompeu vivamente Eulália.

— Que pensas dele?

A viúva Seixas levantou os ombros e riu com um ar de tamanha piedade, que a amiga corou.

— Não te parece bonito? — perguntou Fernanda.

— Não é feio.

— O que mais me seduz nele é o seu ar triste, um certo abatimento que me faz crer que padece. Sabes de alguma coisa a seu respeito?

— Eu?

— Ele dá-se muito contigo; tenho-o visto lá em tua casa. Sabes se haverá alguma paixão...

— Pode ser.

— Oh! conta-me tudo!

Eulália não contou nada; disse que nada sabia.

Concordou, entretanto, que o jovem médico, talvez andasse namorado, porque realmente não parecia gozar boa saúde. O amor, disse ela, era uma espécie de pletora, o casamento uma sangria sacramental. Fernanda precisava sangrar-se do mesmo modo que Maciel.

— Sobretudo nada de remédios caseiros — concluiu ela —; nada de olhares e suspiros, que são paliativos destinados menos a minorar que a entreter a doença. O melhor boticário é o padre.

Fernanda tirou a conversa deste terreno farmacêutico e cirúrgico para subi-la às regiões do eterno azul. Sua voz era doce e comovida: o coração pulsava-lhe com força; e Eulália, ao ouvir os méritos que a amiga achava em Maciel, não pôde reprimir esta observação:

— Não há nada como ver as coisas com amor. Quem suporia nunca o Maciel que me estás pintando? Na minha opinião não passa de um bom rapaz; e ainda assim... Mas um bom rapaz é alguma coisa neste mundo?

— Pode ser que eu me engane, Eulália — replicou a viúva do deputado —, mas creio que há ali uma alma nobre, elevada e pura. Suponhamos que não. Que importa? O coração empresta as qualidades que deseja.

A viúva Seixas não teve tempo de examinar a teoria de Fernanda. O carro chegara à rua de Santo Amaro, onde esta morava. Despediram-se; Eulália seguiu para Botafogo.

— Parece que ama deveras — pensou Eulália logo que ficou só. — Coitada! Um moleirão!

Eram nove horas da noite quando a viúva Seixas entrou em casa. Duas criadas — camareiras — foram com ela para o toucador, onde a bela viúva se despiu; dali passou ao banho; enfiou depois um roupão e dirigiu-se para o quarto de dormir. Levaram-lhe uma taça de chocolate, que ela saboreou lentamente, tranquilamente, voluptuosamente; saboreou-a e saboreou-se também a si própria, contemplando, da poltrona em que estava, a sua bela imagem no espelho fronteiro. Esgotada a taça, recebeu de uma criada o seu livro de orações; e foi dali a um oratório, diante do qual com devoção se ajoelhou e rezou. Voltando ao quarto, despiu-se, meteu-se no leito, e pede-me que lhe cerre as cortinas; feito o quê, murmurou alegremente:

— Ora, o Maciel!

E dormiu.

A noite foi muito menos tranquila para o nosso apaixonado Maciel, que, logo depois das palavras proferidas à portinhola do carro, ficara furioso contra si mesmo. Tinha razão em parte; a familiaridade do tratamento dado à viúva precisava de mais detida explicação. Não era, porém, a razão que lhe fazia ver claro; nele exerciam maior ação os nervos que o cérebro.

Nem sempre "depois de uma noite procelosa, traz a manhã serena claridade". A do dia seguinte foi tétrica. Maciel gastou-a toda na loja do Bernardo, a fumar em ambos os sentidos — o natural e o figurado —, a olhar sem ver as damas que passavam, estranho à palavra dos amigos, aos boatos políticos, às anedotas de ocasião.

— Fechei a porta para sempre! — dizia ele com amargura.

Pelas quatro horas da tarde, apareceu-lhe um alívio, debaixo da forma de um colega seu, que lhe propôs ir clinicar em Carangola, donde recebera cartas muito animadoras. Maciel aceitou com ambas as mãos o oferecimento. Carangola nunca entrara no itinerário de suas ambições; é até possível que naquele momento ele não pudesse dizer a situação exata da localidade. Mas aceitou Carangola, como aceitaria a coroa de Inglaterra ou as pérolas todas de Ceilão.

— Há muito tempo — disse ele ao colega — que eu sentia necessidade de ir viver em Carangola. Carangola exerceu sempre em mim uma atração irresistível. Não podes imaginar como eu, já na Academia, me sentia arrastado para Carangola. Quando partimos?

— Não sei, dentro de três semanas, talvez.

Maciel achou que era muito, e propôs o prazo máximo de oito dias. Não foi aceito; não teve remédio senão curvar-se às três semanas prováveis. Quando ficou só, respirou.

— Bem! — disse ele. — Irei esquecer e ser esquecido.

No sábado houve duas aleluias, uma na Cristandade, outra em casa de Maciel, aonde chegou uma cartinha perfumada da viúva Seixas contendo estas simples palavras: "Creio que hoje não terei a enxaqueca do costume; espero que venha tomar uma xícara de chá comigo". A leitura desta carta produziu na alma do jovem médico uma *Gloria in excelsis Deo*. Era o seu perdão; era talvez mais do que isso. Maciel releu meia dúzia de vezes aquelas poucas linhas; nem é fora de propósito crer que chegou a beijá-las.

Ora, é de saber que na véspera, sexta-feira, às onze horas da manhã, recebera Eulália uma carta de Fernanda, e que às duas horas foi a própria Fernanda à casa de Eulália. A carta e a pessoa tratavam do mesmo assunto com a expansão natural em situações daquelas. Tem-se visto muita vez guardar um segredo do coração; mas é raríssimo que, uma vez revelado, deixe de o ser até a saciedade. Fernanda escreveu e disse tudo o que sentia; sua linguagem, apaixonada e viva, era uma torrente de afeto, tão volumosa que chegou talvez a alagar — a molhar pelo menos — o coração de Eulália. Esta ouviu-a a princípio com interesse, depois com indiferença, afinal com irritação.

— Mas que queres tu que eu te faça? — perguntou no fim de uma hora de confidência.

— Nada — respondeu Fernanda. — Uma só coisa: que me animes.

— Ou te auxilie?

Fernanda respondeu com um aperto de mão tão significativo, que a viúva Seixas compreendeu facilmente a impressão que lhe causara. No sábado enviou a carta acima transcrita. Maciel recebeu-a como vimos, e à noite, à hora habitual, estava à porta de Eulália. A viúva não estava só. Havia umas quatro senhoras e uns três cavalheiros, visitas habituais das quintas-feiras.

Maciel entrou na sala um pouco acanhado e comovido. Que expressão leria no rosto de Eulália? Não tardou sabê-lo; a viúva recebeu-o com o seu melhor sorriso — o menos faceiro e intencional, o mais espontâneo e sincero, um sorriso que Maciel, se fosse poeta, compararia a um íris de bonança, rimado com esperança ou bem-aventurança. A noite correu deliciosa; um pouco de música, muita conversa, muito espírito, um chá familiar, alguns olhares animadores, e um aperto de mão significativo no fim. Com estes elementos era difícil não ter os melhores sonhos do mundo. Teve-os Maciel, e o domingo da Ressurreição também o foi para ele.

Na seguinte semana viram-se três vezes. Eulália parecia mudada; a solicitude e a graça com que lhe falava estavam longe da tal ou qual frieza e indiferença dos últimos tempos. Este novo aspecto da moça produziu os seus naturais efeitos. Sentiu-se outro o jovem médico; reanimou-se, colheu confiança, fez-se homem.

A terceira vez que a viu nessa semana foi em uma *soirée*. Acabaram de valsar e dirigiram-se para o terraço da casa, donde se via um magnífico panorama, capaz de fazer poeta o mais soez espírito do mundo. Ali foi fácil a declaração, inteira, cabal, expressiva do que sentia o namorado; ouviu-lha Eulália com os olhos embebidos nele, visivelmente encantada com a palavra de Maciel.

— Poderei crer no que me diz? — perguntou ela.

A resposta do jovem médico foi apertar-lhe muito a mão, e cravar nela uns olhos mais eloquentes que duas catilinárias. A situação estava definida, a aliança feita. Bem o percebeu Fernanda, quando os viu regressar à sala. Seu rosto cobriu-se de um véu de tristeza; dez minutos depois e o desembargador interrompia a partida de *whist* para acompanhar a sobrinha a Santo Amaro.

A leitora espera decerto ver casados os dois namorados e espaçada a viagem a Carangola até o fim do século. Quinze dias depois da declaração inicial Maciel deu os passos necessários ao consórcio. Não têm número os corações que estalaram de inveja ao saber da preferência da viúva Seixas. Esta pela sua parte sentia-se mais orgulhosa do que se desposasse o primeiro dos heróis da terra.

Donde veio este entusiasmo e que varinha mágica operou tamanha mudança no coração de Eulália? Leitora curiosa, a resposta está no título. Maciel pareceu insosso, enquanto lhe faltou o sainete de outra paixão. A viúva descobriu-lhe os méritos com os olhos de Fernanda; e bastou vê-lo preferido para que ela o preferisse. Se me miras, me miram, era a divisa de um célebre relógio do sol. Maciel podia invertê-la: se me miram, me miras; e mostraria conhecer o coração humano — o feminino, pelo menos.

A Época, 1º de dezembro de 1875; Manassés.

Casa, não casa

I

Se alguma das minhas leitoras morasse na rua de São Pedro da Cidade Nova, há coisa de quinze anos, e estivesse à janela na noite de 16 de março, entre uma e duas horas, teria ocasião de presenciar um caso extraordinário.

Morava ali, entre a rua Formosa e a rua das Flores, uma moça de vinte e dois anos, bonita como todas as heroínas de romances e contos, a qual moça na sobredita noite de 16 de março, entre uma e duas horas, levantou-se da cama e a passo lento foi até a sala com uma luz na mão.

Não estando as janelas fechadas, a leitora, caso morasse defronte, veria a nossa heroína pousar a vela sobre um aparador, abrir um álbum, tirar um retrato, que não saberia se era de homem ou de mulher, mas que eu lhe afirmo ser de mulher.

Tirado o retrato do álbum, pegou a moça na vela, desceu a escada, abriu a porta da rua e saiu. A leitora ficaria naturalmente assombrada com tudo isto; mas que não diria quando a visse seguir pela rua acima, voltar a das Flores, ir até a do Conde, e parar à porta de uma casa?

Justamente à janela dessa casa estava um homem, rapaz ainda, vinte e sete anos, olhando para as estrelas e fumando um charuto.

A moça parou.

O moço espantou-se do caso, e vendo que ela parecia querer entrar, desceu a escada, com uma vela acesa e abriu a porta.

A moça entrou.

— Isabel! — exclamou o rapaz deixando cair a vela no chão.

Ficaram às escuras no corredor. Felizmente trazia o moço fósforos na algibeira, acendeu outra vez a vela e fitou os olhos na recém-chegada.

Isabel (tal era o seu verdadeiro nome) estendeu o retrato ao rapaz, sem dizer palavra, com os olhos fitos no ar.

O rapaz não pegou logo no retrato.

— Isabel! — exclamou ele outra vez mas já com a voz sumida.

A moça deixou cair o retrato no chão, voltou as costas e saiu. O dono da casa ainda mais aterrado ficou.

— Que é isto? — dizia ele. — Estará louca?

Pôs a vela sobre um degrau da escada, saiu à rua, fechou a porta e seguiu lentamente atrás de Isabel, que foi pelo mesmo caminho até entrar em casa.

O mancebo respirou quando viu Isabel entrar na casa; mas ficou ali alguns instantes, a olhar para a porta, sem nada compreender e ansioso por que chegasse o dia. Todavia era forçoso voltar para a rua do Conde; lançou um último olhar às janelas da casa e retirou-se.

Ao entrar em casa apanhou o retrato.

— Luísa! — disse ele.

Esfregou os olhos como se duvidasse do que via, e ficou parado na escada a olhar largos minutos para o retrato.

Era preciso subir.

Subiu.

— Que quererá isto dizer? — disse ele já em voz alta como se falasse a alguém. — Que audácia foi essa de Isabel? Como é que uma moça, filha de família, sai assim de noite para... Mas estarei eu sonhando?

Examinou o retrato, e viu que tinha nas costas as seguintes linhas:

> À minha querida amiga Isabel, como lembrança de eterna amizade. LUÍSA.

Júlio (era o nome do rapaz) não pôde descobrir nada por mais que parafusasse, e parafusou muito tempo, já deitado no sofá da sala, já encostado à janela.

E na verdade quem seria capaz de descobrir o mistério daquela visita a semelhante hora? Tudo parecia antes uma cena de drama ou romance tétrico, do que um ato natural da vida.

O retrato... O retrato tinha certa explicação. Júlio andava quinze dias antes a trocar cartas com o original, a formosa Luísa, moradora no Rocio Pequeno, hoje praça Onze de Junho.

Todavia, por mais agradável que lhe fosse receber o retrato de Luísa, como admitir a maneira por que lho levaram, e a pessoa, e a hora, e as circunstâncias?

— Sonho ou estou doido! — concluiu Júlio depois de longo tempo.

E chegando à janela, acendeu outro charuto.
Nova surpresa o esperava.
Vejamos qual foi ela.

II

Não havia fumado ainda uma terça parte do charuto, quando viu dobrar a esquina um vulto de mulher, caminhando lentamente, e parar à porta da casa dele.

— Outra vez! — exclamou Júlio. Quis descer logo; mas as pernas começavam a tremer-lhe. Júlio não era tipo de extrema valentia; creio até que se lhe chamarmos medroso não estaremos longe da verdade.

O vulto, entretanto, estava à porta; era forçoso tirá-lo dali, a fim de evitar um escândalo.

— Desta vez — pensou ele pegando na vela —, hei de interrogá-la; não a deixo sair sem me dizer o que há. Infeliz. Parece-me que está doida!

Desceu; abriu a porta.

— Luísa! — exclamou.

A moça estendeu-lhe um retrato; Júlio pegou nele com ânsia e murmurou consigo:

— Isabel!

Era efetivamente o retrato da primeira moça que a segunda lhe trazia. Não será preciso dizer ou repetir que Júlio namorava também a Isabel, e a leitora compreende facilmente que tendo ambas descoberto o segredo uma da outra, ambas foram mostrar ao namorado que estavam cientes da sua duplicidade.

Mas por que motivo tais coisas se davam assim revestidas de circunstâncias singulares e tenebrosas?

Não era mais natural mandarem-lhe os retratos dentro de uma sobrecarta?

Tais eram as reflexões que Júlio fazia, com o retrato numa das mãos e a vela na outra, enquanto já de volta entrava em casa.

Não será preciso dizer que o nosso Júlio não dormiu o resto da noite. Chegou a ir à cama e a fechar os olhos; tinha o corpo moído e necessidade de sono; mas a imaginação velava, e a madrugada veio achá-lo acordado e aflito.

No dia seguinte foi visitar Isabel; achou-a triste; falou-lhe; mas quando quis dizer-lhe alguma coisa do sucesso, a moça afastou-se dele, talvez porque adivinhasse o que ia ele dizer-lhe, talvez porque já estivesse aborrecida de o ouvir.

Júlio foi à casa de Luísa, achou-a no mesmo estado, as mesmas circunstâncias se deram.

— É claro que descobriram o segredo uma da outra — dizia ele consigo. — Não há remédio senão desfazer a má impressão de ambas. Mas como se me não querem ouvir? Ao mesmo tempo desejava explicação do ato atrevido que ontem praticaram, salvo se foi sonho meu, o que é bem possível. Ou então estarei doido...

Antes de ir adiante, e não será longe porque a história é pequena, convém dizer que este Júlio não tinha paixão real por nenhuma das duas moças. Começou o namoro com Isabel por ocasião de uma ceia de Natal, e travou relações com a família que o recebera muito bem. Isabel correspondeu um pouco ao namoro de Júlio, sem todavia lhe dar grandes esperanças porque então andava também à corda de um oficial do exército que teve de embarcar para o sul. Só depois que ele embarcou foi que Isabel de todo se voltou para Júlio.

Ora, o nosso Júlio já então lançara as suas baterias contra a outra fortaleza, a formosa Luísa, amiga de Isabel, e que desde o princípio aceitou o namoro com ambas as mãos.

Nem por isso rejeitou a corda que lhe dava Isabel; manteve-se entre as duas sem saber qual delas devia preferir. O coração não tinha a este respeito opinião assentada. Júlio não amava, repito; era incapaz de amar... Seu fim era casar com uma moça bonita; ambas o eram, restava-lhe saber qual delas lhe convinha mais.

As duas moças, como vimos pelos retratos, eram amigas, mas falavam-se de longe em longe, sem que nessas poucas vezes houvessem comunicado os segredos atuais do seu coração. Ocorreria isso agora e seria essa a explicação da cena dos retratos? Júlio pensou efetivamente que elas haviam enfim comunicado o seu namoro com ele; mas custava-lhe a crer que tão atrevidas fossem ambas, que saíssem de casa naquela singular noite. À proporção que o tempo se passava, Júlio inclinava-se a crer que o fato não passasse de uma ilusão sua.

Júlio escreveu uma carta a cada uma das duas moças, quase do mesmo teor, pedindo a explicação da frieza que ambas ultimamente lhe mostravam. Cada uma das cartas terminava perguntando "se era tão cruelmente que se devia pagar um amor único e delirante".

Não teve resposta imediatamente como esperava, mas dois dias depois, não do mesmo teor, mas no mesmo sentido.

Ambas lhe diziam que pusesse a mão na consciência.

— Não há dúvida — pensou ele consigo —, estou pilhado. Como sairei eu desta situação?

Júlio resolveu atacar verbalmente as duas fortalezas.

— Isto de cartas não é bom recurso para mim — disse ele —; encaremos o inimigo; é mais seguro.

Escolheu Isabel em primeiro lugar. Haviam já passado seis ou sete dias depois da cena noturna. Júlio preparou-se mentalmente com todas as armas necessárias ao ataque e à defesa e dirigiu-se para casa de Isabel, que era como sabemos na rua de São Pedro.

Foi-lhe difícil achar-se a sós com a moça; porque a moça que das outras vezes era a primeira a buscar ocasião de lhe falar, agora esquivava-se a isso. O rapaz entretanto era teimoso; tanto fez que pôde pilhá-la numa janela, e ali *ex abrupto* disparou-lhe esta pergunta:

— Não me dará a explicação dos seus modos de hoje e da carta com que respondeu à minha última?

Isabel calou-se.

Júlio repetiu a pergunta, mas já com um tom que exigia resposta imediata. Isabel fez um gesto de aborrecimento e disse:

— Respondo o que lhe disse na carta; ponha a mão na consciência.

— Mas que fiz eu então?

Isabel sorriu-se com um ar de lástima.

— O que fez? — perguntou ela.

— Sim, o que fiz?

— Deveras, ignora?
— Quer que lhe jure?
— Queria ver isto...
— Isabel, essas palavras!...
— São de um coração ofendido — interrompeu a moça com amargura. — O senhor ama a outra.
— Eu?...

Aqui desisto de descrever o gesto de espanto de Júlio; a pena nunca o poderia fazer, nem talvez o pincel. Era o agente mais natural, mais aparentemente espontâneo que ainda se viu neste mundo, a tal ponto que a moça vacilou, e atenuou as suas primeiras palavras com estas:

— Pelo menos, parece...
— Mas como?
— Vi-o olhar com certo ar para a Luísa, quando outro dia ela aqui esteve...
— Nego.
— Nega? Pois bem; mas negará também que, vendo o retrato dela, no meu álbum, me disse: "É tão bonita esta moça!".
— Pode ser que o dissesse; creio até que o disse... há coisa de oito dias; mas que prova isso?
— Não sei se prova muito mas em todo o caso foi bastante para fazer doer a um coração amante.
— Acredito — observou Júlio —; seria porém bastante para o audacioso passo que deu?
— Que passo? — perguntou Isabel abrindo muito os olhos.

Júlio ia explicar as suas palavras, quando um primo de Isabel se aproximou do grupo e a conversa ficou interrompida.

Não foi porém sem algum resultado o pouco tempo em que falaram, porque ao despedir-se de Júlio, no fim da noite, Isabel apertou-lhe a mão com certa força, indício certo de que as pazes estavam feitas.

— Agora a outra — disse ele saindo da casa de Isabel.

III

Luísa estava ainda como Isabel, fria e reservada para com ele. Parece, entretanto, que suspirava por lhe falar; foi ela a primeira que procurou uma ocasião de ficar a sós com ele.

— Já estará menos cruel comigo? — perguntou Júlio.
— Oh! não.
— Mas que lhe fiz eu?
— Pensa então que eu sou cega? — perguntou-lhe Luísa com olhos indignados. — Pensa que eu não vejo as coisas?
— Mas que coisas?
— O senhor anda de namoro com a Isabel.
— Oh! que ideia!
— Original, não é?
— Originalíssima! Como descobriu semelhante coisa? Conheço aquela moça há muito tempo, temos intimidade, mas não a namoro nem tal ideia tive, nunca na minha vida.

— É por isso que lhe deita uns olhos tão ternos?...

Júlio levantou os ombros com um ar tão desdenhoso que a moça acreditou logo nele. Não deixou de lhe dizer, como a outra lhe dissera:

— Mas para que olhou outro dia com tanta admiração para o retrato dela, dizendo até com um suspiro: "Que moça gentil!".

— É verdade isso, menos o suspiro — respondeu Júlio —; mas onde está o mal em achar uma moça bonita, se nenhuma me parece mais bonita que você, e sobretudo nenhuma é capaz de me prender como você?

Júlio disse ainda muito mais por este teor velho e gasto, mas de efeito certo; a moça estendeu-lhe a mão dizendo:

— Então era engano meu?
— Oh! meu anjo! engano profundo!
— Está perdoado... com uma condição.
— Qual?
— É que não há de cair em outra.
— Mas se eu não caí nesta!
— Jure sempre.
— Pois juro... com uma condição.
— Diga.
— Por que razão não tendo plena certeza de que eu amava a outra (e se a tivesse não me falava mais decerto), por que razão, pergunto eu, foi você naquela noite...

— O chá está na mesa; vamos tomar chá! — disse a mãe de Luísa aproximando-se do grupo.

Era forçoso obedecer; e nessa noite não houve mais ocasião de explicar o caso.

Nem por isso Júlio saiu menos contente da casa de Luísa.

— Estão ambas vencidas e convencidas — disse ele consigo —; agora é preciso escolher e acabar com isto.

Aqui é que estava a dificuldade. Já sabemos que ambas eram igualmente belas, e Júlio não procurava outra condição. Não era fácil escolher entre duas criaturas igualmente dispostas para ele.

Nenhuma delas tinha dinheiro, condição que podia fazer pender a balança, posto que Júlio fosse indiferente nesse ponto. Tanto Luísa como Isabel eram filhas de funcionários públicos que apenas lhes deixavam um escasso montepio. Sem uma forte razão que fizesse pender a balança, era difícil a escolha naquela situação.

Alguma leitora dirá que por isso mesmo que eram de igual condição e que ele as não amava de coração, era fácil a escolha. Bastava-lhe fechar os olhos e agarrar a primeira que lhe ficasse à mão.

Erro manifesto.

Júlio podia e era capaz de fazer isso. Mas no mesmo instante que escolhesse Isabel ficava com pena de não ter escolhido Luísa, e vice-versa, donde se vê que a situação era para ele intrincada.

Mais de uma vez levantou-se ele da cama com a resolução assentada:

— Vou pedir a mão da Luísa.

A resolução durava-lhe só até o almoço. Acabado o almoço, ia ver (pela última vez) Isabel e logo afrouxava com pena de a perder.

— Há de ser esta! — pensava ele.

E logo lembrava-se de Luísa e não escolhia nem uma nem outra. Tal era a situação do nosso Júlio, quando se deu a cena que passo a referir no capítulo seguinte.

IV

Três dias depois da conversa de Júlio com Luísa, foi esta passar o dia em casa de Isabel, acompanhada de sua mãe.

A mãe de Luísa era de opinião que a filha era o seu retrato vivo, coisa que ninguém acreditava por mais que ela o repetisse. A mãe de Isabel não ousava ir tão longe mas afirmava que, no tempo de sua mocidade, fora ela muito parecida com Isabel. Esta opinião era recebida com incredulidade pelos rapazes e com resistência pelos velhos. Até o major Soares, que fora o primeiro namorado da mãe de Isabel, insinuava que essa opinião devia ser recebida com extrema reserva.

Oxalá porém fossem as duas moças como suas mães eram, dois corações de pomba, que amavam estremecidamente as filhas, e que eram com justiça dois tipos de austeridade conjugal.

As duas velhas entregaram-se às suas conversas e considerações sobre arranjos de casa ou assuntos de pessoas conhecidas, enquanto as duas moças tratavam de modas, músicas, e um pouco de amores.

— Então o teu tenente não volta do sul? — disse Luísa.
— Eu sei! Parece que não.
— Tens saudades dele?
— E terá ele saudades de mim?
— Isso é verdade. Todos esses homens são assim — disse Luísa com convicção —; muita festa quando se acham presentes, mas ausentes são temíveis... valem tanto como o nome que se escreve na areia: vem a água e lambe tudo.
— Bravo, Luísa! Estás poeta! — exclamou Isabel. — Já falas em areias do mar!
— Pois olha, não namoro nenhum poeta nem homem do mar.
— Quem sabe?
— Sei eu.
— É então?...
— Um rapaz que tu conheces!
— Já sei, é o Avelar.
— Deus nos acuda! — exclamou Luísa. — Um homem vesgo.
— O Rocha?
— O Rocha anda todo caído pela Josefina.
— Sim?
— É uma lástima.
— Nasceram um para o outro.
— Sim, ela é uma moleirona como ele.

As duas moças gastaram assim algum tempo a tasquinhar na pele de pessoas que nós não conhecemos nem precisamos disso, até que voltaram ao assunto capital da conversa.

— Já vejo que não pode adivinhar quem é o meu namorado — disse Luísa.
— Nem você o meu — observou Isabel.
— Bravo! então o tenente...

— O tenente está pagando. É muito natural que as rio-grandenses o tenham encantado. Pois aguente-se...

Enquanto Isabel dizia estas palavras, Luísa ia folheando o álbum de retratos que estava sobre a mesa. Chegando à folha onde sempre vira o seu retrato, a moça estremeceu. Isabel notou-lhe o movimento.

— Que é? — disse ela.

— Nada — respondeu Luísa fechando o álbum. — Tiraste o meu retrato daqui?

— Ah! — exclamou Isabel. — Isso é uma história singular. O retrato foi passar às mãos de terceira pessoa, a qual afirma que fui eu que lho levei alta noite... Ainda não pude descobrir esse mistério...

Luísa já ouviu de pé estas palavras. Seus olhos, muito abertos, fitaram-se no rosto da amiga.

— Que é? — disse esta.

— Sabes bem o que estás dizendo?

— Eu?

— Mas isso foi o que me aconteceu também com o teu retrato... Naturalmente era zombaria comigo e contigo... Essa pessoa...

— Foi o Júlio Simões, o meu namorado...

Aqui devia eu pôr uma linha de pontos para significar o que se não pode pintar, o espanto das duas amigas, as diferentes expressões que tomou a fisionomia de cada uma delas. Não tardaram as explicações; as duas rivais reconheceram que o seu namorado comum era pouco mais ou menos um patife, e que o dever de honra e de coração era tomar dele uma vingança.

— A prova de que ele nos enganava uma à outra — observava Isabel — é que os nossos retratos apareceram lá e foi ele naturalmente quem os tirou.

— Sim — respondeu Luísa —, mas é certo que eu sonhei alguma coisa que combina com a cena que ele alega.

— Também eu...

— Sim? Eu sonhei que me haviam falado do namoro dele com você, e que, tirando o retrato do álbum, fora levá-lo à casa dele.

— Não é possível! — exclamou Isabel. — O meu sonho foi quase assim, ao menos no final. Não me disseram que ele tinha namoro com você; mas eu mesma vi e então fui levar o retrato...

O espanto aqui foi ainda maior que da primeira vez. Nem estavam só espantadas as duas amigas; estavam aterradas. Embalde procuravam explicar a identidade do sonho, e mais que tudo a coincidência dele com a presença dos retratos em casa de Júlio e a narração que este fizera da noturna aventura.

Estavam assim nesta duvidosa e assustadora situação, quando as mães vieram em auxílio delas. As duas moças, estando à janela, ouviram-lhes dizer:

— Pois é verdade, minha rica senhora Anastácia, estou no mesmo caso da senhora. Creio que a minha filha é sonâmbula, como a sua.

— Tenho uma pena com isto!

— E eu então!

— Talvez casando-as...

— Sim, pode ser que banhos de igreja...

Informadas assim as duas moças da explicação do caso, ficaram um tanto abaladas; mas a ideia de Júlio e suas travessuras tomou logo o lugar que lhe competia na conversa das duas rivais.

— Que pelintra! — exclamavam as duas moças. — Que velhaco! que pérfido!

O coro de maldições foi ainda mais longe. Mas tudo acaba neste mundo, principalmente um coro de maldições; o jantar interrompeu aquele; as duas moças foram de braço dado para a mesa e afogaram as suas mágoas num prato de sopa.

V

Júlio, sabendo da visita, não se atreveu a ir encontrar as duas moças juntas. No pé em que as coisas se achavam era impossível evitar que descobrissem tudo, pensava ele.

No dia seguinte porém foi de tarde à casa de Isabel, que o recebeu com muita alegria e ternura.

— Bom! — pensou o namorado. — Nada contaram uma à outra.

— Engana-se — disse Isabel adivinhando pela alegria do rosto dele qual era a reflexão que fazia. — Pensa naturalmente que Luísa nada me disse? Disse-me tudo, e eu nada lhe ocultei...

— Mas...

— Não me queixo do senhor — continuou Isabel com indignação —; queixo-me dela que devia ter percebido e percebeu o que entre nós havia, e apesar disso aceitou a sua corte.

— Aceitou, não; posso dizer que fui compelido.

— Sim?

— Agora posso falar-lhe com franqueza; a sua amiga Luísa é uma namoradeira desenfreada. Eu sou rapaz; a vaidade, a ideia de passatempo, tudo isso me arrastou, não a namorá-la, porque eu era incapaz de esquecer a minha formosa Isabel; mas a perder algum tempo...

— Ingrato!

— Oh! não! nunca, minha boa Isabel!

Aqui começou uma renovação de protestos da parte do namorado, que declarou amar mais que nunca a filha de d. Anastácia.

Para ele a coisa estava resolvida. Depois da explicação dada e dos termos em que falara da outra, a escolha natural era Isabel.

Sua ideia foi não procurar mais a outra. Não o pôde fazer à vista de um bilhete que, no fim de três dias, recebeu da moça. Pedia-lhe ela que fosse lá instantemente. Júlio foi. Luísa recebeu-o com um sorriso triste. Quando puderam falar a sós:

— Quero saber da sua boca o meu destino — disse ela. — Estarei definitivamente condenada?

— Condenada!

— Sejamos francos — continuou a moça. — Eu e a Isabel falamos no senhor; vim a saber que também a namorava. A sua consciência lhe dirá que praticou um ato indigno. Mas enfim, pode resgatá-lo com um ato de franqueza. A qual de nós escolhe, a mim ou a ela?

A pergunta era de atrapalhar o pobre Júlio, nada menos que por duas grandes razões: a primeira era ter de responder em face; a segunda era ter de responder em face de uma moça bonita. Hesitou alguns largos minutos. Luísa insistiu; mas ele não se atrevia a romper o silêncio.

— Bem — disse ela —, já sei que me despreza.
— Eu!
— Não importa; adeus.

Ia a voltar as costas; Júlio segurou-lhe na mão.

— Oh! não! Pois não vê que este meu silêncio é de comoção e de confusão. Confunde-me realmente que descobrisse uma coisa em que eu pouca culpa tive. Namorei-a por passatempo; não foi Isabel nunca uma rival sua no meu coração. Demais, ela não lhe contou tudo; naturalmente escondeu a parte em que a culpa lhe cabia. E a culpa é também sua...

— Minha?
— Sem dúvida. Pois não vê que ela tem interesse em separar-nos?... Se lhe referir, por exemplo, o que se está passando agora entre nós fique certa de que ela há de inventar alguma coisa para de todo separar-nos, contando depois com a sua beleza para cativar o meu coração, como se a beleza de uma Isabel pudesse fazer esquecer a beleza de uma Luísa.

Júlio ficou satisfeito com este pequeno discurso, assaz astuto para enganar a moça. Esta depois de algum tempo de silêncio, estendeu-lhe a mão:

— Jura-me o que está dizendo?
— Juro.
— Então será meu?
— Unicamente seu.

Assim celebrou Júlio os dois tratados de paz, ficando na mesma situação em que se achava anteriormente. Já sabemos que a sua fatal indecisão era a causa única da crise em que os acontecimentos o puseram. Era forçoso decidir alguma coisa; e a ocasião ofereceu-se-lhe propícia.

Perdeu-a, entretanto; e dado que quisesse casar, e queria, nunca estivera mais longe do casamento.

VI

Cerca de seis semanas foram assim correndo sem resultado algum prático.

Um dia, achando-se em conversa com um primo de Isabel, perguntou-lhe se teria gosto em vê-lo na família.

— Muito — respondeu Fernando (era assim o nome do primo).

Júlio não deu explicação da pergunta. Instado respondeu:

— Fiz-lhe a pergunta por uma razão que saberá mais tarde.
— Quererá talvez casar com alguma das manas?...
— Não posso dizer nada por ora.
— Olha aqui, Teixeira — disse Fernando a um terceiro rapaz, primo de Luísa, e que nessa ocasião se achava em casa de d. Anastácia.
— Que é? — perguntou Júlio assustado.
— Nada — respondeu Fernando —, vou comunicar ao Teixeira a notícia que o senhor me deu.
— Mas eu...
— É nosso amigo, posso ser franco. Teixeira, sabe o que me disse o Júlio?

— Que foi?

— Disse-me que vai ser meu parente.

— Casando com alguma irmã tua?

— Não sei; mas disse isso. Não te parece motivo de congratulação?

— Sem dúvida — concordou Teixeira —, é um perfeito cavalheiro.

— São obséquios — interveio Júlio —; e se eu alguma vez alcançasse a fortuna de entrar...

Júlio interrompeu-se; lembrou-se que Teixeira podia ir contar tudo à prima Luísa, e fosse inibido de escolher entre ela e Isabel. Os dois quiseram saber o resto; mas Júlio preferiu convidá-los a jogar o solo, e não houve meio de arrancar-lhe palavra.

A situação porém devia acabar.

Era impossível continuar a vacilar entre as duas moças, que ambas lhe queriam muito, e a quem ele queria com perfeita igualdade não sabendo qual delas escolhesse.

— Sejamos homem — disse Júlio consigo. — Vejamos: qual delas devo ir pedir? A Isabel. Mas a Luísa é tão bonita! Será a Luísa. Mas é tão formosa a Isabel! Que diabo! Por que razão não há de uma delas ter um olho furado? ou uma perna torta!

E depois de algum tempo:

— Vamos, senhor Júlio, dou-lhe três dias para escolher. Não seja tolo, decida com isto por uma vez.

E enfim:

— Verdade é que uma delas há de odiar-me. Mas paciência! fui eu mesmo que me meti nesta embrulhada; e o ódio de uma moça não pode doer muito. Avante!

No fim de dois dias ainda ele não tinha escolhido; recebeu porém uma carta de Fernando concebida nestes termos:

> Meu caro Júlio,
> Participo-lhe que brevemente casarei com a prima Isabel; desde já o convido para a festa; se soubesse como estou contente! Venha cá para conversarmos.
>
> FERNANDO

Não é preciso dizer que Júlio foi às nuvens. O passo de Isabel simplificava muito a situação dele; todavia, não queria ser assim despedido como um tolo. Exprimiu a sua cólera por meio de alguns murros na mesa; Isabel, por isso mesmo que já não a podia possuir, parecia-lhe agora mais bonita que Luísa.

— Luísa! Pois será Luísa! — exclamou ele. — Essa sempre me pareceu muito mais sincera que a outra. Até chorou creio eu, no dia da reconciliação.

Saiu nessa mesma tarde para ir visitar Luísa; no dia seguinte iria pedi-la. Em casa dela foi recebido como sempre. Teixeira foi o primeiro a dar-lhe um abraço.

— Sabe — disse o primo de Luísa apontando para a moça —, sabe que vai ser a minha noiva?

Não me atrevo a dizer o que se passou na alma de Júlio; basta dizer que jurou não casar, e que morreu há pouco casado e com cinco filhos.

Jornal das Famílias, *dezembro de 1875 a janeiro de 1876*; Machado de Assis.

História de uma fita azul

I

Marianinha achou um dia na cesta de costura um pedaço de fita azul. Era naturalmente resto de algum cinto ou coisa que o valha. Lembrou-se de bordar na fita dois nomes: Marianinha e Gustavo.

Gustavo! (interrompe neste ponto o leitor) mas por que Gustavo e não Alfredo, Benedito ou simplesmente Damião?

Por uma razão muito clara e singela, leitor ignaro; porque o namorado de Marianinha não se chamava Alfredo, nem Benedito, nem Damião, mas Gustavo; não Gustavo somente, mas Gustavo da Silveira, rapaz de vinte e sete anos, moreno, cabelo preto, olhos idem, bacharel, aspirante a juiz municipal, tendo sobre todas estas qualidades a de possuir umas oitenta apólices da dívida pública.

Amavam-se estas duas criaturas, se assim se pode dizer de um capricho começado num baile e não sei se destinado a morrer numa corrida. A verdade é que no curto espaço de três meses haviam já trocado cinquenta cartas, algumas compridas, todas cheias de protestos de amor até a morte. Gustavo dizia-lhe mais de uma vez que ela era o anjo com que ele sonhara durante toda a vida, e ela retribuía-lhe esta fineza dizendo a mesma coisa, mas com estilo diferente, sendo o mais espantoso deste caso que nem ele nem ela haviam sonhado com nenhum anjo. Acrescentarei até que o jovem Gustavo havia já feito a mesma revelação a quatro namoradas, o que diminui a sinceridade da que fazia agora à quinta. Excluídas porém estas e outras flores de retórica, a verdade é que eles pareciam gostar um do outro, e se quiserem saber mais alguma coisa leiam a novela para diante.

Lembrou-se a Marianinha de bordar o nome do namorado e o seu no pedaço de fita azul; bordou-os com linha de seda branca, e com tanta perfeição o fez, que teve vontade de ir mostrar o trabalho à avó. A ideia porém de que a sra. d. Leonarda lhe passaria uma áspera repreensão a demoveu do intento e a obra ficou inédita até passar às mãos do jovem Gustavo.

Não pense a leitora que a sra. d. Leonarda ignorasse absolutamente o namoro da neta. Oh! não! A sra. d. Leonarda, além de ser excelente doceira, tinha o olho mais perspicaz deste mundo. Percebeu o namoro e calou-se a ver (dizia ela) em que paravam as modas. Já estava de longa data acostumada a estes romances da neta, e só lastimava não ver o capítulo do fim.

— A culpa é dela — pensava a sra. d. Leonarda. — Quem há de querer casar com uma estouvada daquele gênero, que ainda bem não acabou um namoro, já começa outro?

Indiretamente fazia-lhe sentir esta censura toda íntima, dizendo-lhe às vezes:

— O major Alvarenga (era o defunto esposo da sra. d. Leonarda) foi o primeiro e último namoro. Vi-o num dia de entrudo; casamo-nos logo depois da Páscoa. Hoje, as moças gostam de andar de namoro em namoro, sem acabar de escolher um. Por isso muitas ficam para tias.

Ora, é de notar que o bacharel Gustavo caíra-lhe em graça, e que de todos os namorados de Marianinha era este o que mais adequado lhe parecia. Não aprovaria certamente a ideia da fita bordada com os dois nomes, porque a sra. d. Leonarda tinha como teoria que uma moça apenas deve olhar para o namorado; escrever-lhe era já atrevimento, e (usemos os seus próprios termos) profunda imoralidade. Mas desejava e muito que aquele casamento se fizesse, porque, mais que nenhum outro, o genro lhe parecia de feição. Com um pouco mais de ardor da parte dos dois namorados, estou certo de que nem escreveria estas páginas; tinham casado, estavam com filhos, vivendo em paz. Não precipitemos entretanto os acontecimentos, esperemos ao segundo capítulo.

II

Gustavo foi à casa de d. Leonarda na quinta-feira seguinte, isto é, dois dias depois do dia em que Marianinha acabava de bordar os dois nomes na fita azul.

— Tenho uma coisa para lhe dar — disse a moça.
— Ah! O que é?
— Adivinhe.
— Não posso adivinhar.
— Adivinhe.
— Um par de botões?
— Não.
— Uma flor?
— Não.
— Uma charuteira?
— Não.
— Não posso... Ora, espere... Será?... não... não é.
— Não é o quê?
— Um lenço de assoar.
— Ora! — respondeu Marianinha encolhendo os ombros.

E tirou do bolso a fita azul com os dois nomes bordados.

— Bonito! — exclamou Gustavo.
— É uma lembrança para se não esquecer de mim.
— Oh! querida! pois eu hei de nunca esquecer-me de você. Não é você o anjo...

Aqui entrava a quinquagésima edição do sonho que ele não tivera nunca.

Gustavo disfarçadamente beijou a fita azul e guardou-a no bolso, de maneira que o não visse a sra. d. Leonarda.

Marianinha ficou muito contente com o bom agasalho que tivera a sua lembrança não menos que com o elogio da obra, tão certo é que o amor não dispensa a vaidade, antes esta é muita vez complemento daquele.

— Que lhe darei eu para que se não esqueça de mim? — disse Gustavo daí a pouco, em ocasião em que pôde murmurar-lhe estas palavras.
— Nada — disse a moça sorrindo.
— Ama-me então como sempre? — perguntou ele.
— Como sempre!

Todo o resto do diálogo foi assim por este gosto, como naturalmente o leitor e a leitora compreendem, se é que já não passaram pelo mesmo como eu sou capaz de jurar.

Marianinha era muito graciosa, além de bonita. Os olhos eram pequenos e vivos; ela sabia-os mover com muita gentileza. Não era mulher que do primeiro lance fizesse apaixonar um homem; mas com o tempo tinha o condão de insinuar-se-lhe no coração.

Foi isto justamente o que aconteceu com o nosso jovem Gustavo, cujo namoro durava já mais tempo que os outros. Começara por brinquedo, e acabara sério. Gustavo foi-se a pouco e pouco sentindo preso nas mãos da moça, de maneira que o casamento, coisa em que não pensara nunca, entrou a surgir-lhe no espírito como uma coisa muito desejável e indispensável.

— Afinal — pensava ele —, devo acabar casado, e mais vale que seja com uma boa menina como aquela é, alegre, afetuosa, educada... A educação acabá-la-ei eu, e o terreno é próprio para isso; farei dela uma verdadeira esposa.

Com estas disposições, deixou Gustavo as suas habituais distrações, teatros, passeios, ceatas e todo se entregou ao cultivo do amor. D. Leonarda viu que a assiduidade era maior e concluiu razoavelmente que desta vez iria o barco ao mar. Para animar a pequena falou-lhe na conveniência de casar com pessoa que estimasse, e não deixasse de dar duas ou três esperanças ao pretendente.

As coisas foram assim andando de modo que o bacharel assentou de ir pedir a moça à avó por ocasião dos anos dela (a avó), que era a 27 de outubro. Estavam então no dia dez do referido mês. Em novembro podiam estar unidos e felizes.

Gustavo conversou com alguns amigos, e todos lhe aprovaram a resolução, mormente os que frequentavam a casa de d. Leonarda e não queriam ficar brigados com o futuro neto da viúva do major.

Um dos frequentadores, comensal antigo, de passagem lhe observou que a moça era um tanto caprichosa; mas não o fez com a ideia de o afastar da pretensão, o que era difícil naquele caso, mas antes por lhe aplanar a dificuldade mostrando-lhe o caminho que devia seguir.

— O coração é excelente — acrescentou este informante —; nisto sai à avó e à mãe, que Deus tem.

— Isto é o essencial — disse Gustavo —; caprichos são flores próprias da idade; o tempo as secará de todo. Gosto muito dela, e quaisquer que fossem os seus defeitos, casaria com ela.

— Oh! sem dúvida! Pela minha parte desde já lhe afianço que hão de ser felizes.

Tudo corria portanto *comme sur des roulettes*. O pedido estava prestes; prestes o casamento. Gustavo imaginou logo um plano de vida, mediante o qual ele seria no ano seguinte deputado, logo depois presidente de província, e um dia alguma coisa mais. A imaginação pintava-lhe a glória e o prazer que daria a sua mulher; imaginava um filhinho, uma casa cercada de laranjeiras, um paraíso...

III

Ora, logo na noite do dia 10, estando a conversar com a namorada, esta lhe perguntou pela fita azul. Eram passados seis meses desde a noite em que ela lha dera. Gustavo empalideceu; e a razão era que, não estando naquele tempo apaixonado como agora, nunca mais pusera olhos em cima da fita. Murmurou como pôde alguma coisa, que ela não ouviu, nem se lhe deu de ouvir, por haver logo percebido a sua perturbação.

— Naturalmente não sabe onde a pôs — disse ela com ar azedo.

— Ora!...
— Talvez a lançasse à rua...
— Que ideia!
— Estou a ler isso no seu rosto.
— Impossível! A fita está lá em casa...
— Pois bem, veja se a traz amanhã.
— Amanhã? — balbuciou Gustavo.
— Perdeu-a, já sei.
— Oh! não; amanhã trago-lhe a fita.
— Jura?
— Que criancice! Juro.

O espírito de Gustavo achava-se nessa ocasião na situação de um homem que se deitasse numa cama de espinhos. Virava-se, revirava-se, espinhava-se, e daria cem ou duzentos mil-réis para poder ter a fita ali mesmo no bolso. Queria ao menos ter certeza de que a acharia em casa. Mas não tinha; e o rosto da moça como que lhe anunciava a tempestade de arrufos que o esperaria no dia seguinte se não levasse a fita.

Efetivamente Marianinha não se riu mais nessa noite. Gustavo saiu mais cedo que de costume e foi dali direito como uma flecha para casa.

Não tenho tintas na minha paleta para pintar a cena da investigação da fita, que durou cerca de duas horas e dava para dois capítulos ou três. Uma só gaveta não ficou em casa por examinar, uma só caixa de chapéu, um só escaninho de secretária. Veio tudo abaixo. A fita obstinava-se em não aparecer. Gustavo imaginou que ela estaria na saladeira; a saladeira estava vazia, e era o pior que lhe podia acontecer, porque o furioso mancebo atirou-a contra um portal e reduziu-a a cacos.

Os dois criados andavam atônitos; não compreendiam aquilo; muito menos compreendiam o motivo por que o amo os descompunha, quando eles não tinham notícia nenhuma da fita azul.

Era já madrugada; a fita não dera sinal de si; toda a esperança se dissipara como fumo. Gustavo tomou a resolução de se deitar, que os seus criados acharam excelente, mas que para ele foi perfeitamente inútil. Gustavo não pregou olho; levantou-se às oito horas do dia 11 fatigado, aborrecido, receoso de um imenso desastre.

Durante o dia fez algumas investigações relativas à famosa fita; todas elas tiveram o resultado das da véspera.

Numa das ocasiões em que estava mais aflito, apareceu-lhe em casa um dos frequentadores da casa de d. Leonarda, o mesmo com quem tivera o diálogo acima transcrito. Gustavo confiou-lhe tudo.

O sr. Barbosa riu-se.

Barbosa era o nome do frequentador da casa de d. Leonarda.

Riu-se e chamou-lhe criança; afirmou-lhe que Marianinha era caprichosa, mas que uma fita era uma coisa de pouco mais que nada.

— Que lhe pode resultar daqui? — disse o sr. Barbosa com um gesto grave. — Zangar-se a moça durante algumas horas? Isso que vale se ela lhe há de dever a felicidade mais tarde? Meu amigo, eu não conheço a história de todos os casamentos que se têm feito debaixo do sol, mas creio poder afirmar que nenhuma noiva deixou de casar por causa de um pedaço de fita.

Gustavo ficou mais consolado com estas e outras expressões do sr. Barbosa, que se despediu daí a pouco. O namorado apenas chegou a noite vestiu-se com o maior apuro, perfumou-se, acendeu um charuto, procurou sair de casa com o pé direito, e enfiou para a casa da sra. d. Leonarda.

O coração batia-lhe mais fortemente quando subiu a escada. Vieram abrir-lhe a cancela; Gustavo entrou e achou na sala a avó e a neta, a avó risonha, a neta séria e grave.

Ao contrário do que fazia em outras ocasiões, Gustavo não buscou desta vez achar-se a sós com a moça. Foi esta quem procurou essa ocasião, no que a avó a ajudou mui simplesmente, indo ao interior da casa saber a causa de um rumor de pratos que ouvira.

— A fita? — disse ela.

— A fita...

— Perdeu-a?

— Não se pode dizer que esteja perdida — balbuciou Gustavo —; não a pude achar por mais que a procurasse; e a razão...

— A razão?

— A razão é que eu... sim... naturalmente está muito guardada... mas creio que...

Marianinha levantou-se.

— Minha última palavra é esta... Quero a fita dentro de três dias; se não ma der, tudo está acabado; não serei sua!

Gustavo estremeceu.

— Marianinha!

A moça deu um passo para dentro.

— Marianinha! — repetiu o pobre namorado.

— Nem mais uma palavra!

— Mas...

— A fita, dentro de três dias!

IV

Imagina-se, não se descreve a situação em que ficou a alma do pobre Gustavo, que deveras amava a moça e que por tão pequena coisa via perdido o seu futuro. Saiu dali (desculpem a expressão que não é muito nobre), saiu dali vendendo azeite às canadas.

— Leve o diabo o dia em que vi aquela mulher! — exclamava ele caminhando para casa.

Mas logo:

— Não! ela não tem culpa: o culpado único sou eu! Quem me mandou ser tão pouco zeloso de um mimo dado de tão boa feição? Verdade seja que eu ainda nesse tempo não tinha no coração o que agora sinto...

Aqui parava o moço para examinar o estado do seu coração, que reconhecia ser gravíssimo, a ponto de lhe parecer que, se não casasse com ela, impreterivelmente iria ter à cova.

Há paixões assim, como devem saber o leitor e a leitora, e se a dele não fosse assim, é muito provável que eu não tivesse de contar esta mui verídica história.

Ao chegar a casa procedeu Gustavo a uma nova investigação, que deu o mesmo resultado negativo. Passou uma noite como se pode imaginar, e levantou-se de madrugada, aborrecido e furioso consigo mesmo.

Às oito horas levou-lhe o criado o café do costume, e na ocasião em que lhe acendia um fósforo para o amo acender charuto, aventurou esta conjectura:

— Meu amo chegaria a tirar a fita da algibeira do paletó?

— Naturalmente tirei a fita — respondeu com rispidez o moço —; não me lembra se tirei, mas é provável que sim.

— É que...

— É quê?

— Meu amo deu-me há pouco tempo um paletó, e pode ser que...

Isto foi um raio de esperança no ânimo do pobre namorado. Deu um pulo da cadeira em que se achava, quase entornou a xícara no chão, e sem mais preâmbulo perguntou ao criado:

— João! tu vieste salvar-me!

— Eu?

— Sim, tu. Onde está o paletó?

— O paletó?

— Sim, o paletó...

João cravou os olhos no chão e não respondeu.

— Dize! fala! — exclamou Gustavo.

— Meu amo há de desculpar-me... Aqui há tempos uns amigos convidaram-me para uma ceia. Eu nunca ceio porque me faz mal; mas essa noite tive vontade de cear. Havia uma galinha...

Gustavo impaciente bateu com o pé no chão.

— Acaba! — disse ele.

— Havia uma galinha, mas não havia vinho. Era preciso vinho. Além do vinho, houve quem lembrasse um paio, comida indigesta, como meu amo sabe...

— Mas o paletó?

— Lá vou. Faltava, portanto, algum dinheiro. Eu, esquecendo por um instante os benefícios que recebera de meu amo e sem reparar que uma lembrança daquelas guarda-se para sempre...

— Acaba, demônio!

— Vendi o paletó!

Gustavo deixou-se cair na cadeira.

— Valia a pena fazer-me perder tanto tempo — disse ele —, para chegar a esta conclusão! Estou quase certo de que a fita estava no bolso desse paletó!...

— Mas, meu amo — aventurou João —, não será a mesma coisa comprar outra fita?

— Vai-te para o diabo!

— Demais, nem tudo está perdido.

— Como assim?

— Talvez o homem ainda não vendesse o paletó.

— Que homem?

— O homem do Pobre Jacques.

— Sim?

— Pode ser.

Gustavo refletiu um instante.

— Vamos lá! — disse ele.

Gustavo vestiu-se no curto prazo de sete minutos; saiu acompanhado do criado e a trote largo caminharam para a rua da Carioca. Entraram na casa do Pobre Jacques.

Acharam um velho assentado numa cadeira examinando um par de calças que lhe levara o freguês talvez para almoçar nesse dia. O dono da casa oferecia-lhe pelo objeto cinco patacas; o dono do objeto instava por mil e oitocentas. Afinal cortaram a dúvida, diminuindo o freguês um tostão e subindo o dono da casa outro tostão.

Acabado o negócio, o velho atendeu aos dois visitantes, um dos quais, de impaciente andava de um lado para outro, a passear os olhos nas roupas com a esperança de encontrar o suspirado paletó.

João era conhecido do velho e tomou a palavra.

— Não se lembra de um paletó que eu lhe vendi há coisa de três semanas? — disse ele.

— Três semanas!

— Sim, um paletó.

— Um paletó?

Gustavo fez um gesto de impaciência. O velho não reparou no gesto. Pôs-se a afagar o queixo com a mão esquerda e os olhos no chão a ver se lembrava do destino que tivera o paletó *introuvable*.

— Lembra-me de que lhe comprei um paletó — disse ele —, e por sinal que tinha gola de veludo...

— Isso! — exclamou Gustavo.

— Mas creio que o vendi — concluiu o velho.

— A quem? — perguntou Gustavo desejoso e ansioso ao mesmo tempo de lhe ouvir a resposta.

Antes porém que a ouvisse, ocorreu-lhe que o velho podia desconfiar do interesse com que procurava saber de um paletó velho, e julgou necessário explicar que não se tratava de nenhuma carteira, mas de uma lembrança de namorada.

— Seja lá o que for — disse o velho sorrindo —, eu nada tenho com isso... Agora me lembro a quem vendi o paletó.

— Ah!

— Foi ao João Gomes.

— Que João Gomes? — perguntou o criado.

— O dono da casa de pasto que fica ali quase no fim da rua...

O criado estendeu a mão ao velho e murmurou algumas palavras de agradecimento; quando porém voltou os olhos, não viu o amo, que apressadamente se dirigia na direção indicada.

V

João Gomes animava os caixeiros e a casa regurgitava de gente que comia o seu modesto almoço. O criado do bacharel conhecia o dono da casa de pasto. Foi direito a ele.

— Senhor João Gomes...

— Olé! você por aqui!
— É verdade; venho tratar de um assunto importante.
— Importante?
— Muito importante.
— Fale — respondeu João Gomes entre receoso e curioso.

Ao mesmo tempo lançou um olhar desconfiado para Gustavo que se conservara de parte.

— Não comprou o senhor um paletó em casa do Pobre Jacques?
— Não, senhor — respondeu muito depressa o interpelado.

Era evidente que receava alguma complicação de polícia. Gustavo compreendeu a situação e interveio para sossegar o ânimo do homem.

— Não se trata de nada que seja grave para o senhor, nem para ninguém exceto para mim — disse Gustavo.

E contou o mais sumariamente que pôde o caso da fita, o que tranquilizou efetivamente o espírito do comprador do paletó.

— Uma fita azul, diz vossa senhoria? — perguntou João Gomes.
— Sim, uma fita azul.
— Achei-a na algibeira do paletó e...
— Ah!
— Tinha dois nomes bordados, creio eu...
— Isso.
— Obra muito fina!
— Sim, senhor, e então?
— Então? Ora, espere... Eu tive esta fita alguns dias comigo... até que um dia... de manhã... não, não era de manhã, era de tarde... mostrei-a a um freguês...

Estacou o sr. João Gomes.

— Que mais? — perguntou o criado do bacharel.
— Creio que era o Alvarenga... Era, era o Alvarenga. Mostrei-lha, gostou muito... e pediu-ma.
— E o senhor?
— Eu não precisava daquilo e dei-lha.

Gustavo teve vontade de engolir o dono da casa de pasto. Como porém nada adiantasse com esse ato de selvageria preferiu fazer indagações relativas ao Alvarenga, e soube que morava na rua do Sacramento.

— Ele guarda aquilo por curiosidade — observou João Gomes —; se vossa senhoria lhe contar o que há, estou certo de que lhe entrega a fita.

— Sim?
— Estou certo disso... Até se quiser eu mesmo lhe falo; ele há de cá vir almoçar e talvez a coisa se arranje hoje mesmo.

— Tanto melhor! — exclamou Gustavo. — Pois, meu amigo, veja se me consegue isso, e far-me-á um grande favor. O João aqui fica para me levar a resposta.

— Não tem dúvida.

Gustavo foi dali almoçar no hotel dos Príncipes, onde João devia ir ter a dar-lhe conta do que houvesse. O criado demorou-se muito menos porém do que pareceu ao ansioso namorado. Já lhe parecia que ele não viria mais, quando a figura de João assomou à porta. Gustavo levantou-se à pressa e saiu.

— Que há?
— O homem apareceu...
— E a fita?
— A fita estava com ele...
— Achou-se?
— Estava com ele, porque o João Gomes lha tinha dado, como meu amo sabe, mas parece que já não está.
— Inferno! — exclamou Gustavo lembrando-se de um melodrama em que ouvira exclamação análoga.
— Já não está — continuou o criado como se estivesse saboreando estas ânsias do amo —, já não está, mas podemos dar com ela.
— Como?
— O Alvarenga é procurador, deu a fita à filhinha do desembargador com quem trabalha. Ele mesmo incumbiu-se de arranjar tudo...

Gustavo perdera de todo as esperanças. A esquiva fita nunca mais lhe tornaria às mãos, pensava ele, e com esta ideia ficou acabrunhado.

João entretanto reanimou-se como pôde, afiançando-lhe que achava no sr. Alvarenga muito boa vontade de o servir.

— Sabes o número da casa dele?
— Ele ficou de ir à casa de meu amo.
— Quando?
— Hoje.
— A que horas?
— Às ave-marias.

Era um suplício fazê-lo esperar tanto tempo, mas como não havia outro remédio, Gustavo curvou a cabeça e foi para casa, disposto a não sair sem saber o que era feito da encantada fita.

VI

Crudelíssimo foi aquele dia para o mísero namorado, que não podia ler, nem escrever, que só podia suspirar, ameaçar o céu e a terra e que mais de uma vez ofereceu ao destino as suas apólices por um pedaço de fita.

Dizer que jantou mal é noticiar ao leitor uma coisa que ele naturalmente adivinhou. A tarde foi terrível de passar. A incerteza misturava-se à ânsia; Gustavo ardia por ver o procurador, mas receava que nada trouxesse, e que a noite desse dia fosse muito pior que a antecedente. Pior seria decerto, porque o plano de Gustavo estava feito: atirava-se do segundo andar à rua.

A tarde caiu de todo, e o procurador, fiel à sua palavra, bateu palmas na escada.

Gustavo estremeceu.
João foi abrir a porta:
— Ah! Entre, senhor Alvarenga — disse ele —, entre para a sala; meu amo está à sua espera.

Alvarenga entrou.
— Então que há? — perguntou Gustavo depois de feitos os primeiros cumprimentos.

— Há alguma coisa — disse o procurador.
— Sim?

E logo:

— Há de admirar-se talvez da insistência com que procuro esta fita, mas...
— Mas é natural — acudiu o procurador abrindo a caixa de rapé e oferecendo uma pitada ao bacharel, que com um gesto recusou.
— Então parece-lhe que há alguma coisa? — perguntou Gustavo.
— Sim, senhor — respondeu o procurador. — Eu tinha dado aquela fita à filha do desembargador, menina de dez anos. Quer que lhe conte a maneira por que isso aconteceu?
— Não precisa.
— Sempre lhe direi que eu gosto muito dela, e ela de mim. Posso dizer que a vi nascer. A menina Cecília é um anjo. Imagine que tem os cabelos louros e está muito desenvolvida...
— Ah! — fez Gustavo não sabendo o que havia de dizer.
— No dia em que o João Gomes me deu a fita dizendo-me: "Tome lá o senhor que tem em casa exposição!". (Exposição chama o João Gomes a uma coleção de objetos e trabalhos preciosos que tenho e vou aumentando...) Nesse dia, antes de ir para casa, fui à casa do desembargador...

Neste ponto entrou na sala o criado João, que, por uma ideia delicada, lembrou-se de trazer uma xícara de café ao sr. Alvarenga.

— Café? — disse este. — Não recuso nunca. Está bom de açúcar... Oh! e que excelente café! Vossa senhoria não sabe como eu gosto de café; bebo às vezes seis, oito xícaras por dia. Vossa senhoria também gosta?
— Às vezes — respondeu Gustavo em voz alta.

E consigo mesmo:

— Vai-te com todos os diabos! Estás apostado para fazer-me morrer de aflição!

O sr. Alvarenga ia saboreando o café, como entendedor, e contando ao bacharel a maneira por que dera a fita à filha do desembargador.

— Ela estava a brincar comigo, enquanto eu tirava do bolso alguns papéis para dar ao pai. Com os papéis veio a fita. "Que bonita fita!" disse ela. E pegou na fita, e pediu-me que lha desse. Que faria vossa senhoria no meu caso?
— Dava.
— Foi o que eu fiz. Se visse como ficou alegre!

O sr. Alvarenga acabara de tomar o café, ao qual fez um novo elogio; e depois de sorver voluptuosamente uma pitada, continuou:

— Já eu não me lembrava da fita quando hoje o senhor João Gomes me contou o caso. Era difícil achar a fita, porque isto de crianças vossa senhoria sabe que são endiabradas, e então aquela!
— Está rasgada? — perguntou Gustavo ansioso por vê-lo chegar ao fim.
— Parece que não.
— Ah!
— Quando lá cheguei perguntei com muita instância pela fita à senhora do desembargador.
— E então?

— A senhora do desembargador respondeu-me com muita polidez que não sabia da fita; imagine como fiquei. Chamou-se porém a menina, e esta confessou que uma sua prima, moça de vinte anos, lhe tirara a fita da mão, logo no dia em que eu lha dei. A menina chorara muito, mas a prima dera-lhe em troco uma boneca.

Esta narração foi ouvida por Gustavo com a ansiedade que o leitor naturalmente imagina; as últimas palavras, entretanto, foram um golpe mortal. Como haver agora essa fita? De que maneira e com que razões, se iria procurar nas mãos da moça o objeto desejado?

Gustavo comunicou estas impressões ao sr. Alvarenga, que depois de sorrir e tomar outra pitada, lhe respondeu que dera alguns passos a ver se a fita pudesse vir parar às suas mãos.

— Sim?

— É verdade; a senhora do desembargador ficou tão penalizada com a ansiedade que eu mostrava, que me prometeu fazer alguma coisa. A sobrinha mora no Rio Comprido; a resposta só pode estar nas suas mãos depois de amanhã porque eu amanhã tenho muito que fazer.

— Mas virá a fita? — murmurou Gustavo com desânimo.

— Pode ser — respondeu o procurador —; tenhamos esperança.

— Com que lhe hei de pagar tantos favores? — disse o bacharel ao procurador que se levantara e pegara no chapéu...

— Sou procurador... dê-me alguma coisa em que eu possa prestar-lhe os meus serviços.

— Oh! sim! a primeira que me vier agora é sua! — exclamou Gustavo para quem uma causa era ainda objeto puramente mitológico. O procurador saiu.

— Então, até depois de amanhã? — disse João que ouvira quase toda a conversa, colado no corredor.

— Sim, até depois de amanhã.

VII

O dia em que o procurador devia voltar à casa de Gustavo era o último do prazo marcado por Marianinha. Gustavo esperou por ele sem sair de casa; não queria aparecer sem estar desenganado ou feliz.

O sr. Alvarenga não marcara hora. Gustavo acordou cedo, almoçou, e esperou até o meio-dia sem que o procurador desse sinais de si. Era uma hora quando apareceu.

— Há de desculpar-me — disse ele logo ao entrar —; tive uma audiência na segunda vara, e por isso...

— Então?

— Nada.

— Nada!

— Ela tem a fita e declara que a não dá!

— Oh! mas isso é impossível!

— Também eu disse isso, mas depois refleti que não há outro recurso senão contentarmo-nos com a resposta. Que poderíamos nós fazer?

Gustavo deu alguns passos na sala, impaciente e abatido ao mesmo tempo. Tanto trabalho para tão triste fim! Que importava que ele soubesse onde parava a fita, se não podia havê-la às mãos? O casamento estava perdido; o suicídio unicamente.

Sim, o suicídio. Apenas o procurador Alvarenga saiu da casa de Gustavo, este sondou o seu coração e mais uma vez se convenceu de que não podia resistir à recusa de Marianinha; senão matando-se

— Caso-me com a morte! — rugiu ele surdamente.

Outra reminiscência de melodrama.

Assim assentado o seu plano, saiu Gustavo de casa, logo depois das ave-marias e dirigiu-se para a casa de d. Leonarda. Entrou comovido; estremeceu quando deu com os olhos em Marianinha. A moça tinha o mesmo ar severo com que lhe falara a última vez.

— Por onde andou estes três dias? — disse d. Leonarda.

— Estive muito ocupado — respondeu secamente o moço —, e por isso... As senhoras têm passado bem?

— Assim, assim — disse d. Leonarda.

Depois:

— Estes pequenos andam arrufados! — pensou ela.

E posto fosse severíssima em pontos de namoro, todavia compreendeu que para explicar e acabar arrufos a presença de uma avó era de algum modo prejudicial. Pelo que, assentou retirar-se durante cinco minutos (de relógio na mão), a pretexto de ir ver o lenço de tabaco.

Apenas se acharam sós os dois namorados, rompeu o seguinte diálogo a muito custo de ambos, porque nenhum deles queria começar primeiro. Foi Gustavo quem cedeu:

— Não lhe trago a fita.

— Ah! — disse a moça com frieza.

— Alguém ma tirou, talvez, porque eu...

— Que faz a polícia?

— A polícia!... Está zombando comigo, creio eu.

— Apenas crê?

— Marianinha, por quem é, perdoe-me se...

Neste ponto teve Gustavo uma ideia que lhe pareceu luminosa.

— Falemos franco — disse ele —; eu tenho a fita comigo.

— Sim? deixe ver.

— Não está aqui; mas posso afirmar-lhe que a tenho. Imponho todavia uma condição... Quero ter este prazer de impor uma condição...

— Impor?

— Pedir. Mostrar-lhe-ei a fita depois que estivermos casados.

A ideia, como a leitora vê, não era tão luminosa como ele pensava; Marianinha deu uma risadinha e levantou-se.

— Não acredita? — disse Gustavo meio enfiado.

— Acredito — disse ela —; e tanto que aceito a condição.

— Ah!

— Com a certeza de que não a há de cumprir.

— Juro...

— Não jure! A fita está aqui.

Marianinha tirou da algibeira o pedaço de fita azul com os nomes de ambos bordados a seda, a mesma fita que ela lhe dera.

Se o bacharel Gustavo tivesse visto as torres de São Francisco de Paula subitamente transformadas em duas muletas, não se admiraria tanto como quando a moça lhe mostrou o pedaço de fita azul.

Só no fim de dois minutos pôde falar:

— Mas... esta fita?

— Silêncio! — disse Marianinha vendo entrar a avó.

A leitora naturalmente acredita que a fita fora entregue a Marianinha pela sobrinha do desembargador, e acredita a verdade. Eram amigas; sabiam do namoro uma da outra; Marianinha tinha mostrado à amiga a obra que fazia para dar ao namorado, de maneira que quando a fita azul caiu nas mãos da pequena suspeitou naturalmente que era a mesma, e obteve-a para mostrá-la à neta de d. Leonarda.

Gustavo não suspeitara nada disto; estava aturdido. Estava sobretudo envergonhado. Acabava de ser apanhado em flagrante delito de peta e fora desmentido do mais formidável modo.

Nestas alturas não há de demorar o desfecho. Apresso-me a dizer que Gustavo saiu dali abatido, mas que no dia seguinte recebeu uma carta de Marianinha, em que lhe dizia, entre outras coisas, esta: "Perdoo-lhe tudo!".

Nesse mesmo dia foi pedida a moça. Casaram-se pouco depois e vivem felizes, não direi onde, para que os não vão perturbar na sua lua de mel que dura há largos meses.

Desejo o mesmo às leitoras.

Jornal das Famílias, *dezembro de 1875 a fevereiro de 1876; Machado de Assis.*

To be or not to be

I

André Soares contava vinte e sete anos, não era magro nem gordo, alto nem baixo; na alma, como no corpo, conservava uma escassa e honrada mediania. Era um desses homens que não aumentam a humanidade quando nascem nem a diminuem quando morrem.

Poupando ao leitor a narração dos acontecimentos principais da vida de André Soares, limito-me a dizer que no dia 18 de março de 1871 — justamente no dia em que rebentava em Paris a revolução da Comuna — achava-se o nosso herói no Rio de Janeiro na situação que passo a descrever.

Gozava de um emprego que lhe dava cento e vinte mil-réis por mês e estava nele havia já cinco anos, tendo o natural desejo de subir a outro que lhe desse pelo menos duzentos mil-réis. Não recusaria se lhe oferecessem trezentos; com quatrocentos, é de crer que não se zangasse, e atrevo-me a dizer que chamaria todas as bênçãos do céu sobre quem lhe desse quinhentos.

A verdade, porém, é que apenas tinha cento e vinte, e que apesar de não ter família e morar numa hospedaria barata, clamava André Soares contra o destino ou pedia a todos os santos do céu que lhe aumentassem o ordenado.

Dois meses antes do dia em que esta narração começa, metera André Soares alguns empenhos para obter um lugar que lhe dava justamente duzentos mil-réis, e de onde poderia subir mais facilmente a maiores alturas.

André Soares tinha o sestro de acreditar que os seus sonhos eram realidades, bem como o de ver catástrofes onde muita vez há apenas ligeiros infortúnios e às vezes nem isso.

Apenas metera empenho para o emprego entrou a fazer mil castelos no ar e a fantasiar coisas espantosas. Não lhe chegava decerto o dinheiro, os míseros duzentos mil-réis, numa cidade em que tudo (diz o príncipe Alexis numa carta que acabo de ler) é mais caro do que nos Estados Unidos e em Havana. Mas, a um sonhador como André Soares, nada é obstáculo. Ele sonhava com passeios de carro, teatros, bons charutos, luvas de pelica, além das despesas usuais, e para tanto não é de crer que dessem os duzentos mil-réis. Sonhava, e bastava o sonho para o fazer feliz.

Já daqui pode o leitor avaliar o pasmo e a dor de André Soares quando recebeu uma carta do personagem que lhe servira de empenho, carta de que basta citar este último trecho:

... Assim, pois, meu caro sr. André Soares, sinto não ter podido servi-lo como desejava e devia. Tenha paciência, e mais tarde...

Nem André Soares nem nenhuma outra pessoa leu nunca o resto da carta, porque ao chegar à última palavra acima transcrita, o pretendente rasgou a epístola em mil pedaços, bateu com as mãos fechadas na testa, rasgou a camisa e atirou-se desesperado a uma cadeira.

Não se sabe com certeza que tempo gastou André Soares na posição em que o deixei no período anterior; o que se sabe é que, depois de estar calado e pasmado, monologou do seguinte modo:

— Haverá no mundo maior desgraça do que a minha? Há empregos graúdos para tanta gente, só não há para um mísero que tem lutado com a sorte durante longos anos? Posso eu viver mais sobre a terra? Há esperanças de me levantar desta abjeção?

— Não, não há — continuou ele. — Estou decidido; acabemos de uma vez com esta vida de tribulações; não quero arrastar tamanha miséria até os oitenta anos.

E dizendo isto, o nosso André Soares vestiu camisa nova, meteu-se num paletó, pôs o chapéu na cabeça e meditou no gênero de morte que devia escolher.

Escolheu afogar-se.

Tinha um cartão de barca na algibeira; dirigiu-se para a ponte das barcas de Niterói. Mais de um olhou para ele; ninguém podia ter ideia de que ali estava um homem em véspera de morrer.

Aproximou-se a barca, entraram os passageiros, e com eles André Soares, que foi sentar-se primeiro num dos bancos interiores, à espera que a barca chegasse ao meio da baía; então procuraria a popa ou a proa e atirar-se-ia ao mar.

A barca seguiu caminho; os passageiros conhecidos conversavam, os desconhecidos aborreciam-se, e neste número incluo André Soares (compreende-se) e uma moça que lhe ficava a dois palmos de distância no mesmo banco.

Não se podia ver se era bonita, porque trazia um espesso véu sobre o rosto; mas o que se podia sentir era um olhar literalmente de fogo. Mais de um passageiro voltava de quando em quando o rosto para a moça de véu, que aliás olhava para o chão, para o mar, para o teto e nunca para ninguém.

Trajava essa desconhecida um vestido de seda escura que lhe ficava muito elegante no corpo. Tinha luvas de pelica de cor igual à do vestido, e da mesma cor calçava uma botina, aliás duas, que lhe ficavam a matar.

Esta última descoberta não a fez nenhum passageiro, mas André Soares que, estando com os olhos pregados no chão a rememorar os seus infortúnios, deu com os olhos num dos pés da velada desconhecida.

Estremeceu.

André Soares resistia a tudo neste mundo, a uns olhos brilhantes, a um rosto adorável, a uma cintura de anel; não resistia a um pé elegante. Dizem até as crônicas que entre alguns versos que outrora compusera como quase todos os rapazes, o que não quer dizer que fosse poeta, figurava esta quadrinha conceituosa e denunciadora dos seus instintos filópedes (relevem-me o neologismo):

> Se queres dar-me esperança,
> Se queres que eu tenha fé,
> Mostra-me, por caridade,
> O teu pequenino pé.

Com a desconhecida da barca niteroiense não era preciso recitar esta quadra suplicante; ela estendia o pé com ares de quem queria que André Soares lho visse, e falo assim porque no fim de dez minutos deixou a moça de olhar para o teto, para o mar, para o chão, e entrou a olhar unicamente para ele.

André Soares estava na ante-sala da morte; nem por isso deixou de sustentar o olhar da moça, dividindo a sua atenção entre o seu rosto e o seu pé. Refletia ele que ir para a sepultura com uma doce recordação da vida não era absolutamente prejudicial à alma. Aqueles minutos em que ainda respirava, aproveitava-os ele na contemplação da moça, e tanto os aproveitou que quando deu acordo de si chegara a barca a São Domingos.

André Soares fez um gesto de despeito; mas não teve tempo de resolver alguma coisa, porque a moça levantou-se para sair lançando-lhe um último olhar, e ele maquinalmente deixou-se ir atrás dela e saiu da barca.

Estava adiado o suicídio, pelo menos por algumas horas, porque o nosso André Soares quando reparou que ainda se não tinha matado, murmurou estas palavras consigo:

— Na volta.

E foi seguindo atrás da bela desconhecida. Bela é talvez pouco; André Soares achou-a fascinadora, quando na ponte uma rajada de vento levantou um pouco o véu da moça.

Ao mesmo tempo, tendo deixado ir a moça adiante, André Soares pôde apreciar os pezinhos e a graça com que ela os movia — nem tão apressada como as francesas, nem tão lenta como as nossas patrícias, mas um meio-termo que permitia ser acompanhada sem desconfiança dos estranhos.

No fim de duzentos passos, André Soares estava namorado quase de todo, sobretudo porque a desconhecida duas ou três vezes voltara o rosto e passara ao infeliz um novo cabo de reboque. Cabo de reboque é uma metáfora que o leitor compreenderá bem e a leitora ainda melhor. Em duas palavras, quando a desconhecida entrou em uma casa, André Soares estava definitivamente resolvido a tentar a aventura, e a adiar, para tempos melhores, o suicídio.

II

Logo nesse dia, voltou o nosso herói para casa tão contente como se houvera tirado a sorte grande. O mar contava um hóspede menos; mas a fortuna coroara mais um de seus escolhidos.

André estava fora de si; amava, não era mal recebido o seu amor, cujo objeto, de mais a mais, era um anjo, um nume, uma criatura mais do céu que da terra, como ele mesmo diria em verso, se ainda cultivasse a poesia.

Os mesmos gestos complacentes que a moça fizera antes de entrar na casa em São Domingos, fizera-os depois de sair, e na barca e na cidade, até chegar à rua dos Inválidos, onde morava.

Nunca mais terrível devia ser ao nosso André Soares a ideia dos cento e vinte mil-réis mensais, nem mais saudosa a ideia dos duzentos. A verdade, porém, é que não pensou em nada disso; estava mordido deveras. A moça, depois de entrar em casa, não chegou à janela como ele esperava; mas em todo o caso dera-lhe todos os sinais de que não era indiferente a seus afetos, e esta certeza fez do desgraçado daquela manhã o mais venturoso de todos os mortais.

Há de parecer singular a mais de uma leitora que, não lhe tendo dito a desconhecida onde morava, André Soares adivinhasse que era justamente na casa da rua dos Inválidos onde a vira entrar.

Mas a explicação é facílima.

André Soares pertencia à classe ingênua dos namorados que fazem indagações no armarinho da esquina ou na padaria ao pé. Depois de esperar um razoável tempo a ver se a bela dama aparecia à janela, André dirigiu os passos a uma padaria que ficava perto, e fez as interrogações precisas a um caixeiro que ali encontrou. Veio a saber que a moça era viúva, que se chamava Cláudia, que vivia com um irmão empregado em Niterói, onde tinha alguns parentes.

André Soares arriscou algumas perguntas a respeito da interessante viúva e soube que era exemplar, notícia que o informador lhe deu com muitos comentários a respeito das vantagens da virtude e o apêndice de alguns casos de pessoas que ele conhecera e que desonraram as barbas dos seus avós.

Além destas notícias soube ainda André Soares que a moça possuía cerca de vinte apólices e uma preta velha, que eram toda a riqueza do defunto marido.

— É um bom princípio para quem casar com ela — acrescentou o caixeiro com ar malicioso.

— Decerto — disse André Soares brincando com a corrente do relógio e fitando um olhar perscrutador no caixeiro, que brincava com a tampa de uma barrica vazia.

— Não é muito, mas é um bom princípio — repetiu este.
— E há já algum farejador? — arriscou o namorado.
— Nenhum.
— Admira!
— Há muita gente que passa e olha, mas ela não se importa com ninguém.

André Soares estava mais contente do que se lhe viessem trazer o decreto da nomeação malograda. Tinha a moça todas as condições que ele podia exigir naquelas circunstâncias. Sobretudo achava-se ele livre de concorrentes. Se fosse três meses antes...

— Três meses antes — disse o informante — andou aqui um moço que não era mal aceito; mas desapareceu.

André Soares saiu dali contentíssimo.

— Foi um anjo que o céu me enviou — pensava ele — para me salvar da morte e ao mesmo tempo trazer-me a felicidade. E digam lá que não há Providência ou sorte, ou o que quer que seja que vela pelos homens! A pequena é uma formosura, e o pé é o mais gentil que até hoje tenho visto. Que pé! Não é um pé, é um milagre. E os olhos? e o andar?

Fez o namorado assim o inventário das belezas da formosa Cláudia, foi jantar alegremente e logo de tarde deu o seu passeio pela rua dos Inválidos, tão embebido em olhar para a janela onde estava a moça que não reparou no caixeiro da padaria que se arrimara à porta para assistir ao romance.

III

Era claro que a viúva Cláudia gostava do rapaz; trocou com ele um longo e expressivo olhar e dignou-se responder com um sorriso ao sorriso que André Soares lhe enviou.

Quando ele de todo desapareceu, Cláudia entrou e foi tocar piano. Não escolheu um trecho alegre adequado à situação; preferiu uma melodia triste que parecia dizer com a sua alma, ou ao menos que ela queria que se parecesse com ela. O certo é que, voltando daí a pouco André Soares e ouvindo-a tocar coisas tão melancólicas, sentiu acordar-lhe dentro da alma um som poético da sua adolescência, e logo nesta noite expectorou uma elegia tão triste que não trazia um verso certo.

A primeira carta não se fez demorar, e a resposta foi imediatamente às mãos do namorado. Não era carta apaixonada a da moça, mas André Soares compreendeu que ela usara de certa reserva que lhe parecia necessária. Replicou o pretendente, treplicou a dama, e os autos de coração foram-se avolumando progressivamente, até que André Soares entendeu que era conveniente frequentar a casa e aproveitou uma apresentação que lhe ofereceram.

A primeira vez que se falaram os dois foi visível para o sr. Justino Magalhães, irmão de Cláudia, que eles se amavam.

Justino Magalhães tinha um programa na vida: agradar aos pretendentes da irmã, a fim de poder continuar a viver economicamente, isto é, a ter casa e mesa sem despender um real. Fiel a estas ideias, tratou de captar a boa vontade de André Soares, que por sua parte se atirou de corpo e alma aos braços do futuro cunhado.

Cláudia era ainda mais bela de perto que de longe; o namorado verificou logo essa diferença quando começou a frequentar a casa. A moça era sobretudo de uma meiguice incomparável. André Soares ficava encantado quando falavam algum tempo a sós, e ela podia expandir-se com ele.

— Mas por que motivo me distinguiu logo naquele dia na barca? — perguntara André uma noite à moça.

— Ora, por quê? Porque o céu nos destinou um para o outro.

— E se soubesse!...

— O quê?

— Não lhe digo.

— Receia?...

— Nada; tenho vergonha. Naquele fatal dia...

— Fatal... — repetiu a moça com um ar de doce ressentimento.

— Perdão; fatal por outro motivo, que eu só mais tarde lhe explicarei... Sim, há anjos que velam por nós.

— Há! — suspirou a moça.

A conversa foi interrompida por Justino, que se aproximou para dizer que no dia seguinte havia um bonito espetáculo no teatro São Luís.

André Soares recebera justamente nesse dia o ordenado; era ocasião de fazer um convite.

— Tenho justamente camarote para amanhã — disse ele —; se quiserem dar-me a honra de aceitar...

— Mas... — ia ela dizendo.

— Com muito gosto — atalhou Justino.

O camarote foi aceito.

Mas a curiosidade da moça trabalhava. Que mistério seria esse de que lhe falara André Soares? Insistiu com ele dali a algum tempo, e no dia seguinte, e alguns dias depois, até que o namorado francamente confessou que um motivo grave o levara a cometer um crime.

— Um crime?

— A minha própria morte.

A moça ficou séria.

— Alguma paixão — disse ela com tristeza.

— Oh! não!

— Não compreendo...

— Que quer? — disse ele. — Nem só de pão vive o homem; achava-me numa situação pecuniária desagradável e... mas para que falarmos de coisas mesquinhas?...

André Soares calou-se e entrou a refletir; pareceu-lhe que fora expansivo demais e que acabava de dar à namorada a ideia de pinga. Igualmente lhe pareceu que um pinga só é poético nos livros, mas que na vida real toda a gente o despreza. E refletiu, enfim, que, apresentando-se candidato à mão da viúva, cumpria-lhe mostrar que não ia só atrás das suas apólices...

O resultado de todas estas reflexões produziu esta observação:

— Felizmente, lá vai esse tempo: foi uma crise que passou. Agora...

— Não desejo saber isso — disse a moça —; por que não falaremos só do nosso coração?

— É apenas um parêntese necessário — disse André Soares —, é-me preciso explicar-lhe a razão por que até hoje não pedi oficialmente a sua mão.

A moça fez um gesto.

André continuou:

— Não lhe pedi a sua mão porque espero obter um novo lugar que me coloque em situação melhor do que atualmente me acho. Não é ela má! lembro-lhe, porém, que sou solteiro; casado, seria insuficiente. Peço-lhe desculpa de entrar nestes pormenores; é uma senhora de juízo; e há de aceitá-los como cabidos e necessários.

— Nem cabidos nem necessários — disse a moça —; eu pouco tenho, mas tenho alguma coisa...

— Perdão...

— Ouça...

— Desejo observar...

— Ouça. O seu pouco com o meu pouco farão o necessário para a nossa existência. Duas criaturas que se amam são naturalmente econômicas das coisas da vida.

André Soares teve ímpeto de cair aos pés da moça e ir dali com ela para a igreja.

Conteve-se do primeiro movimento.

O segundo era impossível.

— O que me acaba de dizer é a expressão elevada e nobre de seu coração. — disse ele. — Eu, porém, não tenho o direito de falar a mesma linguagem; a sociedade exige mais de mim. Peço-lhe só alguns dias de espera.

André Soares pedira efetivamente um novo emprego, e desta vez se não havia mais probabilidade que da outra, havia mais esperanças no fácil espírito do pretendente.

Justino soube, pela irmã, das razões dadas por André Soares, e achou que eram de cavalheiro.

— É um rapaz muito simpático — disse Justino —; é um homem como há poucos.

Esta opinião de Justino não devia produzir impressão no ânimo de Cláudia, porque ele não tinha outra a respeito de todos os pretendentes da irmã.

Todavia entusiasmou-a.

E a razão é clara.

Cláudia gostava realmente do rapaz; e o seu coração não se lembrava ou não reparava na opinião uniforme de Justino a respeito de outras pessoas que a pretendessem mas a quem ela nunca dera atenção.

Justino, porém, insistiu na opinião que formara de André Soares, e tão cavalheiro o achou que não teve dúvida de lhe pedir vinte mil-réis no dia seguinte.

Não era a primeira vez que Justino recorria à bolsa de André Soares, e porque isso, e outras necessidades que agora lhe acresciam, aumentavam as despesas de André Soares, ia este sendo obrigado a recorrer à bolsa de outros, e a criar assim uma dívida externa assaz vasta.

E tão triste é esta situação que eu não tenho ânimo de continuar o capítulo. Veremos no capítulo seguinte o que aconteceu ao nosso herói.

IV

São passados cinco meses depois da conversa em que André Soares expôs à sua amada qual era a situação de sua vida e quais os seus projetos.

Os dias foram passando sem vir o emprego; André Soares passava já uma vida assaz triste e lastimosa. A moça por sua parte, conquanto desejasse repetir-lhe o que uma vez lhe dissera, não se atrevia a fazê-lo a fim de conservar a reserva que a sua posição lhe impunha.

Redobrava entretanto de carinhos e afeto com o mísero namorado, o que de algum modo lhe suavizava as penas do coração.

— Que anjo! — dizia ele todas as noites ao retirar-se para casa — Que anjo!

Se o emprego não vinha, em compensação chegavam as dívidas, e o passivo de André Soares ia tomando um aspecto assustador.

Ao mesmo tempo o amor do pobre rapaz, se era possível, crescia mais, o que estava longe de ser um lenitivo naquela situação. A ideia de não poder casar com a bela viúva, ou de casar nas condições em que ele se achava, atormentava o espírito do pobre moço.

Imagine-se o que sofreria o coração do pobre rapaz e calcule-se em que circunstâncias, e com que cara ouviu ele um dia, ao passar pela padaria de que falei no segundo capítulo, as seguintes palavras do caixeiro a um vizinho:

— Este é uma das duas amarras da viuvinha.

André ficou sem pinga de sangue. Naturalmente ia voltar o rosto, mas a tempo deteve o movimento e continuou a andar até entrar na casa da viúva Cláudia.

Parou, entretanto, no corredor antes de subir as escadas.

E refletiu:

— Que será aquilo? Iludir-me-á esta mulher? Serei eu a fábula da rua? Terei eu um rival mais venturoso?

Estas e outras interrogações fê-las o nosso herói com o desespero na alma e no rosto.

Sentiu depois uma dor aguda no peito e teve uma vertigem.

O desgraçado padecia deveras, amava deveras.

Enfim subiu.

Cláudia recebeu-o com o modo do costume, o qual modo havia já vinte dias que não era o mesmo modo anterior. O mísero namorado, entretanto, não dera por isso até então.

Naquele dia, porém, como já tinha a pulga atrás da orelha, notou uma grande diferença, irritou-se com ela, disse algumas palavras secas à moça e saiu. Calcula-se facilmente qual seria a noite do pobre rapaz. No dia seguinte enviou uma lacrimosa epístola à sua dama, dizendo-lhe:

> Cláudia:
>
> Uma terrível revelação me foi feita ontem. Ainda assim quero crer em ti. Preciso, porém, que me jures se realmente me amas ou se eu já não mereço da tua parte o afeto com que me honraste outrora.

Dois dias esperou a resposta desta carta. No terceiro apareceu-lhe em casa Justino. Vinha alegre. Trocaram algumas palavras banais, e enfim:

— Sei que você escreveu uma carta a minha mana — disse o irmão da viúva.
— É verdade.
— Cláudia riu-se quando a leu.
— Riu-se?
— É verdade: riu-se. E não devia fazer outra coisa... Dá cá um charuto... Não devia fazer outra coisa, porque no ponto em que se acham as coisas entre ambos, exigir agora uma explicação daquela ordem... é singular.

Justino concluía estas palavras e recebia das mãos de André Soares o charuto que pedira.

André Soares não cabia em si de contente.
— Então, ela?
— Você é um visionário, um crédulo, um rapazola sem juízo. Pois então uma senhora em vésperas de casar com você... Que bom charuto!
— Leve mais estes.
— Obrigado. Como ia dizendo uma senhora em vésperas de casar por livre vontade, há de lá... Você é um doido!...

André Soares concordou facilmente com tudo o que lhe dizia Justino, e prometeu que nessa mesma noite lá iria à casa deles. Recusou, entretanto, dizer de onde lhe viera a revelação a que aludira na carta.

Justino conversou largo tempo com o futuro cunhado, de quem se despediu para ir embora.
— Já!
— Já! Vou pagar uma dívida. Vejamos se me chega o dinheiro.

E meteu a mão no bolso do paletó com a confiança de um homem que traz a carteira. Errada confiança, porque a carteira ficara em casa.
— Não seja essa dúvida — disse André Soares —; eu empresto-lhe o que for preciso, se não orçar por muito!
— Trinta e cinco mil e quinhentos — disse Justino.
— Tome lá — acudiu André Soares entregando-lhe trinta e dois mil-réis. — Não tenho mais.
— Não faz mal. Para tapar a boca ao credor, cuido que é bastante.

Justino saiu alegremente depois de muitas amabilidades ao futuro cunhado que não menos alegre ficou.

A cena que precede deve ter explicação.

Cláudia não mostrou a carta de André Soares ao irmão. Viu-a este sobre uma mesa, perguntou à viúva o que era, e esta disse então um tanto zangada que eram ciúmes do noivo.
— Posso ler?
— Lê.

Leu a carta Justino e ofereceu-se para ir entender-se com André Soares, coisa que a viúva nem aprovou nem reprovou; limitou-se a encolher os ombros.

André não era homem que descobrisse na missão de Justino a necessidade de trinta e cinco mil-réis, e a dívida, que podia existir, mas que, em todo caso, não ia ser paga, pareceu-lhe tão autêntica, que iria pedir emprestado se não tivesse dinheiro, para favorecer o amigo.

Ao chegar à casa da noiva ia André Soares todo trêmulo de comoção. A moça, entretanto, pareceu-lhe ainda mais fria que da última vez. Atribuiu isso ao ressentimento que lhe deixara a carta.

— Mas então não perdoa? — perguntou ele.
— O quê?
— A carta.

Cláudia levantou os ombros.

— Foi uma imprudência, confesso — disse ele —; mas que quer? Eu amo-a.
— Nada.
— Aproveito a ocasião para lhe dizer que daqui a um mês será o nosso casamento — disse André Soares —, se acaso a ele se não opõe.

Cláudia ficou um pouco surpreendida com a notícia, continuou entretanto a ficar calada.

André Soares saiu vendendo azeite às canadas.

— Há alguma coisa, por força — pensava ele —, mas eu hei de descobrir tudo!

V

André Soares começou então uma vida de pesquisas e de cuidados, cuidados e pesquisas tais que o obrigaram a ir faltando à repartição, faltando-lhe igualmente a paz e o sono. Fazia ronda de tarde e de noite, passava horas e horas em casa da noiva sem todavia alcançar nada.

Uma vez apenas reparou que, ouvindo bater cinco horas, a moça interrompera a conversa para ir à janela. Ficou aflito na cadeira em que se achava, receoso e desejoso de ir também àquela. Afinal foi, mas não viu nada, porque a moça saiu logo.

Nesta atribulada vida andava André Soares, quando, num domingo, entrando em casa de Cláudia, deu com os olhos num sujeito da sua mesma idade, alto, bonito, vestido regularmente e muito respeitoso para com a interessante viúva.

Justino apresentou os dois estranhos um ao outro, donde veio André Soares a saber que o outro chamava-se Horácio.

Eu creio que a leitora é perspicaz e que já está a desconfiar de que este Horácio é o mesmo moço que o caixeiro da padaria dissera a André Soares ter andado há algum tempo a namorar a viúva, e não ser mal aceito dela.

Não o soube logo André Soares; mas a simples presença de um estranho, as maneiras com que tratava a moça, e a benevolência e gosto com que esta o ouvia e lhe respondia, tudo isso era razão para que o pobre namorado recebesse logo um imenso golpe.

As torturas por que passou nessa tarde foram indescritíveis.

No dia seguinte ainda foi pior. Oito dias depois tinha André Soares toda a certeza de que a bela passara com armas e bagagens ao campo inimigo.

Algumas coisas fortes lhe disse, a que ela respondeu com o silêncio; foi para casa e escreveu uma longa, indignada, lacrimejada e fulminante carta, a que a moça não respondeu.

Seu desespero já não tinha limites.

— Por que fatal acaso encontrei eu aquela mulher? — perguntava ele a passear sozinho na sua sala. — Parecia então que nada pior me podia acontecer. Erro! Havia pior; essa víbora que zombou de mim.

E logo:

— Mas eu hei de tirar vingança! Não se dirá que fui ludibriado por ambos ou antes por todos três, porque o Justino também contribuiu para iludir-me. Venha ainda alguma vez pedir-me alguma coisa...

Aqui claudicava a perspicácia do namorado.

Justino nada mais lhe pedira desde o dia dos trinta e dois mil-réis.

Era então a carteira de Horácio que se incumbira de corrigir as lacunas que às vezes havia na sua. Justino o mais que fazia era pedir uma ou outra vez algum charuto ao André Soares.

Nada mais.

André Soares entendeu que lhe cumpria pedir satisfações a Horácio. Refletiu depois e preferiu ocultar o que entre ele e ela havia; não dispensou, porém, brigar com o rival.

Para isto bastava um pretexto.

Mas que pretexto seria?

— Ora, adeus! — pensou ele consigo. — A ocasião me dará o pretexto.

Logo no dia seguinte entrando numa casa de charutos, encontrou Horácio, a quem ligeiramente cumprimentou.

Horácio pareceu não fazer caso dele.

André Soares foi às nuvens.

Depois de um silêncio:

— Vai hoje à rua dos Inválidos?

— Sim, senhor — respondeu secamente Horácio.

— Há muito tempo já que conhece aquela família?

Horácio olhou para ele sem dignar-se responder.

— Não me ouviu, creio eu.

— Estou a recordar-me do tempo — disse Horácio depois de alguns instantes. — Creio que conheço aquela família desde o tempo em que a casa não era frequentada por tolos.

André Soares ficou vermelho como um lacre; todavia era preciso responder.

— Então não há muito tempo — disse ele —; creio que entraram juntos lá os tolos e o senhor.

Horácio foi sacudido com esta resposta. As palavras trocadas em voz alta chamaram a atenção do dono da casa. A tragédia estava iminente.

Horácio tinha dois caminhos.

O primeiro era ir-se embora.

O segundo era ir-lhe às orelhas.

Preferiu o segundo.

Encaminhou-se para André Soares; alçou delicadamente as mãos às orelhas dele; agarrou-lhas, sacudiu-lhe a cabeça e, antes que o infeliz tivesse tempo de se defender, saiu pela porta fora.

André Soares ainda saiu à rua, mas fosse medo, vergonha, ou qualquer outra causa, não se atreveu a ir brigar com ele em público; limitou-se a tomar os nomes do dono da casa e do caixeiro para o caso de dar queixa contra o agressor, e saiu dali para casa.

Em caminho, porém, teve ideia de ir à casa da viúva.

— É claro que eles se amam — pensou ele —; mas eu preciso antes de abater as armas mostrar o que sou e o que valho. Hei de dizer a essa pérfida aquilo que ela não pensa ouvir.

Estava André Soares em plena regateirice; nem eu o dou por frequentador de salões aristocráticos. Demais, o amor faz perder o juízo.

André Soares caminhou direito à casa da viuvinha.

Bateu palmas.

Nada.

Repetiu as palmas.

A mesma coisa.

— Que será? Estará fora? — pensou ele.

Enfim vieram ver quem era. André Soares disse que desejava falar à dona da casa.

— Está incomodada.

— Mas... diga-lhe que sou eu.

— Não recebe ninguém.

André Soares saiu dali ainda mais furioso. Mil ideias negras lhe transtornavam o espírito; só via diante de si mortes, sangue, cadafalso.

Ao chegar à casa achou duas cartas.

Uma era de Cláudia.

Dizia assim:

> Nunca chegamos a nenhum acordo acerca de casamento; mas, sabendo que nutre ideias a esse respeito, declaro-lhe que desista delas.

— Despedido! — exclamava o mísero André Soares. — Despedido como um lacaio!... Insultado por ele e por ela. Oh! minha sina! Oh! minha triste sina!

Assim falando, o infeliz namorado torcia-se todo, puxava os cabelos, rangia os dentes, e chorava de dor, de desespero e de ódio.

No meio dessa crise, lembrou-lhe o criado que ainda havia outra carta.

Abriu-a.

Era do chefe da repartição.

Participava-lhe que, não comparecendo ele com a assiduidade de costume, antes fugindo absolutamente do trabalho, resolvera o ministro demiti-lo.

André Soares caiu sem sentidos no chão.

Um mês depois, estando a almoçar pacificamente no Carceller, graças ao crédito que obtivera de um amigo e antigo companheiro de casa, viu passar Horácio e a viúva de braço dado.

Estavam casados.

— Miseráveis! — grunhiu André Soares.

MORALIDADE

Mas onde está a moralidade do conto? pergunta a leitora espantada com ver esta série de acontecimentos descosidos e vulgares.

A moralidade está nisso.

Tendo perdido a esperança de obter um emprego de duzentos mil-réis, quando apenas desfrutava um de cento e vinte, assentou André Soares de dar cabo da vida.

No dia, porém, em que perdeu a noiva e o emprego de cento e vinte mil-réis, com um insulto físico de quebra, não se matou, nem tentou matar-se, nem se lembrou de o fazer.

Tanto é certo que o suicídio depende mais das impressões e disposições do momento, que da gravidade do mal.

Disse.

Jornal das Famílias, fevereiro-março de 1876; Machado de Assis.

Longe dos olhos...

I

Na verdade, era pena que uma moça tão prendada de qualidades morais e físicas, como a filha do desembargador, nenhum sentimento inspirasse ao bacharel Aguiar. Mas não a lastime a leitora, porque o bacharel Aguiar nada dizia ao coração de Serafina, apesar dos seus talentos, da rara elegância das suas maneiras, de todos quantos dotes costumam adornar um herói de romance.

E não é romance isto, senão história verídica e real, pelo que, vai esta narrativa com as exíguas proporções de uma notícia, sem enfeites de estilo nem recheio de reflexões. O caso conto como o caso foi.

Sabido que os dois se não amavam nem pendiam para lá, convém saber mais que o gosto, o plano e não sei se também o interesse dos pais é que eles se amassem e casassem. Os pais punham uma coisa, e Deus dispunha outra. O comendador Aguiar, pai do bacharel, insistia ainda mais no casamento, pelo desejo que tinha de o meter na política, o que lhe parecia fácil desde que o filho se tornasse genro do desembargador, membro ativíssimo de um dos partidos e por agora deputado à Assembleia Geral.

O desembargador pela sua parte achava que lhe não fazia mal nenhum a filha participar da pingue herança que devia receber o filho do comendador, por morte deste.

Pena era que os dois jovens, esperanças de seus pais, derrubassem todos estes planos olhando um para o outro com a máxima indiferença. As famílias visitavam-se frequentemente, as reuniões e as festas sucediam-se, mas nem Aguiar nem Serafina pareciam dar um passo para o outro. Tão grave caso exigia pronto remédio, e foi o comendador quem tomou a resolução de lho dar sondando o espírito do bacharel.

— João — disse o velho pai certa noite de domingo, depois do chá, achando-se com o filho a sós no gabinete —, acaso nunca pensaste em ser homem político?

— Oh! nunca! — respondeu o bacharel espantado com a pergunta. — Por que razão pensaria eu na política?

— Pela mesma razão porque outros pensam...
— Mas eu não tenho vocação.
— A vocação faz-se.
João sorriu.
O pai continuou.
— Não te faço esta pergunta à toa. Já houve quem me perguntasse a mesma coisa a teu respeito, eu não tive que responder porque a falar verdade as razões que me davam eram de peso.
— Quais eram?
— Diziam-me que tu andavas em colóquios e conferências com o desembargador.
— Eu? Mas naturalmente converso com ele; é pessoa da nossa amizade.
— Foi o que eu disse. A pessoa pareceu convencer-se da razão que eu lhe dava, e então imaginou outra coisa...
O bacharel arregalou os olhos à espera de ouvir outra coisa, enquanto o comendador acendia um charuto.
— Imaginou então — continuou o comendador puxando uma fumaça — que tu andavas... quero dizer... que pretendias... em suma, um namoro!
— Um namoro!
— É verdade.
— Com o desembargador?
— Velhaco! com a filha.
João Aguiar deu uma gargalhada. O pai pareceu rir também, mas reparando bem não era um riso, era uma careta.
Depois de um silêncio:
— Mas não vejo que houvesse alguma coisa de admirar — disse o comendador —; tem-se visto namorar muito rapaz e muita moça. Tu estás na idade do casamento, ela também; nossas famílias visitam-se com frequência; vocês falam-se com intimidade. Que admira que um estranho supusesse alguma coisa?
— Tem razão; mas não é verdade.
— Pois tanto melhor... ou tanto pior.
— Pior?
— Maganão! — disse o velho pai afetando um ar galhofeiro. — Parece-te que a moça é algum peixe podre? Pela minha parte, entre as moças com que temos relações de família, nenhuma acho que se lhe compare.
— Oh!
— Oh! quê!
— Protesto.
— Protestas? Achas então que ela...
— Acho que é muito formosa e prendada, mas não acho que seja a mais formosa e prendada de todas as que conhecemos...
— Mostra-me alguma...
— Ora, há tantas!
— Mostra-me uma.
— A Cecília por exemplo, a Cecília Rodrigues, para o meu gosto é muito mais bonita que a filha do desembargador.

— Não digas isso; uma lambisgoia!

— Meu pai! — disse João Aguiar com um tom de ressentimento que fez pasmar o comendador.

— Que é? — perguntou este.

João Aguiar não respondeu. O comendador arrugou a testa e interrogou o rosto mudo do filho. Não leu, mas adivinhou alguma coisa desastrosa — desastrosa, entenda-se, para os seus cálculos conjugo-políticos ou político-conjugais, como melhor nome haja.

— Dar-se-á caso que... — começou a dizer o comendador.

— Que eu a namore? — interrompeu galhofeiramente o filho.

— Não era isso o que te ia perguntar — acudiu o comendador (que aliás não ia perguntar outra coisa) —, mas visto que tocaste nesse ponto, não era mau que me dissesses...

— A verdade?

— A singela verdade.

— Gosto dela, ela gosta de mim, e aproveito esta ocasião meu pai, para...

— Para nada, João!

O bacharel fez um gesto de espanto.

— Casar, não é? — perguntou o comendador. — Mas tu não vês a impossibilidade de semelhante coisa? Impossível, não digo que seja; tudo pode acontecer neste mundo, se a natureza o pede. Mas a sociedade tem suas leis que não devemos violar, e segundo elas esse casamento é impossível.

— Impossível!

— Tu levas-lhe em dote os meus bens, a tua carta de bacharel e um princípio de carreira. Que te traz ela? Nem sequer essa beleza que só tu lhe vês. Demais, e isto é o importante, não se dizem boas coisas daquela família.

— Calúnias!

— Pode ser, mas calúnias que correm e se acreditam; e visto que tu não podes fazer na véspera do casamento um manifesto aos povos desmentindo o que se diz e provando que nada é verdade, segue-se que as calúnias triunfarão.

Era a primeira vez que o bacharel conversava com o pai a respeito daquele grave ponto do seu coração. Aturdido com as objeções dele, não achou logo que responder e todo se limitou a interrompê-lo com um ou outro monossílabo. O comendador continuou no mesmo tom e concluiu dizendo que esperava dele não lhe desse um grave desgosto no fim da vida.

— Por que te não levou a fantasia à filha do desembargador ou outra nas mesmas condições? A Cecília, não, nunca será minha nora. Pode casar contigo, é verdade, mas então não serás meu filho.

João Aguiar não achou que responder ao pai. Ainda que achasse, não o poderia fazer porque quando deu acordo de si ele estava longe.

O bacharel foi para o seu quarto.

II

Entrando no quarto, João Aguiar fez alguns gestos de enfado e zanga e de si para si prometeu que, embora não agradasse ao pai, havia de casar com a formosa Cecília, cujo amor era para ele já uma necessidade da vida... O pobre rapaz tão depressa fez este protesto como entrou a ficar frio com a ideia de uma luta, que se lhe afigurava odiosa para ele e para o pai, em todo o caso triste para ambos. As palavras deste relativamente à família da namorada fizeram-lhe grave impressão no espírito; mas ele concluiu, que ainda sendo verdadeira a murmuração, nada tinha com isso a formosa Cecília, cujas qualidades morais estavam acima de todo o elogio.

A noite correu assim nestas e noutras reflexões até que o bacharel dormiu e na manhã seguinte alguma coisa se lhe havia dissipado das apreensões da véspera.

— Tudo se pode vencer — disse ele —; o que é preciso é ser constante.

O comendador, porém, tinha dado o passo mais difícil que era falar no assunto ao filho; vencido o natural acanhamento que resultava da situação de ambos, aquele assunto tornou-se assunto obrigado de quase todos os dias. As visitas à casa do desembargador amiudaram-se; amiudaram-se igualmente as deste à casa do comendador. Os dois jovens foram assim metidos à casa um do outro; mas se João Aguiar parecia frio, Serafina parecia gélida. Os dois estimavam-se antes, e ainda se estimavam então; entretanto, a nova situação que lhes haviam criado, estabelecera entre ambos uma certa repulsa que a polidez mal disfarçava.

Porquanto, leitora amiga, o desembargador fizera à filha um discurso igual ao do comendador. As qualidades do bacharel foram postas em relevo com suma habilidade; as razões financeiras do casamento, melhor direi as vantagens dele foram levemente indicadas de maneira a desenhar aos olhos da moça um brilhante futuro de pérolas e carruagens.

Infelizmente (tudo se conspirava contra os dois pais), infelizmente havia no coração de Serafina um obstáculo semelhante ao que João Aguiar tinha no seu, Serafina amava a outro. Não se atreveu a dizê-lo ao pai, mas foi dizê-lo a sua mãe, que não aprovou nem desaprovou a escolha visto que a senhora pensava pela boca do marido, a quem foi transmitida a revelação da filha.

— Isso é uma loucura — exclamou o desembargador —; esse rapaz (o escolhido) é bom coração, tem carreira, mas a carreira está no princípio, e demais... creio que é um pouco leviano.

Serafina soube deste juízo do pai e chorou muito; mas nem o pai soube das lágrimas nem que soubesse mudaria de intenção. Um homem grave, quando resolve uma coisa, não deve expor-se ao ridículo, resolvendo outra unicamente levado de algumas lágrimas de mulher. Demais, a tenacidade é prova de caráter; o desembargador era e queria ser homem austero. Conclusão; a moça chorou à toa, e só violando as leis da obediência, poderia realizar os desejos do seu coração.

Que fez então ela? Recorreu ao tempo.

— Quando meu pai vir que eu sou constante — pensou Serafina —, há de consentir no que pede o coração.

E dizendo isto, entrou a lembrar-se das amigas a quem acontecera o mesmo e que à força de paciência e tenacidade tomaram os pais. O exemplo alentou-a; sua resolução era definitiva.

Outra esperança tinha a filha do desembargador; era que o filho do comendador se casasse, o que não era impossível nem improvável.

Nesse caso, cumpria-lhe ser com João Aguiar extremamente reservada a fim de que ele não viesse a conceber esperanças a seu respeito, o que tornaria muito precária a situação e daria triunfo ao pai. Ignorava a boa moça que João Aguiar fazia a mesma reflexão, e pelo mesmo motivo se mostrava frio com ela.

Um dia, andando as duas famílias na chácara da casa do comendador, em Andaraí, aconteceu encontrarem-se os dois numa alameda, quando justamente não passava ninguém. Ambos mostraram-se incomodados com aquele encontro e de boa vontade teriam recuado; mas não era natural nem bonito.

João Aguiar resolveu cumprimentá-la apenas e ir adiante, como quem levava o pensamento preocupado. Parece que isto foi fingido demais, porque no melhor do papel, João Aguiar tropeça num pedaço de cana que se achava no chão e cai.

A moça deu dois passos para ele, que apressadamente se levantou:

— Machucou-se? — perguntou ela.

— Não, dona Serafina, não me machuquei — disse ele, limpando com o lenço os joelhos e as mãos.

— Papai está cansado de ralhar com o feitor; mas é o mesmo que nada.

João Aguiar apanhou o pedaço de cana e atirou-o para uma moita de bambus. Durante esse tempo vinha-se aproximando um moço, visita da casa, e Serafina pareceu um tanto confusa com a presença dele, não porque ele viesse mas por achá-la a conversar com o bacharel. A leitora, que é perspicaz, adivinhou já que é o namorado de Serafina; e João Aguiar, que não é menos perspicaz que a leitora, percebeu a coisa do mesmo modo.

— Ainda bem — disse ele consigo.

E cumprimentando a moça e o rapaz ia seguindo pela alameda fora quando Serafina amavelmente o chamou.

— Não nos acompanha? — disse ela.

— Com muito gosto — balbuciou o bacharel.

Serafina fez um sinal ao namorado para que ele se tranquilizasse, e os três seguiram a conversar de coisas que não interessam à nossa história.

Não; há uma que interessa e não posso omitir.

Tavares, o namorado da filha do desembargador, não compreendeu que ela, chamando o filho do comendador a seguir caminho com eles, tinha por fim evitar que o pai ou a mãe a encontrasse só com o namorado, o que agravaria singularmente a situação. Há namorados a quem é preciso dizer tudo; Tavares era um deles. Inteligente e atilado em todas as outras coisas, era neste particular uma verdadeira toupeira.

Por esse motivo, apenas ouviu o convite da moça, a cara, que já anunciava mau tempo, passou a anunciar temporal desfeito, o que também não escapou ao bacharel.

— Sabe que o doutor Aguiar levou agora uma queda? — disse Serafina olhando para Tavares.

— Ah!

— Não desastrosa — disse o bacharel —, isto é, não me fez mal nenhum; mas... ridícula.

— Ah! — protestou a moça.

— Uma queda é sempre ridícula — tornou João Aguiar em tom axiomático —; e podem já imaginar o que seria do meu futuro, se eu fosse...

— O quê? — perguntou Serafina.

— Seu namorado.

— Que ideia! — exclamou Serafina.

— Que dúvida pode haver nisso? — perguntou Tavares com um sorriso irônico.

Serafina estremeceu e baixou os olhos.

João Aguiar respondeu rindo:

— A coisa era possível, mas deplorável.

Serafina lançou um olhar de repreensão ao seu namorado e voltou-se rindo para o bacharel.

— Não diz isso por desdém, acho eu?

— Oh! por quem é! Digo isto porque...

— Aí vem Cecília! — exclamou a irmã mais moça de Serafina, aparecendo no fim da alameda.

Serafina que estava a olhar para o filho do comendador viu-o estremecer e sorriu-se. O bacharel olhou para o lado de onde logo apareceu a dama dos seus pensamentos. A filha do desembargador inclinou-se para o ouvido de Tavares e murmurou:

— Ele diz isto... por causa daquilo.

Aquilo era a Cecília que chegava, não tão formosa quanto queria João Aguiar, nem tão pouco como parecia ao comendador.

Aquele encontro casual na alameda, aquela queda, aquela vinda de Tavares e de Cecília tão a propósito, tudo melhorou a situação e desafogou a alma dos dois jovens destinados por seus pais a um casamento que lhes parecia odioso.

III

De inimigos que deviam ser os dois condenados ao casamento passaram a ser naturalmente aliados. Esta aliança veio devagar, porque, apesar de tudo, ainda se passaram algumas semanas sem que nenhum deles comunicasse ao outro a situação em que se achava.

O bacharel foi o primeiro que falou, e não ficou pouco pasmado ao saber que o desembargador nutria a respeito da filha igual plano ao de seu pai. Haveria acordo dos dois pais? foi a primeira pergunta que ambos fizeram consigo mesmo; mas houvesse ou não, o perigo para eles não diminuía nem aumentava.

— Oh! sem dúvida — dizia João Aguiar —, sem dúvida que eu seria muito feliz se os desejos de nossos pais correspondessem aos de nossos corações; mas há um abismo entre nós e a união seria...

— Uma desgraça — concluía afoitamente a moça. — Pela minha parte, confio no tempo; confio sobretudo em mim; ninguém leva uma moça à força para a igreja e quando tal coisa se fizesse ninguém lhe podia arrancar dos lábios uma palavra por outra.

— Todavia, nada impede que à liga de nossos pais — disse João Aguiar — opuséssemos nós uma liga... nós quatro.

A moça abanou a cabeça.

— Para quê? — disse ela.

— Mas...

— A verdadeira liga é a vontade. Sente-se com força de ceder? Então é que não ama...

— Oh! amo como se pode amar!

— Ah!...

— A senhora é bela; mas Cecília também o é, e o que eu vejo nela não é a beleza, quero dizer as graças físicas, é a alma incomparável que Deus lhe deu!

— Amam-se há muito?

— Há sete meses.

— Admira que ela nunca me dissesse nada.

— Talvez receio...

— De quê?

— De revelar o segredo do seu coração... Bem sei que não há crime nisto, todavia pode ser que por um sentimento de discrição exagerada.

— Tem razão — disse Serafina depois de alguns instantes —; também eu nada lhe disse a meu respeito. Demais, entre nós não há grande intimidade.

— Mas deve haver, há de haver — disse o filho do comendador. — Vê-se que nasceram para ser amigas; ambas tão igualmente boas e belas. Cecília é um anjo... Se soubesse o que me disse quando eu lhe contei a proposta de meu pai!

— Que disse?

— Estendeu-me a mão apenas; foi tudo quanto me disse; mas esse gesto era tão eloquente! Eu traduzi-o por uma expressão de confiança.

— Foi mais feliz do que eu.

— Ah!

— Mas não falemos nisto. O essencial é que tanto eu como o senhor tenhamos feito uma boa escolha. O céu há de proteger-nos; estou certa disso.

A conversa continuou assim por este modo singelo e franco. Os dois pais, que ignoravam absolutamente o objeto da conversa deles, imaginavam que a natureza os ajudava no plano do casamento e, longe de impedir, lhes facilitavam as ocasiões.

Graças a este equívoco, os dois podiam repetir essas doces práticas em que cada um ouvia o seu próprio coração e falava do objeto escolhido por ele. Não era um diálogo, eram dois monólogos, algumas vezes interrompidos mas sempre longos e cheios de animação.

Com o tempo vieram eles a fazer-se confidentes mais íntimos; esperanças, arrufos, ciúmes, todas as alternativas de um namoro, comunicados um ao outro; um ao outro se consolavam e se aconselhavam em casos em que eram necessários consolação e conselho.

Um dia o comendador disse ao filho que era conhecido o namoro dele com a filha do desembargador, e que o casamento podia ser feito naquele ano.

João Aguiar caiu das nuvens. Compreendeu, porém, que a aparência enganava ao pai, e o mesmo podia acontecer às pessoas estranhas.

— Mas nada há, meu pai.

— Nada?

— Juro-lhe que...

— Retira-te e lembra-te do que te disse...

— Mas...

O comendador havia já voltado as costas. João Aguiar ficou só a braços com a nova dificuldade. Para ele, a necessidade de uma confidente era já invencível. E onde acharia melhor que a filha do desembargador? Era idêntica a situação de ambos, iguais os interesses; além disso, havia em Serafina uma soma de sensibilidade, uma reflexão, uma prudência, uma confiança, como ele não encontraria em nenhuma outra pessoa. Ainda quando a outra pessoa pudesse dizer-lhe as mesmas coisas que a filha do desembargador, não lhas diria com a mesma graça, e a mesma doçura; um não sei quê o levava a lastimar não poder fazê-la feliz.

— Meu pai, tem razão — dizia ele às vezes consigo —; se eu não amasse a outra, devia amar a esta, que é certamente comparável a Cecília. Mas é impossível; meu coração está preso a outros laços...

A situação, entretanto, complicava-se, toda a família de João Aguiar dizia-lhe que a sua verdadeira e melhor noiva era a filha do desembargador. Para acabar com todas essas insinuações, e seguir os impulsos do seu coração, teve o bacharel ideia de raptar Cecília, ideia extravagante e só filha do desespero, visto que o pai e a mãe da namorada nenhum obstáculo punham ao casamento deles. Ele mesmo reconheceu que o recurso era um despropósito. Ainda assim disse-o a Serafina, que amigavelmente o repreendeu:

— Que ideia foi essa! — exclamou a moça. — Além de desnecessário, não era... não era decorosa. Olhe, se fizesse isso nunca mais devia falar-me...

— Não me perdoaria?

— Nunca!

— Entretanto, a minha posição é dura e triste.

— Não o é menos a minha.

— Ser amado, poder ser feliz tranquilamente, feliz para todos os dias da minha vida...

— Oh! isso!

— Não crê?

— Quisera crer. Mas está-me a parecer que a felicidade que sonhamos quase nunca sai à medida dos nossos desejos, e que mais vale uma quimera que uma realidade.

— Adivinho — disse João Aguiar.

— Adivinha o quê?

— Algum arrufo.

— Oh! não! nunca estivemos melhor; nunca andamos mais tranquilos do que agora.

— Mas...

— Mas não permite que às vezes a dúvida entre no coração? Não é ele do mesmo barro que os outros?

João Aguiar refletiu alguns instantes.

— Talvez tenha razão — disse ele enfim —, a realidade não será sempre tal qual a sonhamos. Mas isto mesmo é uma harmonia na vida, é uma grande perfeição do homem. Se víssemos logo a realidade como ela há de ser quem daria um passo para ser feliz?...

— Isso é verdade! — exclamou a moça e deixou-se ficar pensativa enquanto o bacharel lhe contemplava a admirável cabeça e a graciosa maneira com que ela trazia os cabelos penteados.

A leitora há de desconfiar muita coisa às teorias dos dois confidentes relativamente à felicidade. Pela minha parte, posso afiançar que João Aguiar não pensava uma só palavra que disse; não o pensava antes, quero eu dizer; ela porém tinha o secreto poder de lhe influir as suas ideias e sentimentos. Não poucas vezes dizia ele que se ela fosse fada podia dispensar a vara de condão; bastava falar.

IV
Um dia, Serafina recebeu uma carta de Tavares dizendo-lhe que não voltaria mais à casa de seu pai, por este lhe haver mostrado má cara nas últimas vezes que ele lá estivera.

Má cara é exageração de Tavares, cuja desconfiança era extrema e às vezes pueril; é certo que o desembargador não gostava dele, depois que soube das intenções com que ali ia, e é possível, é até certo que o seu modo afetuoso para com ele sofreu alguma diminuição. A fantasia de Tavares é que fez daquilo má cara.

Eu aposto que o leitor, em caso igual, redobrava de atenções com o pai, a ver se lhe reconquistava as boas graças, e entretanto ia gozando a fortuna de ver e contemplar a dona dos seus pensamentos. Tavares não fez assim; tratou logo de romper as suas relações.

Serafina sentiu sinceramente esta resolução do namorado. Escreveu-lhe dizendo que refletisse bem e voltasse atrás. Mas o namorado era homem teimoso; meteu os pés à parede, e não voltou.

Jurar-lhe amor isso fez ele, e não deixava de lhe escrever todos os dias, cartas muito longas, muito repassadas de sentimento e de esperanças.

João Aguiar soube do que se passara e procurou por sua vez dissuadi-lo da funesta resolução.

Tudo foi baldado.

— A desconfiança é o único defeito dele — dizia Serafina ao filho do comendador —; mas é grande.

— É um defeito bom e mau — observou João Aguiar.

— Não é sempre mau.

— Mas como não há criatura perfeita, é justo relevar-lhe esse único defeito.

— Oh! decerto; contudo...

— Contudo?

— Preferia que o defeito fosse outro.

— Outro qual?

— Outro qualquer. A desconfiança é uma triste companheira; arreda toda a felicidade.

— Eu a esse respeito, não tenho motivo de queixa... Cecília tem a virtude oposta num grau que me parece excessivo. Há nela um quê de simplória...

— Oh!

Aquele *oh* de Serafina foi como que um protesto e repreensão, mas acompanhado de um sorriso, não digo aprovador, mas benévolo. Defendia a moça ausente, mas talvez achasse que João Aguiar tinha razão.

Dois dias depois adoeceu levemente o bacharel. A família do desembargador foi visitá-lo. Serafina escrevia-lhe todos os dias. Cecília, é inútil dizê-lo, escrevia-lhe também. Mas havia uma diferença: Serafina escrevia melhor; havia mais sensibilidade na sua linguagem. Pelo menos, as cartas dela foram relidas mais vezes que as de Cecília.

Quando ele se levantou da cama, estava bom fisicamente, mas recebeu um golpe na alma. Cecília ia para a roça durante dois meses; eram manias do pai.

O comendador estimou este incidente, supondo que de uma vez para sempre o filho a esqueceria. O bacharel, entretanto, sentiu muito a separação.

A separação efetuou-se daí a cinco dias. Cecília e João Aguiar escreveram um ao outro grandes protestos de amor.

— Dois meses! — dizia o bacharel da última vez que lhe falara. — Dois meses é a eternidade...

— Sim, mas havendo constância...

— Oh! essa!

— Essa havemos de tê-la ambos. Não te esqueças de mim, sim?

— Juro.

— Falarás de mim muitas vezes com Serafina?

— Todos os dias.

Cecília partiu.

— Está muito triste? — disse a filha do desembargador logo que nessa mesma tarde falou ao bacharel.

— Naturalmente.

— São apenas dois meses.

— Fáceis de suportar.

— Fáceis?

— Sim, conversando com a senhora, que sabe tudo, e fala destas coisas de coração como senhora de espírito que é.

— Sou um eco das suas palavras.

— Quem dera que assim fosse! Eu poderia então ter vaidade de mim.

João Aguiar disse estas palavras sem tirar os olhos da mão de Serafina, que mui graciosamente brincava com os cabelos.

A mão de Serafina era realmente uma bela mão; nunca, porém, lhe pareceu mais bela do que naquele dia, nem ela a movera nunca com tamanha graça.

Nessa noite João Aguiar sonhou com a mão da filha do desembargador. Que lhe havia de pintar a fantasia? Imaginou estar no alto das nuvens, a olhar pasmado o céu azul, de onde viu repentinamente sair uma mão alva e delicada, a mão de Serafina, que se estendia para ele, que lhe acenava, que o chamava para o céu.

Riu-se João Aguiar deste singular sonho e foi contá-lo no dia seguinte à proprietária da mão. Também ela riu do sonho; mas tanto ele como ela pareciam estar convencidos lá no seu interior que a mão era efetivamente angélica e era natural vê-la em sonhos.

Quando ele se despediu:

— Não vá sonhar outra vez com ela — disse a moça estendendo a mão ao bacharel.

— Não desejo outra coisa.

Não sonhou outra vez com a mão, mas pensou muito nela e dormiu tarde. No dia seguinte para se castigar desta preocupação, escreveu uma longa carta a Cecília falando muito de seu amor e dos projetos de futuro.

Cecília recebeu a carta cheia de contentamento, porque muito tempo havia já que ele não escrevia carta tão longa. A resposta dela foi ainda mais comprida.

Um período da carta convém ser transcrito aqui:

Dizia assim:

> Se eu fosse ciumenta... se eu fosse desconfiada... havia de te dizer agora muito duras coisas. Mas não digo, descansa; amo-te e sei que me amas. Mas por que havia eu de dizer duras coisas? Porque nada menos de catorze vezes falas no nome de Serafina. Catorze vezes! Mas são catorze vezes em catorze páginas, que são todas minhas.

João Aguiar não se lembrava de haver escrito tanta vez o nome da filha do desembargador; lembrava-se, porém, de haver pensado muito nela enquanto escrevia a carta. Felizmente nada mau resultara, e o jovem namorado achou que ela tinha razão na queixa.

Nem por isso deixou de mostrar o trecho acusador à namorada do Tavares, que sorriu e agradeceu a confiança. Mas foi um agradecimento com a voz trêmula e um sorriso de íntima satisfação.

Parece que as catorze páginas deviam servir para longo tempo, porque a seguinte carta foi apenas de duas e meia.

A moça queixou-se, mas com brandura, e concluiu pedindo-lhe que fosse vê-la à roça, ao menos por dois dias, visto que o pai resolvera lá ficar mais quatro meses, além do prazo marcado para a volta.

Era difícil ao filho do comendador ir lá ter sem oposição do pai. Imaginou porém um meio bom; inventou um cliente e um processo, ambos os quais o digno comendador engoliu, cheio de satisfação.

João Aguiar partiu para a roça.

Ia por dois dias apenas; os dois dias correm nas delícias que o leitor pode imaginar, mas com uma sombra, uma coisa inexplicável. João Aguiar, ou porque aborrecesse a roça ou porque amasse demais a cidade, sentia-se um pouco tolhido ou não sei que seja. No fim de dois dias desejava ver-se outra vez no bulício da corte. Felizmente, Cecília procurava compensar-lhe os tédios do lugar, mas parece que era excessiva nas mostras de amor que lhe dava, pois o digno bacharel dava sinais de impaciência.

— Serafina tem mais comedimento — dizia ele.

No quarto dia escreveu uma carta à filha do desembargador, que lhe respondeu com outra, e se eu disser à leitora que tanto um como outro beijaram as cartas recebidas, a leitora verá que a história se aproxima do fim e que a catástrofe está próxima.

Catástrofe, na verdade, e terrível foi a descoberta que tanto o bacharel como a filha do desembargador fizeram de que se amavam e já de longos dias. Foi principalmente a ausência que lhes confirmou a descoberta. Os dois confidentes aceitaram esta novidade um pouco perplexos, mas muito contentes.

A alegria era travada de remorso. Havia dois embaçados, a quem eles fizeram grandes protestos e juramentos repetidos.

João Aguiar não resistiu ao novo impulso do coração. A imagem da moça, sempre presente, fazia-lhe tudo cor-de-rosa.

Serafina, porém, resistiu; a dor que ia causar no ânimo de Tavares deu-lhe forças para calar o seu próprio coração.

Em consequência disto, começou a evitar toda a ocasião de encontro com o jovem bacharel. Isto e lançar lenha ao fogo era a mesma coisa. João Aguiar sentiu um obstáculo com que não contava; o amor cresceu-lhe e apoderou-se dele.

Não contava com o tempo e o coração da moça.

A resistência de Serafina durou o que duram as resistências de quem ama. Serafina amava; no fim de quinze dias abateu as armas. Tavares e Cecília estavam vencidos.

Eu desisto de dizer ao leitor o abalo produzido naquelas duas almas pela *ingratidão* e *perfídia* dos dois felizes namorados. Tavares enfureceu-se e Cecília definhou longo tempo; afinal Cecília casou e Tavares está diretor de companhia.

Não há dor eterna.

— Bem dizia eu! — exclamou o comendador quando o filho lhe impetrou licença para ir pedir a mão de Serafina. — Bem dizia eu que vocês deviam casar! Custou muito!

— Alguma coisa.

— Mas agora?

— Definitivo.

Casaram-se há alguns anos aqueles dois confidentes. Recusaram fazer à força aquilo que o coração lhes indicou depois.

Há de ser duradouro o casamento.

Jornal das Famílias, março-maio de 1876; Machado de Assis.

Encher tempo

I

A tarde era uma tarde de dezembro — trovejada como elas eram há trinta anos, quando o céu parecia querer vir abaixo, desfeito em raios e água. O calor fora excessivo durante a manhã toda; às duas horas, o céu começou a enegrecer, às três e meia, desfechou a tormenta que pouca gente apanhou na rua, porque esta sagaz população fluminense, contando com ela, houve-se de modo que estava toda recolhida na ocasião. Os que eram sinceramente piedosos acenderam uma vela benta diante do oratório e rezaram uma ladainha puxada pela dona da casa e respondida por toda a família; outros envolviam-se em cobertores de lã, outros viam cair a chuva; ninguém, absolutamente ninguém, andava por fora.

Ninguém, digo mal; uma só pessoa talvez, aventurara-se a andar na rua, em tão desabrida tarde; era um rapaz de cerca de dezoito anos com princípios de barba, alto e amorenado, que seguia da praia da Gamboa e entrava na rua do Livramento. Ia embuçado num capote pardo, e tinha um guarda-chuva aberto, felizmente largo, mas que, ainda assim, mal lhe preservava o corpo; todo o capote da cintura para baixo ia alagado; os pés nadavam-lhe dentro de um par de sapatos de bezerro. Vencida a praia da Gamboa, entrou o moço em uma das ruas transversais que vão dar à do Livramento; ali teve que passar contra a corrente um rio de água barrenta que descia, graças ao declive do solo. Enfim, meteu-se pela rua do Livramento, e apertando mais o passo pôde chegar a salvo a uma casa assobradada, de três janelas, em cujo corredor entrou. Ao depois de fechar a muito custo o guarda-chuva, pôde ouvir, nos intervalos dos trovões, as vozes da família que cantava uma ladainha a Nossa Senhora. O moço não quis bater à porta, e antes de acabada a reza, deixou-se ficar, no corredor, a ver cair a chuva, a ouvir os trovões, benzendo-se, quando os relâmpagos eram mais fortes.

A trovoada daquela tarde não durou muito; trinta e cinco minutos apenas. Logo que acabou, cessou dentro a reza, e o rapaz bateu à porta de mansinho. Havia escrava para abrir a porta, mas a dona da casa veio em pessoa; não queria saber quem era, porque adivinhava bem quem podia ser, mas abraçar o moço e "passar-lhe uma repreensão".

O abraço foi cordial e verdadeiramente de mãe, e não menos cordial e materna foi a repreensão que logo em seguida lhe deu.

— Entra, maluco! — exclamou a sra. d. Emiliana da Purificação Mendes. — Olhem em que estado vem isto?... Deixar-se ficar na rua com semelhante tempo!... E as constipações e as tísicas... Deus me perdoe! Mas cá está a mãe para cuidar da doença... e o dinheiro para a botica... e os incômodos... tudo para que este senhorzinho ande por fora a trocar as pernas, como um vadio que é... Deixa estar! eu não hei de durar sempre, hás de ver depois o que são elas!... Por ora é muito bom cama e mesa...

— Mamãe — articulou o rapaz —, deixe-me ir mudar a roupa; estou todo molhado.

— Vai, vai — troou a sra. d. Emiliana —, cá tens a tua criadinha para te dar roupa lavada e enxuta, meias para os pés, e os suadouros. Anda, pelintra! sai daqui!

Este monólogo durou ainda cerca de quinze minutos; a diferença era que, se d. Emiliana até então falara somente, dali em diante falava e tirava a roupa dos gavetões da cômoda e ia pôr tudo na alcova do filho, intercalando os adjetivos de censura com algumas recomendações higiênicas, a saber, que não deixasse enxugar a roupa no corpo, que esfregasse os pés com aguardente e não esquecesse calçar as meias de lã. Duas mocinhas, uma de quinze, outra de dezesseis anos, e um menino de oito, ajudavam a mãe, calados e medrosos, posto estivessem acostumados às explosões de d. Emiliana temperadas por enfraquecimentos de ternura.

As duas trovoadas passaram de todo; e tanto o céu como o rosto de d. Emiliana voltaram à serenidade anterior. Vestido, calçado e agasalhado, saiu da alcova o rapaz, e foi direitinho beijar a mão da mãe, e dar-lhe um abraço, que ela recusou a princípio, talvez por um sentimento de coquetice materna, que a fazia encantadora.

— Mano Pedro não tem juízo, não — dizia uma das moças —, ficar por fora com este tempo!... E mamãe a esperar por ele para jantar.

— É verdade, nem me lembrava disso! — exclamou d. Emiliana. — Já não é a primeira vez que me fazes esse desaforo!

Pedro viu iminente nova trovoada; e com arte e jeito arredou as nuvens ameaçadoras. O que ele disse foi que, a instâncias do padre Sá, jantara em casa dele.

— Fizeste muito bem — aprovou a mãe —; mas o que eu duvido é que, se lhe dissesses que eu não gosto de que jantes fora, ele teimasse no convite.

— Teimou.

— Deixa estar — concluiu a mãe —; eu saberei disso na missa de domingo.

Com esta ameaça terminou de todo o mau tempo doméstico. O atmosférico havia já acabado. As irmãs de Pedro, Cecília e Luísa, foram para a janela; o irmão pequeno, Luís, fez umas quatro canoas de papel e mandou pô-las na água das sarjetas da rua, indo ele vê-las da porta; enquanto d. Emiliana dava ordem para a merenda, e Pedro relia uma tradução de *Gil Brás*.

II

A leitura de *Gil Brás* não durou muito tempo, se é que durou algum, porque até hoje não está averiguado que o jovem Pedro tivesse naquela tarde o espírito na mesma direção dos olhos. Os olhos corriam pelo papel e a mão voltava tão regularmente a página que era difícil dizer que eles não liam. Há todavia razões para crer que o espírito vagueava distante do livro. Pois é pena que fizesse dessas escapulas, deixando um corpo gentil, como era o dele, forte, sadio, e gracioso sem afetação; sobretudo, não se compreende que o espírito de Pedro não quisesse acompanhar no papel aquele par de olhos rasgados em forma de amêndoa, escuros e luminosos; uns olhos que tinham feito pecar a mais de uma moça do bairro, que o padre Sá namorava para o céu.

A noite veio clara e estrelada; e não tardou que a lua batesse de chapa nos telhados e calçadas úmidas da chuva da tarde. D. Emiliana foi fazer meia na sala de costura, à luz de duas velas de espermacete, enquanto Luís recordava a lição, as meninas cosiam, e Pedro lia em voz alta uma novela que a mãe interrompia com reflexões substanciais de moral e disciplina.

No meio deste quadro caseiro, bateram à porta, e um escravo veio dizer que estava ali o padre Sá! Leitura e costura foram interrompidas; d. Emiliana tirou os óculos de prata e levantou-se à pressa tanto quanto permitia o anafado das formas, e saiu a receber a visita. Pedro acompanhou-a com igual solicitude.

— Seja muito bem aparecido, reverendo! — disse d. Emiliana, beijando a mão ao padre e convidando-o a entrar na sala. — Há mais de dois meses que não nos dá o prazer e a honra de vir abençoar as suas devotas.

— Deus as há de ter abençoado como merecem — respondeu o padre Sá.

Já a este tempo tinha o escravo acendido as arandelas da sala de visitas, onde o padre entrou logo depois, encostando a bengala a um canto e pondo o chapéu sobre uma cadeira. As meninas vieram beijar a mão ao sacerdote; d. Emiliana conduziu-o para o sofá; toda a família o rodeou.

— Passei por aqui — disse o sacerdote — e lembrou-me vir saber se o nosso Pedro apanhou a grande chuva desta tarde.

— Toda, padre-mestre — respondeu o moço.

— Logo vi; teimou em vir apesar de lhe dizer que não tinha tempo de chegar a casa...

— Valeu-me o seu capote.

— Não havia de valer muito.

— Chegou, deveras, todo molhado — observou d. Emiliana. — E uma vez que o senhor padre te pedia que ficasses, devias ter ficado.

— A resposta que ele me deu é que a senhora estaria assustada, supondo que algum desastre... Aprovei-o, quando lhe ouvi esta razão.

D. Emiliana olhou para o filho com ternura. Aquele olhar vingara-o da repreensão com que fora recebido. A conversa versou sobre assuntos gerais, mas todos de devoção e caridade. Tratou da próxima festa do Natal; veio a pêlo mostrar ao padre Sá a toalha que d. Emiliana pretendia oferecer para o altar de Nossa Senhora das Dores, rica toalha de linho com entremeio de crivo e babadinhos de renda, não bruxelas nem malinas, mas obra toda das mãos da prendada devota. Devota, era-o ela no verdadeiro e puro sentido da palavra, e nunca se dera mal com isso.

Esgotados aqueles assuntos, o padre Sá disse a d. Emiliana que tinha de lhe falar sobre coisas de igual natureza, mas que pediam menos publicidade. A dona da casa fez retirar os filhos.

— Deixe ficar o Pedro — disse baixinho o padre —; ele não é demais.

Ficaram os três. D. Emiliana, cuja curiosidade estava aguçada, arregalou os olhos e preparou os ouvidos para saber que assunto era aquele que exigia conferência particular. Algum pecado seria, alguma culpa, embora venial, do seu querido Pedro? O padre Sá não lhe deu muito tempo às reflexões, porque, mal a porta da sala se fechou, concluiu uma pitada começada e falou nestes termos:

— Dona Emiliana, conheço-a há alguns anos, e tenho-a sempre visto pontual no serviço de Deus, e zelosa no cumprimento dos seus deveres de cristã e católica.

— Espero em Deus que me não há de desamparar — disse d. Emiliana, curvando a cabeça.

— Não há de quê, ele nunca desampara os bons...

— Mas que será, reverendíssimo? Dar-se-á caso que o meu Pedro...

Dizendo isto, d. Emiliana voltou a cabeça para o filho, que lhe ficava à esquerda e tinha os olhos no chão.

— O seu Pedro — interrompeu o padre Sá —, tem coração assaz largo para amar a duas mães; a senhora e a Igreja. A Igreja não obriga ninguém, mas aceita, chama e recebe os homens de boa vontade. Ora, eu tenho visto que há em seu filho tal ou qual tendência para a vida eclesiástica; estuda latim comigo, dou-lhe lições de teologia, que ele ouve com grande aproveitamento; pode seguir curso regular e estou que há de dar um bom padre. Está nas mãos de Deus e nas dele chegar a bispo.

As palavras do padre Sá causaram alguma estranheza em d. Emiliana, e a boa senhora não respondeu imediatamente. A educação que dera ao filho fora toda religiosa e pia; contudo, estava longe de supor-lhe tão claros sinais de vocação sacerdotal — isto quanto às antecedências. Quanto às consequências, não as pôde calcular logo; mas, além de recear que o filho não desse um bom sacerdote, como ela desejava que fosse, acrescia que tinha assentadas algumas ideias totalmente outras. Um seu irmão, comerciante de grosso trato, prometera-lhe admiti-lo na casa e fazê-lo sócio dentro de alguns anos. D. Emiliana era filha de negociante e viúva de negociante; tinha ardente desejo de continuar a dinastia comercial.

Ao cabo de alguns minutos de reflexão, respondeu ao padre Sá que teria imenso gosto em que o filho fosse consagrado ao serviço da Igreja, mas que, entretanto, era obrigada a consultar seu irmão, com quem planeara coisa diferente daquela.

— Conheço seu irmão — disse o padre —, vi-o algumas vezes; estou persuadido de que dará resposta razoável.

— Nem lhe quero negar — continuou d. Emiliana —, que não imaginava da parte de Pedro esse desejo de fazer-se padre...

— Pergunte-lho.

Pedro não esperou a pergunta; confessou que o padre Sá lhe dava lições de teologia e que ele gostava muito de as ouvir.

— Mas não quereria dizer a sua missa? — perguntou o padre sorrindo benevolamente.

— Queria — articulou Pedro.

Aceitou-se que a resposta seria dada alguns dias depois; ficando igualmente aprovado um aditivo de Pedro para que, independente da resposta, continuassem as lições teológicas do padre Sá. D. Emiliana aceitou o aditivo com este popular axioma:

— O saber não ocupa lugar.

O padre Sá extraiu da caixa uma nova pitada e deu as boas-noites à família, e mais as bênçãos do costume, sendo acompanhado até a porta pelas senhoras, e até a Gamboa, onde morava, pelo filho de d. Emiliana.

— Não quero violência — dizia em caminho o padre —; examine-se ainda uma vez e diga-me depois se é resolução sua tomar ordens. O que eu quero é que me saia padre moral, instruído e religioso, entendeu? Parece-me que a sua vocação é essa, e cada um de nós deve seguir a vocação que Deus lhe dá.

Pedro deixou o padre Sá à porta da casa e voltou-se para a rua do Livramento. Da praia, via a lua bater no mar, e ergueu os olhos para o céu coalhado de estrelas. A fronte ficou pensativa; e o moço parou durante alguns instantes. O que ele pensou, naquela ocasião, estando à beira do seu destino, não sei. Se a lua soube, não o segredou a pessoa nenhuma.

III

O padre Sá subiu as escadas da casa em que morava, depois de fechar a porta da rua, recebeu uma vela das mãos de um preto, seu criado, e foi direito ao gabinete, onde tinha os livros, a escrivaninha, uma rede e alguns móveis mais. Não tirou a batina; era o seu trajo usual, dentro ou fora de casa; considerava-a parte integrante da pessoa eclesiástica.

O padre Sá tinha cinquenta anos; era de estatura mediana, calvo, com alguns cabelos raros e brancos na nuca em volta da cabeça. Os olhos eram azuis, de um azul desmaiado, e ainda com muita luz, mas uma luz suave e penetrante, que dominava e atraía como o sorriso que lhe pairava frequente nos lábios. Das palavras que lhe ouvimos, no capítulo antecedente, não conclua o leitor que o padre Sá não tinha alguma hora de bom humor na vida. Sua índole era jovial; mas ele sabia conciliar a natureza com a austeridade do cargo. Ria, e amiúde, mas um riso honesto e paternal, que era um encanto mais no sacerdote.

Sentou-se o padre em uma vasta cadeira rasa, tirou de cima da mesa o breviário e leu durante alguns minutos. Deram as nove no relógio da casa; veio o criado saber se o padre queria tomar chá; e recebendo resposta afirmativa, voltou pouco depois, trazendo-lho em uma larga bandeja. O chá era para duas pessoas. Onde está o companheiro do padre? perguntaria a leitora, se não visse apontar à porta da saleta a figura risonha e esbelta de uma moça.

— Sua bênção, titio — disse a moça caminhando apressadamente para ele —; demorou-se mais do que me disse. Com um ar tão úmido! Aposto que ainda não descalçou os sapatos?

— Não, Lulu, nem é preciso — respondeu o padre Sá, pegando-lhe na mão. — Estou afeito a temporais e umidades. Anda fazer o chá, que é tempo. Nove horas, não?

— Deram agora.

Lulu aproximou-se da mesa e preparou o chá para o velho padre que a contemplava satisfeito e feliz.

— Veja se está bom de açúcar — disse ela entregando-lhe a xícara.

— Há de estar, como está sempre — respondeu o tio —; tanto te acostumaste a servir-me que nunca há açúcar, de mais ou menos. Excelente! — continuou ele, levando a colherinha à boca. — Agora faze o teu chá e ouve uma notícia.

Lulu preparou uma xícara de chá para si e sentou-se do outro lado da mesa, diante do padre. Era uma deliciosa figurinha delgada e quebradiça cintura de vespa, mãos de criança e sobre tudo isto uma voz angelical e doce, que adormecia o coração. Adormecia é a expressão verdadeira; podia-se viver ao pé dela sem que o coração pulsasse de amor, tão acima e fora da realidade parecia aquela amável criatura. Não havia fogo em seus olhos claros e serenos; havia luz somente, luz branda como a de luar, que se derramava por todo o rosto, alvo e levemente corado. Os cabelos, penteados em bandós, iam juntar-se atrás da cabeça e caíam em duas tranças finas, atadas na ponta por laços de fita azul. Azul era a cor do cinto que trazia destacando sobre o branco do vestido de cassa, cortado e trabalhado com extrema simplicidade. Nenhum enfeite mais; e quadrava-lhe tanto aquela ausência de adornos, que parece lhe destoaria o menor deles que se lembrasse de pôr.

O padre Sá admirou durante alguns instantes a sobrinha, não ostensivamente, mas à socapa, com uma reserva e discrição, cujo sentido era fácil de adivinhar. Ele não queria acordar-lhe o sentimento da vaidade, que faria desmerecer-lhe a natural beleza, cujo maior encanto era ser inconsciente e singela. Além disso, e antes disso, a alma vaidosa ficaria mais perto do pecado; e o padre Sá tinha posto todo o seu zelo em educar aquela alma na prática das virtudes cristãs.

— A tia Mônica onde está? — perguntou o velho sacerdote, depois de alguns instantes.

— Deitou-se hoje mais cedo — respondeu a moça —, dói-lhe a cabeça, creio eu. Mas que notícia é a que me quer dar, titio?

— Curiosa! — murmurou o tio sorrindo.

— A culpa é sua.

— Uma notícia agradável a Deus — disse o padre reassumindo o seu ar grave —; um servo do altar alcançado por mim. O Pedro Mendes...

— Quer ser padre? — interrompeu a moça admirada.

— Parece-me que sim. Há algum tempo notei nele certa vocação eclesiástica; ouve-me com tanta atenção e respeito, é tão curioso das coisas sagradas, aprende tão depressa as lições que lhe dou nas minhas horas vagas, que me pareceu ver nele um bom levita do Senhor. Ontem, falei-lhe francamente nisso; e obtive boa resposta... Deita mais chá.

O padre estendera a xícara; a moça obedeceu prontamente.

— Mas parece tão criança, para padre! — observou Lulu, restituindo a xícara ao tio.

— Oh! mas daqui até lá! Pensas que eu tomei ordens com esta calva e estes cabelos brancos? Certamente que ele não vai tomar ordens amanhã. A resposta que obtive foi que tinha vontade de servir à Igreja; fiquei de falar à mãe, e agora mesmo venho de lá!

— Ah!

— Dona Emiliana não me deu resposta definitiva, mas creio que não haverá obstáculo sério. Imagina tu a minha satisfação. Os que são verdadeiramente dedicados ao serviço do altar, como eu, têm um gosto infinito em colher bons servidores para ele, almas cândidas, vocações sinceras, fortes e puras! Se me sai naquele um pregador! Um Sampaio! um Mont'Alverne! Se me sai um bispo! Talento tem ele; muita compreensão e vontade de saber...

O padre Sá continuou a louvar o futuro colega e a falar das vantagens da vida eclesiástica, a melhor de todas, dizia ele, se há vocação. Lulu tinha acabado o chá e ouvia-o com muito menos interesse do que a princípio. Educada pelo tio, compreendia e aprazia-se naquele gênero de conversação, contudo, era necessário que ela não durasse muito para poder estar atenta. O tio percebeu finalmente, e tratou de coisas menos austeras. Veio um tabuleiro de damas, jogo inocente em que os dois concorriam às vezes alguns minutos. Jogaram até as dez horas; despediram-se e foram dormir.

— Ah! — disse o padre, depois de abençoar a sobrinha. — Sabes se o Alexandre estará doente?

— Não sei.

— Há dois dias que não aparece; é preciso mandar saber dele amanhã. Bela alma, aquele rapaz!

Lulu corou um pouco; beijou-lhe outra vez a mão e saiu. O tio acompanhou-a com olhos namorados, e ficou durante algum tempo concentrado e pensativo. Depois murmurou em latim este versículo dos *Cantares*: "Eu me assentei debaixo da sombra daquele a quem tanto tinha desejado; e o seu fruto é doce à minha garganta".

IV

Lulu retirou-se à sua alcova, fechou a porta, e preparou-se para dormir. Antes, porém, de despir-se, foi direito ao toucador, abriu uma gavetinha, tirou de dentro um bilhetinho e releu-o. O bilhete dizia assim "Prima. Ainda hoje não posso ir lá. Deus Nosso Senhor a abençoe e guarde. Seu Alexandre".

Não havia muito que reler neste bilhete, que naturalmente estava decorado pela formosa prima. Ela o releu, contudo, não uma, mas três vezes; depois guardou de novo, abriu a janela que dava para a praia e deixou-se ir ao sabor das suas reflexões. Naturalmente, eram reflexões de alma saudosa; mas eram ainda outra coisa, dúvida, receios, tal ou qual despeito de moça bonita e namorada, enfim ciúmes, ciúmes que ela sentia roerem-lhe o coração.

— Que razão terá ele para não vir? — dizia ela. — Pouco caso, ou talvez...

O espírito não chegou a formular o pensamento todo; não era preciso; estava escrito no coração. Lulu agitou impaciente a ponta do pé; mordeu o lábio, fechou a janela. Sentou-se, depois, para escrever um bilhete; escreveu-o e rasgou-o quase imediatamente. Enfim, deitou-se. O sono não veio logo; a sombra daquele esquivo Alexandre ocupava-lhe todo o pensamento. Durante uma hora, a moça rolou inutilmente na cama; chamou-se tola a si mesma, insensata, e boa demais. Ouviu dar meia-noite; enfim, dormiu.

A aurora seguinte raiou límpida e bela. O padre Sá acordava cedo; fazia as suas orações; e lia depois até a hora do almoço, se porventura não tinha alguma missa. Nesse dia, teve missa; e às sete horas, saiu de casa sem ver a sobrinha, o que era raríssimo, porque a moça levantava-se igualmente cedo. A noite, porém, fora mal dormida; Lulu acordou tarde e doente. Quando saiu do quarto batiam oito horas.

A doença era uma enxaqueca moral, que se curou alopaticamente com a esperança de Alexandre. Às oito horas e meia, voltou o padre Sá, pelo braço de um rapaz de vinte anos, que era nem mais nem menos o Alexandre de que se trata.

— Cá está o mariola — disse o padre abençoando o sobrinho —; foi ouvir a minha missa, evitando assim o castigo que mereceu com toda a certeza, e de que só o pôde livrar a sua piedade religiosa. Já não há sobrinhos; há uns peraltas que tratam os tios como se fossem indiferentes.

— Não diga isso! — protestou Alexandre.

— Nem digo outra coisa — insistiu o padre. — Dois dias! Verdade é que a companhia de um velho padre rabugento...

— Prima, faça calar titio — suplicou o moço com um leve sorriso que imediatamente se lhe apagou.

— A maneira mais segura de fazer-me calar é mandar pôr o almoço.

— Está na mesa.

— Já!

— Ou quase. Dei as ordens necessárias apenas o vi de longe.

Lulu concentrou no coração toda a alegria que lhe causava a presença do primo; o rosto mostrava ressentimento e frieza. Alexandre não pareceu notá-lo. Aceitou o almoço que o tio lhe ofereceu, sentando-se ao lado deste e em frente da prima.

O rosto de Alexandre, sem embargo do seu ar juvenil, tinha certa austeridade, não comum em tão verdes anos. Os olhos eram modestos e repousados. Toda a figura estava em oposição com a viveza natural da mocidade. O tio amava-o justamente por lhe ver aquela gravidade precoce.

— Cada idade — dizia ele — tem o seu ar próprio; mas o mais perfeito moço é aquele que, às graças juvenis, reúne a seriedade e a reflexão da idade madura.

Durante alguns instantes, ficaram sós os dois primos. Houve um intervalo de silêncio, em que ambos pareciam acanhados. Alexandre foi o primeiro que falou:

— Recebeu ontem o meu bilhete? — disse ele.

— Recebi.

— Tenho andado muito ocupado estes dias.

Lulu abriu um sorriso de amorável escárnio, se estes dois termos podem estar juntos, mas em todo o caso aí ficam, para exprimir uma coisa melhor de entender que de dizer. Era escárnio, porque a moça achava ridícula a razão dada pelo primo; e era amorável, porque não vinha eivado de ódio ou desprezo, mas de certa ternura e misericórdia. Escárnio de namorada, que já perdoou tudo ou não tarda a perdoar.

Alexandre nada respondeu ao sorriso da moça; estavam à mesa; começou a contar os fios da toalha e a moça a brincar com um palito, toalha e palito que eram os compassos da situação. Mas o palito quebrou-se entre os dedinhos raivosos da moça, e a vista de Alexandre turvou-se de tanto olhar para o tecido. Afinal, foi Lulu quem rompeu o silêncio.

— Continuam ainda os seus trabalhos? — disse ela com ironia.

— Agora não.

— Ah!

— Agora estou mais livre.

— Tem casado então muita gente nestes últimos dias?

A pergunta da moça aludia ao emprego de Alexandre, que era na câmara eclesiástica. Ocupava o moço um lugar de escriturário naquela repartição, lugar que obteve por influência do tio.

Lulu não esperou resposta do primo; ergueu-se logo da mesa e Alexandre imitou-a.

— Está mal comigo? — perguntou ele com meiguice.

— Estou — respondeu a prima, com um modo tão benévolo e doce que desdizia da sequidão da resposta.

Efetivamente, a moça estava contentíssima. Desde que o vira, acreditou logo que só por motivo forte deixaria ele de vir ali. Antes de se separarem, as mãos tocaram-se, e os olhares do mesmo modo, e tudo acabou num sorriso, amoroso da parte de Lulu, acanhado e severo da parte de Alexandre.

O padre Sá esperava o sobrinho no gabinete.

— Sabes que fiz uma conquista? — disse ele logo que o viu entrar.

E referiu o pedido feito a d. Emiliana, a disposição de Pedro para a vida eclesiástica, a quase certeza que tinha de obter o consentimento da mãe, notícia que Alexandre ouviu com muita atenção e interesse, confessando no fim que o caso era inesperado para ele.

— Não o era para mim — respondeu o tio —; o Pedro tem verdadeira vocação para a vida da Igreja e caiu em boas mãos. Apenas receber a resposta de dona Emiliana darei todos os passos necessários para que ele siga estudos regulares, e os meus dois sonhos...

O padre Sá estacou. Tinha um livro aberto nas mãos, fez descair os olhos na página, como para continuar a leitura; mas nem a leitura continuou, nem o sobrinho lhe deu tempo.

— Os seus dois sonhos? — repetiu ele como pedindo o resto da frase.

O tio fechou o livro.

Houve um curto instante de silêncio entre ambos. O padre parecia hesitar na resposta que o sobrinho lhe pedia, e que desejava dar. Tinha a tapar-lhe a boca certa ordem de conveniências; mas o padre queria explicar tudo, e rapidamente refletiu que no que ia dizer nada havia que, em rigor, se pudesse censurar.

— Os meus sonhos são dois — disse ele enfim. — O primeiro é que o Pedro tome ordens; o segundo...

Estacou de novo sorrindo; mas desta vez foi interrogado somente pelos olhos do sobrinho.

— Dize-me primeiro... amas a tua prima? Não precisas corar; é amor legítimo, santo e puro. Os meus dois sonhos são esses; fazer do Pedro um sacerdote, e de ti marido de minha Lulu. Cada um seguirá a sua vocação; tu serás excelente esposo, e ele excelente padre.

Alexandre ouviu calado a explicação do tio. Este levantou-se, um pouco acanhado com o silêncio do sobrinho, e foi colocar o livro na estante. Ia repetir a interrogação, quando Lulu assomou à porta. O rumor dos passos da moça fez estremecer Alexandre, e o acordou da meditação em que ficara. O padre pôs os olhos na sobrinha, uns olhos ternos e paternais; chamou-a a si, sem lhe dizer nada e apertadamente a abraçou. Lulu não compreendeu logo o motivo daquela expansão do tio; mas o silêncio acanhado de Alexandre mais ou menos lhe deu ideia do que se havia passado. Sorriu então, e toda a sua alma se lhe entornou dos olhos em um olhar de agradecimento e de amor.

V

Naquela mesma tarde, dirigiu-se Pedro à casa do padre Sá, levando na ponta da língua uma lição latina que o padre lhe dera na véspera, e saboreando de antemão os aplausos do mestre. Ia lépido e risonho, pela Gamboa fora, com a alma ainda mais azul do que estava o céu naquele momento, e o coração a bater-lhe tão forte como as vagas na areia da praia. O padre Sá, se o visse naquele estado, se pudesse adivinhar todo o júbilo daquele coração, daria graças ao céu pela rara pérola que lhe fora dado achar para a coroa mística da Igreja.

Entretanto, o discípulo tinha outra cara, quando ali entrou. A comoção ou acanhamento ou o que quer que fosse tirava-lhe o tom expansivo do semblante.

— Ora, venha cá, meu futuro bispo! — exclamou o padre Sá, logo que o viu entrar. — Não core que ainda o há de ser, se tiver juízo e Deus o ajudar. Resposta, nenhuma?

— Nenhuma.

— Oh! mas eu estou certo de que há de ser favorável. Seu tio é homem de juízo.

Pedro fez um gesto de assentimento, e estendeu a mão à sobrinha do padre que entrava nesse momento no gabinete. A moça assistiu à lição de Pedro; e a sua presença foi antes prejudicial que benéfica. O discípulo sentiu-se acanhado, esqueceu o que sabia, e recebeu alguns conselhos paternais do padre, sem ousar dar nenhuma desculpa.

— Não o censure, titio — disse a moça —; fui eu a causa de alguns esquecimentos do senhor Mendes; devia ter-me retirado.

— Oh! não! — murmurou Pedro.

— Devia.

— Confesso que ontem não pude estudar a lição — disse Pedro com voz trêmula.

— Basta — declarou enfim o padre —; sair-se-á melhor amanhã.

Havia já dois meses que o filho de d. Emiliana frequentava a casa do padre Sá, e ia regularmente receber as lições que ele lhe dava. A compostura do moço era exemplar; o gosto com que o ouvia, a facilidade com que retinha o que ele lhe ensinava, a vocação enfim que o padre lhe achou, foram outros tantos laços que mais intimamente os prenderam, um ao outro. Além daquelas qualidades, Pedro era bom conversador, dotado de maneiras afáveis, e tinha a pachorra (dizia o padre Sá) de aturar uma companhia aborrecida como a dele.

    Verdade é que a companhia era aumentada com a de Lulu, que, se raras vezes assistia às lições do moço, vinha conversar com eles o resto do tempo, bem como Alexandre que um dia teve igualmente ideia de acompanhar o curso particular do padre Sá. O padre deliciava-se com aquele quadro; e as suas lições de filosofia ou de história sacra, de teologia ou de latim, saíam-lhe menos da cabeça que do coração.

    É de crer que se o padre Sá soubesse que o seu discípulo Pedro, futuro bispo, gastava alguma hora vaga na leitura do *Gil Brás* ou outros livros menos piedosos, é de crer, digo eu, que lhe fizesse amigável repreensão; mas o padre nada via nem sabia; e o discípulo não ia mal de todo. Demais, um por um ia-lhe Pedro lendo grande número de seus livros, que eram todos de boa doutrina e muita piedade. Ultimamente emprestara-lhe um santo Agostinho; Pedro devorara-o e deu boa conta de suas impressões. A alegria do padre era sem mescla.

    Naquela tarde, não houve trovoada: Pedro conservou-se lá até a noite. Às ave-marias chegou Alexandre; os dois moços estavam ligados pela afeição do mestre e tal ou qual analogia de sentimentos. Alexandre deu os parabéns a Pedro, que os recebeu com um modo modesto e grave. Saíram juntos, malgrado os olhares de Lulu, que pediam ao primo ficasse alguns minutos mais.

    Iam calados a princípio; ao cabo de alguns minutos, Pedro rompeu o silêncio; louvou a alma, os sentimentos e as maneiras do padre, a felicidade que se respirava naquela casa, a boa educação de Lulu, finalmente, tratou do seu futuro e da carreira que se lhe ia abrir.

    Alexandre ouviu-o calado, mas não distraído; concordou em tudo com ele, e quando veio o ponto da carreira eclesiástica, perguntou:

— Aceita essa profissão por seu gosto?

Pedro hesitou um minuto.

— Aceito — disse enfim.

— Pergunto se por seu gosto — tornou Alexandre.

— Por meu gosto.

— É vocação?

— Que outra coisa seria? — observou Pedro.

— Tem razão. Sente um pendor irresistível para a vida da Igreja, uma voz interior que lhe fala, que o atrai violentamente...

— Como o amor.

— Oh! deve ser mais forte do que o amor! — emendou Alexandre.

— Deve ser tão forte. O coração humano, quando alguma força o solicita, qualquer que ela seja, creio que recebe igual impressão. O amor é como a vocação religiosa; como qualquer outra vocação, exerce no homem o mesmo poder...

— Não, não creio — interrompeu Alexandre. — A vocação religiosa, por isso mesmo que chama o homem a uma missão mais elevada, deve exercer influência maior. O amor divino não pode comparar-se ao amor humano. Soube de algum sacrifício igual ao dos mártires da fé?

Pedro refutou, como pôde, a opinião do companheiro; e este redarguiu com argumentos novos, falando ambos com igual calor e interesse. A conversa parou, quando ambos chegaram à porta da casa de d. Emiliana; Pedro entrou e o outro seguiu caminho.

D. Emiliana não pôde atinar com a razão por que o filho naquela noite parecia tão preocupado. A verdade é que Pedro tomou o chá distraidamente; não leu nem conversou, retirou-se cedo para o quarto, e só muito tarde conseguiu dormir.

— Vou hoje decidir o teu negócio — disse-lhe d. Emiliana no dia seguinte.
— Ah!
— Teu tio vem cá hoje — continuou ela. — Entender-me-ei com ele...
— Sim, o amor divino...
— O amor divino? — repetiu d. Emiliana espantada.
— E o amor humano — continuou Pedro.
— Que é?
— A vocação religiosa é superior a qualquer outra.
— Compreendo; tens razão.

Pedro só ouvira estas últimas palavras da mãe; e olhou para ela com ar de quem saía de um estado de sonambulismo. Procurou lembrar-se do que acabava de dizer; e só muito confusamente repetiu mentalmente as palavras vocação religiosa, amor divino e amor humano. Viu que a conversa da noite anterior lhe ficara gravada na memória. Entretanto, respondeu à mãe que efetivamente o estado eclesiástico era o melhor e mais puro de todos os estados.

Suas irmãs aplaudiram de coração a ideia de fazer-se padre o rapaz; e o irmão mais moço aproveitou o caso para manifestar o desejo de ser sacristão, desejo que fez rir a toda a família.

Restava a opinião do tio, que se não fez esperar e foi de todo o ponto conforme com o gosto dos demais parentes. Estava padre o moço; só lhe restavam os estudos regulares e a sagração final.

A notícia foi recebida pelo padre Sá com verdadeira satisfação, tanto mais sincera quanto que recebeu a resposta de d. Emiliana em momentos dolorosos para ele. Sua sobrinha jazia na cama; fora acometida de uma intensa febre de caráter grave. O velho padre deu um apertado abraço no moço.

— Oh! eu bem sabia que não havia nenhuma dúvida! — exclamou ele.

Pedro soube que a moça estava enferma, e empalideceu quando o padre lhe deu esta triste notícia.

— Doença de perigo? — perguntou o futuro seminarista.
— Grave — respondeu o padre.
— Mas ainda ontem...
— Ontem estava de perfeita saúde. Era impossível contar com semelhante acontecimento. Entretanto, que há mais natural? Seja feita a vontade de Deus. Estou que ele há de ouvir as minhas orações.

O padre Sá, dizendo isto, sentiu uma lágrima borbulhar-lhe nos olhos, enxugou-a disfarçadamente. Contudo, Pedro viu-lhe o gesto e abraçou-o.

— Descanse, não há de ser nada — disse ele.
— Deus te ouça, filho!

VI

A tia Mônica, de quem se falou em um dos capítulos anteriores, era uma preta velha, que havia criado a sobrinha do padre e a amava como se fora sua mãe. Era liberta; o padre deu-lhe a liberdade logo que morrera a mãe de Lulu, e Mônica ficou servindo de companheira e protetora da menina, que não tinha outro parente, além do padre e do primo. Lulu nunca adoecera gravemente; ao vê-la naquele estado, a tia Mônica ficou desatinada. Passado o primeiro momento, foi um modelo de paciência, dedicação e amor. Velava as noites junto da cabeceira da doente, e apesar de estar toda entregue aos cuidados de enfermeira ainda lhe sobrava tempo para tratar da direção da casa.

A doença foi longa; durou cerca de quinze dias. A moça ergueu-se enfim da cama, pálida e abatida, mas livre de todo o mal. A alma do tio sentiu-se renascer. A certeza dera-lhe vida nova. Ele padecera muito durante aqueles quinze mortais dias; e Pedro fora testemunha de sua longa aflição. Não foi só testemunha impassível, nem o consolou com palavras triviais; tomou boa parte nas dores do velho, fez-lhe companhia durante as noites de maior perigo.

Alexandre não foi menos assíduo nem menos dedicado à família; seu rosto austero e frio não revelava a dor íntima; mas ele sentia, decerto, a doença da prima e a aflição do padre. Suas consolações eram antes religiosas do que puramente humanas.

— Descanse que ela há de viver — dizia ele —; mas dado que o Senhor a leve, podemos ter a certeza de que leva um anjo mais para o coro celeste. De lá veio, para lá tornará, tão puro como os que rodeiam o trono de Deus.

Pedro repeliu esta ideia.

— Muitos são os anjos que estão no céu — dizia —; e poucos, raríssimos, os que Deus consente que desçam a este mundo. Por que há de levar aquele, que é a felicidade e a glória de nosso bom mestre?

As palavras de ambos entravam no coração do padre; mas por mais cristão que ele fosse, e era-o muito, as do filho de d. Emiliana, egoísmo da afeição humana, dominavam por instantes o sentimento religioso e a resignação cristã.

No dia em que a moça foi declarada sem perigo, Pedro chegara à Gamboa, não estando o padre em casa. A tia Mônica deu-lhe a agradável notícia. O rosto do moço expandiu-se; sua alegria fê-lo corar.

— Livre! — exclamou ele.

— Livre.

— Quem o disse?

— O doutor...

— Ela está mais animada?

— Muito animada.

— Oh! diga-lhe de minha parte que dou graças a Deus pelo seu restabelecimento.

Cinco dias depois, Lulu saiu do quarto. A figura delicada da moça parecia mais bela e adorável depois da enfermidade. Um largo roupão branco envolvia-lhe o corpo emagrecido pela doença; os olhos amortecidos e a palidez do rosto davam-lhe um aspecto delicado e triste ao mesmo tempo. Vivia a moça; e não só a saúde voltara, mas com a saúde uma alegria não sentida até aquele dia, alegria toda filha do regozijo das pessoas que a amavam, da dedicação e zelo de que fora objeto durante os dias de perigo.

A convalescença foi rápida; durou cerca de oito dias. Durante esse tempo, frequentou Pedro a casa do mestre, como nos dias anteriores, sem nada lhe perguntar acerca de seus próprios negócios, não só porque era indiscrição fazê-lo em momento como aquele, e quando o padre apenas começava a saborear o restabelecimento da sobrinha, como porque esta fazia que as horas passassem depressa. Não se tratam negócios sérios sem tempo, e Pedro não tinha tempo.

Lulu não podia ler; e nem sempre a entretinham as histórias da tia Mônica. Pedro lia para ela ouvir alguns livros morais que achava na estante do padre, ou algum menos austero, ainda que honesto, que de casa levava para aquele fim. Sua conversa, além disso, era extremamente agradável; a dedicação sem limites. Lulu via nele uma criatura boa e santa; e o hábito de todos os dias veio a torná-lo necessário.

No primeiro dia em que ela pôde chegar à janela, Pedro arrastou para ali uma poltrona de couro, deu o braço à moça e fê-la sentar-se. Eram onze horas da manhã; a atmosfera estava limpa e clara e o mar tranquilo. A moça respirou a largos haustos, enquanto Pedro ia buscar o banquinho em que ela pousasse os pés.

— Pensei nunca mais ver isto — disse ela, agradecendo-lhe com um sorriso que fez baixar os olhos ao moço.

— Não fale assim! — suplicou este depois de algum tempo.

— Agora não há perigo; estou boa. Haviam de sentir a minha morte, creio; mas eu sentiria igualmente se deixasse a vida. Morrer moça deve ser triste!

Pedro pediu-lhe que mudasse de assunto, ameaçando-a ele ir dizer tudo ao tio.

— Não é preciso! — exclamou uma voz.

Voltaram-se.

Era o padre que entrara na sala desde algum tempo e ouvia a conversa dos dois.

— E não lhe parece que tenho razão? — perguntou Pedro.

— Toda. Agora só se deve pensar na vida.

— Vê? — disse o moço, voltando-se para Lulu.

— O Alexandre já veio? — perguntou o padre Sá, depois de beijar a testa à sobrinha e abençoá-la como de costume.

Lulu ficou séria.

Aquela pergunta avivou-lhe a tristeza que lhe causava a ausência do primo, ausência de dezoito horas, o que era enorme, se atendermos ao estado da moça e às relações de suas almas. O tio notou-lhe a impressão e ficou igualmente sério.

— Nem tudo sai à medida dos nossos desejos — pensou ele —; não verei realizados os meus dois sonhos! Se sai dali um peralta...

O pensamento foi interrompido pela entrada de Alexandre.

Lulu sorriu de contentamento ao ver o primo; mas reprimiu aquela expressão para de algum modo puni-lo do esquecimento em que a deixara.

O velho padre foi menos diplomata; recebeu-o com a alma nas mãos.

Alexandre não reparou nem na dissimulação dela, nem na expansão dele; seus olhos foram direitos ao filho de d. Emiliana. Pedro sustentou o olhar com tranquilidade; e se houvesse menos comoção da parte das testemunhas daquele olhar, veriam que ambos pareciam querer sondar um ao outro.

    A moça esperou que o primo, em desconto de seus pecados, a tratasse com a ternura a que o seu coração tinha jus; mas Alexandre parecia preocupado; e ela entregou-se toda à conversação do outro. Uma canoa que cortava as águas tranquilas do mar serviu de pretexto e começo à palestra. O que eles disseram da canoa, do mar, da vida marítima, e mais ideias correlativas dificilmente caberia neste capítulo, e com certeza exigia alguns comentários, visto que algumas frases tinham tanto com o assunto como o doge de Veneza. Alexandre contemplava-os sem morder o lábio com raiva, nem dar o menor sinal de despeito. Seu rosto marmóreo não revelava o que se passava no coração. Não tardou que ele próprio interviesse na conversa. O padre Sá aproveitou a ocasião para chamar o filho de d. Emiliana à explicação de um ponto teológico. Pedro afastou-se do grupo com dificuldade; mas a conversa entre os dois morreu, como lâmpada a que faltou óleo.

VII

Lulu notou a esquivança do primo e a frieza que lhe mostrava. Certo é que nunca lhe achara a expansão, nem a ternura, que era natural exigir de um namorado. Alexandre era sóbrio de palavras e seco de sentimentos. Os olhos com que a via eram sérios, sem flama, sem viveza — "olhos de imagem", dizia-lhe ela um dia gracejando. Mas se ele fora sempre assim, agora parecia mais frio do que nunca, e a moça procurou saber a causa daquela agravação de impassibilidade.

    — Ciúmes — pensou ela.

    Ciúmes de Pedro, devia dizer; mas nem ela nem a leitora precisam de nada mais para completar o pensamento. De quem seriam os ciúmes senão daquele rapaz, que se mostrava assíduo, afável, dedicado, que a tratava com esmero e afeição?

    A moça riu da descoberta.

    — Um quase padre! — exclamou ela.

    Daí a poucos dias, o padre Sá disse ao filho de d. Emiliana que os seus negócios iam perfeitamente e que dentro de pouco tempo devia dizer adeus a quaisquer ocupações estranhas aos preparatórios eclesiásticos.

    — Faça exame de consciência — disse a moça, que estava presente à conversa dos dois —; e prepare-se para...

    — Para casar? — perguntou sorrindo o tio.

    Lulu corou ouvindo aquelas palavras. Sua ideia não era casamento; era um gracejo fúnebre e tão descabido que a frase lhe morrera nos lábios. O que ela queria dizer era que Pedro se preparasse para rezar-lhe o responso. A interrupção do tio desviou-lhe o pensamento do gracejo para dirigi-lo ao primo. Corou, como disse, e refletiu um instante.

    — Oh! se ele me amasse com o mesmo ardor com que este ama a Igreja! — pensou ela.

    Depois:

    — Falemos de coisas sérias — continuou ela em voz alta. — Desejo vê-lo em breve cantar uma missa ao lado de titio.

    Na noite desse mesmo dia, Alexandre foi à casa do padre Sá. Ia preocupado e pouco se demorou. O tio notou-lhe a diferença e ficou apreensivo. Conjecturou mil coisas para aquela mudança do sobrinho, sem atinar qual delas era a verdadeira. Lulu ficou igualmente triste; não digo bem, havia tristeza, mas havia outra coisa também, havia despeito; e menos o amor do que o amor-próprio começava a sentir-se ofendido.

Pedro aproveitou a primeira ocasião em que o padre saiu da sala para lhe perguntar o motivo daquela súbita melancolia.

A moça estremeceu como se acordasse sobressaltada de um sono.

— Não ouvi — murmurou ela.

— Perguntava-lhe por que motivo ficou assim pensativa.

— Um capricho — respondeu a moça.

— Um capricho satisfaz-se.

— Nem todos.

— Quase todos. Não pede decerto a lua?

— A lua... não — respondeu ela procurando sorrir e esquecer —; mas alguma coisa que tem relação com ela.

— Diga o que é.

— Estava desejando... que o senhor ficasse esta noite ali fora a contemplar a lua e a fazer-lhe versos — disse ela rindo. — Nunca fez versos?

— Um hexâmetro apenas.

— Não sei o que é; mas não importa. Era capaz disso?

— Suprima os versos e a coisa é fácil — respondeu Pedro sorrindo.

— Fácil! — exclamou Lulu.

E depois de alguns instantes de silêncio:

— Não era bem isso que eu desejava — continuou ela —; mas alguma coisa análoga, algum sacrifício... tolice de moça...

Lulu ergueu-se e foi à janela para disfarçar a comoção. Pedro deixou-se ficar na cadeira. Daí a pouco, ouviram-se os passos do padre Sá; o moço pegou num livro, abriu-o ao acaso e entrou a ler. A tristeza de Lulu foi observada pelo tio, que assentou de si para si convidar o sobrinho a uma conferência, resoluto a conhecer o estado das coisas.

— Amam-se, não há dúvida — pensava o velho —; mas há alguma coisa, decerto, que não posso descobrir. É necessário sabê-lo.

Pedro demorou-se em casa do padre até depois de nove horas. A moça presidiu ao chá com a graça habitual, e um pouco mais livre das comoções daquela noite. Acabado o chá, Pedro despediu-se do velho sacerdote e da sobrinha. A moça acompanhou-o até a porta do gabinete, enquanto o tio preparava o tabuleiro das damas para a partida de costume.

— Boa noite — disse Lulu apertando a mão ao filho de d. Emiliana.

— Boa noite — respondeu ele.

E mais baixo:

— Verá hoje mesmo que lhe satisfaço o capricho.

Lulu ficou estupefata ao ouvir aquelas palavras; mas não pôde pedir maior explicação, não só porque o tio ficava a poucos passos, como porque o moço só lhe dera tempo de ouvi-lo; saíra imediatamente.

A partida de damas foi aborrecida e não durou muito. Ambos os contendores estavam preocupados de coisas sérias. Às nove e meia, despediram-se para ir dormir.

— Vê se o sono te dá melhor aspecto — disse o padre Sá dando a mão a beijar à sobrinha.

— Estou hoje mais feia que de costume?

— Não; mais triste.

— Não é tristeza, é cansaço — respondeu a moça —; dormi pouco a noite passada.

Despediram-se.

Lulu, apenas entrou no quarto, correu à janela; fê-lo com a curiosidade vaga de saber se o filho de d. Emiliana realizara a promessa de satisfazer-lhe o capricho. A praia estava deserta.

— Naturalmente! — disse ela consigo. — Para obedecer a uma tolice minha era necessário cometer tolice maior.

Lulu entrou, destoucou-se, deixou os vestidos, envolveu-se em um roupão e sentou-se ao pé da janela. Ali ficou cerca de meia hora absorvida em seus pensamentos; a figura de Alexandre flutuava-lhe no espírito, confundindo-se às vezes com a de Pedro. Ela comparava a assiduidade de um com a frieza do outro; frieza que ela atribuía ora a um sentimento de ciúme, ora ao amortecimento da antiga afeição. Esta mesma afeição a moça entrou a analisá-la, a estudá-la no passado sem lhe achar intensidade igual à sua. Nunca duvidara do amor de Alexandre; mas agora que o dissecava reconhecia que era um amor grave e refletido demais, sem aquela exuberância própria da mocidade e do coração.

Lulu não reparava que esta mesma segurança de vista com que apreciava o estado do coração do primo era prova de que o seu estava menos alienado pela paixão. O que ela de todo ignorava era que aquele primeiro afeto, nascido do costume, nutrido da convivência, era menos espontâneo e irresistível do que parecia. Suas alegrias e tristezas não vinham das raízes do coração, não lhe estremeciam a alma, nem a cobriam de luto.

Nisto não pensava ela; mas começou-o a sentir naquela noite, e pela primeira vez o coração pediu alguma coisa mais do que um afeto mal sentido e mal correspondido.

No meio dessas sensações vagas, sonhos indecisos, aspirações e ânsias sem objeto, ergueu-se a moça disposta a recolher-se. Ia cerrar as venezianas da janela, quando viu um vulto na praia, a passear lentamente, parando às vezes de costas para o mar. Apesar da lua, que então começava a surgir brilhante e clara, Lulu não pôde conhecer quem era, todavia as palavras de Pedro estavam-lhe na memória. Afirmou a vista; e o talhe e o andar pareceram-lhe do moço. Seria ele? A ideia era tão extravagante que a moça repeliu-a imediatamente; esperou algum tempo à janela. Quinze minutos decorreram sem que o vulto, quem quer que fosse, se retirasse dali. Tudo parecia dizer que era o filho de d. Emiliana; contudo, a moça não quis prolongar a experiência; fechou a janela e retirou-se.

Meia hora decorreu — meia hora de relógio, mas uma eternidade para a alma curiosa da moça, lisonjeada com aquele ato do rapaz, lastimando e desejando o sacrifício.

— Impossível! — dizia ela. — É impossível que uma brincadeira... Mas aquela é a figura dele; e demais quem viria colocar-se ali, a esta hora, a passear solitário...

Lulu abriu de novo a janela; o vulto lá estava, desta vez sentado em uma pedra, fumando um charuto. Logo que ela abriu a janela, o vulto, que parecia olhar para lá, ergueu-se e entrou a passear de novo, com o mesmo passo tranquilo de um homem disposto a velar a noite na praia. Há de ser por força um passo diferente dos outros; pelo menos, assim o achou a sobrinha do padre Sá.

A certeza de que era o filho de d. Emiliana produziu no espírito da moça uma revolução. Que razão havia para aquele sacrifício, sacrifício incontestável, tão ridículo havia de parecer aos olhos dos outros, sacrifício solitário e estéril? Lulu acostumara-se a ver no moço um futuro padre, um homem que ia romper com todas as paixões terrenas, e surgia-lhe, quando menos esperava, uma figura de novela antiga, cumpridor exato de uma promessa fútil, obediente a um capricho manifestado por ela em uma hora de despeito.

Lulu fechou de novo a janela e dispôs-se a dormir; fê-lo por pena do rapaz; uma vez fechada a casa, era provável que o seu fiel cavalheiro se fosse deitar também, apesar do calor que fazia e da vantagem que há em passear à lua numa cálida noite de fevereiro. Foi esta a esperança; mas nem por isso a moça dormiu logo. A aventura espertara-a. Contudo, não se atreveu a erguer-se de novo, com medo de animar o sacrifício do moço.

Dormiu.

O sono não foi seguido nem tranquilo; ela acordou dez vezes; dez vezes reconciliou o sono a muito custo. Sobre a madrugada, ergueu-se e foi à janela. Não a abriu: enfiou os olhos por uma fresta. O vulto lá estava na praia sentado, a fumar, com a cabeça nas mãos como a ampará-la de pesada que havia de estar com a longa vigília.

A leitora poderia achar extravagante a ação do rapaz, mas estou convencido de que não conseguiria mais reconciliar o sono.

Foi o que aconteceu à sobrinha do padre Sá.

VIII

Com a manhã, retirou-se o passeador, que (desta vez não havia dúvida para a moça) era o filho de d. Emiliana. Imagine o estado em que ambos ficaram; ele moído e sonolento, ela com o espírito transtornado, e o coração... o coração agradecido, lisonjeado, satisfeito enfim de haver encontrado uma alma menos austera que a do primo.

A primeira coisa que a moça devia concluir é que o rapaz tinha-lhe mais amor a ela do que à vida eclesiástica; mas, posto o sentisse, não formulou o espírito esta natural descoberta. Pedro não foi lá na manhã nem na tarde desse dia; foi à noite. Se lhe custara a vigília, recebeu logo ali a paga que foi um olhar de agradecimento, não meditado e intencional, mas espontâneo e quase inconsciente; o primeiro olhar de mulher que o filho de d. Emiliana recebera em sua vida. O padre Sá estava presente; Alexandre chegou pouco depois. Não achando logo ocasião propícia para dizer o que queria, Pedro resolveu dizê-lo em voz alta.

— Padre-mestre, há alguma oposição entre a poesia e a vida religiosa?

— Nenhuma... O padre Caldas fez versos, mas versos pios...

— Pois eu fiz mais do que prometi — tornou o moço, sublinhando estas palavras —, também fiz versos.

— Versos?

— E à lua.

O padre Sá coçou a ponta do nariz com ar de pouca aprovação; mas o rapaz, sem embargo disso, sacou da algibeira um papelinho dobrado, que deu a Lulu.

— Leia para si ou para todos — disse ele —; e peça ao padre-mestre que me perdoe o pecado.

Não transcrevo aqui os versos do rapaz, que eram melhores de intenção que de execução. A moça leu-os trêmula e comovida; e estendeu depois o papel ao tio, que o não quis receber.

— Não quero — disse ele —; perdoo-lhe; vá lá; mas ainda em cima ler uma obra de intenção profana, que lhe desdoura talvez a sua vocação... daí, quem sabe? podem dizer-se coisas bonitas à lua, como obra do Criador...

— Não foi nesse sentido que ele escreveu — disse Alexandre, que recebera o papel recusado pelo padre Sá, e lia os versos para si. — Não foi nesse sentido; fala em suspiros à lua, a quem pede que seja testemunha de que nada há no mundo mais doce do que o sentimento que o domina e nem maior do que o alvo de suas aspirações santas.

— Aprovo — disse o padre Sá —; mas para dizer isso, não precisava falar à lua e era indiferente a prosa ou o verso.

Lulu recebera de novo o papel que o primo lhe dera; e o padre notou nessa noite a preocupação e acanhamento da sobrinha, e a singular alegria de Alexandre. Era a primeira vez que o seu rosto severo se expandia; a primeira que lhe ouviam o riso franco e jovial.

Aqueles versos foram lidos e relidos na alcova pela inspiradora deles, que com eles sonhou durante a noite inteira, e acordou com eles na memória. No coração, leitor, no coração devo eu dizer que eles estavam, e mau é quando os versos entram pelo coração, porque atrás deles pode ir o amor. Lulu sentiu alguma coisa que se parecia com isso.

O que é triste e prosaico, o que eu devia excluir da novela, é a constipação do filho de d. Emiliana, uma forte constipação que apanhou nos seus passeios noturnos, e que o reteve em casa no dia seguinte. Fazê-lo adoecer de incerteza ou de qualquer outra coisa moral era talvez mais digno do papel; mas o rapaz constipou-se, e não há remédio senão admitir a coriza, suprimindo todavia as mezinhas que a mãe lhe deu e os discursos com que as temperou.

Os tais discursos não eram agradáveis de ouvir. Pedro não saíra ostensivamente de casa na noite sacrificada ao capricho de Lulu; deitou-se à hora de costume e meia hora depois, quando sentiu a família acomodada, levantou-se e, graças à cumplicidade de um escravo, saiu à rua. De manhã voltou, dizendo que saíra cedo. Mas os olhos com que vinha, e o longo sono que dormira em toda a manhã até as horas do jantar, descobriram toda a verdade aos olhos perspicazes de d. Emiliana.

— Padre! — dizia ela. — E um maricla destes quer ser padre!

Constipado o rapaz, deixou de sair dois dias; e não saindo ele, a moça deixou de rir ou sorrir sequer, enquanto o primo temperava a gravidade do seu aspecto com desusada alegria e singular agitação, que nada pareciam ter com Lulu. O tio aborreceu-se com esta aparência de arrufos; achou pouca generosidade da parte de Alexandre, em mostrar-se jovial e descuidado quando a moça parecia preocupada e triste, e resolveu acarear os dois corações e dizer-lhes francamente o que a respeito deles pensava, na primeira oportunidade que se lhe oferecesse.

IX

A noite seguinte foi de amargura para Lulu, que ouviu ao primo dizer baixinho ao filho de d. Emiliana:

— Preciso falar-lhe.
— Pronto.
— A sós.
— Quando quiser.
— Esta mesma noite.

Pedro fez um gesto de assentimento.

O tom da voz de Alexandre não revelava cólera; todavia, como ele dizia gravemente as coisas mais simples, Lulu estremeceu ao ouvir aquele curto diálogo e teve medo. Que haveria entre os dois logo que dali saíssem? Receosa de algum ato de vingança, a moça tratou nessa noite o primo com tamanha afabilidade que as esperanças do padre Sá renasceram, e Pedro cuidou ter perdidas todas as que ele tinha. Ela tentou prolongar a visita dos dois; mas reconheceu que era inútil o meio e que, uma vez saídos dali, qualquer que fosse a hora, podia dar-se o que ela receava.

Teve outra ideia. Saiu repentinamente da sala e foi direito à tia Mônica.

— Tia Mônica — disse a moça —; venho pedir-lhe um grande favor.
— Um favor, nhanhã! Sua preta velha obedecerá ao que lhe mandar.
— Quando meu primo sair daqui com o senhor Pedro você vai acompanhá-los.
— Jesus! Para quê?
— Para ouvir o que eles dizem, e ver o que houver entre eles, e gritar por socorro se houver algum perigo.
— Mas...
— Por alma de minha mãe — suplicou Lulu.
— Mas não sei...

Lulu não ouviu o resto; correu à sala. Os dois rapazes, já de pé, faziam as suas despedidas ao padre e despediram-se dela até o dia seguinte; este dia seguinte ecoou funebremente no espírito da moça.

Tia Mônica vestira à pressa uma mantilha e desceu atrás dos dois rapazes. Ia resmungando, receosa do que fazia ou do que podia acontecer, nada compreendendo daquilo, e entretanto, cheia do desejo de obedecer à vontade de sinhá-moça.

O padre Sá estava mais jovial do que nunca. Logo que ficou a sós com a sobrinha, disse-lhe dois gracejos paternais, que ela ouviu com um sorriso à flor dos lábios; e o serão acabou logo depois.

Lulu recolheu-se ao quarto, sabe Deus e imagina o leitor com que medos no coração. Ajoelhou diante de uma imagem da Virgem e orou fervorosamente... por Pedro? Não, por um e outro, pela vida e paz dos dois moços. O que não se sabe é se pediu alguma coisa mais. Provavelmente, não; o maior perigo naquela ocasião era aquele.

A oração pacificou-lhe a alma; recurso poderoso que só conhecem as almas crentes e os corações devotos. Aquietada, esperou a volta de tia Mônica. As horas, entretanto, correram lentas, e desesperadoras. A moça não saiu da janela salvo duas ou três vezes para vir de novo ajoelhar-se diante da imagem. Meia-noite bateu e começou a primeira hora do dia seguinte sem que o vulto da boa preta aparecesse ou o som de seus passos interrompesse o silêncio da noite.

O coração da moça não pôde resistir mais; as lágrimas brotaram dela ardentes, precipitadas, e ela atirou-se à cama toda entregue ao seu desespero. Sua imaginação pintava-lhe os quadros mais tristes; e pela primeira vez sentiu ela toda a intensidade do novo sentimento que a dominava.

Era uma hora, quando o som pausado e seco de uma chinela soou nas pedras da rua. Lulu adivinhou o passo da tia Mônica; foi à janela; um vulto aproximava-se da porta, parou, abriu cautelosamente com a chave que levava e entrou. A moça respirou, mas à primeira incerteza sucedia uma segunda. Era muito ver a preta de volta; restava saber o que acontecera.

Tia Mônica subiu as escadas, e já achou no patamar a sinhá-moça, que a fora esperar ali.

— Então? — perguntou esta.

A resposta da preta foi nenhuma; travou-lhe da mão e encaminhou-se para o quarto da moça.

— Ah! sinhá Lulu, que noite! — exclamou tia Mônica.

— Mas diga, diga, que aconteceu?

A preta sentou-se com a liberdade de uma pessoa cansada, e velha, e quase mãe daquela filha. Lulu pediu-lhe que dissesse tudo e depressa. Depressa, era exigir muito da pobre Mônica, que além da idade, tinha o sestro de narrar pelo miúdo os incidentes todos de um caso ou de uma aventura, sem excluir as suas próprias reflexões e as circunstâncias mais alheias ao assunto da conversação. Gastou, portanto, a tia Mônica dez compridíssimos minutos em dizer que nada ouvira aos dois rapazes desde que dali saíra; que os acompanhara até ao largo da Imperatriz e subira com eles até a um terço da ladeira do Livramento, onde morava Alexandre, em cuja casa ambos entraram e se fecharam por dentro. Ali ficou, do lado de fora, cerca de meia hora; mas não os vendo sair, perdeu as esperanças e voltou para a Gamboa.

— Fui e vim com o credo na boca — terminou tia Mônica —; e dou graças à Virgem Santíssima por me ver aqui sã e salva.

Pouco sabia a moça; ainda assim aquietou-se-lhe o espírito. Tia Mônica era um tanto curiosa, e em prêmio do seu trabalho achou natural saber a razão daquela excursão noturna.

— Oh! não me pergunte nada, tia Mônica! — respondeu Lulu. — Amanhã lhe direi tudo.

— Já sei mais ou menos o que é — disse a preta —; negócio de paixãozinha de moça. Não faz mal; eu adivinhei tudo...

— Tudo? — perguntou maquinalmente a sobrinha do padre Sá.

— Há muito tempo — continuou tia Mônica —; há seis meses.

— Ah!

— Seu primo de vosmecê...

— Oh! cale-se!

— Está bom, não digo mais nada. Só lhe digo que espere em Nossa Senhora, que é boa mãe e há de fazê-la feliz.

— Deus a ouça!

— Agora sua preta velha vai dormir...

— Vá, tia Mônica; Deus lhe pague!

Neste momento, ouviu-se no corredor o ruído de uns passos que se afastavam cautelosamente.

— Que foi? — disse Lulu.

— Não sei... Abrenúncio! Ouviu alguma coisa?

A moça foi resolutamente à porta, abriu-a; o corredor estava escuro. Tia Mônica saiu com a vela e não viu nada. Deram-se as boas-noites; a moça voltou ao seu leito, onde, sobre a madrugada, conseguiu enfim dormir. Tia Mônica dormiu logo o sono dos anjos, ia eu dizer, e o digo porque ela foi verdadeiramente angélica naquela aventurosa noite.

X

De quem seriam os passos ouvidos no corredor, senão do padre Sá que percebera movimentos desusados na casa, ouvira a entrada da tia Mônica e quis saber a razão de tal saída a desoras? Alguma coisa soube, quanto bastou para que no dia seguinte acordasse com a resolução feita de concluir dentro de poucas semanas o casamento da sobrinha com o sobrinho.

— Ou se a não ama, que o diga logo de uma vez — pensou o bom padre —; é melhor do que fazer padecer a minha pobre Lulu.

Ao mesmo tempo, pensou que não houvera prudência da parte da sobrinha em mandar emissários atrás do primo e fazer intervir criados em coisas de tanta monta.

— É preciso repreendê-la, porque não andou em bom caminho, nem a eduquei para leviandades tais.

Isto disse o padre Sá, mas foi só dizer, porque logo que viu a sobrinha e lhe leu no rosto todas as amarguras da noite e os sinais de longa vigília, ficou tomado de comiseração e a severidade cedeu o passo à ternura.

Preferiu repreender a tia Mônica, depois de a interrogar acerca dos sucessos da véspera. A preta negou tudo, e mostrou-se singularmente admirada com a notícia de que ela havia saído de noite; o padre, porém, soube fazê-la confessar tudo, só com lhe mostrar o mal que havia em mentir. Nem por isso ficou sabendo muito; repreendeu a preta, e foi dali escrever uma cartinha ao sobrinho.

A carta foi escrita, mas não foi mandada. Daí a meia hora, anunciava-se nada menos que a rotunda pessoa da sra. d. Emiliana, que veio até a Gamboa arrastando a sua paciência e a idade, com grande espanto do padre Sá que nunca a vira ali; d. Emiliana pediu muitas desculpas ao padre da visita importuna que lhe fazia, pediu notícias da sua obrigação, queixou-se do calor, beijou três ou quatro vezes a face de Lulu, deitando-lhe duas figas para a livrar do quebranto, e só depois destes prólogos expôs o motivo do passo que acabava de dar.

— Não admira, padre-mestre — disse ela —, não admira que eu aqui venha, porque enfim... ora, que há de ser? Coisas de rapazes...

— De rapazes?

— De rapazes e moças; ou antes, desta única moça, bonita como ela só!... Que olhos que ela tem! Dá cá outro beijo, feiticeira.

Lulu beijou a boa velha, e ficou ainda mais ansiosa que o tio por ouvir o resto da exposição. O padre fez sinal à sobrinha que se retirasse; não o consentiu d. Emiliana.

— Oh! ela pode ficar aqui! Não vou dizer nada que ela não deva ouvir.

— O que eu desejava saber antes de tudo, padre-mestre, é se tem feito alguma coisa para que o meu Pedro tome ordens.

— Bom. Tenho, decerto... E que mais?

— E se é ainda intenção casar este anjinho com o senhor Alexandre... Alexandre, creio que é o nome dele?

— Mas... não sei a que propósito...

— A propósito de que estive hoje de manhã com o futuro esposo e o futuro padre, e ambos me pediram que interviesse por eles, de maneira que não houvesse demora nem no casamento nem na entrada no seminário.

— Nenhuma demora, d. Emiliana — disse o padre —; é o meu maior desejo. Acho até esquisito que, por uma coisa tão simples...

— É menos simples do que parece.

— Ah!

— Menos simples, porque eles oferecem uma condição.

— Uma condição?

— Sim, reverendíssimo; ambos estão prontos a satisfazer os seus desejos, com a condição de que os há de trocar, passando o marido a ser padre, e o padre a ser marido.

O dono da casa deu um pulo na cadeira. D. Emiliana assustou-se vendo o gesto, mas voltou logo os olhos para a moça, cujo olhar, radiante de prazer, mostrou à boa velha a excelente impressão que lhe fazia a notícia. Lulu beijou a mão de d. Emiliana, e este simples gesto revelara ao tio o estado do seu coração. O padre esteve algum tempo calado. Depois sorriu e disse:

— De maneira que tive a perspicácia de enganar-me até hoje; e ia fazer, sem consciência, um mau padre e um mau marido.

— Justamente — disse d. Emiliana.

— E cuidava ter-lhes adivinhado a vocação! Sempre lhe direi contudo que são dois velhaquetes os rapazes... Mas não importa; terei o padre e o esposo de Lulu, e direi a Deus como Salomão: "Duas coisas te pedi; não mas negues antes que morra!".

Não lhas negou Deus; o esposo e o padre foram exemplares; um está cônego; o outro trata de fazer o filho ministro de Estado. É possível que, a fazer as coisas como as queria o padre Sá, não houvesse nem cônego, nem ministro.

Segredo de vocação.

Mas que tem com esta história o título que lhe pus? Tudo; são umas vinte páginas para encher tempo. Em falta de coisa melhor, lê-se isto, e dorme-se.

Jornal das Famílias; *abril-julho de 1876; Machado de Assis.*

O passado, passado

Acabara o jantar às seis horas e meia. Era dia; a mor parte dos convivas descera à chácara. Um destes, o capitão-tenente Luís Pinto, ficou na sala a conversar com o dono da casa, o comendador Valadares, homem gordo e pacato, para quem a digestão era coisa séria, e tanto ou quanto científica.

— E pretende fazer outra viagem? — perguntou o comendador continuando a conversa interrompida pela sobremesa.

— Agora, não. Salvo se embarcar por ordem do governo. Não é provável que precise de outra licença; em todo caso, não iria à Europa, a não ser por moléstia.

— Mas gostou tanto que...

— Que preciso descansar. Estou com quarenta e dois anos, senhor comendador, não é velhice; mas também não é idade de travessuras; e uma segunda viagem era verdadeira travessura.

O comendador não aprovou nem contestou a observação do hóspede; abriu a caixa de rapé. Tomou uma pitada e interrogou o oficial de marinha a respeito de algumas particularidades da viagem. O oficial satisfez-lhe a curiosidade narrando-lhe uma página das suas memórias de turista.

Luís Pinto, que sabemos ser capitão-tenente e contar quarenta e dois anos, era um homem alto, bem-feito, elegante, daquela elegância grave, própria de seus anos. Tinha os olhos negros e rasgados, o olhar inteligente e bom, maneiras distintas e certo ar de superioridade natural. Era isto o físico. O moral não era diferente. Não tinha más qualidades, ou se as tinha eram de pequena monta. Viúvo há dez anos, ficara-lhe do matrimônio uma filha, que mandara educar em um colégio. Essa criança era todos os seus amores na terra.

Algum tempo antes por motivos de moléstia, obtivera licença por um ano e empreendera uma viagem à Europa, de onde viera cerca de quinze dias antes.

A noite caíra de todo; os convivas recolheram-se a casa, onde uns foram jogar, outros conversar ou ouvir tocar. O sarau acabaria para o oficial como outro qualquer se não fora a entrada de uma visita inesperada para todas as pessoas da casa e muito mais para ele.

A visita de que se trata era uma senhora. A mulher do comendador apressou-se a recebê-la. D. Madalena Soares entrou na sala, com um passo de deusa e com ar tranquilo e austero que lhe não ficava mal. Das pessoas que a não conheciam houve um notável silêncio de curiosidade. Trajava roupas escuras, de feição com a sua viuvez recente; era formosa, e contava trinta anos de idade.

Como todas as atenções estiveram voltadas para a recém-chegada ninguém reparou na impressão que esta produzira em Luís Pinto. A impressão foi de surpresa e gosto, uma comoção que o fez ficar pregado alguns instantes na cadeira em que estava sentado. Alguns minutos depois ergueu-se e dirigiu-se a d. Madalena Soares.

— Estarei tão velho que já me não conheça? — disse ele.

Madalena estremeceu e olhou para ele.

— Ah! — exclamou ela.

— Não se viam há muito tempo? — perguntou a mulher do comendador.

— Um século — respondeu Madalena.

— Seis anos pelo menos — acrescentou Luís Pinto.

— Talvez mais. Chegou há pouco da Europa, ouvi dizer.

— Há poucos dias. Seu marido?

— Estou viúva.

— Ah!

Interrompeu-se a conversa neste ponto; aproveitamos a interrupção para dizer que Madalena, tendo casado com vinte anos, retirara-se daí a quatro para uma das províncias do norte, de onde voltara dez meses antes, depois da morte do marido. Luís Pinto ignorava a morte deste.

Poucas palavras disseram mais os dois antigos conhecidos. A conversa tornou-se geral, e a noite passou-se, como se passaram as outras, sem nenhum incidente novo. Madalena, ao despedir-se, declarou ao capitão-tenente que a sua residência era na rua das Mangueiras.

— Irei cumprimentá-la um dia destes.

— Aturar uma velha.

— Oh!

A exclamação de Luís Pinto foi repetida mentalmente pelos demais circunstantes; e a viúva retirou-se levando a admiração de todos. Houve um concerto de louvores à graça de suas maneiras, à beleza de seus olhos. Um só, entre tantos, ficara calado e pensativo: o oficial de marinha.

Por quê? Vamos sabê-lo.

Luís Pinto saiu da casa do comendador um pouco diferente do que lá entrara. Ia absorto e pensativo. O que ele dizia consigo mesmo era:

— Que é isto? Tantos anos depois! Viúva... estava longe de supô-lo. Viúva e formosa, tão formosa como era naquele tempo.

O monólogo continuou ainda por algumas horas, sobre o mesmo tema; as ideias bailaram-lhe no espírito durante o sono. Na manhã seguinte, a segunda ou terceira pessoa de quem se lembrou foi Madalena.

Dois dias depois cumpriu Luís Pinto a palavra dada na casa do comendador, foi à rua das Mangueiras. Vestiu-se mais apurado que de costume; contemplou-se repetidas vezes ao espelho, não por vaidade, aliás justificável, porque ainda era um bonito homem, mas para ver se havia ainda em suas feições um resto da primeira mocidade.

Madalena recebeu-o com muita afabilidade. Estava com ela um menino de seis anos, seu filho; e, além dele, havia uma senhora idosa, tia de seu marido, que a acompanhara até a corte e ficara a residir com ela. A conversa versou sobre coisas gerais; mas por mais indiferente ou insignificante que fosse o assunto, Madalena tinha a arte de o tornar interessante e elevá-lo. Passaram as horas naturalmente depressa; Luís saiu satisfeito dessa primeira visita.

A segunda verificou-se dali a cinco ou seis dias; Madalena porém não estava em casa, e este desencontro, aliás fortuito, pareceu enfadá-lo. Encontrou-a em caminho, na rua dos Arcos, com o filho pela mão.

— Venho de sua casa — disse ele.

— Sim? — acudiu a viúva. — Eu fui visitar umas amigas de outro tempo.

— De seis anos.

— De dez.

— Ainda se lembra do passado? — perguntou Luís Pinto, dando às palavras uma entoação particular.

— Minha memória não esquece as afeições — respondeu ela naturalmente.

Luís cumprimentou-a e seguiu. A resposta da viúva não dizia talvez tudo: ele, contudo, deu-se por satisfeito em ter-lhe feito a pergunta.

O passado de que ele falava, como já a leitora terá suposto, era um namoro travado entre os dois antes do casamento de ambos. Não foi namoro ligeiro e sem raízes, antes passatempo que outra coisa; foi paixão séria e forte. O pai de Madalena opunha-se ao consórcio e declarou-se mortal inimigo do moço; empregou contra ele todas as armas de que podia dispor. Luís Pinto afrontou tudo; para vê-la de longe, colher um sorriso, amargo embora e desconsolado, atravessava audazmente a chácara em que ela morava, sem embargo dos espias que o dono da casa ali punha. Ia a todos os teatros e reuniões onde houvesse esperança de a ver, mantinham correspondência, sem embargo de todas as precauções paternais. Madalena mostrou-se firme durante todo esse tempo; e pela sua parte usou de todas as armas que lhe inspirava o coração: os rogos, as lágrimas, a reclusão, a abstinência de alimentos.

Nessa luta, que se prolongou por dois anos quase, venceu o pai de Madalena. A moça casou com o noivo que lhe apresentaram, um sujeito honrado e bom, que naquela ocasião era a mais detestável criatura do mundo. Luís Pinto suportou o golpe como poderia suportá-lo um coração que tantas provas dera de si. Casou mais tarde. O tempo distanciou-os; perderam-se completamente de vista.

Tal era o passado. Não o pode haver mais pejado de recordações, umas tristes, outras deliciosas; e a melhor maneira de apagar as tristes, e dar corpo às deliciosas, era reatar o fio quebrado pelas circunstâncias, continuando, após tanto tempo, o amor interrompido, desposando-a, enfim, agora que nenhum obstáculo podia haver entre os dois.

Luís foi à casa de Madalena no dia seguinte ao do encontro. Achou-a a ensinar a lição ao filho, com o livro sobre os seus joelhos.

— Deixa-me acabar esta página? — perguntou ela.

Luís Pinto fez sinal afirmativo; e a mãe concluiu a lição do filho. Enquanto ela meio inclinada ia acompanhando as linhas do livro, o oficial de marinha observava à luz do dia aquelas feições que tanto amara dez anos antes. Não era a mesma frescura juvenil; mas a beleza, que não diminuíra, tinha agora uma expressão mais grave. Os olhos eram os mesmos, dois grandes olhos negros e cintilantes. Eram os mesmos cabelos castanhos, e bastos, o pescoço de cisne, as mãos de princesa, o talhe esbelto, a graça e a morbideza dos movimentos. A viúva trajava com simplicidade, sem atavios nem arrebiques, o que dava-lhe à beleza um realce austero e certa gravidade adorável. Luís Pinto embebeu-se todo na contemplação do quadro e da figura. Comparava a donzela frívola e jovial de outro tempo à mãe desvelada e séria que ali tinha diante de si, e as duas fisionomias confundiam-se na mesma evocação.

A lição acabara; Madalena dirigiu-se ao capitão-tenente com a familiaridade de pessoas conhecidas, mas ainda assim com o acanhamento natural da situação. A conversa foi curta e salteada. Era natural falarem do passado; contudo, evitavam roçar o pensamento — a frase ao menos — pelos sucessos que romperam o vínculo de seus destinos.

— Acha-me velho, não é? — perguntou o oficial ao ouvir um reparo de Madalena acerca da mudança que o tempo fizera nele.

— Mais velho, não — respondeu ela sorrindo —; menos moço, talvez. Não admira, também eu perdi o frescor dos primeiros anos.

— A comparação é malfeita; eu entro pela tarde da vida; a senhora está em pleno meio-dia. Não vê estes cabelos grisalhos? Verdade é que a vida não me foi de rosas; e os desgostos, mais do que os anos...

— A cor dos cabelos não prova nada — atalhou a moça como se quisesse interromper alguma confissão. — Meu pai, aos vinte e oito anos, tinha os cabelos brancos. Caprichos da natureza. Pretende voltar à Europa?

— Não pretendo; provavelmente não voltarei mais.

— Aquilo é tão bonito como dizem?

— Conforme os olhos com que se vê. Para mim é detestável.

— Admira. Sabe que sempre tive grande desejo de ver a Europa. Para os filhos da América é uma espécie de sonho, uma ambição, que me parece natural.

— E realizável. Alguns dias de mar somente.

— Já agora é preciso educar meu filho — disse Madalena afagando a cabeça do menino.

— Que idade tem ele?

— Seis anos.

— Está muito desenvolvido.

— Muito.

Madalena proferiu esta palavra sorrindo e contemplando amorosamente o rosto do filho. Quando levantou os olhos deu com os de Luís Pinto, que estavam fitos nela, e logo os desceu, algum tanto comovida. O silêncio que se seguiu foi curto. Levantou-se o oficial para despedir-se.

— Não sei se a verei ainda muitas vezes — disse ele.

— Por quê? — perguntou Madalena com interesse.

— O oficial de marinha nada pode afiançar a este respeito. Amanhã mesmo posso embarcar...

— Mas se não embarcar?

— Virei vê-la, se mo permitir.

— Com todo gosto.

Luís Pinto saiu. Madalena ficou algum tempo calada e pensativa, como evocando o passado, que a presença daquele homem lhe fazia despertar. Por fim sacudiu a cabeça, como expelindo de si aquelas memórias tão doces e ao mesmo tempo tão amargas, e beijou com ardor a testa do filho.

Durante uma semana não se avistaram os nossos dois ex-namorados. Ao cabo desse tempo acharam-se ambos em casa do comendador, onde havia reunião. Luís Pinto esperava esse dia para examinar a impressão que teria produzido na viúva aquela ausência um tanto longa para quem tivesse debaixo das cinzas uma faísca do extinto fogo; mas a curiosidade de Madalena era igual à dele e o olhar de ambos foi uma interrogação sem resposta.

Ao oficial pareceu melhor sondar-lhe mais diretamente o coração. Acabada uma valsa, dirigiram-se para uma saleta menos frequentada.

— Quer descansar um pouco?

— Dois minutos apenas.

Sentaram-se no sofá, que ficava perto de uma janela. Luís Pinto quis fechar a janela.

— Não — disse Madalena —, não me faz mal; sento-me aqui deste lado, e gozo ao mesmo tempo a vista da lua, que está deliciosa.

— Deliciosa! — respondeu o oficial maquinalmente.

— Mas o senhor parece que preferia dançar...

— Eu?

— Vejo que gosta de dançar.

— Conforme a ocasião.

— Eu gosto, confesso; meu estado não me permite fazer o que eu fazia outrora. Mas danço alguma coisa. Pareço-lhe ridícula, não é?

Luís Pinto protestou contra semelhante ideia. A viúva continuou a falar da dança, da noite e da reunião. De quando em quando caíam os dois em silêncio mais ou menos prolongado, o que deu ideia a Luís Pinto de fazer a seguinte observação entre risonho e sério:

— Calamo-nos às vezes como se fôramos dois namorados.

— É verdade — respondeu Madalena, sorrindo.

— Quem sabe? — murmurou o oficial a medo.

A viúva sorriu só, mas não respondeu. Levantou-se; o oficial deu-lhe o braço. Passearam algum tempo, mais tempo do que lhes pareceu a eles, porque a conversa interessava-os realmente, até que ela se retirou para casa. Caminhando, Luís Pinto fez a reflexão seguinte:

— Por que hei de estar com meias palavras? Não é melhor decidir tudo, cortar por uma dificuldade que aliás não existe? Ambos somos livres; tivemos um passado... Sim, é necessário dizer-lhe tudo.

A resolução era mais de assentar que de executar. Luís Pinto tentou três vezes falar francamente no assunto, mas em todas as três vezes não passou do introito. Não era comoção, era frouxidão. Talvez o coração não ajudasse a língua como convinha. Pela sua parte, a viúva compreendera a intenção do oficial de marinha, mas não lhe estava bem ir-lhe ao encontro. Auxiliá-la, sim; mas também ela sentia a língua frouxa.

Um dia, porém, depois de um jantar em casa de terceiro, Luís Pinto achou uma porta aberta e meteu-se por ela. Achavam-se um pouco separados da outra gente, posto que na mesma sala. Não há nada como um bom jantar para dar animação a um homem, e fazê-lo expansivo, quaisquer que sejam as circunstâncias ou a irresolução própria. Ora, Luís Pinto jantara largamente, apesar de namorado, donde se pode concluir que amar é uma coisa, e comer é outra, e que não sendo a mesma coisa o coração e o estômago, ambos podem funcionar simultaneamente.

Não ouso dizer o estado de Madalena. De ordinário, as heroínas de romance comem pouco ou não comem nada. Ninguém admite, em mulheres, ternura e arroz de forno. Heloísa, e mais existiu, nunca soube de certo o que era recheio de peru, ou mesmo trouxas de ovos. Por isso, não afirmo se Madalena também havia jantado bem; limito-me a dizer que não havia jantado mal.

Estavam os dois como disse a falar de coisas estranhas ao coração quando Luís Pinto arriscou a pergunta seguinte:

— Nunca pensou em casar outra vez?

Madalena estremeceu um pouco.

— Nunca! — disse ela daí a alguns instantes.

— Nem casará?

Silêncio.

— Não sei. Tudo depende...

Novo silêncio.

— Depende? — repetiu o oficial.

— Depende das circunstâncias.

— Quais serão essas circunstâncias? — perguntou Luís Pinto sorrindo.

Madalena sorriu igualmente.

— Ora! — disse ela. — São as circunstâncias que produzem todos os casamentos.

Luís Pinto calou-se. Minutos depois:

— Lembra-me agora que a senhora podia estar casada.

— Como?

A pergunta pareceu perturbar o moço, que não lhe respondeu logo. A viúva repetiu a pergunta.

— Melhor é não falar do passado — disse ele enfim.

Desta vez foi a viúva que não respondeu. Os dois ficaram calados algum tempo até que ela levantou-se para ir falar à dona da casa. Daqui a vinte minutos acharam-se outra vez ao pé um do outro.

— Não me responde? — perguntou ele.

— A quê?

— Ao que lhe disse há pouco.

— Não me fez nenhuma pergunta.

— É verdade, mas fiz uma observação. Concorda com ela?

A moça calou-se.

— Já sei que não concorda — observou o oficial de marinha.

— Quem lhe disse isso?

— Ah! concorda?

Madalena fez um gesto de impaciência.

— Não declarei nada — respondeu.

— É verdade, mas concluí.

— Concluiu mal. Não tem nada que concluir, porque nada disse; limitei-me a calar.

Luís Pinto ficou um pouco desconsolado.

A moça consolou-o dizendo:

— É sempre mau falar do passado.

— Talvez — murmurou ele.

— Se foi triste, para que recordá-lo? Se foi venturoso, para que amargurar mais a hora presente?

— Sim? mas se for possível reproduzi-lo?

— Reproduzi-lo?

— Sim.

— Como?

— Pergunte a si mesma.
— Já perguntei.
— Ah! — exclamou Luís Pinto.

A viúva compreendeu que ele lhe supunha uma preocupação anterior e entendeu que devia dissuadi-lo disso.

— Perguntei agora mesmo...
— E que responde?
— Respondo...

Vieram convidá-la para cantar. Madalena levantou-se, e Luís Pinto deu a todos os diabos o convite e a música.

Felizmente Madalena cantava como um anjo. Luís Pinto ficou encantado com ouvi-la.

Nessa noite, porém, foi-lhe impossível encontrar-se mais a sós com ela, ou porque as circunstâncias o não permitiam, ou porque ela mesma se esquivasse a encontrar-se com ele.

O oficial desesperou.

Teve, porém, uma grande consolação à saída. A viúva, quando se despediu dele, fitou-o calada durante alguns minutos, e disse em tom significativo:

— Talvez!
— Ah!

Luís Pinto foi para casa satisfeito. Aquele talvez era tudo ou quase tudo.

No dia seguinte foi visitar a viúva. A moça recebeu-o com o mais amorável de seus sorrisos.

— Repete-me a palavra de ontem?
— Qual palavra? — perguntou Madalena.

Luís Pinto franziu o sobrolho e não respondeu. Nessa ocasião entrou na sala o filho da viúva; esta beijou-o com ternura de mãe.

— Quer que repita a palavra?
— Desejava.
— Pois sim.
— Repete?
— Repito.
— Vamos lá! Pode reproduzir-se o passado?
— Talvez.
— Por que não afirma?
— Nada se pode afirmar.
— Está em nossas mãos.
— O quê?
— Sermos felizes.
— Oh! eu sou muito feliz! — disse a viúva beijando o filho.
— Sermos felizes os três.
— Não é feliz?
— Incompletamente.

Daqui a um pedido de casamento só havia um passo; e o conto acabaria aí, se pudesse acabar. Mas o conto não acabou, ou não acabou logo, conforme se verá das poucas linhas que vou ainda escrever.

Luís Pinto não a pediu logo. Havia certeza de que o casamento era o natural desfecho da situação. O oficial de marinha não se achou com ânimo de precipitá-lo. Os dias corriam-lhe agora suaves e felizes; ele ia todos os dias vê-la ou três vezes por semana, pelo menos. Encontravam-se muitas vezes em reuniões e ali conversavam à larga. O singular era que não falavam de si como acontece com os demais namorados. Não falavam também do casamento. Gostavam de falar porque eram ambos amáveis e bons palestradores. Luís Pinto reconheceu isto mesmo, uma noite em que se retirava para casa.

Dois meses haviam corrido depois do último colóquio acima narrado, quando Luís Pinto ouviu ao comendador a pergunta seguinte:

— Então parece que dona Madalena tem fumaças de casar?
— De casar? Não admira; está moça e é bonita.
— Isso é verdade.
— Casar com quem?
— Com o doutor Álvares.
— O doutor Álvares!

Luís Pinto fez aquela exclamação de um modo que o comendador desconfiou alguma coisa a seu respeito.

— Admira-se? — perguntou ele.
— Ignorava o que me está dizendo.

O dr. Álvares, de quem se fala agora no fim, e cuja presença não é necessária no caso, era um médico do norte. Luís Pinto não descobrira, nem a notícia do comendador podia ser tomada ao pé da letra. Não havia projeto de casamento; e aparentemente podia dizer-se que nem namoro havia. Contudo, Luís Pinto procurou observar e nada viu.

— Sabe o que me disseram? — perguntou ele daí a duas semanas a Madalena.
— Que foi?
— Disseram-me que ia casar com o doutor Álvares.

A moça não respondeu. O silêncio era constrangido; Luís Pinto desconfiou que a notícia era verdadeira.

Era verdadeira.

Um mês depois daquela conversa, Madalena anunciou às pessoas de suas relações que ia casar com o dr. Álvares.

Luís Pinto devia, não digo morrer, mas ficar abatido e triste. Nem triste, nem abatido. Não ficou coisa nenhuma. Deixou de assistir ao casamento, por um simples escrúpulo; e teve pena de não ir comer os bolinhos das bodas.

Qual é então a moralidade do conto? A moralidade é que não basta amar muito um dia para amar sempre o mesmo objeto, e que um homem pode fazer sacrifícios por uma fortuna, que mais tarde verá ir-se-lhe das mãos sem mágoas nem ressentimento.

Jornal das Famílias, *junho-agosto de 1876; Lara.*

D. Mônica

I

E, reconhecendo as boas qualidades do dito meu sobrinho Gaspar, declaro que o nomeio meu universal herdeiro, com duas condições essenciais; a primeira (deixada ao seu critério) é que há de relar os cabedais que lhe lego como os relei durante a minha vida; a segunda (cujo cumprimento precederá a execução desta parte do meu testamento) é que há de casar com minha tia d. Mônica, senhora de altas e respeitáveis virtudes...

A leitura das linhas transcritas acima e fielmente copiadas do testamento com que morreu o capitão Matias do Nascimento, no dia 2 de novembro de 1857, produziu no sobrinho Gaspar duas impressões tão profundas quão diferentes. A alma de Gaspar subiu ao sétimo céu e desceu para o último abismo, de um lance fez toda a jornada de Dante, ao invés, subindo ao Paraíso e caindo de lá no derradeiro círculo do Inferno onde o diabo lhe apareceu, não com as três cabeças que o poeta lhe dá, mas com pouco mais de três dentes, que tantos possuía a tia de seu tio.

Não traiu, entretanto, o rosto do rapaz aquela impressão diferente; a situação pedia um ar compungido, e Gaspar estava ao nível da situação. Ouviu a leitura até o fim, levantou-se, e foi desafogar a cólera consigo mesmo. Digo a cólera porque o mancebo de quem se trata contava a morte do capitão Matias como um dos sucessos mais afortunados da vida; esperava por ele imenso tempo, na doce confiança de um legado volumoso. Em vez de simples deixa, caiu-lhe nas mãos a herança toda. O tio fora além do que ele supunha merecer: era um tio digno de um mar de lágrimas. Gaspar não tinha lágrimas, mas tinha um lenço, músculos obedientes, e toda a escala dos sentimentos nos olhos, que eram negros, rasgados e verdadeiramente bonitos. Mediante o lenço, os músculos e os olhos, pôde suprir as lágrimas e compungiu a todos pela dor que aparentemente lhe rasgava as entranhas.

Tudo isto era de efeito salutar se pudesse suprimir d. Mônica. Mas d. Mônica existia, com seus sessenta anos, os seus cabelos apenas grisalhos, as suas flores no chapéu, a sua elegância de 1810. Gaspar conhecia perfeitamente o abismo a cuja beira o lançara o capricho do tio; capricho sagaz e previdente, porque dispunha as coisas para o caso em que o herdeiro recusasse adotar a condição imposta: nesse caso, dizia o testamento, toda a herança caberia à mencionada d. Mônica.

— Deus o tenha consigo! — exclamou Gaspar, sozinho no quarto. — Mas não há negar que tinha tanto juízo como este chapéu de sol. Que quer dizer semelhante condição de amarrar-me à tia Mônica? Realmente, só por zombaria ou coisa análoga; suponho que estava a caçoar de mim...

Este monólogo que aí fica em resumo foi interrompido pela entrada de um amigo de Gaspar, o bacharel Veloso, rapaz de trinta anos, frio, pacato, sem ilusões nem estudos. Veloso era companheiro de infância de Gaspar, seu confidente, e não poucas vezes seu mentor ao pé das Calipsos de arribação.

— Será certo o que me disseram agora? — perguntou Veloso apertando a mão ao companheiro. — Teu tio nomeou-te seu herdeiro universal...

— É certo.

— Mas com a condição de te casares com dona Mônica.

— Tal qual.

— Se recusares, perdes tudo?

— Se recusar, a tia Mônica virá a ser herdeira — respondeu Gaspar passeando no quarto. — Nada menos que um modo de obrigar-me a casar.

Veloso sentara-se sacudindo a cinza do charuto e sorrindo da condição da herança. Houve alguns instantes de silêncio. O primeiro que o rompeu foi o bacharel.

— Não — disse ele, respondendo à última reflexão do amigo —; não é isso. O que ele quer é deixar dona Mônica sua universal herdeira. É claro que, se recusar, recebe tudo. Muito tola será se consentir em casar contigo, fazendo uma ridícula figura. Poupa-se aos comentários do mundo e recebe ainda em cima trezentos contos...

Gaspar estacou no meio da sala. A observação de Veloso pareceu-lhe exatíssima; ao passo que a soma da herança produziu nele violentíssimo abalo.

— Tens razão — disse Gaspar ao cabo de alguns minutos —; há de ser isso. O que ele queria era favorecer a tia Mônica, levando a minha gratidão. Dois reconhecimentos de um golpe: não era mal calculado.

Gaspar arrependeu-se logo deste necrológio, em que entrava muito pouco reconhecimento. Intercalou no discurso um elogio às qualidades morais do tio, discurso interrompido por alguns apartes restritivos do bacharel, os quais apartes não eram refutados com a força que era de esperar da parte do orador. O que se podia concluir do discurso e dos apartes é que o tio Matias não passara nunca de um estimável paspalhão.

— Há alguém que sente mais do que tu a cláusula do testamento — disse Veloso sorrindo —, adivinhas, não?

— Lucinda? É impossível.

— O pai dela.

— Acreditas que o comendador?

— Acredito que entrava muito nos cálculos dele a provável herança de teu tio. Não direi que te recuse agora a filha; ainda que não seria para admirar...

— Pode ser que lhe não fosse indiferente um genro com dinheiro — observou Gaspar —; não creio, porém, que a cláusula do testamento o leve a opor-se aos desejos da filha.

— Não digo que não. Pela tua parte estás resolvido a abrir mão da herança?

— Oh! de certo!

Veloso levantou-se.

— Muito bem! — disse ele.

— Aprovas-me?

— De todo o coração; tanto mais que...

— Que...

— Que esperava outra coisa.

— Ofendes-me.

— Sou apenas prático — respondeu Veloso sorrindo. — Eu creio pouco no desinteresse, sobretudo ao pé de trezentos contos. Vejo que és exceção; tanto melhor para ti... e para ela.

— Obrigado!

Gaspar estendeu a mão a Veloso, que a apertou com efusão. Veio o moleque chamá-los para jantar. O jantar foi melancólico e silencioso; a presença dos criados não exigia outra coisa. Além disso, não é certo que tenham bom sabor as sopas de um deserdado.

II

A noite foi desconsolada e triste. E tão triste como a noite foi a seguinte madrugada, que viu o nosso Gaspar de pé, com os olhos cansados de não dormir.

Não era para menos o malogro da véspera. Gaspar vivia há cerca de seis anos somente para o tio Matias, único parente seu, além de d. Mônica; cercava-o de todas as atenções, as mesmas com que se guarda na carteira um bilhete de loteria. O tio gostava dele e dizia-o e provava-o. Era um velho bom, afável, talvez caprichoso e maníaco, mas em todo caso as boas qualidades superavam as aborrecíveis. Gaspar só lhe via o melhor lado; ao menos não dizia outra coisa. Era o seu parceiro obrigado ao gamão, o seu companheiro nos passeios que ele gostava de dar às vezes de manhã; o mais fiel agente dos seus negócios, e até o leitor obrigado dos debates parlamentares. Matias não tinha partido, não o tivera nunca; mas o seu lugar, qualquer que fosse o partido dominante, era a oposição. Nasceu oposicionista, como outros nascem governistas, pura questão de temperamento. Gaspar, que entendia tanto de política como de sânscrito, mostrava-se, entretanto, interessado e curioso e dava forte apoio às objurgatórias do velho Matias.

— Há hoje muito discurso? — perguntava este.

— Página e meia de jornal.

— Que maçada para ti!

— Maçada? Ora! Além do prazer que lhe dou, tenho eu próprio muito gosto em ver bater este governo sem critério. Já viu nada mais desconsolado?

— Não me fales nisso!

E as colunas da folha caíam dos lábios de Gaspar nos ouvidos de Matias, intercaladas pelas ruidosas pitadas deste ou pelos comentários de um e outro.

Ora, todo esse trabalho de tão longo tempo ficou repentinamente perdido: os juros que ele contava receber do vasto cabedal de atenções, carícias, sorrisos, enfados de toda espécie, esses gulosos juros iam-se-lhe sem deixar o mínimo rastro e o pobre Gaspar voltava aos seus ordenados de modesto empregado público.

O malogro era de afligir o mais pacato. Gaspar faltou à repartição além dos sete dias de nojo, mais uns cinco, quase meio mês ao todo, que lhe foi descontado na folha do pagamento. Além disto, que era já bastante, aconteceu que um ou mais dos colegas souberam do testamento de Matias, da herança de Gaspar e da cláusula que aquele lhe pusera resultando deste conjunto de fatos a convicção geral na repartição de que o casamento de Gaspar e de d. Mônica era coisa certa. Um colega imediatamente inferior a ele chegou a pedir-lhe a sua intervenção para que o ministro lhe desse o lugar no dia em que ele, endinheirado, pedisse demissão.

— Qual demissão, qual casamento! — respondeu desabridamente o pobre herdeiro, resposta que foi repetida de boca em boca entre os colegas e comentada durante três dias.

Uma só coisa podia consolar, consolar é exagerado — fazer esquecer por alguns instantes o esvaecimento da herança; era Lucinda. Lucinda era uma mocinha de dezessete anos, cabelos castanhos, olhos da mesma cor, rosto oval e pé de sílfide. O pé foi o laço em que o sobrinho de Matias caiu. A metáfora pode não ser nova nem bonita, mas é perfeitamente exata. Lucinda sabia que tinha um pé formoso, esguio, leve, como devem ser os pés dos anjos, um pé alado, quando ela valsava e deixava entrevê-lo todo no meio dos giros em que se deixava ir. Sabia disso e gostava de que lhe admirassem o pé; daí resultava que, por mais comprido que fosse o vestido de Lucinda, não havia hipótese de estar ela assentada sem mostrar a pontinha do sapato. *Et tout le monde sait qu'elle a le pied charmant*, podia dizer o poeta. Gaspar fazia como *tout le monde*; via o pé e adorava-o. Acontece que entre tantos admiradores, Lucinda só esperava um, aquele que lhe falava ao coração; esse foi Gaspar. O resto adivinha-se. Amaram-se, disseram-se e pediram-se... um ao outro. O comendador Lima, pai da moça, percebeu as conferências ideais e sentimentais entre o pé da filha e a alma do rapaz, e não lhe pareceu mau casamento.

— É bom moço — pensou ele —, empregado sério e tem cabedais no horizonte; posso dar-lhe a pequena.

Gaspar entendeu pelo rosto amável do comendador que o seu pedido não viria fora de propósito, e planeava o meio de requerer a moça com o consentimento do tio quando este se lembrou de mudar o domicílio passageiro pelo eterno, deixando-lhe o dinheiro e a tia.

A situação mudara; contudo não lhe pareceu que o comendador mudasse muito com ela. Achou-o certamente mais reservado e algo frio; mas a filha estava tão contente que ele sentiu renascer-lhe a abalada confiança.

— Já sei que me deixas — disse a moça com um tom de tristeza.
— Deixar-te?
— Não te casas?

Gaspar levantou secamente os ombros.

— Isso não é resposta — disse a moça.
— Que queres que te diga?
— Que me amas... que não me hás de trair...
— Lucinda!
— Lucinda não é resposta.
— Criança!
— Ainda menos!
— Pois sim; não te hei de trair... Trair por que e por quem? Julgas-me um...

A moça desatou a rir, uma risada que faria morrer a d. Mônica, se a ouvisse e percebesse a coisa, e os dois namorados passaram a falar do seu futuro. O que os namorados dizem de seu futuro não é coisa nova para ninguém; dizem tudo e não dizem coisa nenhuma, eloquência divina, que é melhor experimentar, que julgar, mas julgue-a quem não experimentá-la.

III

D. Mônica soube da cláusula do testamento com viva demonstração de desagrado. A disposição pareceu-lhe zombeteira e cruel a um tempo. Não era melhor, se o sobrinho queria favorecer os seus dois parentes, repartir com eles os trezentos contos? Esta foi a primeira reflexão. A segunda foi de agradecimento, porquanto a recusa da parte de Gaspar vinha constituí-la herdeira de toda a riqueza, e a cláusula testamentária redundava toda em proveito dela. Não sei se isto é interesse e egoísmo, sei que foi a reflexão de d. Mônica. Não foi porém a última; foi apenas a segunda, a que ainda sucedeu terceira e quarta. D. Mônica refletiu que havia no testamento uma lacuna, e era o caso em que, disposto Gaspar a desposá-la, não estivesse ela disposta a aceitar-lhe a mão. A quem pertenceria nesse caso a herança? Parece que ao rapaz, visto que não casaria por motivo independente de sua vontade. Enfim, d. Mônica perguntou a si própria se o casamento, em tal idade, era coisa tão fora de propósito que a obrigasse a recuar. A resposta foi negativa, por duas razões: a primeira é que o sobrinho Matias não disporia em testamento um absurdo, uma coisa que lhe ficasse mal a ela. Sempre o conhecera respeitoso e seu amigo; a segunda é que ela mesma sentia em si alguns restos das graças de outro tempo.

D. Mônica relanceou os olhos para o espelho, compôs as duas tranças do cabelo, presas sobre a nuca, a fim de lhes dar um ar menos sustoso, estudou-se com atenção, e concluiu que, se não era moça, não era de todo rejeitável. Uma ideia desta é mais difícil de nascer que de morrer. Uma vez nascida no espírito de d. Mônica, entranhou-se como uma verruma. Vinte e quatro horas depois era resolução assentada; mas, como a consciência busca muita vez iludir-se a si própria, d. Mônica lançava a resolução à conta da afeição que tinha ao rapaz.

— Que razão tenho eu para retardar a herança que o tio lhe deixou? — dizia ela dentro de si — Aceitando o casamento, evito chicanas e perda de tempo. Demais é sempre digna de respeito a última vontade de um morto.

Gaspar foi ter com a tia-avó, alguns dias depois de voltar à Secretaria. Ia resolvido a dizer-lhe francamente a razão que tinha para não aceitar a condição imposta pelo tio, razão que o leitor sabe ser o amor de Lucinda, além do horror que inspirava a ideia de obedecer naquele ponto ao tio.

D. Mônica vestira-se nesse dia com singular apuro. Tinha um vestido de gorgorão preto; sério na cor, mas risonho na forma, que era um complicado de folhos e babados. Os cabelos dobravam-se em bandós e enquadravam-lhe o rosto, cuja expressão não era severa nem desconsolada. D. Mônica deixava-se estar na poltrona, quando lhe anunciaram o sobrinho. A poltrona era larga, pouco mais larga que a tia do capitão, que tinha as formas amplas e refeitas.

— Bem-vindo seja o senhor Gaspar! — exclamou ela logo que o viu assomar à porta. — Cuidei que nunca mais queria ver a sua única parenta.

— Que ideia! — respondeu o moço. — A senhora sabe que não podia haver tal esquecimento da minha parte.

Disse, e, aproximando-se dela, beijou-lhe respeitosamente a mão. D. Mônica deu-lha com uma graça estudada, mas que lhe não ficou mal de todo.

— Senta-te aqui — disse ela apontando para uma cadeira que lhe ficava ao lado.

Gaspar obedeceu. Apenas sentado, reconheceu que era mais fácil planear que executar. Calou-se durante algum tempo, sem saber por onde começasse; d. Mônica veio em seu auxílio.

— Como vai o inventário do nosso pobre Matias? — perguntou ela.

— Vai andando — respondeu Gaspar escondendo um charuto que casualmente tirara da algibeira.

— Fuma, fuma — disse d. Mônica sorrindo.

Gaspar agradeceu e acendeu um fósforo continuando a resposta.

— O inventário não levará muito tempo; toda a questão será o negócio da herança...

— Da herança! Por quê? — perguntou d. Mônica. — Há algum herdeiro que reclame?...

— Não há nenhum. A senhora sabe que meu tio nomeou-me seu herdeiro universal, com a condição...

— Sim... — interrompeu d. Mônica.

— Peço-lhe que acredite que eu nunca ousaria exigir da senhora um sacrifício...

— Eras capaz de sacrificar a herança? — perguntou d. Mônica olhando para ele admirada.

— Era.

D. Mônica refletiu alguns instantes.

— Compreendo os teus sentimentos, e admiro o teu desinteresse. Espero contudo que me farás a justiça de crer que eu não consentiria nunca em deserdar-te...

Desta vez foi Gaspar que olhou admirado para d. Mônica.

— A vontade do capitão era beneficiar-nos a ambos — continuou d. Mônica. — Pareceu-lhe que o casamento correspondia às suas intenções. Não refletiu, decerto, na disparidade que há entre mim e ti; não se lembrou de que podia expor-nos um e outro aos comentários do mundo.

— Justamente — respondeu Gaspar.

— Mas o capitão morreu e não pode reparar o mal. Pela minha parte, doer-me-ia se contribuísse para que perdesses a herança... Que razão alegaria eu para fazê-lo? A tal ou qual distância entre as nossas idades; não tenho porém nenhum direito a demorar-me nessa consideração.

— Mas...

— Um casamento entre nós será uma formalidade necessária para receber a herança. Não tenho direito de recusar a formalidade como não teria de recusar a minha assinatura se esta fosse precisa.

— Oh! minha tia! — exclamou Gaspar. — O seu coração é bom, mas posso eu abusar...

— Não há abusar...

— Nunca!

— Nunca e sempre... São duas palavras que pedem reflexão — interrompeu d. Mônica levantando a sua pachorra. — Até outro dia! Não sou tão má como poderias supor... Adeus!

— Mas...

D. Mônica estendeu-lhe a mão sorrindo, e sorrindo com tanta arte, que só um dos dentes lhe apareceu. Gaspar beijou-lhe a mão; a boa velha encaminhou-se para uma das portas que davam para o interior. Gaspar ficou pasmado na sala. Dois minutos depois transpunha a porta que dava para o corredor e descia as escadas.

— Esta agora é melhor! — pensava ele. — De maneira que a velha sacrifica-se para me dar gosto?

Vinte minutos depois encontrou Veloso.

— Sabes o que me acontece?

— Não.

— Acho disposição em tia Mônica para casar comigo.

Veloso encostou-se a um portal para não cair. Quando pôde recobrar a fala:

— Impossível! — disse ele.
— Parece impossível, mas é a pura verdade.
— De maneira que tu...
— Vou mandá-la ao diabo.

Tais eram efetivamente as intenções de Gaspar. Durante oito dias não voltou à casa de d. Mônica, não tanto porque as disposições da velha o irritavam, mas porque andava tomado de terror. A cada passo parecia-lhe ver um padre, um altar, a tia e o casamento celebrado sem remissão nem agravo.

IV

Entretanto, Lucinda entrou a desanimar um pouco nas suas esperanças matrimoniais. A situação de Gaspar era pior do que antes; e sobre ser pior não lhe falava ele em coisa que se parecesse com casamento. Quais seriam as suas intenções, e que desilusão lhe preparava o futuro? Um dia abriu-se com ele.

— Oh! Descansa! — respondeu Gaspar. — Serás minha ainda contra a vontade do céu...
— Não blasfemes!
— Falo-te assim, para te mostrar a resolução em que estou. E já que me falaste nisto, dir-te-ei que ainda é tempo de refletir. Bem sei que não amaste em mim os bens da fortuna, que aliás nunca tive. Contudo, é bom que vejas a situação em que me acho. A pouca esperança que podia haver de melhorar de sorte esvaeceu-se; nada tenho, além do meu trabalho. Queres-me assim mesmo?

A moça lançou um olhar de indignação ao rapaz.

— Não me respondes? — perguntou este.
— Com o desprezo, era a única resposta que merecias! — exclamou Lucinda.

Esta indignação da namorada foi um bálsamo suave lançado no coração do moço. Era muito melhor do que um sorriso ou um levantar de ombros, ou qualquer outra coisa menos expressiva.

— Perdoas-me? — disse ele.
— Não!
— Mas não ficas querendo mal?
— Talvez!
— Não digas isso! Reconheço que sou culpado mas a intenção das minhas palavras era a mais pura e inocente!

Lucinda acreditou piamente na pureza da intenção do rapaz e a conversa encaminhou-se para assuntos menos ásperos, em que por enquanto os deixaremos para ir ver em que se ocupa a sra. d. Mônica durante a longa ausência de Gaspar.

D. Mônica contou com extrema atenção e tal ou qual saudade os dias da ausência do sobrinho. Não tardou a zangar-se com tamanho prazo, até que um dia ergueu-se da cama com a resolução de o mandar chamar. Nesse dia a camareira de d. Mônica pôs em atividade todos os seus talentos de ornamentista para reparar os ultrajes dos anos, e repor a boa senhora em condições menos desfavoráveis do que a pusera a natureza. Duas horas a gastaram ambas no toucador; pouco menos levou ela a espartilhar-se e a vestir-se. Ao cabo de todo esse tempo dispôs o ânimo para receber o esquivo sobrinho a quem escrevera logo de manhã.

Todo esse trabalho, porém, foi inútil porque o mencionado sobrinho não apareceu, e d. Mônica teve de contentar-se com as despesas da toalete.

A esquivança do sobrinho pareceu-lhe de algum modo ofensiva, duplamente ofensiva, porque o era à sua pessoa como tia e como mulher. Como mulher é que ela sentiu mais. Ao mesmo tempo refletiu no caso, e hesitou em crer que o rapaz, sem forte motivo, se dispusesse a perder nada menos que uma gorda aposentadoria.

— Alguma coisa há de haver por força — dizia ela mordendo o lábio com despeito.

E a ideia de um namoro foi a primeira que lhe acudiu ao espírito como a mais natural de todas as explicações.

— É isso, algum namorico, sabe Deus com que lambisgoia! Sacrifica-se por ela, sem saber o que lhe resultará de semelhante passo. Pois que se avenham...

A reticência que aí fica não é minha, foi uma reticência nervosa que acometeu a pobre senhora, em forma de tosse, interrompendo o monólogo, a que deu fim a mucama trazendo-lhe a bandejinha de chá. D. Mônica tomou dois ou três goles dele e deitou-se daí a alguns minutos. O sono não veio prontamente, mas veio, enfim, cheio de sonhos cor-de-rosa em que d. Mônica viu realizados todos os seus desejos.

No dia seguinte os bons-dias que recebeu foi uma carta de Gaspar. Dizia-lhe ele, respeitosamente, que era obrigado a renunciar à honra imposta por seu tio e à herança que lhe advinha dela, visto ter uma afeição anterior ao testamento do capitão Matias, afeição séria e decisiva. Consultaria, entretanto, um advogado para liquidar o ponto e saber se a tia podia ser defraudada de alguma parte da herança, coisa que ele evitaria por todos os meios possíveis. A carta era singela, nobre e desinteressada; por isso mesmo o desespero de d. Mônica foi aos últimos limites.

Gaspar não remeteu aquela carta sem consultar o seu amigo Veloso, que o ouviu ler e aprovou com restrições. A carta seguiu seu destino, e Gaspar interrogou o bacharel sobre o que achava ele que dizer ao desengano contido na epístola.

— Acho que o desengano é franco demais. Não é bem isto que eu quero dizer. Acho que não deixas nenhum caminho para voltar atrás.

— Voltar atrás? — perguntou Gaspar admirado.

— Sim.

— Mas por quê?

— Porque não se despedem tão levianamente trezentos contos. Amanhã podes pensar de modo inteiramente diverso do que pensas hoje...

— Nunca!

— Nada de afirmações temerárias.

Gaspar levantou os ombros e fez um gesto de tédio, a que Veloso respondeu sorrindo. Gaspar lembrou-lhe que, logo que fora aberto o testamento e conhecidas as disposições de seu tio, Veloso lhe aprovara a resolução de não aceitar o casamento imposto.

— É verdade — retorquiu este —; mas, se é bonito o ato, não impede que absolutamente o devas praticar, nem que seja prova de juízo seguro.

— Nesse caso, parece-te...

— Que não cedes a considerações de dinheiro, o que é prova de honestidade; mas que não há remédio se não ceder alguma vez a elas, o que é prova de reflexão. A mocidade passa e as apólices ficam.

Gaspar engoliu um discurso que lhe veio à ponta da língua, discurso de indignação, todo inspirado por seus brios ofendidos; limitou-se a dizer que no dia seguinte ia pedir a mão de Lucinda e que se casaria no mais breve prazo. Veloso deu-lhe os parabéns, e Gaspar foi dali redigir a carta de pedido ao comendador.

A carta de Gaspar não chegou à notícia do narrador do caso; mas há motivos para crer que era obra acabada com simplicidade de expressão e nobreza de pensamento. A carta foi enviada no dia seguinte; Gaspar aguardou a resposta com a ansiedade que o leitor pode imaginar.

A resposta não veio imediatamente como ele cuidava que seria. Esta demora fê-lo curtir dores cruéis. Escreveu um bilhete à namorada que lhe respondeu com três ou quatro monossílabos tétricos e misteriosos. Gaspar assustado correu à casa do comendador, e achou-a triste, abatida e reservada. Quis indagar o que havia, mas não teve ocasião.

A razão da tristeza de Lucinda foi a repreensão que o comendador lhe passou, ao ler o pedido do rapaz.

— Autorizaste semelhante carta? — perguntou o comendador fuzilando-lhe os olhos de cólera.

— Papai...

— Responde!

— Eu...

— Eu quê?

— Não sei...

— Sei eu — troou o comendador Lima indignado —; sei que não tiveste força bastante para desanimar o pretendente. Casar! Não é demais senão casar! Com que havia ele de sustentar casa? Provavelmente com o que esperava receber de mim? De maneira que eu ajuntei para que um peralvilho, que não tem onde cair morto, venha desfrutar o que me custou a haver?

Lucinda sentiu duas lágrimas borbulharem-lhe nos olhos e fez menção de retirar-se. O pai reteve-a para lhe dizer em termos menos desabridos que ele não desaprovava nenhuma afeição que ela tivesse, mas que a vida não se compunha só de afeições, senão de interesses também e necessidades de toda a espécie.

— Esse tal Gaspar não é mau rapaz — concluiu o comendador —, mas não tem posição digna de ti, nem futuro. Por ora tudo são flores; as flores passam depressa; e quando tu quiseres um vestido novo ou uma joia, não hás de mandar à modista ou ao joalheiro um pedaço do coração de teu marido. São verdades que deves ter gravadas no espírito, em vez de te guiares somente por fantasias e sonhos. Ouviste?

Lucinda não respondeu.

— Ouviste? — repetiu o comendador.

— Ouvi.

— Não basta ouvir, é necessário digerir — disse sentenciosamente o pai.

E com este aforismo concluiu o diálogo — direi antes o monólogo, deixando na alma de Lucinda poucas esperanças de casamento, ao menos imediato como ela supunha e desejava que fosse. Tal é a explicação da tristeza e reserva com que recebeu o rapaz naquela noite. Facilmente se crê que Gaspar não saísse dali com a cara alegre. Nem acharei entre os leitores nenhum tão incrédulo que duvide de que o pobre namorado ficou tão fora de si, que não atinou com a maneira de abrir a porta, e afinal quebrou a chave, pelo que achou-se no meio da rua, à uma hora da noite, sem ter onde ir dormir.

Sem casa nem esperanças, é suplício excessivo. Gaspar teve ideia de ir ter com Veloso e passar a noite com ele, derramando no seio do amigo todas as suas queixas, e tristezas. Só ao cabo de cinco minutos é que se lembrou de que o bacharel morava no Pedregulho. Consultou a algibeira cuja resposta foi a mais desanimadora possível.

Nestas circunstâncias ocorreu-lhe a melhor solução que podia ter naquela crise: ir pedir pousada a d. Mônica. Ela morava na rua dos Inválidos e ele achava-se na rua do Conde. Embicou para lá, tão cheio de suas mágoas, que nem lhe lembravam as que podia ter causado à tia.

Ali chegando, foi-lhe facilmente aberta a porta. Um escravo dormia no corredor, e não teve dúvida em franquear-lhe a entrada desde que reconheceu a voz de Gaspar. Este contou ao escravo o que lhe acontecera.

— À vista disto — concluiu ele —, arranja-me aí um lugar com que passe a noite, mas sem acordar titia.

D. Mônica tinha dois quartos trastejados para hóspedes; Gaspar foi acomodado em um deles.

V

A dona da casa ficou estupefata no dia seguinte quando lhe deram conta do ocorrido. Em quaisquer outras circunstâncias, o caso lhe pareceria natural. Naquelas afigurou-se-lhe extraordinário. Ao mesmo tempo ficou singularmente satisfeita.

— Não o deixes sair sem almoçar — disse ela ao escravo.

A ordem foi cumprida; e Gaspar viu-se obrigado a faltar à repartição porque d. Mônica que almoçava cedo, determinou que naquele dia se alterasse o costume. Não me atrevo a dizer que o fim da boa senhora fosse aquilo mesmo, mas tinha ares disso. Verdade seja que a demora podia explicar-se pela necessidade que ela tinha de vestir-se e toucar-se convenientemente.

— Oh! não preciso de explicações — disse ela quando à mesa do almoço Gaspar quis explicar-lhe a razão do incômodo que viera dar-lhe. — Vieste, é quanto basta; sempre que vieres tens aqui casa e corações amigos.

Gaspar agradeceu e almoçou. Almoçou triste e preocupado. Não reparou nas atenções da tia, no tom carinhoso com que ela lhe falava, na ternura que havia nos seus olhos; não reparou em nada. D. Mônica, pelo contrário, reparou em tudo; viu que o sobrinho não estava senhor de si.

— Hás de me contar o que tens — disse ela quando ficaram sós os dois.

— Não tenho nada.

— Não me iludas!

— Nada tenho... passei a noite mal.

D. Mônica não acreditou, mas não insistiu. O sobrinho, entretanto, sentia necessidade de desabafar com alguém; e não tardou em expor tudo à velha parenta, que o ouviu com religiosa atenção.

— Não me admira nada disso — observou ela quando ele acabou a narração —; é naturalíssimo.

— Alguma traição?

— Podia ser; mas não é necessário suspeitar traição para explicar a mudança dessa moça.

— Parece-lhe...

— Parece-me que ela amava um herdeiro, e que...

— Oh! impossível!

— Por que impossível?

— Se eu lhe digo que a achei triste e abatida! O pai, sim, é possível que o pai se oponha...

— Também creio.

— Mas a vontade do pai...

— A vontade do pai há de vencer a da filha; seus conselhos a persuadirão... — disse d. Mônica sorrindo. — Que admira? É o que acontece com moças que sonham no casamento um perpétuo baile.

Gaspar ouviu cabisbaixo e triste o que lhe dizia a velha parenta. Seu coração batia com força, à medida que o espírito ia admitindo a plausibilidade da opinião de d. Mônica. Ao mesmo tempo surgiam-lhe na memória as provas de afeto que Lucinda sempre lhe dera, o desinteresse manifestado mais de uma vez, e, enfim, a indignação com que ainda recentemente lhe respondera a uma insinuação acerca da herança.

D. Mônica, pela sua parte, mostrava os inconvenientes em certa ordem de casamentos comparados com outros, menos românticos mas muito mais sólidos. Gaspar não ouviu, ou ouviu mal, a preleção da tia. Tinha perdido a repartição: saiu para ir rondar à porta da namorada.

Na primeira ocasião em que pôde falar a sós com ele (foi daí a dois dias), Lucinda referiu-lhe o discurso e os conselhos do pai, e pediu-lhe que tivesse paciência e esperasse. Gaspar jurou por todos os santos do céu que esperaria até a consumação dos séculos. A moça podia responder que provavelmente nessa época não estaria em idade de casar, não lhe acudiu porém a resposta e continuou a lastimar-se com ele do despotismo dos pais e das exigências sociais.

Gaspar saiu dali disposto "a fazer uma estralada". Vagou longo tempo nas ruas sem assentar em coisa alguma, até que foi acabar a noite no primeiro teatro que achou aberto. Na peça que se representava havia um namorado em condições iguais às dele que acabava matando-se. Gaspar achou que a solução era violenta demais.

— Oh! eu morrerei por mim mesmo! — exclamou ele saindo do espetáculo.

Talvez julgasse que entre a vida e a morte havia lugar para um bife de grelha, porque o foi comer em um hotel próximo. A ceia diminuiu-lhe o horror da situação; Gaspar dormiu tranquilo a noite inteira.

No dia seguinte acordou tarde; e faltou à repartição, como usava fazer algumas vezes, e seu espírito, mais que nunca, era avesso ao expediente. Lembrou-se de ir dar um passeio a Niterói para distrair-se. Embarcou e recolheu-se todo em si, olhando para o mar e o céu. Pouca gente havia perto; ainda assim, e por mais absorto que ele estivesse, não pôde obstar que lhe chegasse aos ouvidos o seguinte pedaço de conversa entre dois sujeitos desconhecidos.

— É o que lhe digo, não caio nessa.

— Mas por quê?

— Porque não tenho certeza de ganhar um conto de réis e arrisco-me a perder dez ou doze.

— Não creio...

— É arriscadíssimo!

— Você é um medroso.

— Medroso, não; prudente. Prudente como quem lhe custou a arranjar um peculiozinho.

— Peculiozinho? Maganão! confesse que você tem aí os seus cem contecos...

— Por aí, por aí...

Gaspar suspirou e olhou para o passageiro que dizia possuir cem contos. Era um homem de cerca de quarenta anos, vestido com asseio, mas sem apuro nem elegância. A barca chegava a São Domingos; o interlocutor do homem desembarcou, enquanto o outro ficou para ir a Niterói. Logo que a barca tomou este caminho, Gaspar aproximou-se do desconhecido:

— Não me dirá — disse ele — como é que vossa senhoria arranjou cem contos de réis?

O desconhecido olhou espantado para a pessoa que lhe fazia esta pergunta e ia responder-lhe descortesmente, quando Gaspar continuou nos termos seguintes:

— Espanta-se naturalmente do que lhe digo, e tem razão; mas a explicação é simples. Vossa senhoria vê em mim um candidato a cem contos de réis; ou a mais...

— Mais é melhor — tomou o desconhecido sorrindo.

— Bastam-me cem.

— Pois o segredo é simples.

— Qual é?

— Ganhá-los.

— Oh! isso!

— É difícil, bem sei; leva anos.

— Quantos anos levou o senhor?

— É muito curioso!

— Oh! se eu lhe contar a minha situação, compreenderia a singularidade da minha conversa.

O desconhecido nenhuma necessidade sentiu de saber a vida de Gaspar, e dirigiu a conversa para as vantagens que podem dar os bens da fortuna. Foi o mesmo que lançar lenha no fogo. Gaspar sentiu arder em si, cada vez mais, a ambição de possuir.

— Se eu lhe disser que posso ter trezentos contos de réis amanhã?

Os olhos do desconhecido faiscaram.

— Amanhã?

— Amanhã.

— Como?

— De um modo simples; casando.

Gaspar não recuou em suas confidências; referiu tudo ao desconhecido que o ouvia com religiosa atenção.

— E que faz o senhor que não casa?

— Porque amo a outra pessoa; uma criatura angélica...

O desconhecido olhou para Gaspar com tanta compaixão que este sentiu-se envergonhado — envergonhado, sem saber de quê.

— Bem sei — disse ele —, que não há prudência nisto; mas o coração... O que eu queria era saber como se pudesse obter cem contos, para depois...

— Casar com a outra?

— Tal qual.

— Não sei. A barca está a chegar e nós vamos separar-nos. Deixe-me dar-lhe um conselho: case com sua tia.

— Uma velha!

— Trezentos contos.

— Amando a outra!

— Trezentos contos.

A barca chegou; o desconhecido despediu-se.

Gaspar ficou só, a refletir no infinito número de homens interesseiros que há no mundo. A barca voltou daí a pouco à cidade. Gaspar viu entrar entre os passageiros um homem ainda moço pelo braço de uma senhora idosa, que ele supôs ser sua mãe, mas que soube ser sua mulher quando o rapaz a apresentou a um amigo. Vestiam com luxo. O marido, tendo de tirar um cartão de visita da algibeira, mostrou uma carteira recheada de dinheiro.

Gaspar suspirou.

Chegando à cidade foi à casa da tia; d. Mônica achou-o ainda muito triste, e lhe disse.

— Vejo que amas loucamente essa moça. Queres casar com ela?

— Titia...

— Farei o mais que posso; tentarei vencer o pai.

Gaspar ficou estupefato.

— Oh! — disse ele consigo. — Eu sou indigno desta generosidade.

VI

O almoço no dia seguinte foi mais triste que de costume. Gaspar abriu os jornais para passar os olhos por eles; a primeira coisa que leu foi a sua demissão. Vociferou contra a prepotência do ministro, a cruel severidade dos usos burocráticos, a exigência descomunal do comparecimento na Secretaria.

— É indigno! — exclamava ele. — É infame!

Veloso, que entrou daí a pouco, não achou tão censurável o ato do ministro; teve até a franqueza de lhe declarar que não havia outra solução, e que o primeiro que o demitira fora ele mesmo.

Passada a primeira explosão, examinou Gaspar a situação em que o deixava o ato ministerial, e compreendeu (o que não era difícil) que o casamento com Lucinda era cada vez mais problemático. Veloso foi da mesma opinião, e concluiu que um único meio lhe restava: era casar com d. Mônica.

Gaspar foi nesse mesmo dia à casa de Lucinda. O desejo de a ver era forte; muito mais forte era a curiosidade de conhecer de que maneira recebera ela a notícia da sua demissão. Achou-a um pouco triste, mas ainda mais fria que triste. Três vezes procurou estar a sós com ela, ou pelo menos falar-lhe sem que pudessem ouvi-los. A moça parecia esquivar-se aos desejos do rapaz.

— Será possível que ela despreze agora o meu amor? — perguntava ele a si mesmo ao sair da casa da namorada.

Esta ideia irritou-o profundamente. Não sabendo que pensar daquilo, resolveu escrever-lhe, e nessa mesma noite redigiu uma carta em que expunha lealmente todas as dúvidas do seu coração.

Lucinda recebeu a carta no dia seguinte às dez horas da manhã; leu-a, releu-a, e pensou muito antes de responder. Ia lançar as primeiras linhas da resposta, quando seu pai entrou na saleta onde ela se achava.

Lucinda escondeu à pressa o papel.

— Que é isso?

— Vamos lá; uma filha não pode ter segredos para seu pai. Aposto que é alguma carta de Gaspar? Pretendente demitido é realmente...

Lucinda dera-lhe a carta, que o pai abriu e leu.

— Tolices! — disse ele. — Dás-me licença?

Dizendo isto, rasgou a carta e aproximou-se da filha.

— Verás mais tarde, que eu sou mais teu amigo do que pareço.

— Perdão, papai — disse a moça —; eu ia responder que não pensasse mais em mim.

— Ah!

— Não foi o seu conselho?

O pai refletiu algum tempo.

— A resposta era decerto boa — observou ele —; mas a melhor resposta é nenhuma. Ele desenganando por si mesmo, não insiste mais...

Tal é a explicação da falta de resposta à carta de Gaspar. O pobre namorado esperou dois dias, até que desenganado foi à casa do comendador. A família tinha ido passar alguns dias fora da cidade.

— A sorte persegue-me! — exclamou furioso o sobrinho do finado capitão. — Um de nós há de vencer!

Para matar a tristeza e ajudar o duelo com o destino, procurou fumar um charuto; meteu a mão na algibeira e não achou nenhum. A carteira apresentava a mesma solidão. Gaspar deixou cair os braços com desânimo.

Nunca mais negra e viva se lhe apresentara ante os olhos a sua situação. Sem emprego, sem dinheiro, sem namorada e sem esperanças, tudo era perdido para ele. O pior é que sentia-se incapaz de domar o destino, apesar do desafio que lhe arremessara pouco antes. Pela primeira vez a ideia dos trezentos contos do tio lhe reluziu ao longo como uma plausibilidade. A visão era deliciosa, mas o único ponto negro apareceu logo dentro de um carro que parou a poucos passos dele. Dentro do carro ia d. Mônica; ele viu-a inclinar-se pela portinhola e chamá-lo.

Acudiu como bom sobrinho que era.

— Que fazes aí?

— Ia para casa.

— Anda jantar comigo.

Gaspar não podia trocar uma realidade por uma hipótese, e aceitou o conselho da tia.

Entrou no carro. O carro partiu.

Seria ilusão ou realidade? D. Mônica pareceu-lhe nessa ocasião menos velha do que antes a achava. Ou fosse da toalete, ou de seus olhos, a verdade é que Gaspar viu-se obrigado a reformar um pouco o juízo anterior. Não a achou moça; mas a velhice pareceu-lhe mais fresca, a conversa mais agradável, o sorriso mais meigo e o olhar menos apagado.

Estas boas impressões foram bom tempero ao jantar, que aliás era excelente. D. Mônica mostrava-se, como sempre, carinhosa e boa; Gaspar demorou-se ali até perto das dez horas da noite.

Voltando a casa, refletiu que, se porventura pudesse casar com outra pessoa que não fosse Lucinda, casaria com d. Mônica, sem nenhum pesar nem arrependimento.

— Não é moça — pensou ele —, mas é boa e são trezentos contos.

Trezentos contos! Este algarismo perturbou o sono do rapaz. Primeiramente custou-lhe a dormir; ele via trezentos contos em cima do travesseiro, no teto, nos portais; via-os transformados em lençóis, em cortinados, em cachimbo turco. Quando conseguiu dormir, não conseguiu livrar-se dos trezentos contos. Sonhou com eles a noite inteira; sonhou que os comia, que os cavalgava, que os dançava, que os aspirava, que os gozava, em suma, por todos os modos possíveis e impossíveis.

Acordou e reconheceu que tudo fora sonho.

Suspirou.

— E tudo isto sacrifico eu por causa dela! — exclamou ele. — Merecê-lo-á? Merecerá que eu padeça tantas privações, que abra mão de um bom casamento para ser desprezado deste modo?

Não lhe respondendo ninguém a esta pergunta, fê-lo ele próprio, e a resposta foi que a moça não merecia tamanho sacrifício.

— Contudo, sacrificar-me-ei! — concluiu ele.

Neste ponto das reflexões recebeu uma carta da tia:

> Gaspar.
> Creio que arranjo empenho para que se te dê algum lugar muito breve, em outra secretaria.

Gaspar estremeceu de prazer.

— Boa tia! — disse ele. — Ah! como lhe tenho pago com ingratidões!

A necessidade de agradecer e a conveniência de não aumentar a conta no hotel foram as duas razões que levaram o ex-empregado a ir almoçar com a tia. D. Mônica recebeu-o com o carinho do costume, disse-lhe o que pretendia fazer para empregá-lo de novo e deixou-o nadando em reconhecimento.

— Ah! minha tia! Quanto lhe devo!

— Nada me deves — respondeu d. Mônica —, só me deves amizade.

— Oh! a maior! a mais profunda! a mais santa!

D. Mônica louvou os sentimentos do sobrinho e prometeu fazer por ele tudo o que fosse possível fazer por... por um neto, é o que ela devia dizer: mas ficou na vaga expressão — por uma pessoa cara.

A situação entrou a parecer melhor ao herdeiro do capitão. Não só via possibilidade de um novo emprego, mas até seria este logo depois da demissão, o que de algum modo lhe reparava o mal feito aos seus créditos de funcionário laborioso e pontual. Além disso d. Mônica fê-lo prometer que não iria comer a outra parte.

— Terás sempre um talher à minha mesa — disse ela.

Gaspar escreveu ainda duas cartas a Lucinda; mas ou elas lhe não chegaram às mãos, ou a moça definitivamente não queria responder. O namorado aceitou a princípio a primeira hipótese; Veloso fê-lo acreditar na segunda.

— Tens razão, talvez...
— Sem dúvida.
— Mas custa-me a crer...
— Oh! é a coisa mais natural do mundo!

A ideia de que Lucinda o tivesse esquecido desde que lhe faltara o emprego era difícil de que a admitisse; mas afinal enraizou-se-lhe a suspeita.

— Se tais fossem os sentimentos dela! — exclamava ele consigo.

A presença da tia fê-lo esquecer tão tristes ideias; eram horas de jantar. Gaspar sentou-se à mesa desembaraçado das preocupações amorosas. Preocupações de melhor catadura vieram sentar-se-lhe no espírito: os eternos trezentos contos recomeçaram a sua odisseia na imaginação dele. Gaspar construiu ali mesmo uma casa elegante, mobiliou-a com luxo, comprou um carro, dois carros, contratou um feitor para lhe cuidar da chácara, deu dois bailes, foi à Europa. Chegaram estes sonhos até a sobremesa. Acabado o jantar, viu ele que tinha apenas a demissão e uma promessa.

— Na verdade, sou um pedaço de asno! — exclamou ele. — Pois tenho a fortuna nas mãos e hesito?

D. Mônica levantara-se da mesa; Gaspar foi ter com ela.

— Sabe de uma coisa em que estou pensando? — perguntou.
— Em matares-te.
— Em viver.
— Pois vive.
— Mas viver feliz.
— Já sei como.
— Talvez não saiba dos meus desejos. Eu, titia...

Ia ser mais franco. Mas depois de encarar o abismo, quase a cair nele, recuou. Era mais difícil do que lhe parecia, aquilo de receber trezentos contos. A tia, porém, compreendeu que o sobrinho voltava a adorar o que havia queimado. Não tinham outro fim todos os seus desvelos.

Gaspar adiou a declaração mais explícita e sem que com isto perdesse a tia, porque os vínculos se foram apertando a mais e mais, e os trezentos contos de todo se sentaram na alma do moço. Estes aliados de d. Mônica derrotaram completamente o adversário. Nem tardou que ele comunicasse a ideia a Veloso.

— Tinhas razão — disse ele —; devo casar com minha tia e estou disposto a fazê-lo.
— Ainda bem!
— Devo satisfazer o desejo de um morto, sempre respeitável e enfim corresponder aos desvelos com que ela me trata.
— Perfeitamente. Já lhe falaste?
— Não; falarei amanhã.

— Ânimo.

Na noite desse dia recebeu Gaspar uma carta de Lucinda, em que ela lhe dizia que o pai, vendo-a triste e abatida, e sabendo que era por amor dele, cedera da sua oposição e consentia em que eles fossem unidos.

— Que cara é essa tão espantada? — perguntou Veloso, que estava presente.
— A coisa é para espantar. O comendador cedeu...
— O pai de Lucinda?
— É verdade!
— Essa agora!
— Lê.

Veloso leu a carta de Lucinda.

— Na verdade, o lance era inesperado. Pobre moça! Vê-se que escreve com a alma banhada em alegria!
— Parece que sim. Que devo fazer?
— Oh! neste caso, a situação é diferente do que era há pouco; os obstáculos da parte oposta caíram por si mesmos.
— Mas será de boa vontade que o comendador cede?
— Isso importa pouco.
— Receio que seja um laço.
— Laço? Ora essa! — exclamou Veloso sorrindo. — O mais que podia ser era negar o dote à filha. Mas sempre tens esperança da parte que lhe tocar por morte do pai. Quantos filhos tem ele?
— Cinco.
— Uns cinquenta contos a cada um.
— Então, parece-te que devo...
— Sem dúvida.

Veloso saiu; Gaspar ficou meditando na situação. Poupo à leitora a exposição das longas e complicadas reflexões que ele fez, bastando dizer que no dia seguinte ainda a questão estava neste pé:

— Devo eu desobedecer a voz de um morto? Trair a esperança de uma senhora que me estima, que me estremece?

Vinte e quatro horas depois estava enfim resolvida a questão. Gaspar declarou a d. Mônica que estava disposto a casar com ela, se consentisse em dar-lhe esse prazer. A boa senhora não tinha outro desejo; contudo, foi fiel à máxima do sexo; fez-se um tanto rogada.

— Resolvi! — disse Gaspar a Veloso logo que o encontrou depois disso.
— Ah!
— Caso-me.
— Com a Lucinda?
— Com minha tia.

Veloso recuou dois passos e esteve calado alguns instantes.

— Admiras-te?
— Admiro-te. Afinal os trezentos contos...
— Ah! não! Obedeço à vontade de meu tio, e não posso corresponder com ingratidão aos desvelos de uma senhora que me estima. Será isto poesia, talvez; talvez me acusarás de romanesco; mas eu penso que sou simplesmente honrado e leal.

Veloso foi convidado para servir de padrinho do casamento. Aceitou o encargo; é amigo da família; e consta que deve a Gaspar uns três ou quatro contos de empréstimo. Lucinda chorou durante dois dias, ficou raivosa outros dois; no quinto encetou um namoro, que acabou pelo casamento daí a quatro meses. Não era melhor que todos eles começassem por aí? Poupavam a si próprios alguns desgostos, e a mim o trabalho de lhes contar o caso.

Jornal das Famílias, *agosto-outubro de 1876; Lara*.

O astrólogo

Nunca houve talvez nesta boa cidade quem melhor empunhasse a vara de almotacé que o ativo e sagaz Custódio Marques, morador defronte da sacristia da Sé durante o curto vice-reinado do conde de Azambuja. Era homem de seus quarenta e cinco anos, cheio de corpo e de alma — a julgar pela atenção e fervor com que desempenhava o cargo, imposto pela vereança da terra e pelas leis do Estado. Os mercadores não tinham mais figadal inimigo do que esse olho da autoridade pública. As ruas não conheciam maior vigilante. Assim como uns nascem pastores e outros príncipes, Custódio Marques nascera almotacé; era a sua vocação e apostolado.

Infelizmente, como todo o excesso é vicioso, Custódio Marques, ou por natureza, ou por hábito, transpôs a fronteira de suas atribuições, e passou do exame das medidas ao das vidas alheias, e tanto curava de pesos como de costumes. Dentro de poucos meses, tornou-se o maior indagador e sabedor do que se passava nas casas particulares com tanta exação e individuação, que, uma sua comadre, assídua devota do Rosário, apesar da fama longamente adquirida, teve de lhe ceder a primazia.

— Mas, senhor compadre — dizia ela trespassando no alvo seio volumoso o seu lenço de algodão do tear de José Luís, à rua da Vala —; não, senhor compadre, justiça, justiça. Eu tinha presunção de me não escapar nada ou pouca coisa; mas confesso que você é muito mais fino do que eu.

— E ainda não sei tudo o que queria, comadre Engrácia — replicou ele com modéstia —; há, por exemplo, uma coisa que me quebra a cabeça há quinze dias. Pois olhe que não tenho perdido tempo!

— O que é, compadre? — disse ela piscando-lhe os olhos de curiosidade e impaciência. — Não é certamente o namoro do sargento-mor Fagundes com a irmã daquele mercador da rua da Quitanda...

— Isso é coisa velha e revelha — respondeu Custódio levantando os ombros com desdém. — Se até o irmão da sujeita já deu pela coisa, e mandou dizer ao Fagundes que fosse cuidar dos filhos, se não queria apanhar uma sova de pau. Afinal, são lérias do mercador. Quem não sabe que a irmã vivia, ainda há pouco tempo... Cala-te, boca!

— Diga, compadre!

— Nada, não digo. É quase meio-dia, e o feijão lá está à minha espera.

A razão dada pelo almotacé tinha só de verdadeira a coincidência cronológica. Era exato estar próxima a hora do jantar. Mas o verdadeiro motivo de interromper a conversa, que se passava à porta da casa da sra. Engrácia, foi ter visto o nosso almotacé, ao longe, a esbelta figura do juiz de fora. Custódio Marques despediu-se da comadre e seguiu no encalço do juiz. Logo que se achou a umas oito braças dele, afrouxou o passo e assumiu o ar distraído que até então ninguém pudera imitar. Olhava para o chão, para o interior das lojas, para trás, para todos os lados, menos para a pessoa que era objeto da espionagem e contudo não a perdia de vista, não lhe escapava um único movimento.

O juiz, entretanto, dirigia-se pela rua da Mãe dos Homens abaixo até a rua Direita, que era onde morava. Custódio Marques viu-o entrar em casa e retrocedeu para a rua.

— Diabo! — dizia ele consigo. — Naturalmente, vinha de lá... se é que lá vai de dia... Mas onde?... Ficará para outra vez.

O almotacé seguiu a passo rápido para casa, não sem parar alguns minutos nas esquinas, a varrer a rua transversal com o seu par de olhos de lince. Ali chegando, achou efetivamente o jantar na mesa, um jantar corretamente nacional, puro dos deliciosos galicismos que nos trouxe a civilização.

Vieram para a mesa d. Esperança, filha do almotacé, e d. Joana da Purificação, sua irmã, a quem, por morte da mulher de Custódio Marques, coube a honra de reger a casa. Esperança possuía os mais belos olhos negros da cidade. Haveria cabelos mais lindos, boca mais graciosa, tez mais pura. Olhos, não; nesse particular, podia Esperança medir-se com os mais afamados da colônia. Eram pretos, grandes, rasgados; sobretudo tinham um certo jeito de despedir as setas, capaz de deitar abaixo o mais destro guerreiro. A tia, que a amava em extremo, trazia-a muito abençoada e coberta de mimos; servia-lhe de mãe, camareira e mestra; levava-a às igrejas e procissões, a todas as festas, quando porventura o irmão, por motivo do cargo oficial ou do cargo oficioso, não as podia acompanhar.

Esperança beijou a mão ao pai, que a contemplou com olhos cheios de ternura e projetos. Eram estes casá-la, e casá-la nada menos que com um sobrinho do juiz de fora, homem da nobreza da terra, e noivo muito ambicionado de solteiras e viúvas. O almotacé não alcançara até então enredar o moço nas graças da filha; mas forcejava por isso. Uma coisa o tranquilizava: é que de suas pesquisas não colhera notícia de nenhuma pretensão amorosa da parte do rapaz. Era já muito não ter adversários que combater.

Esperança, entretanto, fazia cálculos muito diferentes, e tratava igualmente de os pôr em execução. Seu coração, ao passo que se não rendia à nobreza do sobrinho do juiz, sentia notável inclinação para o filho do boticário José Mendes — o jovem Gervásio Mendes, com quem se carteava e palestrava à noite, à janela, quando o pai andava em suas indagações por fora, e a tia jogava a bisca com o sacristão da Sé. Esse namoro de uns quatro meses não tinha ares de ceder aos planos de Custódio Marques.

Abençoada a filha, e comido o jantar, foi Custódio Marques cochilar a sesta durante meia hora. A tarde gastou-a ao gamão, na botica vizinha, cujo dono, mais insigne naquele jogo que no preparo das drogas, estatelava igualmente os parceiros e os fregueses. A diferença entre os dois é que para o boticário o gamão era um fim, e para o almotacé um meio. Os dedos corriam e o almotacé ia misturando os remoques próprios do jogo com mil perguntas, ora claras, ora disfarçadas, acerca das coisas que lhe convinha saber; o boticário não hesitava em lhe dar conta das novidades.

Naquela tarde não havia nenhuma. Em compensação, havia um pedido.

— Você, senhor Custódio, é que me podia fazer um grande favor — disse o boticário.

— Qual?

— Aquele negócio dos chãos da Lagoa. Sabe que o senado da Câmara embirra em os tomar para si, quando é positivo que pertencem a meu filho José. Se o juiz de fora quisesse, podia fazer muito neste negócio; e você que é tão íntimo dele...

— Homem, amigo sou — disse Custódio Marques lisonjeado com as palavras do boticário —; mas seu filho, deixe-me que lhe diga... sei tudo.

— Tudo o quê?

— Ora! Sei que quando o conde da Cunha tinha de organizar os terços de infantaria auxiliar, seu filho José, não alcançando a nomeação de oficial que desejava, e vendo-se ameaçado de ser alistado na tropa, foi lançar-se aos pés daquela mulher espanhola, que morou na rua dos Ourives... Pois deveras não sabe?

— Diga, diga senhor Custódio.

— Lançou-se-lhe aos pés para lhe pedir proteção. A sujeita namorou-se dele; e, não lhe digo nada, foi ela quem lhe emprestou o dinheiro com que ele comprou um privilégio da redenção dos cativos, mediante o qual seu filho livrou-se da farda.

— Que peralta! A mim disse-me ele que o cônego Vargas...

— Isto, senhor José Mendes, foi muito malvisto pelos poucos que o souberam. Um deles é o juiz de fora, que é homem severo, apesar...

Custódio Marques engoliu o resto da frase, concluiu-a por outro modo, e saiu prometendo que, em todo caso, iria falar ao juiz. Efetivamente ao anoitecer lá estava em casa deste. O juiz de fora tratava o almotacé com particular distinção. Era ele o melhor remédio das suas melancolias, o mais serviçal sujeito para tudo quanto fosse de seu agrado. Logo que ele entrou, disse-lhe o dono da casa:

— Ora, venha cá, senhor espião, porque me andou você hoje a acompanhar um longo pedaço de tempo?

Custódio Marques empalideceu; mas foi rápida a impressão.

— O que havia de ser? — disse ele sorrindo. — Aquilo... aquilo que eu lhe disse uma vez, há dias...

— Há dias?

— Sim, senhor. Ando a ver se descubro uma coisa. Vossa senhoria, que sempre gostou tanto de moças, é impossível que não tenha por aí alguma aventura...

— Deveras? — perguntou rindo o juiz de fora.

— Há de haver alguma coisa; e eu hei de descobri-la. Vossa senhoria sabe se eu tenho faro para tais empresas. Só se me jurar que...

— Não juro, que não é caso disso; mas posso tirar-te o trabalho da pesquisa. Vivo com recato, como todos sabem; tenho deveres de família...

— Qual! tudo isso é nada quando um rosto bonito... que ele há de ser bonito por força; nem vossa senhoria é pessoa que se deixe aí levar por qualquer figura... Eu verei o que há. Olhe, o que eu posso afiançar é que o que descobrir cá vai comigo para a sepultura. Nunca fui homem de dar com a língua nos dentes.

O juiz de fora riu muito, e Custódio Marques passou daquele assunto para o do filho do boticário, mais por descargo de consciência que por verdadeiro interesse. Contudo, é força confessar que a vaidade de mostrar ao vizinho José Mendes que ele podia influir alguma coisa, sempre lhe afiou a língua um pouco mais do que queria. A conversa foi interrompida por um oficial que trazia ao juiz de fora um recado do conde de Azambuja. O magistrado leu a cartinha do vice-rei e empalideceu um pouco. Não escapou esta circunstância ao almotacé, cuja atenção encarapitou-se toda nos seus olhinhos vivos e perspicazes, enquanto o juiz dizia ao oficial que não tardaria em obedecer às ordens de sua excelência.

— Alguma importunação, naturalmente — disse Custódio Marques com ar de quem queria ser discreto. — São as obrigações do cargo; ninguém foge a elas. Vossa senhoria precisa de mim?

— Não, senhor Custódio.

— Se precisa, não tenha cerimônia. Bem sabe que eu nunca estou melhor do que ao seu serviço. Se quiser um recado qualquer...

— Um recado? — repetiu o magistrado como quem efetivamente precisava de mandar algum.

— O que quiser; fale vossa senhoria, que há de ser logo obedecido.

O juiz de fora refletiu um instante, e recusou. O almotacé não teve outro remédio senão deixar a companhia de seu amigo e protetor. Eram nove horas dadas. O juiz de fora preparou-se para acudir ao chamado do vice-rei; dois escravos, com lanternas, o precederam na rua, enquanto Custódio Marques volvia para casa, sem lanterna, apesar das instâncias do magistrado para que aceitasse uma.

A lanterna era um obstáculo para o funcionário municipal. Se a iluminação pública, que só começou no vice-reinado do conde de Resende, fosse naquele tempo sujeita ao voto do povo, pode-se afirmar que o almotacé lhe seria contrário. A escuridão era uma das vantagens de Custódio Marques. Ele a aproveitava em escutar às portas ou surpreender as entrevistas dos namorados às janelas. Naquela noite, porém, mais que tudo o preocupava o chamado do vice-rei e a impressão que ele fez ao juiz de fora. Que seria? Custódio Marques ia cogitando nisso e pouco no resto da cidade. Ainda assim, pôde ouvir alguma coisa da conspiração de vários devotos do Rosário, em casa do barbeiro Matos, para derribar a atual mesa da Irmandade, e viu sair cinco ou seis indivíduos da casa de d. Emerenciana, à rua da Quitanda, onde ele já havia descoberto que se jogava todas as noites. Um deles, pela fala, pareceu-lhe que era o filho de José Mendes.

— Nisso é que se ocupa aquele peralta! — dizia ele consigo.

Mas enganava-se o almotacé. Justamente à hora em que da casa de d. Emerenciana saíam os tais sujeitos, despedia-se Gervásio Mendes da formosa Esperança, com quem conversava à janela, desde às sete horas e meia. Gervásio queria prolongar a conversa, mas a filha do almotacé pediu-lhe instantemente que fosse, visto ser hora de voltar o pai. Além disso, a tia de Esperança, irritada com cinco ou seis capotes que lhe dera o sacristão, jurava pelas bentas setas do mártir padroeiro nunca mais pegar em cartas. Verdade é que o sacristão, filósofo e prático, baralhava as cartas com exemplar modéstia, e vencia o despeito de d. Joana, à força de lhe dizer que a fortuna anda e desanda, e que a partida seguinte bem lhe podia ser adversa. D. Joana entre as cartas e as setas escolheu o que lhe parecia ser menos mortífero.

Gervásio cedeu também às rogativas de Esperança.

— Sobretudo — dizia esta —, não fiques zangado com papai por ele haver dito...

— Oh! se tu souberes o que foi! — interrompeu o filho do boticário. — Foi uma calúnia, mas tão torpe que não te posso repetir. Estou certo de que o senhor Custódio Marques não a inventou; repetiu-a somente e fez mal. E foi por culpa dele que meu pai me ameaçou hoje com uma sova de pau. Pau, a mim! E por causa do senhor Custódio Marques!

— Mas ele não te quer mal...

— Eu sei lá!

— Não quer, não — insistiu a moça com meiguice.

— Pode ser que não; mas com os projetos que tem a teu respeito, se vier a saber que tu gostas de mim... E daí pode ser que tu mesma cedas e cases com o...

— Eu! Nunca! Antes meter-me freira.

— Juras?

— Gervásio!

Estalou um beijo que fez levantar a cabeça à tia Joana, e o sacristão explicou dizendo que lhe parecia o chiar de um grilo. O grilo arrancou-se, enfim, à companhia da gentil Esperança, e tinha já tempo de estar acomodado na sua alcova, quando Custódio Marques chegou a casa. Achou tudo em paz. D. Joana levantava a banca do jogo, o sacristão despedia-se, Esperança recolhera-se ao seu quarto. O almotacé encomendou-se aos santos de sua devoção, e dormiu na paz do Senhor.

A palidez do juiz de fora não saiu, talvez, da cabeça do leitor; e, tanto como o almotacé, está ele curioso de saber a causa do fenômeno. A carta do vice-rei dizia respeito a negócio do Estado. Era lacônica; mas terminava com uma frase mortal para o magistrado: "Pode ser que o serviço de sua majestade exija de vossa senhoria uma jornada de algumas semanas. Venha ter comigo imediatamente". Se o juiz de fora fosse obrigado ao serviço extraordinário de que lhe falava o conde de Azambuja, interrompia-se um romance, começado cerca de dois meses antes, em que era protagonista uma interessante viuvinha de vinte e seis estios. Esta viuvinha era da província de Minas Gerais; descera da terra natal para entregar em mão do vice-rei uns papéis que queria submeter à sua majestade, e ficou presa nas maneiras obsequiosas do juiz de fora.

Alugou casa perto do convento da Ajuda, e ali estava morando, a título de ver a capital. O romance assumiu proporções grandes, complicou-se o enredo, avultaram as descrições e as peripécias, e a obra ameaçava estender-se a muitos volumes. Nestas circunstâncias exigir do magistrado que se alongasse da capital algumas semanas era exigir o mais difícil e aspérrimo. Imagine-se com que alma saiu dali o magistrado.

Qual fosse o negócio de Estado que obrigou aquele chamado noturno, não sei eu, nem importa sabê-lo. O essencial é que durante três dias ninguém arrancou um sorriso aos lábios do magistrado, e que no terceiro dia volveu-lhe a alegria mais espontânea e viva, que até ali tivera. Adivinha-se que a necessidade da jornada desapareceu e que o romance não ficava truncado.

O almotacé foi dos primeiros que viram esta mudança. Preocupado com a tristeza do juiz de fora, não menos o ficou ao vê-lo novamente satisfeito.

— Não sei qual foi o motivo da tristeza de vossa senhoria — disse ele —, mas espero mostrar-lhe quanto me alegro com vê-lo tornado às suas usuais venturas.

Efetivamente, o almotacé tinha dito à filha que era necessário dar um mimo qualquer, de suas mãos, ao juiz de fora, com quem, se a fortuna a ajudasse, viria a ser aparentada. Custódio Marques não viu o golpe que a filha recebeu com esta palavra; exigia o cargo municipal que ele fosse dali a serviço, e foi, deixando a alma da menina doente de maior aflição.

Entretanto, a alegria do juiz de fora era tal, e tão agudo se ia tornando o romance, que já o feliz magistrado observava menos as costumadas cautelas. Um dia, cerca das seis horas da tarde, passando o almotacé pela rua da Ajuda, viu sair de uma casa, de nobre aparência, a venturosa figura do magistrado. Sua atenção encrespou as orelhas; e os olhos perspicazes faiscaram de contentamento. Haveria ali um fio? Logo que viu longe o juiz de fora, aproximou-se da casa, como farejando; dali foi à loja mais próxima, onde soube que na dita casa morava a interessante viúva mineira. A eleição de vereador ou um presente de quatrocentos africanos não o contentaria mais.

— Tenho o fio! — dizia ele consigo. — Resta-me ir ao fundo do labirinto.

Daí em diante, não houve assunto que distraísse o espírito investigador do almotacé. De dia e de noite, vigiava a casa da rua da Ajuda, com pertinácia e dissimulação raras; e tão feliz foi que, no fim de cinco dias, tinha certeza de tudo. Auxiliou-o nisso a indiscrição de alguns escravos. Uma vez sabedor da aventura, deu-se pressa em correr à casa do juiz de fora.

— Ainda agora aparece! — exclamou este logo que o viu entrar.

— Vossa senhoria fez-me a honra de mandar chamar?

— Há meia hora que andam dois emissários em sua procura.

— Eu estava em serviço de vossa senhoria.

— Como?

— Não lhe dizia eu que havia de descobrir alguma coisa? — perguntou o almotacé piscando os olhos.

— Alguma coisa!

— Sim, aquilo... Vossa senhoria sabe a que me refiro... Meteu-se-me em cabeça que vossa senhoria não podia escapar-me.

— Não compreendo.

— Não compreende vossa senhoria outra coisa — disse Custódio Marques deliciando-se com o repassar do ferro na curiosidade do protetor.

— Mas, senhor Custódio, trata-se...

— Trate-se do que se tratar; declaro a vossa senhoria que sou de segredo, e por isso nada direi a ninguém. Que havia de haver algum bico de obra, era verdade; andei à espreita, e afinal descobri a moça... a moça da rua da Ajuda.

— Sim?

— É verdade. Fiz a descoberta há dias; mas não vim logo porque queria certificar-me bem. Agora, posso dizer-lhe que... sim, senhor... aprovo. É muito bonita.

— Andou então na investigação dos meus passos?

— Vossa senhoria compreende que não há outra intenção...

— Pois, senhor Custódio Marques, mandei-o chamar por toda a parte, visto que há cerca de três quartos de hora tive notícia de que sua filha fugiu de casa...

O almotacé deu um pulo; seus dois olhinhos cresceram desmesuradamente; a boca, aberta, não ousava proferir uma só palavra.

— Fugiu de casa — continuou o magistrado — segundo notícia que tenho, e creio que...

— Mas com quem? com quem? para onde? — articulou enfim o almotacé.

— Fugiu com o Gervásio Mendes. Vão na direção da lagoa da Sentinela...

— Senhor doutor... peço-lhe perdão, mas, bem sabe... bem sabe...

— Vá, vá...

Custódio Marques não atinava com o chapéu. Deu-lho o juiz de fora.

— Corra...

— Olhe a bengala!

O almotacé recebeu a bengala.

— Obrigado! Quem tal diria! Ah! nunca pensei... que minha filha, e aquele peralta... Deixe-os comigo...

— Não perca tempo.

— Vou... vou.

— Mas, olhe cá, antes de ir. Um astrólogo contemplava os astros, com tamanha atenção, que caiu num poço. Uma velha da Trácia vendo-o cair, soltou esta exclamação: "Se ele não via o que lhe estava aos pés, para que havia de investigar o que lá fica tão em cima!".

O almotacé compreenderia o apólogo, se pudesse ouvi-lo. Mas não ouviu nada. Desceu as escadas a quatro e quatro bufando como um touro.

Il court encore.

Jornal das Famílias, *novembro-dezembro de 1876 e janeiro de 1877*; Machado de Assis.

Sem olhos

O chá foi servido na saleta das palestras íntimas às quatro visitas do casal Vasconcelos. Eram estas o sr. Bento Soares, sua esposa d. Maria do Céu, o bacharel Antunes e o desembargador Cruz. A conversa, antes do chá, versava sobre a última *soirée* do desembargador; quando o criado entrou, passaram a tratar da morte de um conhecido, depois das almas do outro mundo, de contos de bruxas, finalmente de lobisomem e das abusões dos índios.

— Pela minha parte — disse o sr. Bento Soares —, nunca pude compreender como o espírito humano pôde inventar tanta tolice e crer no invento. Vá que uma ou outra criança dê crédito às suas próprias ilusões; para isso mesmo é que são crianças. Mas, que um homem feito...

— Que tem isso? — observou o desembargador apresentando a xícara ao criado para que lhe repetisse o chá. — A vida do homem é uma série de infâncias, umas menos graciosas que as outras.

— Queres mais chá, Maria? — perguntou a dona da casa à esposa de Bento Soares que acabava de beber a última gota do seu.

— Aceito.

O bacharel Antunes apressou-se a receber a xícara de d. Maria do Céu, com uma cortesia e graça, que lhe rendeu o mais doce dos sorrisos.

— Eu acompanho o desembargador — disse Bento Soares.

Enquanto o bacharel Antunes ampliava ao marido de Maria do Céu o obséquio que acabava de prestar a esta, com a mesma solicitude, mas sem receber o mesmo nem outro sorriso, e passava ao criado a xícara vazia, Bento Soares prosseguia em suas ideias acerca das abusões humanas. Bento Soares estava profundamente convencido que o mundo todo tinha por limites os do distrito em que ele morava, e que a espécie humana aparecera na terra no primeiro dia de abril de 1832, data de seu nascimento. Esta convicção diminuía ou antes eliminava certos fenômenos psicológicos e reduzia a história do planeta e de seus habitantes a uma certidão de batismo e vários acontecimentos locais. Não havia para ele tempos pré-históricos, havia tempos pré-soáricos. Daí vinha que, não crendo ele em certas lendas e contos da carocha, mal podia compreender que houvesse homem no mundo capaz de ter crido neles uma vez ao menos.

A conversa, porém, bifurcou-se; enquanto o desembargador referia a Bento Soares e ao dono da casa algumas notícias relativas a crenças populares antigas e modernas, as duas senhoras conversavam com o bacharel, sobre um ponto de toalete... Maria do Céu era uma mulher bela, ainda que baixinha, ou talvez por isso mesmo, porquanto as feições eram consoantes à estatura: tinha uns olhos miúdos e redondos, uma boquinha que o bacharel comparava a um botão de rosa, e um nariz que o poeta bíblico só por hipérbole poderia comparar à torre de Galaad. A mão, que essa, sim, era um lírio dos vales — *lilium convalium* —, parecia arrancada a alguma estátua, não de Vênus, mas de seu filho; e eu peço perdão desta mistura de coisas sagradas com profanas, a que sou obrigado pela natureza mesma de Maria do Céu. Quieta, podiam pô-la num altar; mas, se movia os olhos, era pouco menos que um demônio. Tinha um jeito peculiar de usar deles que enfeitiçou alguns anos antes a gravidade de Bento Soares, fenômeno que o bacharel Antunes achava o mais natural do mundo. Vestia nessa noite um vestido cor de pérola, objeto da conversa entre o bacharel e as duas senhoras. Antunes, sem contestar que a cor de pérola ia perfeitamente à esposa de Bento Soares, opinava que era geral acontecer o mesmo às demais cores; donde se pode razoavelmente inferir que em seu parecer a porção mais bela de Maria não era o vestido, mas ela mesma.

Uma contestação, em voz mais alta, chamou a atenção deles para o grupo dos homens graves. Bento Soares dizia que o desembargador mofava da razão, afiançando acreditar em almas do outro mundo; e o desembargador insistia em que a existência dos fantasmas não era coisa que absolutamente se pudesse negar.

— Mas, desembargador, isto é querer supor que somos uns beócios. Pois fantasmas...

— Não me dirá nada de novo — interrompeu Cruz —; sei o que se pode dizer contra os fantasmas; não obstante, existem.

— Como as bexigas; também se diz muita coisa contra elas.

— Fantasmas! — exclamou Maria do Céu. — Pois há quem tenha visto fantasmas?

— É o desembargador quem o diz — observou Vasconcelos.

— Deveras?
— Nada menos.
— Na imaginação — disse o bacharel.
— Na realidade.
Os ouvintes sorriam; Maria fez um gesto de desdém.
— Se a entrada na Relação dá em resultado visões dessa natureza, declaro que vou cortar as asas às minhas ambições — observou o bacharel olhando para a esposa de Bento Soares, como a pedir-lhe aprovação do dito.
— Os fantasmas são fruto do medo — disse esta, sentenciosamente. — Quem não tem medo não vê fantasmas.
— Você não tem medo? — perguntou a dona da casa.
— Tanto como deste leque.
— Sempre há de ter algum — opinou Vasconcelos.
— Não tenho medo de nada nem de ninguém.
— Pode ser — interveio o desembargador —; mas se visse o que eu vi uma vez, estou certo de que ficaria apavorada.
— Alguma bruxa?
— O diabo?
— Um defunto à meia-noite?
— Um duende?
Cruz empalidecera.
— Falemos de outra coisa — disse ele.
Mas o auditório tinha a curiosidade aguçada, e o próprio mistério e recusa do desembargador faziam crescer o apetite Os homens insistiram; as senhoras fizeram coro com eles. Cruz imolou-se ao sufrágio universal.
— O que eu vi foi há muitos anos — disse ele —; ainda assim conservo a memória fresca do que me aconteceu. Não sei se poderia ir até o fim; e desde já estou certo de que vou passar uma triste noite...
Uma risadinha de Maria do Céu interrompeu o desembargador.
— Prepare o auditório! — disse ela. — Vamos ver que a montanha dá à luz um ratinho.
Alguns sorriam; mas o desembargador estava sério e pálido. Bento Soares ofereceu-lhe uma pitada de rapé, enquanto Vasconcelos acendia um charuto. Fez-se grande silêncio; só se ouvia o tique-taque do relógio e o movimento do leque de Maria do Céu. O desembargador olhou para os interlocutores, como a ver se era possível evitar a narração; mas a curiosidade estava tão pendente de todos os olhos, que era impossível resistir.
— Vá lá! — disse ele. — Contarei isto em duas palavras.
Quando eu estudava em São Paulo raras vezes gozava as férias todas na fazenda de meu pai; ia a Cantagalo passar algumas semanas e voltava logo para o Rio de Janeiro, aonde me chamava o meu primeiro e último namoro, paixão de quatro anos, que a Igreja consagrou e só a morte extinguiu. Nas férias do terceiro ano fui morar no primeiro andar de uma casa da rua da Misericórdia. No segundo morava um homem de quarenta anos que parecia ter mais de cinquenta, tão alquebrado e encanecido estava. Éramos os dois moradores únicos, salvo o meu pajem, que fazia o número três. O vizinho de cima não tinha criado.

A primeira vez que o vi foi logo no dia seguinte da minha entrada na casa. Ao passar pelo corredor dei com ele na escada, que ia do primeiro para o segundo andar, de pé, com um livro aberto nas mãos. Tinha um pé no quinto e outro no sexto degrau. Fiquei a olhar de baixo para ele durante algum tempo; não o conhecendo, entrei a suspeitar se seria algum ladrão. O pajem explicou-me que era o morador de cima.

Dois dias depois, estando eu à noite em casa, perto das onze horas a ler na minha sala, senti alguém bater-me à porta; fui abrir; era o vizinho, que descera, com um livro na mão, talvez o mesmo que lia dois dias antes na escada, não sei.

— Venho incomodá-lo, não? — disse ele.

Fiz um gesto duvidoso, e fiquei a olhar para ele como quem espera uma explicação.

— O morador da loja — continuou ele — disse-me hoje que o senhor é estudante. Talvez me possa explicar uma coisa. Sabe hebraico?

— Não.

— É pena! — disse ele consternado.

Ficou alguns instantes silencioso, a olhar para o livro e para o teto. Depois fitou-me, e disse:

— Ando a ver se meto dente numa passagem de Jonas.

Dizendo isto, sentou-se abrindo o livro sobre os joelhos. Joelhos chamo eu, porque é esse o nome daquela região; mas o que ele tinha naquele lugar das pernas eram dois verdadeiros pregos, tão magro estava. A cara angulosa e descarnada, os olhos cavos, o cabelo hirsuto, as mãos peludas e rugosas, tudo fazia dele um personagem fantástico. Esteve algum tempo ainda silencioso, até que continuou:

— Há aqui um versículo de Jonas, é o décimo primeiro do capítulo quarto, em que leio: "E então eu não perdoarei a grande cidade de Nínive, onde há mais de cento e vinte mil homens, que não sabem discernir entre a sua mão direita e a sua mão esquerda". Como entende o senhor este versículo?

A ideia que o vizinho era doido apoderou-se logo de meu espírito. Que outra coisa seria, vindo consultar a semelhante hora, a um vizinho de três dias, sobre um texto de Jonas? Também eu não tinha medo nesse tempo — tal qual a sra. d. Maria do Céu —, deixei-me estar quieto na cadeira, a olhar sem responder, contendo uma grande vontade de rir.

— Que lhe parece? — repetiu o vizinho.

— Que quer o senhor que me pareça?

— "Homens que não sabem discernir a mão direita da mão esquerda" — frase que, geralmente, tem um sentido óbvio, e vem a ser nada menos que isto: o profeta refere-se às crianças ninivitas. Jeová quer perdoar a cidade por amor dos meninos que ela encerra. Mas eu dou do texto uma interpretação que vai assombrar o mundo.

— Sim?

— Jonas não alude às crianças, mas aos canhotos que são os homens que não podem discernir a direita da esquerda. Sendo assim, veja o senhor a importância da minha interpretação. Duas coisas se concluem dela: primeira, que os ninivitas eram geralmente canhotos; segunda, que o ser canhoto era no entender dos hebreus um grande mérito. Desta última conclusão nasceu uma terceira, a saber, que chamar canhoto ao diabo é estar fora do espírito bíblico. Isto é claro como água e evidente como a luz.

A profunda convicção com que ele disse tudo isto, e o ar de triunfo com que ficou a olhar para mim, confesso que me impressionaram singularmente. Não sabia que dizer; o melhor era concordar, declarando que a sua opinião era por força verdadeira.

— Não lhe parece? — disse ele. — Contudo, não sendo eu forte no hebraico, desejava consultar alguém que me dissesse se o texto original está bem traduzido na vulgata, e se a expressão bíblica é essa ou outra diferente. Liquidado este ponto, escreverei um livro. Afiança-me que não sabe hebraico?

— Não sei sequer o alfabeto.

— Nesse caso há de perdoar.

Dizendo isto, ergueu-se, fez-me uma cortesia e deu um passo para a porta. Ali parou e voltou-se.

— Esquecia-me dizer-lhe o meu nome; devia de ser a primeira coisa. Chamo-me Damasceno Rodrigues, moro há três anos aqui em cima, onde estou às suas ordens. Viva!

Não esperou que lhe dissesse o meu nome; curvou-se e saiu. Imaginem facilmente como fiquei; a vontade de rir foi o primeiro efeito; o segundo foi uma mistura de pena, receio e curiosidade. No dia seguinte, disse ao pajem que tirasse informações acerca de Damasceno Rodrigues. Tirou-as, e o que liquidei delas foi que o meu vizinho morava aí havia três anos, como dissera; que era um velho médico, sem clínica; que vivia pacificamente, saindo apenas para ir comer a uma casa de pasto da vizinhança ou ler duas horas na biblioteca pública; enfim, que no bairro ninguém o tinha por doido, mas que algumas velhas o supunham ligado ao diabo. Esta crença, comparada com a ideia que o homem tinha a respeito do Canhoto, dava bem para uma anedota romântica, que eu podia escrever logo depois que voltasse a São Paulo; tal foi o motivo que me levou a visitá-lo alguns dias depois.

O segundo andar era antes um sótão puxado à rua; compunha-se de uma sala, uma alcova e pouco mais. Subi. Achei-o na sala, estirado em uma rede, a olhar para o teto. Tudo ali era tão velho e alquebrado como ele; três cadeiras incompletas, uma cômoda, um aparador, uma mesa, alguns farrapos de um tapete, ligados por meia dúzia de fios, tais eram as alfaias da casa de Damasceno Rodrigues. As janelas, que eram duas, adornavam-se com umas cortinas de chita amarela, rotas a espaços. Sobre a cômoda e a mesa havia alguns objetos disparatados; por exemplo, um busto de Hipócrates ao pé de um bule de louça, três ou quatro bolos, meio pote de rapé, lenços e jornais. No chão também havia jornais e livros espalhados. Era ali o asilo do vizinho misterioso.

Achei-o, como lhes disse, estirado na rede, a olhar para o teto. Não me sentiu entrar; mas eu falei-lhe e ele ergueu um pouco a cabeça.

— Quem é? — disse ele.

— Eu.

— O senhor?

— Seu vizinho de baixo.

— Ah! — disse ele erguendo-se. — Pode entrar.

— Não se incomode; vinha apenas pagar-lhe a visita.

Damasceno tinha-se levantado; e das cadeiras ofereceu-me a melhor, isto é, a que não tinha costas, porque das outras duas, uma estava exausta de palhinha e a outra possuía três pés somente.

O riso de Damasceno era pior que a seriedade; sério, dava ares de caveira; rindo, havia nele um gesto diabólico; a tudo resiste porém a ambição do escritor juvenil. Eu queria uma novela, e estava disposto a conversar com o diabo em pessoa. Para dizer alguma coisa, falei-lhe na passagem de Jonas.

— Descobriu alguma coisa? — perguntei-lhe.

— Nada — tornou ele —, mas cuida que pensei mais em semelhante assunto?

— Supunha.

— Qual! No dia seguinte deixei-o de lado.

— Entretanto, creio que era importante decidir se realmente o nome de Canhoto dado ao diabo...

Damasceno interrompeu-me com uma risadinha sardônica e gelada que me tapou a boca. Não tive ânimo de continuar e faltava-me assunto para entretê-lo. Ele, entretanto, meteu as mãos na algibeira das calças e começou a andar de um para outro lado, ora cabisbaixo e silencioso, ora olhando para o teto e murmurando alguma coisa que eu não podia perceber. Havia no rosto daquele homem, além da velhice precoce, uma expressão de tristeza e amargura que os olhos não podiam contemplar impunemente. Ao mesmo tempo era tão extraordinária a figura e tão singulares os costumes dele, que a gente tinha prazer em o conversar e atrair, quando menos por sair um pouco da vulgaridade dos outros homens.

Damasceno passeou cerca de oito minutos, sem me dizer palavra. Ao cabo deles, parou defronte de mim.

— Mancebo — disse ele —, quais são as suas ideias a respeito da lua?

— Poucas... algumas notícias apenas.

— Sei — disse ele desdenhosamente —; o que anda nos compêndios. Pífia ciência é a dos compêndios! O que eu lhe pergunto...

— Adivinho.

— Diga.

— Quer saber se também suponho que o nosso satélite seja habitado?

— Qual! são devaneios, são conjecturas... A lua, meu rico vizinho, não existe, a lua é uma hipótese, uma ilusão dos sentidos, um simples produto da retina dos nossos olhos. É isto que a ciência ainda não disse; é isto o que convém proclamar ao mundo. Em certos dias do mês, o olho humano padece uma contração nervosa que produz o fenômeno lunar. Nessas ocasiões, ele supõe que vê no espaço um círculo redondo, branco e luminoso; o círculo está nos próprios olhos do homem.

— Pode ser.

— Nem é outra coisa.

— Donde se conclui que todos somos lunáticos — aventurei eu galhofeiramente.

— Talvez — redarguiu ele, rindo muito.

Depois de rir, caiu na rede; as pernas, que andavam à larga nas calças, aliás estreitas, cruzavam-se à maneira oriental, e ele ficou sentado defronte de mim.

— Lunáticos! — repetiu ele.

— Dada a sua teoria — expliquei eu.

— Teoria de lunático?
— Perdão.

Já me não ouvia; com os dedos no ar fazia figuras extravagantes, retas, curvas, ângulos e triângulos, rindo à toa, com o riso pálido e sem a expressão dos mente-captos. Não havia dúvida; era uma alma sem consciência. Arrependi-me de alguma coisa que disse menos pensada, e procurei ao mesmo tempo um meio de sair dali sem o irritar. Não me foi difícil; três vezes me despedi, sem que ele me respondesse; saí sem objeção.

Chegando ao meu aposento, senti alguma coisa semelhante ao prazer de um homem que foge de um perigo ou a um incidente desagradável. Efetivamente a conversa de um homem sem juízo não era segura. Eu cuidava ter diante de mim um espírito original; saía-me um louco; o interesse diminuía ou mudava de natureza. Determinei acabar ali as minhas relações com Damasceno.

Durante quinze dias encontrei-o duas vezes, na escada; cumprimentou-me e falou-me como se tivera intactas todas as molas do cérebro. Queixou-se-me apenas de alguma dor de cabeça e palpitações do coração.

— Temo que isto vá a acabar — disse ele à segunda vez.
— Não diga isso!
— Verá; estou à beira da eternidade; vou dar o salto mortal.

Não alimentei a conversa e saí. Nessa noite contou-me o pajem que Damasceno Rodrigues me procurara com muitas instâncias dizendo que desejava confiar-me um segredo. Era provavelmente alguma nova fantasia semelhante à de Jonas e à da lua, e eu não queria animar os desvarios de um pobre velho. Não lhe mandei dizer que estava em casa nem o procurei. Alta noite, e estando a ler, ouvi um gemido no andar de cima. Subi devagarinho, colei o ouvido à porta da sala de Damasceno, mas nada mais ouvi.

Soube no dia seguinte que Damasceno adoecera. Fui vê-lo pela volta do meio-dia. Como ele nunca fechava a porta, não foi preciso incomodá-lo, para lá entrar. Achei-o deitado na cama, com os olhos cerrados e os braços estendidos ao longo do corpo e por fora da coberta. Abriu os olhos, e sorriu ao ver-me.

— Que tem? — perguntei.
— Uma opressão no peito.
— Tomou alguma coisa?
— Que me fizesse mal?
— Não; algum remédio.
— Não tomei nada.
— Bem; é preciso ver o que isso é; vou mandar vir um médico.

Damasceno tinha os olhos cravados na parede; não me respondeu. Ia sair, para dar ordens ao meu criado, quando vi o enfermo sentar-se na cama, e olhando para a parede que lhe ficava ao lado dos pés, clamar aflito:

— Não! ainda não! Vai-te! Depois, daqui a um ano!... a dois... a três... Vai-te, Lucinda! Deixa-me!

Corri a Damasceno, falei-lhe, apalpei-lhe a testa, que estava quente, e obriguei-o a deitar-se. Uma vez deitado, ficou arquejante, a olhar para a sala, sem querer dirigir os olhos para os pés da cama.

— O que é que sente? — perguntei.

Não disse nada; talvez me não ouvisse. Saí para mandar chamar um médico, e voltei ao quarto do enfermo. O médico veio, examinou-o, interrogou-o, receitou enfim alguma coisa, que imediatamente mandei preparar na mais próxima botica. Mandei a uma casa da vizinhança arranjar caldos de galinha; finalmente dispus-me a não sair de casa nesse dia.

Não contava com o amor; duas linhas escritas em uma folha de papel bordado, como se usava no meu tempo, vieram mudar a resolução em que eu assentara. Saí, depois de fazer muitas recomendações ao criado e prometendo voltar cedo. Às oito horas da noite achava-me em casa; fui ter logo com o doente. Achei-o sossegado.

— Entre, entre, meu amigo — disse ele —; deixe-me chamar-lhe assim, porque não tenho ninguém mais a quem dê esse doce nome.

— Está melhor?

— Estou; mas são melhoras passageiras.

— Não diga isso.

— São. Isso há de acabar cedo. Sabe o que é a morte?

— Imagino.

— Não sabe. A morte é um verme, de duas espécies, conforme se introduz no corpo ou na alma. Mata em ambos os casos. Em mim não penetrou no corpo; o corpo geme porque a doença reflete nele; mas o verme está na alma. Nela é que eu o sinto a roer todos os dias.

— Pois matemos o verme — disse eu, apresentando-lhe uma colher de remédio.

Damasceno olhou para o remédio e para mim, e sorriu, com uma expressão de tranquilo ceticismo.

— Pobre moço! — disse ele, depois de alguns instantes de silêncio.

— Vamos!

— Logo mais, amanhã, ou depois que eu morrer. Talvez ainda possa fazer algum benefício ao meu cadáver. A alma não bebe água.

Insisti, mas foi baldado. Damasceno resistiu intrepidamente. Quando as minhas instâncias lhe pareceram excessivas começou a irritar-se, e eu, receoso de algum novo delírio, proveniente da exacerbação, cedi; fui ter com o criado que me referiu haver Damasceno tomado apenas uma colher do remédio e um caldo. Voltei ao quarto, achei-o tranquilo.

A luz do quarto era pouca, e esta circunstância, ligada ao espetáculo da doença e às feições do pobre velho alienado, não menos que às recordações que já me prendiam a ele, tornara a situação por extremo penosa. Sentei-me ao pé da cama e tomei-lhe o pulso; batia apressado; a testa estava quente. Ele deixou que eu fizesse todos esses exames sem dizer nada. Tinha os olhos no teto e parecia alheio de todo à minha pessoa e à situação. Pouco depois chegou o médico, soube da resistência do enfermo em continuar a tomar o remédio, examinou-o, fez um gesto de desânimo, e ao sair disse-me que o homem estava perdido.

A perspectiva não era para mim agradável. Não podia razoavelmente desampará-lo e tinha talvez de assistir à sua morte naquela noite. Chamei o criado e escrevi um bilhete a dois colegas de São Paulo, residentes na corte, pedindo-lhes que viessem passar a noite comigo. O criado saiu e eu sentei-me outra vez ao pé da cama.

No fim de alguns minutos, vi que Damasceno se agitava. Perguntei-lhe o que tinha.

— Nada — respondeu ele —, mudo de posição. Que horas são?

— Nove e um quarto.

— E o senhor pretende passar a noite comigo?

— Naturalmente.

O rosto do enfermo iluminou-se.

— Boa alma! — exclamou ele.

Depois procurou a minha mão e teve-a presa entre as suas algum tempo, olhando para mim com uma expressão de agradecimento, que lhe parecia tornar bela a fisionomia seca e dura.

— Que lhe fiz eu para merecer tanta dedicação? — perguntou ele ao cabo de alguns minutos de silêncio.

— Não falemos disso.

— Que idade tem?

— Vinte e dois anos.

— Feliz! feliz!

Calou-se outra vez e pareceu concentrar-se de novo. Pensei que iria dormir, mas ele voltou-se para mim dizendo:

— Quero pagar-lhe os seus benefícios.

— Pagará depois.

— Não; há de ser já.

Ergueu o corpo, apoiando o cotovelo na cama, pegou-me na mão e cravou em mim os olhos, acesos de uma luz repentina e única.

— Mancebo — disse ele, com a voz cava —, não olhe nunca para a mulher do seu próximo.

— Sossegue — disse eu.

— Sobretudo não a obrigue a olhar para o senhor. Comprará por esse preço a paz de sua vida toda.

A gravidade com que ele proferiu estas palavras excluía toda a ideia de loucura. A própria fisionomia parecia revelar o regresso da consciência. Olhei para ele algum tempo sem responder, nem ousar pedir-lhe explicação. Damasceno fitou o ar com expressão melancólica, abanou a cabeça três vezes e suspirou. Depois a cabeça caiu sobre o ombro, e ele ficou algum tempo quieto. Ouvindo o sino das dez horas, abriu os olhos e voltou-se para mim.

— Por que se não vai deitar?

— Não tenho sono.

— Perder uma noite por causa de um desconhecido!

— Não se preocupe comigo; descanse, que é melhor.

Damasceno meteu a mão debaixo do travesseiro, como procurando alguma coisa. Era uma chave. Deu-ma.

— Abra-me a gavetinha da cômoda, a do lado da rua.

— E depois?

— Tire de lá uma caixinha.

Obedeci. A caixinha era de couro e teria um palmo de comprimento. Quando lha levei, ele pô-la sobre a cama e olhou mudo para ela. Depois, tocou em uma pequena mola; a caixa abriu-se, e ele tirou de dentro um pequeno maço de papéis.

— Se eu morrer — disse ele —, queime isto.
— Feche tudo, é melhor.
— Não é preciso. O que aí está é um segredo, mas eu não quero morrer sem lho revelar. Não lhe disse há pouco que não consentisse nunca em olhar ou ser olhado pela mulher de seu próximo? Pois bem; saberá o resto.

A curiosidade pendurou-se-me dos olhos e, apesar da pouca luz da alcova, é possível que ele reparasse nisto, porque vi-o sorrir com uma expressão maliciosa e discreta.

— São papéis de família — continuou Damasceno —; coisas que só a mim interessam. Há aqui, porém, uma coisa que o senhor pode ver desde já.

Dizendo isto, destacou do maço de papéis uma miniatura e deu-ma pedindo que a visse. Aproximei-me da luz e vi uma formosa cabeça de mulher, e os mais expressivos olhos que jamais contemplei na minha vida. Ao restituir a miniatura reparei que ele a desviou apressadamente dos olhos metendo-a logo, com a mão trêmula, entre os papéis.

— Viu-a?
— Vi.
— Não me diga nada do que lhe parece. Imagino qual será a sua impressão. Calcule qual seria a minha há quinze anos, diante do original. Ela tinha vinte anos; e eu vinte e cinco...

Damasceno interrompeu-se; arrependia-se talvez; e eu não ousava, em tal situação, mostrar-me indiscreto e curioso. Ele entretanto atava o maço de papéis e a miniatura com um cadarço velho, e entregou-me tudo.

— Guarde. Jura que queimará isso?
— Juro.

Guardei no bolso o maço enquanto ele, reclinando o corpo, ficou tranquilo. Durante cinco minutos nada disse; começou a murmurar palavras sem sentido, com esgares próprios de louco. Esta circunstância chamou-me à realidade. Não seriam os papéis e o retrato coisas sem valor, a que ele em seu desvario atribuía tamanha importância? Damasceno falou de novo.

— Guardou?
— Guardei.
— Deixe ver.
— Está aqui — disse-lhe eu, mostrando o embrulho.
— Está bem.

E depois de uma pausa:
— Eu era moço, ela moça; ambos inocentes e puros. Sabe o que nos matou? Um olhar.
— Um olhar?
— Era no interior da Bahia. Lucinda casara-se na capital com o doutor Adr... Não importa o nome; era médico como eu, mas rico e dado a estudos de botânica e mineralogia. Andava por Jeremoabo naquele tempo. Eu encontrei-o num engenho e travei relações com ele. A mulher era linda como o senhor viu aí. Ele era sábio, *taciturno e ciumento*. Havia nela tanta modéstia e recato — talvez medo — que o ciúme dele podia dormir com as portas abertas. Mas não era assim; o marido era cauteloso e suspeitoso; ameaçava-a e fazia-a padecer. Eu percebi isso, e a compaixão

apoderou-se de mim. A compaixão é um sentimento pérfido; abstenha-se dele ou combata-o. Quem sabe se a que sente agora por mim não lhe dará mau resultado?

Estremeci ouvindo esta última palavra. Ele parou um instante e continuou:

— Lucinda não me olhava nunca. Era medo, era talvez intimação do marido. Se me falava alguma vez era secamente e por monossílabos. Meu coração deixou-se ir da compaixão ao amor pelo mais natural dos declives, amor silencioso, cauto, sem esperança nem repercussão. Um dia, em que a vi mais triste que de costume, atrevi-me a perguntar-lhe se padecia. Não sei que tom havia em minha voz, o certo é que Lucinda estremeceu, e levantou os olhos para mim. Cruzaram-se com os meus, mas disseram nesse único minuto — que digo? nesse único instante, toda a devastação de nossas almas; corando, ela abaixou os seus, gesto de modéstia, que era a confirmação de seu crime; eu deixei-me estar a contemplá-la silenciosamente. No meio dessa sonolência moral em que nos achávamos, uma voz atroou e nos chamou à realidade da vida. Ao mesmo tempo achou-se defronte de nós a figura do marido. Nunca vi mais terrível expressão em rosto humano! A cólera fazia dele uma Medusa. Lucinda caiu prostrada e sem sentidos. Eu, confuso, não me atrevia a explicar nem a pedir explicações. Ele olhou para mim e para ela. Sucedera à primeira manifestação silenciosa da cólera uma coisa mais apagada e mais terrível, uma resolução fria e quieta. Com um gesto despediu-me; quis falar, ele impôs silêncio com os olhos. Quase a sair voltei e, apesar da oposição, expus-lhe toda a singularidade de seu procedimento. Ouviu-me calado. Vendo que nada alcançava e não querendo que sobre a infeliz pairasse a menor suspeita, nem que ela padecesse sem outro motivo, mais grave, expus-lhe francamente os meus sentimentos em relação a ele e a ela, a afeição que Lucinda me inspirara, protestando com todas as forças pela inteira dignidade da infeliz. Riu-se, e não me disse nada. Despedi-me e saí...

Estas recordações pareciam abater o enfermo. A voz, ao chegar àquela palavra, era fraca e rouca; ele fez uma longa pausa, cobrindo os olhos com as mãos ocas e transparentes. Alguns minutos depois continuou:

— Passaram-se algumas semanas. Um dia, levado por necessidade de ofício, fui a Jeremoabo, pensando em Lucinda e um pouco receoso de algum sucesso desagradável. Lucinda havia morrido; e a pessoa que deu esta notícia benzeu-se supersticiosamente e não revelou mais nada, apesar das minhas instâncias. Que teria havido? A ideia de que o marido a houvesse assassinado apoderou-se de meu espírito; mas eu não ousava formular a pergunta. Indagando mais, ouvi de uns que ela cometera suicídio, de outros que desaparecera; enfim alguns criam que estava apenas doente às portas da morte. Esta diversidade de notícias era claro indício de que alguma coisa grave se passava ou estava passando. Fui ter à propriedade do marido, resoluto a saber tudo e a salvar a vida da inocente, se fosse possível...

Damasceno interrompeu-se de novo. Estava cansado e opresso. Pedi-lhe que suspendesse por algum tempo a narração e guardasse o fim para o dia seguinte, apesar da curiosidade que me picava interiormente. Ao mesmo tempo admirava a perfeita lucidez com que ele me referia aquelas coisas, a comoção da palavra, que nada tinha do vago e desalinhado da palavra dos loucos. Era aquele mesmo o homem que me consultara acerca de Jonas e me expusera uma teoria nova acerca da lua? Enquanto em meu espírito resolvia esta dúvida, Damasceno agitava-se no leito, como buscando melhor cômodo. A vela estava a extinguir-se, acendi outra e fui até a janela ansioso pelo criado e os dois amigos a quem escrevera. A rua estava deserta; apenas ao longe se ouvia o passo de um ou outro transeunte. Voltei ao quarto. Damasceno estava então sentado na cama, um pouco reclinado sobre os travesseiros.

— Não tenha medo — disse ele —, venha ouvir o resto, que é pouco, mas instrutivo. Fui ter com o médico. Logo que soube que eu o procurava veio receber-me contente. Disse-lhe francamente o que ouvira dizer a respeito da mulher, as opiniões e versões diferentes, a necessidade que havia de instruir o povo da verdade e retirar de sobre ele alguma suspeita terrível. Ouviu-me calado. Logo que acabei, disse-me que eu fizera bem em ir vê-lo; que Lucinda estava viva, mas podia morrer no dia seguinte; que, depois de cogitar na punição que daria ao olhar da moça resolvera castigar-lhe simplesmente os olhos... Não entendi nada; tinha as pernas trêmulas e o coração batia-me apressado. Não o acompanharia decerto, se ele, apertando-me o pulso com a mão de ferro, me não arrastasse até uma sala interior... Ali chegando... vi... oh! é horrível! vi, sobre uma cama, o corpo imóvel de Lucinda, que gemia de modo a cortar o coração. "Vê, disse ele, só lhe castiguei os olhos." O espetáculo que se me revelou então, nunca, oh! nunca mais o esquecerei! Os olhos da pobre moça tinham desaparecido; ele os vazara, na véspera, com um ferro em brasa... Recuei espavorido. O médico apertou-me os pulsos clamando com toda a raiva concentrada em seu coração: "Os olhos delinquiram, os olhos pagaram!".

A cabeça do enfermo rolou sobre os travesseiros, enquanto eu, aterrado do que ouvia e da expressão de sincero horror e aparente veracidade com que ele falava, olhei em volta de mim como procurando fugir. Damasceno ficou longo tempo arquejante.

De repente, dando um estremeção ergueu a cabeça e olhou para a parede que ficava do lado inferior da cama:

— Vai-te! — exclamou ele aflito. — Vai-te! ainda não!... Olhe!... Olhe! lá está ela! lá está!...

O dedo magro e trêmulo apontava alguma coisa no ar, enquanto os olhos, naturalmente fixos, resumiam todo o terror que é possível conter a alma humana. Insensivelmente olhei para o lugar que ele indicava... Olhei; e podem crer que ainda hoje não esqueci o que ali se passou. De pé, junto à parede, vi uma mulher lívida, a mesma do retrato, com os cabelos soltos, e os olhos... Os olhos, esses eram duas cavidades vazias e ensanguentadas.

Naquela meia-luz da alcova, e no alto de uma casa sem gente, a semelhante hora, entre um louco e uma estranha aparição, confesso que senti esvaírem-se-me as forças e quase a razão. Batia-me o queixo, as pernas tremiam-me tanto, eu ficara gelado e atônito. Não sei o que se passou mais; não posso dizer sequer que tempo durou aquilo, porque os olhos se me apagaram também, e perdi de todo os sentidos.

Quando dei acordo de mim, estava no meu quarto, deitado, tendo a meu lado os dois amigos que mandara chamar. Ambos procuraram desviar-me do espírito a lembrança do que se passara no quarto de Damasceno; precaução ociosa, porque de nada me lembrava então e o abalo fora tamanho que o passado como que desaparecera. Passei uma noite cruel, entre a agitação e o abatimento. Sobre a madrugada dormi.

Acordei com sol alto. Pude então recordar a cena da véspera, e só a recordação me fazia tiritar e gelar a alma. Quis ir ver o doente porque, apesar dos sucessos anteriores, interessava-me o pobre velho condenado a uma triste visão perpétua.

— É tarde! — disseram-me.
— Por quê?
— O doente morreu.

Senti que uma gota me brotava dos olhos, foi a única lágrima que ele obteve dos homens.

Meus colegas referiram-me que a morte sucedera ao romper da manhã, estando presente um deles e o criado. Damasceno morreu a falar das mais desencontradas coisas: de guerras, de meteoros e de são Tomás de Aquino. Seu último gesto foi para abraçar o sol, que dizia estar diante dele. Morreu enfim, ou antes, restituiu-se à eternidade, segundo a expressão do meu colega, a cujos olhos o doente parecera um esqueleto que visitara por algum tempo a terra.

Não pude assistir ao enterro; estava abatido e doente; mas um dos meus amigos foi até o cemitério. Com um deles fui dormir aquela e as noites seguintes, não podendo passá-las debaixo do mesmo teto em que se dera a terrível aparição. A justiça arrecadou o que pertencia a Damasceno Rodrigues; ele vivia do aluguel de duas casinhas e de algumas apólices, que se lhe encontraram. Não tinha herdeiros.

Só muitos dias depois atrevi-me a ver de novo o retrato da mulher que ele me dera. Ainda assim não foi sem terror, e arrependi-me de o ter feito, porque toda a cena se me reproduziu logo ante os olhos. Era miraculosamente bela a mártir de Jeremoabo; eu compreendia, não só a loucura de Damasceno, mas também a ferocidade do esposo.

O desembargador fez pausa, no meio do geral silêncio de constrangimento que sua narração produzira. Vasconcelos foi o primeiro que falou:

— Não podemos duvidar que o senhor visse a figura dessa mulher — disse ele —; mas como explicar o fenômeno?

— A dificuldade é maior do que pensa — acudiu o desembargador. — O episódio teve um epílogo.

— Ah!

— Quando referi a aparição a algumas pessoas, ninguém me deu crédito; e os mais polidos atribuíam o caso a um pesadelo. Evitei expor-me à incredulidade e ao ridículo. Mais tarde, já senhor de mim, determinei contar a catástrofe de Damasceno em um jornal que escrevíamos na Academia. Tratando de colher alguma coisa mais acerca da infeliz, vim a saber, com grande surpresa, que ele nunca estivera na Bahia, nem saíra do sul. Já então não era só o interesse literário que me inspirava; era a liquidação de um ponto obscuro e a explicação de um fenômeno. Casara aos vinte e dois anos em Santa Catarina, de onde só saiu aos trinta e três, não podendo, portanto, encontrar-se com o original do retrato, aos vinte e cinco, solteiro, em Jeremoabo; finalmente, a miniatura que me confiara era simplesmente o retrato de uma sobrinha sua, morta solteira. Não havia dúvida: o episódio que ele me referira era uma ilusão como a da lua, uma pura ilusão dos sentidos, uma simples invenção de alienado.

— Mas, sendo assim...

— Sendo assim, como vi eu a mulher sem olhos? Esta foi a pergunta que fiz a mim mesmo. Que a vi, é certo, tão claramente como os estou vendo agora. Os mestres da ciência, os observadores da natureza humana lhe explicarão isso. Como é que Pascal via um abismo ao pé de si? Como é que Bruto viu um dia a sombra de seu mau gênio?

— O seu caso é talvez mais simples que esses todos; o desvario do doente foi contagioso, e fez com que o senhor visse o que ele supunha ver.

— Pois é pena! — exclamou o desembargador. — A história de Lucinda era melhor que fosse verdadeira. Que outro rival de Otelo há aí como esse marido que queimou com um ferro em brasa os mais belos olhos do mundo, em castigo de haverem fitado outros olhos estranhos? Crê agora em fantasmas, dona Maria do Céu?

Maria do Céu tinha seus olhos baixos. Quando o desembargador lhe dirigiu a palavra, estremeceu, ergueu-se. O bacharel também se levantou, mas foi dali a uma janela — talvez tomar ar — talvez refletir a tempo no risco de vir a interpretar algum dia um hebraismo da Escritura.

Jornal das Famílias, *dezembro de 1876 e janeiro-fevereiro de 1877; Machado de Assis.*

Um almoço

I

A manhã era das mais puras, frescas e transparentes manhãs do nosso inverno. Não havia sequer um retalho de neblina; o céu estava azul e nu, o sol pacato, a temperatura deliciosa. O Passeio Público convidava a ir gozar ali um pouco de ar e meia hora de silêncio, por isso mesmo estava deserto. Deserto, não. Havia ali um passeador matinal, um só, mas justamente o único de que precisamos para este caso vulgaríssimo.

Chamava-se este passeador Germano Seixas, homem de quarenta e dois anos, mal trajado, pálido e abatido. A passo lento ia ele, cabisbaixo e triste, por uma das alamedas fora, desandando o caminho logo que chegava ao fim, parando a espaços, fitando uma coisa no ar, uma coisa invisível que podia ser um problema ou um consoante, e era nada menos que esse dilema nu e cru: comer ou morrer.

Sim, leitor amigo, Germano Seixas não come há vinte e quatro horas, e acha-se atualmente entre um almoço problemático e um suicídio certo. O estômago e a eternidade o solicitam com igual persistência. Ele cogita, indaga, esmerila a possibilidade de acudir às urgências do estômago; mas nada vê, nada sequer o ilude.

Numa das vezes que voltava a andar, viu surgir-lhe em frente um sujeito conhecido; quis esconder o rosto, mas não pôde. Era tarde.

— Oh! Germano! — disse o novo passeante. — Que fazes aqui a esta hora?

— Eu?... eu...

— Eu quê?

— Ando tomando fresco...

— Pois está calor?

— Talvez... creio que sim...

— Ora essa! Eu ia agora passando pela rua, vi-te a filosofar e entrei. Há quantos meses não nos vemos?

— Uns oito, talvez...

— Upa! Há mais. Mas, enfim, oito ou dez, não importa.

O novo personagem era um sujeito cheio, trajado com limpeza ainda que sem gosto, corado, satisfeito, em paz com a natureza. Apesar de ser ainda muito cedo, trazia um palito na boca, sinal de que almoçara.

Seu nome era José Marques.

Germano olhava para o palito, com que José Marques brincava — olhar de inveja e desespero. Mas o dono do palito não dava por isso; extraía a boceta do bolso e tomava uma pitada.

— Queres?

Uma pitada a um que deseja um bife é certamente a mais pungente ironia do mundo. Germano nem teve ânimo de falar; recusou com um gesto.

— Que tens, homem? — disse José Marques. — Acho-te assim um pouco...

Parou.

Seixas olhou para ele, para o chão, para as grades, para os bambus, e só depois destes círculos e retas murmurou a medo:

— Marques, eu estou... estou...

— Estás? Acaba.

— Adeus!

E deu alguns passos.

— Onde vais? — clamou José Marques acompanhando-o.

— Para a eternidade!

José Marques alcançou o infeliz deitando-lhe a mão à aba da sobrecasaca. Germano não resistiu, mas não pôde encará-lo.

— Que é isso, homem? — disse José Marques com ar de amigável repreensão. — Morrer! Pois és tão fraco, tão covarde...

— Não é covardia, é miséria, é fome. Ouve-me. Desde ontem não como nada. Sou chegado a uma terrível situação, desesperada e morta. Minha vida tem sido uma luta impossível com a fatalidade; já não posso lutar; sucumbo. Você pode impedir que hoje me atire à morte, mas amanhã, mas depois, um dia há de vir em que o meu destino tem de cumprir-se.

José Marques ouviu enfiado a narrativa de Germano. Olhou para ele, e leu no rosto o comentário das palavras. A fome e o suicídio davam-se as mãos naqueles olhos encovados e desvairados. José Marques achou em si um bom sentimento, que exprimiu em tom rude:

— Ora vamos! Não sejas tolo! Um homem deve ser superior à fortuna, sem o que não pode ser homem. É preciso contar com a Providência...

— A Providência! — interrompeu Germano.

— Sim, porque foi ela que me mandou aqui. Um almoço! Pois a gente mata-se por um almoço! Anda comigo; eu lutarei com a tua sorte, e vencê-la-emos.

Seixas sentiu-se enternecido ao ouvir aquelas palavras de José Marques. Aceitou a mão que este lhe estendeu e apertou-a entre as suas. Na pálpebra fatigada fulgiu uma lágrima de gratidão.

— Marques! — exclamou ele com a voz trêmula. — Ainda tenho um amigo.

— Um amigo que vale por dez homens. Anda daí!

Marques puxou-o pelo braço e os dois saíram do Passeio Público. Em caminho, Germano referiu a José Marques todos os seus infortúnios daqueles dez ou doze meses. Era um fio interminável de desgraças e contratempos; tentara todos os meios de vida ao alcance de suas habilitações, havendo-se em todos com mais fervor que fortuna; ultimamente servira de guarda-livros em uma loja de São Cristóvão, que faliu quinze dias depois de lá entrar. Vivia afinal de empréstimos e fiados. Mas isso mesmo cessou; a ponto de achar-se entre a vida e a morte naquela funesta manhã.

José Marques ouviu a narração do amigo sinceramente comovido. Interrompia-o para lhe dar ânimo e confiança.

— Agora as coisas mudam — dizia ele —; eu vou corrigir tudo isso.

Entraram num hotel, onde Germano almoçou razoavelmente, combinando quanto possível a discrição com as exigências do estômago. Os empregados notaram a intimidade de Marques com o maltrapilho, e acharam singular que se tuteassem dois homens, um dos quais parecia não ter o preconceito do lenço de assoar. Mas, ao cabo de tudo, como o almoço era farto e a paga certa, serviram a Germano com a mesma solicitude com que o fariam a outro freguês mais apurado.

No corredor do hotel, Germano disse a José Marques:

— Deste-me a vida; sinto agora que era uma loucura o que ia fazer. Com que expressões te agradecerei tamanho benefício?

— Ora, adeus — redarguiu José Marques. — Vou daqui à praça. Aparece daqui a duas horas no armazém.

— Sim.

— Onde moras?

— No beco do Cotovelo.

— Bem; vai ao armazém daqui a duas horas.

II

Duas horas depois Germano entrava no armazém de José Marques. A esperança iluminava os olhos, até pouco antes sombreados de suicídio. Não obstante, entrou constrangido e envergonhado.

José Marques manteve a palavra e desempenhou o papel que a Providência lhe confiara naquela manhã. Chamou Germano ao escritório, e aí lhe ofereceu um lugar de guarda-livros em casa de um seu amigo.

— Aceitas?

— Se aceito!

— Pois estás arranjado.

— Mas... como...

— Não digas nada! Não quero ouvir observações nem dar explicações. Achei-te hoje à beira da morte por falta de um almoço; dei-te o almoço. Mas como a situação pode repetir-se amanhã ou depois, ou em outro qualquer dia ofereço-te, dou-te agora uma coleção de almoços, que te hão de livrar da morte!

José Marques disse isto batendo-lhe com a mão no ombro, e rindo do ar acanhado de Germano, que não sabia se havia de olhar para ele, se para o chão.

— Sou amigo, não? — perguntou Marques rindo.

— Imenso!

— Um bom amigo, não é?

— Excelente.

— Amigo para as ocasiões, porque isto de fazer obséquios em circunstâncias ordinárias não é grande mérito. O mérito é fazê-los nas ocasiões graves e solenes.

— Justamente.

— Por exemplo, esta. Vi-te de longe triste e cabisbaixo; entrei; soube que a causa da tua tristeza era não teres comido ontem. Imediatamente acudi às duas precisões que tinhas; comer logo alguma coisa, e obter um emprego...

— É verdade, meu bom Marques — disse Germano —; vejo que ainda te lembras de mim, que apesar da minha miséria...

— Qual, miséria!

— Vejo que, embora maltrapilho...

— Maltrapilho! — exclamou José Marques inspecionando a roupa do amigo. — Não estás finamente vestido, mas... mas precisas de mudar isso... é verdade, precisas...

— Irei ganhar o meu primeiro mês.

— Oh! não te apresentes assim em casa do Madureira. Chama-se Madureira o dono da casa para onde vais. Não te apresentes assim que não te há de acreditar.

— Entretanto...

— Arranjaremos roupa; não se há de perder a viagem por falta de uma vela latina...

José Marques riu-se da graça que achou em si próprio, empregando aquela imagem náutica, e levou o amigo a uma casa de roupa, à rua do Hospício, onde lhe abriu um razoável crédito. Não se sabe o *quantum*; mas o novo guarda-livros não ousou ir além de uma andaina de roupa, não só porque tinha vergonha de abusar dos obséquios de José Marques, como porque, examinando casualmente um segundo paletó, viu o dono da casa menos solícito do que quando ele escolheu o primeiro. Que importa? Um paletó bastava para trinta dias; rigorosamente sobrava.

Despedidos os dois, encaminhou-se Seixas para o beco do Cotovelo, com a roupa debaixo do braço, e a alma nadando em gratidão.

— Oh! — dizia ele consigo. — Há ainda almas generosas neste mundo! A caridade, a afeição, os bons sentimentos não fugiram dele. Nobre Marques! Não se envergonhou de apertar a mão e ajudar a um antigo companheiro de balcão, menos feliz que ele! Menos feliz, muito menos! Ele está bem, pode liquidar, se quiser, ao passo que eu não tenho para comer. O que são destinos! Deus queira que isto agora não seja simples aragem de fortuna. Farei o que puder, e é a última experiência; se falhar...

O pensamento não ousou concluir a frase.

No dia seguinte apresentou-se Seixas em casa de Madureira e tomou posse do cargo. O patrão simpatizou desde logo ccm o guarda-livros, ou foi talvez prevenido pela narração que José Marques lhe fizera de seus infortúnios. O certo é que o tratou com excepcional benevolência, correspondendo Seixas desde logo e estabelecendo-se entre ambos uma amizade, que devia aproveitar mais tarde ao ex-suicida do Passeio Público.

— Então, que tal parece o Seixas? — perguntava José Marques três dias depois a Madureira.

— Um excelente homem!

— Não é verdade?

— Excelente; ao menos por ora a impressão é esta.
— E continuará a sê-lo.
— Zeloso, cortês, inteligente...
— Verás; é uma pérola. Se não fosse eu, talvez a esta hora...
— Pobre rapaz!
— Já te contei que o salvei da morte?
— Já, já.
— Pois é verdade, se passo ali meia hora depois, era homem morto.
— Praticaste uma boa ação, Marques.
— Oh!... Não falemos nisso.
— E podes crer que ele te é grato. Ainda hoje, perguntando-lhe eu, à mesa do almoço, se te conhecia há muitos anos, falou de ti com um entusiasmo! um ardor!...
— Sim?
— Não imaginas.

José Marques não escondeu, nem procurou fazê-lo, a boa impressão que lhe causara a notícia de Madureira. Afagou as barbas, abotoou e desabotoou o paletó, enfim expectorou este aforismo:

— A verdadeira paga do benefício é a gratidão do beneficiado.
— Não há outra — opinou Madureira. — Infelizmente, são raros os agradecidos.
— Raríssimos — confirmou José Marques. — Eu, pela minha parte, tenho visto poucos. Mas não me engano com aquele. O Seixas nunca se há de esquecer de mim. Nem é fácil. Tu eras capaz de esquecer um homem que te desse a vida e o pão?
— Nunca.
— Pois!

No fim do mês Seixas foi ter com José Marques para lhe dizer que amortizara parte da dívida contraída na loja de roupa. Havendo algumas pessoas presentes, não quis ele dizer logo ao que vinha; José Marques apressou-se a chamá-lo de parte, onde lhe ouviu a boa notícia.

— Não havia pressa — observou ele.
— Convém pagar quanto antes. Todas as dívidas devem ser pagas; esta mais depressa que as outras, porque é preciso desempenhar a tua honrada palavra, e ao mesmo tempo mostrar que não lançaste a semente do benefício em terra estéril...
— Quem te diz isso, homem? Estás contente com o Madureira?
— Estou.
— Também ele contigo.
— Sim? Tanto melhor.
— Agora, é fazeres por ser bom cavalheiro. Eu digo de ti o que devo e mereces, porque não entendo que a prova de amizade consista somente em certos benefícios. Nem só de pão vive o homem. Vive de pão e de crédito. O Madureira sabe o que és e o que vales.
— Obrigado, Marques! — disse Seixas estendendo-lhe a mão.
— Onde vais?
— Vou a casa.
— Espera um pouco...
— Se puderes dispensar-me era favor.

— Tens algum negócio urgente?

— Urgentíssimo.

Seixas saiu e dirigiu-se para o beco do Cotovelo, entrou em casa e lá ficou até o dia seguinte. Era noite; ocupou-se em apurar um assunto de que trataremos no capítulo seguinte.

III

Seixas não fora sempre combatido da fortuna. Tempo houve em que a cidade o viu brilhar entre os elegantes de calças cor de flor de alecrim. Dotado de aceitável figura, de uns olhos insinuantes e vivos, feriu alguns corações ingênuos, que em vão esperaram o bálsamo matrimonial. Muitos deles recorreram a outros; alguns ainda esperam boticário próprio. Um desses, em despeito das posturas canônicas e civis, aceitou os conselhos de Seixas, curandeiro de má morte, que transviou o irrefletido coração, de que tudo resultou uma menina gentil como os amores. A menina e a mãe viviam em casa de uma velha parenta, casa que Seixas frequentou algum tempo, mas de onde o arredaram os lances da fortuna.

Na véspera do dia em que José Marques o encontrou no Passeio Público, Seixas fora ver a sua Elvirinha, criança de quinze anos, de quem se despediu com lágrimas, no meio de grande espanto da *mais família*, que não atinou logo com a causa daquela aflição. Era a despedida da morte. Arrancado a tempo do fatal abismo em que ia cair, Seixas lembrava-se agora da filha, e sonhava uma família e uma casa. O sonho não combinava muito com a realidade. Seixas compreendia perfeitamente que a sua sorte era ainda mais precária que os recursos. Mas ao mesmo tempo uma esperança vaga lhe falava no coração, voz consoladora ou pérfida, a última felicidade dos desamparados. Era esta voz que lhe contava antecipadamente as alegrias do futuro, dizendo-lhe à guisa das feiticeiras de Macbeth: — Tu serás sócio do Madureira!

A predição não era extravagante. Madureira tratava-o com tamanha benevolência e distinção, que a ideia de o fazer seu sócio podia nascer-lhe um dia de manhã, sem pasmo para ninguém.

Seixas não falou nisso a José Marques. Ia vê-lo todas as semanas, falavam de várias coisas, mas nunca daquela esperança acariciada no peito do guarda-livros.

As visitas de Seixas a José Marques, hebdomadárias durante os primeiros três meses, passaram a ser quinzenais, depois mensais, depois casuais. Seixas melhorara a olhos vistos, nas cores e no vestuário. Logo que pôde contraiu de novo o vício do charuto, deixado algum tempo antes do projeto do suicídio. José Marques folgava em contemplá-lo... Nunca houve joalheiro que olhasse com mais amor e desvanecimento para uma obra sua. Dir-se-ia que ele o inventara.

— Agora, sim! estás outro! — exclamava ele. — Olhem-me estas bochechas! Quem diria que são as mesmas faces encovadas e amarelas daquele pobre Seixas do ano passado? Não te vexes de ser gordo, homem!

— Pois eu havia de vexar-me? — murmurava o guarda-livros.

— Parece! estás assim não sei como...

— São os teus olhos!

E logo que se separavam:

— É insuportável este Marques — dizia Seixas consigo —; é um verdadeiro língua de trapos!

Um dia José Marques foi ter com Seixas, a pedir-lhe para entrar de irmão em uma ordem terceira.

— Não sei se posso agora fazê-lo — disse este —; meus recursos...

— Não são muitos, mas espero que me não recuses isso; é um benefício para ti...

Seixas cedeu; José Marques contou mais um argumento para o caso das vantagens dadas pelo compromisso da ordem em favor dos que lá metessem certo número de irmãos. No mesmo dia em que Seixas foi proposto e admitido, José Marques procurou-o em casa, que já não era no beco do Cotovelo, mas na rua dos Barbonos.

— Com que então, tens pouco recursos? — disse ele logo que entrou.

— Bem o sabes.

— Maganão!

— Que queres dizer com isso?

— Velhaco!

— Mas...

— Pelintra!

— Acaba!

— Ainda em cima dissimulado! Já não tens em mim um amigo na vida e na morte; esquivas-me; desprezas-me...

— Explica-te.

— Não sabes nada? Não sabes que o Madureira...

— Que tem?

— Vejo que ignoras tudo. Pois fica sabendo que ele quer dar-te interesse na casa...

— O Madureira?

— Disse-mo hoje. Escuso acrescentar que o aprovei em tudo e por tudo... Estás contente? Dá cá esses ossos.

José Marques abriu os braços a Seixas, que o chegou ao peito com a mesma ternura com que abraçaria um jacaré. Mas, alegrando-o a notícia, havia em seu rosto uma expressão de bem-aventurança que o amigo saboreou deliciosamente.

— Quando eu dizia que havíamos de vencer a sorte! — exclamou José Marques.

Seixas não se deu por achado, a primeira vez que esteve com Madureira; nem perdeu com isso. Daí a dias, Madureira comunicou-lhe o projeto, que o outro ouviu com o reconhecimento próprio da ocasião.

Afigurando-se-lhe mais propícia a estrela, Seixas resolveu definitivamente trazer para sua companhia a filha Elvira e sua mãe. Antes de o fazer, expôs todo o seu passado a Madureira, e comunicou a intenção que tinha de consagrar pelas bênçãos da Igreja as relações que o coração atara entre ele e a sra. d. Lúcia do Carmo. Aprovou-o o negociante. Assim se fez, e um mês depois recebiam-se os dois na igreja da Candelária, sendo padrinhos Marques e Madureira. A princípio Seixas só se lembrara do segundo; mas este fez-lhe ver que era conveniente convidar igualmente José Marques. O guarda-livros cedeu, e o casamento celebrou-se, não sabendo os convidados qual dos dois era o noivo, se Germano Seixas, se José Marques, tão alegre andava este naquela noite.

A noiva tinha um ar de sogra; mas a alegria não a podia haver mais juvenil. Após longos anos de desamparo e aflições, via-se enfim constituída em família. É certo que o devia menos ao próprio mérito do que ao amor que Seixas tinha à filha e ao desejo de lhe deixar um nome, e, se pudesse ser, algum pecúlio. Qualquer que fosse, porém, a causa eficiente, era feliz e isso lhe bastava.

Assim postas as coisas e as pessoas, vejamos agora os sucessos, que põem termo a esta curta, mas substancial narrativa.

IV

Os meses correram com a velocidade que só se sente de certa idade em diante, quando a velhice nos acena de mais perto e as cãs começam a povoar a cabeça e a barba.

Correram os meses, e mais depressa correu Madureira para a sepultura, aonde baixou em certa manhã de setembro, depois de três dias de moléstias. Já então Seixas era seu sócio. Aberto o testamento, viu-se que o defunto, não tendo parente, dispunha alguns legados e instituía seu herdeiro universal o feliz pai de Elvira. Este e José Marques eram nomeados testamenteiros.

Seixas sentiu a morte do sócio e protetor; mas é força confessar que a herança lhe suavizou grandemente a mágoa. É esse um dos bons efeitos das heranças. Seixas conheceu pela última vez a grande alma de Madureira.

Vê o leitor que estamos longe do dia em que Seixas, cansado de esperar o almoço, resolvera ir comê-lo na eternidade. Agora era um comerciante apatacado e conceituado. Tinha família. Quando ele pensava nisso sentia um tremor nervoso como de quem recorda o terremoto de que escapou; mas ao mesmo tempo comprazia-se em recordar que de baixo subira tanto. Um só ponto negro havia: era José Marques, que (na opinião de Seixas) se constituíra seu eterno perseguidor. Seixas rememorava a cena do Passeio Público, até a chegada de José Marques; logo que José Marques entrava, ele desviava dali o pensamento como de um crime. Agora não podia vê-lo; padecia só com encará-lo.

José Marques, entretanto, era-lhe cada vez mais afeiçoado, e fazia-o sentir com franqueza. Nunca lhe pedia favores; exigia-os, e era justo, porque o salvara da morte. Nem por isso Seixas o convidara um dia de anos da filha. Quando José Marques soube disso ficou consternado. Não se deteve; foi dizer-lho. Seixas recorreu ao meio mais vulgar e usado entre todos.

— Não te convidei? — disse ele. — Admira-me que o digas, porque eu próprio escrevi uma carta... Não importa! Vai lá logo.

— Decerto que vou; mas sempre quis dizer-te...

— Fizeste bem.

— Sim, era realmente de espantar que tu me tratasses por esse modo. Podes ter defeitos; cada um de nós tem os seus; mas ingrato, não! tu não és ingrato.

— Pois!

— Não és. A que horas?

— Vai jantar.

— Vou, vou.

E foi.

Durante o jantar fez uma saúde única, ao dono da casa, felicitando-se pela parte que o seu coração tinha naquela festa de família. Não foi adiante, mas disse o suficiente para fazer empalidecer o pai de Elvira.

Logo que ele se despediu, à meia-noite, Seixas disse à mulher:
— É o homem mais aborrecido que tenho visto em minha vida!
— Por quê? Não me pareceu.
— Não o conheces.
— Parece até amável comigo e com Elvira.
— Isso pode ser; mas sempre te digo que nunca vi nada pior!

José Marques quase não convivia com outras pessoas, além da família Seixas. Era casado; mas só ia a casa jantar e dormir. Alguns meses depois do jantar de anos de Elvira adoeceu-lhe a mulher; Seixas não a foi visitar logo. Sabendo, porém, que a doente estava à morte, não teve remédio senão ir lá uma noite.

— Creio que está perdida — disse José Marques ao amigo.
— Pobre senhora!
— Obrigado, Seixas — disse José Marques com um suspiro. — Vejo que és o mesmo amigo de outro tempo. Queria pedir-te uma coisa; tua senhora podia ficar estas últimas noites com minha mulher?

Seixas ficou gelado.

— Eu sei! Ela anda também tão achacada!
— Não parece.
— Anda.
— Mas, enfim, não está de cama. Vou pedir-lhe.

Seixas não teve tempo de exprimir a segunda objeção que já lhe dançava nos lábios. Sua mulher não pôde negar o que lhe pedia José Marques, alegando razoavelmente que não tinha mais pessoa da família.

Seixas foi obrigado a lá deixar a mulher e a filha, e a voltar só para casa.

— Os diabos o levem! — exclamava ele descendo as escadas de José Marques. — Isto é um suplício! Isto é... um inferno! E tudo porque me fez um dia... o que faria qualquer outro que ali passasse e soubesse da minha posição. O mundo não é um covil de tigres: a filantropia não veio só de encomenda para ele. Já não o posso tolerar.

A mulher de José Marques faleceu no fim de três dias. Como essa morte restituía a Seixas a mulher e a filha, pode-se dizer que o antigo sócio de Madureira gastou sem grande pena os doze mil-réis do carro em que foi acompanhar a defunta ao cemitério.

Entretanto, a morte da esposa de José Marques veio apertar mais os laços que uniam os dois amigos, porque José Marques, não tendo mais nenhum pretexto para estar em casa algumas vezes, habitava mais a de Seixas que a sua.

Um dia liquidou o negócio, despediu-se da praça, e foi o mais triste dia da vida de Seixas.

José Marques não vivia em outra parte: era sempre na loja ou em casa do pai de Elvira. Esta e a mãe achavam-no agradável, e ele fazia o mais que podia para não contrariar essa impressão. Seixas, porém, padecia (dizia ele) as dores cruciantes de um inferno. Não lhe falava horas e horas; às vezes nem olhava para ele. Se ria, e José Marques se aproximava, fechava logo o rosto, com o mesmo ar como se lhe dissesse: "Meu caro, não me rio para ti; tu aborreces-me; deves tê-lo compreendido; salvo, se és tolo, e o és na verdade".

Nada viu, porém, José Marques. Ele estava tão certo da amizade do outro, que o proclamava em toda a parte:

— O Seixas? é o meu maior amigo; conhecemo-nos há longos anos; sempre o mesmo. Verdade é que de certo tempo em diante deve-me tudo.

— Sim? — perguntava o interlocutor, qualquer que fosse.

— Tudo...

— Protegeste-o?

— Mais do que isso!

— Mas... então?...

E se o interlocutor não insistia:

— Aqui em reserva; o Seixas esteve um dia para matar-se.

— Que me diz?

— A pura verdade. Fui eu que o salvei; dando-lhe algum dinheiro e o lugar em casa de Madureira.

— Estou pasmado!

— Mas, também honra lhe seja feita. Nunca se esqueceu de meus benefícios; nunca!

Às vezes acontecia, no meio deste diálogo, surgir ao longe a figura de Seixas, a qual, ou desaparecia na primeira esquina, quando era possível fazê-lo, ou apressava o passo ao acercar-se do grupo, de maneira que passasse por ele, sem outra interrupção mais que um cumprimento de chapéu.

— Vem cá, Seixas! — dizia José Marques neste último caso.

— Vou com pressa; até logo!

José Marques ficava a olhar para ele, e dizia ao outro:

— Sempre na labutação! é um homem de truz.

— Oh! lá isso é!

— Bom pai de família... Não, senhor, não me arrependo do benefício que lhe fiz.

Seixas, entretanto, andava cogitando nos meios de fazer uma viagem à Europa. Não se pode dizer que José Marques fosse a causa disso; mas nas vantagens da viagem, entrava a da ausência deste. Uma só dificuldade havia; era o casamento de Elvira.

Elvira, a filha de Seixas, era na verdade uma herdeira graciosíssima, que ainda não sabia haver-se com as cassas e as sedas de que a vestiam, ela, que passara os primeiros anos envolvida em chita, algumas vezes rota. Mas era mulher, bonita e vaidosa; depressa se acostumou às exigências da nova posição. Tinha uns olhos e uns cabelos, negros como a noite escura, uns olhos que traziam desvairados outros da mesma e de outras cores. Mas só dois olhos eram felizes; eram os olhos do novo guarda-livros da casa do pai. Este empregado amava tanto a filha do patrão, como o leitor ama a rainha Pomaré; a faculdade mestra de sua organização era a do negócio. Viu em Elvira uma herdeira bonita, e atirou-se a ela; nada mais.

Seixas percebeu o namoro e aprovou-o mentalmente; esperava que o rapaz a pedisse para consentir logo; mas este hesitava ainda, ou receoso do resultado, ou desejoso de fortalecer mais a sua posição. Não foi ele, porém, o único ferido pela seta do amor. José Marques sentiu-se igualmente tocado da misteriosa arma. Velhote ainda fresco e bem disposto, não pôde nem quis resistir ao ferimento, nem levou a autora à polícia; rendeu-se-lhe aos pés. Elvira deu pela vítima antes mesmo que esta desse por si. É privilégio comum a todas as mulheres. Um homem, quando acontece ser amado por uma senhora, sem iniciativa dele, quase precisa que lhe vão levar a notícia a casa; a mulher é a primeira que vê incêndio na casa do vizinho.

Viu Elvira o incêndio e deixou-o arder. José Marques, porém, foi pedir à moça um pouco da aguada da sua benevolência para atalhar o mal. Vê a leitora que estamos em pleno *pays du tendre*. Não lhe pediu ele com a boca, mas com os olhos; Elvira entendeu e riu. Ele pensou que o riso era afirmação e levantou as mãos ao céu.

— Quem diria que aquela santa seria tão cedo substituída! — exclamou José Marques dentro de si.

Depois cogitou. Cogitou e hesitou. Hesitou, mas venceu, isto é, dispôs-se a casar.

— Dirão muita coisa de mim — pensou ele —; mas hão de levar em conta as verduras de uma mocidade prolongada.

Verduras!

Assim disposto, convencido e resoluto, foi José Marques ter com o Seixas.

— Tenho uma coisa para te pedir — disse ele.

— Fala.

— Uma coisa séria.

— Pois fala!

— Muito séria. Que pensas de mim?

— O que penso?

— Sim; que te parece a minha idade?

— Respeitável.

— Justamente: uma idade respeitável, isto é, não caio de maduro.

— Oh! nem eu!

— Nem tu. De maneira que se te dissessem que eu me ia casar, não te admiravas?

— Casar!

— Responde.

Seixas hesitou um instante.

— Não me parece — disse ele —, que a coisa fosse de todo desarrazoada. Devo, contudo, dizer-te que não posso ser padrinho... Ando agora muito ocupado.

José Marques sorriu à socapa.

— Nem é para isso que te convido.

— Ah!

— Convido-te para coisa melhor; convido-te para pai.

— Pai!

— Pai da noiva.

— Pai da noiva!

José Marques abriu os braços.

— Dá cá esses ossos! — exclamou. — Eu restituí-te a vida um dia; tu vais restituir-me a felicidade doméstica.

Seixas começava a ter umas suspeitas da realidade.

— Explica-te! — disse ele.

— Peço-te a Elvira.

Seixas não caiu das nuvens, porque já vinha a meio caminho; mas ficou consternado. A consternação era uma prova de simpatia, a última que ele lhe podia dar.

A ideia de José Marques parecia-lhe que frisava com a demência. Depois da consternação teve vontade de rir; mas conteve-se. Conteve-se, levantou os ombros, e não respondeu ao pretendente; nem o poderia fazer se quisesse, porque este entregara-se todo a uma descrição vivíssima do afeto que a moça lhe inspirava, e da ambição que tinha de a fazer feliz.

— Meu caro Marques — disse enfim o pai de Elvira —, serei franco. Não te posso dar minha filha.
— Não?
— Não posso.
— Mas por quê?
— Tenho outras ideias.
— Será possível? Parece-me contudo que... Estás brincando, decerto.
— Não estou; destino-a a outro.
— Quem quer que seja, meus direitos são anteriores aos dele, porque esse com certeza não te deu nunca provas de amizade, pelo menos do quilate das que te dei.

Seixas, levantou os ombros segunda vez, com tal expressão, que não havia duvidar. José Marques ficou abatido. Murmurou um queixume, que o outro ouviu assobiando, e despediu-se.

— Um homem a quem dei o pão! — dizia ele ao entrar em sua casa.

No dia seguinte recebeu uma carta atenciosa e quase amigável de Seixas, pedindo-lhe desculpa de não poder consentir no que ele pedia, pelo motivo já exposto, acrescendo que Elvira não aceitara o casamento com ele; protestavam, no entanto, a sua eterna amizade, esperando que o incidente não romperia as relações que entre ambos existiam. A carta era inspirada pela mulher de Seixas que não desejava magoar o pobre velho. José Marques leu-a e enterneceu-se. Escreveu logo uma resposta longa e amistosa; mas resolveu afastar-se da casa de Seixas durante algum tempo.

Sabendo, dois meses depois, que Elvira ia casar, sentiu-se picado de despeito, e abriu-se com alguns amigos censurando o casamento, e dizendo que alguém podia haver com direitos mais sólidos e antigos que os do guarda-livros.

Logo que Elvira casou, volveu ele a frequentar a casa de Seixas, onde jantava frequentemente e passava a maior parte do dia. Seixas já mal podia tolerá-lo. Os meses passaram, depois os anos; a velhice foi tornando José Marques pouco andarilho. A casa de Seixas era já a sua habitação usual. Ninguém o via comer em outra parte.

— Não tenho filhos nem mulher — dizia ele —; vocês serão a minha família.

Seixas não respondia nada.

— Sabes que mais? — disse José Marques um dia. — Estou com minhas cócegas de vir morar para aqui.

— A casa é pequena.

— Qual! Eu acomodo-me bem num canto. Podia ir morar com outro; mas, confesso, ninguém me merece tanto como tu, nem há amigo com quem eu possa falar com esta liberdade que uso contigo... Eu considero-te, por assim dizer, uma obra minha; e estou certo de que não és mais amigo de outro. Sei que és grato, que não te esqueces nunca um benefício.

Foi morar com a família de Seixas. O que este sentia não era já aborrecimento, era ódio. Deu-lhe um quarto escuro, em um recanto da casa, onde José Marques se acomodou. Seixas recebia em casa alguns amigos, que ali iam jogar o voltarete ou palestrar. Se faltava um parceiro, José Marques era convidado a supri-lo, mas nada mais. Nem por isso lhe dava o melhor lugar à mesa do chá, onde ninguém fazia caso dele. José Marques, entretanto, não se fartava de elogiá-lo como homem grato, a quem ele matara a fome e salvara da morte.

— É um benefício de que nunca me hei de esquecer — acrescentava ele.

Um dia adoeceu, mas tão infelizmente que já não tinha nada do que possuíra, em consequência do incêndio de duas casas, da morte de alguns escravos e da falência da companhia de que ele tinha duzentas ações. Acrescentou a esta desgraça, estar Seixas preparado para uma viagem à Europa. José Marques foi para o hospital de sua ordem, onde faleceu. Seixas, que ainda não havia embarcado, mandou dizer uma missa, não sei se pelo repouso do defunto, se em ação de graças. O coração não falou, mas pensou isto:

— Morreu um dos homens mais insuportáveis que tenho conhecido. A terra lhe seja leve!

Jornal das Famílias, *março-maio de 1877; Machado de Assis.*

Silvestre

I

José S. P. Vargas era o péssimo dos procuradores: só procurava para os outros. Após vinte anos de incessante trabalho, por sóis e chuvas, muita canseira e muita humilhação, achava-se ele no mesmo ponto de onde partira, com a diferença que partira aos vinte anos e só, e tinha agora mulher e dois filhos. A odisseia de um desses lutadores do foro está ainda por escrever. Se alguém a fizer, há de sair-lhe menos brilhante e variada que a outra, mas pode ser que mais triste ainda que monótona, ou talvez por isso mesmo.

Mas não tratemos agora do procurador nem das suas peregrinações. Tratemos do filho dele, Silvestre, um descorado menino de quinze anos, melancólico, taciturno, metido consigo, flor nascida em lugar de pouco sol, prestes a dobrar o cálice para a terra, de onde veio. Silvestre custara à mãe dores infinitas; talvez por isso era mais amado do que a irmã, menina de doze anos, viva, alegre, refeita, a vender saúde por todos os poros. O pai compensava a filha, amando-a mais do que ao irmão. Ao cabo, ambos os pais queriam a ambos os filhos, com uma leve nuança e nada mais.

José Vargas fez ensinar ao filho as primeiras letras, que era o mais que lhe podia dar. Silvestre aprendeu consigo um pouco de francês. Aos catorze anos, o pai quis fazê-lo seu ajudante na procuradoria; mas a organização franzina do pequeno era pouco auspiciosa para tais labutações. Pareceu-lhe melhor metê-lo em um cartório, onde ele se habilitava para escrevente juramentado, e mais tarde escrivão ou tabelião, não saindo assim dos limites do foro a dinastia dos Vargas.

Silvestre não exprimiu a menor objeção acerca de tais planos. Ouviria acaso alguma coisa do que diziam dele? Sozinho, a olhar para o ar, com a cabeça entre as mãos, parecia dominado por uma ideia fixa. Seus olhos, grandes e brilhantes, encerravam toda a vida que fugira do resto do corpo. Com os cabelos lisos, incultos e caídos sobre as têmporas, dava uns ares remotos de Bonaparte, mas um Bonaparte mais do pensamento que da ação, e muito menos másculo. Na família, a opinião aceita é que Silvestre era doente — doente de alguma coisa física, ou coração ou baço, ou vermes. Da alma não podia ser, o pequeno não tinha desgostos. A família acreditava que a alma só adoece de desgostos.

As noites eram gastadas por ele, em grande parte, a ler um tomo velho comprado a um algibebe, certo dia em que a mãe lhe deu algum dinheiro. Ninguém sabia o que era o livro, que estava escrito em francês; mas a mãe achou natural a explicação daquele amor às letras desde que a filha lhe deu notícia de que a obra era lardeada de estampas. Era claro que os bonecos divertiam o menino. Infelizmente, Silvestre descuidou-se um dia e deixou-o sobre a mesa de jantar. O pai viu-o, abriu-o e confiscou-o.

— Um pirralho a folhear retratos de mulheres nuas!

Silvestre chorou lágrimas de desespero no interior da alcova. A mãe, que o livrara do castigo já planejado pelo procurador, foi consolá-lo da perda, não menos que aconselhá-lo a não perverter-se com estampas desonestas. O pequeno ouviu-a, mas continuou a chorar, até que a própria dor adormeceu, os olhos secaram e a esperança lhe animou o rosto. A primeira quantia que pôde obter foi destinada a outro exemplar da obra; andou por algibebes, catou estantes e gavetas, durante uma semana e mais, até que descobriu o exemplar suspirado. Se tivesse achado um brilhante não ficaria mais contente. Meteu o livro entre a camisa e a pele e guiou para casa, onde o escondeu a sete chaves, tendo cuidado daí em diante em o não deixar rolar por cima das mesas.

Assentado que Silvestre entraria para um cartório de escrivão, foi esta ordem transmitida ao pequeno, que enfiou, mas não resistiu. Pelo contrário, alegrou-se muito, quando o pai lhe disse que era preciso ganhar a vida por si, e que, se tivesse juízo, brevemente podia ver o fruto do seu trabalho. Silvestre dispôs-se a seguir pontualmente os conselhos de seu pai e foi para o cartório. Ali deram-lhe papéis a copiar, autos a coser, serviço em que ele, posto lhe repugnasse, empregava o melhor da atenção que Deus lhe dera. Mas, como tinha muita vez os olhos no ar e o pensamento alhures, errava laudas e laudas, copiava-as de novo, com dispêndio do papel e da paciência do escrivão. O fiel do cartório tomou-lhe ojeriza; ele caricaturou o fiel, e este pequeno incidente ia cortando a fortuna forense de Silvestre. Passou, e com ele iam passando os dias, com grande enfado do pobre menino, que perdia a esperança das vantagens prometidas pelo pai.

Um dia, passando Silvestre pela Academia das Belas-Artes, viu-a aberta; entrou, pediu para ver alguns quadros. A simplicidade do pedido desviou a ideia de qualquer objeção. Demais, a comoção do pequeno era visível; era por força comoção de artista. Quando ele de lá saiu, duas horas depois, tinha o olhar alucinado, o pulso febril, o passo trêmulo. A vista das salas e dos alunos fascinava-o, revolvia-o todo. Vira com os olhos os quadros da Academia; com o espírito viu uma infinidade de obras-primas, e sobre todas elas uma que ele trazia em si, inédita, virgem, à espera de ver o sol, de a saudarem os séculos. Essa obra-prima não era a caricatura do fiel do cartório, menos ainda os traslados do escrivão. Silvestre vagou longo tempo pelas ruas da cidade. Quando cansou, refletiu no que lhe cumpria fazer para substituir a pena pelo pincel; e concluiu que era pedi-lo ao pai. Assim disposto, dirigiu-se para casa onde entrou alegre como nunca o vira a família. Entrou; foi ter com o livro misterioso, abriu-o e contemplou com a alma toda. Era uma história da pintura, entremeada de gravuras representando painéis célebres. As mulheres nuas que tanto irritaram o procurador eram umas Vênus e Bacantes, ali inseridas entre as Virgens de Correggio e Rafael. Silvestre fartou-se de contemplar as obras e releu a história de alguns pintores. A ambição não lhe falava na alma; ele não perguntava se o futuro lhe daria as palmas do Dominiquino e Rembrandt. Não; o que lhe pulava dentro era um painel que ele devia fazer, uma ideia, um sentimento, alguma coisa sublime que tinha necessidade de traduzir na tela e legar à imortalidade.

Nesse mesmo dia, Silvestre pediu à mãe que o tirassem do cartório e o mandassem para a Academia. A mãe sorriu tristemente do pedido do filho; mas descarregou a consciência de mãe transmitindo-o a seu marido. O procurador vivera até ali na ignorância do que podia valer a pintura, salvo para fazer alguns retratos, e isto mesmo nem era já aplicação sensata depois do daguerreótipo, então em plena posse de ambos os mundos. Quando a mulher lhe falou no desejo do pequeno, limitou-se a erguer os ombros; mas indo ele fazer-lhe pessoalmente o pedido, José Vargas irritou-se deveras.

— Tu estás doido? — disse ele agitando as narinas. — Pois hás de ganhar a vida a borrar pano!

Silvestre tentou fazer entender ao pai que não era precisamente o que ele queria, mas a potência intelectual do procurador não ia até compreender a *Transfiguração*. O pai cortou a palavra ao filho e devolveu-o ao cartório.

Não havia mais que obedecer, Silvestre obedeceu.

Passados os primeiros dias, o pequeno levantou o espírito do abatimento em que o lançou a recusa paterna. Achava meio de sair a certas horas, em certos dias, e voltava ao edifício das Belas-Artes. Ali travou conhecimento com um dos alunos, tornou-se íntimo; alcançou confidências; fez-lhe algumas, e quando a amizade se achou cimentada — o que custa pouco entre rapazes —, obteve em casa do aluno as primeiras lições de desenho. Mostrou-lhe então alguns ensaios que fizera a ocultas; o aluno admirou-se da espontaneidade do talento e não acreditou que ele não tivesse tido mestre.

— Não tive nenhum — respondeu Silvestre com simplicidade —; copiei algumas gravuras que tenho num livro.

Alcançou algumas lições: mas o mestre, vendo um dia que o discípulo lhe era superior, sentiu-se humilhado e suspendeu o obséquio. Silvestre colheu desde logo os primeiros espinhos. Não desanimou, nem era caso disso. O que aprendera era bastante para desenvolver-lhe o talento; atirou-se à arte com o melhor de seu coração. Imberbe como Rafael, não se acreditava menos votado à glória ainda que para ele a glória não eram os aplausos dos homens, mas só o fato de produzir alguma coisa. Quando lhe pareceu que ia bem no desenho, experimentou o emprego das tintas; arranjou uma tela, armou um cavalete, e trabalhou consigo. Ao cabo de muita tentativa, convenceu-se de que lhe faltava ainda muita coisa. Voltou à Academia, a pretexto de visitar o antigo mestre, mas com o único fim de observar como ele e os outros trabalhavam. Um professor do estabelecimento reparando na atenção com que ele assistia às lições e descobrindo-lhe no olhar alguma coisa superior, travou amizade com ele e deu-lhe na sua oficina lições particulares e práticas, que o rapaz aprendia com rapidez incrível. O desinteresse e o desvelo do professor falaram na alma de Silvestre, e deram-lhe, com as noções da arte que ele adorava, uma alta ideia de generosidade dos homens. O aluno era escravo do mestre; o mestre era pai do aluno.

A ambição de Silvestre — não digo bem — a necessidade de Silvestre era trazer à luz do sol e à contemplação dos homens uma Vênus que ele tinha na cabeça. No prefácio da obra sobre belas-artes que ele comprara ao algibebe lera o rapaz que o cristianismo expulsara os deuses pagãos do céu; Silvestre ignorava o que fossem deuses pagãos, mas alguns retalhos de frases do mencionado livro lhe deram ideias mais ou menos exatas do paganismo. Imaginava ele pintar uma Vênus expulsa do céu, com uma expressão e uma atitude inteiramente novas. O professor, homem de seu tempo, forcejava por arredá-lo de assuntos puramente clássicos; infundia-lhe o espírito do século. A natureza americana, a história moderna, a mesma história pátria, os costumes e as lendas nacionais podiam dar-lhe assunto a um painel superior; Silvestre não abria mão de Vênus. O livro dominava-o; a primeira leitura enfreava-lhe o espírito.

— Percebo — disse-lhe um dia o professor —, você tem na cabeça um ideal de beleza, é-lhe preciso transcrever na tela; escolhe Vênus que era a deusa das graças. Vá lá; faça esse quadro; voltará depois aos meus conselhos.

Não é preciso dizer que a Vênus e o escrivão eram inconciliáveis, e que uma vez metido com tintas não podia Silvestre seguir com a mesma atenção os traslados e as certidões. Assim que o trabalho diminuía, as certidões saíam erradas, e o que mais era, o escrevente gazeava com frequência o cartório. As coisas chegaram a tal ponto que o escrivão preferia vê-lo ausente. Um dia, porém, demorado um traslado por culpa de Silvestre, não teve o escrivão outro remédio mais que contar tudo ao procurador. Este notara algumas vezes a ausência do filho; mas no dia em que o escrivão lhe contou que as ausências eram multiplicadas e a desatenção do rapaz sem remédio, ficou mais consternado do que se lhe tirassem todas as procurações.

— Maroto! — exclamou o pobre pai. — Vou dar-lhe uma lição mestra. É a mania dos bonecos! Não cuida em outra coisa.

A lição foi comutada em repreensão graças à intervenção da mãe de Silvestre.

— Hás de ser homem do foro, quer queiras quer não! — perorou José Vargas. — O foro é que te há de dar o pão; não hão de ser os panos pintados! Ou trabalharás como eu quero, ou vou meter-te no Arsenal de Guerra. Pelintra! Abusar da confiança de um homem honrado, estragar-lhe os papéis, comprometê-lo quase! Isto suporta-se? Sai! Vai-te embora!

A última palavra era um grito do coração do procurador, em quem o olhar doce e lastimado do filho começava a influir. Silvestre recolheu-se à alcova com a alma dilacerada. Tinha então quinze anos; via já claramente que devia renunciar a uma das duas coisas: a arte ou a família. O amor e a vocação lutaram nele com armas de igual têmpera; áspera e pertinaz refrega que acabou afinal, não pela vitória, mas pela esperança — a esperança de conciliar o cartório e a oficina. A solução consolou-o, como sabem consolar todas as quimeras. O pai mandou-o chamar.

— Resolvi tirar-te do cartório — disse ele, saboreando a alegria vã do filho —; vais ser escrevente do doutor Luís Borges. Não só serás seu escrevente, mas até irás morar com ele. Virás ver-nos aos domingos, ou de mês em mês, conforme te portares.

Silvestre lançou-se-lhe aos pés.

— Adeus! — exclamou o pai. — Não percas tempo, que é aborrecer-me. Resolvi e não recuo.

Nem os rogos da mãe nem os da irmã puderam demover o procurador da resolução assentada. Força era obedecer. A mãe de Silvestre tratou de o aconselhar a proceder bem, com o fim de ver se afrouxava o ânimo do pai; a irmã desfazia-se em lágrimas; o procurador afogava a comoção em rapé.

O dr. Luís Borges que José Vargas tirava assim da algibeira, como um chicote para castigar o filho, estivera com o procurador duas horas depois da repreensão que este fizera ao rapaz. O procurador contou-lhe as suas mágoas, a repugnância do filho ao trabalho forense, a inclinação de desenhar retratos.

— A maior parte do tempo consome-a naquilo — disse ele. — Se não fosse franzino eu já o tinha metido no Arsenal ou em alguma outra parte, em que o obrigasse tal ou qual disciplina. Não sei realmente o que espera ele da...

— Mas já viu alguma pintura dele?

— Eu sei lá! uns rabiscos e pinceladas, que não entendo. Mas, ainda que entendesse aquilo, é lá ofício que deixe lucro?

O advogado torceu a pêra, consertou a gravata e disse:

— Vou propor-lhe uma coisa.

— Diga!

— Seu filho precisa de um freio, não é? Pois eu me encarrego de o pôr a bom caminho. Faço-o meu escrevente, trabalhará debaixo da minha inspeção. Mas, não sendo isso bastante, convém que ele venha viver comigo; sairá do escritório para casa, e de casa para o escritório. Fá-lo-ei trabalhar, de modo que esqueça as tais pinturas. Serve-lhe?

A proposta era tão inesperada que o procurador não pôde responder logo; tudo entrava em seus cálculos, menos separar-se do filho. Contudo, a oferta era tão generosa, a proteção do advogado tão útil, que fora erro e descortesia não aceitar. O procurador aceitou, com muito agradecimento. Assentou-se que Silvestre iria na segunda-feira próxima para casa de Luís Borges.

Silvestre empacotou os seus pincéis, telas e cavalete, o seu livro de artes, alguns desenhos, vários esboços, enrolou tudo em folhas verdes de esperança, engolindo muita lágrima, e declarou-se pronto a seguir seu destino. O pai comoveu-se na ocasião de o abençoar, mas disfarçou o abalo dizendo ao filho:

— Vai com Deus! Se trabalhares com afinco e zelo, há em ti um bom tabelião.

— Não — murmurava o coração do adolescente —, há em mim uma obra-prima.

II

O dr. Luís Borges morava na praia da Gamboa, numa casa elegante, ainda que pequena, construída à custa de muitas razões finais. Era homem de quarenta anos, casado com uma gentilíssima senhora de vinte e cinco, sem filhos nem parentes, quase sem amigos. A fortuna não era nem surda nem solícita aos rogos do advogado; era como a maré que ele via das janelas todos os dias; enchia e vazava. Ele tinha a virtude de não esmorecer com as vazantes nem alucinar-se com as enchentes. *Laboremus* era a sua máxima.

Quando Silvestre ali apareceu, no dia ajustado, acabava o dr. Borges de ler as folhas e preparava-se para ir ao almoço. O pai fez entrega do filho e saiu. O pequeno ficou trêmulo e sem voz.

— Venha cá, meu rebeldezinho — disse o advogado —; venha sem medo. Com que então, em vez de copiar autos, vossa mercê dá-se à pintura?...

Silvestre não ousava levantar os olhos do chão. Não se sentia triste somente, mas irritado e indignado. Não falava porque não podia; mas dado que pudesse, é provável que não rompesse o silêncio.

Luís Borges caminhara para ele, com a mão esquerda ergueu-lhe a cabeça, e contemplou-lhe alguns segundos as feições finas, os olhos rutilantes de juventude e esperança, a fronte amassada de talento e ambição. Ao mesmo tempo, Silvestre, que até então não olhara em cheio para o advogado, pôde ver-lhe o rosto, que ele supunha ser peludo e tétrico e achava simplesmente franco e amorável.

— Há aqui alguma coisa — murmurou o advogado.

Silvestre corou até a raiz dos cabelos.

— Que tem pintado você?

— Quase nada.

— Alguma coisa, ao menos.

— Mas tão pouco!

— Há de deixar-me ver.

— Não posso; são esboços sem valor. Quando eu fizer uma grande obra, sim.

— Olé! Já pensa nisso?

— Não penso em outra coisa.

— Mas, menino, ninguém chega a uma grande obra sem passar por obras pequenas. Engatinha-se antes de andar. Eu quisera vê-lo engatinhar.

Silvestre não disse palavra.

— Tem o pudor do incompleto! — pensou o advogado. — Sabe que seu pai trouxe-o para cá — continuou ele em voz alta — para que trabalhe e se deixe de pinturas. Eu, porém, permito-lhe que pinte.

Silvestre quase desmaiou. Agarrou-se às mãos do advogado, como a pedir-lhe que repetisse o que acabava de dizer. Riu-se o advogado da alegria do pequeno, e, não só lhe disse que podia pintar em suas horas vagas, mas até que, se visse algum trabalho sério, de onde pudesse concluir que havia nele talento, lhe arranjaria um professor. A alma de Silvestre respirou largamente, livre do infortúnio que a oprimia; achava um protetor, onde cuidava ir buscar um algoz. Podia enfim ser artista!

É de saber que Luís Borges, apesar dos seus quarenta anos não perdera os entusiasmos juvenis, nem algumas das ilusões da primeira idade. Cria na arte, na glória, na poesia. Quando José Vargas lhe contou desanimado a vocação do filho e a necessidade de refreá-la a fim de lhe dirigir o espírito para alguma coisa mais útil, ou menos eventual, Luís Borges alegrou-se com a ideia de haver descoberto um artista e a de concorrer para desenvolvê-lo. Tal foi o motivo da proposta que lhe fez. Também ele tivera ambições, que o tempo levou, como leva outros tantos pedaços da alma. Agora, sentado nas ruínas da juventude, contentava-se em espraiar a vista pelo mar largo da juventude alheia.

Ia pois mudar a vida de Silvestre; seu gênio achava enfim uma pátria. O advogado mandou-lhe preparar uma sala e uma alcova, que havia no sótão da casa; duas janelas davam para o mar. Ele poucas vezes vira o mar, quase toda a vida esteve confinado em sua casa do bairro dos Cajueiros. Quando estendeu os olhos pela água adiante, a alma estremeceu, como o cavalo ao ouvir o clarim da guerra. Também ele ia pelejar, a dura e gloriosa peleja da arte, que o seduzia e arrastava, e que o mataria se ele não acudisse de pronto. Silvestre encostou-se à janela e deixou-se ir ao sabor de seus pensamentos; lembrou-lhe a mãe, a irmã e o pai, de quem ia viver separado doravante, e ficou triste; mas a ideia de que lhes pagaria as saudades com muita glória o consolou da tristeza, e lhe levantou o espírito.

Os aposentos que lhe deram estavam alfaiados com o estritamente preciso; ainda assim não fosse, ele não repararia em nada. Sua melhor mobília eram os seus quinze anos. Tirou da caixa que trouxera os objetos necessários à arte, os pincéis, as telas, os desenhos; pôs as coisas em ordem, mas de modo que, em caso de entrar um estranho, pudesse esconder tudo. Feito isto, entrou a contemplar mentalmente a sua Vênus inédita; corrigiu um braço, avivou o colorido, dispôs melhor um acessório. A atitude não o satisfazia de todo; melhorou-a, mas reparou que a mudança prejudicava a luz, e voltou à primeira correção. O olhar não lhe parecia assaz expressivo; prometeu trabalhá-lo até alcançar a vida que lhe queria dar. Não é possível dizer com certeza que tempo gastou ele nessa contemplação e emenda, a verdade é que acordou quando o vieram chamar para jantar.

Luís Borges recebeu-o no gabinete, e os dois passaram à sala de jantar onde a mulher do advogado esperava por eles. Seguiu-se uma apresentação galhofeira, um jantar que a Silvestre pareceu de príncipe, muito carinho dos donos da casa, nada menos que a felicidade para o pobre rapaz. Silvestre, entretanto, comeu pouco; o acanhamento e as saudades não eram de desafiar o apetite. Não ousou sequer olhar para a mulher de Luís Borges, que aliás lhe falava com uma voz que devia sair da mais gentil de todas as bocas humanas.

Camila era o nome dessa moça, modelo de graça indolente e nativa elegância. Imaginem uma mulher, não alta, mas airosa, flexível como uma serpente, meiga como uma pomba; pondo-lhe no rosto cor de leite dois olhos pardos e vivos, um nariz reto como os das estátuas gregas, considerai-lhe a fronte lisa e pensativa, as curvas do colo, a perfeição do braço, e tereis a esposa de Luís Borges, e não a tereis toda, porque falta ainda a alma de toda essa figura, a alma que se derramava por toda ela e era uma coisa mais fácil de sentir que de explicar. Parece que lhe falam os próprios dedos — foi a primeira expressão de Luís Borges ao vê-la pela primeira vez, dez anos antes, isto é, 1855, quando ela tinha apenas quinze anos e ele trinta. Três meses depois estavam casados. Uma vez casados, extinta a lua de mel, não se extinguiu o amor, que aliás nunca fora violento, senão pacífico, moderado e igual. Mas a conveniência deu lugar a novas descobertas. Camila, dizia um dia o marido, tem um gato no cérebro. Explicava ele deste modo as alternativas de carícia e arreganho da mulher, a indolência das ideias, a irritação fácil e a fácil docilidade.

Informada da história de Silvestre, Camila tratou-o com a mesma simpatia do marido, disposta como ele a deixar que o gênio do jovem artista se desenvolvesse em plena liberdade. A figura de Silvestre fez ainda aumentar o interesse que sua história despertara nas duas almas sensíveis. Aquela palidez poética, o profundo e rutilante dos olhos, o véu de melancolia com que ele parecia esconder-se às vistas do mundo, mas através do qual se distinguia o traço da vontade e da perseverança, o próprio acanhamento das maneiras, faziam dele uma criatura interessante e original. Não lhe era preciso arrombar a porta dos corações; eles a abririam por si.

Era pois a vida de Silvestre a mais deliciosa coisa do mundo: trabalhava de manhã no escritório; de tarde e antes do almoço pertencia ao estudo; os domingos eram todos seus. Fechava-se para trabalhar à vontade. Mais de uma vez, Luís Borges pediu-lhe para ver os trabalhos; ele recusava-o sempre. Quando cansava, encostava-se à janela e esquecia-se a contemplar o mar e o céu. O ideal fundia-se no infinito; o artista ficava só com a sua criação.

Um dia, voltando do escritório, achou aberta a porta de seu aposento. Junto da janela viu Camila de pé, a contemplar um desenho, uma cabeça de Harpia, copiado de um modelo acadêmico. Antes de saber o que era, Silvestre correu agitado para a moça.

— Não tenha medo — disse esta —; eu sou pessoa de segredo. Estava aqui admirando a sua inspiração. É magnífica!

Silvestre estendeu a mão para pegar no desenho.

— Não vale a pena — disse ele —; são esboços...

— Ciumento!

Camila proferiu esta palavra com tanta graça, que era impossível resistir-lhe; Silvestre esperou que ela acabasse o exame.

— Dá-me este! — disse ela.

— Não posso; dar-lhe-ei outro melhor.

— Deixe ver.

— Mais tarde.

— Mentiroso!

Silvestre obteve o desenho e apressou-se a guardá-lo; só então reparou que deixara uma pasta sobre a mesa. Na pasta havia outros estudos; Camila, porém, só chegara a ver aquele. Enquanto ele guardava cioso os frutos de suas horas vagas, a mulher de Luís Borges admirava a fronte rafaelesca de Silvestre; a timidez graciosa de seus movimentos, os olhos plenos de vida espiritual.

— Escondeu tudo? — perguntou ela.

— Tudo; tenho vergonha de deixar ver coisas tão grosseiras. Quando eu fizer alguma obra melhor, não terei dúvida em mostrá-la.

— Você pensa que me contento com tão pouco? — disse Camila depois de curto silêncio.

Silvestre não sabia que dizer.

— Não — continuou ela —; há de mostrar-me o que tem feito; quero apreciar os progressos de seu talento; numa palavra, não quero ser público. Deixe ver!

Silvestre tinha todos os seus estudos e preparos dentro de um grande baú, encostado a uma das paredes da sala. A moça caminhara para ele; ele correu a sentar-se no baú.

— Perdoe-me — disse o rapaz —, eu lhe mostrarei depois; procurarei alguma coisa que seja digna de seus olhos.

A lisonja tem uma virtude rara; Camila, ouvindo o cumprimento de Silvestre, sorriu e parou. Foi a primeira vez que Silvestre atreveu-se a olhá-la de rosto, mais de um minuto. A atitude da moça, sua beleza característica, a expressão do olhar, tudo parecia próprio a impressionar um artista. Silvestre ficou literalmente fascinado; e Camila sentiu a impressão que lhe produzia.

— Pois bem — disse ela —; consinto em esperar, procure alguma coisa digna de meus olhos... Meus olhos são bonitos?

— Oh! muito!

— Criança!

E dando uma volta ao corpo, Camila saiu da sala, desceu a escada, deixando o pobre rapaz ainda enlevado daqueles poucos minutos de conversa. Ergueu-se o filho do procurador e foi contemplar o mar, da janela aberta, com a cabeça cheia de todos os seus sonhos. Uma voz lhe dizia dentro:

— É esta a Vênus; este é o modelo da tua obra imortal. Tua visão incorporou-se, fez-se mulher, falou-te e ouviu-te. Tens a deusa; podes expulsá-la de teu espírito, que é o céu pagão. Eia! ao trabalho! transmite enfim aos homens o pensamento que te faz viver.

Quinze anos tinha, mas sentiu-se homem naquela suprema ocasião. Nessa mesma tarde cuidou de lançar ao papel os primeiros lineamentos do esboço. Não pôde; não se dominava ainda bastante. Mas não desanimou; trabalhou parte da noite a reproduzir a atitude e a expressão da figura, tais quais as tinha na mente. No dia seguinte estava pronto o trabalho preliminar. Pronto? Ele o desfez e inutilizou, como indigno do seu modelo. Não era ainda aquilo; quase desanimado, volveu à obra, até que ela lhe saiu perfeita.

Silvestre sentiu as primeiras alegrias da maternidade. O esboço era apenas esboço; não tinha ainda as proporções, a cor, a vida, o movimento; mas era o ovo prestes a soltar a ave misteriosa da sua inspiração. Guardou-o cuidadosamente e cuidou de preparar a tela.

Entretanto, Camila não esquecera a promessa do rapaz; não lha lembrava nunca em presença do marido; essa reserva pareceu a Silvestre uma prova de discrição, própria a captar-lhe a confiança. A insistência devia ao mesmo tempo falar à vaidade de Silvestre; não falou, porque ele ainda a não tinha; era cedo para conhecer esse verme do talento.

Durante uma semana, sofismou Silvestre o cumprimento da promessa; a resistência não pôde ir além, e ele cedeu. De seus primeiros trabalhos, todos cópias mais ou menos incorretas, escolheu o que lhe pareceu melhor, era justamente a Harpia que ela lhe surpreendera naquela tarde. Camila recebeu-a com expressões de exagerado entusiasmo, contemplou-a, beijou-a, escondeu-a.

— Promete que não mostrará a ninguém? — disse ele timidamente.

— Prometo.

Desse minuto em diante, Camila tornara-se a confidente natural e zelosa do jovem artista; ele lhe dizia suas esperanças, seus planos de futuro; falava-lhe ingenuamente da obra-prima com que queria dotar o mundo.

— Mas o que é? — perguntava a mulher de Luís Borges.

— Depois verá. Tenho lá em cima a tela em que hei de reproduzir o painel que trago na cabeça; logo que comece a trabalhar fecharei a sala de modo que ninguém lá vá quando eu estiver fora.

— E se eu tiver outra chave?

Silvestre pôs as mãos em ar de súplica. A simplicidade do movimento desarmou a moça. Ela prometeu que não iria surpreendê-lo nunca; mas impôs uma condição.

— Desejo ser a primeira que veja o quadro.

Silvestre respondeu que sim. Nessa ocasião, Luís Borges entrou na sala em que eles estavam; Camila continuou uma história que não havia começado, com tal arte e prontidão, que assombrou o rapaz e lhe tirou os últimos receios. A moça fazia-se cúmplice da glória.

III

Quinze dias depois, o procurador foi à casa de Luís Borges, a fim de ver o filho. Havia dois meses que ele não punha os pés em casa do pai. A mãe receava menos ainda a moléstia do que a ingratidão do filho; o procurador, entretanto, estava de algum modo satisfeito com a ausência do rapaz.

— Venho ver o nosso pequeno — disse ele logo que entrou —; minha mulher supõe que tenha havido alguma moléstia...

— Nada há — respondeu o advogado. — Está são como um pero.

— Tanto melhor. E trabalha?

— Muito.

— Bravo! Acostuma-se enfim ao trabalho. Talvez ainda fale da mania das pinturas... Não importa! há de perder a ideia com o tempo.

— Espírito chocho! — dizia consigo o advogado olhando para José Vargas. — Mal sabes tu que preparo talvez a glória do teu nome.

Silvestre desceu a ver o pai, e dispôs-se a acompanhá-lo até a casa. Na rua, interrogado acerca da longa ausência, não achou resposta adequada; não queria confessar as preocupações da arte e repugnava-lhe mentir. José Vargas venceu a dificuldade respondendo logo depois da pergunta.

— Já sei — disse ele —; andas atarefado com o trabalho. Não importa! Com ele é que te hás de achar. O foro não dará a todos um palácio; mas com honra, trabalho e economia pode dar honesta abastança...

José Vargas continuava uma série infinita de reflexões, ajustadas ao caso mas alheias ao espírito do filho. Enquanto o pai falava, ele deixava-se ir atrás do sonho favorito. Em casa a alegria turbulenta da irmã e as lágrimas puras da mãe tiveram a virtude de o fazer baixar daquelas nuvens à terra sólida das afeições domésticas. Poucas horas bastaram para matar muita saudade e aquietar muita aflição. Silvestre esqueceu ali, por algum tempo, os sentimentos de outra ordem. Caindo a noite, despediu-se não sem prometer que voltaria na seguinte semana; José Vargas foi com ele até meio caminho; logo que o deixou, Silvestre seguiu rápido para casa.

Camila esperava-o com ansiedade; ele encontrou-a carinhosa e risonha. Luís Borges chegou pouco depois; conversaram da família de Silvestre, algum tempo, antes do chá. Quando Silvestre se despediu dos dois protetores, disse o advogado à mulher:

— Menti hoje ao pai deste pequeno; disse-lhe que o filho está absolutamente entregue aos meus trabalhos, quando a verdade é que só os faz por desempenho de obrigação. Ora, se efetivamente tivéssemos ali um talento, uma esperança, um futuro, a mentira era piedosa e o resultado viria justificá-la; mas que sabemos nós da aptidão de Silvestre? Coisa nenhuma. Estamos a embaçar o pai, sem proveito para o filho; é leviandade pelo menos.

Camila fez um gesto para falar.

— Que é? — perguntou o marido.

— Nada — disse Camila depois de um silêncio. — Esperemos; algum tempo ainda e ele nos dará...

— Quisera contratar-lhe um mestre, mas se nada vejo do que ele faz... Já lhe propus fazê-lo entrar para a Academia; recusou, porque o pai havia de opor-se.

Camila tivera ideia de mostrar ao marido o desenho que Silvestre lhe dera e tal foi o motivo de seu primeiro movimento; mas a promessa feita ao rapaz de que não o mostraria a ninguém, fechou-lhe a boca. Agora, insistindo o advogado, ela ouvia em sua consciência uma voz remota que dizia: "Não tenhas segredos para teu marido". Ao que outra voz mais próxima respondia: "Lembra-te da promessa que fizeste". Insistia a primeira: "Olha, não cedas a uma puerilidade". Acudia a segunda: "Tua palavra é um contrato". E uma e outra falaram ainda longo tempo, enquanto Luís Borges, supondo ter um diálogo com a mulher, ficara reduzido a um simples monólogo.

No dia seguinte, que era domingo, começou enfim Silvestre o famoso painel que trazia dentro de si. Como se datasse uma era nova, o jovem artista marcou a hora e o minuto em que lançou na tela os primeiros traços. Ele tinha a força dos criadores, que é ao mesmo tempo a fraqueza dos iludidos: a convicção de um grande papel debaixo do sol. Quantos, diante da tela ainda nua ou da folha de papel imaculada, não creem que vão trabalhar para os séculos e não chegam a trabalhar para uma semana? Silvestre tinha essa crença ingênua, poderosa e vivaz. Ele ia dar ao mundo uma Vênus nova, melhor que as outras, mas digna irmã delas.

Camila foi ter com ele na primeira ocasião azada. Ele cobriu com uma toalha o encetado painel apenas ouviu os passos da moça; mas o gesto não tinha já o terror do primeiro dia; era antes coquetice que outra coisa.

— Já trabalhando! — exclamou ela.

— Já.

— Vou-me embora.

— Não, ainda não.

— É algum retrato?

— Não é retrato.

Camila aproximara-se da tela; pegou na ponta da toalha, em ação de a levantar. Silvestre não obstou o movimento; ela não insistiu. Ambos davam assim uma prova de confiança e docilidade apreciada reciprocamente.

— Só lhe peço uma coisa — disse Camila.

— Que é? Diga.

— Não falte à promessa que me fez.

Silvestre respondeu com um gesto de assentimento. Era o mais que podia fazer na ocasião, porque não tinha voz; todo ele era olhos para a beleza incomparável de Camila. Vinha a moça num desalinho intencional — um meio de o familiarizar com ela, e mais que nunca viu Silvestre que não era outra a sua Vênus, não podia ser outra. Camila baixou os olhos com um gesto de Diana.

O jovem artista abriu então as suas pastas de esboços e estudos; um por um mostrou-os todos à esposa de Luís Borges. Eram corretos? Camila não podia dizê-lo; achou-os, todavia, lindíssimos.

— Oh! se você me ensinasse a desenhar! — exclamou ela.

— Eu? Sou apenas discípulo.

— Discípulo!

— Discípulo da natureza e de mim mesmo.

Camila refletiu um instante.

— Pois bem — disse ela —, não me ensine; não desejo roubar-lhe o tempo. Mas...

— Diga!

— Era capaz de fazer o meu retrato?

— Talvez.

Camila interpretou esta palavra como uma afirmação, e agradeceu-o com tão infantil alegria que fez sorrir Silvestre, não tanto de orgulho como de curiosidade.

— Mas não fale nada ao Luís — recomendou a moça.

— Por quê?

— Eu lhe peço.

— Pois sim; será uma surpresa para ele quando vir o retrato pronto.

Logo que Silvestre se achou só, pareceu ter colhido nova soma de inspiração. Um bafejo criador guiou o pincel do jovem artista. Daquele dia em diante a ocupação exclusiva do rapaz era o painel. Luís Borges comprava-lhe tudo o que era necessário à obra.

— Quero colaborar de algum modo em seu trabalho — dizia ele.

E consigo:

— Se quando ele o tiver pronto, não me mostrar coisa que valha a pena, força é reconduzi-lo ao foro, onde deverá então ficar, porque é melhor ser um bom escrivão do que um pintor detestável.

No meio do trabalho adoeceu a irmã de Silvestre. O pai foi um dia buscá-lo para ir vê-la, porque o estado era grave, e ele não queria que os dois irmãos se separassem sem uma palavra derradeira. Silvestre foi, travou algumas frases com a enferma e regressou à Gamboa. Luís Borges dirigiu-lhe uma repreensão amigável de que o pagaram largamente os olhos de Camila. Três dias depois faleceu a irmã; ele foi a casa, demorou-se lá até o dia seguinte de manhã; pela volta do meio-dia regressou à casa de Luís Borges, penalizado com a morte, mas obcecado pela ideia que vivia.

O painel seguia seu caminho. Algumas horas furtadas ao trabalho eram passadas ao pé de Camila, em uma doce confabulação íntima; ele bebia nos olhos dela a inspiração exausta em longas horas de aplicação. Depois volvia ao trabalho. Cada dia que passava como que arrancava o rapaz às cogitações deste mundo; ele vivia de uma vida extática e inconsciente. Não se lembrava já de ir visitar seus pais. Se o advogado lhe lembrava esse dever, ele saía de casa para ir a vinte passos sentar-se na praia, com a sua Vênus diante de si. A mãe sentia a ausência, mas o pobre José Vargas cria firmemente que ele vivia preocupado e ocupado com os papéis do foro.

— Além disso — dizia ele —, não sei que me parece obrigar o pequeno a vir aqui, quando o doutor Borges nos faz o favor de lhe dar casa, comida e educação. É natural que ele trabalhe em paga disso.

— Mas, José, um minuto ao menos que ele viesse ver-nos...

— Um minuto! Só em andar gastava ele mais. Descansa; ele virá quando puder.

Não podia, não iria nunca. Silvestre já não pertencia ao mundo das coisas externas. O mundo para ele estava limitado nas dimensões da tela. Nem já dava aos trabalhos que o advogado lhe cometia aquela atenção com que a princípio correspondera aos sentimentos dele. Luís Borges desistiu de o ocupar mais; compreendeu a causa da desatenção e dispensou-o de ir ao escritório. Assim os dias todos eram passados em casa, entre o painel e Camila.

Um dia, enfim, após algumas horas de trabalho, Silvestre desceu e foi ter com a mulher do seu protetor. Ela estremeceu ao ver-lhe as feições transtornadas. Interrogou-o e a resposta tranquilizou-a. Nada acontecera que prejudicasse a obra.

— Tive uma vertigem — murmurou ele.

— Uma vertigem! Anda descansar um pouco.

Silvestre estava ainda pálido; sentou-se; a moça ficou diante dele alguns minutos.

— Quer saber uma coisa? — perguntou Camila. — Você trabalha muito. Não quero mais isso; agora há de fazer o que eu mandar.

Silvestre abanou a cabeça.

— Não é esse trabalho o que me faz mal — disse ele —; é outro; é este.

Dizendo isto o moço bateu com o dedo na testa. Camila, com as mãos arredou-lhe os cabelos, olhou para a testa silenciosamente, e pousou-lhe um beijo leve e úmido. Silvestre não corou, sentia a mesma impressão de conforto que lhe davam os beijos de sua mãe. Ergueu-se e subiram os dois. Na ocasião de descer, Silvestre, apesar de incomodado, cobrira instintivamente o painel.

— Não vá trabalhar agora — disse Camila.

— Por que não?

— Porque eu não quero.

Silvestre insistiu; ela repetiu-lhe a proibição, não já com a voz doce, mas com alguma coisa da irritação felina. Silvestre cedeu de má vontade; encostou-se à janela e estendeu os olhos ao mar. No fim de algum tempo, ouviu um pequeno grito. Voltou-se. Camila erguera a ponta da toalha que cobria o painel, levantara a pouco e pouco até descobri-lo todo. Silvestre não correu para ela; deixou-se ficar de costas para a janela, a olhar para as duas Vênus.

Era o sentimento da arte que lhe arrancara o grito, que lhe abria extraordinariamente os olhos? Não; era a simples vaidade de moça bonita. As feições da Vênus eram as suas. Camila correu enfim para o pintor, pegou-lhe nas mãos e beijou-as.

— Magnífico! magnífico! — exclamava ela.

Silvestre contemplava o quadro com igual admiração. A Vênus, expulsa do céu, descia pelo ar abaixo, com os olhos voltados para cima, uns olhos travados de cólera, mas de cólera triste e impotente, que são as quedas definitivas. Os cabelos, soltos no éter, pareciam a derradeira auréola da divindade. As mãos comprimiam o peito, os joelhos dobravam-se molemente; a figura despenhava-se levada pelo vento da morte. O painel não estava pronto; e, ainda pronto, faltar-lhe-ia muita coisa que a mão inexperiente do artista lhe não dera. Contudo, era a aurora de um magnífico dia.

Camila não cabia em si de contente. Ele explicou-lhe o pensamento da composição, que a moça ouviu com a mão dele presa entre as suas.

— A senhora há de perdoar, se tive o atrevimento...

Camila respondeu com um muxoxo de faceirice que bem exprimia a vaidade satisfeita. O painel era a sua própria apoteose. Que importava que a Vênus ali pintada fosse apenas uma Vênus, em vez de uma santa Cecília e fugisse do céu em vez de caminhar para ele? Era o seu retrato, tanto bastava. A vaidade, porém, não falava no ânimo do artista; ele via a moça radiante, como um aplauso e não se deixava levar do aplauso. Contemplava a obra, ainda longe do ideal que desejava dar ao mundo; via só o que estava feito e o que havia por fazer.

Dali em diante, Camila foi admitida a vê-lo trabalhar no painel; ele retificava uma linha contemplando-lhe o rosto, avivava a expressão dos olhos fitando os dela. Camila orgulhava-se da obra; e nunca o famoso gato que o marido dizia haver no cérebro da moça se agitou mais frequentemente, nem mais súbito passou do mole afago à áspera irritação. A mulher de Luís Borges parecia subir ao céu à medida que Vênus descia; as ocupações caseiras eram-lhe já agora insuportáveis; ríspida com todos, quase só era afável com o rapaz.

Enfim o painel foi concluído, certo dia em que o advogado e a mulher saíram a jantar fora. De noite, Silvestre deu a notícia ao advogado.

— Sim? — clamou este. — Não lhe quero dar um abraço antes de ver a obra; mas prometo-lhe que se for qual a esperamos, fica com duas costelas partidas.

Silvestre sorriu.

— Verá amanhã de tarde — disse ele.

De manhã acabado o almoço, Camila subiu ao aposento do jovem pintor. O painel estava descoberto; Silvestre sentado na borda da janela que era baixa, contemplava a namorada. Não a viu entrar, não lhe ouviu os passos sequer. Camila parou a olhar para ele. Ao cabo de alguns minutos, aproximou-se lentamente; de pé, ao lado do artista, também ela ficou largos minutos a namorar a obra. Quanto tempo ali estiveram? Nenhum deles poderia dizê-lo. Silvestre acordou enfim; a sua mão, entre as de Camila, tremia de comoção.

— Não é tudo o que eu sonho — disse ele —; mas respiro enfim, porque eu precisava tirar isto de mim.

Camila não lhe disse nada, seu rosto, sereno e expansivo alguns minutos antes, tornara-se sombrio e o olhar aterrado.

— Que é? — perguntou Silvestre.

— Não me havia lembrado nunca... este quadro... Se outros o virem, se for exposto ao público... ver-se-á o meu retrato...

— E então?

— Luís não há de querer.

— Mas por quê?

— Ora, você bem sabe... são escrúpulos. Oh! Luís não há de consentir nunca! Mas que loucura foi a nossa?... Eu devia tê-lo impedido desde que você começou.

A comoção crescia; a moça andava de um para outro lado, ora falando a Silvestre, ora consigo, Silvestre fê-la parar, segurando-lhe em uma das mãos.

— Descanse — disse ele.

— Como?

— Não aparecerá o quadro em público.

Os olhos de Camila responderam primeiro que os lábios.

— Sim? — disse ela.

— Afianço-lhe.

— Mas...

— Descanse; será um quadro de família; ficará no lugar mais escondido da casa, ou no mais público, à vontade do doutor Borges.

Camila voltou os olhos para o quadro.

— Mas então — disse ela tristemente — perderá você a reputação; seu trabalho não será visto de ninguém.

— Que importa? Eu tinha necessidade de o fazer, não de o expor. É bonito?

— Delicioso!

— Isso me basta!

Silvestre voltou a sentar-se na borda da janela. Aproximando-se a moça, referiu ele minuciosamente toda a sua curta vida, curta para os fatos, longa para os sentimentos. Estes, sobretudo, ninguém os conhecia ainda; só ele podia repetir as comoções sentidas, as lutas anteriores, os sonhos desfeitos e renascentes, labutar da vocação, que acha obstáculos em cada pedra do caminho e os doma e vence. A moça ouviu-o com a mais terna e submissa das atenções. Era uma alma que se despia diante dela, que lhe confiava os mais íntimos segredos.

— Mas — disse ela quando ele acabou —, se não me tivesse conhecido teria feito a sua Vênus tão bonita?

Silvestre pôde refletir e não responder. A resposta afirmativa ou não, seria a expressão da verdade? Mas a mulher de Luís Borges insistiu; força era dizer alguma coisa.

— Não faria — murmurou ele.

— Jura?

— Não são coisas que se jurem; mas creio que não podia fazer tão bonita, se a não conhecesse.

Oh! eterna vaidade! A resposta de Silvestre encheu de luz e alegria o rosto da moça; ela agarrou-lhe as mãos e beijou-as. Casto era o movimento; mas a viveza foi tal que o pobre rapaz empalideceu e entrou a olhar assustado para a Camila. Os olhos da moça pregados nele pareciam devorá-lo. Nunca a fatuidade olhou mais complacentemente, nem com tanto fogo, mas também nunca a alma de um rapaz foi mais iludida. Silvestre, com as mãos para trás, fincadas no telhado, parecia querer fugir à moça.

— Vaidoso! — pensou Camila. Depois proferiu risonha este gracejo insulso: — Se Luís morresse, você casava comigo?

— Não! não! — murmurou Silvestre.

Camila recuou dois passos da janela; a palidez de Silvestre assustava-a. Ia a falar, mas já ele não a podia ouvir, atirando o corpo para trás rolara pelo telhado abaixo até a rua; Camila soltou um grito...

Agora, o melhor era ir buscar o jovem pintor vivo e são, fazer com que os dois se explicassem; restituí-lo à família e pendurar o quadro. Mas se as coisas não se passaram assim! O rapaz morreu; Camila enlouqueceu quase; os pais não tiveram nenhuma consolação na terra — nenhuma, além da memória do filho.

A morte teve uma explicação: o delírio do talento satisfeito. Foi a explicação de Luís Borges e dos pais do artista. Mas há outra explicação muito mais exata; Silvestre iludiu-se; viu um gesto de amor onde havia uma alteração de vaidade ingênua. E tendo obtido tudo o que queria, que era a beleza de Camila, fugia-lhe desde que lhe supôs a oferta do coração.

Jornal das Famílias, *junho-agosto de 1877; Victor de Paula.*

A melhor das noivas

O sorriso dos velhos é porventura uma das coisas mais adoráveis do mundo. Não o era porém o de João Barbosa no último dia de setembro de 1868, riso alvar e grotesco, riso sem pureza nem dignidade; riso de homem de setenta e três anos que pensa em contrair segundas núpcias. Nisso pensava aquele velho, aliás honesto e bom; disso vivia desde algumas horas antes. Eram oito da noite: ele entrara em casa com o mencionado riso nos lábios.

— Muito alegre vem hoje o senhor!
— Sim?
— Viu passarinho verde?
— Verde não, dona Joana, mas branco, um branco de leite, puro e de encher o olho, como os quitutes que você me manda preparar às vezes.
— Querem ver que é...
— Isso mesmo, dona Joana.
— Isso quê?

João Barbosa não respondeu; lambeu os beiços, piscou os olhos, e deixou-se cair no canapé. A luz do candelabro bateu-lhe em cheio no rosto, que parecia uma mistura de Saturno e sátiro. João Barbosa desabotoou a sobrecasaca e deu saída a um suspiro, aparentemente o último que lhe ficara de outros tempos. Era triste vê-lo; era cruel adivinhá-lo. D. Joana não o adivinhou.

Esta d. Joana era uma senhora de quarenta e oito anos, rija e maciça, que durante dez anos dava ao mundo o espetáculo de um grande desprezo da opinião. Contratada para tomar conta da casa de João Barbosa, logo depois de enviuvar, entrou ali em luta com os parentes do velho, que eram dois, os quais fizeram tudo para excluí-la sem conseguirem nada. Os dois parentes, os vizinhos, finalmente os conhecidos criam firmemente que d. Joana aceitara de João Barbosa uma posição equívoca, embora lucrativa. Era calúnia; d. Joana sabia o que diziam dela, e não arredava pé. A razão era que, posto não transpusesse uma linha das fronteiras estabelecidas no contrato verbal que precedeu a sua entrada ali, contudo ela esperava ser contemplada nas últimas disposições de João Barbosa; e valia a pena, em seu entender, afrontar os ditos do mundo para receber no fim de alguns anos uma dúzia de apólices ou uma casa ou alguma coisa equivalente. Verdade é que o legado, se fosse de certa consistência, podia confirmar as suspeitas da sociedade; d. Joana, entretanto, professava a máxima extremamente salutar de que o essencial é andar-se quente, embora os outros se riam.

Riam-se os outros, mas de cólera, e alguns de inveja. João Barbosa, antigo magistrado, herdara de seu pai e de um tio quatro ou cinco fazendas, que transferiu a outros, convertendo seus cabedais em títulos do governo e vários prédios. Fê-lo logo depois de viúvo, e passou a residir na corte definitivamente. Perdendo um filho que tinha, achou-se quase só; quase, porque ainda lhe restavam dois sobrinhos, que o rodeavam de muitas e variadas atenções; João Barbosa suspeitava que os dois sobrinhos estimavam ainda mais as apólices do que a ele e recusou todas as ofertas que lhe faziam para aceitar-lhes casa. Um dia lembrou-se de inserir nos jornais um anúncio declarando precisar de uma senhora de certa idade, morigerada, que quisesse tomar conta da casa de um homem viúvo. D. Joana tinha apenas trinta e oito anos; confessou-lhe quarenta e quatro, e tomou posse do cargo. Os sobrinhos, quando souberam disto, apresentaram a João Barbosa toda a sorte de considerações que podem nascer no cérebro de herdeiros em ocasião de perigo. O velho ouviu cerca de oito a dez tomos de tais considerações, mas ateve-se à primeira ideia, e os sobrinhos não tiveram outro remédio mais que aceitar a situação.

D. Joana nunca se atrevera a desejar outra coisa mais que ser contemplada no testamento de João Barbosa; mas isso desejava-o ardentemente. A melhor das mães não tem no coração mais soma de ternura do que ela mostrava ter para servir e cuidar do opulento septuagenário. Ela cuidava do café matinal, escolhia as diversões, lia-lhe os jornais, contava-lhe as anedotas do quarteirão, tomava-lhe ponto às meias, inventava guisados que melhor pudessem ajudá-lo a carregar a cruz da vida. Conscienciosa e leal, não lhe dava alimentação debilitante; pelo contrário punha especial empenho em que lhe não faltasse nunca o filé sanguento e o bom cálice de Porto. Um casal não viveria mais unido.

Quando João Barbosa adoecia, d. Joana era tudo; mãe, esposa, irmã, enfermeira; às vezes era médico. Deus me perdoe! Parece que chegaria a ser padre, se ele viesse repentinamente a carecer do ministério espiritual. O que ela fazia nessas ocasiões pediria um volume, e eu disponho de poucas páginas. Pode-se dizer por honra da humanidade que o benefício não caía em terreno estéril. João Barbosa agradeceu-lhe os cuidados não só com boas palavras, mas também bons vestidos ou boas joias. D. Joana, quando ele lhe apresentava esses agradecimentos palpáveis, ficava envergonhada e recusava, mas o velho insistia tanto, que era falta de polidez recusar.

Para torná-la mais completa e necessária à casa, d. Joana não adoecia nunca; não padecia de nervos, nem de enxaqueca, nem de coisa nenhuma; era uma mulher de ferro. Acordava com a aurora e punha logo os escravos a pé; inspecionava tudo, ordenava tudo, dirigia tudo. João Barbosa não tinha outro cuidado mais que viver. Os dois sobrinhos tentaram alguma vez separar da casa uma mulher que eles temiam pela influência que já tinha e pelo desenlace possível de semelhante situação. Iam levar os boatos da rua aos ouvidos do tio.

— Dizem isso? — perguntava este.

— Sim, senhor, dizem isso, e não parece bonito, na sua idade, estar exposto a...

— A coisa nenhuma — interrompia.

— Nenhuma!

— Ou a pouca coisa. Dizem que eu nutro certa ordem de afetos por aquela santa mulher! Não é verdade, mas não seria impossível, e sobretudo não era feio.

Esta era a resposta de João Barbosa. Um dos sobrinhos, vendo que nada alcançava, resolvera desligar seus interesses dos do outro, e adotou o plano de aprovar o procedimento do velho, louvando-lhe as virtudes de d. Joana e rodeando-a de seu respeito, que a princípio arrastou a própria caseira. O plano teve algum efeito, porque João Barbosa francamente lhe declarou que ele não era tão ingrato como o outro.

— Ingrato, eu? seria um monstro — respondeu o sobrinho José com um gesto de indignação mal contida.

Tal era a situação respectiva entre João Barbosa e d. Joana, quando na referida noite de setembro entrou aquele em casa, com cara de quem tinha visto passarinho verde. D. Joana tinha dito, por brinco:

— Querem ver que é...

Ao que ele respondeu:

— Isso mesmo.

— Isso mesmo, quê? — repetiu d. Joana daí a alguns minutos.

— Isso que a senhora pensou.

— Mas eu não pensei nada.

— Pois fez mal, dona Joana.

— Mas então...

— Dona Joana, dê suas ordens para o chá.

D. Joana obedeceu um pouco magoada. Era a primeira vez que João Barbosa lhe negava uma confidência. Ao mesmo tempo que isso a magoava, fazia-a suspeitosa; tratava-se talvez de alguma que viria prejudicá-la.

Servindo o chá, depois que João Barbosa se despira, apressou-se a caseira, na forma de costume, a encher-lhe a xícara, a escolher-lhe as fatias mais tenras, a abrir-lhe o guardanapo, com a mesma solicitude de dez anos. Haveria porém uma sombra de acanhamento entre ambos, e a palestra foi menos seguida e menos alegre que nas outras noites.

Durante os primeiros dias de outubro, João Barbosa trazia o mesmo ar singular, que tanto impressionara a caseira. Ele ria a miúdo, ria para si, ia duas vezes à rua, acordava mais cedo, falava de várias alterações em casa. D. Joana começara a suspeitar a causa verdadeira daquela mudança. Gelou-se-lhe o sangue e o terror se apoderou de seu espírito. Duas vezes procurou encaminhar a conversa ao ponto essencial, mas João Barbosa andava tão fora de si que não ouvia sequer o que ela dizia. Ao cabo de quinze dias, concluído o almoço, João Barbosa disse-lhe que a acompanhasse ao gabinete.

— É agora! — pensou ela. — Vou saber de que se trata.

Passou ao gabinete.

Ali chegando, sentou-se João Barbosa e disse a d. Joana que fizesse o mesmo. Era conveniente; as pernas da boa mulher tremiam como varas.

— Vou dar-lhe a maior prova de estima — disse o septuagenário.

D. Joana curvou-se.

— Está aqui em casa há dez anos...

— Que me parecem dez meses.

— Obrigado, dona Joana! Há dez anos que eu tive a boa ideia de procurar uma pessoa que me tratasse da casa, e a boa fortuna de encontrar na senhora a mais consumada...

— Falemos de outra coisa!

— Sou justo; devo ser justo.

— Adiante.

— Louvo-lhe a modéstia; é o belo realce de suas nobres virtudes.

— Vou-me embora.

— Não, não vá; ouça o resto. Está contente comigo?

— Se estou contente! Onde poderia achar-me melhor? O senhor tem sido para mim um pai...

— Um pai?... — interrompeu João Barbosa fazendo uma careta. — Falemos de outra coisa. Saiba dona Joana que não a quero mais deixar.

— Quem pensa nisso?

— Ninguém; mas eu devia dizê-lo. Não a quero deixar, estará a senhora disposta a fazer o mesmo?

D. Joana teve uma vertigem, um sonho, um relance do Paraíso; ela viu ao longe um padre, um altar, dois noivos, uma escritura, um testamento, uma infinidade de coisas agradáveis e quase sublimes.

— Se estou disposta! — exclamou ela. — Quem se lembraria de dizer o contrário? Estou disposta a acabar aqui os meus dias; mas devo dizer que a ideia de uma aliança... sim... este casamento...

— O casamento há de fazer-se! — interrompeu João Barbosa batendo uma palmada no joelho. — Parece-lhe mau?

— Oh! não... mas seus sobrinhos...

— Meus sobrinhos são dois capadócios, de quem não faço caso.

D. Joana não contestou essa opinião de João Barbosa, e este, serenado o ânimo, readquiriu o sorriso de bem-aventurança que, durante as duas últimas semanas, o distinguia do resto dos mortais. D. Joana não se atrevia a olhar para ele e brincava com as pontas do mantelete que trazia. Correram assim dois ou três minutos.

— Pois é o que lhe digo — continuou João Barbosa —, o casamento há de fazer-se. Sou maior, não devo satisfação a ninguém.

— Lá isso é verdade.

— Mas, ainda que as devesse, poderia eu hesitar à vista... oh! à vista da incomparável graça daquela... vá lá... de dona Lucinda?

Se um condor, segurando d. Joana em suas garras possantes, subisse com ela até perto do sol, de lá a despenhasse à terra, menor seria a queda do que a que lhe produziu a última palavra de João Barbosa. A razão da queda não era, na verdade, aceitável, porquanto nem ela até então sonhara para si a honra de desposar o amo, nem este, nas poucas palavras que lhe dissera antes, lhe fizera crer claramente tal coisa. Mas o demônio da cobiça produz maravilhas dessas, e a imaginação da caseira via as coisas mais longe de que elas podiam ir. Creu um instante que o opulento septuagenário a destinava para sua esposa, e forjou logo um mundo de esperanças e realidades que o sopro de uma só palavra dissolveu e dispersou no ar.

— Lucinda! — repetiu ela quando pôde haver de novo o uso da voz. — Quem é essa dona Lucinda?

— Um dos anjos do céu enviado pelo Senhor, a fim de fazer a minha felicidade na terra.

— Está caçoando! — disse d. Joana atando-se a um fragmento de esperança.

— Quem dera que fosse caçoada! — replicou João Barbosa. — Se tal fosse, continuaria eu a viver tranquilo, sem conhecer a suprema ventura, é certo, mas também sem padecer abalos de coração...

— Então é certo...

— Certíssimo.

D. Joana estava pálida.

João Barbosa continuou:

— Não pense que é alguma menina de quinze anos; é uma senhora feita; tem seus trinta e dois feitos; é viúva; boa família...

O panegírico da noiva continuou, mas d. Joana já não ouvia nada. Posto nunca meditasse em fazer-se mulher de João Barbosa via claramente que a resolução deste viria prejudicá-la: nada disse e ficou triste. O septuagenário, quando expandiu toda a alma em elogios à pessoa que escolhera para ocupar o lugar da esposa morta há tão longos anos, reparou na tristeza de d. Joana e apressou-se a animá-la.

— Que tristeza é essa, dona Joana? — disse ele. — Isto não altera nada a sua posição. Eu já agora não a deixo; há de ter aqui a sua casa até que Deus a leve para si.

— Quem sabe? — suspirou ela.

João Barbosa fez-lhe os seus mais vivos protestos, e tratou de vestir-se para sair. Saiu, e dirigiu-se da rua da Ajuda, onde morava, para a dos Arcos, onde morava a dama de seus pensamentos, futura esposa e dona de sua casa.

D. Lucinda G... tinha trinta e quatro anos para trinta e seis, mas parecia ter mais, tão severo era o rosto, e tão de matrona os modos. Mas a gravidade ocultava um grande trabalho interior, uma luta dos meios, que eram escassos, com os desejos, que eram infinitos.

Viúva desde os vinte e oito anos, de um oficial de marinha, com quem se casara aos dezessete para fazer a vontade aos pais, d. Lucinda não vivera nunca segundo as ambições secretas de seu espírito. Ela amava a vida suntuosa, e apenas tinha com que passar modestamente; cobiçava as grandezas sociais e teve de contentar-se com uma posição medíocre. Tinha alguns parentes, cuja posição e meios eram iguais aos seus, e não podiam portanto dar-lhe quanto ela desejava. Vivia sem esperança nem consolação.

Um dia, porém, surgiu no horizonte a vela salvadora de João Barbosa. Apresentado à viúva do oficial de marinha, em uma loja da rua do Ouvidor, ficou tão cativo de suas maneiras e das graças que lhe sobreviviam, tão cativo que pediu a honra de travar relações mais estreitas. D. Lucinda era mulher, isto é, adivinhou o que se passara no coração do septuagenário, antes mesmo que este desse acordo de si. Uma esperança iluminou o coração da viúva; aceitou-a como um presente do céu.

Tal foi a origem do amor de João Barbosa.

Rápido foi o namoro, se namoro podia haver entre os dois viúvos. João Barbosa, apesar de seus cabedais, que o faziam noivo singularmente aceitável, não se atrevia a dizer à dama de seus pensamentos tudo o que lhe tumultuava no coração.

Ela ajudou-o.

Um dia, achando-se ele embebido a olhar para ela, d. Lucinda perguntou-lhe graciosamente se nunca a tinha visto.

— Vi-a há muito.

— Como assim?

— Não sei... — balbuciou João Barbosa.

D. Lucinda suspirou.

João Barbosa suspirou também.

No dia seguinte, a viúva disse a João Barbosa que dentro de pouco tempo se despediria dele. João Barbosa pensou cair da cadeira abaixo.

— Retira-se da corte?

— Vou para o norte.

— Tem lá parentes?

— Um.

João Barbosa refletiu alguns instantes. Ela espreitou a reflexão com uma curiosidade de cão rafeiro.

— Não há de ir! — exclamou o velho daí a pouco.

— Não?

— Não.

— Como assim?

João Barbosa abafou uma pontada reumática, ergueu-se, curvou-se diante de d. Lucinda e pediu-lhe a mão. A viúva não corou; mas, posto esperasse aquilo mesmo, estremeceu de júbilo.

— Que me responde? — perguntou ele.

— Recuso.

— Recusa!

— Oh! com muita dor do meu coração, mas recuso!

João Barbosa tornou a sentar-se; estava pálido.

— Não é possível! — disse ele.

— Mas por quê?

— Porque... porque, infelizmente, o senhor é rico.

— Que tem?

— Seus parentes dirão que eu lhe armei uma cilada para enriquecer...

— Meus parentes! Dois biltres, que não valem a mínima atenção! Que tem que digam isso?

— Tem tudo. Além disso...

— Que mais?

— Tenho parentes meus, que não hão de levar a bem este casamento; dirão a mesma coisa, e eu ficarei... Não falemos em semelhante coisa!

João Barbosa estava aflito e ao mesmo tempo dominado pela elevação de sentimentos da interessante viúva. O que ele então esperdiçou em eloquência e raciocínio encheria meia biblioteca; lembrou-lhe tudo: a superioridade de ambos, sua independência, o desprezo que mereciam as opiniões do mundo, sobretudo as opiniões dos interessados; finalmente, pintou-lhe o estado de seu coração. Este último argumento pareceu enternecer a viúva.

— Não sou moço — dizia ele —, mas a mocidade...

— A mocidade não está na certidão de batismo — acudiu filosoficamente d.

Lucinda —, está no sentimento, que é tudo: há moços decrépitos, e homens maduros eternamente jovens.

— Isso, isso...

— Mas...

— Mas, há de ceder! Eu lho peço; unamo-nos e deixemos falar os invejosos!

D. Lucinda resistiu pouco mais. O casamento foi tratado entre os dois, convencionando-se que se verificaria o mais cedo possível.

João Barbosa era homem digno de apreço; não fazia as coisas por metade. Quis arranjar as coisas de modo que os dois sobrinhos nada tivessem do que ele deixasse quando viesse a morrer, se tal desastre tinha de acontecer — coisa de que o velho não estava muito convencido.

Tal era a situação.

João Barbosa fez a visita costumada à interessante noiva. Era matinal demais; d. Lucinda, porém, não podia dizer nada que viesse a desagradar a um homem que tão galhardamente se mostrava com ela.

A visita nunca ia além de duas horas; era passada em coisas insignificantes, entremeada de suspiros do noivo, e muita faceirice dela.

— O que me estava reservado nestas alturas! — dizia João Barbosa ao sair de lá.

Naquele dia, logo que ele saiu de casa, d. Joana tratou de examinar friamente a situação. Não podia haver pior para ela. Era claro que, embora João Barbosa não a despedisse logo, seria compelido a fazê-lo pela mulher nos primeiros dias do casamento, ou talvez antes. Por outro lado desde que ele devesse carinhos a alguém mais que não a ela somente, sua gratidão viria a diminuir muito, e com a gratidão o legado provável.

Era preciso achar um remédio.

Qual?

Nisso gastou d. Joana toda a manhã sem achar solução nenhuma, ao menos solução que prestasse. Pensou em várias coisas, todas impraticáveis ou arriscadas e terríveis para ela.

Quando João Barbosa voltou para casa, às três horas da tarde, achou-a triste e calada. Indagou o que era; ela respondeu com algumas palavras soltas, mas sem clareza, de maneira que ele ficaria na mesma, se não tivesse havido a cena da manhã.

— Já lhe disse, dona Joana, que a senhora não perde nada com a minha nova situação. O lugar pertence-lhe.

O olhar de dignidade ofendida que ela lhe lançou foi tal que ele não achou nenhuma réplica. Entre si fez um elogio à caseira.

— Tem-me afeição, coitada! é uma alma dotada de muita elevação.

D. Joana não o serviu com menos carinho nesse e no dia seguinte; era a mesma pontualidade e solicitude. A tristeza porém era também a mesma e isto desconsolava sobremodo o noivo de d. Lucinda, cujo principal desejo era fazê-las felizes ambas.

O sobrinho José, que tivera o bom gosto de cortar os laços que o prendiam ao outro, desde que viu serem inúteis os esforços para separar d. Joana de casa, não deixava de ali ir a miúdo tomar a bênção ao tio e receber alguma coisa de quando em quando. Acertou de ir alguns dias depois da revelação de João Barbosa. Não o achou em casa, mas d. Joana estava, e ele em tais circunstâncias não deixava de se demorar a louvar o tio, na esperança de que alguma coisa chegasse aos ouvidos deste. Naquele dia notou que d. Joana não tinha a alegria do costume.

Interrogada por ele, d. Joana respondeu:

— Não é nada...

— Alguma coisa há de ser, dar-se-á caso que...

— Quê?...

— Que meu tio esteja doente?

— Antes fosse isso!

— Que ouço?

D. Joana mostrou-se arrependida do que dissera e metade do arrependimento era sincero, metade fingido. Não tinha grande certeza da discrição do rapaz; mas via bem para que lado iam seus interesses. José tanto insistiu em saber do que se tratava que ela não hesitou em dizer-lhe tudo, debaixo de palavra de honra e no mais inviolável segredo.

— Ora veja — concluiu ela —, se ao saber que essa senhora trata de enganar o nosso bom amigo para haver-lhe a fortuna...

— Não diga mais, dona Joana! — interrompeu José fulo de cólera.

— Que vai fazer?

— Verei, verei...

— Oh! não me comprometa!

— Já lhe disse que não; saberei desfazer a trama da viúva. Ela veio aqui alguma vez?

— Não, mas consta-me que há de vir domingo jantar.

— Virei também.

— Pelo amor de Deus...

— Descanse!

José via o perigo tanto como d. Joana; só não viu que ela lhe contara tudo, para havê-lo de seu lado e fazê-lo trabalhar por desfazer um laço quase feito. O medo dá às vezes coragem, e um dos maiores medos do mundo é o de perder uma herança. José sentiu-se resoluto a empregar todos os esforços para obstar o casamento do tio.

D. Lucinda foi efetivamente jantar em casa de João Barbosa. Este não cabia em si de contente desde que se levantou. Quando d. Joana foi levar-lhe o café do costume, ele desfez-se em elogios à noiva.

— A senhora vai vê-la, dona Joana, vai ver o que é uma pessoa digna de todos os respeitos e merecedora de uma afeição nobre e profunda.

— Quer mais açúcar?

— Não. Que graça! que maneiras, que coração! Não imagina que tesouro é aquela mulher! Confesso que estava longe de suspeitar tão raro conjunto de dotes morais. Imagine...

— Olhe que o café esfria...

— Não faz mal. Imagine...

— Creio que há gente de fora. Vou ver.

D. Joana saiu; João Barbosa ficou pensativo.

— *Coitada! A ideia de que vai perder a minha estima não a deixa um só instante. In petto não aprova talvez este casamento, mas não se atreveria nunca a dizê-lo. É uma alma extremamente elevada!*

D. Lucinda apareceu perto das quatro horas. Ia luxuosamente vestida, graças a algumas dívidas feitas à conta dos futuros cabedais. A vantagem daquilo era não parecer que João Barbosa a tirava do nada.

Passou-se o jantar sem incidente nenhum; pouco depois de oito horas, d. Lucinda retirou-se deixando encantado o noivo. D. Joana, se não fossem as circunstâncias apontadas, devia ficar igualmente namorada da viúva, que a tratou com uma bondade, uma distinção verdadeiramente adoráveis. Era talvez cálculo; d. Lucinda queria ter por si todos os votos, e sabia que o da boa velha tinha alguma consideração.

Entretanto, o sobrinho de João Barbosa, que também ali jantara, apenas a noiva do tio se retirou para casa foi ter com ele.

— Meu tio — disse José —, reparei hoje uma coisa.
— Que foi?
— Reparei que se o senhor não tiver conta em si é capaz de ser embaçado.
— Embaçado?
— Nada menos.
— Explica-te.
— Dou-lhe notícia de que a senhora que hoje aqui esteve tem ideias a seu respeito.
— Ideias? Explica-te mais claramente.
— Pretende desposá-lo.
— E então?
— Então, é que o senhor é o quinto ricaço a quem ela lança a rede. Os primeiros quatro perceberam a tempo o sentimento de especulação pura, e não caíram. Eu previno-o disso, para que não se deixe levar pelo conto da sereia, e se ela lhe falar em alguma coisa...

João Barbosa que já estava vermelho de cólera, não se pôde conter; cortou-lhe a palavra intimando-o a que saísse. O rapaz disse que obedecia, mas não interrompeu as reflexões: inventou o que pôde, deitou cores sombrias ao quadro, de maneira que saiu deixando o veneno no coração do pobre velho.

Era difícil que algumas palavras tivessem o condão de desviar o namorado do plano que assentara; mas é certo que foi esse o ponto de partida de uma longa hesitação. João Barbosa vociferou contra o sobrinho, mas, passado o primeiro acesso, refletiu um pouco no que lhe acabava de ouvir e concluiu que seria realmente triste, se ele tivesse razão.

— Felizmente, é um caluniador! — concluiu ele.

D. Joana soube da conversa havida entre João Barbosa e o sobrinho, e aprovou a ideia deste; era necessário voltar à carga; e José não se descuidou disso.

João Barbosa confiou à caseira as perplexidades que o sobrinho buscava lançar em seu coração.

— Acho que ele tem razão — disse ela.
— Também tu?
— Também eu, e se o digo é porque o posso dizer, visto que desde hoje estou desligada desta casa.

D. Joana disse isto levando o lenço aos olhos, o que partiu o coração de João Barbosa em mil pedaços; tratou de a consolar e inquiriu a causa de semelhante resolução. D. Joana recusou explicar; afinal estas palavras saíram de sua boca trêmula e comovida:

— É que... também eu tenho coração!

Dizer isto e fugir foi a mesma coisa. João Barbosa ficou a olhar para o ar, depois dirigiu os olhos a um espelho, perguntando-lhe se efetivamente não era explicável aquela declaração.

Era.

João Barbosa mandou-a chamar. Veio d. Joana e arrependida de ter ido tão longe, tratou de explicar o que acabava de dizer. A explicação era fácil; repetiu que tinha coração, como o sobrinho de João Barbosa, e não podia, como o outro, vê-lo entregar-se a uma aventureira.

— Era isso?

— É duro de o dizer, mas cumpri o que devia; compreendo porém que não posso continuar nesta casa.

João Barbosa procurou apaziguar-lhe os escrúpulos; e d. Joana deixou-se vencer, ficando.

Entretanto, o noivo sentia-se um tanto perplexo e triste. Cogitou, murmurou, vestiu-se e saiu.

Na primeira ocasião em que se encontrou com d. Lucinda, esta, vendo-o triste, perguntou-lhe se eram incômodos domésticos.

— Talvez — resmungou ele.

— Adivinho.

— Sim?

— Alguma que lhe fez a caseira que o senhor lá tem?

— Por que supõe isso?

D. Lucinda não respondeu logo; João Barbosa insistiu.

— Não simpatizo com aquela cara.

— Pois não é má mulher.

— De aparência, talvez.

— Parece-lhe então...

— Nada; digo que bem pode ser alguma intrigante...

— Oh!

— Mera suposição.

— Se a conhecesse havia de lhe fazer justiça.

João Barbosa não recebeu impunemente esta alfinetada. Se efetivamente d. Joana não passasse de uma intrigante? Era difícil supô-lo ao ver a cara com que ela o recebeu na volta. Não a podia haver mais afetuosa. Contudo, João Barbosa pôs-se em guarda; convém dizer, em honra de seus afetos domésticos, que não o fez sem tristeza e amargura.

— Que tem o senhor que está tão macambúzio? — perguntou d. Joana com a mais doce voz que possuía.

— Nada, dona Joana.

E daí a pouco:

— Diga-me; seja franca. Alguém a incumbiu de me dizer aquilo a respeito da senhora que...

D. Joana tremeu de indignação.

— Pois imagina que eu seria capaz de fazer-me instrumento... Oh! é demais!

O lenço correu aos olhos e provavelmente encheu-se de lágrimas. João Barbosa não podia ver chorar uma mulher que o servia tão bem há tanto tempo. Consolou-a como pôde, mas o golpe (dizia ela) fora profundo. Isto foi dito tão de dentro, e com tão amarga voz, que João Barbosa não pôde esquivar-se a esta reflexão.

— Esta mulher ama-me!

Desde que, pela segunda vez, se lhe metia esta suspeita pelos olhos, seus sentimentos em relação a d. Joana eram de compaixão e simpatia. Ninguém pode odiar a pessoa que o ama silenciosamente e sem esperança. O bom velho sentia-se lisonjeado da vegetação amorosa que seus olhos faziam brotar dos corações.

Daí em diante começou uma luta entre as duas mulheres de que eram campo e objeto o coração de João Barbosa. Uma tratava de demolir a influência da outra; os dois interesses esgrimiam com todas as armas que tinham à mão.

João Barbosa era um joguete entre ambas — uma espécie de bola de borracha que uma atirava às mãos da outra, e que esta de novo lançava às da primeira. Quando estava com Lucinda suspeitava de Joana; quando com Joana suspeitava de Lucinda. Seu espírito, debilitado pelos anos, não tinha consistência nem direção; uma palavra o dirigia ao sul, outra o encaminhava ao norte.

A esta situação, já de si complicada, vieram juntar-se algumas circunstâncias desfavoráveis a d. Lucinda. O sobrinho José não cessava as suas insinuações; ao mesmo tempo os parentes da interessante viúva entraram a rodear o velho, com tal sofreguidão, que, apesar de sua boa vontade, este desconfiou seriamente das intenções da noiva. Nisto sobreveio um ataque de reumatismo. Obrigado a não sair de casa, era a d. Joana que cabia desta vez exclusivamente a direção do espírito de João Barbosa. D. Lucinda foi visitá-lo algumas vezes; mas o papel principal não era seu.

A caseira não se poupou a esforços para readquirir a antiga influência; o velho ricaço saboreou de novo as delícias da dedicação de outro tempo. Ela o tratava, amimava e conversava; lia-lhe os jornais, contava-lhe a vida dos vizinhos entremeada de velhas anedotas adequadas à narração. A distância e a ausência eram dois dissolventes poderosos do amor decrépito de João Barbosa.

Logo que ele melhorou um pouco foi à casa de d. Lucinda. A viúva o recebeu com polidez, mas sem a solicitude a que o acostumara. Sucedendo a mesma coisa outra vez, João Barbosa sentiu que, pela sua parte, também o primitivo afeto esfriara um pouco.

D. Lucinda contava aguçar-lhe o afeto e o desejo mostrando-se fria e reservada; sucedeu o contrário. Quando quis resgatar o que perdera, era um pouco tarde; contudo não desanimou.

Entretanto, João Barbosa voltara a casa, onde a figura de d. Joana lhe pareceu a mais ideal de todas as esposas.

— Como é que não me lembrei há mais tempo de casar com esta mulher? — pensou ele.

Não fez a pergunta em voz alta; mas d. Joana pressentiu num olhar de João Barbosa que aquela ideia alvorecia em seu generoso espírito.

João Barbosa voltou a concentrar-se em casa. D. Lucinda, após os primeiros dias, derramou o coração em longas cartas que eram pontualmente entregues em casa de João Barbosa, e que este lia em presença de d. Joana, posto fosse em voz baixa. João Barbosa, logo à segunda, quis ir reatar o vínculo roto; mas o outro vínculo que o prendia à caseira era já forte e a ideia foi posta de lado. D. Joana achou enfim meio de subtrair as cartas.

Um dia, João Barbosa chamou d. Joana a uma conferência particular.

— D. Joana, chamei-a para lhe dizer uma coisa grave.

— Diga.

— Quero fazer a sua felicidade.

— Já não a faz há tanto tempo?

— Quero fazê-la de modo mais positivo e duradouro.

— Como?

— A sociedade não crê, talvez, na pureza de nossa afeição; confirmemos a suspeita da sociedade.

— Senhor! — exclamou d. Joana com um gesto de indignação tão nobre quão simulado.

— Não me entendeu, dona Joana, ofereço-lhe a minha mão...

Um acesso de asma, porque ele também padecia de asma, veio interromper a conversa no ponto mais interessante. João Barbosa gastou alguns minutos sem falar nem ouvir. Quando o acesso passou, sua felicidade, ou antes a de ambos, estava prometida de parte a parte. Ficava assentado um novo casamento.

D. Joana não contava com semelhante desenlace, e abençoou a viúva que, pretendendo casar com o velho, sugeriu-lhe a ideia de fazer o mesmo e a encaminhou àquele resultado. O sobrinho José é que estava longe de crer que havia trabalhado simplesmente para a caseira; tentou ainda impedir a realização do plano do tio, mas este às primeiras palavras fê-lo desanimar.

— Desta vez, não cedo! — respondeu ele. — Conheço as virtudes de dona Joana, e sei que pratico um ato digno de louvor.

— Mas...

— Se continuas, pagas-me!

José recuou e não teve outro remédio mais que aceitar os fatos consumados. O pobre septuagenário treslia evidentemente.

D. Joana tratou de apressar o casamento, receosa de que ou algumas das várias moléstias de João Barbosa, ou a própria velhice desse cabo dele, antes de arranjadas as coisas. Um tabelião foi chamado, e tratou, por ordem do noivo, de preparar o futuro de d. Joana.

Dizia o noivo:

— Se eu não tiver filhos, desejo...

— Descanse, descanse — respondeu o tabelião.

A notícia desta resolução e dos atos subsequentes chegou aos ouvidos de d. Lucinda, que mal pôde crer neles.

— Compreendo que me fugisse; eram intrigas daquela... daquela criada! — exclamou ela.

Depois ficou desesperada; interpelou o destino, deu ao diabo todos os seus infortúnios.

— Tudo perdido! tudo perdido! — dizia ela com uma voz arrancada às entranhas.

Nem d. Joana nem João Barbosa a podiam ouvir. Eles viviam como dois namorados jovens, embebidos no futuro. João Barbosa planeava mandar construir uma casa monumental em algum dos arrabaldes onde passaria o resto de seus dias. Conversavam das divisões que a casa devia ter, da mobília que lhe convinha, da chácara, e do jantar com que deviam inaugurar a residência nova.

— Quero também um baile! — dizia João Barbosa.

— Para quê? Um jantar basta.

— Nada! Há de haver grande jantar e grande baile; é mais estrondoso. Demais, quero apresentar-te à sociedade como minha mulher, e fazer-te dançar com algum adido de legação. Sabes dançar?

— Sei.

— Pois então! Jantar e baile.

Marcou-se o dia de ano-bom para celebração do casamento.

— Começaremos um ano feliz — disseram ambos.

Faltavam ainda dez dias, e d. Joana estava impaciente. O sobrinho José, alguns dias arrufado, fez as pazes com a futura tia. O outro aproveitou o ensejo de vir pedir o perdão do tio; deu-lhe os parabéns e recebeu a bênção. Já agora não havia remédio senão aceitar de boa cara o mal inevitável.

Os dias aproximaram-se com uma lentidão mortal; nunca d. Joana os vira mais compridos. Os ponteiros do relógio pareciam padecer de reumatismo; o sol devia ter por força as pernas inchadas. As noites pareciam-se com as da eternidade.

Durante a última semana João Barbosa não saiu de casa; todo ele era pouco para contemplar a próxima companheira de seus destinos. Enfim raiou a aurora cobiçada.

D. Joana não dormia um minuto sequer, tanto lhe trabalhava o espírito.

O casamento devia ser feito sem estrondo, e foi uma das vitórias de d. Joana, porque o noivo falava em um grande jantar e meio mundo de convidados. A noiva teve prudência; não queria expor-se e expô-lo a comentários. Conseguira mais; o casamento devia ser celebrado em casa, num oratório preparado de propósito. Pessoas de fora, além dos sobrinhos, havia duas senhoras (uma das quais era madrinha) e três cavalheiros, todos eles e elas maiores de cinquenta.

D. Joana fez sua aparição na sala alguns minutos antes da hora marcada para celebração do matrimônio. Vestia com severidade e simplicidade.

Tardando o noivo, ela mesma o foi buscar.

João Barbosa estava no gabinete já pronto, sentado ao pé de uma mesa, com uma das mãos calçadas.

Quando d. Joana entrou deu com os olhos no grande espelho que ficava defronte e que reproduzia a figura de João Barbosa; este estava de costas para ela. João Barbosa fitava-a rindo, um riso de bem-aventurança.

— Então! — disse d. Joana.

Ele continuava a sorrir e a fitá-la; ela aproximou-se, rodeou a mesa, olhou-o de frente.

— Vamos ou não?

João Barbosa continuava a sorrir e a fitá-la. Ela aproximou-se e recuou espavorida.

A morte o tomara; era a melhor das noivas.

Jornal das Famílias, *setembro-outubro de 1877; Victor de Paula.*

Um ambicioso

I

— Mas Juca, tu estás doente ou que é?

Esta pergunta era feita pelo sr. Mateus, com casa de louças à rua da Saúde, a um filho seu, que ele foi encontrar, sentado numa mesa, com os pés sobre um mocho e os olhos cravados na parede.

Não era a primeira vez que José Cândido, filho do sr. Mateus, apresentava sintomas de melancolia ou forte preocupação. Havia duas semanas que o pai reparava na mudança do rapaz; e duas vezes lhe falou nisso; a primeira com ar indiferente, mas afetado; a segunda com algum interesse. A terceira vez, que foi agora, falou-lhe com a alma nas palavras, porque o sr. Mateus, viúvo e sem parentes, salvo uma prima, concentrara todo seu coração em José Cândido, seu filho único.

José Cândido andava já perto dos trinta anos; faltavam-lhe um ou dois meses. Era um rapaz de feições irregulares e de uma expressão alvar, sobretudo estando quieto. Não era magro nem gordo, alto nem baixo; mediano em tudo, exceto na inteligência, que era ínfima. Tinha uma particularidade José Cândido; gostava de gravatas amarelas. Em compensação detestava o trabalho. Vivia do que lhe dava o pai, que possuía a casa de louças, e uns cinco prédios; trinta contos ao todo.

O sr. Mateus repetiu as palavras com que esta narração começa, e não obteve melhor resposta do que um silêncio sinistro e doloroso.

— Juca, responde!

— Não é nada, papai — disse José Cândido —, acordando da contemplação em que estava; não é nada; estou pensando na minha vida.

— Mas que tem a tua vida?

— Nada — suspirou o filho.

— Que é? que foi? conta-me tudo. Tens alguma dívida?

— Oh! não! — protestou José Cândido com um gesto de pudor.

O sr. Mateus respirou; escapara ao maior perigo. Ele professava o princípio de não dever nem fiar. José Cândido, vendo-o caminhar para a porta, cravou outra vez os olhos na parede e mergulhou na contemplação.

O sr. Mateus voltara à loja, onde o caixeirinho, um menino, vindo de Iguaçu dois meses antes, impingia a um freguês, por dois mil-réis, uma jarra de mil e quinhentos.

Esta circunstância prendeu a atenção do sr. Mateus, que antes de ser pai, já era negociante, e tinha, além disso, o entusiasmo da profissão. A jarra custara-lhe novecentos réis; ele marcara o preço de mil e quinhentos, a fim de ganhar seis tostões; mas o caixeiro, que tinha a flama sagrada, achou meio de lhe fazer ganhar quase o duplo.

A alma do sr. Mateus sorriu.

Quando, dez minutos depois, tornou a pensar no filho, este apresentou-se-lhe na loja com o chapéu na mão. Tinha enfiado um paletó preto, porque até então estivera de colete e em mangas de camisa, e ia sair.

O sr. Mateus não lhe pôs obstáculo; estimou que ele se distraísse.

— Queres dinheiro? — perguntou ao filho.

— Não, senhor, obrigado.

Saiu José Cândido, e o sr. Mateus sentou-se numa cadeira, que ficava por trás de um balcãozinho, ao fundo da loja. Sobre esse balcão havia duas rumas de pratos, por entre as quais o sr. Mateus usava enfiar os olhos para ver o que se passava na rua, ou vigiar a fidelidade e o tino do caixeiro.

Sentou-se, abriu a caixa de tabaco, fungou uma pitada e reflexionou:

— Aquele rapaz parece-me que anda apaixonado... Aquilo há de ser volta de mulher. Não vá ser aí alguma cabecinha tonta, alguma avoada...

Ele a dizer isso, e a sra. d. Inácia a penetrar na loja.

— Seu amo está? — perguntou ela.

— Estou aqui, prima — disse o sr. Mateus fazendo-se visível. — Que anda fazendo?

— Eu, primo, ando na lida!

— Sempre a trabalhar?

— É verdade.

— Sente-se. Traga um mocho.

O caixeiro obedeceu. A sra. d. Inácia sentou-se, tirou um lenço do bolso do vestido, enxugou a testa e a cara, e ofegou durante cinco minutos.

A sra. d. Inácia, quarentona rechonchuda, pesada, mourejava no trabalho desde manhã até a noite, por culpa do sr. Mateus, que, se quisesse, podia ter — ainda mesmo agora — o coração da prima. Mas o sr. Mateus, que olhava muita vez para a sra. Inácia com olhos pouco angélicos, tinha tal aferro ao dinheiro, que não queria arriscar um passo no fim do qual havia, ou podia haver, casamento ou despesa. A sra. Inácia tinha três filhas.

— Como está o Juca? — perguntou a sra. Inácia, depois de descansada.

— Assim, assim... Vamos andando como Deus é servido. Sua obrigação?

— Rolando a vida... A Chiquinha é que teve ontem um incômodo, uma dor no peito; mas felizmente passou.

— São macacoas... Eu também, às vezes, aparece-me isto ou aquilo, mas no dia seguinte passa. Agora mesmo, tenho aqui uma dor nas cadeiras...

— Veja um banho de malvas; isso vai embora. Primo, sabe o que é que me trouxe aqui?

O sr. Mateus ficou com o coração pequenino.

— Era ver — continuou a sra. d. Inácia —, era ver se me fiava um açucareiro, porque o meu quebrou-se na semana passada...

O sr. Mateus, que para resistir ao golpe tirara a boceta de tabaco, tomou uma pitada, dando tempo ao cérebro de redigir uma resposta. E foi bom isso; porque lembrou-lhe a tristeza misteriosa de José Cândido e teve a ideia de pedir o auxílio da prima.

— Fiar, não fio — disse ele —; mas dou-lhe um açucareiro e um bule, que aí tenho, de muito gosto.

E foi buscar os dois objetos em um canto de uma das prateleiras.

— O bule tem um pequeno defeito na asa — disse ele —; e é pena, porque é bonito; este friso azul dá muita graça. Aceita?

— Ora, com muito gosto! Bem bonitos!

— Embrulhe isso — ordenou o sr. Mateus ao caixeiro.

E sem mais demora, enquanto o caixeiro embrulhava a louça, o sr. Mateus expunha à prima a causa de suas preocupações e pedia-lhe auxílio.

— Aquilo pode ser negócio de namoro... Um pai sempre deve dar-se ao respeito.

A sra. d. Inácia, que acompanhara a confidência com gestos afirmativos de cabeça, em chegando àquele ponto compreendeu logo o que o sr. Mateus lhe queria dizer. Compreendeu e aceitou.

— Eu lhe falo, não tem dúvida. Eu pergunto assim como coisa minha... descanse.

— Hoje é quinta, não? talvez no sábado.

— Pois sim; veja-me isso... Veja se ele lhe conta alguma coisa.

— Deixe comigo — disse a sra. d. Inácia —, erguendo-se e sobraçando o embrulho de louça, por baixo do grande xale de ramagens.

E saiu a sra. d. Inácia.

II

José Cândido, logo que saiu de casa, dirigiu-se à rua da Imperatriz, e entrou no corredor de um sobrado.

— O senhor capitão está em casa?

— Está.

— Quem é? — perguntou de dentro uma voz irritada.

— Um seu criado — disse José Cândido.

Entrou.

O dono da casa veio recebê-lo à porta da sala, com um ar que contrastava com a voz de há pouco, mas não com a voz que empregou então, a qual era doce a mais não poder.

— Venha cá, venha cá — disse ele —; cuidei que já nos tinha esquecido.

— Estive cá anteontem.

— Pois então! Dois dias parece-lhe pouco?

José Cândido sentiu-se satisfeito; entrou; sentou-se em uma cadeira de balanço, que o dono da casa lhe ofereceu. Era este o capitão Fabrício, um homem alto e cheio, grisalho, de olhos velhacos e pretos.

— Quer tomar alguma coisa?

— Não, senhor; obrigado.

Fabrício sentou-se também, esfregou as mãos, bateu com elas nos joelhos, exclamando:

— Então parece que a coisa vai!

— Ora, se vai!

— Ou tudo leva a breca! — concluiu José Cândido com ar marcial.

— Apoiado!

Seguiu-se um silêncio. Fabrício foi o primeiro que falou:

— Tem feito alguma das suas?

— Tenho. Um barbeiro lá da minha rua, e dois oficiais da mesma loja, que já estavam apalavrados com os outros, declararam-me ontem que votam conosco.

— Assim! assim!... é preciso não esmorecer. Hoje dois, amanhã três, no fim das contas faz-se um rombo no inimigo.

E o capitão riu com um riso franco, amigável, paternal, enquanto José Cândido, com os olhos nos bicos dos botins, tinha o mesmo ar com que o pai o fora achar nessa manhã.

— Eu, senhor capitão... — disse ele ao cabo de alguns segundos — queria falar-lhe numa coisa.

— Diga, diga.

— Talvez... pode ser... mas...

— Mas?

— Não me atrevo...

— Atreva-se.

— Queria dizer... sim... posso contar com sua proteção?

— Toda, toda, senhor José Cândido; pode contar comigo para tudo o que for de seu agrado. Tinha que ver, que não pudesse contar com a boa vontade dos correligionários, um homem que tem feito o que o senhor tem feito. Diga, o que é?

José Cândido mostrou-se animado com esse tom, pôs toda a alma nas mãos e preparou-se para desembuchar o seu segredo, enquanto Fabrício, com o ar mais afetuoso e serviçal que possuía, esperava que ele começasse a falar.

José Cândido falou.

Nunca a voz trêmula da donzela, que pela primeira vez confessa que ama, nunca foi mais doce, mais úmida. Os olhos, ora no chão, ora no teto, pareciam envergonhados da audácia do dono. A face, ordinariamente amarela como as gravatas, fez-se vermelha como os botões de vidro do colete. A mão tremia, o lábio tremia, todo ele tremia.

— Eu, senhor capitão — disse ele —, eu desejava... ambicionava... supunha... sim... queria ser eleitor...

O capitão entrelaçou um riso e uma careta, fez um gesto de cabeça e piscou os olhos.

— Ambição legítima — disse ele —; ambição muito legítima, a mais legítima possível.

— Parece a vossa senhoria...

— Pois não há de parecer! Um homem digno, fiel ao partido, trabalhador...

— Por ora não tenho pedido nada.

— É verdade; não tem pedido nada.

— Então, posso contar? — perguntou José Cândido no cúmulo da alegria.

O capitão deitou-lhe um pouco de água na fervura.

— Por mim, decerto; mas sabe que não depende só de mim; os correligionários, os candidatos, as influências...

— Mas, se é certo que eu posso ambicionar...

— Pode e deve. Mas, como sabe, tudo neste mundo está sujeito a contingências. O que eu posso afirmar-lhe é que pode contar comigo.

— Oh! interesse-se por mim!

Fabrício estendeu-lhe a mão.

— Conte com isso.

— Quanto a recursos, se é preciso entrar com alguns, creio que posso dispor de quatro ou seis contos de réis...

— Isso depois. Vamos primeiramente ao essencial; amanhã lhe darei a resposta. Amanhã, não, domingo é mais certo.

José Cândido saiu da casa do capitão com a alma a nadar-lhe em um mar de júbilo. Eleitor! José Cândido sentira nascer-lhe essa ambição algumas semanas antes; se é que ela nasceu, se é que suas ambições podiam nascer. Existia desde o princípio dos tempos; coexistiu com o caos. Desagregando-se da confusão das coisas, ficou no espaço à espera que nascesse José Cândido. José Cândido nasceu, ela penetrou-lhe no cérebro, onde residiu escondida até quase trinta anos. Um dia rebentou como um aneurisma.

José Cândido tinha a paixão eleitoral, mas só a paixão eleitoral, não a política. Era um cabalista de primeira força. Ele vivia no tempo das eleições três vezes mais do que no resto dos tempos. Por isso amava as dissoluções da Câmara. Era a sua única ocupação, mas valia por trinta.

Tinha roda, dispunha de votos; era exímio no meio de angariar votos contrários, em trocar cédulas, preparar *fósforos*, reunir invisíveis.

Não lhe perguntassem qual era o seu partido; ele era do partido do capitão. Houve um tempo em que o capitão entendeu conveniente fazer uma reviravolta; José Cândido não se alterou; ficou no mesmo lugar; ficou fiel ao capitão. Este era a sua bandeira, o seu programa, o seu sistema. Suas ideias, princípios, simpatias, eram as simpatias, princípios e ideias do capitão; fora dele era tudo abominável. E o capitão sabia de que força era o correligionário. Quis um dia arranjar-lhe uma patente de alferes, na Guarda Nacional, e ele recusou, com uma abnegação romana. José Cândido era desinteressado, puro, incorruptível.

Um dia, porém (fatal dia!), a ambição eleitoral deitou a ponta do nariz de fora. José Cândido sentiu bater-lhe o coração fortemente, mais fortemente do que batia, quando ele ia falar a Emília, sua prima, filha da sra. Inácia. Que seria? Consultou-se; recuou aterrado. Uma feiticeira de Macbeth bradava-lhe aos ouvidos: "Tu serás eleitor, José Cândido!". Eleitor! sim; por que não? Ele os fazia, podia manipular-se a si próprio. Que seria preciso? Apoio? Contava com o capitão. Dinheiro? O pai lhe daria algum quando soubesse que o filho ia ser eleitor. Esta ideia é que o trazia desde tanto tempo distraído, absorto, acima do tempo e do espaço.

Não eram muitas nem decisivas as esperanças que Fabrício lhe dera; mas as primeiras ambições são fáceis de iludir. José Cândido saiu da casa do capitão certo de ver já o seu nome proclamado aos quatro vento do universo. Ele próprio sentia em si um ar mais seguro, alguma coisa menos ínfima. Seus olhos pareciam dizer às esquinas, aos prédios, às calçadas da rua: Vede; este é um dos bem-aventurados da terra!

Ia neste sonho, quando ao passar a última esquina, perto de casa, sentiu alguém que lhe puxava pela aba do paletó.

III

A pessoa era uma mulher; a mulher era a sra. Inácia.

— Onde vai você, Juca? — disse ela.

José Cândido sentira alguma coisa semelhante a um trambolhão moral; sua alma caiu no chão. Sorriu, contudo, apertou a mão à sra. Inácia, perguntou como iam todos.

— Todos vão bem; a Emília é que...
— Que tem? doente?
— Não; mas anda aborrecida. Você onde vai?
— Para casa.
— Vamos lá a casa primeiro.
— Vamos.

A sra. Inácia morava perto; seguiram os dois, a falar de coisas indiferentes, ela atenta, ele distraído.

— Que é que você tem, Juca? — disse repentinamente a sra. Inácia.
— Eu?
— Sim; você.
— Nada.
— É impossível. Noto que você anda há algum tempo distraído, meio aluado, falando pouco, assim não sei como...
— Reparou nisso? — disse José Cândido com um ar de magnífica superioridade.
— Reparei. Que é?

José Cândido parou.

— Há coisas — disse ele — superiores ao entendimento de uma senhora. Em geral, as senhoras não pensam nos negócios públicos... Eu penso nos negócios públicos.

A sra. Inácia não entendeu; ficou a olhar para ele, alguns instantes. Depois disse:

— Mas você anda distraído.
— Por isso mesmo.
— Isso mesmo o quê?

José Cândido levantou os ombros.

— Falemos de outra coisa — disse ele —; falemos de linhas e alfinetes. Onde comprou o seu xale?
— Na rua do Carmo — explicou a sra. Inácia —; não custou muito caro.
— Não?
— Dez mil-réis.
— Está bom! — murmurou José Cândido com os olhos e o pensamento no eleitorado.

A sra. Inácia mordia-se de zanga; não tinha alcançado nada e queria saber tudo ou alguma coisa: primeiro, porque podia ser namoro, e ela afagava a ideia de casá-lo com a filha; segundo, porque não queria perder a fama da sagacidade e jeito, que adquirira no bairro; terceiro, finalmente, porque tinha o olho em uma dúzia de xícaras que havia em casa do primo Mateus.

Três boas razões.

Estavam perto da casa dela; a sra. Inácia parou.

— Juca, vou pedir a você uma coisa.
— Diga.
— Você há de me dizer o que é que tem.
— Mas por quê? que tenho eu?
— Alguma coisa; você não anda bom.

José Cândido já não podia esconder o desdém que lhe causava o triste vulgo, e a pergunta da sra. Inácia encheu a medida de seu infinito desprezo. Contudo era preciso explicar-se.

— Se eu lhe dissesse o que tenho, a senhora não entendia...

— Isso agora!

— Não entendia; mas só lhe peço que acredite numa coisa; eu nunca hei de desprezar os meus; posso fazer até muito benefício, porque... enfim... a posição... a importância... Sim, um eleitor tem importância.

— Eleitor?

— Lá me escapou; sim, eleitor... não diga nada. Adeus!

E José Cândido estendeu-lhe a mão.

— Não vens ver as pequenas? — perguntou a sra. Inácia.

— Vou, vamos.

Foram; as meninas fizeram muita festa ao primo; ele pôde falar a sós, um minuto, com Emília, que era uma rechonchuda como a mãe, e saiu daí a meia hora.

A sra. Inácia ficara consternada. Não chegara a entender o que José Cândido lhe dissera. A sra. Inácia era pouco mais inteligente do que os seus sapatos. Para entender as coisas era preciso que lhas dissessem com todas as letras, palavras, verbos e advérbios, tudo explicadinho, repetido, claro, transparente. As palavras de José Cândido não tinham para ela nem ligação nem explicação.

— Há alguma coisa — pensou ela —; é preciso voltar à carga.

Não foi preciso. José Cândido contou-lhe tudo naquela mesma noite, sem pedido dela, mas de própria inspiração. Ele pensara na conveniência de ter alguém que, ao pé do pai, abrisse caminho ao pedido dos quatro ou seis contos de réis precisos para o cofre dos candidatos. Lembrou-se da sra. Inácia. Contou-lhe tudo, com muitas e repetidas explicações; depois disse o que queria.

— Cinco ou seis contos! — exclamou a sra. Inácia pondo as mãos na cintura. — Pois é preciso tanto dinheiro para isso?

— A senhora não entende de negócios públicos — disse José Cândido com certa bonomia e magnanimidade. — Não me peça explicações; aceite o que lhe digo e ajude-me, ajude-me que é ajudar os seus, é a glória da família.

— Lá isso é! — concordou a sra. Inácia para fazer crer que entendia uma coisa tão difícil que José Cândido dizia ser superior ao entendimento das mulheres.

E depois de um instante:

— Está certo de que seu pai ceda?

— Há de ceder.

— Só de pensar nisso, tremo!

— Não trema! Não lhe peça nada. Diga-lhe só que eu estou quase eleitor e preciso de cinco contos; que não me atrevo a pedi-los; que vivo aflito; que a glória da família está ameaçada...

— Espere — interrompeu velhacamente a sra. Inácia —; para obrigá-lo mais, direi que a Emília ficou toda chorosa...

— A Emília... — balbuciou José Cândido. — Mas...

— Anda lá! pensa que eu sou alguma tola? — disse a sra. Inácia piscando os olhos.

José Cândido baixou os olhos pudicamente. A sra. Inácia afiançou-lhe que não levava a mal seus sentimentos; chegava a aprová-los; talvez mesmo a aplaudi-

-los. José Cândido apertou-lhe as mãos, com certo ar, piscou um olho, e confirmou as suspeitas da sra. Inácia, de modo que ela viu luzir-lhe nas prateleiras toda a louça da casa do velho Mateus.

O velho Mateus teve dois sobressaltos quando a prima lhe falou do caso; um de alegria, porque a ideia de ver o filho eleitor sempre lhe lisonjeava a vaidade; o outro de terror, quando ela lhe fez ver que seriam precisos alguns quatro ou seis contos de réis.

— Nunca! — exclamou ele dando um murro no balcão.

Daí a um quarto de hora, tendo ouvido as palavras e rogativas da sra. Inácia, limitou-se a dizer, mas já sem murro:

— É muito dinheiro!

Foi nessa ocasião que José Cândido, que tudo escutava, entrou na loja. Estava pálido naturalmente; e artificialmente com o ar desvairado e as pernas bambas. Instou por sua vez; disse que era a glória da família, a honra própria, que os mais altos destinos podiam estar no fim da campanha eleitoral.

O velho Mateus resistiu.

Mas resiste-se um dia, não se resiste em outro; e cada sol traz uma mudança à alma do homem. O sr. Mateus não era avesso à ambição, ainda que fosse homem pacato. Verdadeiramente, ele não acreditava no eleitorado de José Cândido; mas este asseverou tanto, e ficou tão acabrunhado, falou de morrer, fez vários trejeitos mais, uns sinceros outros exagerados, que afinal o sr. Mateus prometeu um conto, depois dois, finalmente os quatro, e somente os quatro.

José Cândido cantou um *Te Deum laudamum*.

IV

Logo que obteve resposta favorável, José Cândido foi ter com o capitão Fabrício, que havia já adiado a resposta três vezes, dizendo não ter podido chegar a acordo.

Oh! que não sei de nojo como conte a declaração feita pelo capitão ao digno e ativo correligionário! José Cândido subiu as escadas a quatro e quatro. O eleitorado dava-lhe asas. Subiu; entrou na sala do capitão, falou-lhe trêmulo.

— Então?

Fabrício tinha preparado uma cara análoga ao ato, e suspirou uma vez, bateu duas vezes com a mão no joelho, até que rompeu a fatal palavra.

— O número está completo; nossos amigos pedem que você espere para a eleição seguinte. Na eleição seguinte o seu lugar é certo. Eu mesmo o defenderei, como o defendi agora, como o defenderei sempre.

José Cândido ouviu tudo aquilo mais pálido que um defunto.

— Mas, senhor capitão, eu...

— Não diga nada — interrompeu o capitão —; não pode dizer mais do que eu próprio disse a todos eles...

— Contudo...

— Sei! Sei! Não há abnegação! Não há unidade de pensamento...

José Cândido quis ainda intercalar algumas frases, mas era impossível; o capitão interrompia-o furioso para asseverar que a abnegação estava morta, que não havia fraternidade política. José Cândido estava fulminado; não ouviu as primeiras palavras do chefe. Quando voltou a si, insinuou ao capitão que podia dispor dos meios necessários para obtenção do diploma.

— A coisa está feita — disse melancolicamente o capitão.

José Cândido torcia os braços.

— Cheguei a dizer que cedia o meu lugar em seu proveito...

— E então?

— Recusaram.

— Ah! trata-se então de uma guerra pessoal...

— Não! Sou obrigado a dizer que, nesse ponto, o pensamento dos nossos amigos foi não se desfazerem do meu nome, que eles supõem (com razão) cercado de certo prestígio.

José Cândido ainda insistiu, bradou, implorou; o capitão animou-o com as mais brilhantes promessas, chegando a dizer que ele se retiraria da arena política, para todo o sempre, se por ventura o seu nobre amigo não fosse incluído na lista dos candidatos futuros. Era muito, mas eram promessas somente, e José Cândido vivia já de uma suposta realidade.

Durante três dias o mancebo andou desatinado, até que no quarto dia, por uma dessas resoluções que levam os Césares a atravessar o Rubicão, José Cândido galgou a muralha das considerações políticas: retirou o seu concurso ao capitão; em vez de lutar contra um partido, dispôs-se a lutar contra dois; determinou enfim apresentar-se candidato.

O sr. Mateus não era homem de dar os quatro contos, mediante a garantia única da influência do filho, sem o concurso de um partido. José Cândido, que o sabia, empregou uma perfídia; nada disse ao pai do que se passara com o capitão. Pelo contrário, deu-se como aceito e aplaudido; figurou que ia ter com ele muitas vezes; falava de conciliábulos, circulares, entrevistas, uma agitação comum. Oito dias depois, o pai aventava os quatro contos e entregava-os ao jovem candidato. Importa dizer que, na mente do sr. Mateus, os quatro contos não eram deitados à rua; ele meditava já obter umas empreitadas, por intermédio do futuro eleitor. Não! ele não era homem de dar dinheiro por nada. Nada por dinheiro ainda era possível.

— Vão para a caixa — disse José Cândido atando as notas.

O sr. Mateus suspirou; mas a aludida reserva mental e a vaidade de ver as grandezas políticas do filho, de algum modo lhe minoraram as saudades.

José Cândido, ambicioso impotente mas fantástico, viu tudo cor-de-rosa, contemplava já os dois partidos de cara à banda, vendo triunfar um nome não cogitado por eles. Havia mesmo em seu íntimo, certo desejo de derrotar pessoalmente o capitão, por não ter alcançado a aceitação de seu nome. Chegava-lhe aos ouvidos o eco de futuras conversações nos círculos políticos:

— José Cândido venceu!

— Eleitor José Cândido!

— É um golpe inesperado!

— É uma desforra da opinião pública!

— É isto!

— É aquilo!

Não se podia negar que José Cândido dispunha de alguns votos certos; ao todo, uns vinte e cinco. Podia ter esperança em alguns votos prováveis; uns cinquenta. Era pouco, era quase nada; mas ele contava com algumas artes particulares que tinha.

Uma vez resolvido a lutar, atirou-se Cândido à arena, com alma e coração. Tratou primeiro que tudo de organizar umas listas excluindo o capitão e incluindo o seu nome, e fez crer aos votantes que o acompanhavam que essa decisão tinha sido tomada pelos centros políticos da capital. Ao barbeiro, acenou com a possibilidade de o incluir também; e o barbeiro, cujas ambições não iam acima da rabeca, sentiu uma espécie de vertigem, uma explosão interior e acabou aceitando a oferta.

Os quatro contos do sr. Mateus começaram a ter uma extração lenta, mas certa. Almoço daqui, ceia dacolá, um presente, um empréstimo, todas as formas da redução, que podem estar ao alcance de quatro contos e de um candidato desejoso de fazer a chapa, todas foram empregadas com muito método e singular tenacidade.

O dia aproximava-se a passos de gigante.

V

Um dia de manhã o sr. Mateus teve um acesso de cólera. Abrira o *Jornal do Commercio* e lera a lista definitiva dos candidatos ao eleitorado da paróquia. O nome do filho brilhava pela ausência!

Foi um *Dies irae*.

O sr. Mateus, com o jornal amarrotado na mão, precipitou-se no quarto de José Cândido.

— Malandro! pelintra, ratoneiro! Que é isto? Onde estão os meus quatro contos? — dizia ele fazendo da gazeta um chicote e ferindo com ele o ar.

— Que é? — disse o filho espantado.

O sr. Mateus berrou ainda alguns adjetivos, primeiro que explicasse o motivo da cólera. Depois explicou. José Cândido ficou pálido, mas dominou-se logo. Simulou um grande espanto, e prometeu que ia saber o motivo daquilo. O dinheiro não estava perdido, porque só o dera com a condição do eleitorado.

— Tolo fui eu em ceder! — exclamou o sr. Mateus.

José Cândido saiu e voltou daí a uma hora.

— Tudo está explicado — disse ele —, essa lista é apócrifa.

José Cândido tinha apreendido a palavra *apócrifa*, nas lutas eleitorais; o pai, que nunca entrara nelas, ignorava absolutamente o sentido da palavra e teve vergonha de o pedir. Felizmente o boticário defronte tinha um dicionário, que lhe emprestou, e ele pôde ler a definição do termo, e com certo custo aplicou-o ao caso.

Infelizmente, no dia seguinte era publicada uma circular política recomendando a lista que se dizia apócrifa; e dessa vez não era lícito duvidar, salvo se a circular fosse também apócrifa, o que José Cândido não teve ânimo de dizer. Confessou tudo; acrescentou que por motivos políticos ele não fora incluído na lista, mas que o partido o ajudaria por trás da cortina.

— Mas o dinheiro? — bradou o pai, que ia achando apócrifos tanto o partido como a cortina.

— O dinheiro...

— Sim, onde está?

— O dinheiro é necessário à luta — disse José Cândido com um ar ingênuo. — Quando duas facções de um mesmo grupo de interesses...

— Qual, interesses! Vai buscar o dinheiro.

Era difícil obedecer. Parte dele estava já em jantares, charutos, paletós, empréstimos, pagamento de dívidas. Demais, José Cândido não cederia nunca. Disse-lhe que o dinheiro tinha seguido o seu destino.

O sr. Mateus sentiu alguma coisa semelhante a um tiro na boca do estômago. Caiu numa cadeira, bufou, espumou, declarou a José Cândido que saísse e nunca mais lhe pusesse os pés em casa. José Cândido não fez grande esforço para ficar; aceitou a solução e saiu.

— Nunca mais! — bradou o pai. — Ouviste? nunca mais!

E vendo-o sair sem dizer palavra, sem tentar abrandá-lo, sem um remorso aparente, o sr. Mateus sentiu uma comoção superior à da perda dos quatro contos. A paternidade falou mais alto que o dinheiro.

Meia hora depois voltou à loja com os olhos vermelhos.

Tinha chorado.

José Cândido não chorou; saiu teso, até risonho, com os olhos na estrela eleitoral, certo de que o pai lhe abriria a porta e os braços no dia em que o visse aparecer triunfante. Foi dali ao barbeiro, contou-lhe o caso e as esperanças, que não perdera de abrandar a cólera do pai, quando fosse eleito. O barbeiro, dentro em si, reprovou o incidente; mas a esperança de um triunfo à custa do dinheiro de José Cândido, fê-lo calar todos os escrúpulos. Ele aprovou de boca o procedimento de José Cândido, que achou digno sem ser desrespeitoso. Esta opinião, que o envergonhava, foi dita ao mesmo tempo que ele afinava a rabeca; meio de se não ouvir a si próprio.

A notícia da expulsão de José Cândido caiu como uma bomba em casa da sra. Inácia. Esta deu um salto ao xale e precipitou-se para casa do primo, a saber do que havia, enquanto Emília, a namorada de José Cândido, se desfazia em lágrimas amargas.

No meio das lágrimas apareceu-lhe José Cândido.

— Será verdade? — perguntou a moça.

— O quê?

— Que você foi posto fora de casa.

José Cândido ergueu os ombros. Emília soltou um dilúvio de novas lágrimas.

— Mas por que chora você? — perguntou José Cândido exasperado.

— Por quê? — perguntou a moça indignada.

— Sim, por quê?

Emília disse que ele era um ingrato, e intimou-o a reconciliar-se com o pai; insinuou-lhe mesmo que o fato da expulsão podia demorar ou tornar impossível a aliança conjugal que os dois ambicionavam. Sou obrigado a dizer que este era o motivo secreto das lágrimas de Emília.

José Cândido respondeu com um repelão, declarou que tudo estava acabado entre eles, e saiu, sempre com os olhos na estrela eleitoral. O barbeiro teve igualmente notícia deste rompimento; e secretamente achou que era complicar a situação já melindrosa; mas de viva voz confessou que os sentimentos de segunda ordem não podem impedir a expansão dos altos interesses e das nobres paixões cívicas. Seu estilo foi menos levantado, mas a ideia foi aquela.

José Cândido concordava com tudo; animava-o a ideia de que não há arrufos diante de um candidato vencedor, e vivia com os olhos nas urnas. Uma dúzia de sujeitos trabalhava em favor dele; dois viviam dia e noite a copiar cédulas. José Cândido, vendo quinhentas, mil, duas mil cédulas manuscritas, imaginara que eram outros tantos votos, e figurava já o efeito de seu nome impresso com o algarismo dos votos adiante. Nunca mais fora à casa do capitão. Este duas ou três vezes mandou-o chamar; uma vez chegou a procurá-lo, mas não o encontrou; deixou um recado, inútil.

Os dois caudilhos estavam divorciados.

E à proporção que os quatro contos iam fugindo, a aurora esperada vinha a aproximar-se de José Cândido; o barbeiro e mais dois ou três férvidos partidários faziam esforços hercúleos. José Cândido chegou a sacrificar alguns mil-réis, nos jornais, em mofinas deste gênero:

> ELEITORADO
> Recomendamos o nome de um jovem cheio de serviços e de incontestável aptidão: o sr. José Cândido.
> *Um do Povo*

Ou assim:

> AO POVO!
> Votemos no sr. José Cândido, uma das esperanças da mocidade e um dos fluminenses mais dignos por seus serviços e modéstia.
> *Justus*

Ou assim:

> ÀS URNAS!
> Os homens honestos, amigos do talento e reconhecidos aos verdadeiros serviços, têm um candidato certo, que sairá eleito, porque felizmente goza da mais vasta popularidade na paróquia: o sr. José Cândido. Às urnas! às urnas!
> *Um que não falta*

VI

Chegou o dia; José Cândido não dormiu a noite antecedente; deixou a cama com a aurora. Preparou-se; atou ao pescoço a gravata mais amarela de sua coleção e foi animar as fileiras. Pelos seus cálculos tinha quinhentos votos certos; a estes deviam acrescer uns duzentos votos de simpatia, ou pessoal ou produzida pelas mofinas dos jornais. Vários amigos ainda lhe filaram alguns mil-réis, que ele entregou em dobro, para fortalecer as opiniões. As horas corriam, ele esperava ansioso o momento fatal.

E, coisa curiosa! não esperavam com menos ânsia o pai e a namorada. A ideia de o ver triunfante, sem que eles dessem por isso, já lhes fazia cócegas no coração. O sr. Mateus amaldiçoara o filho, mas não se lhe daria de abençoar o eleitor. Quanto a Emília, havia um pouco de vaidade e um pouco de interesse; o interesse era a reconciliação possível da família.

José Cândido foi ao barbeiro, que o recebeu um pouco melancólico.

O capitão arranjara no bairro um rival de José Cândido, e mandara-o contraminar o trabalho deste, não por medo de que a candidatura vencesse, mas para não perder alguns votos, que dariam mais forças à vitória da chapa. Ora, esse agente secreto estivera nessa manhã na loja do barbeiro, e abrira-lhe os olhos de tal modo, que o barbeiro estava aterrado, não com a ideia da derrota, mas com a do ridículo.

Não foi difícil a José Cândido restabelecer o fervor do barbeiro cujo espírito viera a este mundo destinado a mover-se a todos os ventos do horizonte.

— Tem razão — disse ele —; você tem razão. São tricas!

— Ora, você ainda vai com cantigas! O que eles querem é justamente assustar e desanimar a gente. Nada de fugir de caretas.

— Apoiado!

— Vamos à igreja!

— Vamos!

Fechou-se a loja; os dois oficiais tiveram sueto para ir votar. Alguns fregueses, dando com a porta fechada, praguejaram contra a indolência do Fígaro eleitoral; mas não lucraram nada com isto. A porta não se abriu.

A luta foi longa, renhida, desesperada. José Cândido pôs em ação todas as molas de seu gênio cabalista; ia, vinha, andava, parava, chapéu na mão ou na cabeça, bolso cheio de cédulas, dando-as a um, trocando a de outro, enchendo as algibeiras dos votantes. A cada instante dava o sinal dos rolos; apoiava um e outro partido, quando se tratava de denunciar um *fósforo* e impedi-lo de votar. Nem nesse dia nem no seguinte comeu coisa que pudesse razoavelmente alimentá-lo. Todo ele era agitação, esperança, ambição, sonho. As vinte pessoas que o rodeavam frequentemente, por uma dessas ilusões do desejo, afiguravam-se-lhe todo o corpo dos votantes; e dizendo-lhe elas que ele tinha uma maioria formidável, ele cria e sorria.

Nas primeiras horas o barbeiro esteve mole e pacato; mas o ardor de José Cândido comunicou-se-lhe; a esperança fez o resto.

— Que tal irá a coisa? — perguntava-lhe às vezes José Cândido.

— Soberba! — dizia invariavelmente o barbeiro — Vai como se quer!

Enfim, a agitação cessou; começou a apuração dos votos.

— Vamos ver quem tem garrafas vazias — dizia José Cândido na véspera da apuração.

Não obstante essa convicção do triunfo, José Cândido tremia às vezes; olhava um pouco desconfiado para a urna, em cujo ventre estava a glória ou a ignomínia. Se em vez de triunfo... Essa ideia negra era felizmente breve; a esperança cobria-o de suas folhas verdes; ele repousava tranquilo sobre os futuros louros.

Não menos satisfeito andava o barbeiro; e José Cândido nutria esse fogo mais inocente que sagrado. Contudo, ele não contava com a vitória do barbeiro, em outras razões, porque lhe cortara muitos votos. Alguns aceitavam o nome de José Cândido, cabalista conhecido, mas duvidavam das opiniões do outro ou das suas aptidões eleitorais. José Cândido insistia frouxamente; e quando via o seu nome em perigo lançava ao mar o nome do aliado. Ora, o aliado, que nada disso viu nem suspeitou, nadava em júbilo e sentia em si um coro de gratidão pela notoriedade que José Cândido ia dar-lhe. Não cessava de lhe apertar as mãos, de dizer que ele era um homem superior.

— Não é verdade? — acudia José Cândido ouvindo nas palavras do outro o eco de seus próprios pensamentos.

A aurora, com seus dedos de rosa, abriu as portas do céu ao sol do grande dia; mas parece que o sol, adivinhando alguma coisa do que se ia passar, não quis alumiar os sucessos desse dia e velou nobremente o rosto. Velou o rosto, enquanto o juiz de paz e mesários iam tomar seus lugares no templo, à roda da mesa, onde estava a urna que continha em seu bojo os destinos de uma existência.

A apuração começou. O presidente lia os nomes dos eleitos, que dois mesários escreviam. Esta leitura monótona era um dos maiores prazeres que José Cândido conhecia na terra; naquela ocasião era o prazer máximo; devia sê-lo ao menos.

As primeiras listas não continham o nome de José Cândido e muito menos o do barbeiro. Este, candidato novel, lançava ao filho do sr. Mateus olhos de angústia e desesperação; mas José Cândido tranquilizava-o, dizendo-lhe ao ouvido que as primeiras listas não decidem uma eleição.

— Sim — confirmava o barbeiro —, o primeiro milho é dos pintos.

Só no outro dia acabou a apuração. Seu resultado, na parte que nos interessa, foi o seguinte:

> José Cândido..37 votos
> O barbeiro..15 votos

Uma ilusão engendra ordinariamente outra. José Cândido escondeu-se de todos, oito dias, persuadido que acabava de obter a celebridade da derrota. No fim desse tempo apareceu; mas andava com os olhos baixos. O primeiro desconhecido que lhe pedia fogo parecia estar dizendo:

— Coitado! Deve ter padecido muito.

Alguns, os conhecidos, falavam da eleição, mas com entusiasmo sincero, porque lhes parecia que o voto de trinta e sete pessoas era um sonho realizado para José Cândido. Este ouvia esses aplausos com um grande desespero na alma, porque era preciso ser muito inferior para achar alguma coisa significativa em trinta e sete votos.

Contudo, esses dois algarismos, com o tempo, tornaram-se menos ínfimos aos olhos de José Cândido. Eram ínfimos, durante a convalescença da derrota; mas os dias passam, o desgosto amortece, a ambição perde as penas, e os trinta e sete votos ficaram sendo um título, uma recordação, uma espécie de aurora eleitoral. José Cândido, que até então não quisera mais pôr os olhos no fatal número, foi ele próprio comprar alguns exemplares das folhas que haviam publicado a apuração. Leu o seu nome; fez-lhe bem a vista desses votos, mais cinco do que os obtidos por um médico, mais sete do que os votos dados a um desembargador; enfim, um proprietário da vizinhança figurava apenas com um voto, lembrança lisonjeira de um inquilino atrasado nos aluguéis.

Um ano depois deste acontecimento, as coisas tinham mudado. O sr. Mateus falecera. José Cândido, que deixara pai, noiva, afeições de família, interesses domésticos, por uma candidatura mais do que problemática, reconciliara-se com o autor de seus dias, de quem herdou as casas e a loja. A sra. Inácia não gastou muito latim para realizar o casamento da filha; ele veio de si mesmo; duplo sonho realizado, porque não só arranjou a filha, como reformou a louça da casa, que estava deficientíssima.

Uma só pessoa faltava: o sr. Mateus; mas a ausência era compensada pela herança.

Os meses correram, depois os anos; vieram os filhos. O barbeiro, que a troco de quinze votos perdera quinze fregueses, tinha rompido as relações com José Cândido, mas nos últimos tempos reconciliara-se. José Cândido foi perdendo, uma a uma, suas paixões e ilusões da juventude. Sacrificou o amor da vadiação e as eleições. Sobre este ponto, ele explicava tudo e mais que tudo, exceto uma coisa, para ele metafísica e inextricável.

— Por que razão — dizia ele, às vezes, consigo — eu, que ajudei os outros a vencer, não pude vencer naquele dia?

E pensando assim, brilhavam-lhe diante dos olhos os trinta e sete votos. Ele lisonjeava-se já com esse número escasso; falava dele com certa fatuidade. Às vezes, conversando com o barbeiro, diziam ambos, para recordar um fato e uma data:

— Foi no ano da nossa luta eleitoral.

E ao dizer isso, José Cândido parecia inchar, subir, trepar às eminências; sentia-se superior; seus olhos derramavam um olhar satisfeito ao passado. Depois concertava a gravata, a mais e mais amarela, com o gesto de um homem que preencheu seus destinos; puxava o colete para baixo com outro gesto sacudido, rápido, imperioso. E o resto do dia era um deleite, uma vida luminosa, dourada, juvenil... Pobres mortais! Até a ambição é caduca.

Jornal das Famílias, *novembro-dezembro de 1877 e janeiro de 1878; Machado de Assis.*

O machete

Inácio Ramos contava apenas dez anos quando manifestou decidida vocação musical. Seu pai, músico da imperial capela, ensinou-lhe os primeiros rudimentos da sua arte, de envolta com os da gramática, de que pouco sabia. Era um pobre artista cujo único mérito estava na voz de tenor e na arte com que executava a música sacra. Inácio, conseguintemente, aprendeu melhor a música do que a língua, e aos quinze anos sabia mais dos bemóis que dos verbos. Ainda assim sabia quanto bastava para ler a história da música e dos grandes mestres. A leitura seduziu-o ainda mais; atirou-se o rapaz com todas as forças da alma à arte do seu coração, e ficou dentro de pouco tempo um rabequista de primeira categoria.

A rabeca foi o primeiro instrumento escolhido por ele, como o que melhor podia corresponder às sensações de sua alma. Não o satisfazia, entretanto, e ele sonhava alguma coisa melhor. Um dia veio ao Rio de Janeiro um velho alemão, que arrebatou o público tocando violoncelo. Inácio foi ouvi-lo. Seu entusiasmo foi imenso; não somente a alma do artista comunicava com a sua como lhe dera a chave do segredo que ele procurara.

Inácio nascera para o violoncelo.

Daquele dia em diante, o violoncelo foi o sonho do artista fluminense. Aproveitando *a passagem do artista germânico,* Inácio recebeu dele algumas lições, que mais tarde aproveitou quando, mediante economias de longo tempo, conseguiu possuir o sonhado instrumento.

Já a esse tempo seu pai era morto. — Restava-lhe sua mãe, boa e santa senhora, cuja alma parecia superior à condição em que nascera, tão elevada tinha a concepção do belo. Inácio contava vinte anos, uma figura artística, uns olhos cheios de vida e de futuro. Vivia de algumas lições que dava e de alguns meios que lhe advinham das circunstâncias, tocando ora num teatro, ora num salão, ora numa igreja. Restavam-lhe algumas horas, que ele empregava ao estudo do violoncelo.

Havia no violoncelo uma poesia austera e pura, uma feição melancólica e severa que casavam com a alma de Inácio Ramos. A rabeca, que ele ainda amava como o primeiro veículo de seus sentimentos de artista, não lhe inspirava mais o entusiasmo antigo. Passara a ser um simples meio de vida; não a tocava com a alma, mas com as mãos; não era a sua arte, mas o seu ofício. O violoncelo sim; para esse guardava Inácio as melhores das suas aspirações íntimas, os sentimentos mais puros, a imaginação, o fervor, o entusiasmo. Tocava a rabeca para os outros, o violoncelo para si, quando muito para sua velha mãe.

Moravam ambos em lugar afastado, em um dos recantos da cidade, alheios à sociedade que os cercava e que os não entendia. Nas horas de lazer, tratava Inácio do querido instrumento e fazia vibrar todas as cordas do coração, derramando as suas harmonias interiores, e fazendo chorar a boa velha de melancolia e gosto, que ambos estes sentimentos lhe inspirava a música do filho. Os serões caseiros quando Inácio não tinha de cumprir nenhuma obrigação fora de casa, eram assim passados; sós os dois, com o instrumento e o céu de permeio.

A boa velha adoeceu e morreu. Inácio sentiu o vácuo que lhe ficava na vida. Quando o caixão, levado por meia dúzia de artistas seus colegas, saiu da casa, Inácio viu ir ali dentro todo o passado, e presente, e não sabia se também o futuro. Acreditou que o fosse. A noite do enterro foi pouca para o repouso que o corpo lhe pedia depois do profundo abalo; a seguinte porém foi a data da sua primeira composição musical. Escreveu para o violoncelo uma elegia que não seria sublime como perfeição de arte, mas que o era sem dúvida como inspiração pessoal. Compô-la para si; durante dois anos ninguém a ouviu nem sequer soube dela.

A primeira vez que ele troou aquele suspiro fúnebre foi oito dias depois de casado, um dia em que se achava a sós com a mulher, na mesma casa em que morrera sua mãe, na mesma sala em que ambos costumavam passar algumas horas da noite. Era a primeira vez que a mulher o ouvia tocar violoncelo. Ele quis que a lembrança da mãe se casasse àquela revelação que ele fazia à esposa do seu coração: vinculava de algum modo o passado ao presente.

— Toca um pouco de violoncelo — tinha-lhe dito a mulher duas vezes depois do consórcio —; tua mãe me dizia que tocavas tão bem!

— Bem, não sei — respondia Inácio —; mas tenho satisfação em tocá-lo.

— Pois sim, desejo ouvir-te!

— Por hora, não, deixa-me contemplar-te primeiro.

Ao cabo de oito dias, Inácio satisfez o desejo de Carlotinha. Era de tarde — uma tarde fria e deliciosa. O artista travou do instrumento, empunhou o arco e as cordas gemeram ao impulso da mão inspirada. Não via a mulher, nem o lugar, nem o instrumento sequer: via a imagem da mãe e embebia-se todo em um mundo de harmonias celestiais. A execução durou vinte minutos. Quando a última nota expirou nas cordas do violoncelo, o braço do artista tombou, não de fadiga, mas porque todo o corpo cedia ao abalo moral que a recordação e a obra lhe produziam.

— Oh! lindo! lindo! — exclamou Carlotinha levantando-se e indo ter com o marido.

Inácio estremeceu e olhou pasmado para a mulher. Aquela exclamação de entusiasmo destoara-lhe, em primeiro lugar porque o trecho que acabava de executar não era lindo, como ela dizia, mas severo e melancólico e depois porque, em vez de um aplauso ruidoso, ele preferia ver outro mais consentâneo com a natureza da obra — duas lágrimas que fossem —, duas, mas exprimidas do coração, como as que naquele momento lhe sulcavam o rosto.

Seu primeiro movimento foi de despeito — despeito de artista, que nele dominava tudo. Pegou silencioso no instrumento e foi pô-lo a um canto. A moça viu-lhe então as lágrimas; comoveu-se e estendeu-lhe os braços.

Inácio apertou-a ao coração.

Carlotinha sentou-se então, com ele, ao pé da janela, donde viam surdir no céu as primeiras estrelas. Era uma mocinha de dezessete anos, parecendo dezenove, mais baixa que alta, rosto amorenado, olhos negros e travessos. Aqueles olhos, expressão fiel da alma de Carlota, contrastavam com o olhar brando e velado do marido. Os movimentos da moça eram vivos e rápidos, a voz argentina, a palavra fácil e correntia, toda ela uma índole, mundana e jovial. Inácio gostava de ouvi-la e vê-la; amava-a muito, e, além disso, como que precisava às vezes daquela expressão de vida exterior para entregar-se todo às especulações do seu espírito.

Carlota era filha de um negociante de pequena escala, homem que trabalhou a vida toda como um mouro para morrer pobre, porque a pouca fazenda que deixou, mal pôde chegar para satisfazer alguns empenhos. Toda a riqueza da filha era a beleza, que a tinha, ainda que sem poesia nem ideal. Inácio, conhecera-a ainda em vida do pai, quando ela ia com este visitar sua velha mãe; mas só a amou deveras depois que ela ficou órfã e quando a alma lhe pediu um afeto para suprir o que a morte lhe levara.

A moça aceitou com prazer a mão que Inácio lhe oferecia. Casaram-se a aprazimento dos parentes da moça e das pessoas que os conheciam a ambos. O vácuo fora preenchido.

Apesar do episódio acima narrado, os dias, as semanas e os meses correram tecidos de ouro para o esposo artista. Carlotinha era naturalmente faceira e amiga de brilhar; mas contentava-se com pouco, não se mostrava exigente nem extravagante. As posses de Inácio Ramos eram poucas; ainda assim ele sabia dirigir a vida de modo que nem o necessário lhe faltava nem deixava de satisfazer algum dos desejos mais modestos da moça. A sociedade deles não era certamente dispendiosa nem vivia de ostentação; mas qualquer que seja o centro social há nele exigências a que não podem chegar todas as bolsas. Carlotinha vivera de festas e passatempos; a vida conjugal exigia dela hábitos menos frívolos, e ela soube curvar-se à lei que de coração aceitara.

Demais, que há aí que verdadeiramente resista ao amor? Os dois amavam-se; por maior que fosse o contraste entre a índole de um e outro, ligava-os e irmanava-os o afeto verdadeiro que os aproximara. O primeiro milagre do amor fora a aceitação por parte da moça do famoso violoncelo. Carlotinha não experimentava decerto as sensações que o violoncelo produzia no marido, e estava longe daquela paixão silenciosa e profunda que vinculava Inácio Ramos ao instrumento; mas acostumara-se a ouvi-lo, apreciava-o, e chegara a entendê-lo alguma vez.

A esposa concebeu. No dia em que o marido ouviu esta notícia sentiu um abalo profundo; seu amor cresceu de intensidade.

— Quando o nosso filho nascer — disse ele —, eu comporei o meu segundo canto.

— O terceiro será quando eu morrer, não? — perguntou a moça com um leve tom de despeito.

— Oh! não digas isso!

Inácio Ramos compreendeu a censura da mulher; recolheu-se durante algumas horas, e trouxe uma composição nova, a segunda que lhe saía da alma, dedicada à esposa. A música entusiasmou Carlotinha, antes por vaidade satisfeita do que porque verdadeiramente a penetrasse. Carlotinha abraçou o marido com todas as forças de que podia dispor, e um beijo foi o prêmio da inspiração. A felicidade de Inácio não podia ser maior; ele tinha tido o que ambicionava: vida de arte, paz e ventura doméstica, e enfim esperanças de paternidade.

— Se for menino — dizia ele à mulher —, aprenderá violoncelo; se for menina, aprenderá harpa. São os únicos instrumentos capazes de traduzir as impressões mais sublimes do espírito.

Nasceu um menino. Esta nova criatura deu uma feição nova ao lar doméstico. A felicidade do artista era imensa; sentiu-se com mais força para o trabalho, e ao mesmo tempo como que se lhe apurou a inspiração.

A prometida composição ao nascimento do filho foi realizada e executada, não já entre ele e a mulher, mas em presença de algumas pessoas de amizade. Inácio Ramos recusou a princípio fazê-lo; mas a mulher alcançou dele que repartisse com estranhos aquela nova produção de um talento. Inácio sabia que a sociedade não chegaria talvez a compreendê-lo como ele desejava ser compreendido; todavia cedeu. Se acertara aos seus receios não o soube ele, porque dessa vez, como das outras, não viu ninguém; viu-se e ouviu-se a si próprio, sendo cada nota um eco das harmonias santas e elevadas que a paternidade acordara nele.

A vida correria assim monotonamente bela, e não valeria a pena escrevê-la, a não ser um incidente, ocorrido naquela mesma ocasião.

A casa em que eles moravam era baixa, ainda que assaz larga e airosa. Dois transeuntes, atraídos pelos sons do violoncelo, aproximaram-se das janelas entrefechadas, e ouviram do lado de fora cerca de metade da composição. Um deles, entusiasmado com a composição e a execução, rompeu em aplausos ruidosos quando Inácio acabou, abriu violentamente as portas da janela e curvou-se para dentro gritando.

— Bravo, artista divino!

A exclamação inesperada chamou a atenção dos que estavam na sala; voltaram-se todos os olhos e viram duas figuras de homem, um tranquilo, outro alvoroçado de prazer. A porta foi aberta aos dois estranhos. O mais entusiasmado deles correu a abraçar o artista.

— Oh! alma de anjo! — exclamava ele. — Como é que um artista destes está aqui escondido dos olhos do mundo?

O outro personagem fez igualmente cumprimentos de louvor ao mestre do violoncelo; mas, como ficou dito, seus aplausos eram menos entusiásticos; e não era difícil achar a explicação da frieza na vulgaridade de expressão do rosto.

Estes dois personagens assim entrados na sala eram dois amigos que o acaso ali conduzira. Eram ambos estudantes de direito, em férias; o entusiasta, todo arte e literatura, tinha a alma cheia de música alemã e poesia romântica, e era nada menos que um exemplar daquela falange acadêmica fervorosa e moça animada de todas as paixões, sonhos, delírios e efusões da geração moderna; o companheiro era apenas um espírito medíocre, avesso a todas essas coisas, não menos que ao direito que aliás forcejava por meter na cabeça.

Aquele chamava-se Amaral, este Barbosa.

Amaral pediu a Inácio Ramos para lá voltar mais vezes. Voltou; o artista de coração gastava o tempo a ouvir o de profissão fazer falar as cordas do instrumento. Eram cinco pessoas; eles, Barbosa, Carlotinha e a criança, o futuro violoncelista. Um dia, menos de uma semana depois, Amaral descobriu a Inácio que o seu companheiro era músico.

— Também! — exclamou o artista.
— É verdade; mas um pouco menos sublime do que o senhor — acrescentou ele sorrindo.
— Que instrumento toca?
— Adivinhe.
— Talvez piano...
— Não.
— Flauta?
— Qual!
— É instrumento de cordas?
— É.
— Não sendo rabeca... — disse Inácio olhando como a esperar uma confirmação.
— Não é rabeca; é machete.

Inácio sorriu; e estas últimas palavras chegaram aos ouvidos de Barbosa, que confirmou a notícia do amigo.

— Deixe estar — disse este baixo a Inácio —, que eu o hei de fazer tocar um dia. É outro gênero...
— Quando queira.

Era efetivamente outro gênero, como o leitor facilmente compreenderá. Ali postos os quatro, numa noite da seguinte semana, sentou-se Barbosa no centro da sala, afinou o machete e pôs em execução toda a sua perícia. A perícia era, na verdade, grande; o instrumento é que era pequeno. O que ele tocou não era Weber nem Mozart; era uma cantiga do tempo e da rua, obra de ocasião. Barbosa tocou-a, não dizer com alma, mas com nervos. Todo ele acompanhava a gradação e variações das notas; inclinava-se sobre o instrumento, retesava o corpo, pendia a cabeça ora a um lado, ora a outro, alçava a perna, sorria, derretia os olhos ou fechava-os nos lugares que lhe pareciam patéticos. Ouvi-lo tocar era o menos; vê-lo era o mais. Quem somente o ouvisse não poderia compreendê-lo.

Foi um sucesso — um sucesso de outro gênero, mas perigoso, porque, tão depressa Barbosa ouviu os cumprimentos de Carlotinha e Inácio, começou segunda execução, e iria a terceira, se Amaral não interviesse, dizendo:

— Agora o violoncelo.

O machete de Barbosa não ficou escondido entre as quatro paredes da sala de Inácio Ramos; dentro em pouco era conhecida a forma dele no bairro em que morava o artista, e toda a sociedade deste ansiava por ouvi-lo.

Carlotinha foi a denunciadora; ela achara infinita graça e vida naquela outra música, e não cessava de o elogiar em toda a parte. As famílias do lugar tinham ainda saudades de um célebre machete que ali tocara anos antes o atual subdelegado, cujas funções elevadas não lhe permitiram cultivar a arte. Ouvir o machete de Barbosa era reviver uma página do passado.

— Pois eu farei com que o ouçam — dizia a moça.

Não foi difícil.

Houve dali a pouco reunião em casa de uma família da vizinhança. Barbosa acedeu ao convite que lhe foi feito e lá foi com o seu instrumento. Amaral acompanhou-o.

— Não te lastimes, meu divino artista — dizia ele a Inácio —; e ajuda-me no sucesso do machete.

Riam-se os dois, e mais do que eles se ria Barbosa, riso de triunfo e satisfação porque o sucesso não podia ser mais completo.

— Magnífico!

— Bravo!

— Soberbo!

— Bravíssimo!

O machete foi o herói da noite. Carlota repetia às pessoas que a cercavam:

— Não lhes dizia eu? é um portento.

— Realmente — dizia um crítico do lugar —, assim nem o Fagundes...

Fagundes era o subdelegado.

Pode-se dizer que Inácio e Amaral foram os únicos alheios ao entusiasmo do machete. Conversavam eles, ao pé de uma janela, dos grandes mestres e das grandes obras da arte.

— Você por que não dá um concerto? — perguntou Amaral ao artista.

— Oh! não.

— Por quê?

— Tenho medo...

— Ora, medo!

— Medo de não agradar...

— Há de agradar por força!

— Além disso, o violoncelo está tão ligado aos sucessos mais íntimos da minha vida, que eu o considero antes como a minha arte doméstica...

Amaral combatia estas objeções de Inácio Ramos; e este fazia-se cada vez mais forte nelas. A conversa foi prolongada; repetiu-se daí a dois dias, até que no fim de uma semana, Inácio deixou-se vencer.

— Você verá — dizia-lhe o estudante —, e verá como todo o público vai ficar delirante.

Assentou-se que o concerto seria dali a dois meses. Inácio tocaria uma das peças já compostas por ele, e duas de dois mestres que escolheu dentre as muitas.

Barbosa não foi dos menos entusiastas da ideia do concerto. Ele parecia tomar agora mais interesse nos sucessos do artista, ouvia com prazer, ao menos aparente, os serões de violoncelo, que eram duas vezes por semana. Carlotinha propôs que os serões fossem três; mas Inácio nada concedeu além dos dois. Aquelas noites eram passadas somente em família; e o machete acabava muita vez o que o violoncelo começava. Era uma condescendência para com a dona da casa e o artista! — o artista do machete.

Um dia Amaral olhou Inácio preocupado e triste. Não quis perguntar-lhe nada; mas como a preocupação continuasse nos dias subsequentes, não se pôde ter e interrogou-o. Inácio respondeu-lhe com evasivas.

— Não — dizia o estudante —; você tem alguma coisa que o incomoda certamente.

— Coisa nenhuma!

E depois de um instante de silêncio:

— O que tenho é que estou arrependido do violoncelo; se eu tivesse estudado o machete!

Amaral ouviu admirado estas palavras; depois sorriu e abanou a cabeça. Seu entusiasmo recebera um grande abalo. A que vinha aquele ciúme por causa do efeito diferente que os dois instrumentos tinham produzido? Que rivalidade era aquela entre a arte e o passatempo?

— Não podias ser perfeito — dizia Amaral consigo —; tinhas por força um ponto fraco; infelizmente para ti o ponto é ridículo.

Daí em diante os serões foram menos amiudados. A preocupação de Inácio Ramos continuava; Amaral sentia que o seu entusiasmo ia cada vez a menos, o entusiasmo em relação ao homem, porque bastava ouvi-lo tocar para acordarem-se-lhe as primeiras impressões. A melancolia de Inácio era cada vez maior. Sua mulher só reparou nela quando absolutamente se lhe meteu pelos olhos.

— Que tens? — perguntou-lhe Carlotinha.

— Nada — respondia Inácio.

— Aposto que está pensando em alguma composição nova — disse Barbosa que dessas ocasiões estava presente.

— Talvez — respondeu Inácio —; penso em fazer uma coisa inteiramente nova; um concerto para violoncelo e machete.

— Por que não? — disse Barbosa com simplicidade. — Faça isso, e veremos o efeito que há de ser delicioso.

— Eu creio que sim — murmurou Inácio.

Não houve concerto no teatro, como se havia assentado; porque Inácio Ramos de todo se recusou. Acabaram-se as férias e os dois estudantes voltaram para São Paulo.

— Virei vê-lo daqui a pouco — disse Amaral. — Virei até cá somente para ouvi-lo.

Efetivamente vieram os dois, sendo a viagem anunciada por carta de ambos.

Inácio deu a notícia à mulher, que a recebeu com alegria.

— Vêm ficar muitos dias? — disse ela.

— Parece que somente três.

— Três!

— É pouco — disse Inácio —; mas nas férias que vêm, desejo aprender o machete.

Carlotinha sorriu, mas de um sorriso acanhado, que o marido viu e guardou consigo.

Os dois estudantes foram recebidos como se fossem de casa. Inácio e Carlotinha desfaziam-se em obséquios. Na noite do mesmo dia, houve serão musical; só violoncelo, a instâncias de Amaral, que dizia:

— Não profanemos a arte!

Três dias vinham eles demorar-se, mas não se retiraram no fim deles.

— Vamos daqui a dois dias.

— O melhor é completar a semana — observou Carlotinha.

— Pode ser.

No fim de uma semana, Amaral despediu-se e voltou a São Paulo; Barbosa não voltou; ficara doente. A doença durou somente dois dias, no fim dos quais ele foi visitar o violoncelista.

— Vai agora? — perguntou este.

— Não — disse o acadêmico —; recebi uma carta que me obriga a ficar algum tempo.

Carlotinha ouvira alegre a notícia; o rosto de Inácio não tinha nenhuma expressão.

Inácio não quis prosseguir nos serões musicais, apesar de lho pedir algumas vezes Barbosa, e não quis porque, dizia ele, não queria ficar mal com Amaral, do mesmo modo que não quereria ficar mal com Barbosa, se fosse este o ausente.

— Nada impede, porém — concluiu o artista —, que ouçamos o seu machete.

Que tempo duraram aqueles serões de machete? Não chegou tal notícia ao conhecimento do escritor destas linhas. O que ele sabe apenas é que o machete deve ser instrumento triste, porque a melancolia de Inácio tornou-se cada vez mais profunda. Seus companheiros nunca o tinham visto imensamente alegre; contudo a diferença entre o que tinha sido e era agora entrava pelos olhos dentro. A mudança manifestava-se até no trajar, que era desleixado, ao contrário do que sempre fora antes. Inácio tinha grandes silêncios, durante os quais era inútil falar-lhe, porque ele a nada respondia, ou respondia sem compreender.

— O violoncelo há de levá-lo ao hospício — dizia um vizinho compadecido e filósofo.

Nas férias seguintes, Amaral foi visitar o seu amigo Inácio, logo no dia seguinte àquele em que desembarcou. Chegou alvoroçado à casa dele; uma preta veio abri-la.

— Onde está ele? Onde está ele? — perguntou alegre e em altas vozes o estudante.

A preta desatou a chorar.

Amaral interrogou-a, mas não obtendo resposta, ou obtendo-a intercortada de soluços, correu para o interior da casa com a familiaridade do amigo e a liberdade que lhe dava a ocasião.

Na sala do concerto, que era nos fundos, olhou ele Inácio Ramos, de pé, com o violoncelo nas mãos preparando-se para tocar. Ao pé dele brincava um menino de alguns meses.

Amaral parou sem compreender nada. Inácio não o viu entrar; empunhara o arco e tocou — tocou como nunca — uma elegia plangente, que o estudante ouviu com lágrimas nos olhos. A criança, dominada ao que parece pela música, olhava quieta para o instrumento. Durou a cena cerca de vinte minutos.

Quando a música acabou, Amaral correu a Inácio.

— Oh! meu divino artista! — exclamou ele.

Inácio apertou-o nos braços; mas logo o deixou e foi sentar-se numa cadeira com os olhos no chão. Amaral nada compreendia; sentia porém que algum abalo moral se dera nele.

— Que tens? — disse.

— Nada — respondeu Inácio.

E ergueu-se e tocou de novo o violoncelo. Não acabou porém; no meio de uma arcada, interrompeu a música, e disse a Amaral.

— É bonito, não?

— Sublime! — respondeu o outro.

— Não; machete é melhor.

E deixou o violoncelo, e correu a abraçar o filho.

— Sim, meu filho — exclamava ele —, hás de aprender machete; machete é muito melhor.

— Mas que há? — articulou o estudante.

— Oh! nada — disse Inácio —, ela foi-se embora, foi-se com o machete. Não quis o violoncelo, que é grave demais. Tem razão; machete é melhor.

A alma do marido chorava mas os olhos estavam secos. Uma hora depois enlouqueceu.

Jornal das Famílias, *fevereiro-março de 1878; Lara.*

A herança

Venância tinha dois sobrinhos, Emílio e Marcos; o primeiro de vinte e oito, o segundo de trinta e quatro anos. Marcos era o seu mordomo, esposo, pai, filho, médico e capelão. Ele cuidava-lhe da casa e das contas, aturava os seus reumatismos e arrufos, ralhava-lhe às vezes, brandamente, obedecia-lhe sem murmúrio, cuidava-lhe da saúde e dava-lhe bons conselhos. Era um rapaz tranquilo, medido, geralmente silencioso, pacato, avesso a mulheres, indiferente a teatros, a saraus. Não se irritava nunca, não teimava, parecia não ter opiniões nem simpatias. O único sentimento manifesto era a dedicação a d. Venância.

Emílio era em muitos pontos o contraste de Marcos, seu irmão. Primeiramente, era um dândi, turbulento, frívolo, sedento de diversões, vivendo na rua e na casa dos outros, *dans le monde*. Tinha cóleras, que duravam o tempo das opiniões; minutos apenas. Era alegre, falador, expansivo, como um namorado de primeira mão. Gastava às mãos largas. Vivia duas horas por dia em casa do alfaiate, uma hora em casa do cabeleireiro, o resto do tempo na rua do Ouvidor; salvo o tempo em que dormia em casa, que não era a mesma casa de d. Venância, e o pouco em que ia visitar a tia. Exteriormente era um elegante; interiormente era um bom rapaz, mas um verdadeiro bom rapaz.

Não tinham pai nem mãe; Marcos era advogado; Emílio formara-se em medicina. Por um alto sentimento de humanidade, Emílio não exercia a profissão; o obituário conservava o termo médio usual. Mas, tendo um e outro herdado alguma coisa dos pais, Emílio mordia razoavelmente a parte da herança, que aliás o irmão administrava com muito zelo. Moravam juntos, mas tinham a casa dividida de maneira que não podiam tolher a liberdade um do outro. Às vezes passavam-se três ou quatro dias sem se verem; e é justo dizer que as saudades primeiro feriam Emílio do que ao irmão. Ao menos era ele quem, depois de larga ausência, se assim podemos chamar-lhe, entrava mais cedo para casa a esperar que Marcos viesse da casa de d. Venância.

— Por que não foste à casa de titia? — perguntava Marcos, logo que ele dizia estar a esperá-lo durante muito tempo.

Emílio erguia os ombros, como rejeitando a ideia desse sacrifício voluntário. Depois, conversavam, riam um pouco; Emílio referia anedotas, fumava dois charutos, e só se levantava quando o outro confessava estar a cair de sono. Emílio, que não dormia antes das três ou quatro, nunca tinha sono; lançava mão de um romance francês e ia devorá-lo na cama até a hora habitual. Mas esse frívolo tinha ocasiões de seriedade; numa doença do irmão, velou-lhe longos dias à cabeceira, com uma dedicação verdadeiramente materna. Marcos sabia que ele o amava.

Não amava, entretanto, a tia; se fosse mau, podia detestá-la; mas se não a detestava, confessava intimamente que ela o aborrecia. Marcos, quando o irmão repetia isso, tratava de o reduzir a melhor sentimento; e com tão boas razões que Emílio, não se atrevendo a contestá-lo e não querendo sair de sua opinião, recolhia-se a um eloquente silêncio.

Ora, d. Venância encontrava essa repulsa, talvez pelo excesso mesmo de seu afeto. Emílio era o predileto de seus sobrinhos; ela adorava-o. A melhor hora do dia era a que ele lhe destinava a ela. Na ausência falava de Emílio a propósito de qualquer coisa. Geralmente o rapaz ia à casa da tia, entre as duas e três horas; raras vezes à noite. Que alegria quando ele entrava! que afagos! que intermináveis carinhos!

— Vem cá, ingrato, senta-te aqui ao pé da velha. Como passaste de ontem?

— Bem — respondia Emílio sorrindo contrafeito.

— Bem — arremedava a tia —; diz aquilo como se não fosse verdade. E quem sabe mesmo? Tiveste alguma coisa?

— Nada, não tive nada.

— Pensei.

D. Venância tranquilizava-se; depois vinha um rosário de perguntas e outro de anedotas. No meio de umas e outras, se via algum gesto de incômodo no sobrinho, interrompia-se para perguntar se estava incomodado, se queria tomar alguma coisa. Mandava fechar as janelas de onde supunha que vinha ar; fazia-o trocar de cadeira, se lhe parecia que a que ele ocupava era menos cômoda. Esse excesso de cautelas e cuidados fatigavam o moço. Ele obedecia passivamente, falava pouco, ou o menos que lhe era possível. Quando resolvia sair, tornava-se perfidamente mais alegre e carinhoso, açucarava um cumprimento, punha-lhe mesmo alguma coisa do coração, e despedia-se. D. Venância, que ficava com essa impressão última, confirmava-se nos seus sentimentos a respeito de Emílio, a quem proclamava o primeiro sobrinho deste mundo. Pela sua parte, Emílio descia as escadas mais aliviado; e no coração, lá no mais fundo do coração, uma voz secreta sussurrava estas palavras cruéis:

— Quer-me muito bem, mas é muito amoladora.

A presença de Marcos era uma troca de papéis. A acariciada era ela. D. Venância tinha seus momentos de enfado e de zanga, gostava de ralhar, de bater no próximo. Sua alma era uma fonte de duas bicas, vertia mel por uma e vinagre pela outra. Sabia que o melhor meio de aturar menos, era não imitá-la. Calava-se, sorria, aprovava tudo, com uma docilidade exemplar. Outras vezes, conforme o assunto e a ocasião, reforçava os sentimentos pessimistas da tia, e ralhava, não com igual veemência, porque ele estava incapaz de a fingir, mas na conformidade das ideias dela. Presente a tudo, não esquecia, no meio de um discurso de d. Venância, de lhe acomodar melhor o banquinho dos pés. Sabia-lhe os hábitos, e ordenava as coisas de maneira que lhe não faltasse nada. Ele era a Providência de d. Venância e o seu para-raios. De mês em mês prestava-lhe contas; e nessas ocasiões só uma alma forte podia resistir ao suplício. Cada aluguel trazia um discurso; cada obra nova ou conserto produzia objurgatória. Ao cabo, d. Venância não ficava com a menor ideia das contas, tão ocupada estava em desabafar o seu reumatismo; e Marcos, se quisesse afrouxar um pouco a consciência, podia dar às contas certa elasticidade. Não o fazia; era incapaz de o fazer.

Quem dissesse que na dedicação de Marcos entrava um pouco de interesse, podia dormir com a consciência tranquila, pois não caluniava ninguém. Havia afeto, mas não havia só isso. D. Venância possuía bons prédios, e tinha só três parentes.

O terceiro parente era uma sobrinha, que morava com ela, moça de vinte anos, graciosa, doida por música e confeitos. D. Venância também a estimava muito, quase tanto como a Emílio. Meditava até casá-la antes de morrer; e só tinha dificuldade em achar um noivo digno da noiva.

Um dia, no meio de uma conversa com Emílio, aconteceu-lhe dizer:

— Quando te casares, adeus tia Venância!

Esta palavra foi um raio de luz.

— Casar! — pensou ela. — Mas por que não com a Eugênia?

Nessa noite não cuidou mentalmente de outras coisas. Marcos nunca a vira tão taciturna; chegou a supor que ela estivesse zangada com ele. D. Venância não disse, durante essa noite, mais de quarenta palavras. Olhava para Eugênia, lembrava-se de Emílio, e dizia consigo:

— Mas como é que não lembrei disso há mais tempo? Nasceram um para o outro. São bonitos, bons, jovens. Só se ela tiver algum namoro; mas quem seria?

No dia seguinte sondou a moça; Eugênia, que não pensava em ninguém, disse francamente que trazia o coração como lho haviam dado. D. Venância exultou; riu-se muito; jantou mais do que de costume. Restava sondar Emílio no dia seguinte.

Emílio respondeu a mesma coisa.

— Deveras! — exclamou a tia.
— Pois então!
— Não gostas de nenhuma moça? não tens nada em vista?
— Nada.
— Tanto melhor! tanto melhor!

Emílio saiu aturdido e um pouco vexado. A pergunta, a insistência, a alegria, tudo aquilo tinha um ar pouco tranquilizador para ele.

— Quererá casar comigo?

Não perdeu muito tempo em conjecturas. D. Venância, que, com os seus sessenta anos, receava qualquer surpresa da morte, apressara-se a falar diretamente à sobrinha. Era difícil; mas d. Venância passava por ter um gênio original, que é a coisa mais vantajosa que pode acontecer à gente, quando quer passar por cima de certas considerações. Perguntou diretamente a Eugênia se estimaria casar com Emílio; Eugênia, que nunca pensara em tal, respondeu que lhe era indiferente.

— Indiferente só? — perguntou d. Venância.
— Posso casar.
— Sem vontade, sem gosto, só por obedecer?...
— Oh! não!
— Velhaca! Confessa que gostas dele.

Eugênia não se lembrara disso; mas respondeu com um sorriso e baixou os olhos, gesto que podia dizer muita coisa e nada. D. Venância interpretou-o como uma afirmativa, talvez porque ela preferia a afirmativa. Quanto a Eugênia, ficou abalada com a proposta da tia, mas não lhe durou muito o abalo; foi tocar música. De tarde pensou outra vez na conversa que tivera, começou a lembrar-se de Emílio, foi ver o retrato dele que havia no álbum. Realmente, entrou a parecer-lhe que gostava do moço. A tia, que o dizia, é porque o percebera. Que admira? Um rapaz bonito, elegante, distinto. Era isso; devia amá-lo; devia casar com ele.

Emílio foi menos fácil de contentar-se. Quando a tia lhe deu a entender que havia uma pessoa que o amava, teve um sobressalto; quando lhe disse que era uma moça, teve outro. Céus! um romance! A imaginação de Emílio construiu logo vinte capítulos, cada qual mais cheio de luas e miosótis. Enfim, soube que se tratava de Eugênia. A noiva não era de desprezar; mas tinha o defeito de ser um santo de casa.

— E escusas de fazer essa cara — disse d. Venância —; eu já percebi que gostas dela.
— Eu?
— Não; hei de ser eu.
— Mas, titia...
— Deixa-te de partes! Já percebi. Não me zango; pelo contrário, aprovo e até desejo.

Emílio quis recusar de uma só vez; mas era difícil; tomou a resolução de contemporizar. D. Venância, a muito custo, concedeu-lhe oito dias.

— Oito dias! — exclamou o sobrinho.
— Em menos tempo fez Deus o mundo — redarguiu d. Venância sentenciosamente.

Emílio sentiu que a coisa era um pouco dura de roer assim feita às pressas. Comunicou suas impressões ao irmão. Marcos aprovou a tia.

— Também tu?

— Também. A Eugênia é bonita, gosta de ti; titia faz gosto. Que mais queres?

— Mas é que nunca pensei em semelhante coisa.

— Pois pensa agora. Em oito dias pensarás nela e talvez acabes por gostar... Acabas com certeza.

— Que maçada!

— Não acho.

— É porque não é contigo.

— Se fosse era a mesma coisa.

— Casavas?

— No fim dos oito dias.

— Admiro-te. Custa-me a crer que um homem se case assim como faz uma viagem a Vassouras.

— O casamento é uma viagem a Vassouras; não custa mais nem menos.

Marcos disse ainda outras coisas mais, no sentido de animar o irmão. Ele aprovava o casamento, não só porque Eugênia merecia, como porque era muito melhor que tudo ficasse em casa.

Não interrompeu Emílio as suas visitas cotidianas; mas os dias passavam-se e ele não se sentia mais disposto ao casamento. No sétimo dia, despediu-se da tia e da prima, com uma cara lúgubre.

— Qual! — dizia Eugênia. — Ele não casa comigo.

No oitavo dia, d. Venância recebeu uma carta de Emílio, pedindo-lhe muitos perdões, fazendo-lhe carícias sem fim, mas acabando por uma negativa franca.

D. Venância ficou desconsolada; tinha feito nascer esperanças no coração da sobrinha, e não as podia realizar de nenhuma maneira. Chegou a ter um movimento de cólera contra o rapaz, mas arrependeu-se dele até morrer. Um sobrinho tão amável! que recusava com tão bons modos! Era pena que não aceitasse, mas se ele não amava, podia ela obrigá-lo ao casamento?

Suas reflexões foram essas, tanto à sobrinha, que aliás não chorou, posto ficasse um pouco triste, como ao sobrinho Marcos, que só tarde soubera da recusa do irmão.

— Aquilo é uma cabeça de vento! — disse ele.

D. Venância defendeu-o, como confessou que se acostumara à ideia de deixar Eugênia casada e bem casada. Enfim não se pode forçar os corações. Isso mesmo repetiu ela quando Emílio a foi ver daí a dias, um tanto envergonhado da recusa. Emílio, que esperava achá-la no mais agudo de seus reumatismos, achou-a risonha como de costume.

Mas a recusa de Emílio não foi aceita tão filosoficamente pelo irmão. Marcos não achara a recusa nem bonita nem prudente. Era um erro e uma tolice. Eugênia era uma noiva digna até de um sacrifício. Sim; tinha qualidades notáveis. Marcos atentou nelas. Viu que efetivamente a moça não valia o modo por que o irmão a tratara. A resignação com que aceitava a recusa era na verdade digna de respeito. Marcos simpatizou com esse proceder. Não menos lhe doeu a dor da tia, que não alcançava realizar o desejo de deixar Eugênia entregue a um bom marido.

— Que bom marido não podia ser ele?

Marcos seguiu esta ideia com alma, com afinco, com desejo de acertar. Sua solicitude dividiu-se entre Eugênia e d. Venância — o que era servir a d. Venância. Um dia entestou com o assunto...

— Titia — disse ele, oferecendo-lhe torradinhas —, eu desejava pedir-lhe um conselho.

— Tu? Pois tu pedes conselhos, Marcos?...

— Às vezes — redarguiu ele sorrindo.

— Que é?

— Se a prima Eugênia me aceitasse por marido, a senhora aprovava o casamento?

D. Venância olhou para Eugênia espantada, Eugênia, não menos espantada do que ela, olhou para o primo. Este olhava para ambas.

— Aprovava? — repetiu ele.

— Que dizes? — disse a tia voltando-se para a moça.

— Farei o que titia quiser — respondeu Eugênia olhando para o chão.

— O que eu quiser, não — tornou d. Venância—; mas confesso que aprovo, se for do teu gosto.

— É? — perguntou Marcos.

— Não sei — murmurou a moça.

A tia cortou a dificuldade dizendo que ela podia responder daí a quatro, seis ou oito dias.

— Quinze ou trinta — acudiu Marcos —; um ou mais meses. Meu desejo é que fosse logo, mas não desejo surpreender seu coração; prefiro que escolha com tranquilidade. É assim que nossa boa tia deseja também...

D. Venância aprovou as palavras de Marcos, e deu à sobrinha dois meses. Eugênia não disse sim nem não; mas no fim daquela semana declarou à tia que estava pronta a receber o primo por esposo.

— Já! — exclamou a tia, referindo-se à curteza do prazo da resposta.

— Já! — respondeu Eugênia, referindo-se à data do casamento.

E d. Venância, que o percebeu pelo tom, riu-se muito e deu a notícia ao sobrinho. O casamento efetuou-se daí a um mês. As testemunhas foram d. Venância, Emílio e um amigo da casa. O irmão do noivo parecia satisfeito com o resultado.

— Ao menos — dizia ele consigo —, ficamos todos satisfeitos.

Marcos ficou morando em casa, de modo que nem retirava a companhia de Eugênia nem a sua. D. Venância tinha assim uma vantagem mais.

— Agora o que é preciso é casar o Emílio — dizia ela.

— Por quê? — perguntava Emílio.

— Porque é preciso. Meteu-se-me isso na cabeça.

Emílio não ficou mais amigo da casa depois do casamento. Continuava a lá ir o menos que podia. Com os anos, d. Venância ia ficando de uma ternura mais difícil de suportar, pensava ele. Para compensar a ausência de Emílio, tinha ela o zelo e a companhia de Eugênia e Marcos. Este era ainda o seu mestre e guia.

Um dia adoeceu deveras a sra. d. Venância; esteve um mês de cama, durante o qual os dois sobrinhos casados não lhe saíram da cabeceira. Emílio ia vê-la, mas só fez quarto na última noite, quando ela ficara delirante. Antes disso ia vê-la, e saía de lá muito contra a vontade dela.

— Onde está o Emílio? — perguntava de quando em quando.

— Já vem — diziam-lhe os outros.

O remédio que Emílio lhe dava era bebido sem hesitação. Sorria até.

— Pobre Emílio! vais perder tua tia.

— Não diga isso. Ainda vamos dançar uma valsa.

— No outro mundo, pode ser.

A moléstia agravou-se; os médicos desenganaram a família. Mas antes do delírio, sua última palavra foi ainda uma lembrança a Emílio; e quem a ouviu foi Marcos que cabeceava de sono. Se quase não dormia!

Emílio não estava presente quando ela expirou. Morreu, enfim, sem nada dizer de suas disposições testamentárias. Não era preciso; todos sabiam que ela tinha o testamento em poder de um velho amigo de seu marido.

D. Venância nomeou Emílio seu herdeiro universal. Aos outros sobrinhos deixou um razoável legado. Marcos contava com uma divisão, em partes iguais, pelos três. Enganara-se, e filosofou muito sobre o caso. Que havia feito o irmão para merecer tamanha distinção? Nada; deixara-se amar apenas. D. Venância era a imagem da fortuna.

Jornal das Famílias, *abril-maio de 1878; Machado de Assis.*

Conversão de um avaro

Os vícios equilibram-se muita vez; outras vezes neutralizam-se ou vence um a outro... Há pecados que derrubam pecados, ou, pelo menos, quebram-lhes as pernas.

Gil Gomes tinha uma casa de colchões em uma das ruas do bairro dos Cajueiros. Era um homem de cinquenta e dois anos, cheio de corpo, vermelho e avaro.

Ganhara um bom pecúlio a vender colchões e a não usar nenhum. Note-se que não era homem sórdido, pessoalmente desasseado; não. Usava camisa lavada, calça e roudaque lavados. Mas era a sua maior despesa. A cama era um velho sofá de palhinha; a mobília eram duas cadeiras, uma delas quebrada, uma mesa de pinho e um baú. A loja não era grande nem pequena, mas regular, cheia de mercadoria. Tinha dois operários.

Era mercador de colchões esse homem, desde 1827. Esta história passa-se em 1849. Nesse ano adoeceu Gil Gomes e um amigo, que morava no Engenho Velho, levou-o para casa, pelo motivo ou pretexto de que na cidade não poderia curar-se bem.

— Nada, meu amigo — disse ele a primeira vez que o outro lhe falou nisso —, nada. Isto não é nada.

— É sim; pode ser, ao menos.

— Qual! Uma febrícula; vou tomar um chá.

O caso não era de chá; mas Gil Gomes evitava o médico e a botica até à última. O amigo deu-lhe a entender que não pensasse nessas despesas, e Gil Gomes, sem compreender logo que o amigo por força pensaria em alguma compensação, admirou esse rasgo de fraternidade. Não disse sim, nem não; levantou os ombros, olhou para o ar, enquanto o outro repetia:

— Vamos, vamos!

— Vá lá — disse ele. — Talvez o melhor remédio seja a companhia de um bom amigo.

— Decerto!

— Porque a moléstia é nada; é uma febrícula...

— Das febrículas nascem os febrões — disse sentenciosamente o amigo de Gil Gomes.

Esse amigo chamava-se Borges; era um resto de sucessivos naufrágios. Tinha sido várias coisas, e ultimamente preparava-se a ser milionário. Contudo estava longe; tinha apenas dois escravos boçais comprados entre os últimos chegados por contrabando. Era, por ora, toda a riqueza, não podendo incluir-se nela a esposa que era um tigre de ferocidade, nem a filha, que parecia ter o juízo a juros. Mas este Borges vivia das melhores esperanças. Ganhava alguma coisa em não sei que agências particulares; e nos intervalos cuidava de um invento, que ele dizia destinado a revolucionar o mundo industrial. Ninguém sabia o que fosse, nem que destino tivera; mas ele afirmava que era grande coisa, utilíssima, nova e surpreendente.

Gil Gomes e José Borges chegaram à casa deste, onde ao primeiro foi dado um quarto de antemão arranjado. Gomes achou-se bem no aposento, posto lhe inspirasse ele o maior desprezo ao amigo.

— Que desperdício! quanta coisa inútil! Nunca há de ser nada o pateta! — dizia ele entre dentes.

A doença de Gomes, atalhada a tempo, curou-se em poucos dias. A mulher e a filha de Borges tratavam dele com o carinho que permitia o gênio feroz de uma e a leviandade de outra. A sra. d. Ana acordava às cinco horas da manhã e berrava até as dez da noite. Poupou ao hóspede esse costume durante a doença; mas a palavra contida manifestava-se em repelões à filha, ao marido e às escravas. A filha chamava-se Mafalda; era uma moça pequena, vulgar, supersticiosa, que só se penteava às duas horas da tarde e andava sem meias toda a manhã.

Gil Gomes deu-se bem com a família.

O amigo não cogitava de outra coisa mais que de o fazer feliz, e lançou mão de bons cobres para tratá-lo como faria a um irmão, a um pai, a um filho.

— Dás-te bem? — dizia-lhe no fim de quatro dias.

— Não me dou mal.

— Pior! isso é fugir à pergunta.

— Dou-me perfeitamente; e naturalmente incomodo-te...

— Oh! não...

— Decerto; um doente é sempre um peso demais.

José Borges protestou com toda a energia contra essa suposição gratuita do amigo e acabou proferindo um discurso acerca dos deveres de amizade, que Gil Gomes ouviu enfastiado e penalizado.

Na véspera de voltar para a sua loja de colchões, Gil Gomes travou conhecimento com uma nova pessoa da família: a viúva Soares. A viúva Soares era prima de José Borges. Tinha vinte e sete anos, e era, na frase do primo, um pedaço de mulher. Efetivamente era vistosa, forte, de ombros largos, braços grossos e redondos. Viúva desde os vinte e dois, conservava um resto de luto, antes como um realce que outra coisa. Gostava de véu porque um poetastro lhe dissera em versos de todos os tamanhos que seus olhos, velados, eram como estrelas através de nuvens finas, ideia que a sra. d. Rufina Soares achou engenhosa e novíssima. O poeta recebeu em paga um olhar.

Na verdade, os olhos eram bonitos, grandes, pretos, misteriosos. Gil Gomes, quando os viu ficou embasbacado; foi talvez o remédio que melhor o curou.

— Essa tua prima, na verdade...
— Um pedaço de mulher!
— Pedaço! é uma inteira, são duas mulheres, são trinta e cinco mulheres!
— Que entusiasmo! — observou José Borges.
— Eu gosto do que é belo — respondeu Gil Gomes sentenciosamente.

A viúva ia jantar. Era uma boa perspectiva de tarde e noite de palestra e conversação. Gil Gomes já agradecia ao céu a doença, que lhe dera ocasião de encontrar tamanhas perfeições.

Rufina era muito agradável na conversa e pareceu simpatizar desde logo com o convalescente, fato em que as outras pessoas não pareceram reparar.

— Mas já está bom de todo? — dizia ela ao colchoeiro.
— Estava quase bom; agora estou perfeito — respondeu ele com certo trejeito de olhos, que a viúva fingiu não ver.
— Meu primo é um bom amigo — disse ela.
— Oh! é uma pérola! Minha moléstia era pouca coisa; mas ele lá foi a casa, pediu, instou, fez tudo para que eu viesse tratar-me em casa dele, dizendo que eram precisos cuidados de família. Vim; em boa hora vim; estou são e re-são.

Desta vez foi Rufina quem fez um trejeito com os olhos. Gil Gomes, que não esperava por ele, sentiu cair-lhe a baba.

O jantar foi uma delícia, a noite outra delícia. Gil Gomes sentia-se transportado a todos os céus possíveis e impossíveis. Ele prolongou quanto pôde a noite, propôs uma bisca de quatro e teve meio de fazer com que Rufina fosse sua parceira só pelo gosto de lhe piscar o olho, quando tinha na mão o sete ou o ás.

Foi adiante.

Num lance difícil, em que a parceira hesitava se pegaria na vaza com a bisca de trunfo, Gil Gomes, vendo que ela não levantava os olhos, e conseguintemente não podendo fazer-lhe o sinal de costume, tocou-lhe no pé com o pé.

Rufina não recuou o pé; compreendeu, atirou a bisca na mesa. E os dois pés ficaram juntos alguns segundos. Repentinamente, a viúva, parecendo que só então dera pelo atrevimento ou liberdade do parceiro, recuou o pé e ficou muito séria.

Gil Gomes olhou vexado para ela; mas a viúva não lhe recebeu o olhar. No fim, sim; ao despedir-se daí a uma hora é que Rufina fez as pazes com o colchoeiro apertando-lhe muito a mão, o que o fez estremecer todo.

A noite foi cruel para o colchoeiro, ou antes deliciosa e cruel, ao mesmo tempo, porque sonhou com a viúva de princípio até o fim. O primeiro sonho foi bom: imaginava-se que passeava com ela e mais a família toda em um jardim e que a viúva lhe dera flores, sorrisos e beliscões. Mas o segundo sonho foi mau: sonhou que ela lhe enterrava um punhal. Desse pesadelo passou a melhores fantasias, e a noite correu toda entre imaginações diversas. A última, porém, sendo a melhor, foi a pior de todas: sonhou que estava casado com Rufina, e de tão belo sonho caiu na realidade do celibato.

O celibato! Gil Gomes começou a pensar seriamente nesse estado que já lhe durava muitos anos, e perguntou aos céus e à terra se tinha direito de casar. Esta pergunta foi respondida antes do almoço.

— Não! — disse ele consigo. — Não devo casar nunca... Aquilo foi uma fantasia de uma hora. Leve o diabo a viúva e o resto. Ajuntar uns cobres menos maus para os dar a uma senhora que os desfará em pouco tempo... Nada! nada!

Almoçou tranquilo; e despediu-se dos donos da casa com muitas manifestações de agradecimento.

— Agora não esqueça o número de nossa casa, já que se pilhou curado — disse a filha de José Borges.

O pai corou até os olhos, enquanto a mãe punia a indiscrição da filha com um beliscão que lhe fez ver as estrelas.

— Salta lá para dentro! — disse a boa senhora.

Gil Gomes fingiu não ouvir nem ver nada. Apertou a mão dos amigos, prometeu-lhes uma eterna gratidão e saiu.

Seria faltar à verdade o dizer que Gil Gomes não pensou mais na viúva Rufina. Pensou; mas procurou vencer-se. Durou a luta uma semana. Ao fim desse tempo teve ímpeto de ir passar-lhe pela porta, mas receou, envergonhou-se.

— Nada! é preciso esquecer aquilo!

Quinze dias depois do encontro da viúva, Gil Gomes parecia ter efetivamente esquecido a viúva. Para isso contribuíram alguns acidentes. O mais importante deles foi o caso de um sobrinho que passava a vida a trabalhar quanto podia e numa bela noite foi recrutado em plena rua dos Ciganos. Gil Gomes não amava ninguém neste mundo, nem no outro; mas devia certas obrigações ao finado pai do sobrinho; e, ao menos por decoro, não pôde recusar ir vê-lo, quando recebeu a notícia do desastre do rapaz. Pede a justiça que se diga que ele procurou durante dois dias retirar o sobrinho do exército que o esperava. Não lhe foi possível. Restava dar-lhe um substituto, e o recruta, quando viu perdidas todas as esperanças, insinuou esse recurso derradeiro. O olhar com que Gil Gomes respondeu à insinuação gelou todo o sangue que havia nas veias do moço. Esse olhar parecia dizer-lhe: — Um substituto! dinheiro! sou algum pródigo? Não é mais do que abrir os cordões à bolsa e deixar cair o que se custou a ganhar? Alma perversa, que espírito mau te meteu na cabeça esse pensamento de dissolução?

Outro incidente foi haver-lhe morrido insolvável o único devedor que ele tinha — um devedor de seiscentos mil-réis, com juros. Esta notícia poupou a Gil Gomes um jantar, tal foi a mágoa que o acometeu. Ele perguntava a si mesmo se era lícito aos devedores morrer sem liquidar as contas, e se os céus tinham tanta crueldade que levassem um pecador deixando uma dívida. Esta dor foi tão grande como a primeira, posto devesse ser maior; porquanto, Gil Gomes, em vários negócios que tinha tido com o devedor finado, havia-lhe colhido aos poucos a importância da dívida extinta pela morte; ideia que de algum modo o consolou e lhe fez mais tolerável a ceia.

Estava, portanto, d. Rufina, se não esquecida, ao menos adormecida na memória do colchoeiro, quando este uma noite recebeu um bilhetinho da mulher de

José Borges. Pedia-lhe a megera que ele fosse lá jantar no próximo sábado, aniversário natalício da filha do casal. Este bilhete foi levado pelo próprio pai da moça.

— Podemos contar contigo? — disse este, logo que o viu acabar de ler o bilhete.

— Eu sei! talvez...

— Não há talvez, nem meio talvez. É festa íntima, só parentes, dois amigos, um dos quais és tu... Senhoras, há só as de casa, a comadre Miquelina, madrinha de Mafalda, e a prima Rufina... Não sei se a conheces?

— Tua prima?... Conheço! — acudiu o colchoeiro expelindo faíscas dos olhos. — Não te lembras que ela passou a última noite que estive em tua casa? Até jogamos a bisca...

— É verdade! Não me lembrava!

— Boa senhora...

— Oh! é uma pérola! Ora, espera... agora me lembro que ela, ainda há poucos dias, esteve lá e falou em ti. Perguntou-me como estavas... É uma senhora de truz!...

— Pareceu-me...

— Vamos ao que importa, podemos contar contigo?

Gil Gomes interiormente tinha capitulado; queria declará-lo, mas por modo que não parecesse esquisito. Fez um gesto com as sobrancelhas, apertou a ponta do nariz, olhando para a carta e murmurou:

— Pois... sim... talvez...

— Talvez, não quero! Há de ser por força.

— És um diabo! Pois bem, vou.

José Borges apertou-lhe muito a mão, sentou-se, contou-lhe duas anedotas; e o colchoeiro, tocado subitamente da suspeita de que o primo da viúva quisesse pedir-lhe dinheiro, entrou a cochilar. José Borges saiu e foi levar a casa a notícia de que Gil Gomes compareceria à festa. Chegou como a Providência, fazendo suspender de cima da cabeça da filha uma chuva de ralhos com que a mãe castigava uma das infinitas indiscrições da pequena. A sra. d. Ana não se alegrou logo, mas abrandou, ouviu a notícia, expectorou ainda seis ou sete adjetivos cruéis, por fim calou-se. José Borges, que, por medida de prudência, estava sempre do lado da mulher, disse solenemente à filha que se retirasse, o que era servir ao mesmo tempo à filha e à mãe.

— Então ele vem? — disse d. Ana quando o temporal começou a amainar.

— Vem, e o resto...

— Parece-te?

— Eu creio...

No dia aprazado compareceu em casa de José Borges a gente convidada, os parentes, a comadre e os dois amigos. Entre os parentes havia um primo, pálido, esguio e magro, que nutria em relação a Mafalda uma paixão, correspondida pelo pai. Esse primo tinha três prédios. Mafalda dizia gostar muito dele; e se, na verdade, os olhos fossem sempre o espelho do coração, o coração da moça derretia-se pelo primo, porque os olhos eram dois globos de neve tocados pelo sol. O que a moça dizia no coração era que o primo não passava de uma figura de presepe; não obstante, autorizava-o a pedi-la nesse dia ao sr. José Borges.

Por esse motivo entrou o jovem Inácio duas horas mais cedo que os outros, mas entrou somente. Falou, é verdade, mas falou só de coisas gerais. Três vezes investiu com o pai da namorada para pedir-lha, três vezes a palavra morreu-lhe nos lábios. Inácio era tímido; a figura circunspecta de José Borges, os olhos terríveis da sra. d. Ana e até os modos ríspidos da namorada, tudo lhe metia medo e fazia perder a última gota de sangue. Os convidados entraram sem que houvesse exposto ao tio suas pretensões. Custou-lhe o silêncio um repelão da namorada; repelão curto, a que sucedeu um sorriso animador, porque a moça compreendia facilmente que um noivo, ainda que seja Inácio, não se pesca sem alguma paciência. Vingar-se-ia depois do casamento.

Pelas quatro horas e meia entrou o sr. Gil Gomes. Quando ele apareceu à porta, José Borges esfregou os olhos como para certificar-se que não era sonho, e que efetivamente o colchoeiro ali lhe entrava pela sala. Pois quê! Onde, quando, de que modo, em que circunstâncias Gil Gomes calçara nunca luvas? Trazia um par de luvas — é verdade que de lã grossa — mas enfim luvas, que na opinião dele eram inutilidades. Foi a única despesa séria que fez; mas fê-la. José Borges, durante um quarto de hora, ainda nutria a esperança de que o colchoeiro lhe trouxesse um presente para a filha. Um dia de anos! Mas a esperança morreu depressa: o colchoeiro era oposto à tradição dos presentes de anos; era um revolucionário.

A viúva Soares fez a sua entrada na sala (já estava na casa desde as duas horas), poucos minutos depois de ali chegar Gil Gomes. Este sentiu no corredor um farfalhar de vestido e um pisar grosso, que lhe contundiu o coração. Era ela, não podia ser outra. Rufina entrou majestosa; fosse acaso ou propósito, os primeiros olhos que fitou foram os dele.

— Nunca mais o vi desde aquela noite — disse ela baixinho ao colchoeiro daí a cinco minutos.

— É verdade — concordou Gil Gomes sem saber que respondesse.

Rufina reclinou-se na cadeira agitando o leque, meio voltada para ele, que respondia trêmulo.

Não tardou que a dona da casa convidasse a toda a gente a passar à sala de jantar. Gil Gomes levantou-se com ideia de dar o braço à viúva; José Borges facilitou-lhe a execução.

— Então, que é isso? Dê o braço à prima. Inácio, dá o braço a Mafalda. Eu levo a comadre.... valeu? Você, Aninha...

— Eu vou com o senhor Pantaleão.

O sr. Pantaleão era um dos dois amigos convidados por José Borges, além dos parentes. Não vale a pena falar dele; basta dizer que era um homem silencioso; não tinha outro traço característico.

Na mesa, Gil Gomes foi sentado ao pé de Rufina. Ele estava aturdido, satisfeito, desvairado. Um gênio invisível atirava-lhe faíscas aos olhos; e entornava-lhes pelas veias abaixo um fluido, que ele supunha ser celestial. A viúva parecia, na verdade, mais bela do que nunca; fresca, repousada, ostentosa. Ele sentia-lhe o vestido a roçar-lhe as calças; via-lhe os olhos embeberem-se nos seus. Era um jantar aquilo ou um sonho? Gil Gomes não podia decidir.

José Borges alegrou a mesa como podia e sabia, sendo acompanhado pelos parentes e pela comadre. Dos dois estranhos, o colchoeiro pertencia à viúva e o silencioso era todo do seu estômago. José Borges tinha um leitão e um peru, eram as duas peças melhores do jantar, dizia ele, que já as anunciara desde o princípio. Começaram as saúdes; fez-se a de Mafalda, a de d. Ana e de José Borges, a da comadre, a da viúva. Esta saúde foi proposta com muito entusiasmo por José Borges e não menos entusiasticamente correspondida. Entre Rufina e Gil Gomes foi trocado um brinde particular, de copo batido.

Gil Gomes, apesar da resolução amorosa que se operava nele, comeu à farta. Um bom jantar era coisa para ele fortuita ou problemática. Só assim, de ano em ano. Por isso não deixou passar a ocasião. O jantar, o vinho, a palestra, a alegria geral, os olhos da viúva, talvez a pontinha de seu pé, tudo contribuiu para desatar os últimos nós à língua do colchoeiro. Ele ria, falava, dizia graças, fazia cumprimentos à dona, arriava todas as bandeiras. À sobremesa, quis por força que ela comesse uma pera, descascada por ele; e a viúva, para lhe pagar a fineza, exigiu que ele comesse metade.

— Aceito! — exclamou o colchoeiro fora de si.

A pera foi descascada. Partiu-a a viúva, e os dois comeram a fruta, de parceria, com os olhos modestamente no prato. José Borges, que não perdeu a cena de vista, parecia satisfeito com a harmonia dos dois. Ergueu-se para fazer uma saúde ao estado conjugal. Gil Gomes correspondeu ruidosamente; Rufina nem tocou no copo.

— Não correspondeu ao brinde do seu primo? — perguntou Gil Gomes.

— Não.

— Por quê?

— Porque não posso — suspirou a viúva.

— Ah!

Um silêncio.

— Mas... por que... isto é... que calor!

Estas palavras incoerentes, proferidas pelo colchoeiro, não pareceu que as ouvisse a viúva. Ela olhava para a borda da mesa, séria e fixamente, como quem encara o passado e o futuro.

Gil Gomes achou-se um pouco acanhado. Não compreendia muito o motivo do silêncio de Rufina e perguntava a si próprio se ele havia dito alguma tolice. De repente, levantaram-se todos. A viúva tomou-lhe o braço.

Gil Gomes sentiu o braço de Rufina e estremeceu da cabeça até os pés.

— Por que motivo ficou triste ainda agora? — perguntou ele.

— Eu?

— Sim.

— Fiquei triste?

— E muito.

— Não me lembro.

— Talvez fosse zangada.

— Por quê?

— Não sei; pode ser que eu a ofendesse.

— O senhor?

— Eu sim.

Rufina negou com os olhos, mas uns olhos que o colchoeiro antes quisera fossem duas espadas, porque atravessariam tão cruelmente o coração, por mais morto que o deixassem.

— Por quê?

Rufina apertou muito os olhos.

— Não me pergunte — disse ela afastando-se dele rapidamente.

O colchoeiro viu-a afastar-se e levar-lhe o coração na barra do vestido. Seu espírito sentiu pela primeira vez a vertigem conjugal. Ele, que deixara de fumar por economia, aceitou um charuto de José Borges para distrair-se, e fumou-o todo sem poder arrancar de si a imagem da viúva. Rufina, entretanto, parecia evitá-lo. Três vezes quis ele entabular conversação sem conseguir detê-la.

— Que é isso? — perguntou o colchoeiro consigo.

Aquele procedimento deixou-o ainda mais perplexo. Ficou triste, amuado, não sentiu correr as horas. Eram onze quando deu acordo de si. Onze horas! E ele que quisera assistir ao fechar a porta! A casa entregue ao caixeiro tão longo tempo, era um perigo; pelo menos, uma novidade que podia ter graves consequências. Circunstância que ainda mais lhe ensombrou o espírito. Irritado consigo mesmo, fugiu à companhia dos outros e foi sentar-se em uma saleta, deu corda a uma caixa de música que ali achou e sentou-se a ouvi-la.

De repente, foi interrompido pelo passo forte da viúva, que fora buscar o xale para sair.

— Vai embora? — perguntou ele.

— Vou.

— Tão cedo!

Rufina não respondeu.

— Parece que a senhora ficou mal comigo.

— Pode ser.

— Por quê?

Rufina suspirou; e depois de um silêncio:

— Não me fale mais, não procure ver-me, adeus!...

Saiu.

Gil Gomes, atordoado com a primeira impressão, não pôde dar um passo. Mas, enfim, dominou-se e saiu em procura da viúva. Achou-a na sala a abraçar a prima. Quis falar-lhe, chegou a dizer-lhe algumas palavras; mas Rufina não pareceu ouvir. Apertou a mão a todos. Quando chegou a vez do colchoeiro, foi um aperto, um só, mas um aperto que valia por todos os apertos do mundo, não que fizesse forte, mas porque era significativo.

Gil Gomes saiu dali meia hora depois, num estado de agitação como nunca estivera em todos os longos dias de sua existência. Não foi logo para casa; era-lhe impossível dormir, e andar na rua sempre era economizar a vela. Andou cerca de duas horas, a ruminar umas ideias, a correr atrás de umas visões, a evaporar-se em fantasias de toda a espécie.

No dia seguinte, à hora do costume, estava na loja sem saber o que fazia. Custava-lhe a reconhecer os seus colchões. O dia, a agitação dos negócios, o almoço puseram alguma surdina às vozes do coração. O importuno calou-se modestamente ou, antes, velhacamente, para criar mais forças. Era tarde. Rufina tinha cravado no peito do colchoeiro a seta da dominação.

Era preciso vê-la.

Mas como?

Gil Gomes pensou nos meios de satisfazer essa necessidade imperiosa. A figura esbelta, forte, rechonchuda da prima de José Borges parecia estar diante dele a dizer-lhe com os olhos: Vai ver-me! vai ter comigo! vai dizer-me o que sentes!

 Por fortuna de Gil Gomes a viúva fazia anos dali a três semanas. Ele foi um dos convidados. Correu ao convite da dama de seus pensamentos. A vizinhança, que conhecia os hábitos tradicionalmente caseiros de Gil Gomes, entrou a comentar as suas saídas frequentes e a conjecturar mil coisas, com a fertilidade da gente curiosa e vadia. O fato, sobretudo, de o ver sair com uma sobrecasaca nova, por ocasião dos anos da viúva, pôs a rua em alvoroço. Uma sobrecasaca nova! era o fim do mundo. Que querem? A viúva valia a pena de um sacrifício por maior que fosse e aquele foi imenso. Três vezes recuou o colchoeiro estando à porta do alfaiate, mas três vezes insistiu. Ir-se embora, se fosse possível varrer-se-lhe da memória a figura da dama. Mas se ele a trazia presente! Se ela estava aí diante dele, a fitá-lo, a sorrir-lhe, a moer-lhe a alma, a despedaçar-lhe o coração! Veio a sobrecasaca; ele vestiu-a; achou-se elegante. Não chorou o dinheiro, porque só o dominava a ideia de ser contemplado pela viúva.

 Esse novo encontro de Gil Gomes e Rufina foi a ocasião de se entenderem. Tantas atenções com ele! Tantos olhares para ela! Um e outro caminhavam rapidamente até esbarrarem no céu azul, como dois astros errantes e simpáticos. O colchoeiro estava prostrado. A viúva parecia vencida. José Borges favoreceu essa situação, descobrindo-a a ambos.

 — Vocês estão meditando alguma coisa — disse ele, achando-se uma vez a olhar um para o outro.

 — Nós? — murmurou Rufina.

 Este *nós* penetrou a alma do colchoeiro.

 O colchoeiro fez duas ou três visitas à viúva, em ocasião que lá ia a família desta. Uma vez apresentou-se, sem que a família lá estivesse. Rufina mandou dizer que não estava em casa.

 — Seriamente? — perguntou ele à preta. — Tua senhora não está em casa?

 — Ela mandou dizer que não, senhor — acudiu a boçal escrava.

 Gil Gomes quis insistir; mas podia ser inútil; saiu com a morte em si. Aquela esquivança era um aguilhão, que ainda mais o irritou. A noite foi cruel. No dia seguinte apareceu-lhe José Borges.

 — Podes falar comigo em particular? — disse este.

 — Posso.

 Foram para os fundos da loja. Sentaram-se em duas cadeiras de pau. José Borges tossiu, meditou um instante. Custava-lhe ou parecia custar-lhe a entabular a conversa. Enfim, rompeu o silêncio:

 — Tu foste ontem à casa de minha prima?

 — Fui.

 — Disseram-te que ela não estava em casa...

 — Sim, a preta...

 — A preta disse mais: deu a entender que minha prima estava, mas dera ordem de te dizer que não.

 — Era falso?

 — Era verdade.

 — Mas então?...

— Eu te explico. Rufina sabe que tu gostas dela; tu deves saber que ela gosta de ti; todo o mundo sabe que vocês gostam um do outro. Ora, se lá fores quando nós estamos, bem...

Gil Gomes tinha-se levantado e dera quatro ou seis passos na salinha, sem ouvir o resto do discurso de José Borges, que teve em si o seu único auditório.

No fim de alguns minutos, o colchoeiro sentou-se outra vez e inquiriu o amigo:

— Dizes então que eu gosto de tua prima?
— É visível.
— E que ela gosta de mim?
— Só um cego o não verá.
— Ela supõe isso?
— Vê e sente-o!
— Sente-o?

O colchoeiro esfregou as mãos.

— Gosta de mim? — repetiu ele.
— E tu gostas dela.
— Sim, confesso que... Parece-te ridículo?
— Ridículo! Essa agora! Pois um homem como tu, dotado de verdadeiras e boas qualidades, há de parecer ridículo por gostar de uma senhora como Rufina?...
— Sim, creio que não.
— De nenhum modo. O que te digo é que toda a circunspecção é pouca, até o dia do casamento.

Ouvindo esta palavra, Gil Gomes sentiu um calafrio e perdeu momentaneamente todas as forças. A ideia talvez lhe passasse alguma vez pelo espírito, mas vaga e obscura, sem se fixar nem clarear. José Borges proferia a palavra em toda a sua realidade. O colchoeiro não pôde resistir ao abalo. Ele vivia em uma agitação que o punha fora da realidade e sem efeitos. A palavra formal, na boca de um parente, quando já ninguém ignorava a natureza de seus sentimentos, era um golpe quase inesperado e de efeito certo.

José Borges fingiu não reparar na impressão do amigo, e continuou a falar do casamento, como de uma coisa indeclinável. Teceu os maiores elogios à viúva, à sua beleza, aos seus pretendentes, às suas virtudes. A maior destas era a economia; pelo menos, foi o que ele mais louvou. Quanto aos pretendentes eram muitos, mas ultimamente estavam reduzidos a cinco ou seis. Um deles era desembargador. No fim de uma hora, José Borges saiu.

A situação do colchoeiro complicava-se; sem o pensar achava-se às portas de um casamento, isto é, de uma grande despesa que viria abalar muito o edifício laborioso de suas economias.

Passou-se uma semana depois daquele diálogo, e a situação de Gil Gomes não melhorou nada. Pelo contrário, agravou-se. No fim desse tempo, tornou a ver a viúva. Nunca lhe pareceu mais bela. Trazia um vestido simples, nenhum ornato, salvo uma flor ao seio, que ela em ocasião oportuna tirou e ofereceu ao colchoeiro. A paixão de Gil Gomes foi-se convertendo numa embriaguez; ele já não podia viver sem ela. Era preciso vê-la, e quando a via, tinha ânsia de lhe cair aos pés. Rufina suspirava, falava; quebrava os olhos, trazia arrastado o pobre Gil Gomes.

Veio mais uma semana, depois outra e mais outra. O amor trouxe algumas despesas nunca usadas. Gil Gomes sentiu que a avareza afrouxava um pouco as rédeas; ou, por outra, não sentiu nada, porque nada podia sentir; foi alongando os cordões à bolsa.

A ideia do casamento aferrou-se-lhe deveras. Era grave, era um abismo que ele abriu diante de si. Às vezes assustava-se; outras vezes fechava os olhos disposto a mergulhar nas trevas.

Um dia, Rufina ouviu ao colchoeiro o pedido em regra, ainda que timidamente formulado. Ouviu-o, fechou a cabeça nas mãos e recusou.

— Recusa-me? — clamou o infeliz aturdido.

— Recuso — disse firmemente a viúva.

Gil Gomes não contava com a resposta; insistiu, rogou, mas a viúva não parecia ceder.

— Mas por que recusa? — perguntou. — Não gosta de mim?

— Oh! — interrompeu ela apertando-lhe as mãos.

— Não é livre?

— Sou.

— Não compreendo, explique-se.

A viúva não respondeu logo; foi dali a um sofá e meteu a cabeça nas mãos, durante cinco minutos. Vista assim era talvez mais bela. Estava meio reclinada, ofegante, com alguma desordem nos cabelos.

— Que é? que tem? — perguntou Gil Gomes com uma ternura que ninguém era capaz de supor-lhe. — Vamos lá; confie-me tudo, se alguma coisa há, porque eu não compreendo...

— Amo-o muito — disse Rufina erguendo para ele um par de olhos belos como duas estrelas —; amo-o muito e muito. Mas vacilo em casar.

— Disseram-lhe de mim alguma coisa?

— Não, mas tremo do casamento.

— Por quê? Foi infeliz com o primeiro?

— Fui muito feliz, e por isso mesmo receio que seja infeliz agora. Parece-me que o céu me castigará se eu casar segunda vez, porque nenhuma mulher foi ainda tão amada como eu fui. Oh! se soubesse que amor me teve meu marido! Que paixão! que delírio! Vivia para fazer-me feliz. Perdi-o; casar com outro é esquecê-lo...

Tornou a cobrir o rosto com as mãos, enquanto o colchoeiro ferido por aquele novo dardo, jurava a seus deuses que havia de casar com ela ou o mundo viria abaixo.

A luta durou três dias, três longos e estirados dias. Gil Gomes não cuidou de outra coisa durante o combate; não abriu os livros da casa; talvez chegou a não afagar um freguês. Pior que tudo: chegou a oferecer um camarote de teatro à viúva. Um camarote! Que decadência!

Não podia ir longe a luta e não foi. No quarto dia recebeu ele uma resposta decisiva, um sim escrito em papel bordado. Respirou; beijou o papel; correu à casa de Rufina. Ela esperava-o ansiosa. Suas mãos tocaram-se; um ósculo confirmou o *escrito*.

Desde aquele dia até o do casamento foi um turbilhão em que o pobre colchoeiro viveu. Não via nada; quase não sabia contar; estava cego e tonto. De quando em quando um movimento instintivo parecia fazê-lo mudar de caminho, mas era rápido. Assim, a ideia dele era que o casamento não tivesse aparato; mas José Borges combateu essa ideia como indigna dos noivos:

— Demais é bom que todos o invejem.
— Que tem isso?
— Quando virem passar o préstito todos dirão: Que maganão! Que casamento! Rico e feliz!
— Rico... isto é... — interrompeu Gil Gomes, cedendo ao costume antigo.

José Borges bateu-lhe no ombro, sorriu e não admitiu réplica. Ainda assim, ele não teria vencido, se não fosse o voto da prima. A viúva declarou preferível um casamento aparatoso; o colchoeiro não tinha outra vontade.

— Vá lá — disse ele —; cupês, não é?
— Justamente; cavalos brancos, arreios finos, cocheiros de libré, coisa bonita.
— Mais bonita do que você, é impossível — acudiu o colchoeiro com um ar terno e galante.

Outro ósculo que o fez ver estrelas ao meio-dia. Estava decidido que o casamento teria o maior aparato. Gil Gomes reconhecia que a despesa era enorme, e intimamente pensava que era inútil; mas desde que ela queria, toda a discussão estava acabada. Mandou preparar a roupa dele; teve até de sortir-se, porque nada possuía em casa; aposentou os dois velhos rodaques, as três calças de quatro anos. Pôs casa. A viúva guiou-o nessa tarefa difícil; indicou o que ele devia comprar; escolheu ela mesma a mobília, os tapetes, os vasos, as cortinas, os cristais, as porcelanas. As contas chegavam às mãos do colchoeiro rotundas e pavorosas; mas ele pagava, quase sem sentir.

Na véspera do casamento, tinha ele deixado de pertencer a este mundo, tão alheado andava dos homens. José Borges aproveitou esse estado de sonambulismo amoroso para lhe pedir duzentos mil-réis emprestados. Coisa miraculosa! Gil Gomes emprestou-os. Era verdadeiramente o fim do mundo. Emprestou os duzentos mil-réis, sem fiança, nem obrigação escrita. Isto e a derrota do primeiro Napoleão são os dois fatos mais estrondosos do século.

Casou no dia seguinte. A vizinhança toda sabia já do casamento, mas não podia crer, supunha que era boato, apesar das mil provas que os noveleiros espalhavam de loja em loja... Casou; quem o viu entrar no cupê, ainda hoje duvida se estava sonhando naquele dia.

Uma vez casado, estava passado o Rubicão. A ex-viúva encheu a vida do colchoeiro; ocupou em seu coração o lugar que até então pertencera à libra esterlina. Gil Gomes estava mudado; fora uma larva; passava a borboleta. E que borboleta! A vida solitária da loja dos colchões era agora o seu remorso; ele mesmo ria de si. A mulher, só a mulher, nada mais que a mulher, eis o sonho da vida do colchoeiro; era o modelo dos maridos.

Rufina amava o luxo, a vida estrondosa, os teatros, os jantares, os brilhantes. Gil Gomes, que vivera a detestar tudo aquilo, mudou de sentimento e acompanhou as tendências da esposa. De longe em longe tinha um estremecimento na alma. "Gil! exclamava ele, aonde vais? Que destino te levará à prodigalidade?" Mas um sorriso, um afago de Rufina dissipava as nuvens e atirava o colchoeiro à carreira em que ia.

Um ano depois de casado sabia jogar o voltarete e tinha assinatura no teatro.

Comprou carro; dava jantares às sextas-feiras; emprestava dinheiro a José Borges de trimestre em trimestre. Circunstância particular: José Borges não lhe pagava nunca.

Vieram os anos, e cada ano novo achava-o mais namorado da mulher. Gil Gomes era uma espécie de cachorrinho de regaço. Com ela, ao pé dela, defronte dela, a olhar para ela; não tinha outro lugar nem outra atitude. A bolsa emagreceu; ele engordou. Nos últimos anos, tinha vendido o carro, suspendido os jantares e os teatros, diminuído os empréstimos a José Borges, jogava a bisca a tentos. Quando a miséria chegou, Rufina retirou-se deste mundo. O colchoeiro que já não tinha colchões, acabou a vida servindo de agente em um cartório de escrivão.

Jornal das Famílias, junho-agosto de 1878; Machado de Assis.

Folha rota

Tinham dado ave-marias; a sra. d. Ana Custódio saiu para ir levar umas costuras à loja que era na rua do Hospício. Pegou das costuras, entrouxou-as, pôs um xale às costas, um rosário ao pescoço, deu cinco ou seis ordens à sobrinha e caminhou para a porta.

— Venha quem vier, não abras — disse ela com a mão no ferrolho —; já sabes o costume.

— Sim, titia.

— Não me demoro nada.

— Venha cedo.

— Venho, que a chuva pode cair. O céu está preto.

— Oh! titia, se roncar trovoada!

— Reza; mas eu volto já.

D. Ana persignou-se e saiu.

A sobrinha fechou a rótula, acendeu uma vela e foi sentar-se a uma mesa de costura.

Luísa Marques tinha dezoito anos. Não era um prodígio de beleza, mas não era feia; pelo contrário, as feições eram regulares, as maneiras gentis. O olhar meigo e cândido. Mediana de estatura, delgada, naturalmente elegante, tinha proporções para vestir bem e primar pelos adornos. Infelizmente, não tinha adornos nem os vestidos eram bem cortados. Pobres, já se vê que deviam ser. Que outras coisas seriam os vestidos de uma filha de operário, órfã de pai e mãe, condenada a coser para ajudar a sustentar a casa da tia! Era um vestido de chita grossa, cortado por ela mesma, sem arte nem inspiração.

Penteada com certo desleixo, parece que isso mesmo lhe dobrava a graça da fronte. Encostada à mesa velha de trabalho, com a cabeça inclinada sobre a costura, *os dedos a correrem pela fazenda*, com a agulha fina e ágil não excitava a admiração, mas despertava a simpatia.

Logo depois de sentar-se, Luísa ergueu-se duas vezes e foi até a porta. De quando em quando levantava a cabeça como a prestar ouvido. Continuava a coser. Se a tia chegasse achá-la-ia a trabalhar com uma tranquilidade verdadeiramente digna de imitação. E beijá-la-ia como costumava e lhe diria alguma coisa graciosa, que a menina ouviria com agradecimento.

Luísa adorava a tia, que lhe servia de mãe e pai, que a educara desde os sete anos. Por outro lado, d. Ana Custódia tinha-lhe afeto verdadeiramente maternal; uma e outra não possuíam outra família. Havia certamente dois parentes mais, um correeiro, cunhado de d. Ana, e um filho deste. Mas não se frequentavam; havia até motivos para isso.

Vinte minutos depois de sair d. Ana, sentiu Luísa um rumor na rótula, como que um som leve de bengala que por ali roçasse. Estremeceu, mas não se assustou. Levantou-se devagarinho, como se a tia pudesse ouvi-la e foi até a rótula.

— Quem é? — disse em voz baixa.
— Eu. Está cá?
— Não.

Luísa abriu um poucochinho a janela, uma curta fresta. Estendeu a mão por ela, e apertou-lha um rapaz que estava do lado de fora.

O rapaz era alto, e se não fosse noite fechada podia ver-se que tinha uns bonitos olhos, sobretudo um porte airoso. Eram graças naturais; artificiais não possuía nenhuma; vestia modestamente, sem pretensão.

— Saiu há muito tempo? — perguntou ele.
— Há pouco.
— Volta já?
— Disse que sim. Não podemos hoje falar muito tempo.
— Nem hoje, nem quase nunca.
— Que quer você, Caetaninho? — perguntou a moça tristemente. — Eu não posso abusar; titia não gosta de me ver à janela.
— Há três dias que te não vejo, Luísa! — suspirou ele.
— Eu, há um dia só.
— Viste-me ontem?
— Vi: quando você passou de tarde às cinco horas.
— Passei duas vezes; de tarde e de noite: sempre fechado.
— Titia estava em casa.

As duas mãos tornaram a encontrar-se e ficaram presas uma à outra. Correram assim alguns minutos, três ou quatro.

Caetaninho tornou a falar, a queixar-se, a gemer, a maldizer da sorte, enquanto Luísa o consolava e confortava. Na opinião do rapaz, não havia ninguém mais infeliz do que ele.

— Queres saber uma coisa? — perguntou o namorado.
— Que é?
— Penso que papai desconfia...
— E então?...
— Desconfia e não aprova.

Luísa empalideceu.

— Oh! mas não faz mal! Eu só espero poder arranjar a minha vida; depois se queira ou não queira...

— Isso, não, se titio não aprova parece feio.
— Desprezar-te?
— Você não me despreza — emendou Luísa —; mas desobedecerá a seu pai.
— Obedecer em tal caso, era feio da minha parte. Não, não obedecerei nunca!
— Não digas isso!
— Deixa-me arranjar a vida, verás: verás.

Luísa estava silenciosa alguns minutos, mordendo a ponta do lenço que tinha ao pescoço.

— Mas por que motivo é que você pensa que ele desconfia?
— Penso... suponho. Ontem soltou-me uma indireta, lançou-me um olhar de ameaça e fez um gesto... Não tem dúvida, dá-lhe para não aprovar a escolha de meu coração, como se eu precisasse consultá-lo...
— Não fale assim, Caetaninho!
— Também não sei por que motivo ele não se dá com titia! Se se dessem, tudo caminhava bem; mas é a minha desgraça, é a minha desgraça!

Caetano, filho do correeiro, lastimou-se ainda durante uns dez minutos; e sendo já longo o tempo da conversa, Luísa pediu-lhe e alcançou que ele se retirasse. Não o fez o moço sem um novo aperto de mão e um pedido que Luísa recusou.

O pedido era um... ósculo, digamos ósculo, que é menos cru, ou mais poético. O rapaz pedia-o invariavelmente, e ela invariavelmente o negava.

— Luísa — disse ele, no fim da recusa —, espero que muito breve estaremos casados.
— Sim; mas não faça zangar seu pai.
— Não: farei tudo de harmonia com ele. Se recusar...
— Peço a Nossa Senhora que não.
— Mas, diga você; se ele recusar, que devo eu fazer?
— Esperar.
— Pois sim! Isso é bom de dizer.
— Vá; adeus; titia pode vir.
— Até breve, Luísa!
— Adeus!
— Passarei amanhã; se você não puder estar à janela, ao menos espie por dentro, sim?
— Sim.

Novo aperto de mão; dois suspiros; ele seguiu; ela fechou de todo o postigo.

Fechado o postigo, Luísa foi sentar-se outra vez à mesa de costura. Não ia alegre, como era de supor em uma moça que acabava de falar ao namorado; ia triste. Mergulhou toda no trabalho, ao que parece para esquecer alguma coisa ou aturdir o espírito. Mas não durou muito o remédio. Daí a pouco tinha levantado a cabeça e olhava fitamente o ar. Devaneava naturalmente; mas não eram devaneios azuis, senão negros, bem negros, mais negros que seus grandes olhos tristes.

O que ela dizia consigo era que tinha duas afeições na vida, uma franca, a da tia, outra encoberta, a do primo; e não sabia se tão cedo poderia mostrá-las juntas ao mundo. A notícia de que o tio desconfiasse alguma coisa e desaprovava talvez o amor de Caetano desconsolava-a e fazia-a tremer. Talvez fosse verdade; era possível que o correeiro destinasse o filho a outra. Em todo o caso as duas famílias não se davam — não sabia Luísa por que motivo — e este fato podia contribuir para tornar difícil a realização de seu único e modesto sonho. Essas ideias, ora vagas, ora medonhas, mas sempre tingidas da cor da melancolia, abalavam seu espírito durante alguns minutos.

Depois veio a reação; a mocidade readquiriu seus direitos; a esperança trouxe a sua cor viva aos sonhos de Luísa. Ela olhou para o futuro e confiou nele. Que era um obstáculo momentâneo? Nada, se dois corações se amam. E haveria esse obstáculo? Dado que houvesse, ele seria o ramo de oliveira. No dia em que o tio soubesse que o filho a amava deveras e era correspondido, não tinha mais do que aprovar. Talvez mesmo a fosse pedir à tia d. Ana, que a estremecia, e recebê-lo-ia com lágrimas. O casamento seria o vínculo de todos os corações.

Nesses sonhos passaram ainda uns dez minutos. Luísa reparou que a costura estava atrasada e voltou de novo a atenção para ela.

D. Ana voltou; Luísa foi abrir-lhe a porta, sem hesitação porque a tia convencionara um modo de bater, a fim de evitar surpresas de gente má.

Vinha um pouco amuada a velha; mas passou logo depois do beijo à sobrinha. Trazia o dinheiro da costura que fora levar à loja. Tirou o xale, descansou um pouco; foi ela própria cuidar da ceia. Luísa ficou cosendo algum tempo. Ergueu-se depois; preparou a mesa.

Tomaram um pouco de mate as duas, sozinhas e silenciosas. Era raro o silêncio, porque d. Ana, sem ser palradora, estava longe de ser taciturna. Tinha a palavra alegre. Luísa reparou naquela mudança e receou que a tia houvesse visto o vulto do primo de longe, e, não sabendo quem fosse, naturalmente ficara molestada. Seria isso? Luísa fez esta pergunta a si mesma e sentiu corar de vergonha. Criou algumas forças, e interrogou diretamente a tia.

— Que tem, que está tão triste? — perguntou a moça.

D. Ana limitou-se a levantar os ombros.

— Está zangada comigo? — murmurou Luísa.

— Contigo, meu anjo? — disse d. Ana apertando-lhe a mão. — Não, não é contigo.

— É com outra pessoa — concluiu a sobrinha. — Posso saber quem é?

— Ninguém, ninguém. Fujo sempre de passar pela porta do Cosme e passo por outra rua; mas por desgraça, escapei ao pai e não escapei ao filho...

Luísa empalideceu.

— Ele não me viu — continuou d. Ana —; mas eu bem o conheci. Felizmente era noite.

Seguiu-se um longo silêncio, durante o qual a moça repetia as palavras da tia. Por desgraça! dissera d. Ana. Que havia pois entre ela e os dois parentes? Tinha vontade de a interrogar, mas não se atrevia; a velha não continuou; uma e outra refletiam caladamente.

Foi Luísa quem rompeu o silêncio:

— Mas por que foi desgraça encontrar o primo?

— Por quê?

Luísa confirmou a pergunta com um gesto de cabeça.

— Contos largos — disse d. Ana —, contos largos. Um dia te contarei tudo.

Luísa não insistiu; ficou acabrunhada. O resto da noite foi sombrio para ela;

fingiu ter sono e recolheu-se mais cedo do que costumava. Não tinha sono; velou ainda duas longas horas a trabalhar com o espírito, a beber uma ou outra lágrima indiscreta ou impaciente de lhe retalhar a face juvenil. Dormiu finalmente; e como de costume acordou cedo. Tinha um plano feito e a resolução de o executar até o fim. O plano era interrogar a tia outra vez, mas então disposta a saber a verdade, qualquer que ela fosse. Foi depois do almoço, que se lhe ofereceu a melhor ocasião, quando as duas se sentaram a trabalhar. D. Ana recusou a princípio; mas a insistência de Luísa foi tal, e ela amava-a tanto, que não lhe recusou dizer o que havia.

— Tu não conheces teu tio — disse a boa velha —; nunca viveste com ele. Eu conheço-o muito. Minha irmã, que ele tirou de casa para perdê-la, viveu com ele dez anos de martírio. Se eu te contasse o que ela sofreu não havias de acreditar. Basta dizer que, se não fosse o abandono em que o marido a deixou, o pouco caso que fez da moléstia, talvez ela não tivesse morrido. E daí pode ser que sim. Creio que ela estimou não tomar remédios, para acabar mais depressa. O maldito não deitou uma lágrima; jantou no dia da morte como costumava jantar nos mais dias. O enterro saiu e ele continuou a vida de antes. Coitada! Quando me lembro...

Neste ponto, d. Ana interrompeu-se para enxugar as lágrimas, e Luísa não pôde também reter as suas.

— Ninguém sabe para o que veio ao mundo! — exclamou sentenciosamente d. Ana. — Aquela era a mais querida de meu pai; foi a mais infeliz. Destinos! destinos! O que te contei é já bastante para explicar a inimizade que nos separa. Acrescenta-lhe o gênio mau que ele tem, os modos grosseiros, e a língua... oh! a língua! Foi a língua dele que me feriu...

— Como?

— Luísa, tu és inocente, nada sabes deste mundo; mas é bom que aprendas alguma coisa. Aquele homem, depois de fazer morrer minha irmã lembrou-se de gostar de mim, e teve o atrevimento de vir declará-lo na minha casa. Eu então era outra mulher que não sou hoje; tinha cabelinho na venta. Não lhe respondi palavra; levantei a mão e castiguei-o no rosto. Vinguei-me e perdi-me. Ele recebeu o castigo calado; mas tratou de vingar-se também. Não te contarei o que disse e trabalhou contra mim; é longo e triste; basta saber que cinco meses depois, meu marido me pôs pela porta fora. Estava difamada; perdida; sem futuro nem reputação. Foi ele a causa de tudo. Meu marido era homem de boa-fé. Queria-me muito e morreu pouco depois de paixão.

Calou-se d. Ana, calou-se sem lágrimas nem gestos, mas com um rosto tão pálido de dor, que Luísa atirou-se a ela e abraçou-a. Foi esse gesto da moça que fez romper as lágrimas da velha. Chorou-as d. Ana longas e amargas; ajudou a chorá-las a sobrinha, que de envolta com ela lhe disse muita palavra consoladora. D. Ana recobrou a fala.

— Não terei razão em odiá-lo? — perguntou ela.

O silêncio de Luísa foi a melhor resposta.

— Quanto ao filho nada me fez — continuou a velha —; mas se é filho de minha irmã também é filho dele. É o mesmo sangue, que eu odeio.

Luísa estremeceu.

— Titia! — disse a moça.

— Odeio, sim! Ah! que a maior dor da minha vida seria... Não, não há de ser assim. Luísa, eu, se te visse casada com o filho daquele homem, morria decerto, porque perderia a única afeição que me resta no mundo. Tu não pensas nisso; mas juras-me que em nenhum caso farás semelhante coisa?

Luísa empalideceu; hesitou um instante; mas jurou. Esse juramento foi o golpe último e mortal de suas esperanças. Nem o pai dele nem a mãe dela (d. Ana era quase mãe) consentiriam em fazê-la feliz. Luísa não se atreveu a defender o primo, a explicar que ele não tinha culpa nos atos e vilanias do pai. Que adiantaria isso, depois do que ouvira? O ódio estendia-se do pai ao filho; havia um abismo entre as duas famílias.

Naquele dia e no outro e no terceiro, chorou Luísa, nas poucas horas em que podia estar só, as lágrimas todas do desespero. No quarto dia já não tinha mais que chorar. Consolou-se como se consolam os desgraçados. Viu ir-se o único sonho da vida, a melhor esperança do futuro. Só então compreendeu a intensidade do amor que a prendia ao primo. Era o seu primeiro amor; estava destinado a ser o último.

Caetano passou ali muitas vezes; deixou de vê-la duas semanas inteiras. Supô-la doente e indagou da vizinhança. Quis escrever-lhe, mas não havia meio de entregar uma carta. Espreitava as horas em que a tia saía de casa e ia bater à porta. Trabalho inútil! A porta não se abria. Uma vez viu-a de longe à janela, apertou o passo; Luísa olhava para o lado oposto; não o viu vir. Chegando ao pé da porta, parou ele e disse:

— Enfim!

Luísa estremeceu, voltou-se e dando com o primo fechou o postigo com tanta pressa que um pedaço de manga do vestido ficou preso. Cego de dor, Caetaninho tentou empurrar o postigo, mas a moça havia-o fechado com o ferrolho. A manga do vestido foi puxada violentamente e rasgada. Caetano afastou-se com o inferno no coração; Luísa foi dali atirar-se ao leito lavada em lágrimas.

As semanas, os meses, os anos passaram. Caetaninho não foi esquecido; mas nunca mais se encontraram os olhos dos dois namorados. Oito anos depois morreu d. Ana. A sobrinha aceitou a proteção de uma vizinha e foi para casa dela, onde trabalhava dia e noite. No fim de quatorze meses adoeceu de tubérculos pulmonares; arrastou uma vida aparente de dois anos. Tinha quase trinta quando morreu; enterrou-se por esmolas.

Caetaninho viveu; aos trinta e cinco anos era casado, pai de um filho, negociante de fazendas, jogava o voltarete e engordava. Morreu juiz de uma irmandade e comendador.

Jornal das Famílias, *outubro de 1878; Machado de Assis.*

Dívida extinta

I

Que ele era um dos primeiros gamenhos de seu bairro e outros bairros adjacentes, é coisa que não sofre nem sofreu nunca a menor contestação. Podia ter competidores; teve-os; não lhe faltaram invejosos; mas a verdade, como o sol, acabou dissipando as nuvens e mostrando a face rutilante e divina, ou divinamente rutilante, como lhes parecer mais correntio e penteado. O estilo há de ir à feição do conto, que é singelo, nu, vulgar, não desses contos crespos e arrevesados com que autores de má sorte tomam o tempo e moem a paciência à gente cristã. Pois não! Eu não sei dizer coisas fabulosas e impossíveis, mas as que me passam pelos olhos, as que os leitores podem ver e terão visto. Olho, ouço e escrevo.

E é por isso que não lhes pinto o meu gamenho de olhos derreados e fronte byroniana. De Byron é que ele não tinha nada, a não ser um volume truncado, vertido em prosa francesa, volume que ele lia e relia, a ver se extraía dele e da cabeça um recitativo à dama de seus pensamentos, que pela sua parte era a mais galante do bairro.

O bairro era o espaço compreendido entre o largo da Imperatriz e o cemitério dos Ingleses. A data... há uns vinte e cinco anos. O gamenho tinha por nome Anacleto Monteiro. Era nesse tempo um rapaz de vinte e três para vinte e quatro anos, com um princípio de barba e outro de bigode, rosto moreno, olhos de azeviche, cabelo castanho, grosso, farto e comprido, que ele arranjava em caracóis, à força de pente e banha e sobre o qual punha às tardes o melhor de seus dois chapéus brancos. Anacleto Monteiro adorava o chapéu branco e as botas de verniz. Naquele tempo alguns gamenhos usavam umas botas de verniz de cano vermelho. Anacleto Monteiro adotou esse invento como a mais sublime das invenções do século. E tão gentil lhe parecia a ideia do cano vermelho, que nunca saía de casa sem levantar uma polegada às calças para que os olhos das damas não perdessem aquela circunstância da cor de crista de galo. As calças eram finas mas vistosas, o paletó esticado, a luva cor de canela ou de cinza, em harmonia com a gravata, que era cor de cinza ou de canela. Ponham-lhe uma bengala na mão e vê-lo-ão tal qual era, há vinte e cinco anos, o primeiro gamenho de seu bairro.

Dizendo que era o primeiro não me refiro à elegância mas à audácia, que era verdadeiramente napoleônica. Anacleto Monteiro estava longe de competir com outros rapazes do tempo e do bairro, no capítulo da toalete e das maneiras; mas derrubava-os a todos no namoro. No namoro era um verdadeiro gênio. Namorava por necessidade, do mesmo modo que o pássaro canta; era índole, vocação, conformação do espírito. Que mérito ou que culpa há na mangabeira em dar mangabas? Pois era a mesma coisa Anacleto Monteiro.

— Este pelintra ainda me há de entrar em casa um dia com as costelas quebradas — dizia o tio a uma parenta —; mas se ele pensa que chamarei médico, engana-se redondamente. Meto-lhe o côvado e meio de pano no corpo, isso sim!

— Rapaziadas... — objetava timidamente a parenta.

— Qual, rapaziadas! desaforadas, é o que deve dizer. Não respeita nada nem ninguém; é só namorar. Tudo o que ganha é para aquilo, que a senhora vê; é para adamar-se, almiscarar-se, e lá vai ele! Ah! se ele não fosse filho daquela irmã, que Deus tem!...

E o sr. Bento Fagundes consolava-se das extravagâncias do sobrinho inserindo no nariz duas onças de Paulo Cordeiro.

— Deixai lá; mais dia menos dia, vem o casamento e sossega.

— Qual casamento, qual carapuça! Pois como há de casar uma cabeça de vento que namora às quatro e às cinco?

— Uma das cinco fisga-o...

— Há de ser naturalmente a pior.

— Isso lá, são desatinos. O que podemos ter por certo, é que ele não há de gastar a vida toda nisso...

— Gasta, gasta... Olhe, o barbeiro é dessa opinião.

— Deixe lá o barbeiro... Quer que lhe diga? Eu creio que, mais dia menos dia, ele está fisgado... Já está. Há aí umas coisas que ouvi dizer na missa de domingo passado...

— Que foi?

— Umas coisas...

— Diga.

— Não digo. O que for aparecerá. Talvez tenhamos casamento mais breve do que pensa.

— Sim?

A sra. Leonarda fez um gesto de cabeça. O sr. Bento Fagundes esteve algum tempo a olhar as paredes; depois prorrompeu irado:

— Mas, tanto pior! Ele não está em posição de casar. Salvo se a sujeita...

E o orador concluía a frase esfregando o polegar no indicador, gesto que a sra. d. Leonarda correspondeu com outro derreando os cantos da boca, e abanando a cabeça da direita para a esquerda.

— Pobre! — traduziu o sr. Bento Fagundes. — Olhe, se ele pensa que há de vir meter-me a mulher em casa, está muito enganado. Eu não fiz cinquenta e quatro anos para sustentar família nova. Talvez ele pense que eu tenha mundos e fundos

— Mundos, não digo, primo; mas fundos...

— Fundos! os das gavetas.

Aqui o sr. Bento Fagundes ia esfriando e desconversando, e a sra. d. Leonarda traçava o xale e despedia-se.

II

Bento Fagundes da Purificação era boticário, na rua da Saúde, desde antes de 1830. Em 1852, data do conto, tinha ele vinte e três anos de botica e um pecúlio, em que todos acreditavam, posto ninguém dissesse tê-lo visto. Aparentemente havia dois escravos, comprados no Valongo, quando esses eram ainda boçais e a preço módico.

Vivia o sr. Bento Fagundes uma vida monótona e aborrecida como a chuva miúda. Raro saía da botica. Nos domingos havia um vizinho que o ia entreter ao gamão, jogo em que ele era emérito, porque era inalterável contra as pirraças da sorte, vantagem contra o adversário, que era irritadiço e frenético. Felizmente para as botijas do sr. Bento Fagundes, as coisas não se passavam como no soneto de Tolentino;

o parceiro não atirava ao ar as tábulas, limitava-se a expectorar a cólera, derramar o rapé, assoar as orelhas, o queixo, a gravata, antes de atinar com o nariz. Às vezes acontecia brigar com o boticário e ficar mal com ele até o domingo seguinte; o gamão reconciliava-os: *similia similibus curantur.*

Nos demais dias, o sr. Bento Fagundes vendia drogas, manipulava as cataplasmas, temperava e arredondava as pílulas. De manhã, lavado e enfronhado no rodaque de chita amarela, sentava-se em uma cadeira à porta, a ler o *Jornal do Commercio*, que lhe emprestava o padeiro da esquina. Não lhe escapava nada, desde os debates das câmaras até os anúncios teatrais, posto não fosse a espetáculos nem saísse nunca. Lia com igual pachorra todos os anúncios particulares. Os derradeiros minutos eram dados ao movimento do porto. Uma vez inteirado das coisas do dia, entregava-se todo aos misteres da farmácia.

Esta vida tinha duas alterações durante o ano; uma na ocasião das festas do Espírito Santo, em que o sr. Bento Fagundes ia ver as barracas, em companhia dos três parentes que tinha; outra na ocasião da procissão de Corpus Christi. Salvo essas duas ocasiões, nunca mais vinha à cidade o sr. Bento Fagundes. Assim que era todo ele uma regularidade de cronômetro; um gesto compassado e um ar soturno com o qual se parecia a botica, que era uma loja escura e melancólica.

Claro é que um homem com tais hábitos longamente adquiridos mal poderia suportar a vida que levava o pintalegrete do sobrinho. Anacleto Monteiro não era só pintalegrete; trabalhava; tinha um emprego no Arsenal de Guerra; e só acabado o trabalho ou nos dias de férias, atirava-se às ruas da Saúde e adjacentes. Que ele passeasse uma vez ou outra, não lho contestava o tio; mas sempre, e de botas encarnadas, eis o escândalo. Daí a raiva, os ralhos, as explosões. E quem o obriga a alojá-lo na botica, dar-lhe casa, cama e mesa? O coração, leitora minha, o coração de Bento Fagundes que ainda se conservava mais puro do que suas drogas. Bento Fagundes tinha dois sobrinhos: o nosso Anacleto, que era filho de uma sua irmã muito querida, e Adriano Fagundes, filho de um irmão, a quem ele detestara enquanto vivo foi. Em Anacleto amava a lembrança da irmã; em Adriano as qualidades pessoais; amava-os igualmente, e talvez um pouchinho mais a Adriano do que ao outro.

As boas qualidades deste eram mais conformes ao gênio do boticário. Primeiramente, não usava botas encarnadas, nem chapéu branco, nem luvas, nem qualquer outro distintivo de peraltice. Era um jarreta precoce. Não arruava, não ia a teatros, não gastava charutos. Tinha vinte e cinco anos e tomava rapé desde os vinte. Finalmente, apesar do convite que o tio lhe fez, nunca foi morar com ele; residia em casa sua, na rua do Propósito. Bento Fagundes suspeitava que ele punha dinheiro de lado, suspeita que o tornava inda mais digno de apreço.

Não havia entre os dois primos grande afeição; mas davam-se, encontravam-se frequentes vezes ou em casa do tio, ou na casa de Adriano. Nem este podia suportar a peraltice de Anacleto, nem Anacleto o jarretismo de Adriano, e ambos tinham razão, porque cada um deles via as coisas através de suas próprias preferências, que é o que acontece aos demais homens; sem embargo, porém, desse abismo que entre os dois havia, davam-se e continuavam as relações da infância.

O tio estimava vê-los mais ou menos unidos. Sua cólera a respeito de Anacleto, seus protestos de o não receber em casa quando ele casasse, eram protestos ao vento, era cólera de namorado. Por outro lado, a sequidão com que tratava Adriano era apenas uma crosta, uma aparência mentirosa. Como ficou dito, os dois rapazes eram as duas únicas afeições do velho farmacêutico, e a dor única e verdadeira que ele teria era se os visse inimigos. Vendo-os amigos, não pedia Bento Fagundes nada mais ao destino do que vê-los sãos, empregados e felizes. Eles e a sra. d. Leonarda eram seus únicos parentes; esta mesma veio a morrer antes dele, não lhe restando nos últimos dias mais do que Anacleto e Adriano, as meninas de seus olhos.

III

Ora, é de saber que justamente no tempo em que a sra. d. Leonarda fez meia confidência ao boticário, era esta nada menos que verídica. Entre os dez ou doze namoros que o jovem Anacleto entretinha nessa ocasião, havia um que ameaçava internar-se pelos domínios conjugais.

A donzela que assim queria cortar as asas ao volúvel Anacleto morava na praia da Gamboa. Era um demoninho de olhos pretos, que é a cor infernal por excelência. Dizia-se na vizinhança que em matéria de namoro ela pedia meças ao sobrinho de Bento Fagundes. Devia ser assim, porque muita sola de sapato era gasta na referida praia, só por motivo dela, sem que nenhum dos pretendentes desanimasse, o que é prova de que se a boa menina lhes não respondia que sim, também lhes não dizia que não.

Carlota era o nome desta volúvel criatura. Tinha perto de dezenove anos e não possuía dezenove mil-réis. Os pretendentes não olhavam a isso; gostavam dela pelos olhos, pela figura, por todas as graças que viam nela, e nada mais. As vizinhas, suas naturais competidoras, não podiam perdoar-lhe a espécie de monopólio que ela exercia em relação aos pintalegretes do bairro. Poucas eram as que prendiam algum deles e estes eram quase todos, não rapazes desenganados, mas precavidos, que depois de muito tempo, sem largar Carlota, iniciavam alguns namoros suplementares.

Quando Anacleto Monteiro se dignou baixar os olhos a Carlota foi com a intenção feita de derrubar todos os pretendentes, fazer-se amado e romper o namoro, como era costume seu; restituiria as cartas, ficando com duas, e a trança de cabelo, escondendo alguns fios.

Um domingo de tarde Anacleto Monteiro vestiu a melhor das roupas, empomadou-se, almiscarou-se, enfeitou-se, pôs na cabeça o mais alvo dos chapéus e saiu na direção da Gamboa. Um general não dispõe melhormente as suas tropas. A peleja era de honra; ele afiançara a alguns amigos, em uma loja de barbeiro, que deitaria ao chão todos os que pretendiam o coração da pequena; cumpria dirigir o ataque em regra.

Nessa tarde houve só um reconhecimento, e completo.

Ele passou, fitando na moça uns olhos lânguidos, depois intimativos, depois misteriosos. A vinte passos parou, olhando para o mar, tirou o lenço, chegou aos lábios, e guardou-o depois de o agitar um pouco em forma de adeus. Carlota, que percebera tudo, curvou muito o corpo, a brincar com um dos cachos. Usava cachos. Era uma de suas armas.

No dia seguinte, prosseguiu no reconhecimento, mas então mais próximo à fortaleza. Anacleto passou duas ou três vezes pela porta, sorriu, contraiu as sobrancelhas, piscou um olho. Ela sorriu também mas sem olhar para ele, com um gesto muito disfarçado e gracioso. Ao cabo de quatro dias estavam esgotados estes preliminares amatórios, e Anacleto convencido de que podia empreender um ataque à viva força. A fortaleza pedia isso mesmo; a pontualidade com que o esperava à janela, o interesse com que o seguia, o sorriso que lhe guardava no canto do lábio, eram tudo sintomas de que a fortaleza estava prestes a render-se.

Anacleto aventurou a primeira carta. A primeira carta de Anacleto era sempre a mesma. "Senhora! Desde o primeiro instante em que meus olhos tiveram a ventura etc." Duas páginas deste chavão insípido mas eficaz. Escrita a carta, dobrou-a, fechou-a em forma de laço, meteu-a no bolso e saiu. Passou; deixou cair a noite; voltou a passar e, cosendo-se com a parede e a rótula, deu-lhe a carta com uma arte só comparável à arte com que ela a recebeu. Carlota foi lê-la daí a alguns minutos.

Leu-a, mas não escreveu logo a resposta. Era um de seus artifícios; nem escreveu a resposta, nem chegou à janela, nos dois dias posteriores.

Anacleto foi às nuvens quando, no dia seguinte, ao passar-lhe pela porta não viu a deusa da Gamboa, como os rapazes lhe chamavam. Era a primeira que lhe resistia ao estilo e ao almíscar. Repetiu-se-lhe o caso no outro dia, e ele sentiu alguma coisa semelhante ao amor-próprio ofendido.

— Ora dá-se! — dizia ele consigo mesmo. — Uma lambisgoia que... Daí, pode ser que esteja doente. É isso; está doente... Se pudesse saber alguma coisa! Mas como?

Não indagou nada e esperou mais vinte e quatro horas; resolução acertada, porque, vinte e quatro horas depois, tinha ele a fortuna de ver a deusa, logo que apontou ao longe.

— Lá está ela.

Carlota tinha-o visto e olhava para o mar. Anacleto aproximou-se; ela fitou-o; trocaram uma chispa. Justamente ao passar pela rótula, Anacleto sussurrou com voz trêmula e puxada do coração:

— Ingrata!

Ao que ela retorquiu:

— Às ave-marias.

Não havia já para o sobrinho de Bento Fagundes comoções novas. O dito de Carlota não lhe fez ferver o sangue. Sentiu-se porém lisonjeado. A praça estava rendida.

Logo depois das ave-marias voltou o petimetre, encostadinho à parede, a passo curto e demorado. Carlota deixou cair um papel, ele deixou cair o lenço e abaixou-se para apanhar o lenço e o papel. Quando ergueu a cabeça a moça tinha desaparecido.

A carta era também um chavão. Carlota dizia sentir igual sentimento ao de Anacleto Monteiro, mas pedia-lhe que, se não fosse intenção dele amá-la deveras, melhor era deixá-la entregue à solidão e às lágrimas. Estas lágrimas, as mais hipotéticas do mundo, engoliu-as o sobrinho do boticário, porque era a primeira vez que lhe falavam delas logo na primeira epístola. Concluiu que o coração da pequena devia arder como um Vesúvio.

A isto seguiu-se uma orgia de cartas e passeios, de lencinho na boca, e de paradas à porta. Antes de parar à porta, Anacleto Monteiro aventurou um aperto de mão, coisa fácil, porque ela não a tinha pendurado para outra coisa.

Logo no dia seguinte passou; estiveram alguns instantes sem dizer nada; depois disseram ainda menos, porque falaram da lua e do calor. Foi só o introito. Está provado que a lua é o caminho do coração. Não tardou que começassem a repetir de viva voz tudo o que tinham escrito nas cartas. Juras eternas, saudades, paixão invencível. No ponto agudo do casamento nenhum deles tocou, ela por modéstia, ele por prudência; e assim correram as duas primeiras semanas.

IV
— Mas, deveras, você gosta de mim?
— Céus! Por que me fazes essa pergunta? — dizia pasmado Anacleto Monteiro.
— Eu sei! Você é tão volúvel!
— Volúvel, eu!
— Sim, você. Já me avisaram a seu respeito.
— Ah!
— Já me disseram que você gasta o seu tempo a namorar, a enganar as moças, e depois...
— Quem foi esse caluniador?
— Foi uma pessoa que você não conhece.
— Carlota, bem sabes que meu coração palpita por ti e somente por ti... Pelo contrário, você é que me parece não gostar nada... Não abane a cabeça; eu posso dar-lhe provas.
— Provas! Venha uma.
— Posso dar vinte. Em primeiro lugar, ainda não pude obter que você me desse um beijo. Que quer dizer isso, seria que você quer só passar o tempo?

Carlota fez uma careta.
— Que tem? que é? — disse Anacleto Monteiro angustiado.
— Nada; uma pontada.
— Costumas ter isso?
— Não, só ontem é que me apareceu... Há de ser a morte.
— Não digas semelhante coisa!

A dor passara e o beijo não viera. Anacleto Monteiro suspirava pelo beijo desde o sexto dia de palestra e Carlota com muita arte ia transferindo a dádiva para as calendas gregas.

Naquela noite saiu dali Anacleto um pouco picado de despeito, que era já um princípio de amor sério. Caminhou pela praia adiante, sem reparar em um vulto que a trinta ou quarenta passos estivera a espreitá-lo; um vulto que ali ficou ainda por espaço de meia hora.

Não reparou Anacleto, seguiu para casa e entrou zangado e melancólico. Fumou dez ou doze cigarros para distrair-se; leu duas ou três páginas do *Carlos Magno*; por fim deitou-se e só tarde conseguiu dormir. A figura de Carlota saía-lhe dos cigarros, das folhas do livro e de dentro dos lençóis. Na botica, logo que entrou, pareceu-lhe vê-la entre dois frascos de ipecacuanha. Começava a ser ideia fixa.

Surgiu o dia seguinte.
— Nada! é preciso cortar este negócio antes que vá mais longe — dizia ele consigo.

Dizê-lo era fácil; cumpri-lo era um pouco mais duro. Ainda assim, teve Anacleto forças para não ir nessa tarde à Gamboa; mas tão cruel foi a noite, e tão longo o dia seguinte, que na outra tarde, ainda o sol ardia longe do poente, e já o sobrinho do boticário palmilhava pela praia adiante.

Nestas negaças, neste ir e vir, zangar-se e reconciliar-se, perdia ele o tempo e perdia também a liberdade. O amor verdadeiro apoderou-se dele. As outras damas foram abandonadas aos demais pretendentes, que folgaram com a incompatibilidade moral de Anacleto Monteiro, por mais momentânea que ela fosse.

Antes de ir adiante, importa explicar que nenhuma pessoa havia dito a Carlota o que ela alegou que lhe disseram; era um recurso de namorada, uma peta inocente. Anacleto, na qualidade de varão, engoliu a caraminhola. Os homens neste caso são uma verdadeira lástima.

Desde que sentiu amar deveras, o sobrinho de Bento Fagundes pensou seriamente no casamento. Sua posição não era brilhante; mas nem a noiva exigira muito, nem seu coração tinha liberdade de refletir. Demais, havia para ele certa esperança nos xaropes do tio. Também ele cria que Bento Fagundes possuía algum pecúlio. Isto, o amor, a beleza de Carlota, a pobreza desta, eram motivos poderosos para levá-lo a falar desde logo no desenlace religioso.

Uma noite aventurou o pedido.

Carlota ouviu-o com palpites; mas sua resposta foi uma evasiva, um adiamento.

— Mas por que não me responde já? — dizia ele desconfiado.

— Quero...

— Diga.

— Quero primeiro sondar mamãe.

— Sua mãe não se oporá à nossa felicidade.

— Creio que não; mas não desejo dar palavra sem estar certa de a poder cumprir.

— Logo não me ama.

— Que exageração!

Anacleto mordeu a ponta do lenço.

— Não me ama — gemeu ele.

— Amo, sim.

— Não! Se me amasse, outra seria sua resposta. Adeus, Carlota! Adeus para sempre!

E deu alguns passos...

Carlota não lhe respondeu nada. Deixou-se ficar à janela até que ele voltasse, o que não demorou muito. Anacleto voltou.

— Jura que me ama? — disse ele.

— Juro.

— Vou mais tranquilo. Só desejo saber quando poderei obter sua resposta.

— Dentro de uma semana; talvez antes.

— Adeus!

Desta vez o vulto que o espreitara em uma das noites anteriores, estava no mesmo lugar, e quando o viu afastar-se caminhou para ele. Caminhou e parou; olharam-se: foi um lance teatral.

O vulto era Adriano.
Vai o leitor vendo que o conto não se parece com outros de água morna. Neste há inclinação trágica. Um leitor atilado vê já ali uma espécie de fratricídio moral, um produto do destino antigo. Não é bem isto; mas podia ser. Adriano não sacou um punhal do bolso, nem Anacleto recorreu à espada, que aliás nem trazia nem possuía. Digo mais: Anacleto nem suspeitou nada.

— Tu por aqui!
— Ando a tomar fresco.
— Tens razão; faz um calor!

Os dois seguiram; falaram de várias coisas estranhas até chegarem à porta da casa de Adriano. Cinco minutos depois, Anacleto despedia-se.

— Onde vais?
— Para casa; são nove horas.
— Podes dispensar alguns minutos? — disse Adriano em tom sério.
— Pois não.
— Entra.

Entraram.

Anacleto ia meio intrigado, como dizem os franceses; o tom do primo, seus modos, tudo tinha um ar misterioso e aguçava a curiosidade.

Adriano não o fez demorar muito, nem deu lugar a conjecturas. Logo que entraram, acendeu uma vela, convidou-o a sentar-se e falou por este modo:

— Você gosta daquela moça?

Anacleto estremeceu.

— Que moça? — perguntou ele depois de curto silêncio.
— A Carlota.
— A da praia da Gamboa?
— Sim.
— Quem lhe disse isso?
— Responda: gosta?
— Creio que sim.
— Mas... deveras?
— Essa agora!
— A pergunta é natural — disse Adriano com tranquilidade. — Você é conhecido por gostar de namorar umas e outras. Não há motivo de censura, porque assim fazem muitos rapazes. Por isso desejo saber se gosta deveras, ou se é um simples passatempo.

Anacleto refletiu alguns instantes.

— Desejava saber qual será sua conclusão em qualquer dos casos.
— Simplíssima. No caso de ser passatempo, pedir-lhe-ei que não ande a iludir uma pobre moça que lhe não fez mal nenhum.

Anacleto já estava sério.

— E no caso de gostar deveras? — disse ele.
— Neste caso, dir-lhe-ei que também gosto dela deveras e que, sendo ambos competidores, poderemos resolver este conflito por algum modo.

Anacleto Monteiro bateu com a bengala no chão e ergueu-se fazendo um arremesso, enquanto Adriano, pacificamente sentado, aguardava a resposta do primo.

Este passeou de um lado para outro sem saber que lhe respondesse e desejoso de o deitar pela janela fora. O silêncio foi longo. Anacleto rompeu-o, detendo-se de súbito:

— Mas não me dirá qual será o modo de resolver o conflito? — disse ele.

— Vários.

— Vejamos — disse Anacleto, sentando-se de novo.

— Primeiro: você desiste de a pretender; é o mais fácil e simples.

Anacleto contentou-se com sorrir.

— O segundo?

— O segundo é retirar-me eu.

— É o melhor.

— É o impossível, nunca o farei.

— Ah! então sou eu que devo retirar-me e deixá-lo... Na verdade!

— Terceiro modo — continuou pacificamente Adriano —: ela escolher entre ambos.

— Isso é ridículo.

— Justamente: é ridículo... E é por ser destes três modos, um ridículo e outro impossível, que eu lhe proponho o mais praticável dos três: sua retirada. Você tem namorado muitas sem casar; será mais uma. E eu, que não uso namorar, gostei desta e espero chegar ao casamento.

Só então lembrou a Anacleto fazer-lhe a mais natural pergunta do mundo:

— Mas tem você certeza de ser amado por ela?

— Não.

Anacleto não se pôde conter: levantou-se, soltou dois impropérios e dirigiu-se para a porta. O primo foi ter com ele.

— Venha cá — disse —; resolvamos primeiro este negócio.

— Resolver o quê?

— Quer então ficar mal comigo?

Anacleto ergueu secamente os ombros.

— Quer a luta? — tornou o outro — Pois lutaremos, pelintra!

— Não luto com jarretas!

— Tolo!

— Malcriado!

— Sai daqui, pateta!

— Saio, sim; mas não é por causa de seus berros, ouviu?

— Gabola!

— Grosseirão!

Anacleto saiu; o primo soltou-lhe ainda um adjetivo através das persianas, a que ele respondeu com outro, e foi o último.

V

Adriano, logo que ficou só, aplacou a cólera com uma pitada, monologou um pouco e refletiu longo tempo. De todas as injúrias que o primo lhe dissera, a que mais o impressionou foi o epíteto de jarreta, evidentemente cabido. Adriano viu-se ao espelho e concluiu que, efetivamente, uma gravata com menos voltas não lhe iria mal. A roupa, em vez de comprada em um adelo, podia ser mandada fazer por algum alfaiate. Só não sacrificou ao chapéu branco.

— O chapéu branco é a pacholice do vestuário — disse ele.

Depois, lembrou-se de Carlota, de seus olhos negros, dos gestos de desdém que lhe fazia quando ele lhe cravava uns olhos mortos. Seu coração palpitava com uma força incrível; era amor, cólera, despeito, desejo de triunfar. O sono dessa noite foi entremeado de sonhos agradáveis e terríveis pesadelos. Um destes foi imenso. Adriano sonhou que o primo lhe arrancava os olhos com a ponta da bengala, depois de lhe pôr na cara o par de botas, em um dia de chuva miúda, testemunha desse espetáculo, que fazia lembrar os mais belos dias de Calígula; Carlota ria às gargalhadas. O pregão de uma quitandeira arrancou-o felizmente ao suplício; eram sete horas da manhã.

Adriano não perdeu tempo. Logo nesse dia tratou de melhorar a toalete, abrindo um pouco os cordões da bolsa. A que não obriga o amor? Adriano encomendou umas calças menos irrisórias, um paletó mais sociável; muniu-se de outro chapéu; sacrificou os sapatos de dois mil e quinhentos. Quando estes utensílios lhe foram entregues, Adriano investiu denodadamente à praia da Gamboa, aonde não fora desde a noite do último encontro com Anacleto.

Pela sua parte, o primo não perdera tempo. Não receava a competência de Adriano Fagundes, mas tinha para si que se desforraria das pretensões deste, apressando o casamento. E conquanto nada receasse do outro, de quando em quando lhe soava no coração a palavra imperiosa do primo, e, incerto das predileções de Carlota, não sabia às vezes em que daria o duelo.

Vendo-o triste e preocupado, o boticário lembrou-se das palavras da sra. d. Leonarda, e, como tinha grande afeto ao sobrinho, sentia cócegas de lhe dizer alguma coisa, de o interrogar a respeito da mudança que lhe notava. Não se atrevia. A sra. d. Leonarda, com quem conferenciou a tal respeito, acudiu logo:

— Não lhe dizia eu? Não é nada; são amores. O rapaz está pelo beiço...

— Pelo beiço de quem? — perguntou Bento Fagundes.

— Isso... não sei... ou... não posso dizer... Há de ser ali para os lados da Gamboa...

Bento Fagundes não pôde obter mais. Continuou aborrecido. Anacleto Monteiro não voltava a ser o que era antes; ele temia alguma pretensão mal acertada, e pensava já em intervir, se fosse caso disso e valesse a pena.

— Que tens tu, rapaz? Andas melancólico...

— Não tenho nada; ando constipado — dizia Anacleto Monteiro sem atrever-se a encarar o tio.

Metade dos motivos da constipação de Anacleto, já o leitor a conhece; a outra metade vou dizer-lha.

Insistira o rapaz no casamento, Carlota continuava a negacear. A razão deste proceder explica-se dizendo que ela queria fazer-se rogada, prender mais fortemente o coração de Anacleto, despeitá-lo; e a razão da razão era que mais de uma vez prometera a mão, desde o primeiro dia, a sujeitos que não se lembravam mais de ir buscá-la. Carlota namorava desde os quinze anos e estava cansada de esperar um noivo. Agora, seu plano era despeitar o pretendente, certa de que os homens nada desejam mais ardentemente do que o amor que se lhes nega desde logo. Carlota era um principezinho de Metternich.

Irritado com a recusa e o adiamento da moça, Anacleto cometeu um erro monumental: aventurou a ideia de que houvesse algum rival, e, negando-o ela, retorquiu o pascácio:

— Tenho, tenho... Não há muitos dias escapei de me perder por sua causa.
— Minha causa?
— É verdade. Um bigorrilhas, que, por minha desgraça, é meu primo, espreitou-me uma noite inteira e depois foi provocar-me.
— Sim?
— Provocar-me, é verdade. Estivemos a ponto de pegar-nos. Ele escumava de raiva, chorava, rasgava-se, mas eu que lhe sou superior em tudo, não lhe dei trela e saí.
— Ora essa!
— Sabes o que me propôs?
— Que foi?
— Que eu desistisse de tua mão em favor dele.
— Tolo!
— Não achas?
— Sem dúvida!
— Juras-me que não é dele?
— Juro!
— Vou mais contente. Mas quando falarás a tua mãe?
— Hoje; hoje ou amanhã.
— Fala hoje mesmo.
— Pode ser.

Depois de um instante disse Carlota:
— Mas eu nem me lembro de o ter visto! Que figura tem ele?
— Um jarreta.

E Anacleto Monteiro, com aquela ternura que a situação lhe metia na alma, descreveu a figura do primo, de quem Carlota se lembrou logo perfeitamente.

Fisicamente, não ficou a moça lisonjeada; mas a ideia de ser loucamente amada, ainda por um jarreta, foi-lhe muito agradável ao coração. As mulheres são principalmente sensíveis. Demais, Anacleto Monteiro cometera erro crasso sobre erro crasso: além de referir a paixão do primo, exagerou-lhe os efeitos; e dizer a Carlota que um rapaz chorava por ela e se arrepelava era o mesmo que recomendar-lho à imaginação.

Carlota pensou efetivamente no jarreta, cuja paixão lhe parecia, senão mais sincera pelo menos mais ardente que a do elegante. Tinha lido romances; gostava dos amores que saem do vulgar. A figura, porém, de Adriano, temperava cruelmente essas impressões. Quando lhe lembrava o trajo e o desalinho do rapaz, sentia-se algo vexada; mas, ao mesmo tempo, perguntava a si própria se o apuro de Anacleto não orçava pelo ridículo. As gravatas deste, se não eram amarrotadas como as de Adriano, eram vistosas demais. Ela não sabia ainda o nome do jarreta, mas já o nome de Anacleto lhe não parecia bonito.

Estas imaginações de Carlota coincidiram com a pontualidade do alfaiate de Adriano, por modo que no dia seguinte ao da notícia que Anacleto lhe dera, viu Carlota aparecer o seu amador silencioso, melhormente encadernado. A moça estremeceu ao vê-lo e quando ele lhe passou pela porta, a olhar para ela, Carlota não retirou os olhos nem lhes deu má expressão. Adriano passou, olhou duas vezes para trás sem que ela saísse da janela. Longe disso! Estava tão encantada com a ideia de que aquele homem chorava por ela e se finava de amores, que ele lhe pareceu melhor do que estava.

Ambos ficaram satisfeitos um do outro.

Este é o ponto agudo da narração; repouse a leitora um instante e verá coisas espantosas.

VI

Carlota está a duas amarras. Adriano declarou-se por meio de uma carta, em que lhe disse tudo o que sentia; a moça, vendo que os dois amadores eram parentes e sabiam mutuamente o que sentiam, receou escrever-lhe. Resolveu, porém, a fazê-lo, mudando um pouco a letra e esfriando a frase mais que pôde. Adriano ficou satisfeito com esse primeiro resultado, e insistiu com outra epístola, a que ela respondeu, e desde logo se estabeleceu ativa correspondência.

Não deixou Anacleto de suspeitar alguma coisa. Primeiramente, viu a mudança que se operara nas roupas do primo; encontrou-o na praia algumas vezes; finalmente, Carlota parecia-lhe às vezes distraída; via-a menos; recebia menos cartas.

— Dar-se-á caso que o pelintra...? — pensou ele.

E meditou uma vingança.

Não atinou com ela, cogitou um suplício entre os maiores possíveis e não encontrou nenhum. Nenhum estava na altura de seus brios.

Eu sinto dizer a verdade à leitora, se alguma simpatia lhe merece este namorado: Anacleto... tinha medo. De bom grado cederia todas as Carlotas do mundo se corresse algum risco corporal. Num momento de raiva era capaz de soltar algum impropério; era até capaz de fazer algum gesto de ameaça; chegaria até a um princípio de realização. Mas o medo dominaria logo. Ele tinha medo do primo.

— Infame! — dizia ele com os seus botões.

Os botões, que não eram aliados ao primo nem tinham que ver com os interesses dele, mantinham-se com exemplar discrição.

Anacleto Monteiro adotou a política da defensiva. Era a única. Tratou de conservar as posições conquistadas, não sem tentar tomar de assalto o reduto matrimonial, reduto que forcejava por não cair.

Os encontros dos dois na praia eram frequentes; um empatava o outro. Adriano conseguira chegar-se à fala, mas o outro não o percebeu logo nos primeiros dias. Foi só ao cabo de uma semana que ele descobriu esse progresso do inimigo. Passou; viu um vulto à porta; atentou nele; era Adriano.

— Meu Deus! — exclamou Carlota. — Aquele moço me conhece...

— Já sei. — replicou Adriano com pausa. — Ele gosta da senhora.

— Oh! mas eu...

— Não se importe com isso; eu saberei ensiná-lo.

— Pelo amor de Deus!

— Descanse; é só se bulir comigo.

Anacleto Monteiro afastava-se dali com a morte na alma e o cérebro em ebulição. Parou ao longe, disposto a esganar o primo, quando ele se aproximasse. Chegou a querer voltar, mas recuou diante da necessidade de um escândalo. Todo ele tremia de cólera. Encostou-se à parede, disposto a esperar até meia-noite, até o outro dia, se necessário fosse. Não era. Adriano, ao cabo de meia hora, despediu-se de Carlota e seguiu na mesma direção do primo. Este hesitou entre uma afronta e uma retirada; preferiu a primeira e esperou. Adriano veio a passo lento, encarou-o e seguiu. Anacleto ficou pregado à parede. No fim de cinco minutos recobrou todo o sangue, por haver ficado sem pinga dele, e foi para casa a passo lento e cauteloso.

Naturalmente este episódio não podia ir além. Desenganado Anacleto por seus próprios olhos, não tinha mais que esperar. Assim foi por algumas horas. Anacleto recorreu à pena logo que chegou a casa, e numa carta longa e chorosa disse à namorada todas as queixas de seu coração. Carlota redigiu uma resposta em que lhe dizia que a pessoa com quem ela estivera falando da janela era visita de casa. Ele insistiu: ela ratificou as primeiras declarações até que três dias depois ocorreu em plena tarde, e em plena rua, um episódio que regozijou singularmente a vizinhança.

Nessa tarde encontraram-se os dois perto da casa da namorada. Anacleto teve a infelicidade de um pigarro; consequentemente tossiu. A tosse pareceu escarninha a Adriano, que estacando o passo, disse-lhe uma injúria em alta voz. Anacleto teve a infelicidade de retorquir com outra. O sangue subiu à cabeça do primo, que lhe lançou a mão ao paletó. Nesta situação não há covardia que resista. Por mal dos pecados, Carlota apareceu à janela: a luta era inevitável.

Há de desculpar o leitor se lhe dou esta cena de pugilato; mas, repare bem, e verá que ela é romântica, de um romântico baixo. Na Idade Média, as coisas não se passavam de outro modo. A diferença é que os cavaleiros lutavam com outras armas e outra solenidade, e a castelã era diferente de uma vulgar namoradeira. Mas só o quadro era outro; o fundo era o mesmo.

A castelã da Gamboa assistiu à luta dos dois pretendentes meio penalizada, meio lisonjeada e meio remordida. Viu ir pelos ares o chapéu branco de Anacleto, desfazer-se-lhe a cabeleira, desarranjar-se-lhe a gravata. Adriano, por sua parte, recebia algum pontapé avulso do adversário e pagava-lho em bons cachações. Rolaram os dois por terra, no meio da gente que se juntava e que não podia ou não ousava separá-los; um gritava, outro bufava; os vadios riam, a poeira cercava-os a todos, como uma espécie de nuvem misteriosa.

No fim de dez minutos, conseguiram os passantes separar os dois inimigos. Um e outro tinham sangue. Anacleto perdera um dente; Adriano recebera uma mordidela na face. Assim desfeitos, feridos, empoeirados, apanharam os chapéus e estiveram a ponto de travarem nova luta. Dois estranhos caridosos impediram a repetição e levaram-nos para casa.

Carlota não pudera ver o resto; retirara-se para dentro, acusando-se a si própria. Foi dali rezar a uma imagem de Nossa Senhora, pedindo-lhe a reconciliação dos dois e prometendo não atender a mais nenhum deles para os não irritar um contra o outro.

Ao mesmo tempo em que ela solicitava a reparação do mal que fizera, cada um deles jurava entre si matar o outro.

VII

Aquele lance da praia da Gamboa foi motivo das palestras do bairro durante alguns dias. A causa da luta foi logo conhecida; e, como é natural em tais casos, aos fatos reais vieram juntar-se muitas circunstâncias de pura imaginação. O principal é que os belos olhos de Carlota tinham tornado irreconciliáveis inimigos os dois primos. Haverá melhor anúncio do que este?

Bento Fagundes soube do caso e do motivo. Pesaroso, quis reconciliar os rapazes, falou-lhes com autoridade e com brandura; mas nem um nem outro modo, nem conselhos nem pedidos, tiveram que fazer com eles. Cada um dos dois meditava a morte do outro, e só recuavam diante dos meios e da polícia.

— Tio Bento — dizia Anacleto Monteiro —; eu não poderei decentemente viver enquanto aquele mau coração palpitar...

— Perdoa-lhe...

— Não há perdão para semelhante monstro!

Bento Fagundes ficara aflito, ia de um para outro, sem alcançar mais resultado com este que com aquele; caía-lhe o rosto, sombreava-se-lhe o espírito; terrível sintoma: o gamão foi posto de lado.

Enquanto não punham em execução o plano trágico, cada um dos dois rivais lançou mão de outro, menos trágico e mais seguro: a calúnia. Anacleto escreveu a Carlota dizendo que Adriano, se se casasse com ela, pôr-lhe-ia às costas quatro filhos que já tinha de uma mulher íntima. Adriano denunciou o primo à namorada como um dos mais insignes beberrões da cidade.

Carlota recebeu as cartas no mesmo dia, e não soube desde logo se devia crer ou não. Inclinou-se ao segundo alvitre, mas os dois rivais não ganharam com esta disposição da moça, porque, recusando dar crédito aos filhos de um e ao vinho do outro, acreditou somente que ambos tinham sentimentos morais singularmente rasteiros.

— Creio que são dois peraltas — disse ela com seus colchetes.

Esta foi a oração fúnebre dos dois namorados.

Posto que ambos os primos calcassem o pó da praia da Gamboa para ver a moça e disputá-la, perdiam o tempo, porque Carlota teimara em não aparecer. O caso irritou-os ainda mais um contra o outro, e por pouco não vieram de novo às mãos.

Nisto interveio um terceiro namorado, que em poucos dias deu conta da mão, casando com a bela Carlota. Ocorreu o fato três semanas depois do duelo manual dos dois parentes. A notícia foi um pouco mais de combustível lançado na fogueira de ódios acesos entre eles; nenhum dos dois acusou Carlota ou o destino, mas o adversário.

A morte da sra. d. Leonarda trouxe um intervalo às dissensões domésticas da casa de Bento Fagundes, cujos últimos dias eram assim bastante amargurados; mas foram apenas tréguas.

O desgosto profundo, de mãos dadas com uma víscera inflamada, puseram o pobre boticário na cama um mês depois do casamento de Carlota e na sepultura cinquenta dias mais tarde. A doença de Bento Fagundes foram novas tréguas e desta vez mais sinceras, porque a coisa era mais importante.

Prostrado na cama, o boticário via os dois sobrinhos servirem-no com muita docilidade e brandura, mas via também que um abismo os separava eternamente. Esta dor era a que mais o pungia naquela ocasião. Quisera reconciliá-los, mas não tinha esperança de o conseguir.

— Vou morrer — dizia ele a Anacleto Monteiro —, e levo a maior mágoa...

— Tio Bento, deixe-se de ideias negras.

— Negras são, é verdade; bem negras, e assim...

— Qual morrer! Há de ir comigo passar uns dias na Tijuca...

— Contigo e o Adriano — dizia Bento Fagundes, cravando no sobrinho uns olhos perscrutadores.

Aqui fechava-se o rosto de Anacleto, onde o ódio, só o ódio, transluzia com um reflexo infernal.

Bento Fagundes suspirava.

A Adriano dizia ele:

— Sabes tu, meu rico Adriano, qual é a maior dor que eu levo para a sepultura?

— Sepultura? — interrompia Adriano. — Falemos de coisas mais alegres.

— Sinto que morro. A dor maior que eu levo é que tu e Anacleto...

— Não se exalte, tio Bento; pode fazer-lhe mal.

Era inútil.

Três dias antes de morrer, Bento Fagundes, vendo-os juntos no quarto, chamou-os e pediu-lhes que fizessem as pazes. Recusaram ambos; a princípio desconversando; depois abertamente. O boticário insistiu; travou da mão de um e de outro e uniu-as. Foi um simulacro. As mãos dos dois tremiam, e ambos ficaram lívidos de cólera.

Entre eles, era tal o receio que nenhum ousava comer em casa de Bento Fagundes por medo de que o cozinheiro, peitado, lhes propinasse uma dose de arsênico. Não se falavam, é claro; não se olhavam; tremiam quando se achavam a sós e fugiam para evitar o escândalo de uma nova luta, a dois passos do enfermo.

A moléstia era mortal. Bento Fagundes expirou entre os dois parentes. Estes o amortalharam silenciosamente, fizeram os convites, trataram do enterro, sem trocar a mínima palavra.

Se a sra. d. Leonarda fosse viva teria ocasião de ver que não se enganava quando atribuía algumas economias ao velho boticário. O testamento foi a confissão pública. Bento Fagundes declarou possuir, no estabelecimento, escravos, prédios e não sei que títulos, uns trinta e oito contos. Seus herdeiros universais eram Anacleto e Adriano, últimos parentes.

Havia, entretanto, uma cláusula no testamento, redigido um mês antes de morrer, que deu alguma coisa que falar no bairro. Dizia Bento Fagundes:

> Os ditos meus herdeiros universais, que por tais os declaro, serão obrigados a usufruir juntos os meus bens ou continuando o meu negócio da botica, ou estabelecendo qualquer outro, sem divisão da herança que passará dividida a seus filhos, se os houver, caso se recusem ao cumprimento desta minha última vontade.

A cláusula era singular; era-o, mas toda a gente compreendeu que era um derradeiro esforço do finado para reconciliar os sobrinhos.

— Trabalho perdido — dizia o barbeiro de Anacleto —; eles estão como cão e gato.

Esta opinião do barbeiro era a mais geral. Efetivamente, logo que ouviram ler semelhante cláusula, os dois herdeiros fizeram um gesto como protestando contra a ideia de uma reconciliação. Seus brios não consentiam nessa venalidade do mais nobre dos ódios.

— Tinha que ver — dizia consigo Adriano —, se eu consentia que um biltre...

Ecoava Anacleto:

— Um biltre daquele jaez reconciliado comigo! Não faltava mais nada! Ainda que fique a pedir esmolas...

No segundo dia da leitura do testamento trataram ambos de pôr em ordem as coisas em casa de Bento Fagundes, cuja lembrança os enchia de exemplar piedade. A missa do sétimo dia foi concorrida. Ambos receberam os pêsames de todos, sem os darem um ao outro, sem trocarem uma palavra de saudade...

— Que corações de ferro! — dizia uma senhora indignada.

Aconteceu, porém, que ao saírem da igreja, um tropeçasse no outro:

— Perdão! — disse Adriano.

— Não foi nada! — acudiu Anacleto.

No outro dia Anacleto escreveu ao primo: "Não lhe parece que seria conveniente mandar abrir um epitáfio para o nosso chorado tio?".

Respondeu Adriano: "Aprovo cordialmente a sua ideia; ele o merece e muito mais". Os dois foram juntos à casa do marmorista; trataram com ele; discutiram o preço; assentaram na redação do epitáfio, que lembrava, não só o morto, mas sobretudo os dois vivos. Saíram juntos; toda a vida do finado foi rememorada entre eles, com a mais ardente piedade. Um e outro lembraram-se da estima que ele sempre lhes tivera. Nesse dia jantaram juntos; um jantar fúnebre mas cordial.

Dois meses depois chegaram à fala sobre a necessidade de obedecer ao desejo do morto, que devia ser sagrado, dizia Anacleto. Sacratíssimo, emendava Adriano.

Quando se completaram cinco meses depois da morte do boticário, Carlota e o marido entraram em uma loja de fazendas, a comprar não sei quantos côvados de chita de algodão. Não repararam na firma social pintada na porta, mas ainda reparando, podiam eles atinar quem seriam Fagundes & Monteiro? Fagundes e Monteiro, a firma toda, estavam na loja e voltaram-se para servir a freguesa. Carlota empalideceu, mas dominou-se. Pediu o que queria com voz trêmula, e os dois apressaram-se a servi-la não sei se comovidos, mas em todo o caso corteses.

— A senhora não acha melhor fazenda do que esta.

— Pode ser... É muito cara?

— Baratíssima: — disse Fagundes — dois mil-réis...

— É caro!

— Podemos deixá-la por mil e oitocentos — acudiu Monteiro.

— Mil e seiscentos — propôs o marido de Carlota.

Os dois fizeram a careta do estilo e simularam uma hesitação, que não foi longa.

— Vá — disseram eles.

A fazenda foi medida e paga. Carlota, que não ousava encará-los, fez um leve gesto de cabeça e saiu com o marido.

Ficaram silenciosos os primos por alguns instantes. Um dobrava a fazenda, enquanto o outro fechava o dinheiro na caixa. Interiormente estavam radiantes: tinham ganho seiscentos réis em côvado!

Jornal das Famílias, *novembro-dezembro de 1878; Machado de Assis.*

ÍNDICE GERAL DOS CONTOS (VOLUMES II E III)

VOLUME II

Contos fluminenses (1870)

- 14 Miss Dollar
- 30 Luís Soares
- 45 A mulher de preto
- 65 O segredo de Augusta
- 84 Confissões de uma viúva moça
- 101 Linha reta e linha curva
- 134 Frei Simão

Histórias da meia-noite (1873)

- 142 Advertência
- 142 A parasita azul
- 171 As bodas de Luís Duarte
- 182 Ernesto de Tal
- 198 Aurora sem dia
- 212 O relógio de ouro
- 217 Ponto de vista (quem desdenha)

Papéis avulsos (1882)

- 230 Advertência
- 230 O alienista
- 262 Teoria do medalhão
- 268 A chinela turca
- 275 Na arca
- 279 D. Benedita
- 293 O segredo do bonzo
- 298 O anel de Polícrates
- 303 O empréstimo
- 308 A sereníssima república
- 313 O espelho
- 319 Uma visita de Alcibíades
- 324 Verba testamentária
- 330 Notas [do autor a *Papéis avulsos*]

Histórias sem data (1884)

- 336 Advertência da primeira edição
- 336 A igreja do Diabo
- 342 O lapso
- 348 Último capítulo
- 353 Cantiga de esponsais
- 356 Singular ocorrência
- 361 Galeria póstuma
- 366 Capítulo dos chapéus
- 375 Conto alexandrino
- 381 Primas de Sapucaia!
- 387 Uma senhora
- 392 Anedota pecuniária
- 398 Fulano
- 402 A segunda vida
- 407 Noite de almirante
- 412 Manuscrito de um sacristão
- 417 *Ex cathedra*
- 422 A senhora do Galvão
- 427 As academias de Sião

Várias histórias (1895)

- 434 Advertência
- 434 A cartomante
- 440 Entre santos
- 445 Uns braços
- 451 Um homem célebre
- 458 A desejada das gentes
- 464 A causa secreta
- 471 Trio em lá menor
- 476 Adão e Eva
- 480 O enfermeiro
- 486 O diplomático
- 493 Mariana (1891)
- 499 Conto de escola
- 505 Um apólogo
- 507 D. Paula
- 513 Viver!
- 518 O cônego ou metafísica do estilo

Páginas recolhidas (1899)

524	Prefácio
524	O caso da vara
530	O dicionário
533	Um erradio
545	Eterno!
552	Missa do galo
557	Ideias de canário
560	Lágrimas de Xerxes
564	Papéis velhos
569	A estátua de José de Alencar
571	Henriqueta Renan
580	O velho Senado
587	Tu, só tu, puro amor

ENTRE 1892 E 1894

605	*Vae soli!*
607	Salteadores da Tessália
609	O sermão do diabo
611	A cena do cemitério
614	Canção de piratas
616	Garnier

Relíquias de casa velha (1906)

620	Advertência
620	A Carolina
621	Pai contra mãe
628	Maria Cora
640	Marcha fúnebre
645	Um capitão de voluntários
653	Suje-se gordo!
656	Umas férias
661	Evolução
665	Pílades e Orestes
672	Anedota do Cabriolé

PÁGINAS CRÍTICAS E COMEMORATIVAS

677	Gonçalves Dias
679	Um livro
682	Eduardo Prado
684	Antônio José

TEATRO

692	Não consultes médico
706	Lição de botânica

Contos avulsos I

724	Três tesouros perdidos
725	O país das quimeras
735	*Virginius*
745	O anjo das donzelas
758	Casada e viúva
767	Questão de vaidade
799	Cinco mulheres
811	O oráculo
816	Uma excursão milagrosa
827	O que são as moças
839	A pianista
858	Astúcias de marido
871	O último dia de um poeta
889	Não é mel para a boca do asno
904	O carro nº 13
915	O anjo Rafael
943	O capitão Mendonça
960	O rei dos caiporas
971	Aires e Vergueiro
978	Mariana (1871)
990	Almas Agradecidas
1006	O caminho de Damasco
1029	Rui de Leão
1048	Quem não quer ser lobo...
1067	Uma loureira
1083	Uma águia sem asas
1093	Qual dos dois?
1131	Quem conta um conto...
1142	Tempo de crise
1151	Decadência de dois grandes homens
1161	Um homem superior
1171	Nem uma nem outra
1202	Os óculos de Pedro Antão
1214	Um dia de entrudo
1229	Muitos anos depois
1243	Miloca
1257	Valério
1274	Antes que cases...

1292	Brincar com fogo	128	Cantiga velha
1300	A mágoa do infeliz Cosme	134	Trina e una
1309	A última receita	141	O contrato
1314	Um esqueleto	143	A carteira
1325	Onze anos depois	146	O melhor remédio
1338	O sainete	148	A viúva Sobral
1343	Casa, não casa	155	Entre duas datas
1354	História de uma fita azul	161	Vinte anos! Vinte anos!
1366	*To be or not to be*	164	O caso do Romualdo
1378	Longe dos olhos	175	Uma carta
1389	Encher tempo	178	Só!
1412	O passado, passado	184	Casa velha
1420	D. Mônica	225	Habilidoso
1437	O astrólogo	228	Viagem à roda de mim mesmo
1443	Sem olhos	235	Terpsícore
1456	Um almoço	240	Curta história
1468	Silvestre	242	Um dístico
1483	A melhor das noivas	244	Pobre cardeal!
1496	Um ambicioso	249	Identidade
1510	O machete	255	Sales
1518	A herança	260	D. Jucunda
1524	Conversão de um avaro	267	Como se inventaram os almanaques
1536	Folha rota	270	Pobre Finoca!
1542	Dívida extinta	278	O caso Barreto
		285	Um sonho e outro sonho
		294	Uma partida
		304	Vênus! Divina Vênus!
		311	Um quarto de século
		321	João Fernandes
		324	A inglesinha Barcelos
		331	Orai por ele!
		333	Uma noite
		341	Flor anônima
		345	Uma por outra
		360	Jogo do bicho
		366	Um incêndio
		369	O escrivão Coimbra

VOLUME III

Contos avulsos II

14	Um para o outro
28	A chave
42	O caso da viúva
54	A mulher pálida
64	O imortal
77	Letra vencida
84	O programa
98	A ideia do Ezequiel Maia
103	História comum
105	O destinado
107	Troca de datas
115	Questões de maridos
118	Três consequências
121	Vidros quebrados
124	Médico é remédio

ÍNDICE GERAL DOS CONTOS POR ORDEM ALFABÉTICA (VOLUMES II E III)

427	academias de Sião, As
476	Adão e Eva
1083	águia sem asas, Uma
971	Aires e Vergueiro
230	alienista, O
990	Almas agradecidas
1456	almoço, Um
1496	ambicioso, Um
672	Anedota do Cabriolé
392	Anedota pecuniária
298	anel de Polícrates, O
745	anjo das donzelas, O
915	anjo Rafael, O
1274	Antes que cases...
684	Antônio José
505	apólogo, Um
1437	astrólogo, O
858	Astúcias de marido
198	Aurora sem dia
171	bodas de Luís Duarte, As
445	braços, Uns
1292	Brincar com fogo
1006	caminho de Damasco, O
614	Canção de piratas
353	Cantiga de esponsais
128	Cantiga velha (vol. III)
645	capitão de voluntários, Um
943	capitão Mendonça, O
366	Capítulo dos chapéus
620	Carolina, A
904	carro nº 13, O
175	carta, Uma (vol. III)
143	carteira, A (vol. III)
434	cartomante, A
1343	Casa, não casa
184	Casa velha (vol. III)
758	Casada e viúva
278	caso Barreto, O (vol. III)
524	caso da vara, O
42	caso da viúva, O (vol. III)
164	caso do Romualdo, O (vol. III)
464	causa secreta, A
611	cena do cemitério, A
28	chave, A (vol. III)
268	chinela turca, A
799	Cinco mulheres
267	Como se inventaram os almanaques (vol. III)
518	cônego ou Metafísica do estilo, O
84	Confissões de uma viúva moça
375	Conto alexandrino
499	Conto de escola
141	contrato, O (vol. III)
1524	Conversão de um avaro
240	Curta história (vol. III)
279	D. Benedita
260	D. Jucunda
1420	D. Mônica
507	D. Paula
1151	Decadência de dois grandes homens
458	desejada das gentes, A
105	destinado, O (vol. III)
1214	dia de entrudo, Um
530	dicionário, O
486	diplomático, O
242	dístico, Um (vol. III)
1542	Dívida extinta
682	Eduardo Prado
303	empréstimo, O
1389	Encher tempo
480	enfermeiro, O
155	Entre duas datas (vol. III)
440	Entre santos
182	Ernesto de Tal
533	erradio, Um
369	escrivão Coimbra, O (vol. III)
313	espelho, O
1314	esqueleto, Um
569	estátua de José de Alencar, A
545	Eterno!
661	Evolução
417	*Ex cathedra*
816	excursão milagrosa, Uma
656	férias, Umas
341	Flor anônima (vol. III)

1536	Folha rota	1229	Muitos anos depois
134	Frei Simão	45	mulher de preto, A
398	Fulano	54	mulher pálida, A (vol. III)
361	Galeria póstuma	275	Na arca
616	Garnier	692	Não consultes médico
677	Gonçalves Dias	889	Não é mel para a boca do asno
225	Habilidoso (vol. III)	1171	Nem uma nem outra
571	Henriqueta Renan	333	noite, Uma (vol. III)
1518	herança, A	407	Noite de almirante
103	História comum (vol. III)	827	O que são as moças
1354	História de uma fita azul	1202	óculos de Pedro Antão, Os
451	homem célebre, Um	1325	Onze anos depois
1161	homem superior, Um	811	oráculo, O
98	ideia do Ezequiel Maia, A (vol. III)	331	Orai por ele! (vol. III)
		621	Pai contra mãe
557	Ideias de canário	725	país das quimeras, O
249	Identidade (vol. III)	564	Papéis velhos
336	igreja do diabo, A	142	parasita azul, A
64	imortal, O (vol. III)	294	partida, Uma (vol. III)
366	incêndio, Um (vol. III)	1412	passado, passado, O
324	inglesinha Barcelos, A (vol. III)	839	pianista, A
321	João Fernandes (vol. III)	665	Pílades e Orestes
360	Jogo do bicho (vol. III)	244	Pobre cardeal! (vol. III)
560	Lágrimas de Xerxes	270	Pobre Finoca! (vol. III)
342	lapso, O	217	Ponto de vista (quem desdenha)
77	Letra vencida (vol. III)		
706	Lição de botânica	381	Primas de Sapucaia!
101	Linha reta e linha curva	84	programa, O (vol. III)
679	livro, Um	1093	Qual dos dois?
1378	Longe dos olhos	311	quarto de século, Um (vol. III)
1067	loureira, Uma	1131	Quem conta um conto...
30	Luís Soares	1048	Quem não quer ser lobo...
1510	machete, O	767	Questão de vaidade
1300	mágoa do infeliz Cosme, A	115	Questões de maridos (vol. III)
412	Manuscrito de um sacristão	960	rei dos caiporas, O
640	Marcha fúnebre	212	relógio de ouro, O
628	Maria Cora	1029	Rui de Leão
978	Mariana [1871]	1338	sainete, O
493	Mariana [1891]	255	Sales (vol. III)
124	Médico é remédio (vol. III)	607	salteadores da Tessália, Os
1483	melhor das noivas, A	65	segredo de Augusta, O
146	melhor remédio, O (vol. III)	293	segredo do bonzo, O
1243	Miloca	402	segunda vida, A
14	Miss Dollar	1443	Sem olhos
552	Missa do galo	387	senhora, Uma

422	senhora do Galvão, A
308	sereníssima república, A
609	sermão do diabo, O
1468	Silvestre
356	Singular ocorrência
178	Só! (vol. III)
285	sonho e outro sonho, Um (vol.III)
653	Suje-se gordo!
1142	Tempo de crise
262	Teoria do medalhão
235	Terpsícore (vol. III)
1366	*To be or not to be*
118	Três consequências (vol. III)
724	Três tesouros perdidos
134	Trina e una (vol. III)
471	Trio em lá menor
107	Troca de datas (vol. III)
587	Tu, só tu, puro amor
1309	última receita, A
348	Último capítulo
871	último dia de um poeta, O
14	Um para o outro (vol. III)
345	Uma por outra (vol. III)
605	*Vae soli!*
1257	Valério
580	velho Senado, O
304	Vênus! Divina Vênus! (vol. III)
324	Verba testamentária
228	Viagem à roda de mim mesmo (vol. III)
121	Vidros quebrados (vol. III)
161	Vinte anos! Vinte anos! (vol. III)
735	*Virginius*
319	visita de Alcibíades, Uma
148	viúva Sobral, A (vol. III)
513	Viver!

Copyright© 2015 by Global Editora
3ª Edição, Editora Nova Aguilar, São Paulo 2015
1ª Reimpressão, 2021

Jefferson L. Alves – diretor editorial
Jiro Takahashi – editor executivo
Sebastião Lacerda – consultoria
Flávio Samuel – gerente de produção
Emerson Charles e Jefferson Campos – assistentes de produção
**Augusto Rodrigues, Fábio Yuji Furukawa, Isabel Soares,
José Matheus, Larissa Lima de Freitas, Lucimar de Santana,
Luiz Maria Veiga, Márcia Benjamim, Maria Cecília Junqueira,
Maria Cristina Carletti e Sylvia Lohn** – revisão
Homem de Melo & Troia Design – projeto de design
Evelyn Rodrigues do Prado – editoração eletrônica

Obra atualizada conforme o
NOVO ACORDO ORTOGRÁFICO DA LÍNGUA PORTUGUESA.

CIP-BRASIL. CATALOGAÇÃO NA PUBLICAÇÃO
SINDICATO NACIONAL DOS EDITORES DE LIVROS, RJ

Machado de Assis : obra completa em quatro volumes,
volume 2 / organização editorial Aluizio Leite, Ana Lima Cecilio,
Heloisa Jahn, Rodrigo Lacerda. – São Paulo : Editora Nova Aguilar,
2015.

Conteúdo: Conto.
ISBN 978-85-210-0106-5 (obra completa)
ISBN 978-85-210-0109-6

1. Assis, Machado de, 1839-1908 2. Literatura brasileira
I. Leite, Aluizio. II. Cecilio, Ana Lima. III. Jahn, Heloisa.
IV. Lacerda, Rodrigo.

15-03014   CDD-869.9

Índices para catálogo sistemático:

1. Literatura brasileira   869.9

**Editora
Nova
Aguilar**
Direitos Reservados

editora nova aguilar.
Rua Pirapitingui, 111 – Liberdade
CEP 01508-020 – São Paulo – SP
Tel.: (11) 3277-7999
e-mail: global@globaleditora.com.br
www.novaaguilar.com.br

Colabore com a produção científica e cultural.
Proibida a reprodução total ou parcial desta obra
sem a autorização do editor.

Impresso na Índia

Nº de Catálogo: **10022**